Das große Lexikon der Synonyme ist für jeden unverzichtbar, der mit Sprache zu tun hat – sei es als Redner, Schriftsteller, Journalist, Redakteur, Wissenschaftler, Lehrer, Student oder Schüler. Oft genug kommt es vor, dass man ein bestimmtes Wort sucht, um etwas klarer auszudrücken, Wortwiederholungen zu vermeiden, etwas anschaulicher darzustellen, besser zu argumentieren. Die Autoren bieten in dieser überarbeiteten und ergänzten Neuausgabe über 300 000 sinn- und sachverwandte Begriffe für über 28 000 Stichwörter, mit denen man seinen Wortschatz erweitern und damit seinen Stil in Wort und Schrift verbessern kann.

Erich und *Hildegard Bulitta* haben sich nach dem Studium der Pädagogik (mit Schwerpunkt Deutsch) der Entwicklung neuer Methoden gewidmet, die Deutschleistungen von Schülern zu verbessern und den Deutschunterricht lebendiger und interessanter zu gestalten. Beide waren als Lehrer tätig. Publikationen: ›Wörterbuch der Synonyme und Antonyme‹ (Bd. 15754).

Unsere Adressen im Internet:
www.fischerverlage.de
www.hochschule.fischerverlage.de

Erich und Hildegard Bulitta

Das große Lexikon der Synonyme

Über 28 000 Stichwörter

Über 300 000 sinn- und sachverwandte Begriffe

Fischer
Taschenbuch
Verlag

Vollständige überarbeitete und
ergänzte Neuausgabe
Veröffentlicht im
Fischer Taschenbuch Verlag GmbH,
einem Unternehmen der
S. Fischer Verlag GmbH,
Frankfurt am Main, Juni 2005

Satz: Pinkuin Satz und Datentechnik,
Berlin
Druck und Bindung:
Druckerei C. H. Beck, Nördlingen
Printed in Germany
ISBN 3-596-16692-6

Einführung

Jeder kennt das Problem aus eigener Erfahrung: Vergeblich sucht man nach dem passenden Wort, um sich anders – und das heißt vor allem treffender – auszudrücken. Oder wer hat bei dem Wunsch, eine langweilige Wortwiederholung zu vermeiden, nicht schon einmal über einen alternativen Begriff nachgegrübelt? *Das große Lexikon der Synonyme* schafft hier Abhilfe: Es leistet einen Beitrag, um den Wortschatz zu erweitern, zu präzisieren und zu variieren. Außerdem ist es unentbehrlich für alle, die die faszinierende Vielfalt und die feinen Sprachnuancen der deutschen Sprache ausschöpfen möchten.

Was sind Synonyme?

Der Begriff »**Synonym**« stammt aus dem Griechischen und bezeichnet bedeutungsgleiche, bedeutungsähnliche oder sinnverwandte Ausdrücke. Folgende Typen von Synonymen lassen sich unterscheiden:

1. Wörter, bei denen je nach Sinnbereich eine Bedeutungsgleichheit (Identität im engeren Sinn bzw. echte Synonymie) vorliegt.

Beispiel:
Anschrift: Adresse

Beide Begriffe lassen sich uneingeschränkt austauschen, weil sie inhaltlich und ihrem Sinn nach gleich (identisch) sind.

Das Beispiel »Gehalt« hat drei Sinnbereiche (durch »*« voneinander abgetrennt), wobei die Begriffe innerhalb, jedoch nicht zwischen den verschiedenen Sinnbereichen austauschbar sind.
Gehalt: Bezahlung, Einkommen, Verdienst *Bedeutung, Sinn, Sinngehalt *Gedankengehalt, Gedankenreichtum, Ideengehalt, Substanz

Sinnbereich I:
Gehalt = Bezahlung = Einkommen = Verdienst
Sinnbereich II:
Gehalt = Bedeutung = Sinn = Sinngehalt
Sinnbereich III:
Gehalt = Gedankengehalt = Gedankenreichtum = Ideengehalt = Substanz

aber:
Einkommen ≠ Bedeutung
Einkommen ≠ Gedankenreichtum
Einkommen ≠ Ideengehalt

2. Wörter, bei denen je nach Sinnbereich eine Bedeutungsähnlichkeit (Similarität) vorliegt.

Beispiel:
erzählen: berichten, schildern, …

Die Wörter sind zwar nicht uneingeschränkt austauschbar, aber innerhalb des jeweiligen Bereichs inhaltlich und ihrem Sinn nach gleich. Sie lassen sich daher synonym verwenden.

erzählen = berichten = schildern

»Berichten« und »schildern« werden daneben auch in anderen Sinnbereichen verwendet, siehe z.B. die Stichwörter »vorbringen«, »skizzieren«, »gestehen« und »manifestieren«.

3. Über- und Unterordnungen von Wörtern.

Beispiel:
Flugzeug: Charterflugzeug, Doppeldecker, Düsenflugzeug, Jumbojet, Segelflugzeug …

Die einzelnen Begriffe sind zwar miteinander verwandt, aber trotz ihrer Bedeutungsähnlichkeit keine Synonyme im engeren Sinn. Bei den angeführten Synonymen handelt es sich streng genommen um untergeordnete Begriffe aus dem Wortfeld »Flugzeug«.
Ähnliches gilt für den Oberbegriff »Pflanze«, unter den z.B. die Unterbegriffe »Gewächs«, »Kraut«, »Strauch« und »Baum« fallen. Unterbegriffe sind inhaltlich differenzierter und daher spezifischer als der jeweilige Überbegriff. Bis auf wenige Ausnahmen wurde auf die Aufnahme von Über- und Unterordnungen von Wörtern verzichtet, um das Lexikon nicht aufzublähen.

4. Umschreibung eines Begriffes in mehrgliedrigen Wörtern oder Redewendungen, die sowohl Bedeutungsgleichheit (Identität) als auch Bedeutungsähnlichkeit (Similarität) ausdrücken.

Beispiel:
saftlos: …, ohne Saft *… *…, ohne Tiefe, ohne Gehalt, …

Als weiteres Beispiel, bei dem sowohl Bedeutungsgleichheit als auch Bedeutungsähnlichkeit und zusätzlich eine Umschreibung vorliegt, sei hier das Stichwort »betonen« erwähnt:

betonen: … den Ton legen (auf), deutlich aussprechen *Wert legen (auf), Wichtigkeit beimessen

Besonderheiten bei Synonymen

Mitunter verselbständigen sich Markennamen in der Umgangssprache und erreichen einen derartigen Bekanntheitsgrad, dass sie umgangssprachlich synonym für ihre Produktgattung benutzt werden, zum Beispiel »Käfer« für »VW«, »Tempo« für »Papiertaschentuch«, »Tetrapak« für eine »hygienische Kartonverpackung für Getränke«, »Uhu« für «Alleskleber«, »Pampers« für »Windeln«, «Walkman« für »tragbare Musikkassettenspieler«, »Duden« für »Wörterbuch« oder »googeln« für »Suchen im Internet«. Derartige Synonyme nennt man auch »**Begriffsmonopole**« oder »**Produktmonopole**« (generalisierter Markenname).

Aufbau des Buches

Das große Lexikon der Synonyme enthält ca. 300 000 Wörter, die 28 000 Stichwörtern zugeordnet werden. Neben zahlreichen Begriffen aus der Welt des Internets und der modernen Wirtschaft wurden auch umgangssprachliche und regionale Ausdrücke, Anglizismen/Amerikanismen, Fremd- sowie fachsprachliche Wörter aufgenommen.
Die Stichwörter sind halbfett gedruckt und durch Doppelpunkt von den Synonymen abgesetzt. Generell wurden die Synonyme dem Alphabet nach geordnet, Redewendungen stehen jeweils am Ende. Sofern mehrere Bedeutungsebenen eines Stichworts unterschieden werden, sind diese durch ein »*« voneinander getrennt. Auf die nähere Bestimmung einzelner Bedeutungsebenen wurde verzichtet, um den Rahmen des Buches nicht zu sprengen.
Substantive werden im Singular angegeben, falls sie nicht ausschließlich im Plural verwendet werden.
Bei Verben wird, wenn reflexive, nichtreflexive bzw. zusammengesetzte Formen existieren, zunächst die alleinige bzw. nichtreflexive Form angeführt, gefolgt von zusammengesetzten Formen (halbfett gedruckt). Wird ein Verb zusätzlich reflexiv gebraucht, steht es, ebenfalls halbfett gedruckt, im Anschluss. »Sich« wird abgekürzt (»s.«) angefügt.
Beispiel:

> **fallen:** hinfallen, stürzen, den Halt verlieren *herabfallen, umfallen *sterben, nicht aus dem Krieg heimkehren ***fallen lassen:** herunterwerfen, loslassen *andeuten, ansprechen *abrücken (von), aufgeben, verlassen ***s. fallen lassen:** abspringen, s. aufgeben *s. aufgeben, kapitulieren, die Hoffnung aufgeben

Wenn ein Verb nur reflexiv verwendet wird, ist es als eigenes Stichwort angegeben.
Beispiel:

> **bücken (s.):** s. beugen, s. ducken, s. krümmen, s. neigen

Wir hoffen, dass die Verwendung dieses Buches dazu beiträgt, die deutsche Sprache in ihrer ganzen Vielfalt zu nutzen.

A

A: das A und (das) O, von A bis Z, von Anfang bis Ende, von vorn bis hinten
aalartig: aalglatt, blank
aalen (s.): s. ausrecken, s. ausruhen s. ausstrecken, s. dehnen, s. rekeln, s. strecken
aalglatt: durchtrieben, raffiniert, routiniert *aalartig, fettig, glatt, glitschig, schlüpfrig, schmierig
Aas: Kadaver, Tierleiche *Bestie, Bluthund, Gewaltmensch, Kannibale, Satan, Scheusal, Schurke, Teufel, Tier, Übeltäter, Unhold, Unmensch, Vandale, Verbrecher, Wandale *Biest, Hexe, Kanaille, Luder, Miststück, Weibsstück
Aasgeier: Ausbeuter, Profitmacher, Wucherer
aasig: faul, faulig, stinkend, stinkig, übel riechend
ab: von ... ab, von ... an *fort, weg *entfernt *herunter, hinunter *zukünftig, ab jetzt *ab und an, ab und zu ***ab und zu:** bisweilen, gelegentlich, manchmal, vereinzelt, zuweilen, zuzeiten, ab und an, dann und wann, ein oder das andere Mal, hie und da, hin und wieder, von Zeit zu Zeit
ab!: fort!, geh!, hinweg!, verschwinde!, hau ab!, geh weg!
abändern: abwandeln, ändern, korrigieren, modeln, modifizieren, modulieren, novellieren, revidieren, überarbeiten, umändern, umarbeiten, umformen, umfunktionieren, umgestalten, ummodeln, ummünzen, umsetzen, variieren, verändern, verwandeln, wandeln, ein wenig ändern, ein wenig verändern, anders machen, etwas auf den Kopf stellen
Abänderung: Abwandlung, Änderung, Korrektur, Modifikation, Modifizierung, Novellierung, Revidierung, Überarbeitung, Umänderung, Umarbeitung, Umformung, Umgestaltung, Umsetzung, Variation, Veränderung, Verwandlung
abarbeiten: abgelten, ablösen, abtilgen, amortisieren, ausgleichen, bereinigen, begleichen, löschen, tilgen ***s. abarbeiten:** s. abmühen, s. abplagen, s. abquälen, s. abrackern, s. abschinden, s. abschleppen, s. abschuften, ackern, s. anstrengen, arbeiten, s. befleißigen, s. etwas abverlangen, herumkrebsen, krebsen, s. müde arbeiten, s. mühen, s. plagen, s. quälen, schuften, s. strapazieren, s. zusammenreißen, einen Versuch machen, alle Kräfte anspannen, bemüht sein, sein Bestes tun, sein Möglichstes tun, das Menschenmögliche tun
Abart: Abweichung, Ausnahme, Besonderheit, Eigenart, Sonderart, Spielart, Variante, Version
abartig: abnorm, abseitig, abweichend, anders, anomal, anormal, fremdartig, normwidrig, pervers, regelwidrig, unnatürlich, verkehrt, widernatürlich
Abartigkeit: Abweichung, Anomalität, Perversion, Perversität, Unnatürlichkeit, Widernatürlichkeit
abbalgen: abhäuten, abnehmen, abschälen, abstreifen, abziehen, bälgen, entfernen, enthäuten, herausschälen, wegnehmen
Abbau: Abbruch, Auflösung, Demontage, Zerlegung, Zerstückelung, Zerteilung, Zertrennung *Abschaffung, Senkung *Kündigung, Reduzierung *Entlassung, zwangsweise Pensionierung *Rückgang, Schwund, das Nachlassen *Abstrich, Beschneidung, Drosselung, Kürzung, Minderung
abbauen: abbrechen, abmachen, abschrauben, auseinander nehmen, schnitzeln, zerbröckeln, zerfetzen, zerkleinern, zerlegen, zerpflücken, zerrupfen, zerstückeln, zerteilen, zertrennen *abmindern, begrenzen, beschränken, eingrenzen, herabmindern, herunterdrücken, herunterschrauben, kürzen, mindern, reduzieren, schmälern, streichen, verkleinern, vermindern, verringern *s. entkleiden, entlassen, pensionieren, suspendieren, des Amtes entheben *absetzen, davon-

jagen, entlassen, feuern, hinauswerfen, kündigen, jmdn. auf die Straße setzen, jmdn. auf die Straße werfen *nachlassen, schwinden, zurückgehen
abbeißen: abkauen, abknabbern, abnagen
abbeizen: reinigen, durch Beizen entfernen
abbekommen: entfernen, lösen ***etwas abbekommen:** abfallen, abkriegen, bekommen, empfangen, erben, erhalten, zufallen, zufließen, zuteil werden *erhalten, hinnehmen müssen
abberufen: absetzen, entlassen, entmachten, pensionieren, stürzen, suspendieren, zurückbeordern, zurückberufen, zurückrufen, zurückziehen, des Amtes entkleiden, des Amtes entheben ***abberufen werden:** ableben, abscheiden, dahinscheiden, einschlummern, heimgehen, hinscheiden, scheiden, sterben, umkommen, verscheiden, abgerufen werden
Abberufung: Ablösung, Abruf, Absetzung, Amtsenthebung, Entfernung, Enthebung, Entlassung, Entmachtung, Rückberufung, Sturz, Suspendierung, Zurückberufung, Zwangsbeurlaubung, Zwangspensionierung *Ableben, Abscheiden, Ende, Heimgang, Hinscheiden, Tod, Verscheiden
abbestellen: abblasen, abmelden, annullieren, widerrufen, zurücknehmen, zurücktreten (von), zurückziehen, abrücken (von etwas), rückgängig machen
Abbestellung: Absage, Widerruf, Zurücknahme, Zurückziehung
abbeugen: abwinkeln, krümmen
abbezahlen: abgelten, abstottern, abtragen, abzahlen, begleichen, tilgen, zurückbezahlen, in Raten bezahlen
abbiegen: abdrehen, abschwenken, abzweigen, einbiegen, einschwenken, den Kurs ändern, den Weg verlassen, die Richtung ändern, einen Bogen machen, um die Ecke biegen, um die Ecke schwenken *abblocken, abwehren, blockieren, boykottieren, sabotieren, unterbinden, vereiteln, verhindern, verwehren
Abbiegung: Abknickung, Abzweigung, Biegung, Gabelung, Kehre, Kreuzung, Verzweigung, Wegbiegung, Weggabelung
Abbild: Abbildung, Ähnlichkeit, Bild, Bildnis, Ebenbild, Spiegelbild, Urbild
abbilden: abformen, abgießen, darstellen, nachbilden, nachformen, nachgießen, reproduzieren, vervielfältigen, einen Abguss machen *darstellen, wiedergeben, zeigen *abmalen, darstellen, zeichnen *aufnehmen, fotografieren, knipsen, konterfeien, porträtieren, eine Aufnahme machen, einen Schnappschuss machen
Abbildung: Abguss, Bild, Darstellung, Illustration, Nachbildung, Reproduktion, Vervielfältigung *Abbild, Ähnlichkeit, Bild, Bildnis, Ebenbild, Spiegelbild, Urbild *Aufnahme, Dia, Fotografie, Lichtbild, Wiedergabe
abbinden: abklemmen, abnabeln, abnehmen, abschnüren *abnehmen, abstreifen, aufmachen, ausziehen, losbinden *andicken, binden, eindicken, legieren, losbinden
abbitten: entschuldigen, Abbitte leisten, Abbitte tun, um Entschuldigung bitten, um Verzeihung bitten
abblasen: abbrechen, absagen, absetzen, ausfallen, nicht stattfinden lassen, rückgängig machen *fortblasen, herunterblasen, wegblasen, wegpusten
abblättern: abbrechen, abbröckeln, abfallen, abgehen, abschuppen, absplittern, abspringen, s. loslösen
Abblendung: Abschaltung, Abschirmung, Dämmerlicht, Halbdunkel, Halblicht, Lichtminderung, Überblendung
abblenden: umstellen, klein stellen *abdunkeln, abschirmen, verdunkeln, die Blende klein stellen
abblitzen: ablehnen, abweisen, verachten, versagen, zurückweisen, abgewiesen werden, eine Abfuhr erhalten, keine Gegenliebe finden, einen Korb geben, nicht erhören ***abblitzen lassen:** abfertigen, abservieren, abwimmeln, auflaufen lassen
abblocken: abbiegen, abwehren, abwenden, bremsen, fern halten, unterbinden, vereiteln, verhüten, verwehren
abböschen: abdämmen, abflachen, abschrägen

abbrauchen: abnutzen, abtragen, verbrauchen, verschleißen, zerstören
abbrausen: abfahren, hasten, preschen, rasen, sausen, starten *abduschen, abspülen ***s. abbrausen:** duschen, mit der Brause abspülen
abbrechen: abschließen, aufgeben, aufhören, aufstecken, beenden, beendigen, beschließen, einstellen, ein Ende setzen, einen Punkt machen, zum Abschluss bringen, das Handtuch werfen *einhalten, innehalten, pausieren, unterbrechen *halten, unterbrechen, Station machen *abtrennen, entzweigehen, wegbrechen *abbauen, abreißen, abschlagen, abtragen, einreißen, niederreißen *abknicken, losbrechen, lösen *aufbrechen, auflösen, fortziehen, umziehen, wegziehen *abpflücken, ernten, pflücken
abbremsen: herabsetzen, reduzieren, vermindern, verringern *abdrosseln, aufhalten, beeinträchtigen, behindern, blockieren, dämmen, drosseln, eindämmen, einengen, einschränken, entgegenwirken, erschweren, hemmen, hindern, lähmen, sabotieren, zügeln, Fesseln anlegen, hinderlich sein, im Wege stehen, ohnmächtig machen, handlungsunfähig machen, Schranken setzen
abbrennen: niederbrennen, Feuer legen, in Flammen setzen, einen Brand legen, in Schutt und Asche legen
abbringen: abhalten, abraten, abreden, ausreden, mahnen, warnen, widerraten, zu bedenken geben *ablenken, führen, leiten, lenken
abbröckeln: abblättern, abfallen, abgehen, ablösen, abplatzen, abspringen, s. lockern, s. lösen, losgehen *abflauen, nachlassen, zurückgehen
Abbruch: Abbau, Abriss, Abtragung, Demolierung, Demontage, Niederreißung, Zerlegung, das Abbrechen *Abschluss, Beendigung, Ende, Schluss
abbruchreif: baufällig, morsch, ruiniert, verfallen, verfault, verkommen, verwittert
abbrühen: blanchieren *erhitzen, kochen, sieden *verbrühen
abbrummen: abbüßen, einsitzen, gefangen sitzen, verbüßen, hinter Schloss und Riegel sitzen, hinter Gittern sitzen, im Gefängnis sitzen, in Haft sitzen
abbuchen: abziehen, wegnehmen *verloren gehen, nicht mehr finden, verlustig sein
abbürsten: ausbürsten, bürsten, putzen, säubern
abbüßen: absühnen, verbüßen, gerade stehen (für), Buße tun
Abc: Alphabet, Buchstaben
Abc-Buch: Fibel, Lexikon
abchecken: durchsehen, einsehen, erproben, prüfen, testen, überprüfen, unter die Lupe nehmen, auf Herz und Nieren prüfen, auf den Zahn fühlen, einer Prüfung unterwerfen, einer Prüfung unterziehen
Abc-Schütze: Erstklässler, Erstklässer, i-Dötzchen, Schulanfänger
abdampfen: abhauen, s. abkehren, abmarschieren, abrücken, s. absetzen, s. abwenden, s. auf den Weg machen, aufbrechen, s. aufmachen, davongehen, enteilen, s. entfernen, s. fortbegeben, fortgehen, s. fortmachen, s. in Bewegung setzen, kehrtmachen, losgehen, losmarschieren, s. umdrehen, verschwinden, s. wegbegeben, wegtreten, zurückweichen, das Feld räumen, das Haus verlassen, das Weite suchen, den Rücken kehren, seiner Wege gehen, von dannen gehen
abdanken: abtreten, zurücktreten, den Dienst quittieren
Abdankung: Abschied, Amtsabtretung, Amtsaufgabe, Amtsniederlegung, Aufgabe, Ausscheiden, Demission, Kündigung, Rücktritt
abdecken: herunternehmen, wegnehmen *abräumen, abservieren, abtragen, hinaustragen *abziehen, freimachen *bedecken, schützen, überdecken, verdecken, verhängen, verhüllen, zudecken *abschirmen, bewachen, schützen
Abdecker: Schinder, Wasenmeister
Abdeckung: Bedeckung, Decke, Schutz *Absicherung, Sicherheiten
abdichten: dichten, isolieren, verfugen, verstopfen, zustopfen, undurchlässig machen
Abdichtung: Isolation, Isolierschicht, Isolierung
abdienen: absolvieren, bewältigen,

durchführen, erledigen, fertig werden (mit), schaffen, vollbringen, hinter sich bringen
abdrängen: verdrängen, wegschieben, zurückschieben, von einer Stelle drängen
abdrehen: abschalten, abstellen, ausdrehen, ausknipsen, ausmachen, ausschalten *abmachen, abreißen, abtrennen, losmachen, losreißen, lostrennen, trennen *drehen, fertig stellen, filmen, einen Film drehen ***s. abdrehen:** s. abkehren, s. abwenden (von), s. wegkehren, s. wegwenden, s. wenden, s. zurückziehen, den Rücken kehren, den Rücken wenden, mit jmdm. brechen, mit etwas brechen *Filmaufnahmen beenden, einen Film fertig stellen
abdrosseln: abbremsen, aufhalten, beeinträchtigen, behindern, blockieren, bremsen, dämmen, drosseln, eindämmen, einengen, einschränken, entgegenwirken, erschweren, hemmen, hindern, lähmen, sabotieren, zügeln, Fesseln anlegen, hinderlich sein, im Wege stehen, ohnmächtig machen, handlungsunfähig machen, Schranken setzen *abstellen, drosseln, verringern, niedriger stellen
Abdruck: Fährte, Fußabdruck, Spur *Auflage, Druck, Edition, Herausgabe, Publikation, Veröffentlichung *Abbildung, Abguss
abdrucken: drucken, herausbringen, publizieren, veröffentlichen
abdrücken: abfeuern, abschießen, abziehen, losdrücken, schießen *abformen, abgießen, kopieren, nachahmen, nacharbeiten, nachbilden, nachformen, nachschaffen, reproduzieren, wiedergeben *herzen, kosen, lieb haben, liebkosen, schmusen, streicheln, umgarnen, zärteln ***s. abdrücken:** s. abzeichnen, s. eindrücken, Spuren hinterlassen, einen Abdruck hinterlassen
abdunkeln: verschleiern, verwischen, unklar machen *abblenden, abschirmen, verdüstern, verfinstern, dunkel machen, finster machen
abduschen (s.): s. abbrausen, duschen, mit der Brause abspülen
abebben: abflauen, abklingen, abnehmen, absinken, absterben, s. beruhigen, dahinschwinden, einschlafen, erkalten, nachlassen, schwinden, sinken, verebben, s. verkleinern, s. vermindern, s. verringern, zurückgehen, im Schwinden begriffen sein, schwächer werden, geringer werden, weniger werden
Abend: Abenddämmerung, Abendstunde, Abendzeit, Tagesende *Alter, Ende, Lebensende
Abendbrot: Abendessen, Abendmahlzeit, Abendtafel, Dinner, Nachtessen, Souper
Abenddämmerung: Abendlicht, Dämmerlicht, Dämmerstunde, Dämmerung, Sonnenuntergang, Zwielicht
Abendessen: Abendbrot, Abendmahlzeit, Abendtafel, Diner, Dinner, Nachtessen, Nachtmahl, Souper
Abendgebet: Komplet, Nachtgebet
Abendgesellschaft: Abendunterhaltung, Abendveranstaltung, Abendvorstellung, Soiree
Abendkleid: Abendrobe, Ballkleid, Cocktailkleid, Gesellschaftskleid, Robe, Tanzkleid
Abendland: Europa, Okzident, der Westen, die Alte Welt
abendländisch: europäisch, okzidental, okzidentalisch, westlich
Abendlicht: Abenddämmerung, Abendrot, Abendröte, Sonnenuntergang
Abendmahl: Abendmahlsfeier, Altarsakrament, Eucharistie, Kommunion, Tisch des Herrn *Abendbrot, Abendessen, Nachtessen
Abendmahlsgefäß: Hostienkelch, Kelch
Abendmusik: Nachtmusik, Serenade
abends: spät, spätabends, am Abend, des Abends, jeden Abend
Abendveranstaltung: Abendmusik, Festabend, Nachtmusik, Soiree, Ständchen
Abenteuer: Ereignis, Erlebnis, Eskapade, Geschehen, Nervenkitzel, Sensation, Unternehmung, Vorfall, Wirbel, gewagtes Unternehmen *Affäre, Amouren, Episode, Flirt, Liaison, Liebelei, Liebesabenteuer, Liebeserlebnis, Liebschaft, Romanze, Seitensprung, Techtelmechtel *Experiment, Risiko, Unterfangen, Wagnis
abenteuerlich: gefährlich, gefahrvoll, gewagt, halsbrecherisch, kritisch, lebens-

gefährlich, fantastisch, riskant, selbstmörderisch, tödlich, voller Abenteuer *bedenkenlos, fahrlässig, gedankenlos, impulsiv, leichtfertig, leichtsinnig, pflichtvergessen, sorglos, sträflich, unbedacht, unbekümmert, unbesonnen, unüberlegt, unverantwortlich, unvertretbar, unvorsichtig, verantwortungslos, wahllos, ziellos *bewegt, ereignisreich, spektakulär, voller Abenteuer

Abenteuerlust: Abenteuerdurst, Abenteuerhunger, Abenteuersucht, Erlebnishunger, Unternehmungsgeist

abenteuerlustig: abenteuerdurstig, abenteuerhungrig, abenteuersüchtig, erlebnishungrig, unternehmungslustig

Abenteurer: Glücksjäger, Glücksritter, Glücksspieler, Hasardeur, Waghals

aber: allein, allerdings, andererseits, anderseits, dabei, dagegen, dahingegen, demgegenüber, doch, freilich, hingegen, hinwieder, hinwiederum, höchstens, immerhin, indes, indessen, jedoch, mindestens, nur, sondern, wenigstens, wiederum, zumindest, zum Mindesten, im Gegensatz dazu *wirklich *wiederum, noch einmal

Aber: Anfechtung, Beanstandung, Beschwerde, Einspruch, Einwand, Einwendung, Einwurf, Entgegnung, Gegenargument, Gegenmeinung, Gegenstimme, Klage, Protest, Reklamation, Veto, Widerrede, Widerspruch, Zweifel *Bedenken, Skrupel, Unentschiedenheit, Unsicherheit, Zaudern, Zerrissenheit, Zögern, Zweifel

Aberglaube: Dämonenglaube, Geisterfurcht, Geisterglaube, Gespensterglaube, Gespensterseherei, Hexenglaube, Köhlerglaube, Mystizismus, Unsinn, Volksglaube, Wahnvorstellung, Wunderglaube

aberkennen: abjudizieren, abnehmen, absprechen, abstreiten, entziehen, vorenthalten, wegnehmen

Aberkennung: Abjudikation, Lossagung, Negation, Verzicht

abermals: abermalig, erneut, neuerlich, nochmals, wieder, wiederholt, wiederum, aufs Neue, noch einmal, wieder einmal, zum wiederholten Mal, zum andern Male, zum zweiten Male

abernten: ausmachen, einbringen, einfahren, lesen, pflücken

Aberwitz: Blödsinn, Idiotie, Nonsens, Quatsch, Torheit, Unding, Unfug, Unsinn, Wahnwitz *Albernheit, Dummheiten, Kindereien, Narrheiten, Possen, Späße, Torheiten, törichte Einfälle

aberwitzig: absurd, abwegig, hirnverbrannt, irrsinnig, unsinnig, wahnsinnig

abfahren: abdüsen, abfliegen, abreisen, davonfahren, fortfahren, wegfahren, wegfliegen, die Reise beginnen *hinunterfahren, hinunterrasen *ablaufen, abnutzen, verschleißen *ganz ausnutzen *__abfahren lassen:__ abweisen, zurückweisen, abblitzen lassen *__abfahren (auf):__ erglühen, s. erwärmen, Begeisterung empfinden, Begeisterung fühlen, Feuer fangen, in Begeisterung geraten

Abfahrt: Abgang, Abreise, Fahrtbeginn *Abwärtsfahrt, Hangabfahrt, Schussfahrt, Skiabfahrt, Talfahrt *Abzweigung, Ausfahrt *Abmarsch, Aufbruch, Departure, Flugbeginn, Start, Weggang

Abfahrtsstrecke: Abfahrt, Abfahrtshang, Hang, Piste, Rodelbahn

Abfall: Abfallmaterial, Abfallprodukte, Abfallstoffe, Alteisen, Altmaterial, Altmetall, Altwaren, Kehricht, Müll, Restmüll, Schrott, Überrest, Unrat *Abkehr, Absage, Abwendung, Bruch, Loslösung, Lossagung, Treubruch, Umkehr

Abfalleimer: Abfallbehälter, Abfallkorb, Ascheimer, Ascheneimer, Mülleimer, Mülltonne, Papierkorb, Tischpapierkorb

abfallen: absacken, abstürzen, herunterfallen *s. lossagen, untreu werden, abtrünnig werden *übrig bleiben, zurückbleiben *s. neigen, s. senken *abnehmen, erlahmen, nachlassen, weniger werden *abblättern, abbröckeln, abgehen, ablösen, abplatzen, abspringen, s. lockern, s. lösen, losgehen

abfallend: gebirgig, jäh, schroff, steil, mit starkem Gefälle

abfällig: abschätzig, absprechend, abwertend, despektierlich, geringschätzig, herabsetzend, missbilligend, missfällig, pejorativ, verächtlich, wegwerfend

Abfallprodukt: Abfallerzeugnis, Nebenprodukt

Abfalltonne: Abfallbehälter, Abfalleimer, Abfallkorb, Ascheimer, Ascheneimer, Mülleimer, Mülltonne, Papierkorb, Tischpapierkorb

abfangen: abpassen, auffangen, aufhalten, fangen, warten *abbremsen, abhalten, abwehren *in die Gewalt bekommen, unter Kontrolle bringen

abfärben: ausgehen, auslaufen, Farbe abgeben, Farbe verlieren, nicht farbecht sein, nicht waschecht sein *beeinflussen, einwirken, s. übertragen (auf), Einfluss nehmen, Einfluss haben, Einfluss gewinnen

abfassen: anfertigen, aufschreiben, formulieren, niederschreiben, schreiben, verfassen *abfangen, erreichen, ertappen, erwischen, überführen, überraschen

Abfassung: Anfertigung, Aufzeichnung, Formulierung, Manuskript, Niederschrift

abfedern: federn, hüpfen, wippen, zurückschnellen

abfertigen: erledigen, machen, tun *bedienen, fertig machen, kontrollieren, servieren *ablehnen, abschlagen, abweisen, abwinken, ausschlagen, versagen, verschmähen, verweigern, zurückweisen, abfahren lassen, abblitzen lassen *anbrüllen, attackieren, ausschelten, ausschimpfen, auszanken, beanstanden, heruntermachen, kritisieren, missbilligen, monieren, reklamieren, rügen, schelten, schmähen, tadeln, verweisen, zetern, zurechtweisen, angehen gegen

Abfertigung: Erledigung, Tat *Bedienung *Beanstandung, Belehrung, Denkzettel, Ermahnung, Kritik, Lehre, Lektion, Maßregelung, Missbilligung, Standpauke, Strafpredigt, Tadel, Verweis, Vorhaltung, Warnung, Zurechtweisung *Bedienung, Kontrolle

abfeuern: abdrücken, abschießen, losfeuern, losschießen

abfinden: abfertigen, abspeisen *belohnen, danken, entschädigen, s. erkenntlich zeigen, s. revanchieren ***s. abfinden (mit):** akzeptieren, s. begnügen, s. beruhigen, dulden, s. ergeben, ertragen, s. finden, s. fügen, s. gewöhnen, hinnehmen, nachgeben, s. schicken, s. zufrieden geben, zufrieden sein, keine Ansprüche mehr stellen

Abfindung: Abrechnung, Gegenangriff, Gegenmaßnahme, Gegenschlag, Gegenstoß, Heimzahlung, Rache, Repressalie, Revanche, Sanktionen, Sühne, Vergeltung, Vergeltungsmaßnahme *Belohnung, Dank, Entschädigung, Revanche *Abfindungssumme, Abgeltung, Abstand, Abstandssumme, Ausgleich, Entschädigung, Ersatz, Gegenleistung, Gegenwert, Rückerstattung, Rückzahlung, Schadenersatz, Vergütung, Wiedergutmachung

Abfindungssumme: Abgeltung, Abstandsgeld, Abstandssumme, Abstandszahlung, Belohnung, Entschädigung, Nachzahlung, Pauschale

abflachen: abebben, abflauen, s. abschwächen, s. beruhigen, einschlafen, s. legen, nachlassen, verebben, zurückgehen, zur Ruhe kommen *heruntergehen, s. reduzieren, sinken

abflauen: abebben, abklingen, abnehmen, absinken, aussterben, s. beruhigen, dahinschwinden, s. dem Ende zuneigen, einschlafen, erkalten, nachlassen, schwinden, sinken, verebben, s. verkleinern, s. vermindern, s. verringern, zurückgehen, zusammenschrumpfen, im Schwinden begriffen sein, schwächer werden, geringer werden, weniger werden, zu Ende gehen

abfliegen: abreisen, auffliegen, davonfliegen, fortfliegen, starten, wegfliegen, die Reise antreten

abfließen: ablaufen, abrieseln, abrinnen, absickern, abströmen, abtröpfeln, abtropfen, entwässern *überweisen, ins Ausland schicken, ins Ausland gehen

Abflug: Abfahrt, Departure, Flugbeginn, Start

Abfluss: Abflussloch, Abflussrinne, Abflussrohr, Ablass, Ablassrohr, Ablauf, Ablaufloch, Ablaufrinne, Ablaufrohr, Abwasserkanal, Abzugsrinne, Ausfluss, Ausgussrohr, Auslass, Auslauf, Dole, Gosse, Gully, Kloake, Rigole, Rinnstein

Abflussbecken: Abfluss, Ausguss, Ausgussbecken, Spülbecken, Spülstein

Abflussgraben: Abflusskanal, Abzugs-

graben, Abzugskanal, Entwässerungsgraben, Entwässerungskanal, Entwässerungsrinne, Kanalisation, Sickergraben
Abfolge: Ablauf, Aufeinanderfolge, Folge, Kreislauf, Reihenfolge, Sequenz, Turnus, Zyklus, das Aufeinanderfolgen
abfordern: abverlangen, ansinnen, s. ausbedingen, s. ausbitten, beanspruchen, begehren, beharren, bestehen, dringen (auf), fordern, heischen, pochen (auf), postulieren, verlangen, wollen, wünschen, zumuten, den Anspruch erheben, geltend machen, zur Bedingung machen
abfragen: abhören, examinieren, kontrollieren, prüfen, testen, überprüfen, aufsagen lassen, auf die Probe stellen
abfressen: abäsen, abgrasen, abnagen, abweiden, aufessen, beweiden, kahl fressen, zerfressen, zernagen
abfrottieren: abreiben, abrubbeln, abtrocknen
Abfuhr: Abfahrt, Abtransport, Transport *Ablehnung, Abweisung, Anschnauzer, Beanstandung, Bemängelung, Maßregelung, Rüffel, Tadel, Verweis, Vorhaltung, Vorwurf, Zurechtweisung *Bankrott, Debakel, Durchfall, Fiasko, Misserfolg, Misslingen, Niederlage, Pech, Ruin, Versagen, Zusammenbruch
abführen: mitnehmen, verhaften, wegführen, mit auf die Wache nehmen, zur Wache bringen *ableiten, leiten *ausschütten, bezahlen, zahlen *abgeben, abliefern, einzahlen, überweisen *den Darm entleeren
abfüllen: einfüllen, füllen *aufziehen, auf Flasche ziehen
Abgabe: Ablieferung, Aushändigung, Übergabe, Überreichung *Absatz, Auslieferung, Geschäft, Handel, Umsatz, Veräußerung, Verkauf, Vertrieb, Warenumschlag *Gebühr, Geldleistung, Maut, Steuer, Tribut, Zoll, Zwangsabgabe, Zwangspfand *Abspiel, Zuspiel *Abgabetermin, Frist, Stichtag, Termin
Abgabepreis: Einzelhandelspreis, Verkaufspreis
Abgang: Abzug, Aufbruch, das Verlassen, Weggang, das Abtreten *Abfahrt, Abreise, Fahrtbeginn *Abtritt, Demission, Rücktritt *Debet, Defizit, Fehlbetrag, Manko, Mindererertrag, Schulden, Soll *Abberufung, Ableben, Abschied, Absterben, Erlösung, Heimgang, Hinscheiden, Lebensende, Sterben, Tod, Todesschlaf, das Verscheiden, das Entschlafen, das Erblassen, der ewige Schlaf *Abort, Abortus, Fehlgeburt
Abgas: Auspuffgas, Emission, Gas
abgearbeitet: abgehetzt, abgekämpft, abgeschlafft, abgespannt, abgewirtschaftet, angegriffen, angeschlagen, atemlos, aufgerieben, ausgelaugt, durchgedreht, entkräftet, entnervt, erholungsbedürftig, erledigt, ermattet, erschlagen, erschöpft, gerädert, geschafft, groggy, halb tot, kaputt, kraftlos, matt, mitgenommen, müde, schachmatt, schlaff, schlapp, schwach, überanstrengt, überfordert, überlastet, urlaubsreif, verbraucht, zerschlagen, k. o., am Ende
abgeben: ablassen, abliefern, abtreten, aushändigen, geben, überantworten, überbringen, übereignen, übergeben, überlassen, überreichen, überstellen, übertragen, aus der Hand geben, zukommen lassen, zur Verfügung stellen, zuteil werden *abtreten, geben, schenken, überlassen, verkaufen, verschenken, zukommen lassen *vermieten, verpachten *abspielen, bedienen, passen, zuspielen, Vorlage geben *schenken, überschreiben, veräußern, vererben *abfeuern, schießen *strahlen, ausstrahlen, ausströmen *deponieren, hinterlegen, verwahren, in Verwahrung geben ***s. abgeben (mit):** arbeiten, s. aufhalten, s. befassen, s. beschäftigen, s. betätigen, dabei sein, hantieren, rühren, tun, s. verlegen (auf), werkeln, werken, s. widmen, beschäftigt sein
abgebrannt: arm, bedürftig, besitzlos, blank, brotlos, erwerbslos, Not leidend, pleite, ruiniert, unbemittelt, verarmt, zahlungsunfähig abgerissen, vernichtet, zerstört *ausgepowert, müde
abgebraucht: abgegriffen, abgelaufen, abgenutzt, abgetragen, alt, ausgedient, gebraucht, verbraucht *abgedroschen, abgeleiert, altbekannt, flach, inhaltsarm, inhaltslos, leer, nichts sagend, phrasenhaft

abgebrüht: abgestumpft, barbarisch, brutal, dumpf, erbarmungslos, gefühllos, gefühlsarm, gefühlskalt, gemütsarm, gleichgültig, gnadenlos, grausam, hartherzig, herzlos, inhuman, kaltblütig, lieblos, mitleidlos, roh, schonungslos, seelenlos, unbarmherzig, unempfindlich, ungesittet, unmenschlich, unsozial, unzugänglich, verroht
Abgebrühtheit: Brutalität, Erbarmungslosigkeit, Gefühllosigkeit, Gefühlsarmut, Gefühlskälte, Gleichgültigkeit, Gnadenlosigkeit, Grausamkeit, Hartherzigkeit, Herzlosigkeit, Kaltblütigkeit, Lieblosigkeit, Mitleidlosigkeit, Rohheit, Schonungslosigkeit, Seelenlosigkeit, Unbarmherzigkeit, Unempfindlichkeit, Unmenschlichkeit, Unzugänglichkeit
abgedroschen: abgegriffen, abgeleiert, alt, bekannt, inhaltsarm, inhaltslos, nichts sagend, phrasenhaft
abgefallen: abtrünnig, irrgläubig, ketzerisch, sektiererisch, untreu, verräterisch *gefallen, heruntergefallen *reif, überreif, essbar, genießbar
abgefeimt: ausgefuchst, ausgekocht, bauernschlau, clever, diplomatisch, durchtrieben, findig, gerissen, geschäftstüchtig, geschickt, gewieft, gewitzt, listig, pfiffig, raffiniert, schlau, taktisch, verschlagen, verschmitzt
abgegriffen: abgenutzt, abgeschabt, abgewetzt, benutzt, blank, dünn, durchgewetzt, verschabt, vertragen *abgedroschen, abgeleiert, alt, altbekannt, bekannt, flach, inhaltsarm, inhaltslos, leer, nichts sagend, phrasenhaft
abgehackt: abgebrochen, abgerissen, abrupt, gacksend, kurzatmig, stockend, stoßweise, stotterig, stotternd, unartikuliert, unzusammenhängend, zusammenhanglos, nicht zusammenhängend
abgehangen: abgelagert, mürbe, reif
abgehärtet: gefeit, gestählt, immun, resistent, stabil, unempfänglich, unempfindlich, widerstandsfähig, nicht anfällig
abgehen: abfahren, abfliegen, verlassen, wegfahren, wegfliegen, weggehen, einen Ort verlassen, einen Platz verlassen *abfahren, ablegen, auslaufen, die Anker lichten, in See stechen *abschicken, wegschicken *ablassen, ändern, aufgeben *ablaufen, abschreiten, besichtigen, kontrollieren, patrouillieren, prüfen *abgleiten, abirren, abkommen, abschweifen *s. lösen, s. loslösen *fehlen, mangeln *abbiegen, abzweigen *s. gabeln, s. verzweigen *s. lösen, losgehen, abgefeuert werden, ausgelöst werden *abblättern, abbrechen, abbröckeln, abfallen, abschuppen, absplittern, abspringen, s. loslösen
abgekämpft: abgearbeitet, abgehetzt, abgejagt, abgespannt, angeschlagen, ausgelaugt, ausgepumpt, erholungsbedürftig, erschöpft, gestresst, kaputt, mitgenommen, müde, schlaff, schlapp, urlaubsreif
abgekapselt: abgeschieden, allein, ausgestoßen, einsam, einsiedlerisch, introvertiert, isoliert, mutterseelenallein, vereinsamt, verlassen, verwaist, weltabgewandt, zurückgezogen
abgekartet: abgestimmt, ausgemacht, übereingekommen, verabredet, vereinbart, heimlich verabredet, heimlich vereinbart, heimlich abgesprochen, heimlich beschlossen, heimlich ausgehandelt, hinter dem Rücken
abgeklärt: ausgeglichen, bedacht, beherrscht, besonnen, gereift, geruhsam, gesetzt, gezügelt, gleichmütig, harmonisch, ruhevoll, ruhig, sicher, still, überlegen, würdevoll *kaltblütig, kaltschnäuzig *erfahren, reif, weise *abgemacht, beredet, besprochen, eindeutig, klar
Abgeklärtheit: Bedacht, Bedachtsamkeit, Besonnenheit, Gefasstheit, Gelassenheit, Gleichgewicht, Gleichmut, Kontenance, Ruhe, Selbstbeherrschung, Umsicht, innere Haltung
abgekommen: arm, unbemittelt, unvermögend *verfahren, verirrt, verlaufen
abgelagert: abgeklärt, alt *abgehangen, gereift, reif
abgelaufen: abgenutzt, abgerissen, abgetreten *aus sein, herum sein, vergangen sein, vorbei sein, vorüber sein *vergangen, vorbei, vorüber, zu Ende
abgelebt: altmodisch, überholt, überlebt, unmodern, unzeitgemäß, veraltet, vergangen, vorweltlich *alt, verbraucht *fossil, versteinert

abgelegen: abgeschieden, abseitig, einsam, entfernt, entlegen, fern, gottverlassen, menschenleer, öde, unerreichbar, unzugänglich, verlassen, am Ende der Welt
abgeleiert: abgedroschen, altbekannt, inhaltsarm, leer, nichts sagend, phrasenhaft
abgeleitet: folgerichtig, hergeleitet, logisch *abgelenkt, gebrochen, reflektiert *gebeugt
abgelten: ableisten, abzahlen, begleichen, bezahlen, tilgen, zahlen
Abgeltung: Ableistung, Abzahlung, Begleichung, Bezahlung, Tilgung, Zahlung
abgemacht: abgesprochen, ausgemacht, beschlossen, vereinbart
abgemagert: abgemergelt, abgezehrt, ausgemergelt, ausgezehrt, dürr, eingefallen, elend, herabgekommen, hohlwangig, mager, verfallen
abgeneigt: lustlos, ungeneigt, ungern, unlustig, unwillig, widerstrebend, widerwillig, mit Todesverachtung, mit Widerwillen, mit Unlust *nicht mögen, keinen Gefallen finden ***abgeneigt sein:** s. sträuben, einer Sache negativ gegenüberstehen, etwas nicht mögen, dagegen sein
abgenutzt: abgebraucht, abgedroschen, abgelaufen, abgenützt, abgeschabt, abgetragen, abgetreten, alt, altersschwach, ausgedient, schäbig, verschlissen, zerfetzt, zerfleddert, zerlumpt *abgedroschen, abgeleiert, alt, bekannt, inhaltsarm, inhaltslos, nichts sagend, phrasenhaft
Abgeordneter: Bevollmächtigter, Bundestagsabgeordneter, Delegierter, Deputierter, Funktionär, Landtagsabgeordneter, Parlamentarier, Repräsentant, Volksvertreter, Mitglied des Bundestages, Mitglied des Landtages
abgepackt: eingepackt, eingewickelt, gebündelt, verpackt, verschlossen, verschnürt
abgerechnet: abgezogen, abzüglich, exklusive, ohne *beendet, vorbei, zu Ende
abgerieben: abgegriffen, abgeschabt, abgewetzt, berieben, beschabt, fadenscheinig, unansehnlich
abgerissen: heruntergekommen, zerfetzt, zerlumpt, zerschlissen *chaotisch, diffus, durcheinander, konfus, ungeordnet, unzusammenhängend, wirr, zusammenhanglos *abgebrochen, abgehackt, kurzatmig, stockend, unartikuliert
abgerundet: abgestimmt, geschmackvoll, harmonisch, passend, zusammenpassend *einwandfrei, passend, stilgerecht, stilvoll
Abgesandter: Abgeordneter, Beauftragter, Bevollmächtigter, Bote, Delegat, Delegierter, Emissär, Kurier, Ordonnanz, Parlamentär, Sendbote, Unterhändler, Verkünder
abgesägt: verkleinert, vermindert, zugerichtet *abgedankt, abgeschossen, entfernt
Abgesang: Ausklang, Kehraus
abgeschabt: abgebraucht, abgedroschen, abgelaufen, abgenützt, abgenutzt, abgegriffen, abgetragen, abgetreten, abgewetzt, alt, altersschwach, ausgedient, fadenscheinig, schäbig, unansehnlich, verschlissen, zerfetzt, zerfleddert
abgeschieden: abgelegen, abseitig, einsam, entlegen, gottverlassen, menschenleer, öde, verlassen *heimgegangen, tot, verstorben
Abgeschiedene: Leiche, Tote, Verstorbene
Abgeschiedenheit: Einöde, Isolation, Öde, Ödland, Wüste, Zurückgezogenheit, unbewohnte Gegend, einsame Gegend
abgeschlafft: abgearbeitet, abgehetzt, abgekämpft, abgespannt, abgewirtschaftet, angegriffen, angeschlagen, atemlos, aufgerieben, ausgelaugt, durchgedreht, entkräftet, entnervt, erholungsbedürftig, erledigt, ermattet, erschlagen, erschöpft, gerädert, geschafft, groggy, halb tot, kaputt, knockout, kraftlos, matt, mitgenommen, müde, schachmatt, schlaff, schlapp, schwach, überanstrengt, überfordert, überlastet, urlaubsreif, verbraucht, zerschlagen, k.o., am Ende
abgeschlossen: abgesperrt, geschlossen, verschlossen, versperrt, zu, zugeschlossen, zugesperrt *ausgeführt, beendet, erledigt, fertig *geschlossen, komplett, vervollständigt, vollzählig *abgeschieden, einsam, einsiedlerisch, vereinsamt,

weltabgewandt, zurückgezogen *vernagelt, verplombt, verschlossen, versiegelt
abgeschmackt: abgestanden, geschmacklos, lau, schal, ungewürzt, würzlos, ohne Geschmack, ohne Aroma, ohne Würze *fade, geistlos, geschmacklos, kitschig, nichts sagend, platt, schal, seicht, taktlos, töricht, unschön, witzlos
Abgeschmacktheit: Fadheit, Geschmacklosigkeit
abgeschnitten: abgeschieden, einsam, entlegen, gottverlassen, menschenleer, öde, verlassen
abgeschwollen: abgeklungen, verheilt, zurückgegangen
abgesehen: außer, ausgenommen, bis auf, mit Ausnahme von
abgesondert: abgetrennt, einzeln, extra, getrennt, für sich *gesondert, isoliert, separat, vereinzelt *abgelegen, abseits, einsam, entfernt, fern, fern liegend, verlassen
abgespannt: abgearbeitet, abgehetzt, abgezehrt, angegriffen, ausgelaugt, ausgepumpt, erholungsbedürftig, ermattet, erschöpft, mitgenommen, müde, überanstrengt, urlaubsreif *abgeschirrt, frei
Abgespanntheit: Abspannung, Entkräftung, Ermattung, Ermüdung, Erschöpfung, Erschöpfungszustand, Flauheit, Kräfteverfall, Kraftlosigkeit, Mattheit, Mattigkeit, Schlaffheit, Schlappheit, Schwäche, Schwächezustand, Schwachheit, Schwächlichkeit, Schwunglosigkeit, Übermüdung, Unwohlsein, Zerschlagenheit
abgesperrt: dicht, unbetretbar, verriegelt, verschlossen, versperrt, zu
abgesprochen: abgemacht, ausgemacht, vereinbart
abgestanden: fad, fade, flau, labberig, lasch, schal, verbraucht
abgestaubt: glänzend, sauber, staubfrei *abgeluchst, ergaunert, heimlich angeeignet
abgestorben: empfindungslos, gefühllos, pelzig, taub, unempfindlich, ohne Gefühl
abgestoßen: abgegriffen, abgestumpft, abgetragen, alt, stumpf
abgestuft: aufgefächert, aufgeteilt, differenziert, gegliedert, geordnet, gestaffelt, hierarchisch, strukturiert, unterteilt, der Reihenfolge nach
abgestumpft: abgebrüht, dumpf, gefühllos, unempfindlich *schartig, stumpf
abgetakelt: alt, ausgedient, verbraucht
abgetan: akzeptiert, angenommen, ausgeführt, beendet, besiegelt, entschieden, erledigt, fertig, gebilligt, geregelt, vollzogen
abgetaut: aufgetaut, entfrostet
abgetragen: abgegriffen, abgenutzt, abgenützt, abgeschabt, abgestoßen, abgewetzt, ausgedient, blank, dünn, schäbig, stumpf, verschlissen, vertragen, zerschlissen *alt, fadenscheinig, verschlissen
abgetreten: abgebraucht, abgedroschen, abgelaufen, abgenutzt, abgetragen, abgewetzt, alt, altersschwach, ausgedient, ausgetreten *abgelaufen, vorbei *abgegangen, aufgegeben, aufgehört, gegangen, gekündigt, zurückgetreten
abgewetzt: abgegriffen, abgenutzt, abgenützt, abgeschabt, abgetragen, ausgedient, blank, dünn, schäbig, verschlissen, vertragen, zerschlissen
abgewiesen: abgelehnt, verlassen, verschmäht
abgewinnen: abdrängen, ablisten, abnehmen, abringen, abzwingen *bevorzugen, lieb haben, mögen, sympathisieren (mit), angetan sein, eingenommen sein, Gefallen finden, Gefallen haben *abknöpfen, abnehmen, abzapfen, erleichtern
abgewirtschaftet: abgearbeitet, abgehetzt, abgekämpft, abgeschlafft, abgespannt, angegriffen, angeschlagen, atemlos, aufgerieben, ausgelaugt, durchgedreht, entkräftet, entnervt, erholungsbedürftig, erledigt, ermattet, erschlagen, erschöpft, gerädert, geschafft, groggy, halb tot, kaputt, kraftlos, matt, mitgenommen, müde, schachmatt, schlaff, schlapp, schwach, überanstrengt, überfordert, überlastet, urlaubsreif, verbraucht, zerschlagen, k.o., am Ende *abgebrannt, bankrott, blank, finanzschwach, illiquid, insolvent, pleite, zahlungsunfähig, finanziell ruiniert, ohne Geld *ruiniert, verdorben, verkommen, verlebt, verlottert, verschlampt, verwahr-

lost, verwildert *chaotisch, ungepflegt, unordentlich, vernachlässigt, wüst, in Unordnung
abgewogen: ausgeglichen, ausgewogen, harmonisch, rund *genau bestimmt, genau gewogen
abgewöhnen (s. etwas): ablassen, ablegen, abstellen, aufgeben, aufhören, s. einer Sache entwöhnen, einstellen, s. enthalten, s. verkneifen, s. versagen, mit einer Gewohnheit brechen, von einer Gewohnheit abgehen
Abgewöhnung: Aufgabe, Enthaltung, Entwöhnung
abgezählt: exakt, genau, gezählt, passend
abgezehrt: abgemagert, abgemergelt, ausgemergelt, dünn, dürr, eingefallen, elend, herabgekommen, hohlwangig, mager, verfallen
abgießen: abbilden, abformen, darstellen, nachbilden, nachformen, reproduzieren, einen Abguss machen *ausleeren, ausschütten, entleeren, leeren, weggießen
Abglanz: Gegenschein, Spiegelung, Widerschein
abgleiten: abrutschen, gleiten *abirren, abschweifen, abweichen, s. entfernen, s. ins Uferlose verlieren, schweifen, den Faden verlieren *absinken, herunterkommen, verfallen, verkommen, auf die schiefe Bahn geraten
Abgott: Angebeteter, Götze, Götzenbild, Ideal, Idol *Idol, Publikumsliebling, Schwarm, Star
abgöttisch: beträchtlich, blind, eindrucksvoll, einzigartig, enorm, groß, großartig, hoch, überaus, überschwänglich, übertrieben, überwältigend, unverhältnismäßig
abgraben: ausgraben, auskoffern, ausschachten, wegnehmen *ins Handwerk pfuschen, Konkurrenz machen *ruinieren, verderben, vernichten, zerrütten, zerstören, Bankrott richten, zugrunde richten
abgrämen (s.): s. abhärmen, s. absorgen, s. ängstigen, s. Gedanken machen, s. härmen, s. sorgen, s. Sorgen machen, bekümmert sein, betrübt sein
abgrasen: abfressen, kahl fressen *abkämmen, absuchen
abgrenzen: abzäumen, begrenzen, einfrieden, einfriedigen, eingrenzen, einhegen, einzäunen, fixieren, umfrieden, umgrenzen, umzäunen, die Grenzen festlegen ***s. abgrenzen:** abrücken, s. distanzieren, s. heraushalten, s. zurückziehen, Abstand nehmen
Abgrenzung: Begrenzung, Grenzbach, Grenze, Grenzfluss, Grenzlinie, Grenzscheide, Grenzwall, Umgrenzung, Umzäunung *Abstand, Distanz, Distanzierung, Reserve, Reserviertheit, Verschlossenheit, Zurückhaltung
Abgrund: Kessel, Kluft, Krater, Schlucht, Schlund, Tal, Tiefe *Elend, Ende, Katastrophe, Ruin, Sturz, Unglück, Unheil, Untergang, Verderb, Verderben, Verhängnis
abgründig: abgrundtief, bodenlos, tief *abstrus, geheimnisvoll, rätselhaft, unbegreiflich, unerforschlich, unergründlich
abgrundtief: abgründig, bodenlos, tief, ohne Grund und Boden
Abguss: Abbildung, Abdruck, Gipsabdruck, Gipsabguss, Nachbildung, Reproduktion *Abfluss, Ausguss
abhacken: abhauen, ablösen, abmeißeln, abschlagen, abspalten, abstoßen, abtrennen, enthaupten
abhaken: abzeichnen, ankreuzen, anstreichen, kennzeichnen, markieren, kenntlich machen *beenden, beendigen, erledigen, zu Ende bringen
abhalten: abschirmen, bewahren, fern halten, schützen *durchkreuzen, vereiteln, verhindern, einen Strich durch die Rechnung machen, etwas unmöglich machen *abwehren, abwenden, boykottieren, hindern, hintertreiben, lahm legen, stören, unterbinden, vereiteln, verhindern, verhüten, verwehren, Einhalt gebieten, etwas unmöglich machen *arrangieren, ausrichten, durchführen, organisieren, unternehmen, veranstalten, in Szene setzen, stattfinden lassen
Abhaltung: Abwehr, Boykott, Einhalt, Verhinderung *Durchführung, Organisierung, Unternehmung, Veranstaltung
abhandeln: abfeilschen, abgaunern, ab-

jagen, ablocken, abluchsen, abschachern, abschmeicheln, abschwindeln, jmdm. etwas abdrücken *bearbeiten, behandeln, beleuchten, betrachten, darlegen, darstellen, erläutern, schreiben, zusammenstellen
Abhandlung: Arbeit, Artikel, Aufsatz, Beitrag, Bericht, Beschreibung, Darstellung, Dissertation, Erörterung, Essay, Forschungsbericht, Traktat, Untersuchung, wissenschaftliches Werk
Abhang: Absturz, Berg, Bergabhang, Bergabsturz, Berghang, Bergwand, Böschung, Gefälle, Halde, Hang, Lehne, Steilhang, Talhang
abhängen: altern, reifen, mürbe werden *abnehmen, entfernen, herunternehmen *entlassen, kündigen *abkoppeln, abkuppeln, auseinander nehmen, lösen, trennen ***abhängen (von):** angewiesen sein (auf), untertan sein *beruhen (auf), bedingt sein, bestimmt sein, gebunden sein (an) *etwas kommt an (auf), etwas steht bei jmdm., etwas liegt bei jmdm., etwas untersteht jmdm., etwas obliegt jmdm., etwas unterliegt jmdm., etwas hängt ab (von)
abhängig: gebunden, hörig, leibeigen, sklavisch, unfrei, unmündig, unselbständig, untergeordnet, verfallen, versklavt *süchtig, verfallen
Abhängigkeit: Hörigkeit, Unfreiheit, Unmündigkeit, Unselbständigkeit *Bedingtheit, Determiniertheit, Relativität
abhärten: immunisieren, stählen, widerstandsfähig machen, unempfindlich machen, resistent machen, gefeit machen, immun machen, unempfänglich machen ***s. abhärten:** s. festigen, s. gewöhnen (an), s. immun machen, s. kräftigen, s. stärken, s. widerstandsfähig machen
abhauen: s. absetzen, aufbrechen, desertieren, s. entfernen, entfliehen, fliehen, fortgehen, verschwinden, s. wegbegeben, weggehen *absägen, abschlagen, fällen
abhäuten: abschwarten, abstreifen, abziehen, enthäuten, schwarten
abheben: abrufen, auszahlen lassen, vom Konto Geld holen *anheben, davonfliegen, fortfliegen, starten, wegfliegen *abnehmen, ans Telefon gehen ***abheben (auf):** abzielen, bezwecken, hinzielen, s. in den Kopf setzen, vorhaben, wollen ***s. abheben:** abstechen (gegen), abweichen (von), s. abzeichnen, divergieren, herausstechen, kontrastieren, s. unterscheiden, in Sicht kommen, in Sicht sein, sichtbar werden, Konturen bilden
Abheben: Abflug, Departure, Flugbeginn, Start
Abhebung: Abholung, Auszahlung
abheften: ablegen, weglegen, zu den Akten legen, zur Seite legen
abheilen: gesunden, verheilen, vernarben, verschorfen, verwachsen, zuheilen, heil werden
abhelfen: ausbalancieren, ausbügeln, ausgleichen, aussöhnen, begleichen, beilegen, bereinigen, beseitigen, einrenken, geradebiegen, geradebügeln, hinbiegen, regeln, reinwaschen, schlichten, vermitteln, s. versöhnen, wieder gutmachen, zurechtbiegen, zurechtbügeln, zurechtrücken, in Ordnung bringen, ins Reine bringen, ins rechte Gleis bringen, ins Lot bringen
abhetzen (s.): s. abhasten, s. beeilen, erschöpfen, hasten, laufen, rasen, rennen, s. sputen, stürzen, s. überstürzen
abhobeln: abschleifen, abziehen, glätten, glatt schleifen, hobeln, schleifen
abhold: s. nichts machen (aus), abgeneigt sein, Feind sein, nicht mögen, nichts übrig haben (für), nichts halten (von)
abholen: festnehmen, gefangen nehmen, inhaftieren, mitnehmen, verhaften, wegbringen, dingfest machen, in Haft nehmen, in Gewahrsam nehmen *besorgen, holen *ausführen, ausgehen (mit)
abholzen: absägen, fällen, kahl schlagen, roden, schlagen, umhauen, umlegen
Abholzung: Kahlschlag, Rodung, Urbarmachung
abhören: abhorchen, ablauschen, erhorchen, erlauschen, kontrollieren, lauschen, mithören, überwachen *abhorchen, abklopfen, untersuchen, den Puls fühlen *abfragen, examinieren, testen, überprüfen, aufsagen lassen, Wissen feststellen, auf die Probe stellen
Abhörgerät: Abhörapparat, Mini-Spion, Spion, Wanze *Hörrohr, Stethoskop

abirren: abgleiten, abschweifen, abweichen, vom Thema abkommen *abkommen, verirren, s. verlaufen, vom Weg abkommen
Abirrung: Abschweifung, Abweichung
Abitur: Gymnasialabschluss, Hochschulreife, Matura, Reifeprüfung
abjagen: abhetzen, ermüden *entreißen, fortreißen, wegnehmen ***s. abjagen:** s. abhasten, s. abhetzen, s. beeilen, erschöpfen, hasten, laufen, rasen, rennen, s. sputen, stürzen, s. überstürzen
abkämmen: abgrasen, ablaufen, abstreifen, aufsuchen, durchstöbern, durchstreifen, durchsuchen, suchen
abkanzeln: anbrüllen, anfahren, anherrschen, anschnauben, attackieren, ausschelten, schelten, schimpfen, schmähen, tadeln, zanken, zetern, zurechtweisen, jmdn. fertig machen, jmdn. heruntermachen
Abkanzelung: Abreibung, Attacke, Belehrung, Denkzettel, Lehre, Lektion, Maßregelung, Schelte, Standpauke, Strafpredigt, Tadel, Warnung, Zank, Zurechtweisung
abkapseln (s.): s. abschließen, s. absondern, s. einigeln, s. einspinnen, s. isolieren, s. separieren, s. vergraben, s. verschließen, s. von der Außenwelt abschließen, s. vor der Welt verschließen, s. zumauern, s. zurückziehen, Kontakt meiden, das Leben fliehen, der Welt entsagen
Abkapselung: Abgeschiedenheit, Absonderung, Entsagung, Isolierung, Kontaktlosigkeit, Selbstisolierung, Separation, Zurückgezogenheit
abkarten: festmachen, verabreden, vereinbaren *ausführen, durchführen, erledigen, machen, tun
abkassieren: einnehmen, kassieren, vereinnahmen *absahnen, abschöpfen
abkauen: abbeißen, abknabbern
abkaufen: ankaufen, anschaffen, bestellen, s. eindecken, einkaufen, erstehen, erwerben, kaufen, s. versorgen, Besorgungen machen *abnehmen, glauben
Abkehr: Abwendung, Bruch, Entsagung, Loslösung *Besserung, Buße, Läuterung, Umkehr
abkehren: aufkehren, putzen, reinigen, sauber machen, säubern, rein machen *bessern, büßen, läutern, umkehren, Buße tun ***s. abkehren:** s. abkapseln, s. abwenden, s. wegkehren, s. wenden *entsagen, s. lösen, den Rücken kehren, mit jmdm. brechen
abklappern: abgrasen, abkämmen, ablaufen, abstreifen, absuchen, aufsuchen, durchstöbern, durchstreifen, durchsuchen, suchen
abklären: aufdecken, aufhellen, aufklären, bereinigen, enträtseln, klären, s. Klarheit verschaffen, klarlegen, klarstellen, offen legen, ordnen, richtig stellen, in Ordnung bringen
Abklärung: Absprache, Besprechung, Diskussion, Erläuterung
Abklatsch: Attrappe, Imitation, Klischee, Kopie, Nachahmung, Nachbildung, Schablone
abklatschen: abformen, abgießen, imitieren, kopieren, nachahmen, nacharbeiten, nachbilden, nachformen, nachschaffen, reproduzieren, wiedergeben *abschlagen, berühren, freischlagen
abklemmen: ablösen, abmachen, abnehmen, abtrennen, lösen *abbinden, abnabeln, abnehmen, abschnüren, ausziehen, losbinden ***s. abklemmen:** s. abquetschen
abklingen: abebben, abflauen, abnehmen, nachlassen, schwinden, verebben, verschwinden, zurückgehen *abnehmen, absterben, aushallen, ausklingen, austönen, verhallen, verklingen, leiser werden
abklopfen: absuchen, durchkämmen, durchwühlen, suchen *beklopfen, perkutieren, untersuchen *ablösen, abschlagen, reparieren *ausklopfen, reinigen, Schmutz entfernen, Staub entfernen *abfragen, unter die Lupe nehmen, auf den Zahn fühlen
abknallen: abschießen, ermorden, erschießen, niederschießen, töten
abknicken: abbrechen, losbrechen, lösen
abknöpfen: abbetteln, abjagen, ablisten, abschmarotzen, abschwätzen, abschwindeln, jmdm. etwas ablocken, jmdn. schröpfen *lösen, ablösen, abklemmen, abmachen, abnehmen, abtrennen

abkochen: entkeimen, durch Kochen keimfrei machen
abkommandieren: abordnen, abschieben, abstellen, abziehen, beordern, delegieren, entsenden, kommandieren (zu), schicken
Abkommandierung: Abordnung, Abschiebung, Abzug, Delegation, Delegierung, Entsendung
Abkomme: Abkömmling, Enkel, Erbe, Nachfahr, Nachkomme, Spross
abkommen: abgleiten, abirren, abschweifen, abweichen, vom Thema abkommen *ablassen, aufgeben *fehlgehen, s. verfahren, s. verfliegen, s. verirren, s. verlaufen, den Weg verfehlen, die Richtung verlieren, in die Irre gehen *abheben, loskommen, starten *abgehen (von), abspringen, aufgeben, verzichten
Abkommen: Bündnis, Handel, Handelsabkommen, Konkordat, Kontrakt, Pakt, Übereinkunft, Vereinbarung, Verpflichtung, Vertrag
abkömmlich: entbehrlich, nutzlos, überflüssig, unnötig, unnütz, unwichtig *frei sein, Zeit haben
Abkömmling: Angehöriger, Anverwandter, Blutsverwandter, Familienangehöriger, Familienmitglied, Nachkömmling, Verwandter
abkoppeln: abhängen, abkuppeln, losbinden, lösen, trennen
abkratzen: abfeilen, abhobeln, abreiben, abschleifen, abschmirgeln, feilen, glatt reiben, glatt schaben, glätten, reiben, schleifen *reinigen, sauber machen, säubern, rein machen *ableben, dahinscheiden, entschlafen, heimgehen, scheiden, sterben, versterben
abkriegen: bekommen, abbekommen, erhalten *erben
abkühlen: auffrischen, kälter werden, kühler werden *tiefkühlen, etwas kühler werden lassen, kälter werden lassen, kalt stellen *abflauen, abnehmen, s. beruhigen, ernüchtern, nachlassen, schwinden, verschlechtern, zurückgehen, schlechter werden *auskühlen, chillen
Abkühlung: Kühlung, Temperaturabnahme, Temperaturrückgang, Temperatursenkung, Wärmeabnahme, Wärmeentzug *Distanz, Distanzierung, Entfremdung, Ernüchterung
Abkunft: Abstammung, Herkommen, Herkunft
abkuppeln: abhängen, abkoppeln, ablösen, auseinander nehmen, lösen, losmachen, trennen
abkürzen: abschneiden, verkürzen, den kürzeren Weg nehmen, eine Abkürzung nehmen, eine Abkürzung gehen, eine Abkürzung fahren *abschließen, beendigen, zu Ende bringen
Abkürzung: Abbreviation, Abbreviatur, Kürzel, Kurzwort, Verkürzung
abküssen: busseln, knutschen, küssen, schmatzen, schnäbeln, einen Kuss geben, einen aufdrücken
abladen: leeren, entleeren, ausladen, ausleeren, ausschiffen, entladen, herunternehmen, löschen, von Bord bringen, an Land bringen *abwälzen, aufbürden, übertragen
ablagern: abhängen, lagern, reifen *absetzen, anschwemmen, anspülen, anströmen, antreiben, ans Ufer spülen, an Land spülen ***s. ablagern:** s. absetzen, s. ansammeln, s. niederschlagen, sedimentieren, zu Boden sinken
Ablagerung: Bodensatz, Niederschlag, Sediment *Alterung, Lagerung, Reifung
ablandig: seewärts, vom Lande her
Ablass: Absolution, Freisprechung, Lossprechung, Sündenerlass, Vergebung
ablassen: herauslaufen, ausströmen lassen *leeren, leer machen *Rabatt gewähren, Skonto gewähren *s. abreagieren, s. beruhigen, zur Ruhe kommen ***ablassen (von):** abstellen, aufgeben, aufhören, s. einer Sache entwöhnen, einstellen, s. enthalten, s. etwas abgewöhnen, mit einer Gewohnheit brechen
ablatschen: ablaufen, ableiern, abnutzen, abtreten, durchtreten, herunterlatschen, herunterlaufen, schief laufen, verbrauchen, verschleißen
Ablauf: Programm, Punkt, Tagesordnung, Tagesordnungspunkt, TOP, Verlauf *Abfluss, Ausguss
ablaufen: abgehen, abschreiten, belaufen, besichtigen, kontrollieren, patrouillieren, prüfen *auslaufen, verfallen, ungültig

werden, fällig werden, außer Kraft treten *ablatschen, abnutzen, abtreten, durchtreten, herunterlatschen, herunterlaufen, schief laufen, verschleißen *abfließen, versickern, wegfließen *herunterfließen, s. leeren *besichtigen, entlanggehen *gewinnen, überflügeln, übertrumpfen *s. abspielen, verlaufen *abspielen, geschehen, sein ***ablaufen lassen:** leeren, entleeren, leer laufen lassen

ableben: abscheiden, absterben, s. auflösen, dahinscheiden, einschlafen, einschlummern, entschlafen, erfrieren, erlöschen, ersticken, ertrinken, gehen (von), heimgehen, hinscheiden, hinsterben, hinübergehen, schwinden, sterben, umkommen, verdursten, vergehen, verhungern, verlöschen, verscheiden, verschwinden, versterben, abgerufen werden, (tödlich) verunglücken, die Augen schließen, die Augen zumachen, sein Leben aushauchen, aus dem Leben gehen, aus dem Leben abberufen werden, aus dem Leben scheiden

Ableben: Abberufung, Abgang, Abschied, Auflösung, Ende, Erlösung, Heimgang, Hingang, Lebensende, Leblosigkeit, Tod, das Abscheiden, das Absterben, das Entschlafen, das Erblassen, das Erlöschen, das Hinscheiden, das Sterben, das Verscheiden

ablecken: abschlecken, lecken, schlecken

ablegen: abheften, ausrangieren, einordnen, einräumen, fortlegen, niederlegen *abschnallen, abstreifen, abtun, auskleiden, ausziehen, entkleiden *absetzen, abstellen, deponieren, hinstellen, niederlegen *absolvieren, leisten, machen *beichten, s. bekennen *zeugen, als Zeuge aussagen, etwas bezeugen, Zeugnis ablegen *s. über etwas klar werden, s. verantworten, etwas erkennen, Rechenschaft ablegen *abfahren, starten, wegfahren

Ableger: Impfreis, Keimling, Pflänzchen, Pfropfreis, Reis, Schoss, Schössling, Senker, Setzling, Spross, Steckling, Trieb

ablehnen: abschlagen, abweisen, abwinken, ausschlagen, verneinen, s. verschließen (vor), verschmähen, verwerfen, s. weigern, zurückschlagen, zurückweisen, abschlägig bescheiden, eine Abfuhr erteilen, dagegen sein, etwas verweigern, etwas versagen, nicht genehmigen, Nein sagen, nicht nachgeben *missbilligen, verabscheuen, verwerfen, zurückweisen, Abscheu empfinden, Widerwillen empfinden, Ekel empfinden, etwas verabscheuenswert finden, etwas widerwärtig finden, nicht anerkennen, von sich weisen *ausschlagen, danken, verschmähen, zurückweisen, nicht annehmen, von sich weisen

ablehnend: abschätzig, abschlägig, despektierlich, missbilligend, negativ, verneinend, vernichtend, zurückweisend *abweisend, brüsk, frostig, herb, reserviert, unfreundlich, unnahbar, unpersönlich, unzugänglich, verschlossen, widerborstig, zugeknöpft, zurückhaltend *bissig, kritisch, scharf, schroff, spitz, stachelig *abgeneigt, abhold, negativ, polemisch, unwillig, widerstrebend, widerwillig

Ablehnung: Abfuhr, Absage, Abweis, Abweisung, Debakel, Fiasko, Nein, Niederlage, Versagung, Verweigerung, Weigerung, Zurückweisung, ablehnende Antwort, abschlägige Antwort, ablehnender Bescheid, negativer Bescheid

ableisten: abgelten, absolvieren, erledigen, machen, tun

Ableistung: Abgeltung, Absolvierung, Erledigung, die Tat, das Tun

ableiten: deduzieren, entwickeln, folgern, herleiten, zurückführen *abführen, leiten *ablenken, wegleiten ***s. ableiten:** abstammen, entstammen, herstammen

Ableitung: Entwicklung, Folgerung, Herleitung, Zurückführung *Ablenkung

ablenken: abbringen, führen, leiten, lenken *abfälschen, fälschen *täuschen, verwirren ***s. ablenken:** anregen, aufheitern, aufmuntern, erheitern, s. vergnügen, zerstreuen

Ablenkung: Belustigung, Kurzweil, Unterhaltung, Vergnügen, Zeitvertreib, Zerstreuung *Beugung, Brechung, Refraktion, Richtungsänderung

ablesen: lesen, vorlesen, vortragen *auflesen, aufsammeln, lesen, sammeln, zusammentragen *enträtseln, erraten, herausbringen *bestimmen, registrieren, den Stand feststellen

ableuchten: ausleuchten, erhellen, suchen
ableugnen: absprechen, abstreiten, bestreiten, dementieren, leugnen, negieren, verneinen, s. verwahren (gegen), als unwahr bezeichnen, als unrichtig bezeichnen, als falsch bezeichnen, als unzutreffend bezeichnen, in Abrede stellen, von sich weisen
ablichten: fotokopieren, lichtpausen, pausen, scannen, vervielfältigen
Ablichtung: Fotokopie, Hektografie, Kopie, Lichtpause, Reproduktion, Vervielfältigung, Wiedergabe, Xerokopie
abliefern: abgeben, abtreten, anvertrauen, aushändigen, geben, liefern, übereignen, übergeben, überlassen, überreichen, überstellen *abgeben, einliefern
Ablieferung: Abgabe, Anlieferung, Aushändigung, Auslieferung, Belieferung, Lieferung, Überbringung, Übergabe, Übermittlung, Überstellung, Überweisung, Weitergabe, Weiterleitung, Zufuhr, Zuleitung, Zusendung, Zustellung
ablocken: abbetteln, abgewinnen, ablisten, abluchsen, abschwindeln, entlocken, erlisten
ablösen: abklopfen, abkratzen, abmachen, abreißen, abschaben, abschütteln, abstreifen, entfernen, losbinden, loslösen, losmachen, losreißen, wechseln *abschieben, entlassen, entmachten, entthronen, kündigen, stürzen, suspendieren, verabschieden, des Amtes entheben *folgen, nachkommen, später kommen ***s. ablösen:** abblättern, abbröckeln, abfallen, abgehen, abplatzen, s. abschälen, s. abschuppen, absplittern, abspringen, blättern (von), bröckeln (von), s. lösen, losgehen *s. abwechseln, miteinander wechseln
Ablösung: Abfall, Abspaltung, Abtrennung, Bruch, Loslösung, Lostrennung *Abwechslung, Alternanz, Alternation, Wechsel *Abzahlung, Begleichung, Rückzahlung, Tilgung
abluchsen: abbetteln, abgewinnen, ablisten, ablocken, abschwindeln, erlisten
abmachen: abknicken, abreißen, abschlagen, abschneiden, abtrennen, entfernen, losbinden, loslösen, losmachen, losreißen, losschlagen, lostrennen, machen (von), reißen (von) *abkarten, festmachen, verabreden, vereinbaren *ausführen, durchführen, erledigen, machen, tun *absprechen, abstimmen, aushandeln, bestimmen, entscheiden, festlegen, übereinkommen, vereinbaren, einen Vertrag abschließen
Abmachung: Abkommen, Pakt, Verabredung, Vereinbarung, Vertrag
abmagern: abfallen, abnehmen, abzehren, auszehren, einfallen, dünner werden, mager werden, schlank werden
Abmagerung: Abnahme, Auszehrung, Gewichtsabnahme, Gewichtsreduzierung, Gewichtssenkung, Gewichtsverlust, Gewichtsverminderung, Gewichtsverringerung, Magerkeit, Magersucht, Reduktion, Senkung, Verringerung
Abmagerungskur: Diät, Fastenkur, Hungerkur, Schlankheitskur
abmalen: abzeichnen, nachmalen, nachzeichnen, wiedergeben
Abmarsch: Abzug, Aufbruch, Entfernung, Start, Weggang, das Abmarschieren
abmarschieren: abrücken, abziehen, aufbrechen, davongehen, davonziehen, fortgehen, fortziehen, gehen, losmarschieren, s. entfernen, scheiden, weggehen, wegziehen
abmartern (s.): beanspruchen, s. abmühen, s. abquälen, s. abschinden, s. anstrengen, s. aufreiben, s. dahinter setzen, s. etwas abverlangen, s. fordern, s. mühen, s. placken, s. plagen, s. quälen, s. strapazieren, s. zusammenreißen, schuften, sein Bestes tun, s. überanstrengen
abmelden: exmatrikulieren *abbestellen, kündigen *austreten, s. empfehlen, s. trennen (von), verlassen, weggehen *vermissen, nicht mehr finden
abmessen: dosieren, einteilen, rationieren, zumessen, zuteilen *prüfen, nachprüfen, messen, vermessen, ausmessen, bemessen, berechnen, dimensionieren
abmildern: abdämpfen, abschirmen, abschwächen, ausgleichen, beruhigen, bessern, dämpfen, entschärfen, erleichtern, glätten, herunterspielen, lindern, mildern, schwächen, verringern *beruhigen,

beschwichtigen, entgiften, entschärfen, entspannen, die Spitze nehmen
abmontieren: abbauen, abmachen, abschrauben, auseinander nehmen, demontieren, entfernen, wegnehmen, zerlegen, zerteilen
abmühen (s.): s. abarbeiten, s. abschleppen, s. anstrengen, s. bemühen, s. etwas abverlangen, s. fordern, s. mühen, s. placken, s. plagen, s. strapazieren, seine ganze Kraft aufbieten
abmurksen: töten, umlegen, um die Ecke bringen
abnabeln: abbinden, abklemmen, ablösen, durchschneiden, loslösen *__s. abnabeln:__ s. befreien, s. emanzipieren, s. loslösen, selbständig werden
abnähen: verengen, enger machen
Abnahme: Durchsicht, Inspektion, Kontrolle, Nachprüfung, Prüfung, Revision, Überprüfung, Untersuchung *Abminderung, Beschränkung, Degression, Drosselung, Einschränkung, Minderung, Regression, Rückgang, Schwund, Verkleinerung, Verkürzung, Verminderung, Verringerung *Kauf, Übernahme *Entgegennahme, Erhalt
abnehmen: abebben, abflauen, abklingen, absinken, aussterben, dahinschwinden, einschlafen, erkalten, fallen, geringer werden, nachgeben, nachlassen, s. beruhigen, s. dem Ende zuneigen, s. verkleinern, s. vermindern, s. verringern, schwächer werden, schwinden, sinken, verebben, weniger werden, zu Ende gehen, zur Neige gehen, zurückgehen *abbrechen, aufgeben, aufhören, aufstecken, beenden, beendigen, einstellen *abmagern, an Gewicht verlieren, dünner werden, mager werden, schlank werden *entfernen, herunternehmen *helfen, tragen *inspizieren, kontrollieren, nachprüfen, prüfen, überprüfen, untersuchen *fortnehmen, wegnehmen *abkaufen, akzeptieren, glauben *abfordern, abverlangen, ansinnen, s. ausbedingen, s. ausbitten, beanspruchen, begehren, beharren (auf), bestehen (auf), dringen (auf), fordern, heischen, pochen (auf), postulieren, verlangen, wollen, wünschen, zumuten, den Anspruch erheben, geltend machen, zur Bedingung machen *nachbilden, übertragen *verkürzen, kürzer werden *nachlassen, schwinden
Abnehmer: Auftraggeber, Interessent, Käufer, Konsument, Kunde, Kundschaft, Verbraucher
Abneigung: Abgeneigtheit, Abscheu, Antipathie, Aversion, Ekel, Feindschaft, Feindseligkeit, Hass, Ressentiment, Ungeneigtheit, Voreingenommenheit, Vorurteil, Widerwille
abnorm: anormal, abnormal, abartig, abweichend, normwidrig, regelwidrig, unnormal, verrückt, widernatürlich, nicht normal *ungewöhnlich, ungewohnt, unüblich
Abnormität: Abirrung, Abweichung, Änderung, Anomalie, Anomalität, Ausnahme, Differenz, Disproportion, Divergenz, Missverhältnis, Normwidrigkeit, Regelwidrigkeit, Sonderfall, Ungleichheit, Ungleichmäßigkeit, Unstimmigkeit, Unterschiedlichkeit, Variante, Variation, Verschiedenartigkeit, Verschiedenheit *Abartigkeit, Krankhaftigkeit, Perversion *Deformation, Deformierung, Missbildung
abnötigen: abringen, abtrotzen, abzwingen, entlocken, wegnehmen
abnutzen: abfahren, ablaufen *abnützen, abscheuern, abtragen, abtreten, abwetzen, aufbrauchen, austreten, ausweiten, verbrauchen, verschleißen *abnützen, entkräften, verbrauchen, verschleißen *__s. abnutzen:__ s. abbrauchen, s. abreiben, s. abscheuern, s. durchscheuern, s. verbrauchen, alt werden
Abnutzung: Abnützung, Abrieb, Gebrauch, Verbrauch, Verschleiß
Abonnement: Anforderung, Anrecht, Bestellung, Bezug, Lieferung *Bücherabonnement *Zeitschriftenabonnement, Zeitungsabonnement *Konzertabonnement *Theaterabonnement, Theatermiete
Abonnent: Bezieher, Leser
abonnieren: anfordern, bestellen, beziehen, s. halten, mieten, ein Abonnement haben
abordnen: abkommandieren, abstellen, beordern, delegieren, deputieren, deta-

chieren, entsenden, kommandieren (zu), schicken, senden
Abordnung: Abkommandierung, Delegation, Delegierung, Deputation, Entsendung *Delegation, Vertretung
Abort: Häuschen, Kabinett, Klo, Klosett, Örtchen, Pissoir, Toilette, WC *Abgang, Abortion, Abortus, Abtreibung, Fehlgeburt
abpacken: einhüllen, einpacken, einrollen, einwickeln, hineinpacken, packen, verpacken, verstauen, wegpacken, zusammenpacken *versandfertig machen *verschnüren
abpassen: abwarten, anfallen, auf der Lauer liegen, aufhalten, auflauern, belauern, erwarten, lauern, s. auf die Lauer legen, s. heranschleichen, überfallen
abpfeifen: unterbrechen *beenden, ein Ende machen
abpflücken: abbrechen, abknicken, abreißen, abzupfen, ernten, herunterholen, lesen, pflücken, sammeln
abplagen (s.): s. mühen, s. abmühen, s. abarbeiten, s. abquälen, s. abschleppen, s. anstrengen, s. bemühen, s. etwas abverlangen, s. fordern, s. schinden, s. strapazieren, alle Kräfte anspannen
abplatzen: abblättern, abbröckeln, abfallen, ablösen, s. abschälen, absplittern, abspringen, s. lösen
abprallen: zurückprallen, zurückschnellen, zurückspringen *nicht beeindrucken, nichts ausmachen
abpressen: beengen, einschnüren, zusammenpressen *abnötigen, abringen, abtrotzen, abzwingen, entlocken, wegnehmen
abputzen: abreiben, abscheuern, abstauben, abwischen, aufräumen, aufwaschen, reinigen, sauber machen, säubern, staubsaugen, rein machen, den Schmutz entfernen, in Ordnung bringen
abquälen (s.): s. abarbeiten, s. abmühen, s. abplagen, s. abrackern, s. abschleppen, s. bemühen, s. etwas abverlangen, s. fordern, s. mühen, s. schinden, s. strapazieren, alle Kräfte anspannen
abqualifizieren: diffamieren, entwürdigen, herabsetzen, herabwürdigen, schlecht machen, verlästern, verleumden, jmdm. etwas nachreden, jmdm. etwas nachsagen, jmdm. etwas andichten, jmdm. etwas anhängen, jmdn. verächtlich machen
abrasieren: abwarten, anfallen, aufhalten, auflauern, belauern, erwarten, lauern, auf der Lauer liegen, s. auf die Lauer legen, s. heranschleichen, überfallen *niedermähen, niederwalzen, ruinieren, vernichten, zerstören, zertrümmern, dem Erdboden gleichmachen, zugrunde richten
abraten: abbringen (von), abmahnen, abreden, warnen, widerraten, zu Bedenken geben
abräumen: abservieren, abtragen, frei machen, leeren, räumen, wegschaffen, den Tisch abdecken
Abraumhalde: Abladeplatz, Deponie, Müllkippe, Schrottplatz, Schuttabladeplatz, Schuttplatz
abreagieren: s. beruhigen, beschwichtigen, zur Ruhe kommen *auslassen, seelische Spannung vermindern
abrechnen: bilanzieren, eine Rechnung aufstellen, die Rechnung aufmachen, Bilanz machen, den Abschluss machen, den Jahresabschluss machen, den Bestand aufnehmen, Bilanz ziehen, die Bücher prüfen, Inventur machen *abziehen, subtrahieren *Abrechnung halten (mit), belangen, verantwortlich machen, zur Verantwortung ziehen, Rechenschaft ziehen, zur Rede stellen, ein Hühnchen rupfen
Abrechnung: Bilanz, Bilanzierung, Handelsbilanz, Schlussrechnung *Abstrich, Abzug, das Abrechnen, das Abziehen *Gegenangriff, Gegenschlag, Gegenstoß, Heimzahlung, Rache, Repressalie, Sühne, Vergeltung, Vergeltungsmaßnahme
Abrede: Abmachung, Abschluss, Absprache, Übereinkunft, Verabredung, Vereinbarung
abreden: abbringen (von), abmahnen, abraten, warnen, widerraten, zu bedenken geben *abmachen, abschließen, absprechen, ausbedingen, aushandeln, ausmachen, beschließen, übereinkommen, verabreden, vereinbaren, eine Abmachung treffen, eine Absprache treffen, Vereinbarungen treffen

abregen (s.): s. abkühlen, s. abreagieren, s. beruhigen, s. entspannen, s. legen, s. normalisieren, s. setzen, s. wieder geben, zur Ruhe kommen
abreiben: abfrottieren, abtrocknen, frottieren, reiben, trockenreiben *abfeilen, abschmirgeln, feilen, glatt feilen, glatt reiben, glätten, schmirgeln *abwischen, entfernen, reiben, reinigen *abfahren, abnutzen, abstoßen
Abreibung: Abkanzelung, Attacke, Belehrung, Denkzettel, Lehre, Lektion, Maßregelung, Schelte, Standpauke, Strafpredigt, Tadel, Warnung, Zank, Zurechtweisung *Knetkur, Körpermassage, Massage *Hiebe, Prügel, Schläge, Züchtigung
Abreise: Abfahrt, Abschied, Abzug, Aufbruch, Scheiden, Start
abreisen: abfahren, abfliegen, abziehen, aufbrechen, auslaufen, packen, scheiden, starten, wegfahren, wegfliegen, wegreisen, die Koffer packen
abreißen: abmachen, abtrennen, herunterreißen, losreißen, reißen (von), wegreißen *niederreißen, zerstören *abbrechen, abtragen, demolieren, einreißen, niederwalzen, vernichten, zertrümmern *abgehen, s. ablösen *zerreißen *abbrechen, abpflücken, abrupfen, abzupfen, pflücken *aufhören, beenden, Schluss machen *bloßstellen, entlarven *abfallen, abgehen, losgehen *ernten
abrichten: abführen, dressieren, lehren, schulen, trainieren
Abrichter: Dompteur, Dresseur, Tierbändiger, Tierlehrer, Zureiter
Abrichtung: Dressur, Schulung, Training
Abrieb: Abnutzung, Alterung, Alterungsprozess, Verschleiß
abriegeln: abschließen, schließen, verriegeln, verschließen, versperren, zumachen, zuriegeln, zuschließen, den Riegel vorlegen, den Riegel vorschieben *absperren, isolieren, sperren
Abriegelung: Absperrung, Blockade, Blockierung, Kordon, Sperre, Straßensperre, Vollsperrung
abringen: abnötigen, abpressen, abtrotzen, abzwingen, fordern
Abriss: Abbau, Abbruch, Abtragung, Demolierung, Demontage, Niederreißung, Zerlegung, das Abbrechen *Aufriss, Querschnitt, Resümee, Synopse, Überblick, Überschau, Übersicht, Zusammenfassung, Zusammenschau
abrollen: abhaspeln, abspulen, abwickeln, spulen (von), wickeln (von)*ablaufen, abwickeln, über die Bühne bringen *abfahren, hinausfahren, starten, verlassen, wegfahren *abgehen, ablaufen, s. abwickeln, geschehen, sein, stattfinden, verlaufen, seinen Verlauf nehmen
abrücken: absagen, s. distanzieren, s. entfernen, s. heraushalten, weggehen, zurückziehen, Abstand schaffen *abmarschieren, s. entfernen, weggehen *abschieben, rücken, schieben, wegrücken, wegschieben, beiseite rücken
abrufen: abgerufen werden, ableben, absterben, dahinscheiden, entschlafen, heimgehen, hinscheiden, scheiden, sterben, verscheiden *holen, wegholen, wegrufen *abheben, s. auszahlen lassen *prüfen
abrunden: abkanten, abschrägen, glätten, rund machen *ergänzen, komplettieren, vervollkommnen, vervollständigen *kürzen, mindern, reduzieren, rund machen
abrupfen: abmachen, abreißen, abtrennen, herunterreißen, losreißen, reißen (von), wegreißen *abbrechen, abpflücken, abzupfen, pflücken
abrupt: jäh, jählings, plötzlich, schlagartig, sprunghaft, überraschend, unerwartet, unverhofft, unvermittelt, unvermutet, unversehens, unvorhergesehen, auf einmal, mit einem Mal, über Nacht, von heute auf morgen *stockend, in Sprüngen, in Absätzen
abrüsten: abbauen, demobilisieren, entwaffnen, Truppen reduzieren, Truppen verringern, Waffen reduzieren *abbauen, abnehmen, demontieren
Abrüstung: Demobilisierung, Entmilitarisierung, Entwaffnung, Truppenreduzierung, Waffenverringerung
abrutschen: abgleiten, rutschen
absacken: sinken, untergehen, versacken, versinken, wegsacken *abfallen, nachlas-

sen, schwinden, verringern *abfüllen, einfüllen, füllen
Absage: Ablehnung, Abweis, Abweisung, Verweigerung, Weigerung, Zurücknahme, Zurückweisung, ablehnende Antwort, abschlägige Antwort, ablehnender Bescheid, abschlägiger Bescheid
absagen: abbestellen, abblasen, abmelden, abschreiben, abtelefonieren, annullieren, widerrufen, zurücknehmen, zurücktreten (von), zurückziehen, eine Zusage zurücknehmen, nicht stattfinden lassen, rückgängig machen *abschwören, aufgeben, entsagen, s. lossagen *abschaffen, aufheben, einstellen *dementieren, widerrufen, zurückrufen
absägen: abholzen, abtrennen, fällen, roden, sägen, schlagen, umhauen, umlegen *absetzen, degradieren, entfernen, entlassen, entmachten
absahnen: entfetten, entrahmen, Sahne abschöpfen *s. aneignen, anhäufen, s. bereichern, einheimsen, einsacken, einstreichen, ergattern, s. etwas unter den Nagel reißen, s. gesundstoßen, s. Gewinn verschaffen, herausholen, herausschlagen, profitieren, sparen, s. Vorteile verschaffen, zugreifen, zulangen, zusammenraffen, zusammentragen, zuschlagen, an sich reißen, ein Geschäft machen, Nutzen haben, Gewinn haben, Nutznießer sein
Absatz: Umsatz, Verkauf, Vertrieb *Abschnitt, Artikel, Kapitel, Paragraph, Perikope, Stück, Teil, Textabschnitt *Hacke, Stöckel *Podest, Treppenabsatz *Vorsprung *Bodensatz, Sediment
Absatzforschung: Bedarfsermittlung, Bedarfsforschung, Marktanalyse, Marktbeobachtung, Marktforschung
Absatzgebiet: Absatzmarkt, Markt
absaufen: absacken, absinken, hinabsinken, hinuntersinken, niedergehen, niedersinken, untergehen, untersinken, versacken, versinken, wegsacken, in den Wellen verschwinden, in den Fluten verschwinden
abschaben: abkratzen, ablösen, abmachen
abschachern: abfeilschen, abhandeln, ablisten, handeln
abschaffen: annullieren, aufheben, auflösen, beseitigen, einstellen, kassieren, außer Kraft setzen, für nichtig erklären, für ungültig erklären, für null und nichtig erklären ***s. abschaffen:** s. abarbeiten, s. abmühen, s. abplagen, s. abquälen, s. abschleppen, s. bemühen, s. etwas abverlangen, s. fordern, s. mühen, s. schinden, s. strapazieren, alle Kräfte anspannen
Abschaffung: Abstellung, Aufhebung, Ausschaltung, Behebung, Beseitigung, Entfernung, Löschung
abschälen: pellen, schälen ***s. abschälen:** abgehen, s. ablösen, s. lösen, s. loslösen
abschalten: abdrehen, abstellen, ausdrehen, ausmachen, ausschalten *träumen, abgelenkt sein, abwesend sein, geistesabwesend sein, unaufmerksam sein, unkonzentriert sein, zerfahren sein, zerstreut sein *s. beruhigen, s. entspannen, meditieren
abschattieren: abschatten, abstufen, abtönen, nuancieren, schattieren
Abschattierung: Abschattung, Abstufung, Abtönung, Nuancierung, Schattierung
abschätzen: schätzen, einschätzen, begutachten, beurteilen, bewerten
abschätzig: abfällig, despektierlich, geringschätzig, missfällig, negativ, pejorativ, verächtlich, wegwerfend
Abschätzung: Begutachtung, Beurteilung, Bewertung, Schätzung
abschauen: abgucken, abschreiben, nachmachen, plagiieren, spicken
Abschaum: Asoziale, Auswurf, Gesindel, Lumpenpack, Pöbel, Sippschaft
abschäumen: abschaumen, klären, Schaum entfernen
abscheiden: absondern, ausscheiden, ausschwitzen, aussondern, von sich geben
abscheren: abschneiden, rasieren, schneiden, stutzen, zurechtstutzen, zurückschneiden *kahl scheren, scheren, trimmen
Abscheu: Abgeneigtheit, Abneigung, Antipathie, Aversion, Ekel, Feindschaft, Feindseligkeit, Grauen, Hass, Horror, Schauder, Schauer, Ungeneigtheit, Voreingenommenheit, Vorurteil, Widerwille

abscheuern: abnutzen, abnützen, abtragen, abwetzen, verschleißen *entfernen, fegen, feudeln, putzen, reinigen, sauber machen, säubern, scheuern ***s. abscheuern:** s. abnutzen, s. durchscheuern, s. verbrauchen
Abscheu erregend: abscheulich, abstoßend, ekel, Ekel erregend, eklig, schleimig, schmierig, unappetitlich, widerlich, widerwärtig
abscheulich: Abscheu erregend, böse, ekelhaft, fratzenhaft, gemein, geschmacklos, grässlich, gräulich, hässlich, schauderhaft, scheußlich, unangenehm, unschön, verabscheuenswert, verabscheuungswürdig, verwerflich, widerlich, widerwärtig
Abscheulichkeit: Bosheit, Ekelhaftigkeit, Fratzenhaftigkeit, Gemeinheit, Geschmacklosigkeit, Grässlichkeit, Grauenhaftigkeit, Gräuel, Hässlichkeit, Scheußlichkeit, Verwerflichkeit, Widerwärtigkeit
abschicken: absenden, aufgeben, expedieren, fortgeben, fortschicken, schicken, senden, versenden, wegschicken, abgehen lassen, zum Versand bringen, zuschicken
Abschiebehaft: Auslieferungshaft
abschieben: davonjagen, entlassen, fortschicken, hinausschmeißen, kündigen, suspendieren, auf die Straße setzen, auf die Straße werfen, des Amtes entheben, des Amtes entkleiden *abwälzen, andrehen, aufbürden, aufladen, übertragen, unterjubeln, zuschieben *abrücken, wegrücken, wegschieben *beiseite schieben, wegschieben
Abschiebung: Ausweisung, Expatriierung, Hinauswurf, Verbannung
Abschied: Lebewohl, Trennung, Weggang, das Scheiden *Abdankung, Amtsverzicht, Austritt, Demission, Entlassung, Kündigung, Rücktritt
Abschiedsessen: Abschiedsmahl, Henkersmahl, Henkersmahlzeit
Abschiedsgruß: ade, adieu, servus
abschießen: abgeben, wegschießen, zuspielen *beschädigen, herunterholen, zerstören *abfeuern, abknallen, beschießen, erschießen, feuern, schießen, töten, kampfunfähig machen *abschieben, entlassen, kaltstellen, verdrängen
abschinden (s.): s. abmühen, s. abquälen, s. anstrengen, s. aufreiben, beanspruchen, s. dahinter setzen, s. etwas abverlangen, s. fordern, s. mühen, s. placken, s. plagen, s. quälen, s. strapazieren, s. zusammenreißen, schuften, überanstrengen, sein Bestes tun
abschirmen: retten, schonen, schützen, in Deckung nehmen *abblenden, abdunkeln, verdunkeln, verfinstern, dunkler machen
abschlachten: abstechen, ausmerzen, ausrotten, erdolchen, erschießen, erstechen, hinrichten, hinschlachten, liquidieren, niederstrecken, schlachten, töten, totschlagen, umbringen, vernichten, aus der Welt schaffen, jmdn. beseitigen
Abschlachtung: Blutbad, Gemetzel, Massaker, Massenmord, Metzelei, Mord, Tötung, Völkermord, das Hinschlachten
abschlaffen: abbauen, abebben, abflachen, abflauen, abklingen, s. abschwächen, abschwellen, absinken, s. beruhigen, s. dem Ende zuneigen, einschlafen, erlahmen, erlöschen, ermatten, s. legen, nachlassen, verebben, zurückgehen, zur Ruhe kommen
Abschlag: Abzug, Diskont, Ermäßigung, Mengenrabatt, Minderung, Nachlass, Preisnachlass, Preissenkung, Rabatt, Rückvergütung, Skonto *Abstoß, Abwurf *Abschlagszahlung, Ratenzahlung, Teilzahlung
abschlagen: ablehnen, abwehren, abweisen, abwinken, ausschlagen, versagen, verschmähen, verweigern, zurückweisen, abfahren lassen, abblitzen lassen, nicht gewähren *abbrechen, abhacken, abhauen, abspalten, abstemmen, abstoßen, abtrennen *abhauen, abholzen, einschlagen, fällen, schlagen, umhauen
abschlägig: ablehnend, abschätzig, negativ, verneinend, zurückweisend
Abschlagszahlung: Ratenzahlung, Teilzahlung
abschleppen: schleifen, nachschleifen, ziehen, ziehend fortbewegen ***s. abschleppen:** s. abmühen, s. abplacken, s. abplagen, s. abquälen, s. abrackern, s.

anstrengen, s. aufreiben, s. bemühen, s. mühen, s. plagen, s. schinden, s. strapazieren
abschließen: abriegeln, absperren, schließen, sperren, verriegeln, verschließen, versperren, zumachen, zuriegeln, zuschließen, zusperren *aufhören, beenden, beendigen, enden, ein Ende machen, ein Ende setzen, zu Ende bringen, zum Abschluss bringen *s. absichern, s. versichern *losen, setzen, tippen, wetten, würfeln *ratifizieren, unterzeichnen, vereinbaren ***s. abschließen:** s. abkapseln, s. absondern, s. isolieren, s. separieren, s. verschließen
abschließend: zum Abschluss, zum Schluss, am Ende
Abschluss: Ende, Schluss *Abkommen, Abrede, Absprache, Arrangement, Festsetzung, Ratifizierung, Übereinkommen, Übereinkunft, Urkunde, Verabredung, Vereinbarung, Vertrag
Abschlusszeugnis: Zertifikat *Abiturzeugnis *Arbeitszeugnis *Entlassungszeugnis, Hauptschulzeugnis *Realschulzeugnis
abschmecken: kosten, probieren, prüfen, versuchen, vorkosten
abschmieren: fetten, ölen, schmieren, warten
abschnallen: losbinden, losmachen, losschnallen *abschalten, aufgeben
abschneiden: trennen, abtrennen, lösen *abscheren, kupieren, schneiden *isolieren, trennen *mähen, schneiden *abkürzen, verkürzen, den kürzeren Weg nehmen, eine Abkürzung nehmen, eine Abkürzung gehen, eine Abkürzung fahren *abgeben, abscheiden, absondern *bestehen, gut abschließen, erfolgreich abschließen ***gut abschneiden:** siegen, gut wegkommen, Glück haben ***schlecht abschneiden:** unterliegen, schlecht wegkommen, Pech haben
Abschnitt: Absatz, Artikel, Kapitel, Paragraph, Passage, Passus, Perikope, Punkt, Rubrik, Spalte *Teil, Teilstück, Teilbereich, Teilstrecke *Dividendenschein, Kupon, Talon, Zinsabschnitt, Zinsschein *Ecke, Gegend, Landstrich, Region, Umgebung *Ära, Dauer, Epoche, Periode, Phase, Zeitabschnitt, Zeitalter, Zeitraum, Zeitspanne
abschnüren: abbinden, abnabeln, abnehmen, ausziehen, losbinden *beengen, einengen, einschnüren
abschöpfen: abschäumen, klären *absahnen, entfetten
abschrägen: abdachen, abfasen, abkanten, fasen, schrägen, schräger machen
Abschrägung: Abdachung, Abkantung, Fase
abschrauben: abbauen, abmachen, abmontieren, entfernen, lösen, loslösen, zerlegen
abschrecken: abhalten, hindern, zurückhalten *kühlen, plötzlich abkühlen *abraten, drohen, warnen, zurückschrecken
abschreckend: drohend, negativ, schrecklich, warnend *abscheulich, gräulich, hässlich, scheußlich, unschön, verabscheuenswert, verabscheuungswürdig, verwerflich, widerlich
abschreiben: abtun, aufgeben, s. aus dem Kopf schlagen, s. aus dem Sinn schlagen, resignieren, s. trennen (von), verloren geben, verzichten, Abstand nehmen, Abstriche machen, einer Sache abschwören, einer Sache absagen, einer Sache entsagen, seine Rechte abtreten *abtippen, kopieren *abfeilen, plagiieren, ein Plagiat begehen, geistigen Diebstahl begehen, unerlaubt übernehmen *abnutzen, absetzen, nutzen *abgucken, spicken *abbuchen, absetzen
Abschreibung: Abdeckung, Ablösung, Abtragung, Abzahlung, Amortisation, Bezahlung, Löschung, Streichung, Tilgung
abschreiten: abgehen, ablaufen *abgehen, ablaufen, abmessen, belaufen, besichtigen, kontrollieren, patrouillieren, prüfen
Abschrift: Abzug, Doppel, Duplikat, Durchschlag, Durchschrift, Kopie, Vervielfältigung, Zweitschrift
abschuften: s. abarbeiten, s. abmühen, s. abplacken, s. abplagen, s. abquälen, s. abschinden, s. abschleppen, s. anstrengen, s. bemühen, s. quälen, s. schinden, s. strapazieren, sein Bestes machen, sein Bestes

tun, das Menschenmögliche machen, das Menschenmögliche tun
abschürfen (s.): s. abschrammen, s. abstoßen, s. aufscheuern, s. verletzen
Abschürfung: Hautabschürfung, Schramme
abschüssig: abfallend, gebirgig, jäh, schroff, steil, mit starkem Gefälle
abschütteln: s. abwenden (von), aufgeben, s. befreien (von), hinter sich lassen, hinter sich bringen *abklopfen, abschlagen, entfernen, herunterschütteln *s. befreien, s. emanzipieren, s. lösen (von), s. losmachen (von), s. selbständig machen
abschütten: abgießen, ausleeren, ausschütten, entleeren, leeren, weggießen
abschwächen: abdämmen, abmildern, dämmen, dämpfen, eindämmen, herunterspielen, mildern *mildern, verringern, schwächer machen, schwächer werden *bessern, dämpfen, erleichtern, lindern, mäßigen, mildern, schwächen, trösten, (den Schmerz) stillen, erträglich machen, helfen (bei) ***s. abschwächen:** s. beruhigen, s. entkrampfen, s. entspannen, nachlassen
Abschwächung: Beruhigung, Entkrampfung, Entspannung
abschweifen: abgehen, abgleiten, abirren, abkommen, abweichen, vom Thema abgehen
abschwellen: dünner werden, wieder normal werden *genesen, gesunden, auf dem Weg der Besserung sein, geheilt werden, gesund werden, wiederhergestellt werden, seiner Genesung entgegensehen *abflauen, nachlassen, s. verringern, leiser werden
abschwemmen: abspülen, abtragen, fortschwemmen, forttragen
abschwenken: abbiegen, einbiegen, einschwenken, die Richtung ändern, einen Bogen machen, um die Ecke schwenken, um die Ecke biegen *ausspülen, auswaschen, säubern
abschwindeln: abbetteln, abgewinnen, ablisten, ablocken, erlisten
abschwirren: abdampfen, s. abkehren, abmarschieren, abrücken, s. absetzen, s. abwenden, s. auf den Weg machen, aufbrechen, s. aufmachen, davongehen, enteilen, s. entfernen, s. fortbegeben, fortgehen, s. fortmachen, s. in Bewegung setzen, kehrtmachen, losgehen, losmarschieren, s. umdrehen, verschwinden, s. wegbegeben, weggehen, wegtreten, zurückweichen, das Feld räumen, das Haus verlassen, das Weite suchen, den Rücken kehren, seiner Wege gehen, von dannen gehen
abschwören: abkommen, ablassen, absagen, absehen, entsagen, lassen, s. lossagen, zurücktreten
absegeln: abfahren, s. begeben, fortsegeln
absegnen: befürworten, beistimmen, billigen, gutheißen, zustimmen
absehbar: berechenbar, vorausberechenbar, erkennbar, überschaubar, voraussagbar, voraussehbar, vorauszusehen, vorhersagbar, vorhersehbar, vorherzusehen *abschätzbar, bald, in Bälde, in Kürze
absehen: abfeilen, abgucken, abschauen, abschreiben, spicken, übernehmen, einen Spickzettel benutzen *abschätzen, voraussehen, vorhersehen, kommen sehen *verzichten, Abstand nehmen *ausnehmen, außer Betracht lassen *begierig sein, gierig sein
abseifen: abputzen, putzen, reinigen, sauber machen, säubern ***s. abseifen:** reinigen, säubern, waschen
abseilen: herablassen, herunterlassen, hinablassen, hinunterlassen ***s. abseilen:** schließen, beschließen, abbrechen, abschließen, abspringen, aufhören, aufstecken, aussteigen, beenden, beendigen, einstellen *abdampfen, s. abkehren, abmarschieren, abrücken, abschwirren, s. absetzen, s. abwenden, s. auf den Weg machen, aufbrechen, s. aufmachen, davongehen, enteilen, s. entfernen, s. fortbegeben, fortgehen, s. fortmachen, s. in Bewegung setzen, kehrtmachen, losgehen, losmarschieren, s. umdrehen, verschwinden, s. wegbegeben, weggehen, wegtreten, zurückweichen, das Feld räumen, das Haus verlassen, das Weite suchen, den Rücken kehren, seiner Wege gehen, von dannen gehen *abhauen, ausrücken, durchbrennen, fliehen, s. aus dem Staub machen

absein: entfernt sein, getrennt sein *abgearbeitet, abgehetzt, abgeschafft, abgeschlafft, abgespannt, angegriffen, angeschlagen, ausgepumpt, erschöpft, gestresst, mitgenommen, urlaubsreif

abseitig: abartig, abnorm, abweichend, anders, anomal, anormal, fremdartig, normwidrig, pervers, regelwidrig, unnatürlich, verkehrt, widernatürlich *abgelegen, abgeschieden, einsam, entfernt, entlegen, fern, gottverlassen, menschenleer, öde, unerreichbar, unzugänglich, verlassen, am Ende der Welt *abwegig, ausgefallen, entlegen, verrückt, verstiegen

abseits: beiseite, seitab *abgelegen, einsam, entfernt, fern, fern liegend *außerhalb, draußen, nicht innerhalb ***abseits stehen:*** s. absondern, s. isolieren, s. zurückziehen

absenden: schicken, losschicken, abschicken, verschicken, versenden, zusenden

Absender: Adressant, Briefschreiber, Korrespondent, Schreiber, der Absendende

abservieren: abdecken, abräumen, abtragen *beseitigen, entfernen, entlassen, entmachten, entthronen, kündigen, stürzen, suspendieren *abweisen, kritisieren *entwenden, stehlen *abschießen, entlassen, kaltstellen, kündigen, verdrängen *hängen, erhängen, ausmerzen, ausrotten, erdolchen, erschießen, erstechen, hinrichten, hinschlachten, kreuzigen, liquidieren, lynchen, meucheln, niederstrecken, säubern, töten, totschlagen, umbringen, vergasen, vernichten, aus der Welt schaffen

absetzbar: erhältlich, käuflich, verkäuflich, zu haben, zu kaufen

absetzen: anschwemmen, sedimentieren, s. setzen *ablegen, abnehmen, herunternehmen *ablegen, abstellen, herabsetzen, hinstellen, niederlegen, niedersetzen *hinbefördern, hinfahren *anhalten, unterbrechen *abwählen, entfernen, entkleiden, entmachten, entthronen, stürzen *abstoßen, anbieten, ausschreiben, loswerden, veräußern, verkaufen, verschleudern, vertreiben *abblasen, absagen, ausfallen, streichen, nicht stattfinden (lassen) *abziehen, nutzen, verwerten *abgewöhnen, abstillen, entwöhnen ***s. absetzen:*** s. entfernen, s. entziehen, fliehen, flüchten, verreisen, verschwinden *s. abheben (von), s. nicht identifizieren *ablagern, anschwemmen, anspülen, anströmen, antreiben, aufschlämmen, ans Ufer spülen, an Land spülen *s. ablagern, s. niederschlagen, s. setzen, sintern

Absetzung: Ablösung, Abschiebung, Amtsenthebung, Dienstentlassung, Entfernung, Enthebung, Entlassung, Entmachtung, Entthronung, Hinauswurf, Kündigung, Sturz, Suspendierung, Zwangsbeurlaubung, Zwangspensionierung *Abstrich, Begrenzung, Beschneidung, Dezimierung, Einschränkung, Kürzung, Minderung, Reduzierung, Streichung, Verminderung, Verringerung *Degradierung, Herunterstufung

absichern: abdecken, abwehren, aufpassen (auf), behüten, beschützen, bewachen, bewahren, decken, garantieren, schützen, sichern, verteidigen

Absicht: Fernziel, Intention, Nahziel, Plan, Projekt, Streben, Vorhaben, Vornehmen, Vorsatz, Ziel, Zielsetzung, Zweck, das Bestreben, das Wollen ***mit Absicht:*** absichtlich, geplant, gewollt ***ohne Absicht:*** absichtslos, achtlos, fahrlässig, gedankenlos, gleichgültig, unbedacht, zufällig

absichtlich: absichtsvoll, beabsichtigt, beflissen, beflissentlich, bewusst, geflissentlich, gewollt, intentional, vorsätzlich, willentlich, wissentlich, wohlweislich, erst recht, mit Absicht, mit Bedacht, bei Bewusstsein, mit Willen, mit Fleiß, nun gerade, zum Trotz *böswillig, mutwillig, in böser Absicht

Absichtlichkeit: Absicht, Bedacht, Bewusstheit, Vorsätzlichkeit

absichtslos: irrtümlich, unabsichtlich, unbewusst, ungeplant, ungewollt, versehentlich, aus Versehen, nicht vorsätzlich, nicht extra, nicht willentlich, nicht absichtlich, ohne es zu wollen, ohne Absicht

absinken: sinken, untergehen, versacken, versinken *absacken, s. absenken, einsacken, einsinken, s. neigen, sacken, s. sen-

ken, zusammensacken, zusammensinken *abbauen, abebben, abflachen, abflauen, abklingen, abnehmen, s. abschwächen, abschwellen, erlahmen, erlöschen, ermatten, nachlassen, zurückgehen
absitzen: abbrummen, abbüßen, verbüßen, gefangen sein *vom Pferd steigen *absteigen, herabsteigen, heruntersteigen, hinabklettern, hinuntersteigen
absolut: absolutistisch, allgewaltig, autoritär, diktatorisch, souverän, unbeschränkt, uneingeschränkt, unumschränkt, allein herrschend *völlig, vollkommen *bedingungslos, unbedingt, uneingeschränkt, völlig, vollständig, vorbehaltlos, ohne Vorbehalt
Absolution: Ablass, Amnestie, Begnadigung, Freisprechung, Gnade, Lossprechung, Straferlass, Sündenerlass, Sündennachlass, Vergebung, Verzeihung
Absolutismus: Alleinherrschaft, Autokratie, Diktatur, Gewaltherrschaft, Monarchie, Selbstherrschaft
Absolutist: Alleinherrscher, Autokrat, Diktator, Monarch, Selbstherrscher, Souverän
Absolvent: Examenskandidat, Examinand, Kandidat, Prüfling
absolvieren: ableisten, durchlaufen, (erfolgreich) abschließen, (erfolgreich) beenden, hinter sich bringen *bewältigen, durchführen, erledigen, machen *bestehen, durchkommen, es schaffen *ablegen, leisten, machen
Absolvierung: Ablegung, Leistung *Abfertigung, Ausführung, Besorgung, Bestellung, Durchführung, Erledigung, Regelung, Tat
absonderlich: befremdend, befremdlich, bizarr, eigen, eigentümlich, eigenartig, eigenbrötlerisch, kauzig, komisch, merkwürdig, schrullig, seltsam, sonderbar, ungewöhnlich, verschroben, wunderlich, verwunderlich
Absonderlichkeit: Eigenartigkeit, Eigenbrötlertum, Eigentümlichkeit, Merkwürdigkeit, Verschrobenheit
absondern: abgeben, abscheiden, ausscheiden, auswerfen *ausscheiden, schwitzen, transpirieren *bluten, harzen *abschließen, abschneiden, abspalten, absperren, abteilen, abtrennen, isolieren, separieren, trennen ***s. absondern:** s. abkapseln, s. abschließen, s. ausschließen, s. einkapseln, s. entziehen, s. fernhalten, s. isolieren, meiden, s. separieren, s. verschließen, s. zurückziehen
Absonderung: Abschließung, Absperrung, Abtrennung, Isolation, Isolierung, Separation *Abspaltung, Abtrennung, Aufspaltung, Aufteilung, Spaltung, Trennung, Unterteilung, Zerlegung, Zweiteilung
absorbieren: aufsaugen, einsaugen, resorbieren, in sich aufnehmen *beanspruchen, beschäftigen, strapazieren, in Atem halten, in Beschlag nehmen
abspalten: abbrechen, abhacken, abhauen, abschlagen, abstemmen, abstoßen, abtrennen *abschließen, abschneiden, absondern, absperren, abteilen, abtrennen, isolieren, separieren, trennen ***s. abspalten:** s. abkapseln, s. abschließen, s. absondern, s. einkapseln, s. entziehen, s. isolieren, kündigen, s. loslösen, s. separieren, s. trennen, s. zurückziehen
absparen: erhungern, ersparen, erübrigen, sparen
abspeisen: abfüttern, bekochen, beköstigen, bewirten, verköstigen, verpflegen, versorgen *abfertigen, abfinden
absperren: abriegeln, blockieren, sperren *abschließen, verschließen, zumachen *s. abkapseln, s. absondern, s. isolieren, s. separieren, s. verschließen *abschalten, abstellen, ausdrehen, ausschalten, unterbrechen
Absperrung: Abriegelung, Blockade, Blockierung, Kordon, Sperre, Straßensperre, Vollsperrung *Abschließung, Absonderung, Abtrennung, Isolation, Isolierung, Separation *Abriegelung, Abschließung, Blockade, Blockierung, Mauer, Sperre, Straßensperre, Trennwand, Versperrung *Gatter, Gitter, Kette, Klappe, Riegel, Schieber, Schlagbaum, Zaun
abspielen: abgeben, zuspielen *ablaufen, geschehen, sein ***s. abspielen:** ablaufen, s. begeben, s. ereignen, erfolgen, geschehen, passieren, stattfinden, verlaufen, s. zutragen, vor sich gehen
absplittern: abblättern, abbrechen, ab-

bröckeln, abfallen, abgehen, abschuppen, abspringen, s. loslösen *s. abspalten, s. loslösen, s. lossagen, s. trennen, brechen (mit)

Absprache: Abmachung, Abrede, Abschluss, Agreement, Übereinkunft, Verabredung, Vereinbarung, Vertrag

absprechen: aberkennen, entziehen *abstreiten, bestreiten, dementieren, leugnen, negieren, verneinen, von sich weisen *abmachen, s. abstimmen, s. arrangieren, aushandeln, ausmachen, s. besprechen, s. einig werden, übereinkommen, vereinbaren, ein Übereinkommen treffen, eine Vereinbarung treffen, eine Übereinkunft treffen, eine Einigung erzielen, einen Kompromiss schließen, handelseinig werden

absprechend: aberkennend, abfällig, abschätzig, geringschätzig, negativ, pejorativ, schlecht

abspringen: herabspringen, s. herabstürzen, herunterspringen, s. herunterstürzen, hinabspringen, s. hinabstürzen, hinunterfallen, hinunterspringen, s. hinunterstürzen, s. niederstürzen *abblättern, abbröckeln, abfallen, abgehen, abplatzen, absplittern, losgehen, s. ablösen, s. lockern, s. lösen, s. lossagen, locker werden *abfallen, s. distanzieren, s. zurückziehen, untreu werden *aufgeben, kündigen, s. zurückziehen

abspulen: aufsagen, hersagen, herunterleiern, heruntersagen *abhaspeln, abrollen, abwickeln, ablaufen lassen

abspülen: abwaschen, reinigen, säubern, spülen

abstammen: ableiten, entstammen, herkommen, herstammen, kommen (von), stammen (von), zurückgehen (auf)

Abstammung: Ableitung, Herleitung *Abkunft, Geburt, Geschlecht, Herkommen, Herkunft, Stamm, Ursprung

Abstand: Intervall, Pause, Zwischenraum, Zwischenzeit *Distanz, Entfernung, Raum, Sicherheitsabstand *Abfindung, Bezahlung, Entschädigung, Vergütung ***Abstand halten:** Distanz haben, Distanz halten ***Abstand nehmen:** verzichten, s. zurückziehen, (davon) absehen

abstauben: abbürsten, abwischen, entstauben, reinigen *anbrüllen, attackieren, ausschelten, ausschimpfen, auszanken, heruntermachen, schelten, schimpfen, tadeln, zetern, zurechtweisen *abnehmen, s. aneignen, ausplündern, ausräubern, ausräumen, s. bemächtigen, berauben, bestehlen, betrügen, einsacken, erbeuten, mitnehmen, stehlen, unterschlagen, veruntreuen, wegnehmen, wegtragen, s. an fremdem Eigentum vergreifen, beiseite schaffen, beiseite bringen

abstechen: abmurksen, töten, umbringen *herausstechen, teilen *s. abheben (von), abweichen, differieren, divergieren, kontrastieren, s. unterscheiden, einen Kontrast bilden (zu)

Abstecher: Ausflug, Exkurs, Rutsch, Spritzfahrt, Spritztour, Trip, Umweg

abstecken: abgrenzen, abpflocken, abtreten, abzäunen, begrenzen *ausstecken, bezeichnen, demarkieren, kennzeichnen, markieren *festhalten, festlegen, festmachen, festsetzen, fixieren

abstehen: wegstehen, abgespreizt sein, entfernt stehen, in die Luft stehen, in die Luft ragen, zur Seite ragen *ablassen, absehen, zurücktreten, Abstand nehmen (von)

Absteige: Asyl, Behausung, Bleibe, Herberge, Logis, Obdach, Quartier, Schlafstelle, Unterkunft, Unterschlupf

absteigen: herabsteigen, heruntergehen, herunterkommen, heruntersteigen, hinabklettern *schlafen, übernachten, vorübergehend wohnen *herunterkommen, s. verschlechtern, s. verschlimmern *absitzen, vom Pferd steigen *einkehren, pausieren, rasten, Rast machen

abstellen: abdrehen, abschalten, ausdrehen, ausknipsen, ausmachen, ausschalten *s. abgewöhnen, absagen, aufgeben, aufhören (mit), einstellen, mit einer Gewohnheit brechen, von einer Gewohnheit abgehen *abkommandieren, abordnen, beordern, delegieren, deputieren, entsenden, kommandieren (zu), schicken *ablegen, absetzen, hinstellen, lagern, niederlegen, niedersetzen, niederstellen, unterstellen *halten, parken *beheben, beseitigen, durchkreuzen, unterbinden,

vereiteln, verhindern, verhüten, Einhalt gebieten, zunichte machen *ausrichten, einstellen
Abstellraum: Abstellkammer, Besenkammer, Nebenraum, Rumpelkammer, Speicher, Vorratsraum
abstempeln: stempeln, mit einem Siegel versehen, mit einem Stempel versehen *(**jmdn.**) **abstempeln** (**als**): bezeichnen, charakterisieren, kennzeichnen, klassifizieren
absterben: einschlafen, gefühllos werden, taub werden *dorren, eingehen, sterben, verdorren, verkümmern, vertrocknen, nicht angehen, nicht anwachsen *abklingen, ausklingen, austönen, verhallen, verklingen *aussterben, untergehen, vergehen, verschwinden
Abstieg: Talmarsch, das Abwärtssteigen *Pfad, abwärts führender Weg, talwärts führender Weg *Niedergang, Untergang, Verfall, Zerfall
abstimmen: adaptieren, anpassen, koordinieren, aufeinander einstellen, einander annähern, in Einklang bringen, in Übereinstimmung bringen *beschließen, stimmen, votieren, wählen, seine Stimme abgeben ***s. abstimmen:** abmachen, s. arrangieren, ausmachen, s. besprechen, s. einigen, s. verständigen, eine Einigung erzielen
Abstimmung: Adaption, Angleichung, Annäherung, Anpassung, Eingewöhnung, Einklang, Einordnung, Gewöhnung, Harmonisierung, Kompromiss *Stimmabgabe, Votum, Wahl
abstinent: asketisch, enthaltsam, entsagend, gemäßigt, genügsam, mäßig, maßvoll
Abstinenz: Askese, Enthaltsamkeit, Entsagung, Genügsamkeit, Mäßigung
Abstinenzler: Abstinent, Alkoholgegner, Antialkoholiker, Asket, Blaukreuzler, Guttempler, Nichttrinker, Temperenzler
abstoppen: anhalten, aufhalten, stoppen, zum Stillstand bringen, zum Stehen bringen *abstellen, aufhören, einstellen *mit der Stoppuhr messen
Abstoß: Stoß *Pass, Zuspiel *Abschlag, Abwurf
abstoßen: absetzen, veräußern, verkaufen *wegbewegen, wegstoßen *durchmachen, Erfahrungen sammeln, etwas erleben *abwerfen, nadeln, die Nadeln verlieren *ekeln, missfallen, ekelhaft finden, hässlich finden, nicht passen, unsympathisch finden, widerwärtig finden *wegstoßen, von sich weisen *abnutzen, abnützen, abscheuern, abtragen, abtreten, abwetzen *s. abschürfen, s. verletzen *verweigern, nicht annehmen, nicht anwachsen, nicht heilen
abstoßend: abscheulich, ekelhaft, flegelhaft, hässlich, scheußlich, unangenehm, unerfreulich, unfreundlich, ungehobelt, unliebenswürdig, unsympathisch, verabscheuenswert, verabscheuungswürdig, verwerflich, widerlich *Ekel erregend, ekelhaft, unappetitlich, verdorben, widerlich *abgestanden, fad, fade, flau, matt, nichts sagend
abstottern: abbezahlen, abzahlen, bezahlen, zahlen, zurückzahlen, in Raten zahlen, seine Schulden bezahlen
abstrahieren: generalisieren, verallgemeinern
abstrakt: begrifflich, gedanklich, gegenstandslos, theoretisch, unanschaulich, ungegenständlich, nicht greifbar, nur gedacht
abstrampeln (**s.**)**:** s. abmartern, s. abmühen, s. abquälen, s. abschinden, s. anstrengen, s. aufreiben, beanspruchen, s. dahinter setzen, s. etwas abverlangen, s. fordern, s. mühen, s. placken, s. plagen, s. quälen, s. strapazieren, s. zusammenreißen, schuften, überanstrengen, sein Bestes tun
abstreichen: abschreiben, verzichten, Abstriche machen, Verzicht leisten *entfernen, lösen, reinigen, säuern *abwischen, reinigen, säubern *abziehen, kürzen, streichen
abstreifen: abhäuten, ablösen, abschälen, abziehen, entfernen, enthäuten, häuten, lösen, schälen *auskleiden, ausziehen, entblößen, enthüllen, entkleiden, entledigen, frei machen *ablegen, s. befreien, entledigen, freikommen (von), loskommen (von), loswerden *abtreten, reinigen sauber machen *abpflücken, abzupfen *absuchen, durchstreichen, durchsuchen

abstreiten: ableugnen, absprechen, bestreiten, dementieren, leugnen, negieren, s. verwahren (gegen), verneinen, als unwahr bezeichnen, als unrichtig bezeichnen, als falsch bezeichnen, als unzutreffend bezeichnen, in Abrede stellen, von sich weisen
Abstrich: Abnahme, Abzug, Beschränkung, Einschränkung, Kürzung, Reduzierung, Streichung, Verkürzung, Verminderung, Verringerung
abstrus: abwegig, chaotisch, diffus, konfus, kraus, ungeordnet, verworren, wirr
abstufen: abschatten, abschattieren, abtönen, differenzieren, schattieren, tönen *differenzieren, nuancieren, staffeln, unterscheiden, unterteilen
Abstufung: Abschattung, Abtönung, Differenzierung, Schattierung, Tönung *Nuance, Staffelung
abstumpfen: stumpf machen *abtöten, abwirtschaften, herunterkommen, verkommen, verlottern, verlumpen, verschlampen, versumpfen, verwahrlosen, gefühllos werden, gleichgültig werden, teilnahmslos werden, teilnahmslos machen *verdummen, geistig nachlassen, geistig erlahmen
Abstumpfung: Denkfaulheit, Faulheit, Gedankenträgheit, Geistesträgheit, Gleichgültigkeit, Stumpfheit, Stumpfsinn, Teilnahmslosigkeit, Wurstigkeit
Absturz: Fall, Steilabfall, Sturz *Flugzeugabsturz, Katastrophe, Unglück
abstürzen: abtrudeln, herabfallen, herabstürzen, herunterfallen, herunterfliegen, herunterpurzeln, herunterstürzen, hinabfallen, hinabsausen, hinunterfallen, hinunterfliegen, hinunterpurzeln, hinuntersausen, hinuntersegeln, hinunterstürzen, niederfallen, in die Tiefe fallen, in die Tiefe stürzen, in die Tiefe segeln, in die Tiefe sausen, in die Tiefe purzeln
abstützen: abfangen, absteifen, aussteifen, stützen, versteifen, verstreben *halten, helfen, Halt geben, Halt gewähren
absuchen: ablesen, absammeln, aufsammeln *ableuchten, abstreichen, abtasten *abgrasen, abkämmen, abklappern, ablaufen, abstreifen, aufsuchen, durchstöbern, durchsuchen, suchen
Absud: Abgekochtes, Abkochung, Sud
absurd: albern, grotesk, komisch, lächerlich, lachhaft, sinnlos, sinnwidrig, töricht, überspannt, unsinnig, widersinnig
Absurdität: Albernheit, Groteske, Komik, Lächerlichkeit, Sinnlosigkeit, Torheit, Unsinn, Widersinn
Abszess: Eiterbeule, Eitergeschwür, Furunkel, Geschwür, Karbunkel, Schwäre, Ulkus
abtasten: anfühlen, befingern, befühlen, berühren, betasten *absuchen, durchsuchen, kontrollieren *befühlen, betasten, tasten, untersuchen *ableuchten, abstreichen, absuchen
abtauen: frei werden *auftauen, schmelzen, tauen
Abtei: Kloster, Stift
Abteil: Coupé, Eisenbahnabteil, Zugabteil
abteilen: abtrennen, trennen *aufteilen, teilen *abschließen, absondern, absperren, abtrennen, isolieren, separieren
Abteilung: Einheit, Geschwader, Gruppe, Haufen, Kolonne, Nachhut, Pulk, Schar, Trupp, Truppe, Verband, Vorausabteilung, Vorhut, Zug *Sektion, Sparte *Arbeitsgebiet, Bereich
abtöten: beseitigen, liquidieren, morden, töten, umbringen, vernichten, aus der Welt schaffen *unterdrücken, verhindern, im Keim ersticken, nicht hochkommen lassen, nicht aufkommen lassen *empfindungslos machen
abtragen: abbrauchen, abnutzen, abnützen, abscheuern, abwetzen, verschleißen *abdecken, abräumen, abservieren, wegräumen *abzahlen, amortisieren, bezahlen, tilgen, zahlen *abbrechen, abreißen, einebnen, einreißen, niederreißen, sanieren, säubern, schleifen, zerstören, dem Erdboden gleichmachen *abschwemmen, angreifen, mitreißen
abträglich: ärgerlich, fatal, lästig, leidig, nachteilig, negativ, peinlich, schädlich, schlecht, störend, unangebracht, unangenehm, unbequem, unerfreulich, unerquicklich, unerwünscht, ungünstig, unpassend, unwillkommen, verdrießlich
Abtransport: Abfuhr, Ausräumung, Beseitigung, Entfernung, Fortbringung,

Forträumung, Fortschaffung, Wegbringung, Wegräumung, Wegschaffung
abtransportieren: ausräumen, beseitigen, entfernen, fortbringen, forträumen, fortschaffen, transportieren, wegbringen, wegräumen, wegschaffen
abtreiben: abkommen, abweichen, wegtreiben, aus der Bahn kommen *abtöten, ausstoßen, fehlgebären, eine Schwangerschaft unterbrechen *heimschicken, hinuntertreiben *forttreiben, wegtreiben
Abtreibung: Abbruch, Fehlgeburt, Schwangerschaftsabbruch, Schwangerschaftsunterbrechung
abtrennen: abdrehen, lösen *abbrechen, entzweigehen, wegbrechen *abhacken, abhauen *abklemmen, ablösen, abmachen, abnehmen, lösen *abkneifen, abknicken *abreißen, losreißen *abholzen, absägen, fällen, roden, sägen, schlagen, umhauen, umlegen *abschneiden *abstechen, herausnehmen, herausstechen *abmachen, amputieren, lostrennen, trennen *losbinden, losmachen
Abtrennung: Abfall, Ablösung, Abspaltung, Bruch, Loslösung, Lostrennung *Abnahme, Amputation, Lostrennung
abtreten: abdanken, verlassen, zurücktreten, s. zurückziehen, den Dienst quittieren *abgeben, ablassen, abliefern, überlassen, zur Verfügung stellen *abbrauchen, abnutzen, abnützen, abschaben, abwetzen, aufbrauchen, verbrauchen *aufhören, entlassen, kündigen, s. zurückziehen, einen Posten abgeben *abschreiben, aufgeben, s. trennen
Abtretung: Abdankung, Abgang, Abschied, Amtsverzicht, Ausscheiden, Austritt, Demission, Entlassung, Kündigung, Quittierung, Rücktritt
abtrocknen: abfrottieren, abreiben, abrubbeln, abtupfen, frottieren, trockenreiben, trocken machen, trocken werden, trocknen lassen ***s. abtrocknen:** s. abfrottieren, s. frottieren, s. trockenreiben
abtrotzen: abnötigen, abpressen, abringen, abzwingen, entlocken, wegnehmen
abtrünnig: abgefallen, flatterhaft, ketzerisch, perfide, treulos, unbeständig, unstet, verräterisch, wankelmütig, wortbrüchig, ungetreu (werden), untreu (werden)
Abtrünnige: Abgefallene, Abweichler, Häretiker, Irrgläubige, Ketzer, Schismatiker, Sektierer, Verräter
abtun: ablegen, abschreiben, fallen lassen, ignorieren, beiseite schieben
abtupfen: betupfen, berühren *abtrocknen
aburteilen: bestrafen, verdammen (zu), verurteilen, ein Urteil fällen, das Urteil sprechen, die Schuld geben, eine Strafe verhängen, eine Strafe auferlegen, für schuldig befinden, für schuldig erklären, mit Strafe belegen, schuldig sprechen
abverlangen: abfordern, ansinnen, s. ausbedingen, s. ausbitten, beanspruchen, begehren, beharren (auf), bestehen (auf), dringen (auf), fordern, heischen, pochen (auf), postulieren, verlangen, wollen, wünschen, zumuten, den Anspruch erheben, geltend machen, zur Bedingung machen
abwägen: ansinnen, erwägen, nachdenken, überlegen, verlangen, wollen, wünschen, zur Bedingung machen
Abwägung: Berechnung, Erwägung, Gedankengang, Kopfzerbrechen, Nachdenken, Reflexion, Überlegung
abwälzen: abschieben, aufbürden, aufladen, s. entledigen, unterjubeln, zuschieben, beiseite schieben *herunterwälzen, wegwälzen
abwandeln: abändern, ändern, korrigieren, revidieren, transformieren, überarbeiten, umändern, umarbeiten, umsetzen, umwandeln, variieren, verändern, verwandeln, anders machen
abwandern: abmarschieren, s. absetzen, aufbrechen, auswandern, ausziehen, davongehen, davonlaufen, s. entfernen, fliehen, s. fortbegeben, fortgehen, fortziehen, gehen, verschwinden, s. wegbegeben, weggehen, weglaufen, wegziehen
Abwanderung: Abmarsch, Absetzung, Aufbruch, Auswanderung, Auszug, Flucht, Verschwinden, Wegzug
Abwandlung: Abänderung, Änderung, Modifikation, Modifizierung, Modulation, Umänderung, Umwandlung, Variante, Variation, Veränderung
abwarten: abpassen, ausharren, ausschauen, erwarten, geduldig sein, harren,

s. abwartend verhalten, s. fassen, s. gedulden, s. in Geduld üben, s. Zeit lassen, verharren, warten, auf sich zukommen lassen, die Hoffnung nicht aufgeben, etwas an sich herankommen lassen
abwärts: ab, bergab, flussabwärts, herab, hernieder, herunter, hinab, hinunter, nach unten, nieder, stromab, talab, talabwärts, talwärts *__abwärts gehen:__ herabklettern, herabkommen, herunterklettern, herunterkommen, heruntersteigen, hinabgehen, hinabklettern, hinuntergehen, hinunterklettern, hinuntersteigen, zurückgehen, zurückkehren, bergab(wärts) gehen, nach unten gehen, abwärts klettern, nach unten klettern, abwärts steigen *nachlassen, verblassen, s. verschlechtern, schlechter werden
Abwasch: das Geschirrspülen *schmutziges Geschirr, gebrauchtes Geschirr *Abwaschbecken, Spüle
abwaschen: abspülen, reinigen, säubern, schwenken, spülen, waschen
Abwasser: Abwässer, Hausabwässer, Industrieabwässer, Schmutzwasser
Abwasserkanal: Abfluss, Gully, Senke, Senkgrube, Senkloch
abwechseln: folgen, tauschen, wechseln, aufeinander folgen *__s. abwechseln:__ s. ablösen, tauschen, miteinander wechseln
abwechselnd: folgend, hintereinander, nacheinander, wechselseitig, aufeinander folgend, der Ordnung nach, der Reihe nach, einer nach dem anderen, in Aufeinanderfolge, in kurzen Abständen *alternativ, alternierend, periodisch, umschichtig, wahlweise, wechselweise, im Wechsel (mit)
Abwechslung: Ablösung, Alternanz, Alternation, Änderung, Variation, Wechsel, angenehme Unterbrechung *Ablenkung, Belustigung, Beschäftigung, Kurzweil, Unterhaltung, Zeitvertreib, Zerstreuung, was anderes *__ohne Abwechslung:__ abwechslungslos, alltäglich, einfach, einfallslos, einförmig, ermüdend, fade, gleichförmig, langweilig, monoton, öde, phantasielos, reizlos, trist, trocken, trostlos, üblich, uninteressant, unoriginell, ohne Pfiff
abwechslungsreich: abwechslungsvoll, interessant, kurzweilig, mannigfaltig, spannungsvoll, unterhaltend, unterhaltsam, variierend
Abweg: Irrweg, Sackgasse
abwegig: irrig, merkwürdig, seltsam, ungereimt, unsinnig, unzusammenhängend, verfehlt, völlig unmöglich *ausgefallen, verrückt, verstiegen
Abwehr: Defensive, Gegenwehr, Notwehr, Rückzugsgefecht, Verteidigung, Widerstand *Ablehnung, Gehorsamsverweigerung *Abwehrdienst, Geheimdienst, Nachrichtendienst
Abwehrdienst: Abwehr, Geheimdienst, Nachrichtendienst
abwehren: abbiegen, abblocken, abschlagen, abstellen, abwenden, auffangen, aufhalten, blocken, fern halten, parieren, unterbinden, vereiteln, verhüten, verteidigen, verwehren, zurückschlagen, zurückweisen, zunichte machen *ablehnen, verweigern, von sich weisen
abweichen: abgehen, abgleiten, abirren, abkommen, abschweifen, s. entfernen, den Faden verlieren, vom Kurs abkommen, aus der Richtung kommen *abstechen, differieren, divergieren, s. unterscheiden, variieren
abweichend: andersartig, divergent, divergierend, grundverschieden, unterschiedlich, verschieden, verschiedenartig
Abweichung: Abirrung, Richtungsänderung *Abnormität, Änderung, Anomalie, Anomalität, Ausnahme, Differenz, Diskrepanz, Disproportion, Divergenz, Irregularität, Lesart, Missverhältnis, Normwidrigkeit, Regelverstoß, Regelwidrigkeit, Sonderfall, Spielart, Ungleichheit, Ungleichmäßigkeit, Unstimmigkeit, Unterschied, Unterschiedlichkeit, Variante, Variation, Verschiedenartigkeit *Abartigkeit, Absonderlichkeit, Perversion, Perversität, Unnatürlichkeit, Widernatürlichkeit
abweisen: abfertigen, ablehnen, abschlagen, abwehren, abwimmeln, abwinken, ausschlagen, versagen, verschmähen, verweigern, wegschicken, zurückweisen, abfahren lassen, abblitzen lassen, eine Abfuhr erteilen, einen Korb geben
abweisend: bärbeißig, barsch, brüsk,

plump, ruppig, taktlos, unfreundlich, ungehobelt, ungeschliffen, unhöflich, unkultiviert, unliebenswürdig, unritterlich, unverbindlich, verschlossen *ablehnend, brüsk, frostig, herb, negativ, reserviert, unfreundlich, unnahbar, unpersönlich, unzugänglich, verschlossen, widerborstig, zugeknöpft, zurückhaltend

Abweisung: Barschheit, Grobheit, Plumpheit, Rüpelhaftigkeit, Ruppigkeit, Schroffheit, Unaufmerksamkeit, Ungeschliffenheit, Unhöflichkeit, Unliebenswürdigkeit *Ablehnung, Absage, Verweigerung, Weigerung, Zurückweisung

abwenden: abstellen, abwehren, unterbinden, vereiteln, verhindern, verhüten, vorbeugen *abkehren, wegwenden *verhindern, vorbeugen, vorsorgen ***s. abwenden:** s. abkehren, s. wegkehren, s. wegwenden, s. wenden, s. zurückziehen, den Rücken kehren, den Rücken wenden, mit jmdm. brechen, mit etwas brechen

Abwendung: Verhinderung, Vorbeugung, Vorsorge *Abkehr, Änderung, Läuterung, Wandlung

abwerben: gewinnen (für), überreden, weglocken, abspenstig machen

abwerfen: s. entlauben, nadeln, das Laub verlieren, die Nadeln verlieren *absetzen, beschießen, bombardieren, herabwerfen, herunterwerfen, hinunterwerfen, zuwerfen, herabfallen lassen *s. auszahlen, s. lohnen, s. rentieren, einträglich sein, etwas erbringen, etwas einbringen, etwas eintragen *abschütteln, abstreifen, s. befreien, s. entledigen, sprengen, zerbrechen, zerreißen, das Joch abschütteln

abwerten: herabsetzen, vermindern, eine Abwertung vornehmen *abqualifizieren, demütigen, entwürdigen, herabsetzen, herabwürdigen, schlecht machen, verleumden, verteufeln, verunglimpfen

abwertend: abfällig, abschätzig, absprechend, despektierlich, geringschätzig, missbilligend, missfällig, pejorativ, verächtlich, wegwerfend

Abwertung: Geldentwertung, Inflation *Abqualifikation, Demütigung, Entwürdigung, Herabsetzung, Verteufelung, Verunglimpfung

abwesend: absent, anderswo, anderwärts, anderweitig, ausgeflogen, fehlend, fort, sonst wo, verschwunden, weg, woanders, nicht anwesend, nicht da, nicht zu Hause, nicht zugegen *geistesabwesend, unaufmerksam, unkonzentriert, verträumt, weg, zerfahren, zerstreut

Abwesenheit: Absenz, das Fehlen *Träumerei, Unaufmerksamkeit, Unkonzentriertheit, Zerstreutheit

abwetzen: abnutzen, abscheuern, verschleißen

abwickeln: abspulen, spulen (von), wickeln (von) *durchführen, machen, realisieren, tun, verwirklichen ***s. abwickeln:** abrollen, geschehen, stattfinden, verlaufen

Abwicklung: Diskussion, Gespräch, Verhandlungen *Abhaltung, Ausführung, Bewerkstelligung, Durchführung, Organisation, Organisierung, Veranstaltung

abwiegeln: begütigen, beruhigen, besänftigen, beschwichtigen, glätten, vermitteln, zur Ruhe bringen

abwiegen: auswiegen, einwiegen, messen, wiegen

abwimmeln: abfertigen, ablehnen, abschlagen, abwehren, abweisen, abwinken, ausschlagen, versagen, verschmähen, verweigern, wegschicken, zurückweisen, abfahren lassen, abblitzen lassen, eine Abfuhr erteilen, einen Korb geben *abschieben, abwälzen, aufbürden, aufladen, s. entledigen, unterjubeln, zuschieben, beiseite schieben

abwinken: ablehnen, nicht einverstanden sein (mit), nicht einwilligen, nicht zulassen, nicht billigen

abwirtschaften: Bankrott gehen, ruinieren, verderben, vernichten, zerrütten, zerstören, zugrunde richten

abwischen: abreiben, abscheuern, abstauben, abstreichen, abtupfen, auswischen, feudeln, putzen, reinigen, säubern, waschen, wegwischen, wischen

abwürgen: ermorden, ersticken, erwürgen *dämpfen, ersticken, hindern, niederhalten, unterdrücken, unterlassen, verbergen, verdrängen, zurückdrängen, zurückhalten

abzählbar: einige, manche, überschaubar, wenige, zählbar
abzahlen: abbezahlen, abstottern, abtragen, amortisieren, aufwenden, ausgeben, begleichen, bezahlen, erstatten, finanzieren, investieren, nachbezahlen, nachzahlen, tilgen, verausgaben, zurückbezahlen, zurückerstatten, zurückzahlen, in Raten zahlen
abzählen: durchzählen, s. vergewissern, zählen *abziehen, subtrahieren, wegnehmen
Abzählreim: Abzählvers, Zählreim
Abzahlung: Abtragung, Aufwendung, Ausgabe, Begleichung, Bezahlung, Erstattung, Finanzierung, Investition, Ratenzahlung, Teilzahlung, Tilgung, Zurückzahlung
Abzählvers: Abzählreim, Zählreim
abzapfen: abziehen, entnehmen, zapfen *abbetteln, abgewinnen, abjagen, ablisten, ablocken, abluchsen, abschmeicheln, abschwindeln, herauslocken
abzappeln: s. abarbeiten, s. abmühen, s. abplagen, s. abquälen, s. abrackern, s. abschleppen, s. anspannen, s. anstrengen, s. aufreiben, s. befleißen, s. befleißigen, s. bemühen, s. fordern, s. Mühe geben, s. mühen, s. plagen, s. quälen, s. schinden, s. etwas abverlangen
abzäumen: abhalftern, abschirren
Abzäunung: Eingrenzung, Einzäunung, Gitter, Grenze, Mauer, Pferch, Umfassung, Umgrenzung, Umzäunung, Zaun
abzehren: abmagern, an Gewicht verlieren, dünner werden, mager werden, schlank werden ***s. abzehren:** s. sorgen, s. etwas zu Herzen nehmen, schwer nehmen, s. wegen etwas Gedanken machen, als schlimm empfinden, als bedrückend empfinden, als belastend empfinden
Abzehrung: Abmagerung, Auszehrung, Gewichtsabnahme, Gewichtsreduzierung, Gewichtsverlust, Magerkeit, Magersucht, Reduktion
Abzeichen: Anstecknadel, Ehrenzeichen, Embleme, Hoheitszeichen, Insignien, Kokarde, Nadel, Plakette, Wahrzeichen *Blesse, Brandzeichen, Mal, Zeichen
abzeichnen: durchzeichnen, kopieren, nachzeichnen *gegenzeichnen, paraphieren, signieren, unterschreiben, zeichnen ***s. abzeichnen:** s. abheben, abstechen, s. andeuten, s. ankündigen, kommen, kontrastieren, Konturen bilden
abziehen: abbalgen, abdecken, abhäuten, abschälen, enthäuten, häuten, pellen, schälen *abpumpen, absaugen, herauspumpen, wegpumpen, wegsaugen *abfüllen, auf Flaschen ziehen, in Flaschen füllen *abzapfen, herausziehen, zapfen *glätten, verputzen *abnehmen, abrechnen, abstreichen, abzählen, subtrahieren, verringern, wegnehmen *kopieren, nachbilden, nachmachen *angeben, s. aufblähen, aufschneiden, s. aufspielen, s. brüsten, s. großtun, prahlen, protzen, reinlangen, dick auftragen *jmdn. seinem Schicksal überlassen *abmarschieren, abrücken, weichen, zurückziehen *abkommandieren, abschieben, abstellen *abnehmen, abstreifen *einbehalten *abhobeln, glätten
Abziehstein: Schleifstein, Wetzstein
abzielen: ausgehen, gerichtet sein (auf), hinzielen (auf), zielen (auf) *absehen (auf), ansteuern, beabsichtigen, bezwecken, hinzielen, planen, schmieden, sinnen (auf), spekulieren, tendieren, verfolgen, vorhaben, gedenken zu tun, denken zu tun, neigen zu tun
abzischen: abhauen, fortfahren, fortgehen, fortrennen, verschwinden, weggehen
Abzug: Abzugsbügel, Abzugshahn, Abzugshebel *Preisabbau, Preisnachlass, Preisrückgang, Rabatt, Skonto *Abgang, Abmarsch, Aufgabe, Räumung, Rückzug, Wegzug, Zurückweichen *Abzugskamin, Abzugsloch, Abzugsrohr, Abzugsschacht, Dunstabzug, Entlüfter *Abrechnung, Abstrich, das Abrechnen, das Abziehen *Kopie, Nachbildung *Abdruck, Bild, Foto, Positiv
abzüglich: abgerechnet, abgezogen, exklusive, ohne
abzupfen: abreißen, ernten, pflücken
abzweigen: abknappen, abzwacken, aufheben, einsparen, einteilen, ersparen, erübrigen, geizen, rationieren, sparen, wegnehmen, zurücklegen, vom Munde absparen, auf die Seite legen, Rückla-

gen machen, sparsam sein, bescheiden sein *abbiegen, abdrehen, abgehen, abschwenken, einbiegen, einschwenken, gabeln, teilen, verzweigen, den Kurs ändern, den Weg verlassen, die Richtung ändern, einen Bogen machen, um die Ecke biegen, um die Ecke schwenken
Abzweigung: Abbiegung, Ausfahrt, Gabelung, Kreuzung, Verzweigung, Weggabelung
abzwingen: abgewinnen, abnötigen, abpressen, abringen, abtrotzen, entlocken
Accessoires: Requisiten, Utensilien, Zubehör
Achillesferse: Blöße, dunkler Punkt, wunder Punkt, empfindliche Stelle
Achse: Allianz, Bund, Bündnis, Einheitsfront, Entente, Koalition, Liga, Pakt, Zusammenschluss *Fahrbahn, Fahrstraße, Fahrweg, Fernverkehrsstraße, Hauptstraße, Landstraße, Ring, Straße
Achselhöhle: Achselgrube
Achselklappe: Achselstück, Epaulette, Schulterklappe, Schulterstück
Achselträger: Achselband, Träger
Acht: Ächtung, Ausschluss, Bann, Bannstrahl ***Acht geben:** achten, beachten, Acht haben, aufmerken, aufpassen, bemerken, s. konzentrieren, s. sammeln, zuhören, aufmerksam sein, Beachtung schenken ***Acht haben:** achten, aufmerken, aufpassen, beachten, s. konzentrieren, s. merken, s. sammeln, wachen, zuhören, aufmerksam sein
achtbar: beachtlich, gewaltig, groß *bewundert, geachtet, geehrt, geschätzt, gewürdigt, honoriert, respektiert, vergöttert *anerkennenswert, anständig, beachtenswert, beachtlich, ehrbar, ehrenhaft, ehrenwert, hochachtbar, lobenswert, löblich, rühmenswert, rühmlich, verdienstlich
Achtbarkeit: Anständigkeit, Ehrbarkeit, Ehrenhaftigkeit
achten: anbeten, anerkennen, bewundern, ehren, hoch achten, honorieren, respektieren, schätzen, vergöttern, wertschätzen, würdigen, Tribut zollen *aufpassen, beachten, befolgen, beherzigen, einhalten, nachkommen, auf etwas achten *aufpassen, behüten, beschützen
ächten: ausweisen, bannen, boykottieren, ignorieren, verfemen, für vogelfrei erklären, die Acht verhängen, die Acht ausstoßen, die Acht erklären
achtenswert: ausgezeichnet, lobenswert, tadellos, vorbildlich, vortrefflich, vorzüglich, nicht schlecht, nicht übel
Achterbahn: Berg-und-Tal-Bahn, Gebirgsbahn
Achterdeck: Hinterdeck
achtern: hinten, rückseitig, zuhinterst, am Ende, am Schluss, auf der Rückseite, im Rücken
achtlos: fahrig, flüchtig, gedankenlos, gleichgültig, huschelig, nachlässig, oberflächlich, schusselig, sorglos, unachtsam, unaufmerksam, unbedacht, ungenau, unkonzentriert, unordentlich
Achtlosigkeit: Gedankenlosigkeit, Gleichgültigkeit, Nachlässigkeit, Oberflächlichkeit, Sorglosigkeit, Unachtsamkeit, Unbedachtsamkeit, Unbesonnenheit, Ungenauigkeit, Unkonzentriertheit, Unordentlichkeit
achtsam: aufmerksam, hellhörig, konzentriert, wachsam
Achtsamkeit: Aufmerksamkeit, Fürsorge, Fürsorglichkeit, Obacht, Pflege, Schonung, Umsicht, Vorsicht
Achtung: Anerkennung, Ansehen, Bewunderung, Ehrerbietung, Ehrerweisung, Ehrfurcht, Hochachtung, Hochschätzung, Pietät, Respekt, Reverenz, Rücksicht, Schätzung, Tribut, Verehrung, Wertschätzung, hohe Meinung
Achtung!: Achtung Achtung!, Aufgepasst!, Vorsicht!, Mal herhören!, Passt mal auf!, Schaut mal her!
Ächtung: Acht, Ausschluss, Bann, Bannstrahl *Benachteiligung, Diskriminierung, Geringschätzung, Herabwürdigung, Missachtung, Ungerechtigkeit, Verächtlichmachung, Verachtung, Zurücksetzung
achtungsvoll: ehrerbietig, ehrfürchtig, ehrfurchtsvoll, höflich, respektvoll
ächzen: aufseufzen, aufstöhnen, krächzen, stöhnen, einen Seufzer ausstoßen *knarren, schnarren
Ächzer: Schmerzensruf, Seufzer, Stoßseufzer

Acker: Ackerboden, Ackerland, Feld
Ackerbau: Agrarwesen, Feldarbeit, Feldbau, Feldbestellung, Feldwirtschaft, Landwirtschaft
Ackerboden: Acker, Ackererde, Ackergrund, Ackerkrume, Boden, Erde, Erdscholle
Ackerland: Acker, Anbaufläche, Feld, Flur, Grund, Land
ackern: bestellen, pflügen, umpflügen *s. anstrengen, s. bemühen, s. plagen, schuften
adagio: gemächlich, langsam, ruhig dahinfließend
Adamsapfel: Kehlkopf
Adamskostüm: Nacktheit
adaptieren: annähern, anpassen, gleichmachen, nivellieren, unifizieren, uniformieren *anpassen, s. einstellen
adäquat: angemessen, entsprechend, passend, stimmig, in sich stimmend
addieren: zuzählen, dazuzählen, hinzufügen, hinzuzählen, zusammenzählen
Addition: Hinzufügung, Zusammenzählung, das Addieren, das Zusammenzählen
ade: adieu, servus, tschüs, auf Wiedersehen
Adel: Adelsstand, Aristokratie, Fürstenstand
adelig: adlig, aristokratisch, blaublütig, edelmännisch, erlaucht, fürstlich, gräflich, herzoglich, hochadelig, hochgeboren, kaiserlich, königlich, von Adel, von blauem Blut, von hoher Abkunft *herrschaftlich, hochherrschaftlich, honorig, nobel, vornehm *distinguiert, edel, erhaben, vornehm
Adelige: Baronesse, Baronin, Edelfrau, Edle, Freifrau, Freifräulein, Freiin, Fürstin, Gräfin, Herzogin, Kaiserin, Königin, Prinzessin, Königliche Prinzessin
Adeliger: Baron, Edelmann, Edler, Erbprinz, Freiherr, Fürst, Graf, Herzog, Kaiser, König, Prinz, Reichsgraf, Ritter, Königlicher Prinz
Adelsgeschlecht: Adel, Adelsfamilie, Fürstengeschlecht, Fürstenhaus, Königshaus
Ader: Arterie, Blutader, Blutbahn, Blutgefäß, Schlagader *Auffassungsgabe, Befähigung, Begabung, Berufung, Fähigkeiten, Gaben, Geistesgaben, Genialität, Genie, Ingenium, Intelligenz, Klugheit, Talent, Veranlagung
Aderlass: Defizit, Einbuße, Fehlbetrag, Minus, Schaden, Verlust
Adhäsion: Adhäsionskraft, Anziehung, Anziehungskraft, Erdanziehung, Haltekraft
ad hoc: impulsiv, spontan, unbesonnen, unüberlegt, aus dem Augenblick heraus, von innen heraus, von selbst *dafür, hierfür
adieu: ade, servus, tschüs, auf Wiedersehen
ad infinitum: alleweil, allezeit, andauernd, anhaltend, beharrlich, beständig, dauernd, fortdauernd, fortgesetzt, gleich bleibend, immer, immerzu, immerfort, immer während, konstant, kontinuierlich, pausenlos, permanent, ständig, stetig, stets, unaufhaltsam, unaufhörlich, unausgesetzt, bis ins Unendliche, immer wieder, immer noch, jahraus, jahrein, nach wie vor, rund um die Uhr, schon immer, seit eh und je, seit je, von jeher, tagaus, tagein, von je, von jeher
ad libitum: beliebig, irgendein, wunschgemäß, nach Belieben, nach Wunsch, nach Wahl, nach Gutdünken
Adjektiv: Beiwort, Eigenschaftswort
adjektivisch: eigenschaftswörtlich
Administration: Amt, Behörde, Bürokratie, Dienststelle, Verwaltung
administrieren: anordnen, anweisen, auferlegen, aufgeben, beauftragen, bestimmen, festlegen, reglementieren, veranlassen, verfügen
Adoleszenz: Entwicklungsjahre, Jugendjahre
Adonis: Beau, Paris, Schönling, schöner Mann
adoptieren: an Kindes statt annehmen
Adressant: Absender, Briefpartner, Briefschreiber, Korrespondent, Partner, Schreiber
Adressat: Briefpartner, Empfänger, Korrespondent, Partner
Adressbuch: Adressenverzeichnis, Anschriftenbuch, Anschriftenverzeichnis, Einwohnerverzeichnis

Adresse: Anschrift, Aufenthaltsort, Wohnungsangabe *Denkschrift, Note, Schreiben
adrett: frisch, gepflegt, ordentlich, sauber *entgegenkommend, freundlich, gefällig, gnädig, gut gelaunt, gut gemeint, gut gesinnt, gutherzig, gütig, gutmütig, nett
Advent: Adventszeit, Vorweihnachtszeit, vorweihnachtliche Zeit, Zeit vor Weihnachten
Adverb: Umstandswort
adverbial: umstandswörtlich
Advokat: Anwalt, Fürsprecher, Jurist, Rechtsanwalt, Rechtsbeistand, Verteidiger
Affäre: Angelegenheit, Fall, Frage, Geschichte, Problem, Punkt, Sache *Begebenheit, Besonderheit, Ding, Einmaligkeit, Episode, Ereignis, Erlebnis, Geschehen, Geschehnis, Intermezzo, Phänomen, Sache, Sensation, Vorfall, Vorkommnis, Wirbel, Zufall, Zwischenfall, Zwischenspiel *Abenteuer, Amouren, Liaison, Liebesabenteuer, Liebeserlebnis, Liebesverhältnis
Affe: Tollpatsch, Tölpel *Dandy, Geck, Gent, Laffe, Pomadenhengst, Schönling, Snob, Stutzer
Affekt: Aufgeregtheit, Aufregung, Erregung, Überreizung, Überspanntheit, Überspannung
affektiert: gekünstelt, gespreizt, geziert, gezwungen, unecht, unnatürlich
äffen: gleichtun, imitieren, kopieren, nachäffen, nachahmen, nachmachen *anulken, foppen, narren, nasführen, täuschen, verkohlen, verulken, zum Narren halten
affig: gekünstelt, geziert, gezwungen, unecht, unnatürlich *geckenhaft, gefallsüchtig, kokett, putzsüchtig
Affigkeit: Affektiertheit, Gehabe, Gespreiztheit, Getue, Geziere, Ziererei
Affinität: Ähnlichkeit, Anziehungskraft, Beziehung, Verhältnis, Verwandtschaft
Affirmation: Billigung, Einverständnis, Einwilligung, Genehmigung, Gewährung, Zustimmung
affirmativ: bejahend, bekräftigend, bestätigend, billigend, einwilligend, gutheißend, zusagend, zustimmend
Affront: Beleidigung, Ehrenkränkung, Ehrverletzung, Kränkung, Verletzung
Afrika: Schwarzer Erdteil, Schwarzer Kontinent
After: Anus, Darmausgang *Gesäß
Agent: Geheimagent, Kundschafter, Landesverräter, Saboteur, Späher, Spion, Spitzel
Agentendienst: Agententätigkeit, Spionage
Agententätigkeit: Agentendienst, Auskundschaftung, Spionage
Agentur: Niederlassung, Vermittlungsstelle, Vertretung, Zweigstelle
Aggression: Angriff, Anschlag, Attacke, Einfall, Einmarsch, Erstürmung, Invasion, Sturm, Überfall, Vorstoß *Streitsucht
aggressiv: angriffslustig, grimmig, händelsüchtig, herausfordernd, hitzig, kampfbereit, kampfesfreudig, kampfeslustig, kriegslüstern, streitbar, streitsüchtig, zanksüchtig
Aggressivität: Angriffslust, Eroberungsdurst, Eroberungslust, Kampfbereitschaft, Kampfesfreude, Streitbarkeit, Zanksucht
Aggressor: Angreifer, Eroberer, Kriegstreiber
agieren: darstellen, mimen, spielen, verkörpern, vorstellen *handeln, machen, tun, wirken, tätig sein
agil: beweglich, geschäftig, geschickt, gewandt, lebhaft, quecksilbrig, temperamentvoll, unruhig, vif, vital, wendig, wild
Agitation: Agitationsarbeit, Agitationstätigkeit, Aufklärung, Aufklärungsarbeit, Aufklärungstätigkeit, Propaganda, Werbung
agitieren: aufklären, orientieren, politisieren *anlocken, ködern, propagieren, werben, Propaganda machen (für)
Agonie: Todeskampf, die letzte Stunde *Niedergang, Untergang, Zerfall
agrarisch: bäuerlich, landwirtschaftlich
ahnden: abrechnen, aufbrummen, bestrafen, maßregeln, rächen, s. revanchieren, strafen, vergelten, züchtigen *heimzahlen, vergelten, zurückzahlen
Ahne: Ahn, Ahnherr, Stammvater, Ur-

ahn, Vorfahr, die Alten, die Altvordern *Großvater, Opa *Großmutter, Oma

ähneln: erinnern (an), gleichen, gleichsehen, nachahmen, nacharten, nachgeraten, nachschlagen, passen, s. nähern, ähnlich aussehen, ähnlich sehen, ähnlich sein, ausschauen wie, aussehen wie, nach jmdm. arten, nach jmdm. kommen, nach jmdm. schlagen, nach jmdm. geraten, nahe kommen *gleichen, riechen (nach) *gleichen, schmecken (wie), erinnern (an)

ahnen: annehmen, befürchten, erahnen, erwarten, s. etwas einbilden, s. etwas zusammenreimen, kalkulieren, mutmaßen, schätzen, schwanen, spekulieren, spüren, vermuten, vorausahnen, wähnen, eine Ahnung haben, rechnen mit, undeutlich fühlen

Ahnenforschung: Familienforschung, Genealogie, Stammbaumforschung

Ahnentafel: Abstammungstafel, Stammbaum, Stammtafel

ähnlich: s. ähnelnd, analog, anklingen, s. entsprechend, gleich, gleichartig, s. gleichend, vergleichbar, verwandt, annähernd gleich

Ähnlichkeit: Analogie, Anklang, Entsprechung, Gleichartigkeit, Übereinstimmung, Vergleichbarkeit, Verwandtschaft, Verwandtsein

Ahnung: Befürchtung, Besorgnis, Gefühl, Vermutung, Vorahnung, Vorgefühl, Vorherwissen, innere Stimme, sechster Sinn

ahnungslos: nichts ahnend, unvorbereitet, unwissend, nichts Böses ahnend *arglos, jungfräulich, lauter, rein, unschuldig

ahnungsvoll: vorahnend, vorausahnend, Böses ahnend *aufgeklärt, unterrichtet *wissend, mitwissend, eingeweiht, unterrichtet

Akademie: Bildungsanstalt, Fachhochschule, Forschungsanstalt *Forschergemeinschaft

Akademiker: Hochschulabsolvent, Studierter, Wissenschaftler, studierter Mann

Akademikerin: Hochschulabsolventin, Studierte, Wissenschaftlerin, studierte Frau

akademisch: gebildet, gelehrt, weise, wissend

Akklamation: Applaus, Beifall, Beifallsbezeugung, Beifallskundgebung, Beifallsorkan, Beifallssturm, Huldigung, Jubel, Ovation, das Klatschen *Billigung, Einverständnis, Einwilligung, Genehmigung, Gewährung, Zustimmung

akklamieren: applaudieren, huldigen, jubeln, klatschen *billigen, einwilligen, genehmigen, gewähren, gutheißen, zusagen, zustimmen, seine Zustimmung geben

akklimatisieren (s.): s. anpassen, s. assimilieren, s. eingewöhnen, s. gewöhnen (an)

Akkord: Arpeggio, Dreiklang, Durakkord, Fünfklang, Grundakkord, Hauptakkord, Mollakkord, Nebenakkord, Nomenakkord, Vierklang, Wohlklang, Zusammenklang, gebrochener Akkord *Akkordarbeit, Fließbandarbeit, Lohnarbeit

Akkordeon: Handklavier, Quetsche, Schifferklavier, Ziehharmonika

akkreditieren: anerkennen, beglaubigen, bestätigen, bevollmächtigen

Akkumulator: Akku, Batterie, Kraftspeicher, Speicher, Stromsammler, Stromspeicher

akkumulieren: anhäufen, ansammeln, ansparen, horten, scheffeln, zusammentragen

akkurat: eigen, genau, gewissenhaft, gründlich, ordentlich, pedantisch, pingelig, sorgfältig

Akribie: Akkuratesse, Bestimmtheit, Exaktheit, Genauigkeit, Gewissenhaftigkeit, Gründlichkeit, Präzision, Schärfe, Sorgfalt, Sorgfältigkeit, Sorgsamkeit

Akrobat: Artist, Jahrmarktskünstler, Varietékünstler, Zirkusartist, Zirkuskünstler

akrobatisch: artistisch, gekonnt, geschickt, gewandt, meisterhaft, meisterlich, perfekt, vollendet

Akt: Handlung, Handlungsweise, Tat, Tun, Verhalten, Vorgang *Ritual, Zeremonie, Zeremoniell *Begattung, Beischlaf, Geschlechtsakt, Geschlechtsverkehr, Kohabitation, Koitus, Liebesvereinigung,

Vereinigung *Begattung, Kopulation *Aufführung, Darbietung, Darstellung, Nummer, Schau, Schaustellung, Spiel, Teil, Vorführung, Vorstellung *Aufzug
Akte: Aktenbündel, Aktenheft, Aktensammlung, Dossier *Charta, Dokument, Schriftstück, Urkunde, Verfassungsurkunde
aktenkundig: bekannt, gerichtskundig *aufgeschrieben, eingetragen, niedergeschrieben, vermerkt
Aktenordner: Aktendeckel, Briefordner, Hefter, Ordner, Schnellhefter
Aktensammlung: Akte, Aktenbündel, Aktenheft, Dossier
Aktenständer: Ablage, Aktenschrank
Aktenstück: Brief, Dokument, Papier, Schreiben, Schriftstück, Skript, Skriptum, Unterlage, Urkunde
Aktentasche: Aktenköfferchen, Aktenmappe, Büchertasche, Diplomatenköfferchen, Diplomatentasche, Mappe, Schultasche, Tasche
Akteur: Bühnenkünstler, Darsteller, Komödiant, Mime, Schauspieler
Aktie: Anteilschein, Dividendenschein, Kupon, Zinsabschnitt, Zinsschein
Aktienhändler: Broker, Jobber, Stockjobber
Aktion: Kampagne, Maßnahme, Umtriebe, Unternehmen, Unternehmung *Handlung, Maßnahme, Tat, Unternehmen, Unternehmung, Verfahren, Vorgehen
Aktionsbereich: Einflussbereich, Einflusssphäre, Einflusszone, Einwirkungsbereich, Wirkungsbereich
Aktionsradius: Einflussbereich, Reichweite, Schutzgebiet, Verkaufsgebiet
aktiv: arbeitsam, arbeitswillig, betriebsam, ehrgeizig, eifrig, emsig, fleißig, forsch, geschäftig, kühn, nimmermüde, rastlos, regsam, rührig, tätig, tüchtig, unermüdlich, unternehmend, unternehmungslustig, wagemutig ***aktives Wahlrecht:** Recht zu wählen
Aktiv: Tatform, Tätigkeitsform
aktivieren: aktualisieren, ankurbeln, anregen, anstacheln, antreiben, beleben, intensivieren, mobilisieren, steigern, in Schwung bringen, auf Trab bringen
Aktivierung: Eskalation, Intensivierung, Steigerung, Verstärkung *Anregung, Auffrischung, Beginn, Belebung, Wiederanfang
Aktivität: Anstrengung, Betätigungsdrang, Betriebsamkeit, Bewegungsdrang, Eifer, Emsigkeit, Fleiß, Geschäftigkeit, Kühnheit, Rastlosigkeit, Regsamkeit, Tätigkeitsdrang, Tatkraft, Unternehmungsgeist, Unternehmungslust, Wagemut
aktualisieren: updaten, auf den neuesten Stand bringen
aktuell: akut, ausgegoren, brisant, spruchreif *aufgeschlossen, fortschrittlich, gegenwartsnah, modern, neuzeitlich, progressiv, spruchreif, zeitgemäß, zeitnah, mit der Zeit, up to date *neu, brandneu, gegenwärtig, gegenwartsnah
Akupressur: asiatisches Heildrücken, chinesisches Heildrücken
Akupunktur: Körperakupunktur, Laserakupunktur, Nadelung, Ohrakupunktur, fernöstliche Medizin
akustisch: auditiv, gehörmäßig, klanglich, phonetisch
akut: augenblicklich, gegenwärtig, vordringlich, wichtig, schnell verlaufend, unvermittelt auftretend, plötzlich auftretend *heftig, scharf
Akzent: Artikulation, Aussprache, Betonung, Lautung, Tonfall *Betonung, Ton, Tonzeichen *Akzentuation, Betonung
akzentuieren: aussprechen, betonen, den Ton legen (auf)
akzeptabel: annehmbar, ausreichend, brauchbar, erträglich, geeignet, leidlich, passabel, zufrieden stellend
akzeptieren: billigen, zubilligen, anerkennen, annehmen, begrüßen, beipflichten, beistimmen, bejahen, dulden, eingehen, einräumen, einwilligen, erlauben, genehmigen, gestatten, gutheißen, Ja sagen (zu), konzedieren, legitimieren, respektieren, sanktionieren, tolerieren, übereinstimmen (mit), unterschreiben, zugeben, zulassen, zustimmen, dafür sein, die Genehmigung, die Erlaubnis geben, die Erlaubnis erteilen, einverstanden sein, etwas für richtig finden, etwas nicht falsch finden, konform gehen, seine Zustimmung geben

Alarm: Brandalarm, Einsatzsignal, Feueralarm, Hupzeichen, Rettungsruf, Rettungssignal, SOS, Warnruf, Warnsignal
Alarmanlage: Alarmglocke, Alarmvorrichtung, Warnanlage
alarmieren: schreien, warnen, Alarm schlagen, Alarm geben, Lärm schlagen, aufmerksam machen, zu Hilfe rufen *beunruhigen, in Unruhe versetzen, unruhig machen, besorgt stimmen, unruhig stimmen
Alb: Albdruck, Albtraum, Angsttraum, Nachtmahr, das Albdrücken
albern: infantil, kindisch, komisch, lächerlich, läppisch, närrisch, simpel, töricht *aufgekratzt, aufgelegt, aufgeweckt, ausgelassen, heiter, stürmisch, übermütig, überschäumend, übersprudelnd, unbändig, ungebärdig, ungestüm, vergnügt, wild *herumalbern, kaspern, spaßen, Dummheiten machen
Albernheit: Alberei, Firlefanz, Getue, Kinderei, Narretei, Quatsch
Albtraum: Alb, Albdruck, Angsttraum, Nachtmahr, das Alpdrücken
Album: Andenkenbuch, Gedenkbuch, Sammelbuch *Fotoalbum *Poesiealbum
Alcopops: Mischgetränk, Mixgetränk
alias: anders … genannt, auch … genannt, außerdem … genannt, eigentlich … genannt, oder … genannt, sonst … genannt
Alibi: Abwesenheitsnachweis, Ausrede, Nachweis, Rechtfertigung
Alimente: Unterhaltsbeitrag, Unterhaltsgeld, Unterhaltszahlung, Zahlung
alimentieren: zahlen, Lebensunterhalt gewähren, mit Geldmitteln unterstützen
alkalisch: basisch, laugenhaft
Alkohol: Alkoholika, Äthanol, Äthylalkohol, Branntwein, Likör, Schnaps, Spirituosen, Spiritus, Sprit, Weingeist, alkoholhaltiges Getränk, scharfes Getränk
alkoholfrei: frei von Alkohol, ohne Alkohol
Alkoholgegner: Abstinent, Abstinenzler, Antialkoholiker, Asket, Blaukreuzler, Guttempler, Nichttrinker, Temperenzler
alkoholhaltig: alkoholisch, berauschend, geistig, geistig, hochgeistig, hochprozentig, obergärig, schwachprozentig, starkprozentig, untergärig, Alkohol enthaltend
Alkoholiker: Gewohnheitstrinker, Säufer, Trinker, Trunkenbold, Trunksüchtiger, Zecher
alkoholisiert: angeheitert, angetrunken, aufgekratzt, benebelt, berauscht, beschwipst, betrunken, feuchtfröhlich, lustig
Alkoholismus: Suff, Trunksucht
All: Himmel, Himmelsraum, Kosmos, Makrokosmos, Unbegrenztheit, Unendlichkeit, Unermesslichkeit, Universum, Weltall, Weltraum, kosmischer Raum
allabendlich: jeden Abend, Abend für Abend
alle: allerseits, allesamt, ausnahmslos, ganz, jeder, jedermann, jedweder, sämtliche, vollzählig, alle Altersstufen, alle möglichen, alle Welt, Arm und Reich, die verschiedensten, Groß und Klein, Hoch und Nieder, Jung und Alt, Kind und Kegel, Menschen jeder Sorte, Mann für Mann, ohne Ausnahme, samt und sonders, wer auch immer *aufgebraucht, gegessen, getrunken, verbraucht, zu Ende
Allee: Baumallee, Baumreihe, Baumstraße
Allegorie: Bild, Gleichnis, Metapher, Parabel, Sinnbild, Symbol, Trope, Tropus, Vergleich, Wendung, bildhafter Ausdruck
allegorisch: bildlich, blumig, figürlich, gleichnishaft, metaphorisch, parabolisch, sinnbildlich, symbolisch, übertragen, als Gleichnis
allegro: heiter, lebhaft, schnell
allein: einsam, einzig, ledig, mutterseelenallein, solo, verlassen, ohne Gesellschaft, ohne Hilfe *ausschließlich, nur *aber, indes, jedoch *im Alleingang, ohne (fremde) Hilfe, von sich aus ***allein stehend:** einzeln stehend, für sich *ledig, nicht verheiratet, ohne Anhang, ohne Familie, ohne Verwandte
Alleinerbe: Erbe, Gesamterbe, Universalerbe
Alleinherrschaft: Absolutismus, Autokratie, Diktatur, Gewaltherrschaft, Monarchie, Selbstherrschaft
Alleinherrscher: Absolutist, Autokrat,

Diktator, Monarch, Selbstherrscher, Souverän
alleinig: ausschließlich, bloß, lediglich, nur, uneingeschränkt, nichts anderes als, nicht mehr als
Alleinsein: Abkapselung, Beziehungslosigkeit, Einsamkeit, Einsiedlerleben, Isolation, Kontaktarmut, Menschenscheu, Ungeselligkeit, Vereinsamung, Vereinzelung, Verlassensein, Verschlossenheit, Zurückgezogenheit
allemal: andauernd, anhaltend, beharrlich, endlos, ewig, fortdauernd, fortgesetzt, fortlaufend, fortwährend, immer, immerfort, kontinuierlich, pausenlos, unablässig, unaufhaltsam, unaufhörlich, ununterbrochen, immer wieder, in einem fort
allenfalls: eventuell, gegebenenfalls, möglichenfalls, möglicherweise, vermutlich, vielleicht, wahrscheinlich, womöglich, unter Umständen, je nachdem *äußerstenfalls, bestenfalls, günstigstenfalls, höchstens, notfalls, gerade noch, im äußersten Falle, im günstigsten Falle
allenthalben: allseits, allerseits, allerorten, allerorts, ringsum, überall, vielerorts, da und dort, so weit das Auge reicht, weit und breit, an allen Orten, bald hier, bald dort
allerdings: freilich, natürlich, selbstverständlich
allergisch: anfällig, empfindlich, krank, überempfindlich, zart, von zarter Gesundheit
allerhand: beispiellos, bodenlos, empörend, haarsträubend, hanebüchen, himmelschreiend, skandalös, unbeschreiblich, unerhört, unfassbar, ungeheuerlich, unglaublich, noch nicht da gewesen *allerlei, mancherlei, mehrerlei, unterschiedliche, verschiedenerlei, vielerlei, alles Mögliche, dieses und jenes, dies und das, von dem und dem
allerlei: allerhand, hunderterlei, mancherlei, mehrerlei, unterschiedliche, verschiedenerlei, vielerlei, alles Mögliche, dieses und jenes, dies und das, von dem und dem
Allerlei: Durcheinander, Gemenge, Gemisch, Konglomerat, Krimskrams, Kuddelmuddel, Kunterbunt, Melange, Mischung, Mixtur, Sammelsurium
allerorten: allseits, allerseits, allenthalben, allerorts, ringsum, überall, vielerorts, da und dort, so weit das Auge reicht, weit und breit, an allen Orten, bald hier bald dort
alles: absolut, restlos, total, vollends, alles eingerechnet, alles in allem, das Gesamte, das Ganze, im Ganzen, ohne Ausnahme
allgemein: umfassend, erdumfassend, allgemein gültig, allseitig, allumfassend, gemein, gemeinsam, gesamt, global, international, supranational, universal, universell, weltumfassend, weltumspannend, weltweit, überall verbreitet ***im Allgemeinen:** generell, im Großen und Ganzen, nicht speziell, nur so *unbestimmt, ungenau, unklar, vage
Allgemeinarzt: Allgemeinmediziner, Doktor, Hausarzt, praktischer Arzt
Allgemeingültigkeit: Allseitigkeit, Brauch, Gegebenheit, Gewohnheit, Regel, Regelmäßigkeit, Sitte, Vielseitigkeit *Gesetz, Gesetzmäßigkeit, Ordnung, Richtschnur, Standard, Verallgemeinerung, Vorschrift
Allgemeingut: Allgemeinbesitz, Staatsbesitz, Staatseigentum
Allgemeinheit: Gemeinschaft, Gesamtheit, Totalität, das Ganze
Allgemeinplatz: Binsenwahrheit, Gemeinplatz, Platitude, Plattheit, Redensart, Selbstverständlichkeit
Allgemeinwissen: Allgemeinbildung, Halbbildung
Allheilmittel: Allerweltsmittel, Geheimmittel, Lebenselixier, Medikament, Mittelchen, Patentmedizin, Universalmittel
Allianz: Achse, Bund, Bündnis, Entente, Liaison, Liga, Pakt, Union, Verbindung, Zusammenschluss
Alliierte: Bundesgenossen, Bündnispartner, Konföderierte, Verbündete *der Westen, die Westmächte
alljährlich: dauernd, jahraus, jahrein, jedes Jahr, regelmäßig jedes Jahr, Jahr für Jahr, von Jahr zu Jahr, alle Jahre, Jahr um Jahr
Allmacht: Allgewalt, Omnipotenz

allmächtig: absolut, allgegenwärtig, allgewaltig, allwissend, mächtig, omnipotent, übermenschlich, übernatürlich, unbeschränkt, uneingeschränkt, vollkommen

Allmächtige: Allvater, Er, Erhalter, Gott, Gottvater, Gottheit, Göttlichkeit, Herr, Herrgott, Jahwe, Jehova, Richter, Schöpfer, Weltenlenker, der Allwissende, der Ewige, der Höchste, der höchste Richter, der Herr Zebaoth, himmlischer Vater

allmählich: anfangs, graduell, gradweise, langsam, nacheinander, schrittweise, stufenweise, sukzessiv, auf die Dauer, der Reihe nach, kaum merklich, mit der Zeit, nach und nach, Schritt für Schritt, Stück um Stück, im Laufe der Zeit, peu à peu

allmittäglich: mittäglich, Mittag für Mittag, alle Mittage, jeden Mittag, immer mittags, immer am Mittag, immer über Mittag, immer zu Mittag

allmorgendlich: Morgen für Morgen, alle Morgen, immer am Morgen, jeden Morgen, immer morgens

allnächtlich: nächtlich, Nacht für Nacht, alle Nächte, jede Nacht, immer nachts

Alltag: Arbeitstag, Werktag, Wochentag *Langeweile, gleichförmiges Einerlei, tägliches Einerlei

alltäglich: täglich, alle Tage, immer am Tage, jeden Tag, Tag für Tag *durchschnittlich, eingewurzelt, gängig, gebräuchlich, gewöhnlich, gewohnt, landläufig, mittelmäßig, normal, regelmäßig, regulär, tief verwurzelt, üblich, verbreitet, vertraut, weit verbreitet

Allüren: Flausen, Gehabe, Getue, Grillen, Kapriolen, Launen, Marotten, Mucken, Spinnereien, Spleen

allzeit: alleweil, andauernd, anhaltend, beharrlich, beständig, dauernd, fortdauernd, fortgesetzt, gleich bleibend, immer, immerzu, immerfort, immer während, konstant, kontinuierlich, pausenlos, permanent, ständig, stetig, stets, unaufhaltsam, unaufhörlich, unausgesetzt, immer wieder, immer noch, jahraus, jahrein, nach wie vor, rund um die Uhr, schon immer, seit eh und je, seit je, tagaus, tagein, von je, von jeher, ad infinitum

Alm: Almwiese, Alpe, Alpweide, Bergweide, Bergwiese *Almwirtschaft, Milchwirtschaft, Sennerei, Viehwirtschaft

Almanach: Auswahlband, Jahrbuch, Kalender

Almosen: Gnadengeschenk, Scherflein, Spende, milde Gabe

Alp: Almwiese, Alpe, Alpweide, Bergweide, Bergwiese *Albdruck, Albtraum, Angsttraum, Nachtmahr, das Albdrücken

Alpenrose: Almrausch, Bergrose

Alphabet: Abc, Buchstabenfolge, Buchstabenreihe

alpin: abfallend, abschüssig, bergig, gebirgig, steil

Alpinist: Bergsteiger, Bergtourist, Gipfelstürmer, Kletterer

Alpinistik: Bergsport

Alptraum: Alb, Albdruck, Angsttraum, Nachtmahr, das Albdrücken

als: da, nachdem, während, wenn, wie, wo, zu der Zeit *gewissermaßen, gleichsam, in Form von, in Gestalt von, wie wenn

alsbald: bald, baldig, demnächst, einmal, künftig, kurzfristig, nächstens, sogleich, später, binnen kurzem, heute oder morgen, in absehbarer Zeit, in Kürze, in kurzer Zeit, in nächster Zeit, in Bälde, über kurz oder lang, dieser Tage, im Augenblick, in wenigen Augenblicken

also: endlich, schließlich, zuletzt, kurz und gut *demnach, demzufolge, deshalb, ergo, folglich, infolgedessen, insofern, logischerweise, somit, sonach

alt: abgeklärt, abgelebt, altersgrau, altersschwach, angegraut, bejahrt, betagt, grauhaarig, grauköpfig, hochbetagt, runzelig, silberhaarig, steinalt, uralt, verbittert, verbraucht, vergrämt, verlebt, weise, weißhaarig *antiquarisch, gebraucht, getragen, secondhand, aus zweiter Hand, nicht mehr neu *belanglos, billig, minderwertig, nutzlos, schäbig, unbrauchbar, unerheblich, unwichtig, wertlos, keinen Heller wert, keinen Pfennig wert, nichts wert, ohne Belang, ohne Wert *altersschwach, baufällig, brüchig, morsch, schrottreif, verfallen, verkommen, zerfallen *bekannt, langweilig, überholt, uninteressant *ehemalig, früher, gewesen, verflossen, vergangen, vorherig, vormalig *jahrelang, langjährig, mehrjährig *abgestanden *altbacken, hart, trocken, nicht mehr frisch *gärig, sauer *ranzig, schimmelig, schlecht, ungenießbar, verdorben, verfault *wurmstichig *altertümlich, altmodisch, gestrig, unmodern, uralt, veraltet

Alt: Altstimme

Altar: Gnadentisch, Gottestisch, Opfertisch, Tisch des Herrn

Altargerät: Abendmahlsgerät, Abendmahlskelch, Hostienbehälter, Kelch, Kreuz, Messgerät

Altarraum: Altarchor, Chorraum, Zeremonienraum

altbacken: alt, hart, trocken, vergammelt, nicht mehr frisch *altertümlich, altmodisch, gestrig, unmodern, uralt, veraltet

Alte: Greisin, Großmutter, Mutter, Oma, Pensionärin, Rentenempfängerin, Rentnerin, Urgroßmutter, Uroma, alte Frau *Graukopf, Greis, Großvater, Opa, Pensionär, Urgroßvater, Uropa, Vater, alter Mann *Muttertier

alteingesessen: altangesessen, bodenständig, einheimisch, ortsansässig

Alter: Bejahrtheit, Greisenalter, Langlebigkeit, Lebensabend *Ahnen, Dame, Graubart, Graukopf, Greis, Großeltern, Großvater, Opa, Patriarch, Pensionär, Rentenempfänger, Rentner, Urgroßeltern, Urgroßvater, Uropa, alter Mann, alter Knabe *Altersklasse, Generation, Jahrgang, Lebensalter

altern: ergrauen, verfallen, vergreisen, verkalken, alt werden, grau werden

alternativ: alternierend, wahlweise, wechselweise *abweichend, anders, gegenläufig, nonkonformistisch, subkulturell, unkonventionell *grün, naturbewusst, ökologisch, umweltbewusst

Alternative: Gegenentwurf, Gegenmodell, Gegenvorschlag *Entscheidung, Entweder-oder, Wahlmöglichkeit

Alternativer: Abweichler, Aussteiger, Nonkonformist *Grüner, Naturschützer, Umweltschützer

Altersgeld: Pension, Rente, Ruhegehalt

Altersgenosse: Gleichaltriger, Zeitgenosse, Person gleichen Alters

Altersheim: Altenheim, Altenstift, Altenwohnheim, Altenwohnsitz, Seniorenheim, Seniorenstift

altersschwach: elend, gebrechlich, hinfällig, klapprig, klapperig, schwach, zittrig *baufällig, brüchig, morsch, schrottreif, verfallen, verkommen, zerfallen

Altersschwäche: Abzehrung, Alterskrankheit, Auszehrung, Gebrechlichkeit, Hinfälligkeit, Kräfteverfall

Altersversorgung: Alterssicherung, Altersversicherung, Versicherung, Versorgung

Altertum: Urzeit, Vorzeit *Antike

altertümlich: alt, altehrwürdig, antik, archaisch, uralt, veraltet, aus alter Zeit stammend, von früher

Älteste: Erstgeborene, Erstgeborener, Große, Großer, Größte, Größter, älteste Tochter, ältester Sohn

Ältester: Nestor, Presbyter, Senior

althergebracht: altehrwürdig, altüberliefert, ehrwürdig, ererbt, hergebracht, herkömmlich, traditionell, überkommen, überliefert, üblich

altjüngferlich: altertümlich, blaustrümpfig, gouvernantenhaft, prüde, spröde, von gestern

altklug: frühklug, frühreif, neunmalklug, unkindlich, vorlaut, vorwitzig

Altmaterial: Abfall, Alteisen, Altglas, Altmetall, Altpapier, Altstoff, Altwaren, Schrott

altmodisch: abgelebt, altertümlich, angestaubt, antiquarisch, antiquiert, gestrig, passé, unmodern, uralt, veraltet, vorsintflutlich

Altruismus: Aufopferung, Edelmut, Edelsinn, Selbstlosigkeit, Selbstüberwindung, Selbstverleugnung, Uneigennützigkeit

Altruist: uneigennütziger Mensch, aufopfernder Mensch, selbstloser Mensch, edelmütiger Mensch, edler Mensch

altruistisch: aufopfernd, beseelt, edel, edelmütig, fühlend, innig, sanftmütig, seelenvoll, selbstlos, uneigennützig

Altstadt: City, Innenstadt, Stadtkern, Stadtmitte, Stadtzentrum, Zentrum

Altstoffhändler: Altwarenhändler, Lumpensammler, Trödler

Altwaren: Dreck, Gerümpel, Klimbim, Kram, Krempel, Plunder, Ramsch, Schund, Trödel, Zeug
Altwarenhändler: Alteisenhändler, Gebrauchtwarenhändler, Lumpenhändler, Lumpensammler, Schrotthändler, Tandler, Trödler
Altweibersommer: Frauenfaden, Himmelsfaden, Sommerfaden *Indianersommer, Spätsommer
Amateur: Außenstehender, Laie, Nichtfachmann *Dilettant, Pfuscher *Amateursportler, Freizeitsportler
Amazone: Reiterin, Turnierreiterin *Feministin, Frauenrechtlerin, Suffragette *Kämpferin, Streiterin
Ambiente: Atmosphäre, Milieu, Umgebung, Umwelt
Ambition: Ehrgeiz, Eitelkeit, Machthunger, Ruhmbegierde, Ruhmsucht, Streben, Strebertum
ambivalent: doppelwertig, gebrochen, gespalten, mehrdeutig, unentschieden, zwiespältig
ambulant: herumziehend, umherziehend, wandernd, nicht ortsgebunden, ohne festen Sitz, ohne festen Wohnsitz *ohne Krankenhausaufenthalt
Amerika: die Vereinigten Staaten von Amerika, die USA, die Neue Welt
Amme: Bonne, Erzieherin, Kinderfrau, Kindermädchen, Nährmutter, Nurse
Ammenmärchen: Ausgedachtes, Erdichtung, Erfindung, Flunkerei, Hirngespinst, Jägerlatein, Lügengeschichten, unwahre Geschichte
Amnestie: Amnestierung, Begnadigung, Straferlass, Straffreiheit, Strafnachlass
amnestieren: begnadigen, lossprechen, vergeben, verschonen, verzeihen, die Strafe erlassen
Amoklauf: Besessenheit, Mordsucht, Raserei, Tötungssucht, Wutausbruch
amoralisch: anstößig, lasterhaft, liederlich, pikant, ruchlos, schlecht, schlüpfrig, sittenlos, unanständig, ungebührlich, ungehörig, unkeusch, unmoralisch, unschicklich, unsittlich, unsolide, unziemlich, unzüchtig, verdorben, verrucht, verworfen, wüst, zotig, zuchtlos, zweideutig, moralisch verwerflich
Amoralität: Anstößigkeit, Lasterhaftigkeit, Schlechtigkeit, Schlüpfrigkeit, Sittenlosigkeit, Unkeuschheit, Unmoral, Unschamhaftigkeit, Unsittlichkeit, Unzucht, Zuchtlosigkeit
amorph: formlos, gestaltlos, strukturlos, ungegliedert, unstrukturiert, nicht strukturiert, nicht gegliedert, ohne Gliederung
Amortisation: Abdeckung, Ablösung, Abschreibung, Absetzung, Abtragung, Abzahlung, Bezahlung, Löschung, Streichung, Tilgung
amortisieren: abarbeiten, abdecken, abgelten, ablösen, abstoßen, abtilgen, abverdienen, abzahlen, annullieren, ausgleichen, begleichen, bereinigen, bezahlen, löschen, tilgen, aus der Welt schaffen *s. lohnen, s. rentieren, s. tragen
Amouren: Abenteuer, Affäre, Liaison, Liebesabenteuer, Liebeserlebnis, Liebesverhältnis
Ampel: Blumenampel, Gehänge, Hängelampe *Verkehrsampel, Verkehrssignal
Amputation: Ablation, Absetzung, Abtragung, Abtrennung, Exartikulation, Gliedabsetzung, Gliedabtragung, Trennung
amputieren: abmachen, abnehmen, absetzen, abtrennen, resezieren, operativ entfernen
Amt: Arbeitsgebiet, Aufgabe, Bereich, Posten, Stellung, Tätigkeitsbereich, Verpflichtung *Behörde, Dienststelle, Stelle, Verwaltung, Zentrale *Fernsprechamt, Telefonvermittlung, Telefonzentrale, Vermittlungsstelle, Zentrale *Gottesdienst, Hochamt, Kirche, Messe
amtieren: fungieren, regieren, tätig sein (als), wirken
amtlich: administrativ, amtshalber, behördlich, dienstlich, halbamtlich, öffentlich, offiziell, offiziös, verwaltungsmäßig, von Amts wegen *äußerlich, förmlich, steif, unpersönlich *bestätigt, beweiskräftig, fest, glaubwürdig, urkundlich
Amtsbereich: Abteilung, Dezernat, Geschäftsbereich, Ressort
Amtsdeutsch: Amtsstil, Behördendeutsch, Behördensprache, Behördenstil,

Kanzleistil, Papierdeutsch, Verwaltungssprache
Amtsdiener: Amtsbote, Gerichtsdiener, Hilfskraft
Amtseinführung: Amtseinsetzung, Installation, Investitur, Ordination, Vereidigung
Amtsenthebung: Ablösung, Abschiebung, Absetzung, Dienstentlassung, Entfernung, Enthebung, Entlassung, Entmachtung, Entthronung, Hinauswurf, Kündigung, Sturz, Suspendierung, Zwangsbeurlaubung, Zwangspensionierung
Amtsgeheimnis: Dienstgeheimnis, Geheimnis
Amtskette: Ehrenzeichen, goldene Kette
Amtstracht: Amtskleidung, Habit, Ornat, Robe, Talar
Amtsweg: Behördenweg, Dienstweg, Distanzenweg, Rechtsweg
Amtszimmer: Amtsstube, Büro, Dienstraum, Dienstzimmer, Geschäftsraum, Geschäftszimmer
Amulett: Anhänger, Fetisch, Glücksbringer, Götzenbild, Maskottchen, Talisman, Totem
amüsant: belustigend, fröhlich, interessant, lustig, vergnüglich *abwechslungsreich, angenehm, anregend, belebend, erfrischend, ergötzend, ergötzlich, erheiternd, gesellig, interessant, kurzweilig, spaßig, unterhaltend, unterhaltsam, zerstreuend *belustigend, burlesk, drollig, erheiternd, humorvoll, komisch, köstlich, närrisch, possenhaft, putzig, spaßig, trocken, ulkig, vergnüglich, witzig, zum Lachen, zum Schießen
Amüsement: Ablenkung, Belustigung, Gaudi, Gaudium, Kurzweil, Unterhaltung, Vergnügen, Zeitvertreib, Zerstreuung
amüsieren (s.): s. belustigen, s. erfreuen, s. ergötzen, s. erheitern, genießen, s. vergnügen, Freude haben, Wohlgefallen haben, Gefallen finden
amusisch: unbegabt, unkünstlerisch, unmusisch, unschöpferisch *banausisch, unkultiviert *dürr, einförmig, gemütsarm, langweilig, nüchtern, phantasielos, poesielos, prosaisch, trocken
an: nahe, nahe bei, in der Nähe von *bis, nach, bis zu *annähernd, nahezu, ungefähr *dicht bei *ab, von … an
anal: rektal, per annum, per rectum
analog: adäquat, angebracht, angemessen, angezeigt, entsprechend, gebührend, gebührlich, gemäß, konform, kongruent, korrespondierend, opportun, passend
Analyse: Aufgliederung, Zergliederung, Zerlegung *Abhandlung, Arbeit, Beobachtung, Kritik, Prüfung, Studie, Untersuchung
analysieren: aufgliedern, zergliedern, zerlegen *beobachten, kritisieren, prüfen, studieren, untersuchen
analytisch: zergliedernd, zerlegend
Anarchie: Chaos, Gesetzlosigkeit, Herrschaftslosigkeit, Unordnung
anarchisch: anarchistisch, chaotisch, gesetzlos, herrschaftslos, ungeordnet
Anarchist: Meuterer, Rebell, Umstürzler *Aktivist, Aufrührer, Extremist, Radikaler, Terrorist *Idealist, Illusionist, Revolutionär, Utopist, Weltverbesserer
anarchistisch: chaotisch, extremistisch, gesetzlos, gewalttätig, radikal, subversiv, terroristisch, ungeordnet
anästhesieren: betäuben, einschläfern, narkotisieren, schmerzunempfindlich machen
anbahnen: anknüpfen, anspinnen, beginnen, einfädeln, einleiten, vorbereiten, in die Wege leiten ***s. anbahnen:** s. ankündigen, s. anspinnen, kommen, s. zeigen
anbändeln: stänkern, Streit suchen, Streit anfangen, Unfrieden stiften, Händel suchen *flirten, s. heranmachen, schäkern, tändeln, eine Beziehung beginnen, den Hof machen
Anbau: Anpflanzung, Ausbau, Bebauung, Bepflanzung, Bestellung, Bewirtschaftung, Feldbestellung, Kultivierung, Umpflanzung, Versetzung
anbauen: anpflanzen, bebauen, bepflanzen, bestellen, bewirtschaften, kultivieren *erweitern, vergrößern, zubauen
anbehalten: anlassen, nicht ablegen, nicht ausziehen, nicht wechseln
anbei: anliegend, beiliegend, innen, im Inneren, in der Anlage

anbeißen: anknabbern, annagen *zubeißen, an die Angel gehen *hereinfallen, hereinfliegen, hineinfliegen
anbelangen: angehen, betreffen, s. beziehen (auf), zusammenhängen (mit)
anberaumen: ansetzen, bestimmen, einberufen, festlegen, festsetzen *ansetzen, vorsehen, auf das Programm setzen, auf den Spielplan setzen, ins Auge fassen
anbeten: anhimmeln, anschwärmen, bewundern, lieben, schwärmen (für), umschwärmen, verehren, vergöttern *anflehen, beten, bitten, flehen
Anbeter: Bewunderer, Schwärmer, Verehrer
anbetteln: anbohren, anborgen, anpumpen, anzapfen, betteln, bitten
Anbetung: Bewunderung, Kult, Liebe, Verehrung, Vergötterung, Vergötzung *Achtung, Ehrfurcht, Respekt *Gebet
anbiedern (s.): s. einschmeicheln, schöntun, zu Gefallen reden
anbieten: aufwarten, bereitstellen, kredenzen, reichen *andienen, s. anheischig machen, antragen, s. erbieten, offerieren *anpreisen, bieten, feilbieten, feilhalten, offerieren, verkaufen, auf den Markt bringen, ein Angebot machen *bestechen, erkaufen, korrumpieren, schmieren *bieten, darbieten, darreichen, hinhalten, hinreichen, reichen ***s. anbieten:** s. andienen, s. bereit erklären, s. bewerben, s. erbieten, s. verpflichten
anbinden: anketten, anknüpfen, anleinen, anmachen, anschließen, anschnüren, anseilen, befestigen, binden, fesseln, festbinden, sichern, zusammenbinden, binden (an)
Anblick: Bild, Eindruck, Erscheinung, Gestalt, das Aussehen, das Äußere *Beschauung, Betrachtung, das Anblicken
anblicken: anschauen, ansehen, anstarren, begutachten, beobachten, beschauen, besichtigen, betrachten, fixieren, mustern, studieren
anbrechen: anfangen, beginnen, eintreten, kommen *aufmachen, aufreißen, zu verbrauchen beginnen, zu verwenden beginnen *benötigen, gebrauchen, verwenden *benutzen, in Benutzung nehmen, in Verwendung nehmen *zum ersten Mal verwenden, zum ersten Mal benutzen *angreifen, anreißen, antasten, brechen
anbrennen: anhängen, ankohlen, schwarz werden *brennen, s. entzünden, Feuer fangen *anfachen, anstecken, entzünden, Feuer legen, in Brand stecken
anbringen: ankleben, aufhängen, befestigen, festmachen *anbieten, feilbieten, verkaufen *bringen, herbeibringen, herbeischaffen, herbeitragen *aufbringen, aufhängen, aufmachen, aufstecken, befestigen, festmachen, an die Wand hängen, an die Decke hängen, auf die Leine hängen *unterbringen, einen Posten verschaffen, eine Stellung verschaffen
Anbruch: Anbeginn, Anfang, Beginn, Eröffnung *Auftakt, Start, Startschuss
anbrüllen: anfahren, anschreien, ausschimpfen, schimpfen, wettern, zetern
Andacht: Betstunde, Gebet, Gebetsstunde *Anspannung, Aufmerksamkeit, Inbrunst, Sammlung, Versunkenheit
andächtig: angespannt, andachtsvoll, angestrengt, aufmerksam, ergriffen, feierlich, gesammelt, gespannt, konzentriert, versunken
andante: gehend, langsam, ruhig
andauern: anhalten, dauern, fortbestehen, fortdauern, fortwähren, s. hinziehen, währen, weiterbestehen
andauernd: anhaltend, beharrlich, dauernd, gleich bleibend, immer während, immerzu, konstant, kontinuierlich, pausenlos, stetig, stets, unaufhörlich, ununterbrochen, immer (noch)
Andenken: Erbstück, Erinnerungsstück, Erinnerungszeichen, Familienstück *Souvenir, Erinnerungsstück, Erinnerungszeichen *Denkzettel, Erinnerung, Mahnung *Erinnerung, Gedächtnis, Gedenken
ander(e)nteils: andererseits, zum anderen Teil
änderbar: variabel, veränderlich, verbesserlich
andere: weitere, der Nächste ..., der Folgende ..., der Vorausgehende ..., der Zweite ..., nicht derselbe
andererseits: hingegen, dahingegen, aber, allein, allerdings, andernteils, dabei,

dagegen, demgegenüber, doch, freilich, hinwieder, hinwiederum, höchstens, immerhin, indes, indessen, jedoch, mindestens, nur, sondern, wenigstens, wiederum, im Gegensatz dazu, zum Mindesten
ändern: abändern, abwandeln, korrigieren, modifizieren, novellieren, revidieren, transformieren, überarbeiten, umändern, umarbeiten, umformen, umfunktionieren, umgestalten, ummodeln, ummünzen, umsetzen, umwandeln, variieren, verändern, verbessern, verwandeln, wandeln, anders werden, anders machen *ersetzen, wechseln *ableiten, ablenken, s. brechen, brechen, reflektieren, in eine andere Richtung bringen ***s. ändern:** s. verändern, s. verlagern, wechseln, auf eine andere Ebene stellen
andernfalls: ansonsten, gegebenenfalls, sonst, widrigenfalls
anders: sonst *abweichend, andersartig, divergent, grundverschieden, unterschiedlich, verschieden, verschiedenartig, auf andere Art, auf abweichende Art *fremd, neu, unbekannt *s. ähnelnd, ähnlich, analog, andersartig, entsprechend, vergleichbar, verwandt, nicht gleich, annähernd gleich
andersartig: abweichend, grundverschieden, ungleich, unterschiedlich, verschieden, verschiedenartig, wesensfremd
Andersartigkeit: Anderssein, Ungleichheit, Unterschied, Verschiedenheit, andere Art, andere Wesensart
andersgläubig: heterodox, irrgläubig
anderswo: andernorts, anderwärts, außerhalb, woanders
Änderung: Abänderung, Umänderung, Umarbeitung, Umgestaltung, Umkehr, Veränderung, Wendung
andeuten: abzielen (auf), anspielen, antippen, hinweisen, meinen, mitteilen, durchblicken lassen, anklingen lassen, Andeutungen machen, etwas bedeuten, etwas sagen, etwas zu verstehen geben, einen Hinweis geben, einen Wink geben ***s. andeuten:** s. ankündigen, drohen, s. zeigen
Andeutung: Anspielung, Deut, Fingerzeig, Hinweis, Wink, Zeichen
andeutungsweise: andeutend, indirekt, nebelhaft, schattenhaft, schemenhaft, unbestimmt, undeutlich, ungenau, unklar, unscharf, vage, verblümt, verschwommen, in Andeutungen
andichten: anhängen, anschwärzen, diffamieren, diskreditieren, nachsagen, schlecht machen, verdächtigen, verketzern, verlästern, verleumden, verschreien, verteufeln, verunglimpfen, die Ehre abschneiden, Übles nachreden, schlecht reden, abfällig reden, in Misskredit bringen, in Verruf bringen
andicken: abdicken, binden, sämig machen
Andrang: Ansturm, Run, Zulauf, Zustrom *Durcheinander, Gedränge, Gemenge, Getriebe, Gewühl, Gewürge, Rammelei
andrehen: abschieben (auf), abwälzen, aufbürden, aufhalsen, aufladen, zuschieben *anknipsen, anmachen, anschalten, anstellen, einschalten *beschummeln, betrügen, hintergehen, prellen, täuschen *aufreden, aufschwatzen, bearbeiten, bereden, beschwatzen, breitschlagen, erweichen, herumkriegen, überreden, überzeugen, werben *anrichten, anstellen, aufstellen, ausfressen, verbocken
androhen: bedrohen, drohen, eine Drohung ausstoßen
andrücken: aneinander drücken, aneinander pressen, anpressen, anstemmen ***s. andrücken:** s. ankuscheln, s. anlehnen, s. anschmiegen, s. kuscheln (an)
anecken: anrempeln, anstoßen, s. wehtun *anstoßen, Ärger erregen, Missmut erregen, Verärgerung hervorrufen
aneignen: s. bemächtigen, bereichern, einkassieren, einsacken, einstecken, einverleiben, erwerben, raffen, wegnehmen, s. zu Eigen machen, an sich nehmen, an sich bringen, in Besitz nehmen, Besitz ergreifen, an sich reißen *s. anlesen, s. einprägen, erlernen, s. etwas beibringen, lernen, studieren, s. zu eigen machen
Aneignung: Besitzergreifung, Diebstahl, Einverleibung, Erwerb *Erlernung, Lernen, Übernahme
aneinander: verbunden, verknüpft, zusammen, zusammengeflickt, zusammengefügt, zusammengeheftet, zusam-

mengesetzt, einer an den anderen, einer an der anderen *__aneinander fügen:__ koppeln, kuppeln, verbinden, verknüpfen, zusammenflicken, zusammenfügen, zusammenheften, zusammensetzen, zusammenstückeln *__aneinander geraten:__ krakeelen, plänkeln, rechten, stänkern, eine Szene machen *fechten, kämpfen, s. messen (mit), säbeln, schießen, s. schlagen, Blut vergießen, die Schwerter kreuzen, Krieg führen, die Kugeln wechseln, einen Kampf führen

anekeln: ablehnen, anwidern, missbilligen, verabscheuen, zurückweisen, Abscheu erregen, Ekel erregen, von sich weisen, widerlich sein, zuwider sein

anempfehlen: anraten, beibringen, beraten, einschärfen, nahe legen, raten, vorschlagen, zuraten, zureden, einen Rat geben, einen Rat erteilen

anerkannt: geschätzt, hoch geschätzt, angebetet, angesehen, begehrt, bekannt, beliebt, berühmt, bewundert, geachtet, geehrt, gefeiert, geliebt, populär, renommiert, schätzenswert, umschwärmt, verdient, verehrt, vergöttert, volkstümlich

anerkennen: akkreditieren, beglaubigen, bekräftigen, bevollmächtigen, in seinem Amt bestätigen, für rechtmäßig erklären, für gültig erklären *achten, anbeten, bewundern, ehren, hoch achten, respektieren, schätzen, verehren, vergöttern, würdigen, in Ehren halten *auszeichnen, beloben, belobigen, feiern, idealisieren, loben, lobpreisen, preisen, rühmen, verherrlichen, verklären

anerkennend: beifällig, bejahend, lobend, würdigend, zustimmend

anerkennenswert: ausgezeichnet, lobenswert, tadellos, vorbildlich, vortrefflich, vorzüglich, nicht schlecht, nicht übel

Anerkennung: Beifall, Belobigung, Bestätigung, Billigung, Laudatio, Lob, Loblied, Lobgesang, Lobpreis, Lobpreisung, Lobrede, Lobspruch, Würdigung, Zustimmung *Achtung, Ansehen, Bewunderung, Ehrerbietung, Ehrfurcht, Hochachtung, Respekt, Wertschätzung

anfachen: animieren, anregen, anreizen, anstacheln, aufpeitschen, aufregen, beleben, initiieren, stimulieren *schüren, anschüren, zünden, anzünden, anbrennen, anstecken, entfachen, entzünden, Feuer legen

anfahren: starten, zu fahren beginnen *heranbringen, herantransportieren, herbeischaffen *streifen, umstoßen, verletzen *anfliegen, anlaufen, ansteuern, Kurs nehmen auf *schelten, ausschelten, schimpfen, ausschimpfen, anbrüllen, andonnern, attackieren, auszanken, schmähen, zetern, zurechtweisen, zusammenstauchen *auftafeln, auftischen, auftragen, bewirten, kredenzen, reichen, servieren, vorsetzen *auffahren, kollidieren, rammen, zusammenfahren, zusammenknallen, zusammenprallen, zusammenstoßen, knallen (auf)

Anfahrt: Anfahrtsstrecke, Anfahrtsweg, Anmarsch, Route, Strecke, Weg, Wegstrecke *Anreise, Hinweg *Auffahrt, Zufahrtsstraße

Anfall: Anwandlung, Aufwallung, Koller *Attacke, Kolik, Krankheitsanfall, Schmerzanfall

anfallen: angreifen, attackieren, bestürmen, eindringen, erstürmen, überfallen, überraschen, herfallen (über) *abfallen, entstehen, s. ergeben, s. herausstellen

anfällig: empfindlich, kraftlos, labil, schwach, schwächlich, nicht widerstandsfähig, nicht stark *allergisch, disponiert, empfänglich, labil, schwächlich, zart

Anfälligkeit: Allergie, Disposition, Empfänglichkeit, Labilität, Schwachheit, Zartheit *Empfindlichkeit, Kraftlosigkeit, Labilität, Schwachheit, Unbeständigkeit

Anfang: Anbeginn, Anbruch, Auftakt, Ausbruch, Beginn, Eintritt, Eröffnung, Start, Startschuss, erster Schritt

anfangen: anpacken, anstimmen, ausbrechen, beginnen, bewerkstelligen, darangehen, s. daransetzen, eröffnen, herangehen, intonieren, starten, s. werfen (auf), den Anfang machen, in Angriff nehmen, die Initiative ergreifen, den ersten Schritt tun, in die Wege leiten, in Schwung kommen *anbrechen, beginnen, einsetzen, hereinbrechen, seinen Anfang nehmen, im Anzug sein, zum Ausbruch kommen

Anfänger: Debütant, Greenhorn, Grün-

schnabel, Neuling, Newcomer, Novize, Schulanfänger, Unerfahrener
anfängerhaft: dilettantisch, laienhaft, oberflächlich, stümperhaft, unzulänglich, nicht fachmännisch
anfänglich: anfangs, vorab, voraus, vorderhand, vorerst, zuerst, zuvor, am Anfang, zu Anfang, als Erstes, als Nächstes, an erster Stelle, fürs Erste, in erster Linie
anfangs: allmählich, langsam, nacheinander, schrittweise, sukzessive, zuerst, am Anfang, der Reihe nach, nach und nach
anfassen: anlangen, anrühren, antasten, befühlen, berühren, betasten, hinlangen, zufassen, in die Hand nehmen *aufrollen, behandeln, machen, tun, wieder aufnehmen
anfauchen: schimpfen, ausschimpfen, anbrüllen, anfahren, wettern, zetern
anfechtbar: beanstandbar, bestreitbar, falsch, fehlerhaft, gesetzwidrig, ungerecht, unredlich, verkehrt, nicht richtig
anfechten: beanstanden, beklagen, bemängeln, s. beschweren, bestreiten, herumhacken, kritisieren, missbilligen, monieren, nörgeln, reklamieren, s. stören (an), s. stoßen (an), angehen (gegen), Beschwerde einlegen, Beschwerde einreichen, Einspruch erheben, nicht anerkennen, unmöglich finden *aufregen, beunruhigen, mit Sorge erfüllen
Anfechtung: Beanstandung, Berufung, Beschwerde, Einspruch, Einwendung, Einwurf, Entgegnung, Gegenargument, Gegenmeinung, Gegenstimme, Klage, Protest, Reklamation, Veto, Widerrede, Widerspruch, Zweifel *Reiz, Versuchung
anfeinden: abqualifizieren, angreifen, anschwärzen, beleidigen, diffamieren, entwürdigen, kränken, kritisieren, schlecht machen, schmähen, treffen, verletzen, verteufeln, verunglimpfen, verwunden, nicht mehr sachlich bleiben, persönlich werden, verächtlich machen *angreifen, befehden, befeinden, bekämpfen, entgegentreten, entgegenwirken, ankämpfen (gegen), vorgehen (gegen), anstreben (gegen)
Anfeindung: Auseinandersetzung, Fehde, Feindschaft, Feindseligkeit, Gefecht, Hader, Händel, Kampf, Konflikt, Konfrontation, Kontroverse, Reiberei, Streit, Unfriede, Zank, Zerwürfnis, Zwist *Angriff, Beleidigung, Beschimpfung, Diskriminierung, Erniedrigung, Kränkung, Rufmord, Schmähung, Verleumdung, Verunglimpfung, Vorwurf
anfertigen: arbeiten (an), basteln, bauen, bereiten, fabrizieren, fertig stellen, fertigen, herstellen, machen, verfertigen, zubereiten *kneten, modellieren *meißeln *nähen *schmieden *schnitzen *schreiben, niederschreiben, edieren, publizieren, verfassen
Anfertigung: Ausstoß, Bau, Erschaffung, Erzeugung, Fabrikation, Fertigung, Herstellung, Hervorbringung, Produktion, Schaffung *Abfassung, Arbeit, Aufzeichnung, Entwurf
anfeuchten: befeuchten, begießen, benässen, benetzen, beregnen, berieseln, besprengen, bespritzen, besprühen, bewässern, einsprengen, einspritzen, gießen, nass machen, nässen, netzen, sprengen, spritzen, sprühen, wässern *trinken, die Kehle ölen
anfeuern: anregen, anspornen, anstacheln, anstiften, antreiben, anzetteln, aufstacheln, beflügeln, ermutigen, Beine machen, Dampf machen, in Gang bringen *anheizen, einheizen, entzünden, Feuer anzünden
anflehen: beschwören, bestürmen, betrügen, bitten, zusetzen, kniefällig bitten, zu Füßen fallen
anfliegen: anpeilen, anschwirren, ansteuern, heranfliegen, herankommen, Kurs nehmen (auf), s. nähern, angeflogen kommen *zufallen *befallen, s. bemächtigen, beschleichen, erfassen, ergreifen, überfallen, überkommen, übermannen
Anflug: Annäherung, Ansteuerung, Heranfliegen, Kurs auf *Andeutung, Anklang, Hauch, Nuance, Schimmer, Spur
anfordern: abonnieren, anschaffen, bestellen, vorbestellen, in Auftrag geben, eine Bestellung aufgeben
Anforderung: Abonnement, Anschaffung, Auftrag, Bestellung, Vorbestellung *Beanspruchung, Forderung, Voraussetzung
Anfrage: Befragung, Bitte, Erkundigung,

Frage, Interview, Nachfrage, Rückfrage, Umfrage *Angebot, Antrag, Vorschlag

anfragen: ausforschen, ausfragen, auskundschaften, ausnehmen, befragen, bitten, fragen, herumfragen, nachfragen, s. erkundigen, s. informieren, s. orientieren, s. umhören, s. umtun, s. unterrichten, umfragen, um Rat fragen

anfreunden: s. annähern, s. anschließen, s. befreunden, bekannt werden (mit), Freund werden (mit), s. kennen lernen, s. nähern, Freundschaft schließen

anfügen: anhängen, beigeben, dazugeben, ergänzen, hintanstellen, hinzufügen

Anfügung: Anhang, Beifügung, Beilage, Zusatz

anfühlen: abtasten, anfassen, befingern, befühlen, betasten, tasten ***s. anfühlen:** s. anfassen, s. befühlen, s. betasten

Anfuhr: Antransport, Lieferung *Maßregelung, Rüge, Schelte, Tadel, Vorwurf, Zurechtweisung

anführen: befehligen, leiten, führend vorangehen *zitieren, wörtlich wiedergeben *angeben, aufzählen, erwähnen, nennen, vorbringen, zitieren *äffen, anschmieren, foppen, irreführen, narren, nasführen, veräppeln, verkohlen, einen Bären aufbinden

Anführer: Bandenführer, Boss, Chef, Gangleader, Haupt, Häuptling, Hauptmann, Hauptperson, Leithammel, Rädelsführer, Räuberhauptmann, Sprecher *Führer, Oberbefehlshaber, Vorsitzender

Anführung: Angabe, Aufführung, Aufzählung, Erwähnung, Zitat, Zitierung *Führerschaft, Führung, Herrschaft, Leitung

Anführungsstriche: Anführungszeichen, Gänsefüßchen

Angabe: Angeberei, Aufgeblasenheit, Aufschneiderei, Effekthascherei, Großsprecherei, Hochstapelei, Mache, Prahlerei, Protzerei, Schaumschlägerei, Wichtigtuerei

angaffen: anblicken, angucken, ansehen, anstieren, beäugen, begucken, besehen, durchbohren, fixieren, studieren, verschlingen

angeben: aufblasen, aufschneiden, aufspielen, s. blähen, großtun, prahlen, protzen, prunken, s. spreizen, s. wichtig machen, eingebildet sein

Angeber: Aufschneider, Besserwisser, Gernegroß, Großsprecher, Großtuer, Maulheld, Möchtegern, Münchhausen, Prahler, Prahlhans, Protzer, Schaumschläger, Sprücheklopfer, Sprüchemacher, Wichtigtuer, Windbeutel, Wortheld

angeberisch: aufschneiderisch, dünkelhaft, großsprecherisch, großspurig, großtuerisch, prahlerisch, protzig, wichtigtuerisch

angeblich: höchstwahrscheinlich, möglicherweise, mutmaßlich, vermutlich, vielleicht, voraussichtlich, wahrscheinlich, wohl *anscheinend, denkbar, höchstwahrscheinlich, möglich, offenbar, offensichtlich, vermeintlich, vermutlich, voraussichtlich, wahrscheinlich, dem Anschein nach, nicht ausgeschlossen, wie es scheint

angeboren: angestammt, eingeboren, erblich, ererbt, genuin, vererbbar, vererbt, im Blut, von Haus aus, von Geburt an vorhanden

Angebot: Anerbieten, Annonce, Anzeige, Ausschreibung, Inserat, Insertion, Offerte *Antrag, Vorschlag

angebracht: erforderlich, nötig, notwendig, sinnvoll, unentbehrlich, unerlässlich *passend, zweckmäßig

angebrochen: angerissen, angeschlagen, aufgerissen, beschädigt, geöffnet

angegriffen: abgearbeitet, abgehetzt, abgekämpft, abgeschlafft, abgespannt, abgewirtschaftet, angeschlagen, atemlos, aufgerieben, ausgelaugt, durchgedreht, entkräftet, entnervt, erholungsbedürftig, erledigt, ermattet, erschlagen, erschöpft, gerädert, geschafft, groggy, halb tot, kaputt, kraftlos, matt, mitgenommen, müde, schachmatt, schlaff, schlapp, schwach, überanstrengt, überfordert, überlastet, urlaubsreif, verbraucht, zerschlagen, k. o., am Ende

angeheitert: angesäuselt, angetrunken, aufgekratzt, beduselt, benebelt, berauscht, besäuselt, beschwipst, betrunken, feuchtfröhlich, lustig

angehen: anfangen, beginnen, eröffnen, starten, in Angriff nehmen, in die Wege

leiten *berühren, betreffen, zusammenhängen (mit) *anbrennen, zu brennen beginnen, zu leuchten beginnen *anbelangen, anbetreffen, anlangen, belangen, berühren, betreffen, s. beziehen (auf), gelten, handeln
angehend: künftig, zukünftig, in der Ausbildung stehend, in der Entwicklung stehend
angehören: gehören (zu), zählen (zu), zugeordnet werden, eingegliedert sein
Angehöriger: Abkomme, Abkömmling, Ahn, Ahnherr, Anverwandter, Familienangehöriger, Familienmitglied, Nachfahr, Nachfahre, Nachkomme, Spross, Urvater, Väter, Verwandter, Vorfahr *Anhänger, Beteiligter, Mitarbeiter, Mitglied, Mitwirkender
angeklagt: angezeigt, beschuldigt, bezichtigt, verklagt
Angeklagte: der Beklagte, beschuldigte Partei, der Verklagte, der Beschuldigte
angelangen: ankommen, eintreffen, erscheinen, herkommen, kommen, nahen, s. nähern, einen Ort erreichen, näher kommen
angelaufen: beschlagen, blind, überzogen ***angelaufen kommen:** herkommen, herbeikommen, herrennen, s. nähern
Angelegenheit: Affäre, Fall, Frage, Geschichte, Problem, Punkt, Sache
angeln: fischen, Fische fangen
Angelpunkt: Drehpunkt, Pol *Hauptattraktion, Hauptsache, Hauptstück, Hauptteil, Kardinalpunkt, Kern, Kernpunkt, Kernstück, Schwerpunkt, Wesen, das A und O, der springende Punkt
angemeldet: geladen, eingeladen, erwartet, vorangemeldet *eingeschrieben, eingetragen, immatrikuliert
angemessen: adäquat, angezeigt, gebührend, gebührlich, gehörig, geziemend, ordentlich, schicklich, schuldig *äquivalent, entsprechend, gleichwertig *geeignet, sachdienlich, zweckdienlich, zweckentsprechend, zweckmäßig
angenehm: behaglich, bequem, gemütlich, heimelig, heimisch, komfortabel, lauschig, wohnlich *erfreulich, günstig, gut, positiv, vorteilhaft, willkommen, wohltuend *anmutig, anziehend, attraktiv, aufreizend, charmant, einnehmend, hübsch, lieb, liebenswert, liebenswürdig, nett, sympathisch, toll *duftend, wohl riechend *appetitlich, bekömmlich, gut, wohlschmeckend *heiter, sommerlich, sonnig, warm *fröhlich, heiter, lustig *entkrampft, entspannt, erfreulich *gesichert, gut, sicher *gern gesehen, willkommen *rein, wohlklingend, wohltönend *erfreulich, gut
angenommen: ausgedacht, erdacht, erdichtet, erfunden, fingiert, gedacht, hypothetisch, vorgetäuscht, gesetzt den Fall *anerzogen, erworben
angepasst: etabliert, gleichgeschaltet, konform, spießig, uniformiert
angeregt: interessant, lebhaft, munter, spannend, unterhaltsam *angespannt, angestrengt, aufmerksam, eindringlich, erschöpfend, gesammelt, gründlich, heftig, intensiv, konzentriert, mit größter Kraft, mit größter Anstrengung, mit ganzer Kraft
angereichert: konzentriert, verdichtet
angeschlagen: angebrochen, angerissen, aufgerissen, beschädigt, geöffnet *abgehetzt, abgekämpft, abgeschlafft, abgespannt, abgewirtschaftet, angegriffen, atemlos, aufgerieben, ausgelaugt, durchgedreht, entkräftet, entnervt, erholungsbedürftig, erledigt, ermattet, erschlagen, erschöpft, gerädert, geschafft, groggy, halb tot, kaputt, kraftlos, matt, mitgenommen, müde, schachmatt, schlaff, schlapp, schwach, überanstrengt, überfordert, überlastet, urlaubsreif, verbraucht, zerschlagen, k. o., am Ende *angegriffen, befallen (von), bettlägerig, dienstunfähig, elend, fiebrig, indisponiert, krank, kränkelnd, kränklich, leidend, morbid, pflegebedürftig, schwerkrank, siech, sterbenskrank, todgeweiht, todkrank, unpässlich, unwohl, erkrankt (an), nicht gesund
angeschwollen: dick, verdickt *angestaut, angestiegen, hoch
angesehen: geschätzt, hoch geschätzt, anerkannt, angebetet, begehrt, bekannt, beliebt, berühmt, bewundert, geachtet, geehrt, gefeiert, geliebt, populär, renommiert, schätzenswert, umschwärmt, verdient, verehrt, vergöttert, volkstümlich

Angesicht: Antlitz, Augen, Gesicht, Miene, Visage
angesichts: in Anbetracht, im Angesicht
angespannt: angestrengt, konzentriert, mit größter Anstrengung, mit größter Kraft *aufmerksam *bedenklich, bedrohlich, Besorgnis erregend, brenzlig, delikat, diffizil, ernst, explosiv, folgenschwer, gefährlich, gefahrvoll, heikel, kritisch, prekär, problematisch, schwierig, zweischneidig, nicht geheuer *fest, gespannt, straff
angestellt: beschäftigt, eingestellt
Angestellte: Arbeitnehmer, Arbeitskraft, Bedienstete, Bürokraft, Gehaltsempfänger
angestrengt: angespannt, aufmerksam, eindringlich, erschöpfend, gesammelt, gründlich, heftig, intensiv, konzentriert, mit größter Anstrengung, mit größter Kraft, mit ganzer Kraft, mit voller Kraft
angetan sein: eingenommen sein (von), lieben, mögen, sympathisieren (mit), viel übrig haben (für), nicht abgeneigt sein, sympathisch finden
angetrunken: angeheitert, aufgekratzt, benebelt, berauscht, beschwipst, betrunken, feuchtfröhlich, lustig
angewandt: praktisch, zweckmäßig
angewiesen: abhängig, unfrei, unselbständig
angewöhnen: aneignen, annehmen, erziehen, lernen, übernehmen ***s. angewöhnen:** s. aneignen, s. zu Eigen machen, s. zur Gewohnheit machen
Angewohnheit: Eigenart, Eigentümlichkeit, Gepflogenheit, Gewohnheit
angewurzelt: bewegungslos, erstarrt, leblos, reglos, regungslos, ruhig, starr, still, unbeweglich, unbewegt, ohne Bewegung, wie angewurzelt, wie aus Erz gegossen, wie tot
angezeigt: empfehlenswert, empfehlungswürdig, indiziert, notwendig, ratsam *adäquat, angemessen, gebührend, gebührlich, gehörig, geziemend, ordentlich, schicklich
angezogen: angekleidet, bekleidet, verdeckt, verhüllt *gefroren, kalt *fest
angleichen: abstimmen, annähern, anpassen, aufeinander einstellen, in Einklang bringen, in Übereinstimmung bringen ***s. angleichen:** adaptieren, akklimatisieren, dynamisieren, harmonisieren, s. anpassen, s. assimilieren, s. einfügen, s. einleben, s. einordnen, s. fügen, s. gewöhnen (an), s. richten, s. unterordnen
Angleichung: Abstimmung, Annäherung, Anpassung, Einklang, Übereinstimmung *Ausgleich
angliedern: anfügen, anreihen, anschließen, hinzufügen *annektieren, eingemeinden, einverleiben, inkorporieren, Besitz ergreifen ***s. angliedern:** s. anschließen, beitreten, s. beteiligen, Mitglied werden
angreifen: attackieren, bestürmen, eindringen, erstürmen, losschlagen, losstürmen, stürmen, überfallen, überraschen, vormarschieren, vorrücken, s. werfen (auf), die Flucht nach vorne antreten, herfallen (über), zum Angriff übergehen, vorgehen (gegen) *abqualifizieren, anschwärzen, beleidigen, diffamieren, entwürdigen, kränken, kritisieren, schlecht machen, schmähen, treffen, verletzen, verteufeln, verunglimpfen, verwunden, nicht mehr sachlich bleiben, persönlich werden, verächtlich machen *schaden *beschädigen, zersetzen, zerstören
Angreifer: Aggressor, Kämpfer, Stoßtrupp, Sturmbataillon, Stürmer, Sturmtrupp *Aggressor, Eroberer, Kriegstreiber *Gegner
angreiferisch: aggressiv, angriffslustig, händelsüchtig, herausfordernd, hitzig, kämpferisch, kampfesfreudig, kampflustig, offensiv, streitbar, streitsüchtig, zanksüchtig
angrenzen: anliegen, anrainen, benachbart sein
angrenzend: anliegend, anstoßend, benachbart, in unmittelbarer Nähe
Angriff: Aggression, Anfall, Anschlag, Ansturm, Attacke, Bombenangriff, Einbruch, Einfall, Einmarsch, Erstürmung, Feuerüberfall, Gegenangriff, Handstreich, Invasion, Konterattacke, Luftangriff, Nahkampf, Offensive, Scheinangriff, Sturm, Überfall, Überraschungsangriff, Überrumpelung, Vorstoß *Anfeindung, Beleidigung, Beschimpfung, Diskrimi-

nierung, Erniedrigung, Kränkung, Rufmord, Schmähung, Verleumdung, Verunglimpfung, Vorwurf
angriffsbereit: aggressiv, angriffslustig, offensiv, stürmisch
angrinsen: anlächeln, anlachen, anstrahlen
Angst: Ängstlichkeit, Bammel, Bangigkeit, Bänglichkeit, Befangenheit, Beklemmung, Beklommenheit, Furcht, Furchtsamkeit, Heidenangst, Hemmungen, Herzbeklemmung, Herzensangst, Höllenangst, Panik, Phobie, Scheu, Schüchternheit, Unsicherheit, Verlegenheit *Ängstlichkeit, Bangigkeit, Feigheit, Furchtsamkeit, Hasenherzigkeit, Kleinmut, Kleinmütigkeit, Memmenhaftigkeit, Mutlosigkeit, Schwachherzigkeit, Unmännlichkeit, Waschlappigkeit, Zaghaftigkeit
Angsthase: Angstpeter, Drückeberger, Duckmäuser, Feigling, Hase, Hasenfuß, Hasenherz, Jämmerling, Kneifer, Memme, Schwächling, Weichling
ängstigen: einschüchtern, entmutigen, verschüchtern, Angst machen, Angst und Bange machen, Angst einjagen, einen Schrecken einjagen, mutlos machen, Panik machen ***s. ängstigen:** bangen, beben, erbeben, erbleichen, erschrecken, s. fürchten, s. gruseln, s. scheuen, schlottern, zittern, zurückscheuen, zurückschrecken, zusammenfahren, Blut schwitzen, die Nerven verlieren, Furcht haben, den Atem anhalten, Angst haben *s. abhärmen, befürchten, leiden, s. quälen, schwarzsehen, s. sorgen, s. Gedanken machen, s. Kummer machen, s. Sorgen machen, besorgt sein, kein Auge schließen
ängstlich: angstbebend, angstverzerrt, angstvoll, aufgeregt, bang, bänglich, beklommen, benommen, furchtsam, gehemmt, scheu, schreckhaft, verkrampft, verschreckt, verschüchtert, zag, zaghaft, zähneklappernd *feige, feigherzig, hasenherzig, kleinmütig, memmenhaft, mutlos *beamtenhaft, genau, gewissenhaft, pingelig, übertrieben, verhaftet
Ängstlichkeit: Bangigkeit, Bänglichkeit, Befangenheit, Beklemmung, Beklommenheit, Furcht, Furchtsamkeit, Heidenangst, Hemmungen, Herzbeklemmung, Herzensangst, Höllenangst, Panik, Phobie, Scheu, Unsicherheit, Verlegenheit
Angstmeier: Angsthase, Angstpeter, Drückeberger, Duckmäuser, Feigling, Hase, Hasenfuß, Hasenherz, Jämmerling, Kneifer, Memme, Weichling
Angsttraum: Alb, Albdruck, Albtraum, Nachtmahr, das Albdrücken
anhaben: aufhaben, bekleidet sein (mit), tragen
anhaften: anhängen, behaftet sein (mit), belastet sein (mit), lasten (auf)
anhaken: abhaken, ankreuzen, anstreichen *anmachen, befestigen, festmachen
anhalten: stoppen, abstoppen, bremsen, eingreifen, halten, stehen bleiben, zum Stillstand bringen, zum Stehen bringen *dauern, andauern, fortdauern, s. hinziehen, stehen bleiben, währen *ermahnen, hinweisen, tadeln, veranlassen, verdeutlichen ***anhalten (um):** freien (um), werben (um), den Hof machen, um die Hand anhalten ***anhalten (zu):** antreiben, auffordern, ermahnen, veranlassen, zureden ***s. anhalten:** s. anhängen, s. anklammern, s. festklammern, s. festkrallen
anhaltend: alleweil, allezeit, andauernd, beharrlich, beständig, dauernd, fortdauernd, fortgesetzt, gleich bleibend, immer, immerfort, immer während, immerzu, konstant, kontinuierlich, pausenlos, permanent, ständig, stetig, stets, unaufhaltsam, unaufhörlich, unausgesetzt, ununterbrochen, immer noch, immer wieder, jahraus, jahrein, nach wie vor, rund um die Uhr, schon immer, seit eh und je, seit je, tagaus, tagein, von je, von jeher
Anhalter: Autostopper, Hitchhiker, Tramper
Anhaltspunkt: Anhalt, Anknüpfungspunkt, Ausgangspunkt, Orientierung, Stütze
Anhang: Anfügung, Beifügung, Beilage, Zusatz *Familie, Familienkreis, Sippe, Sippschaft, Verwandtschaft *Anhänger, Anhängerschaft, Gefolge, Gefolgschaft, Gesellschaft, Herde, Hofstaat, Jüngerschaft, Stab, Tross

anhängen: befestigen, an etwas hängen *ankuppeln, verbinden *ergänzen, erweitern, hinzufügen *anhaften, belasten, diffamieren, diskriminieren, herabsetzen, herabwürdigen, schlecht machen, verketzern, verlästern, verunglimpfen, jmdm. etwas nachsagen, verächtlich machen *folgen, Anhänger sein, ergeben sein *lasten, deutlich anzumerken sein *anbrennen, ansetzen ***s. anhängen:** s. anschließen, s. befreunden, begleiten, mitgehen, Gesellschaft leisten

Anhänger: Fan, Fanatiker, Freund, Fußvolk, Gefolgschaft, Gemeinde, Getreuer, Jasager, Jünger, Kamerad, Komplize, Mitglied, Mitläufer, Nachbeter, Parteigänger, Parteigenosse, Parteimann, Schüler (von), Sympathisant, Vasall, Verehrer *Glaubensgenosse, Kirchenmitglied, Mitglied *Anhängeadresse, Anhängeschild, Etikett *Bootsanhänger, Hänger *Campinganhänger, Caravan, Wohnanhänger, Wohnwagen *Amulett, Anhängsel, Schmuck, Schmuckstück

Anhängerschaft: Freunde, Freundeskreis *Anhang, Fangemeinde, Gefolge, Gefolgschaft, Gesellschaft, Herde, Hofstaat, Nachfolge, Stab, Sympathisanten, Tross, Zuschauer

anhängig: schwebend, noch nicht entschieden, in Verhandlung, in der Entscheidung, in der Schwebe

anhänglich: beständig, brav, ergeben, getreu, getreulich, loyal, treu *klebrig

anhauen: anquatschen, anschwatzen, ansprechen *anschlagen, beschädigen, ramponieren, ruinieren, zurichten, in Mitleidenschaft ziehen ***s. anhauen:** s. verletzen, s. eine Verletzung zufügen, s. eine Wunde zufügen

anhäufen: ansammeln, ansparen, aufhäufen, hamstern, horten, sammeln, scheffeln, sparen, zusammentragen ***s. anhäufen:** s. ansammeln, s. aufspeichern, s. stapeln, zusammenkommen, immer mehr werden

Anhäufung: Agglomeration, Akkumulation, Ansammlung, Aufhäufung, Aufspeicherung, Ballung, Haufen, Häufung, Kumulation, Menge, Sammlung, Speicherung

anheben: aufbessern, erhöhen, heben, heraufsetzen, hochheben, steigern, verbessern *hochheben, hochwuchten, lüften *anfangen, beginnen, einsetzen, starten, seinen Anfang nehmen *heraufsetzen, hochjagen, hochtreiben, verteuern

anheften: anklammern, befestigen, beiheften, festklammern *annähen *anmachen, annadeln, anstecken, befestigen, festmachen *anfügen, anreihen, anschließen, beifügen, beigeben, beiheften, beilegen, beiordnen, beischließen, dazulegen, dazutun, hinzufügen, zulegen

anheimelnd: angenehm, behaglich, bequem, gemütlich, heimelig, traulich, traut, wohlig, wohltuend, wohnlich

anheim fallen: zufallen, zufließen, zuströmen, zugesprochen werden, zuerkannt werden

anheim geben: anvertrauen, empfehlen, übertragen, in die Hände legen *anheim stellen, einräumen, freistellen, überlassen, freie Hand lassen ***s. anheim geben:** s. anvertrauen, s. offenbaren, s. öffnen

anheim stellen: einräumen, freistellen, überlassen, freie Hand lassen, selbst entscheiden lassen

anheizen: ankurbeln, vorantreiben, Gas geben, in Schwung bringen, in Gang bringen *hetzen, aufhetzen, aufputschen, aufwiegeln, verhetzen, Zwietracht säen *anstellen, aufdrehen, befeuern, beheizen, erwärmen, feuern, heizen, wärmen

anherrschen: anbrüllen, anschreien, ausschimpfen, schimpfen, wettern, zetern

anheuern: anmustern, anstellen, anwerben, heuern

anhimmeln: anbeten, anschwärmen, s. begeistern (für), begeistert sein (von), schwärmen (für), verhimmeln

Anhöhe: Berg, Bodenerhebung, Buckel, Erdhaufen, Erhebung, Höcker, Höhe, Höhenrücken, Höhenzug, Hügel, Steigung

anhören: aufhorchen, eingehen (auf), hinhören, horchen, hören, lauschen, mithören, zuhören, sein Ohr schenken, sein Ohr leihen ***s. anhören:** zuhören *klingen, tönen *erscheinen

animalisch: sinnlich, tierisch, triebhaft

animieren: anfachen, anregen, anreizen, anspornen, aufpeitschen, aufputschen, aufregen, beleben, dopen, initiieren, innervieren, inspirieren, motivieren, stimulieren, Auftrieb geben
ankämpfen: angreifen, attackieren, befehden, bekämpfen, entgegenarbeiten, entgegentreten, entgegenwirken, Widerstand entgegensetzen, vorgehen (gegen), angehen (gegen), zu Felde ziehen
Ankauf: Aufkauf, Einkauf, Erwerb, Kauf
ankaufen: aufkaufen, erstehen, erwerben, kaufen *hinziehen, s. niederlassen
ankern: anlegen, festmachen, Anker werfen, vor Anker gehen, vor Anker liegen
Ankerplatz: Anlegebrücke, Anlegeponton, Anlegestelle, Bootssteg, Lände, Landebrücke, Landesteg, Landungsbrücke, Landungsplatz, Landungssteg, Reede, Schiffsbrücke, Schiffsgelände, Schiffslände, Steg
Ankerwinde: Ankerspill, Bugspill, Gangspill, Spill
anketten: anbinden, anlegen, anmachen, anschließen, befestigen, festbinden, sichern, an die Kette legen,
Anklage: Anfechtungsklage, Beschuldigung, Feststellungsklage, Gerichtsverfahren, Hauptklage, Klage, Nebenklage, Privatklage, Prozess, Rechtsverfahren, Schadenersatzklage, Schnellverfahren, Strafprozess, Strafverfahren, Widerklage, Zivilklage, Zivilprozess, Zwangsverfahren, öffentliches Verfahren, mündliches Verfahren, geheimes Verfahren
anklagen: anlasten, anschuldigen, beschuldigen, bezichtigen, unterschieben, unterstellen, verdächtigen
Ankläger: Anklagevertreter, Staatsanwalt, öffentlicher Ankläger *Gegenkläger, Kläger, Nebenkläger
anklammern: anheften, anmachen, befestigen, festklammern ***s. anklammern:** s. anhalten, s. anhängen, s. festhalten, s. festklammern, s. festkrallen *ausharren, bleiben, nicht weichen (von)
Anklang: Echo, Gefallen, Resonanz, Zuspruch *Ähnlichkeit, Analogie, Entsprechung, Gleichartigkeit, Übereinstimmung, Vergleichbarkeit, Verwandtschaft, Verwandtsein ***Anklang finden:** ansprechen, anziehen, behagen, belieben, bestechen, entsprechen, gefallen, imponieren, mögen, passen, schmecken, zufrieden stellen, zusagen, beliebt sein, es jmdm. angetan haben, für sich einnehmen, Geschmack abgewinnen, Geschmack treffen, gute Aufnahme finden, Beifall finden, recht sein, sympathisch sein, genehm sein, angenehm sein, schön finden, Gefallen finden, Geschmack finden
ankleben: anbringen, anleimen, anmachen, anpappen, aufkleben, befestigen, festmachen, verbinden *anbacken, anhaften, festbacken, an etwas kleben bleiben, festhaften
ankleiden: antun, anziehen, bekleiden, hineinschlüpfen, s. kleiden, überwerfen, überziehen, umhängen
Ankleideraum: Ankleidekabine, Ankleidezimmer, Garderobe, Kabine, Umkleidekabine, Umkleideraum
anklingeln: anläuten, anrufen, telefonieren, eine SMS schicken
anklingen: s. andeuten, s. ankündigen, mitklingen, mitschwingen, hörbar sein, sichtbar sein, mit hereinspielen ***anklingen (an):** ähneln, erinnern, gleichen, heraufrufen ***anklingen lassen:** andeuten, anspielen, hinweisen, ahnen lassen, in Andeutungen reden
anklopfen: antippen, ermitteln, fragen, eine Auskunft erbitten, eine Frage stellen, eine Frage aufwerfen, eine Frage vorlegen, eine Frage richten (an), eine Frage vorbringen *anpochen, an die Tür klopfen
anknipsen: anmachen, anschalten, einschalten
anknüpfen: anbahnen, einleiten, vorbereiten, Fühlung nehmen, Kontakt aufnehmen *anbinden, anketten, anleinen, anmachen, anschließen, anschnüren, anseilen, befestigen, binden, festbinden, sichern, zusammenbinden, binden (an)
Anknüpfung: Anbahnung, Aufnahme, Einleitung, Fühlungnahme, Kontaktaufnahme, Vorbereitung
Anknüpfungspunkt: Anhaltspunkt, Ausgangspunkt
ankommen: angelangen, anlangen,

eintreffen, erscheinen, herkommen, kommen, nahen, s. nähern, einen Ort erreichen, näher kommen *eingestellt werden, eine Stellung finden, einen Arbeitsplatz finden *behagen, gefallen, zusagen, Anklang finden, Erfolg haben, sympathisch finden, Widerhall finden *wichtig sein, von Bedeutung sein *abhängen *unterkommen, eine Anstellung finden, eine Stellung bekommen, eine Stellung finden ***ankommen (auf):** abhängen (von), basieren, beruhen, s. ergeben, fußen (auf), s. gründen (auf), herrühren, kommen (von), voraussetzen, zusammenhängen (mit), bedingt sein (durch), liegen (an), wichtig sein, von Bedeutung sein

ankoppeln: anhängen, ankuppeln, anschließen, festmachen

ankreiden: anschreiben, auftragen *anschwärzen, verraten, verübeln

ankreuzen: anstreichen, markieren, ein Kreuz machen, ein Zeichen machen, kenntlich machen

ankündigen: ansagen, ausrufen, avisieren, bekannt geben, bekannt machen, kundmachen, verkünden, verkündigen, verlautbaren, veröffentlichen ***s. ankündigen:** s. abzeichnen, s. andeuten, s. anmelden, s. ansagen, s. kundtun, s. zeigen *s. zusammenbrauen

Ankündigung: Anmeldung, Ansage, Anzeige, Ausrufung, Bekanntgabe, Bekanntmachung, Mitteilung, Verkündung, Verlautbarung, Veröffentlichung

Ankunft: Anfahrt, Arrival, Auffahrt, Auftritt, Aufzug, Betreten, Einfahrt, Eintritt, Einzug, Erscheinen, Heimkehr, Landung, Rückkehr, Rückkunft, Wiederkehr, das Ankommen, das Auftreten, das Eintreffen, das Kommen

ankurbeln: anlassen, durchstarten *anheizen, beleben, beschleunigen, fördern, steigern, vorantreiben, in Schwung bringen, in Gang bringen, in Gang setzen, in Bewegung bringen, grünes Licht geben

anlächeln: angrinsen, anlachen, anschmunzeln, anstrahlen, zulächeln, zulachen

Anlage: Beilage, Beischreiben, Zugabe *Apparat, Einrichtung *Fabrikanlage, Fabrikgelände, Industriegelände, Komplex *Festgeldanlage, Geldanlage, Investition *Entwurf, Gliederung, Plan, Struktur *Einrichtung, Errichtung *Anpflanzung, Grünfläche, Park *Apparat, Vorrichtung *Charakter, Disposition, Naturell, Neigung, Temperament, Veranlagung

anlanden: anschwemmen, an Land bringen, an Land schaffen *s. verbreitern, Land bilden

anlangen: anfassen, anpacken, anrühren, antasten, befühlen, berühren, betasten, hinlangen, in die Hand nehmen *angelangen, ankommen, eintreffen, erscheinen, herkommen, kommen, nahen, s. nähern, einen Ort erreichen, näher kommen

Anlass: Beweggrund, Daseinsberechtigung, Gelegenheit, Grund, Handhabe, Motiv, Rücksicht, Triebfeder, Ursache, Veranlassung, Verursachung *Aufhänger, Einstieg

anlassen: ankurbeln, anstellen, antreten, anwerfen, flottmachen, starten, in Gang setzen, in Betrieb setzen, in Bewegung setzen, in Schwung setzen *anbehalten, tragen, nicht ausziehen *brennen lassen, angeschaltet lassen

anlässlich: als, bei, gelegentlich, wegen, wenn, zu, zum, aus Anlass, bei Gelegenheit *denn, infolge, nämlich, wegen, weil, um … willen

anlasten: aufbürden, auferlegen, aufladen, belasten, zur Last legen, jmdn. beschuldigen, die Schuld geben

anlaufen: anfangen, starten, zu laufen beginnen *einfahren *ansegeln, ansteuern, zusteuern (auf) *s. beschlagen, schwitzen, s. überziehen, blind werden, seinen Glanz verlieren, trübe werden *eine bestimmte Farbe annehmen, rot werden, rot anlaufen *anfangen, beginnen, seinen Anfang nehmen

anlegen: an etwas legen *ankern, festmachen, landen, Anker werfen, vor Anker gehen, vor Anker liegen *anhaben, ankleiden, antun, anziehen, aufsetzen, aufstülpen, ausstaffieren, s. bedecken, s. bekleiden, bekleiden, s. einhüllen, hineinschlüpfen, s. kleiden, überstreifen,

überstülpen, überwerfen, überziehen, umbinden, umhängen *ausführen, einrichten, gestalten, schaffen *festlegen, investieren, reinstecken, gewinnbringend verwenden *zahlen, bezahlen, abbezahlen, abtragen, abzahlen, aufwenden, ausgeben, zuzahlen *säugen, stillen *überziehen ***s. anlegen mit jmdm.:** s. befehden, s. bekämpfen, s. streiten
anlehnen: anlegen, anschmiegen, anstellen, lehnen, stellen, stützen, legen (an) *zum Vorbild nehmen ***s. anlehnen:** s. anschmiegen, s. lehnen, s. stützen, s. zurücklehnen *unselbständig sein, unabhängig sein, unfrei sein *s. halten (an), s. richten (nach), s. stützen (auf)
Anlehnung: Abhängigkeit *Abguss, Abschrift, Abziehbild, Entlehnung, Imitation, Kopie, Nachbildung ***in Anlehnung:** abhängig, unselbständig
anlehnungsbedürftig: unselbständig, unsicher *anschmiegsam, liebebedürftig, Schutz suchend
Anleihe: Anleihen, Darlehen, Kredit
anleimen: ankleben, befestigen, verbinden, zusammenkleben
anleinen: festbinden, festleinen, festmachen, an die Leine nehmen, an die Leine tun
anleiten: anlernen, anweisen, ausbilden, beraten, einarbeiten, einführen, einweisen, instruieren, lehren, unterweisen, vertraut machen (mit)
Anleitung: Anweisung, Beratung, Einarbeitung, Einführung, Einweisung, Lehre, Unterweisung, Wegweiser, das Anleiten
anlernen: anleiten, anweisen, ausbilden, beraten, einarbeiten, einführen, einweisen, lehren, unterweisen, vertraut machen (mit)
anlesen (s.): s. aneignen, s. einprägen, studieren
anleuchten: anscheinen, anstrahlen, erhellen, erleuchten
anliegen: anschließen, s. anschmiegen, passen, dicht am Körper liegen
Anliegen: Ansuchen, Begehren, Bitte, Ersuchen, Gesuch, Wunsch
anliegend: anbei, beigeschlossen, beiliegend, inliegend, innen, im Innern, in der Beilage *anstoßend, benachbart, umliegend
Anlieger: Anrainer, Anwohner, Bewohner, Nachbar
anlocken: anködern, anziehen, ködern, locken, verführen, verleiten, verlocken, werben, an sich heranlocken
anlügen: anschwindeln, belügen, benebeln, beschwindeln, erfinden, erlügen, s. etwas aus den Fingern saugen, heucheln, kohlen, lügen, schwindeln, täuschen, verdrehen, verfälschen, verzerren, vorgaukeln, vorlügen, vorschwindeln, Ausflüchte machen, die Unwahrheit sagen, ein falsches Bild geben, falsch darstellen, Lügen auftischen, das Blaue vom Himmel herunterlügen, nicht bei der Wahrheit bleiben, unaufrichtig sein, falsches Zeugnis ablegen
anmachen: anbringen, aufhängen, befestigen *anknipsen, anschalten, anstellen, aufdrehen, einschalten *anbrennen, anfeuern, anzünden, entfachen *anrühren, mischen, zubereiten *anlocken, anziehen, heranlocken *anbinden, anketten, anknüpfen, anleinen, anschließen, anschnüren, anseilen, befestigen, binden, festbinden, sichern, zusammenbinden, binden (an) *anlassen, starten *anfeuern, anregen, antreiben, beflügeln, ermutigen *anpöbeln, bedrängen, behelligen, belästigen
anmalen: bemalen, bepinseln, färben, tünchen, übermalen ***s. anmalen:** s. pudern, s. schminken, s. zurechtmachen, Farbe auflegen, Rouge auflegen, Make-up auflegen
Anmarsch: Anfahrtsweg, das Anmarschieren, das Herannahen, das Nähern
anmarschieren: anrücken, eintreffen, herankommen, heranmarschieren, kommen, nahen, s. nähern im Anmarsch sein, näher kommen
anmaßen (s.): s. erkühnen, s. erlauben, s. ermessen, s. herausnehmen, s. unterstehen, s. vermessen, die Frechheit besitzen *Anspruch erheben, in Anspruch nehmen, geltend machen
anmaßend: dünkelhaft, hochmütig, hochnäsig, prätentiös, überheblich, vermessen

Anmaßung: Dünkelhaftigkeit, Hochmut, Hochnäsigkeit, Überheblichkeit, Vermessenheit
Anmeldebestätigung: Meldebogen, Meldeschein, polizeiliche Anmeldung
anmelden: s. ankündigen *s. einschreiben, s. eintragen, s. immatrikulieren *melden, registrieren lassen *vorbringen, geltend machen
Anmeldung: Aufnahme, Empfang, Empfangsraum, Rezeption
anmerken: anfühlen, anhören, ansehen *anstreichen, aufschreiben, hinschreiben, korrigieren *anbringen, andeuten, ansprechen, aufführen, aufzählen, berühren, einflechten, erwähnen, fallen lassen, kurz sprechen (von), nennen, streifen, vorbringen, beiläufig nennen, kurz sprechen (über), nebenbei sagen, zur Sprache bringen, einfließen lassen
Anmerkung: Fußbemerkung, Fußnote, Glosse, Marginalbemerkung, Marginalglosse, Marginalie, Notiz, Randbemerkung, Vermerk, Zwischenbemerkung
anmontieren: anbinden, anbringen, anhaken, anheften, ankleben, anmachen, annageln, anschnallen, anschrauben, anstecken, aufhängen, aufkleben, aufmontieren, aufschrauben, befestigen, dübeln, festdübeln, festmachen, festnageln, festschrauben
Anmut: Attraktivität, Bezauberung, Charme, Grazie, Holdseligkeit, Lieblichkeit, Liebreiz, Reiz, Schönheit, Sympathie, Zauber
anmuten: ausschauen, aussehen, den Eindruck machen, den Eindruck erwecken, den Anschein haben, den Anschein erwecken
anmutig: anziehend, attraktiv, aufreizend, bezaubernd, bildhübsch, bildschön, charmant, gefällig, gewinnend, goldig, graziös, hübsch, lieb, sympathisch, toll *beschwingt, beweglich, gazellenhaft, geschmeidig, grazil, graziös, leicht, niedlich, rehhaft, zierlich *ausgefeilt, geschliffen, gewählt, stilistisch *abwechslungsreich, interessant
annageln: anschlagen, aufnageln, aufschlagen, befestigen, festnageln
annähen: anflicken, anmachen, festmachen
annähern (s.): abstimmen, s. anfreunden, angleichen, anpassen, s. nahe kommen, s. näher kommen, s. nähern, aufeinander einstellen, in Einklang bringen, in Übereinstimmung bringen
annähernd: angenähert, approximativ, beinahe, circa, einigermaßen, erheblich, fast, gleichartig, halbwegs, kaum, knapp, pauschal, praktisch, rund, schätzungsweise, überschlägig, ungefähr, vergleichbar, vielleicht, zirka, etwa bei, gegen ..., an die ..., um ein Kleines ...
Annäherung: Abstimmung (auf), Adaption, Akklimatisierung, Angleichung, Dynamisierung, Eingewöhnung, Einordnung, Harmonisierung, Kompromiss, Kontakt, Unterordnung, das Näherkommen, das Herannahen *Fühlungnahme, Kontaktaufnahme
Annahme: Ahnung, Besorgnis, Gefühl, Vermutung, Vorahnung, Vorgefühl, Vorherwissen, innere Stimme *Behauptung, Hypothese, Unterstellung *Empfang, Entgegennahme, Erhalt
Annalen: Aufzeichnung, Chronik
annehmbar: akzeptabel, auskömmlich, befriedigend, erträglich, leidlich, passabel, vernünftig, vertretbar, zufrieden stellend
annehmen: bekommen, entgegennehmen, erhalten, in Empfang nehmen *ahnen, erahnen, befürchten, erwarten, glauben, mutmaßen, schätzen, spekulieren, vermuten, wähnen *billigen, einwilligen, gutheißen, zusagen, zustimmen, Zustimmung geben *aneignen, erlernen, lernen *aufnehmen, einstellen *eindringen, haften lassen *adoptieren, aufnehmen *aneignen, s. aneignen, angewöhnen, erziehen (zu), lernen, übernehmen, s. zu Eigen machen, zur Gewohnheit machen
Annehmlichkeit: Behaglichkeit, Bequemlichkeit, Komfort, Vorzug
annektieren: s. aneignen, angliedern, anschließen, aufnehmen, Besitz ergreifen (von), eingliedern, einverleiben, erobern, inkorporieren, schlucken, vereinen, verschmelzen, in Besitz nehmen

Annektierung: Aneignung, Angliederung, Annexion, Anschluss, Aufnahme, Besitzergreifung, Besitznahme, Eingliederung, Einverleibung, Inkorporation
Annonce: Anzeige, Inserat, Werbung, Zeitungsanzeige
annoncieren: anzeigen, inserieren, werben, eine Annonce aufgeben, eine Anzeige aufgeben
annullieren: abschaffen, aufheben, auflösen, außer Kraft setzen, für null und nichtig erklären, für ungültig erklären *absagen, ausfallen lassen *abbestellen, zurücktreten
Anode: Pluspol, positive Elektrode
anöden: ennuyieren, ermüden, langweilen, Überdruss bereiten *anpöbeln, anrempeln, belästigen
anomal: abnorm, abnormal, anormal, normwidrig, regelwidrig, unnormal, von der Norm abweichend *krankhaft
Anomalie: Abirrung, Abnormität, Abweichung, Anomalität, Ausnahme, Irregularität, Missverhältnis, Normwidrigkeit, Regelwidrigkeit, Spielart, Ungleichheit, Unterschied, Variante, Variation *Abartigkeit, Perversion *Deformierung, Missbildung
anonym: inkognito, N.N., namenlos, privat, unbekannt, ungenannt, ohne Angabe des Namens, ohne Absender, ohne Namensnennung, unter einem Pseudonym *kalt, steif, unpersönlich *amtlich, offiziell *geheim, geheimnisvoll, inkognito, undurchsichtig
Anorak: Blouson, Parka, Windbluse, Windjacke
anordnen: anlegen, arrangieren, aufbauen, aufstellen, gliedern, gruppieren, strukturieren, zusammensetzen, zusammenstellen *administrieren, auferlegen, aufgeben, beauftragen, befehlen, beordern, bestimmen, diktieren, erlassen, festlegen, reglementieren, veranlassen, verfügen, verkünden *gestalten, komponieren
Anordnung: Arrangement, Aufstellung, Gliederung, Gruppierung, Zusammenstellung *Anweisung, Aufforderung, Auftrag, Befehl, Bestimmung, Diktat, Direktive, Geheimauftrag, Geheimbefehl, Geheiß, Instruktion, Kommando, Mussbestimmung, Mussvorschrift, Order, Verfügung, Verhaltensmaßregel, Verordnung, Vorschrift, Weisung *Komposition
anorganisch: unbelebt, unorganisch, nicht organisch
anormal: abnorm, abnormal, anomal, normwidrig, regelwidrig, unnormal, von der Norm abweichend *abnorm, extrem, krankhaft, maßlos, pathologisch, pervers, übermäßig, übertrieben, unnatürlich, zwanghaft
anpacken: fassen, abfassen, aufgreifen, ausheben, ergreifen, ertappen, erwischen, packen, schnappen, auffliegen lassen, hochgehen lassen *anfangen, beginnen, eröffnen, handhaben, loslegen, mithelfen, in die Wege leiten *anfassen, anrühren, antasten, befühlen, berühren, betasten, hinlangen, in die Hand nehmen *anfassen, bewerkstelligen, helfen, schaffen, tun, zugreifen, zupacken
anpappen: anbringen, ankleben, anleimen, anmachen, aufkleben, befestigen, festmachen, verbinden
anpassen: abmessen, anhalten, anprobieren, eine Anprobe machen *adaptieren, annähern, gleichmachen, gleichschalten, nivellieren, unifizieren, uniformieren ***s. anpassen:** s. angleichen, s. befreunden, s. einfügen, s. eingliedern, s. einleben, s. einordnen, s. einpassen, s. gewöhnen (an), harmonisieren, s. richten (nach), s. umstellen, s. unterordnen *s. akklimatisieren, s. assimilieren, s. gewöhnen (an)
Anpassung: Abstimmung, Akklimatisation, Akklimatisierung, Angleichung, Assimilation *Angleichung, Annäherung, Gewöhnung, Unterordnung
anpassungsfähig: einfügsam, einordnungswillig, flexibel
Anpassungsfähigkeit: Anpassungsvermögen, Einordnungsfähigkeit, Einordnungsvermögen, Flexibilität
anpeilen: anvisieren, zielen (auf) *anschauen, anstarren, fixieren, ins Auge fassen
anpfeifen: eröffnen, starten *ausschelten, anfahren, anherrschen, anschreien, ausschimpfen, auszanken, donnern, schel-

ten, schmähen, tadeln, wettern, zanken, zetern, zurechtweisen
Anpfiff: Anfang, Beginn, Pfiff, Start, Startzeichen *Anschnauzer, Beanstandung, Bemängelung, Rüge, Tadel, Verweis, Vorhaltung, Vorwurf, Zigarre, Zurechtweisung
anpflanzen: anbauen, ansäen, bebauen, bepflanzen, bestellen, kultivieren, legen, pflanzen, säen, setzen, stecken
anpflaumen: beanstanden, meckern, auf jmdm. herumhacken
anpöbeln: anmachen, anquatschen, anreden, ansprechen, bedrängen, behelligen, belästigen, beleidigen, aufdringlich sein
Anprall: Anstoß, Aufprall, Aufschlag, Kollision, Unfall, Zusammenprall, Zusammenstoß
anprallen: anfahren, anrempeln, anrennen, anschlagen, anstoßen, rammen, zusammenstoßen, prallen (gegen), rennen (gegen)
anprangern: anzeigen, bloßstellen, brandmarken, geißeln, an den Pranger stellen
anpreisen: anlocken, werben (für), Reklame machen, die Werbetrommel rühren
anprobieren: anpassen, anziehen, probieren, eine Anprobe machen
anpumpen: anborgen, betteln, um Almosen bitten, um eine Gabe bitten
anraten: empfehlen, anempfehlen, beibringen, beraten, einschärfen, nahe legen, raten, vorschlagen, zuraten, zureden, einen Rat geben, einen Rat erteilen
anrechnen: anerkennen, bewerten, honorieren, loben, respektieren, zugute halten, in Betracht ziehen *berechnen, veranschlagen, in Rechnung stellen
Anrecht: Anspruch, Berechtigung, Recht
Anrede: Benennung, Bezeichnung, Titel, Titulierung
anreden: ansprechen, betiteln, titulieren, zurufen, eine Ansprache halten
anregen: anfachen, animieren, anreizen, anspornen, aufpeitschen, aufputschen, aufregen, beleben, dopen, initiieren, innervieren, motivieren, stimulieren, Auftrieb geben *ermuntern, initiieren, inspirieren, veranlassen *beeinflussen, veranlassen, vorschlagen *amüsieren, animieren, beleben, belustigen, erheitern, erquicken, unterhalten, vergnügen
anregend: anfachend, anreizend, aufpeitschend, aufputschend, aufregend, belebend, innervierend, stimulierend *heiß, modern, rhythmisch *amüsant, belustigend, ermunternd, geistreich, interessant, reizvoll, spannend, sprühend, unterhaltsam, witzig *angenehm, belebend, erfrischend, frisch
Anregung: Anreiz, Ansporn, Auftrieb, Belebung, Bestätigung, Ermunterung, Ermutigung *Ablenkung, Amüsement, Unterhaltung, Vergnügen, Zerstreuung *Anstoß, Antrieb, Betreiben, Einfall, Gedanken, Idee, Impuls, Inspiration, Rat, Vorschlag
Anregungsmittel: Aufputschmittel, Dopingmittel, Reizmittel, Stimulans
anreichern: konzentrieren, sättigen
Anreicherung: Konzentration, Sättigung
Anreise: Anfahrt, Ausfahrt, Ausflug, Exkursion, Expedition, Fahrt, Reise, Tour *Anfahrt, Ankunft, Arrival, Auffahrt, das Ankommen
anreisen: anfahren, ausreisen, fahren, herumreisen, reisen, steuern, verreisen, angereist kommen
anreißen: anbrechen, nachsehen, öffnen, in Gebrauch nehmen *anbrennen, anzünden, entzünden *ansprechen, ins Gespräch bringen
Anreiz: Anlass, Anregung, Anstoß, Antrieb, Anziehungskraft, Reiz, Verlockung
anreizen: umgarnen, verführen, verleiten, verlocken, versuchen, auf Abwege bringen, in Versuchung bringen
Anrichte: Anrichtetisch, Büfett, Geschirrschrank, Kredenz, Serviertisch, Theke
anrichten: anstellen, anstiften, ausfressen, verbrechen, verursachen *anmachen, backen, bereiten, bereitstellen, braten, fertig machen, herrichten, kochen, richten, zubereiten
anrollen: anfangen, beginnen *hergelangen, herkommen *anfahren, bringen
anrüchig: bedenklich, berüchtigt, dubios, fragwürdig, halbseiden, lichtscheu,

nebulös, notorisch, obskur, ominös, suspekt, undurchsichtig, verdächtig, verrufen, verschrien, zweifelhaft, nicht astrein *anstößig, lasterhaft, liederlich, pikant, ruchlos, schlecht, unanständig, unmoralisch, unzüchtig, verworfen, wüst, zotig, zweideutig

anrücken: anmarschieren, daherkommen, herkommen, herankommen, kommen, s. nahen, s. nähern, näher kommen

anrufen: anläuten, antelefonieren, fernsprechen, telefonieren *anflehen, beten, bitten, rufen, verlangen (nach)

Ansage: Ankündigung, Bekanntgabe, Bescheid, Mitteilung, Nachricht, Verkündigung

ansagen: ankündigen, ausrufen, bekannt geben, bekannt machen, kundmachen, verkünden, verkündigen, verlautbaren, veröffentlichen

Ansager: Fernsehansager, Fernsehsprecher, Nachrichtensprecher *Conférencier, Sprecher

ansammeln: akkumulieren, anhäufen, aufbewahren, aufheben, aufspeichern, behalten, beiseite bringen, beiseite legen, hamstern, häufen, sammeln, speichern, zurückbehalten, zurückhalten, zusammenkommen ***s. ansammeln:** s. anhäufen, s. aufspeichern, s. stapeln, s. vermehren, zusammenkommen, immer mehr werden

Ansammlung: Anhäufung, Auflauf, Aufmarsch, Ballung, Gedränge, Getümmel, Gewühl, Volksauflauf, Zusammenrottung *Agglomeration, Fülle, Kumulation, Speicherung *Anzahl, Menge, Vielzahl

ansässig: alteingesessen, angesessen, angestammt, beheimatet, eingebürgert, eingesessen, eingewurzelt, ortsansässig, wohnhaft

Ansässige: Alteingesessene, Angestammte, Bewohner, Eingebürgerte, Einheimische, Einwohner, Ortsansässige

Ansatz: Anflug, Anklang, Keim, Spur *Anfang, Anlauf, Auftakt, Beginn, Start

ansaugen: s. festsaugen, an sich ziehen *s. festhalten

anschaffen: kaufen, ankaufen, bestellen, erstehen, erwerben *bekommen, bezahlen, scheffeln, verdienen *anbandeln, anbinden (mit), anlachen, schäkern *prostituieren, s. verkaufen, auf den Strich gehen

Anschaffung: Ankauf, Besorgung, Einkauf, Erledigung, Erwerb, Erwerbung, Kauf, Neuerwerb

anschalten: anknipsen, anmachen, anstellen, aufdrehen, einschalten, einstellen

anschauen: anblicken, ansehen, beäugen, begucken, beschauen, besehen, besichtigen, betrachten, blicken (auf), mustern, studieren

anschaulich: ausdrucksvoll, bildhaft, bildlich, demonstrativ, deutlich, eidetisch, einprägsam, farbig, illustrativ, interessant, lebendig, plastisch, sinnfällig, sprechend, veranschaulichend, verständlich, wirklichkeitsnah

Anschaulichkeit: Bildhaftigkeit, Deutlichkeit, Eidetik, Illustration, Lebendigkeit, Plastizität, Verständlichkeit

Anschauung: Annahme, Ansicht, Auffassung, Dafürhalten, Denkweise, Meinung, Standpunkt, Überzeugung, Urteil *Anblick, Besichtigung, Betrachtung *Begriff, Bild, Vorstellung

Anschauungsmaterial: Anschauungsmittel, Demonstrationsmaterial, Demonstrationsobjekt, Unterrichtsmittel

Anschauungsweise: Betrachtungsweise, Denkweise, Weltanschauung

Anschein: Augenschein, Aussehen, Schein, Schimmer, Vermutung, Wahrscheinlichkeit

anscheinend: angeblich, denkbar, höchstwahrscheinlich, möglich, offenbar, offensichtlich, vermeintlich, vermutlich, voraussichtlich, wahrscheinlich, dem Anschein nach, nicht ausgeschlossen, wie es scheint

anschicken (s.): gerade anfangen (mit), s. rüsten, s. vorbereiten, im Begriff sein, Vorbereitungen treffen, ans Werk gehen, zu tun beginnen

Anschiss: Beanstandung, Belehrung, Denkzettel, Ermahnung, Kritik, Lehre, Lektion, Maßregelung, Missbilligung, Rüge, Schelte, Standpauke, Strafpredigt, Tadel, Verweis, Vorhaltung, Warnung, Zigarre, Zurechtweisung

Anschlag: Attentat, Bombenanschlag,

Dolchstoß, Fememord, Mordanschlag, Sprengstoffanschlag, Terroranschlag, Überfall, Verbrechen *Aufruf, Aushang, Bekanntmachung, Plakat *Ansatz, Kalkulation, Schätzung, Veranschlagung *Anprall, Aufschlag, Stoß

anschlagen: aushängen, bekannt geben, bekannt machen, plakatieren, veröffentlichen, (öffentlich) anbringen *belfern, bellen, blaffen, kläffen, Laut geben *abschätzen, ansetzen, kalkulieren, meinen, anschätzen, veranschlagen *anhauen, beschädigen, ramponieren, ruinieren, zurichten, in Mitleidenschaft ziehen

Anschlagsäule: Litfaßsäule, Plakatsäule

anschleichen (s.): anpirschen, anschlendern, beschleichen, heranschleichen, s. unbemerkt nähern

anschließen: beitreten, eintreten, Mitglied werden *anbringen, installieren, Verbindung herstellen *folgen lassen *angrenzen, anrainen, daneben liegen, nebenan liegen *billigen, einwilligen, gutheißen, zusagen, zustimmen, Zustimmung geben *folgen, mitgehen, mitziehen *anknüpfen, aufgreifen, aufnehmen ***s. anschließen:** s. anhängen, s. befreunden, begleiten, s. beigesellen, s. gesellen, mitgehen, mitlaufen, s. zugesellen, Gesellschaft leisten

anschließend: danach, dann, darauf, hernach, hieran, hiernach, hinterher, nachfolgend, nachher, nachträglich, sodann, sofort, später, im Anschluss an, im Nachhinein *angrenzend, bei, nahe bei

Anschluss: Berührungspunkt, Kontakt *Annektierung, Annexion, Besitzergreifung, Besitznahme, Eingliederung, Einverleibung, Inkorporation, Übernahme

anschmiegen (s.): s. andrücken, s. ankuscheln, s. anlehnen *eng anliegen *s. einfügen

anschmiegsam: biegsam, flexibel, geschmeidig *geneigt, hold, zugetan, zutraulich *anlehnungsbedürftig, liebebedürftig, weich, zärtlich, zutraulich

anschmieren: beflecken, bekleckern, beklecksen, beschmieren, beschmutzen, bespritzen, besudeln, einschmutzen, verdrecken, verschmieren, verschmutzen, verunreinigen, voll machen, voll schmieren, schmutzig machen, dreckig machen *streichen *ausbeuten, beschummeln, betrügen, bluffen, hintergehen, prellen, täuschen, überlisten, übervorteilen

anschnallen: festmachen, festschnallen, sichern

anschnauzen: andonnern, anfahren, attackieren, ausschimpfen, herunterkanzeln, schelten, schimpfen, schmähen, zetern, zurechtsetzen, zurechtweisen

anschneiden: anführen, angeben, ansprechen, aufbringen, aufführen, berühren, erwähnen, nennen, zitieren *aufschneiden, freilegen *beginnen

anschrauben: einschrauben, hineinschrauben, anbringen, befestigen, festschrauben, verbinden

anschreiben: leihen, notieren, auf Borg geben, Kredit geben *anrufen, herantreten, vorsprechen, s. wenden (an)

anschreien: anbrüllen, anfahren, anherrschen, brüllen, wettern, zetern

Anschrift: Adresse, Aufenthaltsort, Aufschrift, Heimatanschrift, Wohnung, Wohnungsangabe

anschuldigen: anklagen, anzeigen, beschuldigen, bezichtigen, verdächtigen, jmdm. etwas unterschieben, jmdm. etwas unterstellen, jmdm. die Schuld geben

Anschuldigung: Belastung, Beschuldigung, Bezichtigung, Inkriminierung, Unterstellung, Verdächtigung

anschüren: anblasen, anfachen, anmachen, anzünden, schüren *anfachen, anfeuern, anspornen, anstacheln, anstiften, antreiben, anzetteln, aufstacheln

anschwärzen: abfällig reden (von), denunzieren, diffamieren, entwürdigen, herabsetzen, herabwürdigen, schlecht machen, schmähen, verdächtigen, verleumden, verschreien, verteufeln, verunglimpfen, mit Schmutz bewerfen, über jmdn. herfallen, die Ehre abschneiden, Übles nachreden

anschwellen: ansteigen, anwachsen, aufquellen, aufschwellen, auftreiben, s. ausdehnen, ausweiten, quellen, zunehmen, über die Ufer treten *s. verdicken, steif werden, dick werden *lauter werden *s. steigern, zunehmen *aufbrisen, auffrischen

anschwemmen: ablagern, absetzen, anspülen, anströmen, antreiben, aufschlämmen, ans Ufer spülen, an Land spülen
Anschwemmung: Anlandung, Ansandung
anschwindeln: ankohlen, anlügen, belügen, benebeln, beschwindeln, erfinden, erlügen, s. etwas aus den Fingern saugen, heucheln, kohlen, lügen, schwindeln, täuschen, verdrehen, verfälschen, verzerren, vorgaukeln, vorlügen, vorschwindeln, Ausflüchte machen, die Unwahrheit sagen, ein falsches Bild geben, falsch darstellen, Lügen auftischen, das Blaue vom Himmel herunterlügen, nicht bei der Wahrheit bleiben, unaufrichtig sein, falsches Zeugnis ablegen
ansehen: anblicken, anschauen, beäugen, beobachten, besehen, besichtigen, betrachten, blicken (auf), durchbohren, mustern, prüfen, studieren *beurteilen, einschätzen ***s. ansehen:** s. anschauen, s. beschauen, s. betrachten, untersuchen
Ansehen: Achtung, Autorität, Bedeutung, Ehre, Format, Geltung, Gesicht, Größe, Leumund, Name, Nimbus, Prestige, Profil, Rang, Renommee, Reputation, Ruhm, Sozialprestige, Stand, Stolz, Unbescholtenheit, Wichtigkeit, Würde
ansehnlich: beträchtlich, groß, hoch, ordentlich, stattlich, ziemlich hoch, ziemlich groß *angenehm, attraktiv, aufreizend, gewinnend, liebenswert, sympathisch, gut aussehend
ansetzen: anberaumen, anordnen, vorsehen, auf den Spielplan setzen, auf das Programm setzen, ins Auge fassen *anbringen, annähen *beauftragen, einsetzen *s. anschicken, beginnen *festlegen, veranschlagen *bekommen, bilden *altern *zunehmen, dicker werden *mischen *kochen, zubereiten
Ansicht: Anschauung, Auffassung, Ermessen, Meinung, Standpunkt, Stellungnahme, Überzeugung, Vorstellung
ansiedeln (s.): s. ansässig machen, einwandern, s. etablieren, s. niederlassen, übersiedeln, sesshaft werden, Fuß fassen, Wurzeln schlagen
Ansiedlung: Dorf, Flecken, Markt, Ort, Siedlung, Stadt, Wohnbezirk
Ansinnen: Ansuchen, Ersuchen, Forderung, Verlangen, Vorschlag, Zumutung
anspannen: s. abarbeiten, s. abmühen, s. abrackern, s. abschinden, s. abschleppen, s. anstrengen, s. fordern, s. mühen, s. plagen, schuften *anschirren, befestigen, einschirren, einspannen, festmachen, vorspannen *einspannen, straffen, straff spannen
Anspannung: Aktivität, Anstrengung, Arbeit, Belastung, Beschwerde, Kraftakt, Kraftanstrengung, Kraftaufwand, Mühe, Plackerei, Strapaze, Stress
anspielen: abgeben, passen, zuspielen *antippen, kurz spielen ***anspielen (auf etwas):** andeuten, hinweisen, durchblicken lassen, zu verstehen geben
Anspielung: Andeutung, Anzüglichkeit, Gestichel, Häkelei, Hieb, Stichelei
anspinnen: anknüpfen, beginnen, einfädeln, einleiten, vorbereiten, in die Wege leiten ***s. anspinnen:** s. anbahnen, s. ankündigen, kommen, s. zeigen
Ansporn: Anlass, Anregung, Anreiz, Anstoß, Antrieb, Impuls, Stimulus, Triebkraft, Veranlassung
anspornen: anstacheln, anstiften, antreiben, anzetteln, aufstacheln, reizen *aufnehmen, versammeln *bestätigen, ermutigen, loben, unterstützen, würdigen
Ansprache: Rede, Referat, Vortrag
ansprechen: anreden, anreißen, anrühren, aufbringen, aufwerfen, darlegen, vorbringen, zurufen, ein Gespräch anknüpfen, ein Gespräch beginnen, eine Ansprache halten, jmdn. auf etwas ansprechen
ansprechend: angenehm, annehmlich, bestechend, entgegenkommend, gefällig, genehm, gewinnend, sympathisch, wohlgefällig, zusagend *anziehend, attraktiv, berauschend, berückend, bezaubernd, herzbetörend, hinreißend, hübsch, liebenswürdig, reizend, sinnbetörend, verlockend
anspringen: reagieren, auf etwas ansprechen *in Gang kommen *anschleichen, herbeieilen *anfallen, s. stürzen (auf) *anfallen, angreifen, überfallen

Anspruch: Anforderung, Anrecht, Anwartschaft, Berechtigung, Forderung, Gewohnheitsrecht, Mindestforderung, Option, Recht
anspruchslos: bescheiden, einfach, eingeschränkt, gelassen, genügsam, schlicht, spartanisch, unverwöhnt, zurückhaltend
Anspruchslosigkeit: Bescheidenheit, Einfachheit, Einschränkung, Genügsamkeit, Schlichtheit, Zurückhaltung
anspruchsvoll: gierig, prätentiös, unbescheiden, verhätschelt, verweichlicht, verwöhnt, verzärtelt, verzogen, wählerisch *bildend, hochgeistig *verschwenderisch *gehoben, verfeinert
anspucken: anspeien, bespeien, bespucken
anspülen: ablagern, absetzen, anlanden, anschwemmen, anströmen, antreiben, aufschlämmen, ans Ufer spülen, an Land spülen
anstacheln: anfachen, anfeuern, anschüren, anspornen, anstiften, antreiben, anzetteln, aufstacheln
Anstalt: Heilanstalt, Krankenhaus, Pflegeheim *Einrichtung, Institut, Institution, Stelle *Gefängnis, Strafvollzugsanstalt
Anstand: Anstandsgefühl, Benehmen, Feingefühl, Höflichkeit, Korrektheit, Lauterkeit, Schick, Schicklichkeit, Sittlichkeit, Sittsamkeit, Takt, Taktgefühl, Tugendhaftigkeit, Unbescholtenheit, Zartgefühl, Zucht
anständig: gesittet, höflich, korrekt, lauter, sittsam, tugendhaft, unbescholten, züchtig *artig, folgsam, fügsam, gehorsam, lieb, manierlich, ordentlich *jungfräulich, keusch, sauber, unberührt *einwandfrei, genau, gut, ordentlich *legal, sauber, sportlich *fließend, genügend, zufrieden stellend *achtbar, beachtlich, beträchtlich, viel, ziemlich groß *fair, nach den Regeln, nach der Ordnung
Anständigkeit: Höflichkeit, Korrektheit, Lauterkeit, Sittsamkeit, Tugendhaftigkeit, Unbescholtenheit, Zucht *Fair play *Achtbarkeit, Ehrbarkeit, Ehrenhaftigkeit
Anstandsbesuch: Aufwartung, Besuch, Höflichkeitsbesuch, Visite
anstandshalber: aus Anstand, der Form halber, der Form wegen
anstandslos: bedenkenlos, bereitwillig, gerne, selbstverständlich, unbesehen, widerspruchslos, ohne Zögern, ohne weiteres, mit Vergnügen
Anstandsregeln: Anstand, Art, Aufführung, Auftreten, Benehmen, Benimm, Betragen, Etikette, Form, Haltung, Lebensart, Manieren, Schliff, Sitte, Umgangsformen
anstarren: anblicken, angaffen, angucken, ansehen, anstieren, beäugen, begucken, besehen, durchbohren, fixieren, studieren, verschlingen
anstatt: anstelle, dafür, statt, und nicht …, an Stelle, im Austausch
anstauen: aufhalten, hemmen, stauen *abdämmen, absperren, sammeln ***s. anstauen:** s. anhäufen, s. ansammeln, s. aufbauen, s. sammeln
anstaunen: ehren, verehren, achten, anbeten, anerkennen, bestaunen, bewundern, preisen, respektieren, schätzen, vergöttern
anstechen: anzapfen, aufmachen, öffnen *anschlagen, anstecken, piken, piksen
anstecken: anbrennen, anfachen, anschüren, anzünden, entzünden, Feuer legen, schüren, zündeln, zünden. in Brand setzen, in Brand stecken *beeinflussen, einflüstern, suggerieren, Einfluss nehmen, Einfluss haben, Einfluss gewinnen *anheften, anmachen, annadeln, befestigen, festmachen *paffen, qualmen, rauchen, schmauchen, schmöken ***s. anstecken:** erkranken, s. etwas holen, s. infizieren, etwas annehmen, krank werden
ansteckend: bakteriös, gefährlich, infektiös, infizierend, schlimm, übertragbar, virulent
Anstecknadel: Abzeichen, Agraffe, Brosche, Plakette, Spange
Ansteckung: Infektion, Infizierung, Tröpfcheninfektion, Übertragung
anstehen: abwarten, harren, hintanstellen, s. anstellen, verharren, warten Schlange stehen *passen, angemessen sein *ausstehen, fehlen, offen stehen, fällig sein *beanspruchen, gebühren, gehören, zustehen *s. verzögern

ansteigen: aufsteigen, emporsteigen, aufwärts führen *anschwellen, anwachsen, ausweiten, zunehmen, höher werden *anschwellen, steigen, s. vergrößern, s. vermehren, s. vervielfachen, wachsen, lauter werden, unangenehm werden *s. erwärmen, steigen *hochsteigen, s. verteuern, teurer werden
ansteigend: anschwellend, anwachsend, ausweitend, zunehmend *auf, aufwärts, bergauf, herauf, hinauf, nach oben
anstelle: anstatt, dafür, statt, und nicht ..., an Stelle, im Austausch
anstellen: andrehen, anknipsen, anmachen, anschalten, einschalten, einstellen *anlehnen *abwarten, warten *aufnehmen, beschäftigen, einstellen, übernehmen *anrichten, bewerkstelligen, tun, unternehmen, versuchen *anlegen, anlehnen, anschmiegen, lehnen, stellen, stützen, legen (an) *anstiften, ausfressen, verursachen ***s. anstellen:** s. anreihen, anstehen, s. einreihen, s. in eine Reihe stellen, s. in eine Schlange stellen *s. benehmen, s. genieren, reagieren, s. spreizen, s. verhalten, s. zieren, prüde sein, schüchtern sein, zimperlich sein, gekünstelt sein
anstellig: begabt, fingerfertig, geschickt, geübt, gewandt, praktisch, routiniert
Anstellung: Amt, Dauerstellung, Funktion, Lebensstellung, Posten, Stelle, Stellung *Aufnahme, Einstellung, Indienststellung, Übernahme
ansteuern: anfahren, anfliegen, anlaufen, anpeilen, ansegeln, berühren, Kurs nehmen (auf), zielen (auf), zusteuern (auf)
Anstieg: Ansteigen, Höhenunterschied, Steigung *Preisanstieg, Verschlechterung, Verteuerung, Zunahme *Aufstieg, Emporkommen, Karriere *Aufgang, Aufstieg
anstieren: anblicken, angaffen, angucken, ansehen, anstarren, beäugen, begucken, besehen, durchbohren, fixieren, studieren, verschlingen
anstiften: anfeuern, anrichten, anspornen, anstacheln, antreiben, anzetteln, aufhetzen, aufstacheln, befeuern, beflügeln, einheizen, inszenieren, überreden, verleiten, verursachen, in Gang bringen, Beine machen, Dampf machen
Anstifter: Antreiber, Aufwiegler, Hintermann, Rädelsführer, Treiber, Verführer
Anstiftung: Anstachelung, Aufhetzung
anstimmen: den Ton angeben, zu singen beginnen
Anstoß: Anlass, Anregung, Anreiz, Ansporn, Antrieb, Impuls, Stimulus, Triebkraft, Veranlassung
anstoßen: anfahren, anprallen, anrempeln, anrennen, anschlagen, rammen, zusammenstoßen, prallen (gegen), rennen (gegen) ***s. anstoßen:** s. anhauen, s. anschlagen, s. eine Verletzung zufügen, s. verletzen
anstößig: anzüglich, ausschweifend, empörend, lasziv, liederlich, obszön, pikant, pornographisch, ruchlos, schmutzig, shocking, unanständig, ungebührlich, ungehörig, unkeusch, unschicklich, unsolide, unziemlich, verdorben, verwerflich, verworfen, wüst, zotig, zweideutig, gegen die Sitte, nicht salonfähig, nicht stubenrein
Anstößigkeit: Ruchlosigkeit, Schmutz, Schund, Sittenlosigkeit, Unanständigkeit, Ungehörigkeit, Unschicklichkeit, Unziemlichkeit, Verwerflichkeit, Zweideutigkeit
anstrahlen: anleuchten, anscheinen, beleuchten, bestrahlen, erhellen, erleuchten, illuminieren *angrinsen, anlächeln, anlachen, zulachen *verehren, vergöttern
anstreben: ansteuern, s. bemühen (um), erstreben, gerichtet sein (auf), trachten (nach), vorhaben, wollen
anstreichen: grundieren, lacken, lackieren, spritzen, streichen *anmalen, kalken, malen, tünchen, weißen *hervorheben, markieren, kenntlich machen
anstrengen (s.): s. abmartern, s. abmühen, s. abquälen, s. abschinden, s. abstrampeln, s. aufreiben, beanspruchen, s. dahinter setzen, s. etwas abverlangen, s. fordern, s. ins Zeug legen, s. mühen, s. placken, s. plagen, s. quälen, schlauchen, schuften, s. strapazieren, überanstrengen s. zusammenreißen, sein Bestes tun
anstrengend: aufregend, aufreibend,

beschwerlich, ermüdend, erschöpfend, mühevoll, mühsam, mühselig, nervenaufreibend, schwer, schwierig, strapaziös, stressig

Anstrengung: Aktivität, Anspannung, Arbeit, Arbeitsaufwand, Belastung, Belastungsprobe, Bemühung, Beschwerde, Beschwernis, Hochdruck, Kraftakt, Kraftanstrengung, Kraftaufwand, Mühe, Mühsal, Mühseligkeit, Schlauch, Strapaze, Stress, Zerreißprobe *Versuch, Vorstoß

anströmen: ablagern, absetzen, anschwemmen, anspülen, antreiben, aufschlämmen, ans Ufer spülen, an Land spülen

Ansturm: Angriff, Attacke, Heranstürmen, Offensive, Vorstoß *Andrang, Run, Sturm, Zulauf, Zustrom

Antagonismus: Gegensatz, Kontrast, Unterschied, Widerstreit

Antagonist: Gegner, Antipode, Gegenpart, Widersacher

Antarktis: Südpol, Südpolgebiet

Anteil: Hälfte, Kontingent, Part, Portion, Ration, Teil *Beitrag, Beteiligung, Mitwirkung *Hauptanteil, Löwenanteil, das größte Stück *Achtsamkeit, Anteilnahme, Aufmerksamkeit, Augenmerk, Beachtung, Beteiligung, Eifer, Gespanntheit, Interesse, Neugier

Anteilnahme: Anteil, Erbarmen, Interesse, Mitempfinden, Mitgefühl, Mitleid, Sympathie, Teilnahme

Anteil nehmend: gerührt, interessiert, mitfühlend, mitleidig, teilnahmsvoll, teilnehmend *barmherzig, human, mitmenschlich

Antenne: Außenantenne, Dachantenne, Fernsehantenne, Gemeinschaftsantenne, Hausantenne, Hochantenne, Parabolantenne, Parabolspiegel, Radioantenne, Schüssel, Stereoantenne, Zimmerantenne *Ader, Riecher, Sinn

anti: dagegen, gegen, kontra, wider

antiautoritär: freiheitlich, liberal, repressionsfrei, unkonventionell, zwanglos, ohne Zwang, ohne Norm

Antibabypille: Empfängnisverhütungsmittel, Ovulationshemmer, Pille, Verhütungsmittel

Antichrist: Teufel, Widerchrist, Widersacher

antik: alt, altertümlich *alt, klassisch

Antike: Altertum, Klassik, die Alte Welt

Antipathie: Abgeneigtheit, Abneigung, Abscheu, Aversion, Feindschaft, Feindseligkeit, Hass, Ungeneigtheit, Widerwille

antipathisch: abgeneigt, feindselig, ungeneigt, widerwillig, mit Abneigung, mit Widerwillen erfüllt

Antipode: Erzfeind, Feind, Gegenpart, Gegenspieler, Gegner, Konkurrent, Kontrahent, Rivale, Todfeind, Widersacher

antippen: anklopfen, ermitteln, fragen, eine Auskunft erbitten, eine Frage stellen, eine Frage aufwerfen, eine Frage vorlegen, eine Frage richten (an), eine Frage vorbringen, um Aufschluss bitten, um Auskunft bitten, zu Rate ziehen *andeuten, anspielen, hinweisen, meinen, mitteilen, durchblicken lassen, anklingen lassen, Andeutungen machen, etwas bedeuten, etwas sagen, etwas zu verstehen geben, einen Hinweis geben, einen Wink geben *antasten, berühren

antiquarisch: alt, gebraucht, veraltet, aus zweiter Hand, nicht mehr neu *abgelebt, altertümlich, angestaubt, antiquiert, gestrig, unmodern, uralt, veraltet, vorsintflutlich

Antiquität: Altertümer, Altertumsstück, Kunstgegenstand, altertümlicher Gegenstand, antiker Gegenstand, antiquarischer Gegenstand, alter Gegenstand

Antisemitismus: Judendiskriminierung, Judenfeindlichkeit, Judenhass, Judenverfolgung

Antithese: Gegenbehauptung, Gegensatz, Gegenstück, Gegenteil

antizipieren: vorweggreifen, vorwegnehmen, in die Zukunft planen, ein Zukunftsbild entwerfen

Antlitz: Angesicht, Augen, Gesicht, Miene, Visage

antonym: entgegengesetzt, gegensätzlich

Antonym: Gegenbegriff, Gegensatz, Gegenwort

Antrag: Abänderungsnachtrag, Angebot, Bettelbrief, Bittgesuch, Bittschrift, Eingabe, Gesetzesvorlage, Gesuch, Petition,

Vorlage, Vorschlag *Bewerbung, Heiratsantrag, Werbung *Antragsformular
antragen: anbieten, offerieren, vorschlagen *werben
antragsgemäß: auf Antrag, laut Antrag, wie beantragt, wie gefordert
antreffen: begegnen, erreichen, sehen, vorfinden, vorkommen, nicht verfehlen
antreiben: anfeuern, anhetzen, anspornen, anstacheln, anzetteln, aufstacheln, begeistern, drängen, hetzen, treiben, vorwärts treiben *erhöhen, hochjagen, steigern *fördern, helfen, unterstützen *anstacheln, anstiften, aufhetzen, aufputschen, aufreizen, aufstacheln, aufwiegeln, fanatisieren, hetzen, hintertreiben, schüren, verhetzen
antreten: aufstellen, s. postieren, s. stellen, Position einnehmen *anfangen, aufnehmen, beginnen, übernehmen
Antrieb: Anlass, Anregung, Anreiz, Ansporn, Anstoß, Beweggrund, Dynamik, Grund, Impuls, Leitgedanke, Motiv, Motivation, Stimulus, Triebkraft, Ursache, Veranlassung
Antriebsschwäche: Willenlosigkeit, Willenslähmung, Willensschwäche
Antritt: Arbeitsbeginn, Beginn, das Antreten *Aufnahme, Beginn, Übernahme
antun: schaden, schädigen, (Schaden) zufügen, zuleide tun *entgegenbringen, erweisen, handeln, zukommen lassen *anlegen, anstecken
Antwort: Beantwortung, Entgegnung, Erwiderung, Gegenantwort, Gegenbemerkung, Gegenrede, Replik *Antwortschreiben, Rückantwort *Reaktion
antworten: aufbegehren, beantworten, dagegenhalten, einwerfen, entgegenhalten, entgegnen, kontern, reagieren, versetzen, widersprechen, zurückgeben, zurückschießen, Bescheid geben, eingehen auf, Einwände machen, Einwände erheben, Kontra geben, Widerspruch erheben *aussagen *reagieren
anvertrauen: empfehlen, übertragen, in die Hände legen ***s. anvertrauen:** s. aussprechen, erzählen, gestehen, kundtun, s. mitteilen, s. offenbaren, s. öffnen, unterrichten, sein Herz ausschütten, jmdn. ins Vertrauen ziehen
Anverwandte: Verwandte, Verwandtschaft
anvisieren: anpeilen, zielen (auf) *anschauen, anstarren, fixieren, ins Auge fassen
anwachsen: anlaufen, auflaufen, s. steigern, s. summieren, s. vermehren, vervielfachen, zunehmen *anwurzeln, einwurzeln, festwachsen, gedeihen, Wurzel fassen
Anwalt: Fürsprecher, Sachverwalter, Verteidiger, Vertreter *Advokat, Jurist, Rechtsanwalt, Rechtsbeistand
anwandeln: befallen, überfallen, überkommen, übermannen, überrumpeln, überwältigen
Anwandlung: Anfall, Einfall, Grille, Kapriole, Koller, Laune, Stimmung
anwärmen: wärmen, aufwärmen, erhitzen, warm machen
Anwärter: Aspirant, Bittsteller, Interessent, Kandidat, Postulant
Anwartschaft: Anspruch, Aussicht, Berechtigung, Hoffnung, Option
anweisen: anleiten, anlernen, ausbilden, beraten, einarbeiten, einführen, einweisen, lehren, unterweisen, vertraut machen (mit) *anordnen, aufgeben, auftragen, beauftragen, befehlen, betrauen (mit), heißen, kommittieren, verpflichten, einen Auftrag geben, einen Auftrag erteilen *einzahlen, überweisen
Anweisung: Anordnung, Aufforderung, Auftrag, Befehl, Bestimmung, Diktat, Direktive, Geheimauftrag, Geheimbefehl, Geheiß, Instruktion, Kommando, Mussbestimmung, Mussvorschrift, Order, Verfügung, Verhaltensmaßregel, Verordnung, Vorschrift, Weisung *Anleitung, Beratung, Einarbeitung, Einführung, Einweisung, Lehre, Unterweisung *Bankanweisung, Überweisung
anwendbar: brauchbar, geeignet, gut, nützlich, passend, tauglich, verwendbar
anwenden: benutzen, benützen, Gebrauch machen (von), gebrauchen, nießbrauchen, nutzen, nützen, verwenden, s. zunutze machen, in Gebrauch nehmen, in Anwendung bringen, in Dienst nehmen, zum Einsatz bringen
Anwender: Benutzer, Käufer, Nutzer

*Computerbenutzer, Programmanwender

Anwendung: Benutzung, Benützung, Gebrauch, Indienstnahme, Nutzung, Verwendung

anwerben: anheuern, heuern, werben

anwerfen: ankurbeln, anlassen, anstellen, antreten, flottmachen, starten, in Gang setzen, in Betrieb setzen, in Bewegung setzen, in Schwung setzen

Anwesen: Besitz, Besitztum, Grundstück, Haus, Immobilie

anwesend: s. aufhaltend, daheim, greifbar *da, dort, hier, präsent, zugegen ***anwesend sein:** dabei sein, da sein, gegenwärtig sein, präsent sein, zugegen sein, zur Stelle sein

Anwesende: Besucher, Beteiligte, Teilnehmer, Zeugen, Zuhörer, Zuschauer

Anwesenheit: Gegenwart, Präsenz

anwidern: ablehnen, anekeln, missbilligen, verabscheuen, zurückweisen, Abscheu erregen, Ekel erregen, von sich weisen, widerlich sein, zuwider sein

Anwohner: Anlieger, Anrainer, Nachbar

Anzahl: Armee, Batzen, Berg, Haufen, Heer, Legion, Masse, Menge, Reihe, Schar, Schwall, Schwarm, Schwung, Serie, Übermaß, Unmaß, Unmasse, Unmenge, Unzahl, Vielheit, Vielzahl, Zahl

anzahlen: eine Anzahlung leisten, einen Teil zahlen

anzapfen: aufmachen, öffnen *anbetteln, anbohren, anborgen, anpumpen, betteln, bitten (um)

Anzeichen: Anhaltspunkt, Erscheinung, Mahnung, Omen, Symptom, Vorzeichen, Zeichen

Anzeige: Angebot, Annonce, Bekanntgabe, Inserat, Werbung, Zeitungsanzeige *Berichterstattung, Bezichtigung, Denunziation, Meldung *Verrat

anzeigen: anbieten, annoncieren, bekannt geben, inserieren, werben *bezichtigen, denunzieren, melden, Anzeige erstatten, zur Polizei gehen *anschwärzen, ausliefern, denunzieren, preisgeben, verraten

anzetteln: anfeuern, anrichten, anspornen, anstacheln, anstiften, antreiben, aufhetzen, aufstacheln, befeuern, beflügeln, einheizen, inszenieren, überreden, verleiten, verursachen, in Gang bringen, Beine machen, Dampf machen

anziehen: anhaben, ankleiden, anlegen, aufsetzen, aufstülpen, ausstaffieren, s. bedecken, s. bekleiden, s. einhüllen, hineinschlüpfen, s. kleiden, überstreifen, überstülpen, überwerfen, überziehen, umbinden, umhängen *aufschlagen, verteuern, im Preis steigen, teurer werden *locken, heranlocken *festdrehen, festziehen, hineindrehen ***s. anziehen:** s. ankleiden, anlegen, antun, ausstaffieren, s. bedecken, s. bekleiden, s. überstreifen, überziehen, s. umhängen

anziehend: angenehm, anmutig, attraktiv, betörend, bezaubernd, einnehmend, lieb, liebenswert, lieblich, reizend, reizvoll, sexy, sympathisch, toll

Anziehung: Anmut, Anreiz, Anziehungskraft, Attraktivität, Reiz, Verlockung, Zauber *Adhäsion, Adhäsionskraft, Anziehungskraft, Erdanziehung, Haltekraft

Anziehungskraft: Anmut, Anreiz, Anziehung, Attraktivität, Reiz, Verlockung, Zauber *Adhäsionskraft, Gravitation, Schwerkraft, Zugkraft

Anzug: Arbeitsanzug, Kombination, Overall, Schutzanzug *Cut, Cutaway, Dinnerjacket, Dress, Frack, Fulldress, Gala, Gehrock, Gesellschaftsanzug, Smoking, Trainingsanzug *Aufzug, das Herannahen, das Nähern

anzüglich: beißend, beleidigend, bissig, boshaft, spöttisch, verletzend *anstößig, ausschweifend, empörend, lasziv, liederlich, obszön, pikant, ruchlos, schmutzig, shocking, unanständig, ungebührlich, ungehörig, unkeusch, unschicklich, unsolide, unziemlich, verdorben, verwerflich, verworfen, wüst, zweideutig, gegen die Sitte, nicht salonfähig, nicht stubenrein

anzünden: schüren, anschüren, zünden, entzünden, anbrennen, anfachen, anstecken, entfachen, zündeln, Feuer legen, in Brand stecken, in Brand setzen, zum Brennen bringen

anzweifeln: zweifeln, bezweifeln, in Frage stellen, in Zweifel ziehen, Zweifel äußern

apart: ästhetisch, auserlesen, distinguiert, elegant, fein, gepflegt, geschmackvoll, gewählt, hübsch, kleidsam, kultiviert, künstlerisch, nobel, passend, reizvoll, schick, schön, smart, stilvoll, vornehm, gut angezogen *besonders, eigenartig, einzeln, extra, originell, ungewöhnlich
Apartheid: Rassentrennung
Apartment: Wohnung *Einzimmerwohnung, Ferienwohnung, Kleinwohnung
Apathie: Desinteresse, Gleichgültigkeit, Interesselosigkeit, Lethargie, Passivität, Phlegma, Teilnahmslosigkeit, Trägheit, Ungerührtheit
apathisch: gleichgültig, interesselos, leidenschaftslos, lethargisch, passiv, phlegmatisch, teilnahmslos, träge, ungerührt
Aphorismus: Ausspruch, Lebensregel, Leitsatz, Maxime, Sprichwort, Spruch
apodiktisch: ausdrücklich, bestimmt, entschieden, fest, kategorisch, klar, unmissverständlich, unwiderlegt
Apokalypse: Enthüllung, Grauen, Untergang
Apologie: Rechtfertigung, Verteidigung
Apostel: Jünger, Missionar, Prediger, Verkündiger, Vorkämpfer *Nachahmer, Nachbeter
Apotheker: Arzneikundiger, Pharmazeut
Apparat: Anlage, Apparatur, Gerät, Vorrichtung, Werkzeug *Aufbau, Gefüge, Komplex, Organisation, Verband, Verwaltung
Appartement: Suite, Zimmerflucht
Appeal: Air, Anmut, Ausstrahlung, Charme, Flair, Fluidum, Liebreiz, Schönheit, Sex-Appeal, Zauber, das gewisse Etwas
Appell: Antreten, Aufruf, Stubenappell, Weckruf
appellieren: aufrufen, wachrufen, s. wenden, antreten lassen
Appendix: Blinddarm, Wurmfortsatz *Anhang, Beilage, Ergänzung, Zusatz
Appetit: Esslust, Gefräßigkeit, Gier, Gusto, Heißhunger, Hunger, Verlangen, Wunsch (auf)
appetitlich: appetitanregend, aromatisch, delikat, deliziös, einladend, fein, köstlich, lecker, mundend, schmackhaft, vorzüglich, würzig
applaudieren: klatschen, beklatschen, akklamieren, mit Beifall überschütten, Beifall zollen, Beifall spenden
Applaus: Beifall, Beifallsbezeugung, Beifallskundgebung, Beifallsorkan, Beifallssturm, Huldigung, Jubel, Ovation, das Klatschen
Approbation: Erlaubnis, Genehmigung, Zulassung
apropos: übrigens, nebenbei bemerkt, nebenbei gesagt
Aquanaut: Unterwasserforscher, Unterwasserpionier
äquivalent: angemessen, entsprechend, gleichwertig, wertentsprechend, von entsprechendem Wert, von gleichem Wert, von gleicher Geltung
Äquivalent: Abgeltung, Entschädigung, Ersatz, Gegenleistung
Ära: Epoche, Periode, Phase, Zeit, Zeitabschnitt, Zeitalter, Zeitraum
arabisch: morgenländisch, orientalisch
Arbeit: Arbeitsleistung, Ausübung, Beschäftigung, Betätigung, Handeln, Hantierung, Kurzarbeit, Minijob, Tätigkeit, Tun, Verrichtung *Erzeugnis, Produkt, Werk *Anstellung, Arbeitsplatz, Arbeitsverhältnis, Aufgabe, Beruf, Beschäftigung, Dienst, Dienstleistung, Position, Posten, Stellung *Anstrengung, Mühe, Plage
arbeiten: s. abarbeiten, s. abplagen, s. anstrengen, s. befleißigen, malochen, s. Mühe geben, s. mühen, s. plagen, s. rühren *treiben, betreiben, basteln, s. befassen, s. beschäftigen, s. betätigen, nachdenken, s. regen, s. rühren, schaffen, tüfteln, tun, werken, s. widmen, wirken, Arbeit leisten, tätig sein *basteln, s. beschäftigen, erstellen, hantieren, machen, montieren, testen, tun, tätig sein (an) *anfertigen, herstellen *beseitigen, pflegen *funktionieren, gehen, laufen, an sein, eingeschaltet sein, in Betrieb sein, in Funktion sein, intakt sein, in Ordnung sein *s. dehnen, schrumpfen, s. verändern, s. verziehen *gehen, aufgehen, gären, hochgehen, reifen *fungieren (als), jobben, einer Beschäftigung nachgehen, einen Beruf ausüben, erwerbstätig sein *angestellt sein, tätig sein
Arbeiter: Beschäftigte, Werktätige

Arbeiterklasse: die Arbeiter, das Proletariat, die Werktätigen, die arbeitende Klasse
Arbeitgeber: Boss, Brotherr, Chef, Dienstherr, Unternehmer
Arbeitnehmer: Angestellter, Arbeiter, Auszubildender, Beamter, Bediensteter, Betriebsangehöriger, Lehrling, Lohnabhängiger, Untergebener
Arbeitnehmervertretung: Arbeitnehmerorganisation, Arbeitnehmerverband, Betriebsrat, Gewerkschaft
arbeitsam: arbeitswillig, betriebsam, ehrgeizig, emsig, fleißig, geschäftig, nimmermüde, rastlos, strebsam, tüchtig, unermüdlich
Arbeitseifer: Arbeitsfreude, Arbeitslust, Arbeitswille, Emsigkeit, Schaffenslust, Tatendrang, Tatendurst, Tatenlust
arbeitserleichternd: arbeitssparend, kräftesparend
arbeitsfähig: fit, gesund, kerngesund, stark
Arbeitsgebiet: Amt, Arbeitsbereich, Arbeitsfeld, Arbeitskreis, Aufgabenbereich, Bereich, Fach, Referat, Sachgebiet, Tätigkeitsbereich, Wirkungskreis
Arbeitsgemeinschaft: Arbeitsgruppe, Arbeitskreis, Fachgruppe, Gruppe, Kreis, Team, Zirkel
arbeitsintensiv: anstrengend, aufreibend, beschwerlich, ermüdend, lästig, mühevoll, unbequem
Arbeitskampf: Arbeitseinstellung, Arbeitsniederlegung, Arbeitsverweigerung, Ausstand, Kampfmaßnahme, Streik
Arbeitslast: Arbeitsjoch, Fron, Fronarbeit, Frondienst, Geschäftslast, Joch, Tagelöhnerei
arbeitslos: beschäftigungslos, brotlos, erwerbslos, stellenlos, stellungslos, unbeschäftigt, ohne Beschäftigung, ohne Arbeit, ohne Anstellung
Arbeitsloser: Erwerbsloser, Langzeitarbeitsloser, Unbeschäftigter
Arbeitslosigkeit: Beschäftigungslosigkeit, Betätigungslosigkeit, ohne Anstellung, ohne Arbeit, keine Anstellung, keine Arbeit
Arbeitsplatz: Anstellung, Beschäftigung, Job, Posten, Stelle
arbeitsscheu: arbeitsfaul, bequem, faul, müßig, tatenlos, untätig
Arbeitsstätte: Arbeitsplatz, Wirkungsbereich, Wirkungskreis
Arbeitstag: Alltag, Werktag, Wochentag
arbeitsunfähig: bettlägerig, indisponiert, invalid, krank, leidend, unpässlich
Arbeitsverhältnis: Dienstverhältnis, Stellung
arbeitswillig: arbeitsam, betriebsam, ehrgeizig, emsig, fleißig, geschäftig, nimmermüde, rastlos, strebsam, tüchtig, unermüdlich
Arbeitszeit: Beschäftigungszeit, Dienstzeit, Schicht
archaisch: elementar, ursprünglich *altertümlich, antik, frühgeschichtlich, vorgeschichtlich
Archäologe: Altertumsforscher, Altertumswissenschaftler
Archäologie: Altertumsforschung, Altertumskunde, Altertumswissenschaft
Archetyp: Ideal, Leitbild, Muster, Vorbild *Urbild, Urform, Urgestalt
Architekt: Bauaufseher, Baukünstler, Bauleiter, Baumeister, Erbauer
Architektur: Baukunst *Bauart, Baustil, Bauweise
Archiv: Dokumentensammlung, Urkundensammlung
Areal: Bodenfläche, Gebiet, Siedlungsgebiet
Arena: Kampfplatz, Schauplatz, Sportplatz *Bühne, Zirkusmanege
arg: entscheidend, ernsthaft, existenziell, folgenreich, gewichtig, gravierend, grundsätzlich, schlimm, schwer wiegend, tief greifend, wesentlich *äußerst, ausnehmend, denkbar, höchst, recht, sehr, stark, unbeschreiblich, ungeheuer, ungemein, unsagbar, unsäglich, zutiefst *bitterböse, bösartig, böse, boshaft, garstig, gemeingefährlich, schlimm, übel, übel gesinnt, übel wollend, unausstehlich, unfreundlich *ärgerlich, bedauerlich, blöde, fatal, genant, genierlich, heikel, lästig, leidig, misslich, peinlich, prekär, schlecht, schlimm, schrecklich, skandalös, unangenehm, unbefriedigend, unbequem, unerfreulich, unerquicklich, unerwünscht, ungelegen, ungünstig, un-

gut, unlieb, unliebsam, unvergnüglich, unwillkommen, verwünscht, widrig
Ärger: Anfall, Aufgebrachtheit, Aufwallung, Belästigung, Empörung, Enttäuschung, Erregung, Furor, Gekränktheit, Gereiztheit, Grimm, Ingrimm, Jähzorn, Laune, Missgunst, Rage, Raserei, Streit, Trübsal, Unannehmlichkeit, Unmut, Unwille, Unzufriedenheit, Verdruss, Verletztheit, Verstimmung, Wutanfall, Zorn
ärgerlich: aufgebracht, aufgeregt, bärbeißig, böse, empört, entrüstet, erbittert, erbost, erzürnt, fuchsteufelswild, grantig, griesgrämig, indigniert, missgelaunt, misslaunig, missmutig, missvergnügt, muffig, mürrisch, rabiat, übellaunig, ungehalten, unwillig, unwirsch, verärgert, verdrossen, verstimmt, wütend, wutentbrannt, wutschäumend, zornig, voll Ärger, voll Verdruss *bitter, hart *dumm, genant, lästig, leidig, misslich, schlecht, schwierig, unangenehm, unerfreulich, unerquicklich, unerwünscht, ungelegen, ungünstig, verdrießlich
ärgern: aufbringen, bekümmern, belästigen, betrüben, fuchsen, hänseln, kränken, necken, peinigen, quälen, reizen, triezen, verärgern, verstimmen, verwunden, wurmen, wütend machen, rasend machen ***s. ärgern:** aufbegehren, aufbrausen, auffahren, entrüsten, ergrimmen, s. erzürnen, kochen, rotieren, schäumen, sieden, Ärger empfinden, es satt haben, genug haben, wild werden, wütend sein
Ärgernis: Begebenheit, Geschehen, Skandal, Unannehmlichkeit, Vorfall, Zwischenfall
Arglist: Fallstrick, Falschheit, Hinterhältigkeit, Hinterlist, Intrige, List, Schliche, Tücke, Überlistung, Unaufrichtigkeit, Verrat
arglistig: doppelzüngig, falsch, heimtückisch, hinterhältig, hinterlistig, hinterrücks, tückisch, unaufrichtig
arglos: einfältig, gutgläubig, harmlos, kritiklos, leichtgläubig, naiv, treuherzig, zutraulich, ohne Arg, ohne Argwohn, ohne Falsch *ahnungslos, engelsrein, lauter, rein, unschuldig, unschuldsvoll, ohne Arg
Arglosigkeit: Einfalt, Einfältigkeit, Gläubigkeit, Gutgläubigkeit, Kritiklosigkeit, Leichtgläubigkeit, Naivität, Vertrauensseligkeit, Zutraulichkeit
Argument: Beleg, Beweis, Nachweis *Argumentation, Beweisgrund, Entgegnung, Erklärung
argumentieren: begründen, erörtern, nachweisen, veranschaulichen, verdeutlichen, deutlich machen
Argwohn: Bedenken, Misstrauen, Skepsis, Verdacht, Vermutung, Zweifel
argwöhnen: ahnen, anzweifeln, befürchten, misstrauen, verdächtigen, vermuten
argwöhnisch: kritisch, misstrauisch, skeptisch, ungläubig, zweifelnd, mit Argusaugen
Arie: Lied, Sologesang, Vokalstück
Aristokratie: Adel, Adelsstand, Fürstenstand
aristokratisch: adelig, adlig, blaublütig, edelmännisch, hochadelig, hochgeboren
Arktis: Nordpol, Nordpolgebiet
arm: bedürftig, besitzlos, bettelarm, blank, elend, hungernd, minderbemittelt, mittellos, Not leidend, pleite, unbemittelt, unvermögend, verarmt, verelendet, vermögenslos, ohne Einkommen, ohne Geld ***arm werden:** verarmen, verelenden, in Armut geraten, an den Bettelstab kommen, besitzlos werden
Armee: Landstreitkräfte, Militär, Streitkräfte, Streitmacht, Wehrmacht
Armenviertel: Elendsviertel, Ghetto, Randsiedlung, Slum
Armer: Armenhäusler, Besitzloser, Bettler, Clochard, Habenichts, Hungerleider, Klinkenputzer, Mittelloser, Notleidender, armer Teufel, armer Schlucker *Sozialfall, Sozialhilfeempfänger
ärmlich: arm, armselig, bescheiden, beschränkt, besitzlos, dürftig, elend, karg, knapp, kümmerlich, spärlich, unbemittelt, unergiebig, wenig *bedürftig, besitzlos, bettelarm, blank, elend, hungernd, minderbemittelt, mittellos, Not leidend, pleite, unbemittelt, unvermögend, verarmt, verelendet, vermögenslos, ohne Einkommen, ohne Geld
armselig: arm, bescheiden, beschränkt, besitzlos, dürftig, elend, karg, knapp,

kümmerlich, spärlich, unbemittelt, unergiebig, wenig
Armut: Armutei, Bedürftigkeit, Besitzlosigkeit, Dürftigkeit, Elend, Geldmangel, Geldnot, Kärglichkeit, Knappheit, Mangel, Mittellosigkeit, Not, Spärlichkeit, Unbemitteltheit, Verknappung *Geistlosigkeit, Leere
Aroma: Blume, Bukett, Duft, Geschmack *Würze, Würzmittel, Würzstoff, Würzung
aromatisch: appetitlich, blumig, duftend, kräftig, schmackhaft, wohl riechend, wohl schmeckend, würzig
Arrangement: Beilegung, Einigung, Schlichtung, Übereinkommen, Vergleich, Versöhnung *Abkommen, Abmachung, Übereinstimmung, Verabredung, Vereinbarung *Anordnung, Aufstellung, Komposition
arrangieren: erledigen, leisten, realisieren, übernehmen, verwirklichen, in die Wege leiten *anlegen, anordnen, aufbauen, aufstellen, gliedern, gruppieren, zusammensetzen, zusammenstellen *abwickeln, ausrichten, durchführen, inszenieren, organisieren, unternehmen, veranstalten ***s. arrangieren:** s. absprechen, s. abstimmen, s. besprechen, s. verständigen, eine Vereinbarung treffen, eine Einigung erzielen
Arrest: Beugehaft, Einschließung, Festungshaft, Freiheitsberaubung, Freiheitsentzug, Freiheitsstrafe, Gefängnisstrafe, Gewahrsam, Haft, Schutzhaft, Sicherungshaft, Sicherungsverwahrung, Untersuchungshaft, Vorbeugehaft
arretieren: abführen, abholen, einsperren, ergreifen, erwischen, fangen, fassen, festhalten, festnehmen, festsetzen, gefangen nehmen, gefangen setzen, inhaftieren, internieren, verhaften, dingfest machen, unschädlich machen, in Verwahrung nehmen, in Haft nehmen, in Gewahrsam nehmen, ins Gefängnis stecken
arrivieren: aufrücken, aufsteigen, avancieren, s. einen Namen machen, emporkommen, emporsteigen, s. hocharbeiten, hochklettern, hochkommen, steigen, vorwärts kommen, befördert werden, etwas werden, Karriere machen, Erfolg haben, erfolgreich sein, populär werden, es zu etwas bringen
arrogant: dünkelhaft, gnädig, herablassend, hochfahrend, hochmütig, hochnäsig, hoffärtig, selbstgefällig, selbstüberzogen, snobistisch, stolz, überheblich, wichtigtuerisch
Arroganz: Anmaßung, Dünkel, Einbildung, Geltungsbedürfnis, Überheblichkeit
Arsenal: Instrumentarium, Mittel, Rüstzeug *Gerätekammer, Magazin, Rüstkammer, Waffenlager
Art: Gewohnheit, Manier, Modus, Weise, Art und Weise *Gattung, Genre, Schlag, Spezies, Typ *Beschaffenheit, Güte, Qualität, Zustand *Anlage, Beschaffenheit, Disposition, Eigenart, Veranlagung, Wesen
Arterie: Ader, Blutbahn, Blutgefäß
Arterienverkalkung: Arteriosklerose
artig: brav, folgsam, gehorsam, gesittet, lammfromm, lieb, manierlich, wohlerzogen
Artikel: Begleiter, Geschlechtswort *Abhandlung, Aufsatz, Beitrag, Essay *Gebrauchsgut, Gegenstand, Handelsobjekt, Konsumgut, Ware *Absatz, Gesetzesabschnitt, Passus, Vertragsabschnitt
Artikulation: Artikulierung, Aussprache
artikulieren: äußern, formulieren, zum Ausdruck bringen, Ausdruck verleihen, in Worte fassen, in Worte kleiden *akzentuieren, betonen, modulieren
artikuliert: deutlich, verständlich, verstehbar, wohlartikuliert, gut zu verstehen
Artist: Akrobat, Gaukler, Straßenkünstler, Taschenspieler, Varietékünstler, Zirkuskünstler
artistisch: akrobatisch, gekonnt, geschickt, gewandt, meisterhaft, meisterlich, perfekt, vollendet
Arzneimittel: Arznei, Droge, Heilmittel, Medikament, Medizin, Mixtur, Pharmazeutikum, Pillen, Präparat
Arzt: Doktor, Heilkundiger, Mediziner, Therapeut
Asche: Rest, Rückstand, Verbrennungsrückstand *zerstäubte Lava

Aschenbecher: Ascher
aschfahl: aschgrau, blassgesichtig, blässlich, blasswangig, bleich, bleichgesichtig, bleichsüchtig, blutarm, blutleer, fahl, grau, kalkweiß, käsebleich, kreidebleich, kreideweiß, leichenblass, todbleich, totenblass, totenbleich, weiß
äsen: fressen, grasen, weiden
aseptisch: keimfrei, steril
Askese: Abstinenz, Enthaltsamkeit, Enthaltung, Keuschheit, Mäßigkeit
Asket: Flagellant, Geißelbruder, Geißler, Märtyrer, Säulenheiliger, Stylist
asketisch: abstinent, anspruchslos, bedürfnislos, bescheiden, beschränkt, entsagend, gemäßigt, genügsam, keusch, mäßig, maßvoll, schamhaft, sparsam, zurückhaltend
asozial: gemeinschaftsfeindlich, gemeinschaftsschädigend, unsozial
Aspekt: Auffassung, Betrachtungsweise, Blickpunkt, Ort, Position, Punkt, Schau, Seite, Sichtweise, Standpunkt, Stellung
asphaltieren: mit Asphalt versehen
Aspik: Fleischsülze, Gelatine
Aspirant: Anwärter, Bittsteller, Interessent, Kandidat, Postulant
Ass: Champion, Fachmann, Kapazität, Könner, Koryphäe, Meister *Trumpf, Trumpfass, Trumpfkarte
assimilieren: angleichen, anpassen, einordnen, verschmelzen ***s. assimilieren:** s. angleichen, s. anpassen, s. befreunden, s. einfügen, s. einleben, s. einordnen, s. einpassen, s. gewöhnen (an), harmonisieren, s. richten (nach), s. umstellen, s. unterordnen *s. akklimatisieren, s. gewöhnen (an)
Assistent: Amtsgehilfe, Helfer, Hilfskraft, Mitarbeiter
assistieren: beistehen, entlasten, helfen, mitwirken, unterstützen, vertreten, Hilfe leisten, behilflich sein
assoziieren: verbinden, vereinigen, verknüpfen, verschmelzen *Gedanken spinnen, Gedankenreihen aufstellen, Gedankenverbindungen aufstellen ***s. assoziieren:** s. fusionieren, s. verbünden, s. vereinigen, s. zusammentun
ästhetisch: bildhübsch, bildschön, blühend, formvollendet, fotogen, klassisch, makellos, schmuck, schön, wohlgeformt, wohlgestaltet, wunderbar, wunderschön, wundervoll *geschmackvoll, schöngeistig *apart, auserlesen, distinguiert, elegant, fein, gepflegt, geschmackvoll, gewählt, hübsch, kleidsam, kultiviert, künstlerisch, nobel, passend, reizvoll, schick, schön, smart, stilvoll, vornehm, gut angezogen
astrein: einwandfrei, fehlerfrei, fehlerlos, genau, ideal, integer, komplett, korrekt, lupenrein, makellos, meisterhaft, mustergültig, perfekt, recht, richtig, tadellos, untadelig, vollendet, vollkommen, vorbildlich, vorzüglich, zutreffend, in Ordnung, ohne Fehl, ohne Fehler
Astrologe: Horoskopsteller, Schicksalsdeuter, Sterndeuter, Wahrsager, Weissager
Astrologie: Sterndeutung
Astronaut: Kosmonaut, Raumfahrer, Weltraumfahrer
Astronomie: Himmelskunde, Sternkunde
astronomisch: überhöht, übertrieben, sehr hoch
Asyl: Zufluchtsort *Behausung, Heim, Unterschlupf, Versteck
asymmetrisch: ungleich, ungleichmäßig, nicht symmetrisch
asynchron: ungleichzeitig, nicht mit gleicher Geschwindigkeit, zeitlich nicht übereinstimmend
Atelier: Fabrik, Studio, Werkhalle, Werkstatt, Werkstätte *Filmatelier, Filmstudio, Studio, Werkstatt
Atem: Hauch, Luft, Odem, Puste
atemberaubend: überaus groß, sehr schnell, sehr hoch *hinreißend, interessant, mitreißend, spannend
atemlos: erschöpft, groggy, außer Atem, außer Puste *gespannt, mitreißend, spannend *eilig, fix, flink, flugs, hurtig, rasant, schnell
Atemnot: Atembeschwerden, Kurzatmigkeit
Atempause: Erholung, Frühstückspause, Mittagszeit, Pause, Ruhepause, Tischzeit, Unterbrechung, Verschnaufpause, Werkpause, Zigarettenpause
Atheismus: Glaubenslosigkeit, Gottes-

leugnung, Gottlosigkeit, Heidentum, Religionslosigkeit, Unglaube, Ungläubigkeit
Atheist: Freidenker, Freigeist, Gottesleugner, Heide, Ungläubiger
atheistisch: freigeistig, glaubenslos, heidnisch, ungläubig, unreligiös
athletisch: drahtig, frisch, kräftig, kraftstrotzend, muskulös, sehnig, sportlich, stark, gut gebaut
Atlas: Landkarte, Weltkarte
atmen: ausatmen, durchatmen, einatmen, hecheln, japsen, keuchen, röcheln, Luft holen, Atem holen, Atem schöpfen, Luft schöpfen, Luft schnappen
Atmosphäre: Lebenskreis, Milieu, Sphäre, Umgebung, Umwelt *Erdatmosphäre, Luft, Lufthülle *Ausstrahlung, Flair, Fluidum, Klima, Stimmung
Atmung: Atem, Ausatmung, Einatmung, Schnaufer, Seufzer
Atomreaktor: Atommeiler, Kernkraftwerk, Kernreaktor
Atomzeitalter: Gegenwart, Massenzeitalter, technisches Zeitalter
atonal: an keine Tonart gebunden, nicht tonal
Attacke: Anfall, Angriff, Anschlag, Ansturm, Einbruch, Einfall, Einmarsch, Handstreich, Invasion, Sturm, Sturmangriff, Überfall, Überrumpelung, Vorstoß *Anfall, Herzanfall, Insult, Insultation, Kollaps, Schlaganfall, Schock
attackieren: angreifen, bestürmen, eindringen, erstürmen, losschlagen, losstürmen, stürmen, überfallen, überraschen, vormarschieren, vorrücken, die Flucht nach vorne antreten, herfallen (über), zum Angriff übergehen *abqualifizieren, angreifen, anschwärzen, beleidigen, diffamieren, entwürdigen, kränken, kritisieren, schlecht machen, schmähen, treffen, verletzen, verteufeln, verunglimpfen, verwunden, nicht mehr sachlich bleiben, persönlich werden, verächtlich machen *schaden *beschädigen, zersetzen, zerstören
Attentat: Anschlag, Gewaltstreich, Handstreich, Raubüberfall, Raubzug, Überrumpelung
Attentäter: Gesinnungstäter, Mörder, Überzeugungstäter, Verbrecher *Selbstmordattentäter
Attest: Arztbescheinigung, Krankenbescheinigung, Krankmeldung *Beglaubigung, Beleg, Bescheinigung, Bestätigung, Beurkundung, Nachweis, Quittung, Schein, Testat, Zertifikat, Zeugnis
attestieren: beglaubigen, bescheinigen, bestätigen, beurkunden, quittieren, testieren, schriftlich geben
Attitüde: Körperhaltung, Pose, Positur, Stellung *Einstellung, Haltung
Attraktion: Glanzlicht, Glanznummer, Glanzpunkt, Glanzstück, Paradenummer, Prachtstück, Renner, Star, Stern, Zugnummer, Zugpferd, Zugstück
attraktiv: anmutig, anziehend, aufregend, aufreizend, betörend, bezaubernd, charmant, gewinnend, hübsch, liebenswert, reizend, reizvoll, sympathisch, toll, unwiderstehlich *aussichtsreich, Erfolg versprechend, faszinierend, fesch, interessant *abwechslungsreich
Attraktivität: Anmut, Anreiz, Anziehung, Anziehungskraft, Reiz, Verlockung, Zauber
Attrappe: Blindpackung, Fassade, Kulisse, Leerpackung, Maske, Nachbildung
Attribut: Beigabe, Charakterzug, Erkennungszeichen, Kennzeichen, Mal, Merkmal, Zeichen
atypisch: von der Regel abweichend, von der Norm abweichend
auch: denn, schließlich *dito, ebenfalls, ebenso, genauso, gleichfalls, in gleicher Weise *schon, selbst, sogar *dazu, erwartungsgemäß, obendrein, tatsächlich, wirklich *außerdem, daneben, ferner, überdies, weiter, zudem, zusätzlich, im Übrigen, des Weiteren, unter anderem
Audienz: Besprechung, Besuch, Empfang, Gespräch, Unterredung
Auditorium: Zuhörer, Zuhörerschaft *Hörsaal, Vorlesungsraum, Vorlesungssaal
auf: aufgeschlossen, aufgesperrt, geöffnet, offen stehend, unverschlossen, (sperrangelweit) offen *offen, verkaufsoffen, geöffnet *aufwärts, bergan, bergwärts, empor, herauf, hoch, nach oben *flussaufwärts, stromaufwärts *wach,

hellwach, aufgestanden, ausgeschlafen *auf sein: wachen, hellwach sein, aufgestanden sein, wach sein *geöffnet sein, offen sein

auf!: los!, vorwärts!

aufarbeiten: erledigen, wegarbeiten, zu Ende arbeiten, fertig machen, in Angriff nehmen *auffrischen, aufmöbeln, aufpolieren, aufpolstern, erneuern, reparieren

aufatmen: aufschnaufen, Atem schöpfen, tief Luft holen *s. befreit fühlen, erleichtert sein, erlöst sein

aufbahren: auslegen, ausstellen

Aufbau: Attika, Aufsatz, Bekrönung, Giebel, Giebelaufsatz, Verzierung *Rekonstruktion, Wiederaufbau, Wiederherstellung *Aufführung, Aufrichtung, Aufstellung, Bau, Erbauung, Errichtung *Anlage, Anordnung, Aufriss, Gliederung, Struktur *Oberbau, Überbau *Karosserie, Wagenaufbau, Wagenoberbau

aufbauen: aufführen, aufrichten, aufstellen, bauen, bebauen, erbauen, errichten, erstellen, hochziehen, zimmern, zusammenfügen *begünstigen, betreuen, favorisieren, fördern, helfen, herausbringen, lancieren, managen, protegieren *s. ansiedeln, s. niederlassen, siedeln, Fuß fassen, sesshaft werden, Wurzeln schlagen *gründen ***s. aufbauen:** s. hinstellen, imponieren, provozieren

aufbauend: dankbar, ersprießlich, förderlich, fruchtbar, gedeihlich, heilsam, hilfreich, konstruktiv, nützlich

aufbäumen: aufbauschen, aufblähen, aufblasen ***s. aufbäumen:** s. aufrecken, s. aufrichten, s. emporbäumen, s. recken

aufbauschen: aufblähen, s. hineinsteigern, hochspielen, überspannen, übertreiben, überziehen, dick auftragen, zu weit gehen *ausweiten, vergrößern

aufbegehren: s. aufbäumen, s. auflehnen, aufmucken, aufmucksen, auftrumpfen, s. dagegenstellen, s. empören, s. erheben, meutern, opponieren, protestieren, s. querlegen, rebellieren, revoltieren, s. sträuben, trotzen, s. verschwören, s. widersetzen, s. zur Wehr setzen, Gehorsam verweigern, Widerpart bieten

aufbehalten: nicht abnehmen, auf dem Kopf lassen, aufgesetzt lassen *auflassen, geöffnet lassen, offen halten, offen lassen, frei halten

aufbekommen: aufbringen, aufhaben, aufkriegen, öffnen können *machen müssen, eine Arbeit machen, übertragen bekommen, zu erledigen haben

aufbessern: anziehen, erhöhen, heraufsetzen, steigern, verteuern *dazugeben, erhöhen

aufbewahren: aufheben, aufspeichern, behalten, beiseite bringen, beiseite legen, hamstern, sammeln, sichern, speichern, verwahren, vorenthalten, weglegen, wegstellen, zurückhalten, in Verwahrung nehmen, in Gewahrsam nehmen, an sich nehmen

aufbieten: s. anstrengen, aufwenden, s. bemühen, einsetzen, hineinstecken, mobilisieren

aufbinden: äffen, anführen, anschmieren, foppen, narren, nasführen *aufknoten, aufknüpfen, auflösen, aufmachen, aufschnüren, entknoten, lösen, öffnen *aufstecken, hochbinden, hochstecken

aufblähen: aufbauschen, aufblasen, aufschwellen, auftreiben, ausfüllen, blähen *s. wölben, s. vorwölben, s. bauschen, s. blähen, anschwellen lassen *mehren, vermehren, aufstocken, ausdehnen, steigern, vergrößern, verstärken ***s. aufblähen:** angeben, s. aufplustern, aufschneiden, s. aufspielen, großtun, prahlen *s. aufbauschen, s. ausfüllen, s. bauschen, s. blähen

aufblasen: aufbauschen, aufblähen, aufpumpen, auftreiben, mit Gas füllen, mit Luft füllen ***s. aufblasen:** angeben, aufschneiden, s. aufspielen, großtun, prahlen

aufblättern: aufklappen, aufschlagen, öffnen

aufblenden: aufleuchten, blenden, (auf volle Stärke) einschalten

aufblicken: aufschauen, aufsehen, die Augen aufschlagen (zu), hochschauen

aufblitzen: aufkeimen, aufkommen, auflodern, auftauchen, einfallen, bewusst werden *aufblenden, aufblinken, aufflammen, auffunkeln, aufleuchten, aufscheinen, aufstrahlen, erglimmen, erglühen, erstrahlen, fluoreszieren, leuchten, phosphoreszieren

aufblühen: aufbrechen, aufgehen, s. entfalten, s. entwickeln, erblühen, s. wohl fühlen, zu blühen beginnen, zur Blüte kommen
aufbrauchen: abbrauchen, abnutzen, abnützen, abtragen, abwetzen, verbrauchen, verschleißen *konsumieren, verkonsumieren, essen, verbrauchen *durchbringen, verprassen, verpulvern, verschleudern, vertun, verwirtschaften
aufbrausen: s. ärgern, s. aufregen, aufschäumen, s. ereifern, grollen, toben, s. vergessen, wüten, zürnen, die Beherrschung verlieren, aus der Fassung geraten
aufbrausend: hochfahrend, cholerisch, entzündlich, erregbar, heftig, hochgehend, hysterisch, jähzornig, poltrig, reizbar, unbeherrscht, wild
aufbrechen: aufblühen, aufgehen, s. entfalten, erblühen, zur Blüte kommen *aufhacken, aufknacken, aufschlagen, aufsprengen, erbrechen, öffnen *gehen, davongehen, ausziehen, davonlaufen, s. entfernen, fortgehen, weggehen, weglaufen, wegrennen, von dannen gehen
aufbringen: entern, erbeuten, kapern *auftreiben, beschaffen, besorgen, bringen, erbringen, erschwingen, flüssig machen, herbeischaffen, holen, verschaffen, zusammenbringen, zusammenraffen *ziehen, aufziehen, ärgern, verärgern, bekümmern, betrüben, hänseln, kränken, peinigen, quälen, reizen, verstimmen, verwunden, wütend machen, rasend machen *aufbekommen, aufkriegen, öffnen *aufscheuchen, aufschrecken, erregen, provozieren
Aufbruch: Abflug, Ablauf, Abmarsch, Start
aufbrühen: aufgießen, brühen, kochen
aufbrüllen: aufschreien, brüllen, schreien
aufbrummen: aufbuckeln, aufbürden, aufladen, auflasten, auflegen, aufpacken, belasten, auf die Schultern laden
aufbürden: abschieben (auf), abwälzen (auf), andrehen, auferlegen, aufladen, unterjubeln *aufbrummen, aufbuckeln, aufhalsen, aufladen, auflasten, auflegen, aufpacken, aufsacken, belasten
aufdecken: anzeigen, aufklären, aufrollen, aufwickeln, aufzeigen, auspacken, bloßlegen, darlegen, demaskieren, durchschauen, enthüllen, entlarven, entschleiern, exhibieren, nachweisen, offen legen, vorzeigen, ans Licht bringen, an den Tag bringen, Licht in etwas bringen, zur Schau stellen *offenbaren, zeigen
Aufdeckung: Anzeige, Aufklärung, Bekanntmachung, Bloßlegung, Darlegung, Demaskierung, Enthüllung, Entlarvung, Entschleierung, Nachweis, Offenlegung
aufdonnern (s.): s. entwickeln, s. herausputzen, s. schminken, s. schön machen
aufdrängen: anbieten, andrehen, aufdringen, aufnötigen, aufoktroyieren, aufreden, aufzwingen, oktroyieren ***s. aufdrängen:** s. anbieten, belästigen, zudringlich sein *s. (notwendig) ergeben, entstehen, s. herausschälen
aufdrehen: aufschrauben, öffnen *anmachen, anschalten, anstellen, einschalten, einstellen *anheizen, beheizen, einheizen, erwärmen, feuern, heizen, temperieren, warm machen *aufbegehren, aufbrausen, explodieren, ärgerlich werden *beschleunigen, Gas geben *s. öffnen, übertreiben, aus sich herausgehen
aufdringen: anbieten, andrehen, aufdrängen, aufnötigen, aufreden, aufzwingen
aufdringlich: frech, indiskret, lästig, penetrant, plump, unverschämt, vertraulich, zudringlich *auffallend, aufreizend, reißerisch
Aufdringlichkeit: Annäherungsversuch, Belästigung, Penetranz, Zudringlichkeit
aufdrücken: aufprägen, aufpressen, aufstempeln
aufeinander: gestapelt, übereinander *gegenseitig, wechselseitig, wechselweise *folgend, nacheinander, nach und nach ***aufeinander folgen:** abwechseln, s. abwechseln, folgen, tauschen ***aufeinander folgend:** dahinter, hintereinander, nacheinander, nachfolgend, sukzessive ***aufeinander prallen:** aufeinander krachen, zusammenstoßen
Aufeinanderfolge: Abfolge, Aneinanderreihung, Folge, Hintereinander, Nachein-

ander, Ordnung, Rangfolge, Reihenfolge, Reihung, Sequenz, Stufenleiter, Turnus
Aufeinanderprall: Crash, Unfall, Zusammenstoß
Aufenthalt: Dauerwohnsitz, Standort, Stätte, Wohnsitz *Einschnitt, Halt, Pause, Stockung, Unterbrechung, Verzögerung, Zäsur
Aufenthaltserlaubnis: Aufenthaltsbescheinigung, Aufenthaltsbewilligung, Aufenthaltsgenehmigung
Aufenthaltsort: Wohnort, Wohnsitz *Ferienanschrift, Urlaubsadresse, Urlaubsanschrift
auferlegen: abschieben (auf), abwälzen (auf), andrehen, aufbürden, aufladen, unterjubeln *s. beengen, s. begrenzen, s. beschränken, s. einengen, s. einschnüren, s. einschränken *aufbürden, s. belasten
aufessen: aufzehren, konsumieren, schaffen, verdrücken, verkonsumieren, verschlingen, verschlucken, verschmausen, verspeisen, vertilgen, verzehren, wegputzen, leer machen, leer essen
auffädeln: aufreihen, durchziehen, einziehen
auffahren: anfahren, aufknallen, aufprallen, s. ineinander verkeilen, rammen, zusammenfahren, zusammenknallen, zusammenstoßen *anfahren, auftafeln, auftischen, auftragen, bedienen, bewirten, bringen, reichen, servieren, vorsetzen *auffliegen, aufschnellen, aufschrecken, aufspringen, hochfahren, hochschnellen, in die Höhe fahren
Auffahrt: Aufgang, Einfahrt, Rampe, Spindel, Zufahrt, Zugang *Bergfahrt, Gebirgsfahrt
auffallen: s. abheben (von), s. herausheben, s. bemerkbar machen, auffällig sein, ins Auge fallen, Aufmerksamkeit erregen, den Blick auf sich ziehen,
auffallend: aufdringlich, augenfällig, außergewöhnlich, außerordentlich, bemerkenswert, blendend, frappant, hervorstechend, knallig, krass, markant, schreiend, in die Augen fallend
auffällig: ansehnlich, aufsehenerregend, außergewöhnlich, außerordentlich, ausgefallen, bedeutungsvoll, beträchtlich, bewundernswert, bewunderungswürdig, eindrucksvoll, einzigartig, eminent, entwaffnend, epochal, erstaunlich, extraordinär, fabelhaft, grandios, groß, kapital, ohnegleichen, phänomenal, sagenhaft, spektakulär, stattlich, ungewöhnlich *ausgeprägt, extrem, hochgradig, krass, stark
auffangen: aufschnappen, mitbekommen, mitkriegen, sammeln, (zufällig) hören *aushalten, bestehen, dulden, erdulden, erleiden, ertragen, fertig werden (mit), hinnehmen, hinwegkommen, leiden, stillhalten, tragen, überleben, verdauen, verkraften, verschmerzen *einfangen, erhaschen, fangen, sammeln *ergreifen, fangen, greifen, retten
auffassen: begreifen, durchblicken, durchschauen, einsehen, erfassen, kapieren, mitbekommen, nachvollziehen, verstehen, folgen können, Verständnis haben *missverstehen, falsch auslegen, falsch deuten, falsch verstehen *auslegen, deuten, erläutern, klarmachen
Auffassung: Auffassungsgabe, Auffassungskraft, Auffassungsvermögen, Aufnahmefähigkeit, Begabung, Begriffsvermögen, Intelligenz, Verstand *Auslegung, Deutung, Nachweis *Meinung, Überzeugung
Auffassungsgabe: Auffassung, Auffassungskraft, Auffassungsvermögen, Aufnahmefähigkeit, Begabung, Begriffsvermögen, Intelligenz, Verstand
auffegen: aufkehren, fegen, reinigen, sauber machen, säubern
auffinden: antreffen, aufgabeln, aufspüren, aufstöbern, ausmachen, entdecken, ermitteln, finden, herausfinden, herauskriegen, sehen, vorfinden, wiedersehen, ausfindig machen
auffischen: auffinden, aufgabeln, aufschnappen, aufspüren, auftreiben, begegnen, entdecken, finden, orten, sehen, vorfinden, wiedersehen
aufflackern: aufbrennen, aufleuchten, brennen, flackern, glimmen, glühen, hochschlagen, lohen, schmoren, schwelen *anfangen, ausbrechen, beginnen, losgehen, starten
aufflammen: aufbrennen, aufflackern, aufleuchten, brennen, flackern, glimmen,

glühen, hochschlagen, lohen, schmoren, schwelen *anfangen, ausbrechen, beginnen, losgehen, starten *aufblenden, aufblinken, aufblitzen, auffunkeln, aufleuchten, aufscheinen, aufstrahlen, erglimmen, erglühen, erstrahlen, fluoreszieren, leuchten, phosphoreszieren *aufbegehren, aufbrausen, ärgerlich werden

auffliegen: emporfliegen, hochsteigen, steigen *aufgehen, s. öffnen *auflösen, entdecken, finden *fehlschlagen, misslingen, platzen, scheitern, stranden, straucheln, Misserfolg haben, Pech haben *anpacken, aufgreifen, ergreifen, ertappen, erwischen, hochgehen lassen, hochnehmen, packen, schnappen

auffordern: bitten, engagieren *befürworten, einreden, ermahnen, ermuntern, ermutigen, zuraten

Aufforderung: Anordnung, Anweisung, Auftrag, Befehl, Belehrung, Bestimmung, Diktat, Edikt, Ersuchen, Gebot, Geheimbefehl, Geheiß, Gesetzentwurf, Gesetzesvorlage, Kannvorschrift, Kommando, Lex, Mussvorschrift, Notverordnung, Reglement, Regulativ, Sollbestimmung, Unterrichtung, Verfügung, Verhaltensmaßregel, Vorschrift, Weisung *Appell, Aufruf, Ermahnung, Mahnung, Memento, Proklamation, Ultimatum *Appell, Aufruf, Mahnung, Ruf

aufforsten: anpflanzen, bepflanzen, setzen

auffressen: fressen, verschlingen, verschlucken, vertilgen, verzehren *aufreiben, aufzehren, zermürben, zerrütten, mürbe machen

auffrischen: aufarbeiten, aufpolieren, aufpolstern *abkühlen, kühler werden, kälter werden *aufmuntern, erfrischen *ausbessern, erneuern, restaurieren *aufarbeiten, lernen, üben, wiederholen

Auffrischung: Aufarbeitung, Erneuerung, Renovierung, Restaurierung *Abkühlung, Wetterumschlag *Aufmunterung, Erfrischung *Aufarbeitung, Lernen, Übung, Wiederholung

aufführen: erstaufführen, geben, herausbringen, inszenieren, spielen, uraufführen, vorführen, zeigen, auf den Spielplan setzen, zur Aufführung bringen, zur Uraufführung bringen, zur Erstaufführung bringen *anführen, bringen, nennen *bauen, errichten ***s. aufführen:** s. aufspielen, s. hochspielen, s. verhalten, s. zeigen

Aufführung: Darbietung, Erstaufführung, Konzert, Premiere, Theaterspiel, Uraufführung, Vorstellung

auffüllen: ergänzen, hinzufügen, nachfüllen, vervollständigen *anfüllen, anreichern, bereichern, füllen (mit), reicher machen

Aufgabe: Aufsichtspflicht, Auftrag, Bestimmung, Destination, Funktion, Obliegenheit, Pflicht, Schuldigkeit, Verpflichtung *Amt, Auftrag, Funktion, Pflicht, Ressort *Arbeit, Hausaufgabe, Pensum, Schulaufgabe *Buchstabenrätsel, Kreuzworträtsel, Rätsel, Silbenrätsel *Abtretung, Auslieferung, Ausverkauf, Entäußerung, Herausgabe, Preisgabe, Überlassung, Verzicht *Frage, Hauptfrage, Lebensfrage, Problem, Scheinproblem, Schwierigkeit, Streitfrage, Tagesproblem, kritischer Punkt, strittiger Punkt *Abbruch, Abgewöhnung, Einstellung, Enthaltung, Entwöhnung *Friedensschluss, Waffenruhe, Waffenstillstand, Einstellung der Feindseligkeiten *Abzug, Rückzug *Hausarbeit, Hausaufgabe, Schularbeit, Schulaufgabe

aufgabeln: auffinden, auffischen, auflesen, aufschnappen, aufspüren, auftreiben, begegnen, entdecken, finden, orten, sehen, vorfinden, wiedersehen

Aufgabenbereich: Arbeitsgebiet, Aufgabe, Aufgabengebiet, Aufgabenkomplex, Aufgabenkreis, Bereich, Bezirk, Gebiet, Rahmen, Vorgabe, Umgebung

Aufgang: Auffahrt, Rampe, Spindel, Zufahrt, Zugang *Morgenröte, Sonnenaufgang, Tagesbeginn *Stiege, Stufe, Treppe, Treppenstufe *Fallreep, äußere Schiffstreppe *Anstieg, Aufstieg

aufgeben: auflösen, ausverkaufen, liquidieren, schließen *abbrechen, aufhören, aufstecken, aussteigen, beenden, beendigen, schließen, ein Ende machen, ein Ende setzen *absetzen, anbieten, ausschreiben, ausverkaufen, feilbieten, veräußern, verkaufen, verscheuern, verschleudern, vertreiben *abgehen, abgewöhnen, ablassen (von), abstellen, aufhören, brechen, einstellen, s. enthalten, entwöhnen *abschreiben, abstreichen, bleiben lassen, fallen lassen, s. trennen (von), verzichten, nicht mehr rechnen (mit), verloren geben *anordnen, auferlegen, auftragen, beauftragen, befehlen, bestimmen, verfügen *liefern, abliefern, abgeben, einliefern, hinbringen, hinschaffen, zur Post bringen, zur Bahn bringen *s. beugen, einlenken, entgegenkommen, s. ergeben, s. fügen, kapitulieren, nachgeben, passen, resignieren, unterliegen, s. unterwerfen, willfahren, zurückstecken, schwach werden *anbieten, annoncieren, inserieren, werben *abgerufen werden, ableben, abscheiden, dahinscheiden, einschlummern, entschlafen, heimgehen, hinscheiden, scheiden, sterben, verscheiden *ändern, umfallen, umkippen, umschwenken, wechseln *ausziehen, fortziehen, übersiedeln, umziehen, ziehen, den Wohnsitz verlegen *s. ergeben, s. stellen *abtreten, resignieren

aufgeblasen: anmaßend, arrogant, dünkelhaft, eingebildet, hochfahrend, hoffärtig, selbstgefällig, stolz, überheblich

Aufgebot: Elf, Equipe, Mannschaft, Nationalelf, Nationalmannschaft, Nationalteam, Riege, Staffel, Team, Vertretung

aufgebracht: ärgerlich, böse, brummig, empört, entrüstet, erbittert, erbost, erzürnt, fuchsteufelswild, gereizt, grantig, griesgrämig, grimmig, missgelaunt, misslaunig, missmutig, muffig, mürrisch, peinlich, rabiat, übellaunig, unwillig, unwirsch, verdrießlich, verdrossen, wütend, wutentbrannt, wutschäumend, wutschnaubend, zornig

aufgebraucht: alle, aufgegessen, aufgetrunken, ausgegangen, erschöpft, leer gegessen, leer gemacht, verbraucht

aufgedonnert: aufgemacht, aufgeputzt, geschminkt, herausgeputzt, zurechtgemacht

aufgedreht: angeheitert, aufgeheitert, aufgekratzt, ausgelassen, feuchtfröhlich, fröhlich, heiter, lebhaft, lustig, übermütig, überschäumend, übersprudelnd, vergnüglich, vergnügt

aufgedunsen: aufgebläht, aufgeblasen, aufgeplustert, aufgeschwemmt, aufgeschwollen, dick

aufgefordert: gezwungenermaßen, unfreiwillig, zwangsläufig, zwangsweise, der Not gehorchend, wohl oder übel

aufgegessen: alle, aufgebraucht, ausgegangen, erschöpft, leer gegessen, leer gemacht, verbraucht

aufgehen: aufblühen, aufkeimen, s. entfalten, keimen *s. öffnen *aufsteigen, emporsteigen, erscheinen, hervorkommen, kommen *hochgehen ***aufgehen (in):** s. auflösen (in), eine Verbindung eingehen (mit), eingehen (in), übergehen (in), s. vereinigen (mit), verschmelzen (mit), aufgesaugt werden, übernommen werden

aufgeilen: anziehen, aufreizen, berücken, betören, bezaubern, bezirzen, entflammen, erregen, faszinieren, reizen, umgarnen

aufgeklärt: eingeweiht, erfahren, informiert, unterrichtet, wissend *freisinnig, liberal, vorurteilsfrei, vorurteilslos

aufgekratzt: angeheitert, aufgeheitert, ausgelassen, feuchtfröhlich, gut gelaunt, gut gestimmt, lebhaft, leichtsinnig, lustig, übermütig, überschäumend, übersprudelnd, unbekümmert, vergnügt

aufgelaufen: festsitzend, sitzend, auf Grund gelaufen

aufgelockert: entkrampft, entspannt, gelockert, gelöst, warm

aufgelöst: aufgeregt, aufgewühlt, bewegt, erregt, gereizt, handlungsunfähig, kopflos, nervenschwach, außer sich, außer Fassung *beendet, getrennt, verflossen, vergangen, vorbei

aufgeputzt: angemalt, auffallend, auffällig, aufgedonnert, aufgetakelt, gebügelt, geschniegelt, herausgeputzt, zurechtgemacht

aufgeräumt: ordentlich, sauber, wohnlich *froh, frohgemut, fröhlich, gut gelaunt, heiter, lustig, munter, sonnig, strahlend, vergnügt, wohlgemut

aufgeregt: aufgelöst, bewegt, echauffiert, erhitzt, erregt, fahrig, fiebrig, gereizt,

hektisch, kribblig, kribbelig, nervenschwach, nervös, ruhelos, ungeduldig, unruhig, unstet
Aufgeregtheit: Aufgelöstheit, Erregung, Gereiztheit, Hektik, Nervosität, Ruhelosigkeit, Ungeduld, Unruhe, Unstetigkeit
aufgerichtet: aufrecht, gerade, senkrecht, stehend
aufgerundet: circa, etwa, rund, zirka
aufgeschlossen: ansprechbar, aufgelegt, aufgetan, aufnahmebereit, aufnahmefähig, aufnahmewillig, disponiert, empfänglich, geneigt, gestimmt, geweckt, interessiert, offen, zugänglich
aufgeschwemmt: aufgedunsen, aufgeschwollen, aufgetrieben, dick, gedunsen, schwammig
aufgeschwollen: aufgebläht, aufgeblasen, aufgedunsen, aufgeplustert, aufgeschwemmt
aufgetakelt: apart, auserlesen, ausgesucht, chic, erlesen, fein, fesch, gewählt, kultiviert, modern, mondän, nobel, piekfein, rassig, schick, schmuck, schneidig, schnieke, schnittig, smart, stilvoll, todschick, vornehm
aufgeweckt: geistreich, intelligent, klug, scharfsinnig, umsichtig, vernünftig, verständig *wach, hellwach, ausgeschlafen, munter
aufgewühlt: beunruhigt, bewegt, erregt, erschüttert, gereizt, irritiert, ruhelos *aufgepeitscht, unruhig
aufglänzen: aufblenden, aufblinken, aufblitzen, aufflammen, auffunkeln, aufglimmen, aufglitzern, aufscheinen, aufstrahlen, erglimmen, erglühen, erstrahlen, fluoreszieren, leuchten, phosphoreszieren
aufgliedern: durchgliedern, einordnen, einteilen, fächern, gliedern, klassifizieren, ordnen, paragraphieren, periodisieren, unterteilen *aufschlüsseln, aufteilen, einteilen, verteilen *aufteilen, dezentralisieren, teilen, verteilen
Aufgliederung: Aufschlüsselung, Aufteilung, Durchgliederung, Einordnung, Einteilung, Fächerung, Gliederung, Klassifikation, Ordnung, Paragraphierung, Periodisierung, Unterteilung *Aufteilung, Dezentralisation, Dezentralisierung, Teilung, Verteilung
aufglimmen: aufblenden, aufblinken, aufblitzen, aufflammen, auffunkeln, aufglänzen, aufglitzern, aufscheinen, aufstrahlen, erglimmen, erglühen, erstrahlen, fluoreszieren, leuchten, phosphoreszieren
aufgraben: lockern *ausbuddeln, öffnen, zutage fördern
aufgreifen: aufnehmen, eingehen (auf), zurückkommen, anknüpfen (an) *ergreifen, ertappen, erwischen, festnehmen, gefangen nehmen
aufgrund: angesichts, dank, hinsichtlich, infolge, kraft, ob, wegen, zwecks, auf … hin, um … zu, um … willen
aufhaben: offen haben, geöffnet haben *anhaben, bekleidet sein
aufhacken: aufbrechen, aufschlagen, aufsprengen, erbrechen, öffnen
aufhalsen: aufbrummen, aufbuckeln, aufladen, auflasten, auflegen, aufpacken, belasten, auf die Schultern laden
aufhalten: abstoppen, anhalten, stoppen, zum Stillstand bringen, zum Stehen bringen *behindern, beeinträchtigen, bremsen, erschweren, hemmen, hindern, lähmen, obstruieren, stören, trüben, verzögern, gehandikapt sein, hinderlich sein *leben, verleben, weilen, verweilen, bleiben, verharren, wohnen, zubringen *festhalten, zurückhalten *erhoffen, erwarten, offen halten ***s. aufhalten:** s. befinden, leben, verbringen, zubringen, anwesend sein *die Zeit verlieren, Zeit verschwenden *über jmdn. nachteilig sprechen, reden (über)
aufhängen: s. aufknüpfen, s. entleiben, s. erhängen, s. töten, s. umbringen, Selbstmord begehen *jmdn. aufknüpfen, jmdn. hinrichten, jmdn. erhängen, jmdn. hängen, jmdn. henken, jmdn. an den Galgen bringen *anbringen, aufbringen, aufmachen, aufstecken, befestigen, festmachen, an die Wand hängen, an die Decke hängen, auf die Leine hängen *trocknen (lassen) *aufbürden, aufhalsen, auflasten, auflegen, aufpacken, auf die Schultern laden
aufhäufen: aufhäufeln, aufschaufeln,

aufschütten, aufwerfen, häufen, schichten *ansammeln, horten, sammeln
aufheben: sammeln, aufsammeln, aufklauben, auflesen, aufnehmen, aufraffen, hochnehmen *bewahren, aufbewahren, erübrigen, hamstern, horten, reservieren, speichern, zurückhalten, zurückbehalten, zurücklegen, beiseite legen, beiseite bringen *abschaffen, auflösen, beseitigen, einstellen, außer Kraft setzen, für nichtig erklären, für ungültig erklären, für null und nichtig erklären, rückgängig machen *s. ausgleichen *erheben, heben, hochheben, lüften *abschließen, beenden
Aufhebung: Abschaffung, Auflösung, Beseitigung, Einstellung *Kassation, Ungültigmachung
aufheitern: ablenken, aufhellen, aufmuntern, aufrichten, belustigen, erheitern, zerstreuen, Stimmung machen, auf andere Gedanken bringen ***s. aufheitern:** s. aufhellen, aufklaren, aufklären, s. lichten, heller werden
Aufheiterung: Ablenkung, Aufmunterung, Belustigung, Erheiterung, Ermunterung, Trost, Zerstreuung *Aufhellung, Aufklärung, Aufklarung, Wetterbesserung
aufhelfen: aufheben, auf die Beine helfen
aufhellen: aufheitern, aufklaren, aufklären, auflichten, heller werden *bleichen, blondieren, heller werden ***s. aufhellen:** s. aufklaren, s. bessern
Aufhellung: Aufheiterung, Aufklärung, Aufklarung, Wetterbesserung
aufhetzen: anstacheln, anstiften, antreiben, aufputschen, aufreizen, aufstacheln, aufwiegeln, fanatisieren, hetzen, hintertreiben, schüren, verhetzen
aufhetzerisch: aufwieglerisch, demagogisch, fanatisch, hetzerisch, revolutionär
Aufhetzung: Aufputschung, Aufwiegelung, Demagogie, Fanatisierung, Fanatismus, Verhetzung, Volksverhetzung
aufheulen: aufbrüllen, aufbrummen, aufdröhnen
aufholen: ausgleichen, einholen, gleichziehen, gutmachen, nachholen, nachziehen, wettmachen, das Gleichgewicht herstellen *aufarbeiten, einbringen, einholen, nacharbeiten, nachziehen, die Scharte auswetzen *erreichen
aufhorchen: aufmerken, staunen, stutzen, aufmerksam werden, die Augen aufmachen, stutzig werden
aufhören: aussetzen, bleiben lassen, lassen, stoppen, unterlassen *abgehen, abgewöhnen, ablassen (von), ablegen, abstellen, aufgeben, einstellen *enden, nicht länger dauern, zu Ende gehen *beenden, nicht fortfahren, nicht weiterführen, nicht tun *abtreten, ausscheiden, gehen, kündigen, verlassen, weggehen
Aufkauf: Ankauf, Einkauf, Erwerb, Kauf
aufkaufen: ankaufen, anschaffen, erstehen, erwerben, kaufen
aufkehren: auffegen, fegen, reinigen, sauber machen, säubern
aufkeimen: anwachsen, aufgehen, aufsprießen, aufsprossen, keimen, knospen, kommen *anfangen, aufkommen, beginnen, s. entfalten, entstehen, werden
aufklappen: aufblättern, aufmachen, aufschlagen, öffnen
aufklaren: aufheitern, aufhellen, aufklären, auflichten, erhellen, heller werden
aufklären: lösen, auflösen, dahinter kommen, enträtseln, entschlüsseln, entwirren, entziffern, ermitteln, feststellen, herausbekommen, herausfinden, herauskriegen *belehren, informieren, unterrichten, unterweisen *auskundschaften, kundschaften, spionieren *aufheitern, aufhellen, aufklaren, auflichten, erhellen, heller werden ***s. aufklären:** s. aufheitern, s. aufhellen, s. aufklaren, s. auflichten
aufklärend: aufschlussreich, belehrend, bildend, hörenswert, informativ, instruktiv, interessant, lehrreich, lesenswert, sehenswert, vielsagend, wissenswert
Aufklärer: Kundschafter, Spion *Aufklärungsflugzeug, Aufklärungssatellit, Spionageflugzeug, Spionagesatellit *Agitator, Propagandamacher, Propagandist, Werber, Werberedner
Aufklärung: Aufdeckung, Aufhellung, Auflösung, Aufschluss, Auskunft, Bescheid, Einblick, Erklärung, Ermittlung, Feststellung, Klärung, Lösung, Schlüssel *Aufheiterung, Aufhellung, Aufklarung,

Wetterbesserung *Belehrung, Information, Unterrichtung, Unterweisung *Spionage

aufklauben: aufheben, auflesen, sammeln

aufkleben: anleimen, aufleimen, aufpappen, (auf etwas) kleben

Aufkleber: Aufklebeschild, Etikett, Sticker

aufknacken: aufbrechen, aufhacken, aufschlagen, aufsprengen, erbrechen, öffnen

aufknöpfen: aufmachen, öffnen

aufknoten: aufbinden, aufknüpfen, aufmachen, entknoten, entwirren, lösen, öffnen

aufknüpfen: aufbinden, aufmachen, aufschnüren, entknoten, lösen *jmdn. aufhängen, jmdn. hinrichten, jmdn. erhängen, jmdn. hängen, jmdn. henken, jmdn. an den Galgen bringen

aufkommen: herankommen, heranziehen, heraufziehen, s. nahen, s. nähern, s. zusammenbrauen *abzahlen, aufwenden, begleichen, bestreiten, bezahlen, bezuschussen, finanzieren, helfen, investieren, unterstützen, zahlen, die Kosten tragen *besolden, bezahlen, entlohnen, vergüten *nähren, ernähren, beköstigen, sorgen, unterhalten, verköstigen *atzen, füttern, mästen, Futter geben, zu fressen geben *auflodern, auftauchen, s. bilden, s. entfalten, entstehen, erscheinen, erwachsen, herauskommen, werden, s. zeigen, zum Vorschein kommen *durchdringen, durchsickern, herauskommen, s. herumsprechen, kursieren, s. verbreiten, ans Licht kommen, bekannt werden, entdeckt werden *aufkeimen, Mode werden, in Mode kommen, Verbreitung finden

aufkrempeln: aufrollen, aufstreifen, aufstülpen, hochkrempeln, hochstreifen, umkrempeln, umschlagen *anpacken, arbeiten, schaffen

aufkreuzen: ankommen, auftreten, emportauchen, erscheinen, hervorkommen, vorkommen, wiedererscheinen, wiedererstehen, aus der Versenkung kommen, zu finden sein

aufkriegen: aufbringen, aufhaben, bekommen, öffnen können *aufbekommen, aufhaben, machen, tun, zu machen haben

aufkündigen: aufsagen, scheiden, trennen, verlassen, zurücktreten, den Rücken kehren, Abschied nehmen *abdanken, abtreten, aufhören, ausscheiden, gehen, s. verändern, s. zur Ruhe setzen, zurücktreten, den Kram hinwerfen, den Kram hinschmeißen, den Dienst quittieren, die Arbeit niederlegen, sein Amt niederlegen, seinen Abschied nehmen

aufladen: aufbürden, aufpacken, befrachten, beladen, bepacken, einladen, einschiffen, laden, verladen, verschiffen, voll laden, voll packen *abschieben, abwälzen, aufbürden, aufhalsen, unterjubeln, zuschieben

Auflage: Abdruck, Ausgabe, Druck, Druckauflage, Edition, Fassung, Nachdruck, Neuauflage, Neuausgabe, Neudruck, Verlagsausgabe *Bedingung *Schutzschicht, Überzug

auflandig: auf das Land zu wehend, vom Meer her

auflassen: aufbehalten, offen lassen, nicht zumachen, nicht schließen, geöffnet lassen, aufbleiben lassen *belassen, offen lassen *anlassen, aufbehalten, aufgesetzt lassen, auf dem Kopf lassen, nicht abnehmen *übertragen *aufgeben, schließen, stilllegen *aufsteigen lassen

auflasten: aufbrummen, aufbuckeln, aufhalsen, aufladen, auflegen, aufpacken, belasten, auf die Schultern laden

auflauern: abpassen, anfallen, s. auf die Lauer legen, s. heranschleichen, passen, warten, auf der Lauer liegen

Auflauf: Anhäufung, Ansammlung, Aufmarsch, Gedränge, Getümmel, Gewühl, Menschenauflauf, Menschenansammlung, Versammlung, Volksversammlung, Zusammenrottung

auflaufen: s. ansammeln, anwachsen, s. aufhäufen, s. vermehren, s. vervielfachen *aufbrummen, auffahren, aufsitzen, stoßen (auf), stranden, auf Grund laufen, auf Grund geraten *s. wund laufen

aufleben: reifen, heranreifen, wachsen, heranwachsen, aufblühen, s. entwickeln, verändern, wandeln *s. beleben, entste-

hen, wieder aufkommen, wieder auftauchen *s. erholen, gesunden, gesund werden
auflegen: s. anmalen, s. fein machen, s. herausputzen, s. pudern, s. schminken, s. schön machen, s. zurechtmachen *abhängen, ablegen, einhängen *auffüllen, dazugeben, nachholen, nachschöpfen
auflehnen (s.): s. aufbäumen, aufbegehren, aufmucken, s. empören, s. erheben, meutern, murren, rebellieren, revoltieren, s. sträuben, trotzen, s. widersetzen, Krach schlagen, Protest erheben
Auflehnung: Aufruhr, Aufstand, Ausschreitung, Bürgerkrieg, Empörung, Erhebung, Freiheitskampf, Gewaltakt, Komplott, Krawall, Meuterei, Putsch, Rebellion, Revolte, Revolution, Staatsstreich, Tumult, Übergriff, Unruhen, Unterwanderung, Verschwörung, Volksaufstand, Volkserhebung *Abneigung, Abwehr, Gegendruck, Gegenwehr, Gehorsamsverweigerung, Obstruktion, Protest, Renitenz, Resistenz, Verweigerung, Widerborstigkeit, Widersetzlichkeit, Widerspenstigkeit, Widerstand, Widerstreben
auflesen: aufheben, aufklauben, aufnehmen, aufsammeln, hochnehmen *auffinden, auffischen, aufschnappen, aufspüren, auftreiben, begegnen, entdecken, finden, orten, sehen, vorfinden, wiedersehen
aufleuchten: aufblenden, aufblinken, aufblitzen, aufflammen, auffunkeln, aufglänzen, aufscheinen, aufstrahlen, erglimmen, erglühen, erstrahlen, fluoreszieren, leuchten, phosphoreszieren
auflichten: aufheitern, aufhellen, aufklaren, aufklären, bleichen, heller werden ***s. auflichten:** aufheitern, aufhellen, aufklaren, s. aufklären, erhellen, heller werden
aufliegen: auf etwas liegen *wund liegen
auflockern: entkrampfen, entspannen, lösen, locker machen ***s. auflockern:** aufhellen, aufklaren, aufklären, auflichten, heller werden
auflodern: aufbrechen, aufflammen, aufkommen, aufschlagen, aufsteigen, aufwallen
auflösen: zerfallen lassen, zergehen lassen *lösen, schmelzen, verflüssigen, zergehen lassen *abschaffen, annullieren, beseitigen, einstellen, außer Kraft setzen, für null und nichtig erklären, für ungültig erklären *aufklären, dahinter kommen, dechiffrieren, enträtseln, entschlüsseln, entwirren, entziffern, lösen *liquidieren, stilllegen *aufkündigen, aufsagen, scheiden, trennen, verlassen, zurücktreten (von), den Rücken kehren, Abschied nehmen ***s. auflösen:** aufgeben, ausverkaufen, liquidieren, schließen *auseinander gehen, s. losreißen, scheiden, s. scheiden lassen, s. trennen, s. verabschieden, verlassen, weggehen, den Rücken kehren *fortziehen, hinziehen, übersiedeln, wegziehen, den Wohnsitz verlegen *s. verlaufen, s. verteilen, s. zerstreuen, auseinander gehen *s. verflüchtigen
Auflösung: Abwicklung, Liquidation, Stilllegung *Abschaffung, Annullierung, Aufhebung, Beseitigung, Einstellung *Ehescheidung, Scheidung, Trennung *Abbau, Abbruch, Demontage, Zerlegung, Zerteilung, Zertrennung *Fäulnis, Verfall, Verwesung, Zerfall, Zersetzung *Antwort, das Auflösen, Lösung
aufmachen: eröffnen, gründen *aufknacken, aufreißen, aufschlagen, aufschließen, aufsperren, auftun, erbrechen, öffnen *aufbinden, aufknoten, aufknüpfen, lösen *aufblättern, aufschlagen, öffnen *achten, beachten, Acht geben, aufpassen, zuhören ***s. aufmachen:** ziehen, davonziehen, gehen, weggehen, fortgehen, scheiden, verlassen *s. aufputzen, s. auftakeln, s. herausmachen, s. herausstaffieren, s. putzen
Aufmachung: Aufzug, Ausschmückung, Ausstattung, Dekor, Gestaltung
Aufmarsch: Demonstration, Kundgebung *Defilee, Heeresschau, Parade, Vorbeimarsch *Mobilisierung
aufmarschieren: demonstrieren, auf die Straße gehen *s. sammeln *mobilisieren
aufmerken: aufhorchen, aufpassen, staunen, stutzen, aufmerksam werden, die Augen aufmachen, stutzig werden *achten (auf), Acht geben, annehmen, aufpassen, beachten, befolgen, beobachten, s. konzentrieren, s. sammeln, zuhören

aufmerksam: angespannt, andächtig, angestrengt, dabei, gegenwärtig, gesammelt, gespannt, interessiert, konzentriert, lernbegierig, lerneifrig, umsichtig, unabgelenkt, wachsam *achtsam, hellhörig, wachsam *entgegenkommend, fein, galant, gefällig, höflich, manierlich, nett, pflichtschuldigst, ritterlich, rücksichtsvoll, vornehm, zuvorkommend

Aufmerksamkeit: Achtsamkeit, Andacht, Anspannung, Augenmerk, Konzentration, Sammlung *Anteil, Anteilnahme, Interesse, Nachfrage *Anstand, Artigkeit, Gefälligkeit, Hilfsbereitschaft, Höflichkeit, Ritterlichkeit, Takt, Taktgefühl, Zuvorkommenheit *Achtsamkeit, Wachsamkeit *Gabe, Gastgeschenk, Geschenk, Mitbringsel, Präsent, Schenkung, Spende

aufmöbeln: aufpeitschen, beleben, Stimmung heben *renovieren, restaurieren, verbessern

aufmucken: s. aufbäumen, aufbegehren, s. auflehnen, s. empören, kritisieren, meutern, murren, opponieren, protestieren, revoltieren, s. sträuben, trotzen, s. widersetzen

aufmuntern: ablenken, aufheitern, erheitern, zerstreuen *anregen, auffordern, befürworten, bestärken, ermuntern, ermutigen, zuraten, zureden

Aufmunterung: Ablenkung, Aufheiterung, Erheiterung, Zerstreuung *Anregung, Aufforderung, Befürwortung, Bestärkung, Ermunterung, Ermutigung, Rat

aufmüpfig: aufsässig, bockig, eigensinnig, fest, finster, radikal, rechthaberisch, renitent, starrsinnig, störrisch, stur, trotzig, unbelehrbar, unbotmäßig, unerbittlich, unfolgsam, ungehorsam, unnachgiebig, unzugänglich, verschlossen, verstockt, widerborstig, widersetzlich

aufnähen: anbringen, anheften, applizieren, aufflicken, aufheften, aufsetzen, aufsteppen

Aufnahme: Audienz, Empfang, Staatsempfang, Visite *Aufzeichnung, Bandaufnahme, Magnetbildaufnahme, Tonbandaufnahme *Anknüpfung, Herstellung *Bild, Foto, Fotografie, Schnappschuss *Anmelderaum, Anmeldung, Vorraum *Direktsendung, Sendung *Annahme, Anstellung, Einstellung, Übernahme *Einlieferung, Übernahme *Resorption *Erfassung, Übernahme

aufnahmebereit: ansprechbar, aufgelegt, aufgeschlossen, aufgetan, aufnahmefähig, aufnahmewillig, disponiert, empfänglich, geneigt, gestimmt, geweckt, interessiert, offen, zugänglich

aufnahmefähig: rezeptiv

Aufnahmefähigkeit: Auffassungsgabe, Auffassungskraft, Aufnahmevermögen, Fassungsvermögen, Kapazität, Rezeptivität *Aufnahmevermögen, Fassungsvermögen, Inhalt, Kapazität

aufnehmen: fotografieren, eine Aufnahme machen, ein Bild machen *abdrehen, drehen, filmen, einen Film machen *anstacheln, versammeln *mit hineinnehmen, mit einbeziehen *aufheben, heraufholen, hochheben *auffassen, begreifen, erfassen, lernen *annehmen, zulassen, Aufnahme gewähren *anfangen, anknüpfen, beginnen *Acht haben, bemerken, beobachten, sehen *resorbieren *abfassen, anmerken, notieren, aufschreiben, aufzeichnen, festhalten, formulieren, niederschreiben, texten, verfassen, vermerken, zusammenstellen *leihen, ausleihen, borgen, pumpen *behausen, beherbergen, hereinlassen, logieren, unterbringen, Asyl gewähren, Unterkunft bieten, Asyl bieten, Aufnahme bieten, Obdach bieten, Gastfreundschaft gewähren

aufnötigen: andrehen, aufdrängen, aufoktroyieren, aufschwatzen, aufzwingen

aufopfern (s.): s. abarbeiten, s. hingeben, s. opfern

aufopfernd: aufopferungsvoll, entbehrungsreich, entbehrungsvoll, entsagungsvoll, selbstlos, uneigennützig

Aufopferung: Eifer, Einsatz, Einsatzbereitschaft, Engagement, Entsagung, Fleiß, Hingabe, Hingebung, Idealismus, Nächstenliebe

aufpacken: aufbrummen, aufbuckeln, aufhalsen, aufladen, auflasten, auflegen, belasten, auf die Schultern laden *aufmachen, öffnen

aufpäppeln: beistehen, betreuen, helfen, hüten, umhegen, umsorgen, warten, Fürsorge angedeihen lassen, Pflege angedeihen lassen
aufpappen: anleimen, aufkleben, aufleimen, (auf etwas) kleben
aufpassen: achten, Acht geben, Acht haben, annehmen, aufmerken, beachten, s. konzentrieren, s. merken, s. sammeln, s. spitzen, wachen, zuhören, aufmerksam sein *wachen, Wache schieben, Wache stehen, Posten schieben
Aufpasser: Aufseher, Aufsicht, Aufsichtsperson, Bewacher, Wärter *Begleiter, Begleitperson, Begleitung, Kurschatten, Schatten, Weggefährte, Weggenosse
aufpeitschen: anfachen, animieren, anregen, anreizen, aufmöbeln, aufputschen, aufregen, beleben, dopen, steigern, stimulieren *aufwühlen, stürmen, toben, wüten *in Aufruhr bringen ***s. aufpeitschen:** s. aufmöbeln, s. aufputschen, s. dopen
aufplatzen: aufbersten, aufspringen, bersten, s. entladen, explodieren, implodieren, losgehen, s. öffnen, zerbersten, zerknallen, zerplatzen, zerspringen
aufplustern: aufbauschen, aufblähen, aufblasen, aufschwellen, auftreiben, ausfüllen, blähen ***s. aufplustern:** angeben, aufschneiden, s. aufspielen, großtun, prahlen
aufprägen: aufdrücken, aufpressen, aufstempeln
Aufprall: Aufschlag, Aufstoß, Karambolage, Kollision, Zusammenprall, Zusammenstoß
aufprallen: auffallen, aufschlagen, aufstoßen, auftreffen, prallen, gegen etwas fahren
Aufpreis: Agio, Aufgeld, Aufschlag, Mehrpreis, Zuschlag
aufpressen: aufdrücken, aufprägen, aufstempeln
aufpumpen: aufblähen, aufblasen, aufmuntern, auftreiben, mit Gas füllen, mit Luft füllen
aufputschen: anfachen, animieren, anregen, anreizen, aufmöbeln, aufpeitschen, aufpulvern, aufregen, beleben, dopen, steigern, stimulieren, in Fahrt bringen
Aufputschmittel: Anabolika, Anregungsmittel, Dopingmittel, Reizmittel, Stimulans, Wachstumshormone
aufquellen: anschwellen, ansteigen, anwachsen, auftreiben, s. ausdehnen, ausweiten, quellen, zunehmen, über die Ufer treten *aufbrodeln, aufsteigen, emporsteigen, emporwallen
aufraffen: ermuntern, helfen, unterstützen *aufheben, aufklauben, auflesen, aufnehmen, aufsammeln, aufstehen ***s. aufraffen:** s. aufschwingen, s. ermannen (zu), s. überwinden, s. zwingen, s. einen Stoß geben, es über sich bringen *s. aufschwingen, s. entscheiden, s. entschließen, s. überwinden, s. schlüssig werden, einen Entschluss fassen
aufragen: anstreben, s. aufbauen, aufstreben, s. auftürmen, emporragen, s. erheben, ragen, gen Himmel ragen
aufragend: aufrecht, senkrecht, stehend, steil *hoch
aufrappeln (s.): aufleben, s. erholen, erstarken, genesen, gesunden, s. herausmachen, s. hochrappeln, s. kräftigen, s. regenerieren, zu Kräften kommen, auf die Beine kommen *hochkommen, wieder zu sich kommen, wieder ein Mensch werden *s. am Riemen reißen, s. anstrengen, s. aufraffen, s. einen Ruck geben, s. überwinden, s. zusammenreißen
aufrauen: aufkratzen, rauen, rau machen *aufpeitschen, aufwühlen, stürmen, toben
aufräumen: beseitigen, entrümpeln, ordnen, richten, zusammenstellen, in Ordnung bringen, Ordnung machen, Ordnung schaffen
aufrecht: aufgerichtet, gerade, kerzengerade, stocksteif *festbleibend, mutig, standhaft, unbeugsam, unerschütterlich, nicht nachgebend *achtbar, bieder, charakterfest, ehrenfest, ehrenhaft, ehrsam, hochanständig, lauter, rechtschaffen, sauber, unbestechlich, wacker *lotrecht, seiger, senkrecht, vertikal
aufrechterhalten: behalten, behaupten, beibehalten, erhalten, festhalten (an etwas), halten, wach halten, (weiterhin) bestehen lassen, am Leben halten, eingeschworen sein (auf etwas)

aufregen: aufbringen, aufreizen, aufführen, aufwühlen, elektrisieren, ereifern, erhitzen, erregen, in Fahrt bringen, wütend machen *belästigen, nerven, stören ***s. aufregen:** s. echauffieren, s. empören, s. entrüsten, s. ereifern, s. erregen, wütend werden

aufregend: anstrengend, aufreibend, beschwerlich, ermüdend, mühevoll, mühsam, mühselig, nervenaufreibend *interessant, spannend *anmutig, anziehend, attraktiv, aufreizend, betörend, bezaubernd, charmant, gewinnend, hübsch, liebenswert, reizend, reizvoll, sympathisch, toll

Aufregung: Aufgeregtheit, Aufruhr, Emotion, Erregung, Gemütsbewegung, Hysterie, Reisefieber, Stimulation, Überreizung, Überspanntheit, blinder Alarm *Auflösung, Desorientierung, Konfusion, Kopflosigkeit, Panik, Verblüfftheit, Verdutztheit, Verwirrung, Wirrheit

aufreiben: besiegen, bezwingen, fertig machen, niederringen, ruinieren, vernichten, zermürben, zerreiben, kampfunfähig machen *verletzen, wund reiben ***s. aufreiben:** s. anstrengen, s. bemühen, s. etwas abverlangen, s. fordern, s. placken, s. plagen, s. quälen, s. schinden

aufreibend: anstrengend, aufregend, beschwerlich, ermüdend, mühevoll, mühsam, mühselig, nervenaufreibend, schwer, schwierig, strapaziös

aufreihen: auffädeln, aufziehen, reihen, auf einen Faden ziehen *aufstellen, hintereinander stellen, eine Reihe bilden

aufreißen: auslüften, belüften, durchlüften, lüften, öffnen *aufbrechen, aufsperren, öffnen *erneuern, renovieren *s. verletzen *aufhellen, aufklaren, aufklären, lichten

aufreizen: betören, entflammen, erregen *anstacheln, anstiften, antreiben, aufputschen, aufstacheln, aufwiegeln, fanatisieren, hetzen, hintertreiben, schüren, verhetzen

aufreizend: anmutig, anziehend, attraktiv, aufregend, betörend, bezaubernd, charmant, gewinnend, hübsch, liebenswert, reizend, reizvoll, sympathisch, toll *aufrührerisch, aufwieglerisch, hetzerisch, provokatorisch, scharfmacherisch, verleumderisch

aufrichten: aufsetzen, emporrichten, hochbauen, hochrichten, hochzerren *erbauen, erheben, stärken, trösten, Trost spenden, Trost bieten, Trost verleihen, Trost gewähren, Trost zusprechen *anhäufen, aufhäufen, aufschichten, aufstapeln, stapeln *helfen, stützen *hochheben *bauen, aufbauen, errichten, erstellen, hochziehen ***s. aufrichten:** aufstehen, aufstützen, s. erheben

aufrichtig: ehrlich, freiheraus, freimütig, gerade, geradeheraus, glattweg, offen, offenherzig, rückhaltlos, unverhohlen, unverhüllt, vertrauenswürdig, wahr, wahrhaft, wahrhaftig, zuverlässig

Aufrichtigkeit: Ehrlichkeit, Freimut, Freimütigkeit, Geradlinigkeit, Lauterkeit, Offenheit, Offenherzigkeit, Unverblümtheit, Zuverlässigkeit

aufrollen: behandeln, darlegen, wiederaufnehmen *aufspulen, aufwickeln, rollen, spulen *aufdecken, bloßlegen, demaskieren, durchschauen, enthüllen, entlarven, entschleiern *abrollen, auseinander rollen, entrollen *aufspulen, aufwickeln, wickeln, zusammenrollen

aufrücken: befördern, höher stufen *auffahren, aufschließen, s. nähern

Aufruf: Appell, Aufforderung, Aufgebot, Proklamation

aufrufen: appellieren, auffordern, bewegen, mahnen *nennen, sagen *drannehmen, sprechen lassen

Aufruhr: Aufstand, Durcheinander, Empörung, Krawall, Revolution, Tumult, Unruhen, Wirren

aufrühren: aufregen, aufreihen, aufwühlen *aufwärmen, auskramen, hervorholen

Aufrührer: Aufständischer, Bürgerschreck, Empörer, Neuerer, Rebell, Reformator, Revolutionär, Terrorist, Umstürzler, Verschwörer

aufrührerisch: aufbegehrend, auflehnend, aufsässig, aufständisch, aufwieglerisch, rebellisch, revoltierend, subversiv, umstürzlerisch, zersetzend, zerstörerisch

aufrunden: abrunden, (nach oben) runden

aufrüsten: s. bewaffnen, mobilisieren, mobil machen, nachrüsten, rüsten
Aufrüstung: Bewaffnung, Mobilmachung, Rüstung
aufrütteln: aufwecken, wachrütteln, wach schütteln, wecken *beabsichtigen, wachrufen, wachrütteln
aufsacken: aufbrummen, aufbuckeln, aufbürden, aufhalsen, aufladen, auflasten, auflegen, aufpacken, belasten, auf die Schultern laden
aufsagen: ableiern, hersagen, herunterbeten, herunterleiern, heruntersagen, leiern, vorleiern, vortragen *kündigen, scheiden, trennen, verlassen, zurücktreten, den Rücken kehren, Abschied nehmen
aufsammeln: absuchen, aufheben, aufklauben, auflesen, aufnehmen, aufraffen, aufsuchen, finden, hochnehmen, klauben, lesen, zusammenklauben, zusammenlesen, zusammennehmen, zusammenraffen
aufsässig: aufmüpfig, bockig, eigensinnig, fest, finster, radikal, rechthaberisch, renitent, starrsinnig, störrisch, stur, trotzig, unbelehrbar, unbotmäßig, unerbittlich, unfolgsam, ungehorsam, unnachgiebig, unzugänglich, verschlossen, verstockt, widerborstig, widersetzlich *aufrührerisch, aufständisch, aufwieglerisch, oppositionell, rebellisch, revoltierend, umstürzlerisch
Aufsatz: Deutschaufsatz, Niederschrift, Schulaufsatz *Abhandlung, Arbeit, Artikel, Beitrag, Bericht, Dissertation, Essay, Feuilleton, Traktat
aufsaugen: absorbieren, aufzehren, beanspruchen, aufgesaugt werden
Aufsaugung: Absorption, Aufzehrung
aufschauen: aufgucken, aufsehen, hochblicken, hochgucken, hochsehen
aufschäumen: s. ärgern, aufbrausen, s. aufregen, s. ereifern, grollen, toben, s. vergessen, wüten, zürnen, die Beherrschung verlieren, aus der Fassung geraten
aufscheinen: ankommen, aufkreuzen, auftreten, emportauchen, erscheinen, hervorkommen, vorkommen, wiedererscheinen, wiedererstehen, aus der Versenkung kommen, zu finden sein
aufscheuchen: aufjagen, aufschrecken, aufstöbern, hochscheuchen
aufscheuern (s.): s. schrammen, s. schürfen, s. verletzen, s. wund reiben
aufschichten: aufspeichern, aufstapeln, auftürmen, stapeln, türmen
aufschiebbar: bedeutungslos, belanglos, irrelevant, unbedeutend, unerheblich, unmaßgeblich, unwichtig, nicht erwähnenswert
aufschieben: aussetzen, hinausschieben, hinauszögern, umdisponieren, verlegen, verschieben, verschleppen, vertagen, verzögern, zurückstellen *aufmachen, öffnen
aufschießen: aufwachsen, s. entwickeln, gedeihen, heranreifen, heranwachsen, reifen, wachsen, erwachsen werden, groß werden
Aufschlag: Manschette *Besatz, Fasson, Revers, Rockaufschlag, Spiegel *Stulpe, Umschlag *Agio, Aufgeld, Aufpreis, Aufzahlung, Erhöhung, Mehrpreis, Zuschlag *Auffahrunfall, Aufprall, Aufstoß, Frontalzusammenstoß, Karambolage, Kollision, Staucher, Zusammenprall, Zusammenstoß
aufschlagen: anziehen, s. verteuern, im Preis steigen, teurer werden *aufklopfen, aufstoßen *aufmachen, aufreißen, aufschließen, aufsperren, aufsprengen, auftun, öffnen *aufblättern, aufklappen, aufmachen, öffnen *aufknallen, aufprallen, aufstoßen, auftreffen
aufschließen: aufmachen, aufreißen, aufschlagen, aufsperren, aufsprengen, auftun, öffnen *auffahren, aufrücken, mithalten, nachrücken, Gas geben *aufbereiten, vorbereiten
Aufschluss: Aufdeckung, Aufhellung, Aufklärung, Auflösung, Auskunft, Bescheid, Einblick, Ermittlung, Klärung
aufschlüsseln: abstufen, aufgliedern, aufteilen, durchgliedern, einordnen, einteilen, fächern, gliedern, klassifizieren, ordnen, paragraphieren, periodisieren, unterteilen
Aufschlüsselung: Abstufung, Aufgliederung, Aufteilung, Einordnung, Einteilung, Fächerung, Gliederung, Klassifikation, Ordnung, Periodisierung

aufschlussreich: beachtenswert, bedeutend, bedeutungsvoll, bemerkenswert, interessant, lehrreich, notwendig, relevant, vielseitig, wichtig
aufschnappen: erhaschen, hören, mitbekommen *abfangen, auffangen, ergreifen, fangen, greifen, haschen
aufschneiden: angeben, s. aufblähen, aufblasen, s. aufspielen, s. brüsten, s. großtun, prahlen, protzen, reinlangen, übertreiben *aufmachen, öffnen *zerlegen, zerteilen, in Stücke schneiden, in Scheiben schneiden
Aufschneider: Angeber, Besserwisser, Gernegroß, Großsprecher, Großtuer, Maulheld, Möchtegern, Münchhausen, Prahler, Prahlhans, Schaumschläger, Wichtigtuer, Windbeutel, Wortheld
Aufschneiderei: Angabe, Angeberei, Aufgeblasenheit, Effekthascherei, Großsprecherei, Mache, Prahlerei, Protzerei, Schaumschlägerei, Wichtigtuerei
aufschneiderisch: angeberisch, dünkelhaft, großsprecherisch, großspurig, großtuerisch, prahlerisch, protzig, wichtigtuerisch
aufschnüren: aufbinden, aufmachen, lösen, öffnen
aufschrauben: aufdrehen, aufmachen, öffnen
aufschrecken: aufjagen, aufscheuchen, hochjagen, verjagen
Aufschrei: Brüller, Hilferuf, Ruf, Schrei
aufschreiben: aufkritzeln, aufzeichnen, niederschreiben, notieren, schreiben, zu Papier bringen, aufs Papier werfen *anmerken, notieren, vermerken, verzeichnen
aufschreien: aufbrüllen, aufkreischen
Aufschrift: Aufdruck, Beschriftung, Bezeichnung, Etikette *Adresse, Anschrift
Aufschub: Verschiebung, Vertagung, das Hinauszögern *Aufenthalt, Aufhaltung, Retardation, Verlangsamung, Verzögerung, Verzug *Bedenkzeit, Frist, Fristverlängerung, Galgenfrist, Gnadenaufschub, Gnadenfrist, Henkersfrist, Prolongation, Verschiebung
aufschürfen (s.): s. aufscheuern, s. aufschrammen, s. verletzen, s. wund reiben
aufschütten: aufhäufeln, aufhäufen, aufschaufeln, aufwerfen, häufen, schichten
aufschwatzen: bearbeiten, bekehren, bereden, beschwatzen, breitschlagen, einwickeln, erweichen, überreden, überzeugen, umstimmen, werben
aufschwellen: ansteigen, anwachsen, aufquellen, auftreiben, s. ausdehnen, ausweiten, quellen, zunehmen, über die Ufer treten
aufschwingen (s.): s. emporschwingen, s. hinaufschwingen, s. hochschwingen, nach oben schwingen *s. beherrschen, s. bezwingen, s. entschließen, s. selbst besiegen, s. überwinden
Aufschwung: Aufstieg, Blüte, Boom, Hochkonjunktur, Konjunktur, Konjunkturaufschwung, Welle *Besserung, Genesung, Genesungsprozess *Elan
aufsehen: aufblicken, aufgucken, aufschauen, emporsehen, hochblicken, hochschauen
Aufsehen: Ärgernis, Aufheben, Eklat, Ereignis, Furore, Medienereignis, Ortsgespräch, Sensation, Skandal, Stadtgespräch ***Aufsehen erregen:** Aufregung verursachen, Aufmerksamkeit erregen, die Aufmerksamkeit auf sich lenken, Beachtung finden, Furore machen, Staub aufwirbeln, Staunen erregen
Aufsehen erregend: abenteuerlich, ansehnlich, auffallend, auffällig, außergewöhnlich, außerordentlich, ausgefallen, beachtlich, bedeutend, bedeutsam, bedeutungsvoll, beeindruckend, beträchtlich, bewundernswert, bewundernswürdig, brillant, eindrucksvoll, einzigartig, enorm, entwaffnend, erstaunlich, fabelhaft, groß, großartig, hervorragend, imponierend, imposant, märchenhaft, nennenswert, ohnegleichen, sagenhaft, sensationell, sondergleichen, spektakulär, stattlich, überragend, überraschend, überwältigend, ungeläufig, ungewöhnlich, unvergleichlich, verblüffend
Aufseher: Aufpasser, Aufsicht, Aufsichtsperson, Bewacher, Ordner, Präfekt, Wärter, der Aufsichtsführende *Kapo
aufsetzen: berühren, landen, niedergehen, notlanden, wassern, zur Landung ansetzen *aufstellen, auf den Herd

stellen *abfassen, anmerken, aufnehmen, notieren, aufschreiben, eintragen, entwerfen, formulieren, hinschreiben, niederschreiben, protokollieren, texten, verfassen, vermerken, verzeichnen, zusammenstellen, ins Unreine schreiben *anziehen, aufstülpen, bedecken *auftischen, auftragen, servieren *Gehörn bilden, Geweih bilden ***s. aufsetzen:** s. aufrecht setzen, s. aufrichten, s. erheben
Aufsicht: Beaufsichtigung, Bewachung, Kontrolle, Überwachung, Zensur *Draufsicht, Perspektive *Aufsichtsperson, der Aufsichtsführende
aufsichtslos: allein, frei, selbständig, unbeaufsichtigt, unbeobachtet, unbewacht, unkontrolliert, für sich, ohne Aufsicht
aufsitzen: aufbleiben, nicht schlafen gehen, wach bleiben *aufrecht sitzen *festsitzen, stranden, auf Grund (gelaufen) sein *hereinfallen, reinfliegen, überlistet werden, hereingelegt werden, betrogen werden, angeschmiert werden, getäuscht werden, reingelegt werden *aufsteigen, besteigen, s. hinaufschwingen, s. in den Sattel schwingen
aufspalten: auseinander nehmen, durchhacken, durchspalten, spalten, spleißen, trennen, zerlegen
aufspannen: ausbreiten, entfalten, öffnen, spannen, spannend ziehen
aufsparen: aufheben, erübrigen, reservieren, sparen, speichern, zurückhalten, zurücklegen, beiseite legen
aufspeichern: horten, speichern, zusammenhalten, zusammenraffen
aufsperren: aufmachen, aufschließen, aufsprengen, auftun, öffnen
aufspielen: musizieren, spielen, Musik machen ***s. aufspielen:** angeben, s. aufblähen, s. aufblasen, s. aufplustern, s. herausstreichen, prahlen, s. wichtig machen, wichtig tun
aufspießen: anspießen, anstechen, aufgabeln
aufsprengen: aufbrechen, auseinander reißen, gewaltsam öffnen
aufspringen: s. aufrecken, s. aufrichten, s. aufschnellen, aufsetzen, aufstehen, aufwachen, s. erheben, erwachen, wach werden *aufbrechen, aufplatzen, s. auftun, bersten, s. entfalten, s. erschließen, s. öffnen, platzen, springen, rissig werden, Risse bekommen
aufspulen: aufhaspeln, aufrollen, aufwickeln, entrollen
aufspüren: antreffen, auffinden, aufgabeln, aufstöbern, auftreiben, ausmachen, begegnen, entdecken, ermitteln, feststellen, finden, sehen, stoßen (auf), treffen, vorfinden, auf die Spur kommen, ausfindig machen, in Erfahrung bringen
aufstacheln: anfeuern, anspornen, anstacheln, anstiften, antreiben, anzetteln, aufhetzen, einheizen, reizen
Aufstand: Auflehnung, Aufruhr, Ausschreitung, Bürgerkrieg, Empörung, Erhebung, Freiheitskampf, Gewaltakt, Komplott, Krawall, Meuterei, Putsch, Rebellion, Revolte, Revolution, Staatsstreich, Tumult, Übergriff, Unruhen, Unterwanderung, Verschwörung, Volksaufstand, Volkserhebung
aufständisch: aufrührerisch, aufsässig, aufwieglerisch, oppositionell, rebellisch, revoltierend, umstürzlerisch
Aufständische: Anarchisten, Aufrührer, Hetzer, Meuterer, Partisanen, Putschisten, Rädelsführer, Rebellen, Umstürzler, Verschwörer
aufstapeln: aufschichten, aufspeichern, auftürmen, stapeln, türmen
aufstauen: ansammeln, andämmen, anhäufen, anstauen, aufdämmen, sammeln, speichern
aufstecken: aufbinden, hochstecken, nach oben stecken *erreichen, gewinnen *beschließen, abbrechen, aufgeben, aufhören, aussteigen, beenden, einstellen, schließen,
aufstehen: s. aufraffen, s. aufrichten, aufschnellen, aufspringen, aufsteigen, s. erheben, s. von den Plätzen erheben, das Bett verlassen *s. aufbäumen, aufbegehren, s. empören, s. erheben, protestieren, rebellieren, revoltieren, s. widersetzen, auf die Barrikaden steigen, Protest erheben, Sturm laufen
aufsteigen: besteigen, betreten, einsteigen, zusteigen *arrivieren, aufrücken, avancieren, emporsteigen, hinaufsteigen, hochkommen, hochklettern, klettern,

vorwärts kommen, etwas werden *s. aufrichten, aufspringen, aufstehen, s. erheben, das Bett verlassen *aufschwingen, s. verbessern *aufrücken, höher eingestuft werden, befördert werden *entstehen, lebendig werden *ansteigen, emporsteigen, hochgehen, hochsteigen

aufstellen: benennen, nennen, nominieren, vorschlagen *vereinigen, zusammenstellen *notieren, festhalten, formieren *auffahren, in Stellung bringen *s. hinstellen, s. formieren, s. postieren, s. stellen *bauen, gründen *aufbauen, aufrichten, aufschlagen, bauen, montieren, zusammenbauen *anlegen, anordnen, arrangieren, aufbauen, gliedern, gruppieren, zusammensetzen, zusammenstellen ***s. aufstellen:** antreten, s. aufbauen, s. formieren, s. gruppieren, s. platzieren, s. postieren

Aufstellung: Aufbau, Aufführung, Aufrichtung, Bau, Erbauung, Errichtung *Benennung, Ernennung, Nominierung *Bildung, Formierung, Zusammenstellung *Platzierung, Postierung

Aufstieg: Avancement, Beförderung, Blitzkarriere, Emporkommen, Entfaltung, Fortkommen, Rangerhöhung, Vorwärtskommen *Gehaltserhöhung, Lohnaufbesserung, Zulage, Zuschlag *Bergbesteigung, Bergfahrt, Bergwanderung, Besteigung, Gipfelfahrt, Hochtour *Leiter, Staffel, Stufen, Treppe *Ansteigen, Höhenunterschied, Schräge, Steigung *Aufschwung, Aufwärtsentwicklung, Blüte, Boom, Hoch, Hochkonjunktur, Konjunktur, Welle, Wirtschaftsaufschwung

aufstöbern: antreffen, aufscheuchen, aufspüren, ausmachen, begegnen, entdecken, ermitteln, finden, herausbekommen, herausfinden, herauskriegen, lokalisieren, orten, sehen, wiedersehen, stoßen (auf)

aufstocken: ausdehnen, erhöhen, steigern, vergrößern, verstärken

aufstoßen: aufbrechen, aufschlagen, öffnen *hochkommen, rülpsen *s. anstoßen, s. schrammen, s. verletzen, s. verwunden

aufstrahlen: aufblenden, aufblinken, aufblitzen, aufflammen, auffunkeln, aufleuchten, aufscheinen, erglimmen, erglühen, erstrahlen, fluoreszieren, leuchten, phosphoreszieren

aufstreben: s. aufrecken, s. aufrichten, aufstehen *vorwärts streben, Karriere suchen, Erfolg suchen *aufragen, s. auftürmen, emporragen, s. erheben, gen Himmel ragen, in den Himmel ragen

Aufstrich: Belag, Brotbelag

aufstülpen: aufkrempeln, aufrollen, aufstreifen, hochkrempeln, hochstreifen, stülpen, überstülpen, umkrempeln, umschlagen, umstülpen

aufstützen (s.): s. auf etwas stützen *s. aufrichten, aufstehen, s. erheben

aufsuchen: sammeln, aufsammeln, aufheben, aufklauben *ergründen, ermitteln, eruieren, herausfinden, nachlesen, nachschauen, nachschlagen, orten, suchen, etwas nachgehen, ausfindig machen *s. begeben (nach), besuchen, hereinschauen, vorbeikommen, einen Besuch machen, Visite machen

auftafeln: anbieten, anrichten, auftischen, auftragen, bedienen, servieren, vorlegen, vorsetzen

auftakeln: betakeln, mit Takelwerk ausstatten ***s. auftakeln:** s. aufdonnern, s. aufputzen, s. fein machen, s. herausputzen, s. schminken, s. schön machen, s. zurechtmachen

Auftakt: Anbeginn, Anbruch, Anfang, Ausbruch, Beginn, Eintritt, Eröffnung, Ouvertüre, Startschuss, erster Schritt

auftanken: betanken, füllen, nachfüllen, nachgießen, tanken, voll tanken

auftauchen: ankommen, aufkreuzen, aufscheinen, auftreten, emportauchen, erscheinen, hervorkommen, vorkommen, wiedererscheinen, wiedererstehen, aus der Versenkung ausbrechen, zu finden sein *entstehen, s. entwickeln, herauskommen, hervorgerufen werden *aufblitzen, aufdämmern, aufsteigen, aufwachen, erscheinen, kommen, bewusst werden

auftauen: abtauen, aufschmelzen, enteisen, entfrosten, schmelzen, tauen, wegschmelzen, wegtauen *reden, aus sich herausgehen, die Scheu verlieren, Hem-

mungen verlieren, warm werden, munter werden
aufteilen: abteilen, einteilen, parzellieren, teilen, trennen, verteilen *aufgliedern, aufschlüsseln, einteilen, verteilen
Aufteilung: Abteilung, Einteilung, Parzellierung, Teil, Verteilung *Aufgliederung, Aufschlüsselung, Einteilung, Verteilung
auftischen: anbieten, anrichten, auftafeln, auftragen, aufwarten, bedienen, servieren, vorlegen, vorsetzen *aufhängen, einflüstern, eingeben, einreden, erzählen, suggerieren, weismachen, glauben machen *bezahlen, spendieren *vorhalten
Auftrag: Abonnement, Besorgung, Bestellung, Bezug, Order, Subskription, Vorausbestellung *Anordnung, Anweisung, Aufforderung, Aufgabe, Befehl, Belehrung, Erlass, Gebot, Gesetz, Kannbestimmung, Kannvorschrift, Kommando, Mussbestimmung, Mussvorschrift, Order, Satzung, Statut, Unterrichtung, Verordnung, Vorschrift, Weisung *Aufgabe, Aufsichtspflicht, Bestimmung, Destination, Funktion, Obliegenheit, Pflicht, Schuldigkeit *Berufung, Bestallung, Ruf *Apostolat, Beauftragung, Mandat, Mission, Sendung
auftragen: anfahren, auftafeln, auftischen, bewirten, bringen, reichen, servieren, vorsetzen *anordnen, anweisen, auferlegen, befehlen, bestimmen, festlegen, verfügen *anmalen, fein machen, pudern, schminken, schön machen, zurechtmachen ***dick auftragen:** angeben, s. aufblähen, s. aufblasen, aufschneiden, brüsten, großtun, s. hineinsteigern, hochspielen, prahlen, protzen, reinlangen, überspannen, übertreiben, überziehen, zu weit gehen
Auftraggeber: Besteller, Käufer, Klient, Mandant *Hintermann, Strohmann
auftreffen: aufknallen, aufprallen, aufschlagen, aufstoßen *aufschlagen, fallen (auf), fallen (in)
auftreiben: anschwellen, ansteigen, anwachsen, aufquellen, aufschwellen, s. ausdehnen, ausweiten, quellen, zunehmen, über die Ufer treten *aufbringen, beibringen, beschaffen, besorgen, bringen, heranholen, heranschaffen, herbeiholen, herbeischaffen, holen, organisieren, vermitteln, verschaffen, versorgen, zusammenbringen *antreffen, auffinden, aufgabeln, aufspüren, aufstöbern, ausmachen, begegnen, entdecken, ermitteln, feststellen, finden, sehen, stoßen (auf), treffen, vorfinden, auf die Spur kommen, ausfindig machen, in Erfahrung bringen
auftrennen: aufdrehen, aufdröseln, aufmachen, zerlegen, zertrennen
auftreten: bezeugen, zeugen, als Zeuge auftreten, Zeuge sein *benehmen, s. gebärden, s. geben, s. verhalten, s. zeigen *auftauchen, erscheinen, vorkommen, zu finden sein *belasten, den Fuß aufsetzen
Auftreten: Art, Benehmen, Betragen, Etikette, Form, Haltung, Lebensart, Manieren, Schliff, Sitte, Umgangsformen
Auftrieb: Ermutigung, Mut, Schneid *Ansporn, Aufschwung, Aufwind
Auftritt: Auftreten, Comeback, Debüt, Gastrolle, Gastspiel, Gastvorstellung, Rollendebüt, Start *Aufführung, Darbietung, Erstaufführung, Premiere, Uraufführung, Vorstellung *Nummer, Szene
auftrumpfen: angeben, aufschneiden, s. aufspielen, auftrumpfen, s. brüsten, posaunen, prahlen, renommieren, s. rühmen *s. aufbäumen, aufbegehren, s. auflehnen, aufmucken, aufmucksen, s. empören, s. erheben, meutern, opponieren, protestieren, rebellieren, revoltieren, s. sträuben, trotzen, s. verschwören, s. widersetzen, s. zur Wehr setzen, Gehorsam verweigern, Widerpart bieten
auftun: aufmachen, aufschließen, aufsperren ***s. auftun:** s. erschließen, s. öffnen, sichtbar werden *aufbrechen, aufplatzen, aufspringen, bersten, s. entfalten, s. erschließen, s. öffnen, platzen, springen, rissig werden, Risse bekommen
auftürmen: aufschichten, aufspeichern, aufstapeln, stapeln, türmen ***s. auftürmen:** aufstreben, emporragen, s. erheben, in den Himmel ragen, gen Himmel ragen
aufwachen: aufschrecken, erwachen, die Augen aufmachen, wach werden, mun-

ter werden, zu sich kommen, die Augen aufschlagen
aufwachsen: aufblühen, aufschießen, s. entfalten, s. entwickeln, heranwachsen, flügge werden, groß werden
aufwallen: aufbrodeln, aufdampfen, aufquellen, aufsieden, aufsprudeln, aufsteigen, emporwallen, kócheln
Aufwallung: Aufgeregtheit, Aufregung, Erhitzung, Erregung, Erregungszustand, Wallung, Wut *Hitzewallung
Aufwand: Ausstattung, Extravaganz, Luxus, Pomp, Pracht, Prachtentfaltung, Prunk, Repräsentation, Tamtam, Üppigkeit, Verschwendung, Wohlleben *Aufwendungen, Ausgaben, Auslagen, Diäten, Gebühren, Spesen, Steuer, Tagegeld, Tantiemen, Tribut, Unkosten, Werbungskosten, Zins, Zoll *Einsatz, das Aufwenden
aufwärmen: abbrühen, abkochen, absieden, aufbacken, aufbraten, aufbrühen, aufkochen, aufsieden, brodeln, brühen, erhitzen, garen, sieden, wärmen, ziehen lassen, heiß werden lassen, warm machen, heiß machen *auffrischen, hervorholen, wiederholen, wiederkäuen ***s. aufwärmen:** s. durchwärmen, s. erwärmen, s. warm laufen
aufwarten: bieten, vorführen, vorweisen, zeigen *beehren, besuchen, vorsprechen, einen Besuch abstatten, seine Aufwartung machen *anbieten, anrichten, auftafeln, auftischen, auftragen, bedienen, servieren, vorlegen, vorsetzen
aufwärts: auf, bergan, bergauf, bergwärts, empor, flussauf, flussaufwärts, herauf, hinauf, hoch, stromauf, stromaufwärts, talauf, nach oben ***aufwärts gehen:** s. verbessern, besser werden *hinaufgehen, hinaufsteigen, nach oben steigen, nach oben gehen ***aufwärts steigen:** aufsteigen, hinaufsteigen, emporsteigen, heraufsteigen, hinansteigen, nach oben steigen
aufwaschen: putzen, reinigen, sauber machen, säubern, wischen, rein machen *abspülen, abwaschen, spülen
aufwecken: erwecken, wachrütteln, wecken, munter machen, aus dem Schlaf reißen, wach machen
aufweichen: erschüttern, untergraben, unterminieren, zersetzen, ins Wanken bringen *durchfeuchten, durchweichen, weich machen, weich werden
aufweisen: angehören, bergen, besitzen, enthalten, haben, in sich tragen, verfügen (über) *demonstrieren, dokumentieren, zeigen
aufwenden: aufbieten, daransetzen, dransetzen, einsetzen, hineinstecken, investieren, mobilisieren, reinstecken
aufwendig: kostspielig, teuer, überteuert, unbezahlbar, unerschwinglich *luxuriös, prächtig, prunkvoll
aufwerfen: lockern, locker machen *aufhäufen, aufschütten *erwähnen, zur Diskussion bringen, zur Sprache bringen *s. aufspielen *aufstoßen, öffnen *erheben
aufwerten: erhöhen, steigern, eine Aufwertung vornehmen *achten, anerkennen, hoch schätzen, loben, würdigen
Aufwertung: Erhöhung *Achtung, Anerkennung, Hochschätzung, Lob, Würdigung
aufwickeln: aufrollen, aufspulen, spulen *aufpacken, auseinander wickeln, auspacken, auswickeln, enthüllen *aufkrempeln, aufstülpen, hochstreifen
aufwiegeln: anheizen, anstacheln, aufhetzen, aufreizen, beunruhigen, fanatisieren, hetzen, verhetzen
Aufwiegelung: Aufhetzung, Aufputschung, Fanatisierung
aufwiegen: egalisieren, gutmachen, kompensieren, wettmachen, die Waage halten, gegeneinander aufrechnen
Aufwiegler: Demagoge, Fantast, Hetzer, Hetzredner, Volksverhetzer
aufwieglerisch: aufrührerisch, fanatisierend, hetzerisch, provokatorisch
aufwirbeln: aufrühren, aufstieben, hochwirbeln
aufwischen: ausputzen, putzen, wischen, wegwischen, reinigen, sauber machen, säubern, schrubben
aufwühlen: aufbringen, beunruhigen, bewegen, ergreifen, erregen, erschüttern *aufpeitschen, aufrauen, stürmen, toben
aufzahlen: dazulegen, drauflegen, hinzuzahlen

aufzählen: aufblättern, herblättern, herzählen, zählen *auflisten, aufschreiben *erwähnen, sagen
Aufzahlung: Zuschlag
Aufzählung: Auflistung, Bericht, Erwähnung, Zusammenfassung *Zitat, Zitierung
aufzäumen: zäumen, den Zaum anlegen, mit einem Zaum versehen
aufzehren: aufessen, essen, verbrauchen ***s. aufzehren:** s. abmühen, s. abrackern, s. plagen, s. verausgaben, s. verbrauchen
aufzeichnen: aufreißen *abfassen, aufschreiben, niederschreiben, notieren, skizzieren, verfassen *aufnehmen, auf Tonband aufnehmen, eine Schallplattenaufnahme machen
Aufzeichnung: Abfassung, Anfertigung, Formulierung, Manuskript, Niederschrift, Protokoll *Aufnahme, Plattenaufnahme, Tonaufnahme
aufzeigen: anzeigen, aufdecken, aufklären, aufrollen, aufwickeln, auspacken, bloßlegen, darlegen, demaskieren, durchschauen, enthüllen, entlarven, entschleiern, exhibieren, nachweisen, offen legen, vorzeigen, ans Licht bringen, an den Tag bringen, Licht in etwas bringen, zur Schau stellen *belegen, beweisen, bezeugen, nachweisen *demonstrieren, dokumentieren, zeigen, vor Augen führen *darlegen, entwickeln, erklären, veranschaulichen, vorführen
aufziehen: aufspannen, befestigen, bespannen, beziehen *ärgern, ausspotten, foppen, hänseln, hochnehmen, höhnen, necken, spötteln, spotten, witzeln *einrollen, hochmachen, hochziehen, zusammenrollen *gestalten, machen, tun, unternehmen *aufmachen, öffnen *kommen, herankommen, aufkommen, s. entwickeln, heraufziehen, s. nahen, s. nähern, s. zusammenballen, s. zusammenziehen *s. aufstellen *aufpäppeln, aufzüchten, ernähren, füttern, großziehen, heranziehen, hochbringen *anpflanzen, ansäen, aufwachsen, aussäen, bebauen, bepflanzen, bestellen, bewirtschaften, großziehen, kultivieren, legen, pflanzen, säen, setzen, stecken, umpflanzen, umtopfen, verpflanzen
Aufzucht: Anzucht, Deckung, Kreuzung, Kultur, Neuzüchtung, Zucht, Züchtung
aufzüchten: aufpäppeln, aufziehen, ernähren, füttern, großziehen, heranziehen, hochbringen
Aufzug: Fahrstuhl, Lift, Paternoster *Äußeres, Ausstaffierung, Ausstattung, Dekor, Dress, Garderobe, Kleidung, äußere Aufmachung *Akt, Auftritt, Bild, Szene *Prozession, Umzug, Zug
aufzwingen: aufdrängen, aufoktroyieren, diktieren, oktroyieren
Auge: Adlerauge, Augapfel, Augenlicht *Blick, Instinkt, Scharfsichtigkeit, Sehvermögen, Spürsinn
Augenblick: Minute, Moment, Sekunde, Weilchen, Weile *Chance, Gelegenheit, Möglichkeit, Zeitpunkt ***im Augenblick:** augenblicklich, flugs, geradewegs, momentan, postwendend, prompt, schnellstens, sofort, sogleich, unmittelbar, unverzüglich, auf Anhieb, auf der Stelle *eben, soeben, aktuell, augenblicklich, eben, heute, jetzt, just, justament, momentan, nun, gerade (eben), im Moment, zur Stunde, zur Zeit
augenblicklich: derzeit, eben, gegenwärtig, gerade, heute, jetzt, momentan, soeben, am heutigen Tage, im Augenblick, im Moment, zur Zeit, zur Stunde *episodisch, temporär, vergänglich, vorübergehend, zeitweilig, für einen kurzen Augenblick, kurze Zeit, von kurzer Dauer *alsbald, augenblicks, direkt, flink, flugs, geradewegs, gleich, momentan, postwendend, prompt, schleunigst, schnellstens, schnurstracks, sofort, sogleich, spornstreichs, stracks, umgehend, ungesäumt, unmittelbar, unverweilt, unverzüglich, auf Anhieb, auf der Stelle, im Augenblick, eilenden Fußes, ohne Verzögerung, ohne Verzug, ohne Aufschub, ohne Aufenthalt, im Nu, im Handumdrehen, auf einen Ruck, lieber heute als morgen
augenfällig: auffallend, aufgelegt, augenscheinlich, ausgemacht, blank, deutlich, eklatant, ersichtlich, evident, flagrant, offenbar, offenkundig, offensichtlich, sichtbar, sichtlich
Augengläser: Brille, Gläser

Augenlicht: Sehkraft, Sehstärke, Sehvermögen, Sicht
Augenmerk: Achtsamkeit, Andacht, Anspannung, Aufmerksamkeit, Konzentration *Ziel
Augenschein: Wahrnehmung, das Anschauen, das Wahrnehmen *Anblick, Ansicht, Optik, Sicht *Anschein, Aussehen, Schein
augenscheinlich: auffallend, aufgelegt, augenfällig, ausgemacht, blank, deutlich, eklatant, ersichtlich, evident, flagrant, offenbar, offenkundig, offensichtlich, sichtbar, sichtlich
Augenspiel: Mienenspiel, Zublinzeln, heimliche Zeichen
Augenweide: Genuss, Hochgenuss, Lust, Vergnügen, Wohlgefühl, Wonne, erfreulicher Anblick
Auktion: Verkauf, Versteigerung
Aureole: Erhabenheit, Feierliches, Würde *Glorie, Glorienschein, Gloriole, Heiligenschein
aus: gewesen, passé, um, verflossen, vergangen, vergessen, verwichen, vorbei, vorüber, zurückliegend *angesichts, aufgrund, dank, durch, infolge, kraft, wegen, auf Grund *von … her *beschaffen, zusammengesetzt ***aus sein:** zu Ende sein, beendet sein, erloschen sein *ausgeschaltet sein, abgeschaltet sein, abgedreht sein *ausgegangen sein
ausarbeiten: anlegen, entwerfen, erarbeiten, erstellen, konzipieren, planen, skizzieren ***s. ausarbeiten:** s. mühen, s. plagen, s. schinden
Ausarbeitung: Ausführung, Bearbeitung, Tat *Produkt *Manuskript
ausarten: auswuchern, s. entwickeln, zu weit gehen
ausatmen: atmen, aushauchen, auspusten, hecheln, keuchen, schnaufen, stöhnen, den Atem ausstoßen
ausbaden: ausbügeln, büßen, entgelten, gerade stehen (für), herhalten, hinhalten, spüren, wettmachen, wieder gutmachen
ausbalancieren: ausgleichen, beilegen, egalisieren, einrenken, glätten, neutralisieren, schlichten, die Waage halten
Ausbau: Neugestaltung, Renovation, Renovierung, Restaurierung, Umbau, das Ausbauen *Entwicklung, Erweiterung, Festigung, Förderung, Vertiefung *Ausdehnung, Ausweitung, Erweiterung, Vergrößerung
ausbauen: ausweiten, erweitern, verändern, verbreitern, vergrößern *herausbauen, herausmontieren, herausnehmen *entwickeln, erweitern, festigen, fördern, vertiefen
ausbedingen (s.): s. ausbitten, beanspruchen, begehren, bestehen (auf), fordern, heischen, postulieren, verlangen, wollen, eine Forderung erheben, eine Forderung aufstellen *s. vorbehalten
ausbessern: ausflicken, flicken, stopfen, zusammennähen *ausflicken, reparieren, wiederherrichten, wiederherstellen, einen Schaden beseitigen, einen Schaden beheben, etwas in Ordnung bringen, instand bringen, instand setzen
Ausbesserung: Instandsetzung, Reparatur, Schadensregulierung, Wiederherstellung
ausbeulen: ausdehnen, ausweiten, weiten *glätten, reparieren, einen Schaden beheben
Ausbeute: Ergebnis, Ernteertrag, Ertrag *Einnahmen, Erlös, Gewinn, Nettoertrag, Profit, Reineinnahme, Reinerlös, Reinertrag, Rohertrag
ausbeuten: ausplündern, auspressen, aussaugen, ruinieren, jmdn. an den Bettelstab bringen, zugrunde richten, jmdm. den Rest geben *auslasten, ausnutzen, ausnützen, ausschlachten, auswerten, herausholen, verwerten, Nutzen ziehen, zum Nutzen gebrauchen, zunutze machen
Ausbeuter: Aasgeier, Blutsauger, Blutaussauger, Erpresser, Kapitalist, Profitmacher, Wucherer
Ausbeutung: Ausnutzung, Ausplünderung, Ausschlachtung, Auswertung *Nutzbarmachung, Verwertung *Lohnabhängigkeit, Lohnsklaverei
ausbezahlen: abbezahlen, abtragen, abzahlen, auszahlen, begleichen, bezahlen, entrichten, erstatten, finanzieren, honorieren, unterstützen, verauslagen, vergüten, vorlegen, vorschießen, zahlen, zurückerstatten, zuzahlen

ausbilden: anleiten, anweisen, beibringen, belehren, bilden, drillen, einbläuen, eindrillen, einhämmern, einpauken, eintrichtern, erklären, erziehen, exerzieren, helfen, schulen, unterrichten, unterweisen, vormachen, Lebenshilfe geben, Lebenshilfe gewähren
Ausbilder: Anleiter, Instrukteur, Instruktor, Kursleiter, Lehrer, Spieß, Unterrichtender
Ausbildung: Ausbildungszeit, Berufsausbildung, Bildung, Erziehung, Lehre, Lehrjahr, Lehrzeit, Schulausbildung, Schulbildung, Schulung, Studienjahre
ausbitten (s.): erbetteln, erbitten, erflehen *fordern, verlangen *s. etwas ausbedingen, s. etwas vorbehalten, etwas zur Bedingung machen
ausblasen: auslöschen, auspusten, löschen *reinigen, säubern *töten *entschlafen, sterben
ausbleiben: nicht eintreffen, nicht eintreten, nicht kommen, s. nicht ereignen *fehlen, fernbleiben, schwänzen, wegbleiben, abwesend sein, fort sein, anderwärts sein
ausblenden: ausstreichen, herausnehmen, streichen ***s. ausblenden:** abschalten, beenden, vergehen
Ausblick: Anblick, Aussicht, Blick, Durchblick, Durchsicht, Fernblick, Fernsicht, Panorama, Sicht
ausbooten: abbauen, absägen, abservieren, absetzen, entfernen, entlassen, entmachten, entthronen, feuern, kaltstellen, kündigen, stürzen, suspendieren, verabschieden, verdrängen, des Amtes entheben, des Amtes entkleiden *an Land setzen, an Land bringen
ausborgen: auslegen, ausleihen, herleihen, leihen, pumpen, überlassen, verauslagen, verborgen, verleihen, vorlegen, vorstrecken, auf Borg geben, zur Verfügung stellen ***s. ausborgen:** s. leihen, s. pumpen, verpfänden, versetzen, Schulden machen, Verbindlichkeiten eingehen, eine Anleihe machen, eine Anleihe aufnehmen, anschreiben lassen
ausbrechen: anfangen, beginnen, entstehen, starten *aufflammen, auflodern, detonieren, entbrennen, s. entladen, explodieren, knallen, losbrechen, zerspringen *s. ausbreiten, s. ergießen, grassieren, s. häufen, hochgehen, rasen, toben, wogen, wüten *s. kaputtlachen, kichern, lachen, losbrüllen, losplatzen, s. totlachen, s. vor Lachen ausschütten *heulen, weinen *spritzen, sprühen, stieben *auskneifen, davonlaufen, durchbrechen, enteilen, entkommen, entspringen, fliehen, flüchten, fortlaufen, türmen, verduften *entfernen, lösen *erbrechen, s. übergeben *schwitzen *s. entfalten ***s. ausbrechen:** abbrechen, s. herausbrechen, s. verletzen, verlieren
Ausbrecher: Ausbrecherkönig, Ausbruchskönig, Ausreißer, Flüchtling
ausbreiten: auflegen, auslegen *s. durchsetzen, übergreifen, s. verbreiten, an Boden gewinnen *aufschlagen *aufdecken, auseinander falten, auseinander legen, hinlegen, zeigen ***s. ausbreiten:** anschwellen, aufschwellen, ausdehnen, ausweiten, expandieren, verbreiten, verbreitern, verdicken, s. vergrößern, weiterentwickeln, zunehmen *s. äußern, reden, schmarren, schwafeln
Ausbreitung: Ausdehnung, Ausweitung, Expansion, Vergrößerung, Weiterentwicklung, Zunahme
Ausbruch: Anfang, Beginn, erster Schritt *Anfall, Entladung, Gefühlsausbruch *Eruption, Explosion, Vulkanausbruch *Entkommen, Flucht
ausbrüten: brüten, glucken, auf den Eiern sitzen *s. ausdenken, aushecken, ausklügeln, ausknobeln, aussinnen, austüfteln, erdenken, erdichten, erfinden, ergrübeln, ersinnen, konstruieren
ausbuddeln: ausgraben, ausmachen, heraustun
ausbügeln: ausbalancieren, ausgleichen, begleichen, beilegen, bereinigen, einrenken, geradebügeln, hinbiegen, regeln, schlichten, wiedergutmachen, zurechtbiegen, zurechtrücken, einer Sache abhelfen, ins Lot bringen, ins Reine bringen *bügeln, glätten, plätten
ausbuhen: auspfeifen, auszischen, buhen, niederschreien, pfeifen, Buh rufen, ein Pfeifkonzert anstimmen, ein Pfeifkonzert veranstalten, seinen Unwillen kundtun

Ausbund: Clou, Gipfel, Inbegriff, Musterbeispiel, Prototyp, Verkörperung
ausbürgern: aussiedeln, ausweisen, expatriieren, umsiedeln, verbannen, des Landes verweisen
Ausbürgerung: Aussiedlung, Ausweisung, Expatriierung, Umsiedlung, Verbannung
ausbüxen: s. absetzen, s. aus dem Staub machen, ausbrechen, davonlaufen, durchbrennen, durchgehen, entfliehen, entkommen, entlaufen, entrinnen, entwischen, fliehen, flüchten, türmen, verschwinden, wegschleichen, das Weite suchen, die Flucht ergreifen, Reißaus nehmen, lange Beine machen, die Fersen zeigen
Ausdauer: Beharrlichkeit, Hartnäckigkeit, Unbeirrbarkeit, Unverdrossenheit, Verbissenheit, Zähigkeit
ausdauernd: beharrlich, hartnäckig, ingrimmig, krampfhaft, unbeirrbar, unbeirrt, unentwegt, unverdrossen, verbissen, zäh
ausdehnen: ausbreiten, ausweiten, entwickeln, erweitern, expandieren, vermehren, weiterentwickeln *erweitern, dehnen, weitern *strecken, verbreitern, vergrößern, verlängern, weiten ***s. ausdehnen:** anschwellen, anwachsen, s. entwickeln, s. erhöhen, expandieren, grassieren, übergreifen, s. verbreiten, seinen Einfluss vergrößern *s. durchsetzen, s. einbürgern, einziehen, überhand nehmen, Verbreitung finden
Ausdehnung: Ausbreitung, Ausweitung, Entwicklung, Erweiterung, Expansion, Vermehrung *Dehnung, Streckung, Verbreiterung, Vergrößerung, Verlängerung, Weitung *Dimension, Größenordnung *Ausbreitung, Breite
ausdenken (s.): ausbrüten, aushecken, ausklügeln, ausknobeln, aussinnen, austüfteln, erdenken, erdichten, erfinden, ergrübeln, ersinnen, konstruieren, s. vorstellen, s. zurechtlegen
ausdiskutieren: abhandeln, behandeln, bereden, besprechen, durchsprechen, klären, untersuchen, in die Breite ziehen, in die Länge ziehen
ausdorren: ausdörren, austrocknen, eintrocknen, trocknen, vertrocknen, (völlig) trocken werden, dürr werden
ausdrehen: abdrehen, abschalten, abstellen, ausmachen
Ausdruck: Bezeichnung, Erbwort, Fremdwort, Füllwort, Lehnwort, Modewort, Neubildung, Neuprägung, Neuschöpfung, Vokabel, Wort *Bestätigung, Beweis, Dokumentation, Kostprobe, Nachweis, Probe *Ausdrucksart, Ausdrucksform, Ausdrucksweise, Schreibart, Schreibweise, Stil *Gesichtsausdruck, Gesichtszug, Miene, Mimik, Zug *Formulierung, Redefigur, Redensart, Redeweise, Redewendung, Wendung *Demonstration, Erklärung, Hinweis, Kundgebung *Betonung, Hervorhebung, Unterstreichung
ausdrücken: äußern, s. auslassen, behaupten, erklären, formulieren, meinen, reden, sprechen, verbalisieren, zum Ausdruck bringen, in Worte fassen *aussagen, bedeuten, besagen, offenbaren, verraten, zeigen *auspressen, auswringen, herausdrücken, herauspressen, pressen *aussprechen, bekunden, bezeigen, bezeugen *ausblasen, ausgießen, auslöschen, ausschlagen, austreten, ersticken, löschen
ausdrücklich: explizite, genau, expressis verbis *bestimmt, entschieden, fest, gemessen, kategorisch, nachdrücklich
Ausdruckskraft: Ausdrucksfähigkeit, Beredsamkeit, Durchschlagskraft, Eindringlichkeit, Kraft, Nachdruck, Überzeugungskraft
ausdruckslos: ausdrucksleer, blass, nichts sagend, unartikuliert, ohne Ausdruck
Ausdrucksmittel: Redefigur, Stilfigur, Stilmittel
ausdrucksvoll: ausdrucksstark, bildreich, dichterisch, expressiv, pathetisch, poetisch, rednerisch, rhetorisch, sprechend, mit Ausdruck *bedeutend, bedeutsam, bedeutungsvoll, inhaltsreich, inhaltsschwer, vielsagend *anschaulich, bildhaft, bildlich, demonstrativ, deutlich, eidetisch, einprägsam, farbig, illustrativ, interessant, lebendig, plastisch, sinnfällig, sprechend, veranschaulichend, verständlich, wirklichkeitsnah

Ausdrucksweise: Darstellungsweise, Diktion, Redeweise, Sprache, Sprechweise, Stil
ausdünsten: ausscheiden, duften, riechen, s. verflüchtigen
Ausdünstung: Absonderung, Ausfluss, Ausscheidung *Duft, Dunst, Geruch *Schweiß, Transpiration
auseinander: entfernt, fort, weg *geteilt, zweigeteilt, defekt, getrennt ***auseinander bauen:** auseinander nehmen, demontieren, trennen, zerlegen ***auseinander bekommen:** auflösen, aufmachen, entwirren, lösen ***auseinander bringen:** entfremden, entzweien, hintertreiben, uneins machen, einen Keil dazwischentreiben ***auseinander fallen:** absterben, s. auflösen, auseinander brechen, aussterben, dahinschwinden, verfallen, verkommen, verloren gehen, verrotten, zerfallen, zusammenbrechen, zugrunde gehen ***auseinander falten:** ausbreiten, auseinander legen, ausspannen, breiten, entfalten, glätten, spannen ***auseinander gehen:** auflösen, austreten, s. empfehlen, s. lösen (von), s. losreißen, scheiden, s. scheiden lassen, s. trennen, s. verabschieden, verlassen, weggehen, Abschied nehmen *differieren, s. unterscheiden, verschieden sein *zunehmen, dick(er) werden ***auseinander halten:** auseinander kennen, sondern, trennen, unterscheiden, einen Unterschied machen, gegeneinander abgrenzen, nicht gleichsetzen ***auseinander jagen:** auflösen, auseinander treiben, separieren, trennen, verjagen, versprengen, vertreiben, wegjagen, wegschicken, wegtreiben, zersplittern, zerstreuen ***auseinander klappen:** aufklappen, aufspannen ***auseinander laufen:** s. auflösen, auseinander gehen, s. entfernen, s. trennen ***auseinander legen:** aufrollen, ausbreiten, auseinander breiten, auseinander falten, entfalten *abbauen, auflösen, auseinander nehmen, demontieren, zerlegen ***auseinander nehmen:** abbauen, abtakeln, abtragen, auflösen, demontieren, teilen, zergliedern, zerlegen, zerpflücken, zerschneiden, zerteilen, zertrennen *beanstanden, besprechen, herabwürdigen, kritisieren, zerreißen ***auseinander reißen:** einreißen, entzweireißen, schleißen, zerfetzen, zerreißen, zerrupfen, zerstückeln ***auseinander rollen:** aufrollen, entrollen, spannen ***auseinander rücken:** trennen, verrücken, verstellen, wegstellen ***auseinander setzen:** teilen, trennen, versetzen ***s. auseinander setzen (mit):** s. befassen, s. beraten, s. besprechen, darlegen, debattieren, diskutieren, durchsprechen, erklären, erörtern, s. streiten ***auseinander treiben:** verjagen, verteilen, wegschicken, zerstreuen
Auseinandersetzung: Fehde, Feindschaft, Feindseligkeit, Gefecht, Hader, Händel, Kampf, Konflikt, Konfrontation, Kontroverse, Polemik, Reiberei, Streit, Streitgespräch, Unfriede, Wortwechsel, Zank, Zerwürfnis, Zwist
auserkoren: auserlesen, ausersehen, auserwählt, elitär, erkoren
auserlesen: edel, erlesen, erstklassig, exquisit, exzellent, hochwertig, kostbar, kultiviert, stilvoll, überragend, unübertrefflich, von bester Qualität *auserkoren, ausersehen, auserwählt, ausgewählt, elitär, erkoren
ausersehen: auslesen, ausmustern, aussieben, aussuchen, befördern, bestimmen, erlesen, ernennen, erwählen, finden, herausfischen, herauslesen, heraussuchen, küren, suchen, wählen
auserwählt: auserkoren, auserlesen, ausersehen, elitär, erkoren *edel, erlesen, erstklassig, exquisit, exzellent, hochwertig, kostbar, kultiviert, stilvoll, überragend, unübertrefflich, von bester Qualität
Auserwählte: Allerliebste, Angebetete, Bekannte, Einzige, Favoritin, Freundin, Geliebte, Gespielin, Herz, Herzallerliebste, Herzblatt, Herzchen, Herzensfreundin, Holde, Liebhaberin, Liebste, Mätresse, Schatz
Auserwählter: Freund, Favorit, Galan, Geliebter, Gespiele, Hausfreund, Herzensdieb, Herzensfreund, Liebhaber, Schatz, der Liebste, der Bekannte, der Herzallerliebste, der Einzige, der Holde
ausfahren: spazieren fahren *liefern, anliefern, hinbringen *herauslassen, her-

ausgleiten lassen *abfahren, s. entfernen, fortfahren *abnutzen, verschleißen *nicht schneiden *hochjagen, voll ausnutzen *herablassen, hinablassen, hinunterlassen

Ausfahrt: Sonntagsausflug, Spazierfahrt, Spritztour, Tour, das Hinausfahren *Abfahrt, Abzweigung *Gartentor, Haustor, Tor

Ausfall: Aderlass, Einbuße, Schaden, Schädigung, Verlust, Verlustgeschäft *Streichung, Wegfall

ausfallen: ausbleiben, wegfallen *herausfallen, herausfliegen *abblasen, absagen, flachfallen, wegfallen, abgesetzt werden, abgeblasen werden, nicht stattfinden

ausfallend: ausfällig, beleidigend, frech, gemein, gewöhnlich, grob, ordinär, primitiv, unflätig, unfreundlich, unhöflich, unverschämt, vulgär

ausfechten: austragen, durchführen, durchkämpfen, zu Ende führen

ausfegen: auskehren, fegen, kehren, sauber machen, säubern, den Boden säubern

ausfeilen: durchfeilen, korrigieren, redigieren, überarbeiten, verbessern, vervollkommnen, feilen (an)

ausfertigen: aufschreiben, ausfüllen, ausstellen

ausfindig machen: antreffen, auffinden, aufgabeln, aufspüren, aufstöbern, auftreiben, ausmachen, begegnen, entdecken, ermitteln, feststellen, finden, sehen, stoßen (auf), treffen, vorfinden, auf die Spur kommen, in Erfahrung bringen

ausfliegen: ausschwärmen, s. entfernen, wegfliegen *spazieren fahren, spazieren gehen, wandern, das Haus verlassen, einen Ausflug machen *heimholen, wegtransportieren *heimschicken, wegschicken, nach Hause schicken

ausfließen: entfließen, entquellen, entströmen, herausfließen, herauslaufen, s. leeren, leer laufen *verfließen

ausflippen: s. abseilen, s. aus dem Staub machen, aussteigen *abfahren (auf), s. begeistern, erglühen, s. erwärmen, Begeisterung empfinden, Begeisterung fühlen, Feuer fangen, in Begeisterung geraten

Ausflucht: Alibi, Ausrede, Ausweg, Entschuldigung, Flucht, Kniff, Notlüge, Rückzieher, Rückzug, Täuschung, Trick, Unwahrheit, Verlegenheitslüge, Vorwand, Winkelzug

Ausflug: Abstecher, Ausfahrt, Landpartie, Lustfahrt, Partie, Sonntagsausflug, Spaziergang, Tour, Trip, Vergnügungsfahrt, Wanderung, Fahrt ins Blaue, Fahrt ins Grüne

Ausfluss: Ablauf, Ablaufrohr, Auslauf *Abscheidung, Absonderung, Ausscheidung, Exkret, Sekret *Auswirkung, Bilanz, Ergebnis, Folge, Resultat, Summe

Ausformung: Ausbau, Ausbildung, Entwicklung, Gestaltung

ausforschen: ausfragen, auskundschaften, ausquetschen, befragen, bohren, fragen, interviewen, recherchieren

Ausforschung: Befragung, Interview, Recherche

ausfragen: ausforschen, aushorchen, auskundschaften, auspressen, ausquetschen, befragen, bohren, fragen, interviewen, nachbohren, recherchieren

ausfressen: anstellen, anstiften, tun, verursachen *aufzehren, verschlingen, vertilgen, leer fressen

Ausfuhr: Außenhandel, Auslieferung, Export, Verkauf

ausführbar: denkbar, durchführbar, erdenklich, gangbar, machbar, möglich, potenziell

ausführen: abwickeln, durchführen, erledigen, gehen, machen, tun, verwirklichen, vollführen, vollstrecken, vollziehen, in die Tat umsetzen *ausliefern, exportieren *wegnehmen *darlegen, erklären *spazieren führen *anfertigen, arbeiten, ausstoßen, auswerfen, bauen, erstellen, erzeugen, fabrizieren, fertigen, herstellen, machen, produzieren, tun, verfertigen

ausführend: exekutiv, vollziehend(e Gewalt)

Ausfuhrhandel: Exporthandel

ausführlich: angelegentlich, breit, eingehend, langatmig, umständlich, vollständig, weitläufig, weitschweifig, wortreich, lang und breit, in extenso

Ausführung: Äußerung, Aussage, Bemerkung, Betrachtung, Darbietung, Darlegung, Darstellung, Demonstration, Überlegung *Abwicklung, Betätigung, Bewerkstelligung, Durchführung, Erledigung, Organisation, Organisierung, Realisierung, Tat, Veranstaltung, Verwirklichung, Vollstreckung, Vollziehung, Vollzug *Ausarbeitung, Bearbeitung, Tat *Darbietung, Darlegung, Darstellung, Demonstration, Erklärung, Illustration *Herstellungsart, Machart

Ausfuhrverbot: Ausfuhrsperre, Embargo, Handelsembargo, Handelssperre, Waffenembargo

ausfüllen: ausfertigen, beschreiben, einsetzen, eintragen, voll schreiben *überbrücken, zubringen *s. aufbauschen, aufblähen, s. bauschen, s. blähen *erfüllen, innerlich befriedigen *(gut) versehen, gute Arbeit leisten *dichtmachen, schließen, zuschütten

Ausgabe: Aushändigung, Austeilung, Vergabe, Verteilung, das Ausgeben, das Austeilen *Aufwand, Auslage, Geldaufwand, Kosten, Spesen, Unkosten, (finanzielle) Aufwendung *Auflage, Bearbeitung, Edition, Herausgabe, Publikation, Publizierung, Veröffentlichung

Ausgang: Weggang *Abschluss, Ausklang, Beendigung, Ende, Finale, Schluss, Schlusspunkt *Ausstieg, Öffnung, Tor, Tür *Freizeit, Heimaturlaub, Kurzurlaub, Urlaub

Ausgangspunkt: Anfang, Beginn, Entstehung, Grundlage, Ursprung *Basis, Stützpunkt

ausgeben: ausschütten, auswerfen, verausgaben, verbrauchen *aushändigen, austeilen, geben, übergeben, verabfolgen, verschenken, verschwenden, verteilen, zuteilen *bezahlen, spendieren, zahlen *kaufen, spendieren, verschwenden *anordnen, befehlen *behaupten, bezeichnen (als) *in Umlauf bringen, in Umlauf setzen

ausgebeult: ausgedehnt, ausgeleiert, ausgeweitet

ausgebildet: fachmännisch, geschult, meisterhaft, meisterlich, perfekt, profihaft, profimäßig, vollkommen *ausgeprägt, stark

ausgebucht: ausverkauft, belegt, vergriffen, verkauft, voll, nicht zu bekommen, nicht zu haben *ausgelastet, vollbeschäftigt

ausgedehnt: ausgestreckt, breit, geräumig, groß, lang gestreckt, weit, weitläufig, weitschichtig

ausgedient: abgegriffen, abgenutzt, abgewetzt, abgewirtschaftet, alt, schäbig, verbraucht, verschlissen, zerschlissen *abgestoßen, beschädigt, defekt, lädiert, ramponiert, schadhaft, unbrauchbar *abgebaut, abgedankt, abgesetzt, alt, entlassen, pensioniert

ausgedörrt: abgestorben, ausgetrocknet, dürr, entwässert, saftlos, trocken, verdorrt, verdörrt, vertrocknet, verwelkt, welk, hart geworden, trocken geworden

ausgefallen: abnorm, abnormal, absonderlich, anomal, anormal, atypisch, bizarr, irregulär, närrisch, überspitzt, ungewöhnlich, ungewohnt, unüblich *abseitig, abwegig, entlegen, verrückt, verstiegen *abenteuerlich, ansehnlich, auffallend, auffällig, Aufsehen erregend, außergewöhnlich, außerordentlich, beachtlich, bedeutend, bedeutsam, bedeutungsvoll, beeindruckend, beträchtlich, bewundernswert, bewundernswürdig, brillant, eindrucksvoll, einzigartig, enorm, entwaffnend, erstaunlich, fabelhaft, groß, großartig, hervorragend, imponierend, imposant, märchenhaft, nennenswert, ohnegleichen, sagenhaft, sensationell, sondergleichen, spektakulär, stattlich, überragend, überraschend, überwältigend, ungeläufig, ungewöhnlich, unvergleichlich, verblüffend

Ausgefallenheit: Überspanntheit, Überspitztheit, Übertriebenheit, Verrücktheit, Verstiegenheit, närrischer Einfall

ausgefeilt: geschliffen, gewählt, perfekt, stilistisch, klar formuliert, klar gegliedert

ausgeflogen: absent, abwesend, ausgegangen, auswärts, dahin, fern, fort, fortgegangen, unterwegs, verreist, weg, auf Reisen, nicht da, nicht daheim, nicht anwesend, nicht zu Hause, nicht zugegen, von dannen

ausgefranst: abgerissen, abgetragen, alt, fransig, verschlissen, zerfranst, zerlumpt

ausgefuchst: abgefeimt, ausgekocht, bauernschlau, clever, diplomatisch, durchtrieben, findig, gerissen, geschäftstüchtig, geschickt, gewieft, gewitzt, listig, pfiffig, raffiniert, schlau, taktisch, verschlagen, verschmitzt
ausgefüllt: beschrieben, voll *erfüllt, interessant, reich, voll
ausgeglichen: abgeklärt, bedacht, bedachtsam, beherrscht, besonnen, gemäßigt, harmonisch, maßvoll, ruhevoll, ruhig, würdevoll *ähnlich, ebenbürtig, gleich, gleichartig
Ausgeglichenheit: Bedachtsamkeit, Besonnenheit, Fassung, Gefasstheit, Gleichmut, Haltung, Harmonie, Seelenruhe, Selbstbeherrschung, Würde *Ebenmäßigkeit, Übereinstimmung
ausgehen: seinen Ausgang nehmen (von) *abfärben, auslaufen, die Farbe verlieren, die Farbe abgeben, nicht waschecht sein, nicht farbecht sein *voraussetzen, als selbstverständlich ansehen, als selbstverständlich betrachten *zurückgehen, vorgetragen werden, vorgeschlagen werden *aufhören, enden, zu Ende gehen *hervorgebracht werden, ausgestrahlt werden *ausfallen *s. bewegen, s. Bewegung verschaffen, s. die Beine vertreten, s. ergehen, hinausgehen, promenieren, spazieren, spazieren gehen, einen Spaziergang machen, einen Schritt vors Haus tun, einen Gang machen, Luft schöpfen
ausgehungert: dürr, spindeldürr, abgezehrt, ausgemergelt, unterernährt, untergewichtig, sehr hungrig ***ausgehungert sein:** Hunger haben, hungrig sein
ausgeklügelt: kunstvoll, perfekt, raffiniert, rationell, scharfsinnig, sinnvoll, wohldurchdacht *pedantisch, spitzfindig, übergenau, unbändig
ausgekocht: bauernschlau, clever, durchtrieben, findig, geschäftstüchtig, geschickt, gewitzt, lebenstüchtig, listig, pfiffig, raffiniert, verschmitzt, (sehr) schlau
ausgelassen: albern, aufgekratzt, aufgelegt, aufgeweckt, heiter, stürmisch, übermütig, überschäumend, übersprudelnd, unbändig, ungebärdig, ungestüm, vergnügt, wild, außer Rand und Band
Ausgelassenheit: Draufgängertum, Lebenslust, Leichtsinn, Lustigkeit, Übermut, Unbekümmertheit, Vergnügtheit, frohe Laune
ausgelastet: ausgebucht, ausgefüllt, vollbeschäftigt
ausgelaugt: abgearbeitet, abgehetzt, abgekämpft, abgeschlafft, abgespannt, abgewirtschaftet, angegriffen, angeschlagen, atemlos, aufgerieben, durchgedreht, entkräftet, entnervt, erholungsbedürftig, erledigt, ermattet, erschlagen, erschöpft, gerädert, geschafft, groggy, halb tot, kaputt, kraftlos, matt, mitgenommen, müde, schachmatt, schlaff, schlapp, schwach, überanstrengt, überfordert, überlastet, urlaubsreif, verbraucht, zerschlagen, k. o., am Ende
ausgeleiert: alt, ausgebeult, ausgeweitet, verbeult, verbraucht *abgedroschen, abgeleiert, altbekannt, bekannt, inhaltsarm, inhaltslos, nichtssagend, phrasenhaft
ausgeliefert: hilflos, ohnmächtig, preisgegeben, schirmlos, schutzlos, schwach, unbehütet, unbeschirmt, ungeborgen, ungeschützt, ohne Schutz *abhängig, gefügig, hörig, süchtig, untertan, verfallen, willfährig
ausgemacht: abgemacht, abgeredet, beschlossen, besiegelt, entschieden, feststehend, geregelt, sicher, vereinbart *unverbesserlich, vollkommen, sehr groß *ausgesprochen, eingefleischt *augenscheinlich, deutlich, ersichtlich, evident, offenkundig, offensichtlich
ausgemergelt: abgezehrt, ausgehungert, ausgezehrt, dürr, spindeldürr, unterernährt
ausgenommen: außer, ausschließlich, exklusive, ohne, sondern, abgesehen von, bis auf …, mit Ausnahme von, nicht inbegriffen, nicht einbegriffen *gereinigt, gesäubert, ohne Innereien
ausgeprägt: markant, profiliert, deutlich hervortretend, scharf umrissen *auffällig, extrem, hochgradig, krass, stark
ausgepumpt: abgearbeitet, abgehetzt, abgespannt, angegriffen, ausgelaugt, erholungsbedürftig, erschöpft, gestresst, kreuzlahm, mitgenommen, urlaubsreif
ausgerechnet: eben, gerade, unbedingt *durchdacht, gedacht, überlegt

ausgereift: gereift, pflückreif, reif, überreif, vollreif *überlegt, wohlüberlegt, ausgearbeitet, ausgefeilt, ausgegoren, ausgewogen, bestüberlegt, (gut) durchdacht
Ausgereiftheit: Ausgefeiltheit, Ausgewogenheit, Durchdachtheit, Überlegenheit
ausgeruht: ausgeschlafen, hellwach, munter, wach
ausgeschlossen: unglaubhaft, unglaublich, unvorstellbar, unwahrscheinlich, kaum glaublich, kaum denkbar, kaum möglich, nicht denkbar *abgelehnt, geschnitten, ignoriert, verachtet, verschmäht, links liegen gelassen, nicht beachtet, nicht angesehen
ausgeschnitten: dekolletiert, offenherzig, mit großem Ausschnitt *abgetrennt
ausgeschrieben: angeboten, angetragen, offeriert
ausgesöhnt: einträchtig, versöhnt
ausgesprochen: entschieden, entschlossen, erklärt, fest *direkt, förmlich, geradezu, regelrecht *angedeutet, artikuliert, gesagt
ausgestalten: ausschmücken, einrichten *arrangieren, aufziehen, einrichten, formen, gestalten, verwirklichen, Gestalt geben
Ausgestaltung: Ausschmückung, Einrichtung
ausgestorben: leer, menschenleer, entvölkert, öde, verlassen, verschlafen
ausgestoßen: frei, geächtet, rechtlos, verfemt, vogelfrei
Ausgestoßene: Geächtete, Rechtlose, Vogelfreie
ausgestreckt: ausgedehnt, breit, geräumig, groß, lang gestreckt, weit, weitläufig, weitschichtig *waagrecht
ausgesucht: auserlesen, erlesen, erstklassig, exklusiv, hervorragend, vorzüglich
ausgetreten: abgetreten, alt, ausgelaufen, benutzt, verbraucht *bekannt, gewohnt, üblich
ausgetrocknet: regenarm, wasserarm, wüstenhaft *leer
ausgewachsen: ausgereift, erwachsen, fraulich, gereift, geschlechtsreif, groß, heiratsfähig, kräftig, männlich, mündig, volljährig, voll entwickelt *vollendet, sehr groß
ausgewählt: auserkoren, ausersehen, auserwählt, elitär, erkoren *besonders, erlesen
ausgewogen: abgestimmt, abgewogen, ausgeglichen, harmonisch, im Gleichgewicht, im richtigen Verhältnis *ausgefeilt, ausgegoren, ausgereift, durchdacht
Ausgewogenheit: Ausgeglichenheit, Gleichmaß, Harmonie, Wohlklang, Zusammenklang
ausgezehrt: abgezehrt, ausgehungert, spindeldürr, unterernährt
ausgezeichnet: außerordentlich, beispielhaft, beneidenswert, bestens, brillant, erstklassig, exemplarisch, exzellent, famos, herrlich, hervorragend, lobenswert, löblich, mustergültig, nachahmenswert, pfundig, prämiert, prämiiert, preisgekrönt, super, tadellos, toll, trefflich, überdurchschnittlich, überragend, untadelig, unübertrefflich, vortrefflich, vorzüglich, (sehr) gut *ausgeschrieben, etikettiert
ausgezogen: bloß, entblößt, enthüllt, frei, hüllenlos, kleidungslos, nackt, pudelnackt, splitternackt, textilarm, unangezogen, unbedeckt *barbusig, busenfrei, topless, oben ohne
ausgiebig: genug, genügend, massenhaft, massenweise, reichlich, viel, mehr als genug, in großer Zahl, in Hülle und Fülle, nicht wenig
ausgießen: auskippen, ausleeren, ausschütten, einschenken, entleeren, gießen, kippen, leer machen, leeren, schütten, weggießen
Ausgleich: Auffüllung, Begradigung, Einebnung, Nivellierung *Begleichung, Deckung, Einlösung, Regelung, Regulierung *Abzahlung, Amortisierung, Auszahlung, Bezahlung, Gutschrift, Rückzahlung, Tilgung, Überweisung, Verrechnung *Abschluss, Bilanz, Saldierung *Balance, Gegengewicht, Gegenpol, Gleichgewicht, Kompromiss *Abmachung, Abschluss, Arrangement, Bereinigung, Friede, Pakt, Papier, Übereinkommen, Übereinkunft, Verabredung, Vereinbarung, Versöhnung, Vertrag
ausgleichen: egalisieren, einebnen, glätten, glattmachen, gleichmachen, nivel-

lieren, planieren *überbrücken, überwinden, über etwas hinwegkommen *aufholen, gleichziehen, nacharbeiten, nachholen, nachziehen, wettmachen *lohnen, belohnen, s. erkenntlich zeigen, s. revanchieren, vergelten, wiedergutmachen *abrechnen, abtragen, auffüllen, begleichen, decken, einlösen, einzahlen, erfüllen, löschen, nachzahlen, tilgen *abarbeiten, abdecken, abschreiben, anrechnen, aufrechnen, belasten, kompensieren, wettmachen *abschließen, saldieren, Abschluss machen *balancieren, ausbalancieren, neutralisieren, das Gleichgewicht wahren, das Gleichgewicht herstellen, die Waage halten, ein Gegengewicht bilden *beilegen, bereinigen, glätten, schlichten, vermitteln ***s. ausgleichen:** s. aufheben, s. beruhigen, s. einpendeln, s. geben, s. glätten, s. legen

ausgleiten: ausrutschen, hinfallen, den Halt verlieren

ausgraben: ausbuddeln, ausmachen, austun, roden *einfallen, s. erinnern, hervorholen, s. zurückerinnern *ausbetten, exhumieren, freilegen, umbetten

Ausguss: Abfluss, Abflussbecken, Ausgussbecken, Spülbecken, Spüle

aushaken: lösen, trennen

aushalten: bestehen, dulden, durchmachen, durchstehen, erdulden, erleiden, ertragen, hinnehmen, tragen, über sich ergehen lassen, überstehen, verarbeiten *ausharren, durchhalten, standhalten, verkraften, vertragen, nicht schlappmachen, nicht nachgeben, nicht aufgeben *freihalten, spendieren, den Lebensunterhalt bezahlen *anhalten, ausklingen lassen, verhallen lassen, austönen lassen

aushändigen: abgeben, ablassen, abliefern, abtreten, ausgeben, geben, liefern, überbringen, übereignen, übergeben, überlassen, überreichen, zukommen lassen

Aushändigung: Abgabe, Ausgabe, Lieferung, Überbringung, Übereignung, Übergabe, Überreichung

Aushang: Anschlag, Anschlagzettel, Aufgebot, Steckbrief, das schwarze Brett

aushängen: anschlagen, bekannt geben, bekannt machen, plakatieren, veröffentlichen, (öffentlich) anbringen *ausheben, herausheben, aus den Angeln heben *glatt werden lassen

ausharren: abwarten, s. anstellen, verharren, warten (auf), Schlange stehen, auf seinem Posten stehen *aushalten, durchhalten, standhalten, nicht schlappmachen, nicht nachgeben, nicht aufgeben

aushauchen: ausatmen, keuchen *ableben, dahinscheiden, heimgehen, schwinden, sterben, verscheiden, abgerufen werden

ausheben: anpacken, aufgreifen, entdecken, ergreifen, erwischen, hochnehmen, packen, schnappen, habhaft werden *einberufen, einziehen, mobil machen, zu den Fahnen rufen, zu den Waffen rufen *ausbaggern, aushöhlen, ausschachten, ausschaufeln, auswerfen, buddeln, freilegen, höhlen, schürfen, vertiefen

Aushebung: Aushub, Ausschachtung, Freilegung *Entladung, Entleerung

aushecken: ausdenken, s. besinnen, planen, überlegen, einen Plan machen

ausheilen: aufkommen, s. bessern, genesen, gesunden, heilen, gesund werden, gesund machen

aushelfen: einspringen, helfen, vertreten

aushöhlen: ausgraben, ausrunden, ausschneiden, höhlen, hohl machen *befehden, bekämpfen, untergraben *beanspruchen, überbeanspruchen, absorbieren, ruinieren, mit Beschlag belegen *ausschwemmen, ausspülen, auswaschen

ausholen: auslangen, verabreichen

ausholzen: ausästen, aushauen, auslichten, ausputzen, ausschneiden, beschneiden

aushorchen: ausforschen, ausfragen, ausquetschen, bohren, nachfragen

Aushub: Aushebung, Bauaushub

auskehren: aufräumen, ausfegen, sauber machen, rein machen

auskennen (s.): durchschauen, kennen, merken, wissen, Bescheid wissen

auskleiden (s.): abtun, s. ausziehen, s. entblättern, s. entblößen, s. entkleiden, s. frei machen, die Hüllen fallen lassen

ausklingen: abklingen, absterben, aus-

hallen, verhallen, verklingen *aufhören, ausgehen, enden, endigen, zu Ende gehen
ausklopfen: schlagen, verhauen, züchtigen *abklopfen, reinigen, säubern
ausknipsen: abstellen, ausmachen, ausschalten
auskommen: ausbrechen, fliehen, flüchten *s. nicht zanken, s. verstehen, s. vertragen *etwas genügend haben, zur Genüge haben, in ausreichendem Maße haben
auskömmlich: ausreichend, genügend, zufrieden stellend
auskühlen: erkalten, kalt werden, kühl werden, kälter werden, Wärme entziehen *kalt machen, kühl machen
auskundschaften: ausforschen, ausspähen, ausspionieren, erfragen, erkunden, nachforschen, nachschnüffeln, s. orientieren, spionieren, die Lage peilen
Auskundschafter: Agent, Lauscher, Lockspitzel, Privatdetektiv, Späher, Spitzel, V-Mann
Auskunft: Antwort, Aufklärung, Bescheid, Information, Mitteilung, Nachricht
Auskunftei: Auskunftsbüro, Auskunftsstelle, Detektivbüro
auskuppeln: entkuppeln, das Kupplungspedal treten
auskurieren: heilen, stilllegen, wiederherstellen, gesund machen, nicht verschleppen, wieder hinkriegen
auslachen: hänseln, verlachen, verspotten
ausladen: abladen, ausgießen, auskippen, ausleeren, ausschiffen, ausschütten, entladen, entleeren, gießen, kippen, leeren, löschen, schütten, von Bord bringen, an Land bringen *aufpacken, auspacken, auswickeln, enthüllen *herausmachen *rückgängig machen
Ausland: das Draußen, Ferne, Fremde, Übersee, Weite, weite Welt
Ausländer: Exoten, Fremder, Fremdling, Fremdstämmige, Landfremde
ausländisch: exotisch, fremd, fremdländisch, fremdartig, unbekannt, wildfremd
Auslass: Einstieg, Luke, Öffnung
auslassen: aussparen, fortlassen, hintanlassen, passen, übergehen, überschlagen, überspringen, weglassen, beiseite lassen *entlassen, freilassen, freisetzen, loslassen *schmelzen, verflüssigen, zerlassen, flüssig machen *ausklammern, ausschließen, einklammern *ausfließen lassen, herausfließen lassen *s. entgehen lassen, streichen, übergehen, weglassen *länger machen *besprechen, zerreden, (ausführlich) erörtern *verlängern, länger machen ***s. auslassen:** s. äußern, erörtern, erzählen, seine Meinung abgeben, reden (über) ***s. auslassen (an jmdn.):** drangsalieren, foltern, malträtieren, martern, peinigen, plagen, quälen, scheuchen, schikanieren, schinden, traktieren, triezen, tyrannisieren, schlecht behandeln
Auslasshahn: Abflusshahn
Auslassung: Ausscheidung, Streichung, Weglassung
Auslassungszeichen: Apostroph
auslaufen: ausfließen, herausfließen, entfließen, entquellen, entströmen, herauslaufen, s. leeren, leer fließen, leer laufen, leer werden *ablaufen, verfallen, ungültig werden, fällig werden *abgehen, ablegen, die Anker lichten, in See stechen *aufhören, ausgehen, enden, endigen, hinauslaufen, zu Ende sein, zu Ende gehen, zu Ende kommen *abfärben, ausgehen, nicht waschecht sein, nicht farbecht sein *s. verjüngen
ausleben (s.): s. austoben, s. austollen, genießen, s. voll entfalten
ausleeren: ausgießen, auskippen, ausladen, ausschütten, entladen, gießen, kippen, leer machen, leeren, schütten
auslegen: auffassen, ausdeuten, deuten, deuteln, erklären, erläutern, exemplifizieren, explizieren, herauslesen, interpretieren, klarmachen, kommentieren *bedecken, schützen *füttern, ausfüttern, auskleiden, auspolstern, bespannen, verkleiden, verlegen, verschalen, vertäfeln *verauslagen, vorlegen, vorschießen, vorstrecken, in Vorlage bringen, vorläufig bezahlen, vorläufig begleichen, vorläufig erstatten
Auslegung: Auffassung, Ausdeutung, Begriffsbestimmung, Bestimmung, De-

finition, Deuterei, Deutung, Erklärung, Erläuterung, Exegese, Interpretation, Kommentar, Lesart, Sinndeutung, Stellungnahme, Urteil, Worterklärung
Auslegware: Bodenbelag, Teppichboden
ausleiern: ausdehnen, ausweiten, lockern, weiten
Ausleihe: Verleih, das Ausleihen, das Herleihen
ausleihen: ausborgen, borgen, herleihen, leihen, pumpen, verborgen, verleihen, auf Borg geben, zur Verfügung stellen *__s. etwas ausleihen:__ s. borgen, s. etwas leihen
Auslese: Assortiment, Aussonderung, Auswahl, Digest, Kollektion, Muster, Musterkollektion, Mustersammlung, Palette, Selektion, Sortiment, Wahl, Warenangebot, Zusammenstellung, das Beste *Anthologie, Auswahl, Blütenlese *Auswahl, Blüte, Elite, die Besten, das Beste
auslesen: aussondern, aussortieren, aussuchen, auswählen, selektieren, verlesen *aussondern, selektieren, trennen
ausliefern: opfern, preisgeben, überantworten, übergeben, in die Arme treiben *anliefern, beliefern, bringen, liefern, überbringen, zustellen *__s. ausliefern:__ s. stellen, s. überstellen, s. zur Verfügung stellen
Auslieferung: Abgabe, Ablieferung, Abtretung, Anlieferung, Aushändigung, Belieferung, Einhändigung, Entäußerung, Hergabe, Lieferung, Preisgabe, Überantwortung, Überbringung, Übergabe, Übermittlung, Überstellung, Überweisung, Weitergabe, Weiterleitung, Zufuhr, Zuführung, Zuleitung, Zusendung, Zustellung
ausliegen: aufliegen, bereitliegen, ausgestellt sein, (offen) daliegen
auslöschen: ausblasen, auspusten, löschen *verdrängen, vergessen, vertreiben, nicht behalten, nicht mehr wissen wollen *ausknipsen, ausschalten *abschaffen, abstellen, aufheben, ausmerzen, ausräumen, beheben, beseitigen, entfernen, töten, vernichten, aus der Welt schaffen
auslosen: losen, verlosen, das Los ziehen, das Los entscheiden lassen, durch Los bestimmen, durch Los ermitteln
auslösen: ausschälen, herauslösen, herausschälen *ausklinken, ziehen *anrichten, anstiften, bedingen, bewirken, einbrocken, erregen, erwecken, heraufbeschwören, herbeiführen, hervorrufen, veranlassen, verschulden, verursachen, wecken, zeitigen, mit sich bringen *freikaufen, loskaufen *anfachen, anfangen, beginnen, entfachen, entfesseln, ins Rollen bringen
Auslosung: Ausspielung, Auswahl, Lotterie, Verlosung, Ziehung
ausloten: abstecken, abzirkeln, begrenzen, feststellen, herausfinden, loten, orten, umgrenzen *ausmessen, bemessen, vermessen *lotrecht stellen
auslüften: durchlüften, entlüften, frisch machen, frische Luft zuführen
ausmachen: ausgraben, buddeln, ernten, roden *abdrehen, abschalten, abstellen, ausdrehen, ausknipsen, ausschalten *ausspähen, ausspionieren, erkunden, spionieren *abmachen, s. abstimmen, s. arrangieren, aushandeln, besprechen, s. einigen, übereinkommen, vereinbaren, s. verständigen, handelseinig werden *angegeben werden (mit), s. belaufen (auf), betragen, s. beziffern (auf) *aufspüren, aufstöbern, auftreiben, ausfinden, entdecken, feststellen, finden, lokalisieren, orten, sehen, treffen (auf), wiedersehen *betragen, sein *bedeuten, heißen, die Bedeutung haben, einen Sinn haben
ausmalen: ausgestalten, ausholen, ausputzen, ausschmücken, s. ausspinnen, ausstaffieren, dekorieren, erweitern, schmücken *austuschen, bebildern, illuminieren, kolorieren *__s. ausmalen:__ s. ausdenken, s. ein Bild machen (von), s. vergegenwärtigen, s. vorstellen
ausmanövrieren: abdrängen, ausbooten, ausschalten, ausspielen, ausstechen, austricksen, kaltstellen, täuschen, verdrängen, beiseite drängen
Ausmaß: Abmessung, Ausdehnung, Ausweitung, Dehnung, Dimension, Erweiterung, Größe, Streckung, Umfang, Vergrößerung, Verlängerung, Weite, Weiterung, Weitung *Abmessung, Ausdehnung, Dimension, Größe, Höhe, Reichweite *Ausdehnung, Tiefe

ausmergeln: auslaugen, aussaugen, auszehren, entkräften
ausmerzen: austilgen, ausrotten, aussondern, beseitigen, entfernen, ruinieren, tilgen, vernichten, vertilgen, verwüsten, zerschlagen, zerstören, zugrunde richten
ausmessen: abmessen, bemessen, berechnen, bestimmen, dimensionieren, messen
ausmisten: reinigen, sauber machen, Ordnung schaffen, in Ordnung bringen *ablegen, ausräumen, aussondern, entfernen, wegtun, zum alten Eisen werfen
ausmustern: ausgliedern, auslesen, ausscheiden, aussieben, aussortieren, aussuchen, auswählen, eliminieren, entfernen
Ausnahme: Abweichung, Anomalie, Ausnahmeerscheinung, Ausnahmefall, Einzelerscheinung, Einzelfall, Extremfall, Not, Notfall, Sonderfall, einmalige Lage *Privileg, Sonderrecht, Vergünstigung, Vorrecht *Abart ***mit Ausnahme:** außer ***ohne Ausnahme:** alle, allesamt, allgemein, ausnahmslos, durchgängig, durchwegs, generell, jeder, jedermann, jedweder, sämtliche, vollzählig, Groß und Klein, Jung und Alt, samt und sonders
Ausnahmezustand: Belagerungszustand, Kriegsrecht, Notstand
ausnahmslos: alle, allesamt, durchgängig, generell, jeder, jedermann, jedweder, sämtliche, vollzählig, Groß und Klein, Jung und Alt, ohne Ausnahme
ausnahmsweise: ... es sei denn, ab und zu, als Ausnahme, fast gar nicht, im Ausnahmefall, nur gelegentlich
ausnehmen: aufbrechen, ausschlachten, ausweiden *fragen, nachfragen, ausforschen, ausfragen, bohren, überschütten *abgaunern, ablisten, abschwätzen, abschwindeln, herauslocken, schröpfen *säubern *ausrauben, beklauen, berauben, bestehlen, erleichtern *ausbeuten, ausnutzen, melken, s. zunutze machen ***s. ausnehmen:** s. absondern, s. ausschließen, s. heraushalten, s. isolieren
ausnehmend: abgöttisch, arg, äußerst, bedeutend, beträchtlich, denkbar, gar, grenzenlos, höchst, horrend, recht, sehr, stark, überaus, unbändig, unbeschreiblich, ungeheuer, ungemein, unsagbar, unsäglich, viel, zutiefst, aufs Höchste, in hohem Maße, über alle Maßen, in hohem Grade, in höchstem Grade *außergewöhnlich, außerordentlich, ausgefallen, entwaffnend, erstaunlich, groß, überraschend, ungeläufig, ungewöhnlich
ausnutzen: ausbeuten, ausnehmen, ausnützen, ausschlachten, melken, s. zunutze machen
ausnützen: zugreifen, eine Chance ergreifen, eine Chance packen
Ausnutzung: Ausbeutung, Ausschöpfung, Nutzung, Raubbau
auspacken: aufpacken, aufwickeln, auswickeln, enthüllen *ausplaudern, aussagen, beichten, berichten, eingestehen, einräumen, gestehen, offenbaren, zugeben, Farbe bekennen, geständig sein
auspfeifen: ausbuhen, auszischen, buhen, niederschreien, pfeifen, zischen, Buh rufen, ein Pfeifkonzert veranstalten, ein Pfeifkonzert anstimmen, seinen Unwillen kundtun
ausplaudern: artikulieren, ausplappern, ausposaunen, ausquasseln, äußern, austrompeten, bekannt geben, darstellen, hinterbringen, informieren, mitteilen, preisgeben, sagen, schwätzen, verkünden, verkündigen, verplappern, verplaudern, verraten, weitererzählen, weitersagen, wiedererzählen, zubringen, zutragen
ausplündern: abnehmen, ausrauben, ausräumen, berauben, bestehlen, brandschatzen, einstecken, entwenden, klauen, mitnehmen, nehmen, plündern, rauben, stehlen, wegnehmen *ausbeuten, auspressen, aussaugen, ruinieren, jmdn. an den Bettelstab bringen, zugrunde richten, jmdn. den Rest geben
ausposaunen: artikulieren, ausplappern, ausplaudern, ausquasseln, äußern, bekannt geben, darstellen, hinterbringen, informieren, mitteilen, preisgeben, sagen, verkünden, verkündigen, verplappern, verplaudern, verraten, weitererzählen, weitersagen, zutragen *ausbreiten, ausstreuen, bekannt machen, erzählen, herumerzählen, kundtun, lancieren, popularisieren, propagieren, verkünden, weitererzählen, weiterverbreiten, unter die Leute bringen, in Umlauf bringen

ausprägen (s.): aufkeimen, aufkommen, s. auftun, beginnen, entstehen, s. entwickeln, erwachsen, s. formen, s. herausbilden, hervorkommen, werden *s. dartun, hinweisen, kennzeichnen, s. manifestieren, s. zeigen, offenbar werden
auspressen: ausquetschen, entsaften *ausforschen, ausfragen, aushorchen, auskundschaften, ausquetschen, befragen, bohren, fragen, interviewen, recherchieren
ausprobieren: auskosten, begutachten, kosten, probieren, verkosten, versuchen, eine Kostprobe nehmen
auspumpen: entleeren, herausholen, leeren, leer pumpen *aushöhlen, auszehren, erlahmen, ermatten, ermüden, erschlaffen, erschöpfen, schwächen, müde werden, kraftlos werden, schwach werden, matt werden
auspusten: auslöschen, ausblasen, löschen *atmen, ausatmen, aushauchen, hecheln, keuchen, schnaufen, stöhnen, den Atem ausstoßen
ausquartieren: ausweisen, fortschicken, heraussetzen, verjagen, (den Wohnsitz) verlegen, auf die Straße setzen
ausquetschen: auspressen, entsaften *ausforschen, ausfragen, aushorchen, auskundschaften, auspressen, befragen, bohren, fragen, interviewen, recherchieren
ausradieren: abradieren, beseitigen, entfernen, tilgen, wegradieren *ausmerzen, ausrotten, niederwalzen, vernichten, zerstören, in Schutt und Asche legen, dem Erdboden gleichmachen
ausrangieren: ablegen, ausmustern, aussondern, aussortieren, wegtun, wegwerfen
ausrasten: ausruhen, entspannen, faulenzen, pausieren, rasten, ruhen, stillliegen, verschnaufen, Atem schöpfen *ausflippen, außer sich geraten
ausrauben: ausplündern, berauben, bestehlen, wegnehmen, arm machen
ausräuchern: ausbrennen, ausgasen, ausschwefeln, desinfizieren, entwesen
ausräumen: abnehmen, ausplündern, ausrauben, berauben, bestehlen, einstecken, entwenden, klauen, mitnehmen, nehmen, plündern, stehlen, wegnehmen *abtransportieren, beseitigen, eliminieren, entfernen, fortbringen, fortschaffen, transportieren, wegbringen, wegschaffen
ausrechnen: berechnen, ermitteln, errechnen, kalkulieren, rechnen, vorausberechnen *auflösen, erraten, herausbekommen, herausbringen, herausfinden, lösen ***s. ausrechnen:** denken, s. erhoffen, hoffen, meinen, spekulieren
Ausrede: Alibi, Ausflucht, Ausweg, Entschuldigung, Flucht, Kniff, Notlüge, Rückzieher, Rückzug, Täuschung, Trick, Unwahrheit, Verlegenheitslüge, Vorwand, das Herausreden
ausreden: abbringen (von), abmahnen, abraten, warnen, widerraten, zu bedenken geben *aussprechen, zu Ende sprechen ***s. ausreden:** s. anvertrauen, s. aussprechen, das Herz erleichtern, Luft machen *s. herausreden
ausreichen: auslangen, genügen, hinkommen, hinreichen, langen, reichen, zureichen
ausreichend: angemessen, befriedigend, genug, genügend, gut, hinlänglich, hinreichend, zureichend *anständig, gebührend, gehörig, geziemend, ordentlich, schicklich, schuldig
ausreifen: reifen, heranreifen, s. entwickeln, (völlig) reif werden *reifen, vollenden, zur Reife kommen
Ausreise: Abflug, Abreise, Auslandsreise, Einschiffung, Start *Flucht *Ausweisung
ausreisen: befahren, bereisen, besuchen, durchziehen, herumreisen, verreisen *fliehen, flüchten, s. retten *ausgewiesen werden, deportiert werden, verjagt werden
ausreißen: ausrupfen, auszupfen, entfernen, herausreißen, herausrupfen, jäten, reißen (aus), rupfen, zupfen *abhauen, ausbrechen, entfliehen, entspringen, entweichen, fliehen, flüchten, türmen
ausrenken (s.): auskugeln, s. etwas verstauchen, s. luxieren, s. verknacksen, s. verrenken
ausrichten: abfluchten, fluchten, richten, gerade richten, eine Fluchtlinie abstecken, eine Fluchtlinie festlegen, in eine Fluchtlinie bringen *abhalten, arrangie-

ren, durchführen, geben, inszenieren, machen, organisieren, unternehmen, veranstalten, verwirklichen *bezahlen, begleichen, bestreiten, zahlen *informieren, mitteilen, sagen, schildern, unterrichten *durchbringen, durchsetzen, erreichen, erwirken, können, schaffen, vermögen ***s. ausrichten:** s. in einer Reihe aufstellen, s. aufstellen, s. formieren, s. platzieren, s. postieren

ausrinnen: ausfließen, auslaufen, ausströmen, herausfließen, herauslaufen

ausrollen: auswalzen, glätten, kneten, rollen

ausrotten: abschaffen, ausmerzen, austilgen, beseitigen, liquidieren, vernichten, zerstören

Ausrottung: Auslöschung, Ausmerzung, Tilgung

ausrücken: abmarschieren, aufbrechen, ausziehen, davongehen, s. entfernen, fortgehen, vorrücken, weggehen, ziehen *ausbrechen, auskneifen, ausreißen, davonlaufen, enteilen, entfliehen, entkommen, entlaufen, entspringen, fliehen, flüchten, fortlaufen, türmen, verduften

ausrufen: bekannt geben, bekannt machen, kundtun, mitteilen, verkünden, Kenntnis geben

ausruhen (s.): s. ausruhen, s. entspannen, faulenzen, ruhen, stillliegen, verschnaufen, Atem schöpfen *ausrasten, pausieren, rasten

ausrupfen: ausreißen, auszupfen, entfernen, herausreißen, herausrupfen, jäten, rupfen, zupfen

ausrüsten: ausstaffieren, ausstatten, einrichten, versehen (mit) *armieren, bewaffnen

Ausrüstung: Ausstaffierung, Einrichtung, Gerät, Handwerkszeug, Requisit, Rüstzeug, Zubehör

ausrutschen: ausgleiten, hinfallen *ohrfeigen, schlagen, züchtigen

Ausrutscher: Fall, Sturz *Delikt, Fauxpas, Fehler, Lapsus, Verfehlung, Vergehen, Verstoß

Aussaat: Einsaat, Saat *Blumensamen, Pflanzensamen, Same, Samen, Samenkorn *das Aussäen

aussäen: säen, ansäen, bebauen, bepflanzen

Aussage: Angabe, Äußerung, Ausführung, Bemerkung, Bericht, Darbietung, Darlegung, Erklärung, Geständnis, Hinweis, Nachweis, Nennung, Offenbarung *Gehalt, geistiger Inhalt

aussagen: angeben, ausdrücken, ausführen, auspacken, beichten, bezeugen, darlegen, eingestehen, einräumen, gestehen, offenbaren, zugeben, zur Aussage bringen, (Farbe) bekennen, geständig sein, zu Protokoll geben

aussaufen: auskippen, ausschlürfen, austrinken, ex trinken, leeren

aussaugen: auslutschen, befreien (von), entfernen, leeren *ausbeuten, ausplündern, auspressen, ruinieren, jmdn. an den Bettelstab bringen, zugrunde richten, jmdn. den Rest geben

ausschaben: aushöhlen, entfernen, herausholen, leer machen

ausschachten: ausbaggern, ausgraben, auskoffern, ausschaufeln, freilegen, herausholen

ausschalten: abschalten, abstellen, ausdrehen, ausknipsen, auslöschen, ausmachen, ausstellen *ausschließen, eliminieren, neutralisieren, unterbinden *absondern, auseinander bringen, ausschließen, ausstoßen, isolieren, scheiden (von), separieren, sondern (von), trennen (von), verstoßen, allein lassen

Ausschaltung: Abschaffung, Abstellung, Aufhebung, Behebung, Beseitigung, Entfernung *Ausschließung

Ausschank: Bar, Büfett, Schanktisch, Theke, Tresen

ausschauen: ausblicken, aussehen (nach), ausspähen, Ausschau halten, in die Ferne blicken *beobachten, hinausblicken *anmuten, aussehen, den Eindruck machen, den Eindruck erwecken, den Anschein haben, den Anschein erwecken *erwarten, warten

ausscheiden: s. abmelden, abspringen, aussteigen, gehen, verlassen *abbrechen, aufgeben, aufhören, aufstecken, aussteigen, beenden, beendigen, einstellen, kündigen, quittieren, zurücktreten *abgeben, abscheiden, absondern, auseinan-

der bringen, ausschließen, aussondern, entleeren, fällen, sekretieren, sondern *abtreten, hinschmeißen, kündigen, niederlegen, verlassen, weggehen *außer Betracht bleiben, außer Betracht stehen, nicht in Frage kommen, nicht in Betracht kommen
Ausscheidung: Abgang *Ausscheidungskampf, Wettkampf *Absonderung, Ausdünstung, Ausfluss, Ausscheidungsprodukt, Aussonderung, Auswurf, Entleerung, Exkret, Exkretion, Schleim, Sekret, Sekretion
ausschelten: anbrüllen, anschreien, attackieren, ausschimpfen, donnern, heruntermachen, schelten, schimpfen, wettern, zurechtweisen, zusammenstauchen
ausschenken: ausgeben, schenken, zapfen
ausschiffen: abladen, ausladen, ausleeren, entleeren, leeren, löschen, von Bord bringen, an Land bringen
ausschimpfen: anbrüllen, anschreien, attackieren, donnern, heruntermachen, schelten, schimpfen, wettern, zurechtweisen, zusammenstauchen
ausschlachten: ausnehmen, ausweiden, entleeren, herausnehmen *ausbeuten, ausnehmen, ausnutzen, ausnützen, melken, s. zunutze machen *ausbauen, herausnehmen, s. zu Eigen machen
ausschlagen: ablehnen, abschlagen, abweisen, abwinken, desavouieren, verachten, verschmähen, verweigern, zurückweisen *austreiben, grünen, keimen, knospen, sprießen, grün werden, Knospen treiben *stoßen, ausstoßen *verletzen, (gewaltsam) entfernen *bedecken, verkleiden *s. entwickeln
ausschlaggebend: beherrschend, bestimmend, einschneidend, entscheidend, grundlegend, maßgebend, maßgeblich, relevant, richtungweisend, wesentlich, wichtig
ausschließen: ausnehmen, ausschalten, eliminieren, explizieren, hinauswerfen *ausstoßen, disqualifizieren, isolieren, relegieren, sperren, verstoßen, vom Platz stellen, vom Platz verweisen, vom Spiel verweisen *ausstoßen, exkommunizieren, isolieren, verstoßen *nicht entstehen lassen, unmöglich machen *aussperren, verschließen ***s. ausschließen:** s. beißen, nicht passen *absondern, s. ausnehmen, s. fernhalten, s. isolieren, nicht mitmachen
ausschließlich: alleinig, bloß, lediglich, nur, uneingeschränkt, nichts anderes als, nicht mehr als
Ausschließung: Ausschluss, Ausstoßung, Entfernung, Kündigung, Säuberungsaktion *Ausschaltung
ausschlüpfen: auskriechen, herauskriechen, herausschlüpfen, kommen, schlüpfen
ausschlürfen: auskippen, aussaufen, austrinken, leeren
Ausschluss: Ächtung, Anathema, Ausschließung, Ausstoßung, Disqualifikation, Disqualifizierung, Elimination, Eliminierung, Entfernung, Exkommunikation, Kirchenbann, Kündigung, Relegation, Säuberungsaktion, Verfluchung
ausschmücken: ausgestalten, ausmalen, ausputzen, ausstaffieren, dekorieren, schmücken *ausgestalten, ausholen, ausmalen, s. ausspinnen, erweitern
Ausschmückung: Ausgestaltung, Ausstattung, Dekoration, Dekorierung, Festschmuck, Verschönerung, Verzierung *Ausgestaltung, Erweiterung
Ausschnitt: Blöße, Dekolleté, Halsausschnitt *Kreisausschnitt, Sektor *Stück, Teil
ausschöpfen: auspumpen, herausholen, leeren
ausschreiben: ausfertigen, ausstellen *anbieten, ankündigen, ansagen, ansetzen, auflegen, verkaufen, bieten, ein Angebot machen
Ausschreitung: Ausschweifung, Auswüchse, Exzess, Gewalttätigkeit, Krawalle, Pogrom, Terror, Übergriff, Umtriebe, Unruhen
Ausschuss: Beirat, Gremium, Komitee, Kommission, Kreis, Kuratorium, Rat, Sektion, Zirkel *Ausschussware, Ladenhüter, Plunder, Ramsch, Schleuderware *Flickwerk, Geschlampe, Pfuscharbeit, Pfuscherei, Schluderarbeit, Schund, Stückwerk, Stümperei
ausschütteln: ausstauben, entstauben, reinigen, säubern

ausschütten: gießen, ausgießen, kippen, auskippen, leeren, ausleeren, schütten, wegschütten *zahlen, auszahlen, auswerfen *s. anvertrauen, beichten, berichten, erzählen
ausschwärmen: s. ausbreiten, s. auseinander ziehen, ausfliegen, fortgehen, hinauseilen, schwärmen, verlassen, s. verteilen
ausschweifend: anstößig, lasterhaft, liederlich, ruchlos, schlecht, schlüpfrig, schmutzig, sittenlos, unanständig, unkeusch, unsittlich, unsolide, unziemlich, unzüchtig, verworfen, wüst, zotig, zuchtlos
Ausschweifung: Anstößigkeit, Ausschreitung, Exzess, Lasterhaftigkeit, Ruchlosigkeit, Sittenlosigkeit, Übertreibung, Unanständigkeit, Unkeuschheit, Unsittlichkeit, Unzucht, Zuchtlosigkeit
ausschweigen (s.): geheim halten, schweigen, stillschweigen, totschweigen, verbergen, verhehlen, verheimlichen, verschweigen, verstummen, s. in Schweigen hüllen, s. nicht in die Karten gucken lassen, den Mund halten, den Mund nicht auftun, die Zunge im Zaum halten, die Zunge hüten, eine Antwort schuldig bleiben, es auf sich beruhen lassen, für sich behalten, kein Sterbenswort sagen, kein Wort verlieren, keine Antwort geben, keine Silbe verraten, keinen Ton von sich geben, keinen Ton verlauten lassen, nicht sprechen, nichts sagen, nichts reden, nichts erwidern, nichts erzählen, nichts entgegnen, Schweigen bewahren, stumm sein, ruhig sein, still sein, stumm bleiben, verschwiegen wie ein Grab sein
aussehen: ausschauen, den Eindruck machen, den Eindruck erwecken, den Anschein haben, den Anschein erwecken
Aussehen: Anblick, Ansehen, Erscheinung, Erscheinungsbild, Habitus, Typ, das Äußere, der äußere Eindruck
außen: außerhalb, auswärts, draußen, an der äußeren Seite, an der Außenseite *oben, oberflächlich, an der Oberfläche *im Freien, an der freien Luft
aussenden: ausstrahlen, ausströmen, bringen, senden, übertragen, über den Rundfunk verbreiten, über das Fernsehen verbreiten *abkommandieren, abordnen, delegieren, entsenden, schicken
Außenhandel: Außenwirtschaft, Ausfuhr, Export, Überseehandel
Außenmauer: Außenwand, Hausmauer, Mauer
Außenpolitik: auf das Ausland gerichtete Politik, zwischenstaatliche Angelegenheit, externe Angelegenheit, zwischenstaatliche Politik
Außenseite: rechts, die äußere Seite
Außenseiter: Asozialer, Außenstehender, Ausgeflippter, Eigenbrötler, Einzelgänger, Entrechteter, Geächteter, Kauz, Nonkonformist, Original, Outsider, Paria, Sonderling, Subjektivist, Verfemter
Außenstände: Schulden, (finanzielle) Forderungen
Außenstehende: Dritte, Unbeteiligte, Uneingeweihte
außer: abgesehen (von), ausgenommen (von), ohne, bis auf, mit Ausnahme von
***außer sich:** bestürzt, betroffen, entgeistert, entrüstet, entsetzt, erschrocken, erstarrt, fassungslos, starr, verdattert, verstört, verwirrt
Außerachtlassung: Despektierlichkeit, Geringschätzung, Herabsetzung, Herabwürdigung, Naserümpfen, Nichtbeachtung, Pejorativum, Respektlosigkeit, Verächtlichmachung, Verachtung
außerdem: ansonsten, auch, daneben, dazu, ferner, fernerhin, hierneben, noch, obendrein, sonst, überdies, und, weiter, weiterhin, zudem, zusätzlich, darüber hinaus, des Weiteren, unter anderem, im Übrigen *ausgenommen, mit Ausnahme von
außerdienstlich: inoffiziell, privat, nicht amtlich, außerhalb des Dienstes
äußere: auswärtig, extern, außen vorhanden, s. außen befindend *von außen wahrnehmbar
außerehelich: illegitim, nichtehelich, unehelich, vorehelich
Äußeres: Anschein, Augenschein, Aussehen, Figur, Habitus, Körperbau, Schein, Statur, Typ, Wuchs, äußere Erscheinung *Außenseite, Exterieur, Oberfläche, Oberseite

außergewöhnlich: abenteuerlich, ansehnlich, auffallend, auffällig, Aufsehen erregend, außerordentlich, ausgefallen, beachtenswert, beachtlich, bedeutend, bedeutsam, bedeutungsvoll, beispiellos, bewundernswert, bewunderungswürdig, eindrucksvoll, einzigartig, eminent, enorm, epochal, Epoche machend, erheblich, erstaunlich, extraordinär, exzeptionell, fabelhaft, formidabel, frappant, grandios, groß, großartig, hervorragend, imponierend, imposant, märchenhaft, nennenswert, ohnegleichen, phänomenal, sagenhaft, sensationell, sondergleichen, spektakulär, stattlich, überragend, überraschend, überwältigend, umwerfend, ungeläufig, ungewöhnlich, unvergleichlich, unverwechselbar, verblüffend, ohne Beispiel, ersten Ranges

außerhalb: abseits, draußen, nicht innerhalb *auswärts, woanders

außerirdisch: himmlisch, jenseitig

äußerlich: dem Äußeren nach, nach außen hin, von außen gesehen *nachlässig, oberflächlich *bürokratisch, formal, formell, unpersönlich, vorschriftsmäßig, dem Buchstaben nach *förmlich, konventionell, steif, unpersönlich, zeremoniell, der Form nach, in aller Form

Äußerlichkeit: Bedeutungsloses, Nebensache, Unwesentliches, Unwichtigkeit *Formalität, Förmlichkeit *Nachlässigkeit, Oberflächlichkeit

äußern: artikulieren, s. ausbreiten, ausdrücken, s. auslassen, aussprechen, behaupten, bekannt geben, bekannt machen, bemerken, berichten, darstellen, erklären, feststellen, formulieren, informieren, klarstellen, kundmachen, kundtun, meinen, reden, sagen, sprechen, unterrichten, vorbringen, vortragen, zuraten, zutragen, von sich geben, Stellung nehmen, (weit) ausholen *kritisieren, monieren, nörgeln *s. zeigen *sichtbar werden *preisgeben, verraten ***s. äußern:** s. mitteilen, sprechen, Stellung nehmen, seine Meinung sagen, Kenntnis geben

außerordentlich: abenteuerlich, ansehnlich, auffallend, auffällig, aufsehenerregend, außergewöhnlich, ausgefallen, beachtenswert, beachtlich, bedeutend, bedeutsam, bedeutungsvoll, beispiellos, bewundernswert, bewunderungswürdig, eindrucksvoll, einzigartig, eminent, enorm, epochal, Epoche machend, erheblich, erstaunlich, extraordinär, fabelhaft, formidabel, frappant, grandios, groß, großartig, hervorragend, imponierend, imposant, kapital, märchenhaft, nennenswert, ohnegleichen, phänomenal, sagenhaft, sensationell, sondergleichen, spektakulär, stattlich, überragend, überraschend, überwältigend, umwerfend, ungeläufig, ungewöhnlich, unvergleichlich, verblüffend, ersten Ranges *außerhalb, außer der Reihe *sehr, ganz besonders

außerplanmäßig: folgewidrig, inkonsequent, unvorschriftsmäßig *außerhalb, außer der Reihe

äußerst: allenfalls, besonders, beträchtlich, grenzenlos, haushoch, höchst, riesig, sehr, überaus, unaussprechlich, unbändig, unermesslich, ungeheuer, unsäglich, zutiefst, im äußersten Falle, in hohem Grade, in höchstem Maße

außerstande: unfähig, ungeeignet, nicht fähig sein, nicht imstande sein

äußerste: allerletzte, letzte, letztmögliche *durchaus, lückenlos, restlos, schlechtweg, total, voll, vollkommen, völlig *größte, höchste

Äußerung: Artikulierung, Aussprache, Behauptung, Bekanntgabe, Bekanntmachung, Bemerkung, Bericht, Darstellung, Erklärung, Feststellung, Formulierung, Information, Klarstellung, Meinung, Preisgabe, Rede, Stellungnahme, Unterrichtung, Vortrag *Preisgabe, Verrat

aussetzen: ausliefern, preisgeben *aufhören, ausgehen, beenden, enden *abbrechen, innehalten, pausieren, rasten, ruhen, unterbrechen *anbieten, ausschreiben, offerieren, versprechen *umpflanzen, verpflanzen ***s. aussetzen:** s. ausliefern, s. preisgeben, s. stellen, s. überlassen *ablehnen, anfechten, beanstanden, bemäkeln, bemängeln, s. beschweren, herumkritteln, kritisieren, missbilligen, monieren, nörgeln, reklamieren, s. stören (an), s. stoßen (an), angehen (gegen), etwas auszusetzen haben,

Klage führen, klagen (über), Kritik üben, unmöglich finden
Aussicht: Hoffnung, Lichtblick, Lichtpunkt, Perspektive, Rettung, Zukunft *Ausblick, Blick, Fernblick, Fernsicht, Rundblick, Überblick
aussichtslos: ausweglos, chancenlos, hoffnungslos, unhaltbar, verbaut, verfahren, verschlossen, verstellt, verzweifelt, ohne Chance
Aussichtslosigkeit: Ausweglosigkeit, Depression, Entmutigung, Hoffnungslosigkeit, Niedergeschlagenheit, Resignation, Sinnlosigkeit, Verzweiflung
aussichtsreich: aussichtsvoll, Erfolg versprechend, gewinnbringend, günstig, viel versprechend
aussieben: ausgliedern, auslesen, ausmustern, ausscheiden, aussondern, aussortieren, aussuchen, auswählen, eliminieren, entfernen, lesen
aussiedeln: ausbürgern, ausschließen, ausweisen, expatriieren, scheuchen, verbannen, verjagen, verscheuchen, vertreiben, wegjagen, des Landes verweisen *evakuieren, umquartieren, umsiedeln, verlegen
Aussiedler: Asylant, Auswanderer, Einwanderer, Emigrant, Umsiedler *Immigrant
aussöhnen (s.): ausbügeln, beilegen, bereinigen, einrenken, hinbiegen, schlichten, versöhnen, zurechtbiegen s. einigen, s. vergleichen, s. versöhnen, s. vertragen, die Hand (zur Versöhnung) reichen, einen Vergleich schließen
Aussöhnung: Ausgleich, Befriedung, Beilegung, Einigung, Schlichtung, Versöhnung, Verständigung
aussondern: ausgliedern, auslesen, ausmustern, ausscheiden, aussieben, aussortieren, aussuchen, auswählen, eliminieren, entfernen, lesen, sieben *absondern, abgeben, abscheiden, auseinander bringen, ausscheiden, ausschließen, entleeren, fällen, sekretieren, sondern
Aussonderung: Ausgliederung, Auslese, Ausmusterung, Ausscheidung, Aussortierung, Auswahl, Elimination, Eliminierung, Entfernung *Absonderung, Ausdünstung, Ausfluss, Ausscheidung, Auswurf, Entleerung, Exkret, Exkretion, Schleim, Sekret, Sekretion
aussortieren: ausgliedern, auslesen, ausmustern, ausscheiden, aussieben, aussondern, aussuchen, auswählen, eliminieren, entfernen, lesen
ausspannen: abwerben, wegnehmen, abspenstig machen *herausnehmen *abhalftern, absatteln, abschirren, abspannen, absträngen, abzäumen, ausjochen, ausschirren ***s. ausspannen:** s. ausruhen, s. erholen, s. regenerieren, Urlaub machen, Ferien machen, zu Kräften kommen
aussparen: frei halten, frei lassen, Platz lassen *auslassen, fortlassen, hintanlassen, passen, übergehen, überschlagen, überspringen, weglassen, beiseite lassen
ausspeien: ausspucken, ausstoßen, auswerfen, brechen, von sich geben
aussperren: absondern, ausschließen, ausstoßen, eliminieren, entfernen, fortjagen, isolieren, verbannen, versperren *ausschließen, die Arbeit verbieten
Aussperrung: Arbeitsverbot, Ausschließung, Zutrittsverbot
ausspielen: austrumpfen, betrügen, hintergehen, intrigieren, konspirieren, lügen, überlisten, verraten, verschwören, Ränke schmieden *anfangen, angeben, anspielen
Ausspielung: Arglist, Betrug, Falschheit, Heimtücke, Hinterhalt, Hinterhältigkeit, Hinterlist, Intrige, Kabale, List, Lüge, Ränke, Ränkespiel, Schliche, Tücke, Überlistung, Unaufrichtigkeit, Untreue, Verrat, Verschwörung, Winkelzug *Auslosung, Auswahl, Lotterie, Verlosung, Ziehung
ausspinnen: fortsetzen, weiterführen, weiterverfolgen
ausspionieren: ausforschen, auskundschaften, ausspähen, erfragen, erkunden, nachforschen, s. orientieren, spionieren
Aussprache: Beratung, Debatte, Diskussion, Erörterung, Gedankenaustausch, Gespräch, Kolloquium, Meinungsaustausch, Plauderei, Stellungnahme, Unterhaltung, Unterredung *Akzent, Artikulation, Betonung, Lautung, Tonfall
aussprechen: artikulieren, äußern, aus-

richten, bekannt geben, bekannt machen, berichten, darstellen, erzählen, formulieren, informieren, klarstellen, kundmachen, kundtun, mitteilen, preisgeben, sagen, unterrichten, verraten, vorbringen, vortragen, zuraten, zutragen, Stellung nehmen *bemängeln, kritisieren, monieren, nörgeln ***s. aussprechen:** s. anvertrauen, erzählen, gestehen, kundtun, s. mitteilen, s. offenbaren, s. öffnen, unterrichten, sein Herz ausschütten, jmdn. ins Vertrauen ziehen

Ausspruch: Bemerkung, Bonmot, Denkspruch, Devise, Gedankenblitz, Gedankensplitter, Kernspruch, Lebensregel, Leitspruch, Losung, Satz, Sentenz, Sprichwort, Wort, Zitat, geflügeltes Wort

ausspucken: ausspeien, ausstoßen, auswerfen

ausspülen: ausschwemmen, entfernen, herausschwemmen, herausspülen *abspülen, auswaschen, säubern

ausstaffieren: aufmachen, ausschmücken, herausputzen, schön machen *ausrüsten, versehen (mit) ***s. ausstaffieren:** s. aufmachen, s. ausschmücken, s. herausputzen, s. schön machen

Ausstand: Arbeitsniederlegung, Kampfmaßnahme, Meuterei, Streik

ausstatten: einrichten, möblieren, mit Möbeln voll stopfen, mit Möbeln versehen *ausrüsten, ausstaffieren, versehen (mit) *aufmachen ***s. ausstatten:** s. ausrüsten, s. ausstaffieren, s. versehen (mit), s. versorgen

Ausstattung: Aufmachung, Aufputz, Aufzug, Ausschmückung, Dekor *Ausgestaltung, Ausrüstung, Einrichtung, Einrichtungsgegenstände, Habe, Hauseinrichtung, Hausrat, Hausstand, Interieur, Inventar, Möbel, Möbelstücke, Mobiliar, Möblierung, Wohnungseinrichtung *Ausrüstung, Ausstaffierung, Staffierung

ausstechen: ausheben, aushöhlen, freilegen, herausholen *beseitigen, herausnehmen, herausrupfen, jäten *abdrängen, überflügeln, überrunden, übertreffen, übertrumpfen, verdrängen, in den Schatten stellen, den Rang ablaufen

ausstehen: gern haben, leiden, lieben, mögen, schätzen *bevorstehen, drohen, erwarten, herankommen, herannahen, heraufziehen *dulden, erdulden, aushalten, durchstehen, ertragen, hinnehmen *fehlen, erwartet werden

aussteigen: abbrechen, abschließen, abseilen, abspringen, aufhören, aufstecken, beenden, beendigen, beschließen, einstellen, schließen *absteigen, gehen (aus), herausklettern, heraussteigen, hinaussteigen, hinaustreten, verlassen, von Bord gehen *s. abseilen, s. aus dem Staub machen, ausflippen

ausstellen: auslegen, exponieren, präsentieren, vorführen, zeigen *ausfüllen, beantworten, einsetzen, eintragen

Ausstellung: Exposition, Messe, Musterausstellung, Musterschau, Schau, Verkaufsmesse

Ausstellungsstück: Ausstellungsgegenstand, Ausstellungsobjekt, Dekorationsstück, Exponat, Messemuster, Muster, Schaustück

aussterben: dahinschwinden, schwinden, untergehen, zurückgehen, s. nicht fortpflanzen *abnehmen, nachlassen, vergehen, verschwinden

Aussteuer: Ausrüstung, Ausstattung, Brautschatz, Dotation, Heiratsgut, Mitgebrachtes, Mitgift, Morgengabe

Ausstieg: Ausgang, Luke, Öffnung, Tür

ausstopfen: füllen, hineinpressen *ausbälgen, mumifizieren, präparieren, haltbar machen

ausstoßen: ächzen, aufseufzen, aufstöhnen, hervorstoßen, seufzen, stöhnen, hören lassen *anfertigen, arbeiten (an), ausarbeiten, ausführen, auswerfen, bauen, bilden, erschaffen, erstellen, erzeugen, fertigen, gewinnen, herstellen, machen, produzieren, verfertigen *ausatmen, auspressen, keuchen *absondern, auseinander bringen, ausschließen, disqualifizieren, isolieren, relegieren, scheiden, separieren, trennen, verstoßen, allein lassen, vom Platz verweisen, vom Platz stellen *ausschließen, exkommunizieren, verstoßen *ausschleudern, ausspucken, auswerfen, herausschleudern, hinauswerfen

ausstrahlen: ausströmen, emittieren,

spenden, strahlen *funken, morsen, senden, übertragen
Ausstrahlung: Atmosphäre, Ausstrahlungskraft, Flair, Fluidum, Klima, Stimmung *Aufnahme, Aufzeichnung, Fernsehsendung, Rundfunksendung, Sendung, Übertragung
ausstrecken: abspreizen, ausbreiten, ausrecken, wegstrecken, von sich strecken, zur Seite strecken ***s. ausstrecken:** s. aalen, s. dehnen, s. recken, s. rekeln, s. strecken
ausstreichen: ausradieren, ausixen, durchstreichen, radieren, tilgen, übertippen
ausstreuen: auswerfen, verstreuen *erzählen, weitererzählen, ausbreiten, ausposaunen, bekannt machen, herumerzählen, kundtun, lancieren, popularisieren, propagieren, verbreiten, verkünden, weiterverbreiten, unter die Leute bringen, in Umlauf bringen
ausströmen: abfließen, atmen, ausatmen, ausfließen, ausgehen (von), ausstrahlen, austreten, s. verbreiten
aussuchen: auslesen, aussondern, aussortieren, auswählen, selektieren, verlesen
austauschbar: auswechselbar, kommutabel, kommutativ, kompatibel, konvertibel, reversibel, substituierbar
austauschen: auswechseln, erneuern, ersetzen, kommutieren, tauschen, wechseln, einen Austausch vornehmen
austeilen: aufteilen, ausgeben, verteilen *segnen, weihen *sticheln
austilgen: abschaffen, ausrotten, ausmerzen, beseitigen, liquidieren, vernichten, zerstören
austoben: s. austollen, toben *s. ausleben, ausschweifen, ins Volle greifen
austragen: anliefern, beliefern, bestellen, bringen, liefern, verteilen, zubringen, zustellen *durchführen, stattfinden lassen *ausradieren, ausstreichen, durchstreichen, radieren, streichen *auskämpfen, ausklagen, durchfechten, durchkämpfen, durchstehen
austreiben: expatriieren, exterminieren, fortjagen, scheuchen, treiben, verjagen, verscheuchen, vertreiben, wegjagen *grünen, keimen, knospen, sprießen, grün werden, Knospen treiben *abstellen, unterbinden
austreten: s. ausleeren, s. entleeren, s. erleichtern, sein Bedürfnis verrichten, seine Notdurft verrichten, sein Geschäft machen, sein Geschäft erledigen *auseinander gehen, ausscheiden, s. empfehlen, kündigen, s. lösen, scheiden, s. trennen, verabschieden *ausfließen, ausströmen, s. verbreiten *auslöschen, ausmachen, löschen *ausbeulen, ausdehnen, ausleiern, ausweiten, verbeulen, weiten
austricksen: abdrängen, ausbooten, ausmanövrieren, ausschalten, ausspielen, ausstechen, kaltstellen, täuschen, verdrängen, beiseite drängen
austrinken: auskippen, aussaufen, ausschlürfen, leeren, leer trinken
Austritt: Abdankung, Abgang, Abschied, Ausscheiden, Demission, Kündigung, Rücktritt
austrocknen: ausdörren, dörren, eintrocknen, trocknen, vertrocknen, trocken machen *verlanden, versanden
austrompeten: artikulieren, ausbreiten, ausplappern, ausplaudern, ausposaunen, ausquasseln, äußern, ausstreuen, bekannt geben, bekannt machen, darstellen, erzählen, herumerzählen, hinterbringen, informieren, kundtun, lancieren, mitteilen, popularisieren, preisgeben, propagieren, sagen, verbreiten, verkünden, verkündigen, verplappern, verplaudern, verraten, weitererzählen, weitererzählen, weitersagen, weiterverbreiten, zutragen, unter die Leute bringen, in Umlauf bringen
austüfteln: ausbrüten, ausdenken, ausgrübeln, aushecken, ausklügeln, ausknobeln, aussinnen, erdenken, erdichten, erfinden, ergrübeln, ersinnen, konstruieren, s. vorstellen, s. zurechtlegen
ausüben: betreiben, praktizieren, verrichten, versehen *herrschen, regieren
ausufern: überfließen, überfluten, über die Ufer treten *ausarten, hochspielen, überspitzen, übersteigern, s. zuspitzen, zu weit gehen
Ausverkauf: Inventurverkauf, Räumungsverkauf, Schlussverkauf *Som-

merschlussverkauf *Winterschlussverkauf

ausverkauft: vergriffen, nicht auf Lager, nicht vorrätig *ausgebucht, belegt, voll, kein Platz mehr frei

Auswahl: Assortiment, Auslese, Digest, Kollektion, Muster, Musterkollektion, Mustersammlung, Palette, Sortiment, Wahl, Warenangebot, Zusammenstellung, das Beste *Auswahlmannschaft, Besetzung, Nationalmannschaft *Auslese, Aussonderung, Selektion, Wahl *Almanach, Auswahlband, Chrestomathie

auswählen: ausersehen, auserwählen, auslesen, ausmustern, aussieben, aussuchen, bestimmen, erküren, erlesen, ernennen, erwählen, finden, herausfischen, herauslesen, heraussuchen, küren, suchen, wählen

auswalzen: ausdehnen, ausrollen, auswalken, strecken *ausschöpfen, breittreten, ausführlich erzählen, kein Ende finden

Auswanderer: Asylant, Ausgewiesener, Aussiedler, Deportierter, Emigrant, Flüchtling, Heimatvertriebener, Umsiedler, Verbannter

auswandern: ausziehen, davongehen, emigrieren, s. fortbegeben, fortgehen, verlassen, verschwinden, weggehen, Asyl suchen, den Rücken kehren, ins Ausland gehen

auswärtig: ausländisch, fremd, fremdländisch, fremde Länder betreffend, das Ausland betreffend, von auswärts

auswärts: außerhalb, draußen, nicht am Ort, außer Haus, von außen, in der Fremde, nicht zu Hause

Auswärtsspiel: Hinspiel

auswaschen: ausspülen, säubern, waschen *aushöhlen, ausschwemmen, ausspülen *auskolken

auswechseln: austauschen, ersetzen, wechseln, einen Austausch vornehmen, Ersatz schaffen *erneuen, restaurieren, verbessern

Ausweg: Aufklärung, Dreh, Ergebnis, Lösung, Patentrezept, Resultat, Schlüssel, Ei des Kolumbus

ausweglos: aussichtslos, chancenlos, hoffnungslos, unhaltbar, verbaut, verfahren, verschlossen, verstellt, ohne Chance

Ausweglosigkeit: Aussichtslosigkeit, Hoffnungslosigkeit, Not, Sackgasse, Teufelskreis, Trostlosigkeit, Unlösbarkeit, Unmöglichkeit, Verzweiflung

ausweichen: ausbiegen, herumgehen, zurückweichen, beiseite gehen, Platz machen, zur Seite gehen, aus dem Wege gehen *hinhalten, s. krümmen, s. nicht festlegen, offen lassen, umgehen, s. winden, zögern, Ausflüchte machen, einen Ausweg suchen, s. drehen und wenden *s. drücken, entgehen, entziehen, fliehen, scheuen, umgehen, vermeiden

ausweichend: hinhaltend, langsam, schleppend, zögernd *andeutungsweise, unartikuliert, unbestimmbar, ungenau, unverständlich, vage, verschwommen

ausweiden: ausleeren, ausnehmen, ausschlachten

ausweinen (s.): s. ausheulen, s. befreien, s. entlasten, sein Herz ausschütten

Ausweis: Ausweiskarte, Ausweispapiere, Berechtigung, Bescheinigung, Fahrerlaubnis, Identifikationskarte, Kennkarte, Legitimation, Papiere, Pass, Passierschein, Personalausweis, Reisepass, Studentenausweis

ausweisen: abschieben, ausbürgern, aussiedeln, deportieren, expatriieren, fortjagen, hinauswerfen, säubern, umsiedeln, verbannen, versprengen, verstoßen, vertreiben, des Landes verweisen, aus dem Land weisen ***s. ausweisen:** s. legitimieren, seinen Ausweis vorzeigen, seine Papiere vorzeigen, seinen Pass vorzeigen, seinen Führerschein vorzeigen

Ausweisung: Abschiebung, Verbannung

ausweiten: ausbeulen, ausdehnen, ausleiern, austreten, verbeulen, weiten ***s. ausweiten:** s. ausdehnen, s. erweitern, expandieren, s. vergrößern *anschwellen, ansteigen, anwachsen, s. ausdehnen, s. entwickeln, s. erweitern, eskalieren, expandieren, s. vergrößern, s. vermehren, s. vervielfachen, s. weiten, zunehmen

Ausweitung: Ausbreitung, Ausdehnung, Entwicklung, Erweiterung, Expansion, Vergrößerung, Vermehrung *Anstieg, Eskalation, Eskalierung, Gradation, In-

tensivierung, Progression, Steigerung, Vergrößerung, Verstärkung, Wachstum, Zunahme, Zuwachs, das Fortschreiten
auswendig: frei, aus dem Gedächtnis, aus dem Kopf *außen, außerhalb
auswerfen: ausschleudern, ausspucken, ausstoßen, herausschleudern, hinauswerfen *ködern, locken *ankern, die Anker werfen *s. verteilen *auszahlen, bestimmen, festsetzen, zur Verfügung stellen *ausgeben, spendieren
auswerten: aufbereiten, ausbeuten, ausmünzen, ausschlachten, ausschöpfen, erschöpfen, nutzen *deuten, interpretieren
auswickeln: aufpacken, aufwickeln, auspacken, entblößen, entfernen, enthüllen, freilegen, frei machen
auswinden: ausdrücken, herausdrücken, auspressen, herauspressen, ausringen, auswringen
auswirken (s.): ergeben, zur Folge haben, die Konsequenz nach sich ziehen, als Resultat haben, zum Ergebnis haben
Auswirkung: Ausbeute, Befund, Bilanz, Effekt, Endergebnis, Endresultat, Endstand, Endsumme, Ertrag, Fazit, Folge, Gewinn, Konsequenz, Produkt, Quintessenz, Resultat, Resümee, Schlussergebnis, Schlussfolgerung, Summe, Wirkung
auswischen: abreiben, beseitigen, entfernen, tilgen, wegwischen *abstauben, putzen, reinigen, sauber machen, säubern
auswringen: ausdrücken, ausringen, auswinden, herausdrücken, herauspressen
Auswuchs: Geschwulst, Gewächs, Missbildung, Tumor, Wucherung
Auswüchse: Ausschreitung, Ausschweifung, Exzess, Gewalttätigkeit, Krawalle, Pogrom, Terror, Übergriff, Umtriebe, Unruhen *Elend, Mängel, Misere, Missstände, Übelstand, Ungerechtigkeit, Unordnung, schlimmer Zustand, unerträgliche Situation, katastrophale Situation
Auswurf: Schleim, Sputum *Abschaum, Asoziale, Gesindel, Lumpenpack, Pöbel, Sippschaft
auszahlen: ausbezahlen, bezahlen, erstatten, hinlegen, zahlen ***s. auszahlen:** s. lohnen, s. rentieren, Gewinn auswerfen, Gewinn abwerfen
Auszahlung: Abzahlung, Begleichung, Bezahlung, Rückzahlung
auszehren: aushöhlen, auspumpen, erlahmen, ermatten, ermüden, erschlaffen, erschöpfen, schwächen, müde werden, kraftlos werden, schwach werden, matt werden
auszeichnen: anerkennen, beloben, belobigen, besingen, ehren, feiern, idealisieren, loben, lobpreisen, lobsingen, preisen, rühmen, verherrlichen, verklären, würdigen, Lob zollen, Lob spenden, Lob erteilen *belohnen, dekorieren, prämiieren, einen Orden verleihen, eine Urkunde verleihen, mit Auszeichnung behandeln ***s. auszeichnen:** s. abheben (von), s. hervortun
Auszeichnung: Belobigung, Ehrung, Laudatio, Lob, Lobpreis, Lobeserhebung, Lobpreisung, Lobspruch, Vorschusslorbeeren *Belohnung, Dekoration, Dekorierung, Ehrenzeichen, Orden, Prämiierung, Preis, Verleihung *Ehrenzeichen, Medaille, Orden, Preis
ausziehen: fortziehen, scheiden, verlassen, weggehen, wegziehen, ziehen, die Wohnung aufgeben, den Wohnsitz aufgeben, die Wohnung verlassen, den Wohnsitz verlassen *ausreißen, herausziehen, jäten, rupfen *verlängern, länger machen *vergrößern, größer machen ***s. ausziehen:** ablegen, abstreifen, abtun, auskleiden, entblößen, enthüllen, entkleiden, s. erleichtern, s. frei machen, die Hüllen fallen lassen *ausrauben, fordern *ausmarschieren, ausreiten, ausrücken *auslaugen, extrahieren, einen Auszug machen
auszischen: anstimmen, ausbuhen, auspfeifen, buhen, niederschreien, pfeifen, zischen, Buh rufen, ein Pfeifkonzert veranstalten
Auszubildender: Azubi, Jungarbeiter, Lehrjunge, Lehrling, Lehrmädchen, Stift
Auszug: Anthologie, Blumenlese, Blütenlese, Exzerpt, Florilegium, Lesefrucht *Abwanderung, Exodus, Weggang, Wegzug *Absud, Destillat, Essenz, Extrakt *Ausschnitt, Stelle, Textstelle, Zitat
auszupfen: ausreißen, ausrupfen, herausreißen, herausziehen, jäten

autark: autonom, frei, selbständig, souverän, unabhängig, ungebunden
Autarkie: Autonomie, Freiheit, Selbständigkeit, Souveränität, Unabhängigkeit, Ungebundenheit
authentisch: echt, gesichert, glaubwürdig, rechtsgültig, sicher, verbürgt, zuverlässig
Authentizität: Echtheit, Gesichertheit, Glaubwürdigkeit, Rechtsgültigkeit, Sicherheit, Verbürgtheit, Zuverlässigkeit
Auto: Automobil, Fahrzeug, Gefährt, Kraftfahrzeug, Kraftwagen, Personenkraftwagen, Pkw, Vehikel, Wagen
Autobahn: Fernverkehrsstraße, Schnellstraße
Autobiographie: Lebensbericht, Lebensbeschreibung, Lebenserinnerungen, Lebensgeschichte, Memoiren, Selbstbiographie
Autobus: Bus, Luxusbus, Omnibus, Reisebus
Autodach: Hardtop, Rollverdeck, Schiebedach, Sonnendach, Verdeck
Autofahrer: Autolenker, Automobilist, Fahrer
Autogramm: Namenszeichen, Signatur, Signum, Unterschrift
Autoheck: Abrissheck, Fließheck, Heck
Automat: Apparat, Maschine, Roboter
automatisch: mechanisch, selbsttätig, unwillkürlich, zwangsläufig, von selbst
Automatisierung: Automation, Mechanisierung
autonom: autark, frei, selbständig, souverän, unabhängig, ungebunden
Autonomie: Eigengesetzlichkeit, Mündigwerden, Selbständigkeit, Selbstbefreiung, Selbstbestimmung, Selbstbestimmungsrecht, Selbstverwaltung, Unabhängigkeit
Autor: Künstler, Schöpfer, Schreiber, Schriftsteller, Urheber, Verfasser
Autoreifen: Automobilreifen, Ersatzreifen, Gürtelreifen, Hochgeschwindigkeitsreifen, Pneu, Reifen, Reservereifen, Sommerreifen, Winterreifen
autorisieren: bewilligen, erlauben, genehmigen, gestatten, gutheißen, stattgeben *beauftragen, befugen, berechtigen, bevollmächtigen, ermächtigen, die Befugnis geben, die Vollmacht erteilen, die Berechtigung geben
autoritär: repressiv, streng, unerbittlich
Autorität: Respektsperson *Fachmann, Koryphäe, Sachverständiger *Ansehen, Geltung, Macht, Prestige, Wichtigkeit
autoritativ: ausschlaggebend, entscheidend, maßgebend, richtungweisend, tonangebend, wegweisend, wichtig
Autoschlange: Stau, Stauung, Stockung, Verkehrschaos
Autoskooter: Autobahn, Autodrom, Autoskooterbahn, Skooterbahn
avancieren: arrivieren, aufrücken, aufsteigen, s. einen Namen machen, emporkommen, emporsteigen, s. hocharbeiten, hochklettern, hochkommen, steigen, vorwärts kommen, befördert werden, etwas werden, Karriere machen, Erfolg haben, erfolgreich sein, populär werden, es zu etwas bringen
Avantgarde: Neuerer, Pionier, Protagonist, Schrittmacher, Vorhut, Vorkämpfer, Vorreiter, Wegbereiter
Avangardist: Neuerer, Pionier, Schrittmacher, Vorkämpfer, Wegbereiter
avantgardistisch: bahnbrechend, fortschrittlich, progressiv, revolutionär, richtungweisend, vorkämpferisch, wegweisend, zukunftsgerichtet
Avenue: Allee, Boulevard, Prachtstraße
Aversion: Ablehnung, Abneigung, Abscheu, Antipathie, Ekel, Unmut, Widerwille
avisieren: ansagen, ausrufen, bekannt geben, bekannt machen, kundmachen, verkünden, verkündigen, verlautbaren, veröffentlichen
Axiom: Folgerung, Grundgedanke, Grundsatz, Kernspruch, Lehrsatz, Lehrspruch, Leitsatz, Maxime, Motto, Postulat, Prinzip, Regel, Richtschnur, Schluss, These, Wahlspruch

B

Baby: Brustkind, Neugeborenes, Säugling, Wickelkind, Wiegenkind
Babysitter: Kinderfräulein, Kindermädchen
Bacchanal: Orgie, Trinkgelage
Bacchant: Genießer, Säufer
Bach: Bächlein, Gewässer, Quell, Quelle, Rinnsal, Wasser, Wasserlauf
Backbord: linke Seite eines Schiffes, linke Seite eines Flugzeugs
backbords: backbord, links, auf der linken Seite
Backe: Backen, Wange
Bäcker: Konditor, Lebküchner, Mazzebäcker, Zuckerbäcker
Backfisch: Teenager, junges Mädchen
Backform: Backblech, Blech, Form
Background: Folie, Fond, Hintergrund, Rückseite, Rückwand, Tiefe *Herkunft, Lebenslauf, Vergangenheit
Backobst: Dörrobst, Trockenobst
Backofen: Backrohr, Backröhre, Bratrohr, Bratröhre, Herd, Ofen, Röhre
Backpfeife: Backenstreich, Ohrfeige, Prügel, Schelle, Schläge, Watsche, Watschen
Backtrog: Molle, Mulde
Backware: Backwerk, Gebäck
Bad: Badeort, Heilbad, Kurort *Baderaum, Badestube, Badezimmer *Badeanstalt, Freibad, Hallenbad, Schwimmbad
Badeanstalt: Bad, Freibad, Hallenbad, Schwimmbad
Bademütze: Badehaube, Badekappe
baden: s. erfrischen, s. reinigen, s. waschen, baden gehen, ein Bad nehmen, ins Bad gehen, in die Wanne gehen, in die Wanne steigen, ins Bad steigen *planschen, schwimmen, tauchen *nackt baden *s. sonnen, sonnenbaden
Badeort: Bad, Heilbad, Kurbad, Modebad, Seebad, Weltbad
Bader: Bartscherer, Coiffeur, Figaro, Friseur, Haarkünstler *Medizinmann, Pfuscher, Zähnezieher
Badewanne: Wanne, Zuber
baff: befremdet, bestürzt, betreten, betroffen, entgeistert, entsetzt, erschossen, erstarrt, erstaunt, fassungslos, konsterniert, perplex, sprachlos, starr, stutzig, überrascht, verblüfft, verdutzt, verlegen, versteinert, verwirrt, verwundert, wortlos
Bagage: Gepäck, Reisegepäck *Abschaum, Brut, Drachenbrut, Ganoven, Geschmeiß, Gesindel, Gezücht, Gosse, Hundepack, Kanaille, Lumpengesindel, Lumpenpack, Mob, Pack, Pöbel, Raubgesindel, Schlangenbrut, Sippschaft, asoziale Elemente
Bagatelle: Bedeutungslosigkeit, Belanglosigkeit, Geringfügigkeit, Kinderspiel, Kinkerlitzchen, Kleinigkeit, Lächerlichkeit, Lappalie, Nebensache, Nebensächlichkeit, Nichtigkeit, Nichts, Pappenstiel, Spaß, Spiel, Spielerei, Unwichtigkeit, kleine Fische
bagatellisieren: herunterspielen, verharmlosen, verkleinern, verniedlichen, als Bagatelle behandeln, als unbedeutend hinstellen, als geringfügig hinstellen
baggern: ausgraben, auskoffern, ausschachten, ausschaufeln, Erde ausheben
Bahn: Eisenbahn, Verkehrsmittel, Zug *Aschenbahn, Laufbahn, Rennstrecke, Strecke *Bahnstrecke, Gleise, Schienenweg *Umlauf
Bahnbeamter: Bahnbediensteter, Eisenbahner
bahnbrechend: avantgardistisch, bedeutungsvoll, Epoche machend, fortschrittlich, progressiv, revolutionär, richtungweisend, umwälzend, wegweisend, zukunftsgerichtet, zukunftsorientiert, zukunftsweisend
Bahnbrecher: Schrittmacher, Vorbereiter, Vorkämpfer, Vorläufer, Wegbereiter
Bahnhof: Haltestelle, Station
Bahnhofsvorsteher: Bahnhofsvorstand, Stationsvorsteher
Bahnkörper: Bahndamm, Bahnlinie, Gleisanlage, Gleisstrang, Strecke

Bahnlinie: Bahn, Bahnnetz, Bahnstrecke, Eisenbahnlinie, Eisenbahnstrecke, Intercity-Linie, Linie, Netz, Strecke, Zubringerlinie, Zubringerstrecke *Straßenbahnlinie, Straßenbahnnetz
Bahnschranke: Schranke
Bahnsteig: Gleis, Perron, Plattform
Bahre: Tragbahre, Trage, Traggestell
Bai: Bucht, Fjord, Förde, Golf, Meerbusen
Baisse: Bärenzeit, Krach, Kurssturz, Preissturz, Slump, Sturz, Tief *Konjunkturniedergang, Konjunkturrückgang
Bajazzo: Clown, Hanswurst, Harlekin, Hofnarr, Hofzwerg, Narr, Possenreißer, Spaßmacher
Bake: Anzeichen, Anzeiger, Boje, Erkennungszeichen, Fahrzeichen, Kennzeichen, Landmarke, Mal, Merkmal, Merkzeichen, Orientierungszeichen, Seezeichen, Sicherung, Signal, Warnung, Warnzeichen, Wegweiser, Weiser
Bakterie: Bakterium, Bazillus, Krankheitserreger, Mikrobe, Spaltpilz
Balance: Ausgeglichenheit, Ausgewogenheit, Gleichgewicht
balancieren: s. im Gleichgewicht halten, s. in der Balance halten, jonglieren
bald: baldigst, früh, frühzeitig, gleich, rechtzeitig, möglichst bald, zur rechten Zeit *alsbald, baldig, demnächst, einmal, künftig, kurzfristig, nächstens, sogleich, später, binnen kurzem, heute oder morgen, in absehbarer Zeit, in Kürze, in kurzer Zeit, in nächster Zeit, in Bälde, über kurz oder lang, dieser Tage, im Augenblick, in wenigen Augenblicken
Balg: Baby, Bastard, Bengel, Kind *Beutel, Blase, Hülle, Sack *Decke, Fell, Haut, Leder, Pelle, Pelz, Schwarte
balgen (s.): s. hauen, s. herumschlagen, kämpfen, s. keilen, s. prügeln, raufen, s. schlagen, (miteinander) ringen
Balgerei: Getümmel, Streit, Streiterei
Balken: Bohle, Kantholz, Riegel, Sparren *Pfeiler, Pfosten, Strebe, Stütze, Träger
Balkon: Altan, Brust, Loggia, Söller, Terrasse, Vorbau *Loge, erster Rang
Ball: Kegel, Kugel, Leder, Spielball *Festball, Tanzabend, Tanzfest, Tanzveranstaltung
Ballast: Bürde, Druck, Erschwernis, Fessel, Joch, Kreuz, Mühsal, Plackerei, Plage, Schlauch, Strapaze *Belastung, Gewicht, Last
ballen: zerknüllen, zusammenballen, zusammendrücken *aufbegehren, drohen
***s. ballen:** s. klumpen, s. verdichten, s. zusammenballen, s. zusammenbrauen, s. zusammendrängen
Ballerina: Ballerine, Balletteuse, Ballettsolistin, Solotänzerin, Tänzerin
ballern: schießen *schleudern *bullern, bumsen, hämmern, klopfen, pochen, schlagen, ticken, trommeln
Ballon: Luftballon *Fesselballon, Freiballon, Heißluftballon
Ballungszentrum: Ballungsgebiet, Industrielandschaft, Industriezentrum
Balsam: Linderungsmittel, schmerzstillendes Mittel *Aufheiterung, Aufrichtung, Beruhigung, Labe, Lichtblick, Trost, Tröstung, Zusprache, Zuspruch *Creme, Salbe
balsamieren: aufbewahren, bewahren, einbalsamieren, einfetten, einreiben, einsalben, einschmieren, erhalten, konservieren, präparieren
Balustrade: Brüstung, Geländer, Reling
banal: abgegriffen, abgenutzt, abgestanden, alltäglich, bedeutungslos, einfallslos, flach, gewöhnlich, hohl, inhaltslos, leer, nichts sagend, phrasenhaft, trivial, witzlos, ohne Gehalt, ohne Tiefe, ohne Tiefgang
Banalität: Gemeinplatz
Banause: Hinterwäldler, Hohlkopf, Ignorant, Kulturbarbar, Kunstbarbar, Nichtskönner, Philister, Spießbürger, Spießer, Ungebildeter
Band: Bindfaden, Faden, Kordel, Litze, Schnur, Strippe *Ensemble, Kapelle, Musikergruppe, Orchester *Ausgabe, Buch, Buchband *Beziehung, Bindeglied, Bindung, Gemeinsamkeit, Gemeinschaft, Konnex, Verbindendes, Verbindung, Verbundenheit, Zusammengehörigkeit, Zusammenhalt
Bandage: Binde, Wickel
bandagieren: stützen, umwickeln, verbinden, wickeln
Bande: Gang, Gesellschaft, Horde, Ko-

rona, Meute, Räuberbande, Rotte, Rudel, Straßenbande, Straßengang *Clique, Gesindel, Gruppe, Jugendbande *Duo, Quartett, Trio *Grenze, Umgrenzung
bändigen: bezähmen, domestizieren, dressieren, drillen, ducken, mäßigen, zähmen, zügeln, zurückhalten, Zügel anlegen, in Schranken halten, im Zaum halten, zahm machen, an den Menschen gewöhnen *aufhalten, kontrollieren, unter Kontrolle bekommen ***s. bändigen:** s. beherrschen, s. mäßigen, s. zügeln, s. zurückhalten
Bandit: Betrüger, Räuber, Verbrecher
bang: angstbebend, angsterfüllt, ängstlich, angstverzerrt, argwöhnisch, aufgeregt, bänglich, besorgt, eingeschüchtert, feige, furchtsam, gehemmt, schreckhaft, verschüchtert, zag, zaghaft, zitternd *bedrückt, bekümmert, pessimistisch, schwarzseherisch, skeptisch, trübe, trübsinnig
bangen: abwarten, warten, s. sorgen
Bank: Bankhaus, Geldinstitut, Kasse, Kreditanstalt, Kreditbank, Kreditinstitut, Sparkasse, Wechselstube *Sandbank, Untiefe *Eckbank, Sitzbank ***durch die Bank:** alle, alle miteinander, alle ohne Ausnahme
Bankett: Dinner, Ehrenmahl, Festessen, Festgelage, Festmahl, Galadinner, Galaessen, Gastmahl, Tafel
Bankfach: Safe, Tresor
Bankguthaben: Ersparnis
Bankkonto: Bankverbindung, Konto *Sparkonto *Gehaltskonto, Girokonto, Konto
Banknote: Geldschein, Note, Papiergeld, Schein
bankrott: abgebrannt, illiquid, insolvent, pleite, ruiniert, zahlungsunfähig
Bankrott: Geschäftsaufgabe, Illiquidität, Insolvenz, Konkurs, Pleite, Ruin, Zahlungseinstellung, Zahlungsunfähigkeit, Zusammenbruch
Bann: Acht, Ächtung, Ausschließung, Bannspruch, Bulle, Isolierung, Verbannung, Verdikt, Verfemung, Verfluchung, Verstoßung *Beeinflussung, Beschwörung, Verhexung, Verzauberung, Zauberspruch *Exkommunikation, Kirchenausschluss, Kirchenfluch, Verdammung, Verurteilung, Verwünschung *Boykott
bannen: beeinflussen, behexen, beschwören, besprechen, bezaubern, faszinieren, verhexen, verzaubern, zaubern *ächten, ausschließen, isolieren, verjagen, verstoßen, vertreiben, wegjagen *fesseln, mitreißen, Spannung erregen, Interesse erregen, Aufmerksamkeit erregen
Banner: Fahne, Flagge, Standarte
bar: cash, in klingender Münze, in Scheinen, in Münzen, mit Bargeld *bloß, rein *bloß, frei (von), ohne, unbekleidet
Bar: Schanktisch, Theke *Amüsierlokal, Lokal, Nachtklub, Nachtlokal, Nightclub
Bär: Brummbär, Zottelbär, Meister Petz
Baracke: Baubude, Bauhütte, Behelfsunterkunft, Bretterbude, Bude, Hütte
Barbar: Ekel, Lump, Scheusal, Schurke, widerliche Person
Barbarei: Vandalismus, Vernichtungswahn, Vernichtungswut, Zerstörungstrieb, Zerstörungswahn, Zerstörungswut *Grausamkeit, Rohheit
barbarisch: brutal, erbarmungslos, gefühllos, gnadenlos, grausam, herzlos, inhuman, kaltblütig, mitleidlos, roh, schonungslos, unbarmherzig, ungesittet, unmenschlich, unsozial, verroht
bärbeißig: ärgerlich, aufgebracht, barsch, bissig, böse, brummig, empört, entrüstet, erbittert, erbost, erzürnt, fuchsteufelswild, gereizt, grantig, griesgrämig, grimmig, hart, missgelaunt, misslaunig, missmutig, muffig, mürrisch, rabiat, schroff, streng, übellaunig, unfreundlich, unwillig, unwirsch, verbittert, verdrießlich, verdrossen, wütend, wutentbrannt, wutschäumend, wutschnaubend, zornig
barfuß: barfüßig, bloßfüßig, mit nackten Füßen, mit bloßen Füßen, ohne Schuhe und Strümpfe
Bargeld: Barmittel, Barschaft, Geld, flüssige Gelder, flüssiges Kapital *Kontanten, (ausländische) Münzen
bargeldlos: online, unbar, durch Scheck, per Scheck, über die Bank, über das Konto, mit Kreditkarte, mit Scheckkarte, ohne Geld, nicht bar

barhäuptig: barhaupt, mit entblößtem Haupt, ohne Kopfbedeckung, ohne Hut, ohne Mütze, mit unbedecktem Kopf
barmherzig: gut, herzensgut, gnädig, gutherzig, gütig, gutmütig, human, karitativ, lindernd, mild, mitleidig, sanftmütig, warmherzig, weichherzig
Barmherzigkeit: Caritas, Humanität, Menschenfreundlichkeit, Menschenliebe, Menschlichkeit, Mildtätigkeit, Mitleid, Nächstenliebe, Philanthropie, Wohltätigkeit
barock: ausladend, bombastisch, pompös, schwülstig, überladen, üppig, verschnörkelt
Barometer: Aerometer, Barograph, Luftdruckmesser
Barras: Kriegsdienst, Soldatenzeit, Wehrdienst
Barrikade: Bastei, Bastion, Befestigung, Bollwerk, Brüstung, Brustwehr, Deckung, Drahtverhau, Erdaufwurf, Palisade, Schanze, Sperre, Stacheldraht, Vorwerk, Wall *Barriere, Hindernis, Schlagbaum, Straßensperre, Wegsperre
barsch: abweisend, borstig, brüsk, derb, flegelhaft, grob, grobschlächtig, harsch, herrisch, lümmelhaft, rau, raubeinig, rüde, rüpelig, ruppig, schroff, taktlos, unfreundlich, ungehobelt, ungeschliffen, unhöflich, unkultiviert, unliebenswert, unritterlich, unverbindlich, kurz angebunden
Barschaft: Bargeld, Besitztum, Kapital
Bart: Bärtchen, Bartstoppeln, Bartwuchs, Backenbart, Flaum, Kinnbart, Koteletten, Lippenbart, Milchbart, Schnauzbart, Schnauzer, Schnurrbart, Spitzbart, Stoppelbart, Stoppeln, Vollbart *Schlüsselbart
bärtig: borstig, flaumbärtig, milchbärtig, schnauzbärtig, schnurrbärtig, stoppelbärtig, stoppelig, unrasiert, mit Bart
bartlos: glatt, glatt rasiert, ohne Bart
Barzahlung: Cash
Base: Cousine, Kusine *chemische Verbindung
Basis: Grundzahl *Fundament, Grundfeste, Grundmauer, Unterbau *Ausgangspunkt, Stützpunkt *Ansatzpunkt, Ausgangspunkt, Bedingung, Fundus, Grundlage, Grundstock, Mittel, Plattform, Quelle, Unterlage, Voraussetzung, Vorstufe, Wurzel *Masse, Volk *Fußvolk, Parteimitglieder
basisch: alkalisch, laugenhaft, s. wie eine Base verhaltend
Basrelief: Flachwerk, Flachbildwerk, flacherhabene Arbeit
Bass: tiefe Männerstimme *Bassgeige, Kontrabass
Bassin: Becken, Schwimmbecken, Swimmingpool, Wasserbecken
basta!: abgemacht!, aus!, fertig!, punktum!, vorbei!
Bastard: Kreuzung, Mischling, Zwitter *Balg, uneheliches Kind, lediges Kind
Bastei: Bastion, Befestigung, Befestigungsanlage, Befestigungsbau, Befestigungssystem, Befestigungswerk, Bollwerk, Festung, Festungsbau, Kastell, Mauer, Schanze, Verschanzung, Verteidigungsanlage, Wehr, Zitadelle
basteln: anfertigen, bauen, bereiten, bilden, erstellen, erzeugen, fabrizieren, formen, gestalten, herstellen, hervorbringen, machen, modellieren, produzieren, schmieden, verfertigen, zimmern, arbeiten (an) *s. ausdenken, nachdenken, tüfteln
Bataillon: Einheit, Formation, Heeresverband, Truppe, Truppeneinheit, Truppenteil
Batterie: Artillerie, Geschützpark, Truppenkörper *Menge, Vielzahl *Akku, Akkumulator, Kraftspeicher, Kraftspender, Stromspeicher, Stromspender
Batzen: Anhäufung, Anzahl, Ballung, Berg, Flut, Haufen, Masse, Mehrzahl, Menge, Reihe, Schar, Schwall, Schwarm, Schwung, Serie, Übermaß, Unmaß, Unmasse, Unmenge, Unzahl, Vielheit, Vielzahl, Wust, große Zahl, eine ganze Ladung *Brocken, Haufen, Klumpen, Klunker, Stück
Bau: Aufbau, Rekonstruktion, Wiederaufbau, Wiederherstellung, das Bauen *Bauplan, Bauprojekt, Bauunternehmen, Bauvorhaben *Gebäude, Haus, Heim, Schloss *Bauplatz, Baustätte, Baustelle *Aufbau, Form, Gliederung, Struktur, System *Höhle, Loch, Röhre *Gefängnis,

Strafvollzugsanstalt *Gliederung, Strukturierung
Bauch: Abdomen, Leib, Ranzen, Unterleib *Magen, Verdauungsorgan
bauchig: dick, gewölbt, rund
bäuchlings: kriechend, auf dem Bauch (liegend)
Bauchschmerzen: Bauchgrimmen, Bauchweh, Bauchzwicken, Leibschmerzen, Magenweh, das Grimmen
bauen: anfertigen, aufbauen, aufführen, aufrichten, bebauen, erbauen, errichten, erstellen, fertig stellen, hochziehen *machen, verursachen *s. verlassen, (fest) vertrauen *anbauen, anpflanzen *entwickeln, konstruieren *pflanzen *bestellen
Bauer: Ackersmann, Bauersmann, Diplomlandwirt, Farmer, Großbauer, Kleinlandwirt, Landwirt *Landarbeiter *Nebenerwerbslandwirt
bäuerlich: agrarisch, landwirtschaftlich *dörflich, ländlich, rustikal
Bauernfänger: Betrüger, Beutelschneider, Fälscher, Falschspieler, Gauner, Hochstapler, Lockvogel, Schelm, Schuft, Schurke, Schwindler, Spitzbube, Strauchdieb
Bauernhof: Anwesen, Aussiedlerhof, Bauerngehöft, Bauerngut, Gehöft, Gut, Hof, Landwirtschaft, Pachthof, Staatsgut, Wirtschaft, landwirtschaftlicher Betrieb
baufällig: alt, altersschwach, bröcklig, brüchig, morsch, schrottreif, unstabil, verfallen, verkommen, wackelig, zerfallen
Bauführer: Polier
Baugrundstück: Baufläche, Baugelände, Bauplatz, Baustätte, Baustelle, Parzelle
Baumblüte: Blüte, Blütezeit, Obstbaumblüte, Obstblüte
Baumeister: Architekt, Baufachmann, Baukünstler, Bauplaner, Erbauer
baumeln: s. bewegen, schwingen *schlenkern, schlottern, am Leibe hängen *bammeln, hängen, pendeln, schweben
Baumkrone: Baumgipfel, Baumspitze, Baumwipfel, Blätterkrone
Baumschule: Baumgarten, Pflanzenschule, Saatzuchtbetrieb
Baumstumpf: Baumstrunk, Stubben, Stumpf
Bauplan: Bauriss, Bauskizze, Plan, Skizze
baureif: bebaubar, erschlossen
bäurisch: bäuerisch, derb, groß, linkisch, plump, roh, rüpelhaft, tölpelhaft, unfein, ungebildet, ungesittet
bauschen (s.): anschwellen, s. aufblähen, s. aufplustern, aufschwellen, s. blähen, s. wölben
Baustein: Backstein, Ziegel, Ziegelstein
Baustil: Architektur, Bauart, Bauform, Bautyp, Bauweise
Bauwerk: Bau, Baulichkeit, Gebäude, Haus
beabsichtigen: absehen (auf), abzielen, ansteuern, bezwecken, hinzielen, intendieren, neigen (zu), planen, schmieden, sinnen (auf), tendieren, verfolgen, vorhaben, s. vornehmen, wollen, gedenken zu tun, denken zu tun, gewillt sein, die Absicht haben, die Absicht hegen
beabsichtigt: absichtlich, absichtsvoll, bewusst, geflissentlich, gewollt, vorsätzlich, willentlich, wissentlich, wohlweislich, mit Absicht, mit Willen, mit Bedacht, zum Trotz *böswillig, mutwillig, vorsätzlich, in böser Absicht
beachten: achten (auf), Acht geben, Acht haben, aufmerken, aufpassen, bemerken, s. konzentrieren, s. merken, s. sammeln, zuhören, Obacht geben *befolgen, beherzigen, s. beugen, s. fügen, s. unterwerfen, Folge leisten *anrechnen, berücksichtigen, einbeziehen, in Anschlag bringen, in Rechnung setzen, in Rechnung stellen, Rechnung tragen
beachtenswert: ansehnlich, anziehend, eindrucksvoll, erheblich, interessant
beachtlich: abenteuerlich, ansehnlich, auffallend, auffällig, aufsehenerregend, außergewöhnlich, außerordentlich, ausgefallen, bedeutend, bedeutsam, bedeutungsvoll, beeindruckend, beträchtlich, bewundernswert, bewunderungswürdig, brillant, eindrucksvoll, einzigartig, eminent, enorm, entwaffnend, epochal, Epoche machend, erheblich, erklecklich, erstaunlich, erwähnenswert, extraordinär, fabelhaft, formidabel, frappant, grandios, groß, großartig, hervorragend, imponierend, imposant, märchenhaft,

nennenswert, ohnegleichen, phänomenal, sagenhaft, sensationell, sondergleichen, spektakulär, stattlich, überragend, überraschend, überwältigend, umwerfend, ungeläufig, ungewöhnlich, unvergleichlich, verblüffend, ersten Ranges
Beachtung: Achtung, Anerkennung, Aufmerksamkeit, Berücksichtigung, Ehrfurcht, Hochachtung, Kenntnisnahme, Pietät, Respekt, Rücksicht, Verehrung *Befolgung, Beherzigung, Einhaltung, Erfüllung
beamen: Daten übertragen *telefonieren, Gespräche übertragen
Beamer: Bildwerfer, Diaskop, Diaprojektor, Heimkino, Projektionsapparat, Projektionsgerät, Projektor
Beamter: Amtsträger, Bediensteter, Behördenangestellter, Staatsbediensteter, Staatsdiener, Hüter der öffentlichen Ordnung
beängstigen: einschüchtern, entmutigen, schrecken, verängstigen, Bange machen, den Mut nehmen, das Selbstvertrauen nehmen *bedrücken, bekümmern, niederschlagen
beängstigend: beklemmend, furchtbar, Furcht einflößend, fürchterlich, Furcht erregend
beanspruchen: absorbieren, auffressen, aushöhlen, belasten, einspannen, fordern, ruinieren, überbeanspruchen, Anspruch erheben, einen Anspruch geltend machen, in Anspruch nehmen, mit Beschlag belegen
Beanspruchung: Anstrengung, Arbeit, Belastung, Bemühung, Inanspruchnahme, Mühe, Überlastung
beanstanden: ablehnen, anfechten, aussetzen, bemäkeln, bemängeln, s. beschweren, herumkritteln, kritisieren, missbilligen, monieren, nörgeln, reklamieren, s. stören (an), s. stoßen (an), angehen gegen, etwas auszusetzen haben, Klage führen, klagen (über), Kritik üben, unmöglich finden *anpflaumen, meckern, auf jmdm. herumhacken
Beanstandung: Ablehnung, Anfechtung, Bemängelung, Beschwerde, Klage, Kritik, Missbilligung, Reklamation
beantragen: abgeben, einreichen, vorlegen, einen Antrag stellen, ein Gesuch stellen
beantworten: antworten, aufbegehren, eingehen (auf), einwenden, entgegenhalten, entgegnen, erwidern, kontern, reagieren, zurückgeben, zurückschießen, Einwände machen, Einwände erheben, Kontra geben, Bescheid geben, Widerspruch erheben
Beantwortung: Antwort, Auskunft, Bescheid, Entgegnung, Erwiderung, Gegenrede, Kritik, Mitteilung, Nachricht, Reaktion
bearbeiten: s. abgeben, aufbereiten, ausarbeiten, ausformen, s. befassen, s. befleißigen, behandeln, s. bekümmern, s. beschäftigen, erledigen, gestalten, handeln, s. kümmern, machen, verarbeiten, in Arbeit nehmen *hegen, hüten, pflegen, warten *anbauen, bebauen, bewirtschaften, kultivieren *bekehren, beschwatzen, breitschlagen, erweichen, herumkriegen, rumkriegen, überreden, überzeugen, umstimmen, werben *bedrängen, bereden, weich machen, zusetzen, zwingen, unter Druck setzen, in die Zange nehmen, in die Mangel nehmen
Bearbeitung: Aufbereitung, Ausarbeitung, Behandlung, Erledigung, Gestaltung, Verarbeitung *Auflage, Druckauflage, Fassung *Druck, Pression, Zwang
beargwöhnen: argwöhnen, misstrauen, verdächtigen, argwöhnisch sein, skeptisch sein, kritisch sein, misstrauisch sein, ungläubig sein, Verdacht hegen, Argwohn hegen
beaufsichtigen: bevormunden, dirigieren, inspizieren, leiten, prüfen, verwalten
beauftragen: administrieren, anordnen, anweisen, auferlegen, aufgeben, auftragen, befehlen, bestimmen, betrauen (mit), festlegen, kommittieren, reglementieren, veranlassen, verfügen, verpflichten, einen Auftrag geben, einen Auftrag erteilen
Beauftragter: Abgeordneter, Abgesandter, Agent, Bevollmächtigter, Delegierter, Funktionär, Sprecher, Strohmann, Unterhändler, Vertreter
beäugen: anschauen, beschauen, sehen

bebauen: anpflanzen, ansäen, aussäen, bauen, bepflanzen, bestellen, bewirtschaften, kultivieren, legen, pflanzen, säen, setzen, stecken, umpflanzen
Bebauung: Anbau, Anpflanzung, Bepflanzung, Bestellung, Bewirtschaftung, Feldbestellung, Kultivierung
beben: s. ängstigen, zittern *aufbeben, erbeben, erzittern, schüttern *s. bewegen, wackeln
bebildern: ausschmücken, illustrieren
Bebilderung: Bildschmuck, Illustration
bechern: saufen, trinken, zechen
Becken: Einsenkung, Kessel, Klamm, Mulde, Schlucht, Tal
Beckmesser: Besserwisser, Kritiker
bedacht: bedächtig, bedachtsam, besonnen, langsam, mit Vorsicht, mit Umsicht, mit Überlegung, mit Besonnenheit, mit Ruhe *umsichtig, weit blickend *interessiert, teilnehmend
Bedacht: Bedachtheit, Bedachtsamkeit, Besonnenheit, Ruhe, Überblick, Umsicht, Umsichtigkeit, Weitsicht *Interesse, Teilnahme
bedachtsam: abgeklärt, ausgeglichen, bedacht, beherrscht, besonnen, gefasst, gemächlich, gemessen, geruhsam, gezügelt, gleichmütig, harmonisch, kaltblütig, ruhevoll, ruhig, sicher, still, überlegen, würdevoll *akkurat, eigen, exakt, genau, gewissenhaft, gründlich, pedantisch, peinlich, penibel, sorgfältig *behutsam, gemächlich, gemessen, langsam, säumig *umsichtig, weit blickend
Bedarf: Bedürfnis, Interesse, Kaufinteresse, Verlangen
Bedarfsartikel: Bedarfsgegenstand, Bedarfsgüter, Gebrauchsgegenstand, Gebrauchsgüter
bedauerlich: jammerschade, schade *bedauernswert, bedauernswürdig, beklagenswürdig, bemitleidenswert, deplorabel, elend, erbärmlich, herzzerreißend, jämmerlich, kläglich, Mitleid erregend, unrühmlich *leider
bedauern: bemitleiden *bereuen, s. bessern, gereuen, reuen, s. auf die Brust schlagen, s. Gewissensbisse machen, in sich gehen, Gewissensbisse haben, Reue empfinden
Bedauern: Einfühlungsgabe, Einfühlungsvermögen, Verständnis, Wohlwollen *Abbitte, Entschuldigung, Nachsicht, Pardon, Vergebung, Verzeihung
bedauernswert: arm, bedauerlich, bedauernswürdig, bejammernswert, beklagenswert, beklagenswürdig, bemitleidenswert, beweinenswert, deplorabel, elend, erbärmlich, herzzerreißend, jämmerlich, kläglich, Mitleid erregend, unglücklich, unrühmlich *bedauerlich, jammerschade, schade
bedecken: abdecken, behängen, decken, einhüllen, überdecken, überhängen, überziehen, verdecken, verhängen, verhüllen, zudecken *s. bewölken, s. beziehen, s. eintrüben, s. verdunkeln, s. verdüstern, s. verfinstern *belegen, bestellen, eindecken, voll stellen
bedeckt: bezogen, grau, verhangen, wolkig *geschützt *angezogen, bekleidet *bepflanzt, bewachsen, dicht, undurchdringlich, zugewachsen
Bedeckung: Abdeckung, Zudeckung *Abschirmung, Begleitung, Beistand, Beschützung, Bewachung, Eskorte, Gefolge, Geleit, Hilfe, Obhut, Schutz, Sicherheit, Sicherung, Wahrung
bedenken: berücksichtigen, denken (an), erwägen, prüfen, überdenken, überlegen, wägen, in Betracht, in Erwägung ziehen, nachdenken (über), zu Rate gehen *geben, schenken, übergeben, überreichen *beraten *erwähnen, loben ***s. bedenken:** s. besinnen, s. erinnern, nachdenken, überlegen, zurückdenken
Bedenken: Reserve, Reserviertheit, Skepsis, Zurückhaltung *Bedingung, Einschränkung, Klausel, Vorbehalt *Kassandrarufe, Panikmache, Pessimismus, Schwarzmalerei, Schwarzseherei *Angst, Bangigkeit, Befangenheit, Bekümmernis, Besorgnis, Beunruhigung, Furcht, Kummer, Kümmernis, Panik, Scheu, Sorge, Unruhe *Einwendung, Einwurf, Entgegnung, Gegenargument, Gegenmeinung, Gegenstimme, Zweifel
bedenkenlos: entmenscht, gewissenlos, gnadenlos, herzlos, kalt, lieblos, mitleidlos, rücksichtslos, skrupellos, unbarmherzig, unmenschlich *blindlings,

kritiklos, ohne Bedenken *anstandslos, bereitwillig, blanko, gern, kurzerhand, natürlich, selbstverständlich, unbesehen, ungeprüft, mit Vergnügen, ohne Anstände, ohne Bedenken, ohne weiteres

Bedenkenlosigkeit: Gewissenlosigkeit, Kälte, Rücksichtslosigkeit, Skrupel, Unbarmherzigkeit, Unmenschlichkeit

bedenklich: anrüchig, berüchtigt, Besorgnis erregend, brenzlig, ernst, faul, fragwürdig, halbseiden, heikel, kritisch, lichtscheu, mulmig, undurchsichtig, unheimlich, verdächtig, verrufen, zweifelhaft, zweischneidig, nicht geheuer, nicht astrein *arg, beängstigend, Besorgnis erregend, schlimm, übel, verhängnisvoll

Bedenkzeit: Aufschub, Bewährungsfrist, Frist, Galgenfrist, Gnadenfrist, Stundung

bedeutend: abenteuerlich, ansehnlich, auffallend, auffällig, aufsehenerregend, außergewöhnlich, außerordentlich, ausgefallen, beachtlich, bedeutsam, bedeutungsvoll, beeindruckend, beträchtlich, bewundernswert, bewunderungswürdig, brillant, eindrucksvoll, einzigartig, eminent, enorm, entwaffnend, epochal, Epoche machend, erheblich, erklecklich, erstaunlich, extraordinär, fabelhaft, formidabel, frappant, gewichtig, grandios, groß, großartig, hervorragend, imponierend, imposant, märchenhaft, nennenswert, ohnegleichen, phänomenal, sagenhaft, sensationell, sinnvoll, sondergleichen, spektakulär, stattlich, tief, überragend, überraschend, überwältigend, umwerfend, ungeläufig, ungewöhnlich, unvergleichlich, verblüffend, vielsagend, wichtig, ersten Ranges

Bedeutung: Aktualität, Bedeutsamkeit, Belang, Brisanz, Ernst, Gewicht, Gewichtigkeit, Größe, Rang, Relevanz, Schwere, Signifikanz, Stellenwert, Tiefe, Tragweite, Wert, Wichtigkeit, Würde *Essenz, Hintersinn, Idee, Inhalt, Konnotation, Nebensinn, Sinn, Substanz, Tenor, der Gehalt

bedeutungslos: belanglos, irrelevant, nebensächlich, trivial, unerheblich, unwesentlich, unwichtig, zufällig, nicht erwähnenswert, nicht wichtig, ohne Bedeutung, ohne Belang *durchschnittlich, mittelmäßig

Bedeutungslosigkeit: Geringfügigkeit, Kleinheit, Knappheit, Wenigkeit *Beschränktheit, Einflusslosigkeit, Kargheit, Kleinlichkeit, Mittelmäßigkeit, Unzulänglichkeit, Wirkungslosigkeit *Ausdruckslosigkeit, Blech, Firlefanz, Floskel, Gemeinplatz, Hohlheit, Leere, Phrase, Phrasendrescherei, Unwichtigkeit, Wortkrämerei *Ärmlichkeit, Dummheit, Einflusslosigkeit, Farblosigkeit

bedeutungsvoll: ausdrucksvoll, außergewöhnlich, außerordentlich, ausgefallen, entwaffnend, erstaunlich, groß, überraschend, ungeläufig, ungewöhnlich *bedeutsam, belangvoll, essenziell, folgenreich, folgenschwer, gewichtig, relevant, substanziell, wesenhaft, wesentlich, wichtig, zentral, voll Bedeutung *gehaltvoll, inhaltsreich, inhaltsvoll, substanzhaltig, vielsagend *ausdrücklich, demonstrativ, deutlich, drastisch, eindringlich, gewichtig, inständig, nachdrücklich, unmissverständlich, wirkungsvoll, mit ganzem Herzen, mit ganzer Gewalt

bedienen: auftischen, aufwarten, bewirten *aufwarten, besorgen, leisten *betätigen, führen, handhaben, regulieren, steuern *beraten, reichen, verkaufen ***s. bedienen:** s. holen, s. nehmen, zugreifen, zulangen, zusprechen

Bedienung: Aufwartung, Bewirtung, Service *Aufwartung, Besorgung, Leistung *Betätigung, Führung, Handhabung, Regulierung, Steuerung *Fräulein, Kellnerin *Kellner, Ober *Abfertigung

bedingen: voraussetzen, zugrunde legen *auslösen, verursachen

bedingt: beschränkt, eingeschränkt, relativ, verhältnismäßig, vorbehaltlich, mit Einschränkung, nicht uneingeschränkt, unter Vorbehalt, mit Vorbehalt

Bedingtheit: Abhängigkeit, Determiniertheit, Relativität

Bedingung: Annahme, Prämisse, Voraussetzung, Vorbedingung

bedingungslos: rückhaltlos, uneingeschränkt, voraussetzungslos, vorbehaltlos, ohne Einschränkung, ohne Bedingung, ohne Vorbedingung, ohne

Vorbehalt *durchaus, unbedingt, auf jeden Fall, um jeden Preis, unter allen Umständen, unter aller Gewalt *ganz und gar *absolut, unbedingt, uneingeschränkt, völlig, vollständig, vorbehaltlos, ohne Vorbehalt
bedrängen: anflehen, anrufen, ansuchen, beschwören, bestürmen, bitten, erflehen, flehen *bedrücken, drangsalieren, knebeln, knechten, terrorisieren, unterdrücken *bestürmen, drängen, dringen (in), einstürmen (auf), nicht aufhören (mit), nicht nachlassen (mit), zusetzen, jmdm. keine Ruhe lassen, jmdn. nicht in Ruhe lassen, keine Ruhe geben, die Hölle heiß machen, in die Enge treiben, auf den Leib rücken, auf die Naht gehen, auf dem Nacken sitzen, das Haus einlaufen
Bedrängnis: Abenteuer, Armut, Beschwerde, Beschwerlichkeit, Betrübnis, Bitternis, Dilemma, Eile, Mühe, Not, Sorge, Unglück, Verlegenheit
bedrohen: androhen, drohen, erpressen, nötigen, terrorisieren, zwingen, jmdn. unter Druck setzen, Zwang ausüben, Druck ausüben
bedrohlich: brenzlig, ernst, folgenschwer, gefährlich, gefahrvoll, gewagt, kritisch, lebensgefährlich, riskant, tödlich
Bedrohung: Androhung, Ängstigung, Beunruhigung, Damoklesschwert, Demonstration, Drohbrief, Drohgebärde, Drohschreiben, Drohung, Drohwort, Einschüchterung, Erpressung, Herausforderung, Hungerstreik, Säbelgerassel, Schmährede, Sitzstreik, Streik, Terror, Ultimatum, Warnung
bedrücken: beklemmen, belasten, beschweren, drücken, peinigen, plagen, schmerzen, traurig machen, im Magen liegen, an die Nieren gehen *bekümmern, betrüben, beunruhigen, quälen, jmdm. Kummer machen, jmdm. Sorge machen, jmdm. Kummer bereiten, jmdm. Sorge bereiten, jmdn. mit Sorge erfüllen, jmdn. mit Kummer erfüllen *bedrängen, drangsalieren, knebeln, knechten, terrorisieren, unterdrücken
bedrückend: belastend, deprimierend, entmutigend, lähmend, niederdrückend, niederschmetternd
bedrückt: bekümmert, betrübt, defätistisch, depressiv, elegisch, elend, freudlos, hypochondrisch, melancholisch, nihilistisch, pessimistisch, schwarzseherisch, schwermütig, todunglücklich, traurig, trist, trübe, trübselig, trübsinnig, unfroh, unglücklich, wehmütig *gramerfüllt, gramgebeugt, gramvoll, sorgenschwer, sorgenvoll, zentnerschwer
bedürftig: arm, bettelarm, mittellos, Not leidend, unbemittelt, unvermögend, verarmt
Bedürfnisanstalt: Abort, Klo, Pissoir, Toilette
beehren: besuchen, kommen, überraschen *anerkennen, auszeichnen, ehren, glorifizieren, idealisieren, loben, lobpreisen, preisen, rühmen, verherrlichen, würdigen ***s. beehren:** s. erlauben
beeilen (s.): abhetzen, s. abhetzen, beschleunigen, s. dazuhalten, s. dranhalten, s. ranhalten, s. sputen, s. tummeln, s. überstürzen, schnell machen, einen Schritt zulegen
beeindrucken: auffallen, bestechen, bezaubern, brillieren, gefallen, hervorstechen, imponieren, wirken, Aufsehen erregen, Beachtung finden, Eindruck schinden, Eindruck machen, in Erscheinung treten, Wirkung haben, Bewunderung hervorrufen
beeindruckend: abenteuerlich, ansehnlich, auffallend, auffällig, aufsehenerregend, außergewöhnlich, außerordentlich, ausgefallen, beachtlich, bedeutend, bedeutsam, bedeutungsvoll, beträchtlich, bewundernswert, bewundernswürdig, brillant, eindrucksvoll, einzigartig, enorm, entwaffnend, erstaunlich, fabelhaft, groß, großartig, hervorragend, imponierend, imposant, märchenhaft, nennenswert, ohnegleichen, sagenhaft, sensationell, sondergleichen, spektakulär, stattlich, überragend, überraschend, überwältigend, ungeläufig, ungewöhnlich, unvergleichlich, verblüffend
beeindruckt: beeinflusst, bestürzt, bewegt, erschüttert
beeinflussbar: empfänglich, hörig, wankelmütig
beeinflussen: einreden, einwirken, sug-

gerieren, einen Einfluss ausüben, Einfluss haben, Wirkung erzielen, Wirkung ausüben *überzeugen, einnehmen (gegen)

beeinflusst: einseitig, parteigebunden, parteiisch, parteilich, subjektiv, ungerecht, unsachlich, vorbelastet, voreingenommen

Beeinflussung: Einfluss, Einflussnahme, Einwirkung, Suggestion, Überredung

beeinträchtigen: mindern, abträglich sein, Abbruch tun

Beeinträchtigung: Abbruch, Abtrag, Minderung, Schaden, Schädigung, Schmälerung *Behinderung, Erschwernis, Erschwerung, Fessel, Handicap, Hemmschuh, Hemmung, Hindernis, Hinderung

Beelzebub: Erzfeind, Satan, Teufel, Versucher, Widersacher

beenden: abbrechen, abschließen, aufgeben, aufheben, aufhören, aufstecken, beendigen, beschließen, einstellen, schließen, zu Ende bringen, zum Abschluss bringen, einen Schlussstrich ziehen, einen Strich darunter machen, ein Ende bereiten, ad acta legen, es dabei bewenden lassen *aufsetzen, krönen

beendet: abgeschlossen, aus, fertig

Beendigung: Abschluss, Ausklang, Ende, Finale, Schluss, Schlusspunkt *Abbruch, Abschaffung, Abschluss, Aufgabe, Aufhebung, Außerkraftsetzung, Beendung, Einstellung, Ende, Schluss, Schlussstrich

beengen: bedrängen, einengen, einschnüren, einschränken, einzwängen

beengend: einengend, eingeengt, proppenvoll, überfüllt, viele, zahlreich *bedrückend, drückend

beengt: bedrängt, eingeengt, eingeschnürt, eingezwängt

Beengtheit: Bedrängnis, Bedrängung, Einengung, Enge *Beengtsein, Eingeschränktheit

beerben: bekommen, erben, ererben, erhalten, übergeben

beerdigen: begraben, beisetzen, bestatten, zu Grabe tragen, das letzte Geleit geben

Beerdigung: Aussegnung, Begräbnis, Beisetzung, Bestattung, Leichenbegräbnis, Leichenfeier, Staatsbegräbnis, Trauerfeier, Urnenbeisetzung

Beerdigungsunternehmen: Beerdigungsinstitut, Bestattungsinstitut, Bestattungsunternehmen

befähigen: ausbilden, erlauben, ermöglichen, erziehen, gestatten, vorbereiten, fähig machen, in die Lage versetzen, die Grundlage schaffen, in den Stand setzen, möglich machen, die Möglichkeit geben

befähigt: begabt, fähig, geeignet

Befähigung: Begabung, Eignung, Fähigkeit, Gabe

befahren: benutzen, nutzen *durchfurchen, durchpflügen, durchschiffen

befallen: erfassen, ergreifen *anfallen, ankommen, anwandeln, beschleichen, heimsuchen, überfallen, überkommen, verfolgen

befangen: angstbebend, angsterfüllt, ängstlich, angstschlotternd, angstverzerrt, angstvoll, argwöhnisch, aufgeregt, bang, bänglich, beklommen, besorgt, betroffen, gehemmt, scheu, schreckhaft, schüchtern, verängstigt, verschreckt, verschüchtert, zag, zaghaft, zähneklappernd *einseitig, parteigebunden, parteiisch, parteilich, subjektiv, ungerecht, unsachlich, vorbelastet, voreingenommen

Befangenheit: Eingenommenheit, Ungerechtigkeit, Voreingenommenheit, Vorurteil

befassen (s.): s. abgeben, s. beschäftigen, s. einer Sache widmen, s. tragen (mit), umgehen (mit)

befehden (s.): s. bekämpfen, s. bekriegen, s. streiten, in Fehde liegen (mit), Krieg führen (gegen)

Befehl: Anordnung, Anweisung, Aufforderung, Auftrag, Bestimmung, Diktat, Gebot, Geheimauftrag, Geheimbefehl, Geheiß, Instruktion, Kommando, Mussbestimmung, Mussvorschrift, Order, Verfügung, Verhaltensmaßregel, Verordnung, Vorschrift, Weisung

befehlen: administrieren, anordnen, anweisen, auferlegen, aufgeben, beauftragen, bestimmen, festlegen, gebieten, kommandieren, reglementieren, veranlassen, verfügen, Befehl geben, Order geben, Order erteilen *beordern, berufen,

bescheiden, bestellen, zitieren, zu sich rufen
befehlsgemäß: weisungsgemäß, auf Anordnung, auf Befehl, auf Weisung
Befehlsgewalt: Amtsgewalt, Befehl, Gewalt, Herrschaft, Herrschergewalt, Hoheit, Kommando, Oberbefehl, Regierungsgewalt, Staatsgewalt
Befehlshaber: Anführer, Heeresführer, Heerführer, Kapitän, Kommandant, Kommandeur
Befehlsinhaber: Kommandant, Kommandeur
befestigen: anbinden, anbringen, anhaken, anheften, ankleben, anmachen, anmontieren, annageln, anschnallen, anschrauben, anstecken, aufhängen, aufkleben, aufmontieren, aufschrauben, dübeln, festdübeln, festmachen, festnageln, festschrauben, montieren, schrauben (auf), schrauben (an)
befestigt: abgestützt, fest, gesichert *abgesichert, abgegrenzt, gesichert
Befestigung: Bastei, Bastion, Befestigungsanlage, Befestigungsbau, Befestigungssystem, Befestigungswerk, Bollwerk, Festung, Festungsbau, Kastell, Mauer, Schanze, Verschanzung, Verteidigungsanlage, Wehr, Zitadelle
befeuchten: anfeuchten, benässen, benetzen, nass machen, netzen *begießen, beregnen, berieseln, bespritzen, besprühen, bewässern, einsprengen, einspritzen, gießen, sprengen, spritzen, wässern
befeuern: beheizen, einheizen, heizen
befinden: billigen, gutheißen, zustimmen *beurteilen, urteilen, verdammen, verurteilen ***s. befinden:** liegen, sein, sitzen, stehen *s. aufhalten, bleiben, verbleiben, weilen, verweilen, sein, wohnen *s. fühlen
Befinden: Ergehen, Gesundheit, Gesundheitszustand, Verfassung, Zustand *Denkweise, Meinung ***nach meinem Befinden:** meines Erachtens nach, meiner Ansicht nach, nach meiner Ansicht, nach meinem Erachten, meinem Erachten nach, meiner Meinung nach, nach meinem Dafürhalten, nach meiner Meinung
befingern: anfühlen, befühlen, begreifen, betasten, tasten
beflecken: beschmieren, beschmutzen, bespritzen, besudeln, verunreinigen, schmutzig machen *beschmutzen, entehren, entheiligen, entweihen, entwürdigen, herabwürdigen, schänden, verleumden, die Ehre nehmen, die Ehre rauben ***s. beflecken:** s. beschmutzen, s. schmutzig machen
befleckt: angeschmutzt, angestaubt, fettig, fleckig, ölig, schmierig, schmuddelig, schmutzig, schmutzstarrend, speckig, trübe, unansehnlich, unrein, unsauber, verfleckt, verschmutzt
Befleckung: Entweihung, Beschmutzung
befleißigen (s.): anspannen, s. abarbeiten, s. abmühen, s. abplagen, s. abquälen, s. abrackern, s. abschleppen, s. anstrengen, s. aufreiben, s. befleißen, s. bemühen, s. fordern, s. mühen, s. plagen, s. quälen, s. schinden, s. etwas abverlangen, s. Mühe geben
beflissen: aktiv, aufmerksam, bemüht, bestrebt, betriebsam, dienstfertig, eifrig, geschäftig, pflichtbewusst, strebsam, tätig, übereifrig, versessen
Beflissenheit: Arbeitslust, Aufmerksamkeit, Begeisterung, Bemühung, Bereitwilligkeit, Bestreben, Dienstwilligkeit, Eifer, Eilfertigkeit, Emsigkeit, Energie, Entgegenkommen, Gefälligkeit, Geschäftigkeit, Hingabe, Jagd, Lust, Munterkeit, Regsamkeit, Rührigkeit, Tatendrang, Tatenlust, Unternehmungsgeist, Wachsamkeit
beflügeln: aktivieren, anfeuern, anregen, anspornen, anstacheln, aufrütteln, begeistern, beleben, beschwingen, entflammen, entzünden, ermuntern, inspirieren, motivieren, schneller machen, beschwingter machen
beflügelt: aufgeräumt, behände, beschwingt, eilends, flink, flüchtig, flugs, froh, geschwind, hastig, hurtig, leichtfüßig, pfeilgeschwind, rasch, rührig, schnell, schnellfüßig
befolgen: beachten, beherzigen, s. beugen, einhalten, s. fügen, gehorchen, s. halten (an), nachkommen, s. richten (nach), s. unterwerfen, s. unterziehen, Folge leisten

Befolgung: Beachtung, Beherzigung, Beugung, Einhaltung, Folgeleistung, Fügung, Gehorsam, das Nachkommen
befördern: avancieren, aufrücken lassen, höher stufen *expedieren, fahren, fortbringen, frachten, rollen, schaffen, spedieren, transportieren, überführen, verfrachten
Beförderung: Aufstieg, Avancement, Blitzkarriere, Rangerhöhung, Vorwärtskommen *Expedierung, Expedition, Ferntransport, Transport, Überführung
befragen: ausfragen, aushorchen, auskundschaften, ausquetschen, bohren, fragen, herumfragen, interviewen, nachfragen, umfragen, verhören, eine Frage vorlegen, eine Frage richten, eine Frage stellen, eine Frage vorbringen, um Rat fragen
Befragung: Erhebung, Feldforschung, Hörerumfrage, Interview, Leserumfrage, Meinungsforschung, Meinungsumfrage, Publikumsbefragung, Publikumsumfrage, Repräsentativbefragung, Repräsentativerhebung, Rundfrage, Umfrage, Verbraucherumfrage, Volksbefragung, Wählerumfrage, Zuschauerumfrage, demoskopische Untersuchung
befreien: beurlauben, dispensieren, entbinden (von), jmdm. etwas schenken, jmdm. etwas erlassen *retten, erretten, erlösen, in Sicherheit bringen *entsetzen, freibekommen, freikämpfen, heraushauen, herausholen, retten, zurückerobern *entbinden, entlasten *beurlauben, dispensieren, entbinden, entheben, entpflichten, freistellen, zurückstellen ***s. befreien:** s. autonom machen, s. emanzipieren, s. frei machen, s. lösen (von), s. loslösen, s. selbständig machen, s. unabhängig machen, die Fesseln abwerfen, die Ketten abwerfen, frei werden *ausbrechen, s. freikämpfen, s. heraushauen *abstreifen, abwerfen, s. ausziehen, s. enthüllen, s. entledigen, s. frei machen
Befreier: Erlöser, Erretter, Helfer, Retter, Schützer *Heiland
Befreiung: Beurlaubung, Dispens, Dispensation, Dispensierung, Entbindung, Suspendierung *Bergung, Entsatz, Erlösung, Errettung, Rettung *Emanzipation
befremden: erstaunen, überraschen, verblüffen, verwirren, verwundern, eigenartig anmuten, seltsam anmuten, befremdend anmuten, in Verwunderung setzen, in Erstaunen versetzen, Staunen erregen, zu denken geben, stutzig machen
Befremden: Bestürzung, Betroffenheit, Erstaunen, Fassungslosigkeit, Staunen, Überraschung, Verwirrung, Verwunderung
befreunden (s.): s. anfreunden, befreundet sein (mit), bekannt werden (mit), s. kennen lernen, Freundschaft schließen, Freund werden *s. anpassen
befreundet: s. gut kennen, ein Herz und eine Seele sein, Freundschaft halten, in Freundschaft verbunden sein
befriedigen: anrechnen, beachten, berücksichtigen, einbeziehen, in Anschlag bringen, in Rechnung setzen, in Rechnung stellen, nicht vorübergehen (an), Rechnung tragen *entgegenkommen *entsprechen, genugtun, etwas stillen, jmdn. zufrieden stellen, jmdn. abfinden, Genüge tun, Genüge leisten, Genugtuung geben
befriedigend: annehmbar, ausreichend, durchschnittlich, genügend, gut, hinlänglich, hinreichend
befriedigt: genügsam, selbstgenügsam, anspruchslos, ausgeglichen, beruhigt, bescheiden, satt, wunschlos, zufrieden, zufriedengestellt, zurückhaltend
Befriedigung: Genügen, Genugtuung, Zufriedenstellung *Zufriedenheit
Befriedung: Aussöhnung, Friedensbemühung, Versöhnung
befristen: terminieren, eine Frist setzen, ein Ziel stellen, einen Termin festlegen, die Zeit beschränken, die Zeit begrenzen, ein Ultimatum stellen
befristet: abgegrenzt, abgesteckt, begrenzt, längstens, bis jetzt, bis zur Stunde, bis dann, bis spätestens *fällig (am)
befruchten: begatten, besamen, zeugen *bestäuben *anregen, beleben, initiieren, inspirieren
Befruchtung: Begattung, Empfängnis, Konzeption *Besamung *Bestäubung *Insemination, künstliche Befruchtung
befugen: autorisieren, beauftragen, be-

rechtigen, bevollmächtigen, ermächtigen, die Befugnis geben, die Vollmacht erteilen, die Berechtigung geben

Befugnis: Berechtigung, Bevollmächtigung, Ermächtigung, Kompetenz, Verantwortung, Vollmacht, Zuständigkeit *Anrecht, Anspruch, Berechtigung, Ermächtigung, Freibrief, Freiheit, Qualifikation, Qualifizierung, Recht, Zustimmung

befugt: autorisiert, berechtigt, bevollmächtigt, ermächtigt, kompetent, maßgebend, verantwortlich, zuständig, mit Fug und Recht, mit gutem Recht

befühlen: abtasten, anfassen, anfühlen, betasten, suchen, tasten, untersuchen

Befund: Aussage, Darlegung, Diagnose, Ergebnis, Feststellung, Nachweis, Resultat

befürchten: ahnen, annehmen, argwöhnen, s. einbilden, erahnen, erwarten, fürchten, kalkulieren, mutmaßen, rechnen (mit), riechen, schätzen, spekulieren, vermuten, wähnen, s. zusammenreimen, Bedenken haben, Bedenken tragen, Besorgnis hegen, einen Argwohn haben, einen Argwohn hegen

Befürchtung: Ahnung, Annahme, Argwohn, Bedenken, Besorgnis, Gefühl, Verdacht, Vermutung, Vorgefühl, Vorherwissen, innere Stimme *Sorge

befürworten: auffordern, aufmuntern, einreden, ermuntern, ermutigen, jmdm. raten (zu), zuraten, zureden, jmdn. bestärken *bevorzugen, favorisieren, fördern, herausbringen, herausstellen, protegieren, unterstützen, s. verwenden (für)

begabt: befähigt, begnadet, genial, genialisch, gottbegnadet, hochbegabt, intelligent, kunstfertig, leistungsstark, talentiert, vielseitig

Begabung: Ader, Auffassungsgabe, Befähigung, Berufung, Eignung, Fähigkeit, Fähigkeiten, Gaben, Geistesgaben, Genialität, Genie, Ingenium, Intelligenz, Klugheit, Kunstfertigkeit, Talent, Veranlagung, Verstand, Vielseitigkeit, Zeug *Geist, Geistesgröße, Genie, Genius, Kapazität, Koryphäe, Phänomen, Talent

begatten: befruchten, brunften, hecken, kopulieren, s. paaren, rammeln, ranzen *belegen, besamen, beschälen, beschlagen, bespringen, decken, kappen, treten *koitieren, kopulieren, s. lieben, s. paaren, s. vereinigen, zusammenliegen, mit jmdm. ins Bett gehen, mit jmdm. schlafen, den Beischlaf vollziehen, Verkehr haben

Begattung: Befruchtung, Beschälung, Beschlag, Deckung, Kopulation, Paarung, Zeugung *Beischlaf, Geschlechtsverkehr, Koitus, Paarung, (geschlechtliche) Vereinigung

begeben (s.): abreisen, aufbrechen, gehen (nach), heimgehen, hinfahren, hingehen, hinlaufen, kommen (zu), weggehen *s. gefährden

Begebenheit: Affäre, Besonderheit, Einmaligkeit, Eklat, Episode, Ereignis, Erlebnis, Geschehen, Geschehnis, Geschichte, Hergang, Intermezzo, Phänomen, Schauspiel, Sensation, Vorfall, Vorgang, Vorkommnis, Wirbel, Zufall, Zwischenfall, Zwischenspiel *Tatsache, Wirklichkeit

begegnen: antreffen, stoßen (auf), zusammentreffen, jmds. Weg kreuzen, über den Weg laufen *vorkommen, widerfahren, zustoßen *ankämpfen, bekämpfen, durchkreuzen, eindämmen, entgegentreten, hintertreiben, unterbinden, vereiteln, verhindern, verhüten, Einhalt gebieten, im Keim ersticken, unmöglich machen, zu Fall bringen, zunichte machen *treffen, vorfinden ***s. begegnen:** s. finden, s. treffen, s. versammeln, zusammenkommen, zusammentreffen

Begegnung: Meeting, Treffen, Unterredung, Zusammenkunft *Kampf, Konkurrenz, Match, Spiel, Treffen, Wettbewerb, Wettkampf, Wettspiel, Wettstreit

begehen: handeln, machen, tun, verüben *abmessen, abschreiten, beschreiten, betreten *feiern, gestalten

begehren: fordern, zurückfordern, verlangen, zurückverlangen *ersehnen, erträumen, mögen, wünschen, zu erreichen suchen

Begehren: Forderung, Verlangen *Appetenz, Begehrlichkeit, Begier, Begierde, Gelüste, Leidenschaft, Passion, Sinnlich-

keit, Trieb *Bedürfnis *Herbeisehnen, Sehnsucht, Traum, Wunsch
begehrenswert: angenehm, anmutig, anziehend, attraktiv, aufreizend, betörend, bezaubernd, charmant, einnehmend, entzückend, gewinnend, hübsch, lieb, liebenswert, lieblich, reizvoll, sympathisch, toll *anstrebenswert, erstrebenswert, wünschenswert
begehrlich: begierig, geil, gierig, lüstern, scharf, sinnlich, wollüstig
begehrt: angesehen, bekannt, beliebt, geschätzt, populär, volkstümlich
begeistern: berauschen, entflammen, enthusiasmieren, entzücken, fortreißen, hinreißen, mitreißen, in Begeisterung versetzen, in Begeisterung bringen, mit Begeisterung erfüllen, trunken machen *s. **begeistern:** abfahren (auf), ausflippen, erglühen, s. erwärmen, Begeisterung empfinden, Begeisterung fühlen, Feuer fangen, in Begeisterung geraten *s. **begeistern:** s. hineinsteigern
begeistert: berauscht, eifrig, ekstatisch, entflammt, enthusiastisch, entzückt, fanatisch, feurig, glühend, glutvoll, hingerissen, inbrünstig, leidenschaftlich, mitgerissen, schwärmerisch, schwungvoll, trunken, übereifrig, verzückt
Begeisterung: Eifer, Ekstase, Elan, Enthusiasmus, Entzücken, Entzückung, Feuer, Freude, Gefühlsüberschwang, Glut, Idealismus, Inbrunst, Leidenschaft, Rausch, Schwärmerei, Strohfeuer, Übereifer, Überschwang, Überschwänglichkeit, Verzücktheit, Verzückung
Begierde: Appetenz, Begehren, Begehrlichkeit, Begier, Gelüste, Leidenschaft, Passion, Sinnlichkeit, Trieb *Brunst *Fleischeslust, Geilheit, Gier, Leidenschaft, Libido, Liebessehnsucht, Lüsternheit, Sinnlichkeit, Triebhaftigkeit, Wollust
begierig: begehrlich, geil, gierig, lüstern, scharf, sinnlich, wollüstig *eifrig, übereifrig, begeistert, berauscht, entflammt, fanatisch, feurig, glühend, glutvoll, hingerissen, inbrünstig, leidenschaftlich, mitgerissen, schwärmerisch
begießen: angießen, besprengen, bewässern, gießen, sprengen, übergießen, überschütten, wässern
Beginn: Anbeginn, Anbruch, Anfang, Auftakt, Ausbruch, Eintritt, Einzug, Eröffnung, Inangriffnahme, Start, Startschuss, erster Schritt *Anfang, Auftakt, Einsatz, Einsetzen, Eintritt, Start *Anbeginn, Anfang, Aufkommen, Bildung, Entstehung, Entwicklung, das Herannahen
beginnen: anfangen, angehen, anpacken, eröffnen, starten, in Angriff nehmen *anfangen, anstimmen *auftauchen, s. bilden, s. entfalten, entstehen, s. erheben, herauskommen, s. zeigen *s. entwickeln, seinen Anfang nehmen *s. bekehren, bereuen, s. bessern, s. eines Besseren belehren, s. eines Besseren besinnen, s. läutern, umkehren, s. wandeln, ein neues Leben beginnen, ein anderer Mensch werden
beglaubigen: akkreditieren, bestätigen, legalisieren, legitimieren, zulassen *bescheinigen, bestätigen, unterschreiben
Beglaubigung: Akkreditierung, Bestätigung, Legalisation, Legitimierung *Bescheinigung, Bestätigung, Unterschrift
Beglaubigungsschreiben: Akkreditiv, Beglaubigungsurkunde, Berechtigungsnachweis
begleichen: abbezahlen, abtragen, abzahlen, ausgeben, ausschütten, bezahlen, bezuschussen, entrichten, finanzieren, hinterlegen, nachzahlen, subventionieren, tilgen, unterstützen, zahlen, zurückerstatten, zurückzahlen, zuzahlen, die Kosten tragen, in Raten zahlen *abhelfen, ausbalancieren, ausbügeln, ausgleichen, aussöhnen, beilegen, bereinigen, beseitigen, einrenken, geradebiegen, geradebügeln, hinbiegen, regeln, reinwaschen, schlichten, vermitteln, s. versöhnen, wieder gutmachen, zurechtbiegen, zurechtbügeln, zurechtrücken, in Ordnung bringen, ins Reine bringen, ins rechte Gleis bringen, ins Lot bringen
Begleichung: Abbezahlung, Abtragung, Abzahlung, Ausgabe, Ausschüttung, Bezahlung, Bezuschussung, Entrichtung, Finanzierung, Hinterlegung, Nachzahlung, Ratenzahlung, Rückerstattung, Rückzahlung, Subventionierung, Tilgung, Unterstützung, Zahlung *Ausgleich, Beilegung, Bereinigung, Beseitigung, Kompromiss,

Regelung, Schlichtung, Vergleich, Vermittlung
begleiten: geleiten, heimbegleiten, heimbringen, mitgehen, mitkommen, nach Hause bringen, das Geleit geben, Gesellschaft leisten
Begleiter: Aufpasser, Begleitperson, Begleitung, Kurschatten, Schatten, Weggefährte, Weggenosse *Erdbegleiter, Mond, Trabant *Beistand, Betreuer, Führer
begleitet: beieinander, zusammen, in Begleitung, in Gesellschaft, mit anderen, zu zweit, zu dritt
Begleitung: Eskorte, Gefolge, Gefolgschaft, Geleit, Gesellschaft *Aufpasser, Begleiter, Kurschatten, Schatten, Weggefährte, Weggenosse
beglücken: amüsieren, glücklich machen, Spaß machen, Freude machen *anregen, aufheitern, aufmuntern, belustigen, erfreuen, ergötzen, s. freuen, genießen
beglückt: begeistert, beschwingt, beseligt, erfüllt, freudestrahlend, freudig, fröhlich, glücklich, glückselig, glückstrahlend, hochbeglückt, selig, überglücklich, zufrieden
beglückwünschen: gratulieren, Glück wünschen, Glückwünsche darbieten, Glückwünsche übermitteln, Glückwünsche überbringen, seinen Glückwunsch aussprechen
begnadet: auserwählt, berufen, bevorzugt, erkoren, erwählt, gesegnet *begabt, befähigt, berufen, brauchbar, fähig, geeignet, gelehrig, genial, geschickt, gewandt, hochbegabt, patent, prädestiniert, qualifiziert, talentiert, tauglich, tüchtig, verwendbar
begnadigen: amnestieren, lossprechen, vergeben, verschonen, verzeihen, die Strafe erlassen, Gnade walten lassen
Begnadigung: Amnestie, Gnade, Pardon, Straferlass, Vergebung, Verzeihung
begnügen (s.): s. bescheiden, fürlieb nehmen, s. mäßigen, vorlieb nehmen (mit), s. zufrieden geben, zufrieden sein, s. zurückhalten
begraben: aussegnen, beerdigen, beisetzen, bestatten, einäschern, einsegnen, verbrennen, unter die Erde bringen, zu Grabe tragen, zur letzten Ruhe betten *abtun, aufgeben, kapitulieren, resignieren *verschütten, völlig bedecken, völlig zudecken *entfallen, entschwinden, s. nicht entsinnen, s. nicht erinnern, vergessen, aus dem Gedächtnis verlieren, aus den Augen verlieren, keine Erinnerung mehr haben, nicht behalten, nicht denken (an), nicht mehr wissen
Begräbnis: Aussegnung, Beerdigung, Beisetzung, Bestattung, Einäscherung, Einsegnung, Leichenbegängnis, Leichenbegräbnis, Leichenfeier, Staatsbegräbnis, Trauerfeier
Begräbnisstätte: Ehrenfriedhof, Friedhof, Gottesacker, Gräberfeld, Kirchhof, Soldatenfriedhof, Totenacker, Urnenfriedhof
begreifen: auffassen, aufschnappen, durchblicken, durchschauen, einsehen, erkennen, nachvollziehen, verstehen, folgen können, Verständnis haben
begreiflich: bestechend, einleuchtend, einsichtig, evident, fassbar, fasslich, glaubhaft, plausibel, überzeugend, verständlich
begrenzen: abgrenzen, abpfählen, abpflocken, abstecken, abzäumen, einfrieden, einfriedigen, eingrenzen, einhegen, einzäunen, umfrieden, umgrenzen, umzäunen *dezimieren, drosseln, einengen, gesundschrumpfen, herabmindern, heruntergehen, herunterschrauben, kürzen, reduzieren, schmälern, streichen, verkleinern, verringern *beschränken, einschränken, kontingentieren, limitieren
begrenzt: eingegrenzt, eingezäunt, umfriedet, umgrenzt, umzäunt *gering, klein, mäßig *beschränkt, eingeschränkt, kontingentiert, limitiert
Begriff: Abstraktion, Größe, Kategorie *Anschauung, Ansicht, Auffassung, Betrachtungsweise, Bild, Meinung, Perspektive, Standpunkt, Vorstellung *Ausdruck, Benennung, Bezeichnung, Definition, Formel, Formulierung, Terminus, Vokabel, Wort *Sinngehalt, (gedankliche) Einheit
begrifflich: abgezogen, abstrakt, begriffsmäßig, gedacht, gedanklich, ideell, theoretisch
begriffsstutzig: beschränkt, schwerfällig,

schwer von Begriff, langsam von Begriff *begriffsstutzig sein: eine lange Leitung haben, langsam schalten, langsam begreifen, schwer begreifen, langsam auffassen, langsam verstehen

begründen: argumentieren, beweisen *argumentieren, motivieren, überzeugen, deutlich machen, Argumente bringen *anfangen, beginnen, eröffnen, errichten, etablieren, gründen, konstituieren, schaffen, stiften, aus der Taufe heben, das Fundament legen zu, ins Leben rufen

begründet: durchdacht, fundiert, geformt, gesichert, methodisch, überlegt, unanfechtbar, unangreifbar, hieb- und stichfest *gesetzlich, gesetzmäßig, juristisch, legal, legitim, ordnungsgemäß, rechtlich, rechtmäßig, vorgeschrieben, vorschriftsmäßig, zulässig, de jure, dem Gesetz entsprechend, dem Recht entsprechend, mit Fug und Recht, nach den Paragraphen, nach dem Gesetz, nach Recht und Gesetz, nicht gesetzwidrig, recht und billig, von Rechts wegen, zu Recht, mit Recht

Begründung: Argumentation, Beweis, Beweisführung, Fundierung *Argument, Argumentation, Beweisgrund, Motivation, Überzeugung *Anfang, Beginn, Grundlegung, Gründung, Stiftung

begrünen: aufranken, begrasen, bemoosen, beranken, bewachsen, hochranken, umranken

begrüßen: empfangen, grüßen, salutieren, willkommen heißen *akzeptieren, anerkennen, annehmen, beipflichten, billigen, einig gehen, einwilligen, gestatten, gutheißen, legitimieren, sanktionieren, unterschreiben, zugeben

Begrüßung: Bückling, Händedruck, Handkuss, Handschlag, Kratzfuß, Shakehands, Umarmung, Verbeugung, Verneigung

begünstigen: bevorzugen, favorisieren, fördern, herausbringen, herausstellen, protegieren, unterstützen, s. verwenden (für), vorziehen, lieber mögen

Begünstigung: Auszeichnung, Bevorzugung, Privileg, Protektion, Vergünstigung, Vorliebe, Vorrecht

begutachten: abschätzen, auffassen (als), beleuchten, betrachten (als), beurteilen, bewerten, durchleuchten, einschätzen, empfinden (als), nehmen (als), urteilen, verstehen (als), werten, ein Urteil abgeben, ein Urteil fällen

Begutachtung: Abschätzung, Betrachtung, Beurteilung, Bewertung, Durchleuchtung, Einschätzung, Urteil, Wertung

begütert: bemittelt, betucht, gut situiert, reich, steinreich, vermögend, wohlhabend, zahlungskräftig

begütigen: abwiegeln, beruhigen, besänftigen, beschwichtigen, glätten, vermitteln, zur Ruhe bringen

behaart: bärtig, borstig, haarig, stoppelig, struppig

behäbig: faul, gelassen, gemütlich, gottergeben, mollig, wohlig, langsam, phlegmatisch, schläfrig, schrittweise, schwerfällig, träge

behagen: ankommen, gefallen, munden, passen, schmecken, zusagen, gelegen sein, angenehm sein, recht sein, sympathisch sein, zufrieden sein, gelegen kommen, Geschmack abgewinnen

Behagen: Ausgelassenheit, Freude, Frohmut, Frohsinn, Heiterkeit, Lebenslust, Lustigkeit, Vergnügtheit, Zufriedenheit, frohe Laune, heitere Stimmung

behaglich: angenehm, bequem, gemütlich, heimelig, heimisch, idyllisch, komfortabel, lauschig, traulich, traut, wohlig, wohl tuend, wohnlich

Behaglichkeit: Annehmlichkeit, Bequemlichkeit, Gemütlichkeit, Idylle, Komfort

behalten: anhäufen, ansammeln, aufbewahren, aufheben, aufspeichern, hamstern, häufen, speichern, verwahren, zurückhalten *aufrechterhalten, beibehalten, festhalten, halten, eingeschworen sein *einbehalten, zurückbehalten, zurückhalten, nicht herausgeben, nicht aus der Hand geben, nicht herausrücken *aufnehmen, beherzigen, s. etwas merken, s. ins Gedächtnis schreiben, lernen, s. zu eigen machen, nicht vergessen *bewahren, geheim halten, totschweigen, unterschlagen, verbergen, verhehlen, verheimlichen, verschweigen, vertuschen, vorenthalten, (mit Schweigen) zudecken, nicht erzählen, für sich behalten, in sich verschließen *s. nicht ändern *investieren, nicht ausschütten *geheim halten, kaschieren, tarnen, totschweigen, unterschlagen, verbergen, verhehlen, verheimlichen, verhüllen, verschleiern, verschweigen, vertuschen, vorenthalten, nicht verraten *aufrechterhalten, behaupten, beibehalten, bestehen, bewahren, bleiben (bei), erhalten, festhalten (an), halten, bei etwas bleiben, nicht abgehen (von), nicht aufgeben

Behälter: Behältnis, Gefäß

behände: anstellig, eilends, eilfertig, eilig, flink, flugs, forsch, geschickt, geschwind, gewandt, hastig, hurtig, kühn, leichtfüßig, pfeilschnell, rasant, rasch, schleunigst, schnell, schnellstens, zügig

behandeln: bearbeiten, bestellen, bewässern, erschließen, kultivieren, pflanzen, roden, urbar machen, ertragreich machen, zugänglich machen, nutzbar machen *bedienen, beistehen, betreuen, verarzten *bekämpfen, betreuen, doktern, erleichtern, gesund machen, heilen, helfen, herumdoktern, kurieren, mildern, pflegen, praktizieren, verarzten, versorgen *anfassen, anpacken, umgehen (mit), umspringen (mit), verfahren (mit) *besprechen, darlegen, drannehmen, durchnehmen, durchsprechen, erörtern, handeln (von), schreiben (von), handeln (über), zum Gegenstand haben, zum Inhalt haben, sprechen (über) ***nicht behandeln:** ignorieren, verleugnen *übersehen, vergessen *keine Zeit haben (für), es nicht schaffen *verweigern

Behandlung: Bekämpfung, Betreuung, Heilbehandlung, Heilmethode, Heilung, Krankenbehandlung, Krankheitsbehandlung, Methode, Nachsorge, Therapie, Verarztung *Abhandlung, Aufdeckung, Ausbreitung, Auseinandersetzung, Beleuchtung, Bericht, Beschreibung, Betrachtung, Charakterisierung, Darlegung, Darstellung, Denkschrift, Durchleuchtung, Entfaltung, Entwicklung, Erläuterung, Manifestation, Schilderung, Skizze, Skizzierung, Zusammenstellung *Bearbeitung, Durchnahme

beharren: bestehen (auf), festbleiben, festhalten, s. nicht abbringen lassen, s. nicht irremachen lassen, pochen (auf), nicht lockerlassen, nicht ablassen, nicht nachgeben, verharren (bei), bleiben (bei), standhaft bleiben

beharrlich: ausdauernd, entschieden, entschlossen, fest, geduldig, geradlinig, hartnäckig, konstant, krampfhaft, persistent, starrsinnig, stetig, strebsam, stur, trotzig, unbeirrbar, unbeirrt, unbeugsam, unentwegt, unermüdlich, unverdrossen, verbissen, verzweifelt, zäh, zielbewusst, zielstrebig

Beharrlichkeit: Ausdauer, Beharrung, Beharrungsvermögen, Durchhaltevermögen, Entschiedenheit, Entschlossenheit, Festigkeit, Geduld, Geradlinigkeit, Hartnäckigkeit, Konsequenz, Konstanz, Persistenz, Starrsinn, Stehvermögen, Stetigkeit, Strebsamkeit, Sturheit, Trotz, Unbeugsamkeit, Unermüdlichkeit, Unerschütterlichkeit, Unverdrossenheit, Zähigkeit, Zielbewusstsein, Zielstrebigkeit

behauen: abbrechen, abbröckeln, abhauen, abkappen, abschlagen, absondern, abspalten, absplittern, abtrennen, anfertigen, ausarbeiten, aushämmern, aushauen, bearbeiten, formen, gestalten, meißeln, modellieren, verkürzen, weghauen

behaupten: beharren (auf), bestehen (auf), beteuern, betonen, sagen, versichern, etwas ausgeben (als), etwas hinstellen (als), dabei bleiben, als sicher ausgeben, eine Behauptung aufstellen ***s. behaupten:** bestehen, s. bewähren, s. durchsetzen, nicht versagen

Behauptung: Annahme, Hypothese, Theorie, Unterstellung *Anschauung, Ansicht, Auffassung, Meinung, Standpunkt, Überzeugung *Bemerkung, Feststellung, Statement

Behausung: Unterkunft, Wohnung

beheben: ausbessern, beseitigen, erneuern, reparieren, in Ordnung bringen, instand setzen

beheimatet: alteingesessen, ansässig, eingeboren, eingebürgert, eingesessen, einheimisch, heimisch, niedergelassen, ortsansässig, wohnhaft *geboren, gebürtig, herstammend

Behelf: Ersatz, Notbehelf, Notlösung, Provisorium, vorläufige Hilfe
behelfsmäßig: notdürftig, provisorisch, auf die Schnelle, als Übergangslösung, für die nächste Zeit, als Übergang
behelligen: plagen, stören, nicht in Ruhe lassen, zur Last fallen
beherbergen: aufnehmen, Unterkunft geben, Obdach geben, Asyl geben, Asyl gewähren, Unterkunft gewähren, Obdach gewähren, Quartier geben, Aufnahme bieten, Aufnahme gewähren
beherrschen: bedrücken, drangsalieren, knebeln, knechten, terrorisieren, unterdrücken, gebieten (über), herrschen (über) *bändigen, bezähmen, bezwingen, zügeln *können, meistern, verstehen, s. verstehen (auf etwas) ***s. beherrschen:** s. bändigen, s. beruhigen, s. bezwingen, s. im Zaume halten, s. in der Gewalt haben, kalt bleiben, s. mäßigen, s. nichts anmerken lassen, s. überwinden, s. zähmen, s. zügeln, s. zurückhalten, s. zusammennehmen, s. zusammenraffen, s. zusammenreißen, die Selbstbeherrschung nicht verlieren, keine Miene verziehen, gefasst bleiben, gelassen bleiben, an sich halten
beherrscht: abgeklärt, ausgeglichen, bedacht, bedachtsam, besonnen, diszipliniert, gefasst, gehalten, gemächlich, gemessen, geruhsam, gezügelt, gleichmütig, harmonisch, kaltblütig, ruhevoll, ruhig, sicher, still, überlegen, würdevoll
Beherrschung: Abgeklärtheit, Bedacht, Bedachtsamkeit, Besonnenheit, Fassung, Gefasstheit, Gelassenheit, Gleichgewicht, Gleichmut, Kontenance, Mäßigung, Ruhe, Selbstbeherrschung, Umsicht
beherzigen: annehmen, beachten, s. zu Herzen nehmen
beherzt: mutig, wagemutig, draufgängerisch, furchtlos, heldenhaft, heldenmütig, herzhaft, kämpferisch, kühn, mannhaft, tapfer, todesmutig, tollkühn, unerschrocken, unverzagt, vermessen, verwegen, waghalsig
Beherztheit: Begeisterung, Courage, Entschlossenheit, Fassung, Mut
behilflich: aufopfernd, aufopferungsfähig, brüderlich, fürsorglich, hilfsbereit, opferwillig ***behilflich sein:** assistieren, beispringen, beistehen, helfen, unterstützen, vertreten, zupacken, zur Seite stehen
behindern: aufhalten, beeinträchtigen, erschweren, hemmen, hindern, lähmen, stören, verzögern, hinderlich sein, einen Hemmschuh anlegen, im Weg stehen, Schwierigkeiten in den Weg legen *s. durchsetzen, die Vorfahrt nehmen, rücksichtslos sein
behindert: eingeschränkt, gehandikapt, krank, schwerbeschädigt
Behinderter: Körperbehinderter, geistig Behinderter
Behinderung: Beeinträchtigung, Erschwernis, Erschwerung, Fessel, Handicap, Hemmschuh, Hemmung, Hindernis, Hinderung *Barriere, Engpass, Erschwernis, Erschwerung, Hemmung, Hindernis
Behörde: Administration, Amt, Dienststelle, Einrichtung, Geschäftsstelle, Instanz, Institution, Verwaltung
Behördensprache: Amtsdeutsch, Amtsstil, Behördendeutsch, Behördenstil, Kanzleistil, Papierstil, Verwaltungssprache
behüten: aufbewahren, aufheben, behalten, beibehalten, zurückhalten *beistehen, beschirmen, beschützen, bewachen, bewahren, decken, einstehen, festhalten, hüten, umsorgen
behutsam: aufmerksam, langsam, sachte, sanft, schonend, schonungsvoll, sorgfältig, vorsichtig *allmählich, langsam, nach und nach
Behutsamkeit: Achtsamkeit, Bedacht, Bedächtigkeit, Besonnenheit, Besorgnis, Einsicht, Fürsorge, Gewissenhaftigkeit, Hingabe, Rücksichtnahme, Sorgfalt, Überlegung, Umsicht, Vorsicht, Wachsamkeit
bei: angrenzend, anliegend, annäherungsweise, anstoßend, beisammen, benachbart, dabei, daneben, dicht, gegenüber, nahe, nebenan, nebenbei, ungefähr, zusammen
beibehalten: aufrechterhalten, behalten, behaupten, bestehen, bewahren, erhalten, halten nicht abgehen (von), bei

etwas bleiben, bleiben (bei), festhalten (an), nicht aufgeben
Beibehaltung: Aufrechterhaltung, Bewahrung, Standfestigkeit
Beiboot: Barkasse, Dingi, Geleitboot, Jolle, Rettungsboot, Schaluppe
beibringen: belehren, dozieren, erklären, instruieren, lehren, unterrichten, unterweisen, zeigen, Unterricht erteilen *bringen, aufbringen, beschaffen, besorgen, herbeibringen, herbeischaffen, holen, verschaffen, zusammenbringen *zufügen
Beichte: Sündenbereuung, Sakrament der Buße *Bekenntnis, Eingeständnis, Geständnis, Offenbarung, Schuldbekenntnis, Sündenbekenntnis
beichten: die Beichte ablegen, seine Sünden bekennen, seine Schuld bekennen, seine Sünden gestehen *aussagen, bekennen, berichten, eingestehen, einräumen, gestehen, offenbaren, zugeben, die Karten aufdecken, die Karten offen auf den Tisch legen, ein Geständnis machen, ein Geständnis ablegen, eine Aussage machen, geständig sein, jmdm. etwas anvertrauen, jmdm. etwas eröffnen, sein Gewissen erleichtern, mit der Wahrheit herausrücken
beidarmig: mit beiden Armen, mit zwei Armen
beide: (alle) zwei, die beiden, die zwei, alle beide *zwei, die beiden, alle zwei *ein Paar
beiderseits: zu beiden Seiten, auf beiden Seiten, hüben und drüben
beidhändig: mit beiden Händen
beieinander: beisammen, nebeneinander, vereint, zusammen *gemeinsam, kooperativ, vereint ***beieinander bleiben:** beisammenbleiben, zusammenbleiben, vereint bleiben
beidrehen: anhalten, beilegen, festlegen, landen, stoppen
Beifahrer: Begleiter, Mitfahrer, Sozius
Beifall: Akklamation, Applaus, Beifallsäußerung, Beifallsbezeugung, Beifallsdonner, Beifallskundgebung, Beifallsorkan, Beifallssturm, Händeklatschen, Huldigung, Jubel, Ovation, das Klatschen
beifällig: anerkennend, bejahend, lobenswert, optimistisch, positiv, zustimmend
beige: falb, gelb, gelbgrau, gelblich, sandfarben
beigeben: anfügen, anheften, anreihen, anschließen, beifügen, beiheften, beilegen, beiordnen, beischließen, dazugeben, dazulegen, dazutun, hinzufügen, zulegen
Beigeschmack: Anhauch, Nachgeschmack, Nebengeschmack, Unterton *Aroma
beigesellen: beigeben, beiordnen, zugesellen, zuordnen ***s. beigesellen:** s. anschließen, mitgehen, mitlaufen
Beihilfe: Assistenz, Bedienung, Beistand, Beitrag, Bemühung, Dienstleistung, Förderung, Gefälligkeit, Handreichung, Hilfe, Hilfeleistung, Hilfsdienst, Mitwirkung, Stütze *Almosen, Subvention, Unterstützung, Zusatzleistung
Beilage: Anlage, Beiblatt, Beiheft, Einlage *Beigabe, Extra, Zugabe, Zutat *Anfügung, Anhang, Beifügung, Zusatz *Beikost, Zubrot
beiläufig: apropos, leichthin, nebenbei, nebenher, ohnehin, am Rande, wie zufällig, per Zufall, durch Zufall *übrigens
beilegen: beifügen, beigeben, dazulegen, dazutun *abhelfen, ausbalancieren, ausbügeln, ausgleichen, aussöhnen, begleichen, bereinigen, beseitigen, einrenken, geradebiegen, geradebügeln, hinbiegen, regeln, reinwaschen, schlichten, vermitteln, s. versöhnen, wieder gutmachen, zurechtbiegen, zurechtbügeln, zurechtrücken, in Ordnung bringen, ins Reine bringen, ins rechte Gleis bringen, ins Lot bringen
Beileid: Anteilnahme, Beileidsbezeigung, Kondolenz, Mitgefühl, Teilnahme ***Beileid aussprechen:** kondolieren, Beileid bezeugen
beiliegend: anbei, anliegend, beigefügt, beigelegt, inliegend, innen, im Innern, in der Beilage, in der Anlage
beimengen: anfügen, beifügen, beigeben, beimischen, einrühren, hinzufügen, hinzusetzen, untermischen, unterrühren, zufügen, zugeben, zusetzen

beimessen: betonen
beimischen: beifügen, beigeben, beimengen, einmischen, einrühren, hinzusetzen, hinzutun, zusetzen
beinahe: annähernd, bald, beiläufig, cirka, fast, gewissermaßen, halb, kaum, knapp, nahezu, praktisch, schier, um Haaresbreite, um ein Haar, so gut wie ..., gerade noch
beinhalten: einschließen, enthalten, zum Inhalt haben *behandeln
beipflichten: beistimmen, zustimmen, einer Meinung sein, einer Ansicht sein, recht geben
Beipflichtung: Bekräftigung, Bemerkung, Berücksichtigung, Bewilligung, Billigung
Beirat: Beistand, Berater, Mentor, Nestor, Ratgeber *Kollegium, Kommission, Konzilium, Vertretung
beirren: desorientieren, durcheinander bringen, irremachen, irritieren, verstören, verunsichern, verwirren, unsicher machen, aus dem Konzept bringen, aus der Fassung bringen, in Verlegenheit bringen, in Verwirrung bringen, verlegen machen, kopfscheu machen, konfus machen, den Kopf verdrehen
beisammen: beieinander, vereint, zusammen, zu zweit, zu dritt
Beisammensein: Begegnung, Treffen, Wiedersehen *Gesellschaft, das Zusammensein *Fest, Festivität, Geselligkeit, Runde, Zusammenkunft, Zusammensein
Beischlaf: Geschlechtsverkehr, Koitus
Beischläferin: Dirne, Geliebte, Gespielin, Konkubine, Mätresse, Prostituierte
Beisein: Anwesenheit, Gegenwart, das Zugegensein
beiseite: abseits, aneinander, daneben, drüben, jenseits, neben, nebeneinander, seitab, seitlich, seitwärts ***beiseite legen:** aufheben, bewahren, einlagern, ersparen, erübrigen, haushalten, sparen, wegstecken, wirtschaften, zurücklegen *absondern, auslassen, auslesen, ausscheiden, ausschließen, aussichten, trennen, übersehen, vernachlässigen, weglassen, zurückweisen *ablegen, aufgeben, aussondern, beseitigen, s. enthalten, entsagen, niederlegen, unterlassen, s. versagen, zurückbehalten ***beiseite schieben:** zurückdrängen, zurückstellen
Beispiel: Exempel, Modell, Muster, Musterbeispiel, Paradebeispiel, Paradigma, Probe, Schulbeispiel *Leitbild, Leitstern, Richtschnur, Vorbild, Wunschbild
beispiellos: ausgezeichnet, beispielhaft, exemplarisch, glänzend, hervorragend, mustergültig, nachahmenswert, vorbildlich
beispielsweise: etwa, vergleichsweise, z. B., zum Beispiel, zum Exempel
beißen: verletzen, verwunden, zubeißen, zupacken, zuschnappen *brennen, jucken, kitzeln, kratzen, kribbeln, stechen, weh tun *kauen, knabbern ***s. beißen:** s. stechen, nicht harmonieren, s. nicht vertragen, nicht zueinander passen
beißend: bohrend, brennend, marternd, peinigend, quälend, qualvoll, schmerzend, schmerzhaft, schmerzlich, stechend, ziehend *ätzend, brennend, scharf *bissig, boshaft, ironisch, sarkastisch, satirisch, spöttisch
Beistand: Trauzeuge, Zeuge *Beratung, Rechtsbeistand *Hilfe, Unterstützung, Trost
beistehen: bemitleiden, beraten, helfen, unterstützen
beisteuern: beitragen, dazugeben, dazulegen, investieren, mithalten, spenden, spendieren, unterstützen, zugeben, zulegen, zuschießen, zusteuern *aktiv sein, s. beteiligen, mitmachen, mitreden, teilnehmen
beistimmen: billigen, zubilligen, anerkennen, annehmen, beipflichten, dulden, einräumen, einwilligen, erlauben, genehmigen, gestatten, gutheißen, respektieren, sanktionieren, tolerieren, unterschreiben, zugeben, zulassen, zustimmen, einverstanden sein, Ja sagen, seine Zustimmung geben
Beistimmung: Billigung, Einverständnis, Einwilligung, Erlaubnis, Genehmigung, Gutheißung, Zustimmung
Beitrag: Almosen, Obolus, Scherflein, Spende, Summe, Zahlung *Beistand, Förderung, Hilfe, Mitwirkung, Unterstützung *Abhandlung, Arbeit, Artikel,

Aufsatz *Abgabe, Anteil, Portion, Ration, Stück, Teil
beitragen: beisteuern, dazugeben, dazulegen, investieren, mithalten, spenden, spendieren, unterstützen, zugeben, zulegen, zuschießen, zusteuern
beitreten: s. anschließen, s. beteiligen, einsteigen, eintreten, mitmachen, s. zugesellen, Mitglied werden
Beitritt: Beitreten, Eintreten, Eintritt, die Mitgliedschaft erwerben
Beiwerk: Nebensache, Nebensächlichkeit, Zutat, schmückende Ergänzung
beiwohnen: dabei sein, da sein, zugegen sein, anwesend sein
beizeiten: bald, baldigst, früh, frühzeitig, pünktlich, rechtzeitig, möglichst bald, zur rechten Zeit, früh genug, in aller Frühe
beizen: abbeizen, ausbeizen
bejahen: anerkennen, annehmen, beipflichten, beistimmen, billigen, dulden, einräumen, einwilligen, erlauben, genehmigen, gestatten, gutheißen, respektieren, sanktionieren, tolerieren, unterschreiben, zubilligen, zugeben, zulassen, zustimmen, einverstanden sein, Ja sagen
bejahend: anerkennend, beifällig, positiv, zustimmend
bejahrt: abgelebt, alt, ausgedient, betagt, ehrwürdig, grauhaarig, greisenhaft, hochbetagt, steinalt, uralt, verbraucht, weise
Bejahung: Billigung, Einverständnis, Einwilligung, Genehmigung, Gewährung, Zustimmung
bejammern: beklagen, bemitleiden, bereuen, beweinen
bejammernswert: arg, bedauernswert, bedauernswürdig, bejammernswürdig, beklagenswert, bemitleidenswert, beweinenswert, bitter, elend, erbärmlich, grausam, hart, herzbewegend, herzbrechend, herzzerreißend, hilflos, hilfsbedürftig, jämmerlich, jammervoll, niederschmetternd, rührend, schmerzend, schmerzerfüllt, schmerzlich, schmerzvoll, schwer, trostlos, unglücklich, unglückselig
bejubeln: applaudieren, beklatschen, feiern, Beifall spenden, Beifall zollen, mit Beifall überschütten
bejubelt: beklatscht, bewundert, geehrt, gefeiert, gepriesen, gerühmt, umtost, verherrlicht
bekämpfen: ankämpfen, befehden, entgegentreten, kämpfen, angehen (gegen), vorgehen (gegen) ***s. bekämpfen:** angreifen, entgegenarbeiten, entgegentreten, entgegenwirken, angehen (gegen) *s. befehden, s. bekriegen, s. streiten, einander bekämpfen, Krieg führen (gegen)
bekannt: altbekannt, anerkannt, ausgewiesen, berühmt, namhaft, prominent, verbreitet, weltbekannt, weltberühmt, wohl bekannt *amtlich, publik, veröffentlicht ***bekannt geben:** ankünden, ankündigen, ausplaudern, ausrichten, äußern, bekannt machen, benachrichtigen, berichten, beschreiben, darstellen, erzählen, informieren, kundgeben, kundmachen, melden, mitteilen, preisgeben, schildern, unterrichten, verkünden, verkündigen, verlautbaren, verlauten, vermelden, veröffentlichen, verraten, weitererzählen, weitersagen, weitertragen, Bericht erstatten, Bericht geben ***bekannt machen:** zusammenbringen, zusammenführen, einander vorstellen, eine Bekanntschaft herbeiführen ***bekannt werden:** s. herumsprechen, kundwerden, publik werden, Schlagzeilen machen, unter die Leute kommen, (groß) herauskommen *s. befreunden, s. kennen, s. vorstellen, zusammenbringen
Bekannte: Freundin, Kameradin, Partnerin, Vertraute
Bekanntenkreis: Bekanntschaft, Clique, Freundeskreis
Bekannter: Freund, Kamerad, Partner, Vertrauter
Bekanntheit: Berühmtheit, Weltberühmtheit, Weltruf
bekanntlich: bekanntermaßen, erfahrungsgemäß, erwiesenermaßen, offenkundig, sprichwörtlich, unverkennbar
Bekanntmachung: Ankündigung, Anschlag, Anzeige, Bekanntgabe, Bericht, Enthüllung, Erlass, Eröffnung, Information, Kommuniqué, Kundgabe, Kundgebung, Memorandum, Mitteilung, Nachricht, Preisgabe, Pressebericht, Proklamation, Publikation, Rundschrei-

ben, Verkündigung, Verkündung, Verlautbarung, Veröffentlichung *Balkenüberschrift, Headline, Schlagzeile, Titel, Überschrift
bekehren: beschwatzen, breitschlagen, erweichen, herumkriegen, rumkriegen, überreden, überzeugen, umstimmen, werben ***s. bekehren:** konvertieren, übertreten, wechseln
Bekehrung: Neubeginn, Umkehr
bekennen: aussagen, beichten, eingestehen, einräumen, gestehen, offenbaren, zugeben, ein Bekenntnis ablegen, Farbe bekennen ***s. bekennen:** dabei sein, dazugehören, s. identifizieren *s. (offen) engagieren, eintreten (für)
Bekenner: Held, Kämpfer, Löwe, Streithahn *Blutzeuge, Märtyrer
Bekenntnis: Aussage, Beichte, Geständnis, Offenbarung *Glaube, Glaubensrichtung, Konfession, Religion
beklagen: bedauern, bejammern, betrauern, beweinen, klagen (um), nachtrauern, trauern (um) ***s. beklagen:** ablehnen, anfechten, beanstanden, bemäkeln, bemängeln, s. beschweren, herumkritteln, kritisieren, missbilligen, monieren, nörgeln, reklamieren, s. stören (an), s. stoßen (an), angehen (gegen), etwas auszusetzen haben, Klage führen, klagen (über), Kritik üben, unmöglich finden
beklagenswert: bedauerlich, bedauernswert, ergreifend, herzbewegend, herzergreifend, herzzerreißend, jämmerlich, jammervoll, kläglich
beklatschen: bejubeln, klatschen, mit Ovationen überhäufen, mit Beifall bedenken
bekleben: kaschieren, kleben, überdecken, überkleben
bekleiden: amtieren, einnehmen, innehaben, sein, tätig sein (als), versehen, einen Rang haben, eine Stellung haben ***s. bekleiden:** ankleiden, antun, anziehen, überstreifen, überwerfen, überziehen
bekleidet: angetan (mit), angezogen, gekleidet, verhüllt
Bekleidung: Anzug, Bedeckung, Behang, Gewand, Kleid, Kleidung, Kluft, Mantel, Ornat, Putz, Schleier, Staat, Umhang, Tracht
Beklemmung: Angst, Ängstlichkeit, Beklommenheit, Platzangst, Verschüchterung
beklommen: angstbebend, angsterfüllt, ängstlich, angstschlotternd, angstverzerrt, angstvoll, argwöhnisch, aufgeregt, bang, bänglich, befangen, besorgt, betroffen, gehemmt, scheu, schreckhaft, schüchtern, verängstigt, verschreckt, verschüchtert, zag, zaghaft, zähneklappernd
Beklommenheit: Angst, Ängstlichkeit, Beklemmung, Platzangst, Verschüchterung
bekommen: empfangen, erhalten, zuteil werden *abbekommen, empfangen, erben, erlangen, zufallen, zufließen, für sich gewinnen, teilhaftig werden, zuteil werden *anschlagen, gut tun, nützen, vertragen, wohl tun, nicht schaden *s. anstecken, davontragen, s. einhandeln, s. infizieren, s. zuziehen, krank werden *befördern, zusprechen
bekömmlich: essbar, gesund, labend, leicht, leichtverdaulich, verträglich, zuträglich, gut verdaulich, nicht schwer
bekräftigen: beglaubigen, bestätigen, bezeugen, versichern *beeiden, beschwören, vereidigen, versichern, durch Eid bekräftigen *ermutigen, helfen, unterstützen
bekriegen: befehden, bekämpfen, s. streiten, Krieg führen (gegen)
bekümmern: bedrücken, betrüben, beunruhigen, quälen, jmdm. Kummer machen, jmdm. Sorge machen, jmdm. Kummer bereiten, jmdm. Sorge bereiten, jmdn. mit Sorge erfüllen, jmdn. mit Kummer erfüllen
Bekümmernis: Gram, Jammer, Kreuz, Kummer, Kümmernis, Last, Leid, Marter, Martyrium, Misere, Not, Pein, Qual, Schmerz, Seelenschmerz, Sorge, Trauer, Trostlosigkeit, Trübsal, Unglück, Verzweiflung
bekümmert: bedrückt, depressiv, elend, freudlos, nihilistisch, pessimistisch, schwermütig, traurig, trübe, trübselig, trübsinnig, unfroh
Bekundung: Äußerung, Beteuerung, Bezeigung, Bezeugung, Demonstration, das Kundtun

belächeln: auslachen, lächeln, lachen, spotten, verspotten
beladen: aufbürden, aufladen, aufpacken, befrachten, bepacken, beschweren, einladen, einschiffen, laden, verladen, verschiffen, voll laden, voll packen *schwer beladen, schwer bepackt, voll
Belag: Aufstrich, Brotbelag *Kruste, Schicht, Schutzschicht, Überzug
belagern: abriegeln, abschneiden, abschnüren, aushungern, blockieren, einkesseln, einkreisen, einschließen, umstellen, umzingeln *besetzen, s. drängen (vor)
Belang: Bedeutung, Berücksichtigung, Beziehung, Bezug, Einfluss, Gesichtspunkt, Hinsicht, Interesse, Sache
belangen: abrechnen (mit), Abrechnung halten (mit), verantwortlich machen, zur Verantwortung ziehen, zur Rechenschaft ziehen, zur Rede stellen, ein Hühnchen rupfen *anklagen, beschuldigen, klagen, prozessieren, verklagen, Anklage erheben, Klage führen, auf die Anklagebank bringen, einen Prozess führen
belanglos: bedeutungslos, irrelevant, nebensächlich, trivial, unbedeutend, unerheblich, unwesentlich, unwichtig, zufällig, nicht erwähnenswert, nicht wichtig, ohne Belang
Belanglosigkeit: Bedeutungslosigkeit, Irrelevanz, Kleinigkeit, Nebensächlichkeit, Nichtigkeit, Trivialität, Unbedeutendheit, Unerheblichkeit, Unwesentlichkeit, Unwichtigkeit, Wertlosigkeit
belangvoll: bedeutsam, bedeutungsvoll, essenziell, folgenreich, folgenschwer, gewichtig, relevant, substanziell, wesenhaft, wesentlich, wichtig, zentral, voll Bedeutung
belassen: unterlassen, (unverändert) lassen, nicht bearbeiten, nicht wiederaufnehmen, nicht erörtern, so bleiben lassen, es bewenden lassen, auf sich ruhen lassen
belasten: anlasten, beschuldigen, bezichtigen, verdächtigen, zur Last legen *aufpacken, beladen, bepacken, beschweren, verladen, voll packen *bedrücken, beklemmen, beschweren, drücken, peinigen, plagen, schmerzen, traurig machen, im Magen liegen, an die Nieren gehen *aufbürden, auferlegen *aufbuckeln, aufladen, auflasten, auflegen, aufpacken, auf die Schultern laden ***s. belasten:** s. befassen, s. beschäftigen (mit) *s. aufhalsen, s. auflasten, s. übernehmen
belastet: schuldbeladen, schuldhaft, schuldig, schuldvoll *mit Schulden belastet, mit einer Hypothek belastet *bedrückt, gedrückt, niedergeschlagen, sorgenvoll *erschwerend, schwieriger, (noch) bedeutungsvoller *bedrückend, deprimierend, entmutigend, lähmend, niederdrückend, niederschmetternd
belästigen: ärgern, bedrängen, behelligen, necken, plagen, quälen, reizen, stören, aufdringlich werden, jmdm. lästig fallen, lästig werden, zur Last fallen, auf die Nerven gehen, auf die Nerven fallen *anpöbeln, anrempeln
Belästigung: Annäherungsversuche, Aufdringlichkeit, Behelligung, Plage, Quälerei, Störung, Zudringlichkeit *Anpöbelei, Anpöbelung, Anrempelei
Belastung: Anschuldigung, Beschuldigung, Bezichtigung, Inkriminierung, Verdächtigung *Anstrengung, Arbeit, Beanspruchung, Bemühung, Inanspruchnahme, Mühe, Überlastung *Anklage, Anschuldigung, Beschuldigung, Bezichtigung, Inkriminierung, Klage, Unterstellung, Verdächtigung *Belastung, Bürde, Crux, Joch, Kreuz, Last, Leid, Schwere
belaubt: beblättert, begrünt, blattreich, grün
belauern: achtgeben, aufpassen, ausforschen, auskundschaften, beobachten, beschatten, beschleichen, bespitzeln, durchleuchten, ermitteln, nachspüren, spähen, spionieren
belaufen: abgehen, ablaufen, abschreiten, besichtigen, kontrollieren, patrouillieren, prüfen ***s. belaufen:** s. berechnen (auf), betragen, s. beziffern (auf), kosten
beleben: aktivieren, ankurbeln, anregen, auffrischen, in Schwung bringen *anregen, aufmuntern, aufputschen, aufregen, stimulieren *zu sich bringen, zur Besinnung bringen ***s. beleben:** lebhafter wer-

den, lebendiger werden *s. aufhellen, s. aufklaren, s. bessern
belebend: antreibend, erfrischend, heilend, heilkräftig, kräftigend, reizvoll, stimulierend
belebt: bevölkert, dicht besiedelt, lebhaft, überfüllt, verkehrsreich, volkreich, nicht menschenleer, nicht einsam *aufgekratzt, aufgeräumt, fröhlich, heiter, lustig, unbeschwert, vergnügt *interessant
Belebung: Aktivierung, Ankurbelung, Anregung, Auffrischung
Beleg: Attest, Ausweis, Beglaubigung, Bescheinigung, Bestätigung, Beurkundung, Beweis, Diplom, Erklärung, Nachweis, Quittung, Schein, Testat, Urkunde, Zertifikat, Zeugnis *Belastungsmaterial, Bestätigung, Beweis, Beweismaterial, Beweismittel, Beweisstück, Dokumentation, Entlastungsmaterial, Erweis, Indiz, Kostprobe, Nachweis, Probe, Zeichen, Zeugnis *Belegexemplar, Belegstück
belegbar: aktenkundig, belegt, beweisbar, existent, nachweisbar, urkundlich, vorhanden
belegen: beanspruchen, besetzen, haben, reservieren, frei halten *abdecken, bedecken, behängen, decken, einhüllen, überdecken, überhängen, überziehen, verdecken, verhängen, verhüllen, zudecken *aufzeigen, beweisen, dokumentieren, erbringen, nachweisen, untermauern *besetzen, einnehmen, erobern, nehmen, okkupieren, stürmen, Besitz ergreifen *blockieren, sichern, verbarrikadieren, verschanzen *verweisen (auf), zitieren
Belegschaft: Arbeiterschaft, Beschäftigte, Betriebsangehörige, Firmenangehörige, Mitarbeiter, Personal *Bedienung, Dienerschaft *Besatzung, Crew, Flugzeugbesatzung, fliegendes Personal *Bodenpersonal, Mannschaft, Personal, Team *Kollegium, Team
belegt: besetzt, überbesetzt, voll, voll besetzt, nicht frei *beglaubigt, gewiss, glaubhaft, glaubwürdig, richtig, tatsächlich, unleugbar, unwiderleglich, wahr, wirklich, zutreffend, zuverlässig, nicht übertrieben *heiser, klanglos, krächzend, rauchig, rau, stockheiser, tonlos *reserviert, vergeben, vorbestellt, vorgemerkt, nicht mehr zu haben *amtlich, gesetzlich
belehren: instruieren, lehren, unterrichten, unterweisen, weisen, zeigen *abklären, aufklären, berichtigen, klären, klarstellen, korrigieren, richtig stellen, verbessern *besserwissern, schulmeistern *dozieren, lehren *beeinflussen, begeistern, bekehren, überreden, überzeugen, zur Einsicht bringen
Belehrung: Anleitung, Anweisung, Ausbildung, Bevormundung, Bildung, Direktive, Einführung, Ermahnung, Erziehung, Instruktion, Lektüre, Unterweisung
beleibt: dick, fleischig, groß, massig, massiv, plump, stämmig, stattlich, strotzend, vollschlank
beleidigen: beschimpfen, erniedrigen, herabsetzen, insultieren, kränken, schlecht machen, schmähen, treffen, verletzen, verwunden, eine Beleidigung zufügen
beleidigend: anzüglich, ausfallend, ausfällig, ehrenrührig, gehässig, kränkend, persönlich, unzumutbar, verletzend
beleidigt: eingeschnappt, gekränkt, getroffen, grantig, pikiert, sauer, verletzt, verschnupft, verstimmt
Beleidigung: Ächtung, Affront, Ausfall, Beschimpfung, Demütigung, Desavouierung, Diffamierung, Diskreditierung, Ehrenkränkung, Ehrverletzung, Erniedrigung, Herabsetzung, Herabwürdigung, Insult, Insultation, Kränkung, Rufmord, Schmähung, Verletzung, Verleumdung, Verunglimpfung, soziale Verächtlichmachung
belesen: aufgeklärt, bewandert, bibelfest, eingeweiht, erfahren, gebildet, gelehrt, sattelfest, studiert, unterrichtet
beleuchten: anblinken, anleuchten, anscheinen, anstrahlen, bescheinen, bestrahlen, erhellen, illuminieren, scheinen (über) *nachprüfen, überprüfen *betrachten, darlegen, veranschaulichen
beleuchtet: angestrahlt, bestrahlt, hell, illuminiert, lichtüberflutet
belichtet: fertig, gebraucht, verbraucht, voll, voll geknipst
beliebig: irgendein, wahllos, willkürlich,

wunschgemäß, ad libitum, nach Gutdünken, nach Wahl, nach Belieben, nach Wunsch, so oder so *irgendeiner, irgendjemand

beliebt: angesehen, begehrt, bekannt, gefragt, geschätzt, populär, volkstümlich *angenehm, anmutig, anziehend, attraktiv, aufreizend, betörend, bezaubernd, charmant, geachtet, gern gesehen, geschätzt, gewinnend, lieb, lieblich, liebenswert, sympathisch, toll, umschwärmt, wohlgelitten

Beliebtheit: Begehrtheit, Popularität, Volkstümlichkeit

beliefern: anliefern, aushändigen, ausliefern, bedienen, bringen, liefern, schicken, zubringen, zustellen

bellen: anschlagen, belfern, blaffen, kläffen, knurren, Laut geben

belobigen: anerkennen, auszeichnen, beweihräuchern, ehren, idealisieren, loben, lobpreisen, preisen, rühmen, verherrlichen, verklären, würdigen, Lob zollen, Lob erteilen, Lob spenden

Belobigung: Anerkennung, Anklang, Lob

belohnen: ausgleichen, beschenken, danken, entschädigen, s. erkenntlich zeigen, lohnen, s. revanchieren, vergelten, wieder gutmachen

Belohnung: Abfindung, Anerkennung, Auszeichnung, Beförderung, Bezahlung, Entgeltung, Entlohnung, Geschenk, Orden, Prämie, Trinkgeld, Vergeltung *Abrechnung, Gegenschlag, Gegenstreich, Heimzahlung, Vergeltung

belügen: ankohlen, anlügen, anschwindeln, beschwindeln, betrügen, täuschen, verkohlen, vorlügen, vorschwindeln, einen Bären aufbinden

belustigen: amüsieren, beglücken, freuen, glücklich machen, Spaß machen, Freude machen *anregen, aufheitern, aufmuntern, ergötzen, erheitern, s. erfreuen, s. freuen, genießen, unterhalten, vergnügen, zerstreuen

Belustigung: Amüsement, Aufheiterung, Ergötzen, Erheiterung, Kurzweil, Unterhaltung, Vergnügen, Vergnügung, Zeitvertreib, Zerstreuung *Cocktailparty, Empfang, Feier, Fest, Festivität, Festlichkeit, Fete, Freudenfeier, Freudenfest, Gartenparty, Geselligkeit, Hausball, Lustbarkeit, Sommerfest, Party, Veranstaltung, Vergnügen, Vergnügung

bemächtigen (s.): s. aneignen, beschlagnahmen, einkassieren, einsacken, einstecken, einstreichen, s. unter den Nagel reißen, s. vergreifen, s. zu Eigen machen, s. zu Gemüte führen, an sich nehmen, an sich reißen, in Besitz nehmen *beschleichen, erfassen, ergreifen, überfallen, überkommen, überwältigen

bemäkeln: ablehnen, beanstanden, beeinträchtigen, belächeln, kritisieren

bemängeln: beanstanden, kritisieren, missbilligen, nörgeln, reklamieren, s. stoßen (an)

bemannt: besetzt, mit einer Mannschaft versehen, mit einer Besatzung versehen *verehelicht, verheiratet, vermählt, in festen Händen

bemerkbar: merkbar, merklich, spürbar *auffällig, bedeutend, sichtbar

bemerken: feststellen, konstatieren, registrieren *beobachten, beschatten, bespitzeln, bewachen, überwachen, verfolgen *diagnostizieren, erkennen, identifizieren *aufmerksam werden (auf), entdecken, erblicken, gewahren, hören, Notiz nehmen, sehen, sichten, wahrnehmen, gewahr werden *ausdrücken, äußern, einflechten, einfügen, einwerfen, erwähnen, feststellen, formulieren, kundtun, mitteilen, sagen, sprechen, von sich geben

bemerkenswert: anregend, ansprechend, aufschlussreich, entzückend, erwähnenswert, interessant, lehrreich, lesenswert, reizvoll *abenteuerlich, ansehnlich, auffallend, auffällig, aufsehenerregend, außergewöhnlich, außerordentlich, ausgefallen, beachtlich, bedeutend, bedeutsam, bedeutungsvoll, beeindruckend, beträchtlich, bewundernswert, bewunderungswürdig, brillant, eindrucksvoll, einzigartig, eminent, enorm, entwaffnend, epochal, Epoche machend, erheblich, erklecklich, erstaunlich, extraordinär, fabelhaft, formidabel, frappant, grandios, groß, großartig, hervorragend, imponierend, imposant, märchenhaft,

nennenswert, ohnegleichen, phänomenal, sagenhaft, sensationell, sondergleichen, spektakulär, stattlich, überragend, überraschend, überwältigend, umwerfend, ungeläufig, ungewöhnlich, unvergleichlich, verblüffend, ersten Ranges
Bemerkung: Anmerkung, Äußerung, Ausspruch, Feststellung, Glosse, Kommentar, Meinungsäußerung, Randbemerkung *Andeutung, Anspielung, Deut, Fingerzeig, Hinweis, Rat, Tipp, Wink
bemessen: abmessen, anrechnen, austeilen, berücksichtigen, ermessen, errechnen, erwägen, kalkulieren, schätzen, urteilen, verteilen
bemitleiden: Mitleid haben (mit), jmdn. bedauern, Mitleid empfinden
bemittelt: betucht, gesegnet, gut situiert, potent, reich, steinreich, vermögend, wohlhabend, zahlungskräftig
Bemühen: Bereitschaft, Bestreben, Ansinnen, Wollen, Streben
bemühen (s.): s. bewerben (um), buhlen (um), s. interessieren *s. abarbeiten, s. abmühen, s. abplagen, s. abquälen, s. abrackern, s. abschleppen, s. anspannen, s. anstrengen, s. aufreiben, s. befleißen, s. befleißigen, s. etwas abverlangen, s. fordern, s. Mühe geben, s. mühen, s. plagen, s. quälen, s. schinden, bestrebt sein, beflissen sein
Bemühung: Anspannung, Anstrengung, Belastung, Beschwerde, Fronarbeit, Mühe, Plackerei, Stress
benachbart: angrenzend, anliegend, anstoßend, gegenüber, nebenan, umliegend, um die Ecke, Tür an Tür, Wand an Wand, im Umkreis liegend, in der näheren Umgebung
benachrichtigen: bekannt machen, bestellen, hinterbringen, informieren, kundmachen, kundtun, mitteilen, preisgeben, sagen, vermelden, vortragen, zutragen
Benachrichtigung: Bekanntmachung, Information, Meldung, Mitteilung, Preisgabe, Vortrag
benachteiligen: diskriminieren, hintansetzen, schaden, schädigen, übergehen, vernachlässigen, zurücksetzen, zurückstellen, ungerecht behandeln, unterschiedlich behandeln *begaunern, bemogeln, beschwindeln, hineinlegen, prellen, schädigen, übervorteilen, unterbuttern, übers Ohr hauen
Benachteiligung: Schaden, Übertölpelung, Übervorteilung, Vernachlässigung, Zurücksetzung, Zurückstellung
benebelt: durcheinander, getrübt, verwirrt *angeheitert, angetrunken, betrunken, blau
Benehmen: Anstand, Anstandsregeln, Art, Aufführung, Auftreten, Benimm, Betragen, Erziehung, Etikette, Form, Gehabe, Haltung, Kinderstube, Lebensart, Manieren, Schliff, Sitte, Umgangsformen, Verhalten
benehmen (s.): s. anstellen, s. aufführen, auftreten, s. betragen, s. bewegen, s. gebärden, s. gebaren, s. geben, s. halten, s. verhalten, s. zeigen, Lebensart zeigen
beneiden: missgönnen, neiden, nicht gönnen, scheel sehen
beneidenswert: angenehm, gut, herrlich, luxuriös, üppig *glücklich, zufrieden
benennen: benamsen, betiteln, bezeichnen, etikettieren, heißen, kennzeichnen, taufen, titulieren, mit einem Namen versehen, mit einer Bezeichnung versehen, einen Namen geben
benetzen: anfeuchten, befeuchten, benässen, nass machen *gießen, begießen, wässern, bewässern, sprengen, einsprengen, spritzen, einspritzen, beregnen, berieseln, bespritzen, besprühen
Benjamin: Jüngster, Kleiner, Kleinster, Küken, Nesthäkchen, Nestküken, jüngster Sohn
benommen: beduselt, dumpf, duselig, eingenommen, schwindlig, umnebelt, unaufmerksam, leicht betäubt, im Dusel, im Tran
Benommenheit: Betäubung, Dumpfheit, Dusel, Schwindel, Tran, Unaufmerksamkeit
benoten: begutachten, beurteilen, bewerten, zensieren, eine Note geben, eine Zensur geben
Benotung: Bewertung, Zensierung
benötigen: angewiesen sein (auf), bedürfen, brauchen, gebrauchen, nötig haben, Bedarf haben, haben müssen, nicht

entbehren können, nicht auskommen (ohne)
benutzbar: angemessen, brauchbar, geeignet, handlich, praktikabel, praktisch, sinnvoll
benutzen: anwenden, ausnutzen, beanspruchen, bedienen, benützen, einsetzen, gebrauchen, nießbrauchen, nutzen, nützen, verwenden, in Gebrauch nehmen, in Anwendung bringen, in Dienst nehmen *befahren, begehen, beschreiten, nutzen
Benutzer: Anwender, Gebraucher, Nutzer, Verbraucher
benutzt: abgebraucht, gebraucht, getragen, secondhand, aus zweiter Hand *alt, antik, antiquarisch *abgegriffen, abgenutzt, abgeschabt, abgewetzt, blank, dünn, durchgewetzt, verschabt, vertragen
Benzin: Kraftstoff, Sprit, Treibstoff
Benzinbehälter: Benzintank, Ersatzkanister, Kanister, Tank
beobachten: ausspionieren, belauern, belauschen, bemerken, beschatten, bespähen, bespitzeln, bewachen, observieren, spionieren, überwachen, umlauern, verfolgen, ins Auge fassen, nicht aus den Augen lassen, nicht aus dem Gesicht lassen, aufs Korn nehmen *feststellen, registrieren, sehen, verfolgen
Beobachter: Beobachtungsposten, Späher, Spion *Anwesende, Auditorium, Augenzeugen, Besucher, Betrachter, Neugierige, Publikum, Schaulustige, Schlachtenbummler, Teilnehmer, Umstehende, Zaungäste, Zuschauer
Beobachtung: Bemerkung, Observierung, Spionage *Abhandlung, Analyse, Arbeit, Studie, Untersuchung
Beobachtungsgabe: Auffassungsgabe, Erkenntnisvermögen, Scharfblick
beordern: anordnen, befehlen, berufen, bescheiden, bestellen, delegieren, entsenden, heranrufen, herbeirufen, herbeizitieren, laden, rufen, schicken, vorladen, zitieren, zu sich bitten, kommen lassen, zum Erscheinen auffordern
bepacken: beladen, aufladen, aufpacken, laden, voll packen
bepflanzen: anpflanzen, ansäen, aussäen, bebauen, bestellen, bewirtschaften, kultivieren, legen, pflanzen, säen, stecken, umpflanzen
bequem: angenehm, behaglich, gemütlich, heimelig, heimisch, komfortabel, lauschig, passend, wohnlich *abgeneigt, faul, langsam, träge *angenehm, einfach, leicht, mühelos, spielend, unkompliziert, ohne Mühe *flüchtig, lässig, leichthin, liederlich, nachlässig, oberflächlich, pflichtvergessen, schlampig, übereilt, ungenau, unordentlich, nicht gründlich, nicht sorgfältig, nicht gewissenhaft
bequemen (s.): s. (endlich) entschließen, s. bemühen, geruhen, s. herablassen
Bequemlichkeit: Annehmlichkeit, Behaglichkeit, Komfort *Behaglichkeit, Gemütlichkeit, Heimeligkeit, Lauschigkeit, Traulichkeit, Trautheit, Wohnlichkeit *Leichtigkeit, Mühelosigkeit, Unbeschwertheit *Arbeitsscheu, Faulenzerei, Faulheit, Müßiggang, Müßigkeit, Passivität, Phlegma, Trägheit, Untätigkeit
beraten: beratschlagen, raten, ratschlagen, unterweisen, Ratschläge geben, Ratschläge erteilen, mit Ratschlägen bedenken, mit Ratschlägen überhäufen *abhandeln, ausdiskutieren, auseinander setzen, behandeln, bereden, beschwatzen, besprechen, darlegen, darstellen, debattieren, diskutieren, durchdiskutieren, durchsprechen, erörtern, s. streiten (über), untersuchen, verhandeln, sprechen (über) ***s. beraten:** beratschlagen, s. bereden, s. besprechen, konferieren, tagen, s. unterreden, Rat halten
Berater: Beistand, Fachmann, Meister, Mentor, Ratgeber *Advokat, Anwalt, Rechtsanwalt, Rechtsbeistand, Verteidiger *Arzt *Beichtvater, Geistlicher, Priester, Seelsorger *Steuerberater, Steuerhelfer
Beratung: Aussprache, Erörterung, Kolloquium, Konferenz, Konsultation, Sitzung, Tagung *Anleitung, Rat, Unterweisung
beratschlagen: bedenken, befragen, s. beraten, besprechen, betrachten, erörtern, erwägen, nachdenken, prüfen, überlegen, untersuchen
Beratungsausschuss: Arbeitskreis, Be-

ratungsgruppe, Brain-Trust, Expertengruppe, Gremium
berauschen: benebeln, benehmen, betäuben, benommen machen *begeistern, entflammen, enthusiasmieren, entzücken, fortreißen, hinreißen, mitreißen, in Begeisterung versetzen, in Begeisterung bringen, mit Begeisterung erfüllen ***s. berauschen:** s. beschwipsen, s. betrinken, s. bezechen, s. einen antrinken, zu tief ins Glas schauen, einen Rausch antrinken, zu viel trinken
berauschend: betäubend, schwer, sinnverwirrend *angenehm, attraktiv, aufreizend, begehrenswert, betörend, bezaubernd, charmant, einnehmend, entzückend, gewinnend, hübsch, lieb, liebenswert, lieblich, reizvoll, sympathisch, toll
berauscht: angeheitert, betrunken, bezecht, trunken, volltrunken *eifrig, übereifrig, begeistert, ekstatisch, entflammt, enthusiastisch, entzückt, fanatisch, feurig, glühend, glutvoll, hingerissen, inbrünstig, leidenschaftlich, mitgerissen, schwärmerisch, schwungvoll, verzückt
berechenbar: abschätzbar, absehbar, erkennbar, vorausberechenbar, voraussagbar, vorauszusehen, vorhersagbar, vorherzusehen, zu sehen
berechnen: ausrechnen, bemessen, bewerten, errechnen, fakturieren, kalkulieren, überschlagen, vorausberechnen, einen Überschlag machen, eine Berechnung anstellen *anrechnen, einkalkulieren, veranschlagen, in Anschlag bringen, in Anrechnung bringen, in Rechnung stellen
berechnend: eigennützig, gewinnsüchtig, kalkulierend, vorteilsüchtig, auf eigenen Vorteil bedacht, auf eigenen Gewinn bedacht
Berechnung: Ausrechnung, Bemessung, Bewertung, Fakturierung, Kalkulation, Rechnung, Überschlag, Vorausberechnung *Kalkül, Kalkulation, Spekulation, Taktik *Absehen, Überlegung, Voraussicht, Vorhersicht
berechtigen: befugen, bevollmächtigen, die Befugnis erteilen, die Befugnis geben
berechtigt: autorisiert, befugt, bevollmächtigt, ermächtigt, kompetent, maßgebend, verantwortlich, zuständig, mit Fug und Recht, mit gutem Recht
bereden: beraten, besprechen, erörtern *bearbeiten, beeinflussen, berieseln, einreden, suggerieren, totreden, in den Ohren liegen *beeinflussen, begeistern, bekehren, belehren, überreden, überzeugen, zur Einsicht bringen
Beredsamkeit: Eloquenz, Redegabe, Redegewalt, Redegewandtheit, Redekunst, Rhetorik, Sprachgewalt, Sprechkunst, Wortgewandtheit
beredt: beredsam, redegewaltig, redegewandt, sprachgewaltig, sprachgewandt, wortgewandt, zungenfertig
Bereich: Gebiet, Landschaftsgebiet, Teil *Bezirk, Feld, Gebiet, Gefilde, Raum, Region, Reich, Revier, Sektor, Sphäre *Abteilung, Arbeitsgebiet
bereichern: anreichern, auffüllen, ausbauen, füllen (mit), verbessern, vergrößern, reicher machen ***s. bereichern:** absahnen, s. aneignen, anhäufen, einheimsen, einsacken, einstreichen, ergattern, herausholen, herausschlagen, profitieren, sparen, zugreifen, zulangen, zusammenraffen, zusammentragen, zuschlagen, s. etwas unter den Nagel reißen, s. gesundstoßen, s. Gewinn verschaffen, s. Vorteile verschaffen, an sich reißen, ein Geschäft machen, Nutzen haben, Gewinn haben, Nutznießer sein
bereinigen: abhelfen, ausbalancieren, ausbügeln, ausgleichen, aussöhnen, begleichen, beilegen, beseitigen, einrenken, geradebiegen, geradebügeln, hinbiegen, regeln, reinwaschen, schlichten, vermitteln, s. versöhnen, wieder gutmachen, zurechtbiegen, zurechtbügeln, zurechtrücken, in Ordnung bringen, ins Reine bringen, ins rechte Gleis bringen, ins Lot bringen *bezahlen, tilgen
Bereinigung: Ausgleich, Begleichung, Beilegung, Beseitigung, Kompromiss, Regelung, Schlichtung, Vergleich, Vermittlung *Bezahlung, Tilgung
bereit: artig, brav, einsichtig, folgsam, fügsam, gefügig, gehorsam, geneigt, gesittet, gesonnen, gewillt, gutwillig, lieb, manierlich, willfährig, willig *abfahrbe-

reit, abmarschbereit, disponibel, fertig, gerichtet, gerüstet, gespornt, gestiefelt, reisefertig, so weit, startbereit, verfügbar, vorbereitet, in Bereitschaft

bereiten: anrichten, bereitmachen, erstellen, fertig machen, herrichten, richten, vorbereiten, zubereiten, zurechtmachen, zurichten

bereithalten: bereitstellen, zurechtlegen, in Bereitschaft halten, in Bereitschaft haben, zur Verfügung haben, zur Verfügung halten *__s. bereithalten:__ s. zur Verfügung halten, in Bereitschaft sein, vorbereitet sein, Bereitschaft haben, Bereitschaftsdienst haben

bereitmachen: bereiten, herrichten, vorbereiten, zurechtmachen *__s. bereitmachen:__ s. herrichten, s. rüsten, s. vorbereiten, s. zurechtmachen

bereitgestellt: verfügbar, vorhanden

bereits: bisher, bislang, ehedem, ehemals, eher, einst, früher, jüngst, kürzlich, längst, neulich, schon, seither, sonst, unlängst, vorangehend, vordem, vorher, vormals, vorüber, zuerst, zuvor

Bereitschaft: Bereitwilligkeit, Einsicht, Folgsamkeit, Gutwilligkeit, Willfährigkeit, Willigkeit

bereitwillig: anstandslos, bereit, gern, kurzerhand, ohne weiteres, ohne Zögern, ohne zu zögern, ohne zu überlegen

bereuen: bedauern, s. bessern, gereuen, reuen, s. auf die Brust schlagen, s. Gewissensbisse machen, in sich gehen, Gewissensbisse haben, Reue empfinden

Berg: Anhöhe, Bergkegel, Bergkuppe, Bergmassiv, Bergrücken, Bodenerhebung, Erhebung, Gebirge, Höhe, Hügel, Massiv, Steigung *Abhang, Absturz, Bergabhang, Bergabsturz, Berghang, Bergwand, Böschung, Gefälle, Halde, Hang, Lehne, Steilhang, Talhang *Haufen, Masse, Menge, Vielzahl

bergab: abwärts, bergabwärts, hinunter, zu Tal, nach unten *s. verschlechtern, s. verschlimmern

bergauf: aufwärts, bergaufwärts, hinauf, nach oben *s. bessern, s. verbessern, gesunden, s. stabilisieren

Bergeinschnitt: Kar, Klamm, Mulde, Schlucht, Tal

bergen: herausholen, herausziehen, retten *behalten, behüten, schützen, verschließen, verstecken, verwahren, zurückhalten

Bergfahrt: Auffahrt, Gebirgsfahrt

Berggipfel: Bergkuppe, Bergspitze, Gipfel, Horn, Kofel, Kogel, Kuppe, Nock, Piz, Spitze

bergig: abfallend, abschüssig, alpin, buckelig, gebirgig, hügelig, steil, uneben, wellig

Bergkette: Gebirgsmassiv, Massiv

Bergland: Gebirge, Gebirgszug, Höhe, Höhenzug, Mittelgebirge

Bergmann: Bergknappe, Bergrat, Grubenfahrer, Kumpel, Obersteiger, Schachtfahrer, Steiger *Berggeist, Bergmännchen, Rübezahl

Bergrücken: Bergkamm, Gebirgskamm, Grat, Kamm, Rücken

Bergrutsch: Abgang, Erdrutsch

Bergsattel: Gebirgssattel, Joch, Pass, Sattel

Bergsteiger: Alpinist, Bergfreund, Gipfelstürmer, Hochtourist, Kletterer

Bergübergang: Pass

bergwärts: aufwärts, hinauf, nach oben

Bergwerk: Grube, Mine, Zeche

Bergwiese: Alm, Alpe, Bergweide, Mahd, Matte

Bericht: Abhandlung, Ausführung, Aussage, Bekanntgabe, Bekanntmachung, Berichterstattung, Botschaft, Bulletin, Darbietung, Darlegung, Darstellung, Dokumentarbericht, Dokumentation, Erfolgsmeldung, Erzählung, Lagebericht, Meldung, Mitteilung, Nachricht, Neuigkeit, Rapport, Referat, Reisebericht, Report, Reportage, Schilderung, Situationsbericht, Verkündigung, Verlautbarung, Veröffentlichung

berichten: abklären, belehren, dementieren, klären, klarstellen, korrigieren, richtig stellen, verbessern *auspacken, aussagen, beschreiben, darlegen, erzählen, mitteilen, referieren, schildern, vorbringen, vortragen, wiedergeben, Bericht erstatten, Bericht abstatten, Bericht geben

Berichterstatter: Journalist, Korrespondent, Publizist, Referent, Reporter

berichtigen: abklären, bereinigen, dementieren, klären, klarlegen, klarstellen, korrigieren, revidieren, verbessern *korrigieren, nacharbeiten, redigieren, richtig stellen, verbessern, vervollkommnen ***s. berichtigen:** s. korrigieren, s. verbessern
Berichtigung: Dementi, Klärung, Korrektur, Richtigstellung *Korrektur, Verbesserung
berieseln: beackern, bearbeiten, belästigen, einreden, einwirken, totreden, in den Ohren liegen *sprengen, feucht halten
Berserker: Amokläufer, Rasender, Tobender, Tobsüchtiger, Wüterich
bersten: aufbrechen, aufplatzen, aufspringen, auseinander reißen, s. entladen, entzweigehen, krachen, platzen, splittern, zerbersten, zerknallen, zerplatzen, zerspringen *explodieren, in Stücke fliegen *entzweigehen, platzen, splittern, zerbrechen, zerplatzen, zerschellen, zersplittern, in Stücke zerfallen
berüchtigt: anrüchig, bedenklich, dubios, fragwürdig, gefährlich, halbseiden, notorisch, obskur, suspekt, undurchsichtig, verdächtig, verrufen, verschrien, verschrieen, zweifelhaft, nicht ganz astrein
berückend: angenehm, anmutig, anziehend, attraktiv, aufreizend, betörend, bezaubernd, charmant, dämonisch, gewinnend, hübsch, lieb, lieblich, liebenswert, sympathisch, toll
berücksichtigen: anrechnen, beachten, einbeziehen, einkalkulieren, mitberücksichtigen, Rücksicht nehmen (auf), vorbedenken, nicht vorübergehen (an), denken (an), in Erwägung ziehen, in Betracht ziehen
Berücksichtigung: Anrechnung, Beachtung, Rücksicht, Rücksichtnahme
Beruf: Amt, Anstellung, Arbeit, Arbeitsbereich, Arbeitsfeld, Arbeitsgebiet, Auftrag, Berufung, Beschäftigung, Betätigung, Broterwerb, Dienst, Gewerbe, Handwerk, Job, Metier, Posten, Profession, Stelle, Stellung, Wirkungsbereich, Wirkungskreis *Kurzarbeit, Minijob
berufen: anstellen, anwerben, beschäftigen, bestallen, bestellen, betrauen, designieren, dingen, einsetzen, einstellen, ernennen, nominieren, verpflichten *beordern, bestellen, rufen, schicken, vorladen, zitieren ***s. berufen:** s. beziehen, Bezug nehmen, hinweisen, verweisen, zitieren
beruflich: berufsmäßig, professionell
Berufserfahrung: Background, Beschlagenheit, Fachkenntnisse, Kenntnisse, Praxis
Berufskrankheit: Gewerbekrankheit
Berufsleben: Erwerbsleben
berufsmäßig: beruflich, gewerbsmäßig, professionell, professioniert, professionsmäßig, profimäßig
Berufssportler: Professioneller, Profi
Berufsstand: Angestellter, Arbeiter *Beamter *Freischaffender, Selbständiger, Unternehmer *Gewerbetreibender, Handwerker *Künstler
berufstätig: angestellt, arbeitend, beschäftigt, eingestellt, erwerbstätig, werktätig
Berufstätiger: Erwerbstätiger *Angestellter, Arbeiter, Beamter, Facharbeiter, Handwerker
Berufungsklage: Appellat
Berufsverkehr: Hauptverkehrszeit, Rushhour, Stoßverkehr, Stoßzeit
Berufung: Anstellung, Arbeitsbereich, Arbeitsfeld, Auftrag, Mission, Position, Posten, Stelle, Stellung, Tätigkeitsbereich, Wirkungskreis *Bestallung, Bestellung, Designation, Einsetzung, Ernennung *Beschwerde, Einspruch, Einwendung, Protest, Rekurs *Bezug, Hinweis, Verweis
beruhen: basieren (auf), fußen (auf), s. gründen (auf), herrühren, s. stützen (auf)
beruhigen: abwiegeln, bändigen, begütigen, besänftigen, beschwichtigen, einlullen, einschläfern, trösten, vermitteln, versöhnen, zufrieden stellen, die Wogen glätten, zur Ruhe bringen *ruhig stellen, sedieren, zur Ruhe bringen ***s. beruhigen:** s. abkühlen, s. abreagieren, s. abregen, s. entspannen, s. geben, s. legen, s. normalisieren, ruhig werden, s. setzen, zur Ruhe kommen *s. geben, nachlassen, schwächer werden

beruhigend: ermutigend, tröstend, tröstlich, trostreich *dämpfend, lindernd
beruhigt: sorglos, sorgenlos, unbeschwert, unbesorgt *abgeklärt, ausgeglichen, bedacht, bedachtsam, beherrscht, besonnen, froh, gefasst, gemächlich, gemessen, geruhsam, gezügelt, gleichmütig, harmonisch, kaltblütig, ruhevoll, ruhig, sicher, still, überlegen, würdevoll, zufrieden
Beruhigung: Begütigung, Besänftigung, Beschwichtigung, Glättung, Trost, Versöhnung
Beruhigungsmittel: Beruhigungspille, Downer, Sedativ, Sedativum, Temperans, Tranquilizer, Tranquillans
berühmt: anerkannt, angesehen, bedeutend, bekannt, gefeiert, groß, namhaft, prominent, renommiert, weltbekannt, weltberühmt, wohl bekannt, von Weltruf, von Weltrang, von Weltruhm
Berühmtheit: Diva, Fachgröße, Großmeister, Held, Heldin, Heros, Kapazität, Könner, Koryphäe, Meister, Primadonna, Star, Stern
berühren: anfassen, angreifen, anrühren, antasten, antippen, antupfen, befühlen, betasten, liebkosen, streifen ***s. berühren:** s. angleichen, s. annähern, s. nähern, stoßen (auf), zusammentreffen *aneinander gehen *angrenzen, heranreichen, streifen, tangieren
berührt: Anteil nehmend, gerührt, mitfühlend, mitleidig, teilnahmsvoll, teilnehmend *betreten, betroffen, verlegen *beschämt, bestürzt, entsetzt, fassungslos, konsterniert, außer sich
Berührung: Anrührung, Befühlung, das Berühren, Betastung, Fühlung, Kontakt, Liebkosung, Umarmung
besagen: aussagen, erklären, zur Aussage bringen *ausdrücken, äußern, formulieren, Ausdruck verleihen, in Worte fassen, zum Ausdruck bringen
besagt: betreffend, bewusst, erwähnt
besagte: angedeutete, behandelte, betitelte, betreffende, bezeichnete, fragliche, genannte, obige
besamen: begatten, belegen, beschälen, beschlagen, bespringen, decken, kappen, treten *brunften *koitieren, kopulieren, s. paaren, vereinigen, zeugen *befruchten, begatten, zeugen
Besamung: Befruchtung *Begattung, Deckung, Koitus, Kopulation, Paarung, Vereinigung, Zeugung
besänftigen: abwiegeln, begütigen, beruhigen, beschwichtigen, einlullen, vermitteln, zur Besinnung bringen, zur Ruhe bringen ***s. besänftigen:** s. abkühlen, s. abreagieren, s. abregen, s. beruhigen, s. setzen, s. wieder geben *s. mildern, s. abmildern, s. beruhigen, s. entgiften, s. entspannen, s. legen
Besänftigung: Begütigung, Beruhigung, Beschwichtigung *Lichtblick, Trost, Tröstung, Zusprache, Zuspruch
Besatz: Applikation, Blende, Bordüre, Borte, Einfassung, Kante, Litze, Paspel, Rüsche, Tresse, Volant, Zierband
Besatzung: Crew, Mannschaft, Schiffsbesatzung, Schiffsmannschaft *Besatzer, Besatzungsarmee, Besatzungsmacht, Besatzungstruppen, Okkupationsmacht *Fremdherrschaft, Siegermacht
beschädigen: anhauen, ankratzen, anschlagen, anstoßen, beeinträchtigen, lädieren, ramponieren, ruinieren, schaden, schädigen, verwüsten, zurichten, in Mitleidenschaft ziehen
beschädigt: abgestoßen, angebrochen, angehauen, angeschlagen, angestoßen, defekt, durchlöchert, kaputt, lädiert, mitgenommen, ramponiert, schadhaft, zerrissen
Beschädigung: Beeinträchtigung, Defekt, Einbuße, Lädierung, Nachteil, Sachbeschädigung, Sachschaden, Schaden, Verlust
beschaffen: aufbringen, auftreiben, beibringen, besorgen, bringen, heranholen, heranschaffen, herbeiholen, herbeischaffen, holen, organisieren, vermitteln, verschaffen, versorgen, zusammenbringen, zuschieben
Beschaffenheit: Art, Bildung, Eigenschaft, Form, Güte, Konsistenz, Qualität, Zustand, Art und Weise *Anlage, Begabung, Disposition, Kondition, Veranlagung, Wesensart
beschäftigen: anheuern, anstellen, anwerben, berufen, betrauen, chartern,

dingen, einsetzen, einstellen, heuern, verpflichten, Arbeit geben *anstrengen, beanspruchen, belangen, belasten, belegen, fordern *bewegen, zu denken geben ***s. beschäftigen:** s. abgeben (mit), arbeiten, s. aufhalten, s. befassen, s. betätigen, dabei sein, hantieren, rühren, tun, s. verlegen (auf), werkeln, werken, s. widmen, beschäftigt sein

beschäftigt: arbeitswillig, betriebsam, fleißig, geschäftig, strebsam, tätig, tüchtig *betulich, diensteifrig, dienstwillig, pflichteifrig, übereifrig *angestellt, bedienstet

Beschäftigung: Betätigung, Funktion, Tätigkeit, Verrichtung *Anstellung, Arbeit, Arbeitsplatz, Arbeitsstelle, Beruf, Dienst, Job, Lohnarbeit, Position, Posten, Tätigkeit *Beruf, Dienst, Profession, Tätigkeit *Ablenkung, Abwechslung, Hobby, Kurzweil, Unterhaltung, Zeitvertreib, Zerstreuung *Arbeit, Aufgabe, Auftrag *Hausarbeit, Hausaufgabe *Schularbeit, Schulaufgabe

beschäftigungslos: arbeitslos, ohne Arbeit, ohne Beschäftigung, ohne Job

beschämen: bloßstellen, degradieren, demütigen, diffamieren, diskreditieren, diskriminieren, erniedrigen, herabsetzen, herabwürdigen, schmähen, in Verlegenheit bringen

beschämend: blamabel, demütigend, erbärmlich, kläglich

beschämt: betreten, blamiert, getroffen, klein, kleinlaut, schamrot, verlegen, verschämt, voller Scham, mit Beschämung, peinlich berührt

Beschämung: Betroffenheit, Blamage, Schande, Verlegenheit, Verschämtheit

beschaulich: heimelig, idyllisch, traut *besinnlich, kontemplativ

Bescheid: Angabe, Antwort, Aufklärung, Auskunft, Benachrichtigung, Botschaft, Erklärung, Information, Meldung, Mitteilung, Nachricht *Nachricht, Urkunde

bescheiden: anspruchslos, bedürfnislos, befriedigt, einfach, frugal, gelassen, genügsam, glücklich, primitiv, puritanisch, schlicht, selbstgenügsam, sorgenfrei, spartanisch, unscheinbar, wunschlos, zufrieden, zurückhaltend *ärmlich, armselig, beschränkt, einfach, eingeschränkt, karg, klein, knapp, kümmerlich, mäßig, schlicht, schmal, spärlich, sparsam, unergiebig, wenig, wirtschaftlich *anordnen, befehlen, gebieten, kommandieren *beordern, berufen, bestellen, zitieren, kommen lassen *abgeben, schenken, spenden, spendieren, vermachen, verschenken, zustecken ***s. bescheiden:** s. begnügen, vorlieb nehmen, s. zufrieden geben, zufrieden sein *s. einschränken, haushalten, sparen, s. verkleinern

Bescheidenheit: Anspruchslosigkeit, Bedürfnislosigkeit, Einfachheit, Eingeschränktheit, Genügsamkeit, Selbstbescheidung, Selbstbeschränkung, Zufriedenheit, Zurückhaltung

bescheinen: anleuchten, anscheinen, anstrahlen, ausleuchten, beleuchten, bestrahlen, erhellen, erleuchten, illuminieren, hell machen

bescheinigen: attestieren, beglaubigen, bestätigen, beurkunden, bezeugen, testieren, schriftlich geben

bescheinigt: amtlich, attestiert, beglaubigt, bestätigt, bezeugt, nachgewiesen, offiziell, schriftlich

Bescheinigung: Attest, Beglaubigung, Beleg, Bestätigung, Beurkundung, Beweis, Diplom, Erklärung, Nachweis, Quittung, Schein, Testat, Urkunde, Zertifikat, Zeugnis *Empfangsbescheinigung, Empfangsbestätigung

beschenken: bedenken, beglücken, bescheren, geben, herschenken, reichen, schenken, überreichen, vermachen, verschenken, weggeben

Bescherung: Gabenverteilung, Weihnachtsbescherung, Weihnachtsgeschenk *Überraschung, Verblüffung *Panne, Unfall, Unglück

beschießen: befeuern, bombardieren, unter Feuer nehmen, unter Beschuss nehmen

beschildern: ausschildern, kennzeichnen, markieren

Beschilderung: Ausschilderung, Kennzeichnung, Markierung

beschimpfen: attackieren, ausschelten, belästigen, beleidigen, fertig machen, insultieren, poltern, schelten, schimpfen,

schmähen, wettern, zanken, zetern, zurechtweisen
Beschimpfung: Affront, Ausfall, Beleidigung, Diskriminierung, Ehrenkränkung, Ehrverletzung, Erniedrigung, Kränkung, Lästerung, Rufmord, Schmährede, Schmähung, Verletzung, Verleumdung, Verunglimpfung, üble Nachrede, böse Nachrede *Blasphemie, Gotteslästerung
beschirmen: abschirmen, absichern, behüten, beschützen, bewachen, bewahren, hüten, schützen, sichern, verteidigen, den Rücken decken, Schutz gewähren
Beschlag: Band, Türband
beschlagen: belesen, bewandert, erfahren, fest, firm, kundig, sattelfest, sicher, versiert, wissend *durchnässt, feucht, klamm, nass *blind, glanzlos, matt, stumpf, trübe *anlaufen, belaufen, schwitzen *bewandert, erfahren, erfahrungsreich, erprobt, kundig, lebenskundig, versiert *akademisch, gebildet, geschult, kenntnisreich, niveauvoll, qualifiziert *angelaufen, blind, trüb
Beschlagnahme: Beschlagnahmung, Einziehung, Konfiskation, Konfiszierung, Pfändung, Sequestration, Sicherstellung, Sicherung, Sperrung, Zwangsverwaltung *Einziehung, Enteignung, Kollektivierung, Nationalisierung, Verstaatlichung *Säkularisation, Verweltlichung
beschlagnahmen: abnehmen, einziehen, konfiszieren, pfänden, requirieren, sequestrieren, sichern, sicherstellen, zwangsweise verwalten, mit Beschlag belegen *einziehen, enteignen, nationalisieren, vergesellschaften, verstaatlichen *säkularisieren, verweltlichen
beschleichen: ankommen, anwandeln, befallen, s. bemächtigen, erfassen, erfüllen, ergreifen, überfallen, überkommen, übermannen, überwältigen
beschleunigen: aktivieren, ankurbeln, antreiben, forcieren, intensivieren, nachhelfen, verstärken, vertiefen, vorantreiben, vorwärts treiben, auf Touren bringen, Gas geben, Tempo steigern, auf die Tube drücken, Dampf geben, Dampf machen *s. beeilen, s. schicken
Beschleunigung: Aktivierung, Ankurbelung, Forcierung, Geschwindigkeitszunahme, Intensivierung, Temposteigerung, Verstärkung, das Beschleunigen, das Schnellerwerden
beschließen: abbrechen, abschließen, aufgeben, aufhören, aufstecken, beenden, beendigen, einstellen *abstimmen, wählen, einen Beschluss fassen, eine Resolution fassen
beschlossen: abgemacht, abgestimmt, ausgemacht, entschieden, fest, unterschrieben, vereinbart
Beschluss: Ende, Entschließung, Resolution
beschmieren: beflecken, bepinseln, beschmutzen, bestreichen, besudeln, verunreinigen, voll schmieren, dreckig machen *bestreichen, schmieren, streichen
beschmutzen: anschmieren, beflecken, bekleckern, beschmieren, bespritzen, besudeln, einschmutzen, fasern, fusseln, haaren, versauen, verschmieren, verschmutzen, verunreinigen, voll machen, voll schmieren, voll spritzen, dreckig machen, schmutzig machen *beflecken, entehren, herabwürdigen, schänden
***s. beschmutzen:** s. beflecken, s. bekleckern, s. beschmieren, s. einschmieren, s. schmutzig machen
beschmutzt: angeschmutzt, angestaubt, befleckt, fettig, fleckig, ölig, schmierig, schmuddelig, schmutzig, schmutzstarrend, speckig, trübe, unansehnlich, unrein, unsauber, verfleckt, verschmutzt *befleckt, entehrt, geschändet
beschneiden: abschneiden, abstutzen, ausschneiden, kappen, kupieren, kürzen, lichten, scheren, schneiden, stutzen, trimmen, zurechtstutzen, zurückschneiden *beschränken, einschränken, kürzen, vermindern, verringern *ausästen, ausholzen, auslichten, ausschneiden *beengen, begrenzen, beschränken, eindämmen, einengen, eingrenzen, einschränken *verstümmeln
beschnuppern: beriechen, beschnüffeln, prüfen *beobachten, kennen lernen, prüfen
beschönigen: ausschmücken, bemänteln, idealisieren, schönfärben, verbrämen, verharmlosen
beschränken: beschneiden, einschrän-

ken, kürzen, vermindern, verringern *beengen, begrenzen, einengen, einschnüren *abgrenzen, abmindern, gesundschrumpfen, herabdrücken, heruntergehen, reduzieren, schmälern, streichen, verkleinern, verringern, zurückschrauben, Abstriche machen ***s. beschränken:** s. begnügen, s. einschränken, s. zufrieden geben

beschrankt: geschützt, gesichert, mit einer Schranke versehen

beschränkt: begrenzt, borniert, einfältig, eng, engstirnig, kurzsichtig, stupide, unvernünftig, verblendet, verbohrt, (geistig) minderbemittelt, nicht weitsichtig *ärmlich, armselig, bescheiden, dürftig, eingegrenzt, karg, kärglich, knapp, kümmerlich, schmal, spärlich, unergiebig, wenig

Beschränktheit: Begrenztheit, Begriffsstutzigkeit, Borniertheit, Dummheit, Einfalt, Engstirnigkeit, Stupidität, Unbedarftheit, Unbegabtheit, Unvernunft, Unverständigkeit, Unverständnis, Vernageltheit

Beschränkung: Begrenzung, Einengung, Einschränkung, Restriktion *Blockade, Erschwernis, Erschwerung, Komplikation, Sperre *Herabsetzung, Kürzung, Reduzierung

beschreiben: artikulieren, ausdrücken, äußern, berichten, darstellen, kundmachen, kundtun, mitteilen, referieren, sagen, schildern, verkünden, verkündigen, vermelden, verraten, weitererzählen, weitertragen, zutragen, eine Beschreibung geben *bekritzeln, beschmieren, beschriften

Beschreibung: Abriss, Äußerung, Charakteristik, Darlegung, Darstellung, Geschichte, Mitteilung, Schilderung

beschrieben: ausgefüllt, beschildert, beschriftet, etikettiert, signiert *artikuliert, dargestellt

beschuldigen: anklagen, anschuldigen, anzeigen, belasten, bezichtigen, verdächtigen, vorhalten, jmdm. etwas unterschieben, jmdm. etwas unterstellen, jmdm. die Schuld geben, zur Last legen, Beschuldigungen vorbringen

Beschuldigung: Anklage, Anschuldigung, Belastung, Bezichtigung, Inkriminierung, Klage, Unterstellung, Verdächtigung, Vorhaltung

Beschuss: Beschießung, Bombardement, Bombardierung, Feuer, Granatfeuer, Kanonade

Beschützer: Protektor, Schirmherr, Schützer, Schutzpatron

Beschützerin: Schirmherrin, Schutzpatronin

Beschwerde: Anstrengung, Arbeit, Bemühung, Kraftanstrengung, Kraftaufwand, Kraftverschwendung, Mühe, Mühsal, Mühseligkeit, Strapaze *Beanstandung, Einspruch, Klage *Mängelrüge, Protest, Reklamation *Gegenmeinung, Gegenstimme *Erkrankung, Krankheit, Leiden, Übel, Unpässlichkeit

beschweren: laden, beladen, aufladen, aufpacken, bepacken, voll laden, voll packen ***s. beschweren:** ablehnen, anfechten, beanstanden, bemäkeln, bemängeln, herumkritteln, kritisieren, missbilligen, monieren, nörgeln, reklamieren, s. stören (an), s. stoßen, angehen (gegen), etwas auszusetzen haben, Klage führen, klagen (über), Kritik üben, unmöglich finden

beschwerlich: aufreibend, nervenaufreibend, anstrengend, aufregend, ermüdend, mühevoll, mühsam, mühselig, strapaziös

Beschwerlichkeit: Anstrengung, Bedrängnis, Bekümmernis, Beschwerde, Bürde, Drangsal, Elend, Jammer, Kreuz, Leiden, Leidensweg, Missgeschick, Mühe, Plage, Qual, Schicksalsschlag, Schlag, Trübsal, Ungemach, Unglück, Unheil, Unsegen, Verderben, Verheerung

beschwichtigen: abwiegeln, begütigen, beruhigen, besänftigen, einschläfern

Beschwichtigung: Abwiegelung, Beruhigung, Besänftigung

beschwindeln: anlügen, anschwindeln, belügen, betrügen, erdichten, erfinden, heucheln, hintergehen, lügen, mogeln, phantasieren, schwindeln, täuschen, überlisten, vorschwindeln

beschwingt: beflügelt, leichtfüßig, schwungvoll *aufgeheitert, aufgekratzt, aufgelegt, aufgeschlossen, aufgeweckt, ausgelassen, feuchtfröhlich, fidel, freu-

destrahlend, freudig, frisch, froh, frohgemut, frohgestimmt, fröhlich, frohsinnig, gut gelaunt, heiter, lebensfroh, lebenslustig, lustig, munter, schelmisch, sonnig, strahlend, übermütig, überschäumend, übersprudelnd, vergnüglich, vergnügt, wohlgemut, heiteren Sinnes
beschwipst: angeheitert, angesäuselt, angetrunken, beduselt, benebelt, berauscht, betrunken, bezecht, trunken, weinselig
beschwören: beeiden, durch Eid versichern, durch Eid bekräftigen *bannen, begeistern, behexen, berauschen, besprechen, bezaubern
beseelen: beflügeln, begeistern, beglücken, beleben, berauschen, bezaubern, erfreuen, erwecken, mit Leben erfüllen
beseelt: berauscht, erfüllt, gemütvoll, innig
beseitigen: abschaffen, annullieren, aufheben, auflösen, einstellen *abtransportieren, eliminieren, entfernen, fortbringen, forträumen, fortschaffen, transportieren, wegbringen, wegmachen, wegräumen, wegschaffen *morden, ermorden, töten, umbringen *ausbessern, flicken, reparieren, einen Schaden beheben, in Ordnung bringen, instand setzen *abstellen, beheben, durchkreuzen, unterbinden, vereiteln, verhindern, verhüten, Einhalt gebieten, zunichte machen *ausrichten, einstellen
Beseitigung: Abschaffung, Annullierung, Aufhebung, Auflösung, Einstellung *Abtransport, Elimination, Eliminierung, Entfernung, Fortbringung, Fortschaffung, Wegräumung, Wegschaffung *Müllabfuhr, Sperrgutabfuhr *Endlagerung, Zwischenlagerung *Ermordung, Mord, Tötung *Ausbesserung, Instandsetzung, Reparatur, Schadensbehebung *Abstellung, Behebung, Einhalt, Unterbindung, Vereitelung, Verhinderung, Verhütung
besessen: blindgläubig, fanatisch, radikal, unbelehrbar, verbissen *bezaubert, gebannt, gefangen, verhext, verzaubert
Besessenheit: Aberglaube, Begeisterung, Bezauberung *Raserei, Tobsuchtsanfall, Tollheit *Verfolgungswahn
besetzen: nehmen, einnehmen, erobern, okkupieren, stürmen, Besitz ergreifen *beanspruchen, haben, reservieren, frei halten *blockieren, sichern, verbarrikadieren, verschanzen
besetzt: belegt, überbesetzt, vergeben, voll, voll besetzt, nicht frei *eingenommen, erobert, okkupiert
Besetzung: Inbesitznahme, Okkupation
besiedeln: ansiedeln, bebauen, bevölkern, bewohnen, erschließen, kolonisieren, s. niederlassen, urbar machen
Besiedlung: Ansiedlung, Bebauung, Bevölkerung, Erschließung, Kolonisation, Kolonisierung, Niederlassung, Siedlung
besiegeln: bekräftigen, bestärken, festigen, konsolidieren, stabilisieren, stützen, unterschreiben, verankern, vertiefen, zementieren, endgültig machen
besiegelt: beschlossen, bestimmt, unabwendbar, unwiderruflich *abgemacht, endgültig, entschieden, entschlossen, unausweichlich, unerschütterlich, unfehlbar, unveränderlich, vertragsgemäß
besiegen: aufreiben, bezwingen, fertig machen, niederkämpfen, niederringen, niederwerfen, obsiegen, ruinieren, schlagen, überrollen, überwältigen, überwinden, unterjochen, unterkriegen, unterwerfen, vernichten, kampfunfähig machen, den Sieg abgewinnen *ausboxen, k. o. schlagen, knockout schlagen
besiegt: aufgerieben, bezwungen, geschlagen, ruiniert, schachmatt, unterjocht, unterworfen, vernichtet, kampfunfähig (gemacht) ***besiegt werden:** unterliegen, verlieren, eine Niederlage erleiden, eine Schlappe erleiden *ausgezählt werden
besinnen (s.): s. erinnern, wieder einfallen *s. bedenken, überlegen, zögern, mit sich zu Rate gehen
besinnlich: gedankenvoll, nachdenklich, tiefsinnig, versonnen, versunken, in sich gekehrt *beschaulich, erbaulich, erbebend, kontemplativ, meditativ
Besinnung: Einsicht, Klarsicht, Ratio, Vernunft, Verstand, Verständigkeit, Verständnis, Wirklichkeitssinn, geistige Reife, gesunder Menschenverstand *Überlegung *Bewusstsein, Erinnerung
besinnungslos: bewusstlos, empfin-

dungslos, ohnmächtig, scheintot, starr, todähnlich, totengleich, unempfindlich
Besitz: Anwesen, Besitztum, Grundbesitz, Landbesitz, Länderei, das Eigen, Haus und Hof, Grund und Boden *Besitztum, Eigentum, Habe, Habschaft, Habseligkeiten, Hab und Gut *Bargeld, Barmittel, Barschaft, Barvermögen, Besitztum, Effekten, Geld, Geldmittel, Gut, Güter, Kapital, Kasse, Kassenbestand, Mittel, Reichtum, Schätze, Vermögen, Vermögenswerte, Wohlstand
besitzanzeigend: possessiv
besitzen: haben, in Besitz haben, verfügen (über), sein Eigen nennen, in jmds. Besitz sein, aufzuzeigen haben, aufzuweisen haben, gebieten (über), disponieren (über), zur Verfügung haben, in seinem Besitz haben, sein Eigen sein
Besitzer: Eigentümer, Eigner, Halter, Hauswirt, Herr, Inhaber, Nutznießer, Vermieter
Besitzergreifung: Besitznahme, Inbesitznahme *Annexion, Besitznahme, Einverleibung, Eroberung
besitzlos: abgebrannt, abgerissen, arm
besolden: bezahlen, entlohnen, löhnen
Besoldungsstufe: Besoldungsgruppe, Gehaltsgruppe, Gehaltsstufe
besondere: ausschließlich, eigens, extra, gerade, getrennt *außerordentlich, nicht alltäglich, nicht gewöhnlich *ausgesucht, extra
Besonderheit: Charakter, Duktus, Eigenart, Eigenheit, Eigenschaft, Gepräge, Kennzeichen, Manier, Merkmal, Spezialität, Spezifikum, Typ, Wesensart *Absonderlichkeit, Eigenheit, Eigentümlichkeit, Eigenwilligkeit, Originalität, Singularität, Sonderheit
besonders: ausdrücklich, eigens, hauptsächlich, insbesondere, namentlich, speziell, vornehmlich, vorwiegend, vorzugsweise, zumal, in erster Linie, vor allen Dingen, vor allem, im Besonderen *ausschließlich, eigens, extra, gerade, gesondert, individuell, separat, für sich (allein)
besonnen: abgeklärt, ausgeglichen, bedacht, bedachtsam, beherrscht, gefasst, gemächlich, gemessen, geruhsam, gezügelt, gleichmütig, harmonisch, kaltblütig, kühl, ruhevoll, ruhig, sicher, still, überlegen, überlegt, umsichtig, würdevoll *akkurat, eigen, exakt, genau, gewissenhaft, gründlich, pedantisch, peinlich, penibel, sorgfältig *behutsam, gemächlich, gemessen, langsam, säumig
Besonnenheit: Abgeklärtheit, Bedacht, Bedachtsamkeit, Bedachtheit, Bedächtigkeit, Beherrschung, Gemächlichkeit, Gleichmut, Harmonie, Kaltblütigkeit, Kühle, Ruhe, Sicherheit, Überblick, Überlegenheit, Umsicht, Umsichtigkeit, Weitblick, Weitsicht, Würde, Zurückhaltung
Besorgnis: Ahnung, Annahme, Befürchtung, Gefühl, Vermutung, Vorgefühl, Vorherwissen, innere Stimme ***Besorgnis erregend:** bedenklich, beunruhigend, gefährlich, schlimm
besorgt: angstbebend, angsterfüllt, ängstlich, angstschlotternd, angstverzerrt, angstvoll, argwöhnisch, aufgeregt, bang, bänglich, befangen, beklommen, betroffen, gehemmt, scheu, schreckhaft, schüchtern, verängstigt, verschreckt, verschüchtert, zag, zaghaft, zähneklappernd *achtsam, betulich, fürsorglich, helfend, hingebend, hingebungsvoll, liebevoll, mütterlich, rücksichtsvoll, rührend, schonend, schonungsvoll, sorgsam, umsichtig, väterlich
Besorgung: Abfertigung, Ausführung, Bestellung, Durchführung, Erledigung, Regelung, Tat *Ankauf, Anschaffung, Einkauf, Erledigung, Erwerb, Erwerbung, Kauf
bespielen: aufnehmen, speichern *aufführen, spielen
bespringen: balzen, befruchten, belegen, decken
bespitzeln: spionieren, nachspionieren, abhören, aufpassen, aushorchen, beaufsichtigen, belauern, belauschen, beobachten, beschatten, bewachen, inspizieren, kontrollieren, nachspüren, observieren, überwachen, verfolgen, im Auge behalten, nicht aus den Augen lassen, nicht aus den Augen verlieren, unter Aufsicht stellen, auf die Finger sehen, aufs Korn nehmen, unter die Lupe nehmen

besprechen: kritisieren, rezensieren, urteilen, würdigen *abhandeln, behandeln, erörtern, überreden, reden (über) ***s. besprechen:** s. absprechen, s. an einen Tisch setzen, s. beraten, beratschlagen, s. bereden, konferieren, tagen, s. unterreden, Rat halten, Verhandlungen führen

Besprechung: Kritik, Rezension, Urteil, Würdigung *Abhandlung, Behandlung, Erörterung *Konferenz, Konvent, Sitzung, Tagung, Unterredung, Verhandlung, Versammlung

bespritzen: anfeuchten, anspritzen, besprengen, besprenkeln, besprühen, bewässern, einsprengen, einspritzen, sprengen, voll spritzen *anschmieren, beflecken, bekleckern, beschmieren, beschmutzen, besudeln, einschmutzen, fasern, fusseln, haaren, verschmieren, verschmutzen, verunreinigen, voll machen, voll schmieren, voll spritzen, dreckig machen, schmutzig machen

besser: günstiger, lieber, vorteilhafter

bessern: verbessern, besser machen ***s. bessern:** s. bekehren, bereuen, s. eines Besseren belehren, s. eines Besseren besinnen, s. läutern, umkehren, s. wandeln, ein neues Leben beginnen, ein anderer Mensch werden *s. steigern, s. verbessern, besser werden *bergauf gehen, genesen, heilen

Besserung: Genesung, Heilung *Kultivierung, Verbesserung, Veredelung, Verfeinerung, Verschönerung, Vervollkommnung *Bekehrung, Läuterung, Reue, Umkehr, Wandlung

Besserungsanstalt: Erziehungsanstalt, Heim

Besserwisser: Alleswisser, Naseweis, Neunmalkluger, Neunmalschlauer, Rechthaber, Sprücheklopfer, Sprüchemacher

bestallen: anstellen, berufen, beschäftigen, betrauen, einstellen, ernennen, nominieren

Bestand: Grundlage, Grundstock *Beständigkeit, Dauer, Dauerhaftigkeit, Fortbestand, Fortbestehen, Fortdauer, Fortgang, Permanenz, Stetigkeit, Weitergehen *Lager, Reserve, Reservoir, Rücklage, Vorrat *Bestandsmasse, Fundus, Inventar, Ist-Bestand, Ist-Stärke

beständig: anhänglich, ergeben, getreulich, treu *dauernd, andauernd, anhaltend, beharrlich, charakterfest, gleich bleibend, immer während, immerzu, konstant, kontinuierlich, pausenlos, stetig, stets, unaufhörlich, immer (noch) *abgehärtet, fest, gefeit, gestählt, haltbar, hart, immun, kräftig, resistent, robust, stabil, unempfindlich, widerstandsfähig, zäh

Beständigkeit: Konstanz, Kontinuität, Stetigkeit, Unwandelbarkeit *Beharrlichkeit, Charakterfestigkeit, Durchhaltevermögen, Festigkeit, Geradlinigkeit, Seelenstärke, Standhaftigkeit *Dauer, Dauerhaftigkeit, Fortbestand, Fortbestehen, Fortdauer, Fortgang, Permanenz, Stetigkeit, Weitergehen, Zielstrebigkeit

Bestandsaufnahme: Inventur, Jahresabschluss, Kontrolle, Lageraufnahme, Prüfung

Bestandsliste: Inventar

Bestandteil: Detail, Einzelheit, Element, Ingrediens, Inhalt, Komponente, Seite, Zubehör, Zutat

bestärken: stützen, unterstützen, bekräftigen, bestätigen, erhärten, festigen, helfen, stabilisieren, stärken, vertiefen *aufmuntern, ermuntern, ermutigen, zuraten, zureden

bestätigen: erhärten, mitteilen, ratifizieren, schreiben, Nachricht geben, wissen lassen *attestieren, beglaubigen, bekräftigen, bekunden, bescheinigen, beweisen, bezeugen, quittieren, sanktionieren, unterschreiben, versichern, zugeben, für richtig erklären, für zutreffend erklären, schriftlich geben *bejahen, jmdn. anerkennen, jmdn. gelten lassen, jmdn. bestärken, jmdn. ermutigen, jmdn. unterstützen

bestätigt: amtlich, beglaubigt, beweiskräftig, bezeugt

Bestätigung: Attest, Ausweis, Beglaubigung, Bescheinigung, Beweis, Dokument, Nachweis, Papiere, Schein, Zeugnis *Anerkenntnis, Anerkennung, Bejahung, Bekräftigung, Bezeugung, Ermunterung, Ermutigung, Ratifikation, Ratifizierung,

Sanktion, Unterstützung, Zustimmung *Eingangsmeldung, Empfangsbestätigung
bestatten: beerdigen, begraben, beisetzen, einäschern, eingraben, einsargen, kremieren, verbrennen
Bestattung: Beerdigung, Begräbnis, Beisetzung, Einäscherung, Feuerbestattung, Grablegung, Leichenfeier, Verbrennung
bestaubt: bedeckt, beschmutzt, schmutzig, staubbedeckt, staubig, staubüberzogen, überpudert, überzogen
bestaunen: anstaunen, bewundern
Beste: Champion, Führer, Primus, Sieger, Spitzenreiter, der Größte, der Erste, der Führende, der Oberste, der Vorderste *Auslese, Auswahl *Auswahl, Blüte, Elite, die Besten *Spitzenreiter, Tabellenführer, der Erste, der Führende, der Vorderste
bestechen: anbieten, erkaufen, korrumpieren, schmieren *ansprechen, anziehen, behagen, belieben, entsprechen, gefallen, imponieren, mögen, passen, zufrieden stellen, zusagen, beliebt sein, es jmdm. angetan haben, für sich einnehmen, Geschmack abgewinnen, den Geschmack treffen, gute Aufnahme finden, Beifall finden, Anklang finden, recht sein, sympathisch sein, genehm sein, angenehm sein, schön finden, Gefallen finden, Geschmack finden *auffallen, beeindrucken, bezaubern, brillieren, gefallen, hervorstechen, imponieren, wirken, Aufsehen erregen, Beachtung finden, Eindruck schinden, Eindruck machen, in Erscheinung treten, Wirkung haben, Bewunderung hervorrufen
bestechlich: bestechbar, empfänglich, käuflich, korrupt, verführbar, zugänglich, zu haben
Bestechung: Hinterziehung, Korruption, Unterschlagung, Veruntreuung
Bestechungsgeld: Bestechungssumme, Handgeld, Handmittel, Schmiergeld, Schmiermittel, Schweigegeld
bestehen: beharren (auf), erzwingen, insistieren, pochen (auf), s. versteifen, (auf etwas) dringen, Bedingungen stellen, bleiben (bei), nicht ablassen, nicht lockerlassen, sein Recht behaupten *da sein, existieren, vorhanden sein *beharren, behaupten, beteuern, betonen, etwas ausgeben (als), etwas hinstellen (als), sagen, versichern, dabei bleiben, als sicher ausgeben, eine Behauptung aufstellen *s. behaupten, s. bewähren, s. durchsetzen, nicht versagen *ablegen, durchkommen, entsprechen, gewachsen sein, gut abschneiden, gut abschließen, hinter sich bringen *durchhalten, durchstehen ***bestehen bleiben:** beibehalten, gelten, weiterbestehen, aufrechterhalten werden ***bestehen lassen:** wahren, bewahren, aufrechterhalten, behaupten, beibehalten, durchsetzen, fortsetzen, konservieren, nicht ablassen (von), pflegen, wach halten, warten, weitermachen, bleiben (bei), einer Sache treu bleiben, festhalten (an), nicht verändern, nicht weichen
Bestehen: Bestand, Dasein, Einrichtung, Existenz, Sein
bestehlen: ausnehmen, ausrauben, beklauen, berauben, erleichtern, stehlen, veruntreuen
besteigen: aufsteigen, einsteigen, hinaufgehen, zusteigen *aufsitzen, aufsteigen, s. hinaufschwingen, s. in den Sattel schwingen
Besteigung: Aufstieg, Bezwingung, Erstbesteigung, Ersteigung
bestellen: abonnieren, anfordern, beziehen, vorbestellen, in Auftrag geben, jmdm. einen Auftrag geben, jmdn. kommen lassen, eine Bestellung aufgeben *auftragen, beauftragen, administrieren, anordnen, anweisen, auferlegen, aufgeben, befehlen, bestimmen, festlegen, kommandieren, reglementieren, veranlassen, verfügen *anpflanzen, aussäen, bauen, beackern, bebauen, bepflanzen, bewirtschaften, kultivieren, legen, pflanzen, säen, setzen, stecken *ausrichten, mitteilen, sagen, überbringen, übermitteln *ordern, reservieren lassen *befehlen, beordern, bescheiden, bitten, kommen lassen, zu sich rufen *ausrichten, überbringen, übermitteln *anstellen, anwerben, berufen, beschäftigen, bestallen, betrauen, designieren, dingen, einsetzen, einstellen, ernennen, nominieren, verpflichten

Bestellung: Abonnement, Anforderung *Abmachung, Kauf, Reservierung *Anpflanzung, Bebauung, Bepflanzung, Bewirtschaftung, Kultivierung *Anweisung, Aufforderung, Auftrag, Befehl, Bestimmung, Diktat, Geheiß, Instruktion, Order, Verfügung, Verordnung, Vorschrift, Weisung *Berufung, Bestallung, Designation, Einsetzung, Ernennung *Botschaft, Information, Kunde, Meldung, Mitteilung, Nachricht, Neuigkeit
bestenfalls: allenfalls, äußerstenfalls, höchstens, gerade noch, im günstigen Falle, im besten Falle
besteuert: mit Steuern belegt, mit Abgaben belegt
bestialisch: äußerst, sehr, ungeheuer, ungemein *barbarisch, brutal, entmenscht, erbarmungslos, gefühllos, gewalttätig, gnadenlos, grausam, herzlos, inhuman, kaltblütig, mitleidlos, rabiat, roh, rücksichtslos, schonungslos, tierisch, unbarmherzig, ungesittet, unmenschlich, unsozial, verroht
Bestie: Biest, Tier, Vieh *Bluthund, Gewaltmensch, Kannibale, Satan, Scheusal, Schurke, Teufel, Tier, Übeltäter, Unhold, Unmensch, Vandale, Verbrecher, Wandale
bestimmen: administrieren, anordnen, anweisen, auferlegen, aufgeben, auftragen, beauftragen, befehlen, betrauen (mit), festlegen, kommittieren, reglementieren, veranlassen, verfügen, verpflichten, einen Auftrag geben, einen Auftrag erteilen *administrieren, anordnen, anweisen, auferlegen, aufgeben, befehlen, beherrschen, festlegen, reglementieren, veranlassen, verfügen, den Ton angeben, das Regiment führen *ausersehen, auserwählen, auswählen, vorsehen, zudenken *definieren, determinieren, diagnostizieren, spezialisieren
bestimmend: ausschlaggebend, entscheidend
bestimmt: gewiss, sicher, unfehlbar, unweigerlich, zweifelsfrei, zweifelsohne *ausdrücklich, energisch, entschieden, fest, kategorisch, knapp, nachdrücklich *apodiktisch, barsch, bündig, diktatorisch, disziplinarisch, drakonisch, eisern, energisch, entschieden, ernst, fest, gebieterisch, hart, herrisch, konsequent, massiv, rigoros, rücksichtslos, scharf, schroff, schwer, soldatisch, straff, streng, strikt, unbarmherzig, unerbittlich, unwidersprechlich, vorgeschrieben *deutlich, eindeutig, feststehend, klar, unzweideutig, genau festgelegt *sicher, tatsächlich *scharf, haarscharf, akkurat, deutlich, eindeutig, exakt, fein, genau, gerade, haargenau, haarklein, klar, prägnant, präzise, aufs Haar
Bestimmtheit: Genauigkeit, Gewissheit, Sicherheit *Entschiedenheit, Entschlossenheit, Nachdruck *Deutlichkeit, Klarheit, Unzweideutigkeit
Bestimmung: Aufgabe, Berufung, Sendung *Definition, Determination, Diagnose, Festlegung *Anordnung, Befehl, Order, Weisung *Fügung, Geschick, Kismet, Los, Schicksal, Schicksalsfügung, Schickung, Verhängnis, Vorsehung, Zufall *Absicht, Sinn, Ziel, Zweck
bestrafen: abrechnen, ahnden, aufbrummen, heimzahlen, ins Gericht gehen (mit), maßregeln, rächen, s. revanchieren, sanktionieren, strafen, vergelten, züchtigen, eine Strafe auferlegen, einen Denkzettel erteilen, eine Strafe aufbrummen, einen Denkzettel verabreichen, jmdm. etwas verpassen
Bestrafung: Abrechnung, Ahndung, Heimzahlung, Maßregelung, Sühne, Vergeltung, der gerechte Lohn, der verdiente Lohn *Abrechnung, Gegenmaßnahme, Gegenstoß, Heimzahlung, Rache, Revanche, Sanktionen, Vergeltung, Vergeltungsmaßnahme
bestrahlen: beleuchten, besonnen, wärmen *röntgen
Bestrebung: Anstrengung, Bemühen, Bemühung *Absicht, Bestreben, Endziel, Endzweck, Intention, Plan, Unternehmungsgeist, Vorsatz, Wille, Wollen, Wunsch, Ziel, Zielvorstellung, das Trachten
bestreichen: aufschmieren, aufstreichen, bepinseln, beschmieren, betupfen
bestreitbar: dubios, strittig, verdächtig, zweifelhaft *anfechtbar, angreifbar, streitig, strittig

bestreiten: ableugnen, absprechen, abstreiten, anfechten, angreifen, dementieren, leugnen, verneinen, von sich weisen, für unrichtig erklären
bestreuen: besäen, besprenkeln, pudern
bestricken: behexen, berücken, betören, bezaubern, blenden, faszinieren, umgarnen, verhexen
bestrickend: angenehm, anmutig, anziehend, attraktiv, aufreizend, betörend, bezaubernd, charmant, gewinnend, lieb, lieblich, liebenswert, sympathisch, toll
Bestseller: Hit, Kassenerfolg, Kassenschlager, Publikumserfolg, Renner, Verkaufsschlager
bestücken: ausstatten, berüsten, versehen (mit), versorgen (mit)
bestürmen: anrufen, ansprechen, ansuchen, bedrängen, beschwören, betteln, bitten, erflehen, ersuchen, flehen, keine Ruhe geben, keine Ruhe lassen
bestürzen: befremden, begreifen, erschrecken, erschüttern, erstaunen, überraschen, überrumpeln, verblüffen, verwirren, verwundern
bestürzend: entsetzlich, erschreckend, schauderhaft, schrecklich
bestürzt: betreten, betroffen, entgeistert, entsetzt, erschrocken, fassungslos, konsterniert, überrascht, verdattert, verstört, verwirrt, außer Fassung, außer sich, wie vom Blitz getroffen
Bestürzung: Betroffenheit, Entsetzen, Erschrockenheit, Erschütterung, Fassungslosigkeit, Grauen, Grausen, Horror, Konsternation, Schauder, Schock, Schreck, Schrecken
Besuch: Aufwartung, Einladung, Gesellschaft, Höflichkeitsbesuch, Hospitation, Staatsbesuch, Stippvisite, Überfall, Unterhaltung, Visite, Zusammenkunft, Zusammensein, das Kommen *Gastaufenthalt, Gastspiel *Begutachtung, Besichtigung, Betrachtung *Besucherstrom, Publikum
besuchen: (hin)gehen (zu), absteigen, aufsuchen, beehren, einkehren, eintreffen, frequentieren, hereinschauen, hospitieren, kommen, überfallen, visitieren, vorbeigehen, vorbeikommen, vorsprechen, seine Aufwartung machen *befahren, bereisen, durchfahren, durchkreuzen, durchqueren, durchreisen, durchwandern, gastieren
Besucher: Besuch, Eingeladener, Gast, Gastfreund, Geladener, Tischgast *Anwesender, Auditorium, Publikum, Teilnehmer, Zuhörer, Zuhörerschaft, Zuschauer *Durchreisender, Fremder, Passant, Reisender, Tourist
betasten: abtasten, anfassen, anfühlen, angreifen, anlangen, anrühren, befingern, befühlen, befummeln, begrapschen, betatschen, hinlangen, in die Hand nehmen
betätigen: ausüben, bedienen, führen, hantieren, steuern, umgehen (mit) ***s. betätigen:** arbeiten, s. beschäftigen, s. regen, s. rühren, schaffen, tätig sein
betäuben: anästhesieren, berauschen, chloroformieren, einschläfern, narkotisieren, schmerzunempfindlich machen *beruhigen, besänftigen, beschwichtigen *benebeln, berauschen, benommen machen
Betäubung: Anästhesie, Einschläferung, Lokalanästhesie, Narkose, örtliche Betäubung
beteiligen: einbeziehen, eingliedern, einschließen, integrieren, teilhaben lassen, teilnehmen lassen ***s. beteiligen:** beisteuern, dabei sein, dazugehören, handeln, mitarbeiten, mitmachen, mitmischen, mittun, mitwirken, partizipieren, teilhaben, teilnehmen, aktiv sein, behilflich sein, Anteil haben, beteiligt sein
beteiligt: dazugehörig, integriert *aufmerksam, konzentriert, wach
Beteiligung: Anteilnahme, Beteiligtsein, Engagement, Mitwirkung, Teilnahme *Gewinnbeteiligung, Provision, Umsatzbeteiligung, Umsatzprovision
beten: bitten, danken, erbitten, flehen, meditieren, Gott anrufen
beteuern: beeiden, beglaubigen, behaupten, bejahen, schwören, versichern, versprechen
betonen: akzentuieren, hervorheben, den Ton legen (auf), deutlich aussprechen *behaupten, herauskehren, herausstellen, hervorheben, pointieren, prononcie-

ren, unterstreichen, Gewicht legen (auf), Wert legen (auf), Wichtigkeit beimessen, Bedeutung beimessen
betont: deutlich, inständig, nachdrücklich, unmissverständlich, wirkungsvoll *akzentuiert, ausgeprägt, zugespitzt *ausgesucht, demonstrativ, herausgehoben, herausgestellt, hervorgehoben, nachdrucksvoll, ostentativ, pointiert, prononciert
Betonung: Akzentuation *Akzent, Ton, Tonzeichen *Akzent, Artikulation, Aussprache, Lautung, Tonfall *Hervorhebung, Unterstreichung
betören: beeinflussen, begeistern, bezaubern, blenden, verleiten, verzaubern
betört: befangen, entrückt, entzückt
betrachten: anschauen, ansehen, begutachten
beträchtlich: anständig, außergewöhnlich, außerordentlich, ausgefallen, bedeutend, bemerkenswert, entwaffnend, erheblich, erklecklich, erstaunlich, groß, respektabel, respektierlich, sehr, stattlich, überraschend, ungeläufig, ungewöhnlich, ziemlich
Betrachtung: Anblick, Anschauung, Besichtigung *Beschaulichkeit, Kontemplation, Nachdenken, Verinnerlichung, Versenkung *Abhandlung, Aufdeckung, Ausbreitung, Auseinandersetzung, Behandlung, Beleuchtung, Bericht, Beschreibung, Charakterisierung, Darlegung, Darstellung, Denkschrift, Durchleuchtung, Entfaltung, Entwicklung, Erläuterung, Manifestation, Schilderung, Skizze, Skizzierung, Zusammenstellung
Betrachtungsweise: Standpunkt
Betrag: Geldbetrag, Geldsumme, Menge, Position, Posten, Quantum, Summe, Zahl
betragen: ausmachen, s. belaufen (auf), s. berechnen (auf), s. beziffern (auf), kosten ***s. betragen:** s. benehmen, s. gut verhalten, schweigen, s. zurückhalten, anständig sein, ruhig sein
Betragen: Benehmen, Etikette, Manieren, Verhalten
betreffen: anbelangen, anbetreffen, angehen, anlangen, belangen, berühren, s. beziehen (auf), gelten, handeln (von), tangieren, Bezug haben
betreffend: bezüglich, diesbezüglich, betreffs, darüber, davon, dazu, hinsichtlich, in Bezug auf, was das angeht, was das betrifft, was das belangt, zu der Frage, in puncto
betreiben: beitreiben, eintreiben, einziehen, kassieren *arbeiten, ausüben, führen, leiten *antreiben, in Bewegung bringen, in Gang bringen, auf Touren bringen *s. auseinander setzen, s. befassen (mit), frönen, nachgehen *ausüben, beibehalten, praktizieren, verrichten, versehen
betreten: eintreten, hereintreten, einziehen, hereinkommen, hereinspazieren, hineingehen, hineingelangen, hineinkommen, hineinspazieren, treten (in) *befangen, beschämt, bestürzt, betroffen, kleinlaut, schamhaft, verlegen, verschämt, verwirrt, peinlich berührt *begehen, beschreiten, treten (auf)
Betreuer: Coach, Co-Trainer, Manager, Teamchef, Trainer *Aufsicht, Aufsichtsperson, Chef, Leiter *Vormund *Begleiter, Krankenpfleger, Pfleger *Verantwortlicher
Betreuerin: Begleiterin, Hostess, Krankenschwester, Pflegerin, Schwester *Teamchefin, Trainerin
Betrieb: Fabrik, Firma, Geschäft, Geschäftsunternehmen, Handelsbetrieb, Handelsfirma, Handwerksbetrieb, Kleinbetrieb, Laden, Manufaktur, Unternehmen, Werk, Werkstätte *Aktivität, Betriebsamkeit, Geschäftigkeit, Leben, Rührigkeit, Schnelligkeit, Trubel, Tüchtigkeit, Unternehmungslust ***außer Betrieb sein:** pausieren, ruhen, stillstehen ***in Betrieb nehmen:** einweihen, eröffnen, in Betrieb setzen, (seiner Bestimmung) übergeben ***in Betrieb sein:** arbeiten, funktionieren, gehen, laufen
betriebsam: dynamisch, lebhaft, tatendurstig, unermüdlich, unternehmend, unternehmungslustig
Betriebsführer: Betriebsleiter, Leiter, Vorsteher, Werksleiter *Boss, Chef, Direktor, Geschäftsführer, Leiter
Betriebsgeheimnis: Geheimnis, Geschäftsgeheimnis

Betriebsgemeinschaft: Arbeitnehmerschaft, Arbeitsgemeinschaft
Betriebsinhaber: Chef, Fabrikbesitzer, Geschäftsinhaber, Ladenbesitzer, Unternehmer
Betriebsleitung: Betriebsführung, Management
Betriebsrat: Arbeitnehmerorganisation, Arbeitnehmerverband, Arbeitnehmervertreter, Gewerkschaft
Betriebsstoff: Antriebsmittel, Brennstoff, Energiematerial, Energiespender, Treibstoff
betrinken (s.): bechern, s. berauschen, s. beschwipsen, s. bezechen, s. einen antrinken, zu tief ins Glas schauen, einen Rausch antrinken, zu viel trinken
betroffen: bestürzt, betreten, entgeistert, entsetzt, erschrocken, fassungslos, konsterniert, überrascht, verdattert, verstört, verwirrt, außer Fassung, außer sich, wie vom Blitz getroffen ***betroffen sein:** s. entsetzen, s. erschrecken, Kopf stehen, bestürzt sein, die Fassung verlieren, vor den Kopf geschlagen sein, vom Donner gerührt sein, überrascht sein
Betroffener: Hinterbliebener, Leidtragender, Trauernder
betrogen: gelackmeiert, getäuscht, hintergangen, lackiert
Betrogener: Gefoppter, Gehörnter, Gerupfter, Getäuschter, Gimpel, Hahnrei, Hintergangener, Narr, Opfer, Pinsel, Tropf
betrüben: bedrücken, bekümmern, beunruhigen, grämen, quälen, vergrämen, die Freude verderben, jmdm. Kummer machen, jmdm. Sorge machen, jmdm. Kummer bereiten, jmdm. Sorge bereiten, jmdn. mit Sorge erfüllen, jmdn. mit Kummer erfüllen, traurig machen *bedrängen, drangsalieren, knebeln, knechten, terrorisieren, unterdrücken
betrüblich: bedauerlich, jammerschade, traurig
betrübt: bedrückt, bekümmert, depressiv, gedrückt, hypochondrisch, melancholisch, nihilistisch, pessimistisch, schwarzseherisch, schwermütig, todunglücklich, traurig, trübsinnig, unglücklich
Betrug: Bauernfang, Bauernfängerei, Betrügerei, Gaunerei, Gaunerstreich, Hintergehung, Irreführung, Machenschaft, Manipulation, Mogelei, Nepp, Prellerei, Schiebung, Schmu, Schummelei, Schummeln, Schwindel, Schwindelei, Täuschung, Unregelmäßigkeit, Unterschlagung
betrügen: andrehen, anschmieren, ausbeuten, bemogeln, beschummeln, beschwindeln, bluffen, bringen (um), einsalben, gaunern, hereinlegen, hintergehen, hochnehmen, lackmeiern, leimen, mogeln, neppen, prellen, schummeln, täuschen, überfahren, überlisten, übervorteilen, verschaukeln, aufs Kreuz legen *ehebrechen, fremdgehen, die Ehe brechen, Ehebruch begehen
Betrüger: Bauernfänger, Filou, Gauner, Geschäftemacher, Krimineller, Preller, Scharlatan, Schieber, Schwindler, Spitzbube
betrügerisch: falsch, gaunerhaft, heuchlerisch, katzenfreundlich, lügnerisch, scheinheilig, schwindelhaft, schwindlerisch, trügerisch, unaufrichtig, unehrlich, unlauter, unredlich, unreell, unsolid, unwahrhaftig
betrunken: alkoholisiert, angeheitert, angetrunken, benebelt, berauscht, beschwipst, blau, sternhagelvoll, stockbetrunken, trunken, volltrunken, unter Alkohol, im Rauschzustand, einen Rausch haben
Bett: Bettgestell, Bettlager, Bettstatt, Bettstelle, Falle, Koje, Lager, Nest, Pritsche, Schlafgelegenheit, Schlafstatt, Schlafstätte, die Federn *Flussbett, Strombett *Deckbett, Federbett, Federdeckbett, Oberbett, Zudecke
betteln: bitten, fordern, schnorren, Klinken putzen, die Hand aufmachen *drängen, bedrängen, flehen, erflehen, anflehen, angehen (um), anrufen, ansprechen (um), ansuchen, s. ausbitten, beschwören, bestürmen, bitten, erbitten, ersuchen (um), fragen (um), nachsuchen, s. wenden (an)
bettlägerig: abgespannt, krank, siech
Bettler: Bettelbruder, Fechtbruder, Hausierer, Klinkenputzer, Pracher, Schnorrer
Bettstatt: Bettgestell, Bettstelle

Betttuch: Bettlaken, Laken, Leintuch
betucht: bemittelt, reich, wohlhabend
betulich: bedächtig, gemächlich, langsam, umständlich *behutsam, fürsorglich, mütterlich
betupfen: befeuchten, benässen *beflecken, bemalen, besprenkeln, flecken, marmorieren, punktieren, tüpfeln
beugbar: deklinabel, deklinierbar, flexibel, veränderlich *nachgiebig, schwach, weich
beugen: deklinieren, flektieren, konjugieren, verändern *abwinkeln, biegen, brechen, neigen *demütigen, Druck ausüben (auf), unterdrücken ***s. beugen:** s. unterwerfen *s. biegen, s. bücken, s. krümmen, s. lehnen, s. neigen, s. niederbeugen, s. überneigen *aufgeben, einlenken, entgegenkommen, kapitulieren, nachgeben, passen, resignieren, unterliegen, s. unterwerfen, zurückstecken
Beuger: Beugemuskel
Beugung: Biegung, Brechung, Krümmung, Neigung *Abwandlung, Deklination, Flexion, Konjugation
Beule: Delle, Horn, Schwellung *Ausbuchtung, Wölbung
beunruhigen: bedrücken, bekümmern, betrüben, quälen, jmdm. Kummer machen, jmdm. Sorge machen, jmdm. Kummer bereiten, jmdm. Sorge bereiten, jmdn. mit Sorge erfüllen, jmdn. mit Kummer erfüllen *alarmieren, aufregen *durcheinander bringen, irremachen, irritieren, verunsichern, verwirren, unsicher machen
beunruhigend: gespannt, angespannt, angsterregend, aufregend, Besorgnis erregend, gefährlich, gefahrvoll, schlimm, schwierig, verkrampft
Beunruhigung: Angst, Bedenken, Bedrohung, Beengung, Befangenheit, Bekümmertheit, Drohung, Erregung, Furcht, Kummer, Sorge
beurkunden: beglaubigen, bestätigen
beurlauben: befreien, freigeben, suspendieren, Urlaub geben, Urlaub gewähren *abberufen, ablösen, abservieren, absetzen, ausbooten, davonjagen, entheben, entlassen, entmachten, entthronen, fortschicken, hinauswerfen, kaltstellen, kündigen, stürzen, suspendieren, verabschieden
beurteilen: begutachten, benoten, bewerten, einschätzen, eintaxieren, taxieren, urteilen, werten, zensieren, befinden (über)
Beurteilung: Begutachtung, Benotung, Bewertung, Charakteristik, Einschätzung, Urteil, Wertung, Zensur
Beute: Ausbeute, Diebesbeute, Fang, Griff, Schleichware, Schmuggelware
Beutel: Behälter, Blase, Börse, Brotsack, Futteral, Pompadour, Rucksack, Sack, Säckel, Tasche, Tüte
bevölkern: ansiedeln, bebauen, beleben, besiedeln, bewohnen, erschließen, s. niederlassen, nutzbar machen, zugänglich machen, urbar machen
bevölkert: belebt, besiedelt, bewohnt, volkreich *dicht besiedelt, dicht bevölkert, voller Menschen *dünn besiedelt, dünn bevölkert, schwach besiedelt *belebt, lebhaft, verkehrsreich
Bevölkerung: Einwohner, Einwohnerschaft, Gesamtbevölkerung, Mitbürger, Population, Volk, die Bewohner
bevollmächtigen: autorisieren, beauftragen, befugen, berechtigen, ermächtigen, ernennen, die Vollmacht erteilen
Bevollmächtigter: Anwalt, Beauftragter, Botschafter, Kommissar, Kommissionär, Prokurator, Repräsentant, Sachwalter, Vertreter
Bevollmächtigung: Befugnis, Berechtigung, Bestallung, Diplom, Erlaubnis, Ermächtigung, Prokura, Regentschaft, Repräsentation, Stellvertretung, Vollmacht, Zustimmung
bevor: als, ehe, früher, vorher *schon, am Vorabend, vor der Zeit, vor jener Zeit, vor seiner Zeit
bevormunden: beeinflussen, dirigieren, gängeln, lenken, vorschreiben, bestimmen (über), das Heft aus der Hand nehmen
bevormundet: abhängig, gebunden, hörig, unfrei, unmündig, unselbständig ***bevormundet sein:** unselbständig sein, abhängig sein, unfrei sein, unmündig sein, gebunden sein, unter Vormundschaft stehen, unter Pflegschaft stehen

Bevormundung: Abhängigkeit, Hörigkeit, Joch, Unfreiheit, Unmündigkeit, Unselbständigkeit, Unterdrückung, Zwang
bevorstehen: drohen, herankommen, kommen, nahen, s. nähern, erwarten, erwartet werden, im Anzug sein, im Verzug sein, ins Haus stehen
bevorzugen: begünstigen, favorisieren, vorziehen, den Vorrang geben, den Vorzug geben, lieber mögen, lieber haben
Bevorzugung: Begünstigung, Gunst, Privileg, Sonderrecht, Vorrang, Vorrecht, Vorzug *Überlegenheit, Vergünstigung, Vorteil
bewachen: beaufsichtigen, hüten, überwachen, nicht aus den Augen lassen, im Auge behalten *abdecken, absichern, abwehren, aufpassen (auf), behüten, beschützen, bewahren, decken, garantieren, schützen, sichern, verteidigen *abdecken, decken
Bewacher: Begleiter, Beschützer, Leibwächter, Pförtner, Polizist, Wächter, Wärter
bewachsen: bedeckt, bepflanzt, dicht, undurchdringlich, zugewachsen
Bewachung: Aufsicht, Beaufsichtigung, Beschirmung, Beschützung, Deckung, Schutz, Sicherung, Verteidigung
bewaffnen: aufrüsten, ausheben, ausrüsten, mobilisieren, rüsten, mobil machen *s. **bewaffnen:** s. ausrüsten, s. bewehren, s. kampfbereit machen, s. militärisch stärken, s. mit Waffen bestücken, s. wappnen
bewaffnet: gerüstet, aufgerüstet, abwehrbereit, angriffsbereit, gepanzert, gewappnet, kampfbereit, kampfentschlossen, kriegslüstern, verteidigungsbereit, waffenstarrend
Bewaffnung: Aufrüstung, Ausrüstung, Mobilisierung, Mobilmachung, Rüstung
bewahren: anhäufen, ansammeln, aufbewahren, aufheben, aufspeichern, begraben, behalten, behüten, häufen, sammeln, speichern, verschließen, verstecken, verwahren, zurückhalten *schützen, beschützen, behüten, beschirmen, decken, verteidigen, Schutz gewähren *abhalten, abschirmen, fernhalten, schützen (vor) *beibehalten, erhalten, wahren
bewähren (s.): s. behaupten, bestehen, leisten, s. sehen lassen, tüchtig sein, seinen Mann stehen
bewährt: altbewährt, anerkannt, bekannt, eingeführt, erprobt, fähig, gängig, gebräuchlich, geeignet, geltend, gültig, probat, renommiert, verlässlich, zuverlässig
Bewährung: Probezeit, das Sichbewähren
Bewährungsprobe: Feuerprobe, Feuertaufe, Prüfstein
bewältigen: ausführen, beikommen, bewerkstelligen, deichseln, drehen, durchführen, erreichen, fertig werden (mit), klarkommen, lösen, meistern, packen, verwirklichen, vollbringen, vollenden, zurechtkommen, zustande bringen *schaffen, zurücklegen, hinter sich bringen
bewältigt: beendet, bewerkstelligt, gelöst, gemeistert, vollbracht, vorbei
bewandert: belesen, beschlagen, erfahren, fest, firm, intelligent, klug, sattelfest, sicher, versiert
bewässern: anfeuchten, befeuchten, benässen, benetzen, netzen, nass machen *begießen, beregnen, berieseln, bespritzen, besprühen, einsprengen, einspritzen, gießen, sprengen, spritzen
Bewässerung: Beregnung, Berieselung, Besprengung, Besprühung
bewegen: rütteln, schaukeln, schütteln *regen, rühren *machen, tun, verändern, veranlassen *eilen, fahren, fegen, flattern, s. fortbewegen, gehen, hasten, hüpfen, huschen, jagen, klettern, latschen, laufen, rennen, sausen, schlürfen, schreiten, springen, staken, steigen, stelzen, stolpern, stolzieren, taumeln, torkeln, traben, trappen, trippeln, trotteln, trotten, watscheln, zockeln, zotteln, zuckeln *fuchteln, gestikulieren *berühren, beseelen *s. **bewegen:** s. fortbewegen, s. regen, s. rühren *spazieren gehen *tanzen
Beweggrund: Anlass, Antrieb, Auslöser, Grund, Motiv, Triebfeder, Ursache, Veranlassung
beweglich: biegsam, dehnbar, elastisch, federnd, flexibel, geschmeidig *agil, geschickt, gewandt, wendig *blutvoll,

dynamisch, feurig, getrieben, heftig, heißblütig, lebendig, lebhaft, mobil, quecksilbrig, temperamentvoll, unruhig, vif, vital, wild *fahrig, flüchtig, rastlos, ruhelos, springlebendig, unstet, zappelig *mobil, transportabel, transportierbar, verrückbar, versetzbar

Beweglichkeit: Bewegung, Fortbewegung, Schritt, Transport *Mobilität *Behändigkeit, Flinkheit, Gelenkigkeit, Gewandtheit, Schnellfüßigkeit

bewegt: aufgewühlt, beeindruckt, beeinflusst, bestürzt, betroffen, ergriffen, erregt, erschüttert, gerührt, gepackt, überwältigt *aufgeregt, fahrig, hastig, hektisch, nervös, rastlos, rege, ruhelos, ungestüm, unruhig, unstet *abwechslungsreich, aufregend, bunt, ereignisreich, schillernd *aufgewühlt, stürmisch, unruhig

Bewegung: Änderung, Veränderung *Gebärde, Gebärdung, Geste *Ergriffenheit, Ergriffensein, Erregung, Mitleid, Rührung, Teilnahme *Beweglichkeit, Fluss, Fortbewegung, Gang, Gangart, Regung, Schritt, Schwung, Trab, Transport, Zug

Bewegungsfreiheit: Auslauf, Entfaltungsmöglichkeit, Entwicklungsmöglichkeit, Freiheit, Freizügigkeit, Spanne, Spielraum, Unabhängigkeit

bewegungslos: erstarrt, friedlich, friedvoll, geruhsam, leblos, regungslos, ruhevoll, ruhig, starr, still, unbewegt, wie angewurzelt

Bewegungslosigkeit: Rast, Reglosigkeit, Ruhe, Stille

bewehren: armieren, verstärken *s. ausrüsten, bewaffnen, s. mit Waffen bestücken, s. wappnen

beweibt: verehelicht, verheiratet, vermählt, eine Frau haben

Beweis: Belastungsmaterial, Beleg, Bestätigung, Beweismaterial, Beweismittel, Beweisstück, Dokumentation, Entlastungsmaterial, Erweis, Indiz, Kostprobe, Nachweis, Probe, Quittung, Zeichen, Zeugnis *Argument, Begründung *Pfand, Unterpfand, Zeichen

beweisbar: aktenkundig, belegbar, belegt, nachweisbar, urkundlich *bewiesenermaßen, erweisbar, erweislich, erwiesenermaßen, nachweisbar, nachweislich, unwiderlegbar, unwiderleglich

beweisen: erkennen, zeigen, sichtbar werden lassen *aufzeigen, begründen, belegen, bestätigen, bringen, dokumentieren, erbringen, erhärten, nachweisen, untermauern, zeigen, zeugen (von), den Beweis erbringen, den Nachweis erbringen, den Beweis liefern, den Nachweis liefern, den Beweis führen, unter Beweis stellen

beweiskräftig: amtlich, belegt, bestätigt, dokumentarisch, überzeugend, urkundlich

Beweisstück: Beweis, Dokument, Corpus Delicti

bewerben (s.): s. anbieten, s. bemühen (um), s. empfehlen, kandidieren, s. mühen (um), nachsuchen, vorsprechen, s. vorstellen *annoncieren, inserieren, werben *s. aufstellen lassen, kandidieren

Bewerber: Antragsteller, Anwärter, Aspirant, Bittsteller, Interessent, Kandidat, Postulant *Anbeter, Freier, Freiersmann, Verehrer

Bewerbung: Antrag, Bewerbungsschreiben, Empfehlungsschreiben, Stellenbewerbung *Aufstellung, Kandidatur

bewerfen: befeuern, beschmeißen *abfällig reden (von), anschwärzen, denunzieren, diffamieren, entwürdigen, herabsetzen, herabwürdigen, schlecht machen, schmähen, verdächtigen, verleumden, verschreien, verteufeln, verunglimpfen, über jmdn. herfallen, die Ehre abschneiden, Übles nachreden

bewerkstelligen: anfangen, anpacken, anstellen, deichseln, drehen, ermöglichen, erreichen, fädeln, hinbiegen, hinkriegen, managen, meistern, schmeißen, steuern, zurechtkommen, zustande bringen, zuwege bringen

Bewertung: Berechnung, Beurteilung, Einschätzung, Urteil, Wertung, Zensierung

bewiesen: belegt, erwiesen, nachgewiesen

bewilligen: bejahen, billigen, einräumen, entsprechen, erlauben, genehmigen, gestatten, gewähren, stattgeben, zugestehen

Bewilligung: Bejahung, Billigung, Einvernehmen, Einverständnis, Einwilligung, Gewährung, Jawort, Zusage, Zustimmung
bewirken: anfassen, anstellen, arrangieren, bewerkstelligen, einleiten *auslösen, entfesseln, erwecken, heraufbeschwören, herbeiführen, hervorrufen, provozieren, veranlassen, verursachen, zur Folge haben
bewirten: anbieten, anrichten, auftafeln, auftischen, auftragen, servieren, vorlegen, vorsetzen, verköstigen *auftischen, aufwarten, bedienen, kredenzen, traktieren
bewirtschaften: kontingentieren, rationieren, zuteilen *bearbeiten, verwalten *aussäen, bauen, bebauen, anpflanzen, beackern, bepflanzen, bestellen, kultivieren, legen, pflanzen, säen, setzen, stecken
Bewirtung: Aufwartung, Bedienung, Service
bewohnbar: wirtlich, wohnlich *behaglich, gemütlich, heimelig, komfortabel *renoviert, restauriert
Bewohner: Bevölkerung, Bürger, Einheimischer, Einwohner, Population, Staatsangehöriger, Ureinwohner
bewohnt: bebaut, besiedelt, bevölkert *besiedelt, bevölkert, dicht besiedelt, dicht bevölkert *schwach besiedelt, schwach bevölkert
bewölken (s.): s. beziehen, s. eintrüben, s. überziehen, s. umwölken, s. verdunkeln, s. verdüstern, s. verfinstern, wolkig werden
bewölkt: bedeckt, bezogen, trübe, verhangen, wolkig
Bewunderer: Fan, Verehrer
bewundern: achten, anbeten, anerkennen, anstaunen, bestaunen, ehren, preisen, respektieren, schätzen, verehren, vergöttern
Bewunderung: Achtung, Anerkennung, Lobpreis, Lobpreisung, Staunen, Verehrung
bewusst: absichtlich, absichtsvoll, beabsichtigt, demonstrativ, geflissentlich, gewollt, vorsätzlich, willentlich, wissentlich, wohlweislich, mit Bewusstsein, mit Absicht, mit Willen, mit Bedacht, mit klarem Verstand, zum Trotz *böswillig, mutwillig, in böser Absicht *bekannt, besagt, betreffend, erwähnt, genannt, obig *absolut, ausgemacht, ausgesprochen, eingefleischt, gewohnheitsmäßig, überzeugt, uneingeschränkt, unverbesserlich
bewusstlos: besinnungslos, komatös, ohnmächtig, ohne Bewusstsein, ohne Besinnung, nicht bei sich ***bewusstlos werden:** umkippen, umklappen, umsacken, umsinken, wegsacken, zusammenbrechen, zusammensacken, ohnmächtig werden, besinnungslos werden, in Ohnmacht fallen, in Ohnmacht sinken, die Besinnung verlieren, das Bewusstsein verlieren
Bewusstlosigkeit: Benommenheit, Besinnungslosigkeit, Betäubtheit, Bewusstseinstrübung, Koma, Ohnmacht
Bewusstsein: Wachen, Wachsein, Wachzustand *Besinnung, Erinnerung *geistige Verfassung, geistige Klarheit *Erkenntnis, Gewissheit, Sicherheit, Überzeugung, Wissen (um etwas)
Bewusstseinsspaltung: Geisteskrankheit, Schizophrenie
Bewusstseinstrübung: Blackout, Gedächtnisstörung, Kurzschluss, Ladehemmung, Mattscheibe
bezahlen: abbezahlen, abtragen, abzahlen, aufwenden, ausgeben, ausschütten, bluten, entrichten, erstatten, finanzieren, investieren, nachbezahlen, nachzahlen, verausgaben, zahlen, zurückerstatten, zurückzahlen *besolden, entlohnen, entlöhnen, geben, honorieren *büßen, leiden, zahlen *auszahlen *s. bezahlt machen, s. lohnen, s. rentieren
bezahlt: beglichen, erledigt, überwiesen *gebüßt, gelitten, gestraft
Bezahlung: Besoldung, Entlohnung, Gehalt, Lohn, Verdienst *Gage, Honorar, Lohn *Abtragung, Abzahlung, Aufwendung, Ausgabe, Ausschüttung, Begleichung, Bereinigung, Entrichtung, Erstattung, Finanzierung, Nachzahlung, Zahlung ***gegen Bezahlung:** gegen Entgelt ***ohne Bezahlung:** gebührenfrei, geschenkt, gratis, kostenfrei, kostenlos, umsonst, unentgeltlich

bezähmbar: einsichtig, führbar, lenkbar, willig
bezähmen: bedrücken, beherrschen, drangsalieren, knebeln, knechten, terrorisieren, unterdrücken, gebieten (über), herrschen (über) *bändigen, zügeln ***s. bezähmen:** s. beherrschen, s. mäßigen, s. zurückhalten
bezaubern: beeindrucken, behexen, berücken, bestricken, betören, blenden, entzücken, faszinieren, hinreißen, umgarnen, verhexen, verzaubern *beschwatzen, überreden, überzeugen *bannen, beschwören, besprechen
bezaubernd: angenehm, anmutig, anziehend, attraktiv, aufreizend, berauschend, berückend, bestrickend, betörend, charmant, faszinierend, gewinnend, herzbetörend, hinreißend, lieb, lieblich, liebenswert, raffiniert, reizend, sympathisch, toll, unwiderstehlich, verführerisch, verlockend, verwirrend
bezeichnen: abstempeln, ansprechen (als), charakterisieren (als), erklären (für), hinstellen (als), stempeln *kennzeichnen, markieren *benamsen, benennen, betiteln, heißen, nennen, rufen, schimpfen, taufen *näher beschreiben, näher erläutern ***s. bezeichnen:** s. ausgeben (als), s. benennen, s. betiteln, s. geben (als), s. nennen
bezeichnend: auszeichnend, charakterisierend, charakteristisch, eigentümlich, kennzeichnend, spezifisch, typisch, unverkennbar, wesensgemäß
bezeichnet: angekreuzt, charakterisiert, gekennzeichnet, markiert, kenntlich gemacht *benannt, betitelt
Bezeichnung: Charakterisierung, Kennzeichnung, Spezifizierung, Typisierung *Betitelung, Kennung, Kennzeichnung, Nennung
bezeigen: abstatten, ausdrücken, aussprechen, bekunden, bezeugen, danken, erweisen, zollen *zeigen, zu erkennen geben
bezeugen: aussagen, bekunden, bestätigen, zeugen (für), ein Zeugnis ablegen, als Zeuge aussagen, als Zeuge auftreten, Zeuge sein *beeiden, einen Eid aussprechen
Bezeugung: Aussage, Bekundung, Bestätigung *Eid, Zeugenaussage
bezichtigen: anklagen, anschuldigen, anschwärzen, beschuldigen, hinstellen (als), verdächtigen
Bezichtigung: Anklage, Anschuldigung, Beschuldigung
beziehen: abonnieren, bestellen, in Auftrag geben *bewohnen, s. einmieten, einziehen, umziehen *spannen, ziehen *bekommen, einnehmen, erhalten, verdienen *s. anknüpfen, s. berufen, s. stützen *auskleiden, auslegen, bedecken, bekleiden, bespannen, schützen ***s. beziehen:** s. bewölken, s. umwölken, s. verfinstern *s. berufen (auf), hinweisen (auf), verweisen (auf)
Bezieher: Abnehmer, Abonnent, Käufer, Kunde, Leser, Stammkunde
Beziehung: Konnex, Konnexion, Kontakt, Umgang, Verbindung, Verhältnis, Verkehr, Zusammenhang *Gesichtspunkt, Hinblick, Hinsicht, Punkt, Richtung, Zusammenhang *Liaison, Liebesbund, Liebesverhältnis, Liebschaft, Romanze, intime Beziehung *Abhängigkeit, Bezug, Interaktion, Interdependenz, Relation, Verbindung, Verhältnis, Wechselbeziehung, Zusammenhang
Beziehungen: Verbindungen, Vitamin B, das richtige Parteibuch
beziehungslos: isoliert, kontaktarm, kontaktlos, unverbunden, verbindungslos, zusammenhanglos, ohne Beziehung, ohne Zusammenhang, aneinander vorbei
beziehungsweise: anderenfalls, oder, respektive, sonst, (oder) vielmehr, besser gesagt, das heißt, entweder … oder, im anderen Fall, je nachdem, oder auch, mit anderen Worten
beziffern: durchpaginieren, durchnummerieren, nummerieren, paginieren ***s. beziffern (auf):** ausmachen, betragen
Bezirk: Departement, Distrikt, Kanton, Verwaltungsbezirk *Bereich, Distrikt, Erdstrich, Flur, Gebiet, Gefilde, Gegend, Gelände, Landschaft, Landschaftsgebiet, Landstrich, Raum, Region, Revier, Terrain, Zone
Bezug: Bettbezug, Überzug, Überbezug

*Einkommen, Einkünfte, Einnahmen, Erträge, Gehalt, Honorar, Pension, Rente *Ableitung, Folgerung, Herleitung *Abhängigkeit, Beziehung, Interaktion, Interdependenz, Relation, Verbindung, Verhältnis, Wechselbeziehung, Zusammenhang *Berufung, Beziehung, Bezugnahme *Beziehung, Blickwinkel, Gesichtspunkt, Hinblick, Hinsicht, Verbindung, Zusammenhang
bezüglich: betreffend, betreffs, beziehungsweise, dementsprechend, diesbezüglich, entsprechend, gemäß, hinsichtlich, insofern, vergleichsweise, wegen
bezweifeln: anzweifeln, argwöhnen, misstrauen, schwanken, wanken, zweifeln, in Zweifel ziehen, in Frage stellen, nicht glauben, skeptisch sein, unsicher sein, Argwohn hegen
bezwingbar: besiegbar, leicht, schlagbar, schwach, überwindbar
bezwingen: aufreiben, besiegen, niederringen, ruinieren, schlagen, überwältigen, überwinden, unterjochen, unterwerfen, vernichten *bewältigen, ersteigen, erstürmen, meistern ***s. bezwingen:** s. bändigen, s. beherrschen, s. beruhigen, s. im Zaume halten, s. in der Gewalt haben, kalt bleiben, s. mäßigen, s. nichts anmerken lassen, s. überwinden, s. zähmen, s. zügeln, s. zurückhalten, s. zusammennehmen, s. zusammenraffen, s. zusammenreißen, die Selbstbeherrschung verlieren, keine Miene verziehen, gefasst bleiben, gelassen bleiben, an sich halten
Bibel: Schrift, Heilige Schrift, Wort Gottes, Buch der Bücher, das Alte Testament, das Neue Testament
Bibliothek: Buchausleihe, Bücherbestand, Bücherei, Büchersammlung, Bücherschatz, Leihbibliothek, Leihbücherei
bieder: achtbar, aufrecht, brav, charakterfest, ehrbar, ehrenhaft, ehrenwert, ehrsam, hochanständig, rechtschaffen, redlich, rühmenswert, sauber, unbestechlich, verlässlich, wacker *einfältig, kleinbürgerlich
Biedermann: Ehrenmann, Gentleman, Herr, Kavalier, Ritter
biegen: brechen, falten, falzen, knicken, kniffen, umbiegen *einbiegen, krümmen, zurechtbiegen, krumm machen ***s. biegen:** s. beugen, s. bücken, s. ducken, s. neigen, s. niederbeugen
biegsam: beweglich, biegbar, dehnbar, elastisch, federnd, flexibel, gelenkig, geschmeidig, weich
Biegung: Abbiegung, Abknickung, Bogen, Drehung, Haken, Kehre, Knick, Knie, Krümmung, Kurve, Schleife, Serpentine, Wende, Wendung, Windung, Zickzackweg
Biene: Imme *Mädchen
Bienenzüchter: Imker
Bier: Gerstensaft, flüssiges Brot
bieten: anbieten, bereitstellen, vorbereiten *ausstrecken, darbieten, reichen *darbieten, geben, opfern, überreichen *s. zeigen, sichtbar werden *sehen, erkennen lassen *anbieten, aussetzen, versprechen, in Aussicht stellen *abverlangen, fordern, verlangen, zumuten *darbieten, vorführen, zeigen *feilschen, mitbieten, sein Angebot machen *bezeugen, bürgen, garantieren, gewährleisten, s. verbürgen, versichern, Gewähr bieten, Garantie leisten, Garantie bieten ***s. bieten:** s. darbieten, s. öffnen, s. zeigen
Bigamie: Doppelehe
Bigband: Jazzorchester, Tanzorchester
bigott: frömmelnd, frömmlerisch, heuchlerisch, scheinfromm, scheinheilig, übertrieben fromm
Bilanz: Abrechnung, Ergebnis, Handelsbilanz, Rechnungslegung, Schlussergebnis, Schlussrechnung
bilateral: zweiseitig, zwischenstaatlich, zwei Staaten betreffend, zwischen zwei Staaten
Bild: Abbild, Abbildung, Ansicht, Aquarell, Bildnis, Darstellung, Figur, Gemälde, Skizze, Studie, Zeichnung *Allegorie, Gleichnis, Metapher, Parabel, Sinnbild, Symbol, Trope, Vergleich, Wendung *Ausbund, Inbegriff, Musterbeispiel, Musterfall, Prototyp, Urbegriff, absolute Verkörperung *Eindruck, Vorstellung *Anblick, Ansicht, Aussicht, Rundblick *Aufnahme, Bildnis, Foto, Fotografie, Konterfei, Lichtbild
bilden: ausbilden, drillen, erziehen, schu-

len, stählen, trainieren, unterrichten, unterweisen *anfertigen, formen, gestalten, herstellen, machen, nachbilden *ausmachen, bedeuten, ergeben *bestehen (aus), s. zusammensetzen (aus) *ausmachen, darstellen, sein ***s. bilden:** s. abzeichnen, anbahnen, anfangen, s. ankündigen, aufkeimen, aufkommen, auftauchen, s. auftun, ausbrechen, s. ausprägen, beginnen, s. entfalten, s. entspinnen, entstehen, s. entwickeln, s. ergeben, erwachsen, s. formen, s. herausbilden, s. herauskristallisieren, kundtun, werden, s. zeigen, seinen Anfang nehmen, zum Vorschein kommen, zustande kommen *s. erweitern, s. vergrößern *s. fortbilden, s. heranbilden, s. qualifizieren, vervollkommnen, s. weiterbilden, an sich arbeiten

Bildgeschichte: Cartoon, Comic

bildlich: allegorisch, blumig, figürlich, gleichnishaft, metaphorisch, parabolisch, sinnbildlich, symbolisch, übertragen, als Gleichnis, im Bilde *anschaulich, ausdrucksvoll, bildhaft, demonstrativ, deutlich, eidetisch, einprägsam, farbig, illustrativ, interessant, lebendig, plastisch, sinnfällig, sprechend, veranschaulichend, verständlich, wirklichkeitsnah

Bildnis: Bild, Brustbild, Fotografie, Hüftbild, Konterfei, Passbild, Porträt *Bild, Gemälde

Bildschirm: Computerbildschirm, Monitor

Bildung: Allgemeinbildung, Gebildetsein, Gelehrsamkeit, Kenntnisse, Wissen *Ausbildung, Ausbildungszeit, Berufsausbildung, Erziehung, Lehre, Lehrjahr, Lehrzeit, Schulausbildung, Schulbildung, Schulung, Studienjahre *Beschaffenheit, Qualität, Zustand *Entstehung, Entwicklung, das Bilden *Einstellung, Haltung *Belesenheit, Benehmen, Kultur *Ausbildung, Drill, Erziehung, Schulung, Training, Unterrichtung, Unterweisung

Bildungsstand: Bildungsabschluss, Bildungsgrad, Horizont, Niveau

Bildwerfer: Beamer, Diaskop, Diaprojektor, Epidiaskop, Episkop, Heimkino, Projektionsapparat, Projektionsgerät, Projektor

Billett: Eintrittskarte, Fahrkarte, Fahrschein

billig: erschwinglich, günstig, herabgesetzt, preisgünstig, preiswert, spottbillig, wohlfeil, für ein Butterbrot, (weit) unter dem Preis, zum halben Preis, fast umsonst, halb geschenkt, nicht teuer *dürftig, nichts sagend, wertlos *abgemessen, gebührend, gerecht, rechtmäßig, richtig, verdient, verdientermaßen, verdienterweise, in Ordnung *einfach, minderwertig, primitiv, schlecht *abgegriffen, abgeschmackt, alltäglich, banal, dumpf, einfallslos, flach, gehaltlos, geistlos, geisttötend, gewöhnlich, hohl, ideenlos, inhaltsleer, leer, mechanisch, nichts sagend, oberflächlich, phrasenhaft, platt, schal, seicht, stereotyp, stumpfsinnig, stupid, stupide, substanzlos, trivial, unbedeutend, verbraucht, witzlos, ohne Tiefe, ohne Gehalt ***billiger werden:** heruntergehen, reduzieren, senken, sinken, s. verbilligen

billigen: akzeptieren, anerkennen, annehmen, beipflichten, beistimmen, bejahen, bekräftigen, bestätigen, dulden, einwilligen, erlauben, genehmigen, gutheißen, respektieren, sanktionieren, tolerieren, unterschreiben, zubilligen, zulassen, zustimmen, seine Zustimmung geben, für gut befinden, dafür sein, recht geben *genehmigen, ratifizieren, unterschreiben

Billigung: Bejahung, Bekräftigung, Bestätigung, Einverständnis, Einwilligung, Erlaubnis, Genehmigung, Gutheißen, Sanktion, Zustimmung *Genehmigung, Ratifikation, Ratifizierung

Binde: Armbinde, Schlinge

Bindeglied: Kontaktmann, Mittelsmann, Schlichter, Verbindungsmann, Vermittler *Verbindungsglied, Verbindungsstück, Zwischenglied, Zwischenstück

Bindestrich: Divis

binden: flechten, knoten, knüpfen, schnüren, zusammenflechten, zusammenknoten, zusammenknüpfen, zusammenschnüren *anbinden, festbinden, zusammenbinden *broschieren, einbinden, heften, holländern, zusammenhalten *dicken, andicken, abbinden, eindicken,

legieren *__s. binden:__ s. abhängig machen, s. festlegen, heiraten, s. verpflichten
Binder: Krawatte, Schlips
Bindewort: Konjunktion, Verbindung
Bindfaden: Band, Faden, Schnur, Strippe
Bindung: Band, Fessel, Festlegung, Freundschaft, Kameradschaft, Verpflichtung, freundschaftliche Beziehung, freundschaftliche Verbundenheit
binnen: in, innerhalb, in der Zeit von, im Verlauf von, im Laufe von, von Mal zu Mal
Biographie: Aufzeichnungen, Autobiographie, Entwicklungsgeschichte, Lebensabriss, Lebensbericht, Lebensbeschreibung, Lebensbild, Lebenserinnerungen, Lebensgeschichte, Lebenslauf, Memoiren, Vita, Vorleben, Werdegang
biologisch: naturkundlich, organisch *naturbelassen, naturrein, unbehandelt, ungespritzt *naturgemäß, natürlich
Birne: Glühbirne, Lampe, Leuchte, Radioröhre, Röhre *Obst *Kopf, Schädel
bis: einschließlich, inklusive, mit Ausnahme (von)
Bischofskirche: Dom, Kathedrale, Münster
bisexuell: zweigeschlechtlich *mit beiden Geschlechtern verkehrend
bisher: bislang, seither, bis jetzt, bis heute, bis zum heutigen Tage, bis dato
Biss: Bisswunde, Fleischwunde
bisschen (ein): etwas, eine Idee, eine Spur, eine Nuance, eine Winzigkeit, ein wenig, nicht viel, nicht nennenswert
Bissen: Brocken, Happen, Mundvoll, Stück, Stückchen
bissig: gefährlich, scharf, wachsam *beißend, bitter, boshaft, höhnisch, ironisch, kalt, scharf, scharfzüngig, schnippisch, spitz, spöttisch, verletzend
Bitte: Anliegen, Ansuchen, Aufforderung, Ersuchen, Nachsuchen, Wunsch
bitte!: bitte, bitte schön!, bitte sehr!
bitten: anflehen, angehen (um), anrufen, ansprechen (um), ansuchen, bedrängen, beschwören, bestürmen, betteln, drängen, erbitten, erflehen, ersuchen (um), flehen, fragen (um), nachsuchen, s. ausbitten, s. wenden (an)
bitter: essigsauer, gallenbitter, sauer, scharf, streng, unangenehm *äußerst, höchst, sehr *beißend, höhnisch, ironisch, kalt, scharfzüngig, schnippisch, spitz, spöttisch, verletzend *negativ, schlecht *groß, sehr, stark, überaus *schmerzlich, unangenehm *ärgerlich, hart
Bitterkeit: Ärger, Bitternis, Erbitterung, Groll, Missmut, Unbehagen, Unzufriedenheit, Verärgerung, Verbitterung *Bitternis, Hässlichkeit, Widerlichkeit, Widerwärtigkeit, Widrigkeit
bitterlich: ärgerlich, böse, misslich, peinlich, schlimm, schmerzend *heftig
Bittgang: Bußgang, Pilgerfahrt, Wallfahrt
Bittschrift: Antrag, Denkschrift, Petition
Bittsteller: Antragsteller, Bewerber, Bittgänger
biwakieren: campen, lagern, übernachten, zelten
bizarr: befremdend, eigenwillig, grotesk, seltsam
Blamage: Bloßstellung, Gespött, Schande
blamieren: aufdecken, bloßstellen, lächerlich machen, zum Gespött machen
*__s. blamieren:__ s. bloßstellen, s. lächerlich machen, s. zum Gelächter machen, eine Blamage erleiden, zum Gespött werden
blank: gereinigt, gesäubert, glänzend, sauber, spiegelblank, spiegelnd *abgenutzt, abgeschabt, abgetragen, abgewetzt
*__blank sein:__ abgebrannt sein, Bankrott sein, insolvent sein, Pleite sein, zahlungsunfähig sein
blanko: anstandslos, bedenkenlos, selbstverständlich, ungeprüft, ohne Bedenken *leer, weiß, nicht ausgefüllt
Blase: Bläschen, Eiterbläschen, Hautblase, Pickel
blasen: fauchen, hauchen, pusten, schnauben, zischen *auffrischen, aufkommen, aufwirbeln, blähen, brausen, pfeifen, rauschen, säuseln, sausen, stürmen, toben, wehen, wirbeln, ziehen *posaunen, schmettern, trompeten, tuten
blasiert: angeberisch, aufgeblasen, dünkelhaft, eingebildet, eitel, hoffärtig,

selbstgefällig, snobistisch, überheblich, von sich eingenommen
blass: aschfahl, aschgrau, blassgesichtig, blässlich, blasswangig, bleich, bleichgesichtig, bleichsüchtig, blutarm, blutleer, fahl, grau, kalkweiß, käsebleich, kreidebleich, kreideweiß, leichenblass, todbleich, totenblass, totenbleich, weiß *ausdruckslos, farblos, langweilig, unansehnlich *leicht, schwach
Blässe: Blassgesichtigkeit, Blässlichkeit, das Blasssein, Blasswangigkeit, Bleichheit, Bleichsüchtigkeit, Durchsichtigkeit, Fahlheit, Leichenblässe, Totenblässe
Blatt: Bogen, Briefbogen, Papier, Schmierpapier, Zettel *Karte, Kartenblatt, Spielkarte *Zeitung *Baumblatt, Blumenblatt, Blütenblatt, Keimblatt, Kelchblatt
Blätter: Belaubung, Laub, Laubkrone, Laubwerk
blau: blaufarben, blaufarbig, bläulich *alkoholisiert, angeheitert, angetrunken, benebelt, berauscht, betrunken, bezecht, stockbetrunken, trunken, volltrunken, unter Alkohol *blutunterlaufen, verletzt
blauäugig: arglos, einfältig, leichtgläubig, naiv, treuherzig
Blaubart: Casanova, Charmeur, Frauenheld, Lebemann, Lüstling, Schürzenjäger, Verführer, Weiberheld, Wüstling
blaumachen: bummeln, faulenzen, feiern, krankfeiern
bleiben: dableiben, hausen, hier bleiben, leben, s. aufhalten, verbringen, verharren, verleben, verweilen, weilen, wohnen, zubringen, nicht weggehen, s. häuslich niederlassen *beibehalten, Bestand haben, nicht ändern, standhaft sein *übrig bleiben, verbleiben, zurückbleiben, übrig sein *aushalten, beharren, durchhalten, s. erhalten, standhalten, überdauern, überleben, überstehen, von Bestand sein, von Dauer sein
bleibend: dauerhaft, ewig, fest, krisenfest, unauflösbar, unauflöslich, unvergänglich, unwandelbar, unzerstörbar, wertbeständig, zeitlebens, für alle Zeiten, für immer, von Bestand
bleich: aschfahl, aschgrau, blass, blassgesichtig, blässlich, blasswangig, bleichgesichtig, bleichsüchtig, blutarm, blutleer, fahl, grau, kreidebleich, kreideweiß, leichenblass, totenblass, totenbleich, weiß
bleichen: aufhellen, blondieren, bleich machen, hell(er) machen *verblassen, bleich werden, hell werden, hell(er) werden
bleiern: bedrückend, belastend, lastend, schwer, wie Blei, wie ein Klotz
blenden: beeindrucken, betören, bezaubern, faszinieren, täuschen, verzaubern, vorspielen *bluffen, überfahren, überrumpeln, blind machen
blendend: ausgezeichnet, eindrucksvoll, glänzend, gut, hervorragend, prächtig, prachtvoll, trefflich *aufdringlich, auffallend, augenfällig, außergewöhnlich, außerordentlich, bemerkenswert, frappant, hervorstechend, knallig, krass, markant, schreiend, in die Augen fallend *reflektierend, spiegelnd
Blender: Angeber, Bluffer, Effekthascher, Schaumschläger
Blendwerk: Bluff, Gaukelei, Gaukelspiel, Scharlatanerie, Täuschung, Trugbild, Vorspiegelung, bloßer Schein, Fata Morgana, Potemkin'sches Dorf, fauler Zauber
Blick: Ausblick, Aussicht, Fernblick, Fernsicht, Rundblick, Überblick *Augenausdruck, Miene *Auge, Guck *Urteilsgabe, Urteilsvermögen
blicken: äugeln, äugen, gucken, linsen, schauen, sehen, spähen *dreinblicken, dreinschauen, dreinsehen
Blickfang: Anziehungspunkt, Köder, Lockmittel, Lockvogel, Magnet
Blickfeld: Gesichtsfeld, Gesichtskreis, Horizont, Sehkreis
Blickpunkt: Blickwinkel, Gesichtspunkt, Standpunkt
blind: augenlos, blindgeboren, erblindet, geblendet, kriegsblind, lichtlos, sehbehindert *abgöttisch, übermäßig, übersteigert *beschlagen, dumpf, fahl, glanzlos, matt, stumpf *beschlagen, glanzlos, matt, stumpf, trübe *blindlings, fahrlässig, gedankenlos, impulsiv, kopflos, leichtfertig, leichtsinnig, nachlässig, planlos, übereilt, unbedacht, unbeson-

nen, unüberlegt, unvernünftig, unvorsichtig, voreilig, waghalsig, wahllos, ziellos, ohne Bedacht, ohne Überlegung, ohne Sinn und Verstand *blindgläubig, blindlings, gedankenlos, gutgläubig, kritiklos, naiv
Blinddarm: Appendix, Wurmfortsatz
Blindheit: Blendung, Blindsein, Erblindung, tote Augen
blinken: signalisieren, Richtungsanzeiger betätigen *blinkern, blitzen, flimmern, funkeln, glänzen, gleißen, glimmern, glitzern, leuchten, schimmern, spiegeln, strahlen
Blinker: Blinker, Blinkleuchte, Fahrtrichtungsblinker, Fahrtrichtungsanzeiger, Richtungsanzeiger, Winker *Lockvogel
Blitz: Blitzschlag, Blitzstrahl, Schlag
blitzen: gewittern, wetterleuchten *blinken, blinkern, flimmern, funkeln, glänzen, gleißen, glimmern, glitzern, leuchten, schimmern, spiegeln, strahlen
Blitzkrieg: Erstürmung, Überraschungsangriff, Überrumpelung
blitzschnell: augenblicklich, behände, blitzartig, eilends, eilig, fix, geschwind, hastig, hurtig, pfeilschnell, plötzlich, rasant, rasch, schleunig, schnell, zügig
Block: Gebäudekomplex, Häuserblock, Häuserviertel, Wohnblock *Fraktion, Gruppe, Gruppierung, Lager, Sektion *Malblock, Zeichenblock *Notizblock, Schulblock *Quader, Steinblock
Blockade: Abriegelung, Absperrung, Blockierung, Kordon, Sperre, Straßensperre, Vollsperrung *Abschließung, Absonderung, Abtrennung, Ausschluss, Handelsblockade, Isolation, Isolierung, Separation, Wirtschaftsblockade *Abriegelung, Abschließung, Blockierung, Mauer, Sperre, Trennwand, Versperrung
blocken: abbiegen, abblocken, abschlagen, abstellen, abwehren, abwenden, auffangen, aufhalten, fernhalten, parieren, unterbinden, vereiteln, verhüten, verteidigen, verwehren, zurückschlagen, zurückweisen, von sich weisen, zunichte machen
blockieren: abblocken, boykottieren, verhindern, verwehren *besetzen, sichern, verbarrikadieren, verschanzen *aufhalten, sperren, verstellen, unmöglich machen
blöd: blöde, dumm, geistesgestört, geisteskrank, idiotisch, schwachsinnig, verblödet, zurückgeblieben *nasskalt, regnerisch, verregnet *arg, ärgerlich, bedauerlich, fatal, genant, genierlich, heikel, lästig, leidig, misslich, peinlich, prekär, schlecht, schlimm, schrecklich, skandalös, unangenehm, unbefriedigend, unbequem, unerfreulich, unerquicklich, unerwünscht, ungelegen, ungünstig, ungut, unlieb, unliebsam, unvergnüglich, unwillkommen, verwünscht, widrig *ungeschickt *absurd, lächerlich, paradox, sinnlos, töricht, ungereimt, unlogisch, unsinnig, unverständlich, vernunftwidrig, widersinnig, zwecklos, ohne Sinn und Verstand, ohne Sinn und Zweck
blödeln: albern, ulken
blödsinnig: dumm, einfältig, schwachsinnig *absurd, lächerlich, paradox, sinnlos, töricht, ungereimt, unlogisch, unsinnig, unverständlich, vernunftwidrig, widersinnig, zwecklos, ohne Sinn und Zweck, ohne Sinn und Verstand
blond: aschblond, blondhaarig, hellblond, strohgelb
Blonde: Blondine *Helles, Glas Bier
blondieren: bleichen, blond färben, blond machen
bloß: barfüßig, blank, entblößt, frei, nackt, unangezogen, unbedeckt, unverhüllt, nicht bedeckt *alleinig, ausschließlich, lediglich, nur, uneingeschränkt
Blöße: Achillesferse, Armutszeugnis, Fehler, Makel, Mangel, Manko, Schwäche, Unvollkommenheit, Unvollständigkeit, Unzulänglichkeit, schwache Stelle, wunder Punkt *Nacktheit, Nudität *Lichtung, Rodung, Schlag, Schneise, Schwende, Waldlichtung
bloßlegen: abdecken, aufdecken, ausgraben, ausheben, ausschaufeln, freilegen, sichtbar machen *anzeigen, aufdecken, aufklären, aufrollen, aufwickeln, aufzeigen, auspacken, darlegen, demaskieren, durchschauen, enthüllen, entlarven, entschleiern, exhibieren, nachweisen, offen legen, vorzeigen, ans Licht bringen, an

den Tag bringen, Licht in etwas bringen, zur Schau stellen
bloßstellen: anprangern, blamieren, brüskieren, desavouieren, erniedrigen, kompromittieren, kränken, schlecht machen, schmähen, treffen, verletzen, verwunden *durchschauen, entlarven *s. blamieren, s. kompromittieren, s. lächerlich machen, eine Blöße geben, Blöße bieten, das Gesicht verlieren
Bluff: Schwindel, Täuschung
bluffen: anlügen, bemogeln, beschwindeln, hereinlegen, neppen, täuschen
blühen: aufblühen, aufbrechen, erblühen, gedeihen, grünen, knospen, prangen, aufgeblüht sein, Blüten haben, in Blüte stehen, Blüten tragen *florieren, gedeihen, gut gehen *gesund aussehen
blühend: arbeitsfähig, aufgeblüht, gesund, kerngesund, wohl, wohlauf, nicht krank *attraktiv, florierend, gewinnbringend, gutgehend *jung, schön
Blume: Aroma, Bukett, Duft *Fahne, Lunte, Rute, Schwanz, Schweif, Standarte, Sterz, Wedel, Zagel *blühende Pflanze
Blumenkranz: Blumengewinde, Blumengirlande, Gebinde
Blumenstrauß: Bukett, Strauß
Blumentopf: Blumenkübel, Blumenschale, Pflanzentopf, Scherbe
Blumenvase: Blumengefäß, Vase
blumig: appetitlich, aromatisch, duftend, kräftig, schmackhaft, wohl riechend, wohl schmeckend, würzig *blumenreich, geblümt *barock, bombastisch, gekünstelt, geschraubt, hochgestochen, hochtönend, pathetisch, schwülstig, theatralisch, überladen, übertrieben, verschnörkelt *allegorisch, bildlich, figürlich, gleichnishaft, metaphorisch, parabolisch, sinnbildlich, symbolisch, übertragen, als Gleichnis, im Bilde
Blut: Körperblut, Lebenssaft, der rote Saft *Schweiß
Blutader: Ader, Schlagader, Vene
Blutandrang: Blutfülle, Blutwallung
blutarm: anämisch, bleichsüchtig
Blutarmut: Anämie, Bleichsucht, Blutmangel
Blutbad: Abschlachtung, Blutvergießen, Gemetzel, Gemorde, Genozid, Hinschlachtung, Massaker, Massenmord, Metzelei, Morden, Schlacht, Schlächterei, Tötung, Völkermord, das Hinschlachten
Blutbahn: Blutgefäße, Kreislaufsystem
blutdürstig: bestialisch, blutgierig, blutrünstig, entmenscht, erbarmungslos, grausam, mordgierig, mordlustig, mordsüchtig, unbarmherzig, verroht
Blüte: das Blühen *Auslese, Auswahl, Elite, die Besten, das Beste *Aufschwung, Boom, Hausse, Hochkonjunktur *Blütezeit, Glanzzeit, Hochblüte, Hochkultur *Eigenbrötler, Hagestolz, Junggeselle, Kauz, Original, Sonderling, Type, Unikum, Wunderling, seltsamer Vogel
bluten: Blut verlieren *schweißen *abbezahlen, abtragen, abzahlen, aufwenden, ausgeben, ausschütten, bezahlen, entrichten, erstatten, finanzieren, investieren, nachbezahlen, nachzahlen, verausgaben, zahlen, zurückerstatten, zurückzahlen
Blütenlese: Anthologie, Auslese, Auswahl, Blumenlese, Florilegium
Bluterguss: Erguss, Hämatom
Blütezeit: Blüte, Glanzzeit, Hochblüte, Hochkultur
blutig: blutbefleckt, blutbespritzt, blutbesudelt, bluttriefend, blutüberströmt, mit Blut besudelt, mit Blut befleckt *grausam, mordend, mörderisch
blutleer: abgestorben, eingeschlafen, empfindungslos, gefühllos, taub *blass, bleich, wenig durchblutet
Blutleere: verminderte Durchblutung
Blutsauger: Vampir *Aasgeier, Ausbeuter, Erpresser, Halsabschneider, Hyäne, Schinder, Wucherer
Blutschande: Inzest, Inzucht
Blutserum: Blutplasma, Blutwasser, Plasma, Serum
Blutübertragung: Bluttransfusion, Transfusion
Bock: Dickkopf, Dickschädel, Quadratschädel, Querkopf, Starrkopf, sturer Bock *Blaubart, Casanova, Faun, Lüstling, Wüstling *Holzbock, Holzgestell, Sägebock *Holzbock, Zecke *Bockbier, Doppelbock, Dunkles, Maibock *Bremsblock, Prellbock, Puffer
Bockbeinigkeit: Eigensinn, Renitenz,

Störrigkeit, Trotz, Widerborstigkeit, Widersetzlichkeit, Widerspenstigkeit
bocken: trotzen, bockig sein, störrisch sein, stur sein
bockig: aufmüpfig, aufsässig, dickköpfig, eigensinnig, eisern, finster, rechthaberisch, starrköpfig, starrsinnig, steifnackig, störrisch, stur, trotzig, unbelehrbar, unbotmäßig, unerbittlich, unfolgsam, ungehorsam, unnachgiebig, unversöhnlich, unzugänglich, verbohrt, verschlossen, verstockt, widerborstig, widersetzlich, widerspenstig
Boden: Dachboden, Heuboden, Speicher *Ackerboden, Erdboden, Erde, Erdreich, Krume, Scholle *Bodenfläche, Diele, Estrich, Fußboden *Besitz, Eigentum, Grundbesitz
Bodenerhebung: Berg, Erhebung, Erhöhung, Hügel
Bodenreform: Agrarreform, Landwirtschaftsreform
Bodensatz: Ablagerung, Absatz, Niederschlag, Rest, Sediment, zurückbleibender Stoff
Bodensenke: Bodenmulde, Bodenvertiefung, Geländesenkung, Gesenke, Graben, Grube, Mulde, Senke, Talsenke, Vertiefung
bodenständig: alt, altangesessen, alteingesessen, ansässig, heimatverbunden, heimisch, verankert, verwachsen, am Ort entstanden *elementar, erdgebunden, erdhaft, natürlich, naturnah, naturverbunden, ursprünglich
Bodenverbesserung: Amelioration, Melioration
Bodenvertiefung: Bodenmulde, Bodensenke, Geländesenkung, Gesenke, Graben, Grube, Mulde, Senke, Talsenke, Vertiefung
Bodybuilding: Fitnesstraining, Körperausbildung, Körpertraining, Muskeltraining
Bogen: Abbiegung, Biegung, Kehre, Knick, Krümmung, Kurve, Schleife, Wende, Windung *Arkade, Rundung, Wölbung *Formblatt, Formular, Fragebogen, Papier, Vordruck *Abzug, Fahne, Korrekturabzug, Korrekturbogen, Korrekturfahne, Umbruchabzug
Bogengang: Arkaden, Laubengang, Loggia
bohnern: polieren, wienern, blank machen
bohren: brennen, schmerzen, stechen *antreiben, begehren, belästigen, drängen, fordern, löchern, nachfragen, quengeln, wünschen, zusetzen, in den Ohren liegen *graben, stochern, suchen
böig: auffrischend, luftig, steif, stürmisch, windig, zugig
Boiler: Durchlauferhitzer, Gastherme, Warmwassergerät, Warmwasserspeicher
Böllerschuss: Ehrensalut, Salut, Salutschuss, Salve
Bollwerk: Bastei, Bastion, Befestigung, Befestigungsanlage, Befestigungsbau, Befestigungssystem, Befestigungswerk, Festung, Festungsbau, Kastell, Mauer, Schanze, Verschanzung, Verteidigungsanlage, Wehr, Zitadelle
Bombardement: Beschuss, Bombardierung
bombardieren: beschießen, Bomben abwerfen, mit Bomben belegen *belegen, fragen, nachfragen, nicht nachlassen
Bombe: Sprengladung, Sprengsatz, Sprengstoffpaket *Briefbombe, Zeitbombe *Schlag, Sensation
Bombenanschlag: Anschlag, Attentat, Dolchstoß, Fememord, Mordanschlag, Sprengstoff, Überfall, Verbrechen
bombenfest: bombensicher, sehr stabil *fest, gesichert, sehr sicher, absolut sicher
Bon: Abschnitt, Coupon, Gutschein, Kassenzettel, Kupon, Quittung, Wertmarke *Chip, Jeton
Bonität: Liquidität, Solvenz, Zahlungsfähigkeit *Beschaffenheit, Güte, Qualität, Wert
Bonmot: Sentenz, witziger Ausspruch, geistreiche Äußerung, geistreiche Bemerkung
Bonus: Aufwandsentschädigung, Bonifikation, Gutschrift, Prämie, Sondervergütung, Vergütung
Boom: Aufschwung, Blütezeit, Hausse, Hoch, Hochkonjunktur
Boot: Barke, Gondel, Kahn, Nachen, Nussschale, Paddelboot, Schaluppe, Schelch

Bord: Gestell, Regal, Wandbrett
Bordell: Dirnenhaus, Eros-Center, Etablissement, Freudenhaus, Liebestempel, Puff, öffentliches Haus *Swingerclub
Bordkante: Bordschwelle, Bordstein, Bordsteinkante
borgen: ausborgen, ausleihen, entleihen, leihen, verborgen, verleihen
borniert: aufmüpfig, aufsässig, bockbeinig, bockig, dickköpfig, dickschädelig, eigensinnig, eisern, fest, finster, halsstarrig, hartgesotten, kompromisslos, kratzbürstig, rechthaberisch, starrköpfig, starrsinnig, steifnackig, störrisch, stur, trotzig, unbelehrbar, unbequem, unbotmäßig, unerbittlich, unfolgsam, ungehorsam, unnachgiebig, unversöhnlich, unzugänglich, verbohrt, verschlossen, verständnislos, verstockt, widerborstig, widerspenstig, zugeknöpft
Borniertheit: Begriffsstutzigkeit, Beschränktheit, Dummheit, Engstirnigkeit, Stupidität, Unbedarftheit, Unbegabtheit, Uneinsichtigkeit, Unverständigkeit, Vernageltheit
Börse: Geldbörse, Geldtasche, Portemonnaie *Aktienbörse, Geldmarkt, Markt, Warenbörse, Wertpapierbörse
Börsenkurs: Aktienkurs, Kurs
Börsenmakler: Börsenspekulant, Spekulant
borstig: kratzend, kratzig, ruppig, stachelig, stachlig, stechend, stoppelig, voller Stacheln *bärtig, flaumbärtig, milchbärtig, schnauzbärtig, schnurrbärtig, stoppelbärtig, stoppelig, unrasiert, mit Bart *strubbelig, struppig, unordentlich, zerzaust, nach allen Seiten abstehend *abweisend, barsch, brüsk, derb, flegelhaft, grob, grobschlächtig, harsch, herrisch, lümmelhaft, rau, raubeinig, rüde, rüpelig, ruppig, schnauzig, schroff, taktlos, unfreundlich, ungehobelt, ungeschliffen, unhöflich, unkultiviert, unliebenswert, unritterlich, unverbindlich, kurz angebunden
bösartig: bitterböse, böse, boshaft, destruktiv, garstig, gemeingefährlich, schlimm, übel, übel gesinnt, übel wollend, unausstehlich *gefährlich, lebensgefährlich, perniziös, schlimm
Böschung: Abfall, Abhang, Absturz, Bergabfall, Bergabhang, Bergabsturz, Berghang, Bergwand, Gefälle, Halde, Hang, Lehne, Steilhang, Talhang
böse: arg, bitterböse, bösartig, boshaft, garstig, gemeingefährlich, liederlich, schlimm, spinnefeind, übel, übel gesinnt, übel wollend, unausstehlich, unfreundlich *aggressiv, angriffslustig, ärgerlich, streitsüchtig, verärgert, wütend *bedenklich, bösartig, ernst, gefährlich, heimtückisch *negativ, schlecht
Bösewicht: Bandit, Erzhalunke, Gangster, Ganove, Gauner, Gewalttäter, Halunke, Kanaille, Krimineller, Lump, Missetäter, Schuft, Schurke, Tunichtgut, Übeltäter, Unmensch, Verbrecher *Diktator, Tyrann
boshaft: arg, argwillig, bissig, bösartig, böse, böswillig, gehässig, hinterlistig, infam, maliziös, niederträchtig, schadenfroh, schikanös, spitz, spitzzüngig, tückisch, übel gesinnt, übel wollend ***boshaft sein:** eine spitze Zunge haben, ein kleiner Teufel sein, voller Gift stecken
Bosheit: Bösartigkeit, Boshaftigkeit, Böswilligkeit, Garstigkeit, Gehässigkeit, Gemeinheit, Gift, Heimtücke, Hinterlist, Infamie, Niedertracht, Niederträchtigkeit, Rachsucht, Schadenfreude, Schikane, Schlechtigkeit, Schurkerei, Teufelei, Tücke, Übelwollen, Unverschämtheit, böser Wille
Bote: Botenfrau, Botenjunge, Boy, Kurier, Laufbursche, Sendbote, Stafette, Überbringer *Anzeichen, Omen, Vorbote, Vorzeichen, Zeichen
Botschaft: Gesandtschaft, Handelsmission, Konsulat, Wahlkonsulat *Nachricht, Schreiben, Übermittlung, Urkunde
Botschafter: Delegationschef, Diplomat, Gesandter, Geschäftsträger, Missionschef *Konsul, Wahlkonsul *Agent, Auskundschafter, Spion
Böttcher: Büttner, Fassbinder, Küfer, Schäffler
Bottich: Bütte, Fass, Kübel, Schaff, Zuber
Boulevardpresse: Asphaltpresse, Revolverpresse, Sensationspresse, Yellowpress
bourgeois: bürgerlich, großbürgerlich,

zur Bourgeoisie gehörend *angepasst, etabliert, kapitalistisch, konservativ, rechts, zum Establishment gehörend
Boutique: Modebasar, Modegeschäft, Modeladen
Bowle: Kalte Ente
Box: Packung, Schachtel *Abstellraum, Ausstellungsstand, Verschlag
boxen: fighten, kämpfen, Fausthiebe versetzen, mit Fäusten schlagen, einen Faustkampf machen
Boxen: Boxkampf, Faustkampf, Schattenboxen, Sparring, Spiegelboxen
Boxer: Boxkämpfer
Boykott: Ächtung, Embargo, Liefersperre, Verrufserklärung, Warensperre *Abbruch, Ausschluss, Aussperrung, Disqualifizierung, Enthebung
boykottieren: sperren, aussperren, ächten, ausgliedern, ausschließen, ausstoßen, disqualifizieren, kaltstellen, verfemen, mit Boykott belegen
Brachland: Brachacker, Brache, Brachfeld, Brachflur, Ödland, brachliegendes Land
brachliegen: unbebaut sein, ungenutzt sein, nicht bebaut sein
brachliegend: unbebaut, ungenutzt, wild, nicht bebaut
Brand: Feuer, Feuermeer, Feuersbrunst, Feuersturm, Flammenmeer *Durst, Durstigkeit, Riesendurst, trockene Kehle *Gangrän, Gewebstod
branden: s. brechen, fluten, schlagen, wogen *erschallen, ertönen
brandig: entzündet, gangränös *brenzlig, gefährlich, verdächtig
Brandleiter: Feuerleiter, Feuerwehrleiter, Schutzleiter
brandmarken: ächten, anprangern, geißeln, kritisieren, tadeln, verdammen, verfemen, verhöhnen, verpönen, verspotten, verurteilen, an den Pranger stellen, zum Gespött machen
brandschatzen: ausrauben, rauben, verheeren, vernichten, sengen und brennen, morden und brennen, mit Feuer und Schwert wüten
Brandstifter: Brandleger, Brandverursacher, Feuerleger, Feuerteufel
Brandung: Brandungswelle, Gischt, Schaum, Schaumkrone, Wogenprall, Wogenschlag
Branntwein: Alkohol
braten: backen, brutzeln, dünsten, garen, grillen, rösten, schmoren, schmurgeln
Brathähnchen: Backhähnchen, Backhuhn, Broiler, Grillhähnchen
Bratkartoffeln: Röstkartoffeln
Bratrost: Grill, Rost
Bratsche: Altgeige, Viola
Brauch: Gebrauch, Konvention, Landessitte, Ritual, Ritus, Sitte *Gepflogenheit, Gewohnheit, Herkommen, Regel, Sitte, Tradition, Übung, Usus
brauchbar: geeignet, gut, passend, tauglich, verwendbar *anstellig, fingerfertig, gelehrig, geschickt, praktisch *geeignet, praktikabel, sachdienlich, tauglich, zweckdienlich, zweckmäßig *gut, lohnend, tauglich
brauchen: bedürfen, benötigen, gebrauchen, Verwendung haben (für), nicht missen können, nicht entbehren können, nötig haben, Bedarf haben, bedürftig sein, verwenden können
Brauerei: Bierbrauerei, Brauhaus
braun: braun gebrannt, bronzefarben, gebräunt, sonnenbraun, sonnengebräunt, sonnenverbrannt *braunhaarig, brünett, dunkel, dunkelhaarig *rostbraun, rostfarben, rostfarbig, rostig, rostrot *kastanienfarben, kastanienfarbig ***braun gebrannt:** braun, bronzefarben, gebräunt, sonnenbraun, sonnengebräunt, sonnenverbrannt
Bräune: Bräunung, Sonnenbräune
bräunen: s. färben, Farbe bekommen *anbraten, anbräunen, anrösten
brausen: dröhnen, rauschen, stürmen, toben, tosen, wüten *eilen, fegen, rasen, sausen, stürmen ***s. brausen:** abbrausen, abduschen, brausen, duschen, eine Dusche nehmen
Braut: Heiratskandidatin, Hochzeiterin, Verlobte, Zukünftige
Brautkleid: Hochzeitskleid
Bräutigam: Heiratskandidat, Hochzeiter, Verlobter, Zukünftiger
brav: artig, folgsam, fügsam, gehorsam, gesittet, lieb, manierlich *fähig, ordentlich, patent, tüchtig *achtbar, aufrecht,

ehrenwert, rechtschaffen, redlich, unbescholten *bieder, einfältig, harmlos, hausbacken, kleinbürgerlich, prüde, treuherzig
brechen: auflösen, beenden, trennen, (Freundschaft) aufkündigen *s. erbrechen, s. übergeben *falzen, knicken, kniffen, umbiegen *auseinander brechen, durchbrechen, durchhauen, durchklopfen, teilen, trennen, zerbrechen *abbrechen, zerfallen *nicht halten, nicht einhalten *brüchig werden, rissig werden *abbrechen, abklauben, abknicken, abpflücken, abreißen, abzupfen, ernten, herunterholen, lesen, pflücken *aussetzen, pausieren *bezwingen, überwinden ***s. brechen:** ableiten, ablenken, ändern, reflektieren, in eine andere Richtung bringen *s. verletzen *branden, zurückschlagen, zurückgeworfen werden
Brecher: Sturzsee, Woge
Brechreiz: Nausea, Seekrankheit, Übelbefinden, Übelkeit, Unwohlsein
Brechung: Ablenkung, Beugung, Refraktion, Richtungsänderung
Brei: Mus, Püree *Brühe, Matsch, Modder, Moor, Morast, Mud, Schlamm, Schlick, Soße, Sumpf
breit: ausführlich, eingehend, langatmig, umständlich, weitläufig, weitschweifig *großzügig, weit ausgedehnt *behäbig, dick, dicklich, füllig, mollig *ausgedehnt, geräumig, groß, großräumig, großflächig, weit *grobschlächtig, klobig, ungefüge, ungeschlacht ***breit schlagen:** breit drücken, breit quetschen, eindrücken, knacken, stampfen, zerdrücken, zermalmen, zerquetschen
breitbeinig: auseinander, grätschbeinig, mit gegrätschten Beinen, mit gespreizten Beinen
Breite: Ausdehnung, Weite *Fülle, Umfang, Weite *Dicke, Spannweite
breiten: auflegen, ausbreiten, auslegen, ausstrecken ***s. breiten:** s. ausbreiten, s. ausdehnen, s. ausweiten, s. breit machen, s. erstrecken
Breiten: Abschnitt, Ecke, Gegend, Geländeabschnitt, Himmelsstrich, Landschaftsgebiet, Landstrich, Region, Sektor, Strich
breitschlagen: bearbeiten, bekehren, bereden, beschwatzen, einwickeln, erweichen, überreden, überzeugen, umstimmen, werben
Bremse: Bremsvorrichtung, Hemmvorrichtung *Biesfliege, Stechfliege
bremsen: halten, anhalten, abbremsen, herabmindern, verringern, die Bremsen anziehen *eindämmen, einschränken, hemmen *drosseln, mäßigen, zügeln, zurückhalten, im Zaum halten, nicht frei gehen lassen, nicht gewähren lassen, Zaum anlegen, Zügel anlegen, die Kandare anlegen *knapp halten, kurz halten, mäßigen, den Hahn zudrehen, den Daumen draufhalten
brennbar: entzündbar, entzündlich, feuergefährlich, (leicht) entflammbar, nicht feuerfest
brennen: flackern, aufflackern, flammen, aufflammen, lodern, auflodern, glimmen, verglimmen, glühen, verglühen, sengen, versengen, aufbrennen, lohen, schmoren, schwelen, verbrennen, verkohlen *schmerzen, stechen *beißen, jucken, kratzen, kribbeln, stechen *destillieren, gewinnen, trennen
brennend: akut, beachtlich, bedeutend, dringend, erforderlich, ernstlich, erwähnenswert, essenziell, folgenreich, geboten, gewichtig, inhaltsschwer, lebenswichtig, notwendig, obligat, relevant, schwer wiegend, signifikant, substanziell, unausweichlich, unentbehrlich, unerlässlich, unumgänglich, unvermeidlich, vordringlich, wesentlich, wichtig, zwingend *beißend, gepfeffert, pikant, salzig, scharf, stark gewürzt *feurig, flackernd, flammend, glimmend, glühend, lichterloh, lodernd, lohend
Brennerei: Destillieranstalt
Brennglas: Brennlinse
Brennstoff: Brennmaterial, Heizmaterial, Heizstoff
brenzlig: beängstigend, bedenklich, bedrohend, bedrohlich, beunruhigend, ernst, Gefahr bringend, gefährlich, gefahrvoll, gemeingefährlich, kritisch, Unheil bringend, unheilvoll, zugespitzt, nicht geheuer *angebrannt, brandig, verbrannt

Bresche: Durchbruch, Lücke, Spalt, Zwischenraum
Brett: Bohle, Bord, Diele, Latte, Leiste, Planke, Platte *__schwarzes Brett:__ Anschlagbrett, Anschlagtafel, Aushang
Brief: Botschaft, Kassiber, Leserbrief, Mitteilung, Nachricht, Post, Schreiben, Schrieb, Schriftstück, Sendbrief, Wisch, Zuschrift, offener Brief *E-Mail *EMS-Nachricht, MMS-Nachricht, SMS-Nachricht, Multimedia-Post
Briefkasten: Briefeinwurf, Einwurf, Postkasten
Briefmarke: Freimarke, Marke, Porto, Postwertzeichen
Briefschreiber: Absender, Briefpartner, Korrespondent, Partner, Schreiber
Briefträger: Briefbote, Briefzusteller, Postbote, Zubringer, Zusteller
Briefumschlag: Briefhülle, Briefkuvert, Kuvert, Umschlag
Briefverkehr: Briefaustausch, Briefwechsel, Korrespondenz, Notenwechsel, Schriftverkehr, Schriftwechsel
Briefzusteller: Briefbote, Briefträger, Postbote, Zubringer, Zusteller
Brille: Augenglas, Augengläser, Glas, Gläser
brillieren: s. auszeichnen, beeindrucken, bestechen, glänzen, herausragen, s. hervortun, imponieren, prunken, wirken, Wirkung haben (auf), Eindruck machen, Bewunderung hervorrufen, in Form sein, in Hochform sein, Erfolg haben
bringen: abliefern, befördern, beibringen, beischaffen, beschaffen, bewegen, daherbringen, einliefern, heranbringen, heranholen, heranschaffen, herantragen, herbeibringen, herbringen, herschaffen, hertragen, hintragen, hinzuholen, liefern, tragen *hinschaffen, hinschleppen, hintragen, zuleiten, zuschicken, zusenden, zustellen *arbeiten, bewältigen, schaffen *aufführen, aufwarten (mit), darbieten, spielen, vorführen, wiedergeben, zeigen, (zum Besten) geben, zur Darbietung bringen *begleiten, hinbringen *ergeben, erreichen, erzielen *bieten, veröffentlichen *abhandeln, besprechen, darlegen, diskutieren, erörtern, untersuchen, verhandeln *s. bezahlt machen, einbringen, s. lohnen, s. rentieren, einträglich sein, gewinnbringend sein, lukrativ sein, rentabel sein *aussenden, ausstrahlen, senden, übertragen, durch Fernsehen verbreiten, durch Rundfunk verbreiten
brisant: explodierbar, feuergefährlich, hochexplosiv, äußerst explosiv *aktuell, brennend *akut, bedeutend, drängend, ernstlich, heikel, heiß, konfliktgeladen, kritisch
Brise: Lüftchen, Lufthauch, Luftstrom, Luftströmung, Luftzug, Wind, leichter Wind
brocken: brechen, bröckeln, bröseln, krümeln, zerbröckeln, zerbröseln, zerkleinern, zerkrümeln
Brocken: Bissen, Stück, Stückchen *Batzen, Berg, Haufen, Klotz, Klumpen, Masse *__in Brocken:__ allmählich, bröckchenweise, brockenweise, nach und nach, stückweise
brodeln: wallen, aufwallen, blubbern, dampfen, kochen, Blasen werfen *kriseln
Brodem: Atem, Dampf, Dunst, Hauch, Nebel, Qualm, Rauch, Schwaden, Wolke, Wrasen
Brosche: Agraffe, Anstecknadel, Nadel, Schmuckspange, Spange
broschieren: heften, holländern, lumbecken, leicht binden, einfach binden
Broschüre: Broschur, Druckschrift, Handreichung, Heft, Paperback, Taschenbuch
Brösel: Brosame, Krume, Krümel
Brot: Brotlaib, Laib
Brötchen: Kipf, Schrippe, Semmel, Weck, Wecken
Brotzeit: Pause, Vesper, Zwischenmahlzeit, zweites Frühstück
Bruch: Abbruch, Auflösung, Ehescheidung, Entzweiung, Lockerung, Scheidung, Trennung *Bruchfläche, Bruchkante, Bruchlinie, Bruchstelle *Falte, Graben, Grabenbruch, Grabensenke, Mulde *Fraktur, Knochenbruch, Knochenfraktur *Bruchzahl *Trennung, Zerwürfnis *Ausschuss, Ausschussware, Ladenhüter, Plunder, Ramsch, Schleuderware *Leistenbruch *Nabelbruch
brüchig: alt, altersschwach, baufällig, in-

stabil, morsch, schrottreif, verfallen, verkommen, zerbrechlich, zerfallen
Bruchstück: Fragment, Rest, Stückwerk, Torso *Ausschnitt, Stück, Teil *Absatz, Abschnitt, Ausschnitt, Bereich, Bruchteil, Partie, Passage, Segment, Teil
bruchstückhaft: fragmentarisch, unvollendet, unvollständig
Brücke: Steg, Überführung, Übergang, Überweg *Kommandobrücke, Kommandostand *Läufer, Teppich *Zahnersatz, Zahnprothese
Bruder: Bruderherz, Geschwisterteil *Leichtfuß, Lotterbube, Luftikus, Windbeutel, Windhund, Bruder Leichtsinn, Bruder Hallodri, unruhiger Geist, leichter Vogel, loser Vogel, lockerer Vogel, windiger Bursche *Anhänger, Freund, Gefährte, Genosse, Kamerad, Kumpel, Schicksalsgefährte, Spezi *Frater, Klosterbruder, Mönch, Ordensbruder
brüderlich: einig, einmütig, einträchtig, freundschaftlich, harmonisch, kameradschaftlich, partnerschaftlich
Bruderschaft: Beziehung, Brüderschaft, Bund, Eintracht, Freundschaft, Gemeinschaft, Herzensfreundschaft, Kameradschaft, Verbindung, Verbundenheit, Verhältnis, Vertrautheit, Zusammengehörigkeit *Assoziation, Bund, Körperschaft, Korporation, Ring, Union, Verband, Vereinigung
Brühe: Bouillon, Brühsuppe, Soße, Suppe, Tunke *Brei, Pfütze, Schlamm
brühwarm: aktuell, akut, brandneu, neu
brüllen: aufbrüllen, aufschreien, blöken, grölen, johlen, kreischen, rufen, schreien, weinen *brausen, brummen, donnern, dröhnen, erdröhnen, hämmern, klingen, knallen, krachen, lärmen, pochen, prasseln, rauschen, sausen, schallen, trommeln, widerhallen *anschnauzen, heruntermachen, schnauzen, wettern, zetern, zurechtweisen
Brummbär: Brummbart, Griesgram, Knasterer, Muffel, Murrkopf
brummen: brummeln, gnatzen, granteln, grunzen, knurren, murren *summen, surren
brummig: ärgerlich, aufgebracht, bärbeißig, böse, empört, entrüstet, erbittert, erbost, erzürnt, gereizt, grantig, grimmig, missgelaunt, missgestimmt, misslaunig, missmutig, missvergnügt, muffig, mürrisch, übellaunig, ungehalten, unwillig, unwirsch, verärgert, verdrießlich, wütend, zornig
Brunnen: Hausbrunnen, Pumpe, Quelle, Sickerbrunnen *Brunnenwasser, Mineralwasser, Tafelwasser
brünstig: brunftig, läufig, rammelig, rossig, stierig ***brünstig sein:** bocken, brunften, ranzen, rauschen, rossen, stieren
Brunstzeit: Brunft, Brunftzeit, Brunst, Läufigkeit, Paarungszeit, Ranzzeit, Rauschzeit
Brust: Brustkorb, Thorax *Brüste, Busen, Mammae
Brut: Gelege, Nachkommenschaft, Nachwuchs *Abschaum, Bagage, Drachenbrut, Ganoven, Geschmeiß, Gesindel, Gezücht, Gosse, Hundepack, Kanaille, Lumpengesindel, Lumpenpack, Mob, Pack, Pöbel, Raubgesindel, Schlangenbrut, Sippschaft, asoziale Elemente
brutal: barbarisch, bestialisch, entmenscht, erbarmungslos, gefühllos, gewalttätig, gnadenlos, grausam, herzlos, inhuman, kaltblütig, mitleidlos, rabiat, roh, rücksichtslos, schonungslos, tierisch, unbarmherzig, ungesittet, unmenschlich, unsozial, verroht
Brutalität: Bestialität, Erbarmungslosigkeit, Gefühllosigkeit, Gefühlskälte, Gefühlsrohheit, Gewalttätigkeit, Gnadenlosigkeit, Grausamkeit, Härte, Herzensverhärtung, Kälte, Kaltherzigkeit, Lieblosigkeit, Mitleidlosigkeit, Rohheit, Rücksichtslosigkeit, Schonungslosigkeit, Unbarmherzigkeit, Unmenschlichkeit
brüten: ausbrüten, glucken, horsten, nisten, sitzen
brutto: ohne Abzug, vor Abzug
Bruttoeinkommen: Gehalt vor Steuern, volles Gehalt
Bruttogewicht: Endgewicht, Gesamtgewicht, Rohgewicht
Buch: Band, Bestseller, Broschüre, Druckerzeugnis, Einzelband, Erfolgsbuch, Paperback, Sammelband, Schinken, Schmöker, Schrift, Schwarte, Taschenbuch, Titel, Wälzer, Werk

Buchdruck: Buchdruckerkunst, Typographie, die schwarze Kunst
buchen: reservieren, vorbestellen *aufschreiben, einschreiben, eintragen, erfassen, festhalten, niederschreiben *belasten, eintragen, gutbringen, gutschreiben, verbuchen, Bücher führen, Konten führen, in Rechnung stellen
Bücherbord: Bord, Bücherbrett, Bücherregal, Bücherwand, Regal
Bücherei: Bibliothek, Buchausleihe, Bücherbestand, Büchersammlung, Bücherschatz, Leihbibliothek, Leihbücherei, Stadtbücherei, Volksbücherei *Onlinebücherei
Bücherwurm: Leser, Leseratte, Vielleser
Buchhandlung: Bücherstube, Buchladen, Buchshop, Kiosk, Sortiment
Buchprüfung: Betriebsprüfung, Buchführungskontrolle, Steueraußenprüfung, Steuerprüfung
Büchse: Blechbüchse, Blechdose, Dose, Konserve, Konservenbüchse, Konservendose *Donnerbüchse, Flinte, Gewehr, Knallbüchse, Knarre, Schießeisen, Schießgewehr, Schusswaffe, Stutzen
Buchstabe: Letter, Schriftzeichen
Buchstabenfolge: Abc, Alphabet
buchstäblich: förmlich, geradezu, nachgerade, praktisch, regelrecht, tatsächlich, wirklich, in der Tat, im wahrsten Sinne des Wortes, ganz und gar
Bucht: Bai, Busen, Einbuchtung, Fjord, Golf
Buckel: Ast, Höcker, Ranzen, krummer Rücken
buckeln: s. beugen, dienern, s. einschmeicheln, liebedienern, katzbuckeln, kriechen, s. niederbeugen, schönreden, schöntun, s. devot verhalten, s. unterwürfig verhalten, s. unterwürfig zeigen, Staub lecken, unterwürfig sein, devot sein
bücken (s.): s. beugen, s. ducken, s. krümmen, s. neigen, s. niederbeugen
bucklig: alpin, bergig, gebirgig, hügelig, wellig *ausgewachsen, höckerig, krumm, krüppelig, missgestaltet, schief, verkrüppelt, verwachsen
Bucklige: der Krumme, der Verwachsene
Bückling: Diener, Verbeugung, Verneigung *geräucherter Hering
Bude: Baracke, Baubaracke, Baubude, Bauhütte, Hütte *Blockhaus, Blockhütte, Haus *Kiosk, Marktbude, Marktstand, Schaubude, Stand *Kammer, Raum, Räumlichkeit, Stube, Zimmer
Budget: Etat, Finanzplan, Haushaltsplan, Kalkulation, Kostenaufstellung, Kostenplan, Voranschlag
büffeln: lernen, ochsen, pauken
Bug: Vorderseite, Vordersteven, Vorderteil, vorderer Teil eines Schiffes, vorderer Teil eines Flugzeuges
Bügeleisen: Dampfbügeleisen, Plätte, Plätteisen, elektrisches Bügeleisen
bügeln: aufbügeln, ausbügeln, ebnen, glätten, heißmangeln, mangeln, plätten
buhen: ausbuhen, auspfeifen, auszischen, niederschreien, pfeifen, zischen, Buh rufen
buhlen: abdrücken, herzen, kosen, lieb haben, liebkosen, schmusen, streicheln, umgarnen, zärteln *freien, werben, umwerben, anhalten (um), einen Antrag machen, um die Hand anhalten
Buhne: Abweiser, Damm, Schutzbuhne, Seebuhne, Sperrbuhne, Uferdamm
Bühne: Bretterboden, Podium *Arena, Schauplatz, Szenerie *Theater
Bühnenautor: Bühnendichter, Dichter, Dramatiker, Stückeschreiber, Theaterautor, Theaterdichter
Bühnenbild: Bühnenausstattung, Bühnendekoration, Dekoration, Kulisse, Szenerie, Theaterdekoration
Bulldog: Bulldogger, Schlepper, Traktor, Trecker, Zugmaschine
Bulle: Bann, Bannfluch, Bannbrief, Bannbulle *Kriminalbeamter, Polizist *Stier, (geschlechtsreifes) männliches Rind *Gigant, Goliath, Hüne, Hünengestalt, Koloss, Riese, Titan, Ungeheuer, großer Mensch, der Lange *Bekanntmachung, Bestimmung, Dekret, Edikt, Erlass, Gesetz, Runderlass, Rundverfügung, Verordnung
Bulletin: Berichterstattung, Kommuniqué, Mitteilung, Rapport, (amtlicher) Tagesbericht, (öffentliche) Bekanntmachung

Bummel: Spaziergang, Streifzug *Kneipentour, Lokalbummel, Vergnügungstour
bummeln: flanieren, promenieren, schlendern, spazieren gehen, trödeln *faulenzen, s. Zeit lassen, langsam arbeiten, langsam ausführen
Bund: Allianz, Bündnis, Entente, Fusion, Koalition, Liaison, Liga, Organisation, Schutz-und-Trutz-Bündnis, Union, Verbindung, Vereinigung, Zusammenschluss *Bündel, Strohbund *Bundesstaat, Föderation, Konföderation, Staat, Staatenbund, Vereinigung *Ballen, Bündel, Büschel, Packen *Ehe, Eheband, Ehebund, Ehebündnis, Eheschließung, Ehestand, Heirat, Hochzeit, Lebensgemeinschaft, Partie, Trauung, Verbindung, Verheiratung, Vermählung, Versprechen, Zweisamkeit, Bund fürs Leben, ewiger Bund
Bündel: Ballen, Pack, Päckchen, Packen, Paket, Stapel, Stoß *Konvolut, Sammelband
bündeln: zusammenbinden, zusammenfassen, zusammenfügen, zusammenpacken, zusammenschnüren, zu einem Bund binden
Bundesgenosse: Alliierter, Freund, Verbündeter
Bundespräsident: Staatsoberhaupt
Bundesrat: Ländervertretung
Bundesstaat: Bund, Föderation, Konföderation, Staat, Staatenbund, Vereinigung
Bundestag: Parlament, Volksvertretung
Bundestagsabgeordneter: Abgeordneter, Delegierter, Volksvertreter, Mitglied des Bundestages
Bundestagswahl: Abstimmung, Wahl
bündig: einleuchtend, einsichtig, plausibel, schlagend, schlüssig, sicher, stichhaltig, stringent, triftig, überzeugend, unangreifbar, unwiderlegbar, zwingend ***kurz und bündig:** genau, knapp, kurz, präzise
Bündnis: Allianz, Bund, Einheitsfront, Entente, Fusion, Koalition, Liaison, Liga, Schutz-und-Trutz-Bündnis, Union, Verbindung, Vereinigung, Zusammenschluss
Bunker: Atombunker, Luftschutzbunker, Luftschutzkeller, Luftschutzraum, Schutzraum, Unterstand
bunt: buntscheckig, farbenfreudig, farbenfroh, farbenprächtig, farbenreich, farbig, grell, kaleidoskopisch, knallbunt, koloriert, koloristisch, kräftig, lebhaft, leuchtend, mehrfarbig, polychrom, poppig, regenbogenfarbig, satt, scheckig, schreiend, in Farbe *bunt, kunterbunt, chaotisch, durcheinander, ungeordnet, unordentlich, unüberschaubar, unübersichtlich, wirr, zusammengewürfelt
Bürde: Ballast, Belastung, Crux, Druck, Elend, Jammer, Joch, Kreuz, Kummer, Last, Leid, Mühsal, Pein, Qual, Schmerz, Schwere, Sorge
Burg: Felsennest, Festung, Kastell, Raubnest, Raubschloss, Ritterburg, Wasserburg, Zitadelle
Bürge: Garant, Gewährsmann, Sicherheitsperson
bürgen: einstehen (für), eintreten (für), gewährleisten, s. verbriefen, s. verbürgen, eine Bürgschaft übernehmen, Bürgschaft leisten, Garantie leisten, Sicherheit leisten, Gewähr leisten, die Garantie übernehmen
Bürger: Einwohner, Staatsangehöriger, Staatsbürger *Einheimischer, Einwohner, Mitbürger
Bürgerkrieg: Aufstand, Bruderkrieg, Revolution, Umsturz
bürgerlich: angepasst, etabliert, verbürgerlicht *konservativ, am Überlieferten festhaltend, am Bestehenden festhaltend, auf dem Alten beharrend *mittelständisch
Bürgermeister: Gemeindeoberhaupt, Gemeindevorsteher, Ortsvorsteher *Oberbürgermeister, Stadtoberhaupt *Regierender Bürgermeister
Bürgertum: Großbürgertum, Kleinbürgertum, Mittelschicht, Mittelstand, Oberschicht, bürgerliche Gesellschaft
Bürgschaft: Faustpfand, Garantie, Garantieleistung, Gewähr, Hinterlegung, Kaution, Pfand, Sicherheit, Sicherheitsleistung, Sicherung, Verantwortung, Verpflichtung
Büro: Amtsraum, Amtsstube, Bürostube, Dienstzimmer, Geschäftszimmer, Kanzlei, Kontor *Behörde, Dienststätte, Dienststelle, Geschäftsstelle

Bürokrat: Aktenkrämer, Aktenmensch, Buchstabenmensch, Paragraphenreiter, Pedant
Bürokratie: Amtsschimmel, Beamtenherrschaft, Bürokratismus, Engstirnigkeit, Papierkrieg, Pedanterie
bürokratisch: administrativ, beamtenhaft, buchstabengetreu, engstirnig, kleinlich, paragraphenhaft, pedantisch, nach Vorschrift, peinlich genau
Bursche: Halbstarker, Jüngling, Kerl, Milchbart, Milchgesicht, Teenager, Twen, der Jugendliche, junger Mann, junger Mensch, der Halbstarke, junger Kerl
burschikos: flott, jungenhaft, keck, kess, lässig, leger, natürlich, ungezwungen
bürsten: abbürsten, abschrubben, aufrauen, ausbürsten, durchbürsten, putzen, reinigen, säubern, schrubben, wienern
Busch: Buschwerk, Staude, Strauch *Blumenstrauß, Bukett, Strauß *Dschungel, Urwald
Buschmesser: Hackmesser, Machete
Buschwerk: Dickicht, Gebüsch, Gesträuch, Gestrüpp, Hecke, Jungholz, Reisig, Strauchwerk, Unterholz
Buße: Gefängnisstrafe, Geldstrafe, Strafe, Sühne
büßen: bezahlen (für), aufkommen (für), ausbaden, einstehen (für), entgelten, gerade stehen, herhalten, wettmachen, wiedergutmachen, zahlen (für), Strafe erleiden, Strafe auf sich nehmen, teuer bezahlen
Butterbrot: Butterschnitte, Scheibe Brot

C

Café: Cafeteria, Kaffeehaus, Kaffeestube, Konditorei
Cafeteria: Imbissstube, Selbstbedienungsrestaurant
Callgirl: Dirne, Freudenmädchen, Hure, Nutte, Prostituierte, Straßenmädchen
Camp: Ferienlager, Zeltlager, Zeltplatz *Biwak *Feldlager, Gefangenenlager
campen: biwakieren, campieren, lagern, übernachten, zelten
Camping: Campen, Zeltlager
Campingplatz: Camp, Lager, Übernachtungsplatz, Zeltplatz
Campingwagen: Caravan, Reisewohnwagen, Wohnanhänger, Wohnwagen *Camper, Campingbus, Mobilhome, Motorhome, Reisemobil, Wohnmobil
cantabile: gesanglich, gesangsmäßig
Canyon: Abgrund, Cañon, Klamm, Kluft, Schlucht, Schlund, Spalte, Tiefe
Canzone: Canzona, Gesangsstück, Kanzone
Cape: Pelerine, Poncho, Umhang
capriccioso: kapriziös, launig, neckisch, scherzhaft
Caritas: Fürsorge, Nächstenliebe, Wohltätigkeit
Cartoon: Bildgeschichte, Comic
Casanova: Blaubart, Charmeur, Frauenheld, Lüstling, Schürzenjäger, Schwerenöter, Verführer, Weiberheld, Witwentröster, Wüstling
Cash: Barzahlung, Kasse
Casting: Rollenbesetzung
Castle: Burg, Schloss
Catwalk: Laufsteg
CD: Kompaktschallplatte *Datenträger
CD-ROM: Datenträger, Nur-Lese-Speicher
Chaiselongue: Couch, Diwan, Kanapee, Liege, Liegestatt, Ottomane
Chalet: Ferienhaus, Landhaus, Schweizerhäuschen, Sennhütte
chamois: gelbbräunlich, gämsfarben
Champagner: Perlwein, Schaumwein, Sekt
Champignon: Edelpilz, Egerling, Pilz
Champion: Ass, Bester, Erster, Favorit, Kanone, Meister, Sieger, Spitzenreiter
Chance: Glück, Glücksfall, Möglichkeit, Schicksal, Sprungbrett, Zufall, Aussicht (auf Erfolg)
chancenlos: aussichtslos, ausweglos, hoffnungslos, unhaltbar, verbaut, verfahren, verschlossen, verstellt, ohne Chance
chancenreich: aussichtsreich, aussichtsvoll, Erfolg versprechend, gewinnbringend, günstig, hoffnungsreich, hoffnungsvoll, viel versprechend
Chanson: Gesang, Lied, Liedgesang, Song
Chansonsängerin: Chansonnette, Kabarettsängerin
Chaos: Anarchie, Gesetzlosigkeit, Herrschaftslosigkeit *Durcheinander, Gewirr, Hexenkessel, Konfusion, Unordnung, Verwirrung, Wirrnis, Wirrsal
Chaot: Hitzkopf, Spinner, Wirrkopf
chaotisch: durcheinander, ungeordnet, vermischt, verworren, wirr, wüst *anarchistisch, durcheinander, gesetzlos, ungeordnet, wirr
Charakter: Eigenart, Gemütsart, Individualität, Natur, Sinn, Veranlagung, Wesen, Wesensart *Besonderheit, Charakterzug, Duktus, Eigenart, Eigenheit, Eigenschaft, Eigentümlichkeit, Erkennungszeichen, Gemütsart, Gepräge, Kennzeichen, Manier, Merkmal, Spezialität, Spezifikum, Typ, Wesensart *Charakterfigur, Charaktergestalt, Individualität, Person, Persönlichkeit, Respektsperson *Festigkeit, Gesinnung, Haltung, Rückgrat, Standhaftigkeit, Stetigkeit, Unbeirrbarkeit
charakterfest: achtbar, aufrecht, beständig, bieder, brav, charakterstark, charaktervoll, ehrbar, ehrenhaft, ehrenwert, ehrsam, entschieden, hochanständig, rechtschaffen, redlich, rühmenswert, sauber, treu, unbestechlich, unerschütterlich, wacker
charakterisieren: darlegen, darstellen,

erläutern, kennzeichnen, schildern, typisieren, treffend beschreiben
Charakterisierung: Abhandlung, Aufdeckung, Ausbreitung, Auseinandersetzung, Behandlung, Beleuchtung, Bericht, Beschreibung, Betrachtung, Darlegung, Darstellung, Denkschrift, Durchleuchtung, Entwicklung, Erläuterung, Manifestation, Schilderung, Skizze, Skizzierung, Zusammenstellung
Charakteristik: Beurteilung, Bewertung, Charakterbeschreibung, Einschätzung, Kennzeichnung, Personenbeschreibung
Charakteristikum: Anzeichen, Besonderheit, Charakterzug, Eigenschaft, Haupteigenschaft, Kennzeichnung, Kriterium, Merkmal, Zeichen
charakteristisch: auszeichnend, bezeichnend, charakterisierend, eigentümlich, hervorstechend, kennzeichnend, signifikant, spezifisch, treffend, typisch, unterscheidend, unverkennbar, wesensgemäß
charakterlos: charakterschwach, ehrlos, ehrvergessen, haltlos, nichtswürdig, verächtlich, würdelos
Charakterlosigkeit: Bestechlichkeit, Falschheit, Unredlichkeit
Charakterstärke: Achtbarkeit, Anständigkeit, Aufrichtigkeit, Beständigkeit, Charakterfestigkeit, Ehrbarkeit, Ehrenhaftigkeit, Ehrlichkeit, Geradheit, Gerechtigkeit, Gewissenhaftigkeit, Pflichterfüllung, Redlichkeit, Treue, Unbescholtenheit, Unbestechlichkeit, Vertrauenswürdigkeit, Wahrhaftigkeit, Zartgefühl, Zuverlässigkeit
Charge: Nebenrolle, kleine Rolle *Dienstgrad, Dienstrang, Rangstufe *Rang, Stellung, Würde
Charisma: Ausstrahlung, Ausstrahlungskraft
charmant: anmutig, anziehend, attraktiv, aufregend, aufreizend, betörend, bezaubernd, gewinnend, hübsch, liebenswert, reizend, reizvoll, sympathisch, toll *aussichtsreich, Erfolg versprechend, interessant
Charme: Air, Anmut, Appeal, Ausstrahlung, Flair, Fluidum, Liebreiz, Reiz, Schönheit, Sex-Appeal, Zauber, das gewisse Etwas
Charmeur: Frauenheld, Frauenliebling, Herzensbrecher, Lebemann, Schmeichler, Schürzenjäger, Unterhalter, Verführer, Weiberheld, Witwentröster
Charta: Staatsgrundgesetz, Verfassungsurkunde *Grundsatz, Leitsatz
chartern: anheuern, mieten, pachten
Chassis: Grundgestell, Grundplatte, Montagerahmen *Fahrgestell, Fahrzeugaufbau
Chauffeur: Autofahrer, Fahrer, Wagenführer, Wagenlenker
chauffieren: fahren, führen, lenken, steuern
Chauvi: Macho, Männlichkeitsprotz, Pascha
Chauvinismus: übertriebenes Vaterlandsgefühl, übersteigerte Heimatliebe, extremer Patriotismus
Check: Durchlauf, Prüfgang, Routine, Überprüfung
checken: kontrollieren, prüfen, überprüfen *auffassen, begreifen, erkennen, kapieren, mitbekommen, verstehen
Checkliste: Kontrollliste, Prüfliste
Chef: Boss, Dienstvorgesetzter, Direktor, Kopf, Leiter, Manager, Meister, Oberhaupt, Vorgesetzter, Vorsitzender
chemisch: künstlich, synthetisch
Chemtrail: Chemiewolke, Flugzeugspur, Himmelsspur, (chemische) Wolkenspur
chic: apart, aufgetakelt, auserlesen, ausgesucht, elegant, erlesen, fein, fesch, gewählt, kultiviert, modern, mondän, nobel, piekfein, rassig, schick, schmuck, schneidig, schnieke, schnittig, smart, stilvoll, todschick, vornehm
Chiffre: Geheimzahl, Ziffer *Code, Geheimcode, Geheimzeichen, Passwort
chiffrieren: codieren, encodieren, kodieren, enkodieren, verschlüsseln, in Geheimschrift abfassen, in Geheimsprache abfassen
chiffriert: gesichert, kodiert, verschlüsselt
Chiffrierung: Datenverschlüsselung, Kryptografie
Chimäre: Blendwerk, Dunstbild, Einbildung, Fieberwahn, Halluzination, Hirngespinst, Luftbild, Luftschloss, Nichts, Phantasie, Selbsttäuschung, Sinnestäu-

schung, Täuschung, Träumerei, Trugbild, Utopie, Verzückung, Vorstellung, Wahnbegriff, Wahnbild, Zauberland, zweites Gesicht, Ausgeburt der Phantasie *Seeungeheuer
Chip: Automatenmarke, Bon, Jeton, Kupon, Spielmarke, Spielmünze, Wertmarke *Bauelement, Halbleiter, Halbleiterplättchen, Speicherelement, elektronisches Bauteil *frittierte Kartoffelscheibe
Chips: Pommes frites, gebackene Kartoffelstäbchen
Chirologie: Chirognomie, Chiromantie, Handlesekunst
Choleriker: Brausekopf, Draufgänger, Enthusiast, Fanatiker, Feuerkopf, Heißsporn, Hitzkopf, Kampfhahn, Krakeeler, Wirrkopf
cholerisch: aufbrausend, hitzköpfig, hysterisch, jähzornig, unbeherrscht
Chor: Chorverein, Gesangverein, Kirchenchor, Liedertafel, Sängerchor, Sängerkreis, Sängerschaft, Sängervereinigung, Sangesgruppe, Schola, Singkreis *Altarraum, Chorraum, Kirchenchor
Choral: Kirchengesang, Kirchenlied, Lied, literarischer Gesang
Chorraum: Altarraum, Presbyterium
Chorsänger: Chorist, Chorknabe, Kirchensänger, Sänger, Sangesbruder
Christbaum: Lichterbaum, Tannenbaum, Weihnachtsbaum
christlich: gläubig, religiös *hilfsbereit
Christrose: Schneeblume, Schneerose, Weihnachtsrose
Christus: Erlöser, Gott, Gotteslamm, Gottessohn, Heiland, Jesus, Messias, Seelenbräutigam, der Gekreuzigte, Sohn Gottes
Chronik: Annalen, Aufzeichnung, Geschichtswerk, Jahrbuch, Tagebuch, Überlieferung, Weltgeschichte, Zeitgeschichte *Lebenserinnerung, Lebensgeschichte, Memoiren
chronisch: andauernd, anhaltend, dauernd, schleichend, ständig, langsam verlaufend *hartnäckig, langwierig
Chronographie: Geschichtsschreibung
Chronologie: Zeitfolge, zeitliche Abfolge, zeitlicher Ablauf
chronologisch: zeitlich geordnet, nach dem zeitlichen Ablauf, in zeitlicher Reihenfolge
Chronometer: Armbanduhr, Funkuhr, Taschenuhr, Uhr, Zeitmesser
Château: Landhaus, Schloss
Cineast: Filmfachmann, Filmschaffender *Kinogänger, Kinoliebhaber
circa: angenähert, approximativ, beinahe, einigermaßen, erheblich, fast, gleichartig, halbwegs, kaum, knapp, pauschal, praktisch, rund, schätzungsweise, überschlägig, ungefähr, vergleichbar, vielleicht, zirka, etwa bei, gegen …, an die …, um ein Kleines …
City: Altstadt, Innenstadt, Stadtkern, Stadtmitte, Stadtzentrum, Zentrum
Clan: Familie, Klan, Lehnsverband, Sippe, Stammesverband, Verwandtschaft
Claqueur: Beifallklatscher, Beifallspender, Cheerleader, Lobhudler, Lobpreiser, Lobredner, Marktschreier, Reklamemacher
clever: aufgeweckt, befähigt, begabt, begnadet, berufen, brauchbar, fähig, geeignet, gelehrig, genial, gescheit, geschickt, gewandt, geweckt, helle, hochbegabt, intelligent, klar denkend, klug, patent, prädestiniert, qualifiziert, scharfsinnig, schlau, spitzfindig, talentiert, tauglich, tüchtig, vernunftbegabt, vernünftig, verständig, verwendbar, wach, weit blickend *abgefeimt, ausgefuchst, ausgekocht, bauernschlau, diplomatisch, durchtrieben, gerissen, geschickt, gewieft, gewitzt, listig, raffiniert, schlau, taktisch, verschlagen, verschmitzt *geschäftstüchtig, lebenstüchtig ***clever sein:** klug sein, Geist haben, Geist besitzen
Cleverness: Befähigung, Begabung, Fähigkeit, Gelehrtheit, Genialität, Gescheitheit, Intelligenz, Klugheit, Qualifikation, Scharfsinn, Schläue, Schlauheit, Talent, Weisheit, (gesunder) Menschenverstand *Bauernschläue, Diplomatie, Durchtriebenheit, Findigkeit, Finesse, Gerissenheit, Geschäftstüchtigkeit, Gewieftheit, List, Mutterwitz, Raffiniertheit, Taktik, Verschlagenheit, Verschmitztheit, Witz *Erfindungsreichtum, Gedankenreichtum
Clinch: Nahkampf, Umklammerung

Clique: Bande, Gemeinschaft, Gruppe, Klüngel, Personenkreis, Sippschaft, Trupp, Vereinigung
Clochard: Gammler, Landstreicher, Obdachloser, Penner, Stadtstreicher, Tramp, Vagabund
Clou: Knalleffekt, Pointe, Schlusseffekt *Attraktion, Galanummer, Glanznummer, Glanzpunkt, Hauptattraktion, Höhepunkt, Knüller, Nonplusultra, Paradenummer, Prachtstück, Schlager, Zugnummer
Clown: Bajazzo, Eulenspiegel, Faxenmacher, Geck, Hanswurst, Harlekin, Hofnarr, Hofzwerg, Humorist, Kasper, Kobold, Komiker, Narr, Original, Possenmacher, Possenreißer, Schalk, Schelm, Spaßmacher, Spaßvogel, dummer August
Coach: Berater, Betreuer, Trainer
Cockpit: Pilotenkabine, Pilotenraum *Fahrersitz
Cocktail: Mischgetränk, Mixgetränk
Code: Chiffreschrift, Geheimcode, Geheimschrift, Nachrichtenzeichen
Codex: Erlass, Gesetz, Grundsatz, Verfügung *Handschrift, Handschriftensammlung
codieren: chiffrieren, encodieren, enkodieren, kodieren, verschlüsseln, in Geheimsprache abfassen, in Geheimschrift abfassen
codiert: encodiert, enkodiert, kodiert, verschlüsselt
Coiffeur: Friseur, Haarkünstler
Collier: Halsband, Halskette, Kette, Kollier
Colt: Pistole, Revolver, Schießeisen, Trommelrevolver
Combo: Band, Ensemble, Gruppe, Jazzensemble, Jazzkapelle, Kapelle
Comeback: Innovation, Rückkehr, Rückkunft, Wiederauftreten, Wiederbelebung, Wiedergeburt
Comic: Bildgeschichte, Cartoon, Comicstrip
Computer: Computeranlage, Elektronengehirn, Elektronenrechenmaschine, Elektronenrechner, Personalcomputer, Rechenanlage, Rechner, elektronische Datenverarbeitungsanlage *Notebook
Conférencier: Ansager, Showmaster
contra: gegen, kontra, wider
Copyright: Urheberrecht, Verlagsrecht, Vervielfältigungsrecht
Corpus Delicti: Beweisgegenstand, Beweisstück, Tatwerkzeug, Verbrechenswerkzeug
Corpus Juris: Gesetzbuch, Gesetzessammlung
Couch: Chaiselongue, Diwan, Kanapee, Liegestatt, Ottomane, Sofa
Couleur: Anschauung, Art, Eigenart, Farbe, Prägung *Trumpf
Countdown: Schlussakt, Schlussteil, das Rückwärtszählen, letzte Vorbereitungen
Coup: Hieb, Schlag, Streich *Kniff, Kunstgriff *Husarenstück, erfolgreiche Aktion
Coupon: Abschnitt, Kupon
Courage: Beherztheit, Draufgängertum, Furchtlosigkeit, Herzhaftigkeit, Kühnheit, Mut, Schneid, Tapferkeit, Tollkühnheit, Unerschrockenheit, Unverzagtheit
Cousin: Vetter
Cousine: Base, Kusine
Cowboy: Gaucho, Kuhhirte, Rinderhirte
Crack: Rauschgift *Champion, Gewinner, Meister, Sieger, Spitzensportler
Creme: Flammeri, Götterspeise, Nachspeise, Nachtisch, Pudding, Süßspeise *Heilmittel, Heilsalbe, Salbe *Oberschicht, die Oberen Zehntausend
cremefarben: eierschalfarben, elfenbeinfarben, lehmfarben
cremen: balsamieren, einreiben, einschmieren, ölen, salben
cremig: cremeartig, schaumartig, schaumig
crescendo: anschwellend, wachsend, lauter werdend
Crew: Besatzung, Mannschaft, Personal
Curling: Eisschießen, Eisstockschießen
Curriculum: Lehrplan, Lehrprogramm *Ablauftheorie
Cursor: Einfügemarke, Lichtmarke, Schreibmarke
Cyberspace: virtueller Raum

D

da: als, während *als, nachdem, wenn, wie, wo *hier, hierzulande, an dieser Seite, auf dieser Seite, an dieser Stelle, auf dieser Stelle, an diesem Ort, bei uns, an Ort und Stelle *einheimisch, hiesig, von hier *diesseits *dann *anwesend, daheim *weil, zumal *da sein: dabei sein, anwesend sein, greifbar sein, hier sein, zur Stelle sein, gegenwärtig sein, zugegen sein

dabehalten: belassen, dalassen, hängen lassen, liegen lassen, stehen lassen, bei sich behalten

dabei: doch, jedoch, aber, allein, allerdings, andererseits, dagegen, freilich, hinwieder, hinwiederum, höchstens, immerhin, indes, mindestens, nur, sondern *hieran, hierbei, jetzt, an dieser Stelle, bei dieser Gelegenheit *dazwischen, derweil, einstweilen, indem, indessen, inzwischen, mittlerweile, solange, unterdes, unterdessen, währenddem, währenddessen, zwischenher, in der Zwischenzeit ***dabei bleiben:** beharren, s. behaupten, bestehen (auf), s. durchsetzen, festbleiben, s. hingeben, s. nicht abbringen lassen, nicht ablassen (von), s. nicht beirren lassen, standhalten, s. widersetzen, widerstehen, s. widmen, beständig sein, beharrlich sein, einer Sache treu bleiben, auf dem Posten bleiben, hart bleiben, nicht weichen, nicht wanken, nicht nachlassen, nicht nachgeben, nicht aufgeben, unbeirrt fortführen, bei der Stange bleiben *s. aufhalten, ausdauern, aushalten, ausharren, bleiben, dranbleiben, durchhalten, verweilen *fortfahren, fortführen, fortsetzen, weiterführen, weitermachen ***dabei sein:** da sein, vertreten, anwesend sein, zugegen sein, gegenwärtig sein, zur Stelle sein

dableiben: ausharren, verbleiben, verweilen, nicht fortgehen, nicht davonlaufen, nicht weiterziehen, nicht fortziehen, nicht aufbrechen, nicht abfahren, nicht abreisen *s. aufhalten, s. befinden, da sein, hausen, wohnen, anwesend sein, zugegen sein, dort sein, hier sein *nacharbeiten, nachsitzen

Dach: Bedachung, Bedeckung, Giebel, Hausdach, Überdachung *Absteige, Asyl, Behausung, Bleibe, Herberge, Logis, Obdach, Quartier, Schlafstelle, Unterkunft, Unterschlupf

Dachboden: Boden, Dachstock

Dachfenster: Bodenfenster, Bodenluke, Dachgaube, Dachluke, Gaube, Gaupe, Giebelfenster

Dachkammer: Bodenkammer, Bodenraum, Dachstube, Dachzimmer, Mansarde, Studio

Dachrinne: Dachtraufe, Regenrinne, Traufe

Dachschaden: Geisteskrankheit, Verrücktheit *Torheit, Unbedachtheit, Unbedachtsamkeit, Unbesonnenheit, Unüberlegtheit, Unvernunft, Unverstand, Vernunftlosigkeit

Dachziegel: Tonziegel, Ziegel

dadurch: damit, davon, hierdurch, hiermit, durch dieses Mittel *daher, daraufhin, darum, demgemäß, demzufolge, deshalb, deswegen, ebendaher, ebendarum, ebendeshalb, folglich, infolgedessen, insofern, mithin, so, somit, aus diesem Grunde, auf Grund dessen, aus dem einfachen Grund

dafür: anstatt, anstelle, ersatzweise, für, stellvertretend, an Stelle, im Austausch, stattdessen *hierfür, ad hoc, zu diesem Zweck *zugunsten, zum Vorteil ***dafür sein:** akzeptieren, anerkennen, annehmen, beipflichten, beistimmen, bejahen, bekräftigen, bestätigen, billigen, dulden, einwilligen, erlauben, genehmigen, gutheißen, respektieren, sanktionieren, tolerieren, unterschreiben, zubilligen, zulassen, zustimmen, seine Zustimmung geben, für gut befinden

dafürhalten: denken, finden, glauben, meinen, der Ansicht sein

dagegen: doch, jedoch, aber, allein, allerdings, andererseits, dabei, freilich, hinwieder, hinwiederum, höchstens, immerhin, indes, mindestens, nur, sondern *dementgegen, hiergegen, hingegen, indes, indessen, wiederum *im Verhältnis (dazu) ***dagegen sein:** ablehnen, abschlagen, abweisen, abwinken, ausschlagen, verneinen, verschmähen, verwerfen, s. weigern, zurückschlagen, zurückweisen, abschlägig bescheiden, eine Abfuhr erteilen, etwas verweigern, etwas versagen, nicht genehmigen, Nein sagen, nicht nachgeben

dagegenhalten: antworten, aufbegehren, beantworten, einwerfen, entgegenhalten, entgegnen, kontern, reagieren, versetzen, widersprechen, zurückgeben, zurückschießen, Bescheid geben, eingehen auf, Einwände machen, Einwände erheben, Kontra geben, Widerspruch erheben

dagegenreden: dagegenhalten, dawiderreden, dazwischenrufen, dazwischenwerfen, einwenden, einwerfen, entgegenhalten, entgegnen, entkräften, erwidern, kontern, protestieren, widerlegen, widersprechen, Kontra geben, Veto einlegen, Veto vorbringen, zu bedenken geben, einen Einwand machen

dagegenstellen (s.): s. aufbäumen, aufbegehren, s. auflehnen, aufmucken, aufmucksen, auftrumpfen, s. empören, s. erheben, meutern, opponieren, protestieren, rebellieren, revoltieren, s. sträuben, trotzen, s. verschwören, s. widersetzen, s. zur Wehr setzen, Gehorsam verweigern, Widerpart bieten

daheim: in der Heimat, zu Hause, in der Wohnung, im Kreis der Familie, im Schoß der Familie, in den eigenen vier Wänden ***daheim bleiben:** zu Hause bleiben, in der Heimat bleiben

Daheim: Heim, Wohnung *Haus, Zuhause

daher: dadurch, darum, deshalb, deswegen, insofern, aus diesem Grunde *von dort *her, heran, herbei, herwärts, herzu, hierher, hierhin, hinzu, von dort nach hier

dahergelaufen: anonym, namenlos, ruhmlos, unbedeutend, unbenannt, unentdeckt, vernachlässigt, nicht populär, nicht berühmt, ohne Namen, ein unbeschriebenes Blatt

daherreden: dahinreden, einherreden, schwafeln, Phrasen dreschen, leeres Stroh reden

dahin: dorthin, an diese Stelle, an jene Stelle, an diesen Platz, an jenen Platz, an jenen Ort *in dem Sinne *bis zu dem Zeitpunkt *entzwei, gewesen, vergangen, vorbei ***dahin sein:** verloren sein, vergangen sein, vorbei sein, weg sein, fort sein

dahindämmern: dahinleben, dahinvegetieren, gammeln, das Dasein fristen, einförmig den Tag verbringen, in den Tag hineinleben

dahingehen: ableben, dahinscheiden, hinscheiden, scheiden, verscheiden, ableben, abscheiden, entschlafen, sterben, vergehen *verfliegen, verfließen, verrauschen, verrinnen, verstreichen, vorbeigehen, vorübergehen, ins Land gehen, ins Land ziehen

dahingeschieden: gestorben, tot, verblichen, verschieden, verstorben

dahingestellt: fraglich, offen, umstritten, unbestimmt, unentschieden, ungeklärt

dahinleben: dahindämmern, dahinvegetieren, gammeln, herumgammeln, vegetieren, sein Dasein fristen, sein Leben fristen

dahinscheiden: ableben, abscheiden, dahingehen, einschlafen, einschlummern, entschlafen, heimgehen, hinscheiden, hinsterben, scheiden, sterben, umkommen, vergehen, verscheiden, abgerufen werden

dahinschwinden: abebben, abflauen, abklingen, abnehmen, absinken, ausgehen, einschlafen, erkalten, nachlassen, schwinden, sinken, verebben, s. verkleinern, s. vermindern, s. verringern, zurückgehen, zusammenschrumpfen, geringer werden, schwächer werden, weniger werden, zu Ende gehen, zu Ende sein *absterben, s. auflösen, auseinander brechen, auseinander fallen, aussterben, untergehen, verfallen, verkommen, verloren gehen, verrotten, zerfallen, zerrinnen, zusammenbrechen, zugrunde gehen

dahinsiechen: daniederliegen, kränkeln, krank sein, im Bett liegen, ans Bett ge-

fesselt sein, nicht auf der Höhe sein, das Bett hüten
dahinten: dort, hinten, dort hinten
dahinter: beschließend, endend, hinten, hinter, rückwärts, schließlich, am Ende stehend *__dahinter gehen:__ folgen, nachfolgen, nachgehen, nachkommen, nachlaufen, verfolgen *__dahinter klemmen (s.):__ s. anstrengen, s. dahinter knien, s. dahinter setzen *s. einsetzen (für), s. engagieren (für), etwas tun *__dahinter kommen:__ aufdecken, erfahren, ergründen, Kenntnis gelangen (von) *__dahinter setzen (s.):__ s. anstrengen, s. dahinter klemmen, s. dahinter knien *s. einsetzen (für), s. engagieren (für), etwas tun *__dahinter stehen:__ eintreten (für), halten (zu), helfen, unterstützen, behilflich sein, Hilfe leisten, Beistand leisten, Hilfe gewähren, Beistand gewähren, Hilfestellung geben, hinter jmdm. stehen, zur Seite stehen, Rückhalt geben, den Rücken stärken, zu einer Sache stehen
dahintreiben: driften, gleiten, schweben, schwimmen, treiben
dalassen: belassen, dabehalten, stehen lassen, hängen lassen, liegen lassen, bei sich belassen, bei sich behalten
dalli!: aber schnell!, dalli, dalli!, flink!, schnell!, vorwärts!, beeile dich!
damals: dazumal, derzeit, ehedem, ehemals, einmal, einst, einstens, einstmals, früher, seinerzeit, vordem, vormals, in jenen Tagen, zu jener Zeit, in jener Zeit, vor langem, vor Zeiten, anno dazumal
Dame: Mutter, gnädige Frau, meine Dame *Damestein, Königin, Schachfigur *__Dame des Hauses:__ Gastgeberin, Hausherrin, Wirtin
damenhaft: aufmerksam, fein, höflich, kultiviert, ladylike, manierlich, taktvoll, vornehm, zuvorkommend
damit: dadurch, hierdurch, hiermit *sodass, auf dass, um … zu
dämlich: begriffsstutzig, bescheuert, borniert, doof, dümmlich, gutgläubig, hirnlos, hirnrissig, naiv, strohdumm, stupide, töricht, unerfahren, unverständig, auf den Kopf gefallen
Damm: Abdämmung, Absperrung, Aufschüttung, Aufwurf, Deich, Eindämmung, Erdwall, Ring, Schutzwall, Stauwerk, Verschanzung, Wall, Wehr *Hafendamm, Kai, Mole, Pier *Eisenbahndamm, Straßendamm
dämmen: abmildern, abschwächen, dämpfen, lindern *aufhalten, bändigen, eindämmen, mäßigen, zähmen *drosseln, abdrosseln, hindern, behindern, abbremsen, aufhalten, beeinträchtigen, behindern, blockieren, bremsen, eindämmen, einengen, einschränken, entgegenwirken, erschweren, hemmen, lähmen, sabotieren, zügeln, Fesseln anlegen, hinderlich sein, im Wege stehen, ohnmächtig machen, handlungsunfähig machen, Schranken setzen
dämmerig: dunkel, halbdunkel, lichtarm, schattig, schummerig, zwielichtig
Dämmerlicht: Dämmerung, Morgendämmerung *Abenddämmerung, Dämmerstunde, Dämmerung
dämmern: aufdämmern, grauen, tagen, hell werden, Tag werden *dunkeln, s. verfinstern, dunkel werden, Nacht werden *erkennen, kapieren, verstehen, ein Licht aufgehen
Dämmerschlaf: Dämmerzustand, Dusel, Halbschlaf, Halbschlummer, Schlummer *Heilschlaf, Schlaf, Tiefschlaf
Dämmerung: Dämmerlicht, Dämmerstunde, Halbdunkel, Morgengrauen, Zwielicht
Dämmung: Isolierung
Dämmmaterial: Isoliermaterial
Damnum: Abzug, Einbuße, Verlust
Dämon: Antichrist, Beelzebub, Erbfeind, Erzfeind, Feind, Höllenfürst, Luzifer, Mephisto, Satan, Verderber, Verführer, Versucher, Widersacher, Fürst der Finsternis
dämonisch: diabolisch, satanisch, teuflisch *abscheulich, ängstigend, außergewöhnlich, beängstigend, Entsetzen erregend, entsetzlich, furchtbar, fürchterlich, gespenstisch, gewaltig, grässlich, Grauen erregend, grauenhaft, grauenvoll, gräulich, grausig, gruselig, horrend, katastrophal, Schauder erregend, schaudervoll, schauerlich, schauervoll, schaurig, schrecklich, unheimlich, verheerend, zum Fürchten
Dampf: Atem, Brodem, Dunst, Hauch,

Nebel, Qualm, Schwaden, Wasserdampf, Wolke
Dampfbad: Heißluftbad, Sauna, Schwitzbad
dampfen: aufwallen, brodeln, kochen, qualmen, rauchen, sieden, verdunsten, dampfend aufsteigen *dünsten, schwitzen, transpirieren
dämpfen: dünsten, garen, in Dampf kochen *abdämmen, abmildern, abmindern, abschwächen, dämmen, eindämmen, herunterspielen, mildern, mindern, vermindern *bändigen, begütigen, beruhigen, besänftigen, beschwichtigen, die Wogen glätten
dämpfend: dämmend, abdämmend, abschwächend, beruhigend, mildernd, mindernd
Dampfer: Dampfboot, Dampfschiff
Dämpfer: Maßregelung, Schelte, Schlag, Seitenhieb
dampfig: dunstig, rauchig
danach: alsdann, also, darauf, dementsprechend, demgemäß, demnach, demzufolge, ergo, folglich, infolgedessen, jedenfalls, mithin, somit, sonach *dann, endlich, hernach, hieran, hiernach, hintennach, hinterher, nach, nachher, nachträglich, schließlich, sodann, sonach, später, im Anschluss (an), im Nachhinein, in der Folge *retrospektiv, rückblickend, rückschauend
Dandy: Geck, Modenarr, Schönling, Snob, Stutzer
daneben: dabei, daran, nächst, nahe, neben, nebenan, seitlich, seitwärts, nahe bei *außerdem, nebenbei, nebenher
danebenbenehmen (s.): s. abreagieren, auffallen, ausbrechen, entgleisen, s. unpassend benehmen, s. vorbeibenehmen, aus der Rolle fallen, aus der Haut fahren, die Etikette nicht wahren
danebengehen: danebenschießen, danebentreffen, fehlen, fehlschießen, verfehlen, vorbeischießen, nicht treffen *fehlschlagen, missglücken, misslingen, missraten, schief gehen, scheitern, schief gehen, verunglücken, schlecht ablaufen, zu Bruch gehen, schlecht ausfallen, schlecht abgehen, in die Brüche gehen, schlecht auslaufen
danebenhauen: irren, einen Fehler machen, im Irrtum sein, schlecht beraten sein *danebengreifen, danebenschießen, danebenschlagen, danebentreffen, danebenzielen, verfehlen, vorbeigreifen, vorbeihauen, vorbeischießen, vorbeischlagen, vorbeitreffen, vorbeizielen, nicht treffen
danebenschießen: verfehlen, nicht treffen
darniederliegen: dahinsiechen, kränkeln, leiden, bettlägerig sein, das Bett hüten
dank: durch, infolge, kraft, auf Grund, um … willen
Dank: Anerkennung, Belohnung, Dankbarkeit, Dankesschuld, Dankeswort, Dankgebet, Dankgefühl, Danksagung, Erkenntlichkeit, Lohn, Vergeltung
dankbar: dankerfüllt, erkenntlich, verbunden, verpflichtet *dankenswert, ergiebig, ersprießlich, fruchtbar, lohnend, nützlich
Dankbarkeit: Dank, Dankbarkeitsgefühl, Dankempfindung, Dankgefühl, Verbundenheit
danke: vielen Dank, herzlichen Dank, danke (schön), danke sehr, ich danke Ihnen, danke vielmals, besten Dank, tausend Dank, aufrichtigen Dank, innigsten Dank, wärmsten Dank, ich danke schön, ich bedanke mich, schönen Dank, haben Sie Dank, meinen Dank, man dankt, ich bin Ihnen sehr verbunden
danken: anerkennen, auszeichnen, s. bedanken, danksagen, s. erkenntlich zeigen, Dank sagen, Dank abstatten, Dank aussprechen, Dank ausdrücken, Dank bezeigen, Dank bekunden, die Hand drücken *verdanken, Dank schulden, zu danken haben *ablehnen, pfeifen (auf), verzichten *abrechnen, ahnden, heimzahlen, rächen, vergelten, wettmachen, wiedervergelten, Rache nehmen *s. abfinden, belohnen, s. erkenntlich zeigen, s. revanchieren, vergelten
dankenswert: achtbar, achtenswert, anerkennenswert, beachtlich, beifallswürdig, gut, löblich, rühmenswert, rühmlich, verdienstlich, verdienstvoll, ein Lob verdienend, hoch anzurechnen

dann: danach, hernach, hieran, hinterher, nachher, nachträglich, retrospektiv, rückblickend, rückschauend, sodann, sonach, später, im Anschluss (an), im Nachhinein *bisweilen, gelegentlich, manchmal, vereinzelt, zuweilen, zuzeiten, ab und an, ab und zu, dann und wann

daran: hinsichtlich, im Hinblick darauf, in Bezug auf *nahe, nahebei, nebenan, seitlich, seitwärts *dabei, hierbei

darangehen: anpacken, anstimmen, ausbrechen, beginnen, bewerkstelligen, s. daransetzen, eröffnen, herangehen, starten, den Anfang machen, in Angriff nehmen, die Initiative ergreifen, den ersten Schritt tun, in die Wege leiten, in Schwung kommen

darauf: daran, hieran, hierauf *danach, dann, endlich, hernach, hieran, hiernach, hintennach, hinterher, nach, nachher, nachträglich, schließlich, sodann, sonach, später, im Anschluss (an), im Nachhinein, in der Folge

darauffolgend: aufeinander folgend, folgend, hintereinander, nacheinander, nachfolgend, der Reihe nach, der Ordnung nach

daraus: draus, hieraus

darben: dürsten, entbehren, ermangeln, fasten, hungern, missen, schmachten, vegetieren, Hunger leiden, nichts zu essen haben, Not leiden, sein Leben fristen, sein Dasein fristen

darbieten: bieten, anbieten, geben, ausgeben, reichen, hinreichen, hinhalten, offerieren *aufführen, aufwarten (mit), spielen, vorführen, wiedergeben, (zum Besten) geben, zur Darbietung bringen *s. anbieten, darreichen, geben *sichtbar werden, deutlich werden ***s. darbieten:** ausstrecken, bieten, geben, opfern, reichen, überreichen, vorführen, zeigen *s. prostituieren

Darbietung: Deklamation, Rede, Referat, Rezitation, Vortrag *Akt, Aufführung, Darstellung, Nummer, Schau, Schaustellung, Spiel, Vorführung, Vorstellung *Tanz, Tanzveranstaltung, Tanzvergnügen

darbringen: abtreten, bedenken (mit), beglücken (mit), beschenken, bescheren, fortgeben, geben, hergeben, herschenken, hingeben, schenken, spenden, spendieren, stiften, übergeben, überlassen, übertragen, verehren, verschenken, verteilen, weggeben, wegschenken, als Gabe überreichen, zukommen lassen, zum Geschenk machen, ein Geschenk machen, ein Präsent machen, zur Verfügung stellen *dahingeben, opfern, weihen

dargestellt: abgebildet, beschrieben, demonstriert, gespielt, gezeichnet, gezeigt

darin: darinnen, in, inmitten, mittendrin, zwischen *hierin, in diesem Punkt *binnen, in, innerhalb, in der Zeit von, im Verlauf von, im Laufe von, von Mal zu Mal *mitten, zentral

darlegen: abhandeln, ansprechen, aufdecken, aufrollen, ausbreiten, ausdrücken, auseinander setzen, behandeln, beleuchten, berichten, betrachten, charakterisieren, darstellen, entfalten, entrollen, entwickeln, erklären, erläutern, erzählen, manifestieren, schildern, skizzieren, zusammenstellen, eine Darstellung geben, ein Bild entwerfen, eine Darlegung geben

Darlegung: Abhandlung, Aufdeckung, Aufführung, Ausbreitung, Auseinandersetzung, Behandlung, Beleuchtung, Bericht, Beschreibung, Betrachtung, Charakterisierung, Darstellung, Denkschrift, Durchleuchtung, Entfaltung, Entwicklung, Erläuterung, Manifestation, Schilderung, Skizze, Skizzierung, Zusammenstellung

Darlehen: Anleihe, Hypothek, Kredit, Pump, Vorauszahlung, Vorschuss

Darling: Liebchen, Liebling, Schätzchen, mein Schatz

Darm: Gedärm, Gekröse, Innerei

darniederliegen: dahinsiechen, kränkeln, leiden, bettlägerig sein, das Bett hüten

Darre: Obsttrockner, Trockenanlage, Trockner

darreichen: abliefern, abtreten, aushändigen, ausstatten (mit), darbieten, präsentieren, überantworten, übereignen, übergeben, überlassen, überreichen, überstellen, übertragen, verabfolgen,

verabreichen, versehen (mit), versorgen (mit), zureichen, in die Hand drücken
darstellen: ausdrücken, beschreiben *agieren, darbieten, figurieren, mimen, verkörpern, vorstellen, wiedergeben, eine Rolle spielen *hinstellen, malen, wiedergeben, zeichnen ***s. darstellen:** s. offenbaren, s. zeigen
Darsteller: Akteur, Filmstar, Leinwandgröße, Schauspieler, Star
Darstellung: Ausdruck, Beschreibung *Akt, Aufführung, Darbietung, Nummer, Schau, Schaustellung, Spiel, Vorführung, Vorstellung *Abhandlung, Aufdeckung, Ausbreitung, Auseinandersetzung, Behandlung, Beleuchtung, Bericht, Beschreibung, Betrachtung, Charakterisierung, Darlegung, Denkschrift, Durchleuchtung, Entfaltung, Entwicklung, Erläuterung, Manifestation, Schilderung, Skizze, Skizzierung, Zusammenstellung
Darstellungsweise: Ausdrucksart, Ausdrucksform, Ausdrucksweise, Kunstform, Schreibart, Stil, Verfahren, Art und Weise
darüber: drüber, oberhalb, über *dabei, währenddessen *davon, dazu, hierüber, hiervon
darum: dadurch, daher, daraufhin, demgemäß, demzufolge, deswegen, ebendaher, ebendarum, ebendeshalb, ebendeswegen, folglich, infolgedessen, insofern, mithin, so, somit, aus diesem Grunde, auf Grund dessen, aus dem einfachen Grund
darunter: drunten, unten, unterhalb, unterwärts, in der Tiefe, am Fuß des …, am Fuß von … *dabei, darin, dazwischen ***darunter liegen:** nachhinken, nachlaufen, schlechter sein, schwächer sein *unterhalb sein, unten sein, unten liegen
das: dasjenige, dies, dieses, ebendas, ebendies *welches *dessen
Dasein: Bestehen, Existenz, Sein, Vorhandensein *Anwesenheit, Dabeisein, Gegenwart, Präsenz, Zugegensein *Atem, Bestehen, Existenz, Leben, Sein, Fleisch und Blut
Daseinsberechtigung: Existenzberechtigung, Lebensrecht
Daseinsfreude: Behagen, Lebensbejahung, Lebensfreude, Lebensgefühl, Lebenslust, Optimismus, Wohlgefühl, Zufriedenheit
dass: damit, um … zu
dasselbe: das alte Lied, die alte Leier, dieselbe Litanei, immer das Gleiche *ebendas, ebendies, ebendieses, einerlei, das Gleiche, wie immer, das Alte
Daten: Angaben, Dateien, Einzelheiten, Fakten, Maße, Testdaten, Textdateien, Textdaten, Zahlen *Angaben, Maße, Tatsachen, Unterlagen
Datscha: Datsche, Ferienhaus, Landhaus, Sommerwohnsitz
Datum: Kalendertag, Stichtag, Tag, Zeitpunkt
Daube: Fassbrett
Dauer: Frist, Länge, Verlauf, Zeitdauer *Bestand, Beständigkeit, Dauerhaftigkeit, Fortbestand, Fortdauer, Fortgang, Permanenz, Stetigkeit, das Fortbestehen, das Weitergehen *Endlosigkeit, Ewigkeit, Unsterblichkeit, Unveränderlichkeit, Unvergänglichkeit, Unwandelbarkeit, Zeitlosigkeit, das Weiterleben *das Durchhalten, das Durchstehen, das Überdauern, das Überstehen *Haltbarkeit, Stabilität, Strapazierfähigkeit, Unempfindlichkeit, Unveränderlichkeit, Unverderblichkeit, Unverwüstlichkeit, Unzerstörbarkeit, Widerstandsfähigkeit
Daueraufenthalt: Lebensmittelpunkt, ständiger Wohnsitz, erster Wohnsitz
Dauerbrenner: Erfolg, Evergreen, Longseller, Schlager
dauerhaft: beständig, bleibend, dauernd, ewig, fest, gleichmäßig, haltbar, krisenfest, tadellos, unauflösbar, unauflöslich, unveränderlich, unverbrüchlich, unvergänglich, unverrückbar, unverrückt, unwandelbar, unzerstörbar, vortrefflich, vorzüglich, wertbeständig, wertvoll, zeitlebens, für immer, von Bestand, von Dauer *dauergrün, immergrün *fest, kräftig, stabil, strapazierfähig *eingefroren, eingemacht, haltbar, konserviert, unverderblich, lang haltend *feuerfest, feuersicher, sicher *farbecht, lichtecht, waschecht *imprägniert, wetterfest
dauern: bestehen, fortbestehen, andau-

ern, anhalten, bleiben, fortdauern, gleich bleiben, s. halten, s. hinziehen, währen *erbarmen, schmerzen, Leid tun, Mitleid erregen

dauernd: alleweil, allezeit, andauernd, anhaltend, beharrlich, beständig, fortdauernd, fortgesetzt, gleich bleibend, immer, immerzu, immerfort, immer während, konstant, kontinuierlich, pausenlos, permanent, ständig, stetig, stets, unaufhaltsam, unaufhörlich, unausgesetzt, zeitlebens, immer wieder, immer noch, jahraus, jahrein, nach wie vor, rund um die Uhr, schon immer, seit eh und je, seit je, seit jeher, tagaus, tagein, von je, von jeher, ad infinitum *chronisch, laufend, schleichend, schleppend, ständig, unheilbar *althergebracht, beständig, bestehend, bleibend, ererbt, gewohnheitsmäßig, gewohnt, traditionell

Daune: Daunenfeder, Flaumfeder, Haarfeder

davon: dadurch, hiervon *fort, weg, von dannen

davoneilen: davonhasten, davonlaufen, davonrennen, davonstieben, fliehen, flüchten, weglaufen, wegrennen

davonfliegen: entfliegen, fortfliegen

davongehen: abmarschieren, s. absetzen, ausziehen, davoneilen, davonlaufen, davonrennen, s. entfernen, flüchten, s. fortbegeben, fortgehen, gehen, laufen, scheiden, s. wegbegeben, weggehen, weglaufen, wegrennen *ableben, absterben, s. auflösen, dahinscheiden, einschlafen, einschlummern, entschlafen, erlöschen, gehen (von), heimgehen, hinscheiden, hinsterben, hinübergehen, schwinden, sterben, umkommen, vergehen, verlöschen, verscheiden, verschwinden, versterben, abgerufen werden, (tödlich) verunglücken, die Augen schließen, die Augen zumachen, sein Leben aushauchen, aus dem Leben gehen, aus dem Leben abberufen werden, aus dem Leben scheiden

davonhasten: gehen, fortgehen, abmarschieren, s. absetzen, ausziehen, davoneilen, davongehen, davonlaufen, davonrennen, davonstieben, s. entfernen, fliehen, flüchten, s. fortbegeben, fortlaufen, scheiden, s. wegbegeben, weggehen, weglaufen, wegrennen

davonjagen: austreiben, entfernen, entlassen, fortjagen, fortscheuchen, forttreiben, jagen (aus), jagen (von), scheuchen, treiben, vergrämen, verjagen, verscheuchen, vertreiben, wegjagen, wegscheuchen, wegtreiben, in die Flucht schlagen, in die Flucht treiben *s. absetzen, ausbrechen, davoneilen, davonlaufen, durchbrennen, durchgehen, entfliehen, entkommen, entlaufen, entrinnen, entwischen, fliehen, flüchten, fortlaufen, fortrennen, türmen, verschwinden, weglaufen, wegrennen, wegschleichen, das Weite suchen, Reißaus nehmen *entlassen, feuern, kündigen

davonkommen: entgehen, entkommen, entrinnen, s. retten, Glück haben *gesunden, überleben, weiterleben, am Leben bleiben, nicht sterben *herumkommen, so wegkommen

davonlaufen: s. absetzen, ausziehen, davoneilen, davongehen, davonhasten, davonrennen, davonstieben, s. entfernen, fliehen, flüchten, s. fortbegeben, fortgehen, fortlaufen, gehen, s. wegbegeben, weggehen, weglaufen, wegrennen

davonmachen (s.): abdampfen, s. abkehren, abmarschieren, abrücken, abschwirren, abseilen, s. absetzen, s. abwenden, s. auf den Weg machen, aufbrechen, s. aufmachen, davongehen, enteilen, s. entfernen, s. fortbegeben, fortgehen, s. fortmachen, kehrtmachen, losgehen, losmarschieren, s. umdrehen, verschwinden, s. wegbegeben, weggehen, wegtreten, zurückweichen, s. in Bewegung setzen, das Feld räumen, das Haus verlassen, das Weite suchen, den Rücken kehren, seiner Wege gehen, von dannen gehen *s. absetzen, ausbrechen, ausrücken, davonlaufen, durchbrennen, durchgehen, entfliehen, entkommen, entlaufen, entrinnen, entwischen, fliehen, flüchten, stiften gehen, türmen, verschwinden, wegschleichen, das Weite suchen, Reißaus nehmen

davonstehlen (s.): davonschleichen, s. fortschleichen, s. fortstehlen

davontragen: entfernen, wegbringen, wegschaffen, wegtragen, aus dem Weg räumen, aus dem Weg schaffen *erhalten, erlangen *s. durchsetzen, gewinnen, siegen, triumphieren, übertreffen, als Sieger hervorgehen, den Sieg erringen, den Sieg erlangen, Sieger bleiben, Sieger sein

davor: vor, vorher, vordem, zuerst, zuvor, als Erstes ***davor gehen:** führen, anführen, leiten, vorhergehen ***davor stehen:** bevorstehen, erwarten, vor sich haben *davor sein, davor liegen

dazu: alsdann, außerdem, dann, ferner, fernerhin, hinzu, sodann, überdies, weiter, weiterhin, zudem, des Weiteren, darüber hinaus *dafür, hierzu *obendrein, zusätzlich, des Weiteren

dazugeben: beigeben, beisteuern, spendieren

dazugehören: s. beteiligen, mitarbeiten, mitmachen, mitspielen, mitwirken, teilhaben, teilnehmen, beteiligt sein *s. identifizieren, s. solidarisch erklären (mit)

dazugehörig: betreffend, dazugehörend, einschlägig, entsprechend

dazukommen: s. anschließen, s. beigesellen, hineingeraten, s. hinzugesellen, hinzukommen, hinzutreten *erscheinen, kommen

dazulegen: auffüllen, dazugeben, dazutun, drauflegen, hinzulegen, hinzutun

dazumal: damals, derzeit, ehedem, ehemals, einmal, einstmals, früher, seinerzeit, vorher, vormals, in jenen Tagen, zu meiner Zeit, in meiner Jugend, in meiner Jugendzeit

dazurechnen: addieren, hinzuzählen, zulegen *anrechnen, beachten, berücksichtigen, dazunehmen, dazuzählen, einbeziehen, einkalkulieren, einplanen, einrechnen, einschließen, erfassen, hinzunehmen, hinzurechnen, hinzuzählen, implizieren, inkludieren, mitrechnen, mitzählen, zuzählen, in Rechnung stellen, in Rechnung setzen, ins Kalkül ziehen

dazutun: beifügen, beigeben, beilegen, dazulegen

Dazutun: Abhilfe, Assistenz, Aushilfe, Befreiung, Beistand, Beitrag, Dienst, Dienstleistung, Handreichung, Hilfestellung, Hilfsdienst, Mitarbeit, Mitwirkung, Unterstützung, Zutun

dazwischen: eingekeilt, in, inmitten, mittendrin, verkeilt, verklemmt, zwischen, zwischendrin *dabei, darunter *mitten hinein *dabei, derweil, einstweilen, indem, indessen, inzwischen, mittlerweile, solange, unterdes, unterdessen, während, währenddem, währenddessen, zwischenher, in der Zwischenzeit

dazwischenfahren: bereinigen, dazwischenfunken, dazwischentreten, dreinfahren, dreinhauen, dreinreden, durchgreifen, eingreifen, einhaken, s. einmengen, s. einmischen, s. einschalten, einschreiten, intervenieren, verhindern, zuschlagen, Ordnung schaffen, Schluss machen, strenger vorgehen, einen Schlussstrich setzen

dazwischenreden: s. einmischen, hineinreden, jmdn. unterbrechen, jmdm. über den Mund fahren, jmdn. nicht ausreden lassen

dazwischentreten: durchgreifen, eingreifen, einhaken, s. einmischen, s. einschalten, einschreiten, s. mischen, schlichten

Deal: Geschäft, Handel

dealen: pushen, Drogen verkaufen, mit Drogen handeln, mit Rauschgift handeln, Drogen verschieben

Dealer: Drogenhändler, Händler, Pusher, Rauschgifthändler

Debakel: Desaster, Fatalität, Katastrophe, Malheur, Missgeschick, Panne, Pech, Schicksalsschlag, Schlag, Tragik, Unfall, Ungeschick, Unglück, Unglücksfall, Unheil, Verhängnis *Abfuhr, Bankrott, Durchfall, Fiasko, Misserfolg, Misslingen, Niederlage, Pech, Ruin, Schlappe, Versagen, Zusammenbruch

Debatte: Aussprache, Beratung, Diskussion, Erörterung, Gedankenaustausch, Gespräch, Kolloquium, Meinungsaustausch, Plauderei, Stellungnahme, Unterhaltung, Unterredung *Diskussion, Streitgespräch

debattieren: abhandeln, ausdiskutieren, auseinander setzen, behandeln, beraten, bereden, beschwatzen, besprechen, darlegen, darstellen, diskutieren, durchdiskutieren, durchsprechen, erörtern, s. streiten (über), untersuchen, verhandeln, sprechen (über)

Debet: Defizit, Fehlbetrag, Manko, Min-

dereinnahme, Mindereretrag, Schulden, Soll
debil: blöde, geisteskrank, geistesschwach, idiotisch, kretinhaft, schwachsinnig, verrückt
Debilität: Geisteskrankheit, Geistesschwäche, Schwachsinn
Debüt: Rollendebüt, Start, (erster) Auftritt, erstes Auftreten
Debütant: Anfänger, Greenhorn, Grünschnabel, Neuling, Newcomer, Novize, Schulanfänger, Unerfahrener
Deckbett: Bettdecke, Federbett, Oberbett, Plumeau, Überbett
dechiffrieren: auflösen, aufschlüsseln, decodieren, dekodieren, entschlüsseln, entziffern
Decke: Zimmerdecke *Tischdecke, Tischtuch *Bettdecke, Plaid, Reisedecke, Wolldecke, Zudecke *Haut, Schicht *Balg, Fell, Haardecke, Haarkleid, Haut, Pelz, Schwarte
Deckel: Buchdeckel, Bucheinband, Einband, Einbanddeckel *Pfannendeckel, Topfdeckel *Hut, Kopfbedeckung
decken: abdecken, bedecken, überdecken, überziehen, verdecken, zudecken *besorgen, s. eindecken, kaufen *begatten, belegen, besamen, beschälen, beschlagen, bespringen, kappen, treten *helfen, protegieren, schützen, unterstützen, verbergen *eindecken, schmücken *bewachen, schützen ***s. decken:** beschirmen, schützen, verteidigen, Schutz gewähren *s. ähneln, s. gleichen, gleichkommen, kongruieren, korrespondieren, übereinstimmen, ähnlich sein, gleich sein, identisch sein
Deckengewölbe: Kuppel
Deckmantel: Bemäntelung, Schönfärberei, Tarnung, Verbrämung, Verhüllung, Vorwand
Deckname: Künstlername, Pseudonym, Scheinname, Tarnname, falscher Name
Decksaufbauten: Brücke, Kommandobrücke
Deckung: Hilfe, Protektion, Schutz, Unterstützung *Ähnlichkeit, Gleichheit, Identität, Kongruenz, Korrespondenz, Übereinstimmung *Schutz, Sicherheit *Befruchtung, Begattung, Beschälung, Beschlag, Kopulation, Paarung, Zeugung
deckungsgleich: analog, einheitlich, einhellig, gleich, gleichartig, homogen, identisch, konform, kongruent, konvergierend, parallel, übereinstimmend, zusammenfallend
Deduktion: Ableitung, Beweis, Folgerung, Herleitung, Zurückführung, das Herleiten
deduzieren: ableiten, auslegen, folgern, schließen
de facto: effektiv, faktisch, gemäß, konkret, praktisch, realiter, tatsächlich, wirklich, den Tatsachen entsprechend, den Tatsachen gemäß, in der Tat, in Wirklichkeit, nach der Tatsachenlage, der Tat nach
Defätist: Miesepeter, Miesmacher, Schwarzseher
defätistisch: bedrückt, depressiv, desolat, hypochondrisch, lebensverneinend, melancholisch, nihilistisch, pessimistisch, schwarzseherisch, schwermütig, trübsinnig
defekt: abgestoßen, angeschlagen, beschädigt, kaputt, lädiert, mitgenommen, schadhaft, zerbrochen, zerrissen
Defekt: Fehler, Lücke, Mangel, Manko, Nachteil, Schwäche, Unzulänglichkeit *Beschädigung, Lädierung, Schaden
defensiv: abwehrend, verteidigend *vorahnend, vorausschauend, vorsichtig
Defensive: Abwehr, Notwehr, Rückzugsgefecht, Verteidigung, Widerstand
Defilee: Aufmarsch, Parademarsch, Vorbeimarsch, Vorbeizug, das Vorbeischreiten
defilieren: aufmarschieren, paradieren, vorbeimarschieren, vorbeischreiten, vorbeiziehen, vorüberziehen
definieren: abgrenzen, auseinander setzen, bestimmen, darlegen, erklären, erläutern, festlegen, klarmachen, konkretisieren, vorführen, zeigen
Definition: Abgrenzung, Bestimmung, Darlegung, Determination, Diagnose, Erklärung, Erläuterung, Festlegung
definitiv: bindend, endgültig, feststehend, obligatorisch, unabänderlich, unwiderruflich, verbindlich, verpflichtend, ein für allemal

Defizit: Fehlbetrag, Minus
Deflation: Geldmangel, wirtschaftlicher Rückgang
deflorieren: entjungfern, jmdm. die Jungfräulichkeit nehmen, jmdm. die Unschuld nehmen
Deformation: Abnormität, Anomalie, Deformierung, Missbildung, Verstümmelung
deformieren: verstümmeln, verunstalten, verunzieren *verformen, aus der Form geraten, die Form verlieren
deformiert: entstellt, missgebildet, verfälscht, verunstaltet
deftig: barsch, derb, drastisch, grob, grobschlächtig, hart, rau, rücksichtslos, rüde, unanständig, unfein, ungehobelt, ungeschliffen, vulgär *gepfeffert, saftig, unanständig, vulgär, nicht salonfähig *kalorienreich, kräftig, nahrhaft, sättigend
Degeneration: Abweichung, Ausartung, Entartung, Krebsgang, Nachlassen, Niedergang, Rückfall, Rückgang, Verschlechterung, Verschlimmerung, Verwilderung
degenerieren: abbauen, entarten, missraten, s. zurückbilden
degeneriert: abgebaut, dekadent, entartet, missraten, zurückgebildet, zurückgeblieben
Degout: Abneigung, Abscheu, Ekel, Ekelhaftigkeit, Überdruss, Widerlichkeit, Widerstreben, Widerwille, übler Geschmack, schlechter Geschmack, Mangel an Geschmack
degoutieren: anekeln, anwidern, ekelhaft finden
degradieren: absetzen, heruntersetzen, herunterstufen
Degradierung: Absetzung, Herunterstufung
degressiv: abfallend, abnehmend, vermindernd
Degustation: Kostprobe, Probe, Verkostung, Versuch
degustieren: probieren, verkosten, versuchen
dehnbar: undeutlich, ungenau, unklar, verschwommen, vieldeutig *biegsam, dehnungsfähig, elastisch, geschmeidig, plastisch
Dehnbarkeit: Biegsamkeit, Elastizität, Geschmeidigkeit
dehnen: ausweiten, ausziehen, längen, recken, spannen, strecken, länger werden, breiter werden, größer werden, länger machen, breiter machen, größer machen, in die Länge ziehen, in die Länge strecken ***s. dehnen:** s. ausdehnen, s. ausweiten, s. recken, s. strecken, s. ziehen
Dehnung: Elastizität, Federkraft *Ausbreitung, Ausdehnung, Ausstreckung, Dehnbarkeit, Erstreckung, Erweiterung, Streckung, Verbreiterung, Vergrößerung, Verlängerung, Weitung, Wuchs, Zunahme
Deich: Abdämmung, Damm, Eindämmung, Erdwall, Schutzwall
deichseln: ausführen, beikommen, bewältigen, bewerkstelligen, drehen, durchführen, erreichen, fertig werden (mit), lösen, meistern, packen, verwirklichen, vollbringen, vollenden
dekadent: abgelebt, angekränkelt, degeneriert, heruntergekommen, verfallen
Dekadenz: Abnahme, Abstieg, Auflösung, Desorganisation, Entartung, Fehlschlag, Misserfolg, Neige, Niedergang, Rückfall, Rückgang, Rückschritt, Schwächung, Unstern, Verfall, Verheerung, Verschlechterung, Zerrüttung, Zusammenbruch, Zusammensturz
deklamieren: aufsagen, hersagen, lesen, referieren, rezitieren, verlesen, vorlesen, vorsingen, vorspielen, vorsprechen, vortragen, das Wort ergreifen, ein Referat halten, eine Rede halten, eine Ansprache halten, einen Vortrag halten, etwas zum Besten geben, zu Gehör bringen
Deklaration: Angabe, Erklärung, Meldung, Zollerklärung
deklarieren: angeben, erklären, melden, eine Deklaration geben
deklinabel: beugbar, veränderlich, der Deklination unterliegend
Deklination: Abwandlung, Beugung, Flexion, Konjugation *Abweichung *Richtungsabweichung, Winkelabstand
deklinieren: abwandeln, beugen, flektieren, konjugieren, verändern
dekliniert: abgewandelt, gebeugt, flektiert, konjugiert, verändert

dekolletiert: ausgeschnitten, offenherzig, mit großem Ausschnitt
Dekolleté: Ausschnitt, Halsausschnitt
Dekor: Aufmachung, Aufputz, Aufzug, Ausschmückung, Ausstattung *Ausschmückung, Muster, Schmuck, Verzierung
Dekorateur: Raumausstatter, Schaufenstergestalter
Dekoration: Ausschmückung, Ausstattung, Beiwerk, Schmuck, Schmuckwerk, Verbrämung, Verschönerung, Verzierung, Zier, Zierrat, Zierde, Zierwerk *Auszeichnung, Dekorierung, Ehrenerweisung, Ordenverleihung
dekorativ: effektiv, effektvoll, effizient, eindrucksvoll, entscheidend, farbig, nachhaltig, repräsentabel, repräsentativ, schmückend, unvergesslich, wirksam, wirkungsreich, wirkungsvoll, zierend
dekorieren: schmücken, ausschmücken, verzieren *auszeichnen, ehren, loben, preisen, würdigen
Dekret: Anordnung, Befehl, Bestimmung, Diktat, Entscheidung, Erlass, Gebot, Geheiß, Order, Verfügung, Verordnung, Vorschrift
Delegation: Abordnung, Bevollmächtigte, Gruppe, Kommission *Auflassung, Übereignung, Überlassung, Übertragung
delegieren: abkommandieren, abordnen, abstellen, beordern, deputieren, detachieren, entsenden, kommandieren (zu), schicken *abgeben, streuen, übertragen, weitergeben (an)
Delegierter: Abgesandter, Beauftragter, Bevollmächtigter, Bote, Delegat, Emissär, Kurier, Ordonnanz, Parlamentär, Sendbote, Sonderbeauftragter, Sonderbotschafter, Unterhändler, Verkünder
Delegierung: Abkommandierung, Abordnung, Abstellung, Deputation, Entsendung
delikat: appetitlich, fein, knusprig, köstlich, kräftig, lecker, mundend, schmackhaft, schmeckbar, vollmundig, vorzüglich, wohlschmeckend, würzig *gefährlich, heikel, kompliziert, langwierig, prekär, problematisch, schwer, schwierig, verwickelt *behutsam, taktvoll, vorsichtig, mit Feingefühl, mit Zartgefühl
Delikatesse: Feinkost, Köstliches, Köstlichkeit, Leckerbissen, Spezialität, etwas Besonderes *Zartgefühl, Zartheit
Delikt: Fehltritt, Missetat, Rechtsbruch, Straftat, Untat, Vergehen, Verstoß, Zuwiderhandlung
Delinquent: Angeklagter, Bösewicht, Übeltäter, Verbrecher
Delirium: Bewusstseinsstörung, Bewusstseinstrübung, Geistesgestörtheit, Verwirrtheit *Alkoholvergiftung, Rausch, Trunkenheit, Vollrausch, Volltrunkenheit
Demagoge: Agitator, Aufwiegler, Hetzer, Provokateur, Volksverführer, Volksverhetzer
demagogisch: aufhetzend, aufwieglerisch, entstellend, volksverführerisch
demaskieren: aufdecken, aufrollen, bloßlegen, durchschauen, enthüllen, entlarven, entschleiern, hindurchsehen, nachweisen, vorzeigen *dahinter kommen, erkennen, feststellen, identifizieren *s. entlarven, s. entpuppen, s. offenbaren, s. demaskieren, die Maske fallen lassen, sein wahres Gesicht zeigen
Demaskierung: Aufdeckung, Aufrollung, Bloßstellung, Durchsicht, Enthüllung, Entlarvung, Nachweis
Dementi: Berichtigung, Klärung, Korrektur, Richtigstellung *das Ableugnen, Ableugnung, Absage, Antwort, Berichtigung, Gegenerklärung, Rückzug, Sinnesänderung, Sinneswandlung, Sinneswechsel, Widerruf, Zurücknahme, Zurückziehung
dementieren: leugnen, ableugnen, abstreiten, berichtigen, bestreiten, verneinen, s. verwahren (gegen), als unrichtig bezeichnen, als unzutreffend bezeichnen, als falsch bezeichnen, als unwahr bezeichnen, von sich weisen *ableugnen, abrücken (von), absagen, abstreiten, antworten, berichtigen, revidieren, verleugnen, widerrufen, zurücknehmen, zurückziehen, (wieder) umstoßen, für ungültig erklären, einen Rückzieher machen, rückgängig machen
demissionieren: entlassen, fortschicken, hinauswerfen, kündigen, suspendieren, von seinem Amt entheben, von seinem

Posten entheben, von seinem Amt entbinden, von seinem Posten entbinden
demnach: alsdann, also, danach, darauf, dementsprechend, demgemäß, demzufolge, ergo, folglich, infolgedessen, jedenfalls, mithin, somit, sonach *danach, dann, endlich, hernach, hieran, hiernach, hintennach, hinterher, nach, nachher, nachträglich, schließlich, sodann, sonach, später, im Anschluss (an), im Nachhinein, in der Folge
demnächst: alsbald, bald, nächstens, später, in nächster Zeit, binnen kurzem, über kurz oder lang, in nächster Zukunft
Demokratie: Parlamentarismus, Volksherrschaft, Herrschaft des Volkes, parlamentarische Demokratie
demokratisch: nach den Grundsätzen der Demokratie, zur Demokratie gehörend, auf Demokratie beruhend
demolieren: abbauen, abtragen, ausradieren, destruieren, einreißen, niedermähen, niederwalzen, plündern, ruinieren, verheeren, vernichten, verwüsten, zerbrechen, zermalmen, zerschlagen, zerschmettern, zerstören, zertreten, zertrümmern, zugrunde richten
Demonstration: Illustration, Illustrierung, Veranschaulichung, das Verbildlichen, Verbildlichung, Verdeutlichung, Vergegenständlichung *Aufmarsch, Demo, Kundgebung, Massenversammlung, Protestveranstaltung *Äußerung, Bekundung, Beteuerung, Bezeigung, Bezeugung *Beweis, Beweisführung
Demonstrationsmaterial: Anschauungsmaterial, Demonstrationsobjekt
Demonstrationszug: Ansturm, Aufmarsch, Aufzug, Demonstration, Umzug, Zug
demonstrativ: anschaulich, ausdrucksvoll, bildhaft, bildlich, darlegend, deutlich, eidetisch, einprägsam, illustrativ, interessant, lebendig, plastisch, sinnfällig, sprechend, veranschaulichend, verständlich, wirklichkeitsnah, absichtlich farbig *absichtlich, absichtsvoll, beabsichtigt, betont, bewusst, geflissentlich, gewollt, vorsätzlich, willentlich, wissentlich, wohlweislich, mit Bewusstsein, mit Absicht, mit Willen, mit Bedacht, mit klarem Verstand, zum Trotz
demonstrieren: aufmarschieren, kämpfen (für), auf die Straße gehen *vorführen, zeigen *beleuchten, erklären, erläutern, hervorheben, illustrieren, veranschaulichen, verbildlichen, verdeutlichen, vergegenwärtigen, zeigen, deutlich machen, vor Augen führen
Demontage: Abbau, Abbruch, Auflösung, Dekomposition, Zerlegen, Zerlegung, Zerstückelung, Zerteilung, Zertrennung
demontieren: abbauen, abbrechen, abnehmen, auflösen, auseinander nehmen, trennen, zerlegen, zerstückeln, zerteilen
demoralisieren: entmutigen, entsittlichen, entwerten, zersetzen, jmdn. seiner Standhaftigkeit berauben, jmdm. seinen Mut nehmen *aufweichen, hintertreiben, untergraben, unterminieren, vereiteln, zerrütten, zersetzen, zu Fall bringen
Demoskopie: Meinungsforschung, Meinungsumfrage, Umfrage
Demut: Bescheidenheit, Ergebenheit, Ergebung, Fügsamkeit, Fügung (in), Gefügigkeit, Schickung (in)
demütig: demutsvoll, devot, ehrerbietig, ergeben, gedemütigt, gottergeben, knechtisch, kniefällig, kriechend, servil, unterwürfig, zerknirscht
demütigen: beschämen, beugen, diffamieren, erniedrigen, schmähen, den Stolz brechen ***s. demütigen:** s. beugen lassen, s. ergeben, s. erniedrigen, s. herabsetzen, s. herabwürdigen, auf den Knien rutschen
demütigend: beschämend, blamabel, erbärmlich, kläglich
Demütigung: Abfälligkeit, Abschätzigkeit, Despektierlichkeit, Entwürdigung, Ergebenheit, Geringschätzung, Herabsetzung, Herabwürdigung, Missachtung, Naserümpfen, Nichtachtung, Pejorativum, Respektlosigkeit, Verächtlichmachung, Verachtung
demzufolge: also, dadurch, daher, dementsprechend, demgemäß, demnach, deshalb, ersichtlich, erweislich, folglich, logischerweise, übereinstimmend, weil, aus diesem Grund, begründet (auf)

dengeln: schärfen
Denkart: Anschauung, Anschauungsweise, Auslegung, Beurteilung, Dafürhalten, Denkweise, Denkungsweise, Denkweise, Einstellung, Gedanken, Gedankengang, Gesinnung, Ideologie, Interpretation, Meinung, Mentalität, Sinnesart, Weltanschauung
Denkaufgabe: Denkspiel, Denksportaufgabe, Frage, Preisaufgabe, Quiz, Rätsel
denkbar: ausführbar, durchführbar, erdenklich, gangbar, machbar, möglich, potenziell *wahrscheinlich, höchstwahrscheinlich, anscheinend, vermeintlich, vermutlich, voraussichtlich *ausdenkbar, erdenkbar, erdenklich, imaginabel, vorstellbar
denken: besinnen, brüten, durchdenken, grübeln, herumrätseln, knobeln, meditieren, nachdenken, nachgrübeln, nachsinnen, rätseln, reflektieren, sinnen, sinnieren, tüfteln, überlegen *erkennen, Denkarbeit leisten, den Verstand gebrauchen *annehmen, glauben, meinen *beabsichtigen, vorhaben, s. vornehmen, wollen *s. erinnern, s. zurückerinnern, s. entsinnen, zurückblicken, zurückdenken, zurückschauen
Denken: Denkarbeit, Denkfähigkeit, Denkleistung, Denkvermögen
denkfaul: gleichgültig, teilnahmslos, unberührt, wurstig
Denkmal: Denksäule, Denkstein, Ehrenmal, Ehrensäule, Gedenkstein, Mahnmal, Monument, Obelisk, Standbild
Denkschrift: Adresse, Aufzeichnung, Bittschrift, Darlegung, Eingabe, Kommuniqué, Memoire, Memorandum, Note, Sammlung, Schrift, Streitschrift, amtliche Mitteilung
Denkspiel: Denkaufgabe, Denksportaufgabe, Frage, Knobelei, Preisaufgabe, Quiz, Rätsel
Denkvermögen: Abstraktionsfähigkeit, Abstraktionsvermögen, Denkfähigkeit, Denkkraft, Erkenntnisvermögen, Geisteskraft, Geistesstärke, Klugheit, Urteilsfähigkeit, Urteilskraft, Verstand
Denkweise: Anschauung, Anschauungsweise, Auslegung, Beurteilung, Dafürhalten, Denkart, Denkungsweise, Einstellung, Gedanken, Gedankengang, Gesinnung, Ideologie, Interpretation, Meinung, Mentalität, Sinnesart, Überzeugung, Weltanschauung, das Denken *Mode, Stil, Zeitgeist
denkwürdig: außergewöhnlich, bedeutungsvoll, unauslöschlich, unvergesslich, wichtig
Denkzettel: Andenken, Erinnerung, Erinnerungszeichen *Donnerwetter, Epistel, Gardinenpredigt, Lektion, Moralpredigt, Predigt, Standpauke, Strafe, Strafpredigt, Strafrede, Tadel, Zurechtweisung
denn: bekanntermaßen, bekanntlich, nämlich, wie bekannt ist, wie man weiß, du musst wissen, wie man wissen muss
dennoch: aber, doch, gleichwohl, jedenfalls, nichtsdestotrotz, nichtsdestoweniger, obgleich, trotzdem, trotz allem
Denunziant: Anschwärzer, Hetzer, Judas, Petzer, Verleumder, Verräter, Zuträger, Zwischenträger
Denunziation: Anschwärzung, Anzeige, Lüge, Verleumdung
denunzieren: agieren, anzeigen, hetzen, hintertreiben, lügen, petzen, schlecht machen, verleumden, verraten, zutragen, arbeiten (gegen)
Depesche: Eilnachricht, Fernschreiben, Funkspruch, Telegramm, Nachricht per Funk, Nachricht per Kabel, Nachricht per Fax
depeschieren: drahten, faxen, kabeln, telegrafieren, übermitteln, ein Telegramm schicken
deplatziert: abgeschmackt, geschmacklos, taktlos, unangebracht, unpassend *abträglich, ärgerlich, blamabel, dumm, fatal, lästig, leidig, misslich, nachteilig, negativ, peinlich, schlecht, störend, unangenehm, unbequem, unerfreulich, unerquicklich, unerwünscht, ungemütlich, ungünstig, ungut, unliebsam, unpassend, unqualifiziert, unwillkommen, verdrießlich, verpönt, fehl am Platze
deponieren: abstellen, hinterlegen, lagern, parken, sicherstellen, in Verwahrung geben
Deportation: Aussiedlung, Verbannung, Verschleppung, Zwangsverschickung

Deportationslager: Arbeitslager, Gefangenenlager, Konzentrationslager, KZ, Massenvernichtungslager, Straflager
deportieren: ausweisen, verbannen, verschleppen, in die Verbannung schicken
Depot: Armeedepot, Arsenal, Artilleriepark, Munitionsdepot, Park, Pionierdepot, Rüstkammer *Aufbewahrungsort, Bankdepot, Sammelverwahrung *Lager, Sammelort, Sammelstelle, Speicher *Ablagerung, Speicher
Depression: Tief, wirtschaftlicher Rückgang *Bedrückung, Freudlosigkeit, Gedrücktheit, Melancholie, Mutlosigkeit, Niedergeschlagenheit, Schwermut, Tief, Trauer, Trübsinn, Verzagtheit, Verzweiflung, traurige Stimmung
depressiv: bedrückt, bekümmert, betrübt, defätistisch, desolat, elegisch, elend, freudlos, hypochondrisch, melancholisch, nihilistisch, pessimistisch, schwarzseherisch, schwermütig, todunglücklich, traurig, trist, trübe, trübselig, trübsinnig, unfroh, unglücklich, wehmütig
deprimieren: einengen, entmutigen, enttäuschen, frustrieren, niederdrücken, verprellen, mutlos machen
deprimierend: bedauerlich, betrüblich, niederschmetternd, schade, traurig
deprimiert: entmutigt, gebrochen, gedrückt, geknickt, kleinmütig, lebensmüde, mutlos, niedergedrückt, niedergeschlagen, niedergeschmettert, resigniert, verzagt, verzweifelt *desillusioniert, enttäuscht, ernüchtert, frustriert, verbittert *bedrückt, defätistisch, depressiv, desolat, hypochondrisch, lebensverneinend, melancholisch, nihilistisch, pessimistisch, schwarzseherisch, schwermütig, trübsinnig
deputieren: abordnen, delegieren, wegschicken
Deputierte: Abgeordnete, Gesandte
der: derjenige, dieser, ebender, jener *welcher
derartig: dergleichen, dieserlei, ebensolch, solcherlei *dahingehend, dementsprechend, demgemäß, derart, derartig, dergestalt, dermaßen, folgendergestalt, folgendermaßen, folgenderweise, so, solcherart, solchergestalt, solchermaßen, solcherweise, auf folgende Weise, in der Weise, in einer Art, in dieser Art, in dieser Weise, nicht anders, wie folgt, auf diese Weise, auf diese Art
derb: barsch, deftig, drastisch, grob, grobschlächtig, hart, rau, rücksichtslos, rüde, unanständig, unfein, ungehobelt, ungeschliffen, vulgär *drall, gesund, grob, kernig, kräftig, rau, robust, stark, stramm *bäuerlich, einfach, grob, grobgliedrig, grobschlächtig, grobschrötig, klobig, klotzig, knorrig, massig, plump, schwerfällig, unförmig, ungeschlacht, ungraziös, vierschrötig *gepfeffert, saftig, unanständig, vulgär, nicht salonfähig
Derby: Pferderennen
dergleichen: derart, derartig, dergestalt, dieserlei, ebensolch, solcherlei
dermaßen: dahingehend, dementsprechend, demgemäß, derart, derartig, dergestalt, folgendergestalt, folgendermaßen, folgenderweise, so, solcherart, solchergestalt, solchermaßen, solcherweise, auf folgende Weise, in der Weise, in einer Art, in dieser Art, in dieser Weise, nicht anders, wie folgt, auf diese Weise, auf diese Art
derselbe: ebender, ebendieser, der Nämliche, der Gleiche, der oben Genannte, der Vorhergenannte, eben derselbe *ebenso einer, genauso einer, der Gleiche
derweil: als, bei, da, einstweilen, indem, indes, inzwischen, solange, unterdessen, während, zwischenzeitlich, in der Zwischenzeit *dabei, dazwischen, einstweilen, indem, indessen, inzwischen, mittlerweile, solange, unterdes, unterdessen, währenddem, währenddessen, zwischenher, in der Zwischenzeit
derzeitig: augenblicklich, derzeit, gegenwärtig, heutig, jetzig, momentan
Desaster: Bürde, Drama, Geisel, Heimsuchung, Katastrophe, Last, Missgeschick, Not, Notlage, Plage, Prüfung, Schicksalsschlag, Schreckensnachricht, Tragödie, Trauerspiel, Unglück, Unglücksfall, Unheil, Verderben, Verhängnis
desavouieren: bloßstellen, in Abrede stellen, nicht anerkennen
Desavouierung: Ächtung, Benachteiligung, Diffamierung, Diskriminierung,

Geringschätzung, Herabwürdigung, Missachtung, Ungerechtigkeit, Verächtlichmachung, Verachtung, Zurücksetzung
Deserteur: Fahnenflüchtiger, Überläufer
desertieren: fliehen, stiften gehen, überlaufen, überwechseln, s. verdrücken, fahnenflüchtig werden, seinen Posten verlassen
desgleichen: dito, ebenfalls, ebenso, gleichermaßen, gleichfalls
deshalb: dadurch, daher, daraufhin, darum, demgemäß, demzufolge, deswegen, ebendaher, ebendarum, ebendeshalb, folglich, infolgedessen, insofern, mithin, so, somit, aus diesem Grunde, auf Grund dessen, aus dem einfachen Grund
Design: Entwurf, Form, Muster, Plan, Styling
designieren: bestimmen, vorsehen, wählen
Desillusion: Desillusionierung, Enttäuschung, Frustration, kalte Dusche
desillusionieren: enttäuschen, ernüchtern, frustrieren, die Illusion nehmen, zu Verstand bringen, an die Vernunft appellieren
Desinfektion: Desinfizierung, Entkeimung, Entseuchung, Sterilisierung
desinfizieren: auskochen, entkeimen, entseuchen, sterilisieren, keimfrei machen
Desinteresse: Abgestumpftheit, Abstumpfung, Apathie, Dickfelligkeit, Gefühllosigkeit, Geistesabwesenheit, Gleichgültigkeit, Herzlosigkeit, Interesselosigkeit, Kühle, Leidenschaftslosigkeit, Lethargie, Phlegma, Stumpfheit, Stumpfsinn, Stumpfsinnigkeit, Sturheit, Teilnahmslosigkeit, Trägheit, Unaufgeschlossenheit, Unempfindlichkeit, Ungerührtheit, Uninteressiertheit, Wurstigkeit
desinteressiert: apathisch, denkfaul, dickfellig, gefühllos, gleichgültig, inaktiv, interesselos, kühl, lasch, leidenschaftslos, lethargisch, schwerfällig, stumpf, stumpfsinnig, teilnahmslos, träge, unaufgeschlossen, unbeteiligt, unbewegt, unempfindlich, ungerührt
Desodorant: Deospray, Deostift, Deodorant, Deodorantspray, Deodorantstift *Intimspray *Körperspray *Fußspray
desolat: bedrückt, bekümmert, betrübt, defätistisch, depressiv, elegisch, elend, freudlos, hypochondrisch, melancholisch, nihilistisch, pessimistisch, schwarzseherisch, schwermütig, todunglücklich, traurig, trist, trostlos, trübe, trübselig, trübsinnig, unfroh, unglücklich, wehmütig *gramerfüllt, gramgebeugt, gramvoll, sorgenschwer, sorgenvoll, zentnerschwer *bedauerlich, bedauernswert, beklagenswert, ergreifend, herzbewegend, herzergreifend, herzzerreißend, jämmerlich, jammervoll, kläglich, miserabel, schlecht, zerreißend
Desorganisation: Anarchie, Chaos, Durcheinander, Gewirr, Konfusion, Unordnung, Verwirrung, Wirrnis, Wirrsal, Wirrwarr
desorganisiert: chaotisch, durcheinander, ungeordnet, unordentlich, verwirrt, wirr
desorientiert: verwirrt, nicht informiert, falsch informiert
Desorientierung: Falschunterrichtung, Verwirrung
despektierlich: abfällig, abschätzig, absprechend, abwertend, geringschätzig, missbilligend, missfällig, pejorativ, verächtlich, wegwerfend
Despot: Alleinherrscher, Diktator, Gewaltherrscher, Herrscher, Schreckensherrscher, Tyrann, Unterdrücker
despotisch: apodiktisch, autokratisch, autoritär, barsch, bestimmt, brüsk, diktatorisch, drakonisch, drastisch, energisch, entschieden, erbarmungslos, gebietend, gebieterisch, gestreng, gnadenlos, grob, hart, herrisch, herrschsüchtig, machthaberisch, massiv, obrigkeitlich, patriarchalisch, rechthaberisch, repressiv, rigoros, rücksichtslos, scharf, schroff, selbstherrlich, streng, tyrannisch, unbarmherzig, unerbittlich, unnachgiebig, unnachsichtig
Despotismus: Despotie, Diktatur, Gewaltherrschaft, Schreckensherrschaft, Tyrannei
Dessert: Nachspeise, Nachtisch, Süßspeise

destillieren: brennen, gewinnen, trennen
destruieren: ausradieren, ruinieren, verheeren, vernichten, verwüsten, zerbomben, zermalmen, zerrütten, zerschießen, zerstören, zusammenschießen, dem Erdboden gleichmachen, zugrunde richten
destruktiv: anarchistisch, revolutionär, subversiv, umstürzlerisch, zersetzend, zerstörerisch
deswegen: dadurch, daher, daraufhin, darum, demgemäß, demzufolge, deshalb, ebendaher, ebendarum, ebendeshalb, folglich, infolgedessen, insofern, mithin, so, somit, aus diesem Grunde, auf Grund dessen, aus dem einfachen Grund
Detail: Ausschnitt, Einzelheit, Teilstück
detailliert: genau, im Einzelnen, in allen Einzelheiten
Detektei: Auskunftei, Detektivbüro, Detektivinstitut, Ermittlungsbüro
Detektiv: Auskundschafter, Beobachter, Kriminalbeamter, Spitzel, V-Mann
Determination: Abgrenzung, Begrenzung, Bestimmung, Eingrenzung
determinativ: begrenzend, bestimmend, eingrenzend, entschieden, entschlossen, festlegend
determinieren: abgrenzen, begrenzen, bestimmen, definieren, diagnostizieren, eingrenzen, entscheiden, festlegen
Detonation: Ausbruch, Entladung, Eruption, Explosion, Knall, Krach, Schlag, Verpuffung
detonieren: auffliegen, bersten, s. entladen, explodieren, hochgehen, krachen, krepieren, platzen, splittern, sprengen, springen, zerbersten, zerknallen, zerplatzen, zerspringen, in die Luft fliegen
Deut: Andeutung, Anspielung, Bemerkung, Fingerzeig, Hinweis, Rat, Tipp, Wink
deuten: auffassen, ausdeuten, auslegen, erklären, erläutern, exemplifizieren, explizieren, herauslesen, interpretieren, klar machen, kommentieren *ankündigen, hindeuten, hinweisen, hinzeigen, signalisieren, aufmerksam machen
deutlich: anschaulich, bilderreich, bildhaft, demonstrativ, drastisch, einprägsam, farbig, illustrativ, lebendig, plastisch, veranschaulichend, verständlich, wirklichkeitsnah *bestimmt, deutsch, eindeutig, exakt, fest umrissen, genau, greifbar, handfest, klar, prägnant, präzise, sonnenklar, ungeschminkt, unmissverständlich, unverblümt, unzweideutig *augenfällig, augenscheinlich, erwiesen, offenbar, offenkundig, sichtbar, sichtlich *ausdrücklich, drastisch, eindringlich, flehentlich, inständig, nachdrücklich, schwörend, wirkungsvoll *artikuliert, wohlartikuliert, verständlich, verstehbar, (gut) zu verstehen ***deutlich machen:** beleuchten, demonstrieren, erklären, erläutern, hervorheben, illustrieren, veranschaulichen, verbildlichen, verdeutlichen, vergegenwärtigen, zeigen, vor Augen führen
Deutlichkeit: Bestimmtheit, Eindeutigkeit, Exaktheit, Genauigkeit, Klarheit, Präzision, Ungeschminktheit, Unmissverständlichkeit, Unverblümtheit, Unzweideutigkeit *Genauigkeit, Klarheit, Prägnanz, Schärfe *Klarheit, Verständlichkeit, Verstehbarkeit
deutsch: gesamtdeutsch *zu Deutschland gehörend *bestimmt, deutlich, eindeutig, exakt, fest umrissen, genau, greifbar, handfest, klar, prägnant, präzise, sonnenklar, ungeschminkt, unmissverständlich, unverblümt, unzweideutig
Deutsch: Hochsprache, die deutsche Sprache
Deutschland: Gesamtdeutschland, Bundesrepublik Deutschland
Deutung: Auslegung, Erklärung, Exegese, Interpretation
Devise: Leitsatz, Losung, Motto, Parole, Wahlspruch
Devisen: Geldsorten, Sorten, ausländische Zahlungsmittel, ausländische Währung, ausländisches Geld
devot: ergeben, gottergeben, demütig, demutsvoll, ehrerbietig, fußfällig, knechtisch, kniefällig, kriechend, servil, untertänig, unterwürfig
dezent: diskret, taktvoll, verschwiegen *bescheiden, einfach, unaufdringlich, zurückhaltend, nicht aufdringlich *gedämpft, leise, schwach, unauffällig

dezidiert: bestimmt, entschieden, klar, mit Nachdruck
dezimal: zehnteilig, auf die Zahl Zehn bezogen
dezimieren: absetzen, abbauen, abgrenzen, abstreichen, abziehen, begrenzen, beschränken, drosseln, einschränken, herabsetzen, herunterdrücken, heruntergehen, herunterschrauben, kürzen, mindern, reduzieren, schmälern, senken, streichen, verkleinern, verkürzen, verlangsamen, vermindern, verringern, Abstriche machen, den Etat beschneiden, niedriger machen *__s. dezimieren:__ reduzieren, schmälern, senken, verkleinern, vermindern, s. verringern, niedriger machen
diabolisch: dämonisch, satanisch, teuflisch
Diagnose: Befund, Bestimmung, Beurteilung, Erkennung, Feststellung, das Erkennen
diagnostizieren: erkennen, feststellen, konstatieren, registrieren, sehen, eine Feststellung machen, eine Erfahrung machen
Dialekt: Mundart, regionale Sprechweise
Dialektausdruck: Dialektwort, Lokalausdruck, Lokalwort, Mundartausdruck, Mundartwort, lokale Ausdrucksweise, landschaftliche Spracheigentümlichkeit
Dialog: Aussprache, Debatte, Diskussion, Gedankenaustausch, Gespräch, Interview, Konversation, Meinungsaustausch, Streitgespräch, Unterhaltung, Unterredung
diametral: entgegengesetzt, gegenüberliegend
Diaprojektor: Beamer, Bildwerfer, Diaskop, Epidiaskop, Episkop, Projektionsapparat, Projektionsgerät, Projektor
Diät: Abmagerungsdiät, Abmagerungskur, Fastenkur, Hungerkur, Schlankheitskur *Krankenkost, Schonkost
Diäten: Aufwandsentschädigung, Kostenpauschale, Reisekostenerstattung, Spesen, Tagegeld
dicht: kompakt, eng beieinander, eng nebeneinander *geschlossen, undurchdringlich, undurchlässig *undurchlässig, luftundurchlässig, geschlossen, luftdicht, verschlossen, zu *imprägniert, isoliert, wasserdicht, wasserundurchlässig *gepanzert, kugelfest, kugelsicher *besetzt, gedrängt, voll, dicht bei dicht *fest, gequetscht, kompakt, massig, massiv *dichtmaschig, festgewebt *geschlossen, abgeschlossen, abgesperrt, unbetretbar, verriegelt, verschlossen, zu, zugeschlossen, zugesperrt *geschützt, gesichert, sicher *kräftig, üppig, voll *__dicht besetzt:__ überfüllt, übervoll, voll *__dicht besiedelt:__ überbevölkert, übervölkert, volkreich, dicht bevölkert, dicht bewohnt
Dichte: Dichtheit, Dichtigkeit
dichten: fabulieren, reimen, schreiben, schriftstellern, Reime machen, Verse machen, Verse schmieden *abdichten, isolieren, undurchlässig machen, dicht machen *s. ausdenken, fantasieren, lügen, phantasieren, schwindeln, die Unwahrheit sagen
Dichter: Autor, Bühnenautor, Dichterling, Federheld, Literat, Lyriker, Poet, Prosaist, Schreiber, Schreiberling, Schriftsteller, Mann der Feder
dichterisch: episch, erzählerisch, literarisch, lyrisch, poetisch, schriftstellerisch
Dichtung: Belletristik, Dichtkunst, Dramatik, Epik, Literatur, Lyrik, Poesie, Poetik, Wortkunst *Bühnendichtung, Dichtwerk, Drama, Epos, Gedicht, Lyrik, Prosadichtung, Roman, Versdichtung, Werk
dick: aufgedunsen, beleibt, breit, dickleibig, dicklich, dickwanstig, drall, feist, fett, fettleibig, fleischig, füllig, gemästet, gewaltig, korpulent, kugelrund, massig, mollig, pausbäckig, plump, pummelig, rund, rundlich, stämmig, stark, stramm, umfangreich, unförmig, üppig, vierschrötig, voluminös, vollleibig, vollschlank, wohlbeleibt, wohlgenährt *gedunsen, aufgedunsen, aufgebläht, aufgeschwemmt, aufgetrieben, geschwollen, schwabbelig, schwammig *angeschwollen, entzündet, verdickt *kräftig, voll *schwanger, tragend *breiartig, breiig, dickflüssig, dicklich, gallertartig, geronnen, klitschig, sämig, schleimig, schwerflüssig, steif, teigig, viskos, viskös, zäh,

zähflüssig *dick sein: zu viel wiegen, Übergewicht haben, übergewichtig sein *dick werden: zunehmen, zusetzen, in die Breite gehen, breiter werden, fetter werden

dickfellig: dickhäutig, gelassen, gleichgültig, robust, ruhig, träge, unempfindlich, ungerührt

Dickfelligkeit: Dickhäutigkeit, Gelassenheit, Ruhe, Trägheit, Unempfindlichkeit

dickflüssig: breiartig, breiig, dick, dicklich, gallertartig, geronnen, klitschig, sämig, schleimig, schwerflüssig, steif, teigig, viskos, zäh, zähflüssig

Dickicht: Buschwerk, Gebüsch, Gesträuch, Gestrüpp, Unterholz

Dickkopf: Quertreiber, Rechthaber, Starrkopf, Trotzkopf

dickköpfig: aufsässig, eigensinnig, halsstarrig, hartgesotten, kompromisslos, kratzbürstig, rechthaberisch, störrisch, trotzig, unbelehrbar, unerbittlich, widerspenstig ***dickköpfig sein:** s. gegen etwas sperren, s. nichts sagen lassen, s. verschließen, einen Dickkopf haben

Dickköpfigkeit: Eigensinn, Eigenwille, Starrheit, Trotz, Widerspenstigkeit

Dickleibigkeit: Beleibtheit, Breite, Dicke, Feistheit, Fettleibigkeit, Körperfülle, Korpulenz, Leibesfülle, Übergewicht, Umfang

dicklich: füllig, mollig, pummelig, rundlich, vollschlank *breiartig, breiig, dick, dickflüssig, gallertartig, geronnen, klitschig, sämig, schleimig, schwerflüssig, steif, teigig, viskos, viskös, zäh, zähflüssig

Didaktik: Unterrichtslehre, Theorie des Lehrens und Lernens

didaktisch: erzieherisch, lehrhaft, methodisch, pädagogisch

die: diejenige, diese, ebendie, ebendiese *welche

Dieb: Einbrecher, Ganove, Kleptomane, Kleptomanin, Langfinger, Plünderer, Räuber, Spitzbube, Taschendieb *Plagiator

diebisch: kleptomanisch, langfingrig, räuberisch *plagiatorisch

Diebstahl: Dieberei, Eigentumsdelikt, Eigentumsvergehen, Einbruchdiebstahl, Entwendung, Plünderung, Raub, Wegnahme, widerrechtliche Aneignung *Plagiat

Diele: Eingangsdiele, Flur, Gang *Brett, Dielenbrett, Fußbodenbrett

dienen: beistehen, entlasten, helfen, unterstützen, an die Hand gehen, in Stellung sein, untergeben sein, untertan sein, zur Verfügung stehen *Soldat sein, seinen Wehrdienst (ab)leisten *s. eignen, ersetzen, nützen, zu gebrauchen sein *in Diensten sein, angestellt sein, beamtet sein, verbeamtet sein, bedienstet sein

Diener: Bedienung, Beistand, Besorger, Bote, Boy, Butler, Dienstbote, Gehilfe, Hausangestellter, Hausdiener, Hilfskraft, Kammerdiener, Kuli, Lakai, Leibdiener, Page, Stütze, Untergebener, der Bedienstete, der Angestellte *Bückling, Gruß, Höflichkeitsbezeugung, Knicks, Kratzfuß, Reverenz, Verbeugung, Verneigung *Geistliche, Pfarrer *Anrichtetisch, Serviertisch *Kleiderständer

Dienerin: Dienstmädchen, Hausgehilfin, Hausmädchen, Magd, Zofe *Callgirl, Dirne, Freudenmädchen, Hure, Kokotte, Kurtisane, Liebesdienerin, Nutte, Straßenmädchen

dienern: buckeln, s. bücken, s. demütigen, s. einschmeicheln, katzbuckeln, kriechen, leisetreten, liebedienern, s. schmeicheln, Rad fahren, auf dem Bauch liegen, auf dem Bauch rutschen, Staub lecken, einen (krummen) Buckel machen *grüßen, knicksen, s. niederneigen, s. verbeugen, s. verneigen, eine Verbeugung machen, Ehre erweisen, seine Reverenz erweisen

dienlich: aufbauend, ersprießlich, förderlich, fördernd, fruchtbar, heilsam, hilfreich, konstruktiv, lohnend, nutzbringend, nützlich, zuträglich

Dienst: Amt, Amtspflicht, Aufgabe, Funktion, Obliegenheit, Pflicht, Posten *Amt, Anstellung, Arbeit, Arbeitsbereich, Arbeitsfeld, Arbeitsgebiet, Auftrag, Beruf, Berufung, Beschäftigung, Betätigung, Broterwerb, Gewerbe, Handwerk, Job, Metier, Posten, Profession, Stelle, Stellung, Wirkungsbereich, Wirkungskreis *Besorgung, Dienstleistung, Gefallen, Gefälligkeit, Hilfe, Hilfeleistung, Liebesdienst, Verrichtung *Dienstbarkeit, Fron, Joch, Plackerei, Verpflichtung *außer Dienst: pensioniert, in Rente *außerhalb des Dienstes, in der Freizeit, am Feierabend

Dienstalter: Amtsalter, Rangalter

dienstbeflissen: diensteifrig, dienstwillig, eilfertig, erbötig, gefällig, hilfreich, umgänglich

dienstbereit: aufmerksam, dienstbar, dienstfertig, einsatzbereit, verbindlich

Dienstbote: Bedienung, Beistand, Besorger, Bote, Boy, Butler, Gehilfe, Hausangestellte, Hausdiener, Hilfskraft, Kammerdiener, Kuli, Lakai, Leibdiener, Page, Stütze, Untergebener, der Bediente, der Bedienstete, der Angestellte

Dienstgrad: Amt, Grad, Rang, Rangstufe, Stufe

Dienstherr: Brotgeber, Chef, Herr, Leiter, Meister, Vorsteher

Dienstleistung: Abhilfe, Assistenz, Aushilfe, Befreiung, Beistand, Beitrag, Dazutun, Dienst, Handreichung, Hilfe, Hilfestellung, Hilfsdienst, Mitarbeit, Mitwirkung, Unterstützung, Zutun

dienstlich: amtlich, berufsmäßig, geschäftlich, streng offiziell, von Amts wegen *amtlich, formhaft, förmlich, offiziell, nach Vorschrift

Dienstmädchen: Hausangestellte, Hausgehilfin, Haushaltshilfe, Hausmädchen, Hausmagd, Haustochter, Kraft, Mädchen, Stütze, Zofe, dienstbarer Geist

Dienstpersonal: Dienerschaft, Dienstleute, Personal, Stab

Dienstraum: Amtsstube, Amtszimmer, Dienstzimmer, Geschäftsraum, Geschäftszimmer

Dienstschluss: Arbeitsende, Arbeitsschluss, Dienstende, Feierabend, Schluss

Dienststelle: Behörde, Büro, Geschäftsstelle, Hauptstelle, Kanzlei, Nebenstelle, Office *Amt, Behörde, Instanz

dienstunfähig: arbeitsunfähig, dienstuntauglich, invalid, krank, unbrauchbar, untauglich, nicht verwendungsfähig, nicht arbeitsfähig, nicht dienstfähig

Dienstvorschrift: Dienstanweisung, Dienstordnung, Reglement

Dienstweg: Amtsweg, Behördenweg, Geschäftsgang, Instanzenweg

Dienstwohnung: Amtswohnung *Amtswohnung, Werkswohnung

Dienstzeit: Arbeitszeit, Beschäftigungszeit, Schicht

diesbezüglich: darüber, davon, dazu, hierzu, was das angeht, in dieser Beziehung

dieselbe: ebendie, ebendiese, die gleiche

dieser: der da, der dort, dieser da, dieser dort

diesig: dunstig, neblig, nebelig

Diesigkeit: Dunst, Nebel

diesjährig: heuer, heurig, dieses Jahr, in diesem Jahr

diesmal: derzeit, jetzt, nunmehr, zur Stunde, im Augenblick

diesseits: herüben, hüben, auf dieser Seite *diesseitig, irdisch, profan, säkular, weltlich

Diesseits: Erde, Erdkreis, Welt

Dietrich: Diebshaken, Diebsschlüssel, Nachschlüssel

diffamieren: beschämen, beugen, demütigen, erniedrigen, schmähen, den Stolz brechen *abfällig reden (von), anschwärzen, denunzieren, entwürdigen, herabsetzen, herabwürdigen, schlecht machen, schmähen, verdächtigen, verleumden, verteufeln, verunglimpfen, mit Schmutz bewerfen, über jmdn. herfallen, die Ehre abschneiden, Übles nachreden

Diffamierung: Ächtung, Benachteiligung, Desavouierung, Diskriminierung, Geringschätzung, Herabwürdigung, Missachtung, Ungerechtigkeit, Verächtlichmachung, Verachtung, Zurücksetzung

different: abweichend, differierend, ungleich, unterschiedlich, verschieden

Differenz: Abweichung, Unterschied, Unterschiedlichkeit *Meinungsverschiedenheit, Nichtübereinstimmung, Unstimmigkeit *Fehlbetrag, Unterschied

differenzieren: abheben, auseinander halten, sondern, trennen, unterscheiden, eine Einteilung machen, einen Unterschied machen, gegeneinander abgrenzen *abschatten, abschattieren, abstufen, abtönen, schattieren, tönen

differenziert: abgestuft, aufgefächert, detailliert, nuanciert
differieren: verschieden sein, voneinander abweichen, anderer Meinung sein
differierend: abweichend, unterschiedlich, verschieden
diffizil: heikel, langwierig, mühsam, problematisch, schwer, schwierig, verwickelt, mit Schwierigkeiten verbunden
diffus: ausgebreitet, ausgedehnt, schattenhaft, schemenhaft, undeutlich, ungenau, unklar, unscharf, verhüllt, verschwommen, zerstreut
Diffusion: Weitläufigkeit, Weitschweifigkeit, Zerteilung *Vermischung
Diktat: Ansage, das Vorsprechen, das Diktieren *Anordnung, Anweisung, Befehl, Verpflichtung
Diktator: Alleinherrscher, Despot, Gewaltherrscher, Herrscher, Schreckensherrscher, Tyrann, Unterdrücker
diktatorisch: autoritär, herrisch, streng, tyrannisch *abgestumpft, barbarisch, brutal, eisig, erbarmungslos, gefühllos, gefühlsarm, gefühlskalt, gemütsarm, gleichgültig, gnadenlos, grausam, hart, hartherzig, herzlos, inhuman, kaltblütig, kompromisslos, lieblos, mitleidlos, roh, schonungslos, seelenlos, streng, unbarmherzig, unmenschlich, unnachgiebig, unsozial, unzugänglich, *absolut, absolutistisch, allgewaltig, souverän, unbeschränkt, unumschränkt, allein herrschend
Diktatur: Gesetzlosigkeit, Gewalt, Gewaltherrschaft, Terror, Totalitarismus, Tyrannei, Willkürherrschaft, Zwang, Zwangsherrschaft, totalitärer Staat *Eigenmächtigkeit, Eigenwilligkeit, Gewaltsamkeit, Herrschsucht, Intoleranz, Rücksichtslosigkeit, Selbstherrlichkeit, Unduldsamkeit, Willkür
diktieren: administrieren, anordnen, auferlegen, aufgeben, beauftragen, befehlen, beordern, bestimmen, erlassen, festlegen, reglementieren, veranlassen, verfügen, verkünden *aufdrängen, aufoktroyieren, aufzwingen, oktroyieren *ansagen, sprechen, vorsagen
Diktion: Ausdrucksweise, Redeweise, Schreibweise, Sprache, Stil
Diktum: Ausspruch, Befehl, Spruch
Dilemma: Bedrängnis, Kalamität, Notlage, Notstand, Schwierigkeit, Zwangslage, peinliche Situation, schwierige Situation, unangenehme Situation, peinliche Lage, schwierige Lage, unangenehme Lage
Dilettant: Analphabet, Banause, Besserwisser, Laie, Nichtfachmann, Nichtskönner, Nichtswisser, Pfuscher, Stümper *Kurpfuscher, Quacksalber
dilettantisch: laienhaft, mangelhaft, oberflächlich, nicht fachmännisch *schlampig, stümperhaft, unfachmännisch, ungenügend, unzulänglich
Dimension: Abmessung, Ausdehnung, Ausmaß, Ausweitung, Dehnung, Erweiterung, Größe, Streckung, Umfang, Vergrößerung, Verlängerung, Weite, Weiterung, Weitung *Ausdehnung, Größenordnung
dimensionieren: abmessen, ausmessen, bemessen, berechnen, messen, nachprüfen, prüfen, vermessen
Ding: Gegenstand, Objekt, Sache *Apparat, Element, Etwas, Geschöpf, Gestalt, Materie, Objekt, Stoff, Substanz, Wesen, das Geschaffene, das Sein *Freundin, Mädchen *Affäre, Begebenheit, Besonderheit, Einmaligkeit, Episode, Ereignis, Erlebnis, Geschehen, Geschehnis, Intermezzo, Phänomen, Sache, Sensation, Vorfall, Vorkommnis, Wirbel, Zufall, Zwischenfall, Zwischenspiel
dingen: anheuern, beauftragen, bezahlen (für), kaufen, in Dienst nehmen
dingfest: sicher, verhaftet, aus dem Weg geräumt, in Verwahrung
dinglich: anschaulich, bildhaft, bildlich, figurativ, figürlich, gegenständlich, gestalthaft, greifbar, konkret, wirklichkeitsnah
Dinner: Abendbrot, Abendessen, Abendmahl, Abendmahlzeit, Abendtafel, Diner, Nachtessen, Nachtmahl, Souper
Diplom: Akte, Charta, Dokument, Schriftstück, Urkunde *Dokument, Urkunde, Zeugnis
Diplomat: Attaché, Botschafter, Delegationschef, Doyen, Gesandter, Geschäftsträger, Konsul, Legat, Missionschef,

Nuntius, Regierungsvertreter, Wahlkonsul, amtlicher Vertreter
Diplomatie: Cleverness, Durchtriebenheit, Gewandtheit, List, Raffinesse, Taktik, Verschlagenheit *Strategie, Verhandlungsgeschick, Verhandlungskunst
diplomatisch: abgefeimt, ausgefuchst, ausgekocht, bauernschlau, clever, durchtrieben, gerissen, geschäftstüchtig, geschickt, gewieft, gewitzt, listig, raffiniert, schlau, taktisch, verschlagen, verschmitzt
direkt: durchgehend, geradewegs, geradezu, mittendurch, schnurstracks, vorwärts, zielbewusst *buchstäblich, förmlich, geradezu, regelrecht, ganz und gar *einfach, freiheraus, freimütig, freiweg, geradeheraus, geradewegs, offen, rundheraus, rundweg, unumwunden, ohne Zögern *augenblicklich, flugs, geradewegs, momentan, postwendend, prompt, schnellstens, sofort, sogleich, unmittelbar, unverzüglich, auf Anhieb, auf der Stelle *ausgesprochen, förmlich, geradezu, regelrecht
Direktion: Aufsicht, Führung, Herrschaft, Kommando, Leitung, Lenkung, Management, Oberaufsicht, Regie, Regiment, Vorsitz *Direktorium, Präsidium, Spitze, Verwaltung, Vorstand
Direktive: Faustregel, Grundsatz, Instruktion, Kanon, Kompass, Lebensregel, Leitlinie, Leitsatz, Merkspruch, Norm, Prinzip, Regel, Regelung, Reglement, Richtlinie, Richtmaß, Richtsatz, Richtschnur, Satzung, Spielregel, Standard, Statut, Vorschrift *Anordnung, Anweisung, Aufforderung, Auftrag, Befehl, Bestimmung, Diktat, Geheimauftrag, Geheimbefehl, Geheiß, Instruktion, Kommando, Mussbestimmung, Mussvorschrift, Order, Verfügung, Verhaltensmaßregel, Verordnung, Vorschrift, Weisung
Direktor: Rektor, Schulleiter *Oberstudiendirektor, Studiendirektor *Boss, Chef, Leiter
Direktorium: Präsidium, Spitze, Verwaltung, Vorstand
Direktübertragung: Direktsendung, Livesendung, Originalübertragung
Dirigent: Bandleader, Chefdirigent, Chordirigent, Chorleiter, Gastdirigent, Generalmusikdirektor, Kapellmeister, Musikdirektor, Orchesterchef, Orchesterleiter *Bandleader, Leiter, Orchesterchef *Spielgestalter, Spielmacher
dirigieren: leiten, lenken, taktieren, den Takt schlagen, den Taktstock schwingen *führen, lenken, vorstehen, den Stab führen
Dirne: Beischläferin, Callgirl, Freudenmädchen, Hure, Kokotte, Kurtisane, Nutte, Prostituierte, Straßenmädchen, Strichmädchen, leichtes Mädchen
Dirnenhaus: Absteige, Bordell, Eros-Center, Etablissement, Freudenhaus, Liebestempel, Puff, öffentliches Haus *Swingerclub
Disharmonie: Dissonanz, Missklang *Missklang, Streit, Unausgeglichenheit, Uneinigkeit, Zerrissenheit, Zwiespältigkeit
disharmonisch: dissonant, falsch, misstönend, unmelodisch, unrein, unsauber *strittig, unausgeglichen, uneinig, zerrissen, zwiespältig
disjunktiv: gegensätzlich, trennend, einander ausschließend
Diskette: Disc, Disk, Magnetspeicher, Speichermedium, Speicherträger,
Diskont: Vorzinsen, Zinsvergütung
diskontinuierlich: abgehackt, stückweise, unterbrochen, unzusammenhängend, zusammenhanglos, mit Unterbrechungen
Diskontinuität: Unstetigkeit, unterbrochener Zusammenhang
Diskothek: Disco, Nachtclub, Tanzbar, Tanzlokal, Tanzschuppen *Schallplattenarchiv, Schallplattensammlung
Diskredit: übler Ruf
diskreditieren: verleumden, in Verruf bringen
Diskrepanz: Disproportion, Missverhältnis, Ungleichheit, Ungleichmäßigkeit, Unstimmigkeit, Verschiedenheit
diskret: dezent, rücksichtsvoll, taktvoll, unaufdringlich, verschwiegen, zurückhaltend, nicht aufdringlich *geheim, intern, intim, vertraulich, im Vertrauen, unter dem Siegel der Verschwiegenheit, unter vier Augen *abgetrennt, getrennt

Diskretion: Rücksicht, Takt, Verschwiegenheit, Zurückhaltung
diskriminieren: benachteiligen, gering schätzen, herabwürdigen, missachten, übergehen, zurücksetzen, ungerecht behandeln, unterschiedlich behandeln
Diskriminierung: Ächtung, Benachteiligung, Desavouierung, Diffamierung, Geringschätzung, Herabwürdigung, Missachtung, Ungerechtigkeit, Verächtlichmachung, Verachtung, Verunglimpfung, Zurücksetzung
Diskurs: Debatte, Disput, Disputation, Erörterung, Polemik, Streit, Streitgespräch, Wortgefecht, Wortstreit *Abhandlung, Aussprache, Behandlung, Beratung, Besprechung, Debatte, Diskussion, Disput, Erörterung, Gespräch, Streit, Untersuchung, Verhandlung
Diskussion: Abhandlung, Aussprache, Behandlung, Beratung, Besprechung, Debatte, Diskurs, Disput, Erörterung, Gespräch, Streit, Untersuchung, Verhandlung
diskutabel: annehmbar, erörterungswert, erwägenswert, gut, positiv, der Erwägung wert, eine Überlegung wert
diskutieren: abhandeln, s. auseinander setzen, behandeln, beraten, bereden, besprechen, darlegen, darstellen, debattieren, durchsprechen, erörtern, s. streiten (über), untersuchen, verhandeln, sprechen (über)
disparat: ungleichartig, unvereinbar, verschiedenartig, widerspruchsvoll, nicht zueinander passend
Disparität: Ungleichheit, Verschiedenheit, Widerspruch
Dispens: Ausnahme, Ausnahmebewilligung, Befreiung, Entbindung, Enthebung, Freigabe, Freistellung, Urlaub
dispensieren: befreien, beurlauben, entbinden, entheben, entlassen, freigeben, freistellen, loslassen, zurückstellen
dispergieren: verbreiten, zerstreuen, fein verteilen
Display: optische Datenanzeige
disponibel: verfügbar, zu haben
disponieren: berechnen, einteilen, planen, zuteilen *anberaumen, anordnen, festlegen, verfügen (über)
disponiert: aufgelegt, eingeteilt, gegliedert, gelaunt, geordnet, gestimmt, verfügt *empfänglich
Disposition: Anlage, Art, Beschaffenheit, Veranlagung *Berechnung, Einteilung, Planung *Änderung, Anordnung, Plan, Verfügung, Verfügungsgewalt
Disproportion: Missverhältnis, Ungleichheit
disproportioniert: ungleich, unverhältnismäßig
Disput: Abhandlung, Aussprache, Behandlung, Beratung, Besprechung, Debatte, Diskurs, Diskussion, Erörterung, Gespräch, Streit, Untersuchung, Verhandlung
disputieren: abhandeln, ausdiskutieren, auseinander setzen, behandeln, beraten, bereden, beschwatzen, besprechen, darlegen, darstellen, debattieren, diskutieren, durchdiskutieren, durchsprechen, erörtern, s. streiten (über), untersuchen, verhandeln, sprechen (über)
disqualifizieren: ausschalten, ausschließen, aussperren, ausstoßen, eliminieren
Disqualifizierung: Ächtung, Anathema, Ausschließung, Ausschluss, Ausstoßung, Disqualifikation, Elimination, Eliminierung, Entfernung, Exkommunikation, Kirchenbann, Kündigung, Relegation, Säuberungsaktion, Verfluchung
Dissens: Differenz, Disharmonie, Divergenz, Meinungsunterschied, Meinungsverschiedenheit, Nichtübereinstimmung, Unstimmigkeit
Dissertation: Doktorarbeit, wissenschaftliche Abhandlung
Dissident: Abweichler, Andersdenker, Andersgläubiger, Gegner, Neinsager, Opponent, Rebell, Widerständler
dissolvieren: auflösen, schmelzen, zerteilen
dissonant: dissonanzhaltig, misstönend, schräg, unstimmig, nach Auflösung verlangend
Dissonanz: Missklang, Misston, Spannungsklang, Unstimmigkeit
Distanz: Abstand, Entfernung, Ferne, Weite *Ecke, Ende, Entfernung, Etappe, Strecke, Weglänge, Wegstrecke *Distanziertheit, Einsilbigkeit, Reserve, Reser-

viertheit, Schweigsamkeit, Unnahbarkeit, Unzulänglichkeit, Verhaltenheit, Verschlossenheit, Vorbehalt, Wortkargheit, Zurückhaltung
distanzieren: führen, überflügeln, hinter sich lassen *abrücken, jmdn. vom Leibe halten, nicht mehr zu jmdm. halten ***s. distanzieren:** s. abgrenzen, abrücken (von), s. heraushalten, s. zurückziehen, nichts zu tun haben wollen (mit), Abstand nehmen
distanziert: abweisend, introvertiert, kontaktarm, kühl, reserviert, schweigsam, unnahbar, unterkühlt, unzugänglich, verhalten, verschlossen, wortkarg, zugeknöpft, zurückhaltend
Distinktion: Auszeichnung, Rang, Würde *Unterscheidung, Unterschied
distinktiv: auszeichnend, unterscheidend
Distrikt: Bezirk, Departement, Kanton, Verwaltungsbezirk *Bereich, Erdstrich, Flur, Gebiet, Gefilde, Gegend, Gelände, Landschaft, Landschaftsgebiet, Landstrich, Raum, Region, Revier, Terrain, Zone
Disziplin: Drill, Moral, Ordnung, Zucht *Bereich, Fachbereich, Fachrichtung, Teilgebiet
diszipliniert: beherrscht, geordnet, gesittet, ordentlich, züchtig, zuchtvoll
disziplinlos: dreist, frech, keck, kess, naseweis, schamlos, unartig, undiszipliniert, ungesittet, ungezogen, unmanierlich, unverfroren, unverschämt, vorlaut, vorwitzig, zuchtlos *chaotisch, durcheinander, ungeordnet, vermischt, wirr
Disziplinlosigkeit: Haltlosigkeit, Liederlichkeit, Undiszipliniertheit, Unordnung, Zuchtlosigkeit, Zügellosigkeit *Chaos, Durcheinander, Gewirr, Hexenkessel, Konfusion, Unordnung, Verwirrung, Wirrnis, Wirrsal
dito: ebenfalls, ebenso
divergent: abweichend, auseinander gehend, auseinander strebend, gegensätzlich, verschieden
Divergenz: Abweichung, Meinungsverschiedenheit, das Auseinanderstreben *Abweichung, Diskrepanz, Gegensatz, Kluft, Kontrast, Missverhältnis, Unähnlichkeit, Ungleichheit, Unstimmigkeit, Unterschied, Verschiedenheit
divergieren: abweichen, auseinander gehen, auseinander streben, kontrastieren, unterscheiden, variieren, anderer Meinung sein
divergierend: inkongruent, unähnlich, ungleich, ungleichmäßig, verschieden, verschiedenartig
diverse: einige, einzelne, etliche, manche, mehrere, verschiedene, wenige, ein paar, eine Reihe, eine Anzahl, dieser und jener, eine Hand voll
Dividende: Gewinnanteil, Tantieme
dividieren: auseinander nehmen, teilen, zergliedern, zerlegen, zerteilen
Division: Teilung *Heeresabteilung, Truppenverband
doch: aber, dabei, dagegen, dennoch, immerhin, indessen, jedoch, tatsächlich, trotzdem
Dogma: Behauptung, Doktrin, Gedankengebäude, Lehre, Lehrmeinung, Lehrsatz, Satz, Theorem, Theorie, These
dogmatisch: apodiktisch, doktrinär, engstirnig, kompromisslos, orthodox, radikal, starr, unbeweglich, uneinsichtig, unflexibel, unzugänglich
Doktor: Arzt, Facharzt, Heilkundiger, Medikus, Mediziner
Doktorarbeit: Dissertation, Inauguraldissertation
Doktrin: Gesichtspunkt, Grundsatz, Maxime, Moralprinzip, Prinzip, Regel *Behauptung, Dogma, Gedankengebäude, Lehre, Lehrmeinung, Lehrsatz, Satz, Theorem, Theorie, These
doktrinär: apodiktisch, dogmatisch, engstirnig, kompromisslos, orthodox, radikal, starr, unbeweglich, uneinsichtig, unflexibel, unzugänglich
Dokument: Akte, Charta, Diplom, Schriftstück, Urkunde *Beweis, Beweisstück, Corpus Delicti
dokumentarisch: amtlich, belegt, bestätigt, beweiskräftig, überzeugend, urkundlich
Dokumentation: Sammlung, Zusammenstellung, Zusammentragung, das Zusammengetragene *Aufdeckung, Beweis, Nachweis

Dokumentensammlung: Archiv, Material, Urkundensammlung, Weißbuch
dokumentieren: bekunden, belegen, beweisen, zeigen
dolce: lieblich, sanft, süß
dolmetschen: übersetzen, übertragen, als Dolmetscher fungieren, als Dolmetscher tätig sein
Dolmetscher: Interpret, Übersetzer *Assembler, Compiler, Interpreter
Dom: Bischofskirche, Hauptkirche, Kathedrale, Münster *Jahrmarkt, Kirchweih, Kirmes, Markt, Messe, Rummel, Volksfest
Domäne: Gutshof, Herrschaftsgebiet, Landgut, Staatsgut, Staatshof *Arbeitsgebiet, Fach, Spezialgebiet
Domestikation: Domestizierung, Zähmung, das Zähmen
domestizieren: abrichten, bändigen, dressieren, trainieren, zähmen, zureiten, zahm machen
dominant: beherrschend, besser, bestimmend, erhaben, führend, leistungsfähiger, souverän, tonangebend, überdeckend, überlegen, übermächtig, überragend, vorherrschend
Dominanz: Majorität, Mehrheit, Mehrzahl, Primat, Übergewicht, Überlegenheit, Übermacht, Überzahl, Vorherrschaft
dominieren: ausstechen, beherrschen, den Ton angeben, herrschen, hervortreten, vorherrschen, vorwalten
Domizil: Behausung, Daheim, Heim, Wohnsitz, Zuhause
Dompteur: Abrichter, Bändiger, Dresseur, Tierbändiger
Donner: Donnerrollen, Donnerschlag, Gewitter, Grollen, Schlag
donnern: gewittern, grollen, krachen, rumpeln, wettern *dröhnen, klappern, krachen, krakeelen, krawallen, lärmen, poltern, randalieren, rasseln, rattern, rummeln, rumoren, schallen, spektakeln, Rabatz machen, Krach machen, Radau machen *schelten, schimpfen, schnauzen *brausen, brüllen, brummen, dröhnen, erdröhnen, hämmern, klingen, knallen, krachen, lärmen, pochen, prasseln, rauschen, sausen, schallen, trommeln, widerhallen
Donnerschlag: Donner, Donnerrollen, Gewitter, Grollen, Schlag
Donnerwetter: Gewitter, Gewittertätigkeit, Wetter, Wetterleuchten *Belehrung, Denkzettel, Lehre, Lektion, Maßregelung, Schelte, Standpauke, Strafpredigt, Tadel, Warnung, Zurechtweisung
Donnerwetter!: Donnerlittchen!, zum Donnerwetter!, potztausend!, sackerlot!, sackerment!, sapperlot!, potz Wetter!, potz Blitz!
doof: dumm, dümmlich, töricht, unbedarft, unbedeutend, unerfahren, unintelligent *alltäglich, einfach, einfallslos, einförmig, ermüdend, fad, fade, flau, gleichförmig, langstielig, langweilig, monoton, öde, phantasielos, reizlos, tranig, trist, trocken, trostlos, üblich, uninteressant, unoriginell, wirkungslos, nicht viel los, ohne Pfiff
dopen: animieren, anregen, anreizen, aufpeitschen, aufputschen, beleben, stimulieren, Dopingmittel geben, Aufputschmittel verabreichen
Dopingmittel: Anabolika, Anregungsmittel, Aufputschmittel, Reizmittel, Stimulans, Wachstumshormone
Doppel: Abschrift, Dublette, Duplikat, Durchschlag, Durchschrift, Kopie, Zweitschrift *Double
doppelbödig: aalglatt, arglistig, bösartig, boshaft, doppelzüngig, falsch, frömmelnd, heuchlerisch, hinterhältig, hinterlistig, hinterrücks, intrigant, katzenfreundlich, lügenhaft, lügnerisch, scheinfromm, scheinheilig, unaufrichtig, unehrlich, unlauter, unredlich, unreell, unsolid, unwahrhaftig, verschlagen, versteckt, verstellt
Doppelbödigkeit: Abgründigkeit, Hintergründigkeit, Mehrdeutigkeit, Tiefsinn, Vieldeutigkeit
doppeldeutig: doppelsinnig, doppelzüngig, dunkel, geheimnisvoll, mehrdeutig, missverständlich, orakelhaft, rätselhaft, vieldeutig, zweideutig
Doppeldeutigkeit: Ambivalenz, Doppelbödigkeit, Doppelsinn, Mehrdeutigkeit, Vieldeutigkeit, Zweideutigkeit
Doppelehe: Bigamie

Doppelgänger: Double, Ersatzmann, Stuntman *Zwilling
Doppellaut: Diphthong
doppelseitig: vielseitig, zweiseitig
doppelt: beidseitig, doppelseitig, gepaart, paarig, paarweise, verdoppelt, zweifach, zweimal, zweispaltig, zweiteilig, zwiefach *zweifach, noch einmal
doppelwertig: ambivalent
doppelzüngig: arglistig, falsch, heuchlerisch, hinterhältig, hinterrücks, scheinheilig, tückisch, unaufrichtig
Dorf: Bauerndorf, Flecken, Kaff, Nest, Niederlassung, Ort, Örtlichkeit, Weiler
Dorfgemeinschaft: Dorfbewohner, Dorfeinwohner, Dorfgemeinde
dörflich: bäuerlich, ländlich, provinziell, rustikal
Dorfplatz: Anger, Kirchplatz, Marktplatz
Dorn: Spitze, Stachel
dornig: beschwerlich, leidvoll, schwer, schwierig *mit Dornen versehen
dörren: ausdörren, austrocknen, backen, darren, rösten, trocknen
Dorsch: Kabeljau, Schellfisch
dort: da, dortselbst, ebenda, ebendort, an jenem Ort, an jener Stelle, bei euch, bei ihnen, in jenem Land *anwesend, da, hier, präsent, zugegen
dorther: daher, ebendaher, von dort, von jenem Ort (her), von da, aus dieser Richtung
dorthin: dahin, ebendahin, nach dort, nach jenem Ort hin, an diese Stelle, an jene Stelle, an diesen Ort, an jenen Ort
Dose: Büchse, Gefäß, Schachtel *Konservenbüchse, Konservendose
dösen: ruhen, schlafen, schlummern, ein Nickerchen machen
dosieren: einteilen, messen, zuteilen
Dosierung: Abmessung, Einteilung, Zuteilung
Dosis: Bruchteil, Gabe, Maß, Menge, Quantität, Quantum, Überdosis
Dossier: Akte, Aktenbündel, Aktenstoß, Faszikel, Konvolut
Dotter: Eidotter, Eigelb
Double: Doppelgänger, Ersatzmann, Stuntman *Doppel
dozieren: lehren, unterrichten, unterweisen, Unterricht erteilen, Vorlesungen halten, Wissen vermitteln *belehren, schulmeistern
Drache: Ehefrau, Furie, Xanthippe *Lindwurm, Ungeheuer, Wurm
Draht: Flechtwerk, Geflecht, Gewinde *Seil *Abgrenzung, Zaun *Leitung
drahthaarig: rauhaarig
Drahthindernis: Barriere, Drahtverhau, Hindernis, Verhau, spanischer Reiter
drahtig: athletisch, elastisch, gelenkig, gewandt, kräftig, sportlich, trainiert *fest, hart, stark
Drahtzieher: Auftraggeber, Dunkelmann, Hinterbänkler, Hintermann, Obskurant, Schlüsselfigur, graue Eminenz
drakonisch: apodiktisch, barsch, bestimmt, bündig, diktatorisch, disziplinarisch, eisern, energisch, entschieden, ernst, fest, gebieterisch, gestreng, hart, hartherzig, herrisch, konsequent, massiv, rigoros, rücksichtslos, scharf, schroff, schwer, soldatisch, spartanisch, straff, streng, strikt, unbarmherzig, unerbittlich, unnachsichtig, unwidersprechlich
drall: aufgedunsen, beleibt, breit, dick, dickleibig, dicklich, dickwanstig, feist, fett, fettleibig, fleischig, füllig, gemästet, gewaltig, korpulent, kugelrund, massig, mollig, pausbäckig, plump, pummelig, rund, rundlich, stämmig, stark, stramm, umfangreich, unförmig, üppig, vierschrötig, vollleibig, vollschlank, wohlbeleibt, wohlgenährt
Drall: Drehbewegung, Drehung
Drama: Affenkomödie, Affentanz, Affentheater, Gehabe, Geschrei, Gestürm, Gesums, Getöse, Getue, Krampf, Theater, Trara, Zirkus, unsinniges Tun *Schauspiel, Theaterstück
Dramatik: Bühnendichtung, dramatische Dichtung *Aufregung, Beunruhigung, Spannung, Unruhe
Dramatiker: Bühnenautor, Dramendichter, Stückeschreiber, Theaterautor
dramatisch: atemberaubend, aufregend, aufwühlend, erregend, faszinierend, fesselnd, mitreißend, nervenaufreibend, packend, prickelnd, spannend, spannungsreich
dramatisieren: aufbauschen, ausweiten,

s. hineinsteigern, hochspielen, überspannen, überspitzen, übersteigern, übertreiben, überziehen, zu weit gehen, auf die Spitze treiben
dran: fällig, an der Zeit, zu erwarten, an der Reihe, der Nächste *an, daran, haftend, klebend
Dränage: Entwässerung
Drang: Fernweh, Heimweh, Schmachten, Sehnsucht, Verlangen, Wunsch *Instinkt, Naturtrieb, Trieb
drängen: bedrängen, belästigen, bohren, nicht aufhören (mit), quengeln, treiben, zusetzen, keine Ruhe lassen, nicht nachlassen *drängeln, drücken, schieben *brennen, eilen, pressieren, keinen Aufschub dulden, keinen Aufschub leiden *begehren, fordern, verlangen
Drangsal: Armseligkeit, Armut, Bedrängnis, Druck, Elend, Krise, Misere, Not, Pression, missliche Lage, missliche Umstände
drangsalieren: foltern, malträtieren, martern, misshandeln, peinigen, quälen, schinden, terrorisieren, traktieren, tyrannisieren, grausam sein, Schmerzen bereiten, Qualen bereiten, Pein bereiten, weh tun *belästigen, peinigen, plagen, schikanieren, das Leben zur Hölle machen
dränieren: ableiten, dränen, entleeren, entwässern, kanalisieren, trockenlegen
drastisch: bestimmt, energisch, entschieden, hart, massiv, rigoros, rücksichtslos, scharf, streng, strikt *deutlich, eindringlich, inständig, nachdrücklich, ultimativ, unmissverständlich *anschaulich, bilderreich, bildhaft, einprägsam, farbig, illustrativ, lebendig, plastisch, sprechend, veranschaulichend, verständlich
Draufgänger: Hansdampf, Haudegen, Held, Kämpfer, Tausendsassa
draufgängerisch: furchtlos, heroisch, kühn, tollkühn, unerschrocken, verwegen, wagemutig
draufgeben: drauflegen, zulegen, zuschießen *ausschimpfen, tadeln, zurechtweisen
drauflegen: zubuttern, zuschießen, zusetzen, zuzahlen *aufeinander legen, stapeln
draußen: außerhalb, heraußen, im Freien, unter freiem Himmel *abgelegen, abgeschieden, abseits, entfernt, entlegen, fern, fernab, fern liegend, fremd, unbekannt, unerreichbar, unzugänglich, weit, weitab, in der Ferne, weit davon *außerhalb, auswärts, nicht am Ort, außer Haus, von außen, in der Fremde, nicht zu Hause
Dreck: Schmutz, Staub, Unrat *Gerümpel, Klimbim, Kram, Krempel, Plunder, Ramsch, Schund, Trödel, Zeug
dreckig: angeschmutzt, angestaubt, fettig, fleckig, ölig, schmierig, schmutzig, speckig, trübe, unrein, verschmutzt *anstößig, lasterhaft, liederlich, pikant, ruchlos, schlecht, schlüpfrig, sittenlos, unanständig, ungebührlich, ungehörig, unkeusch, unmoralisch, unschicklich, unsittlich, unsolide, unziemlich, unzüchtig, verdorben, verrucht, verworfen, wüst, zotig, zuchtlos, zweideutig
Dreh: Kunstgriff, List, Manipulation, Schliche, Trick *Aufklärung, Ausweg, Ergebnis, Lösung, Patentrezept, Resultat, Schlüssel, Ei des Kolumbus
Drehbuch: Filmmanuskript, Filmszenarium, Manuskript, Szenarium, Treatment
drehen: umdrehen, wenden *kurbeln, leiern, rollen *filmen, einen Film machen, einen Film abdrehen, einen Film aufnehmen *anfangen, anpacken, anstellen, bewerkstelligen, deichseln, ermöglichen, erreichen, fädeln, hinbiegen, hinkriegen, managen, meistern, schmeißen, steuern, zurechtkommen, zustande bringen, zuwege bringen ***s. drehen:** s. rollen, rotieren, umlaufen, wälzen
Drehgelenk: Kardangelenk, Rotationsgelenk, Scharnier
Drehorgel: Drehleier, Leierkasten, Werkel
Drehpunkt: Achse, Angelpunkt, Mittelpunkt, Nabel, Pol
Drehung: Rotation, Strudel, Tour, Umdrehung, Umlauf, Wirbel *Floskel, Formel, Gemeinplatz, Phrase, Redefloskel, Redensart, Redewendung, Wendung
Dreieinigkeit: Dreifaltigkeit, Trinität
dreist: frech, keck, kess, naseweis, scham-

los, unartig, ungesittet, ungezogen, unmanierlich, unverfroren, unverschämt, vorlaut, vorwitzig
Dreistigkeit: Frechheit, Schamlosigkeit, Ungezogenheit, Unverfrorenheit, Unverschämtheit
Dresche: Haue, Prügel, Schläge
dreschen: prügeln, verprügeln, balgen, boxen, durchprügeln, einprügeln (auf), einschlagen (auf), losschlagen, ohrfeigen, peitschen, prügeln, schlagen, verdreschen, verhauen, verklopfen, verprügeln, züchtigen, zuhauen, zusammenschlagen, zuschlagen, handgreiflich werden, tätlich werden, wehtun, einen Schlag versetzen, Schläge versetzen, Prügel austeilen *musizieren
Dress: Anzug, Kleidung
Dresseur: Abrichter, Dompteur, Tierbändiger, Tierlehrer, Zureiter
dressieren: abführen, abrichten, schulen *anrichten, herrichten, verzieren, vorbereiten, zubereiten
Dressing: Gewürzmischung, Kräutermischung, Salatsoße *Bratfülle, Bratfüllung, Füllung
Dressman: Fotomodell, Model, Modell, Vorführer, Vorführmann
Dressur: Abrichtung, Schulung *Dressurakt, Dressurnummer, Kunststück
Drift: Sog, Strom, Strömung, Trift
drillen: ausbilden, schinden, schleifen
dringen: beharren (auf), bestehen, erzwingen, pochen (auf), s. versteifen, Bedingungen stellen, bleiben (bei), nicht ablassen, nicht lockerlassen, sein Recht behaupten *brechen, gelangen, kommen
dringend: akut, beachtlich, bedeutend, brennend, erforderlich, ernstlich, erwähnenswert, essenziell, folgenreich, geboten, gewichtig, grundlegend, inhaltsschwer, lebenswichtig, notwendig, obligat, relevant, schwer wiegend, signifikant, substanziell, substanzhaft, unausweichlich, unentbehrlich, unerlässlich, unumgänglich, unvermeidlich, vordringlich, wesentlich, wichtig, zwingend *bestimmt, betont, drastisch, dringlich, eindeutig, emphatisch, energisch, entschieden, entschlossen, ernst, ernsthaft, ernstlich, fest, intensiv, nachdrücklich, stringent, ultimativ, unmissverständlich, mit Nachdruck, mit Gewicht *drängend, dringlich, eilig, unaufschiebbar, wichtig, höchste Zeit, möglichst sofort
dringlich: bestimmt, betont, drastisch, eindeutig, emphatisch, energisch, entschieden, entschlossen, ernst, ernsthaft, ernstlich, fest, intensiv, nachdrücklich, stringent, ultimativ, unmissverständlich, mit Nachdruck, mit Gewicht *drängend, eilig, unaufschiebbar, wichtig, höchste Zeit, möglichst sofort
Dringlichkeit: Bestimmtheit, Eindringlichkeit, Emphase, Energie, Entschiedenheit, Inständigkeit, Nachdruck, Stringenz
Drink: Cocktail, Mixgetränk, Trank, Trunk, alkoholisches Getränk
drinnen: darin, herinnen, hier, innen, innerlich, inwendig, (hier) drin, im Innern *in, inmitten, innerhalb, intern, privat, im kleinen Kreis, im kleinen Bereich
Droge: Arznei, Arzneimittel, Heilmittel, Medikament, Medizin, Mixtur, Pharmazeutikum, Pillen, Präparat
drogenabhängig: abhängig, drogensüchtig, süchtig
Drogenhändler: Dealer, Pusher
drohen: bedrohen, eine Drohung ausstoßen, Drohungen ausstoßen, die Faust ballen *bevorstehen, herankommen, kommen, nahen, s. nähern, erwartet werden, im Anzug sein, im Verzug sein, ins Haus stehen
dröhnen: brausen, brüllen, brummen, donnern, erdröhnen, hämmern, klingen, knallen, krachen, lärmen, pochen, prasseln, rauschen, sausen, schallen, trommeln, widerhallen
dröhnend: grell, laut, lautstark, markerschütternd, ohrenbetäubend, ohrenzerreißend, schallend, schrill, überlaut
Drohung: Drohbrief, Schreckschuss, Warnung *Ermahnung, Mahnung, Verwarnung
drollig: geistreich, gelungen, herzig, humoristisch, humorvoll, komisch, lustig, neckisch, possenhaft, possierlich, putzig, schalkhaft, schelmisch, scherzhaft, schnurrig, spaßhaft, spaßig, trocken, ulkig, unterhaltsam, witzig

Droschke: Kutsche, Mietfahrzeug, Mietwagen, Taxi, Wagen
drosseln: abdrosseln, begrenzen, beschränken, eingrenzen, herabdrücken, herabmindern, herabsetzen, heruntergehen, herunterschrauben, kürzen, streichen, verkleinern, verkürzen, verlangsamen, verringern, Gas wegnehmen *abbremsen, abdrosseln, aufhalten, beeinträchtigen, behindern, behindern, blockieren, bremsen, dämmen, eindämmen, einengen, einschränken, entgegenwirken, erschweren, hemmen, hindern, lähmen, sabotieren, zügeln, Fesseln anlegen, hinderlich sein, im Wege stehen, ohnmächtig machen, handlungsunfähig machen, Schranken setzen *abwürgen, erhängen, ermorden, ersticken, erwürgen, strangulieren, töten, würgen, die Kehle zudrücken, die Kehle zuschnüren
Drosselung: Abbau, Abstrich, Begrenzung, Beschneidung, Beschränkung, Dezimierung, Einschränkung, Herabsetzung, Kürzung, Minderung, Reduktion, Reduzierung, Schmälerung, Streichung, Verminderung, Verringerung
drüben: entgegengesetzt, jenseits, am anderen Ufer, auf der anderen Seite
drüber: darüber, oberhalb, über
Druck: Einengung, Nötigung, Pression, Unterdrückung, Zwang, das Muss *Gewalt, Härte, Kraft, Stärke, Vehemenz, Wucht, Wuchtigkeit *Abdruck, Druckerzeugnis, Druckwerk, Erstdruck, Frühdruck, Reproduktion, Veröffentlichung *Gewicht, Last, Schwere, Tension *Armseligkeit, Armut, Bedrängnis, Drangsal, Elend, Krise, Misere, Not, missliche Lage, missliche Umstände
Drückeberger: Angsthase, Duckmäuser, Feigling, Hase, Hasenfuß, Hasenherz, Jämmerling, Kneifer, Memme, Schwächling, Weichling *Bummelant, Bummler, Daumendreher, Faulenzer, Faulpelz, Flaneur, Müßiggänger, Nichtstuer, Phlegmatiker, Schmarotzer, Tagedieb, Taugenichts, fauler Strick
drucken: abdrucken, abziehen, ausdrucken, herausbringen, herausgeben, publizieren, setzen, veröffentlichen
drücken: heben, hochheben, reißen, stemmen, stoßen *bedrängen, bedrücken, beengen, beklemmen, belasten, beschweren, lasten, peinigen, plagen, schmerzen, traurig machen, im Magen liegen, an die Nieren gehen *abrücken, bedrängen, drängen, drängeln, drängen, rollen, rücken, schieben, stoßen, beiseite schieben *beschränken, eingrenzen, herabdrücken, herabmindern, herabsetzen, heruntergehen, herunterschrauben, reduzieren, verringern *umarmen, umfangen, umfassen, umhalsen, umklammern, umschließen, umschlingen, an sich pressen, an sich ziehen, die Arme schlingen (um), in die Arme nehmen, in die Arme schließen, ans Herz drücken, um den Hals fallen *ausdrücken, auspressen, klemmen, kneten, platt drücken, pressen, quetschen, Druck ausüben *anschlagen, betätigen, tippen *peinigen, unterdrücken, unterwerfen *einengen, einschnüren, einzwängen *fixen, spritzen ***s. drücken:** s. davonmachen, s. entfernen, s. entziehen, kneifen, meiden
drückend: bleiern, bleischwer, gewichtig, lastend, massig, schwer, wuchtig, kaum zu heben, kaum zu tragen, kaum zu bewegen, nicht leicht, schwer wie Blei, viel Gewicht habend, wie ein Klotz *feuchtwarm, gewitterschwer, gewittrig, schwül, stechend, stickig, tropisch, drückend heiß
Druckerzeugnis: Abdruck, Druck, Druckwerk, Reproduktion, Veröffentlichung
Druckgraphik: Gebrauchsgraphik, Modegraphik, Werbegraphik
Druckmittel: Pression, Repressalie, Vergeltungsmaßnahme, Zwangsmaßnahme
druckreif: einwandfrei, fehlerlos, perfekt, vollkommen
Druckwerk: Druck, Druckerzeugnis, Druckschrift, Erscheinung, Faksimile, Faksimiledruck, Reproduktion, Schrift, Veröffentlichung, Wiedergabe
Drudenfuß: Pentalpha, Pentagramm
Dschungel: Dickicht, Urwald
dual: zweigliedrig, eine Zweiheit bildend
Dual: Zweiheit, Zweizahl
dualisieren: doppeln, dublieren, duplizieren, verdoppeln, verzweifachen, doppelt machen

Dualismus: Gegensatz, Gegensätzlichkeit, Polarität, Unterschied, Verschiedenartigkeit *Doppelheit, Duplizität, Zweiheit

dualistisch: antagonistisch, diametral, disparat, divergent, entgegengesetzt, entgegenstellend, extrem, gegensätzlich, gegenteilig, inkompatibel, kontradiktorisch, konträr, oppositionell, polar, umgekehrt, unverträglich, widersinnig, widersprüchlich, widerspruchsvoll, nicht vereinbar, nicht übereinstimmend

Dualität: Doppelheit, Vertauschbarkeit, Zweigliederung, Zweiheit

dübeln: befestigen, eindübeln, festmachen, verankern, verdübeln

dubios: bedenklich, fraglich, fragwürdig, problematisch, streitig, strittig, umstritten, unbestimmt, unbewiesen, unentschieden, ungeklärt, ungewiss, unglaubhaft, unglaubwürdig, zweifelhaft *anrüchig, bedenklich, lichtscheu, nebulös, obskur, ominös, suspekt, unheimlich, verrufen, verschrien

Dublette: Abschrift, Doppel, Duplikat, Durchschlag, Durchschrift, Kopie, Zweitschrift

dublieren: doppeln, dualisieren, duplizieren, verdoppeln, verzweifachen, doppelt machen

ducken: bedrängen, bedrücken, demütigen, drangsalieren, knebeln, knechten, niederhalten, terrorisieren, tyrannisieren, unterdrücken, unterjochen, versklaven, ins Joch spannen, in Schach halten *folgen, gehorchen, nachkommen, parieren, Folge leisten, gehorsam sein ***s. ducken:** s. beugen, s. niederbeugen, s. bücken, kauern, s. klein machen, s. krümmen, Deckung nehmen, in Deckung gehen

Duckmäuser: Feigling, Heuchler, Kriecher, Leisetreter, Mucker, Schleicher, Schwächling, Weichling

duckmäuserisch: feige, heuchlerisch, leisetreterisch, muckerisch, schwach, unterwürfig

Dudelsack: Sackpfeife

Duell: Zweikampf

Duett: Wechselgesang, Zwiegesang

Duft: Aroma, Bukett, Duftwolke, Geruch, Hauch, Odeur, Parfüm, Wohlgeruch *Reiz *Ausdünstung, Dunst, Gestank, Stank, übler Geruch, schlechter Geruch, verbrauchte Luft

dufte: fein, großartig, gut, herrlich, in Ordnung

duften: angenehm riechen, gut riechen *stinken, stinken wie die Pest, übel riechen, scheußlich riechen, bestialisch riechen, schlecht riechen, von üblem Geruch sein, von schlechtem Geruch sein

duftend: parfümiert, gut riechend, angenehm riechend *stinkend, übel riechend

duftig: ätherisch, blumenhaft, durchsichtig, hauchfein, hauchzart, locker, leicht wie ein Hauch

Duftwasser: Duftessenz, Duftstoff, Parfüm, Riechwasser

Duktus: Besonderheit, Charakter, Eigenart, Eigenheit, Eigenschaft, Eigentümlichkeit, Gepräge, Kennzeichen, Manier, Merkmal, Spezialität, Spezifikum, Typ, Wesensart *Linienführung, Schreibart, Schriftzug *Kanal, Verbindungsgang

dulden: auffangen, aushalten, ausstehen, bestehen, bewältigen, durchleiden, durchmachen, durchstehen, erdulden, erleiden, ertragen, hinnehmen, leiden, mitmachen, tragen, überwinden, verarbeiten, verdauen, verkraften, verschmerzen, vertragen, fertig werden, über sich ergehen lassen *tolerieren, übersehen, zulassen, durchgehen lassen

duldsam: aufgeschlossen, einsichtig, freizügig, liberal, nachsichtig, tolerant, versöhnlich, verständnisvoll, weitherzig

Duldsamkeit: Großmut, Großzügigkeit, Liberalität, Nachgiebigkeit, Toleranz

Dult: Dom, Jahrmarkt, Kirmes, Messe, Rummel, Volksfest, Wasen

dumm: begriffsstutzig, bescheuert, borniert, dämlich, doof, dümmlich, gutgläubig, hirnlos, naiv, stockdumm, strohdumm, stupide, töricht, unerfahren, unintelligent, unverständig, auf den Kopf gefallen *idiotisch, irrsinnig, schwachköpfig, schwachsinnig, verblödet, verrückt *abträglich, ärgerlich, lästig, leidig, misslich, negativ, schlecht, störend, unangenehm, unbequem, unerfreulich, unerquicklich, ungemütlich, ungünstig, ungut, unliebsam, unwillkommen, verdrießlich, verpönt *benommen, nebelig, schwindlig, schwummrig, taumelig

dummerweise: bedauerlicherweise, fatalerweise, jammerschade, leider, schade, unglücklicherweise, mit Bedauern, zu meinem Leidwesen, zu meinem Bedauern

Dummheit: Begriffsstutzigkeit, Beschränktheit, Blödheit, Borniertheit, Dämlichkeit, Engstirnigkeit, Stupidität, Unbedarftheit, Unbegabtheit, Unverstand *Bildungslücke, Nichtwissen, Unbelesenheit, Unerfahrenheit, Uninformiertheit, Unkenntnis *Lausbubenstreich, Streich *Absurdität, Blödsinnigkeit, Irrwitz, Sinnwidrigkeit, Unsinn, Unsinnigkeit, Unvernunft, Wahnwitz, Widersinnigkeit *Beschränktheit, Idiotie, Idiotismus *Fehler, Fehltritt, Kapitalfehler, Patzer, Schnitzer, Schuld, Übertretung, Verfehlung, Vergehen, Verstoß, Zuwiderhandlung

Dummkopf: Armleuchter, Banause, Blödian, Depp, Dummerjan, Dümmling, Einfaltspinsel, Elefantenbaby, Esel, Flachkopf, Grünschnabel, Hampel, Hanswurst, Hohlkopf, Ignorant, Kauz, Kindskopf, Narr, Nichtskönner, Nichtswisser, Pflaume, Schwachkopf, Simpel, Strohkopf, Stümper, Tollpatsch, Tölpel, Tor, Trottel, Versager, hohler Kopf *Idiot, Irrsinniger, Schwachsinniger

dumpf: beduselt, benommen, betäubt, duselig, eingenommen, schwindlig, unaufmerksam, leicht umnebelt, im Dusel, im Tran *gering, schwach *dumpfig, feucht, kellerhaft, modrig, schwül, stickig, stockig, ungelüftet *belegt, gedämpft, heiser, klanglos, matt *glanzlos, matt *stumpf, unbewusst, unklar *abgestumpft, apathisch, lethargisch, stumpfsinnig, teilnahmslos, unempfindlich *dumpftönend, dunkel, erstickt, gedämpft, hohl, hohlklingend, leise

Dumpfheit: Benommenheit, Betäubung, Dusel, Schwindel, Tran, Unaufmerksamkeit *Langeweile, Stumpfsinn, Stupidität

düngen: anreichern, güllen, jauchen, odeln, Mist ausbringen, den Boden verbessern

Dünger: Bodenverbesserung, Dung, Düngemittel *Guano, Gülle, Kompost, Mist, Naturdünger, Odel, Stalldung, Stalldünger, Stallmist, natürlicher Dünger *Kunstdünger, Mineraldünger, künstlicher Dünger

dunkel: abendlich, beschattet, dämmrig, düster, finster, halbdunkel, lichtlos, rabenschwarz, schattig, schwarz, stockdunkel, stockfinster, trübe *bedeckt, bezogen, unfreundlich, verfinstert *bedauerlich, bedauernswert, bejammernswert, beklagenswert, bemitleidenswert, betrüblich, desolat, düster, elend, entmutigend, erbärmlich, erbarmungswürdig, ergreifend, erschreckend, erschütternd, freudenarm, freudenleer, freudlos, hart, herzbewegend, herzbrechend, herzergreifend, hoffnungslos, jammervoll, kläglich, leiderfüllt, leidvoll, Mitleid erregend, qualvoll, tragisch, traurig, trist, trostlos, unerfreulich, unfroh, unglücklich, unglückselig *geheimnisvoll, rätselhaft, unbestimmt, undeutlich, undurchsichtig, unlösbar, unscharf, vage, vieldeutig *dunkelfarben, dunkelfarbig, schwarz *heikel, kritisch, suspekt, undurchsichtig, verdächtig, nicht geheuer *braun, braunhaarig, brünett, dunkelhaarig, schwarz, schwarzhaarig *ungewiss, unklar, verschwommen

Dunkel: Dämmerung, Dunkelheit, Düsterkeit, Düsternis, Finsternis, Halbdunkel, Nacht *Geheimnis, Rätsel, Undurchsichtigkeit *Fraglichkeit, Unbestimmtheit, Unentschiedenheit, Ungewissheit, Ungewisse, Unsicherheit, Zweifel, Zweifelhaftigkeit

Dünkel: Arroganz, Blasiertheit, Einbildung, Eitelkeit, Geziertheit, Herablassung, Hochmut, Hoffart, Prahlerei, Stolz, Überheblichkeit

dunkelhaarig: braun, braunhaarig, brünett, dunkel, schwarz, schwarzhaarig

dünkelhaft: anmaßend, arrogant, aufgeblasen, blasiert, eingebildet, gnädig, großspurig, herablassend, hochfahrend, hochmütig, hochnäsig, hoffärtig, prätentiös, selbstbewusst, selbstgefällig, selbstgerecht, selbstherrlich, selbstsicher, selbstüberzeugt, selbstüberzogen, stolz,

süffisant, überheblich, wichtigtuerisch, von oben herab
Dunkelheit: Dämmerung, Dunkel, Düsterkeit, Düsternis, Finsterkeit, Finsternis, Halbdunkel, Nacht, Rabennacht, Schwärze
dunkeln: dämmern, düstern, eindunkeln, dunkel werden
dünken: anmuten, erscheinen, scheinen, vermuten, wirken, den Anschein haben, den Eindruck machen, aussehen nach
dünn: leicht, luftdurchlässig, sommerlich *abgezehrt, ausgehungert, ausgemergelt, eingefallen, spindeldürr, unterernährt *brüchig, instabil, schwach, schwankend, unfest, unsicher, veränderlich, wackelig *gliedrig, feingliedrig, dürr, hager, mager, schlank, schmal, zart *gelichtet, karg, knapp, schütter, spärlich *dünnflüssig, fließend, rinnend, wässrig *fadendünn, fein, hauchdünn, schwach *klar, glasklar, durchscheinend, durchsichtig, gläsern, hell, kristallklar, rein, sauber, transparent, ungetrübt *abgenützt, abgetragen, abgewetzt, schäbig, verschlissen ***dünn bevölkert:** dünn besiedelt, schwach besiedelt, schwach bevölkert
dünnflüssig: flüssig, wässrig, wasserhaltig
dünn gesät: gelichtet, licht, spärlich, dünn (bewachsen) *selten
dünnmachen (s.): abhauen, davonlaufen, davonrennen, fliehen
Dunst: Brodem, Dampf, Diesigkeit, Dunstschleier, Nebel, Nebelschwaden, Rauch, Trübung *Ausdünstung, Ausscheidung, Duft, Geruch
dünsten: dämpfen, garen, schmoren *duften, stinken, stinken wie die Pest, übel riechen, scheußlich riechen, bestialisch riechen, schlecht riechen, von üblem Geruch sein
dunstig: diesig, neblig, nebelig
Dunstschicht: Dunstglocke, Dunstschleier, Luftverpestung, Luftverschmutzung, Nebel, Smog
Dünung: Gewoge, Seegang, Wellenbewegung, Wellengang, Wellenschlag
Duplikat: Abschrift, Doppel, Dublette, Durchschlag, Durchschrift, Kopie, Zweitschrift
duplizieren: kopieren, sichern, verdoppeln
Duplizität: Doppelheit, Zweideutigkeit, Zweiheit *Zufallsereignis, zufälliges Zusammentreffen
Dur: harte Tonart
durch: hindurch, mittendurch, querdurch *anhand, infolge, kraft, mit, mit Hilfe (von), mittels, per, vermöge, wegen *durchgebacken, gar, gargekocht *auseinander, entzwei, getrennt
durcharbeiten: durchackern, durchlesen, durchnehmen, durchpauken, durchstudieren, lernen, präparieren, vorbereiten *drücken, durchkneten, durchwalken, durchwirken, kneten, quetschen, vermengen, walken, wirken *bearbeiten, durchreiben, massieren *weiterarbeiten, weitermachen, ohne Pause arbeiten, ohne Unterbrechung arbeiten, pausenlos arbeiten ***s. durcharbeiten:** s. durchdrängen, s. einen Weg bahnen, s. Platz verschaffen
durchaus: ganz, gänzlich, geradezu, restlos, total, völlig, vollkommen *absolut, bestimmt, partout, unbedingt, in jeder Beziehung, auf jeden Fall, unter allen Umständen, ganz und gar, so oder so, um jeden Preis
durchbiegen: durchdrücken, strecken ***s. durchbiegen:** durchhängen
durchblättern: anschauen, ansehen, durchfliegen, durchgehen, durchmustern, durchschauen, durchsehen, durchwälzen, überfliegen
Durchblick: Einblick, Einsicht, Erfahrung, Erkenntnis, Erleuchtung, Kenntnis, Wissen
durchblicken: s. auskennen, dahinter gucken, durchgucken, durchschauen, durchsehen, erkennen, auf die Schliche kommen, hinter die Schliche kommen, hinter die Kulissen blicken *durchgucken, durchschauen, durchsehen, durchspähen, hindurchschauen, hindurchsehen, hindurchspähen *durchsehen, einsehen, erproben, prüfen, testen, überprüfen, unter die Lupe nehmen, auf Herz und Nieren prüfen, auf den Zahn fühlen, einer Prüfung unterwerfen, einer Prüfung unterziehen *durchblättern, durch-

gucken, durchmustern, durchschauen, durchsichten
durchbohren: durchbrechen, durchlochen, durchlöchern, durchschlagen, durchsieben *anstarren, durchdringen *durchspießen, durchstechen, durchstoßen *erdolchen, ermorden, erstechen
durchboxen: ausrichten, bewerkstelligen, bewirken, deichseln, durchdrücken, durchfechten, durchkämpfen, durchsetzen, erarbeiten, erlangen, erreichen, erringen, ertrotzen, erwirken, erzielen, erzwingen, fertig bekommen, fertig bringen, fertig kriegen, leisten, managen, realisieren, schaffen, verwirklichen, vollbringen, zuwege bringen, zustande bringen ***s. durchboxen:** s. behaupten, s. durchbeißen, s. durchbringen, s. durchfechten, s. durchhungern, s. durchkämpfen, s. durchquälen, s. durchschlagen, s. durchsetzen, s. durchwursteln, s. durchs Leben schlagen, Erfolg haben, ans Ziel kommen, es schaffen
durchbrechen: auseinander brechen, brechen, durchhauen, durchklopfen, teilen, trennen, zerbrechen *durchdringen, durchleuchten, durchscheinen, durchschimmern *durchbohren, perforieren *s. durchhauen, s. durchkämpfen, durchstoßen, eine Bresche schlagen
durchbrennen: durchglühen, durchschmelzen, durchschmoren *s. absetzen, ausbrechen, ausrücken, davonlaufen, durchgehen, entfliehen, entkommen, entlaufen, entrinnen, entwischen, fliehen, flüchten, türmen, verschwinden, wegschleichen, das Weite suchen, Reißaus nehmen *ausweichen, desertieren, einen Bogen machen (um), meiden, scheuen, umgehen, abtrünnig werden, fahnenflüchtig werden, aus dem Wege gehen, seinen Posten verlassen
durchbringen: prassen, verbringen, vergeuden, verjubeln, verplempern, verprassen, verpulvern, verschlemmen, verschleudern, verschwenden, verschwenderisch umgehen (mit), verspielen, vertun, verwirtschaften, sein Geld zum Fenster hinauswerfen, auf großem Fuß leben, über seine Verhältnisse leben, mit vollen Händen ausgeben *durchboxen, durchdrücken, durchfechten, durchkriegen, durchpauken, durchpeitschen, durchsetzen, durchziehen, erreichen, ertrotzen, erzwingen, eine Bahn brechen, zum Durchbruch verhelfen, zum Durchbruch bringen *abheilen, ausheilen, auskurieren, durchkriegen, heilen, helfen, herstellen, hochbringen, kurieren, retten, sanieren, stärken, wiederherstellen, (erfolgreich) behandeln, gesund machen, Erste Hilfe leisten, auf die Beine bringen, über den Berg bringen *unterhalten *behandeln, lehren, pauken, unterrichten ***s. durchbringen:** s. durchkämpfen, s. durchs Leben schlagen, s. durchschlagen, s. durchsetzen
durchbrochen: gitterförmig, netzförmig
Durchbruch: Bresche, Durchgang, Durchlass, Durchstich, Einschnitt, Enge, Engpass, Pforte, Stollen *Erfolg, Glück
durchdacht: begründet, fertig, geformt, geprägt, methodisch, überlegt, vollendet *absichtlich, ausgearbeitet, ausgereift, ausgewogen, beabsichtigt, bedacht, bewusst, gewollt, überlegt, wohl bedacht, wohl überlegt, wohlweislich, mit Vorbedacht, mit Bedacht
durchdenken: abwägen, bedenken, s. besinnen, s. durch den Kopf gehen lassen, erwägen, nachdenken, überdenken, überlegen, überschlagen, ventilieren
durchdiskutieren: abhandeln, ausdiskutieren, auseinander setzen, behandeln, beraten, bereden, beschwatzen, besprechen, darlegen, darstellen, debattieren, diskutieren, durchsprechen, erörtern, s. streiten (über), untersuchen, verhandeln, sprechen (über)
durchdrängen (s.): s. durcharbeiten, s. durchdrängeln, s. durchquetschen, s. durchzwängen, s. einen Weg bahnen, s. hindurchdrängen
durchdrehen: durchjagen, faschieren, mahlen, durch den Wolf drehen *durchtreiben *explodieren, platzen, rotieren, die Beherrschung verlieren, unbeherrscht sein, aus der Haut fahren, ungerecht werden *rotieren, überdrehen, überschnappen, kopflos werden, verrückt werden, den Verstand verlieren, die Nerven verlieren, außer sich geraten

durchdreschen: maßregeln, verhauen, verprügeln, züchtigen
durchdringen: durchbrechen, durchfeuchten, s. durchfressen, durchgehen, durchkommen, durchlaufen, durchnässen, durchschlagen, durchsickern, durchtreten, durchweichen *beseelen, durchbeben, durchbrausen, durchfluten, durchglühen, durchkriechen, durchlaufen, durchpulsen, durchrieseln, durchrinnen, durchströmen, durchstürmen, durchtränken, durchwogen, durchziehen, erfüllen, schwängern
durchdringend: beißend, intensiv, penetrant, scharf, stark, stechend, streng *gellend, grell, laut, lautstark, markerschütternd, ohrenzerreißend, schrill, überlaut
durchdrücken: durchbiegen, strecken *durchpassieren, durchpressen, durchquetschen, durchrühren, durchschlagen, durchstreichen, passieren *durchboxen, durchbringen, durchpauken, durchpeitschen, durchsetzen, erreichen, erzwingen
durcheinander: chaotisch, ungeordnet, vermengt, vermischt, wirr *geistesabwesend, unkonzentriert, verwirrt, zerfahren, zerstreut ***durcheinander bringen:** beirren, beunruhigen, irremachen, irritieren, umtreiben, verunsichern, verwirren *austauschen, vertauschen, verwechseln *durcheinander werfen, verbinden, vermengen, vermischen, verquicken, in Unordnung bringen, auf den Kopf stellen
Durcheinander: Allerlei, Chaos, Gewirr, Hexenkessel, Knäuel, Konfusion, Krimskrams, Kuddelmuddel, Mischmasch, Mischung, Sammelsurium, Tohuwabohu, Unordnung, Verwirrung, Wirrnis, Wirrsal, Wirrwarr, Wust, das Kunterbunt *Eintopf, Ragout *Aufruhr, Gebrodel, Gedränge, Getümmel, Gewimmel, Wirbel, Hin und Her
durchessen (s.): s. durchbetteln, s. durchfechten, nassauern, schmarotzen, schnorren
durchfahren: durchbrausen, durchjagen, durchqueren, durchrasen, durchreisen, durchrollen, durchsausen, hindurchfahren, weiterfahren *durchblitzen, durchschießen, durchzucken, erschüttern
Durchfahrt: Durchgang, Durchlass, Meerenge, Passage, Straße *Durchfuhr, Durchreise, Transit
Durchfall: Darmkatarrh, Diarrhö, Durchmarsch, das Abführen, (heftige) Darmentleerung *Bankrott, Debakel, Enttäuschung, Fehlschlag, Fiasko, Katastrophe, Misserfolg, Misslingen, Niederlage, Pech, Pleite, Reinfall, Rückschlag, Ruin, Versagen, Zusammenbruch, Schlag ins Wasser
durchfallen: durchfliegen, durchkrachen, durchrauschen, versagen, durch die Prüfung rasseln, nicht bestehen, nicht versetzt werden *durchgehen, durchpassen, hindurchfallen *keine Beachtung finden, keine Aufmerksamkeit finden, keinen Erfolg haben, nicht anerkannt werden
durchfechten: durchbringen, durchpeitschen, durchsetzen, erringen, erwirken, erzielen, erzwingen, herausholen, herausschinden, schaffen, vermögen ***s. durchfechten:** s. durchbeißen, s. durchboxen, s. durchbringen, s. durchhungern, s. durchkämpfen, s. durchquälen, s. durchschlagen, s. durchwursteln, s. durchs Leben schlagen
durchfeiern: durchmachen, durchschwärmen, durchzechen, eine lange Nacht machen
durchfeuchten: anfeuchten, durchnässen, durchnetzen, durchtränken, einfeuchten, einwässern, einweichen, feuchten, nässen, feucht machen *aufweichen, durchweichen, weich machen, weich werden *durchbrechen, durchdringen, s. durchfressen, durchgehen, durchkommen, durchlaufen, durchnässen, durchschlagen, durchsickern, durchtreten, durchweichen
durchfinden (s.): s. orientieren können, s. zurechtfinden, zurechtkommen, Zusammenhänge erkennen, die richtige Lösung finden, den richtigen Weg finden
durchfliegen: durchblättern, überfliegen, flüchtig lesen, rasch lesen *durchfallen, versagen, sitzen bleiben, nicht bestehen,

nicht versetzt werden *durchziehen, weiterfliegen *durchqueren, durchziehen, überfliegen
durchfließen: durchfluten, durchlaufen, durchrauschen, durchrinnen, durchströmen
Durchfluss: Durchbruch, Durchlass, Durchstich
durchfluten: beseelen, durchbeben, durchbrausen, durchdringen, durchglühen, durchkriechen, durchlaufen, durchpulsen, durchrieseln, durchrinnen, durchströmen, durchstürmen, durchwogen, durchziehen, erfüllen, schwängern *durchfließen, durchlaufen, durchrauschen, durchrinnen, durchströmen
durchforschen: beackern, bearbeiten, beleuchten, durchackern, durcharbeiten, erforschen, ergründen, untersuchen *absuchen, aussuchen, durchkämmen, durchkramen, durchschnüffeln, durchspüren, durchstöbern, durchsuchen, durchwühlen, filzen, schnüffeln, stöbern (in)
durchfroren: durchkältet, kalt
durchführbar: ausführbar, denkbar, erfüllbar, gangbar, machbar, möglich, realisierbar, zu machen
durchführen: abhalten, abwickeln, arrangieren, aufziehen, ausführen, ausrichten, erledigen, fertig bringen, halten, machen, realisieren, stattfinden lassen, tätigen, unternehmen, veranstalten, verrichten, verwirklichen *durchstecken, durchziehen, einfädeln, einziehen
Durchführung: Abhaltung, Abwicklung, Arrangierung, Ausführung, Ausrichtung, Bewerkstelligung, Erledigung, Realisierung, Veranstaltung, Verrichtung, Verwirklichung *Abfertigung, Besorgung, Bestellung, Regelung *Abwicklung, Ausführung, Betätigung, Bewerkstelligung, Erledigung, Organisation, Organisierung, Realisierung, Tat, Veranstaltung, Verwirklichung, Vollstreckung, Vollziehung, Vollzug
durchfüttern: abfüttern, aufkommen (für), aushalten, bekochen, beköstigen, erhalten, ernähren, füttern, herausfüttern, nähren, sorgen (für), unterhalten, verköstigen, verpflegen, zu essen geben, den Hunger stillen, in Kost haben, satt machen
Durchgang: Ausgang, Durchfuhr, Durchlass, Durchschlupf, Einfahrt, Eingang, Furt, Gasse, Mauerloch, Pass, Passage, Schlupfloch *Durchfahrt, Durchreise, Transit *Bresche, Durchbruch, Durchlass, Durchstich, Einschnitt, Enge, Engpass, Pforte, Stollen
durchgängig: allgemein, ausnahmslos, durchgehend, durchweg, durchwegs, gemein, rundweg, ohne Ausnahme, samt und sonders, durch die Bank
durchgeben: durchbrüllen, durchfunken, durchrufen, durchsagen, durchschreien, melden, senden, übermitteln, weitergeben *durchlangen, durchreichen
durchgedreht: ausgeflippt, fassungslos, kopflos, närrisch, übergeschnappt, verwirrt *faschiert, gemahlen
durchgehen: ausbrechen, auskneifen, davonlaufen, enteilen, entkommen, entspringen, fliehen, flüchten, fortlaufen, türmen, verduften *unbeanstandet lassen, angenommen werden, genehmigt werden, bewilligt werden, Zustimmung finden *inspizieren, kontrollieren, nachprüfen, nachschauen, nachsehen, prüfen, revidieren, überprüfen *durchblättern, durchsehen, überblicken *durchjagen, durchlaufen, durchmarschieren, durchrauschen, durchrennen, durchschießen, durchschlendern, durchschreiten, durchstürmen, hindurchschreiten *losbrechen, scheuen, wild werden, scheu werden
durchgehend: ausnahmslos, durchgängig, durchweg *allemal, allezeit, andauernd, anhaltend, beharrlich, dauernd, endlos, ewig, fortdauernd, fortgesetzt, fortlaufend, fortwährend, immer, immerzu, immerfort, kontinuierlich, pausenlos, regelmäßig, ständig, unablässig, unaufhaltsam, unaufhörlich, ununterbrochen, immer wieder, in einem fort, tagaus, tagein, Tag für Tag, Sommer wie Winter
durchglühen: beseelen, durchbeben, durchbrausen, durchdringen, durchfluten, durchkriechen, durchlaufen, durchpulsen, durchrieseln, durchrinnen, durchströmen, durchstürmen, durchwo-

gen, durchziehen, erfüllen, schwängern *durchbrennen, kaputtgehen
durchgreifen: kurzen Prozess machen, nicht lange fackeln, nicht viel Federlesen machen, für Ordnung sorgen, für Ruhe sorgen
durchgreifend: autoritär, drakonisch, drastisch, effektiv, einschneidend, empfindlich, erfolgreich, scharf, spürbar, streng, wirksam
durchhalten: aushalten, ausharren, bestehen, standhalten, nicht nachgeben, nicht schlappmachen, nicht aufgeben
Durchhaltevermögen: Beharrlichkeit, Beständigkeit, Charakterfestigkeit, Festigkeit, Seelenstärke, Standhaftigkeit
durchhauen: bestrafen, prügeln, schlagen, züchtigen, zuhauen, tätlich werden *beschädigen, demolieren, durchbrechen, einschlagen, entzweischlagen, zerschlagen, zerschmettern, zerstören, zertrümmern ***s. durchhauen:** abschlagen, teilen, trennen *durchbohren *s. durchbeißen, s. durchboxen, s. durchbringen, s. durchfechten, s. durchhungern, s. durchkämpfen, s. durchquälen, s. durchs Leben schlagen, durchschlagen, s. durchwursteln
durchjagen: durchbrausen, durchfahren, durchqueren, durchrasen, durchreisen, durchrollen, durchsausen, hindurchfahren, weiterfahren *durchdrehen, häckseln, zerkleinern *durchgehen, durchlaufen, durchmarschieren, durchrauschen, durchrennen, durchschießen, durchschlendern, durchschreiten, durchstürmen, hindurchschreiten
durchkämmen: absuchen, durchsuchen, suchen *s. frisieren, kämmen
durchkämpfen (s.): s. durchbeißen, s. durchboxen, s. durchbringen, s. durchfechten, s. durchhungern, s. durchquälen, s. durchs Leben schlagen, s. durchschlagen, s. durchwursteln
durchkneten: abreiben, bürsten, durchreiben, kneten, massieren, reiben, streichen, zirkeln
durchkommen: durchgelangen, durchhuschen, durchrutschen, durchschlüpfen, durchwinden *bestehen, weiterkommen *davonkommen, überstehen *gesunden, überstehen, gesund werden *weiterfahren, weiterkommen, es schaffen *angehen, anwachsen, gedeihen *durchziehen, vorbeikommen, vorüberkommen *durchbrechen, durchdringen, durchfeuchten, s. durchfressen, durchgehen, durchlaufen, durchnässen, durchschlagen, durchsickern, durchtreten, durchweichen ***nicht durchkommen:** durchfallen, scheitern, nicht bestehen
durchkosten: auskosten, ausschöpfen, frönen, genießen, schwelgen, Genuss empfinden, Genuss haben, zu schätzen wissen *probieren, versuchen
durchkrachen: durchfallen, durchfliegen, sitzen bleiben, versagen, durch die Prüfung rasseln, nicht bestehen, nicht versetzt werden *einbrechen, einkrachen, hindurchbrechen
durchkreuzen: anstreichen, durchstreichen, verbessern *abblocken, abhalten, abstellen, abwehren, abwenden, blockieren, boykottieren, hintertreiben, unterbinden, vereiteln, verhindern, verhüten, verwehren, lahm legen, Einhalt gebieten, etwas unmöglich machen, hindern (an), zunichte machen *durchfahren, durchfliegen, durchlaufen, durchmessen, durchqueren, durchrollen, durchschiffen, durchschneiden, durchschwimmen, durchsteuern, durchziehen
Durchkreuzung: Hinderung, Hintertreibung, Querstrich, Vereitelung, Verhinderung
durchkriechen: durchrobben, s. durchwinden, hindurchkriechen
durchkriegen: behandeln, durchnehmen, erfüllen *abheilen, ausheilen, auskurieren, durchbringen, heilen, helfen, herstellen, hochbringen, kurieren, retten, sanieren, stärken, wiederherstellen, (erfolgreich) behandeln, gesund machen, Erste Hilfe leisten, auf die Beine bringen, über den Berg bringen
Durchlass: Durchfahrt, Durchgang, Meerenge, Passage, Straße *Durchfuhr, Durchreise, Transit *Durchbruch, Durchgang
durchlassen: vorbeigehen lassen, passieren lassen, durchgehen lassen *eindringen lassen

durchlässig: durchlöchert, leck, löcherig, porig, porös, undicht
durchlaufen: durchfahren, durchfliegen, durchkreuzen, durchmessen, durchqueren, durchrollen, durchschiffen, durchschneiden, durchschwimmen, durchsteuern, durchziehen *absolvieren, durchmachen *durchdringen, durchfließen, durchgehen
durchlesen: anblättern, durchschauen, lesen, überfliegen, überlesen
durchleuchten: röntgen, untersuchen *durchblinken, durchscheinen, durchschimmern, durchstrahlen *aufdecken, nachprüfen, prüfen, untersuchen
Durchleuchtung: Röntgenuntersuchung, Schirmbilduntersuchung
durchliegen: durchziehen, durchdrungen werden *s. **durchliegen:** aufliegen, s. wund liegen
durchlöchern: beeinträchtigen, erschüttern, ruinieren, schmälern, schwächen, untergraben, ins Wanken bringen *durchbohren, durchbrechen, durchlochen, durchschlagen, durchsieben
durchlüften: auslüften, belüften, entlüften, lüften, ventilieren, die Fenster öffnen, Luft hereinlassen, Durchzug machen
Durchlüfter: Entlüfter, Lüfter, Ventilator
durchlügen (s.): s. durchmogeln, s. durchschwindeln
durchmachen: durchfeiern, durchschwärmen, durchzechen, eine lange Nacht machen *absolvieren, durchlaufen, mitmachen, hinter sich bringen *dulden, leiden, erleiden
Durchmarsch: Darmkatarrh, Diarrhö, Durchfall, das Abführen, (heftige) Darmentleerung *Durchquerung, Durchzug, Invasion
durchmarschieren: durchgehen, durchjagen, durchlaufen, durchrauschen, durchrennen, durchschießen, durchschlendern, durchschreiten, durchstürmen, hindurchschreiten
Durchmesser: Diameter
Durchnahme: Behandlung, Durcharbeitung, Durchführung, Erörterung, Lehre, Lernen, Unterricht, Unterweisung
durchnässen: durchdringen, durchfeuchten, durchgehen, durchkommen, durchlaufen, durchschlagen, durchsickern, durchtreten, durchweichen
durchnässt: klatschnass, nass, platschnass, tropfnass
durchnehmen: behandeln, durcharbeiten, durchführen, erörtern, lehren, lernen, unterrichten, unterweisen
durchpauken: durchboxen, durchbringen, durchdrücken, durchfechten, durchkriegen, durchpeitschen, durchsetzen, durchziehen, erreichen, ertrotzen, erzwingen, die Bahn brechen, zum Durchbruch verhelfen, zum Durchbruch bringen *durchackern, durcharbeiten, durchlesen, durchnehmen, durchstudieren, lernen, präparieren, vorbereiten
durchpausen: abpausen, durchschreiben, durchzeichnen, kopieren, nachzeichnen, reproduzieren
durchpressen: durchdrücken, durchpassieren, durchquetschen, durchrühren, durchschlagen, durchstreichen, passieren
durchquälen (s.): s. durchbeißen, s. durchboxen, s. durchbringen, s. durchfechten, s. durchhungern, s. durchkämpfen, s. durchschlagen, s. durchwursteln, s. durchs Leben schlagen
durchqueren: durchfahren, durchfliegen, durchkreuzen, durchlaufen, durchmessen, durchrollen, durchschiffen, durchschneiden, durchschwimmen, durchsteuern, durchziehen
durchquetschen: durchdrücken, durchpassieren, durchpressen, durchrühren, durchschlagen, durchstreichen, passieren *s. **durchquetschen:** s. durcharbeiten, s. durchdrängeln, s. durchdrängen, s. durchzwängen, s. einen Weg bahnen, s. hindurchdrängen
durchrauschen: durchfallen, durchfliegen, durchkrachen, durchrasseln, versagen, sitzen bleiben, durch die Prüfung rasseln, nicht bestehen, nicht versetzt werden *durchfließen, durchfluten, durchlaufen, durchrinnen, durchströmen
durchreichen: durchgeben, durchlangen
Durchreise: Durchfahrt, Durchquerung
durchreisen: befahren, bereisen, besuchen, durchfahren, durchkreuzen,

durchqueren, durchwandern, durchziehen, trampen (durch), reisen (durch)
durchreißen: auseinander reißen, durchfetzen, durchtrennen, entzweireißen, trennen, vernichten, zerreißen
durchringen (s.): s. entscheiden, s. entschließen, optieren, wählen, seine Wahl treffen
durchrühren: mischen, vermischen, quirlen, verquirlen, anrühren, rühren, umrühren, unterarbeiten, verrühren
Durchsage: Ansage, Auskunft, Benachrichtigung, Botschaft, Information, Kunde, Meldung, Mitteilung, Nachricht, Übermittlung
durchsagen: durchbrüllen, durchfunken, durchgeben, durchrufen, durchschreien, melden, senden, übermitteln, weitergeben
durchschaubar: durchsichtig, fadenscheinig, vordergründig
durchschauen: durchblicken, durchgucken, durchsehen, durchspähen, hindurchschauen, hindurchsehen, hindurchspähen *prüfen *durchblättern, durchgucken, durchmustern, durchsichten, sichten *durchblättern, durchsehen *s. auskennen, dahinter gucken, durchblicken, durchgucken, durchsehen, erkennen, auf die Schliche kommen, hinter die Schliche kommen, hinter die Kulissen blicken
durchscheinen: durchblinken, durchleuchten, durchschimmern, durchstrahlen
durchscheuern: abnutzen, abtragen, durchwetzen, verbrauchen, verschleißen
Durchschlag: Abschrift, Doppel, Duplikat, Duplum, Durchschrift, Kopie, Pause, Zweitschrift *Sieb
durchschlagen: abhauen, beschneiden, kappen *abschneiden, abtrennen, aufspalten, aufteilen, auftrennen, auseinander schneiden, durchhacken, durchhauen, durchschneiden, durchtrennen, entzweien, spalten, teilen, trennen, zergliedern, zerlegen, zerschneiden, zerteilen, zertrennen *durchbohren, durchbrechen, durchlochen, durchlöchern, durchsieben ***s. durchschlagen:** s. durchbeißen, s. durchboxen, s. durchbringen, s. durchfechten, s. durchhungern, s. durchkämpfen, s. durchquälen, s. durchs Leben schlagen, s. durchwursteln
durchschlagend: drastisch, durchgreifend, effektiv, massiv, nachdrücklich, wirksam
Durchschlagpapier: Durchschreibpapier, Kohlepapier, Pauspapier
durchschleusen: lenken, lotsen, ins Schlepptau nehmen *einschmuggeln, hindurchbringen, hindurchlassen
durchschlüpfen: durchgelangen, durchhuschen, durchrutschen, durchwinden
durchschmelzen: durchbrennen, durchglühen, durchschmoren
durchschneiden: durchteilen, durchtrennen, halbieren, teilen, trennen, zerschneiden
Durchschnitt: Mittelmaß, Mittelmäßigkeit, Mittelwert, mittleres Ergebnis *Alltäglichkeit, Mittelmäßigkeit, Selbstverständlichkeit, Üblichkeit *Dutzendware, Fabrikware, Massenartikel, Massenware *Durchschnittswert, Medianwert, Mittelwert, Schnitt
durchschnittlich: alltäglich, gewöhnlich, mittelmäßig, selbstverständlich, üblich *im Schnitt, im Durchschnitt
Durchschnittsbürger: Durchschnittsmensch, der einfache Mann, der gemeine Mann, der kleine Mann, Lieschen Müller, Otto Normalverbraucher, der Mann auf der Straße
Durchschnittsware: Dutzendware, Fabrikware, Ramsch
Durchschnittswert: Durchschnitt, Medianwert, Mittelwert, Schnitt
durchschnüffeln: absuchen, abtasten, durchforschen, durchkämmen, durchkramen, durchmustern, durchstöbern, durchwühlen, filzen, mustern, nachsuchen, schnüffeln, stöbern (in)
Durchschrift: Abschrift, Duplikat, Durchschlag, Kopie, Zweitschrift
durchschütteln: durchbeuteln, durchrütteln, schütteln
durchsehen: durchblicken, durchgucken, durchschauen, durchspähen, hindurchschauen, hindurchsehen, hindurchspähen *einsehen, erproben, prüfen, testen, überprüfen, unter die Lupe nehmen, auf

Herz und Nieren prüfen, auf den Zahn fühlen, einer Prüfung unterwerfen, einer Prüfung unterziehen *durchblicken, durchgucken, durchschauen, durchspähen, hindurchschauen, hindurchsehen, hindurchspähen *durchblättern, durchgucken, durchmustern, durchschauen, durchsichten

durchsetzen: durchboxen, durchbringen, durchdrücken, durchfechten, durchkriegen, durchpauken, durchpeitschen, durchziehen, erreichen, ertrotzen, erzwingen, die Bahn brechen, zum Durchbruch verhelfen, zum Durchbruch bringen *durchsprengen, durchwuchern, durchziehen ***s. durchsetzen:** s. behaupten, Erfolg haben, ans Ziel kommen, Glück haben, besser sein *s. ausbreiten, durchdringen, einreißen, verbreiten

durchsetzt: durchwachsen, durchwuchert, durchzogen

Durchsicht: Erprobung, Prüfung, Test *Kontrolle, Musterung, Sichtung, Tauglichkeitsprüfung, Test, Überprüfung *Anblick, Ausblick, Aussicht, Blick, Durchblick, Fernblick, Fernsicht, Panorama, Sicht *Durchblättern

durchsichtig: dünn, durchscheinend, gläsern, glashell, glasklar, klar, kristallklar, lichtdurchlässig, rein, transparent, ungetrübt *durchschaubar, fadenscheinig, schwach, vordergründig *duftig, dünn, fein, feingesponnen, leicht, locker, spinnwebfein, weich, zart

Durchsichtigkeit: Lichtdurchlässigkeit, Transparenz

durchsickern: durchdringen, durchlecken, durchrieseln, durchtröpfeln, durchtropfen *aufkommen, herauskommen, s. herumsprechen, ruchbar werden, entdeckt werden, offenbar werden, bekannt werden, an die Sonne kommen, an den Tag kommen, ans Tageslicht kommen, an die Öffentlichkeit treten

durchsieben: abseihen, ausseihen, durchfiltern, durchgießen, durchseihen, klären, passieren, seihen *durchbohren, durchbrechen, durchlochen, durchlöchern, durchschlagen

durchspießen: durchbohren, durchbrechen, durchlochen, durchlöchern, durchschlagen, durchsieben

durchsprechen: behandeln, besprechen, darlegen, drannehmen, durchnehmen, erörtern, handeln (von), schreiben (von), zum Gegenstand haben, zum Inhalt haben, sprechen (über) *abhandeln, ausdiskutieren, auseinander setzen, behandeln, beraten, bereden, beschwatzen, besprechen, darlegen, darstellen, debattieren, diskutieren, durchdiskutieren, erörtern, s. streiten (über), untersuchen, verhandeln, sprechen (über)

durchstecken: durchführen, durchziehen, einfädeln, einziehen

durchstehen: aushalten, bestehen, hinwegkommen, überleben, überstehen, verkraften

durchsteigen: auffassen, aufschnappen, begreifen, durchblicken, durchschauen, einsehen, erfassen, ergründen, erkennen, ermessen, s. erschließen, fassen, herausfinden, kapieren, klar sehen, klug werden (aus), nachempfinden, nachvollziehen, schnallen, verstehen, folgen können, geistig aufnehmen, die Augen aufgehen, klar werden, verständlich werden, Verständnis haben, bewusst werden, deutlich werden, richtig beurteilen können, richtig einschätzen können, zu Bewusstsein kommen

Durchstich: Durchbruch, Durchfluss

durchstöbern: absuchen, abtasten, aussuchen, durchforschen, durchkämmen, durchkramen, durchmustern, durchschnüffeln, durchspüren, durchsuchen, durchwühlen, filzen, mustern, nachsuchen, schnüffeln, stöbern (in)

durchstoßen: aufbrechen, (gewaltsam) öffnen *durchbrechen, vordringen, vorstoßen

durchstreichen: ausixen, ausstreichen, durchixen, durchkreuzen *durchdrücken, durchpassieren, durchpressen, durchquetschen, durchrühren, durchschlagen, passieren

durchstreifen: durchirren, durchschweifen, durchwandeln, durchwandern, durchziehen, streifen (durch)

durchströmen: beseelen, durchbeben, durchbrausen, durchdringen, durch-

fluten, durchglühen, durchkriechen, durchlaufen, durchpulsen, durchrieseln, durchrinnen, durchstürmen, durchtränken, durchwogen, durchziehen, erfüllen, schwängern
durchsuchen: absuchen, abtasten, aussuchen, durchforschen, durchkämmen, durchkramen, durchmustern, durchschnüffeln, durchspüren, durchstöbern, durchwühlen, filzen, mustern, nachsuchen, schnüffeln, stöbern (in)
Durchsuchung: Hausdurchsuchung, Haussuchung, Razzia
durchtönen: durchhallen, durchklingen, durchschallen, durchtosen
durchtränken: beseelen, durchbeben, durchbrausen, durchdringen, durchfluten, durchglühen, durchkriechen, durchlaufen, durchpulsen, durchrieseln, durchrinnen, durchströmen, durchstürmen, durchwogen, durchziehen, erfüllen, schwängern *anfeuchten, durchfeuchten, durchnässen, durchnetzen, einfeuchten, einwässern, einweichen, feuchten, nässen, feucht machen
durchtreiben: durchdrehen *einkeilen, einklopfen, einrammen, einschlagen, einstoßen, eintreiben, hineinschlagen, hineintreiben, rammen (in), schlagen (in)
durchtrennen: auseinander reißen, durchfetzen, durchreißen, entzweireißen, trennen, vernichten *durchschneiden, durchteilen, halbieren, teilen, trennen, zerschneiden
durchtreten: ablaufen, s. abnutzen, abtreten, verschleißen *durchbrechen, durchdringen, durchfeuchten, s. durchfressen, durchgehen, durchkommen, durchlaufen, durchnässen, durchschlagen, durchsickern, durchweichen
durchtrieben: abgefeimt, ausgefuchst, ausgekocht, bauernschlau, clever, diplomatisch, findig, gerissen, geschäftstüchtig, geschickt, gewieft, gewitzt, listig, pfiffig, raffiniert, schlau, taktisch, verschlagen, verschmitzt, wach
durchwachsen: alltäglich, bescheiden, durchschnittlich, einigermaßen, erträglich, genügend, gewöhnlich, hinlänglich, leidlich, mäßig, mittelmäßig, passabel, nicht weit her, nicht besonders, nicht gerade berühmt, nicht berauschend *durchbrechen, durchfressen, durchgehen, durchkommen, durchschlagen, durchsetzen
durchwandern: durchirren, durchschweifen, durchstreichen, durchstreifen, durchwandeln, durchziehen, streifen (durch)
durchwärmen: erhitzen, erwärmen, heizen, wärmen, warm machen ***s. durchwärmen:** s. aufwärmen, s. fit machen, s. vorbereiten, s. warm machen
durchweg: allgemein, ausnahmslos, durchgängig, durchgehend, durchwegs, gemein, rundweg, ohne Ausnahme, samt und sonders, durch die Bank
durchweichen: durchbrechen, durchfeuchten, s. durchfressen, durchgehen, durchkommen, durchlaufen, durchnässen, durchschlagen, durchsickern, durchtreten
durchwinden **(s.):** durchkriechen, durchrobben, hindurchkriechen *s. durchschlängeln, s. durchschleichen, s. durchstehlen, hindurchkriechen, s. hindurchwinden
durchwühlen: durcharbeiten *absuchen, aussuchen, durchforschen, durchkämmen, durchkramen, durchschnüffeln, durchspüren, durchstöbern, durchsuchen, filzen, schnüffeln, stöbern (in)
durchzeichnen: abpausen, abzeichnen, durchpausen, durchschreiben, pausen
durchziehen: durchfliegen, durchqueren, überfliegen *durchführen, durchstecken, einfädeln, einziehen *durchkommen, vorbeikommen, vorüberkommen *auswaschen, durchwaschen, reinigen, säubern, spülen, waschen *durchfahren, durchfliegen, durchkreuzen, durchlaufen, durchmessen, durchqueren, durchrollen, durchschiffen, durchschneiden, durchschwimmen, durchsteuern *durchirren, durchschweifen, durchstreichen, durchstreifen, durchwandeln, durchwandern, streifen (durch) *beseelen, durchbeben, durchbrausen, durchdringen, durchfluten, durchglühen, durchkriechen, durchlaufen, durchpulsen, durchrieseln, durchrinnen, durchströmen, durchstür-

men, durchtränken, durchwogen, erfüllen, schwängern *durchboxen, durchbringen, durchdrücken, durchfechten, durchkriegen, durchpauken, durchpeitschen, durchsetzen, erreichen, ertrotzen, erzwingen, Bahn brechen, zum Durchbruch verhelfen, zum Durchbruch bringen *s. behaupten, Erfolg haben, ans Ziel kommen, Glück haben, besser sein

Durchzug: Durchlüftung, Hauch, Lufthauch, Luftstrom, Lüftung, Luftzug, Zug *Durchmarsch, Durchquerung, Invasion

durchzwängen (s.): s. durcharbeiten, s. durchdrängen, s. einen Weg bahnen, s. nach vorne schieben, s. Platz verschaffen

dürfen: können, befugt sein, berechtigt sein, zuständig sein, bevollmächtigt sein, ermächtigt sein, autorisiert sein, das Recht haben, die Genehmigung haben, die Einwilligung haben, die Erlaubnis haben, gestattet sein, erlaubt sein

dürftig: ärmlich, armselig, bescheiden, beschränkt, karg, kärglich, knapp, kümmerlich, schmal, spärlich, unergiebig, wenig *dürr, ertragsarm, karg, trocken, unergiebig, unfruchtbar *dünn, licht, schütter, sparsam *einförmig, gemütsarm, logisch, nüchtern, phantasielos, poesielos, prosaisch, rational, realistisch, sachlich, trocken, verstandesmäßig, ohne Emotion, ohne Phantasie

Dürftigkeit: Armut, Bedürftigkeit, Geldmangel, Geldnot, Kärglichkeit, Knappheit, Mangel, Mittellosigkeit, Spärlichkeit, Verknappung *Verarmung, Verelendung

dürr: abgezehrt, dünn, gertenschlank, hager, mager, schlank, schlankwüchsig, schmal, spindeldürr *abgestorben, ausgedörrt, ausgetrocknet, trocken, verdorrt, vertrocknet *ertragsarm, karg, mager, trocken, unfruchtbar, wüstenhaft

Dürre: Lufttrockenheit, Regenmangel, Sonnenglut, Trockenheit, Trockenklima, Trockenzeit, Wasserarmut, Wassermangel, Wassernot *Armut, Banalität, Beschränktheit, Dummheit, Einfallslosigkeit, Gedankenarmut, Gedankenleere, Gehaltlosigkeit, Geistesarmut, Geistlosigkeit, Gemeinplatz, Hohlheit, Leere, Plattheit, Stumpfsinn, Trivialität *Magerkeit

Durst: Brand, Durstigkeit, Mordsdurst, Riesendurst, trockene Kehle, trockener Hals

dürsten: dursten, Durst haben, durstig sein, Durst verspüren *gieren, lechzen, schmachten, streben, trachten, verlangen, zu erreichen suchen

durstig: dürstend, lechzend, Durst habend *sehnlich, sehnsüchtig, sehnsuchtsvoll, verlangend, mit Sehnsucht, voll Sehnsucht, mit Verlangen, voll Verlangen

Dusche: Brause, Brausebad *Desillusion, Desillusionierung, Enttäuschung, Ernüchterung, kalte Dusche *Guss, Platzregen, Regen, Regenguss, Regenschauer, Regenwetter, Schauer, Sturz, Unwetter, Wolkenbruch

duschen: abbrausen, abduschen, brausen, eine Dusche nehmen *gießen, regnen

Dusel: Erfolg, Gelingen, Glück, Glücksfall, Glücksgriff, Glückssache, Glückswurf, Heil, Segen, Sieg, Wohl, das Große Los, günstige Umstände, guter Verlauf

Düsenflugzeug: Düsenklipper, Düsenmaschine, Jet, Turbojet, Überschallflugzeug

düster: dämmrig, dunkel, finster, halbdunkel, trübe *gespenstig, Grauen erregend, grauenvoll, makaber, Schauder erregend, zwielichtig *schlecht, traurig, unangenehm *bedauerlich, bedauernswert, bejammernswert, beklagenswert, bemitleidenswert, betrüblich, desolat, dunkel, elend, entmutigend, erbärmlich, erbarmungswürdig, ergreifend, erschreckend, erschütternd, freudlos, hart, herzbewegend, herzbrechend, herzergreifend, hoffnungslos, jammervoll, kläglich, leiderfüllt, leidvoll, Mitleid erregend, qualvoll, tragisch, traurig, trist, trostlos, unerfreulich, unfroh, unglücklich, unglückselig

Düsternis: Dämmerung, Dunkel, Dunkelheit, Düsterkeit, Finsternis, Halbdunkel, Nacht

dutzendfach: dutzend Mal, etliche Mal, häufig, hundert Mal, mehrfach, mehrmalig, mehrmals, oft, öfter, oftmalig, oftmals, ungezählt, vielfach, vielmals, wiederholt, x-mal, zigmal, des Öfteren, ein paar Mal, immer wieder, in vielen Fällen, nicht selten, viele Male, etliche Male, doppelt und dreifach, ein paar Mal

dutzendweise: bergeweise, haufenweise, massenhaft, massenweise, reichlich, reihenweise, scheffelweise, übergenug, unzählig, zahllos, in Massen, en masse, wie die Fliegen

duzen: s. verbrüdern, du sagen, mit du anreden, jmdn. du nennen, per du sein

Dynamik: Aktivität, Begeisterung, Elan, Fitness, Impetus, Lebhaftigkeit, Leidenschaft, Schwung, Spannkraft, Temperament, Vehemenz, Verve, Vitalität *Antrieb, Motor, Triebfeder, Triebkraft

dynamisch: bewegt, blutvoll, feurig, getrieben, heftig, heißblütig, lebendig, lebhaft, mobil, schwungvoll, temperamentvoll, vif, vital, wild, voller Dynamik

Dynastie: Herrscherfamilie, Herrschergeschlecht, Herrscherhaus

E

Ebbe: Hollebbe, Niedrigwasser, Tiefwasser *Ausfall, Einbuße, Flaute, Mangel, Manko, Minus

eben: flach, glatt, plan, platt *horizontal, waagrecht *just, soeben, gerade jetzt, in diesem Augenblick, erst vor einer Weile, vor einem Augenblick, vor einem Moment *bestimmt, genau, gerade, ja *einfach, einmal, halt, nun einmal *ebenerdig, parterre, im Erdgeschoss, zu ebener Erde

Ebenbild: Abbild, Abbildung, Ähnlichkeit, Bild, Bildnis, Spiegelbild, Urbild

ebenbürtig: genauso gut, gleichrangig, gleichwertig, kongenial, ranggleich, wesensgleich

Ebene: Flachland, Tiefland, flaches Land *Areal, Bodenfläche, Fläche, Flachland, Gelände, Hochebene, Hochplateau, Plateau, Platte, Plattform, Tafel, Terrain

ebenerdig: parterre, zu ebener Erde, im Erdgeschoss

ebenfalls: auch, desgleichen, dito, ebenso, genauso, geradeso, gleichermaßen, gleicherweise, gleichfalls, in gleicher Weise, in demselben Maße

Ebenmaß: Ebenmäßigkeit, Gleichlaut, Gleichmaß, Harmonie, Symmetrie

ebenmäßig: regelmäßig, wohl gebaut, wohl gestaltet, wohl proportioniert *ausgewogen, gleichmäßig, harmonisch, proportioniert, regelmäßig, symmetrisch

Ebenmäßigkeit: Ebenmaß, Gleichlaut, Gleichmaß, Harmonie, Symmetrie

ebenso: auch, dito, ebenfalls, genauso, geradeso, gleichermaßen, gleicherweise, so, in gleicher Weise, in demselben Maße

ebnen: ausgleichen, egalisieren, einebnen, glätten, glatt machen, planieren, walzen *bahnen, erleichtern, eröffnen, fördern, vorbereiten

echauffieren (s.): s. empören, s. entrüsten, s. ereifern, s. erregen

echauffiert: aufgelöst, aufgeregt, bewegt, erhitzt, erregt, fahrig, fiebrig, gereizt, hektisch, kribblig, kribbelig, nervenschwach, nervös, ruhelos, ungeduldig, unruhig, unstet

Echo: Nachäffer, Nachbeter, Papagei *Gegenhall, Gegenschall, Nachhall, Resonanz, Rückhall, Rückschall, Widerhall, Widerklang, Widerschall *Anerkennung, Anklang, Beifall, Gefallen, Resonanz, Zustimmung

echt: authentisch, genuin, natürlich, originell, rein, richtig, ungekünstelt, unverfälscht, ursprünglich, urwüchsig, waschecht, nicht imitiert, nicht künstlich *existent, real, tatsächlich, wahr, wirklich *beständig, dauerhaft *haltbar, reell, solid, stabil *original, rein, richtig, ungezwungen, unverbindlich, wirklich *angesehen, anständig, aufrecht, aufrichtig, bieder, brav, charakterfest, ehrlich, integer, lauter, ordentlich, rechtschaffen, redlich, sauber, solide, unbescholten, unbestechlich, untadelig, vertrauenswürdig, wahrheitsliebend, zuverlässig, vom alten Schlag

Eckball: Ecke, Eckstoß

Ecke: Nische, Winkel *Kante, Rand *Etappe, Strecke, Teilstück *Stück *Abschnitt, Breiten, Gegend, Geländeabschnitt, Himmelsstrich, Landschaftsgebiet, Landstrich, Region, Sektor, Strich *Eckball, Eckstoß

eckig: kantig, scharfkantig, scharf, schartig, spitz *hölzern, lahm, linkisch, steif, unbeholfen, ungelenk, ungewandt, unsportlich, verkrampft

Eckpfeiler: Grundpfeiler, Pfahl, Pfeiler, Pilaster, Säule, Ständer, Stütze, Tragstütze *Eckstein, Halt, Pfeiler, Rückgrat, Säule, Stütze, Widerhalt

Eckstein: Abweiser, Bordstein, Ortstein, Prallstein, Prellstein, Radabweiser, Schrammstein

edel: ausgesucht, ausgewählt, erlesen, exquisit, fein, hochwertig, kostbar, qualitätsvoll, teuer, wertvoll *achtbar, aufrecht, bieder, brav, charakterfest, ehrbar,

ehrenhaft, ehrenwert, ehrsam, hochanständig, rechtschaffen, redlich, rühmenswert, sauber, unbestechlich, wacker *aufopfernd, edelmütig, großherzig, idealistisch, selbstlos, uneigennützig *fein, schön, zart
Edelmann: Adeliger, Aristokrat
edelmännisch: adlig, aristokratisch, blaublütig, erlaucht, von Adel, von blauem Blut, von hoher Abkunft
Edelmetallschmied: Goldschmied, Juwelier, Silberschmied
Edelmut: Aufopferung, Edelsinn, Hochherzigkeit, Selbstlosigkeit, Selbstüberwindung, Selbstverleugnung, Uneigennützigkeit
edelmütig: aufopfernd, edel, hochherzig, selbstlos, uneigennützig
Edelstein: Brillant, Diamant, Juwel, Schmuckstein
Eden: Elysium, Paradies, Garten Eden
edieren: drucken, herausgeben, publizieren, veröffentlichen
Edikt: Bekanntmachung, Bestimmung, Bulle, Dekret, Erlass, Gesetz, Runderlass, Rundverfügung, Verordnung
Edition: Ausgabe, Druckwerk
Effekt: Auswirkung, Ergebnis, Folge, Folgerung, Wirkung *Durchbruch, Erfolg, Fazit, Folge, Resultat, Wirksamkeit
Effekten: Besitz, Besitztum, Eigentum, Habe, Habschaft, Habseligkeiten, Vermögen, Hab und Gut *Aktie, Anleihe, Anteilschein, Pfandbrief, Schuldverschreibung, Wertpapier
Effekthascherei: Angabe, Angeberei, Aufgeblasenheit, Aufschneiderei, Großsprecherei, Mache, Prahlerei, Protzerei, Schaumschlägerei, Wichtigtuerei
effektiv: richtig, tatsächlich, wirklich *effizient, eindrucksvoll, entscheidend, nachhaltig, unvergesslich, wirksam
effektlos: aussichtslos, erfolglos, ergebnislos, nutzlos, unwirksam, wirkungslos, zwecklos
effektvoll: effektiv, effizient, eindrucksvoll, entscheidend, ergebnisreich, nachhaltig, wirksam, wirkungsvoll
egal: ähnlich, analog, entsprechend, gleich, gleichartig, komparabel, vergleichsweise, gleich gut *einerlei, gleichgültig, gleichwie, wie auch immer, wie dem auch sei
egalisieren: ausgleichen, einebnen, glätten, glatt machen, gleichmachen, nivellieren, planieren *einstellen, übertrumpfen, wieder erreichen
Egalität: Ähnlichkeit, Ebenmaß, Einklang, Entsprechung, Gleichheit, Harmonie, Homogenität, Konformität, Kongruenz, Übereinstimmung
Egoismus: Berechnung, Egozentrik, Eigennutz, Ichbezogenheit, Ichsucht, Selbstsucht
Egoist: egoistischer Mensch, eigennütziger Mensch, ichbezogener Mensch, selbstsüchtiger Mensch, ichsüchtiger Mensch
egoistisch: egozentrisch, eigennützig, ichbezogen, ichsüchtig, selbstsüchtig
eh: ohnedem, ohnedies, ohnehin, sowieso, auf alle Fälle, auf jeden Fall
ehe: als, bevor, früher, vorher
Ehe: Bund, Eheband, Ehebund, Ehebündnis, Ehehafen, Eheschließung, Ehestand, Heirat, Hochzeit, Lebensgemeinschaft, Partie, Trauung, Verbindung, Verheiratung, Vermählung, Zweisamkeit, Bund fürs Leben, ewiger Bund *eingetragene Lebenspartnerschaft
ehebrechen: betrügen, fremdgehen, die Ehe brechen, Ehebruch begehen
ehebrecherisch: abtrünnig, flatterhaft, illoyal, perfide, treubrüchig, treulos, unbeständig, unstet, untreu, unzuverlässig, verräterisch, wankelmütig, wortbrüchig
Ehebruch: Abenteuer, Affäre, Amouren, Seitensprung, Treulosigkeit, Untreue
ehedem: alt, damalig, damals, ehemals, einmal, einstens, früher, gewesen, seinerzeit, vordem, vorher, vorig, vormals, vorzeiten, in fernen Tagen
Ehefrau: Angetraute, Ehepartnerin, Frau, Gattin, Gemahlin, Lebensgefährtin, Lebenskameradin, Vermählte, Weggefährtin, Weib, bessere Hälfte *Lebensabschnittspartnerin, Lebenspartnerin
ehelich: auf die Ehe bezogen *aus gesetzlicher Ehe stammend
ehelichen: heiraten, hochzeiten, s. verändern, s. verehelichen, s. verheiraten, s. vermählen, s. eine Frau nehmen, s. ei-

nen Mann nehmen, s. trauen lassen, eine Ehe eingehen, eine Ehe schließen, einen Hausstand gründen, Hochzeit machen, Hochzeit feiern, Hochzeit halten, den Ehebund schließen, die Hand fürs Leben reichen, den Bund der Ehe eingehen, die Ringe tauschen, die Ringe wechseln, vor den Altar treten, zum Traualtar gehen, eine(n) kriegen, eine(n) nehmen

ehelos: altjüngferlich, allein stehend, frei, gattenlos, jüngferlich, ledig, unbeweibt, unverehelicht, unverheiratet, unvermählt, zölibatär

Ehelosigkeit: Altjungfernstand, Einzelwirtschaft, Junggesellenleben, Junggesellenstand, Junggesellenwirtschaft, Zölibat

ehemalig: alt, damalig, einstig, einstmalig, früher, gewesen, sonstig, verflossen, vergangen, vormalig

ehemals: damals, dazumal, derzeit, ehedem, einmal, einst, einstmals, früher, seinerzeit, vormals, in der Zeit, zu der Zeit, in jenen Tagen

Ehemann: Angetrauter, Ehegemahl, Ehepartner, Erhalter, Gatte, Gemahl, Lebensgefährte, Lebenskamerad, Mann, Weggefährte *Lebensabschnittspartner, Lebenspartner

Ehepaar: Ehegespann, Eheleute, Paar, Verheiratete, Vermählte, Mann und Frau

eher: frühestens, nicht eher als, nicht früher als, nicht vor … *lieber, mehr, vielmehr, im Gegenteil

Ehering: Trauring

ehern: eisern, stählern *felsenfest, fest, standhaft, wie ein Fels

Ehescheidung: Aufhebung, Auflösung, Scheidung, Trennung, Ungültigkeitserklärung

Eheschließung: Heirat, Hochzeit, Trauung, Verbindung, Verehelichung, Verheiratung, Vermählung

Eheversprechen: Ehegelöbnis

Ehevertrag: Ehekontrakt

ehrbar: achtbar, aufrecht, bieder, brav, charakterfest, ehrenhaft, ehrenwert, ehrsam, hochanständig, rechtschaffen, redlich, rühmenswert, sauber, unbestechlich, wacker

Ehrbarkeit: Achtbarkeit, Anständigkeit, Ehrenhaftigkeit

Ehre: Ansehen, Autorität, Format, Geachtetheit, Geltung, Größe, Image, Lauterkeit, Leumund, Name, Nimbus, Prestige, Profil, Rang, Ruf, Stand, Unbescholtenheit, Würde *Ansehen, Anstand, Ehrgefühl, Selbstachtung, Stolz, Wertgefühl, Würde

ehren: achten, anbeten, anerkennen, anhimmeln, bewundern, hochachten, honorieren, respektieren, schätzen, verehren, vergöttern, würdigen, Ehre erweisen, Ehre bezeugen *anerkennen, auszeichnen, beehren, glorifizieren, idealisieren, loben, lobpreisen, preisen, rühmen, verherrlichen, würdigen

Ehrenamt: Ehrendienst, Ehrenposten

ehrenamtlich: freiwillig, umsonst, unentgeltlich, ohne Bezahlung

Ehrengeleit: Eskorte

ehrenhaft: achtbar, aufrecht, bieder, brav, charakterfest, ehrbar, ehrenwert, ehrsam, hochanständig, rechtschaffen, redlich, rühmenswert, sauber, unbestechlich, wacker, würdig

Ehrenhaftigkeit: Achtbarkeit, Aufrichtigkeit, Biederkeit, Ehrbarkeit, Ehrsamkeit, Honorigkeit, Rechtschaffenheit, Redlichkeit, Unbestechlichkeit

Ehrenkränkung: Beleidigung, Verleumdung

Ehrenmal: Denkmal, Denksäule, Denkstein, Ehrensäule, Gedenkstätte, Gedenkstein, Mahnmal, Monument, Obelisk, Standbild

Ehrenmann: Gentleman, Herr, Kavalier, Persönlichkeit, Ritter, Weltmann, ehrenhafter Mann

Ehrenrettung: Ehrenerklärung, Entlastung, Rechtfertigung, Rehabilitation, Rehabilitierung

ehrenrührig: beleidigend, diffamierend, kränkend, verletzend, verleumderisch

Ehrentag: Geburtstag, Wiegenfest *Festtag, Gedenktag

ehrenvoll: ehrend, honorabel, schmeichelhaft *glänzend, glanzvoll, glorios, glorreich, rühmlich, ruhmreich, ruhmvoll

Ehrenvorsitz: Ehrenpräsidium, Patronat, Schirmherrschaft, Schutzherrschaft

ehrenwert: achtbar, aufrecht, bieder,

brav, charakterfest, ehrbar, ehrenhaft, ehrsam, hochanständig, rechtschaffen, redlich, rühmenswert, sauber, unbestechlich, wacker
Ehrenwort: Eid, Handschlag, Manneswort, Schwur, Versprechen, Wort
Ehrenzeichen: Orden, Plakette *Amtskette, goldene Kette *Denkmünze, Gedenkmünze, Schaumünze
Ehrfurcht: Achtung, Anerkennung, Hochachtung, Pietät, Respekt, Rücksicht, Verehrung *Demut, Furcht, Scheu, Unterwürfigkeit
ehrfürchtig: ehrerbietig, ehrfurchtsvoll, pietätvoll, respektierlich, respektvoll *demütig, devot, unterwürfig
ehrfurchtslos: despektierlich, geringschätzig, pejorativ, verächtlich
Ehrgefühl: Ansehen, Anstand, Ehre, Selbstachtung, Stolz, Wertgefühl, Würde
Ehrgeiz: Ambition, Ehrsucht, Eitelkeit, Ruhmbegierde, Ruhmsucht, Streben, Strebertum *Betriebsamkeit, Eifer, Emsigkeit, Fleiß, Geschäftigkeit, Rastlosigkeit, Strebsamkeit, Unermüdlichkeit *Geltungsbedürfnis, Geltungsdrang, Geltungsstreben *Machtanspruch, Machtbesessenheit, Machtgier, Machthunger, Machtstreben, Machtwahn
ehrgeizig: ehrsüchtig, eitel, ruhmsüchtig, streberhaft *eifrig, fleißig, geschäftig, leistungswillig, rastlos, strebsam, unermüdlich *anspruchsvoll *unfreundschaftlich, unkameradschaftlich, unkollegial
ehrlich: anständig, aufrichtig, freimütig, gerade, geradeheraus, geradlinig, grundehrlich, offen, offenherzig, rechtschaffen, redlich, reell, unverhohlen, unverhüllt, wahrhaftig, wahrheitsliebend, zuverlässig *anständig, aufrecht, ehrenhaft, fair, gebührlich, gerecht, lauter, rechtschaffen, redlich, ritterlich, sauber, solidarisch, sportlich, zuverlässig
Ehrlichkeit: Anstand, Aufrichtigkeit, Freimut, Geradheit, Geradlinigkeit, Lauterkeit, Offenheit, Offenherzigkeit, Rechtschaffenheit, Redlichkeit, Unverblümtheit, Wahrheitsliebe
ehrlos: gemein, hundsgemein, charakterlos, ehrvergessen, nichtswürdig, niederträchtig, niedrig, schäbig, schändlich, schimpflich, schmachvoll, schmählich, schmutzig, schnöde, unehrenhaft, unwürdig, verabscheuenswert, verabscheuungswürdig, verächtlich, verachtungswürdig, würdelos
Ehrlosigkeit: Abfall, Abtrünnigkeit, Charakterlosigkeit, Flatterhaftigkeit, Treuebruch, Treulosigkeit, Unbeständigkeit, Unehrlichkeit, Unredlichkeit, Unstetigkeit, Untreue, Wankelmut, Wankelmütigkeit, Wortbrüchigkeit
Ehrung: Feier, Huldigung, Lobpreis, Lobpreisung, Würdigung
Ehrverletzung: Beleidigung, Verleumdung
ehrwürdig: alt, altväterlich, erhaben, patriarchalisch, verehrungswürdig, würdig
Ei: Eizelle *Unverfrorenheit, Unverschämtheit
Eichhörnchen: Eichkater, Eichkätzchen, Eichkatze *Sammler
Eid: Eidschwur, Gelübde, Schwur, eidesstattliche Erklärung, Versicherung an Eides Statt *Eidbruch, Falschschwur, Meineid, Wortbruch, falsche Aussage, falscher Schwur, falscher Eid
eidesstattlich: an Eides Statt
Eidotter: Dotter, Eigelb
Eierkuchen: Eierfladen, Eierpfannkuchen, Omelett, Pfannkuchen
Eifer: Anspannung, Beflissenheit, Bereitschaft, Bereitwilligkeit, Bestreben, Betriebsamkeit, Dienstwilligkeit, Ehrgeiz, Ergebenheit, Gefälligkeit, Mühe, Regsamkeit, Rührigkeit, Streben, Tatendrang, Tatenlust *Arbeitseifer, Arbeitsfreude, Arbeitslust, Betätigungsdrang, Emsigkeit, Energie, Feuereifer, Fleiß, Geschäftigkeit, Schaffenslust, Strebsamkeit *Begeisterung, Feuer, Gefühlsüberschwang, Glut, Inbrunst, Leidenschaft, Schwärmerei, Strohfeuer, Übereifer, Überschwang, Überschwänglichkeit
Eiferer: Fanatiker, Fechter, Kämpfer, Schwärmer, Streiter
Eifersucht: Argwohn, Eifersüchtelei, Misstrauen, Neid, Zweifel
eifersüchtig: argwöhnisch, missgünstig, misstrauisch, neiderfüllt, neidisch, scheel blickend, selbstsüchtig
eiförmig: eirund, ellipsenförmig, oval

eifrig: aktiv, beflissen, bemüht, bestrebt, betriebsam, betulich, dabei, diensteifrig, dienstfertig, erpicht, geschäftig, hingebungsvoll, pflichtbewusst, regsam, rührig, strebsam, tätig, übereifrig, unermüdlich, unverdrossen, versessen, zur Hand, mit Hingabe

Eigelb: Dotter, Eidotter

eigen: absonderlich, befremdend, eigenartig, eigenbrötlerisch, eigentümlich, kauzig, komisch, merkwürdig, schrullig, seltsam, sonderbar, verschroben, verwunderlich, wunderlich *selbständig, unabhängig *genau, pingelig, sorgsam *gehörig, ureigen, zugehörig *pro domo, zum eigenen Nutzen, für sich selbst

Eigen: Anwesen, Besitz, Besitztum, Grundbesitz, Landbesitz, Länderei, Haus und Hof, Grund und Boden *Besitztum, Eigentum, Habe, Habschaft, Habseligkeiten, Hab und Gut *Bargeld, Barmittel, Barschaft, Barvermögen, Besitztum, Effekten, Geld, Geldmittel, Gut, Güter, Kapital, Kasse, Kassenbestand, Mittel, Reichtum, Schätze, Vermögen, Vermögenswerte, Wohlstand

Eigenart: Besonderheit, Charakter, Duktus, Eigenartigkeit, Eigenheit, Eigenschaft, Eigentümlichkeit, Gepräge, Kennzeichen, Manier, Merkmal, Spezialität, Spezifikum, Typ, Wesensart

eigenartig: absonderlich, befremdend, befremdlich, drollig, eigen, eigenbrötlerisch, eigentümlich, erstaunlich, grillenhaft, kauzig, komisch, kurios, merkwürdig, närrisch, ominös, schnurrig, schrullenhaft, schrullig, seltsam, skurril, sonderbar, sonderlich, spleenig, ulkig, verschroben, verwunderlich, wunderlich

Eigenartigkeit: Besonderheit, Charakter, Duktus, Eigenart, Eigenheit, Eigenschaft, Eigentümlichkeit, Gepräge, Kennzeichen, Manier, Merkmal, Spezialität, Spezifikum, Typ, Wesensart

Eigenbrötler: Blüte, Einzelgänger, Hagestolz, Junggeselle, Kauz, Original, Sonderling, Type, Unikum, Wunderling, seltsamer Vogel

eigenbrötlerisch: absonderlich, befremdend, befremdlich, drollig, eigen, eigenartig, eigentümlich, erstaunlich, kauzig, komisch, kurios, merkwürdig, ominös, schrullig, seltsam, sonderbar, sonderlich, ulkig, verschroben, verwunderlich, wunderlich

eigenhändig: höchstpersönlich, persönlich, privat, selbst *mit den eigenen Händen

Eigenliebe: Berechnung, Egoismus, Eigennutz, Eigennützigkeit, Eigensucht, Ichbezogenheit, Ichsucht, Selbstliebe, Selbstsucht

Eigenlob: Selbstlob, Selbstvergötterung, Selbstverherrlichung

eigenmächtig: selbständig, selbstherrlich, unbefugt, unberechtigt, unerlaubt, willkürlich, auf eigene Faust, ohne Erlaubnis

Eigenname: Familienname, Nachname, Vatername, Zuname

Eigennutz: Berechnung, Egoismus, Eigenliebe, Eigennützigkeit, Eigensucht, Ichbezogenheit, Ichsucht, Selbstliebe, Selbstsucht

eigennützig: berechnend, spekulativ *egoistisch, egozentrisch, ichbezogen, ichsüchtig, selbstsüchtig

Eigennützigkeit: Berechnung, Ichbezogenheit, Ichsucht, Selbstsucht

eigens: ausschließlich, besonders, extra, gerade, gesondert, individuell, separat, für sich (allein)

Eigenschaft: Eigenart, Kennzeichen, Qualität, Seite, Wesensmerkmal, Wesenszug

Eigensinn: Bockigkeit, Dickköpfigkeit, Dickschädeligkeit, Eigensinnigkeit, Eigenwille, Eigenwilligkeit, Halsstarrigkeit, Hartköpfigkeit, Rechthaberei, Starrköpfigkeit, Starrsinn, Steifnackigkeit, Sturheit, Uneinsichtigkeit, Verbohrtheit, Widerspenstigkeit, dicker Schädel

eigensinnig: aufmüpfig, aufsässig, bockbeinig, bockig, dickköpfig, dickschädelig, eigenwillig, eisern, fest, finster, halsstarrig, hartgesotten, kompromisslos, kratzbürstig, rechthaberisch, standhaft, starrköpfig, starrsinnig, steifnackig, störrisch, stur, trotzig, unaufgeschlossen, unbelehrbar, unbequem, unbotmäßig, uneinsichtig, unerbittlich, unfolgsam, ungehorsam, unlenksam, unnachgiebig,

unversöhnlich, unzugänglich, verbohrt, verschlossen, verständnislos, verstockt, widerborstig, widersetzlich, widerspenstig, zugeknöpft
eigenstaatlich: souverän
Eigenstaatlichkeit: Souveränität
eigenständig: autark, autonom, frei, selbständig, souverän, unabhängig, unbehindert, ungebunden
Eigenständigkeit: Autarkie, Autonomie, Selbständigkeit, Souveränität, Unabhängigkeit, Ungebundenheit
eigentlich: original, originär, primär, ursprünglich, von Haus aus *gewiss, richtig, tatsächlich, unleugbar, unwiderleglich, wahr, wirklich *alias, anders, auch, außerdem, tatsächlich, in Wirklichkeit, mit anderem Namen *genau genommen, gewissermaßen, ordnungsgemäß, rechtens, schließlich, sozusagen, streng genommen, überhaupt, ursprünglich, an sich, an und für sich, im Grunde, von Rechts wegen
Eigentum: Besitz, Besitztum, Habe, Habschaft, Habseligkeiten, Hab und Gut
Eigentümer: Besitzer, Eigner, Herr, Inhaber
eigentümlich: arteigen, besonders, bezeichnend, charakteristisch, eigen, kennzeichnend, originell, spezifisch, typisch, wesenhaft, wesenseigen *absonderlich, befremdend, befremdlich, drollig, eigen, eigenartig, eigenbrötlerisch, erstaunlich, kauzig, komisch, kurios, merkwürdig, ominös, schrullig, seltsam, sonderbar, sonderlich, ulkig, verschroben, verwunderlich, wunderlich
eigentümlicherweise: erstaunlicherweise, komischerweise, merkwürdigerweise, sonderbarerweise
Eigentümlichkeit: Absonderlichkeit, Besonderheit, Eigenheit, Eigenwilligkeit, Originalität, Singularität, Sonderheit *Kuriosität, Merkwürdigkeit, Seltsamkeit, Skurrilität *Besonderheit, Charakter, Duktus, Eigenart, Eigenheit, Eigenschaft, Gepräge, Kennzeichen, Manier, Merkmal, Spezialität, Spezifikum, Typ, Wesensart
eigenwillig: aufmüpfig, aufsässig, bockbeinig, bockig, dickköpfig, dickschädelig, eigensinnig, eisern, fest, finster, halsstarrig, hartgesotten, kompromisslos, kratzbürstig, rechthaberisch, standhaft, starrköpfig, starrsinnig, steifnackig, störrisch, stur, trotzig, unaufgeschlossen, unbelehrbar, unbequem, unbotmäßig, uneinsichtig, unerbittlich, unfolgsam, ungehorsam, unnachgiebig, unversöhnlich, unzugänglich, verbohrt, verschlossen, verständnislos, verstockt, widerborstig, widersetzlich, widerspenstig, zugeknöpft
Eigenwilligkeit: Bockigkeit, Dickköpfigkeit, Dickschädeligkeit, Eigensinn, Eigensinnigkeit, Eigenwille, Halsstarrigkeit, Hartköpfigkeit, Rechthaberei, Starrköpfigkeit, Starrsinn, Steifnackigkeit, Sturheit, Uneinsichtigkeit, Verbohrtheit, Widerspenstigkeit, dicker Schädel
eignen: besitzen, gehören ***s. eignen:** entsprechen, harmonieren, hinhauen, passen, stimmen, zusammenpassen, zusammenstimmen *geeignet sein, der (die) Richtige sein, befähigt sein
Eignung: Befähigung, Brauchbarkeit, Geeignetheit, Qualifikation, Qualifizierung, Tauglichkeit *Ader, Auffassungsgabe, Befähigung, Begabung, Berufung, Fähigkeit, Fähigkeiten, Gaben, Geistesgaben, Genialität, Genie, Ingenium, Intelligenz, Klugheit, Kunstfertigkeit, Talent, Veranlagung, Verstand, Vielseitigkeit, Zeug
Eiland: Atoll, Hallig, Insel, Schäre
Eile: Eifer, Eiltempo, Gehetze, Gehetztheit, Gejage, Gejagtheit, Hast, Hatz, Hetze, Hetzerei, Hetzjagd, Jagd, Rastlosigkeit, Ruhelosigkeit, Tempo, Treiberei, Übereilung, Unrast, Unruhe, Zeitmangel *Beschleunigung, Endspurt, Spurt *Behändigkeit, Fahrt, Flinkheit, Raschheit, Schnelligkeit, Überstürzung, Zügigkeit *Dringlichkeit, Notwendigkeit, Unaufschiebbarkeit, Wichtigkeit
eilen: flitzen, galoppieren, hasten, hetzen, jagen, laufen, preschen, rasen, rennen, sausen, schwirren, spritzen, stürmen, stürzen *brennen, drängen, pressieren, keinen Aufschub dulden, keinen Aufschub leiden ***s. eilen:** s. abhetzen, s. beeilen, s. hetzen, s. schicken
eilends: eilfertig, schnell, sofort, sogleich, stracks, im Nu, so schnell wie möglich

eilig: beflügelt, eilfertig, fieberhaft, fix, flink, fluchtartig, forsch, geschwind, hastig, hurtig, rasant, rasch, schleunigst, schnell, schnellstens, überstürzt, zügig, in Eile, Hals über Kopf *drängend, dringend, dringlich, pressant, unaufschiebbar, wichtig, höchste Zeit, möglichst sofort
Eilmarsch: Geschwindigkeitsmarsch, Gewaltmarsch, Gewalttour, Sturmschritt
Eilschrift: Kurzschrift, Schnellschrift, Steno, Stenographie
Eiltempo: Eifer, Eile, Gehetze, Gehetztheit, Gejage, Gejagtheit, Hast, Hatz, Hetze, Hetzerei, Hetzjagd, Jagd, Rastlosigkeit, Ruhelosigkeit, Tempo, Treiberei, Übereilung, Unrast, Unruhe, Zeitmangel
Eimer: Bütte, Kübel, Kufe *Putzeimer, Schöpfeimer, Wassereimer
ein: irgendeine, irgendeiner, irgendeines, jemand *dieser, eine, einer, jemand, jener, man *ich *dieses, jenes, welches *der, jener, welcher *die, jene, welche
***ein andermal:** demnächst, irgendwann, nachher, nächstens, zukünftig, in absehbarer Zeit, nicht jetzt, sondern später
einander: s. gegenseitig helfend, s. gegenseitig unterstützend, einer den anderen, einer dem anderen
einarbeiten: einbauen, einbetten, einblenden, einflechten, einfügen, eingliedern, einheften, einpassen, einreihen, einrücken, einschachteln, einschalten, einschieben, einsetzen, einsprengen, einstreuen, einweben, einzwängen, integrieren *auffüllen, ergänzen, hinzufügen, vervollständigen *anleiten, anlernen, anweisen, ausbilden, beraten, einführen, einweisen, lehren, unterweisen, vertraut machen (mit)
einarmig: mit einem Arm
einäschern: kremieren, verbrennen *abbrennen, niederbrennen, verbrennen, verwüsten, in Schutt und Asche legen, dem Boden gleichmachen
Einäscherung: Begräbnis, Beisetzung, Feuerbestattung, Kremation, Leichenverbrennung, Trauerfeier, Verbrennung
einatmen: atmen, einsaugen, einschnuppern, einziehen, inhalieren, riechen, röcheln, schnaufen, schnuppern, wittern, Atem holen, Luft holen, Luft schnappen
einbalsamieren: konservieren, mumifizieren, parfümieren
Einbalsamierung: Konservierung, Mumifikation
Einband: Buchdeckel, Bucheinband, Deckel, Einbanddeckel *Schutzhülle, Schutzumschlag, Umschlag
Einbau: Einsetzung, Installation, Montage *Einarbeitung, Einfügung, Einschiebsel, Einschiebung, Zusatz
einbauen: einpassen, einsetzen, hineinbauen, installieren, montieren *einarbeiten, einbetten, einfügen, einschieben
einbegriffen: einbezogen, einschließlich, inbegriffen, inklusive, bis auf, mit erfasst, mit berücksichtigt
einbehalten: zurückhalten, nicht aushändigen, (für sich) behalten, nicht herausrücken
einberufen: ausheben, einziehen, heranziehen, mobilisieren, rekrutieren, mobil machen, zu den Fahnen rufen, zu den Waffen rufen *herbeirufen, versammeln, zusammenrufen, zusammentrommeln, um sich scharen
Einberufung: Aushebung, Einziehung, Mobilisierung, Mobilmachung, Musterung, Rekrutierung *Einberufungsbefehl, Einberufungsorder, Einberufungsschreiben, Gestellungsbefehl, Ladung
einbetonieren: einmauern, in der Mauer befestigen
einbeulen: einbuchten, eindellen, eindrücken, verbeulen
einbeziehen: anrechnen, beachten, berücksichtigen, dazunehmen, dazurechnen, dazuzählen, einkalkulieren, einplanen, einrechnen, einschließen, erfassen, hinzunehmen, hinzurechnen, hinzuzählen, implizieren, inkludieren, mitrechnen, mitzählen, zuzählen, in Rechnung stellen, in Rechnung setzen, ins Kalkül ziehen *angleichen, eingliedern, einordnen, resozialisieren *dazuzählen, hinzuzählen, mit einplanen, mit einrechnen, mit erfassen
einbezogen: dabei, einbegriffen, einschließlich, inbegriffen, inklusive, bis auf, mit berücksichtigt, mit erfasst
einbiegen: abbiegen, abschwenken, ein-

schwenken, die Richtung ändern, einen Bogen machen, um die Ecke biegen, um die Ecke schwenken
einbilden (s.): annehmen, befürchten, s. einreden, erahnen, erwarten, fantasieren, fürchten, kalkulieren, mutmaßen, rechnen (mit), riechen, schätzen, spekulieren, vermuten, s. vorgaukeln, s. vormachen, s. vorspiegeln, wähnen, s. zusammenreimen
Einbildung: Annahme, Befürchtung, Erdichtung, Fiktion, Gesicht, Halluzination, Hirngespinst, Illusion, Luftschloss, Mutmaßung, Phantasie, Phantasiegebilde, Schimäre, Sinnestäuschung, Spekulation, Täuschung, Trugbild, Vorstellung, Wahn, Wunschvorstellung, Zwangsvorstellung, fixe Idee *Anmaßung, Arroganz, Aufgeblasenheit, Blasiertheit, Dünkel, Dünkelhaftigkeit, Eingebildetheit, Herablassung, Hochmut, Hochmütigkeit, Hoffart, Selbstgefälligkeit, Selbstgerechtigkeit, Selbstüberhebung, Stolz, Süffisance, Überheblichkeit, (übertriebenes) Geltungsbedürfnis
Einbildungskraft: Einbildungsvermögen, Eingebung, Erfindungsgabe, Phantasie, Imagination, Inspiration,
einbinden: binden, broschieren, heften *einflechten, einknoten, einknüpfen, einschnüren, hineinbinden, umhüllen
einbläuen: beibringen, eindrillen, eingraben, einhämmern, einimpfen, einpauken, einprägen, einschärfen, eintrichtern, eintrommeln, lehren, unterrichten
einblenden: einarbeiten, einbauen, einbetten, einflechten, einfügen, eingliedern, einheften, einpassen, einreihen, einrücken, einschachteln, einschalten, einschieben, einsetzen, einstreuen, einweben, einzwängen, integrieren *einschieben, hineinschieben, zufügen, hinzufügen, abrunden, einschalten, ergänzen
Einblick: Aufklärung, Bild, Eindruck, Einsicht, Vorstellung *Einsicht, Einsichtnahme, Inaugenscheinnahme, Kenntnisnahme
einbrechen: eindringen, s. einschleichen, einsteigen, einen Einbruch verüben *einfallen, einkrachen, einstürzen, zusammenbrechen, zusammenfallen, zusammenklappen, zusammenkrachen, zusammensacken, zusammensinken, zusammenstürzen *durchkrachen, einkrachen, hindurchbrechen
Einbrecher: Dieb, Langfinger, Plünderer, Räuber
Einbrenne: Mehlschwitze, Schwitze
einbringen: s. bezahlt machen, s. lohnen, s. rentieren, einträglich sein, gewinnbringend sein, lukrativ sein, rentabel sein, etwas bringen *abernten, abpflücken, bergen, einfahren, einholen, ernten, pflücken *vorbringen, vorlegen, vorschlagen, zur Sprache bringen *aufarbeiten, aufholen, einholen, nacharbeiten, nachziehen, die Scharte auswetzen
einbringlich: einträglich, gewinnbringend, lohnend, lukrativ, rentabel
einbrocken: verschulden, verursachen, ins Fettnäpfchen treten
Einbruch: Dieberei, Diebstahl, Eigentumsdelikt, Eigentumsvergehen, Einbruchdiebstahl, Entwendung, Plünderung, Raub, Wegnahme, widerrechtliche Aneignung *Beginn, Einschnitt, Herannahen, Neubeginn *Durchbruch, Eindringen *Einsturz, Zusammenbruch, Zusammensturz
einbuchten: einkerkern, einsperren, festsetzen, gefangen halten, internieren *einbeulen, eindellen, eindrücken, verbeulen
Einbuchtung: Bucht, Einbiegung, Einschnitt, Fjord, Vertiefung
einbuddeln: eingraben, einscharren, untergraben, vergraben, verscharren, versenken
einbürgern: aufnehmen, integrieren, nationalisieren, naturalisieren, die Staatsangehörigkeit geben, die Staatsangehörigkeit verleihen ***s. einbürgern:** heimisch werden, üblich werden, zur Gewohnheit werden *die Staatsangehörigkeit annehmen, Staatsbürger werden
Einbürgerung: Aufnahme, Integration, Nationalisierung, Naturalisierung
Einbuße: Abnahme, Ausfall, Mangel, Minus, Verlust, Verlustgeschäft, Verringerung
einbüßen: abnehmen, ausfallen, verlieren, verringern, zusetzen

eincremen: einbalsamieren, einfetten, einmassieren, einölen, einreiben, einsalben
eindämmen: aufhalten, bändigen, beschränken, dämmen, mäßigen, zähmen, zudämmen, zurückdämmen, Halt gebieten, Einhalt gebieten, unter Kontrolle bekommen *mindern, unterdrücken
eindämmern: einnicken, einschlafen, einschlummern, entschlummern, in Schlaf versinken
eindecken: decken, schmücken *bedecken, belegen, bestellen, voll stellen ***s. eindecken:** kaufen, s. versorgen, (Vorrat) anlegen
eindeutig: anschaulich, bestimmt, bildhaft, deutlich, einfach, exakt, genau, greifbar, handfest, klar, präzise, unmissverständlich, unverblümt, unzweideutig, fest umrissen, klipp und klar
Eindeutigkeit: Anschaulichkeit, Bestimmtheit, Bildhaftigkeit, Deutlichkeit, Einfachheit, Exaktheit, Klarheit, Präzision
eindimensional: eingleisig, einseitig, einspurig, einsträngig
eindringen: einbrechen, s. einschleichen, s. einschmuggeln, einsteigen *s. eindrängen, s. einnisten, s. einschmeicheln, s. niederlassen *belästigen, dreinreden, s. einmengen, s. einmischen, s. einschalten, stören *einfallen, einmarschieren, einrücken, einziehen, erobern, nehmen, stürmen, Besitz ergreifen
Eindringen: Durchbruch, Einbruch
eindringlich: bestimmt, betont, drastisch, dringend, eindeutig, emphatisch, energisch, entschieden, entschlossen, ernst, ernsthaft, ernstlich, fest, intensiv, nachdrücklich, stringent, ultimativ, unmissverständlich, mit Nachdruck, mit Gewicht
Eindringlichkeit: Bestimmtheit, Dringlichkeit, Emphase, Energie, Entschiedenheit, Inständigkeit, Nachdruck, Stringenz
Eindringling: Hetzer, Krakeeler, Krawallmacher, Provokateur, Radaubruder, Radaumacher, Rowdy, Schreier, Störenfried, Unruhestifter
Eindruck: Aufklärung, Bild, Einblick, Einsicht, Vorstellung *Einwirkung, Empfindung, Engramm, Erinnerungsbild, Impression, Vorstellung *Anschein, Aussehen, Schein *Druckspur, Einprägung *Bild, Vorstellung
eindrücken: breit drücken, breit quetschen, breit schlagen, knacken, stampfen, zerdrücken, zermalmen, zerquetschen *einprägen, einpressen, einstampfen, einstanzen, prägen (in) *einbeulen, einbuchten, eindellen, verbeulen ***s. eindrücken:** behalten, s. einprägen, speichern, in sich aufnehmen
eindruckslos: einförmig, einschläfernd, ermüdend, fade, gleichförmig, langweilig, monoton, öde, reizlos, stumpfsinnig, trist, trocken, trostlos, uninteressant, wirkungslos
eindrucksvoll: beeindruckend, eindrücklich, einprägsam, großartig, herrlich, hervorragend, imponierend, imposant, sagenhaft, schön, sensationell, stattlich, tief gehend, unauslöschbar, wirkungsvoll, wunderbar
einebnen: abgleichen, abstimmen, abtragen, ebnen, einplanieren, glätten, glatt machen, gleichmachen, nivellieren, planieren, eben machen, flach machen
Einebnung: Abtragung, Denudation, Nivellierung, Planierung
Einehe: Monogamie
einen: integrieren, sammeln, verbinden, vereinen, vereinigen, zusammenfassen, zusammenschließen
einengen: beengen, begrenzen, beschränken, einschnüren, einschränken *enttäuschen, frustrieren, vor den Kopf stoßen ***s. einengen:** s. begnügen, s. bescheiden, s. beschränken, s. einrichten, haushalten, kürzer treten, sparen, s. verkleinern, s. zurückhalten
Einengung: Begrenzung, Beschränkung, Einschränkung, Restriktion
einerlei: egal, gleichgültig, wurstig *dasselbe, ebendas, ebendies, ebendieses, das Gleiche, wie immer, das Alte *alltäglich, einförmig, eintönig, gleichförmig, langweilig *eins, gleich, gleichbedeutend, gehüpft wie gesprungen
Einerlei: Alltag, Einförmigkeit, Eintönigkeit, Gleichförmigkeit, Langeweile,

Öde, die alte Leier, unausgefüllte Stunden, leere Stunden
einfach: glatt, gradlinig, kunstlos, natürlich, primitiv, schlicht, schmucklos, ungegliedert, ungekünstelt, unkompliziert *anspruchslos, bescheiden, frugal, genügsam, mäßig, primitiv, puritanisch, spartanisch *arglos, einfältig, harmlos, kindhaft, kritiklos, leichtgläubig, naiv, treuherzig, unbedarft, unkritisch, weltfremd *farblos, primitiv, unauffällig, unscheinbar *anspruchslos, bescheiden, gelassen, schlicht, unkompliziert, zurückhaltend *kurzerhand, ohne Umstände, ohne weiteres *ungebildet, unqualifiziert *allgemein, bescheiden, primitiv *gesund, kalorienarm, leicht verdaulich *eben, einmal, halt, nun einmal
Einfachheit: Anspruchslosigkeit, Aufrichtigkeit, Freimut, Geradlinigkeit, Natürlichkeit, Offenheit, Schlichtheit *Arglosigkeit, Einfalt, Gutgläubigkeit, Harmlosigkeit, Leichtgläubigkeit, Unbedarftheit, Unschuld *Eingängigkeit, Klarheit, Übersichtlichkeit, Undifferenziertheit, Unkompliziertheit, Verständlichkeit *Natürlichkeit, Naturnähe, Naturverbundenheit, Naturzustand, Urwüchsigkeit *Kritiklosigkeit, Urteilslosigkeit
einfädeln: arrangieren, bewerkstelligen, bewirken, einleiten, in die Wege leiten *durchstecken, durchziehen, einziehen *anbahnen, anknüpfen, anspinnen, beginnen, einleiten, vorbereiten, in die Wege leiten ***s. einfädeln:** fahren, einfahren, s. einordnen
einfahren: einfädeln, einordnen, hineinfahren, kommen *einbringen, heimbringen *schonen, mäßig fahren, langsam fahren *kriechen (in), schliefen (in), schlüpfen (in), in den Bau kriechen ***s. einfahren:** s. ausbreiten, Alltag werden, zur Gewohnheit werden, Routine werden, alltäglich werden, gebräuchlich werden
Einfahrt: Durchgang, Einfahrtstor, Einfahrtsweg, Eingang, Hauseinfahrt, Portal, Tor, Toreinfahrt, Torweg, Tür, Zufahrt, Zugang *Ankunft, das Eintreffen, das Einlaufen
Einfall: Eingebung, Erleuchtung, Gag, Gedanke, Gedankenblitz, Geistesblitz, Geistesfunke, Idee, Inspiration, Intuition, Schnapsidee *Überfall *Albernheiten, Allüren, Anwandlung, Flausen, Grille, Kaprice, Kapriole, Kinkerlitzchen, Laune, Mucke, Schrulle, Stimmung
einfallen: aufblitzen, dämmern, s. entsinnen, s. erinnern, kommen *eine Idee haben, auf die Idee kommen, durch den Kopf schießen, Einfälle haben, schöpferisch denken *einflechten, einfügen, einschalten, einsetzen, einstreuen, einwerfen, entgegnen, unterbrechen, ins Wort fallen, zu bedenken geben *anfangen, anheben, aufnehmen, beginnen, mitsingen *einstürzen, zusammenbrechen, zusammenfallen, zusammenstürzen *besetzen, eindringen, einmarschieren, einrücken, einziehen, erobern, nehmen, stürmen, Besitz ergreifen *abmagern, altern, zusammenfallen
einfallslos: alltäglich, einfach, einförmig, ermüdend, fade, geistlos, gleichförmig, langweilig, monoton, öde, phantasielos, reizlos, trist, trocken, trostlos, üblich, uninteressant, unoriginell, wirkungslos, ohne Pfiff
Einfallslosigkeit: Banalität, Gedankenarmut, Geistlosigkeit, Ideenlosigkeit, Mattheit, Oberflächlichkeit, Phantasielosigkeit, Seichtheit, Unoriginalität *Langeweile, Monotonie, (grauer) Alltag
einfallsreich: findig, gedankenreich, geistreich, ideenreich, kreativ, originell, phantasiebegabt, phantasiereich, phantasievoll, produktiv, schöpferisch *erfindungsreich, listig, schlau *schlagfertig
Einfallsreichtum: Erfindungsgabe, Ideenreichtum, Kreativität, Originalität, Phantasie, Produktivität
Einfalt: Arglosigkeit, Beschränktheit, Biederkeit, Einfältigkeit, Gutgläubigkeit, Harmlosigkeit, Kritiklosigkeit, Leichtgläubigkeit, Naivität, Simplizität, Torheit, Treuherzigkeit, Vertrauensseligkeit *Biederkeit, Einfachheit, Herzenseinfalt, Redlichkeit, Schlichtheit
einfältig: arglos, beschränkt, bieder, gutgläubig, harmlos, kritiklos, naiv, schlicht, simpel, treuherzig, vertrauensselig *bie-

der, einfach, redlich, schlicht *beschränkt, borniert, stumpfsinnig *schwerfällig, tölpelhaft, ungeschickt, unvernünftig

einfangen: ergreifen, erhaschen, fangen, greifen, haschen *ausdrucken, festhalten, fixieren

einfarbig: einheitlich, eintönig, monochrom, uni, unifarben, nicht bunt

einfassen: einsäumen, säumen *eingrenzen, rahmen, umfassen, umgeben, umzäunen

Einfassung: Grenze, Hecke, Zaun *Rahmen, Umrahmung, Umrandung *Bund, Bündchen, Rand, Saum

einfetten: cremen, eincremen, einölen, einreiben, einsalben, einschmieren, ölen, salben *abschmieren, fetten

einfinden (s.): ankommen, anmarschieren, anrücken, s. einstellen, eintreffen, erscheinen, herkommen, kommen, s. nähern

einflechten: anbringen, andeuten, ansprechen, aufführen, aufzählen, berühren, erwähnen, fallen lassen, kurz sprechen (von), nennen, streifen, vorbringen, beiläufig nennen, kurz sprechen (über), nebenbei sagen, zur Sprache bringen, einfließen lassen *einbinden, einknoten, einknüpfen, einschnüren, hineinbinden, umhüllen *einarbeiten, einbauen, einbetten, einblenden, einfügen, eingliedern, einheften, einpassen, einreihen, einrücken, einschachteln, einschalten, einschieben, einsetzen, einsprengen, einstreuen, einweben, einzwängen, integrieren

einfliegen: eindringen, hineinfliegen, überfliegen *befördern, expedieren, spedieren, transportieren, überführen

einfließen: äußern, einwerfen, erwähnen, sagen, (beiläufig) bemerken, zu bedenken geben

einflößen: einfiltrieren, einfüllen, eingeben, eingießen, einträufeln, eintrichtern, einträpfeln, infiltrieren

Einfluss: Geltung, Gewicht, Macht, Machtstellung *Beeinflussung, Einwirkung, Wirkung

Einflussbereich: Aktionsbereich, Einflusssphäre, Einflusszone, Einwirkungsbereich, Einwirkungssphäre, Gebiet, Geltungsbereich, Herrschaftsbereich, Interessensphäre, Machtbereich, Wirkungsbereich

einflusslos: allein, alleine, einflussarm, ohne Beziehungen *hilflos, machtlos, ohnmächtig, schwach

Einflusslosigkeit: Autoritätslosigkeit, Hilflosigkeit, Kraftlosigkeit, Machtlosigkeit, Ohnmacht, Schwäche, Wirkungslosigkeit

Einflussnahme: Beeinflussung, Einfluss, Einwirkung, Suggestion, Überredung

einflussreich: gewaltig, mächtig, maßgebend, potent, stark, vermögend, wichtig

einflüstern: einsagen, helfen, soufflieren, vorreden, vorsagen, vorsprechen, zuflüstern *aufbinden, aufhängen, aufschwatzen, auftischen, eingeben, einreden, erzählen, suggerieren, weismachen, glauben machen

einfordern: einklagen, eintreiben, einziehen, fordern, verlangen

einförmig: abwechslungslos, alltäglich, eindruckslos, einerlei, einschläfernd, eintönig, ereignislos, ermüdend, fade, gleichförmig, grau, langweilig, monoton, nüchtern, öde, reizlos, stumpfsinnig, traurig, trist, trocken, trostlos, uninteressant, wirkungslos, ohne Abwechslung

Einförmigkeit: Einerlei, Eintönigkeit, Fadheit, Gleichförmigkeit, Langeweile, Monotonie, Nüchternheit, Traurigkeit, Tristheit, Trostlosigkeit

einfrieden: abschließen, abstecken, begrenzen, einfassen, eingittern, eingrenzen, einhegen, einzäunen, sichern, umgeben, umzäunen, mit einem Zaun versehen

einfrieren: ruhen, stagnieren, stocken, nicht weiterführen *belassen, bleiben *frosten, einfrosten, gefrieren, eingefrieren, konservieren, tiefkühlen

einfrosten: eingefrieren, eisen, gefrieren, konservieren, tiefkühlen

einfügen: einarbeiten, einbauen, einbetten, einblenden, einflechten, eingliedern, einheften, einpassen, einreihen, einrücken, einschachteln, einschalten, einschieben, einsetzen, einsprengen, einstreuen, einweben, einzwängen, integrieren *auffüllen, ergänzen, hinzufügen, ver-

vollständigen *s. einfügen: s. anpassen, s. einordnen, s. integrieren, s. unterordnen
Einfügung: Einlage, Einschaltung, Einschluss, Einschub, Zwischenstück *Eingliederung, Einordnung, Einreihung, Einstufung, Zuordnung *Einlage, Einschachtelung, Einschiebsel, Einschiebung, Einschub
einfühlen (s.): s. einleben, s. hineindenken, s. hineinversetzen, s. versetzen (in)
einfühlsam: anteilnehmend, beseelt, einfühlend, empfindend, entgegenkommend, fühlend, gefühlvoll, herzlich, innig, rücksichtsvoll, seelenvoll, taktvoll, teilnehmend, warm, zart fühlend
Einfühlungsvermögen: Anteil, Anteilnahme, Einfühlungskraft, Einfühlungsgabe, Einsicht, Entgegenkommen, Feingefühl, Herzlichkeit, Höflichkeit, Innigkeit, Mitgefühl, Rücksicht, Sympathie, Takt, Taktgefühl, Teilnahme, Verständnis, Verstehen, Wärme, Zartgefühl
Einfuhr: Import
einführen: importieren, aus dem Ausland beziehen *anleiten, anlernen, einarbeiten, einweisen, führen, lehren, unterweisen *einschleusen, einschmuggeln *anbieten, vorstellen, bekannt machen, auf den Markt bringen *erneuern *durchstecken, hineinschieben, hineinstecken
Einfuhrhandel: Importhandel
Einführung: Einleitung, Vorbemerkung *Bekanntmachung, Einblick, Vorstellung *Anleitung, Anweisung, Beratung, Einarbeitung, Einweisung, Lehre, Unterweisung *Einführungsvortrag, Einleitung, Erklärung, Erläuterung
Einfuhrverbot: Einfuhrsperre, Embargo
Einfuhrware: Einfuhrartikel, Einfuhrgut, Importartikel, Importe, Importware
einfüllen: füllen, abfüllen, auffüllen, eingießen, einschenken, hineingießen, hineinschütten, nachfüllen, schütten (in), voll schütten, voll machen *einfiltrieren, einflößen, eingeben, eingießen, einträufeln, eintrichtern, eintröpfeln, infiltrieren
Eingabe: Anfrage, Antrag, Bittadresse, Bittgesuch, Bittschreiben, Bittschrift, Gesuch, Petition *Abgabe, Zuspiel
Eingang: Einfahrt, Eingangspforte, Eingangsportal, Eingangstür, Einlass, Eintritt, Hauseinfahrt, Hauseingang, Öffnung, Pforte, Portal, Tor, Toreinfahrt, Tür, Zugang *Aufnahme, Empfang, Entgegennahme *Einlauf, Posteingang
eingängig: leicht, leicht verständlich, leicht fasslich, leicht begreifbar
eingangs: anfangs, einleitend, zu Beginn
eingeben: eintippen, aufnehmen lassen *beeinflussen, einflüstern, einreden, suggerieren, vorschlagen, Einfluss nehmen *beantragen, vorlegen, einen Antrag stellen, einen Antrag einreichen *einfiltrieren, einflößen, einfüllen, eingießen, einträufeln, eintrichtern, eintröpfeln, infiltrieren
eingebildet: angeberisch, aufgeblasen, blasiert, dünkelhaft, eitel, hoffärtig, selbstgefällig, snobistisch, überheblich, versnobt, von sich eingenommen *abstrakt, illusorisch, imaginär, irreal, phantastisch, unwirklich *ausgedacht, erfunden, scheinbar ***eingebildet sein:** angeben, aufblasen, aufschneiden, aufspielen, s. blähen, großtun, prahlen, protzen, prunken, s. spreizen
Eingebildetheit: Anmaßung, Arroganz, Aufgeblasenheit, Blasiertheit, Dünkel, Dünkelhaftigkeit, Einbildung, Herablassung, Hochmut, Hochmütigkeit, Hoffart, Selbstgefälligkeit, Selbstgerechtigkeit, Selbstüberhebung, Stolz, Süffisance, Überheblichkeit, (übertriebenes) Geltungsbedürfnis
Eingeborener: Einheimischer, Urbewohner, Ureinwohner
Eingebung: Einbildungskraft, Einbildungsvermögen, Erfindungsgabe, Imagination, Inspiration, Phantasie *Einfall, Erleuchtung, Gag, Gedanke, Gedankenblitz, Geistesblitz, Geistesfunke, Idee, Inspiration, Intuition, Schnapsidee
eingebürgert: ansässig, beheimatet, bodenständig, eingeboren, einheimisch, heimisch, niedergelassen, ortsansässig, wohnhaft, zu Hause
eingedenk: beherzigend, erinnernd
eingefahren: allgemein, eingebürgert, herkömmlich, konventionell, monoton, üblich

eingefallen: abgezehrt, ausgehungert, ausgemergelt, spindeldürr, unterernährt
eingefangen: eingekerkert, eingesperrt, inhaftiert *überzeugt sein ***eingefangen sein:** beeinflusst sein
eingefettet: eingecremt, eingeölt, eingerieben, eingesalbt, eingeschmiert, fettig
eingefleischt: gewohnt, überzeugt, unbekehrbar, unverbesserlich
eingefroren: geeist, gefroren, gekühlt, tiefgekühlt *abgebrochen, abgegeben, beendet, eingestellt, unterbrochen *festliegend, illiquid
eingeführt: alteingeführt, anerkannt, geltend, gültig *alltäglich, gebräuchlich, üblich, verbreitet *importiert
eingehen: absterben, dorren, sterben, verdorren, vertrocknen, verwelken, welken, nicht anwachsen, nicht angehen *ableben, abscheiden, heimgehen, hinscheiden, sterben, vergehen, verscheiden, abgerufen werden *einlaufen, zusammenschnurren, zusammenschrumpfen, kürzer werden, enger werden, kleiner werden *heiraten, s. vermählen *wetten *riskieren, wagen *s. verbünden *beantworten, einwenden, reagieren, jmdm. antworten *aufgreifen, weiterführen, weiterspinnen *ankommen, eintreffen, eintrudeln, kommen *akzeptieren, annehmen, billigen, nachgeben *s. hinwenden *s. verewigen *(Festlegung) schließen
eingehend: ausführlich, breit, gründlich, langatmig, reiflich, umständlich, weitschweifig, wortreich
eingehüllt: angezogen, bedeckt, bekleidet, verhüllt, vermummt *eingepackt, verpackt
eingeklemmt: eingeengt, eingekeilt, eingepresst, eingeschlossen, eingezwängt
Eingemachtes: Konserve, das Eingekochte, das Eingeweckte, das Haltbargemachte, das Konservierte
eingemeindet: angeschlossen, dazugehörend, eingegliedert, einverleibt, zugehörig
Eingemeindung: Eingliederung, Einverleibung, Rückführung, Rückgliederung
eingepfercht: eingekeilt, eingeklemmt, eingepresst, eingeschlossen, eingezwängt, dicht gedrängt, eng zusammengedrängt
eingerechnet: außerdem, dazu, einbegriffen, eingeschlossen, einschließlich, ferner, implizit, implizite, inbegriffen, inklusive, mit, mitgerechnet, plus, samt, umfassend, zugehörig, zuzüglich, bis auf alles, in allem
eingerostet: rostig, verrostet, von Rost zerfressen *eckig, hölzern, plump, schwerfällig, steif, tollpatschig, träge, unbeweglich, ungelenk, unsportlich, ohne Bewegung, wie ein Stück Holz
eingeschlafen: abgestorben, blutleer, empfindungslos, taub
eingeschlossen: einschließlich, inbegriffen, inklusive *eingeengt, eingekeilt, eingeklemmt, eingepresst, eingesperrt, eingezwängt, gefangen *implizit, inbegriffen, mitgemeint
eingeschnappt: beleidigt, gekränkt, getroffen, grantig, pikiert, sauer, verletzt, verschnupft, verstimmt
eingeschneit: verschneit, weiß, winterlich, zugeschneit, mit Schnee bedeckt, unter Schnee begraben, tief verschneit
eingeschränkt: behindert, benachteiligt, gehandikapt *anspruchslos, bedürfnislos, bescheiden, einfach, gemäßigt, genügsam, schlicht, spartanisch, zurückhaltend *bedingt, vorbehaltlich, mit Einschränkungen, unter Vorbehalt *beschnitten, beschränkt *verkürzt, vermindert *schwach
eingesessen: ansässig, beheimatet, bodenständig, eingeboren, eingebürgert, einheimisch, heimisch, niedergelassen, ortsansässig, wohnhaft, zu Hause
Eingeständnis: Beichte, Bekenntnis, Geständnis, Offenbarung, Schuldbekenntnis, Sündenbekenntnis
eingestehen: auspacken, aussagen, beichten, bekennen, einräumen, offenbaren, zugeben, geständig sein
eingeübt: geprobt, geübt, vorbereitet
Eingeweide: Aufbruch, Gedärm, Gedärme, Gescheide, Innereien
eingeweiht: aufgeklärt, erfahren, unterrichtet, wissend
eingewöhnen (s.): s. akklimatisieren, s. anpassen, s. assimilieren, s. einleben, s. einordnen, s. gewöhnen (an), s. unterordnen

Eingewöhnung: Akklimatisation, Anpassung
eingewurzelt: altgewohnt, angestammt, eingebürgert, eingefleischt, gebräuchlich, herkömmlich, landläufig
eingezwängt: eingekeilt, eingeklemmt, eingepfercht, eingepresst, eingeschlossen, dicht gedrängt, eng zusammengedrängt
eingießen: einschenken, einschütten, füllen, nachgießen
eingleisig: einseitig, einspurig, einsträngig
eingliedern: angleichen, anpassen, aufnehmen, einbeziehen, einfügen, eingruppieren, einordnen, integrieren, resozialisieren *angliedern, anreihen, anschließen, einverleiben, vereinen, verschmelzen ***s. eingliedern:** s. angleichen, s. anpassen, s. befreunden, s. einfügen, s. einleben, s. einordnen, s. einpassen, s. gewöhnen (an), harmonisieren, s. richten (nach), s. umstellen, s. unterordnen
Eingliederung: Aufnahme, Einordnung, Integration, Resozialisierungsmaßnahme
eingraben: bereinigen, vergessen *einbuddeln, einscharren, untergraben, vergraben, verscharren, versenken *beerdigen, begraben, beisetzen, bestatten *einkerben, einkratzen, s. verewigen *s. schützen, Stellung beziehen, Stellung halten *eingravieren, einhauen, einkerben, einmeißeln, einritzen, einstanzen, gravieren, meißeln (in), punzen, punzieren *beibringen, einbläuen, eindrillen, eindrücken, eingravieren, einhämmern, einimpfen, einpauken, einprägen, einpressen, einschärfen, einstanzen, eintrichtern, eintrommeln, lehren, prägen, unterrichten ***s. eingraben:** s. decken, s. einschanzen, s. schützen, s. verschanzen, eine Schanze bauen
eingravieren: eingraben, einhauen, einkerben, einmeißeln, einritzen, einstanzen, gravieren, meißeln (in), punzen, punzieren
eingreifen: dazwischenfahren, dazwischenfunken, dazwischentreten, dreinfahren, dreinhauen, dreinreden, durchgreifen, einhaken, s. einmengen, s. einmischen, s. einschalten, einschreiten, verhindern, zuschlagen, Ordnung schaffen, Schluss machen, strenger vorgehen *s. beteiligen, mitarbeiten, mithalten, mitlaufen, mitmachen, mitmischen, mitspielen, mittun, mitwirken
eingrenzen: abzäunen, begrenzen, einfassen, einfrieden, einhegen, einzäunen, umfrieden, umgrenzen, umhecken, umzäunen *kürzen, verkürzen, begrenzen, beschränken, dezimieren, einschränken, herabmindern, reduzieren, schmälern, streichen, verkleinern, vermindern, verringern
Eingrenzung: Einfriedung, Grenzzaun, Umzäunung
Eingriff: Einschnitt, Inzision, Operation, Schnitt *Einmengung, Einmischung, Hineinreden, Intervention
eingruppieren: auffächern, aufgliedern, aufteilen, differenzieren, eingliedern, einordnen, einstufen, einteilen, fächern, gliedern, klassifizieren, ordnen, paragraphieren, periodisieren, rubrizieren, segmentieren, staffeln, systematisieren, teilen, untergliedern, unterteilen, unterteilen, zerlegen *angleichen, anpassen, aufnehmen, einbeziehen, einfügen, eingliedern, einordnen, integrieren, resozialisieren *einfügen, eingliedern, einheften, einordnen, einrangieren, einreihen, einrichten, einsortieren, einstellen, einstufen, hineinlegen, zuordnen, zustellen
einhaken: einklinken, einrasten, festhaken, schließen, verbinden, zumachen, zuschließen *ablehnen, anfechten, beanstanden, bemäkeln, bemängeln, s. beschweren, herumkritteln, kritisieren, missbilligen, monieren, nörgeln, reklamieren, s. stören (an), s. stoßen (an), angehen (gegen), etwas auszusetzen haben, Klage führen, klagen (über), Kritik üben, unmöglich finden *dazwischenfunken, dazwischentreten, dreinfahren, dreinhauen, dreinreden, durchgreifen, s. einmengen, s. einmischen, s. einschalten, einschreiten, verhindern, zuschlagen, Ordnung schaffen, Schluss machen, strenger vorgehen ***s. einhaken:** s. einhängen, s. einhenkeln, stützen, Arm in Arm gehen, Halt geben, den Arm geben
einhalten: s. an etwas halten, beachten,

befolgen, beherzigen, s. beugen, s. fügen, nachkommen, s. richten (nach), s. unterwerfen *nicht abweichen *ausruhen, aussetzen, innehalten, pausieren, rasten, stillstehen, stocken, unterbrechen, eine Pause machen, eine Pause einlegen *aufhören, beendigen, enden *beharren, festhalten, nicht abweichen *befriedigen, einlösen, erfüllen, s. halten (an), zufrieden stellen

Einhaltung: Beachtung, Befolgung, Beherzigung, Erfüllung

einhämmern: beibringen, einbläuen, eindrillen, eingraben, einimpfen, einpauken, einprägen, einschärfen, eintrichtern, eintrommeln, lehren, unterrichten

einhandeln: einkaufen, eintauschen, erfeilschen, erhandeln, ertauschen, tauschen ***s. einhandeln:** s. zuziehen, in Kauf nehmen müssen, hinnehmen müssen

einhändig: mit der linken Hand, mit der rechten Hand, mit einer Hand

einhängen: abbrechen, auflegen, beenden, unterbrechen ***s. einhängen:** s. einhaken, s. einhenkeln, stützen, unterhaken, Arm in Arm gehen, Halt geben, Arm geben

einhauen: einschlagen *eingravieren, einmeißeln, meißeln (in)

einheften: einflechten, einfügen, eingliedern, einpassen

einheimisch: ansässig, beheimatet, bodenständig, eingeboren, eingebürgert, eingesessen, heimisch, niedergelassen, ortsansässig, wohnhaft, zu Hause *heimisch, hiesig, inländisch

einheimsen: absahnen, s. aneignen, anhäufen, s. bereichern, einsacken, einstreichen, ergattern, s. gesundstoßen, herausholen, herausschlagen, profitieren, sparen, zugreifen, zulangen, zusammenraffen, zusammentragen, zuschlagen, s. Vorteile verschaffen, s. etwas unter den Nagel reißen, s. Gewinn verschaffen, an sich reißen, ein Geschäft machen, Nutzen haben, Gewinn haben, Nutznießer sein

Einheit: Größe, Maßeinheit *Abteilung, Formation, Geschwader, Haufen, Heeresverband, Kolonne, Pulk, Schar, Trupp, Truppe, Truppenteil, Verband *Absolutheit, Allmacht, Allwissenheit, Ewigkeit, Unendlichkeit *Einheitlichkeit, Gesamtheit, Geschlossenheit, Totalität, Vollständigkeit *Ganzes, Ganzheit, Gefüge, Gemeinsamkeit *Einheitlichkeit, Einigkeit, Geschlossenheit, Unität, Unteilbarkeit, Verbundenheit, Zusammengehörigkeit

einheitlich: gewachsen, organisch, zusammenhängend *analog, einhellig, gleich, gleichartig, homogen, identisch, konform, kongruent, konvergent, übereinstimmend, zusammenfallend *einig, gemeinsam, geschlossen, unteilbar, verbunden, zusammenhängend, aus einem Guss

Einheitlichkeit: Einheit, Einigkeit, Geschlossenheit, Unität, Unteilbarkeit, Verbundenheit, Zusammengehörigkeit

Einheitsfront: Allianz, Bund, Bündnis, Entente, Fusion, Koalition, Liga, Liaison, Union, Verbindung, Vereinigung, Zusammenschluss, Schutz-und-Trutz-Bündnis

Einheitskleidung: Uniform *Schuluniform

einheizen: anheizen, beheizen, erwärmen, feuern, heizen, wärmen, Feuer machen, warm machen *anfeuern, anspornen, anstacheln, anstiften, antreiben, anzetteln, aufstacheln

einhellig: einmütig, einstimmig, einträchtig, gleichstimmig, im Einvernehmen (mit), übereinstimmend *analog, gleich, gleichartig, homogen, identisch, konform, kongruent, konvergent, übereinstimmend, zusammenfallend

einholen: ereilen, erreichen, gleichziehen *einfangen, fangen, haschen, erhaschen *aufholen, ausgleichen, erreichen, gleichziehen, nachholen, nachziehen, wettmachen *einkaufen, erstehen, erwerben, kaufen *einziehen, s. geben lassen

einhüllen: einmummen, einmummeln, einwickeln, umhüllen, warm anziehen *einnebeln, tarnen, unsichtbar machen *bedecken, einmummen, einpacken, einwickeln, hüllen (in), umhüllen, vermummen, windeln *umgeben, umhüllen

einig: gemeinsam, gemeinschaftlich, geschlossen, solidarisch, verbündet, ver-

eint, verschworen *geeint, verbunden, vereinigt *einheitlich, einhellig, einmütig, einträchtig, einverstanden, gleichgesinnt, gleichgestimmt, harmonisch, übereinstimmend, unzertrennlich *zusammengehörend, zusammenhaltend, zusammenstehend, zusammenwohnend, beisammen sein *fertig, handelseinig, handelseins, übereingekommen
einige: diverse, einzelne, etliche, manche, mehrere, verschiedene, wenige, ein paar, eine Reihe, eine Anzahl, dieser und jener, eine Hand voll *einiges, ein wenig, ein bisschen *beträchtlich, nicht wenig, ziemlich viel, ziemlich groß ***einige Mal:** mehrmals, wiederholt, zuweilen, ein paar Mal
einigeln: s. abkapseln, s. abschließen, s. absondern, s. einspinnen, s. isolieren, s. separieren, s. verschließen, s. von der Außenwelt abschließen, s. vor der Welt verschließen, Kontakt meiden, das Leben fliehen, der Welt entsagen
einigen (s.): s. aussöhnen, s. vergleichen, s. versöhnen, s. vertragen *beilegen, bereinigen, klären, klarkommen, schlichten *abmachen, absprechen, aushandeln, ausmachen, übereinkommen, verabreden, vereinbaren, s. verständigen, einig werden, handelseinig werden *übereinkommen, s. vergleichen, ins Reine kommen, einen Vergleich schließen, eine gemeinsame Formel finden
einigermaßen: annähernd, halbwegs, leidlich, passabel, ungefähr, ziemlich, in etwa, bis zu einem gewissen Grade
einiges: einige, etliches, etwas, ein bisschen *einzelne
Einigkeit: Bejahung, Brüderlichkeit, Einheit, Einhelligkeit, Einigung, Einklang, Einmütigkeit, Einstimmung, Eintracht, Einvernehmen, Frieden, Gleichgesinntheit, Gleichklang, Gleichtakt, Harmonie, Konsens, Partnerschaft, Übereinstimmung, Zustimmung
Einigung: Beilegung, Schlichtung, Übereinkommen, Vergleich, Versöhnung *Abkommen, Abmachung, Arrangement, Übereinstimmung, Verabredung, Vereinbarung
einimpfen: einspritzen, injizieren *beibringen, einbläuen, eindrillen, eingraben, einhämmern, einpauken, einprägen, einschärfen, eintrichtern, eintrommeln, lehren, unterrichten
einjagen: ängstigen, erschrecken
einjährig: ein Jahr alt *ein Jahr dauernd
einkalkulieren: berechnen, berücksichtigen, einbeziehen, einplanen, in Betracht ziehen *annehmen, befürchten, s. einbilden, erahnen, erwarten, fürchten, kalkulieren, mutmaßen, rechnen (mit), riechen, schätzen, spekulieren, vermuten, wähnen, s. zusammenreimen
einkassieren: arretieren, einbuchten, einbunkern, eingittern, einkerkern, einlochen, einsperren, gefangen nehmen, gefangen setzen, inhaftieren, internieren, verhaften, in Haft setzen, in Arrest setzen, in Haft nehmen, in Gewahrsam nehmen, ins Gefängnis werfen *s. aneignen *abkassieren, einnehmen, einsammeln, einstreichen, eintreiben, kassieren, vereinnahmen *einziehen
Einkauf: Ankauf, Anschaffung, Besorgung, Erledigung, Erwerb, Erwerbung, Kauf
einkaufen: s. abdecken (mit), abkaufen, abnehmen, ankaufen, anschaffen, aufkaufen, besorgen, einholen, erledigen, erstehen, erwerben, kaufen, übernehmen, s. versorgen, an sich bringen, Besorgungen machen ***s. einkaufen:** eintreten, übernehmen
Einkaufspreis: Abgabepreis, Herstellerpreis, Kaufpreis, Preis
Einkaufstasche: Beutel, Einkaufsbeutel, Markttasche, Plastiktasche, Tasche *Einkaufsnetz, Netz
Einkehr: Kontemplation, Meditation, Sammlung, Selbstbesinnung, Versenkung *Erholungspause, Halt, Pause, Unterbrechung, Verschnaufpause
einkehren: absteigen, pausieren, rasten, ruhen, (etwas) unterbrechen
einkellern: einlagern, einmieten, einwintern, lagern
einkerben: eingravieren, einritzen, einsägen, einschneiden, einschnitzen, verewigen *inzidieren, einen Einschnitt machen
Einkerbung: Gravur, Kerbe

einkerkern: einsperren, sichern, hinter Schloss und Riegel bringen, in Verwahrung nehmen
einkesseln: einfassen, einkreisen, einschließen, einzingeln, umgeben, umgrenzen, umstellen, umzingeln
einklagen: anklagen, belangen, beschuldigen, klagen, prozessieren, verklagen, Anklage erheben, Klage führen (gegen), auf die Anklagebank bringen, einen Prozess führen (gegen)
Einklang: Brüderlichkeit, Einhelligkeit, Einigkeit, Einmütigkeit, Einstimmung, Eintracht, Frieden, Gleichgesinntheit, Gleichklang, Gleichtakt, Harmonie, Partnerschaft, Sympathie, Übereinstimmung, Verbundenheit
einkleben: in etwas kleben *aufbewahren, aufheben
einkleiden: ausrüsten, ausstaffieren, ausstatten *eine Uniform aushändigen
einklemmen: dazwischenklemmen, dazwischenpressen, einkeilen, einkneifen, einquetschen, festklemmen, quetschen
einklinken: einhaken, einrasten, festhaken *schließen, zumachen, ins Schloss fallen
einklopfen: durchtreiben, einkeilen, einrammen, einschlagen, einstoßen, eintreiben, hineinschlagen, hineintreiben, rammen (in), schlagen (in)
einknicken: umknicken, einen Knick machen *umkippen, zusammenfallen, zusammenklappen, zusammensacken *umknicken, verstauchen
einkochen: eindosen, einmachen, einwecken, konservieren
einkommen: ansuchen, beantragen, bitten, einreichen, erbitten, ersuchen, nachsuchen, ein Gesuch stellen, vorstellig werden *ankommen, s. einfinden, eingehen, einlaufen, ins Ziel gelangen *ansammeln, eingehen, zusammenkommen
Einkommen: Bezüge, Einkünfte, Einnahme, Erträge, Gehalt, Honorar, Lohn, Pension, Rente, Verdienst
einkommensschwach: arm, ärmer, finanzschwach, schlechter gestellt, sozial schwächer, nicht vermögend
einkrachen: einbrechen, einfallen, einstürzen, zusammenbrechen, zusammenfallen, zusammenklappen, zusammenkrachen, zusammensacken, zusammensinken, zusammenstürzen *durchkrachen, einbrechen, einfallen, einstürzen, hindurchbrechen, zusammenbrechen, zusammenfallen, zusammenklappen, zusammenkrachen, zusammensacken, zusammensinken, zusammenstürzen
einkratzen: eingravieren, einkritzeln, einritzen, ritzen (in)
einkreisen: einranden, einringeln, umranden, umzirkeln *einfassen, einkesseln, einschließen, einzingeln, umgeben, umgrenzen, umstellen, umzingeln
Einkreisung: Einkesselung, Einschließung, Einschluss, Einzingelung, Kessel, Umklammerung, Umzingelung *Absperrung
Einkünfte: Bezüge, Gehalt, Lohn *Apanage, Einkommen, Einnahmen, Erträge, Honorar, Rendite, Revenue *Altersversorgung, Pension, Rente *Rückhalt, Zusatzeinkommen, Zusatzeinkünfte, Zusatzgehalt, zweites Bein, zweites Standbein
einladen: bestellen, herbitten, rufen, (zu sich) bitten, zu Gast laden *auffordern, beordern, laden, vorladen, kommen lassen *bezahlen, freihalten, spendieren
einladend: anregend, faszinierend, reizvoll, verführerisch, verlockend *appetitanregend, appetitlich, aromatisch, delikat, deliziös, fein, köstlich, lecker, mundend, schmeckbar, vollmundig, vorzüglich, würzig
Einladung: Ladung *Einladungskarte, Einladungsschreiben
Einlage: Farce, Fülle, Füllmasse, Füllsel, Füllung *Einsatz, Pfand, Versatz *Einfügung, Einschaltung, Einschluss, Einschub, Zwischenstück *Zugabe *Fußstütze, Schuheinlage
einlagern: ablagern, deponieren, einkellern, einmieten, lagern, magazinieren, mieten, speichern, auf Lager legen
Einlass: Einfahrt, Eingang, Eingangspforte, Eingangsportal, Eingangstür, Eintritt, Hauseinfahrt, Hauseingang, Öffnung, Pforte, Portal, Tor, Toreinfahrt, Tür, Zugang *Eingang, Eintritt, Zutritt

einlassen: einfüllen, füllen, einlaufen lassen *aufmachen, hineinlassen, öffnen, Einlass gewähren, hereinkommen lassen *polieren, wachsen ***s. einlassen:** s. beteiligen, mitarbeiten, mithalten, mitmachen, mitspielen, mittun, teilnehmen, verkehren (mit)
Einlauf: Ziel, Ziellinie *Ankunft, das Eintreffen *Abspülung, Ausspülung, Darmspülung, Irrigation, Klistier, Klysma
einlaufen: eingehen, schrumpfen, zusammenschrumpfen, zusammenschnurren, kürzer werden, kleiner werden, enger werden *ankommen, eintreffen, hereinfahren, kommen, nahen *s. füllen, voll füllen *eintragen, eintreten *heiraten, s. vermählen ***s. einlaufen:** s. einspielen
einleben (s.): s. hineinversetzen, s. hineinvertiefen, nachfühlen *heimisch werden
einlegen: frisieren, legen, ondulieren, wellen *hineinbringen, hineinlegen, legen (in) *einmachen, einpökeln, einsäuern, einwecken, erhalten, konservieren, marinieren, haltbar machen *anfechten, beanstanden, protestieren, Beschwerde einreichen, Einspruch erheben, Klage führen *innehalten, pausieren, rasten, unterbrechen, eine Pause machen *befürworten, fördern, helfen, managen, unterstützen, s. verwenden *einfügen, einschieben
einleiten: anbahnen, anknüpfen, vorbereiten, Fühlung aufnehmen, Kontakt aufnehmen, in die Wege leiten *beginnen, eröffnen, in Gang setzen
Einleitung: Einführung, Vorbemerkung *Geleit, Geleitwort, Vorrede, Vorwort *Prolog, Vorspiel *Introduktion, Ouvertüre, Präambel, Präludium, Vorspiel *Ankündigung, Ansage, Titelvorspann, Vorspann *Anfang, Beginn, Eröffnung
einlenken: s. beugen, entgegenkommen, s. ergeben, s. fügen, nachgeben, s. unterordnen, s. unterwerfen, schwach werden *abbiegen, einbiegen, steuern, nach rechts fahren, nach links fahren
einleuchtend: anschaulich, augenfällig, begreiflich, bestehend, bestimmt, deutlich, einsichtig, evident, exakt, fassbar, fasslich, genau, glaubhaft, greifbar, handfest, klar, präzise, stichhaltig, überzeugend, unmissverständlich, unzweideutig, verständlich, fest umrissen
einliefern: einquartieren, einweisen, ins Krankenhaus bringen, zur Behandlung übergeben *abgeben, abliefern, aufgeben, hinbringen, hinschaffen, zur Post bringen
Einlieferung: Einquartierung, Einweisung, Überweisung *Abgabe, Ablieferung, Aufgabe
einlochen: arretieren, einbuchten, einbunkern, eingittern, einkassieren, einkerkern, einsperren, gefangen nehmen, gefangen setzen, inhaftieren, internieren, verhaften, in Haft setzen, in Arrest setzen, in Haft nehmen, in Gewahrsam nehmen, ins Gefängnis werfen
einlogieren (s.): s. einmieten, s. einquartieren, Wohnung beziehen
einlösen: ankaufen, s. auszahlen lassen, zurückkaufen *ausführen, einhalten, entsprechen, erfüllen, verwirklichen, wahr machen, in die Tat umsetzen
einmachen: eindosen, einkochen, einlegen, einwecken, konservieren, haltbar machen
einmal: ein einziges Mal, nicht zweimal, nicht mehrmals *irgendeinmal, irgendwann, eines Tages, früher oder später, über kurz oder lang *eben, einfach, halt, ja *künftig, nächstens, nahe, in Bälde, in absehbarer Zeit, in Kürze, nächste Woche, nächsten Monat *damals, ehedem, ehemals, einst, früher, vordem, vormals ***auf einmal:** blitzschnell, plötzlich, überraschend, unerwartet, unverhofft, unvermittelt, unvermutet, unversehens, unvorhergesehen *gleichzeitig *wieder ***nicht einmal:** auch nicht, sogar nicht ***noch einmal:** doppelt, erneut, wieder, zweifach
einmalig: einzig, kostbar, unentbehrlich, unersetzlich *außergewöhnlich, beispielgebend, beispiellos, exemplarisch, großartig, hervorragend, mustergültig, überragend, vorbildlich
Einmarsch: Aggression, Anschluss, Besetzung, Eindringen, Einfall, Intervention, Invasion, Okkupation, Überfall,

Überrumpelung *Ankunft, Einzug, das Beziehen, das Einziehen
einmarschieren: besetzen, eindringen, einfallen, einrücken, einziehen, intervenieren, okkupieren, überfallen, überrumpeln *eindringen, einfallen, einrücken, einziehen, Einzug halten
einmauern: einbetonieren, verewigen, vermauern *einschließen
einmeißeln: eingravieren, einhauen, meißeln (in)
einmengen (s.): dazwischenfahren, dazwischenfunken, dazwischentreten, dreinfahren, dreinhauen, dreinreden, durchgreifen, eingreifen, einhaken, s. einmischen, s. einschalten, einschreiten, verhindern, zuschlagen, Ordnung schaffen, Schluss machen, strenger vorgehen
einmieten: einkellern, einlagern, einwintern ***s. einmieten:** s. einlogieren, s. einquartieren, Wohnung nehmen, Wohnung beziehen
einmischen (s.): dazwischenkommen, s. dazwischenmischen, dazwischenreden, dazwischentreten, dreinreden, durchgreifen, eingreifen, s. einmengen, einschreiten, intervenieren *ins Handwerk pfuschen
Einmischung: Eingriff, Einmengung, Hineinreden, Intervention
einmünden: fließen (in), hineinfließen, münden, zusammenfließen, zusammenlaufen, zusammenströmen
einmütig: einheitlich, einhellig, einstimmig, einträchtig, gemeinsam, geschlossen, gleichgesinnt, gleichgestimmt, im Einvernehmen (mit), konform, solidarisch, vereint, in gegenseitigem Einverständnis, mit einer Stimme
Einmütigkeit: Bejahung, Brüderlichkeit, Einheit, Einhelligkeit, Einigkeit, Einigung, Einklang, Einstimmung, Eintracht, Einvernehmen, Frieden, Gleichgesinntheit, Gleichklang, Gleichtakt, Harmonie, Konsens, Partnerschaft, Übereinstimmung, Zustimmung
Einnahme: Aneignung, Annexion, Bemächtigung, Beschlagnahme, Besetzung, Besitznahme, Eroberung, Okkupation, Unterwerfung *Ausbeute, Erlös, Ertrag, Gewinn, Nettoertrag, Reinerlös *Einkommen, Einkünfte, Gehalt, Lohn
einnehmen: aufbringen, erarbeiten, erhalten, erwerben, kassieren, verdienen, bezahlt bekommen, Gewinn erzielen, in Empfang nehmen, Lohn beziehen, Gehalt beziehen *essen, schlucken, trinken, zu sich nehmen *ausfüllen, in Anspruch nehmen *aneignen, annektieren, beschlagnahmen, bestürmen, eindringen, erobern, okkupieren, unterwerfen, Besitz ergreifen, in Besitz nehmen *ausüben, bekleiden, innehaben, versehen *beeinflussen *besetzen, s. niederlassen, s. setzen
einnehmend: angenehm, anmutig, anziehend, attraktiv, aufreizend, betörend, bezaubernd, charmant, gewinnend, lieb, lieblich, liebenswert, sympathisch, toll
einnicken: eindämmern, einschlafen, einschlummern, entschlummern, in Schlaf versinken
einnisten (s.): s. breit machen, s. festsetzen, s. nicht vertreiben lassen, den Platz räumen *s. einmieten, s. einquartieren, s. niederlassen, wohnen, eine Wohnung nehmen
Einöde: Öde, Ödland, Steppe, Wildnis, Wüste *Einsamkeit, Leere
einordnen: einfügen, eingliedern, eingruppieren, einheften, einrangieren, einreihen, einrichten, einsortieren, einstellen, einstufen, hineinlegen, zuordnen, zustellen ***s. einordnen:** s. anpassen, s. integrieren
Einordnung: Einfügung, Eingliederung, Einreihung, Einstufung, Zuordnung *Anpassung, Integration
einpacken: abpacken, einhüllen, einrollen, einschlagen, einwickeln, verpacken, verschnüren, zubinden, zuschnüren, in Papier rollen, in Papier hüllen, in Papier wickeln *unterbringen, verpacken, verstauen, wegpacken, zusammenpacken
einpassen: einbauen, einfügen
einpendeln (s.): s. ausgleichen, s. geben, s. legen, ins Gleichgewicht kommen
einpflanzen: einsetzen, pflanzen, setzen, in die Erde pflanzen *implantieren, transplantieren
einplanen: bedenken, berücksichtigen,

einbeziehen, einkalkulieren, mitrechnen, vorsehen, in Betracht ziehen, in Erwägung ziehen, in seinen Plan einbeziehen, Rechnung tragen
einprägen: beibringen, einbläuen, eindrillen, eingraben, einhämmern, einimpfen, einpauken, einschärfen, eintrichtern, eintrommeln, lehren, unterrichten *eindrücken, eingraben, eingravieren, einpressen, einstanzen, prägen ***s. einprägen:** lernen, s. merken *s. abdrücken, s. abzeichnen, s. eindrücken
einprägsam: anschaulich, ausdrucksvoll, bildhaft, bildlich, demonstrativ, deutlich, eidetisch, farbig, illustrativ, interessant, lebendig, plastisch, sinnfällig, sprechend, veranschaulichend, verständlich, wirklichkeitsnah *beeindruckend, eindrücklich, eindrucksvoll, großartig, herrlich, hervorragend, imponierend, imposant, sagenhaft, schön, sensationell, stattlich, tief gehend, unauslöschbar, wirkungsvoll, wunderbar
einpuppen (s.): s. einspinnen, s. verpuppen *s. absondern, s. isolieren, s. verschanzen, s. zurückziehen
einquartieren: aufnehmen, beherbergen, unterbringen, jmdn. einweisen, Obdach gewähren, Unterkunft gewähren, Quartier zuweisen, Quartier geben ***s. einquartieren:** s. einlogieren, s. einmieten, Wohnung beziehen
einquetschen: dazwischenklemmen, dazwischenpressen, einkeilen, einklemmen, einkneifen, festklemmen, quetschen
einrahmen: einschließen, umgeben, umkreisen, umrahmen, umringen *fassen, einfassen, rahmen
einrammen: durchtreiben, einkeilen, einklopfen, einschlagen, einstoßen, eintreiben, hineinschlagen, hineintreiben, rammen (in), schlagen (in)
einräumen: bringen (in), einordnen, legen (in), stellen (in), an seinen Platz stellen *billigen, einwilligen, erlauben, gestatten, konzedieren, tolerieren, überlassen, zubilligen, zugestehen, zulassen, gewähren lassen
Einräumung: Entgegenkommen, Kompromiss, Konzession, Zugeständnis
Einrede: Ablehnung, Anfechtung, Beanstandung, Berufung, Beschwerde, Demarche, Einspruch, Einwand, Einwendung, Einwurf, Entgegnung, Gegenargument, Gegenmeinung, Gegenstimme, Interpellation, Klage, Protest, Reklamation, Rekurs, Verwahrung, Veto, Widerrede, Widerspruch, Zweifel
einreden: aufbinden, aufhängen, aufschwatzen, auftischen, einflüstern, eingeben, erzählen, suggerieren, weismachen, glauben machen *bearbeiten, beeinflussen, bereden, berieseln, suggerieren, totreden, in den Ohren liegen
einreiben: balsamieren, eincremen, einfetten, einmassieren, einsalben, einschmieren, salben, schmieren (auf) *s. schützen (vor)
einreichen: abgeben, präsentieren, übergeben, überreichen, vorlegen
einreihen: einfügen, eingliedern, eingruppieren, einheften, einordnen, einrangieren, einrichten, einsortieren, einstellen, einstufen, hineinlegen, zuordnen, zustellen
Einreise: Einwanderung, Immigration, Zuzug
Einreiseerlaubnis: Visum
einreisen: einwandern, immigrieren, zuziehen
einreißen: abbauen, abbrechen, abreißen, abtragen, demolieren, demontieren, niederreißen, niederschlagen, zerstören *einen Riss bekommen, einen Riss machen *einschleichen, überhand nehmen, um s. greifen
einrenken: einkugeln, einrichten, in die richtige Lage bringen *aussöhnen, beilegen, bereinigen, einigen, klären, schlichten, in Ordnung bringen
einrennen: einschlagen, einstoßen, zerschmettern, zertrümmern ***s. einrennen:** s. anschlagen, s. stoßen, s. verletzen
einrichten: ausgestalten, ausstatten, einräumen, hineinstellen, möblieren *arrangieren, aufziehen, ausgestalten, gestalten, Gestalt geben *einkugeln, einrenken, in die richtige Lage bringen ***s. einrichten:** s. einstellen (auf), s. vorbereiten
Einrichtung: Ausgestaltung, Ausrüstung, Ausstattung, Einrichtungsgegenstände, Habe, Hauseinrichtung, Hausrat, Haus-

stand, Interieur, Inventar, Möbel, Möbelstücke, Mobiliar, Möblierung, Wohnungseinrichtung *Anlage, Apparatur *Anstalt, Institut, Institution, Objekt
einritzen: eingravieren, einkratzen, einkritzeln, ritzen (in) *eingravieren, einkerben, einsägen, einschneiden, einschnitzen
einrollen: einschlagen, einwickeln, verpacken, zusammenlegen, in Papier rollen, in Papier hüllen, in Papier wickeln, versandfertig machen *ankommen, anrollen, eintreffen ***s. einrollen:** s. zusammenkauern, s. zusammenkugeln, s. zusammenrollen
einrosten: rosten, verrosten, durch Rost unbrauchbar machen, durch Rost unbrauchbar werden, Rost bilden, Rost ansetzen
einrücken: einbrechen, eindringen, einfallen, einmarschieren, einziehen, intervenieren, Einzug halten *eingezogen werden, Soldat werden *s. absetzen, den Platz lassen
einrühren: beigeben, beimengen, beimischen, vermischen, verquirlen, zusetzen
eins: analog, dasselbe, einerlei, identisch, unterschiedslos *unzertrennlich, verbrüdert, verbunden, vereinigt *belanglos, egal, gleichgültig, unerheblich, unwesentlich ***eins sein:** s. decken, einig gehen, s. gleichen, korrespondieren, übereinstimmen, konform gehen, einer Meinung sein, eines Sinnes sein, einig sein *stimmen, zusammenstimmen, harmonisieren, zusammenpassen, im Einklang stehen
Einsaat: Aussaat, Saat *Saatgut
einsacken: absahnen, s. aneignen, anhäufen, s. bereichern, einheimsen, einstreichen, ergattern, s. etwas unter den Nagel reißen, s. gesundstoßen, s. Gewinn verschaffen, herausholen, herausschlagen, profitieren, sparen, s. Vorteile verschaffen, zugreifen, zulangen, zusammenraffen, zusammentragen, zuschlagen, an sich reißen, ein Geschäft machen, Nutzen haben, Gewinn haben, Nutznießer sein
einsagen: einflüstern, helfen, soufflieren, vorreden, vorsagen, vorsprechen, zuflüstern
einsalben: einbalsamieren, eincremen, einfetten, einmassieren, einölen, einreiben
einsalzen: einpökeln, in Salz legen, haltbar machen
einsam: abgeschieden, abgeschlossen, abgesondert, allein, ausgestoßen, einsiedlerisch, einzeln, eremitenhaft, isoliert, klösterlich, mutterseelenallein, separat, solo, vereinsamt, vereinzelt, verlassen, verwaist, weltverloren, zurückgezogen, für sich, ohne Begleitung, ohne Freunde, ohne Gesellschaft, ohne Kontakt *abgelegen, abgeschieden, abseits, ausgestorben, entfernt, entlegen, entvölkert, geisterhaft, gottverlassen, menschenleer, öde, tot, unbelebt, unberührt, unbewohnt, unwirtlich
Einsamkeit: Abkapselung, Alleinsein, Beziehungslosigkeit, Einsiedlerleben, Isolation, Kontaktarmut, Menschenscheu, Ungeselligkeit, Vereinsamung, Vereinzelung, Verlassensein, Verschlossenheit, Zurückgezogenheit *Abgeschiedenheit, Einöde, Öde, Ödland, Wüste, unbewohnte Gegend, einsame Gegend
einsammeln: abkassieren, einheimsen, einkassieren, einnehmen, einstecken, eintreiben, einziehen, erheben, kassieren, sammeln
Einsatz: Anlage, Einlage, Investierung, Investition, Kapitalanlage, Pfand *Aufbietung, Aufgebot, Aufwand, Aufwendung, Mobilisierung *Anwendung, Gebrauch, Verwendung *Anfang, Auftakt, Beginn, Einsetzen, Eintritt, Start *Anstrengung, Aufopferung, Bemühung, Bereitschaft, Eifer, Engagement, Hingabe
einsatzbereit: aufgerüstet, abwehrbereit, gefechtsbereit, gepanzert, gerüstet, gewappnet, kampfbereit, kampfentschlossen, kriegslüstern, verteidigungsbereit, waffenstarrend, wehrhaft, bis an die Zähne bewaffnet *anwendbar, benutzbar, betriebsbereit, betriebsfähig, betriebsfertig, einsatzfertig, fertig, gebrauchsfertig, verwendbar *aufmerksam, dienstbar, dienstbereit, dienstfertig, verbindlich

Einsatzbereitschaft: Hilfsbereitschaft, Hingabe
einsaugen: aufsaugen, einschlürfen, einziehen, saugen *atmen, einatmen, einschnuppern, einziehen, inhalieren, riechen, röcheln, schnaufen, schnuppern, wittern, Atem holen, Luft holen, Luft schnappen
einsäumen: einfassen, säumen, umfassen, umnähen
einschalten: andrehen, anknipsen, anmachen, anschalten, anstellen *einschieben, hineinschieben, zufügen, hinzufügen, abrunden, einblenden, ergänzen ***s. einschalten:** aufräumen (mit), ausgleichen, dazwischenfahren, dazwischentreten, durchgreifen, eingreifen, einmengen, einmischen, einschreiten, hindern, vermitteln, ein Machtwort sprechen, Ordnung schaffen, reinen Tisch machen
Einschaltung: Klammer, Klammerzeichen, Parenthese *Einfügung, Einlage, Einschluss, Einschub, Zwischenstück
einschärfen: einprägen, ermahnen, raten, ans Herz legen
einscharren: beerdigen, eingraben, verscharren
einschätzen: kalkulieren, veranschlagen *begutachten, benoten, beurteilen, bewerten, eintaxieren, taxieren, urteilen, werten, zensieren, befinden (über)
Einschätzung: Kalkulation, Veranschlagung *Begutachtung, Benotung, Beurteilung, Bewertung, Charakteristik, Urteil, Wertung, Zensur
einschenken: auffüllen, einfüllen, eingießen, einschütten, nachfüllen, voll gießen
einschieben: abrunden, einblenden, ergänzen, hineinschieben, hinzufügen, schieben, zufügen
einschiffen: verschiffen, (auf das Schiff) laden, an Bord bringen, auf ein Schiff bringen ***s. einschiffen:** an Bord gehen, eine Schiffsreise machen, eine Schiffsreise antreten
einschlafen: eindämmern, einnicken, einschlummern, entschlummern, in Schlaf versinken *absterben, gefühllos werden, taub werden *ableben, abscheiden, dahinscheiden, entschlafen, entschlummern, sterben, verscheiden *abbrechen, abebben, aufhören, auflösen, einschlummern, enden, erkalten, erlöschen, nachlassen, verebben, versiegen, zu Ende gehen
einschläfern: anästhesieren, betäuben, chloroformieren, narkotisieren, eine Narkose geben, schmerzunempfindlich machen, bewusstlos machen *beruhigen, beschwichtigen, einlullen, einwiegen
einschläfernd: alltäglich, doof, einfach, einfallslos, einförmig, ermüdend, fad, fade, flau, gleichförmig, langstielig, langweilig, monoton, öde, phantasielos, reizlos, tranig, trist, trocken, trostlos, üblich, uninteressant, unoriginell, wirkungslos, nicht viel los, ohne Pfiff
Einschlag: Färbung, Schattierung, Tendenz *Einschlagstelle, Einschuss, Einschussloch
einschlagen: durchtreiben, einkeilen, einklopfen, einrammen, einstoßen, eintreiben, hineinschlagen, hineintreiben, rammen (in), schlagen (in) *einpacken, einrollen, einwickeln, umwickeln, verpacken, verschnüren, zubinden *beschädigen, demolieren, durchschlagen, entzweischlagen, zerschlagen, zerschmettern, zerstören, zertrümmern *in eine bestimmte Richtung gehen *umschlagen, kürzer machen *beipflichten, einwilligen, zustimmen, einverstanden sein, Ja sagen *wirken, Aufsehen erregen, Erfolg haben, Wirkung erzielen *auslichten, fällen, roden *einfordern, fordern, klagen
einschlägig: betreffend, dazugehörig, diesbezüglich, entsprechend, in Frage kommend
einschleichen (s.): s. einschmuggeln, unterlaufen, versehentlich vorkommen, unbemerkt hineingelangen *einbrechen, eindringen, s. einstehlen, einsteigen, einen Einbruch verüben
einschleusen: durchsetzen, unterwandern *einschmuggeln, heimlich einführen, unbemerkt über die Grenze bringen
einschließen: einriegeln, einsperren *aufbewahren, aufheben, sicherstellen, verschließen, verwahren, wegschließen, unter Verschluss bringen *beinhalten, berücksichtigen, einbeziehen, einkalkulieren, implizieren, umfassen *belagern,

einkesseln, einkreisen, umklammern, umkreisen, umstellen, umzingeln *abschließen, absperren, abtrennen, ausschließen, gefangen halten, internieren, abseits stellen, verborgen halten
einschließlich: außerdem, dazu, einbegriffen, eingerechnet, eingeschlossen, ferner, implizit, implizite, inbegriffen, inklusive, mit, mitgerechnet, plus, samt, umfassend, zugehörig, zuzüglich, bis auf alles, in allem
Einschließung: Einkesselung, Einkreisung, Einschluss, Einzingelung, Kessel, Umklammerung, Umzingelung
einschlummern: eindämmern, einnicken, einschlafen, entschlummern, in Schlaf versinken *ableben, abscheiden, dahinscheiden, einschlafen, entschlafen, entschlummern, sterben, verscheiden *enden
einschlürfen: einsaugen, einziehen
Einschluss: Einsprengsel, Fremdkörper *Einkesselung, Einkreisung, Einschließung, Einzingelung, Kessel, Umklammerung, Umzingelung *Einfügung, Einlage, Einschaltung, Einschub, Zwischenstück
einschmeicheln (s.): s. anbiedern, einwickeln, heucheln, hofieren, kriechen, lobhudeln, schönreden, schöntun, lieb Kind machen, zu Gefallen reden
einschmieren: balsamieren, einsalben, eincremen, einfetten, einmassieren, einreiben, salben schmieren (auf) *anschmieren, beflecken, bekleckern, beschmieren, bespritzen, besudeln, einschmutzen, verschmieren, verschmutzen, verunreinigen, voll machen, voll schmieren, voll spritzen, dreckig machen, schmutzig machen ***s. einschmieren:** s. beflecken, s. bekleckern, s. beschmieren, s. beschmutzen, s. schmutzig machen
einschmuggeln: einschleusen, schleusen, schmuggeln, heimlich einführen, unbemerkt hineinbringen, unbemerkt über die Grenze bringen
einschnappen: verübeln *schließen, zufallen, zugehen, zuklappen, zuschlagen, zuschnappen, ins Schloss fallen
einschneiden: eingravieren, einkerben, einritzen, einsägen, einschnitzen
einschneidend: ausschlaggebend, bedeutend, bestimmend, durchdringend, durchgreifend, eindrucksvoll, einprägsam, empfindlich, entscheidend, ernstlich, folgenschwer, fühlbar, gravierend, grundlegend, intensiv, maßgeblich, merklich, nachhaltig, richtungweisend, schwer wiegend, stark, tief gehend, tief greifend, unvergesslich, wegweisend, weit reichend, wichtig, wirksam
einschneien: eindecken, verschneien, zudecken, zuschneien
Einschnitt: Bresche, Durchbruch, Durchgang, Durchlass, Durchstich, Enge, Engpass, Pforte, Stollen *Pause, Zäsur *Einkerbung, Kerbe, Scharte, Schnitt, Spalt *Schnittfläche, Schnittöffnung, Schnittwunde
einschnitzen: eingravieren, einkerben, einritzen, einsägen, einschneiden
einschnüren: einbinden, einflechten, einknoten, einknüpfen, hineinbinden, umhüllen *bedrängen, beengen, einengen, einschränken, einzwängen
einschränken: abbauen, begrenzen, beschneiden, beschränken, dezimieren, drosseln, einengen, hemmen, herabsetzen, kürzen, mindern, reduzieren, schmälern, vermindern, verringern *restringieren, Grenzen ziehen, Schranken setzen ***s. einschränken:** s. begnügen, s. bescheiden, s. einengen, s. einrichten, haushalten, kürzer treten, sparen, s. verkleinern, s. zurückhalten
Einschränkung: Auflage, Klausel, Nebenbedingung, Nebenbestimmung, Vorbehalt *Abbau, Abstrich, Begrenzung, Beschneidung, Beschränkung, Dezimierung, Drosselung, Einengung, Einsparung, Herabsetzung, Kürzung, Minderung, Reduktion, Reduzierung, Restriktion, Schmälerung, Streichung, Verminderung, Verringerung
einschrauben: anschrauben, eindrehen, hineindrehen, hineinschrauben
einschreiben: eintragen, einzeichnen, inskribieren, registrieren, verbuchen, verzeichnen ***s. einschreiben:** s. eintragen, immatrikulieren
Einschreibung: Immatrikulation, Immatrikulierung
einschreiten: aufräumen (mit), ausglei-

chen, dazwischenfahren, dazwischentreten, durchgreifen, eingreifen, einmengen, einmischen, hindern, vermitteln, ein Machtwort sprechen, Ordnung schaffen, reinen Tisch machen
einschrumpfen: einfallen, einschnurren, eintrocknen, schrumpfen, verdorren, verkümmern, zusammenfallen, zusammenlaufen, zusammenschrumpfen, kleiner werden, leichter werden
Einschub: Einfügung, Einlage, Einschachtelung, Einschiebsel, Einschiebung
einschüchtern: beängstigen, beeindrucken, beunruhigen, entmutigen, erschrecken, verängstigen, Bange machen, Furcht einflößen, den Mut nehmen, das Selbstvertrauen nehmen *bedrücken, bekümmern, niederschlagen
einschulen: in die Grundschule aufnehmen, in die Schule aufnehmen
Einschulung: Aufnahme, Schulaufnahme, Schuleinschreibung
einschütten: eingießen, einschenken, füllen, nachgießen
einschwenken: s. anpassen, nachgeben *abbiegen, einbiegen
einsegnen: konfirmieren
Einsegnung: Konfirmation
einsehen: verstehen, zur Einsicht kommen, Verständnis aufbringen, ein Einsehen haben, Verständnis haben *hineinblicken, hineinsehen, nachsehen, prüfen, überprüfen, s. überzeugen
Einsehen: Einfühlungsgabe, Einfühlungsvermögen, Feingefühl, Fingerspitzengefühl, Verständnis, Verstehen, Zartgefühl *Empfindung, Gespür, Sinn, Spürsinn
einseitig: eindimensional, eingleisig, einspurig, einsträngig *engherzig, engstirnig, entstellt, festgefahren, frisiert, gefärbt, parteiisch, schief, subjektiv, tendenziös, unsachlich, verdreht, verzerrt, voreingenommen, vorurteilsvoll *auf eine Seite beschränkt, nicht vielseitig, nur auf einer Seite *unilateral *unerfüllt, unerwidert, unglücklich, nicht erhört
einsenden: einschicken, übergeben, überlassen, zuschicken, zusenden
einsetzen: implantieren, reimplantieren, erneuern *einbauen, einpassen, hineinbauen, einfügen, einordnen, hineinbringen, installieren, montieren *benutzen, anwenden, einschalten, einschieben, nutzen, verwenden, verwerten, dienstbar machen, in Anspruch nehmen *einspannen, in Aktion treten, arbeiten lassen *berufen, bestallen, bestimmen, designieren, einstellen, ernennen *einpflanzen, pflanzen *riskieren, wagen *anfangen, anheben, beginnen, intonieren, starten *anwenden, benutzen, benützen, gebrauchen, verwenden, verwerten, nutzbar machen ***s. einsetzen:** s. bemühen, s. dahinter klemmen, s. dahinter setzen, eifern (für), s. einer Sache annehmen, eintreten (für), s. engagieren, s. kümmern (um), s. Mühe geben, s. verwenden (für)
Einsetzung: Amtseinführung, Amtseinsetzung, Berufung, Installation, Investitur, Ordination *Einpflanzung, Implantation
Einsicht: Anschauung, Aufklärung, Bescheid, Einblick, Eindruck, Kenntnis, Kunde, Überblick, Vorstellung, Wissen *Beschlagenheit, Bildung, Erfahrung, Erkenntnis, Klugheit, Lebenserfahrung, Menschenkenntnis, Praxis, Reife, Routine, Überblick, Überlegenheit, Vertrautheit, Weisheit, Weitblick, Weltkenntnis, Wissen *Erfahrung, Erkenntnis, Erleuchtung, Kognition *Besinnung, Klarsicht, Ratio, Vernunft, Verstand, Verständigkeit, Verständnis, Wirklichkeitssinn, geistige Reife, gesunder Menschenverstand
einsichtig: besonnen, einfühlend, klug, überlegt, vernünftig, verständig, verständnisvoll, verstehend *aufgeschlossen, nachsichtig, tolerant, weitherzig *augenfällig, begreiflich, deutlich, einleuchtend, erklärlich, evident, fassbar, fasslich, glaubhaft, klar, plausibel, schlagend, stichhaltig, treffend, triftig, überzeugend, unzweideutig, verständlich, zwingend
Einsichtnahme: Einblick, Einsicht, Inaugenscheinnahme, Kenntnisnahme
einsickern: durchfeuchten, durchsickern, eindringen *austrocknen, eintrocknen, verlanden, s. verlaufen, ver-

rinnen, versanden, versickern, versiegen, vertrocknen, zu fließen aufhören
Einsiedler: Anachoret, Einsiedel, Eremit, Klausner, Waldbruder *Außenseiter, Einzelgänger, Sonderling
einsiedlerisch: abgeschieden, abgeschlossen, abgesondert, allein, ausgestoßen, einsam, einzeln, eremitenhaft, isoliert, klösterlich, mutterseelenallein, separat, solo, vereinsamt, vereinzelt, verlassen, verwaist, weltverloren, zurückgezogen, für sich, ohne Begleitung, ohne Freunde, ohne Gesellschaft, ohne Kontakt
einsilbig: lakonisch, muffig, mundfaul, reserviert, schweigsam, sprachlos, still, stumm, verschlossen, verschwiegen, wortkarg, wortlos, zugeknöpft, nicht mitteilsam
einsinken: einfallen, s. senken, zusammensacken, in sich zusammensinken
einsitzen: in Haft sitzen, im Gefängnis sitzen, inhaftiert sein, eingesperrt sein, eine Strafe absitzen, eine Strafe verbüßen
einsortieren: einfügen, eingliedern, eingruppieren, einheften, einrangieren, einreihen, einrichten, einstellen, einstufen, hineinlegen, zuordnen, zustellen
einspannen: beanspruchen, beschäftigen, heranziehen, hinzuziehen, arbeiten lassen *anschirren, anspannen, aufzäumen, zäumen, Zaum anlegen *einsetzen, einziehen, festspannen, in etwas befestigen
Einspänner: Einzelgänger, Junggeselle
einsparen: abbauen, aufheben, aufsparen, s. bescheiden, s. beschränken, s. einschränken, einteilen, ersparen, geizen, haushalten, knausern, s. mäßigen, rationieren, reduzieren, sparen, weglegen, wirtschaften, s. zügeln, s. zurückhalten, Maß halten, sparsam sein *anhäufen, ansammeln, auftürmen, horten, scheffeln, speichern, stapeln, weglegen, zurücklegen, zusammentragen
Einsparung: Abbau, Beschränkung, Einschränkung, Ersparnis, Ersparung, Geiz, Haushaltung, Maßhaltung, Rationierung, Reduzierung, Sparsamkeit, Zurückhaltung
einspeichern: ablegen, ansammeln, deponieren, einlagern, horten, lagern, magazinieren, scheffeln, weglegen, zurückbehalten, zurücklegen, zusammentragen, an sich nehmen
einsperren: arretieren, einbuchten, einbunkern, eingittern, einkassieren, einkerkern, einlochen, gefangen nehmen, gefangen setzen, inhaftieren, internieren, verhaften, in Haft setzen, in Arrest setzen, in Haft nehmen, in Gewahrsam nehmen, ins Gefängnis werfen
einspielen: s. auszahlen, s. bezahlt machen, einträglich sein ***s. einspielen:** s. einlaufen, s. warm laufen, s. warm spielen, fit machen *s. durchsetzen, s. einbürgern, zur Gewohnheit machen, zur Routine machen, zur Selbstverständlichkeit werden
einsprengen: befeuchten, begießen, benässen, benetzen, beregnen, berieseln, besprengen, bespritzen, besprühen, bewässern, einspritzen, gießen, nässen, netzen, sprengen, spritzen, sprühen, wässern, nass machen
einspritzen: einimpfen, injizieren, spritzen *befeuchten, bespritzen, einsprengen, sprengen, nass machen
Einspritzung: Injektion, Spritze
Einspruch: Ablehnung, Anfechtung, Beanstandung, Berufung, Beschwerde, Demarche, Einrede, Einwand, Einwendung, Einwurf, Entgegnung, Gegenargument, Gegenmeinung, Gegenstimme, Interpellation, Klage, Protest, Reklamation, Rekurs, Verwahrung, Veto, Widerrede, Widerspruch, Zweifel *Einwand, Gegenargument, Gegengrund, Hinderungsgrund
einspurig: eingleisig, einsträngig, nur eine Spur
einst: dereinst, einmal, einstens, einstmals, früher *künftig, später, späterhin
einstecken: abschicken, absenden, aufgeben, einwerfen, versenden, wegschicken *s. aneignen, s. bringen, einkassieren, einstreichen, stehlen, an sich nehmen *hineinstecken, mitnehmen, in die Tasche stecken *dulden, erdulden, schlucken, hinunterschlucken, akzeptieren, ertragen, hinnehmen, in Kauf nehmen

*siegen, überbieten, überflügeln, überholen, überrunden, übertreffen, übertrumpfen *einsperren
einstehen: abgelten, abtragen, aufkommen, ausbaden, begleichen, bezahlen, bürgen, büßen, eintreten (für), entschädigen, ersetzen, erstatten, gerade stehen, gutmachen, haften, sühnen, verantworten, s. verbürgen, wiedergutmachen, zahlen
einstehlen (s.): einbrechen, eindringen, unbemerkt hineinkommen, unbemerkt hineingelangen, einen Einbruch ausführen
einsteigen: einbrechen, eindringen, einen Einbruch ausführen, einen Einbruch verüben, einen Einbruch begehen *besteigen, betreten, eintreten, hineinklettern, hineinsteigen, zusteigen *aufspringen, aufsteigen, besteigen *an Bord gehen *s. beteiligen, investieren, mitmachen, riskieren, wagen
einstellen: abstellen, aufbewahren, einfügen, eingruppieren, einordnen, hineinlegen, hineinstellen, unterstellen *abbrechen, abschließen, aufhören, beenden, beendigen, Halt machen, innehalten, ein Ende machen, Schluss machen, einen Schlussstrich ziehen *einrichten, justieren, regulieren, reparieren *anheuern, anstellen, anwerben, beschäftigen, bestallen, betrauen, chartern, dingen, einschalten, einsetzen, engagieren, verpflichten, in Dienst nehmen ***s. einstellen:** ankommen, auftauchen, s. einfinden, eintreffen, erscheinen, kommen *s. abspielen, s. ereignen, geschehen, passieren, vorfallen, s. zutragen, zum Vorschein kommen, zutage treten *s. mit einer Sache beschäftigen, s. mit einer Sache vertraut machen, s. vorbereiten, s. wappnen, nachdenken (über)
Einstellung: Abbruch, Abschaffung, Annullierung, Aufgabe, Aufhebung, Auflösung, Außerkraftsetzung, Beendigung, Beseitigung, Ende, Schließung *Anstellung, Dienstantritt, Einsetzung, Ernennung *Ansicht, Auffassung, Denkweise, Geisteshaltung, Gesinnung, Grundhaltung, Ideologie, Meinung, Mentalität, Sinnesart, Standpunkt, Überzeugung, Verhalten, Weltanschauung, Weltbild *Einrichtung, Justierung, Reparatur
Einstieg: Eingang, Einlass, Eintritt, Öffnung, Zugang, Zutritt *Luke, Tür *Anfang, Beginn, Start
einstig: alt, bisherig, ehemalig, ehemals, einstmalig, früher, sonstig, vormalig
einstimmen: einstellen, regulieren, stimmen ***s. einstimmen:** s. vorbereiten, nachdenken (über)
einstimmig: einheitlich, einhellig, einig, einmütig, gemeinsam, gemeinschaftlich, geschlossen, konform, vereint *gleichstimmig, homophon, unisono
Einstimmung: Präparation, Vorbereitung
einstmals: damals, ehemals, einmal, einst, früher, seinerzeit, vormals, vor langem
einstoßen: beschädigen, demolieren, einrammen, einrennen, einschlagen, einwerfen, entzweischlagen, zerschlagen
einstreichen: erhalten, gewinnen, kassieren *s. aneignen, in Besitz nehmen *besetzen, einfallen, überfallen
einstudieren: büffeln, einpauken, einüben, erlernen, lernen, memorieren, pauken, s. anlesen, s. einprägen, stucken, studieren, s. etwas beibringen, s. auf den Hosenboden setzen, s. Fähigkeiten aneignen, s. Kenntnisse aneignen, s. Wissen aneignen, s. zu Eigen machen, auswendig lernen, über den Büchern sitzen, die Nase in ein Buch stecken *durchproben, einüben, lernen, proben, üben
einstufen: auffächern, aufgliedern, aufteilen, differenzieren, eingliedern, eingruppieren, einordnen, einteilen, fächern, gliedern, klassifizieren, ordnen, paragraphieren, periodisieren, rubrizieren, segmentieren, staffeln, systematisieren, teilen, untergliedern, unterteilen, unterteilen, zerlegen
Einsturz: Einbruch, Zusammenbruch, Zusammensturz
einstürzen: einbrechen, einfallen, einkrachen, zusammenbrechen, zusammenfallen, zusammenklappen, zusammenkrachen, zusammensacken, zusammensinken, zusammenstürzen *s. aneignen, besetzen, einmarschieren, einstreichen, überfallen

einstweilen: dabei, dazwischen, derweil, indem, indessen, inzwischen, mittlerweile, solange, unterdes, unterdessen, währenddem, währenddessen, zwischenher, in der Zwischenzeit *vorläufig, bis auf
eintauchen: einsenken, eintunken, stippen, tunken (in) *hinuntertauchen, untertauchen, in die Tiefe gehen, unter Wasser gehen
eintauschen: einhandeln, einwechseln, erwerben, handeln
einteilen: aufteilen, bemessen, dosieren, haushalten, planen, rationieren, sparen, zumessen, zusprechen, zuteilen, zuweisen *auffächern, aufgliedern, aufteilen, differenzieren, eingliedern, eingruppieren, einordnen, einstufen, fächern, gliedern, klassifizieren, ordnen, paragraphieren, periodisieren, rubrizieren, segmentieren, staffeln, systematisieren, teilen, untergliedern, unterteilen, unterteilen, zerlegen
Einteilung: Anlage, Anordnung, Aufbau, Bau, Durchgliederung, Durchorganisation, Fächerung, Gefüge, Gliederung, Gruppierung, Ordnungsgefüge, Organisation, Rangordnung, Staffelung, Struktur, Strukturplan, Zusammensetzung *Aufgliederung, Aufschlüsselung, Aufteilung, Differenzierung, Einordnung, Einstufung, Gliederung, Gruppierung, Klassifikation, Ordnung, Periodisierung *Berechnung, Disposition, Planung *Aufteilung, Dosierung, Haushaltung, Rationierung, Sparmaßnahme, Zuteilung, Zuweisung
eintönig: eindruckslos, einförmig, einschläfernd, ermüdend, fade, gleichförmig, langweilig, monoton, öde, reizlos, stumpfsinnig, trist, trocken, trostlos, uninteressant, wirkungslos
Eintönigkeit: Einerlei, Einförmigkeit, Gleichförmigkeit, Langeweile, Öde, die alte Leier, unausgefüllte Stunden, leere Stunden
Eintopf: Auflauf, Eintopfgericht, Mischgericht, Schmortopf, Zusammengekochtes
Eintracht: Brüderlichkeit, Einhelligkeit, Einigkeit, Einklang, Einmütigkeit, Einstimmung, Frieden, Gleichgesinntheit, Gleichklang, Gleichtakt, Harmonie, Hausfriede, Partnerschaft, Sympathie, Übereinstimmung, Verbundenheit
einträchtig: einig, friedlich, gemeinsam, gemeinschaftlich, geschlossen, solidarisch, verbündet, vereint, verschworen *einhellig, einmütig, einverstanden, gleichgesinnt, gleichgestimmt, harmonisch, partnerschaftlich, übereinstimmend, unzertrennlich
Eintrag: Ordnungsmaßnahme, Verweis *Bemerkung, Buchung, Eintragung, Einzeichnung, Notiz *Schluss
eintragen: abwerfen, einbringen, erbringen, ergeben, erreichen, erzielen, tragen *einschreiben, einzeichnen, inskribieren, registrieren, verbuchen, verzeichnen ***s. eintragen:** s. anmelden, s. einschreiben, s. immatrikulieren
einträglich: attraktiv, dankbar, einbringlich, ergiebig, ertragreich, gewinnbringend, günstig, interessant, lohnend, lukrativ, nutzbar, nutzbringend, nützlich, profitabel, profitbringend, rentabel, segensreich, vorteilhaft, zugkräftig
Eintragung: Anmeldung, Einschreibung, Immatrikulation, das Eintragen *das Eingetragene, das Geschriebene *Bemerkung, Buchung, Eintrag, Einzeichnung, Notiz
eintreffen: ankommen, eingehen, einlaufen, geschickt bekommen, zugestellt bekommen *anrollen, anrücken, antanzen, aufkreuzen, auftauchen, einlaufen, erscheinen, kommen, ankommen, landen, s. einfinden *s. bestätigen, s. bewahrheiten, eintreten, s. erfüllen, in Erfüllung gehen
Eintreffen: Ankunft, Erscheinen, Landung
eintreiben: einschlagen, hineinklopfen, hineinrammen, hineinstoßen *fordern, einfordern, einkassieren, einmahnen, einsammeln, einziehen, erheben
eintreten: s. anschließen, s. beteiligen, s. einkaufen, einsteigen, teilhaben, Mitglied werden, Teilhaber werden *betreten, gehen (in), hereinkommen, hereintreten, hineingehen, hineingelangen, hineinkommen, treten (in) *s. abspielen, s.

bewahrheiten, eintreffen, s. ereignen, erfolgen, s. erfüllen, geschehen, passieren, s. realisieren, s. verwirklichen, s. zutragen, s. als richtig erweisen, s. als wahr erweisen, wahr werden *anfangen, beginnen (mit), erreichen *vereiteln, zerstören *einlaufen, eintragen *s. bekennen, s. bemühen, s. einsetzen, s. engagieren, s. erklären, plädieren (für), s. stark machen, s. verwenden, s. zerreißen (für), etwas vertreten, etwas verfechten, etwas verteidigen, Partei nehmen, Partei ergreifen, die Stange halten, jmdm. den Rücken stärken *beschädigen, verwüsten, zerschlagen, zerstören

eintrichtern: beibringen, einbläuen, eindrillen, eingraben, einhämmern, einimpfen, einpauken, einprägen, einschärfen, eintrommeln, lehren, unterrichten *einfiltrieren, einflößen, einfüllen, eingeben, eingießen, einträufeln, eintröpfeln, infiltrieren

Eintritt: Eingang, Einlass, Entree, Zugang, Zulass, Zutritt *Beitreten, Beitritt, Eintreten *Eintrittsgebühr, Eintrittsgeld, Eintrittspreis *Anbruch, Anfang, Antritt, Auftakt, Beginn, Entstehung, Eröffnung, Inangriffnahme, Start

Eintrittsgeld: Eintrittsgebühr, Eintrittspreis

Eintrittskarte: Billett, Einlasskarte, Karte

eintrocknen: ausdorren, ausdörren, austrocknen, verdorren, vertrocknen, dürr werden, trocken werden *einschrumpfen, einfallen, schrumpfen, verkümmern, zusammengehen, zusammenschrumpfen *ausgehen, versiegen

eintrüben (s.): s. bedecken, s. bewölken, s. beziehen, s. einwölken, s. trüben, s. umwölken, s. verdunkeln, s. verdüstern, s. verfinstern, s. zuziehen, trübe werden, wolkig werden

eintrudeln: ankommen, auftauchen, s. einfinden, s. einstellen *langsam ankommen

einüben: ausprobieren, einstudieren, proben, üben, versuchen, vorbereiten, einen Versuch anstellen *eindrillen, einexerzieren, einprägen, einstudieren, lernen, erlernen, s. aneignen, s. beibringen, memorieren, pauken, proben, auswendig lernen

einverleiben: angliedern, anreihen, anschließen, einfügen, eingliedern, einreihen, vereinen, verschmelzen *aufnehmen, inkorporieren ***s. einverleiben:** s. aneignen, annektieren, erobern, kassieren, schlucken, Besitz nehmen, Besitz ergreifen *essen, zu sich nehmen

Einverleibung: Annexion, Besitzergreifung, Besitznahme, Eroberung *Anschluss, Eingliederung, Vereinigung, Verschmelzung *Aufnahme, Inkorporation

Einvernehmen: Brüderlichkeit, Einhelligkeit, Einigkeit, Einklang, Einmütigkeit, Einstimmung, Eintracht, Frieden, Gleichgesinntheit, Gleichklang, Gleichtakt, Harmonie, Sympathie, Übereinstimmung, Verbundenheit

einverstanden: okay, o.k., in Ordnung, alles klar ***einverstanden sein:** billigen, einwilligen, gutheißen, zusagen, zustimmen, zufrieden sein, Zustimmung geben

Einverständnis: Billigung, Einvernehmen, Einwilligung, Genehmigung, Gewährung, Zustimmung

einwachsen: einbohnern, wachsen, mit Wachs einreiben, mit Wachs bestreichen

Einwand: Aber, Anfechtung, Beanstandung, Beschwerde, Einspruch, Einwendung, Einwurf, Entgegnung, Gegenargument, Gegenbehauptung, Gegenmeinung, Gegenstimme, Klage, Protest, Reklamation, Veto, Widerrede, Widerspruch, Zweifel

Einwanderer: Asylant, Immigrant *Ansiedler, Kolonist, Siedler, Zugezogener

einwandern: s. ansiedeln, einreisen, immigrieren, s. niederlassen, siedeln, zuwandern, zuziehen, ansässig werden

einwandfrei: astrein, fehlerfrei, fehlerlos, lupenrein, makellos, meisterhaft, mustergültig, perfekt, richtig, tadellos, tipptopp, untadelig, vollendet, vollkommen *essbar, genießbar, trinkbar *aufgeräumt, sauber, tadellos, wohl geordnet, in Ordnung *frisch

einwärts: hinein, nach innen

einwässern: durchfeuchten, wässern

einweben: einwirken, hineinweben *einarbeiten, einbauen, einbetten, ein-

blenden, einflechten, einfügen, eingliedern, einheften, einpassen, einreihen, einrücken, einschachteln, einschalten, einschieben, einsetzen, einsprengen, einstreuen, einzwängen, integrieren
einwechseln: eintauschen, tauschen, umtauschen, umwechseln, wechseln, klein machen
einwecken: einkochen, einmachen, konservieren, sterilisieren
Einwegflasche: Ex-und-hopp-Flasche, Wegwerfflasche
einweihen: enthüllen, eröffnen, inaugurieren, initiieren, taufen, weihen, aus der Taufe heben, der Öffentlichkeit übergeben, seiner Bestimmung übergeben, in Betrieb nehmen *s. anvertrauen, aufklären, belehren, einführen, informieren, orientieren, unterrichten, Auskunft erteilen, die Augen öffnen, in Kenntnis setzen
Einweihung: Enthüllung, Eröffnung, Taufe, Weihe
einweisen: einliefern, einquartieren, schicken (in), ins Krankenhaus bringen, zur Behandlung übergeben *anleiten, anlernen, anweisen, ausbilden, beraten, einarbeiten, einführen, helfen, instruieren, lehren, leiten, schulen, unterrichten, unterweisen, vorbereiten *erklären, führen, leiten, lenken, lotsen, zeigen
Einweisung: Einlieferung, Einquartierung, Überweisung *Abschiebung, Einlieferung *Anleitung, Anweisung, Ausbildung, Beratung, Einarbeitung, Einführung, Hilfe, Instruktion, Lehre, Schulung, Unterricht, Unterweisung, Vorbereitung
einwenden: dagegenhalten, dagegenreden, dawiderreden, dazwischenrufen, dazwischenwerfen, einwerfen, entgegenhalten, entgegnen, entkräften, erwidern, kontern, protestieren, widerlegen, widersprechen, Kontra geben, Veto einlegen, Veto vorbringen, zu bedenken geben, einen Einwand machen
einwerfen: einschlagen, einschmettern, zerschlagen, zerstören *aufgeben, einstecken, hineinwerfen, verschicken, versenden *dazwischenrufen, dazwischenwerfen, einwenden
einwickeln: einpacken, einrollen, einschlagen, rollen (in), schützen, verpacken, verschnüren, wickeln (in), zubinden, zuschnüren, in Papier wickeln, in Papier rollen, in Papier hüllen, in Papier schlagen *beschummeln, beschwindeln, betrügen, blenden, foppen, hereinlegen, hintergehen, täuschen, überlisten, übertölpeln, verschaukeln *andrehen, bearbeiten, beeinflussen, bereden, beschwatzen, breitschlagen, erweichen, herumbekommen, überreden ***s. einwickeln:** s. bedecken, s. fest zudecken, s. schützen, s. warm zudecken
einwilligen: billigen, einverstanden sein, gutheißen, zusagen, zustimmen, Zustimmung geben
Einwilligung: Billigung, Einvernehmen, Einverständnis, Erlaubnis, Freibrief, Genehmigung, Gewährung, Jawort, Konsens, Plazet, Verlaub, Zusage, Zustimmung
einwintern: einkellern, einlagern, einmieten
einwirken: einweben, hineinweben *beeinflussen, einreden, suggerieren, einen Einfluss ausüben, Einfluss haben, Wirkung erzielen, Wirkung ausüben
Einwirkung: Eindruck, Empfindung, Engramm, Erinnerungsbild, Impression, Vorstellung *Beeinflussung, Einfluss, Einflussnahme, Suggestion, Überredung *Beeinflussung, Einfluss, Wirkung
Einwohner: Bevölkerung, Bewohner, Bürger, Einwohnerschaft, Mitbürger, Staatsangehöriger, Staatsbürger, der Ansässige
Einwohnermeldeamt: Einwohnermeldestelle, Meldeamt, Meldestelle
Einwohnerverzeichnis: Adressbuch, Adressenverzeichnis, Anschriftenbuch, Anschriftenverzeichnis
Einwurf: Ballabgabe, Zuspiel *Briefeinwurf, Briefkasten, Postkasten *Ablehnung, Anfechtung, Beanstandung, Berufung, Beschwerde, Demarche, Einrede, Einspruch, Einwand, Einwendung, Entgegnung, Gegenargument, Gegenmeinung, Gegenstimme, Interpellation, Klage, Protest, Reklamation, Rekurs, Verwahrung, Veto, Widerrede, Wider-

spruch, Zweifel *Bemerkung, Meinung, Zwischenbemerkung, Zwischenruf
einwurzeln: s. ansiedeln, s. niederlassen *angehen, anwachsen
Einzahl: Singular
einzahlen: abführen, abliefern, bezahlen, zahlen, an eine Kasse zahlen, aufs Konto überweisen
Einzahlung: Anzahlung, Bezahlung, Zahlung
einzäunen: abgrenzen, abstecken, abzäunen, eingrenzen, sichern, umfassen, umgeben, umzäunen, vergattern, verschließen, mit einem Zaun versehen, mit einem Zaun umgeben
einzeichnen: ausfüllen, einschreiben, eintragen, hineinzeichnen, übertragen
Einzeichnung: Ausfüllung, Einschreibung, Eintrag, Eintragung, Übertragung
Einzelfall: Ausnahme, Ausnahmeerscheinung, Extremfall, Sonderfall
Einzelgänger: Außenseiter, Außenstehender, Eigenbrötler, Individualist, Nonkonformist, Outsider, Sonderling *Anachoret, Einsiedel, Einsiedler, Eremit, Klausner, Waldbruder
Einzelgängertum: Außenseitertum, Eigenbrötelei, Einsiedlerei, Einsiedlertum, Isolation, Selbstisolation, Zurückziehung
Einzelhandel: Detailhandel, Kleinhandel, Kleinverkauf, Ladenverkauf, offenes Geschäft
Einzelhandelsgeschäft: Fachgeschäft, Geschäft, Kaufhaus, Spezialgeschäft, Tante-Emma-Laden
Einzelhandelspreis: Abgabepreis, Endpreis, Endverbraucherpreis, Ladenpreis, Verbraucherendpreis, Verkaufspreis
Einzelhändler: Einzelhandelsunternehmer, Kleinhändler, Wiederverkäufer
Einzelheit: Ausschnitt, Detail, Einzelding, Feinheit, Kleinkram, Teilstück
einzeln: abgesondert, abgetrennt, einsam, extra, gesondert, getrennt, isoliert, separat, vereinzelt, für sich *apart, detailliert, exakt, partikular, partikulär, prägnant, präzis, präzise, punktweise, speziell, en detail, ganz genau, im Einzelnen, Punkt für Punkt
einzelne: einige, manche, wenige, dieser und jener, ein paar
Einzelne: Einzelperson, Einzelwesen, Figur, Geschöpf, Gestalt, Individuum, Subjekt, Wesen
einziehen: zurückziehen, nach innen ziehen *abnehmen, beschlagnahmen, die Hand legen (auf), konfiszieren, pfänden, sichern, sicherstellen, wegnehmen, mit Beschlag belegen *bergen, einholen, niederholen, reffen, streichen *beitreiben, einfordern, einmahnen, einsammeln, eintreiben, erheben, fordern, kassieren *eindringen, einfallen, einmarschieren, einrücken, Einzug halten *ausheben, einberufen, mobilisieren, rekrutieren, verpflichten, mobil machen, zu den Fahnen rufen, zu den Waffen rufen *s. erkundigen, s. informieren *einatmen, einsaugen, inhalieren, Atem holen *durchführen, durchstecken, durchziehen, einfädeln *versetzen *einsetzen, einspannen, festspannen, in etwas befestigen ***s. einziehen:** s. einreißen, s. eintreten, unter die Haut bekommen
Einziehung: Beschlagnahme, Beschlagnahmung, Konfiszierung, Pfändung, Sicherstellung, Sicherung *Aushebung, Einberufung, Musterung, Rekrutierung *Einkassierung, Eintreibung, Erhebung, Inkasso *Beschlagnahme, Enteignung, Kollektivierung, Nationalisierung, Verstaatlichung
einzig: allein, ausnahmslos, ausschließlich, nur
einzigartig: abenteuerlich, ansehnlich, auffallend, auffällig, aufsehenerregend, außergewöhnlich, außerordentlich, ausgefallen, beachtlich, bedeutend, bedeutsam, bedeutungsvoll, beeindruckend, beträchtlich, bewundernswert, bewundernswürdig, brillant, eindrucksvoll, enorm, entwaffnend, erstaunlich, fabelhaft, groß, großartig, hervorragend, imponierend, imposant, märchenhaft, nennenswert, ohnegleichen, sagenhaft, sensationell, sondergleichen, spektakulär, stattlich, überragend, überraschend, überwältigend, ungeläufig, ungewöhnlich, unvergleichlich, verblüffend
Einzug: Ankunft, Einmarsch, das Beziehen, das Einziehen *das Einmarschieren, (feierliches) Hineingehen *Anbeginn,

Anbruch, Anfang, Auftakt, Ausbruch, Beginn, Eintritt, Eröffnung, Inangriffnahme, Start, Startschuss, erster Schritt
einzwängen: bedrängen, beengen, einengen, einschnüren, einschränken
Eis: Eiscreme, Speiseeis *Eisglätte, Glatteis, Schneeglätte
Eisbein: Schweinebein, Schweinsfuß, Schweinshaxe
Eisdiele: Eisbar, Eisverkauf
eisen: einfrosten, gefrieren, tiefgefrieren
Eisen: Bügeleisen *Hufeisen, *Fessel, Fußfessel *Falle, Fangeisen, Fußangel, Tellereisen
Eisenbahn: Bahn, Zug
Eisenbahnabteil: Abteil, Zugabteil
Eisenbahnschiene: Gleis, Schienenweg
Eisenbahnwagen: Güterwagen, Speisewagen, Waggon
eisern: beherrscht, felsenfest, fest, siegesgewiss, stählern, stahlhart, unerschütterlich, willensstark, zäh *ehern, stählern *apodiktisch, barsch, bestimmt, bündig, diktatorisch, disziplinarisch, drakonisch, energisch, entschieden, ernst, fest, gebieterisch, gestreng, hart, hartherzig, herrisch, konsequent, massiv, rigoros, rücksichtslos, scharf, schroff, schwer, soldatisch, spartanisch, straff, streng, strikt, unbarmherzig, unerbittlich, unnachsichtig, unwidersprechlich
eisig: bitterkalt, eiskalt, frostig, sehr kalt
eiskalt: bitterkalt, eisig, frostig, sehr kalt *abgestumpft, barbarisch, brutal, eisig, erbarmungslos, gefühllos, gefühlsarm, gefühlskalt, gemütsarm, gleichgültig, gnadenlos, grausam, hartherzig, herzlos, inhuman, kaltblütig, lieblos, mitleidlos, roh, schonungslos, seelenlos, unbarmherzig, ungesittet, unmenschlich, unsozial, unzugänglich, verroht
Eislauf: Eiskunstlauf, Eistanz, Kunstlauf, Schlittschuhlauf
Eisschießen: Curling, Eisstockschießen
Eisschrank: Gefrierschrank, Kühlbox, Kühlschrank
eitel: affig, geckenhaft, gefallsüchtig, geziert, kokett, putzsüchtig, stutzerhaft *angeberisch, aufgeblasen, blasiert, dünkelhaft, eingenommen, gespreizt, großspurig, herablassend, hochmütig, hochnäsig, hoffärtig, prahlerisch, selbstgefällig, snobistisch, überheblich, wichtigtuerisch, von oben herab *lauter, pur, rein, unverfälscht
Eitelkeit: Geckenhaftigkeit, Gefallsucht, Koketterie, Putzsucht, Selbstgefälligkeit, Selbstgefühl, Stutzerhaftigkeit
Eiterblase: Blase, Eiterbeule, Eitergeschwür, Pickel
eiterig: eiternd, purulent, schwärig
eitern: schwären, Eiter absondern
Eiweiß: Eiklar
Ekel: Abgeneigtheit, Abneigung, Abscheu, Antipathie, Überdruss, Übersättigung, Ungeneigtheit, Widerwille *Barbar, Lump, Scheusal, Schurke, Ungeheuer, widerliche Person
ekelhaft: abscheulich, abstoßend, ekel, Ekel erregend, eklig, schleimig, schmierig, unappetitlich, widerlich, widerwärtig *abschreckend, antipathisch, grässlich, grauenhaft, gräulich, schauderhaft, scheußlich, übel, unangenehm, unausstehlich, unbeliebt, unerträglich, unleidlich, unliebsam, unsympathisch, verabscheuenswert, verabscheuungswürdig, verhasst, widrig, Abscheu erregend *gemein, niederträchtig, ruchlos, schändlich, schrecklich, verwerflich, wüst
ekeln: abstoßen, anwidern, degoutieren, widern, zurückstoßen ***s. ekeln:** s. entsetzen, schaudern, s. schütteln
Eklat: Aufsehen, Sensation, Aufsehen erregendes Ereignis
eklatant: aufgelegt, augenscheinlich, ausgemacht, blank, deutlich, ersichtlich, evident, flagrant, offenbar, offenkundig, offensichtlich, sichtbar, sichtlich *abenteuerlich, ansehnlich, auffallend, auffällig, aufsehenerregend, außergewöhnlich, außerordentlich, ausgefallen, beachtlich, bedeutend, bedeutsam, bedeutungsvoll, beeindruckend, beträchtlich, bewundernswert, bewundernswürdig, brillant, eindrucksvoll, einzigartig, enorm, entwaffnend, erstaunlich, fabelhaft, groß, großartig, hervorragend, imponierend, imposant, märchenhaft, nennenswert, ohnegleichen, sagenhaft, sensationell, sondergleichen, spektakulär, stattlich, überragend, überraschend, überwälti-

gend, ungeläufig, ungewöhnlich, unvergleichlich, verblüffend
Ekstase: Begeisterung, Enthusiasmus, Entzücken, Euphorie, Rausch
Elan: Aktivität, Begeisterung, Dynamik, Fitness, Impetus, Lebhaftigkeit, Leidenschaft, Schwung, Spannkraft, Temperament, Vehemenz, Verve, Vitalität
elastisch: beweglich, biegsam, dehnbar, federnd, fedrig, flexibel, gelenkig, geschmeidig, weich, wendig, zugfähig *aufgeschlossen, fortschrittsgläubig, gewandt, modern
Elastizität: Dehnbarkeit, Federkraft, Fedrigkeit, Schnellkraft, Spannkraft *Aufgeschlossenheit, Fortschrittsglaube, Gewandtheit
Elefant: Dickhäuter, Rüsseltier
elegant: auserlesen, apart, aufgetakelt, ausgesucht, chic, erlesen, fein, fesch, gewählt, kultiviert, modern, mondän, nobel, piekfein, rassig, schick, schmuck, schneidig, schnieke, schnittig, smart, stilvoll, todschick, vornehm *erfahren, geschliffen, gewandt, routiniert, weltläufig, weltmännisch
Eleganz: Schick, Stil, Vornehmheit
elegisch: bedrückt, bekümmert, betrübt, defätistisch, depressiv, desolat, elend, freudlos, hypochondrisch, melancholisch, nihilistisch, pessimistisch, schwarzseherisch, schwermütig, todunglücklich, traurig, trist, trübe, trübselig, trübsinnig, unfroh, unglücklich, wehmütig *gramerfüllt, gramgebeugt, gramvoll, sorgenschwer, sorgenvoll, zentnerschwer
Elektrische: Straßenbahn, Tram
elektrisieren: aufregen, begeistern, einnehmen, in Beschlag nehmen *galvanisieren
Elektrizität: Elektroenergie, (elektrischer) Strom
Elektrizitätswerk: E-Werk, Kraftwerk
Element: Fahrwasser, Hobby, Leidenschaft, Lieblingsbeschäftigung, Passion, Steckenpferd *Bestandteil, Grundbestandteil, Grundstoff, Ingrediens, Komponente, Wesenszug *Gauner, Person
elementar: ausschlaggebend, bedeutend, bestimmend, entscheidend, fundamental, grundlegend, grundsätzlich, konstitutiv, maßgebend, maßgeblich, prinzipiell, schwer wiegend, wichtig *bodenständig, erdhaft, erdverbunden, naturhaft, ursprünglich, urwüchsig *einfach, unkompliziert
Elemente: Naturkraft, Naturgewalt *Anfangskenntnisse, Grundbegriffe, Grundgesetze
elend: eingefallen, erbärmlich, erbarmungswürdig, hilfsbedürftig, indisponiert, jämmerlich, kläglich, kränklich, miserabel, mitgenommen, schlecht, schwach, schwächlich, übel, unpässlich, unterernährt, unwohl *abscheulich, charakterlos, ehrlos, erbärmlich, gemein, hässlich, niedrig, ruchlos, schändlich, scheußlich, unwürdig, verabscheuenswert, verächtlich, verdammenswert, verwerflich, verworfen *ausgehungert, geschwächt, krank, zerbrechlich *arm, armselig, ärmlich, bedürftig, bettelarm, güterlos, hilfsbedürftig, Not leidend, unbemittelt, unvermögend, verarmt, verelendet *erbärmlich, minderwertig
Elend: Ärmlichkeit, Armseligkeit, Armut, Bedürftigkeit, Beschränkung, Besitzlosigkeit, Entbehrung, Geldnot, Kargheit, Knappheit, Krise, Not, Notstand, Unglück, Verelendung *Gram, Jammer, Kreuz, Kummer, Kümmernis, Last, Leid, Marter, Martyrium, Misere, Not, Pein, Qual, Schmerz, Seelenschmerz, Sorge, Trauer, Trostlosigkeit, Trübsal, Unglück, Verzweiflung
Elendsviertel: Armenviertel, Slum
Elfmeter: Elfer, Strafstoß
Elimination: Ächtung, Anathema, Ausschließung, Ausschluss, Ausstoßung, Disqualifikation, Disqualifizierung, Eliminierung, Entfernung, Exkommunikation, Kirchenbann, Kündigung, Relegation, Säuberungsaktion, Verfluchung *Aussonderung, Eliminierung
eliminieren: ausschließen, verjagen, verstoßen, weisen (von) *ausgliedern, auslesen, ausmustern, ausscheiden, aussieben, aussondern, aussortieren, aussuchen, auswählen, entfernen, lesen
elitär: auserlesen, auserwählt, ausgesucht, ausgewählt, berufen
Elite: Auslese, Establishment, Geldadel,

Hautevolee, Jetset, Oberschicht, Schickeria, vornehme Gesellschaft, die Blüte, die Besten, die oberen Zehntausend, hohe Gesellschaft, die Reichen

Elitetruppe: Garde, Kerntruppe

Elixier: Absud, Auszug, Destillat, Essenz, Extrakt, Heilmittel, Heiltrank, Zaubertrank, Stein der Weisen

eloquent: beredsam, beredt, redegewandt, schlagfertig, wortgewandt, zungenfertig

Eltern: Elternpaar, Erziehungsberechtigte, die Alten, Vater und Mutter

E-Mail: (elektronischer) Brief

Emanze: Amazone, Feministin, Frauenkämpferin, Frauenrechtlerin, Suffragette

Emanzenbewegung: Emanzipationsbewegung, Feminismus, Frauenbewegung

Emanzipation: Befreiung, Freimachung, Loslösung, Selbstbestimmung *Chancengleichheit, Gleichberechtigung, Gleichrangigkeit, Gleichstellung

emanzipieren (s.): s. autonom machen, s. befreien, s. frei machen, s. lösen (von), s. loslösen, s. selbständig machen, s. unabhängig machen, die Fesseln abwerfen, die Ketten abwerfen, frei werden

emanzipiert: autonom, eigenständig, eigenverantwortlich, frei, selbständig, selbstverantwortlich, souverän, unabhängig, unbehindert, uneingeschränkt, ungebunden, unkontrolliert, auf sich gestellt, für sich allein(e), ohne Anleitung, ohne Hilfe, sein eigener Herr

Embargo: Ausfuhrsperre, Ausfuhrverbot, Handelsembargo, Handelssperre, Waffenembargo

Embryo: Fetus, Fötus, Keimling, Leibesfrucht

emeritieren: ausscheiden, pensionieren, in den Ruhestand versetzen

Emigrant: Asylant, Ausgewiesener, Aussiedler, Auswanderer, Flüchtling, Heimatvertriebener, Umsiedler, Verbannter

Emigration: Auswanderung, das Emigrieren *Ausland, Exil, Verbannungsort, Zufluchtsort

emigrieren: auswandern, fortgehen, scheiden, übersiedeln, umsiedeln, weggehen, die Heimat verlassen, das Land verlassen, ins Ausland gehen

eminent: abenteuerlich, ansehnlich, auffallend, auffällig, aufsehenerregend, außergewöhnlich, außerordentlich, ausgefallen, beachtenswert, beachtlich, bedeutend, bedeutsam, bedeutungsvoll, beispiellos, bewundernswert, bewundernswürdig, eindrucksvoll, einzigartig, enorm, epochal, Epoche machend, erheblich, erstaunlich, extraordinär, fabelhaft, formidabel, frappant, grandios, groß, großartig, hervorragend, imponierend, imposant, kapital, märchenhaft, nennenswert, ohnegleichen, phänomenal, sagenhaft, sensationell, sondergleichen, spektakulär, stattlich, überragend, überraschend, überwältigend, umwerfend, ungeläufig, ungewöhnlich, unvergleichlich, verblüffend, ohne Beispiel, ersten Ranges

emotional: affektiv, emotionell, expressiv, gefühlsbetont, gefühlsmäßig, gefühlvoll, irrational

Empfang: Aufnahme, Begrüßung, Willkomm *Ankunft, Annahme, Entgegennahme, Erhalt, das Eintreffen *Audienz, Einladung, Feier, Fest, Festlichkeit, Gesellschaft, Party *Anmeldebüro, Anmelderaum, Anmeldung, Empfangsbüro, Empfangsraum, Rezeption *Übertragung, das Hören, das Sehen

empfangen: annehmen, bekommen, entgegennehmen, erhalten, übernehmen, in Empfang nehmen *hereinkriegen, eine Sendung hören, eine Sendung sehen, eine Sendung hereinbekommen *aufnehmen, begrüßen, willkommen heißen *befruchtet werden, schwanger werden, ein Kind erwarten, in andere Umstände kommen *aufnehmen

Empfänger: Adressat, Briefpartner *Kunde *Beschenkte, Beschenkter, der Bedachte *Fernsehapparat, Fernsehempfänger, Radioapparat *Fernsehpublikum, Fernsehzuschauer *Hörer, Publikum, Radiofreund, Radiohörer, Rundfunkempfänger

empfänglich: ansprechbar, aufgeschlossen, aufnahmebereit, aufnahmefähig, feinfühlig, geneigt, gestimmt, interessiert, offen, zugänglich *allergisch, anfällig, disponiert, labil, schwächlich, zart

Empfänglichkeit: Ansprechbarkeit, Aufgeschlossenheit, Aufnahmebereitschaft, Aufnahmefähigkeit, Feinfühligkeit, Geneigtheit, Gestimmtheit, Interessiertheit, Offenheit, Zugänglichkeit *Allergie, Disposition, Labilität, Schwachheit, Zartheit
Empfängnisverhütung: Familienplanung, Geburtenkontrolle, Geburtenregelung, Kontrazeption
Empfangsbestätigung: Ausgabenbeleg, Bescheinigung, Bestätigung, Einzahlungsschein, Empfangsbescheinigung, Empfangsschein, Quittung *Bestätigung, Eingangsmeldung
Empfangsraum: Anmelderaum, Empfangssaal, Empfangszimmer, Salon, Wandelhalle
empfehlen: anbieten, animieren, anpreisen, anraten, auffordern (zu), befürworten, einladen, hinweisen (auf), inserieren, rühmen, werben, Reklame machen (für) *anraten, anregen, anvertrauen, nahe legen, raten, vorschlagen, zuraten, eine Anregung geben, einen Vorschlag machen, etwas ans Herz legen ***s. empfehlen:** fortgehen, scheiden, s. trennen, s. verabschieden, verlassen, weggehen, Abschied nehmen, auf Wiedersehen sagen, Lebewohl sagen
empfehlenswert: empfehlungswürdig, indiziert, notwendig, ratsam *gut, nützlich, sinnvoll, zweckmäßig, zu gebrauchen
Empfehlungsschreiben: Empfehlung, Referenz
empfinden: fühlen, merken, spüren, tasten, verspüren, wahrnehmen
Empfinden: Emotion, Empfindung, Gefühl, Gefühlsbewegung, Gemütsbewegung, Gespür, Instinkt, Organ, Spürsinn, Stimmung, Witterung, seelische Regung
empfindlich: allergisch, anfällig, beeinflussbar, dünnhäutig, empfindsam, feinfühlig, hochempfindlich, lebhaft, nachtragend, reizbar, schwierig, sensibel, überempfindlich, verletzbar, verletzlich, zart, zart besaitet *mimosenhaft, verweichlicht, wehleidig, weichlich, zimperlich *einschneidend, entscheidend, fühlbar, gravierend, hoch, merklich, nachhaltig, schmerzlich, schwer wiegend, spürbar, tief greifend *dünn, schwach
empfindsam: beseelt, dünnhäutig, einfühlsam, feinfühlend, feinfühlig, feinsinnig, gefühlsbetont, gefühlsselig, gefühlstief, gefühlvoll, gemüthaft, gemütvoll, innerlich, mimosenhaft, romantisch, rührselig, schmalzig, schwärmerisch, seelenvoll, sensibel, sensitiv, sinnenhaft, tränenselig, überempfindlich, überspannt, verinnerlicht, verletzlich, weich, weichlich, zart, zart fühlend, zart besaitet *übelnehmerisch, verletzbar, verletzlich, verwundbar, leicht zu kränken
Empfindsamkeit: Empfindlichkeit, Feinfühligkeit, Feingefühl, Feinnervigkeit, Feinsinn, Gemüthaftigkeit, Gemütstiefe, Innerlichkeit, Sensibilität, Überempfindlichkeit, Verletzbarkeit, Verletzlichkeit, Zartgefühl *Gefühlsduselei, Gefühlsseligkeit, Gefühlsüberschwang, Rührseligkeit, Schmalz, Sentimentalität, Tränenseligkeit
Empfindung: Anteil, Anteilnahme, Einfühlungsgabe, Einfühlungsvermögen, Entgegenkommen, Herzlichkeit, Höflichkeit, Innigkeit, Mitgefühl, Rücksicht, Sympathie, Takt, Taktgefühl, Teilnahme, Verständnis, Verstehen, Wärme *Eindruck, Gefühlseindruck, Sinneseindruck, Sinneswahrnehmung
empfindungslos: fühllos, gefühllos, unempfindlich *benommen, betäubt, bewusstlos *abgestorben, blutleer, eingeschlafen, gefühllos, taub
Emphase: Bestimmtheit, Dringlichkeit, Eindringlichkeit, Energie, Entschiedenheit, Inständigkeit, Nachdruck, Stringenz
emphatisch: bestimmt, betont, drastisch, dringend, eindeutig, eindringlich, energisch, entschieden, entschlossen, ernst, ernsthaft, ernstlich, fest, intensiv, nachdrücklich, stringent, ultimativ, unmissverständlich, mit Nachdruck, mit Gewicht *flehentlich, fußfällig, innig, inständig, kniefällig, nachdrücklich
empirisch: erfahren, erfahrungsgemäß, erprobt, pragmatisch, auf Erfahrung beruhend

empor: aufwärts, herauf, himmelwärts, hinauf, hoch, in die Höhe
emporarbeiten (s.): aufsteigen, avancieren, s. durchsetzen, emporkommen, s. heraufarbeiten, s. hocharbeiten, hochkommen, s. verbessern, vorwärts kommen, weiterkommen, erfolgreich sein, populär werden, etwas werden
Empore: Galerie, Rang
empören (s.): s. ärgern, s. aufbäumen, s. auflehnen, auftrumpfen, s. bäumen, s. dagegenstellen, s. entgegenstellen, s. erheben, meutern, mucken, murren, opponieren, protestieren, rebellieren, revoltieren, s. sperren, s. stemmen, s. sträuben, trotzen, s. wehren, s. widersetzen *brüskieren, s. entrüsten, s. erregen, schockieren, verärgern
empörend: allerhand, allerlei, anstößig, beispiellos, bodenlos, haarsträubend, hanebüchen, himmelschreiend, skandalös, unbeschreiblich, unerhört, unfassbar, ungeheuerlich, unglaublich, noch nicht da gewesen
emporfliegen: auffliegen, abheben, aufflattern, s. aufschwingen, aufsteigen, s. emporschwingen, s. erheben, hinauffliegen, hochfliegen, hochsteigen, starten, steigen
emporgehen: hinaufgehen, nach oben gehen
emporkommen: arrivieren, aufrücken, aufsteigen, avancieren, s. einen Namen machen, emporsteigen, s. hocharbeiten, hochklettern, hochkommen, steigen, vorwärts kommen, befördert werden, etwas werden, Karriere machen, Erfolg haben, erfolgreich sein, populär werden, es zu etwas bringen
Emporkömmling: Arrivierter, Aufsteiger, Karrieremensch, Moneymaker, Neureicher, Parvenü, Selfmademan
emporragen: anstreben, s. aufbauen, aufragen, aufstreben, s. auftürmen, s. erheben, ragen, gen Himmel ragen
emporrecken: recken, strecken ***s. emporrecken:** s. hochrecken, s. strecken
emporrichten: aufrichten, aufsetzen, hochbauen, hochrichten, hochzerren
emporschießen: wachsen
emporschwingen (s.): auffliegen, hinauffliegen, abheben, aufflattern, s. aufschwingen, aufsteigen, emporfliegen, s. erheben, hochfliegen, hochsteigen, starten, steigen
emporsteigen: ansteigen, aufrücken, aufsteigen, hinaufsteigen, hochgehen, hochkommen, hochsteigen, hochklettern, klettern, vorwärts kommen *aufkeimen, aufkommen, beginnen *anwachsen, aufgehen, keimen *aufsteigen, arrivieren, avancieren, emporarbeiten, emporkommen, hochkommen, vorwärts kommen, weiterkommen, etwas werden
empört: ärgerlich, aufgebracht, bärbeißig, böse, brummig, entrüstet, erbittert, erbost, erzürnt, fuchsteufelswild, gereizt, grantig, griesgrämig, grimmig, missgelaunt, missmutig, muffig, mürrisch, übellaunig, unwillig, unwirsch, wütend, wutentbrannt, wutschäumend, wutschnaubend, zornig
Empörung: Auflehnung, Aufruhr, Aufstand, Erhebung, Freiheitskampf, Krawall, Massenerhebung, Meuterei, Protest, Putsch, Rebellion, Revolte, Volkserhebung *Ärger, Aufgebrachtheit, Entrüstung, Erbitterung, Erregung, Furor, Raserei, Wut, Zorn
emporziehen: aufziehen, heraufziehen, hochziehen
emsig: aktiv, arbeitsam, arbeitsfreudig, arbeitswillig, beflissen, bemüht, bestrebt, betriebsam, dabei, diensteifrig, dienstfertig, eifrig, erpicht, fleißig, geschäftig, pflichtbewusst, produktiv, rastlos, rührig, schaffensfreudig, strebsam, tätig, tatkräftig, tüchtig, unermüdlich, unverdrossen, versessen, zur Hand
Endbetrag: Ergebnis, Gesamtbetrag, Resultat, Summe
Ende: Abbruch, Abschluss, Ausgang, Ausklang, Beendigung, Endpunkt, Finale, Neige, Schluss, Schlusspunkt, Schlussakt, Torschluss *Abberufung, Ableben, Abschied, Absterben, Heimgang, Lebensende, Tod, Verscheiden, das Entschlafen *Distanz, Ecke, Entfernung, Etappe, Strecke, Weglänge, Wegstrecke *Abschluss, Schluss, Schlussteil *Hinterteil, Schwanz, Zipfel *Beschluss, Finale, Kehraus *Endstück, Stück

Endergebnis: Befund, Bescheid, Beschluss, Bewertung, Ende, Ergebnis
enden: erledigen, fertig stellen, vollenden *ablaufen, abreißen, aufhören, ausklingen, auslaufen, endigen, erlöschen, stillstehen, verebben, verhallen, versiegen, zum Abschluss kommen, zum Abschluss gelangen, zum Erliegen kommen, zur Ruhe kommen, zur Neige gehen *abschließen, aufgeben, aufstecken, aussteigen, beenden, beendigen, begraben, beschließen, einstellen, Schluss machen, ein Ende machen, zu Ende bringen, zu Ende führen
en detail: detailliert, präzise, punktweise, speziell, ganz genau, im Einzelnen, Punkt für Punkt
endgültig: abgemacht, abgeschlossen, angeordnet, beschlossen, besiegelt, bindend, definitiv, entschieden, fest, festgelegt, irreversibel, obligatorisch, unabänderlich, unumstößlich, unwiderruflich, unwiederbringlich, verbindlich, auf immer, für alle Zeiten, ein für allemal, für immer
Endkampf: Endrunde, Entscheidungsphase, Endspiel, Endspurt, Finale, Finish, Schlusskampf, Schlussrunde, letzte Runde
endlich: schließlich, zuletzt, letzten Endes, nach längerer Zeit, nach längerem Warten, zu guter Letzt, zum Schluss *begrenzt, irdisch, kurzlebig, sterblich, am Ende, von kurzer Dauer, zeitlich gebunden
endlos: grenzenlos, uferlos, unabsehbar, unbegrenzt, unbeschränkt, unendlich, unermesslich, unzählbar, weit, ohne Ende *dauernd, ewig, immer, immer während, uferlos, ununterbrochen, ohne Ende, ad infinitum, ein Fass ohne Boden
Endlosigkeit: Dauer, Ewigkeit, Grenzenlosigkeit, Unbegrenztheit, Unbeschränktheit, Unendlichkeit, Unermesslichkeit, Ungezähltheit, Unzählbarkeit, Weite, Zahllosigkeit
Endlösung: Auslöschung, Ausmerzung, Ausrottung, Holocaust *Judenverfolgung, Judenvernichtung, Massenmord
Endprodukt: Endergebnis, Ergebnis, Produkt, (fertige) Ware
Endpunkt: Bestimmungsort, Ende, Endstation, Ziel
Endspurt: Beschleunigung, Spurt, Ziellauf
Energie: Arbeitsvermögen, Können, Kraft, Lebenskraft, Leistungsfähigkeit, Potential, Reserven, Tatkraft, Vitalität *Aktivität, Arbeitslust, Ausdauer, Betriebsamkeit, Dynamik, Eifer, Emsigkeit, Entschiedenheit, Entschlossenheit, Feuer, Geschäftigkeit, Initiative, Lebenskraft, Leistungsfähigkeit, Regsamkeit, Reserven, Rührigkeit, Schaffensdrang, Schwung, Spannkraft, Stoßkraft, Tatendrang, Tatendurst, Tatkraft, Temperament, Triebkraft, Unternehmungsgeist, Unternehmungslust, Vehemenz, Vitalität, Willenskraft, Willensstärke *Bestimmtheit, Eindringlichkeit, Emphase, Nachdruck
energiegeladen: agil, dynamisch, kraftvoll, schwungvoll
Energiekrise: Energieknappheit, Energiemangel, Ölkrise, Ölschock, Rohstoffverknappung, Versorgungskrise
energielos: entschlusslos, gelangweilt, inaktiv, initiativlos, kraftlos, lahm, lasch, matt, schlaff, schlapp, schwach, schwächlich, willenlos, willensschwach
Energielosigkeit: Entschlusslosigkeit, Inaktivität, Kraftlosigkeit, Laschheit, Mattheit, Schwachheit, Schwächlichkeit, Willenlosigkeit, Willensschwäche
energisch: aktiv, betriebsam, dynamisch, entschieden, entschlossen, fest, resolut, rührig, schwungvoll, tätig, tatkräftig, tüchtig, vehement, willensstark, zielbewusst, zielsicher, zielstrebig, zupackend *bestimmt, eindringlich, emphatisch, entschieden, ernsthaft, intensiv, massiv, nachdrücklich, rigoros, scharf, streng, strikt, ultimativ
eng: beengt, begrenzt, eingeengt, schmal *dicht, eingekeilt, eingeklemmt, gedrängt, zusammengedrückt, zusammengepresst *eng anliegend, hauteng, knalleng, knapp, körpernah, stramm *dauerhaft, fest, freundschaftlich, herzlich, innig, intensiv, intim, nah, vertraut *banausenhaft, bieder, engherzig, engstirnig, hausbacken, intolerant, kleinbürgerlich, kleinkariert, kleinlich, provinzi-

ell, spießbürgerlich, spießerhaft, spießig *beengt, klamm, schmal *beschränkt
Engagement: Anstellung, Arbeitsplatz, Arbeitsstelle, Beruf, Beschäftigung, Job, Position, Posten, Verpflichtung *Aktivität, Anteilnahme, Begeisterung, Beteiligung, Eifer, Einsatz, Hingabe, Interesse, Mitwirkung, Unterstützung, Verpflichtung
engagieren: anstellen, beschäftigen, einstellen, verpflichten, eine Stelle geben, eine Arbeit geben, in Dienst nehmen, mit einer Arbeit betrauen *auffordern, um den nächsten Tanz bitten ***s. engagieren:** s. bekennen, s. bemühen, s. binden, s. einlassen (auf), s. einsetzen, eintreten (für), s. erklären, plädieren, s. verwenden, Partei ergreifen
engagiert: aktiv, anteilnehmend, begeistert, beschäftigt, beteiligt, enthusiastisch, interessiert
Enge: Durchbruch, Engpass, Hohlweg, Klamm, Klemme *Gedränge, Gewoge, Gewühl *Beengung, Beklemmung, Beklommenheit *Beengtheit, Engigkeit, Gedrängtheit, Knappheit, Platzmangel, Raummangel, Raumnot *Beschränktheit, Borniertheit, Engherzigkeit, Engstirnigkeit, Intoleranz, Kleinlichkeit, Kurzsichtigkeit, Provinzialismus, Spießigkeit, Unduldsamkeit, Voreingenommenheit
Engel: Cherub, Himmelsbote, Himmelswächter, Paradieswächter, Seraph, Bote Gottes, überirdisches Wesen, himmlisches Wesen *liebes Kind, braves Kind *Befreier, Erlöser, Erretter, Retter, Helfer in der Not
engherzig: einseitig, hinterwäldlerisch, kleinbürgerlich, kleinkariert, kleinlich, kleinstädtisch, muffig, pedantisch, pingelig, provinziell, spießbürgerlich, spießig, übergenau, unduldsam
engmaschig: dicht, fein, feinmaschig
Engpass: Enge, Hohlweg, enge Durchfahrt, schmale Stelle, schmaler Durchgang *Barriere, Behinderung, Erschwernis, Erschwerung, Hemmung, Hindernis, Komplikation, Mangelerscheinung, Misere, Missstand, Not, Notlage, Übel, Übelstand, Zwangslage
en gros: im Großen, im Großhandel, in großen Mengen
engstirnig: beschränkt, borniert, dogmatisch, einfältig, intolerant, kleinlich, kurzsichtig, provinziell, schmalspurig, spießbürgerlich, spießig, stumpfsinnig, stupid, stupide, unbekehrbar, unbelehrbar, unduldsam, unverbesserlich, verblendet, voreingenommen, zurückgeblieben
Enkel: Enkelkind, Kindeskind *Enkelin
Enklave: Gebietseinschluss, eingeschlossenes Gebiet
en masse: ausgiebig, dutzendweise, haufenweise, massenhaft, massenweise, reichlich, scharenweise, übergenug, unzählig, üppig, zahllos, in großer Menge, in großer Auswahl, in großer Zahl, in Massen
enorm: außergewöhnlich, außerordentlich, ausgefallen, entwaffnend, erstaunlich, groß, überraschend, ungeläufig, ungewöhnlich *abenteuerlich, ansehnlich, auffallend, auffällig, Aufsehen erregend, außergewöhnlich, außerordentlich, ausgefallen, beachtlich, bedeutend, bedeutsam, bedeutungsvoll, beeindruckend, beträchtlich, bewundernswert, bewundernswürdig, brillant, eindrucksvoll, einzigartig, entwaffnend, erstaunlich, fabelhaft, groß, großartig, hervorragend, imponierend, imposant, märchenhaft, nennenswert, ohnegleichen, sagenhaft, sensationell, sondergleichen, spektakulär, stattlich, überragend, überraschend, überwältigend, ungeläufig, ungewöhnlich, unvergleichlich, verblüffend *immens, monumental, titanisch, überdimensional, übergroß, voluminös, sehr groß *äußerst, sehr
en passant: beiläufig, nebenbei, am Rande, wie zufällig
Ensemble: Kollegium, Kollektiv, Künstlergruppe, Team, Theatergruppe, Truppe
entarten: degenerieren, verfallen
entartet: abnorm, anormal, normwidrig, ungebräuchlich, ungeläufig, ungewöhnlich, unüblich, nicht alltäglich *absonderlich, krankhaft, naturwidrig, unnatürlich, verrückt *degeneriert, dekadent, verfallen

Entartung: Degeneration, Dekadenz, Verfall *Abnormität
entäußern (s.): abtreten, aufgeben, entsagen, preisgeben, s. trennen (von), überlassen, verschenken, verzichten, weggeben
Entäußerung: Abtretung, Aufgabe, Entsagung, Preisgabe, Überlassung, Verzicht
entbehren: darben, dürsten, hungern, vegetieren, verschmachten, arm sein, in Armut leben, Not leiden, Mangel leiden, Hunger leiden *abgehen, ermangeln, fehlen, hapern, missen, vermissen, verzichten, Mangel haben (an), nicht haben
entbehrlich: abkömmlich, nutzlos, überflüssig, überzählig, übrig, unnötig, unnütz, zu viel
Entbehrung: Ärmlichkeit, Armseligkeit, Armut, Bedürftigkeit, Beschränkung, Besitzlosigkeit, Elend, Geldnot, Kargheit, Knappheit, Krise, Mangel, Not, Notstand, Unglück, Verelendung
entbieten: bestellen, mitteilen, sagen, übermitteln
entbinden: gebären, niederbringen, niederkommen, ein Baby bekommen, ein Kind bekommen, Mutter werden, ein Kind zur Welt bringen *absetzen, befreien, beurlauben, dispensieren, entheben, erlassen, erlösen, freigeben, freistellen, loslassen, zurückstellen
Entbindung: Ankunft, Geburt, Lebensbeginn, Niederkunft, freudiges Ereignis, schwere Stunde *Befreiung, Beurlaubung, Dispens, Dispensation, Dispensierung, Suspendierung
entblättern: abblättern, entlauben *abstreifen, auskleiden, ausziehen, enthüllen, freimachen ***s. entblättern:** s. auskleiden, s. ausziehen, s. entblößen, s. enthüllen, s. entkleiden, s. freimachen, die Kleider abwerfen, die Kleider ablegen, die Kleider abstreifen, die Kleider abnehmen
entblättert: entlaubt, kahl, ohne Blätter, ohne Laub
entblößen: enthüllen, entschleiern, frei machen ***s. entblößen:** s. auskleiden, s. ausziehen, s. entblättern, s. enthüllen, s. entkleiden, s. freimachen, die Kleider abwerfen, die Kleider ablegen, die Kleider abstreifen, die Kleider abnehmen
entblößt: ausgezogen, blank, bloß, entkleidet, frei, hüllenlos, kleidungslos, nackt, pudelnackt, splitternackt, unbedeckt, unbekleidet, unverhüllt, ohne Bekleidung, in natura, im Adamskostüm, im Evaskostüm, barfuß bis zum Hals
entbrennen: s. begeistern, entflammen, erglühen, s. verlieben, den Kopf verlieren, Feuer fangen, leidenschaftlich werden, heftig ergriffen werden *aufflackern, aufflammen, auflodern, aufsteigen, ausbrechen, entstehen
entdecken: aufmerksam werden (auf), bemerken, erblicken, gewahren, sichten, stoßen (auf), wahrnehmen, auf die Spur kommen *auskundschaften, erforschen, ergründen, erkunden, ermitteln, eruieren, herausbekommen, herausfinden, ausfindig machen, zutage fördern, zutage bringen, ans Licht bringen, findig machen
Entdecker: Begründer, Erfinder, Schöpfer, Schrittmacher
Entdeckungsreise: Expedition, Forschungsreise
Ente: Erfindung, Falschmeldung, Unwahrheit *Faulenzer, Phlegmatiker, Schlafmütze, Schnecke, lahme Ente *Enterich, Erpel
entehren: beflecken, beschmutzen, entheiligen, entweihen, entwürdigen, herabwürdigen, schänden, verleumden, die Ehre nehmen, die Ehre rauben *missbrauchen, misshandeln, notzüchtigen, schänden, s. vergehen (an), vergewaltigen, s. vergreifen (an)
entehrend: entwürdigend, schändlich, schmachvoll, verächtlich, verletzend
Entehrung: Schande, Schmach
enteignen: beschlagnahmen, expropriieren, kollektivieren, nationalisieren, sozialisieren, vergesellschaften, verstaatlichen, wegnehmen, in Volkseigentum überführen, in Staatseigentum überführen
enteilen: ablaufen, dahingehen, dahingleiten, dahinschwinden, entrinnen, entschwinden, fliehen, hingehen, schwinden, verfliegen, vergehen, verlaufen, verrauschen, verrinnen, verschwinden, verstreichen, vorbeigehen, vorüberfliegen, vorübergehen, zerrinnen *weglaufen

enterben: um das Erbe bringen, von der Erbschaft ausschließen, vom Erbe ausschließen
Entertainer: Showmaster, Unterhalter
entfachen: anbrennen, anschüren, anstecken, anzünden, einheizen, entzünden, Feuer legen, in Brand stecken, in Brand setzen, zum Brennen bringen *auslösen, bewirken, entfesseln, heraufbeschwören, heraufrufen, hervorrufen, starten, verschulden, verursachen
entfahren: ausplaudern, entschlüpfen, s. verplaudern, verraten, s. versprechen, den Mund nicht halten, nicht für sich behalten, unbeabsichtigt aussprechen
entfallen: verdrängen, vergessen, aus dem Gedächtnis schwinden, aus dem Gedächtnis kommen, aus dem Gedächtnis verlieren, keine Erinnerung haben, nicht im Kopf behalten, nicht mehr wissen *entgleiten, herunterfallen, aus der Hand fallen *ausfallen, s. erübrigen, fortfallen, wegfallen
entfalten: auseinander falten, auseinander legen, entrollen, öffnen *entwickeln, offenbaren, zeigen, an den Tag legen *auseinander setzen, darlegen, demonstrieren, erklären, erläutern, skizzieren, verdeutlichen ***s. entfalten:** aufblühen, s. entwickeln, erwachen, gedeihen, heranwachsen, reifen, erwachsen werden, reif werden
Entfaltung: Entwicklung, Entwicklungsperiode, Entwicklungsphase, Entwicklungsverlauf, Evolution, Fortentwicklung, Prozess, Reifezeit, Reifung, Reifungsprozess, Wachstum *Abhandlung, Aufdeckung, Ausbreitung, Auseinandersetzung, Behandlung, Beleuchtung, Bericht, Beschreibung, Betrachtung, Charakterisierung, Darlegung, Darstellung, Denkschrift, Durchleuchtung, Entwicklung, Erläuterung, Manifestation, Schilderung, Skizze, Skizzierung, Zusammenstellung
entfärben (s.): erblassen, erbleichen, blass werden, bleich werden, die Farbe verlieren *ausgehen, auslaufen, s. verfärben
entfernen: abtransportieren, ausräumen, beseitigen, fortbringen, forträumen, fortschaffen, transportieren, wegbringen, wegräumen, wegschaffen *annullieren, auslöschen, ausmerzen, ausradieren, ausräumen, ausscheiden, beseitigen, eliminieren, fortbringen, fortschaffen, wegbringen, wegmachen, wegräumen, wegschaffen ***s. entfernen:** abmarschieren, abrücken, s. absetzen, aufbrechen, s. aufmachen, davongehen, s. fortbegeben, s. fortmachen, losmarschieren, scheiden, verschwinden, s. wegbegeben, weggehen, weglaufen, wegrennen, wegschleichen, s. auf den Weg machen
entfernt: abgelegen, abseits, entlegen, fern, unerreichbar, weit fort, weit weg *weitläufig *gering, schwach, undeutlich, nicht ausgeprägt ***entfernt sein:** fernbleiben, fern liegen, fern stehen, entfernt bleiben
Entfernung: Abstand, Distanz, Ferne, Kluft, Raumabstand, Weite, Zwischenraum *Abschaffung, Abtransport, Annullierung, Aufhebung, Behebung, Beseitigung, Säuberung, Streichung, Tilgung
entfesseln: auslösen, bedingen, bewirken, erregen, erwecken, erzeugen, evozieren, heraufbeschwören, herbeiführen, hervorbringen, hervorrufen, provozieren, veranlassen, verschulden, verursachen, zur Folge haben
entfesselt: ausgelassen, frei, hemmungslos, übermütig, unbefangen, ungehemmt, ungeniert, ungezügelt, ungezwungen
entfetten: absahnen, entrahmen, entsahnen
Entfettungskur: Abmagerungskur, Diät, Fastenkur, Hungerkur, Schlankheitskur
entflammen: begeistern, berauschen, enthusiasmieren, entzücken, fortreißen, hinreißen, mitreißen, in Begeisterung versetzen, in Begeisterung bringen, mit Begeisterung erfüllen *ausbrechen *s. begeistern (für), s. verlieben
entflammt: begeistert, entzückt, hingerissen, mitgerissen, verliebt, vernarrt
entflechten: auflösen, auseinander bekommen, entknäueln, entwirren, zergliedern, zerpflücken
entfliegen: entweichen, fortfliegen *vergehen, verschwinden
entfliehen: s. absetzen, ausbrechen, aus-

rücken, davonlaufen, s. davonmachen, durchbrennen, durchgehen, entkommen, entlaufen, entrinnen, entwischen, fliehen, flüchten, stiften gehen, türmen, verschwinden, wegschleichen, das Weite suchen, Reißaus nehmen *ausweichen, desertieren, einen Bogen machen (um), meiden, scheuen, umgehen, abtrünnig werden, fahnenflüchtig werden, aus dem Wege gehen, seinen Posten verlassen *entfleuchen, vergehen

entfremden: in fremde Hände geben, in fremde Gewalt geben, in fremde Hände bringen, in fremde Gewalt bringen *auseinander bringen, entzweien, spalten, trennen, verfeinden, die Verbindung stören, gegeneinander aufbringen, uneins machen, Zwietracht säen ***s. entfremden:** s. auseinander leben, s. entzweien, s. fremd werden, s. loslösen, s. trennen, s. überwerfen, s. verfeinden, s. verzanken, s. zerstreiten, s. zurückziehen, nebeneinander leben, uneins werden

entfremdet: fremd *zweckentfremdet, zweckwidrig

Entfremdung: Abkühlung, das Sichauseinanderleben, das Sichfremdwerden

entfrosten: abtauen, auftauen, erwärmen

entführen: fortbringen, kidnappen, rauben, stehlen, verschleppen, wegschleppen

Entführer: Kidnapper, Kindesentführer, Menschenentführer *Flugzeugentführer, Luftpirat

Entführung: Kidnapping, Menschenraub, Verschleppung, Wegführung, das Wegschaffen *Kindesentführung, Kindesraub *Flugzeugentführung, Luftpiraterie

entgegen: gegen, gegensätzlich, kontra, wider, im Gegensatz zu, im Widerspruch zu

entgegenarbeiten: behindern, entgegenwirken, hemmen, sabotieren, stören, vereiteln, Sabotage treiben, Sand ins Getriebe streuen

entgegenbringen: bekunden, bezeigen, erweisen, erzeigen, zuteil werden lassen

entgegeneilen: aufeinander zukommen, herantreten, nahen, s. nähern, zugehen

entgegengesetzt: disparat, entgegenstellend, extrem, gegensätzlich, gegenteilig, kontradiktorisch, konträr, oppositionell, polar, umgekehrt, unvereinbar, unverträglich, widersinnig, widersprüchlich, widerspruchsvoll, nicht übereinstimmend, nicht vereinbar *drüben, auf der anderen Seite, am anderen Ufer

entgegenhalten: dagegenhalten, dagegenreden, dawiderreden, dazwischenrufen, dazwischenwerfen, einwenden, einwerfen, entgegnen, entkräften, erwidern, kontern, protestieren, widerlegen, widersprechen, Kontra geben, Veto einlegen, Veto vorbringen, zu bedenken geben, einen Einwand machen

entgegenhandeln: abweichen, freveln, sündigen, übertreten, zuwiderhandeln, Unrecht tun, verstoßen gegen, widerrechtlich handeln

entgegenkommen: anbieten, begünstigen, zuvorkommen *entgegengehen, zukommen (auf) *s. bequemen, s. breitschlagen lassen, s. herablassen, nachgeben, gelten lassen, klein beigeben, weich werden *Verständnis zeigen (für), einen Gefallen tun, es ermöglichen, handlungsbereit sein, gefällig sein, kompromissbereit sein, kooperativ sein, hilfsbereit sein *helfen, protegieren, unterstützen, goldene Brücken bauen, den kleinen Finger reichen

Entgegenkommen: Artigkeit, Beflissenheit, Bereitschaft, Bereitwilligkeit, Dienst, Dienstwilligkeit, Eifer, Freundlichkeit, Gefallen, Gefälligkeit, Geneigtheit, Höflichkeit, Konzilianz, Liebenswürdigkeit, Nachgiebigkeit, Nachsicht, Neigung, Nettigkeit, Verbindlichkeit, Wohlwollen, Zugeständnis, Zuvorkommenheit, gute Manieren, gute Umgangsformen *Hilfe, Hilfsbereitschaft, Unterstützung

entgegenkommend: anständig, aufmerksam, beflissen, bereitwillig, dienstwillig, freundlich, gefällig, großmütig, großzügig, gut gesinnt, hilfsbereit, höflich, huldreich, huldvoll, konziliant, kulant, leutselig, liebenswürdig, nett, verbindlich, wohl gesinnt, wohl meinend, wohl wollend, zuvorkommend

entgegennehmen: annehmen, bekom-

men, empfangen, erhalten, in Empfang nehmen
entgegensehen: erhoffen, ersehnen, erwarten, harren, herbeiwünschen, rechnen (mit), zählen (auf)
entgegenstehen: im Gegensatz stehen (zu), widersprechen, zuwiderlaufen, unangenehm sein
entgegenstellen (s.): entgegentreten, hindern, s. in den Weg stellen, in den Arm fallen *s. absetzen, aufbegehren, trotzen, nicht mitmachen, nicht der vorherrschenden Meinung sein
entgegenstrecken: ausstrecken, darbieten, geben, hinreichen, hinstrecken
entgegentreten: ankämpfen, begegnen, bekämpfen, durchkreuzen, eindämmen, hintertreiben, unterbinden, vereiteln, verhindern, verhüten, Einhalt gebieten, im Keim ersticken, unmöglich machen, zu Fall bringen, zunichte machen
entgegenwirken: angreifen, bekämpfen, entgegenarbeiten, entgegentreten, angehen (gegen) *behindern, entgegenarbeiten, hemmen, sabotieren, stören, vereiteln, Sabotage treiben, Sand ins Getriebe streuen
entgegnen: antworten, aufbegehren, beantworten, dagegenhalten, einwerfen, entgegenhalten, kontern, reagieren, versetzen, widersprechen, zurückgeben, zurückschießen, Bescheid geben, eingehen (auf), Einwände machen, Einwände erheben, Kontra geben, Widerspruch erheben *aufbegehren, beantworten, eingehen (auf), einwenden, entgegenhalten, erwidern, kontern, reagieren, widersprechen, zurückgeben, zurückschießen, Bescheid geben, Einwände machen, Einwände erheben, Kontra geben, Widerspruch erheben
Entgegnung: Antwort, Beantwortung, Bescheid, Erwiderung, Kontra *Einspruch, Einwand
entgehen: ignorieren, überhören, übersehen, nicht beachten, nicht bemerken *ausweichen, davonkommen, entgegenschlüpfen, entkommen, entrinnen, entwischen, vermeiden, verschont bleiben *versäumen
Entgelt: Bezahlung, Bezüge, Einkommen, Einkünfte, Einnahmen, Entschädigung, Fixum, Gehalt, Honorar, Lohn, Provision, Vergütung ***gegen Entgelt:** gegen Bezahlung ***ohne Entgelt:** gebührenfrei, geschenkt, gratis, kostenfrei, kostenlos, umsonst, unentgeltlich, ohne Geld
entgleisen: aus dem Gleis springen, aus den Schienen springen *s. flegelhaft benehmen, s. vorbeibenehmen, einen Fauxpas begehen, aus dem Rahmen fallen, aus der Reihe tanzen, aus der Rolle fallen, den Ton verfehlen
Entgleisung: Fehltritt, Taktlosigkeit
enthaaren: epilieren, rasieren
enthalten: beinhalten, bergen, bestehen (aus), einbegreifen, einschließen, fassen, innewohnen, involvieren, umfassen, umgreifen, umschließen, umspannen, s. zusammensetzen, zum Inhalt haben ***s. enthalten:** ablassen (von), aufgeben, entsagen, unterlassen, s. versagen, zurückstehen, zurücktreten (von), nichts tun *nicht dafür stimmen, nicht dagegen stimmen *verzichten
enthaltsam: abstinent, anspruchslos, asketisch, bedürfnislos, bescheiden, beschränkt, entsagend, gemäßigt, genügsam, keusch, mäßig, maßvoll, schamhaft, sparsam, zurückhaltend
Enthaltsamkeit: Abstinenz, Askese, Enthaltung, Keuschheit, Mäßigkeit, Temperenz, Zurückhaltung
enthaupten: guillotinieren, hinrichten, köpfen, den Kopf abschlagen
entheben: befreien, beurlauben, dispensieren, entbinden, entpflichten, freistellen, zurückstellen *abberufen, absetzen, davonjagen, entlassen, entmachten, entthronen, fortschicken, hinauswerfen, kündigen, stürzen, suspendieren, verabschieden
Enthebung: Abbau, Ablösung, Abschiebung, Abschied, Absetzung, Amtsenthebung, Dienstentlassung, Entfernung, Entlassung, Entmachtung, Fall, Kündigung, Sturz, Suspendierung, Zwangsbeurlaubung, Zwangspensionierung
enthemmt: ausschweifend, hemmungslos, impulsiv, maßlos, ungestüm, vehement, wild, zügellos *entspannt, frei,

gelöst, locker, ungehemmt, ungeniert, zutraulich, zwanglos, ohne Hemmung
Enthemmung: Ausschweifung, Hemmungslosigkeit, Maßlosigkeit, Vehemenz, Zügellosigkeit *Entspannung, Freiheit, Zutraulichkeit, Zwanglosigkeit
enthüllen: aufdecken, aufrollen, aufwickeln, auspacken, darlegen, entlarven, entschleiern, offen legen *aufstöbern, feststellen, herausbekommen, herausbringen, herausfinden *einweihen, eröffnen, inaugurieren, initiieren, taufen, weihen, aus der Taufe heben, der Öffentlichkeit übergeben, seiner Bestimmung übergeben, in Betrieb nehmen *entblößen, entschleiern, frei machen ***s. enthüllen:** s. ausziehen, s. entblößen, s. entschleiern, s. frei machen *s. geben wie man ist, s. offenbaren, s. zeigen, seinen Charakter zeigen
enthüllt: frei, offen, unverdeckt, unverhüllt *ausgezogen, blank, bloß, entblößt, entkleidet, frei, hüllenlos, kleidungslos, nackt, unbedeckt, unbekleidet, unverhüllt, ohne Bekleidung
Enthüllung: Offenbarung *Anzeige, Aufdeckung, Aufklärung, Bekanntmachung, Bloßlegung, Darlegung, Demaskierung, Entlarvung, Entschleierung, Nachweis, Offenlegung *Einweihung, Eröffnung, Taufe, Weihe
entjungfern: deflorieren, die Jungfräulichkeit nehmen
entjungfert: defloriert, die Jungfräulichkeit genommen, nicht mehr Jungfrau, nicht mehr unberührt
Entjungferung: Defloration
entkeimen: abkochen, auskochen, desinfizieren, pasteurisieren, sterilisieren, keimfrei machen, steril machen *anwachsen, hervorsprießen, wachsen
Entkeimung: Desinfizierung, Pasteurisation, Pasteurisierung, Sterilisation, Sterilisierung
entkleiden: abnehmen, abstreifen, abwerfen, auskleiden, s. ausziehen, entblößen, entfernen, s. freimachen, herunternehmen *absetzen, entlassen
entknoten: aufbinden, aufmachen, lösen
entkommen: abschütteln, ausweichen, davonkommen, entgehen, entrinnen, entschlüpfen, entwischen, s. entziehen, loskommen, vermeiden, weglaufen, verschont bleiben *davonkommen
entkorken: aufkorken, aufmachen, öffnen, den Korken ziehen
entkräften: abnutzen, abnützen, angreifen, aufbrauchen, aufreiben, aufzehren, auszehren, beeinträchtigen, lahm legen, mitnehmen, schaden, schmälern, strapazieren, verschleißen, verzehren, zehren *aushöhlen, ausmergeln, entnerven, erlahmen, ermatten, ermüden, erschlaffen, erschöpfen, schwächen, müde werden, kraftlos werden, schwach werden, matt werden *widerlegen, das Gegenteil nachweisen, das Gegenteil beweisen *enervieren, entnerven, erschöpfen, paralysieren, schwächen, zehren
entkräftet: abgehetzt, abgekämpft, abgeschlafft, abgespannt, abgewirtschaftet, angegriffen, angeschlagen, atemlos, aufgerieben, ausgelaugt, durchgedreht, entnervt, erholungsbedürftig, erledigt, ermattet, erschlagen, erschöpft, gerädert, geschafft, groggy, halb tot, kaputt, kraftlos, matt, mitgenommen, müde, schachmatt, schlaff, schlapp, schwach, überanstrengt, überfordert, überlastet, urlaubsreif, verbraucht, zerschlagen, k. o., am Ende
Entkräftung: Erschöpfung, Schwäche *Gegenbeweis, Widerlegung, Widerspruch
entkrampfen: entspannen, lockern, lösen *abmildern, beruhigen, beschwichtigen, entgiften, mildern, s. entschärfen
entkrampft: entspannt, gelockert, ruhig
entladen: leeren, entleeren, abladen, ausladen, auspacken, ausräumen, ausschiffen, löschen *entschärfen ***s. entladen:** aufbrausen, rasen, toben, wüten *bersten, detonieren, explodieren, hochgehen, knallen, platzen, zerspringen, in die Luft fliegen *s. auslassen, schimpfen, toben *ausbrechen, s. befreien
Entladung: Ausbruch, Detonation, Eruption, Explosion, Knall, Krach, Schlag, Verpuffung *Ausbruch, Befreiung
entlang: hin, hindurch, längs, neben, seitlich, seitwärts, am Rand hin, an der Seite hin

entlarven: aufdecken, finden, fischen, herausfinden, herausfischen *aufdecken, aufrollen, aufwickeln, auspacken, darlegen, enthüllen, entschleiern, offen legen ***s. entlarven:** s. demaskieren, s. entpuppen, s. offenbaren, die Maske fallen lassen, sein wahres Gesicht zeigen
Entlarvung: Anzeige, Aufdeckung, Aufklärung, Aufrollung, Bekanntmachung, Bloßlegung, Bloßstellung, Darlegung, Demaskierung, Durchsicht, Enthüllung, Entschleierung, Nachweis, Offenlegung
entlassen: abberufen, ablösen, abservieren, absetzen, ausbooten, beurlauben, davonjagen, entheben, entmachten, entthronen, fortschicken, hinauswerfen, kaltstellen, kündigen, rausschmeißen, schassen, stürzen, suspendieren, verabschieden, wegrationalisieren *freigeben, freilassen, herauslassen, laufen lassen, repatriieren, nach Hause schicken, auf freien Fuß setzen, in Freiheit setzen, die Freiheit schenken, die Freiheit geben
Entlassung: Abbau, Ablösung, Abschiebung, Abschied, Absetzung, Amtsenthebung, Dienstentlassung, Entfernung, Enthebung, Entmachtung, Fall, Hinauswurf, Kündigung, Rausschmiss, Sturz, Suspendierung, Zwangsbeurlaubung, Zwangspensionierung *Abmeldung, Exmatrikulation, Streichung *Freiheit, Repatriierung
entlasten (s.): befreien, beispringen, erleichtern, helfen, unterstützen, verringern, Arbeit abnehmen, Arbeit abgeben, frei machen *entsühnen, freisprechen, lossprechen, rehabilitieren *entschuldigen, rechtfertigen *mindern, verringern *anerkennen, bestätigen, billigen, gutheißen, zustimmen, Entlastung erteilen
entlastet: frei, rein, unbelastet
Entlastung: Ehrenerklärung, Ehrenrettung, Rechtfertigung, Rehabilitation, Rehabilitierung *Entschuldigung, Rechtfertigung, Rehabilitierung
entlaubt: entblättert, frei, kahl, leer
entlaufen: s. absetzen, ausbrechen, davonlaufen, durchbrennen, durchgehen, entfliehen, entkommen, entrinnen, entwischen, fliehen, flüchten, türmen, verschwinden, wegschleichen, das Weite suchen, Reißaus nehmen *ausweichen, desertieren, einen Bogen machen (um), meiden, scheuen, umgehen, abtrünnig werden, fahnenflüchtig werden, aus dem Wege gehen, seinen Posten verlassen
entledigen (s.): abschütteln, abtun, s. befreien, freikommen (von), s. freimachen, loskommen (von), loswerden *auskleiden, ausziehen, entblößen, entkleiden, s. freimachen *abnehmen, abstreifen, abwerfen, entfernen, herunternehmen
entleeren: abladen, ausladen, auspacken, ausräumen, ausschütten, wegschaffen, leer machen *löschen ***s. entleeren:** leeren, weniger werden *ausscheiden, austreten, reinigen
Entleerung: Ausleerung, Entladung, Leerung *Darmentleerung, Stuhlgang
entlegen: abgelegen, abgeschieden, einsam, fern, unerreichbar, verlassen, weit weg, weit fort *absonderlich, abwegig, ausgefallen, befremdlich, sonderbar, unmöglich, verstiegen, weit hergeholt
entlehnen: abschreiben, benutzen, plagiieren, übernehmen *ausborgen, beleihen, borgen, leihen, s. pumpen, verpfänden, versetzen, Schulden machen, Verbindlichkeiten eingehen, eine Anleihe machen, eine Anleihe aufnehmen, anschreiben lassen
entlehnt: abgeschrieben, angelehnt, plagiiert, übernommen, in Anlehnung (an), genauso wie
entleihen: ausborgen, auslegen, ausleihen, borgen, herleihen, überlassen, verborgen, verleihen, vorlegen, vorstrecken ***s. etwas entleihen:** s. ausborgen, s. ausleihen, s. borgen, s. entlehnen, s. leihen
Entleihung: Anleihe, Borg, Entlehnung, Kredit, Pump, Schuld, Staatsanleihe
entlohnen: besolden, bezahlen, entlöhnen, geben, honorieren
Entlohnung: Besoldung, Bezahlung, Gehalt, Lohn
Entlüfter: Abzug, Dunstabzug, Klimaanlage, Ventilator
entmachten: absetzen, entthronen, stürzen, zu Fall bringen

entmannen: kastrieren, sterilisieren, verschneiden
Entmannter: Eunuch, Haremswächter, Kastrat, der Verschnittene
entmutigen: ängstigen, einschüchtern, schrecken, verängstigen, Bange machen, den Mut nehmen, das Selbstvertrauen nehmen, die Hoffnung nehmen, die Hoffnung rauben *bedrücken, bekümmern, deprimieren, niederschlagen
entmutigend: aussichtslos, ausweglos, bedrückend, deprimierend, düster, hoffnungslos, sinnlos, unglücklich, unheilbar, unrettbar, verbaut, verfahren, verschlossen, verstellt, ohne Aussicht auf Erfolg, ohne Hoffnung
entmutigt: demütig, demutsvoll, deprimiert, ergeben, gebrochen, gedemütigt, gedrückt, geknickt, kleinmütig, lebensmüde, mutlos, niedergedrückt, niedergeschlagen, niedergeschmettert, resigniert, verzagt, verzweifelt, zerknirscht
entnehmen: herausholen, herausnehmen, nehmen (aus), nehmen (von), wegnehmen *ableiten, erkennen, ersehen, feststellen, folgern
entnervt: abgehetzt, abgekämpft, abgeschlafft, abgespannt, abgewirtschaftet, angegriffen, angeschlagen, atemlos, aufgerieben, ausgelaugt, durchgedreht, entkräftet, erholungsbedürftig, erledigt, ermattet, erschlagen, erschöpft, gerädert, geschafft, groggy, halb tot, kaputt, k. o., kraftlos, matt, mitgenommen, müde, schachmatt, schlaff, schlapp, schwach, überanstrengt, überfordert, überlastet, urlaubsreif, verbraucht, zerschlagen, am Ende
Entnervung: Erschöpfung, Überanstrengung, Überlastung
entpflichten: abberufen, ablösen, abservieren, absetzen, ausbooten, davonjagen, entheben, entlassen, entmachten, entthronen, fortschicken, hinauswerfen, kaltstellen, kündigen, stürzen, suspendieren, verabschieden
entpuppen (s.): s. demaskieren, entlarven, s. offenbaren, die Maske fallen lassen, sein wahres Gesicht zeigen *s. herausstellen, s. zeigen
enträtseln: auflösen, dahinter kommen, decodieren, entschleiern, entschlüsseln, entwirren, entziffern *entscheiden, klarstellen, lösen
entrechtet: ausgestoßen, geächtet, rechtlos, verbannt, vogelfrei
Entree: Eingang, Flur
entreißen: abjagen, abnehmen, s. aneignen, entringen, entwenden, entwinden, fortnehmen, nehmen, rauben, an sich reißen, Besitz ergreifen *s. aneignen, ausplündern, ausräubern, ausräumen, s. bemächtigen, berauben, bestehlen, betrügen, einsacken, erbeuten, mitnehmen, plündern, stehlen, unterschlagen, veruntreuen, wegnehmen, wegtragen, s. an fremdem Eigentum vergreifen, beiseite schaffen, beiseite bringen
entrichten: abbezahlen, abtragen, abzahlen, ausgeben, ausschütten, begleichen, bezahlen, bezuschussen, finanzieren, hinterlegen, nachzahlen, subventionieren, unterstützen, zahlen, zurückerstatten, zurückzahlen, zuzahlen, die Kosten tragen, in Raten zahlen *spenden
entringen: entreißen, (ringend) abnehmen, (ringend) wegnehmen *s. lösen, s. loslösen, s. befreien
entrinnen: s. absetzen, ausbrechen, davonlaufen, durchbrennen, durchgehen, entfliehen, entkommen, entlaufen, entwischen, fliehen, flüchten, türmen, verschwinden, wegschleichen, das Weite suchen, Reißaus nehmen *desertieren, abtrünnig werden, fahnenflüchtig werden, seinen Posten verlassen *ausweichen, meiden, scheuen, umgehen, einen Bogen machen (um), aus dem Wege gehen *davonkommen, entgehen, entkommen, s. retten können, Glück haben
entrollen: ausbreiten, auseinander falten, auseinander legen, auspacken, auswickeln, entfalten, öffnen *darlegen, erklären
entrosten: abschmirgeln, von Rost befreien
entrüsten (s.): brüskieren, empören, schockieren, verärgern, vor den Kopf stoßen, wütend machen, zornig machen *aufbrausen, s. empören, s. erbittern, s. erbosen, s. ereifern, s. erregen, s. erzürnen, heftig werden, böse werden, wild werden, seinen Unwillen äußern

entrüstet: aufgeregt, empört, erhitzt, indigniert, schockiert, wütend, außer sich
Entrüstung: Empörung, Erbitterung, Erregung, Indignation, Unwille, Wut
entsagen: abgeben, abgewöhnen, absagen, abschwören, aufgeben, s. befreien (von), bleiben lassen, s. enthalten, s. ersparen, hergeben, s. nicht gönnen, unterlassen, s. versagen, verzichten, nicht tun
Entsagung: Askese, Einfachheit, Preisgabe, Primitivität, Schlichtheit, Selbstlosigkeit, Verzicht
entsagungsvoll: aufopfernd, aufopferungsvoll, entbehrungsreich, entbehrungsvoll, selbstlos
entschädigen: abfinden, abgelten, ausgleichen, entgelten, ersetzen, erstatten, rückvergüten, sühnen, vergüten, wettmachen, wieder gutmachen, zurückzahlen, Schadenersatz leisten, Schuld tilgen, Ersatz leisten *__s. entschädigen:__ s. gütlich tun, s. schadlos halten
Entschädigung: Abfindung, Abfindungssumme, Abgeltung, Abstand, Abstandssumme, Anstandssumme, Ausgleich, Erkenntlichkeit, Ersatz, Erstattung, Gegenleistung, Gegenwert, Kompensation, Rückerstattung, Rückzahlung, Schadenersatz, Schmerzensgeld, Sühne, Vergütung, Wiedergutmachung
entschärfen: abmildern, beruhigen, beschwichtigen, entgiften, entspannen, mildern, die Spitze nehmen *entladen
entscheiden: bestimmen, durchgreifen, festlegen, festsetzen, verfügen, wählen, ein Machtwort sprechen, ein Urteil fällen, eine Entscheidung treffen *s. herausstellen, s. zeigen *den Ausschlag geben *losen *__s. entscheiden:__ s. durchringen, s. entschließen, optieren, wählen, seine Wahl treffen
entscheidend: bedeutsam, belangvoll, bestimmend, eingreifend, essenziell, folgenreich, folgenschwer, gewichtig, grundlegend, maßgebend, relevant, substanziell, wesenhaft, wesentlich, wichtig, zentral, voll Bedeutung *empfindlich, groß, hoch
Entscheidung: Alternative, Ermessen, Wahl *Anordnung, Dekret, Entscheid, Ordnung, Verfügung, Verordnung, Weisung
entschieden: ausgesprochen, eindeutig, bei weitem, in jedem Falle, klar ersichtlich *abgemacht, akzeptiert, anerkannt, angenommen, ausgemacht, ausgesprochen, beschlossen, besiegelt, gebilligt, geregelt, perfekt, vereinbart, vollzogen *achtbar, aufrecht, beständig, bieder, brav, charakterfest, charakterstark, charaktervoll, ehrbar, ehrenhaft, ehrenwert, ehrsam, hochanständig, rechtschaffen, redlich, rühmenswert, sauber, treu, unbestechlich, unerschütterlich, wacker *aktiv, charakterfest, energisch, entschlossen, fest, konsequent, mutig, nachdrücklich, resolut, rücksichtslos, tatkräftig, unbeirrt, willensstark, zielbewusst, zielsicher, zupackend
Entschiedenheit: Bestimmtheit, Dringlichkeit, Eindringlichkeit, Emphase, Energie, Nachdruck, Stringenz
entschlafen: ableben, abscheiden, dahinscheiden, einschlafen, entschlummern, sterben, verscheiden *ableben, abscheiden, absterben, s. auflösen, dahinscheiden, einschlafen, einschlummern, erfrieren, erlöschen, ersticken, ertrinken, gehen (von), heimgehen, hinscheiden, hinsterben, hinübergehen, schwinden, sterben, umkommen, verdursten, vergehen, verhungern, verlöschen, verscheiden, verschwinden, versterben, abgerufen werden, (tödlich) verunglücken, die Augen schließen, die Augen zumachen, sein Leben aushauchen, aus dem Leben gehen, aus dem Leben abberufen werden, aus dem Leben scheiden
entschleiern: aufdecken, aufklären, aufrollen, aufspüren, aufweisen, aufzeigen, bloßlegen, demaskieren, durchschauen, entblößen, enthüllen, entlarven, enträtseln, finden, freilegen, klarlegen, Licht bringen (in), nachweisen, offenbaren, offen legen, ausfindig machen
entschließen (s.): s. aufraffen (zu), beschließen, s. durchringen, s. überwinden, seine Wahl treffen, einen Beschluss fassen, eine Entscheidung fällen, eine Entscheidung treffen, zum Entschluss kommen, einen Entschluss fassen

entschlossen: aktiv, charakterfest, energisch, entschieden, fest, konsequent, mutig, nachdrücklich, resolut, rücksichtslos, tatkräftig, unbeirrt, willensstark, zielbewusst, zielsicher, zupackend *gesonnen, gewillt, willens, willig
entschlüpfen: ausweichen, davonkommen, entfliehen, entgehen, entkommen, entrinnen, entwischen *ausplaudern, aussprechen, entfahren, herausfahren, herausplatzen, herausrutschen, hochkommen, sagen
entschlüsseln: dechiffrieren, decodieren, entziffern *aufdecken, auflösen, durchschauen, entdecken, enträtseln, entschleiern, erforschen, ergründen, ermitteln, erschließen, eruieren, finden, herausfinden, lösen, verstehen
Entschluss: Absicht, Entscheidung, Entschiedenheit, Entschlossenheit, Vorhaben, Vorsatz, Wille, Wollen, Wunsch
Entschlusskraft: Entschlossenheit, Entschlussfähigkeit, Entschlussfreude, Initiative, Tatkraft, Wille
entschuldbar: verständlich, verzeihbar, verzeihlich, zu rechtfertigen *leicht, nicht schlimm
entschuldigen: exkulpieren, nachsehen, vergeben, verzeihen, Nachsicht zeigen, nicht übel nehmen, nicht nachtragen, Verzeihung gewähren *entlasten, rechtfertigen ***s. entschuldigen:** abbitten, um Entschuldigung bitten, um Verzeihung bitten, Genugtuung geben, Abbitte leisten, Abbitte tun
Entschuldigung: Pardon, Vergebung, Verzeihung *Ausrede, Rechtfertigung *Bescheinigung, Bestätigung
entschwinden: s. absetzen, ausbrechen, davonlaufen, durchbrennen, durchgehen, entfliehen, entkommen, entlaufen, entrinnen, entwischen, fliehen, flüchten, türmen, verschwinden, wegschleichen, das Weite suchen, Reißaus nehmen *desertieren, abtrünnig werden, fahnenflüchtig werden, seinen Posten verlassen *ausweichen, meiden, scheuen, einen Bogen machen (um), umgehen, aus dem Wege gehen *s. entziehen *dahineilen, dahinschwinden, vergehen
entsenden: abkommandieren, abordnen, beordern, delegieren, deputieren, schicken
entsetzen: aus der Fassung bringen, in Angst versetzen, in Panik versetzen, in Schrecken versetzen ***s. entsetzen:** s. ängstigen, bangen, erbeben, erbleichen, erschrecken, erzittern, s. fürchten, schlottern, außer Fassung geraten *s. ekeln, s. grausen
Entsetzen: Bestürzung, Betroffenheit, Erschrockenheit, Erschütterung, Fassungslosigkeit, Grauen, Grausen, Horror, Schauder, Schock, Schreck, Schrecken
entsetzlich: abscheulich, ängstigend, beängstigend, furchtbar, fürchterlich, gespenstig, grässlich, grauenerregend, grauenhaft, grauenvoll, gräulich, grausig, horrend, katastrophal, Schauder erregend, schaudervoll, schauerlich, schauervoll, schaurig, schrecklich, unheimlich, verheerend, zum Fürchten *hoch, sehr, überaus
entsetzt: bestürzt, betroffen, entgeistert, erschrocken, erstarrt, fassungslos, starr, verdattert, verstört, verwirrt, außer sich
entsichert: scharf, schussbereit
entsinnen (s.): auffrischen, s. erinnern, gemahnen, mahnen, ins Gedächtnis rufen, in Erinnerung bringen *aktivieren, auffrischen, einfallen, s. besinnen (auf), s. erinnern, s. merken, s. wieder erinnern, wieder erkennen, wieder erwachen, zurückblicken, zurückdenken, zurückschauen, eingedenk sein, erinnerlich sein, unvergesslich sein, lebendig sein, gegenwärtig sein, präsent sein, nicht vergessen
entsorgen: abschaffen, beseitigen, entfernen, fortbringen, fortschaffen, vernichten, wegbringen, wegschaffen
Entsorgung: Beseitigung, Entfernung, Vernichtung
entspannen: entkrampfen, lockern, lösen *abmildern, beruhigen, beschwichtigen, entschärfen, mildern, die Spitze nehmen ***s. entspannen:** ruhen, ausruhen, auftanken, ausspannen, s. erholen, pausieren, verschnaufen *s. beruhigen, s. legen
entspannt: entkrampft, erleichtert, gelockert, gelöst, ruhig *familiär, formlos,

frei, gelöst, informell, lässig, leger, natürlich, nonchalant, offen, salopp, unbefangen, ungehemmt, ungeniert, ungezwungen, unzeremoniell, zwanglos *gesichert
Entspannung: Beruhigung, Entkrampfung, Erleichterung, Lockerung, Lösung, Ruhe *Auseinanderrückung, Disengagement, Trennung *Atempause, Erholung, Ferien, Pause, Rast, Ruhe, Urlaub
entspinnen (s.): anfangen, aufkommen, beginnen, s. bilden, s. entfalten, entstehen, ergeben, s. formen, s. herausbilden, s. zeigen, erwachsen werden, zustande kommen, seinen Anfang nehmen
entsprechen: einlösen, entgegenkommen, erfüllen, gehorchen, genehmigen, halten, nachkommen, stattgeben, willfahren, zusagen, gerecht werden ***s. entsprechen:** abgestimmt sein (auf), ähneln, genügen, gleichen, gleichkommen, korrespondieren, übereinstimmen, zugeschnitten sein (auf), zusammenpassen, zusammenstimmen, angemessen sein, gemäß sein *s. eignen, harmonieren, hinhauen, passen, stimmen, zusammenpassen, zusammenstimmen *ansprechen, anziehen, behagen, belieben, bestechen, gefallen, imponieren, mögen, passen, schmecken, zufrieden stellen, zusagen, beliebt sein, es jmdm. angetan haben, für sich einnehmen, Geschmack abgewinnen, Geschmack treffen, gute Aufnahme finden, Beifall finden, Anklang finden, recht sein, sympathisch sein, genehm sein, angenehm sein, schön finden, Gefallen finden, Geschmack finden
entsprechend: adäquat, analog, angebracht, angemessen, angezeigt, gebührend, gebührlich, gemäß, konform, kongruent, korrespondierend, opportun, passend *betreffend, dazugehörig, diesbezüglich, einschlägig, zusammengehörig *ähnlich, gleich, vergleichbar, verwandt, genauso wie *gemäß, laut, nach, zufolge, auf … hin, nach Maßgabe *sinngemäß
Entsprechung: Ähnlichkeit, Analogie, Anklang, Gleichartigkeit, Übereinstimmung, Vergleichbarkeit, Verwandtschaft, Verwandtsein *Gegenstück, Korrelat, Pendant
entspringen: aus dem Boden kommen *entfliehen, entlaufen *herrühren, stammen (von)
entstaubt: sauber, staubfrei, ohne Staub
entstehen: s. abzeichnen, anbahnen, anfangen, s. ankündigen, aufkeimen, aufkommen, auftauchen, s. auftun, ausbrechen, s. ausprägen, beginnen, s. bilden, s. entfalten, s. entspinnen, entwickeln, s. ergeben, erwachsen, s. formen, s. herausbilden, s. herauskristallisieren, kundtun, werden, s. zeigen, seinen Anfang nehmen, zum Vorschein kommen, zustande kommen
Entstehung: Anfang, Aufkommen, Beginn, Bildung, Entwicklung, Genese, Genesis *Geburt, Herkunft
Entstehungsherd: Ausgangspunkt, Brutherd, Brutstätte, Brutzelle, Keimzelle
entstellen: deformieren, entwerten, verstümmeln, verunstalten, verunzieren, hässlich machen *umkehren, verdrehen
entstellt: einseitig, engherzig, engstirnig, festgefahren, frisiert, gefärbt, parteiisch, schief, subjektiv, tendenziös, unsachlich, verdreht, verzerrt, voreingenommen, vorurteilsvoll
entstört: einwandfrei, störungsfrei, störungslos
enttäuschen: desillusionieren, ernüchtern, frustrieren, verbittern, die Illusionen rauben, Erwartungen nicht erfüllen, Hoffnungen nicht erfüllen *s. nicht bewähren, versagen, nicht genügen, nicht entsprechen, unbrauchbar sein
enttäuscht: desillusioniert, ernüchtert, frustriert, verbittert
Enttäuschung: Aufsitzer, Pleite, Reinfall, Schlag *Desillusion, Desillusionierung, Ernüchterung, kalte Dusche *Bankrott, Debakel, Durchfall, Fehlschlag, Fiasko, Katastrophe, Misserfolg, Misslingen, Niederlage, Pech, Pleite, Reinfall, Rückschlag, Ruin, Versagen, Zusammenbruch, Schlag ins Wasser
entthronen: abberufen, ablösen, abservieren, absetzen, ausbooten, davonjagen, entheben, entlassen, entmachten, fortschicken, hinauswerfen, kaltstellen, kündigen, stürzen, suspendieren, verabschieden *besiegen, schlagen, vernichten

entvölkert: ausgestorben, leer, menschenleer, öde, tot, unbelebt, verlassen
entwaffnen: demobilisieren, die Waffen abnehmen, wehrlos machen *besiegen, für sich gewinnen, in Erstaunen versetzen, Überraschung auslösen
entwässern: dränieren, entsumpfen, kanalisieren, trockenlegen, trocknen
Entwässerung: Anzugsgraben, Dränage, Dränierung, Dränung, Fleet, Kanalisation, Kanalisierung, Trockenlegung
entweder – oder: eines von beiden
entweichen: s. absetzen, ausbrechen, davonlaufen, durchbrennen, durchgehen, entfliehen, entkommen, entlaufen, entrinnen, entschwinden, entwischen, fliehen, flüchten, türmen, untertauchen, verschwinden, wegschleichen, das Weite suchen, Reißaus nehmen *desertieren, abtrünnig werden, fahnenflüchtig werden, seinen Posten verlassen *ausweichen, einen Bogen machen (um), meiden, scheuen, umgehen, aus dem Wege gehen *ausfließen, auslaufen, ausrinnen, aussickern, austreten, entströmen, herauslaufen *vergessen *verdrängen *enteilen, schwinden, verfliegen, nicht mehr wissen
entweihen: entgöttern, entheiligen, entwürdigen, profanieren, säkularisieren, schänden, verletzen, ins Profane ziehen
Entweihung: Entheiligung, Profanation, Profanierung, Säkularisation, Schändung
entwenden: abnehmen, s. an fremdem Eigentum vergreifen, s. aneignen, ausplündern, ausräubern, ausräumen, s. bemächtigen, berauben, bestehlen, betrügen, einsacken, erbeuten, mitnehmen, stehlen, unterschlagen, veruntreuen, wegnehmen, wegtragen, beiseite schaffen, beiseite bringen
Entwendung: Dieberei, Diebstahl, Eigentumsdelikt, Eigentumsvergehen, Einbruch, Einbruchdiebstahl, Plünderung, Raub, Wegnahme, widerrechtliche Aneignung
entwerfen: ausarbeiten, s. ausdenken, entwickeln, erarbeiten, konstruieren, konzipieren, planen, projektieren, skizzieren, umreißen, s. zurechtlegen, einen Plan machen *aufsetzen, einen Entwurf machen, ein Konzept machen, ins Unreine schreiben, ins Konzept schreiben *darlegen, entwickeln, erläutern
entwerten: abqualifizieren, diffamieren, diskreditieren, gering schätzen, herabsetzen, herabwürdigen, verunglimpfen *knipsen, lochen, stempeln, wertlos machen, ungültig machen *abwerten, mindern, verkleinern, die Kaufkraft herabsetzen, den Wert herabsetzen, den Kurs herabsetzen
Entwertung: Abwertung, Geldentwertung, Inflation, Preisanstieg, Preissteigerung, Währungsverfall
entwickeln: s. abzeichnen, anbahnen, anfangen, s. ankündigen, aufkeimen, aufkommen, ausbrechen, beginnen, s. bilden, s. entfalten, s. entspinnen, entstehen, s. ergeben, erwachsen, s. formen, s. herausbilden, herauskristallisieren, kundtun, werden, s. zeigen, seinen Anfang nehmen, zum Vorschein kommen, zustande kommen *ausbilden, bilden, fortbilden, heranbilden, qualifizieren *ausbilden lassen, entstehen lassen *ausarbeiten, ausbauen, erfinden, hervorbringen, konstruieren, planen, projektieren, schaffen *beweisen, entfalten, zeigen, an den Tag legen, erkennen lassen *sichtbar werden lassen *aufzeichnen, darlegen, definieren, demonstrieren, illustrieren, veranschaulichen, verdeutlichen *herleiten *ausbauen, hervorbringen ***s. entwickeln:** s. entfalten, gedeihen, voranschreiten, s. im Fluss befinden, in der Entwicklung begriffen *anwachsen, aufblühen, aufleben, ausarten, erblühen, erwachen, s. erweitern, florieren, s. fortpflanzen, s. fortsetzen, gedeihen, geraten, s. steigern, s. vermehren, wachsen *entwachsen, heranreifen, heranwachsen, s. herausmachen, s. mausern, verändern, flügge werden, groß werden
entwickelt: ausgebildet, ausgewachsen, kräftig, reif *ausgereift
Entwicklung: Anfang, Aufkommen, Beginn, Bildung, Entstehung, Fortschritt, Reife, Wachstum, Werden *Geschichte, Werdegang *Entfaltung, Entwicklungsperiode, Entwicklungsphase, Entwick-

lungsverlauf, Evolution, Fortentwicklung, Prozess, Reifezeit, Reifung, Reifungsprozess, Wachstum *Konstruktion, Planung *Ausbau, Ausbildung, Ausformung
Entwicklungsalter: Adoleszenz, Entwicklungsjahre, Flegeljahre, Jugendalter, Jugendjahre, Jugendzeit, Pubertät, Reifezeit, Wachstumsjahre
Entwicklungsländer: die Dritte Welt
Entwicklungsstufe: Durchgangsstadium, Durchgangsstation, Entwicklungsabschnitt, Entwicklungsepoche, Entwicklungsetappe, Entwicklungsperiode, Entwicklungsphase, Entwicklungsstadium, Entwicklungsstand, Etappe, Phase, Stadium, Station, Stufe
entwinden: abnehmen, s. aneignen, ausplündern, ausräubern, ausräumen, s. bemächtigen, berauben, bestehlen, betrügen, einsacken, erbeuten, mitnehmen, stehlen, unterschlagen, veruntreuen, wegnehmen, wegtragen, s. an fremdem Eigentum vergreifen, beiseite schaffen, beiseite bringen ***s. entwinden:** s. auflehnen, s. befreien
entwirren: auflösen, auseinander bekommen, entflechten, lösen, zergliedern, zerpflücken *berichtigen, erhellen, klären, klarlegen, klarstellen, korrigieren, revidieren, verdeutlichen
entwischen: s. absetzen, ausbrechen, davonlaufen, durchbrennen, durchgehen, entfliehen, entkommen, entlaufen, entrinnen, s. entziehen, fliehen, flüchten, türmen, verschwinden, wegschleichen, das Weite suchen, Reißaus nehmen *desertieren, abtrünnig werden, fahnenflüchtig werden, seinen Posten verlassen *ausweichen, einen Bogen machen (um), meiden, scheuen, umgehen, aus dem Wege gehen
entwöhnen: absetzen, abstillen, nicht mehr stillen *abbinden, absetzen, abspänen, spänen *abbringen (von), aberziehen, abgewöhnen, ablegen, abstreifen, austreiben
Entwöhnung: Abbruch, Abgewöhnung, Aufgabe, Einstellung, Enthaltung, Entziehung
Entwurf: Exposé, Gestaltung, Konstruktion, Konzept, Konzeption, Layout, Modell, Plan, Projekt, Projektierung, Skizze, Überblick
entwurzeln: mit der Wurzel ausreißen *verbannen, vertreiben, aus der Heimat treiben, der Heimat entfremden
entziehen: wegziehen, nicht mehr geben *abschirmen, bewahren, schützen, nicht ausliefern *fortnehmen, untersagen, versagen, verweigern, vorenthalten, wegnehmen, nicht mehr gewähren, nicht mehr zuteil werden, nicht mehr geben *sperren, aus der Hand nehmen ***s. entziehen:** abschütteln, s. befreien, entgleiten, s. entwinden, s. lösen, s. losmachen *s. abkapseln, s. absondern, s. isolieren, s. zurückziehen *davonlaufen, durchbrennen, durchgehen, entkommen, entrinnen, fliehen, flüchten, türmen *drücken, kneifen, vermeiden, nicht ausführen, nicht erledigen, nicht erfüllen, nicht mitmachen, nicht teilnehmen *ausweichen, s. drücken, entgehen, fliehen, scheuen, umgehen, vermeiden
Entziehung: Entwöhnung, Entzug
entziffern: buchstabieren, entschlüsseln, erschließen, übersetzen *dechiffrieren, decodieren, entschlüsseln
entzücken: beglücken, erfreuen, ergötzen, gefallen, glücklich machen, Vergnügen bereiten *begeistern, berauschen, bezaubern, entflammen, entzünden, erfreuen, fortreißen, gefallen, mitreißen, in Begeisterung versetzen
Entzücken: Ausgelassenheit, Begeisterung, Erregung, Freude, Frohsinn, Heiterkeit, Lebensfreude, Lebenslust, Lust, Lustigkeit, Seligkeit, Vergnügen, Vorfreude
entzückend: angenehm, anmutig, anziehend, attraktiv, aufreizend, betörend, bezaubernd, charmant, einnehmend, gewinnend, hübsch, lieb, lieblich, liebenswert, reizend, reizvoll, sympathisch, toll
Entzündbarkeit: Entflammbarkeit, Verbrennbarkeit
entzünden: anbrennen, anfachen, anschüren, anstecken, anzünden, einheizen, Feuer entfachen, Feuer legen, in Brand setzen, in Brand stecken, zum Brennen bringen *s. entwickeln, erregen,

fortschreiten *s. entzünden: anschwellen, röten *s. entfachen

entzündlich: brennbar, entzündbar, feuergefährlich, (leicht) entflammbar, nicht feuerfest *aufbrausend, cholerisch, erregbar, heftig, hochgehend, hysterisch, jähzornig, poltrig, reizbar, unbeherrscht, wild

Entzündung: Entflammung, Selbstentzündung *Rötung

entzwei: auseinander, auseinander gefallen, dahin, defekt, hin, hinüber, kaputt, schadhaft, zerbrochen

entzweien: auseinander bringen, entfremden, spalten, trennen, verfeinden, gegeneinander aufbringen, uneins machen, Zwietracht säen, einen Keil treiben *s. **entzweien:** auseinander geraten, s. entfremden, s. trennen, s. überwerfen, s. verfeinden, s. verkrachen, s. verzanken, s. zerstreiten, uneins sein

entzweigehen: platzen, zerplatzen, splittern, zersplittern, zerbrechen, zerschellen, in Stücke zerfallen *kaputtgehen, platzen, in die Binsen gehen

entzweireißen: durchreißen, vernichten, zerreißen

entzweischlagen: entzweihauen, halbieren, spalten, trennen, vernichten, zerschlagen, zerstören

entzweit: uneinig, uneins, verfeindet, zerfallen, zerstritten

Entzweiung: Auseinandersetzung, Bruch, Differenzen, Disharmonie, Gegensätzlichkeit, Gezänk, Hader, Hakelei, Händel, Kollision, Konflikt, Krawall, Missklang, Missverständnis, Querelen, Reiberei, Reibung, Scharmützel, Streit, Streitigkeit, Szene, Tätlichkeit, Unfriede, Unzuträglichkeit, Verfeindung, Widerstreit, Zank, Zerwürfnis, Zusammenprall, Zusammenstoß, Zwietracht, Zwist

en vogue: aktuell, modisch

Epik: Erzählkunst, Prosa, epische Dichtung, erzählende Dichtung, erzählende Literatur

Epilog: Nachspiel, Nachtrag, Nachwort, Schlusswort

episch: dichterisch, erzählend

Episode: Abenteuer, Begebenheit, Ergebnis, Ereignis, Erlebnis, Vorkommnis, Zwischenfall, Zwischenspiel

epochal: abenteuerlich, ansehnlich, auffallend, auffällig, aufsehenerregend, außergewöhnlich, außerordentlich, ausgefallen, beachtlich, bedeutend, bedeutsam, bedeutungsvoll, beeindruckend, beträchtlich, bewundernswert, bewundernswürdig, brillant, eindrucksvoll, einzigartig, enorm, entwaffnend, erstaunlich, fabelhaft, groß, großartig, hervorragend, imponierend, imposant, märchenhaft, nennenswert, ohnegleichen, sagenhaft, sensationell, sondergleichen, spektakulär, stattlich, überragend, überraschend, überwältigend, ungeläufig, ungewöhnlich, unvergleichlich, verblüffend *monatsweise, wochenweise

Epoche: Ära, Zeitalter

erachten: ansehen (als), auffassen (als), befinden, begutachten (als), betrachten (als), beurteilen (als), bewerten (als), einschätzen (als), halten (für), verstehen (als), denken (über)

Erachten: meines Erachtens, meiner Ansicht nach, nach meiner Ansicht, nach meinem Erachten, meinem Erachten nach, meiner Meinung nach, nach meinem Dafürhalten, nach meinem Befinden

erarbeiten: erlangen, erreichen, erwerben, erwirken, erzielen, fertig stellen, leisten, schaffen, vollbringen, zustande bringen *aneignen, lernen *ausarbeiten, entwerfen, entwickeln, konzipieren

Erbarmen: Anteil, Anteilnahme, Barmherzigkeit, Menschlichkeit, Mitempfinden, Mitfühlen, Mitgefühl, Mitleid, Sympathie, Teilnahme, Verständnis

erbarmen (s.): dauern, mitempfinden, mitfühlen, mitleiden, leid tun, Anteil nehmen, Mitgefühl zeigen, Sympathie zeigen, Teilnahme zeigen

erbärmlich: bedauerlich, bedauernswert, beklagenswert, ergreifend, herzbewegend, herzergreifend, herzzerreißend, jämmerlich, jammervoll, kläglich, zerreißend *elend, erbarmungswürdig, hilfsbedürftig, indisponiert, jämmerlich, kläglich, miserabel, mitgenommen, schlecht, schwach, schwächlich, übel, unpässlich, unwohl *abscheulich, charakterlos, ehrlos, gemein, hässlich, niedrig, ruchlos, schändlich, scheußlich, unwürdig, verabscheuenswert, verächtlich, verdammenswert, verwerflich, verworfen *ausgehungert, geschwächt, krank, zerbrechlich *arm, armselig, ärmlich, bedürftig, bettelarm, güterlos, hilfsbedürftig, Not leidend, unbemittelt, unvermögend, verarmt, verelendet *sehr groß, sehr stark *abgewirtschaftet, herabgewirtschaftet, herabgekommen, heruntergekommen, mangelhaft, ruiniert, trostlos

Erbarmung: Anteil, Anteilnahme, Barmherzigkeit, Einfühlungsgabe, Einfühlungsvermögen, Entgegenkommen, Erbarmen, Herzlichkeit, Höflichkeit, Innigkeit, Mitgefühl, Mitleid, Nächstenliebe, Rücksicht, Sympathie, Takt, Taktgefühl, Teilnahme, Verständnis, Verstehen, Wärme, menschliches Rühren

erbarmungslos: abgestumpft, barbarisch, brutal, eisig, fest, gefühllos, gefühlsarm, gefühlskalt, gemütsarm, gleichgültig, gnadenlos, grausam, hart, hartherzig, herzlos, inhuman, kaltblütig, kompromisslos, lieblos, mitleidlos, roh, rücksichtslos, schonungslos, seelenlos, streng, unbarmherzig, ungesittet, unmenschlich, unnachgiebig, unnachsichtig, unsozial, unzugänglich, verroht

Erbarmungslosigkeit: Brutalität, Gefühlskälte, Gefühlsrohheit, Gnadenlosigkeit, Grausamkeit, Härte, Herzensverhärtung, Kälte, Kaltherzigkeit, Kompromisslosigkeit, Lieblosigkeit, Mitleidlosigkeit, Rohheit, Rücksichtslosigkeit, Schonungslosigkeit, Unbarmherzigkeit, Unmenschlichkeit, Unnachgiebigkeit

erbarmungsvoll: anteilnehmend, bedauernd, gerührt, mitfühlend, mitleidig, teilnahmsvoll, teilnehmend, voller Mitleid, von Mitleid erfüllt

erbauen: aufführen, aufrichten, bauen, bebauen, errichten, erstellen, hochziehen *machen, verursachen *aufrichten, belustigen, erfreuen, ergötzen, erheben *__s. erbauen:__ s. aufrichten, s. erfreuen, s. ergötzen, s. laben

erbaulich: beschaulich, besinnlich, bewegend, erhebend *eindringlich, feierlich, getragen, gewichtig, nachdrücklich, pathetisch, salbungsvoll

Erbauung: Erhebung *Aufbau, Aufführung, Aufrichtung, Aufstellung, Bau, Errichtung

Erbe: Erbgut, Erbschaft, Erbteil, Hinterlassenschaft, Nachlass, Vermächtnis, ererbter Besitz, ererbtes Vermögen *Tradition, Überlieferung *Erbberechtigte, Hinterbliebene, Nachfolger, Nachkomme, Überbliebene, Überlebende

erbeben: beben, zittern

erben: bekommen, ererben, mitbekommen, als Erbe erhalten, als Mitgift erhalten, eine Hinterlassenschaft machen, eine Erbschaft machen, eine Erbschaft antreten

erbetteln: ausbitten, erbitten, fordern, verlangen, wünschen, zusammenbetteln

erbeuten: ergattern, erobern, erringen, wegnehmen

erbfähig: erbberechtigt

Erbfähigkeit: Erbberechtigung

Erbfaktor: Gen

Erbfeind: Antichrist, Teufel *Gegner

Erbfehler: ererbter Fehler, Gendefekt

Erbfolge: Erbgang, Erbnachfolge

Erbfolgekrieg: Sukzessionskrieg

Erbgut: Erbe, Hinterlassenschaft *Gene

erbitten: anfragen, angehen, ansuchen, s. ausbitten, bitten, erbetteln, ersuchen, nachsuchen, s. wenden (an), vorstellig werden

erbittern: ärgern, aufbringen, aufregen, aufreizen, beunruhigen, erbosen, ergrimmen, erhitzen, erzürnen, verdrießen, verstimmen, aus dem Gleichgewicht bringen, aus der Fassung bringen, aus der Ruhe bringen, zornig machen, wütend machen, zur Weißglut reizen, zur Weißglut bringen, auf die Palme bringen *verärgern, verstimmen, ärgerlich machen *__s. erbittern:__ s. entrüsten

erbittert: ärgerlich, aufgebracht, böse, brummig, entrüstet, erbost, erzürnt, fuchsteufelswild, gekränkt, gereizt, grantig, griesgrämig, grimmig, missgestimmt, misslaunig, missmutig, muffig, mürrisch, peinlich, übellaunig, unangenehm, unerfreulich, verärgert, verdrießlich, verdrossen, wütend, wutentbrannt,

wutschäumend, wutschnaubend, zähneknirschend, zornig *eisern, hartnäckig, standhaft, stur, unbeirrt, unnachgiebig
Erbitterung: Empörung, Entrüstung, Erregung, Indignation, Unwille, Wut *Bitterkeit, Bitternis, Groll, Missmut, Unbehagen, Unzufriedenheit, Verbitterung
erblassen: erbleichen, s. verfärben, bleich werden, fahl werden, blass werden, die Farbe wechseln, die Farbe verlieren *s. ärgern, s. grämen
Erblasser: der eine Erbschaft Hinterlassende
erblich: angeboren, eingeboren, natürlich, ursprünglich, vererbbar, vererbt, in die Wiege gelegt, von Geburt her
erblicken: geboren werden *bemerken, erkennen, erspähen, sehen, wahrnehmen, ansichtig werden, zu Gesicht bekommen, zu sehen bekommen
erblinden: das Augenlicht verlieren, blind werden
erblühen: aufbersten, s. aufblättern, aufblühen, aufbrechen, aufgehen, aufkeimen, aufplatzen, aufspringen, s. auftun, s. entfalten, s. entwickeln, heranwachsen, s. öffnen, reifen, wachsen, werden
erbosen (s.): aufbringen, aufregen, beunruhigen, empören, ergrimmen, erhitzen, erregen, erzürnen, herausfordern, verärgern, verdrießen, verstimmen
erbötig: bereit, gefällig
Erbötigkeit: Aufopferung, Einsatzbereitschaft, Entgegenkommen, Fürsorge, Gefälligkeit, Hilfsbereitschaft, Opferbereitschaft, Samariterdienst, Samaritertum *Bereitschaft
erbrechen: ausbrechen, ausspeien, brechen, s. entlasten, herausbrechen, speien, s. übergeben, von sich geben
erbringen: aufbringen, beschaffen, bringen, herbeibringen, vorlegen *abwerfen, s. auszahlen, s. bezahlt machen, einbringen, eintragen, ergeben, erreichen, erzielen, s. lohnen, s. rentieren, tragen, Ertrag bringen, Gewinn bringen, Nutzen bringen, Früchte tragen *beweisen, nachweisen
Erdball: Erde, Erdkugel, Globus, Weltkugel, Mutter Erde, der blaue Planet
Erdbeben: Beben, Erderschütterung, Erdstoß, Erschütterung, Stoß
Erde: Ackerboden, Ackerscholle, Boden, Erdboden, Erdkrume, Erdreich, Grund, Scholle, Staub *Fußboden, Grund *Diesseits, Erdball, Erdkreis, Erdkugel, Globus, Planet, Welt *Ferne, Raum, Welt, Weltweite
Erdgeschoss: Parterre, Souterrain
erdichtet: erlogen, erschwindelt, falsch, gelogen, unlauter, unrichtig, unwahr, unzutreffend
Erdkunde: Geographie
Erdöl: Bergöl, Naphtha, Rohöl, Steinöl
erdrücken: totdrücken, totquetschen *belasten, erschlagen, überwältigen
Erdrutsch: Abrutsch, Bergrutsch, Bergsturz, Felsrutsch, Felssturz, Rutsch, Steinlawine
Erdscholle: Ackerboden, Ackerscholle, Bodenkrume, Erdbrocken, Erdklumpen, Krume, Scholle
Erdtrabant: Mond *Raumfähre, Raumschiff, Satellit
erdulden: auffangen, aushalten, ausstehen, bestehen, bewältigen, dulden, durchmachen, durchstehen, erleiden, ertragen, hinnehmen, leiden, tragen, überwinden, verarbeiten, verdauen, verkraften, verschmerzen, vertragen, fertig werden
ereifern (s.): s. aufregen, s. entrüsten
ereignen (s.): s. abspielen, s. begeben, s. einstellen, eintreten, erfolgen, geschehen, passieren, sein, verlaufen, s. vollziehen, vorfallen, vorgehen, vorkommen, s. zutragen, zustande kommen
Ereignis: Affäre, Begebenheit, Besonderheit, Einmaligkeit, Eklat, Episode, Erlebnis, Geschehen, Geschehnis, Geschichte, Hergang, Intermezzo, Phänomen, Schauspiel, Sensation, Vorfall, Vorgang, Vorkommnis, Wirbel, Zufall, Zwischenfall, Zwischenspiel
ereignisreich: abenteuerlich, bewegt
ereilen: einholen, erfassen, treffen, überraschend bekommen, schnell erreichen, schnell bekommen
ererbt: angeboren, eingeboren, natürlich, ursprünglich, vererbt, in die Wiege gelegt, von Geburt her *geerbt, übernommen, vererbt

erfahren: aufschnappen, ermitteln, herausbekommen, hören, vernehmen, in Erfahrung bringen, Kenntnis erhalten, zu Ohren kommen, Wind bekommen *durchleben, erdulden, erleben, erleiden, kennen lernen, Erfahrungen sammeln, Erfahrungen machen, selbst sehen *beschlagen, bewandert, erprobt, firm, fit, gelernt, geschult, geübt, klug, kundig, qualifiziert, routiniert, sachverständig, sicher, unterrichtet, versiert, weise *befahren *alt, lebenserfahren

Erfahrung: Beschlagenheit, Bildung, Erkenntnis, Geübtheit, Klugheit, Know-how, Lebenserfahrung, Menschenkenntnis, Praxis, Reife, Routine, Überblick, Überlegenheit, Vertrautheit, Weisheit, Weitblick, Weltkenntnis, Wissen

erfahrungsgemäß: bekanntermaßen, bekanntlich, erwiesenermaßen

erfassen: ergreifen, erreichen, packen *anwandeln, bemächtigen, beschleichen, überfallen, überkommen, überwältigen, Besitz ergreifen *begreifen, durchblicken, durchschauen, klar sehen, nachvollziehen, verstehen, folgen können *berücksichtigen, einbeziehen, einkalkulieren, einplanen, mitrechnen *aufführen, buchen, eintragen, festhalten, registrieren, verzeichnen *anrechnen, beachten, berücksichtigen, dazunehmen, dazurechnen, dazuzählen, einbeziehen, einkalkulieren, einplanen, einrechnen, einschließen, hinzunehmen, hinzurechnen, hinzuzählen, implizieren, inkludieren, mitrechnen, mitzählen, zuzählen, in Rechnung stellen, in Rechnung setzen, ins Kalkül ziehen

Erfassung: Aufnahme, Registrierung, Verzeichnis, Verzeichnung

erfechten: erbetteln *erkämpfen, erringen, erstreiten *siegen

erfinden: ausgrübeln, ausklügeln, entdecken, entwerfen, entwickeln, ersinnen, konstruieren, eine Erfindung machen *dichten, erdichten, lügen, erlügen, schwindeln, erschwindeln, phantasieren

Erfindung: Entdeckung, Entwurf, Erdichtung, Fiktion, schöpferischer Einfall *Fabel, Lüge, Lügenmärchen, Märchen, Schwindel, Unwahrheit

Erfindungsgabe: Erfindergeist, Erfindungskraft, Findigkeit, Gedankenreichtum, Ingeniosität, Ingenium, Phantasie *Einbildungskraft, Einbildungsvermögen, Eingebung, Imagination, Inspiration, Phantasie

Erfolg: Durchbruch, Errungenschaft, Fortschritt, Gedeihen, Gelingen, Gewinn, Glück, Sieg, Triumph, Trumpf, Volltreffer, Wirksamkeit *Auswirkung, Bilanz, Effekt, Endsumme, Ergebnis, Fazit, Folge, Resultat *Hit, Kassenschlager, Publikumserfolg, Verkaufsschlager *Anerkennung, Attraktion, Zulauf, Zuspruch, Zustrom ***Erfolg versprechend:** aussichtsreich, glückbringend, glückverheißend, verheißungsvoll, viel versprechend, mit Aussicht auf Erfolg

erfolgen: s. abspielen, s. begeben, s. einstellen, eintreten, s. ereignen, geschehen, passieren, sein, stattfinden, verlaufen, s. vollziehen, vorfallen, vorgehen, vorkommen, s. zutragen, zustande kommen

erfolglos: fruchtlos, missglückt, misslungen, negativ, nutzlos, umsonst, unnütz, verfehlt, vergebens, vergeblich, wirkungslos, ohne Erfolg *sieglos, ohne Sieg, ohne Triumph

erfolgreich: mit Erfolg *angesehen *gelungen, geschafft, mit Erfolg gekrönt *sieghaft, siegreich *aussichtsreich, begünstigt, erfolggekrönt, gesegnet, glücklich, preisgekrönt, viel versprechend

Erfolgsaussicht: Chance, Möglichkeit

erforderlich: dringend, geboten, gewichtig, lebenswichtig, notwendig, obligat, unausweichlich, unentbehrlich, unerlässlich, unumgänglich, unvermeidlich, wesentlich, wichtig, zwingend

erfordern: erheischen, gebieten

Erfordernis: Bedingung, Gebot, Notwendigkeit, Pflicht, Unabwendbarkeit, Unerlässlichkeit, Voraussetzung

erforschen: durchforschen, nachforschen, stöbern *ergründen, erkunden, nachdenken, prüfen, untersuchen

Erforschung: Ergründung, Erkundung, Untersuchung *Abenteuerreise, Entdeckungsreise, Expedition, Forschungsreise, Reise

erfreuen: amüsieren, anregen, aufhei-

tern, aufmuntern, beglücken, belustigen, ergötzen, erheitern, genießen, Freude bereiten, Freude spenden, Freude machen, froh machen, glücklich machen, selig machen, Spaß machen *genießen, im Besitz sein (von)
erfreulich: angenehm, erquicklich, gut, willkommen, wohltuend *glücklich, günstig, positiv, vorteilhaft
erfrieren: erkalten, gefrieren, sterben
erfrischen: anregen, auffrischen, beleben, erlaben, erquicken, laben, stärken, anregend wirken, belebend wirken ***s. erfrischen:** s. erquicken, s. frisch machen, s. kräftigen, s. stärken
erfrischend: erquicklich, labend, wohltuend *anregend, belebend
Erfrischung: Auffrischung, Erquickung, Labsal, Labung, Wohltat *Erfrischungsgetränk, Getränk
erfühlen: abtasten, erahnen, erspüren, ertasten
erfüllbar: durchführbar, erreichbar, machbar, realisierbar, zu erreichen
erfüllen: befriedigen, einlösen, entsprechen, nachkommen, zufrieden stellen, Genüge tun *ausfüllen, beherrschen, beschäftigen, in Anspruch nehmen *s. ausbreiten, s. ausdehnen, ausfüllen, s. entfalten *beseelen, durchbeben, durchbrausen, durchdringen, durchfluten, durchglühen, durchkriechen, durchlaufen, durchpulsen, durchrieseln, durchrinnen, durchströmen, durchstürmen, durchtränken, durchwogen, durchziehen, schwängern *eintreffen, eintreten, Wirklichkeit werden *einlösen, entsprechen, erledigen, halten, verwirklichen
erfüllt: beglückt, durchdrungen, freudvoll, freudevoll, freudig, glücklich, glückselig, hingerissen, selig
Erfüllung: Befriedigung, Zufriedenheit *Beachtung, Einhaltung, Einlösung, Verwirklichung
ergänzen: abrunden, auffrischen, auffüllen, ausbauen, erweitern, hinzufügen, hinzutun, komplementieren, komplettieren, nachtragen, perfektionieren, vervollkommnen, vervollständigen, vollenden *anfügen, anreihen, anschließen, aufrunden, beifügen, beigeben, beimengen, beimischen, dazulegen, dazutun, erweitern, hinzufügen, hinzusetzen, komplettieren, nachtragen, vervollständigen, zufügen, zugeben, zusetzen
Ergänzung: Auffrischung, Auffüllung, Erweiterung, Hinzufügung, Komplettierung, Nachtrag, Vervollkommnung, Vervollständigung *Anhang, Beischuss, Komplement, Korrelat, Nachtrag, Zugabe
ergeben: anhänglich, beständig, demütig, geduldig, hingebungsvoll, treu *fatalistisch, folgsam, fügsam, gefügig, gehorsam, gottergeben, lenkbar *devot, knechtisch, kriecherisch, resigniert, servil, sklavisch, untertänig, unterwürfig *abwerfen, ausmachen, s. belaufen (auf), betragen, einbringen, erbringen, ertragen, kosten, zur Folge haben ***s. ergeben:** s. abzeichnen, s. erhellen, folgen, s. herausschälen, hervorgehen, resultieren, als Folge entstehen, zustande kommen *aufgeben, s. besiegen lassen, s. beugen, gehorchen, kapitulieren, nachgeben, s. schicken, s. unterordnen, s. unterwerfen *s. aufopfern, s. hingeben, s. in die Arme werfen
Ergebenheit: Demütigkeit, Devotion, Dienerei, Gottergebenheit, Katzbuckelei, Kriecherei, Liebedienerei, Schmeichelei, Servilität, Speichelleckerei, Untertänigkeit, Unterwürfigkeit *Demut, Demütigkeit, Ergebung, Geduld, Resignation, Treue
Ergebnis: Ausbeute, Auswirkung, Befund, Bilanz, Effekt, Endergebnis, Endresultat, Endstand, Endsumme, Ertrag, Fazit, Folge, Gewinn, Konsequenz, Produkt, Quintessenz, Resultat, Resümee, Schlussergebnis, Schlussfolgerung, Summe, Wirkung *Endprodukt, Erzeugnis, Produkt
ergebnislos: erfolglos, fruchtlos, ineffektiv, missglückt, misslungen, negativ, nutzlos, umsonst, unnütz, unverrichteterdinge, unwirksam, verfehlt, vergebens, vergeblich, wirkungslos, zwecklos, ohne Resultat, ohne Erfolg
ergebnisreich: effektiv, effektvoll, erfolgreich, fruchtbar
ergiebig: dankbar, einbringlich, einträg-

lich, ertragreich, gewinnbringend, lohnend, lukrativ, nutzbringend, nützlich, profitbringend, reich, rentabel, vorteilhaft *erfolgreich, fündig

Ergiebigkeit: Einträglichkeit, Fruchtbarkeit, Profit, Rentabilität, Vorteil

erglühen: aufblenden, aufblinken, aufblitzen, aufflammen, auffunkeln, aufleuchten, aufscheinen, aufstrahlen, erglimmen, erstrahlen, fluoreszieren, leuchten, phosphoreszieren *erröten, s. genieren, s. schämen, Scham empfinden, vor Scham erröten, rot werden, schamrot werden *begeistern, s. erwärmen, Begeisterung empfinden, Begeisterung fühlen, Feuer fangen, in Begeisterung geraten

ergötzen (s.): amüsieren, beglücken, freuen, glücklich machen, Spaß machen, Freude machen *anregen, aufheitern, aufmuntern, belustigen, erfreuen, s. freuen, genießen

ergraut: alt, ausgedient, bejahrt, betagt, gealtert, grau, grauköpfig, hochbetagt, silberhaarig, weißhaarig

ergreifen: erfassen, fassen, nehmen, packen, zugreifen, an sich reißen *aufgreifen, erwischen, fangen, fassen, greifen, kriegen, schnappen, habhaft werden *anwandeln, aufwühlen, beeindrucken, befallen, s. bemächtigen, berühren, beschleichen, erregen, fesseln, nahe gehen, schockieren, überkommen, überwältigen, Besitz ergreifen, betroffen machen, zu Herzen gehen *reden, sprechen, an sich reißen *anfangen, beginnen *s. aneignen, zu sich nehmen, Besitz nehmen, Besitz ergreifen *eintreten (für), s. engagieren

ergreifend: bewegend, erschütternd, herzbewegend, rührend

ergriffen: beeindruckt, betroffen, bewegt, erregt, erschüttert, gerührt

Ergriffenheit: Bewegung, Erschütterung, Rührung

ergründen: dahinter kommen, entdecken, enträtseln, entschlüsseln, erforschen, ermitteln, eruieren, feststellen, herausbekommen, herausbringen, herausfinden, herauskriegen, merken, auf den Grund gehen, auf den Grund kommen *beackern, bearbeiten, beleuchten, durchackern, durcharbeiten, durchforschen, erforschen, untersuchen

erhaben: achtunggebietend, erhebend, erlaucht, ehrwürdig, feierlich, festlich, gravitätisch, majestätisch, würdevoll, würdig *souverän, überlegen, unberührbar *konvex, nach außen gewölbt *plastisch, reliefartig

Erhabenheit: Duldsamkeit, Edelmut, Erhebung, Erhöhung, Größe, Großmut, Haltung, Hochsinn, Noblesse, Reife, Seelenadel, Überlegenheit, Weihe, Würde

erhalten: bekommen, empfangen, zuteil werden, zugestellt werden *erlangen, erreichen, erzielen, gewinnen *aufbewahren, beizen, einkochen, einlegen, einmachen, einpökeln, konservieren, marinieren, pasteurisieren, pökeln, präparieren, räuchern, sterilisieren, tiefgefrieren, tiefkühlen, haltbar machen *aufkommen (für), beköstigen, durchbringen, durchfüttern, ernähren, sorgen (für), unterhalten, versorgen, am Leben halten *aufrechterhalten, beibehalten, bewahren *pflegen, schonen, unterhalten, in Ordnung halten, instand halten *bleiben, fortbestehen, fortdauern, weiterbestehen, am Leben halten *kriegen, abkriegen, abbekommen, davontragen, ernten, erwischen *abfallen, bekommen, erlangen, ernten, erreichen, erringen, erzielen, gewinnen ***gut erhalten:** gepflegt, geschont, neu, neuwertig ***schlecht erhalten:** verbraucht *abgearbeitet, alt, verbraucht *herabgewirtschaftet, heruntergekommen

erhältlich: käuflich, lieferbar, parat, verfügbar, verkäuflich, vorhanden, vorliegend, vorrätig, auf Lager, zu haben *absetzbar, veräußerlich, zu verkaufen

Erhaltung: Instandhaltung, Pflege, Unterhalt, Unterhaltung, Versorgung, Wartung *Alimentation, Ernährung, Haushaltungskosten, Lebenshaltung, Lebenshaltungskosten, Lebensunterhalt, Versorgung *Pflege, Wart

erhängen: aufhängen, aufknüpfen, erwürgen, hängen, henken, hinrichten, töten, an den Galgen bringen ***s. erhängen:** s. aufknüpfen, s. töten, Selbstmord begehen, den Strick nehmen

erhärten: bekräftigen, bestätigen, festigen, konsolidieren, stabilisieren, stützen, untermauern, unterstützen, vertiefen, zementieren *abbinden, abhärten, erstarren, härten, hart werden
erhaschen: auffangen, aufhaschen, aufschnappen, ergreifen, fangen, greifen, schnappen
erheben: aufheben, heben, hochheben, lüften, in die Höhe heben *aufrichten, erbauen, erfreuen, erheitern, stärken, trösten *einfordern, einsammeln, eintreiben, einziehen, kassieren, einen Betrag verlangen *auszeichnen, befördern, aufrücken lassen, einen höheren Rang geben, in eine höhere Stellung versetzen *demonstrieren, protestieren *adeln, in den Adelsstand bringen *fordern, verlangen, wollen, wünschen *schreien ***s. erheben:** s. aufrichten, aufschnellen, s. aufsetzen, aufspringen, aufstehen *s. aufschwingen, aufsteigen, aufstieben, davonfliegen, s. heben, s. in die Luft heben, wegfliegen *aufragen, aufstreben, s. auftürmen, emporragen, in die Höhe ragen *s. aufbäumen, s. auflehnen, aufmucken, auftrumpfen, demonstrieren, s. empören, s. entgegenstellen, meutern, opponieren, protestieren, rebellieren, revoltieren, s. sträuben, trotzen, verweigern, s. wehren, s. widersetzen
erhebend: achtunggebietend, erhaben, erlaucht, ehrwürdig, feierlich, festlich, gravitätisch, majestätisch, würdevoll, würdig
erheblich: abenteuerlich, ansehnlich, auffallend, auffällig, Aufsehen erregend, außergewöhnlich, außerordentlich, ausgefallen, beachtlich, bedeutend, bedeutsam, bedeutungsvoll, beeindruckend, beträchtlich, bewundernswert, bewunderungswürdig, brillant, eindrucksvoll, einzigartig, eminent, enorm, entwaffnend, epochal, Epoche machend, erklecklich, erstaunlich, extraordinär, fabelhaft, formidabel, frappant, grandios, groß, großartig, hervorragend, imponierend, imposant, märchenhaft, nennenswert, ohnegleichen, phänomenal, sagenhaft, sensationell, sondergleichen, spektakulär, stattlich, überragend, überraschend, überwältigend, umwerfend, ungeläufig, ungewöhnlich, unvergleichlich, verblüffend, ersten Ranges *wichtig
Erhebung: Anhöhe, Berg, Bodenerhebung, Hügel, Steigung *Erkundung, Ermittlung, Feststellung, Nachforschung, Recherche, Sondierung, Überprüfung, Untersuchung *Aufstieg *Eintreibung, Einziehung, Forderung *Befragung, Demoskopie, Umfrage, demoskopische Untersuchung *Auflehnung, Aufruhr, Aufstand, Empörung, Krawall, Massenerhebung, Meuterei, Putsch, Rebellion, Revolte, Volkserhebung
erheitern: amüsieren, anregen, aufheitern, aufmuntern, beglücken, belustigen, erfreuen, ergötzen, genießen, Freude bereiten, Freude spenden, Freude machen, froh machen, glücklich machen, selig machen, Spaß machen
erheitert: aufgeheitert, aufgekratzt, aufgelegt, aufgeschlossen, aufgeweckt, ausgelassen, feuchtfröhlich, fidel, freudestrahlend, freudig, frisch, froh, frohgemut, frohgestimmt, fröhlich, frohsinnig, gut gelaunt, heiter, lebensfroh, lebenslustig, lustig, munter, schelmisch, sonnig, strahlend, übermütig, überschäumend, übersprudelnd, vergnüglich, vergnügt, wohlgemut, heiteren Sinnes
Erheiterung: Ablenkung, Aufheiterung, Aufmunterung, Belustigung, Kurzweil, Zerstreuung
erhellen: anstrahlen, ausleuchten, beleuchten, bescheinen, bestrahlen, illuminieren, Licht machen, hell machen *aufheitern, schön machen, verklären, glücklich machen, strahlend machen *aufdecken, aufhellen, aufklären, aufzeigen, bewusst machen, enthüllen, enträtseln, entschleiern, entschlüsseln, erklären, klarlegen, Licht bringen (in), offen legen, verdeutlichen, zutage fördern
erhitzen: aufheizen, aufwärmen, durchhitzen, erwärmen, großer Hitze aussetzen, warm machen, heiß machen *karamellisieren ***s. erhitzen:** auffahren, s. aufregen, s. entrüsten, s. erbosen, s. erregen, s. erzürnen, grollen, hochfahren, toben, zornig werden, heftig werden, wütend werden, böse werden

Erhitzung: Affekt, Ärger, Aufregung, Aufruhr, Empörung, Entrüstung, Erregtheit, Erregung, Erregungszustand, Exaltiertheit, Hektik, Unwille, Wallung, Wut, Zorn

erhoffen: entgegenblicken, entgegensehen, ersehnen, erwarten, träumen (von), s. versprechen (von), wünschen, den Mut nicht sinken lassen *s. ausrechnen, bauen (auf), s. errechnen, setzen (auf), s. versprechen (von), vertrauen (auf)

erhöhen: aufstocken, höher machen *auszeichnen, befördern, erheben, aufrücken lassen, einen höheren Rang geben, in eine höhere Stellung versetzen *anheben, aufbessern, aufwerten, heraufsetzen, intensivieren, potenzieren, steigern, vergrößern, vermehren, vervielfachen *anheben, aufschlagen, heraufsetzen, hochjagen, hochschrauben, hochtreiben, steigern, verteuern, in die Höhe treiben *anschwellen, anwachsen, s. ausdehnen, s. erweitern, eskalieren, s. steigern, zunehmen *ehren, glorifizieren, hochloben, preisen, würdigen ***s. erhöhen:** s. steigern, zunehmen

Erhöhung: Anhebung, Gehaltserhöhung, Heraufsetzung, Lohnerhöhung *Preisanstieg, Preissteigerung, Teuerung, Verteuerung *Anstieg, Eskalation, Eskalierung, Progression, Steigerung, Vergrößerung, Vermehrung, Verstärkung, Wachstum, Zunahme, Zuwachs *Kultivierung, Läuterung, Sublimation, Sublimierung, Veredelung, Verfeinerung, Zivilisierung *Aufgeld, Aufpreis, Aufschlag, Mehrpreis, Zuschlag *Podest, Podium, Tritt *Bodenerhebung, Hügel

erholen (s.): aufleben, s. aufrappeln, erstarken, genesen, gesunden, s. herausmachen, s. hochrappeln, s. kräftigen, s. regenerieren, s. restaurieren, zu Kräften kommen, auf die Beine kommen *hochkommen, wieder zu sich kommen, wieder ein Mensch werden *ausruhen, abschalten, aufatmen, aufblühen, ausschlafen, entspannen, erquicken, kräftigen, stärken, ruhen, verschnaufen, Urlaub nehmen *anziehen, s. beleben, besser werden

erholsam: der Erholung dienend, der Erholung förderlich, Erholung bewirkend *behaglich, beschaulich, friedlich, gemächlich, gemütlich *ruhevoll, ruhig, ohne Überstürzung, ohne Eile, ohne Hast

erholt: ausgeruht, blühend, fit, frisch, gesund, knackig, kraftvoll, lebendig, leistungsfähig, munter, rüstig, unverbraucht, in Form

Erholung: Atempause, Entspannung, Ferien, Pause, Rast, Ruhe, Urlaub *Aufschwung, Belebung, Erneuerung, Genesung, Gesundung, Heilung, Neubelebung, Regeneration, Rekonvaleszenz, Stärkung, Wiederherstellung *Bettruhe, Nickerchen, Schlaf, Schlummer, Siesta

erholungsbedürftig: erschöpft, ruhebedürftig

Erholungsort: Erholungsaufenthalt, Erholungsstätte, Ferienaufenthalt, Ferienort, Ferienparadies, Sommeraufenthalt, Sommerfrische, Urlaubsaufenthalt, Urlaubsort

erhören: befriedigen, erfüllen, gewähren, nachgeben

erinnern: auffrischen, gemahnen, mahnen, in Erinnerung bringen, ins Gedächtnis rufen ***s. erinnern:** aktivieren, auffrischen, s. besinnen (auf), einfallen, s. entsinnen, s. merken, wieder einfallen, s. wieder erinnern, wieder erkennen, wieder erwachen, zurückblicken, zurückdenken, s. zurückerinnern, zurückschauen, eingedenk sein, erinnerlich sein, unvergesslich sein, lebendig sein, gegenwärtig sein, präsent sein, nicht vergessen, Rückschau halten

Erinnerung: Reminiszenz, Retrospektive, Rückblende, Rückblick, Rückschau, Blick in die Vergangenheit *Andenken, Gedächtnis *Anmahnung, Mahnruf, Mahnung *Erinnerungsvermögen, Gedächtniskraft, Merkfähigkeit *Denkzettel, Strafe

Erinnerungen: Aufzeichnungen, Biographie, Lebensabriss, Lebensbeschreibung, Lebensgeschichte, Memoiren, Tagebuch, Vita, das Sicherinnern

Erinnerungszeichen: Denkmal, Erinnerungstafel, Gedächtnistafel, Gedenkstein, Gedenktafel, Mahnmal

erkalten: abkühlen, auskühlen, durchfrieren, erstarren, kalt werden, kühl werden *abflauen, nachlassen, schwächer werden *aufhören, enden
erkälten (s.): s. verkälten, s. verkühlen
erkältet: fiebrig, verkühlt, verschnupft
erkämpfen: erfechten, erringen, erstreiten *gewinnen, siegen
erkannt: offen, öffentlich, unverhohlen *bekannt, bestimmt, herausgefunden, identifiziert, lokalisiert, nachgewiesen, registriert
erkennbar: aufnehmbar, deutlich, entzifferbar, kenntlich *hörbar, zu hören *lesbar, leserlich, zu lesen *sehbar, sichtbar, vernehmbar, vernehmlich, wahrnehmbar, in Sicht, zu sehen *absehbar, voraussagbar, voraussehbar, vorauszusehen, vorhersagbar, zu erwarten *augenfällig, augenscheinlich, eindeutig, erwiesen, fassbar, greifbar, offenbar, offenkundig, wahrnehmbar *bekannt
erkennen: bemerken, entdecken, erblicken, erfassen, erspähen, gewahren, sehen, sichten, wahrnehmen, gewahr werden *s. bewusst werden, dämmern, durchschauen, erfassen, herausfinden, Klarheit gewinnen, zu der Erkenntnis gelangen, zu der Erkenntnis kommen, ein Licht aufgehen *feststellen, identifizieren, konstatieren, lokalisieren, nachweisen, registrieren, ausfindig machen, näher bestimmen
erkenntlich: dankbar, dankerfüllt, verbunden, verpflichtet ***erkenntlich sein:** vergelten
Erkenntlichkeit: Anerkennung, Belohnung, Dank, Dankbarkeit, Dankesschuld, Dankeswort, Dankgebet, Dankgefühl, Danksagung, Lohn, Vergeltung *Abfindung, Abfindungssumme, Abgeltung, Abstand, Abstandssumme, Anstandssumme, Ausgleich, Entschädigung, Ersatz, Erstattung, Gegenleistung, Gegenwert, Kompensation, Rückerstattung, Rückzahlung, Schadenersatz, Schmerzensgeld, Sühne, Vergütung, Wiedergutmachung
Erkenntnis: Lehre *Einsicht, Erfahrung, Erleuchtung, Kognition *Bescheid, Beschluss, Entscheid, Entscheidung, Urteil
Erkennungszeichen: Abzeichen, Erkennungsmarke
Erker: Altan, Chörlein, Vorbau
erklären: aufzeigen, auseinander legen, auseinander setzen, ausführen, darlegen, entwickeln, erläutern, exemplifizieren, klarlegen, klarmachen, konkretisieren, veranschaulichen, verständlich machen, deutlich machen, begreiflich machen *auslegen, begründen, deuten, interpretieren, kommentieren, motivieren *aufklären, einführen, einweihen, eröffnen, orientieren, unterrichten, ins Bild setzen *artikulieren, bekannt geben, dartun, deklarieren, erzählen, mitteilen, reden, sagen, verbalisieren, verkünden, verkündigen *aussagen, beichten, berichten, gestehen ***s. erklären:** eintreten (für), zustimmen *s. outen, s. zeigen
Erklärer: Ausleger, Deuter, Exeget, Illustrator, Interpret, Kommentator
erklärlich: augenfällig, begreiflich, deutlich, einleuchtend, evident, fassbar, fasslich, glaubhaft, klar, plausibel, schlagend, stichhaltig, treffend, triftig, überzeugend, unzweideutig, verständlich, zwingend
Erklärung: Anmerkung, Auslegung, Beleuchtung, Deutung, Erläuterung, Exemplifikation, Explikation, Interpretation, Kommentar, Stellungnahme, Verdeutlichung *Aussage, Liebeserklärung *Deklaration, Manifest, Verkündung *Einführung, Einführungsvortrag, Einleitung, Erläuterung
erklimmen: besteigen, bezwingen, ersteigen, hinaufsteigen, hochklettern, hochsteigen, klettern (auf) *erarbeiten, erlangen, erreichen, erzielen
erklingen: anklingen, antönen, klingen *anstoßen (auf)
erkranken: s. anstecken, s. eine Krankheit zuziehen, s. infizieren, krank werden, unpässlich sein
Erkrankung: Beschwerden, Gebrechen, Krankheit, Leiden, Seuche, Siechtum, Störung, Übel, Unpässlichkeit, Unwohlsein
erkunden: aufklären, auskundschaften, herausfinden, kundschaften, prüfen, sondieren, auf Kundschaft ausgehen, auf Patrouille gehen

erkundigen: s. absichern, fragen (nach), herumhorchen, nachfragen, s. umhören, s. umtun, s. versichern, Erkundigungen einziehen, Erkundigungen einholen
Erkundung: Aufklärung, Erhebung, Ermittlung, Feststellung, Kundschaft, Nachfrage, Sondierung *Erforschung, Ergründung, Untersuchung
erlahmen: aushöhlen, ermatten, ermüden, erschlaffen, erschöpfen, schlappmachen, schwächen, müde werden, kraftlos werden, schwach werden, matt werden, den Dienst versagen *abebben, abflauen, abnehmen, aufhören, ausklingen, nachlassen, zurückgehen *festfahren, stagnieren, stocken, ins Stocken geraten
erlangen: s. aneignen, bekommen, s. beschaffen, erarbeiten, erreichen, erwerben, erzielen, gelangen (zu), gewinnen, s. zulegen *siegen
Erlass: Bekanntmachung, Bestimmung, Bulle, Dekret, Edikt, Gesetz, Runderlass, Rundverfügung, Verordnung
erlassen: administrieren, anordnen, anweisen, auferlegen, aufgeben, befehlen, bestimmen, diktieren, festlegen, veranlassen, verfügen, verordnen, vorschreiben *befreien (von), entbinden (von), schenken
erlauben: beipflichten, bewilligen, s. einverstanden erklären, einwilligen, s. gefallen lassen, genehmigen, gestatten, gewähren, konzedieren, stattgeben, vergönnen, zubilligen, zugestehen, zulassen, zustimmen, die Erlaubnis geben, die Erlaubnis gewähren, seine Einwilligung geben, seine Zustimmung geben, sein Einverständnis geben *ermöglichen, die Gelegenheit bieten, die Möglichkeit geben, in die Lage versetzen, in den Stand setzen *autorisieren, befugen, berechtigen, bevollmächtigen, ermächtigen ***s. etwas erlauben:** s. anmaßen, s. gestatten *s. die Freiheit nehmen, s. herausnehmen, s. unterstellen *s. beehren, s. die Ehre geben
Erlaubnis: Billigung, Einvernehmen, Einverständnis, Einwilligung, Freibrief, Genehmigung, Gewährung, Jawort, Konsens, Plazet, Verlaub, Zusage, Zustimmung *Autorisierung, Berechtigung, Bevollmächtigung, Ermächtigung, Recht, Vollmacht
erlaubt: bejaht, berechtigt, bewilligt, genehmigt, gesetzlich, gestattet, legal, rechtens, rechtmäßig, statthaft, zugestanden, zulässig
erläutern: darlegen, erklären, veranschaulichen *einführen
Erläuterung: Darlegung, Erklärung, Veranschaulichung *Einführung, Einführungsvortrag, Einleitung, Erklärung
erleben: gedeihen *durchleben, durchmachen, erfahren, erleiden
Erlebnis: Abenteuer, Ereignis, Eskapade, Geschehen, Nervenkitzel, Sensation, Unternehmung, Vorfall, Wirbel, gewagtes Unternehmen *Ereignis, Erleben, Geschehnis
Erlebnisbericht: Abenteuerbericht, Augenzeugenbericht, Tatsachenbericht
erledigen: abfertigen, ableisten, abschließen, absolvieren, abwickeln, aufarbeiten, ausführen, beenden, beendigen, besorgen, bewerkstelligen, durchführen, erfüllen, machen, tätigen, tun, verrichten, vollbringen, vollführen, vollstrecken, vollziehen, fertig machen, in die Tat umsetzen, zu Ende führen, zustande bringen, zuwege bringen, zur Durchführung bringen *besiegen, fertig machen, ruinieren, stürzen, vernichten, eine Niederlage bereiten, ins Unglück bringen, zugrunde richten *ermorden, töten *austreten
erledigt: abgeschlossen, abgetan, akzeptiert, angenommen, ausgeführt, beendet, besiegelt, entschieden, fertig, gebilligt, geregelt, vollzogen *besiegt, gebrochen, verloren, vernichtet, zerrüttet *bankrott, gescheitert, ruiniert *bloßgestellt, geliefert, gestorben, kompromittiert, verfemt, verpönt, verurteilt, ein toter Mann, unten durch *abgehetzt, abgekämpft, abgeschlafft, abgespannt, abgewirtschaftet, angegriffen, angeschlagen, atemlos, aufgerieben, ausgelaugt, durchgedreht, entkräftet, entnervt, erholungsbedürftig, ermattet, erschlagen, erschöpft, gerädert, geschafft, groggy, halb tot, kaputt, kraftlos, matt, mitgenommen, müde, schachmatt, schlaff, schlapp, schwach,

überanstrengt, überfordert, überlastet, urlaubsreif, verbraucht, zerschlagen, k.o., am Ende
Erledigung: Abfertigung, Ausführung, Besorgung, Bestellung, Durchführung, Regelung, Tat
erlegen: abschießen, töten, zur Strecke bringen
erleichtern: bahnen, ebnen, vereinfachen, bequemer machen, leichter machen *befreien, beispringen, bessern, entlasten, helfen, lindern, mildern, unterstützen, (Arbeit) abnehmen, (Beanspruchung) verringern, (Beanspruchung) mindern, erträglicher machen *abnehmen, ausrauben, ausräubern, berauben, bestehlen, schröpfen *lockern, nachlassen ***s. erleichtern:** s. aussprechen *austreten, pinkeln
erleichtert: befreit, beruhigt, dankbar, entlastet, erfreut, erlöst, froh, glücklich, heilfroh
Erleichterung: Beruhigung, Entkrampfung, Entspannung, Lockerung, Lösung, Ruhe
erleiden: dulden, erdulden, s. abfinden, aushalten, durchstehen, ertragen, s. fügen, leiden, überstehen, auf sich nehmen, fertig werden *durchleben, erfahren, erleben, widerfahren, zustoßen, zugefügt bekommen *abblitzen *sterben
erlernen: s. aneignen, s. anlernen, s. anlesen, erwerben, lernen, studieren
erlernt: angeeignet, eingeprägt, eingeübt, gelernt
erlesen: ausgezeichnet, delikat, exquisit, fein, hervorragend, himmlisch, köstlich, überragend, unübertroffen, vortrefflich, vorzüglich *aussuchen, auswählen, erküren, erwählen
erleuchten: anstrahlen, aufhellen, beleuchten, bescheinen, erhellen, illuminieren, Licht machen, hell machen *aufdecken, aufklären, aufzeigen, enthüllen, enträtseln, entschleiern, erhellen, erklären, klarlegen, offen legen, verdeutlichen *aufheitern, schön machen, verklären, strahlend machen, glücklich machen
Erleuchtung: Einsicht, Erfahrung, Erkenntnis, Kognition *Einfall, Eingebung, Gag, Gedanke, Gedankenblitz, Geistesblitz, Geistesfunke, Idee, Inspiration, Intuition, Schnapsidee
erliegen: scheitern, unterliegen, verlieren, besiegt werden, Fiasko erleiden, Niederlage erleiden, Schiffbruch erleiden, ins Unglück kommen *hereinfallen, s. täuschen *stilllegen
erlogen: entstellt, erfunden, gelogen, lügenhaft, lügnerisch, unglaubhaft, unrichtig, unwahr, unwahrhaftig, verlogen, aus der Luft gegriffen, den Tatsachen nicht entsprechend
Erlös: Einkommen, Ertrag, Geschäft, Gewinn, Gewinnspanne, Handelsspanne, Nutzen, Plus, Profit, Überschuss, Verdienst, Vorteil
erloschen: abgekühlt, abgestorben, erkaltet, fort *abgeschrieben, bankrott, pleite, ruiniert
erlöschen: ausgehen, auslöschen, schwinden, verglimmen, verglühen, verkohlen, verlöschen, zu leuchten aufhören, zu brennen aufhören *abflauen, kühler werden, kälter werden *ableben, abscheiden, absterben, s. auflösen, dahinscheiden, einschlafen, einschlummern, entschlafen, erfrieren, ersticken, ertrinken, gehen (von), heimgehen, hinscheiden, hinsterben, hinübergehen, schwinden, sterben, umkommen, verdursten, vergehen, verhungern, verlöschen, verscheiden, verschwinden, versterben, abgerufen werden, (tödlich) verunglücken, die Augen schließen, die Augen zumachen, sein Leben aushauchen, aus dem Leben gehen, aus dem Leben abberufen werden, aus dem Leben scheiden *abbauen, abebben, abflachen, abflauen, abklingen, s. abschwächen, abschwellen, absinken, s. beruhigen, s. dem Ende zuneigen, einschlafen, erlahmen, ermatten, s. legen, nachlassen, verebben, zurückgehen, zur Ruhe kommen *ablaufen, abreißen, aufhören, ausklingen, auslaufen, enden, endigen, stillstehen, verebben, verhallen, versiegen, zum Abschluss kommen, zum Abschluss gelangen, zum Erliegen kommen, zur Ruhe kommen, zur Neige gehen
erlösen: befreien, freibekommen, freikämpfen, freipressen, loskaufen, die Freiheit schenken *befreien, bergen, erretten, s.

helfen, heraushelfen, herausholen, retten, Gefahr abwenden, in Sicherheit bringen, Leben erhalten, Rettung bringen, Unheil verhindern, der Gefahr entreißen *einnehmen, kassieren, verdienen, Gewinn erzielen
Erlöser: Befreier, Erretter, Retter, Helfer in der Not, rettender Engel *Christus, Gott, Gotteslamm, Gottessohn, Heiland, Jesus, Messias, Seelenbräutigam, der Gekreuzigte, der Sohn Gottes
Erlösung: Befreiung, Freiheit *Befreiung, Bergung, Entsatz, Errettung, Hilfe, Notanker, Rettung *Abberufung, Abgang, Abschied, Auflösung, Ende, Heimfahrt, Heimgang, Hingang, Lebensende, Leblosigkeit, Tod, Todesschlaf, Untergang, das Ableben, das Abscheiden, das Absterben, das Entschlafen, das Erblassen, das Erlöschen, das Hinscheiden, das Sterben, das Verewigen, das Verscheiden, der ewige Schlaf
ermächtigen: autorisieren, beauftragen, befugen, berechtigen, bevollmächtigen, ernennen, die Vollmacht erteilen
Ermächtigung: Erlaubnis, Vollmacht
Ermächtigungsgesetz: Ausnahmegesetz, Notstandsgesetz
ermahnen: auffordern, erinnern, mahnen, predigen, rügen, schimpfen, tadeln, verwarnen, warnen, zur Ordnung rufen, ins Gewissen reden
Ermahnung: Aufforderung, Mahnung, Ordnungsruf, Predigt, Rüge, Tadel, Verwarnung, Verweis, Warnung
ermannen (s.): s. aufraffen, s. aufrappeln, s. ermuntern, s. zusammennehmen, s. zusammenraffen, s. zusammenreißen, s. am Riemen reißen, s. ein Herz fassen, s. einen Ruck geben, Mut fassen
ermäßigen: herabsetzen, heruntergehen, nachlassen, reduzieren, senken, unterbieten, verbilligen, verringern, billiger geben, billiger verkaufen, Prozente geben, Rabatt geben, Vergünstigungen gewähren
ermäßigt: herabgesetzt, reduziert, verbilligt, verringert, unter dem Einkaufspreis
Ermäßigung: Herabsetzung, Nachlass, Preissenkung, Prozente, Rabatt, Reduzierung, Sonderangebot, Verringerung
ermatten: aushöhlen, erlahmen, ermüden, erschlaffen, erschöpfen, schwächen, müde werden, kraftlos werden, schwach werden, matt werden *abflauen, s. abschwächen, nachlassen, s. verringern
Ermattung: Abgespanntheit, Abspannung, Entkräftung, Entnervung, Ermüdung, Erschöpftheit, Erschöpfung, Erschöpfungszustand, Flauheit, Kräfteverfall, Kraftlosigkeit, Mattheit, Mattigkeit, Schlaffheit, Schlappheit, Schwäche, Schwächezustand, Schwachheit, Schwächlichkeit, Schwunglosigkeit, Übermüdung, Unwohlsein, Zerschlagenheit
ermessen: auffassen, aufschnappen, begreifen, durchblicken, durchschauen, einsehen, erfassen, ergründen, erkennen, s. erschließen, fassen, herausfinden, kapieren, klar sehen, klug werden (aus), nachempfinden, nachvollziehen, schnallen, verstehen, folgen können, geistig aufnehmen, jmdm. gehen die Augen auf, klar werden, verständlich werden, Verständnis haben, bewusst werden, deutlich werden, richtig beurteilen können, richtig einschätzen können, zu Bewusstsein kommen *klar sehen, überblicken, überschauen, übersehen, einen Überblick haben
Ermessen: Alternative, Entscheidung, Wahl
ermitteln: analysieren, auskundschaften, ausspähen, erforschen, erfragen, ergründen, eruieren, fahnden (nach), nachforschen, nachgehen, recherchieren, suchen, s. umschauen, s. umsehen, untersuchen, auf der Suche sein, Ausschau halten, zutage fördern
Ermittlung: Aufklärung, Erhebung, Erkundung, Feststellung, Kundschaft, Nachfrage, Sondierung
ermöglichen: einrichten, erlauben, fügen, gestatten, Gelegenheit suchen, möglich machen, die Möglichkeit bieten, die Gelegenheit bieten *ausbilden, ausrüsten, befähigen, ertüchtigen, helfen, präparieren, protegieren, schulen, unterstützen, vorarbeiten, vorbereiten, in den Stand setzen, in die Lage versetzen *arrangieren, bewerkstelligen, bewirken, erreichen, fertig bringen

ermorden: abservieren, erledigen, erschießen, erschlagen, erstechen, ersticken, erwürgen, exekutieren, hinrichten, kaltmachen, meucheln, morden, töten, totschießen, umbringen, umlegen, vergiften, aus der Welt schaffen, aus dem Wege räumen, stumm machen, um die Ecke bringen, fertig machen
Ermordung: Blutbad, Bluttat, Meuchelei, Meuchelmord, Mord, Mordtat, Raubmord, Ritualmord, Tötung
ermüden: aushöhlen, erlahmen, ermatten, erschlaffen, erschöpfen, schwächen, müde werden, kraftlos werden, schwach werden, matt werden *abhetzen, abjagen, aufreiben, entkräften, erschöpfen, fertig machen, zermürben, jmdm. zu viel zumuten, jmdn. erschöpft machen, jmdn. müde machen, jmdn. zu sehr beanspruchen, jmdn. überanstrengen, jmdn. abhetzen, jmdn. überfordern
ermüdend: anstrengend, aufregend, aufreibend, beschwerlich, erschöpfend, mühevoll, mühsam, mühselig, nervenaufreibend, schwer, schwierig, strapaziös *abwechslungslos, alltäglich, eindruckslos, einerlei, einförmig, einschläfernd, eintönig, ereignislos, fade, gleichförmig, grau, langweilig, monoton, nüchtern, öde, reizlos, stumpfsinnig, traurig, trist, trocken, trostlos, uninteressant, wirkungslos, ohne Abwechslung
Ermüdung: Abgespanntheit, Abspannung, Entkräftung, Entnervung, Ermattung, Erschöpftheit, Erschöpfung, Erschöpfungszustand, Flauheit, Kräfteverfall, Kraftlosigkeit, Mattheit, Mattigkeit, Schlaffheit, Schlappheit, Schwäche, Schwächezustand, Schwachheit, Schwächlichkeit, Schwunglosigkeit, Übermüdung, Unwohlsein, Zerschlagenheit *Bettschwere, Erschöpfung, Müdigkeit, Schläfrigkeit
ermuntern: ablenken, amüsieren, aufheitern, aufrichten, belustigen, erfreuen, erheitern, zerstreuen *aktivieren, anspornen, aufrichten, aufrütteln, begeistern, bekräftigen, bestärken, bestätigen, ermutigen, helfen, unterstützen, Mut verleihen, Mut machen *anstiften, bestärken, einreden (auf), ermutigen, überreden, zuraten, zureden *s. ermannen, s. ermuntern
Ermunterung: Aufmunterung, Bekräftigung, Bestärkung, Ermutigung, Trost *Ablenkung, Aufheiterung, Aufmunterung, Belustigung, Erheiterung, Trost, Zerstreuung
ermutigen: aktivieren, anregen, anspornen, aufrichten, aufrütteln, begeistern, bekräftigen, bestärken, bestätigen, ermuntern, helfen, unterstützen, Mut verleihen, Mut machen, Kraft verleihen *anstiften, bestärken, einreden (auf), überreden, zuraten, zureden
Ermutigung: Aufmunterung, Bekräftigung, Bestärkung, Ermunterung, Trost
ernähren: abfüttern, aufkommen (für), aushalten, bekochen, beköstigen, durchfüttern, erhalten, füttern, herausfüttern, nähren, unterhalten, verköstigen, verpflegen, zu essen geben, den Hunger stillen, in Kost haben, satt machen, sorgen (für jmdn.) ***s. ernähren:** essen, zu sich nehmen
Ernährer: Erhalter, Verdiener, Versorger *Vater
Ernährung: Beköstigung, Fütterung, Kost, Lebensunterhalt, Mast, Speisung, Unterhalt, Verköstigung *Essen, Nahrung, Nahrungsaufnahme, Nahrungszufuhr, Speise
ernannt: abgeordnet, ausersehen, beauftragt, befördert, berufen, designiert, eingesetzt, erwählt, gekürt, gewählt, nominiert
ernennen: abordnen, ausersehen, beauftragen, befördern, berufen, designieren, einsetzen, erküren, erwählen, küren, nominieren, wählen, ein Amt anvertrauen, eine Stellung antragen, eine Stellung anbieten, eine Stellung übertragen
Ernennung: Amtseinsetzung, Beförderung, Berufung, Bestallung, Designation, Einsetzung, Nominierung
erneuern: ändern, auffrischen, ausbessern, ersetzen, modernisieren, renovieren, reparieren, restaurieren, überholen, umarbeiten, verbessern, wiederbeleben, instand setzen, neu gestalten, neu machen *bekräftigen, wiederholen, neu schließen, nochmals tun, wieder tun

*verlängern, für gültig erklären *ändern, auffrischen, regenerieren, verjüngen
Erneuerung: Auferstehung, Neubelebung, Neuwerdung, Wiedererstehung *Änderung, Auffrischung, Ausbesserung, Instandsetzung, Renovierung, Reparatur, Restaurierung, Überholung, Umarbeitung, Wiederherstellung *Bekräftigung, Restauration, Wiederaufbau, Wiederholung *Änderung, Auffrischung, Regeneration, Überholung, Verjüngung
erniedrigen: abqualifizieren, anschwärzen, beschämen, degradieren, demütigen, desavouieren, diffamieren, diskriminieren, entwerten, entwürdigen, herabsetzen, herabwürdigen, lästern, schlecht machen, verletzen, verleumden, verunglimpfen
Erniedrigung: Ächtung, Beleidigung, Degradierung, Deklassierung, Demütigung, Desavouierung, Diffamierung, Diskreditierung, Diskriminierung, Herabsetzung, Herabwürdigung, Schmähung, Verächtlichmachung, Verachtung, Verunglimpfung, rechtliche Benachteiligung, soziale Benachteiligung
ernst: ernsthaft, feierlich, gemessen, gesetzt, seriös, würdevoll, nicht heiter, nicht fröhlich, nicht lustig *bedenklich, bedrohlich, Besorgnis erregend, gefährlich, gefahrvoll, heikel, kritisch *eisern, gestreng, hart, humorlos, todernst, trocken, unerbittlich, unnachgiebig, unnachsichtig *akut, beachtlich, bedeutend, bedeutungsvoll, brennend, drängend, eindringlich, einschneidend, energisch, entscheidend, ernsthaft, ernstlich, fest, folgenreich, fühlbar, gewichtig, gravierend, intensiv, merklich, nachdrücklich, relevant, schwer, schwer wiegend, spürbar, tief gehend, ultimativ, von Bedeutung, von Wichtigkeit *aufrichtig, ehrlich, ernsthaft, ernstlich, im Ernst, ohne Spaß, ohne Scherz, wirklich gemeint, wörtlich gemeint, so gemeint
Ernst: Entschiedenheit, Ernsthaftigkeit, Feierlichkeit, Seriosität *Härte, Humorlosigkeit, Strenge *Bedeutsamkeit, Bedeutung, Größe, Rang, Schwere, Tiefe, Tragweite, Würde, Zweck *Anspannung, Beflissenheit, Bereitschaft, Bereitwilligkeit, Bestreben, Betriebsamkeit, Dienstwilligkeit, Ehrgeiz, Eifer, Ergebenheit, Gefälligkeit, Mühe, Regsamkeit, Rührigkeit, Streben, Tatendrang, Tatenlust *Arbeitsfreude, Arbeitslust, Emsigkeit, Fleiß, Schaffenslust, Strebsamkeit *Bedrängnis, Bedrohung, Gefahr, Gefährdung, Gefährlichkeit, heikle Situation
ernsthaft: ernstlich, im Ernst *bedeutungsvoll, eindringlich, gewichtig, groß, nachdrücklich *aufrichtig, ehrlich, offen *sehr, stark, überaus
ernstlich: ernsthaft, im Ernst, allen Ernstes, Spaß beiseite, ohne Spaß
Ernte: Ernteergebnis, Ernteertrag, Ernteresultat, Erntesegen, Ertrag *Grummet, Grummeternte, Grumt, Grünmahd *Beerenernte, Lese, Obsternte *Traubenernte, Weinlese *Getreideernte, Getreideschnitt, Schnitt *Lohn *Zeugnis
Erntefest: Dorfkirchweih, Erntedankfest, Erntetag, Kirchweih, Kirmes
ernten: bekommen, erhalten, erreichen, erzielen, gewinnen *mähen *aufsammeln, einbringen, lesen, pflücken *einsammeln, pflücken, schütteln *einbringen, einfahren *bekommen, erhalten, gewinnen *bestätigt bekommen
ernüchtern: desillusionieren, enttäuschen, entzaubern, die Illusionen nehmen, die Illusionen rauben, zu Verstand bringen, zu Verstand kommen lassen
ernüchtert: geheilt sein *ohne Illusionen
Ernüchterung: Desillusion, Desillusionierung, Enttäuschung, kalte Dusche
erobern: abgewinnen, annektieren, beschlagnahmen, besetzen, besiegen, bezwingen, einnehmen, erbeuten, ergattern, erkämpfen, erringen, erstürmen, erzwingen, kapern, nehmen, okkupieren, s. aneignen, stürmen, unterwerfen, wegnehmen, an sich bringen, an sich reißen *auf Sympathie stoßen, auf Gegenliebe stoßen, für sich gewinnen, das Herz brechen
Eroberung: Annexion, Beschlagnahme, Besetzung, Bezwingung, Einnahme, Erstürmung, Okkupation, Unterwerfung
eröffnen: aufdecken, aufmachen, einrichten, einweihen, gründen, öffnen,

starten, dem Publikum übergeben, der Öffentlichkeit übergeben, der Öffentlichkeit zugänglich machen, in Betrieb nehmen, ins Leben rufen *anbrechen, anfangen, anlaufen, beginnen, einsetzen, starten *aufklären, belehren, einweihen, informieren, die Augen öffnen *aussagen, beichten, bekennen, eingestehen, einräumen, enthüllen, gestehen, offenbaren, sagen, zugeben, die Wahrheit sagen, ein Geständnis ablegen, ein Bekenntnis ablegen, eine Aussage machen, ein Geständnis machen *angreifen

Eröffnung: Anbeginn, Anbruch, Anfang, Auftakt, Ausbruch, Beginn, Eintritt, Startschuss, erster Schritt *Bekanntgabe, Bekanntmachung, Bulletin, Information, Mitteilung, Verkündigung *Ausstellungseröffnung, Vernissage *Einweihung, Enthüllung, Taufe, Weihe

erörtern: abhandeln, ausdiskutieren, auseinander setzen, behandeln, beraten, bereden, beschwatzen, besprechen, darlegen, darstellen, debattieren, diskutieren, disputieren, durchdiskutieren, durchsprechen, sprechen, s. streiten, untersuchen, verhandeln

Erörterung: Abhandlung, Aussprache, Behandlung, Beratung, Besprechung, Debatte, Diskurs, Diskussion, Disput, Streit, Untersuchung, Verhandlung

Eros: Affenliebe, Amor, Anhänglichkeit, Freundschaft, Herzenswärme, Herzlichkeit, Hingabe, Hingebung, Hingezogenheit, Hinneigung, Innigkeit, Leidenschaft, Liebe, Liebesgefühl, Liebesverlangen, Schwäche (für), Verbundenheit, Verliebtheit, Wohlwollen, Zärtlichkeit, Zuneigung *Erotik, Fleischeslust, Fleischlichkeit, Genussfreude, Lüsternheit, Sexualität, Sinnenfreude, Sinnenlust, Sinnlichkeit, Triebhaftigkeit, Wollust, sinnliche Liebe

Erotik: Eros, Fleischeslust, Fleischlichkeit, Genussfreude, Lüsternheit, Sexualität, Sinnenfreude, Sinnenlust, Sinnlichkeit, Triebhaftigkeit, Wollust, sinnliche Liebe

erotisch: fleischlich, genussfreudig, körperlich, sexuell, sinnenhaft, sinnlich, triebhaft, wollüstig

erpressen: bedrohen, drohen, fordern, zwingen, unter Druck setzen, zwingend verlangen

erproben: durchsehen, einsehen, prüfen, testen, überprüfen, unter die Lupe nehmen, auf Herz und Nieren prüfen, auf den Zahn fühlen, einer Prüfung unterwerfen, einer Prüfung unterziehen

erprobt: altbewährt, anerkannt, bekannt, bewährt, eingeführt, fähig, gängig, gebräuchlich, geeignet, geltend, gültig, probat, renommiert, verlässlich, zuverlässig *erfahren, firm, fit, geübt, qualifiziert, routiniert, sachverständig, sicher, unterrichtet

Erprobung: Durchsicht, Prüfung, Test

erquicken: anregen, beleben, erfrischen, laben, stärken, anregend wirken, belebend wirken

erquicklich: angenehm, anregend, aufmunternd, belebend, erfreulich, erfrischend, labend, stimulierend, wohltuend

erraten: auflösen, dahinter kommen, enträtseln, herausbekommen, herausfinden, herauskriegen, knacken, lösen, raten, vom Gesicht ablesen, von den Augen ablesen

errechnen: ausrechnen, berechnen, ermitteln, kalkulieren, taxieren, überschlagen, eine Berechnung anstellen

Erregbarkeit: Heftigkeit, Heißblütigkeit, Leidenschaftlichkeit, Reizbarkeit, Ungestüm, heißes Blut

erregen: aufreizen, anziehen, aufgeilen, becircen, berücken, betören, bezaubern, entflammen, faszinieren, reizen, umgarnen *auslösen, bedingen, bewirken, entfesseln, erwecken, erzeugen, evozieren, heraufbeschwören, heraufrufen, herbeiführen, hervorbringen, hervorrufen, veranlassen, verschulden, verursachen, wecken, zeitigen *aufbringen, aufregen, beunruhigen, empören, nervös machen *auslösen, bedingen, bewirken, entfesseln, erwecken, heraufbeschwören, herbeiführen, hervorrufen, veranlassen, verursachen, mit sich bringen *anstoßen, anwidern ***s. erregen:** s. ärgern, s. aufregen, s. entrüsten

erregend: aufpeitschend, aufregend, auf-

reizend, aufrührend, aufwühlend *nervenzerreißend, spannend
Erreger: Bakterie, Bazillus, Keim, Krankheitserreger, Krankheitskeim, Virus
erregt: aufgeregt, bewegt, fiebrig, gereizt, hektisch, nervenschwach, nervös, ruhelos, turbulent, ungeduldig, unruhig, unstet, zappelig
Erregung: Anspannung, Aufgeregtheit, Aufregung, Erregtheit, Hektik, Hochspannung, Nervosität, Rastlosigkeit, Ruhelosigkeit, Unruhe, Zappeligkeit *Affekt, Ärger, Aufregung, Aufruhr, Empörung, Entrüstung, Erhitzung, Erregtheit, Erregungszustand, Exaltiertheit, Hektik, Unwille, Wallung, Wut, Zorn *Affekt, Aufwallung, Ekstase, Enthusiasmus, Fieber, Glut, Hochstimmung, Leidenschaft, Passion, Rausch, Taumel, Überschwang
erreichbar: nahe, verfügbar, zugänglich, nahe bei, in der Nähe, nicht weit, um die Ecke *ausführbar, denkbar, durchführbar, möglich, verfügbar, vorstellbar, zugänglich, nicht ausgeschlossen
erreichen: ankommen, s. einfinden, einholen, eintreffen, ereilen, fangen, gelangen, hingelangen, kommen *antreffen, vorfinden, in Verbindung treten *ausrichten, bewerkstelligen, bewirken, deichseln, durchboxen, durchdrücken, durchfechten, durchkämpfen, durchsetzen, erarbeiten, erlangen, erringen, ertrotzen, erwirken, erzielen, erzwingen, fertig bekommen, fertig bringen, fertig kriegen, leisten, managen, realisieren, schaffen, verwirklichen, vollbringen, zuwege bringen, zustande bringen *ankommen, erklingen, schaffen
errichten: aufbauen, aufrichten, aufschlagen, aufstellen, bauen, erbauen, erstellen, fertig stellen, hinstellen, hochziehen *anfangen, beginnen, begründen, eröffnen, etablieren, gründen, konstituieren, schaffen, stiften, aus der Taufe heben, das Fundament legen zu, ins Leben rufen *s. abschotten, s. absondern, s. isolieren
erringen: erarbeiten, erfechten, erkämpfen, erkaufen, erreichen, erwerben *erobern, siegen
erröten: erglühen, s. genieren, s. röten, s. schämen, s. verfärben, rot werden, schamrot werden, verlegen sein, s. in Grund und Boden schämen, Scham empfinden, vor Scham erröten, rot werden, vor Scham in den Erdboden versinken, vor Scham vergehen
Errungenschaft: Anschaffung, Erwerb, Erwerbung, Kauf *Durchbruch, Erfolg, Fortschritt, Gewinn, Glück, Sieg, Triumph, Trumpf, Volltreffer, Wirksamkeit
Ersatz: Äquivalent, Behelf, Ersatzmittel, Ersatzstoff, Surrogat *Abfindung, Abfindungssumme, Abgeltung, Abstand, Abstandssumme, Ausgleich, Entschädigung, Gegenleistung, Gegenwert, Rückerstattung, Rückzahlung, Schadenersatz, Vergütung, Wiedergutmachung
Ersatzdienstleistender: Kriegsdienstverweigerer, Zivi, Zivildienstleistender
Ersatzmann: Aushilfe, Aushilfskraft, Beauftragte, Bevollmächtigte, Lückenbüßer, Notnagel, Reserve, Stellvertreter, Vertretung
Ersatztruppe: Hilfsheer, Hilfstruppe, Reserve
ersäufen: ermorden, ertränken, töten, unter Wasser halten *unterdrücken *betäuben, vergessen machen
erschaffen: entwickeln, erzeugen, hervorbringen, hervorrufen, kreieren, schaffen, schöpfen, entstehen lassen, in die Welt setzen, ins Leben rufen
Erschaffung: Kreation, Schöpfung *Anfertigung, Arbeit, Ausstoß, Bau, Bildung, Erzeugung, Fabrikation, Fertigung, Herstellung, Hervorbringung, Produktion, Schaffung
erscheinen: herauskommen, gedruckt vorliegen, publiziert werden, herausgebracht werden, veröffentlicht werden *ankommen, anrücken, antanzen, aufkreuzen, s. einfinden, s. einstellen, eintreffen, eintreten, auf der Bildfläche erscheinen, auf den Plan treten *auftauchen, auftreten, s. finden, vorkommen, zu finden sein, zum Vorschein kommen, zutage treten, in Erscheinung treten *anmuten, dünken, s. gebärden, s. geben, scheinen, vorkommen, den Anschein erwecken, den Anschein haben

Erscheinung: Mirakel, Phänomen, Wunder, Wundererscheinung, Wunderwerk *Auflage, Herausgabe, Neuauflage, Veröffentlichung, Wiedergabe *Halluzination, Sinnestäuschung
Erscheinungsbild: Äußeres, Aussehen, Gestalt
erschießen: abknallen, ermorden, niederschießen, niederstrecken, töten, totschießen, umlegen
erschlaffen: erlahmen, ermatten, ermüden, erschöpfen, schwächen, matt werden, müde werden, schwach werden, kraftlos werden
erschlagen: ermorden, töten, totprügeln, totschlagen, den Schädel einschlagen *entgeistert, erstaunt, fassungslos, perplex, sprachlos, überrascht, verblüfft, verwundert *abgehetzt, abgekämpft, abgeschlafft, abgespannt, abgewirtschaftet, angegriffen, angeschlagen, atemlos, aufgerieben, ausgelaugt, durchgedreht, entkräftet, entnervt, erholungsbedürftig, erledigt, ermattet, erschöpft, gerädert, geschafft, groggy, halb tot, kaputt, kraftlos, matt, mitgenommen, müde, schachmatt, schlaff, schlapp, schwach, überanstrengt, überfordert, überlastet, urlaubsreif, verbraucht, zerschlagen, k. o., am Ende
erschließen: aufschließen, besiedeln, bevölkern, kolonisieren, kultivieren, zugänglich machen, urbar machen, nutzbar machen *dechiffrieren, decodieren, enträtseln, entschlüsseln, entziffern, ermitteln, eruieren, herausbekommen, herausfinden
erschlossen: baureif, bebaubar *genutzt
erschöpfen: aushöhlen, auspumpen, auszehren, erlahmen, ermatten, ermüden, erschlaffen, schwächen, müde werden, kraftlos werden, schwach werden, matt werden *abnützen, aufreiben, beanspruchen, beeinträchtigen, entkräften, lahm legen, schaden, schmälern, strapazieren, verschleißen *s. auseinander setzen, ausloten, ausschöpfen, gründlich diskutieren, gründlich beraten, gründlich erörtern, gründlich durchsprechen, gründlich bereden *ausgehen, schwinden, zur Neige gehen ***s. erschöpfen:** s. abhetzen, s. abmühen, s. aufreiben, s. überanstrengen, s. überfordern, s. übernehmen, s. verausgaben, s. verzehren, s. zermürben *nicht abbrechen, nicht enden, nicht aufhören, ständig von vorn anfangen, ständig wiederholen
erschöpfend: ausführlich, gründlich *anstrengend, aufregend, aufreibend, beschwerlich, ermüdend, mühevoll, mühsam, mühselig, nervenaufreibend, schwer, schwierig, strapaziös
erschöpft: abgearbeitet, abgehetzt, abgekämpft, abgeschlafft, abgespannt, abgewirtschaftet, angegriffen, angeschlagen, atemlos, aufgerieben, ausgelaugt, durchgedreht, entkräftet, entnervt, erholungsbedürftig, erledigt, ermattet, erschlagen, fertig, gerädert, geschafft, groggy, halb tot, kaputt, kraftlos, marode, matt, mitgenommen, müde, schachmatt, schlaff, schlapp, schwach, überanstrengt, überfordert, überlastet, urlaubsreif, verbraucht, zerschlagen, k. o., am Ende *aufgebraucht, leer, zu Ende *arm, ausgelaugt, dürr, ertragsarm, gering, karg, unergiebig, unfruchtbar
Erschöpfung: Abgespanntheit, Abspannung, Entkräftung, Entnervung, Ermattung, Ermüdung, Erschöpftheit, Erschöpfungszustand, Flauheit, Kräfteverfall, Kraftlosigkeit, Mattheit, Mattigkeit, Schlaffheit, Schlappheit, Schwäche, Schwächezustand, Schwachheit, Schwächlichkeit, Schwunglosigkeit, Übermüdung, Unwohlsein, Zerschlagenheit
erschrecken: beben, erbeben, erschaudern, erzittern, schaudern, zittern, zusammenfahren, zusammenschrecken, zusammenzucken, Furcht bekommen, Angst bekommen, einen Schrecken bekommen *einschüchtern, verschüchtern, Angst und Bange machen, einen Schrecken einflößen, Furcht erregen, Furcht einjagen, in Angst versetzen, jmdn. ängstigen, Panik auslösen, Panik machen
erschüttern: widerlegen, das Gegenteil behaupten *niederschmettern, einen Schock versetzen
erschüttert: bebend, bestürzt, blass, entsetzt, ergriffen, erschrocken, erstarrt, fassungslos, geschockt

Erschütterung: Gerüttel, Holper, Stoß, Vibration *Beben, Erdbeben, Erderschütterung, Erdstoß, Stoß *Kommotion, Nervenschock, Schock, Trauma
erschweren: aufhalten, beengen, behindern, beschränken, blockieren, entgegenarbeiten, entgegentreten, hemmen, komplizieren, lähmen, quer schießen, stören, Grenzen setzen, Hindernisse in den Weg legen, Steine in den Weg legen, in den Rücken fallen, in den Arm fallen, etwas mühevoll machen, etwas schwierig machen
Erschwernis: Barriere, Behinderung, Beschränkung, Blockierung, Erschwerung, Fessel, Handicap, Hemmschuh, Hindernis, Komplikation, Problem, Schwierigkeit, Störung
erschwindeln: ergaunern, erlügen, erschleichen, erschmeicheln
erschwingen: aufbringen, auftreiben, beschaffen, besorgen, bringen, erbringen, flüssig machen, herbeischaffen, einholen, verschaffen, zusammenbringen, zusammenraffen
erschwinglich: billig, günstig, herabgesetzt, preisgünstig, preiswert, preiswürdig, spottbillig, wohlfeil, (halb) geschenkt, fast umsonst
ersehen: s. ergeben (aus), folgern
ersehnen: erhoffen, erträumen, erwarten, herbeisehnen, herbeiwünschen, schmachten (nach), s. sehnen (nach), wollen, wünschen, Hoffnungen hegen
ersetzen: austauschen, auswechseln, erneuern, substituieren, einen Austausch vornehmen, Ersatz schaffen *ausgleichen, begleichen, entschädigen, kompensieren, wettmachen, wieder gutmachen
ersichtlich: aufgelegt, augenscheinlich, ausgemacht, blank, deutlich, eklatant, evident, flagrant, offenbar, offenkundig, offensichtlich, sichtbar, sichtlich
ersinnen: ausgrübeln, ausklügeln, entdecken, entwerfen, entwickeln, erfinden, konstruieren, eine Erfindung machen *ausbrüten, ausdenken, aushecken, ausklügeln, ausknobeln, aussinnen, austüfteln, erdenken, erdichten, erfinden, ergrübeln, konstruieren
erspähen: ausmachen, bemerken, entdecken, erblicken, erkennen, sehen, sichten, wahrnehmen, zu Gesicht bekommen
ersparen: aufsparen, einsparen, rationieren, rechnen, s. beschränken, s. einschränken, sparen, weglegen, wirtschaften, zurücklegen, Maß halten, beiseite legen, auf die Seite legen, sparsam sein *abwehren, abwenden (von), behüten (vor), beschirmen (vor), beschützen (vor), bewahren (vor), fernhalten, nicht herankommen lassen ***s. ersparen:** unterlassen
Ersparnis: Alterspfennig, Altersrücklage, Ersparnisse, Notgroschen, Rücklage, Sicherheit, Spargeld, Spargroschen, Sparguthaben, Sparpfennig, das Ersparte, eiserne Reserve
ersprießlich: anwendbar, behilflich, brauchbar, förderlich, fruchtbar, gedeihlich, gut, handlich, heilsam, hilfreich, nütze, nützlich, segensreich, verwendbar, wertvoll, zweckdienlich, zweckmäßig, von Wert, von Nutzen *dankbar, einbringlich, einträglich, ergiebig, ertragreich, günstig, lohnend, lukrativ, nutzbar, nutzbringend, positiv, profitabel, profitbringend, rentabel, vorteilhaft
erst: voraus, zuerst, zunächst, zuvor, an erster Stelle, erst einmal, vor allem *aber, um wie viel mehr *nicht eher als *nicht mehr als
erstarken: gedeihen, s. kräftigen, strotzen, wachsen, an Stärke zunehmen, Kraft bekommen, stark werden, kräftig werden
erstarren: leblos sein, unlebendig sein *einfrieren, erfrieren, gefrieren, zufrieren *s. versteifen, steif werden, starr werden, unbeweglich werden *eine starre Haltung einnehmen *s. verhärten, s. versteinern, hart werden, starr werden, unflexibel werden
erstarrt: fest, hart, kristallin, kristallisiert, starr, steif *bewegungslos, leblos, reglos, regungslos, ruhig, starr, still, unbeweglich, unbewegt, ohne Bewegung, wie angewurzelt, wie aus Erz gegossen, wie tot
erstatten: abfinden, abgelten, ausgleichen, begleichen, entgelten, entschädigen, ersetzen, rückvergüten, vergüten,

wettmachen, wieder gutmachen, zurückgeben, zurückzahlen, Schuld tilgen *berichten, melden
Erstattung: Aufwandsentschädigung, Honorar, Kostenerstattung, Kostenrückerstattung, Provision, Rückgabe, Zurückgabe
erstaunen: staunen, verdutzen, s. verwundern, s. wundern, in Erstaunen geraten, große Augen machen
Erstaunen: Aufsehen, Staunen, Verwunderung
erstaunlich: abenteuerlich, ansehnlich, auffallend, auffällig, aufsehenerregend, außergewöhnlich, außerordentlich, ausgefallen, beachtlich, bedeutend, bedeutsam, bedeutungsvoll, beeindruckend, beträchtlich, bewundernswert, bewundernswürdig, brillant, eindrucksvoll, einzigartig, enorm, entwaffnend, fabelhaft, groß, großartig, hervorragend, imponierend, imposant, märchenhaft, nennenswert, ohnegleichen, sagenhaft, sensationell, sondergleichen, spektakulär, stattlich, überragend, überraschend, überwältigend, ungeläufig, ungewöhnlich, unvergleichlich, verblüffend *hoch, schnell *sehr, überaus *absonderlich, befremdend, befremdlich, drollig, eigen, eigenartig, eigenbrötlerisch, eigentümlich, kauzig, komisch, kurios, merkwürdig, ominös, schrullig, seltsam, sonderbar, sonderlich, ulkig, verschroben, verwunderlich, wunderlich
erstaunlicherweise: eigentümlicherweise, komischerweise, merkwürdigerweise, sonderbarerweise
erstaunt: entgeistert, erschlagen, fassungslos, perplex, sprachlos, überrascht, verblüfft, verwundert, keine Worte finden, aus allen Wolken fallen, aus den Wolken fallen
Erstausgabe: Erstdruck, Original
Erste: Allererste, Beste, Schnellste, Überragendste
erstechen: durchbohren, erdolchen, ermorden, niederstechen, töten
erstehen: abkaufen, abnehmen, ankaufen, anschaffen, aufkaufen, besorgen, beziehen, s. eindecken (mit), einkaufen, ersteigern, erwerben, kaufen, übernehmen, s. versorgen, Einkäufe machen, Besorgungen machen *aufleben
ersteigen: aufsteigen, besteigen, bezwingen, erklettern, erklimmen
ersteigern: erstehen, erwerben, auf einer Auktion kaufen
erstellen: aufrichten, bauen, erbauen, errichten, hochziehen *abfassen, abfertigen, anfertigen, formulieren, niederschreiben, schreiben, verfassen, verfertigen *herstellen, machen
erstens: zuerst, als Erstes, zum Ersten
Erstgenannte: Erstere, Ersterwähnte
ersticken: abschnüren, erdrosseln, erwürgen, strangulieren, töten *ableben, sterben, umkommen, (tödlich) verunglücken, aus dem Leben gehen *abwehren, auslöschen, löschen, niederschlagen, unterdrücken, vereiteln *betäuben, bezwingen, dämpfen, erdrosseln, hindern, hinunterschlucken, hinunterwürgen, niederhalten, unterdrücken, unterlassen, verbergen, verdrängen, zurückdrängen, zurückhalten, s. zusammennehmen, nicht zeigen, nicht aufkommen lassen, im Keim ersticken
erstklassig: auserkoren, auserlesen, ausersehen, ausgesucht, ausgewählt, ausgezeichnet, elitär, nobel *distinguiert, edel, erlesen, exquisit, extrafein, exzellent, fein, geschmackvoll, hervorragend, hochwertig, kostbar, kultiviert, nobel, prächtig, schön, smart, stilvoll, superb, süperb, überragend, unübertrefflich, vorzüglich, wertvoll
erstmals: erstmalig, das erste Mal, zum ersten Mal
erstrangig: abenteuerlich, ansehnlich, auffallend, auffällig, Aufsehen erregend, außergewöhnlich, außerordentlich, ausgefallen, beachtlich, bedeutend, bedeutsam, bedeutungsvoll, beeindruckend, beträchtlich, bewundernswert, bewundernswürdig, brillant, eindrucksvoll, einzigartig, enorm, entwaffnend, erstaunlich, fabelhaft, groß, großartig, hervorragend, imponierend, imposant, märchenhaft, nennenswert, ohnegleichen, sagenhaft, sensationell, sondergleichen, spektakulär, stattlich, überragend, überraschend, überwältigend, ungeläufig, un-

gewöhnlich, unvergleichlich, verblüffend *vordringlich, vorrangig *wichtig
erstreben: absehen (auf), abzielen (auf), anlegen (auf), anstreben, aus sein (auf), beabsichtigen, s. bemühen (um), gerichtet sein (auf), hinarbeiten (auf), hinauswollen (auf), hinsteuern (auf), hinzielen (auf), reflektieren, streben, trachten, vorhaben, wollen, zielen, zusteuern (auf), zu erhalten suchen, zu erreichen suchen
erstrebenswert: anstrebenswert, begehrenswert, wünschenswert
erstrecken: s. ausspannen, s. ausbreiten, s. ausdehnen, s. hinziehen, s. lang ziehen, reichen, s. spannen, s. strecken, verlaufen *s. ausdehnen, dauern, s. dehnen, reichen
Erstreckung: Ausdehnung, Ausbreitung, Dehnung, Streckung
erstreiten: erfechten, erkämpfen, erringen
erstürmen: angreifen, besiegen, bestürmen, bezwingen, erobern, vordringen, vormarschieren, vorrücken *besteigen, bezwingen, erklimmen, ersteigen, rasch erklettern
ersuchen: anflehen, anrufen, ansprechen (um), ansuchen, auffordern, betteln, bitten, bohren, drängeln, erbitten, s. wenden (an)
Ersuchen: Anliegen, Ansuchen, Aufforderung, Bitte, Wunsch
ertappen: abfassen, erwischen, schnappen, überführen, überraschen
erteilen: geben, zukommen lassen, zuteil werden lassen *beauftragen, jmdn. betrauen (mit), einen Auftrag geben, einen Auftrag zuweisen *beraten, raten, zuraten, einen Rat geben, Ratschläge geben *autorisieren, befugen, berechtigen, bevollmächtigen, ermächtigen *informieren, mitteilen, sagen *lehren, unterrichten, unterweisen *administrieren, anordnen, anweisen, auferlegen, aufgeben, beauftragen, befehlen, bestimmen, festlegen, reglementieren, veranlassen, verfügen *erlauben *abweisen *loben
ertönen: aufbrausen, aufbrodeln, aufrauschen, aufsteigen, erhallen, erklingen, erschallen, gellen, klingen
Ertrag: Ausbeute, Einnahme, Erlös, Gewinn, Nettoertrag, Produkt, Reineinkünfte, Reineinnahme, Reinerlös, Reinertrag, Rohertrag, Zins *Ausbeute, Befund, Bilanz, Effekt, Endergebnis, Endresultat, Endstand, Endsumme, Ergebnis, Fazit, Folge, Gewinn, Konsequenz, Produkt, Quintessenz, Resultat, Resümee, Schlussergebnis, Schlussfolgerung, Summe, Wirkung *Ernte, Ernteergebnis, Ernteertrag, Ernteresultat, Erntesegen *Ausbeute, Einnahme, Erlös, Frucht, Gewinn, Nutzen, Profit, Verdienst, Vorteil, Wert
ertragen: s. abfinden (mit), aushalten, bestehen, bewältigen, s. bieten lassen, durchmachen, durchstehen, erdulden, s. ergeben, erleiden, fertig werden, hinnehmen, s. in etwas fügen, mitmachen, s. schicken, standhalten, tragen, überleben, überstehen, überwinden, verkraften, verschmerzen, vertragen, auf sich nehmen, über sich ergehen lassen
erträglich: akzeptabel, annehmbar, brauchbar, dienlich, ertragbar, genießbar, halbwegs, hinlänglich, leidlich, mittelmäßig, passabel, tauglich, tragbar, vertretbar, einigermaßen zufrieden stellend, einigermaßen befriedigend, den Verhältnissen entsprechend
ertragreich: einbringlich, ergiebig, fruchtbar, fruchtbringend, tragend, üppig *dankbar, einträglich, ergiebig, gewinnbringend, günstig, gut, interessant, lohnend, lukrativ, nutzbar, nutzbringend, nützlich, profitabel, profitbringend, rentabel, segensreich, zugkräftig
ertragsarm: arm, ausgelaugt, dürr, erschöpft, gering, karg, unergiebig, unfruchtbar
erträumen: begehren, erhoffen, ersehnen, erwarten, wollen, wünschen *s. etwas vorgaukeln, s. etwas vormachen, s. Illusionen machen
ertrinken: ersaufen, untergehen, auf See bleiben, in den Fluten umkommen
eruieren: ermitteln, herausbringen, nachforschen
eruptieren: ausbersten, ausbrechen, explodieren, herausschleudern
Eruption: Ausbruch, Explosion, Vulkanausbruch

erwachen: aufwachen, die Augen öffnen, die Augen aufmachen, die Augen aufschlagen, munter werden, wach werden, zu sich kommen *anheben, anwachsen, aufblitzen, aufblühen, aufbrechen, aufkeimen, aufkommen, auflodern, aufsteigen, auftauchen, s. entfalten, s. entspinnen, entstehen, s. entwickeln, erscheinen, s. heranbilden, heranreifen, s. regen, reifen, zum Vorschein kommen
erwachsen: ausgewachsen, fertig, flügge, geschlechtsreif, groß, heiratsfähig, herangewachsen, mannbar, mündig, reif, selbständig, volljährig, alt genug, voll entwickelt *anfangen, beginnen, s. entfalten, entstehen, s. entwickeln, s. formen
Erwachsener: ausgewachsener Mensch, erwachsener Mensch, die Großen
Erwachsensein: Ehefähigkeit, Heiratsalter, Lebenshöhe, Mündigkeit, Reife, Volljährigkeit *Fraulichkeit, Mütterlichkeit *Mannesalter, Männlichkeit
erwägen: abmessen, abwägen, bedenken, beurteilen, durchdenken, einschätzen, ermessen, s. fragen, gegenüberstellen, prüfen, überdenken, überlegen, überprüfen, überrechnen, überschlafen, überschlagen, in Betracht ziehen, in Erwägung ziehen, ins Auge fassen
erwägenswert: außergewöhnlich, beachtlich, bedeutsam, beeindruckend, enorm, erheblich, erwähnenswert, großartig, imposant, lobenswert, nennenswert, wichtig
Erwägung: Abwägung, Berechnung, Gedankengang, Kopfzerbrechen, Nachdenken, Reflexion, Überlegung
erwähnen: anbringen, andeuten, anmerken, ansprechen, aufführen, aufzählen, berühren, einflechten, fallen lassen, kurz sprechen (von), nennen, streifen, vorbringen, beiläufig nennen, kurz sprechen (über), nebenbei sagen, zur Sprache bringen, einfließen lassen
erwärmen: durchwärmen, erhitzen, heizen, wärmen, warm machen ***s. erwärmen:** aufhorchen, s. begeistern, s. interessieren, aufmerksam zuhören, aufmerksam beachten, Beachtung schenken *warm werden
Erwärmung: Bestrahlung, Erhitzung, Wärme *Anwandlung, Erregung, Wallung
erwarten: bauen (auf), entgegenblicken, entgegensehen, harren, rechnen (mit), reflektieren (auf), setzen (auf), spekulieren (auf), s. versprechen (von), vertrauen (auf), warten (auf), zählen (auf), nicht zweifeln *erhoffen, ersehnen, erträumen, herbeisehnen, herbeiwünschen, schmachten (nach), s. sehnen (nach), wollen, wünschen, Hoffnungen hegen
erwartet: erhofft, erwünscht, geplant, herbeigesehnt, vermutet
Erwartung: Aussicht, Ausweg, Chance, Glaube, Hoffnung, Hoffnungsfunke, Hoffnungsschimmer, Hoffnungsstrahl, Lichtblick, Möglichkeit, Optimismus, Silberstreifen, Vertrauen, Zukunftsglaube, Zutrauen, Zuversicht, positive Perspektive
erwartungsvoll: begierig, fieberhaft, fiebrig, gespannt, interessiert, ungeduldig
erwecken: wecken, aufwecken, aufrütteln, wachrufen, wachrütteln, aus dem Schlaf reißen, munter machen, wach machen *erregen, erzeugen, hervorrufen, provozieren, verursachen, in Gang setzen, in Bewegung setzen
erwehren (s.): abwehren, s. verteidigen, s. wehren, s. zur Wehr setzen, s. nichts gefallen lassen, Widerstand entgegenstellen, Widerstand bieten, Widerstand leisten
erweichen: bearbeiten, bekehren, bereden, breitschlagen, überreden, überzeugen, umstimmen *rühren, weich machen, innerlich bewegen, mild stimmen ***s. erweichen:** nachgeben, schwach werden
erweisen: helfen, unterstützen, gefällig sein *bezeigen, entgegenbringen, erzeigen, leisten, angedeihen lassen, zuteil werden lassen *vertrauen *grüßen *achten ***s. erweisen:** s. bewahrheiten, s. herausstellen
erweitern: ausbauen, ausdehnen, ausweiten, entfalten, verbreitern, vergrößern *abrunden, auffüllen, ergänzen, hinzufügen, hinzutun, komplettieren, nachtragen, perfektionieren, vervoll-

…en, vervollständigen, vollenden
…weitern: s. ausbreiten, s. ausdeh-…, s. verbreiten
…rweiterung: Ausdehnung, Ausweitung, Entfaltung, Verbreiterung, Vergrößerung, Verlängerung *Auffrischung, Auffüllung, Ergänzung, Hinzufügung, Komplettierung, Nachtrag, Vervollkommnung, Vervollständigung *Anbau, Ausbau
Erwerb: Ankauf, Anschaffung, Aufkauf, Einkauf, Kauf *Anstellung, Arbeit, Broterwerb, Erwerbstätigkeit, Lebensunterhalt
erwerben: aufkaufen, ankaufen, anschaffen, bestellen, erstehen, ersteigern, kaufen, s. zulegen, an sich bringen *s. aneignen, bekommen, s. beschaffen, erarbeiten, erlangen, erreichen, erzielen, gelangen (zu), gewinnen, s. zulegen *s. aneignen, erarbeiten, erjagen, erlangen, gelangen (zu), gewinnen, kommen (zu), an sich bringen *s. aneignen, s. anlernen, s. anlesen, erlernen, lernen, studieren
erwerbsfähig: arbeitsfähig, dienstfähig *gesund
erwerbslos: arbeitslos, beschäftigungslos, brotlos, stellenlos, stellungslos, unbeschäftigt, ohne Einkommen, ohne Beschäftigung, ohne Arbeit, ohne Anstellung, ohne Erwerb, ohne Arbeitsplatz, ohne Job
Erwerbslosigkeit: Arbeitslosigkeit
erwerbsunfähig: arbeitsunfähig, dienstunfähig, invalid, invalide, krank, siech
Erwerbung: Ankauf, Anschaffung, Besorgung, Einkauf, Erledigung, Erwerb, Kauf
erwidern: antworten, bestätigen, einwenden, entgegnen, kontern, reagieren, replizieren, versetzen, widersprechen, zurückgeben, Bescheid geben, Nachricht geben, Auskunft geben, zur Antwort geben
Erwiderung: Antwort, Beantwortung, Entgegnung
erwiesen: amtlich, beglaubigt, besiegelt, bestätigt, beurkundet, bewiesen, dokumentiert, gewiss, klar, offiziell, sicher, unanfechtbar, unangreifbar, unbestreitbar, unbestritten, unumstößlich, unumstritten, unwiderleglich, unzweifelhaft, wahr, zweifelsfrei, hieb- und stichfest
erwiesenermaßen: bekanntermaßen, bekanntlich, erfahrungsgemäß
erwirken: ausrichten, bewerkstelligen, bewirken, deichseln, durchboxen, durchdrücken, durchfechten, durchkämpfen, durchsetzen, erarbeiten, erlangen, erreichen, erringen, ertrotzen, erzielen, erzwingen, fertig bekommen, fertig bringen, fertig kriegen, leisten, managen, realisieren, schaffen, verwirklichen, vollbringen, zuwege bringen, zustande bringen
erwischen: aufgreifen, ergreifen, fangen, fassen, greifen, packen, habhaft werden *erhalten, erreichen, gelangen (zu), hingelangen, kommen, rechtzeitig ankommen, rechtzeitig eintreffen *abfangen, erhaschen, ertappen, überführen, überraschen *sterben, verunglücken *krank werden
erworben: gelernt *abgehandelt, angeschafft, beschafft, bezogen, erstanden, ersteigert, gekauft, übernommen
erwünscht: angebracht, gelegen, genehm, gern gesehen, lieb, passend, recht, richtig, willkommen *begehrenswert, begehrt, beliebt, erstrebenswert, gefragt, geschätzt, gesucht, gewünscht, wünschenswert
erwürgen: abwürgen, drosseln, erdrosseln, erhängen, ermorden, ersticken, strangulieren, töten, würgen, die Kehle zudrücken, die Kehle zuschnüren
Erzader: Ader, Erzgang, Gang
erzählen: plaudern, plauschen, sagen, schnacken, s. unterhalten, miteinander sprechen, miteinander reden *ausführen, ausmalen, berichten, beschreiben, darstellen, illustrieren, schildern, veranschaulichen, vortragen, wiedergeben *ausplaudern, ausrichten, bekannt geben, darstellen, informieren, kundmachen, losschießen, mitteilen, preisgeben, referieren, schildern, schwatzen, übermitteln, verkünden, verkündigen, vermitteln, verraten, vorbringen, vortragen, Bericht erstatten, Bericht geben, Kenntnis geben
Erzähler: Schilderer, Vortragender *Autor, Dichter, Epiker, Prosaiker, Prosaist, Prosaschreiber, Prosaschriftsteller, Publi-

zist, Romanschreiber, Romanschriftsteller, Schriftsteller
Erzählung: Anekdote, Geschichte, Märchen, Novelle, Skizze *Abhandlung, Ausführung, Aussage, Bekanntgabe, Bekanntmachung, Bericht, Berichterstattung, Botschaft, Bulletin, Darbietung, Darlegung, Darstellung, Dokumentarbericht, Dokumentation, Erfolgsmeldung, Lagebericht, Meldung, Mitteilung, Nachricht, Neuigkeit, Rapport, Referat, Reisebericht, Report, Reportage, Schilderung, Situationsbericht, Verkündigung, Verlautbarung, Veröffentlichung
erzeugen: anfertigen, bilden, erschaffen, erstellen, formen, gestalten, herstellen, hervorbringen, produzieren, verfertigen *erregen, hervorrufen, verursachen, entstehen lassen
Erzeuger: Fabrikant, Fertiger, Hersteller, Produzent, Unternehmer *Stammvater, Vater *Gründer
Erzeugnis: Arbeit, Artikel, Ergebnis, Fabrikat, Gebilde, Produkt, Schöpfung, Ware
Erzeugung: Anfertigung, Arbeit, Ausstoß, Bau, Bildung, Erschaffung, Fabrikation, Fertigung, Herstellung, Hervorbringung, Produktion, Schaffung
Erzfeind: Feind, Gegner, Kontrahent, Rivale, Todfeind, Widersacher *Antichrist, Beelzebub, Erbfeind, Feind, Höllenfürst, Luzifer, Mephisto, Satan, Teufel, Verderber, Verführer, Versucher, Widersacher, Fürst der Finsternis
erziehen: ausbilden, bilden, formen, helfen, heranbilden, hobeln, schleifen, schulen, unterstützen
Erzieher: Lehrer, Pädagoge
erzieherisch: erziehlich, pädagogisch, schulisch
Erziehung: Ausbildung, Bildung, Formung, Schliff, Schulung, Unterricht
Erziehungsberechtigte: Eltern, Mutter, Vater, Vater und Mutter *Vormund
erzielen: ausrichten, bewerkstelligen, bewirken, deichseln, durchboxen, durchdrücken, durchfechten, durchkämpfen, durchsetzen, erarbeiten, erlangen, erreichen, erringen, ertrotzen, erwirken, erzwingen, fertig bekommen, fertig bringen, fertig kriegen, leisten, managen, realisieren, schaffen, verwirklichen, vollbringen, zuwege bringen, zustande bringen *s. einigen, übereinkommen, s. versöhnen, s. verständigen
erzittern: aufbeben, beben, erbeben, schüttern *beben, erbeben, flattern, schlottern, schnattern, vibrieren, zittern *s. ängstigen, bangen, entsetzen, erbeben, erbleichen, erschrecken, s. fürchten, schlottern, außer Fassung geraten
erzogen: artig, brav, gehorsam, gesittet, lieb, manierlich
erzürnen: ärgern, aufbringen, aufregen, aufreizen, beunruhigen, erbittern, erbosen, ergrimmen, erhitzen, verdrießen, verstimmen, aus dem Gleichgewicht bringen, aus der Fassung bringen, aus der Ruhe bringen, zornig machen, wütend machen, zur Weißglut reizen, zur Weißglut bringen, auf die Palme bringen, in Wut geraten
Esel: Dummkopf, Flachkopf, Grünschnabel, Hampel, Hanswurst, Nichtswisser *Grauchen, Grautier, Langohr *Maulesel, Maultier, Muli
Eselsbrücke: Ausweg, Behelf, Gedächtnisstütze
Eskalation: Ausweitung, Krise, Steigerung, Verschärfung, Zuspitzung
Essay: Abhandlung, Artikel, Aufsatz, Beitrag, Untersuchung
essbar: bekömmlich, einwandfrei, genießbar *genießbar, ungiftig
Esse: Feuermauer, Rauchfang, Schacht, Schlot, Schornstein
essen: aufessen, einverleiben, ernähren, frühstücken, genießen, knabbern, löffeln, naschen, picknicken, schlemmen, schmausen, schnabulieren, schwelgen, speisen, s. stärken, tafeln, verdrücken, verspeisen, zu sich nehmen, den Hunger stillen, Mahlzeit halten, das Essen einnehmen
Essen: Ernährung, Fastfood, Food, Kost, Mundvorrat, Nährstoff, Nahrung, Proviant, Slowfood, Speise, Verpflegung *Gericht, Mahl, Mahlzeit, Menü, Speise *Esserei, Festessen, Mahlzeit, Schmaus
Essenz: Absud, Auszug, Elixier, Extrakt, Heiltrank, Zaubertrank *Extrakt, Ge-

halt, Kern, Kernstück, Quintessenz, Sinn, Substanz, Wesen, das Wesentliche, das Wichtige
Esser: Feinschmecker, Genießer, Schlemmer *Konsument, Normalverbraucher, Verbraucher *Rohköstler, Vegetarier *Vielfraß
etablieren: aufbauen, einrichten, eröffnen, errichten, gründen, konstituieren, organisieren, ins Leben rufen, neu schaffen ***s. etablieren:** s. ansiedeln, s. festsetzen, s. niederlassen, ansässig werden, sesshaft werden, eine Existenz aufbauen, Wohnung nehmen *s. anpassen, s. verbürgerlichen, bürgerlich werden
etabliert: angepasst, verbürgerlicht, zum Bürgertum gehörend *herkömmlich, konventionell, traditionell, überkommen, überliefert
Etablissement: Bordell, Vergnügungsstätte *Gaststätte, Niederlassung
Etappe: Abschnitt, Strecke, Teilstrecke, Teilstück, Weglänge *Entwicklungsstufe, Periode, Phase, Stadium, Stufe, Zeitabschnitt, Zeitraum, Zeitspanne
Etat: Budget, Finanzplan, Haushalt, Haushaltsplan, Kalkulation, Voranschlag *Staatshaushalt, Staatshaushaltsplan *Finanzen, Finanzlage, Vermögensverhältnisse
etepetete: anspruchsvoll, geziert, heikel, überkritisch, wählerisch, zimperlich
Etikett: Preisschild *Abzeichen, Aufdruck, Aufkleber, Aufschrift, Beschriftung, Klebeetikett, Schild, Schildchen
Etikette: Benehmen, Verhalten
etliche: diverse, einige, einzelne, manche, mehrere, verschiedene, ein paar, eine Reihe, eine Anzahl
Etui: Behälter, Dose *Futteral
etwa: abgerundet, annähernd, annäherungsweise, beinahe, einigermaßen, eventuell, fast, nahezu, pauschal, rund, schätzungsweise, überschlägig, ungefähr, vielleicht, zirka, an die … *gar, gegebenenfalls, möglicherweise, womöglich, unter Umständen *beispielsweise, um ein Beispiel zu nennen, zum Beispiel, als Exempel
etwas: ein bisschen, ein wenig, ein Hauch, ein Deut, ein Quäntchen, ein Schuss, eine Winzigkeit, eine Idee, eine Kleinigkeit, eine Spur, eine Prise, eine Nuance, nicht nennenswert, nicht viel *irgendetwas
Etwas: Apparat, Ding, Element, Geschöpf, Gestalt, Materie, Objekt, Stoff, Substanz, Wesen, das Geschaffene, das Sein *Reiz
Eucharistie: Abendmahl, Gottesdienst *Abendmahlsfeier, Altarsakrament
Eule: Kauz, Uhu
Eulenspiegel: Hanswurst, Narr, Possenmacher, Spaßmacher, Spaßvogel
Eulenspiegelei: Ausgelassenheit, Jux, Narretei, Posse, Schabernack, Schelmenstück, Schnurre, Streich, Ulk
Eunuch: Entmannter, Haremswächter, Kastrat
Europa: Abendland, Okzident, der Westen, die Alte Welt
Euphorie: Ekstase, Hochgefühl, Hochstimmung, Rausch
euphorisch: glückselig, high, hochgestimmt
Eventualität: Möglichkeit, Wahrscheinlichkeit
eventuell: allenfalls, gegebenenfalls, möglichenfalls, möglicherweise, vermutlich, vielleicht, wohl, womöglich, es ist denkbar, es ist möglich, es kann sein, je nachdem, unter Umständen
Evergreen: Bestseller, Dauerbrenner, Erfolgsstück, Hit, Longseller, Schlager
Evolution: Entwicklung, Entwicklungsgang, Entwicklungsprozess, Entwicklungsverlauf, Fortentwicklung, Reifung
ewig: allezeit, allzeit, bleibend, dauernd, endlos, fortwirkend, immer, immer während, immerdar, lange, unaufhörlich, unauslöschlich, unausrottbar, unendlich, unsterblich, unveränderlich, unvergänglich, unwandelbar, unzerstörbar, zeitlos, ad infinitum, bis in alle Ewigkeit, bis ins Unendliche, für immer, nie endend, nicht endend, ohne Ende, für alle Zeit *von Ewigkeit zu Ewigkeit
Ewigkeit: Himmel, Jenseits, himmlisches Paradies, Reich Gottes *Endlosigkeit, Unendlichkeit, Unsterblichkeit, Unveränderlichkeit, Unvergänglichkeit, Unwandelbarkeit, Zeitlosigkeit

exakt: genau, haargenau, scharf, haarscharf, akkurat, deutlich, prägnant, präzise, treffsicher *beizeiten, fahrplanmäßig, fristgemäß, fristgerecht, pünktlich, rechtzeitig, zur richtigen Zeit, zur rechten Zeit, zur vereinbarten Zeit, auf die Minute, ohne Verspätung, auf die Sekunde genau
Exaktheit: Akkuratesse, Akribie, Bestimmtheit, Genauigkeit, Gewissenhaftigkeit, Gründlichkeit, Präzision, Schärfe, Sorgfalt, Sorgfältigkeit, Sorgsamkeit *Genauigkeit, Pünktlichkeit
Exaltation: Erregung, Überspanntheit
exaltiert: aufgeregt, erregt, überspannt
Examen: Abschlussexamen, Abschlussprüfung, Prüfung
Examenskandidat: Examinand, Prüfling
examinieren: abfragen, prüfen
Exegese: Auffassung, Ausdeutung, Auslegung, Begriffsbestimmung, Bestimmung, Definition, Deuterei, Deutung, Erklärung, Erläuterung, Interpretation, Kommentar, Lesart, Sinndeutung, Stellungnahme, Urteil, Worterklärung
exekutieren: hinrichten, richten, töten, die Todesstrafe vollstrecken, vom Leben zum Tode bringen, vom Leben zum Tode befördern *beschlagnahmen, pfänden
Exekution: Hinrichtung, Tötung, Urteilsvollstreckung, Vollstreckung *Beschlagnahme, Pfändung
Exekutive: ausführende Gewalt, vollziehende Gewalt
Exempel: Beispiel, Modell, Muster, Musterbeispiel, Paradebeispiel, Paradigma, Probe, Schulbeispiel *Abschreckung, Abschreckungsmaßnahme, Warnung
Exemplar: Stück
exemplarisch: beispielhaft, musterhaft, nachdrücklich *abschreckend, warnend
exhumieren: ausbetten, ausgraben, freilegen, umbetten
Exil: Verbannung, Verbannungsort
existent: bestehend, echt, existierend, faktisch, greifbar, konkret, real, tatsächlich, vorhanden, wirklich
Existenz: Alimente, Erhaltung, Ernährung, Haushaltungskosten, Lebenshaltung, Lebenshaltungskosten, Lebensunterhalt, Unterhalt, Unterhaltungskosten, Versorgung, das tägliche Brot *Atem, Bestehen, Dasein, Leben, Sein, Vorhandensein, Fleisch und Blut
existieren: s. aufhalten, s. befinden, bestehen, sein *atmen, da sein, leben, lebendig sein, am Leben sein, auf der Welt sein, nicht tot sein, vorhanden sein
Exitus: Ableben, Ende, Lebensende, Tod
Exklave: Gebietsauschluss, Gebiet außerhalb der Staatsgrenze
exklusiv: abgerechnet, abgesehen (von), abzüglich, außer, ausgenommen, ausschließlich, bis (auf), mit Ausschluss (von), ohne, mit Ausnahme, nicht einbegriffen, nicht inbegriffen, vermindert (um) *teuer, vornehm
exklusive: außer, mit Ausnahme (von)
Exkommunikation: Ächtung, Anathema, Ausschließung, Ausschluss, Ausstoßung, Disqualifikation, Disqualifizierung, Elimination, Eliminierung, Entfernung, Kirchenbann, Kündigung, Relegation, Säuberungsaktion, Verfluchung
exkommunizieren: ausschließen, ausstoßen, isolieren, verstoßen
Exkremente: Ausscheidung, Kot
Exkurs: Abschweifung, Abstecher, Anhang
Exmatrikulation: Abmeldung, Entlassung, Streichung
exmatrikulieren (s.): abgehen, s. abmelden, ausscheiden, s. ausstreichen, austreten, weggehen
exorbitant: außerordentlich, enorm, gewaltig, gigantisch, immens, kolossal, maßlos, massig, monströs, monumental, riesengroß, riesenhaft, riesig, titanisch, überdimensional, übergroß, übertrieben, voluminös, wuchtig, sehr groß, von ungeheuerem Ausmaß, von beachtlichem Ausmaß
exorzieren: austreiben, beschwören
Exorzist: Beschwörer, Geisterbeschwörer, Teufelsaustreiber
Exot: Fremde *überseeische Wertpapiere *überseeische Ware
exotisch: fremdartig, fremdländisch
expatriieren: ausbürgern, ausweisen
expedieren: befördern, spedieren, trans-

portieren, überführen *abfertigen, absenden, befördern
Expedition: Abenteuerreise, Entdeckungsreise, Forschungsreise *Forscher, Forschungsreisende *Abfertigungsabteilung, Versandabteilung
Experiment: Probe, Versuch, Wagnis
experimentieren: versuchen, wagen *probieren, versuchen, wagen, Versuche anstellen, Experimente machen
Experte: Autorität, Fachfrau, Fachgröße, Fachkraft, Fachmann, Kapazität, Könner, Koryphäe, Meister, Professioneller, Profi, Sachkenner, Sachkundiger, Sachverständiger, Spezialist
explizit: ausdrücklich, bestimmt, deutlich, drastisch, eigens, eindringlich, entschieden, erklärt, extra, genau, kategorisch, klar, nachdrücklich, namentlich, präzise, unmissverständlich, mit Nachdruck
explodieren: auffliegen, bersten, detonieren, hochgehen, krachen, krepieren, platzen, s. entladen, splittern, sprengen, springen, zerbersten, zerknallen, zerplatzen, zerspringen, in die Luft fliegen *aufbrausen, kochen, platzen, schäumen, sieden, aus der Haut fahren, wild werden
Explosion: Ausbruch, Detonation, Entladung, Eruption, Knall, Krach, Schlag, Verpuffung *Super-GAU, allergrößter GAU *Anfall, Anwandlung, Aufwallung, Erregung, Koller, Wutanfall, Wutausbruch, Zornesausbruch
explosiv: brisant, explodierbar, explosibel, explosionsfähig, feuergefährlich, hochexplosiv *dramatisch, gespannt, kritisch, spannungsgeladen *aufbrausend, auffahrend, aufschäumend, cholerisch, jähzornig, unbeherrscht, ungezügelt, wütend, zornig
Exponat: Ausstellungsstück, Museumsstück
Exponent: hochstehende Zahl *Repräsentant, Vertreter
exponiert: ausgesetzt, gefährdet *herausragend
Export: Außenhandel, Ausfuhr, Überseehandel
Exporteur: Exportkaufmann, Kaufmann im Exporthandel
Exporthandel: Ausfuhrhandel
exportieren: ausführen, ins Ausland liefern, ins Ausland verkaufen
exportiert: ausgeführt, ins Ausland verkauft, ins Ausland geliefert
exquisit: ausgezeichnet, edel, erlesen, erstklassig, exzellent, fein, hervorragend, hochwertig, kostbar, qualitätsvoll, überragend, unübertrefflich
Extemporale: Kurzabfrage, Kurzprobe, Kurztest, Stegreifaufgabe
extensiv: ausgedehnt, lange *ohne großen Aufwand
Exterieur: Außenseite, Äußeres
extern: auswärtig, fremd
extra: allein, gesondert, getrennt, separat, für sich *ausschließlich, besonders, eigens, gerade *dazu, mehr, zusätzlich, über das Übliche hinaus *absichtlich *ausgesucht, besondere
Extra: Beigabe, Beilage, Zugabe
extrahieren: auslaugen, ausziehen, einen Auszug machen
Extrakt: Absud, Auszug, Elixier, Essenz, Heiltrank, Tinktur, Zaubertrank *Auszug, Hauptinhalt, Kern
extraordinär: außergewöhnlich, außerordentlich, ausgefallen, entwaffnend, erstaunlich, groß, überraschend, ungeläufig, ungewöhnlich
extravagant: auffallend, auffällig, aufsehenerregend, außergewöhnlich, außerordentlich, ausgefallen, eindrucksvoll, einzigartig, hervorragend, ohnegleichen, sensationell, spektakulär, stattlich, überraschend, ungeläufig, ungewöhnlich, unvergleichlich, verblüffend *exzentrisch, phantastisch, skurril, überspannt, überspitzt, übersteigert, verstiegen
Extravaganz: Auffälligkeit, Ausgefallenheit, Skurrilität, Überspanntheit, Überspitztheit, Übertriebenheit, Verdrehtheit, Verrücktheit, Verstiegenheit, närrischer Einfall
extravertiert: aufgeschlossen, extrovertiert, gesellig, kommunikationsfähig, kontaktfreudig, offen, weltoffen
extrem: allzu, auffällig, außergewöhnlich, außerordentlich, äußerst, ausgeprägt, exzessiv, frappant, hochgradig, krass, maßlos, sehr, stark, übermäßig,

übertrieben, ungeheuer, in höchstem Maße, ohne Maß und Ziel *bedingungslos, kompromisslos, radikal, rücksichtslos, unnachgiebig *ausgefallen, exaltiert, extravagant, exzentrisch, phantastisch, überspannt, verstiegen
Extrem: äußerster Standpunkt, höchster Grad *Maßlosigkeit, Übermaß, Übertreibung
Extremist: Extremer, Radikaler, Radikalist
extremistisch: extrem, radikal, radikalistisch, rücksichtslos, scharf, übersteigert
Extremitäten: Glieder, Gliedmaßen
exzellent: ausgezeichnet, beispiellos, bestens, brillant, exquisit, genial, herrlich, hervorragend, mustergültig, überragend, unübertrefflich, unübertroffen, vortrefflich, vorzüglich, wunderbar
exzentrisch: ausgefallen, exaltiert, extravagant, phantastisch, überspannt, verstiegen *flatterhaft, grillenhaft, kapriziös, launenhaft, schwankend, unausgeglichen, unberechenbar, unbeständig, unzuverlässig, wankelmütig, wechselhaft, wetterwendisch, voller Launen
Exzess: Ausschreitung, Ausschweifung, Maßlosigkeit, Überschreitung, Zügellosigkeit
exzessiv: ausschweifend, maßlos, zügellos *allzu, exorbitant, extrem, maßlos, übermäßig, überschwänglich, übertrieben, über Gebühr
exzipieren: ausnehmen, als Ausnahme darstellen

F

Fabel: Erfindung, Geschichten, Lüge, Märchen *Geschehen, Handlung
fabelhaft: abenteuerlich, ansehnlich, auffallend, auffällig, Aufsehen erregend, außergewöhnlich, außerordentlich, ausgefallen, beachtlich, bedeutend, bedeutsam, bedeutungsvoll, beeindruckend, bewundernswert, bewundernswürdig, brillant, eindrucksvoll, einzigartig, enorm, entwaffnend, erstaunlich, groß, großartig, hervorragend, imponierend, imposant, märchenhaft, nennenswert, ohnegleichen, sagenhaft, sensationell, sondergleichen, spektakulär, stattlich, überragend, überraschend, überwältigend, ungewöhnlich, unvergleichlich, verblüffend, wunderbar
Fabrik: Anlage, Betrieb, Fabrikanlage, Firma, Industrieanwesen, Industriebetrieb, Produktionsbetrieb, Produktionsstätte, Unternehmen, Werk
Fabrikant: Fabrikbesitzer, Unternehmer *Erzeuger, Hersteller, Produzent, Unternehmer
Fabrikat: Gebilde, Machwerk, Produkt, Typ *Arbeit, Artikel, Ergebnis, Erzeugnis, Gebilde, Industrieerzeugnis, Produkt, Schöpfung, Ware *Fabrikmarke, Handelsmarke, Handelszeichen, Marke, Schutzmarke, Warenzeichen
Fabrikation: Anfertigung, Arbeit, Ausstoß, Bau, Bildung, Erschaffung, Erzeugung, Fertigung, Herstellung, Hervorbringung, Produktion, Schaffung
Fabrikware: Industrieprodukt, Industrieware, Massenprodukt *Durchschnittsware, Dutzendware, Ramsch
fabrizieren: anfertigen, bauen, erschaffen, erzeugen, fertigen, herstellen, hervorbringen, produzieren, schaffen
Fabulant: Erzähler, Lügner, Plauderer, Schwätzer
fabulieren: dichten, erdichten, ersinnen, erzählen, lügen, plaudern, schwindeln
fabulös: schleierhaft, unklar, unwahrscheinlich, phantastisch anmutend
Fach: Fachgebiet, Sachgebiet, Unterrichtsfach, Wissensgebiet *Berufszweig, Branche, Gebiet, Ressort, Sparte, Wirkungskreis, Zweig *Arbeitsgebiet, Domäne, Spezialgebiet *Schrankfach
Facharbeiter: Experte, Spezialist, qualifizierter Arbeiter, spezialisierter Arbeiter
Facharzt: Fachmediziner, Spezialarzt, Spezialist
Fachausdruck: Fachterminus, Fachwort, Spezialwort, Terminus
fächeln: wedeln, wehen *erfrischen, fächern, kühlen, wedeln
Fachfrau: Expertin, Professionelle, Sachkundige, Sachverständige, Spezialistin
Fachmann: Ass, Autorität, Experte, Fachkraft, Kapazität, Könner, Koryphäe, Meister, Professioneller, Profi, Routinier, Sachkenner, Sachkundiger, Sachverständiger, Spezialist, Mann vom Fach
fachmännisch: fachgerecht, fachkundig, fachmäßig, gekonnt, kunstgerecht, meisterhaft, professionell, qualifiziert, richtig, routiniert, sachgemäß, sachgerecht, sachkundig, sachverständig, werkgerecht, zunftgemäß, zünftig
Fachrichtung: Disziplin, Fach, Fachbereich, Fachschaft, Fakultät, Schulfach, Wissenszweig
Fachwissen: Detailwissen, Spezialwissen
fackeln: durchgreifen, maßregeln, schelten, schimpfen, züchtigen
Fackel: Fackellicht, Feuer, Feuerschein, Flamme, Kienspan, Leuchte, Leuchtzeichen
fade: abgestanden, flau, geschmacklos, kraftlos, salzarm, salzlos, schal, ohne Geschmack *nichts sagend, nüchtern, reizlos *eindruckslos, einförmig, einschläfernd, ermüdend, gleichförmig, langweilig, monoton, öde, reizlos, stumpfsinnig, trist, trocken, trostlos, uninteressant, wirkungslos
Faden: Leitgedanke *Fädchen, Garn, Zwirnsfaden
fadenscheinig: durchschaubar, dünn,

durchsichtig, plump, schäbig, schwach, transparent, unglaubwürdig, vordergründig *abgetragen
fähig: befähigt, begabt, begnadet, berufen, brauchbar, geeignet, gelehrig, genial, geschickt, gewandt, hochbegabt, patent, prädestiniert, qualifiziert, talentiert, tauglich, tüchtig, verwendbar *fruchtbar, potent, zeugungsfähig
Fähigkeit: Auffassungsgabe, Befähigung, Begabung, Berufung, Fertigkeit, Gaben, Geistesgaben, Genialität, Genie, Geschick, Ingenium, Intelligenz, Klugheit, Kraft, Macht, Talent, Veranlagung, Voraussetzung, Zeug, starke Seite *Manneskraft, Potenz, Zeugungsfähigkeit
fahl: aschfahl, aschgrau, blass, bleich, bleichgesichtig, bleichsüchtig, blutarm, blutleer, farblos, grau, kalkweiß, totenblass, totenbleich, weiß *erdfahl, erdfarben, erdgrau, falb
fahnden: absuchen, durchkämmen, durchsuchen, forschen, nachgehen, spüren (nach), suchen, s. umschauen (nach), s. umsehen (nach), s. umtun, wühlen, auf die Suche gehen, auf der Suche sein
Fahndung: Erkundung, Nachforschung, Suche
Fahne: Banner, Dienstflagge, Flagge, Gösch, Nationalflagge, Standarte, Stander, Wimpel *Dunst, Dunstfahne, Geruch *Blume, Lunte, Rute, Schwanz, Schweif, Standarte, Sterz, Wedel, Zagel *Abzug, Bogen, Fahnenabzug, Korrekturabzug
Fahnenflucht: Desertion, Flucht, Weggang, das Verschwinden
fahnenflüchtig: desertiert, flüchtig, fort, verschwunden, weg
Fahnenflüchtiger: Deserteur
Fähnlein: Formation, Truppeneinheit
Fahrausweis: Billett, Fahrkarte, Fahrschein, Fahrtausweis, Karte, Ticket *Fahrerlaubnis, Führerschein
Fahrbahn: Damm, Fahrdamm, Fahrspur, Fahrstraße, Straße, Straßendamm *Spur
fahrbereit: verkehrstauglich, verkehrstüchtig *repariert, wiederhergestellt
Fähre: Fährboot, Fährkahn, Fährschiff
fahren: brausen, dampfen, s. fortbewegen, gondeln, rasen, rollen *bedienen, chauffieren, führen, fuhrwerken, kutschen, kutschieren, lenken, steuern *s. begeben (nach), reisen, auf der Reise sein, eine Tour machen, eine Reise machen *einfallen *befördern, expedieren, fortbringen, frachten, rollen, schaffen, spedieren, transportieren, überführen, verfrachten *erschrecken *hinausfahren *aufbrausen, eilen, rasen, Gas geben *s. anziehen, s. überstreifen
Fahrer: Autofahrer, Chauffeur, Führer, Fuhrmann, Kraftfahrer, Lenker, Pilot
Fahrerflucht: Fluchtergreifung, Unfallflucht, Entfernung vom Unfallort
Fahrerhaus: Fahrerkabine, Führerhaus, Führerkabine
Fahrgast: Beifahrer, Insasse, Mitfahrer, Passagier, Reisender, Sozius
Fahrgastschiff: Ausflugsdampfer, Kreuzfahrtschiff, Linienschiff, Luxusdampfer, Luxusschiff, Passagierdampfer, Passagierschiff, Personendampfer, Riverboat, Salondampfer, Salonschiff, Schnelldampfer, Vergnügungsdampfer, schwimmendes Hotel
Fahrgestell: Chassis, Fahrwerk, Rahmen
fahrig: flatterig, hastig, hektisch, konfus, nervös, schusselig, unaufmerksam, unkonzentriert, unruhig, unstet, zappelig, zerfahren, zerstreut
Fahrkarte: Billett, Fahrausweis, Fahrschein, Fahrtausweis, Karte, Ticket
fahrlässig: gedankenlos, gewissenlos, leichtfertig, leichtsinnig, nachlässig, pflichtvergessen, unachtsam, unbesonnen, unüberlegt, unverantwortlich, unvorsichtig, verantwortungslos
Fahrlässigkeit: Gedankenlosigkeit, Gewissenlosigkeit, Leichtfertigkeit, Leichtsinnigkeit, Nachlässigkeit, Pflichtvergessenheit, Unachtsamkeit, Unbesonnenheit, Unüberlegtheit, Unvorsichtigkeit, Verantwortungslosigkeit
Fahrplan: Kursbuch *Absicht, Kurs, Machart, Plan, Vorgehensweise, Vorhaben
fahrplanmäßig: beizeiten, exakt, fristgemäß, fristgerecht, pünktlich, rechtzeitig, zur richtigen Zeit, zur rechten Zeit, zur vereinbarten Zeit, auf die Minute, ohne Verspätung, auf die Sekunde genau

Fahrrad: Rad, Stahlross, Vehikel, Zweirad
Fahrspur: Fahrrinne, Spur
Fahrstuhl: Aufzug, Lift, Paternoster, Personenaufzug *Krankenfahrstuhl, Rollsessel, Rollstuhl
Fahrt: Abstecher, Ausfahrt, Ausflug, Durchzug, Exkursion, Expedition, Reise, Rundfahrt, Tour, Trip, Überquerung
Fährte: Geläuf, Insiegel, Spur
Fahrtrichtungsanzeiger: Blinker, Blinkleuchte, Fahrtrichtungsblinker, Richtungsanzeiger, Winker
Fahrtunterbrechung: Aufenthalt, Halt, Stopp, Unterbrechung, Zwischenaufenthalt, Zwischenlandung
Fahrwasser: Fahrrinne, Kanal, Kielwasser
Fahrwerk: Chassis, Fahrgestell, Rahmen, Unterbau
Fahrzeug: Auto, Gefährt, Kraftfahrzeug, Personenkraftwagen, Pkw, Vehikel, Verkehrsmittel *Boot, Schiff, Wasserfahrzeug *Flieger, Flugzeug, Luftfahrzeug *Eisenbahn, Schienenfahrzeug, Zug
Faible: Hang, Neigung, Schwäche, Sympathie, Vorliebe
fair: anständig, ehrenhaft, ehrlich, gebührlich, gerecht, lauter, rechtschaffen, redlich, ritterlich, sauber, solidarisch, sportlich, zuverlässig
Fairness: Anständigkeit, Ehrlichkeit, Ritterlichkeit, Sportlichkeit
Fäkalien: Ausscheidungen, Dreck, Exkremente, Kot, Stuhl
Faksimile: Abbildung, Abdruck, Abschrift, Nachahmung, Nachbildung, Reproduktion
Faktum: Ereignis, Fakt, Geschehen, Realität, Tatsache, Wirklichkeit
fakultativ: freiwillig, unaufgefordert, ungeheißen, wahlfrei, aus eigenem Willen, aus eigenem Antrieb, dem eigenen Belieben anheim gestellt, dem eigenen Ermessen anheimgestellt, von sich aus, nicht verbindlich
Fall: Kasus *Affäre, Angelegenheit, Frage, Geschichte, Problem, Punkt, Sache *Fehler, Fehltritt *Sünde, Übertretung, Verstoß *Absturz, Platsch, Plump, Plumps, Sturz *Rechtsangelegenheit, Rechtsfall, Rechtsfrage, Rechtssache, Sache, Streitfall *Seil, Tau
Fallbaum: Absperrung, Grenzlinie, Schranke
Fallbeil: Guillotine
Falle: Bett, Bettgestell, Bettlager, Bettstatt, Bettstelle, Koje, Lager, Nest, Pritsche, Schlafgelegenheit, Schlafstatt, Schlafstätte, die Federn *Fallgrube, Fangeisen, Fanggerät, Garn, Leimrute, Netz, Schlinge *List
fallen: ausgleiten, hinfallen, hinschlagen, niedergehen, niederstürzen, purzeln, rutschen, stolpern, stürzen, den Halt verlieren, zu Boden gehen, zu Fall kommen *herabfallen, herunterfallen, niederfallen, umfallen, umkippen *sterben, den Heldentod sterben, im Feld bleiben, nicht aus dem Krieg heimkehren, nicht wiederkommen *abebben, abflauen, abklingen, abnehmen, heruntergehen, nachgeben, nachlassen, schwinden, s. senken, sinken, zurückgehen, niedriger werden *fallen lassen:** herunterwerfen, loslassen *andeuten, anschneiden, ansprechen, äußern, erwähnen, vorsprechen, zitieren, (beiläufig) nennen, einfließen lassen, zur Sprache bringen *abrücken (von), s. abwenden (von), aufgeben, brechen (mit), fahren lassen, s. lösen, s. lossagen, verlassen, s. zeigen, s. zurückziehen, sein wahres Gesicht zeigen ***s. fallen lassen:** abspringen, s. aufgeben, nicht mehr mitmachen *s. aufgeben, kapitulieren, resignieren, die Hoffnung aufgeben
fällen: abhauen, abschlagen, einschlagen, schlagen, umhauen *abscheiden, absondern, ausscheiden, sekretieren
Fallensteller: Trapper
fällig: zahlbar, zu zahlen *dran, an der Zeit, zu erwarten, an der Reihe, der Nächste
falls: angenommen, bedingt, bedingungsweise, demgemäß, hypothetisch, insofern, vorbehaltlich
falsch: fehlerhaft, grundfalsch, grundverkehrt, inkorrekt, irrig, irrtümlich, regelwidrig, schief, sinnwidrig, unhaltbar, unkorrekt, unlogisch, unrecht, unrichtig, unzutreffend, verfehlt, verkehrt, widersinnig, widersprüchlich, widerspruchs-

voll, nicht richtig *gefälscht, imitiert, künstlich, nachgebildet, nachgemacht, unecht *arglistig, entstellt, erfunden, erlogen, heuchlerisch, hinterlistig, lügnerisch, scheinheilig, tückisch, unaufrichtig, unehrlich, unlauter, unredlich, unwahr, verlogen, verstellt, den Tatsachen nicht entsprechend, der Wahrheit nicht entsprechend *ärgerlich *dissonant, misstönend, ungenau, unpräzise, unrein, unsauber ***falsch machen:** verkehrt machen

fälschen: falsifizieren, nachmachen, verfälschen

Falschgeld: Blüte

Falschheit: Heuchelei, Unaufrichtigkeit

Falschmeldung: Ente, Zeitungsente

Fälschung: Betrug, Falsifikat, Kopie, Nachahmung, Nachbildung, Nachmachung, Plagiat, Raubkopie

falsifizieren: fälschen, verfälschen, kopieren, nachahmen, nachbilden, nachmachen, plagiieren

Falte: Bruch, Eselsohr, Falz, Knick, Kniff, Knitter *Furche, Krähenfuß, Runzel

falten: brechen, fälbeln, fälteln, falzen, kniffen, knicken, plissieren, umbiegen, umknicken, umschlagen, zusammenlegen, einen Knick machen, in Falten legen

faltenlos: eben, glatt, gleichmäßig, poliert *anliegend, passend, wie angegossen

faltig: durchfurcht, faltenreich, furchig, gefurcht, gekerbt, hutzelig, knittrig, kraus, runzlig, runzelig, schlaff, verhutzelt, verrunzelt, welk, zerfurcht, zerklüftet, zerknautscht, zerknittert, zerschründet, nicht glatt

Falz: Bruch, Eselsohr, Falte, Knick, Kniff, Knitter

Fama: Flüsterpropaganda, Gerede, Gerücht, Ondit

familiär: gemütlich, heimelig, intim, vertraulich *aufgelockert, burschikos, formlos, frei, gelöst, informell, lässig, leger, nachlässig, natürlich, nonchalant, offen, salopp, unbefangen, unförmlich, ungehemmt, ungeniert, ungezwungen, unverkrampft, unzeremoniell, zwanglos, in lässiger Haltung

Familie: Anhang, Familienkreis, Sippe, Sippschaft, Verwandtschaft *Großfamilie, Kleinfamilie, Patchworkfamilie *Geschlecht, Haus, Stamm

Familienname: Beiname, Nachname, Personenname, Zuname

Familienoberhaupt: Familienvater, Familienvorstand, Haushaltsvorstand, Hausherr, Vater

Familienplanung: Empfängnisverhütung, Geburtenkontrolle, Geburtenregelung, Kontrazeption

Fan: Anhänger, Freund, Gefolgsmann, Getreuer, Schwärmer, Sympathisant

Fanatiker: Anhänger, Eiferer, Glaubenseiferer, Schwärmer, Sektierer, Zelot

fanatisch: blindgläubig, blindwütig, hitzig, unbekehrbar, unbelehrbar, verbissen, verbohrt, vernagelt, verrannt

fanatisieren: anstacheln, anstiften, aufhetzen, aufputschen, aufreizen, aufstacheln, aufwiegeln, hetzen, hintertreiben, schüren, verhetzen

Fanfare: Alarmzeichen, Meldezeichen, Signal, Trompetenstoß

Fanatismus: Glaubenseifer, Verbissenheit, Verbohrtheit, Verranntheit

Fang: Fischfang *Beute, Diebesbeute, Diebesgut, Eroberung, Raub, Raubgut, heiße Ware *gute Partie

Fangeisen: Eisen, Falle, Fußangel, Tellereisen

Fangnetz: Fanggarn, Netz

fangen: auffangen, aufschnappen, einfangen, greifen, haschen *abfangen, aufgreifen, einbringen, einfangen, ergreifen, ertappen, erwischen, fassen, ködern, nehmen, packen, schnappen, stellen, dingfest machen *überlisten, übertölpeln, in die Falle locken, in einen Hinterhalt locken *eine Ohrfeige bekommen, eine abkriegen ***s. fangen:** s. beruhigen, die Fassung wiedergewinnen, wieder ins Gleichgewicht kommen, zu sich kommen

Fangschiff: Fangboot, Fangdampfer, Kutter, Trawler

Fantasie: Einbildungskraft, Einbildungsvermögen, Eingebung, Erfindungsgabe, Imagination, Inspiration

fantasieren: daherreden, Geschichten erzählen *improvisieren, aus dem Stegreif spielen

Farbe: Anstrich, Bemalung, Couleur, Färbung, Kolorit, Nuance, Schattierung, Schimmer, Ton, Tönung *Färbemittel, Farbstoff *Geheimzeichen, Sinnbild, Symbol, Wahrzeichen, Zeichen
farbecht: indanthren, kochfest, lichtbeständig, lichtecht, waschfest, wetterfest
färben: anmalen, anstreichen, bemalen, einfärben, kolorieren, tönen, die Farbe verändern, farbig machen, mit Farbe versehen, Farbe geben *abfärben, Farbe lassen *blondieren, aufhellen ***s. färben:** s. herausputzen, s. schminken, s. schön machen *s. verändern, eine andere Farbe annehmen
farbenprächtig: bunt, farbenfreudig, farbenfroh, farbenreich, farbig, grell, kräftig, lebhaft, leuchtend, mehrfarbig, poppig, satt, scheckig, schillernd, vielfarbig, in Farbe
Farbfilm: Buntfilm, Colorfilm, Film in Farbe
Farbgebung: Farbengebung, Kolorit
farbig: bunt, farbenfreudig, farbenfroh, farbenprächtig, farbenreich, grell, kräftig, lebhaft, leuchtend, mehrfarbig, poppig, satt, scheckig, schillernd, vielfarbig, in Farbe *aufschlussreich, fesselnd, interessant, spannend
Farbiger: Afrikaner, Afroamerikaner, Exot, Exote, Neger
farblos: eindruckslos, einförmig, einschläfernd, ermüdend, fade, gleichförmig, langweilig, monoton, öde, reizlos, stumpfsinnig, trist, trocken, trostlos, uninteressant, wirkungslos *blass, naturfarben, unbemalt, ungefärbt, ohne Farbe *ausdruckslos, blass, einfach, grau, nichts sagend, schlicht, unauffällig, unscheinbar
Farbstift: Buntstift, Malstift
Färbung: Farbe, Farbton, Ton, Tönung *Einschlag, Schattierung, Tendenz
Farce: Karikatur, Posse, Täuschung, Verhöhnung *Fülle, Füllsel
Farm: Agrarbetrieb, Hazienda, Ranch, Spezialbetrieb
Farmer: Bauer, Pflanzer, Rancher, Siedler
Fasching: Faschingszeit, Fasenacht, Fastnacht, Fastnachtszeit, Karneval, die drei tollen Tage, die närrische Zeit
Faschingsball: Faschingsveranstaltung, Kappenabend, Kostümball, Kostümfest, Maskenball, Maskenfest, Maskerade, Mummenschanz
Faschingsumzug: Faschingszug, Fastnachtszug, Fastnachtsumzug, Karnevalszug, Karnevalsumzug
Faselei: Banalität, Blabla, Demagogie, Gebabbel, Gedöns, Gedröhn, Gedröhne, Gefasel, Gelaber, Geplapper, Geplätscher, Gequassel, Gequatsche, Geschnatter, Geschwafel, Geschwätz, Gewäsch, Gickgack, Kakelei, Palaver, Phrase, Phrasendrescherei, Plapperei, Quasselei, Quatscherei, Rederei, Schleim, Schmonzes, Schmus, Schnickschnack, Schwabbelei, Schwätzerei, Sermon, Unsinn, Wischiwaschi, Wischwasch, Wortaufwand, leeres Stroh
faseln: schwafeln, schwatzen, spinnen
Faser: Fädchen, Faden, Fäserchen, Fiber, Fussel, Haar *Einzelfaser, Fibrille
faserig: borstig, filzig, pelzig, wollig *fibrös
fasern: fusseln, haaren
Fass: Bottich, Holzgefäß, Metallgefäß, Tonne
Fassade: Angesicht, Antlitz, Augen, Gesicht, Miene, Visage *Front, Hauptansicht, Stirnseite, Straßenseite, Vorderansicht, Vorderfront, Vorderseite, Vorderteil, vordere Ansicht
fassbar: begreiflich, durchschaubar, durchsichtig, einfach, eingängig, einsichtig, fasslich, greifbar, unkompliziert, verständlich, verstehbar, zugänglich, auf der Hand liegend
fassen: aufgreifen, ergreifen, ergreifen, ertappen, erwischen, fangen, greifen, nehmen, packen, stellen, dingfest machen, habhaft werden *beschließen, vorhaben, s. vornehmen *aufnehmen, hineingehen, hineinpassen *beinhalten, enthalten *aufnehmen, begreifen, kapieren, verstehen ***s. fassen:** s. beherrschen, s. beruhigen, s. erholen, s. fangen, s. zusammennehmen, die Fassung wiedergewinnen, wieder ins Gleichgewicht kommen, zu sich kommen *s. gedulden
Fasson: Bauweise, Design, Form, For-

mung, Gestalt, Kontur, Machart, Styling, Zuschnitt, das Äußere *Daseinsform, Daseinsweise, Leben, Lebensform *Art, Form, Machart, Muster, Passform, Schnitt *Aufschlag, Besatz, Revers, Spiegel

Fassung: Einfassung, Rahmen, Umfassung, Umrahmung, Umrandung *Auflage, Ausführung, Ausgabe, Bearbeitung, Darstellung, Formulierung, Gestaltung, Text *Auffassung, Deutung, Erklärung, Interpretation, Lesart, Version *Abgeklärtheit, Bedacht, Bedachtsamkeit, Besonnenheit, Gefasstheit, Gelassenheit, Gleichgewicht, Gleichmut, Kontenance, Ruhe, Selbstbeherrschung, Umsicht, innere Haltung

fassungslos: bestürzt, betreten, betroffen, entgeistert, entsetzt, erschrocken, erstaunt, perplex, platt, sprachlos, starr, überrascht, verblüfft, verdattert, versteinert, verstört, verwirrt, verwundert, wortlos

Fassungslosigkeit: Befremden, Bestürzung, Betretenheit, Betroffenheit, Entsetzen, Erschrockenheit, Erstaunen, Sprachlosigkeit, Überraschung, Verblüffung, Verwirrung, Verwunderung

fast: beinahe, halb, kaum, knapp, nahezu, gerade noch, nicht viel, um ein Kleines …

fasten: abmagern, abnehmen, darben, hungern, s. kasteien, nichts essen, Diät halten

Fasten: Hunger, Magenknurren *Fastenzeit, Frühjahrskur, Hungertag, Hungerwoche, Ramadan, Schlankheitskur *Abzehrung, Unterernährung, Unterversorgung *Aushungerung, Hungerstreik, Verweigerung der Nahrungsaufnahme

Fastnachtsnarr: Fastnachter, Fastnachtsgeck, Jeck

Faszination: Behexung, Bestrickung, Bezauberung, das Geblendetsein, Verhexung, Verzauberung

faszinieren: behexen, bezaubern, blenden, einnehmen, verhexen, verzaubern

fasziniert: bezaubert, eingenommen, geblendet, verhext, verzaubert

fatal: peinlich, unangenehm, verhängnisvoll

fauchen: schimpfen *zischeln, zischen *atmen, blasen, keuchen, prusten, pusten, schnauben, schnaufen, schnieben, schniefen

faul: alt, faulig, moderig, morsch, schlecht, ungenießbar, verdorben, verfault, verkommen, vermodert, verrottet, verwest, nicht mehr gut, nicht mehr frisch *arbeitsscheu, bequem, faulenzerisch, inaktiv, müßig, passiv, phlegmatisch, stinkfaul, träge, untätig *bedenklich, illegal, ungesetzlich, unkorrekt, unsauber, unzuverlässig, nicht einwandfrei ***faul sein:** faulenzen, nicht fleißig sein, nicht arbeitsam sein, nicht(s) tun, nicht(s) arbeiten

faulen: durchfaulen, modern, rotten, schimmeln, verderben, verfaulen, vermodern, verrotten, verwesen, in Fäulnis übergehen

faulenzen: bummeln, s. die Zeit vertreiben, krankfeiern, die Daumen drehen, keinen Finger rühren, die Hände in den Schoß legen, die Zeit totschlagen, nicht(s) tun, nicht(s) arbeiten, untätig sein, faul sein, müßig sein, arbeitsscheu sein

Faulenzer: Bummelant, Bummler, Daumendreher, Drückeberger, Faulpelz, Flaneur, Müßiggänger, Nichtstuer, Phlegmatiker, Schmarotzer, Tagedieb, Taugenichts, fauler Strick

Faulenzerdasein: Drohnendasein, Drohnenleben, Faulenzerei, Faulenzerleben

Faulheit: Arbeitsscheu, Bequemlichkeit, Faulenzerei, Müßiggang, Müßigkeit, Passivität, Phlegma, Trägheit, Untätigkeit

faulig: aasig, faul, muffig, stinkig

Fäulnis: Fäule, Moder, Verwesung, Zerfall

Faun: Blaubart, Casanova, Lebemann *Pan, Waldgeist, Waldgott

Fauna: Tierleben, Tierreich, Tierwelt

Fausthandschuh: Fäustel, Fäustling

Faustrecht: Selbsthilfe, Selbstjustiz

favorisieren: begünstigen, bevorzugen, vorziehen, den Vorrang geben, den Vorzug geben, lieber mögen, lieber haben

Favorit: Spitzensportler, wahrscheinlicher Sieger *Günstling, Liebling

Fax: Fernkopie, Fernkopierer, Telefax

faxen: fernkopieren, ein Fax schicken, ein Telefax schicken, Daten übermitteln
Fazit: Bilanz, Endergebnis, Quintessenz, Resultat, Resümee
fechten: s. schlagen, die Klingen kreuzen *aneinandergeraten, kämpfen, s. messen (mit), säbeln, schießen, s. schlagen, streiten, Blut vergießen, die Schwerter kreuzen, Krieg führen, Kugeln wechseln, einen Kampf führen *betteln, bitten
Fechter: Sportler *Bettler, Bittsteller *Eiferer, Fanatiker
Fechthieb: Finte, Parade, Riposte
Feder: Daune, Gänsefeder, Vogelfeder *Schreibfeder, Zeichenfeder
Federbett: Bett, Deckbett, Federdeckbett, Oberbett, Zudecke
Federbrett: Federsprungbrett, Sprungbrett, Trampolin
Federbusch: Federstutz, Helmbusch, Panasch
federleicht: gewichtslos, leicht, ohne Gewicht
federn: schwingen, zurückfedern *polstern *abfedern, mit Federung versehen
Federvieh: Geflügel, Hausgeflügel
Fee: Drude, Elfe, Meeresjungfrau, Melusine, Nixe, Seejungfrau, Sirene, Undine, Waldgeist, Wasserjungfrau
feenhaft: bezaubernd, elfenhaft, himmlisch, märchenhaft, phantastisch, traumhaft, überirdisch, zauberhaft
Fegefeuer: Purgatorium, Vorhölle
fegen: kehren, reinigen, säubern *eilen, hasten, rennen, spurten, stürmen
Fehde: Auseinandersetzung, Feindschaft, Feindseligkeit, Gefecht, Hader, Händel, Kampf, Konflikt, Konfrontation, Kontroverse, Reiberei, Streit, Unfriede, Zank, Zerwürfnis, Zwist
fehl: abgeschmackt, deplatziert, geschmacklos, peinlich, taktlos, unangebracht, unerwünscht, unpassend, unwillkommen, fehl am Platze, nicht angebracht
Fehlbetrag: Differenz, Differenzbetrag, Ausfall, Defizit, Einbuße, Fehl, Manko, Minus, Unterbilanz, Unterschuss, Verlust
fehlen: abgehen, benötigen, brauchen, ermangeln, hapern, mangeln, vermissen, knapp sein, nicht genug haben *ausfallen, fernbleiben, s. fernhalten, wegbleiben, abwesend sein, fern sein, fort sein, abgängig sein, ausgeblieben sein, absent sein, nicht da sein, nicht zugegen sein, nicht anwesend sein, nicht teilnehmen, vermisst werden, durch Abwesenheit glänzen *entbehren, Sehnsucht haben *freveln, sündigen, Böses tun, gegen ein Gebot verstoßen, schuldig werden, ungehorsam sein *danebengehen, danebenschießen, danebentreffen, fehlschießen, verfehlen, vorbeischießen, nicht treffen
fehlend: absent, abwesend, anderswo, anderwärts, anderweitig, fort, sonst wo, weg, woanders, nicht anwesend *mangelnd, nicht vorhanden, nicht da
Fehler: Fehlgriff, Fehlleistung, Fehlschluss, Inkorrektheit, Irrtum, Lapsus, Missgriff, Unrichtigkeit, Unstimmigkeit, Verrechnung, Versehen *Defekt, Gebrechen, Laster, Makel, Mangel, Nachteil, Schwäche, Unzulänglichkeit, schwache Stelle, wunder Punkt *Dummheit, Fehltritt, Kapitalfehler, Patzer, Schnitzer, Schuld, Übertretung, Verfehlung, Vergehen, Verstoß, Zuwiderhandlung *Entgleisung, Fauxpas, Taktlosigkeit, Ungeschick
fehlerfrei: astrein, einwandfrei, fehlerlos, genau, ideal, integer, komplett, korrekt, lupenrein, makellos, meisterhaft, mustergültig, perfekt, recht, richtig, tadellos, untadelig, vollendet, vollkommen, vorbildlich, vorzüglich, zutreffend, in Ordnung, ohne Fehl, ohne Fehler *brav, ordentlich, tugendhaft
fehlerhaft: beschädigt, billig, defekt, halbwertig, mangelhaft, minderwertig, miserabel, schadhaft, schlecht, ungenügend, unvollkommen, unzulänglich, zweitklassig, den Anforderungen nicht entsprechend, nicht einwandfrei, voller Fehler
fehlgebären: abortieren, abtreiben
Fehlgeburt: Abort, Abortion, Abtreibung, Frühgeburt, Missgeburt
fehlgehen: irregehen, s. verirren, s. verlaufen, das Ziel verfehlen, die Orientierung verlieren, einen falschen Weg einschlagen, vom Weg abkommen *danebengrei-

fen, danebenhauen, danebenschießen, s. einer Illusion hingeben, fehlplanen, fehlschießen, fehlschlagen, hereinfallen, s. im Irrtum befinden, s. irren, missverstehen, s. täuschen, s. vergaloppieren, s. verkalkulieren, s. verrechnen, s. versehen, die Rechnung ohne den Wirt machen, auf dem Holzweg sein, Illusionen haben, auf den Holzweg geraten, aufs falsche Pferd setzen, im Irrtum sein

Fehlgriff: Dummheit, Fehler, Missgriff, Patzer, Schnitzer

fehlplanen: fehldisponieren, s. irren, s. verrechnen, auf Sand bauen

Fehlschlag: Fehlpass, Fehlschuss *Abfuhr, Bankrott, Debakel, Durchfall, Enttäuschung, Fiasko, Katastrophe, Misserfolg, Misslingen, Niederlage, Niete, Pech, Rückschlag, Ruin, Schiffbruch, Versagen, Zusammenbruch

fehlsichtig: augenkrank

Fehlsichtigkeit: Augenfehler, Augenschwäche, schlechte Augen, verdorbene Augen

Fehltritt: Entgleisung, Fauxpas, Fehler, Missgriff, Schnitzer, Ungeschick, Vergehen, Versehen

Fehlurteil: Fehlentscheidung, Justizirrtum, Rechtsirrtum, Rechtsirrung

Feier: Feierlichkeit, Feierstunde, Festakt, Festsitzung, Festveranstaltung, Festversammlung, Gedenkfeier, Gedenkstunde *Ehrung, Huldigung, Lobpreis, Lobpreisung, Würdigung *Belustigung, Cocktailparty, Empfang, Fest, Festivität, Festlichkeit, Fete, Freudenfeier, Freudenfest, Geselligkeit, Hausball, Lustbarkeit, Party, Veranstaltung, Vergnügen, Vergnügung

Feierabend: Arbeitsruhe, Arbeitsschluss, Büroschluss, Dienstschluss, Geschäftsschluss *Freizeit

feierlich: andächtig, erhaben, erhebend, ernst, festlich, galamäßig, gehoben, getragen, glanzvoll, gravitätisch, majestätisch, pathetisch, solenn, stimmungsvoll, weihevoll, würdevoll, würdig, zeremoniell, in aller Form

Feierlichkeit: Solennität, Weihe, Würde *Feier, Feierstunde, Festakt, Festsitzung, Festveranstaltung, Festversammlung, Gedenkfeier, Gedenkstunde

feiern: zelebrieren, festlich begehen *abgehen, bejubeln, benötigen, brauchen, ehren, ermangeln, glorifizieren, hapern, hochhalten, loben, lobpreisen, mangeln, preisen, rühmen, verherrlichen, vermissen, Beifall spenden *s. amüsieren, s. belustigen, poltern, s. vergnügen, ein Fest geben, eine Gesellschaft geben, eine Feier veranstalten

Feiertag: Festtag, Ruhetag

feige: angstbebend, angsterfüllt, ängstlich, angstschlotternd, angstverzerrt, angstvoll, argwöhnisch, aufgeregt, bang, bänglich, befangen, beklommen, besorgt, betroffen, feigherzig, gehemmt, hasenherzig, kleinmütig, memmenhaft, mutlos, scheu, schreckhaft, schüchtern, verängstigt, verschreckt, verschüchtert, zag, zaghaft, zähneklappernd

Feigheit: Ängstlichkeit, Bangigkeit, Furchtsamkeit, Hasenherzigkeit, Kleinmut, Kleinmütigkeit, Memmenhaftigkeit, Mutlosigkeit, Schwachherzigkeit, Unmännlichkeit, Waschlappigkeit, Zaghaftigkeit

Feigling: Angsthase, Angstpeter, Drückeberger, Duckmäuser, Hase, Hasenfuß, Hasenherz, Jämmerling, Kneifer, Memme, Schwächling, Weichling

feilschen: abhandeln, handeln (um), herunterhandeln, markten, schachern

fein: duftig, dünn, durchscheinend, durchsichtig, grazil, hauchfein, hauchzart, subtil, weich, zart, zerbrechlich, zierlich, wie aus Porzellan *empfindlich *akkurat, exakt, genau, präzise, scharf, treffend *appetitlich, aromatisch, delikat, edel, erlesen, exquisit, köstlich, kulinarisch, lecker, pikant, qualitätsvoll, erste Wahl *chic, elegant, nobel, vornehm *empfindlich, genau *heiter, klar, schön, sommerlich, sonnig, warm *artig, aufmerksam, galant, höflich, kultiviert, manierlich, pflichtschuldigst, ritterlich, rücksichtsvoll, taktvoll, vornehm, zuvorkommend *dünn, engmaschig *abgestimmt, angenehm, appetitlich, aromatisch, blumig, delikat, deliziös, himmlisch, knusprig, köstlich, kräftig, lecker, lieblich, mundend, pikant, schmackhaft, schmeckbar, vollmundig, wohl schmeckend, würzig, gut abgeschmeckt *ästhetisch, feinsinnig, kunstempfänglich, kunstsinnig, musisch *s. **fein machen:** s. schminken, s. schmücken, s. schön machen

Feind: Antipode, Erbfeind, Erzfeind, Gegenpart, Gegenspieler, Gegner, Konkurrent, Kontrahent, Rivale, Todfeind, Widersacher *Landesfeind, Staatsfeind

feindlich: gegnerisch *abgeneigt, böswillig, entzweit, feind, feindselig, gehässig, gereizt, gram, hasserfüllt, spinnefeind, übel wollend, überworfen, unfreundlich, unversöhnlich, verfehdet, verfeindet, verstimmt, zerstritten

Feindschaft: Animosität, Auseinandersetzung, Fehde, Feindseligkeit, Gefecht, Gegnerschaft, Hader, Händel, Hass, Kampf, Konflikt, Konfrontation, Kontroverse, Reiberei, Streit, Unfriede, Zank, Zerwürfnis, Zwist

feindselig: abgeneigt, böswillig, entzweit, feind, gehässig, gereizt, gram, hasserfüllt, spinnefeind, überworfen, unfreundlich, unversöhnlich, verfehdet, verfeindet, verstimmt, zerstritten

feinfühlig: einfühlsam, empfindlich, empfindsam, feinnervig, feinsinnig, hellhörig, mimosenhaft, sensibel, sensitiv, verletzbar, verletzlich, zart besaitet, zart fühlend

Feinfühligkeit: Einfühlungsvermögen, Empfindsamkeit, Sensibilität, Zartgefühl

Feingefühl: Anstand, Fingerspitzengefühl, Taktgefühl

Feinheit: Anmut, Erlesenheit, Exklusivität, Finesse, Kostbarkeit, Qualität, Raffinement, Raffinesse, Subtilität, Zartheit, das Feine *Distinktion, Erhabenheit, Noblesse, Vornehmheit *Differenziertheit, Einzelheit, Nuance, Unterschied, Verfeinerung

Feinschmecker: Genießer, Gourmand, Gourmet, Kenner, Kulinarier, Leckermaul, Lukullus

feinschmeckerisch: kulinarisch, lukullisch

feinsinnig: ästhetisch, fein, kunstempfänglich, kunstsinnig, musisch *beseelt, dünnhäutig, einfühlsam, empfindsam, feinfühlend, feinfühlig, gefühlsbetont, gefühlsselig, gefühlstief, gefühlvoll, gemüthaft, gemütvoll, innerlich, mimosenhaft, romantisch, rührselig, schmalzig, schwärmerisch, seelenvoll, sensibel, sensitiv, sinnenhaft, tränenselig, überempfindlich, überspannt, verinnerlicht, verletzlich, weich, weichlich, zart, zart fühlend, zart besaitet

feist: aufgedunsen, beleibt, dick, fett, füllig, korpulent, üppig

Feist: Schmalz, Schmer, Speck

Feld: Acker, Flur *Platz, Rasen, Spielfeld, Spielfläche, Spielplatz, Sportplatz *Bereich, Bezirk, Gebiet, Gefilde, Raum, Region, Reich, Revier, Sektor, Sphäre *Feuerlinie, Front, Gefechtslinie, Hauptkampflinie, Kampflinie, Kampfplatz, Kampfzone, Kriegsschauplatz, Schlachtfeld

Feldküche: Fahrküche, Gulaschkanone

Feldmark: Feldflur, Flur, Gemarkung

Feldrain: Ackergrenze, Feldrand, Rain

Feldzeichen: Banner, Fahne, Flagge, Standarte, Wimpel

Feldzug: Heereszug, Kampagne, Kriegszug

Fell: Balg, Decke, Haardecke, Haarkleid, Haut, Pelz, Schwarte

Fels: Felsblock, Felsen, Felsenkegel *Gestein

felsenfest: fest, standhaft, unerschütterlich

Felsklippe: Klippe, Riff, Schroffe, Schroffen

feminin: frauenhaft, fraulich, weibisch, weiblich *empfindlich, empfindsam, mimosenhaft, unmännlich, verweichlicht, verzärtelt, wehleidig, weibisch, weich, weichlich, zimperlich

Feministin: Amazone, Emanze, Frauenkämpferin, Frauenrechtlerin, Suffragette

Femme fatale: Vamp, Verführerin

Fenster: Fensterhöhle, Fensterloch, Fensterluke, Fensteröffnung, Guckfenster, Guckloch, Luke *Fensterscheibe *Bullauge, Schiffsfenster

Fensterbrett: Fensterbank, Fensterbord, Fenstersims, Sims, Sohlbank

Fensterladen: Jalousette, Jalousie, Laden, Markise, Rollladen

Fensterscheibe: Glas, Scheibe

Ferien: Erholungszeit, Ferienpause, Pause, Reisezeit, Urlaub *Schulferien, Semesterferien
fern: abgelegen, abgeschieden, abseits, draußen, entfernt, entlegen, fernab, fern liegend, fremd, unbekannt, unerreichbar, unzugänglich, weit, weitab, in der Ferne, weit davon *gewesen, überlebt, vergangen, vorbei, aus verflossenen Tagen, aus früheren Tagen, der Vergangenheit angehörig ***fern halten:** abhalten, abschirmen, abschrecken, abwehren, aufhalten, schützen (vor), zurückhalten, den Zugang verhindern, den Zugang versperren, Halt gebieten, nicht herankommen lassen, in die Nähe lassen, nicht zulassen ***s. fern halten:** s. ausschließen *fernbleiben ***fern liegen:** nicht abzielen (auf), s. nicht einfallen lassen, nicht einfallen, nicht erwägen, nicht bezwecken, nicht vorhaben, nicht planen, nicht beabsichtigen, nicht wollen, nicht zu tun gedenken, nicht in Frage kommen, nicht auf die Idee kommen, nicht auf den Gedanken kommen, nicht mit dem Gedanken spielen ***fern stehen:** jmdm. fremd sein, jmdm. nicht vertraut sein, zu jmdm. ohne Beziehung sein, zu jmdm. keine Beziehung haben ***fern stehend:** fremd, nicht vertraut
fernbedienen: fernlenken, fernsteuern
fernbleiben: fehlen, s. fern halten, wegbleiben, abwesend sein, fern sein, fort sein, absent sein, abgängig sein, ausgeblieben sein, nicht teilnehmen, nicht dabei sein, nicht mittun, nicht mitwirken, nicht mitmachen, nicht mitspielen, vermisst werden, vom Halse bleiben, nicht zu nahe kommen
Fernbleiben: Absenz, Abwesenheit
Ferne: Abstand, Distanz, Entfernung, Weite *Gestern, Vergangenheit *Folgezeit, Zukunft, das Nachher, das Kommende, das Morgen, das nächste Jahr, die spätere Zeit, die bevorstehende Zeit, die kommende Zeit, die herannahende Zeit *Ausland, Übersee, Welt, die weite Welt
ferner: alsdann, ansonsten, auch, außerdem, daneben, dazu, ebenfalls, obendrein, sonst, überdies, und, weiterhin, zudem, zusätzlich, darüber hinaus, zum anderen
Ferngespräch: Fernruf, Telefonat
Fernglas: Feldstecher, Fernrohr, Fernstecher, Glas, Opernglas, Prismenfeldstecher, Prismenfernrohr, Prismenglas *Teleskop
fernmündlich: telefonisch, per Telefon, über Telefon
Fernsehapparat: Empfänger, Empfangsgerät, Fernsehempfänger, Fernseher, Fernsehgerät, Flimmerkiste, Mattscheibe
fernsehen: in die Röhre gucken, eine Sendung empfangen
Fernsprechamt: Amt, Vermittlung, Vermittlungsamt, Telefonzentrale
Fernsprecher: Apparat, Draht, Fernsprechapparat, Handy, Strippe, Telefon, Mobiltelefon
Fernsprechverzeichnis: Fernsprechbuch, Teilnehmerverzeichnis, Telefonbuch
Fernverkehr: Schienenverkehr, Seeverkehr, Straßenverkehr, Transitverkehr
Fernverkehrsstraße: Autobahn, Bundesstraße, Fernstraße, Überlandstraße
Fernweh: Reisefieber, Reiselust, Wanderlust, Wandertrieb
fertig: aus sein, geschafft, getan, zu Ende, zum Abschluss gelangt, zum Abschluss gekommen *abgeschlossen, ausgeführt, beendet, erledigt, fertig gestellt, vollendet *beziehbar, bezugsfertig, komplett *bereit, startbereit, abfahrbereit, abmarschbereit, disponibel, gerichtet, gerüstet, gespornt, gestiefelt, reisefertig, soweit, verfügbar, vorbereitet, in Bereitschaft *angerichtet, gar, gekocht, tischfertig *abgehetzt, abgekämpft, abgeschlafft, abgespannt, abgewirtschaftet, angegriffen, angeschlagen, atemlos, aufgerieben, ausgelaugt, durchgedreht, entkräftet, entnervt, erholungsbedürftig, erledigt, ermattet, erschlagen, erschöpft, gerädert, geschafft, groggy, halb tot, kaputt, kraftlos, matt, mitgenommen, müde, schachmatt, schlaff, schlapp, schwach, überanstrengt, überfordert, überlastet, urlaubsreif, verbraucht, zerschlagen, k.o., am Ende ***fertig bringen:** arrangieren, ausrichten, bewerkstelligen, bewirken, ermöglichen, erreichen, erzielen, können, managen, realisieren, vermögen, zustande bringen,

in die Tat umsetzen, geschickt anstellen, in die Wege leiten *__fertig machen:__ bereiten, bereitmachen, reparieren, richten, vorbereiten, zurechtmachen *ableisten, abschließen, abwickeln, aufarbeiten, beenden, beendigen, erledigen, fertig stellen, leisten, verrichten, vollenden, vollstrecken, letzte Hand anlegen, zu Ende führen, zustande bringen *schimpfen, ausschimpfen, angreifen, attackieren, herabsetzen, herunterputzen, rügen, tadeln, zurechtweisen *mobben, terrorisieren *erledigen, ruinieren, Bankrott richten *besiegen *aushöhlen, erlahmen, ermatten, ermüden, erschlaffen, erschöpfen, schwächen, müde werden, kraftlos werden, schwach werden, matt werden

Fertigkeit: Fähigkeit, Fingerfertigkeit, Geschick, Geschicklichkeit, Gewandtheit, Kunstfertigkeit, Wendigkeit *Erfahrung, Praxis, Routine, Technik, Übung

fesch: elegant, flott, schick, schneidig

Fessel: Band, Bindung, Festlegung, Freundschaft, Kameradschaft, Verpflichtung, freundschaftliche Beziehung, freundschaftliche Verbundenheit *Bande, Eisen, Fußfessel *Handfessel, Handschelle, Manschette, Strick *Zwangsanzug, Zwangsjacke *Drohung, Druck, Einengung, Gewalt, Kette, Knechtschaft, Muss, Nötigung, Pression, Sklaverei, Unfreiheit, Vergewaltigung, Zwang

fessellos: frei, ohne Fesseln, ohne Ketten

fesseln: anbinden, anketten, festbinden, knebeln, an Händen binden, an Füßen binden, Fesseln anlegen, Ketten anlegen *bannen, mitreißen, Spannung erregen, Interesse erregen, Aufmerksamkeit erregen

fesselnd: amüsant, anziehend, interessant, spannend, unterhaltsam

fest: dick, eisern, erstarrt, hart, stählern, starr, steif, steinern, trocken *aufrecht, beharrlich, hartnäckig, sicher, standhaft, unbeugsam, unbeweglich, unnachgiebig, unverrückbar, willensstark *bruchfest, haltbar, kompakt, massiv, solide, stabil, strapazierfähig, unverwüstlich, unzerbrechlich, widerstandsfähig *beständig, bindend, bleibend, dauerhaft, dauernd, feststehend, langlebig, sicher, stetig, unauflöslich, unerschütterlich, unlösbar, untrennbar, unverbrüchlich, unzerstörbar, verbindlich, zuverlässig, für immer, von Bestand, von Dauer *abgemacht, abgeschlossen, unterzeichnet, verbindlich, vereinbart *__fest gelegt:__ gebunden, konservativ *nicht verfügbar *__festgesetzt:__ anberaumt, angesetzt, bestimmt, disponiert, einberufen, vereinbart, vorgesehen *__fest stehen:__ stehen, nicht wanken, nicht schwanken

Fest: Belustigung, Cocktailparty, Empfang, Feier, Festivität, Festlichkeit, Fete, Freudenfeier, Freudenfest, Geselligkeit, Hausball, Lustbarkeit, Party, Veranstaltung, Vergnügen, Vergnügung

Festakt: Feier, Feierstunde, Festveranstaltung

Festball: Ball, Ballabend, Ballfest

festbinden: anbinden, anschnallen, befestigen, festmachen, festzurren, verknüpfen, vertäuen, zurren, zusammenbinden, zuschnüren *anketten, fesseln, an Händen binden, an Füßen binden, Fesseln anlegen, Ketten anlegen

festbleiben: ausdauern, aushalten, ausharren, beharren, s. behaupten, bestehen (auf), dranbleiben, durchhalten, s. durchsetzen, s. hingeben, s. nicht abbringen lassen, nicht ablassen (von), s. nicht beirren lassen, standhalten, s. widersetzen, widerstehen, s. widmen, dabeibleiben, beständig sein, beharrlich sein, einer Sache treu bleiben, auf dem Posten bleiben, hart bleiben, nicht weichen, nicht wanken, nicht nachlassen, nicht nachgeben, nicht aufgeben, unbeirrt fortführen, bei der Stange bleiben

Feste: Befestigung, Burg *Feierlichkeiten, Veranstaltungen

Festessen: Bankett, Diner, Ehrenmahl, Essen, Festbankett, Festgelage, Festmahl, Festschmaus, Freudenmahl, Galadiner, Gastmahl, Gelage, Tafel

festfahren: erlahmen, festlaufen, festliegen, festsitzen, stecken bleiben, stocken, auf der Strecke bleiben, in eine Sackgasse geraten *stagnieren *nicht wissen, weder ein noch aus wissen

festhalten: einfangen, festbannen, fixieren, konservieren, registrieren *beharren (auf), bestehen (auf), dringen (auf), fordern, nachgeben, pochen (auf), verlangen, nicht wanken, nicht ablassen, standhaft sein *nicht aus den Fingern lassen *aufführen, buchen, eintragen, erfassen, registrieren, verzeichnen *festlegen *aufhalten, zurückhalten ***s. festhalten:** s. anhalten, s. anhängen, s. anklammern, s. festklammern, s. festkrallen, s. klammern (an)

Festgesang: Hymne

festigen: abstützen, ausbauen, befestigen, erhärten, erstarken, fundieren, konsolidieren, kräftigen, sichern, stabilisieren, stärken, stützen, untermauern, verankern, verdichten, vertiefen, zementieren

Festigkeit: Dichte, Existenz, Haltbarkeit, Härte, Stabilität, Widerstandsfähigkeit, Zähigkeit *Beständigkeit, Entschlossenheit, Geradlinigkeit, Hartnäckigkeit, Verbissenheit, Zielstrebigkeit, Zuverlässigkeit

Festigung: Ausbau, Befestigung, Konsolidierung, Kräftigung, Sicherung, Stabilisierung, Stärkung, Stützung, Verankerung, Verdichtung, Vertiefung, Zementierung

Festival: Fest, Festlichkeit, Festspiele, Festveranstaltung

festklammern: anheften, anklammern, befestigen, beiheften ***s. festklammern:** s. festhalten

festkleben: anhaften, festsitzen, haften, halten, kleben bleiben, fest sein *anbringen, ankleben, anleimen, anmachen, aufkleben, befestigen

festkrallen: s. ankrallen, s. einkrallen

Festland: Kontinent

festlegen: festnageln, nötigen, beim Wort nehmen *abstecken, anberaumen, bestimmen, disponieren, einberufen, festsetzen, fixieren, verankern, vorsehen *anlegen, investieren, reinstecken, gewinnbringend verwenden *abmachen, abreden, absprechen, abstimmen, beschließen, bestimmen, entscheiden ***s. festlegen:** s. binden, s. engagieren, s. verpflichten, eine Bindung eingehen, eine Verpflichtung auf sich nehmen, fest versprechen, verbindlich zusagen, ganz fest zusagen, Farbe bekennen

festlich: andächtig, erhaben, feierlich, galamäßig, gehoben, getragen, glanzvoll, gravitätisch, majestätisch, pathetisch, solenn, stimmungsvoll, weihevoll, würdevoll, zeremoniell

Festlichkeit: Belustigung, Cocktailparty, Empfang, Feier, Fest, Festivität, Fete, Freudenfeier, Freudenfest, Geselligkeit, Hausball, Lustbarkeit, Party, Veranstaltung, Vergnügen, Vergnügung

festliegen: festgefahren, festlaufen, festsitzen, stecken geblieben, auf Grund gelaufen *feststehen, außer Zweifel stehen, endgültig sein, gewiss sein, festgesetzt sein, abgemacht sein, fixiert sein, verbindlich sein, abgesprochen sein, verabredet sein, anberaumt sein, keinem Zweifel unterliegen

festliegend: bestimmt, fest *nicht frei verfügbar

festmachen: ankern, anlegen, vor Anker gehen *anbinden, anbringen, ankleben, anmachen, anmontieren, annageln, anschlagen, anschrauben, anstecken, aufhängen, befestigen, fixieren, verankern *abmachen, absprechen, aushandeln, festlegen, festsetzen, vereinbaren, versprechen

Festmahl: Bankett, Dinner, Festtafel, Galadinner

Festnahme: Arretierung, Ergreifung, Gefangennahme, Inhaftierung, Inhaftnahme, Verhaftung

festnehmen: abführen, abholen, arretieren, einsperren, ergreifen, erwischen, fangen, fassen, festhalten, festsetzen, gefangen nehmen, gefangen setzen, inhaftieren, internieren, verhaften, dingfest machen, unschädlich machen, in Verwahrung nehmen, in Haft nehmen, in Gewahrsam nehmen, ins Gefängnis stecken

Festplatte: Festspeicher, Speicher

festsaugen (s.): s. ansaugen, haften, kleben

festschnallen: anbinden, anschnallen, anschnüren, anseilen, befestigen, festbinden

festschrauben: anschrauben, anziehen, hineinschrauben

festsetzen: anberaumen, bestimmen, disponieren, einberufen, fixieren, vorsehen *abmachen, abreden, absprechen, abstimmen, beschließen, bestimmen, entscheiden *abführen, abholen, arretieren, einsperren, ergreifen, erwischen, fangen, fassen, festhalten, festnehmen, gefangen nehmen, gefangen setzen, inhaftieren, internieren, verhaften, dingfest machen, unschädlich machen, in Verwahrung nehmen, in Haft nehmen, in Gewahrsam nehmen, ins Gefängnis stecken

Festspiele: Festival, Festtage, Festwoche

feststehen: festliegen, sicher sein, gewiss sein, außer Zweifel stehen, keinem Zweifel unterliegen

feststehend: gewiss, sicher, stabil, standhaft *beständig, bindend, bleibend, dauerhaft, dauernd, fest, langlebig, sicher, stetig, unauflöslich, unerschütterlich, unlösbar, untrennbar, unverbrüchlich, unzerstörbar, verbindlich, zuverlässig, für immer, von Bestand, von Dauer *wirklich

feststellen: diagnostizieren, erkennen, konstatieren, registrieren, sehen, eine Feststellung machen, eine Erfahrung machen *artikulieren, s. ausbreiten, ausdrücken, äußern, s. auslassen, aussprechen, behaupten, bekannt geben, bekannt machen, bemerken, berichten, darstellen, erklären, formulieren, informieren, klarstellen, kundmachen, kundtun, meinen, reden, sagen, sprechen, unterrichten, vorbringen, vortragen, zuraten, zutragen, von sich geben, Stellung nehmen, (weit) ausholen *ergründen, herausfinden

Feststellung: Erkenntnis, Erkennung, Konstatierung, Registrierung *Artikulierung, Äußerung, Aussprache, Behauptung, Bekanntgabe, Bekanntmachung, Bemerkung, Bericht, Darstellung, Erklärung, Formulierung, Information, Klarstellung, Meinung, Preisgabe, Rede, Stellungnahme, Unterrichtung, Vortrag *Aufklärung, Erhebung, Erkundung, Ermittlung, Kundschaft, Nachfrage, Sondierung

Festtag: Ehrentag, Feiertag, Fest

festtreten: antreten, feststampfen, festtrampeln, stampfen

Festung: Befestigung, Burg, Festungsbau, Festungsbollwerk, Festungswerk, Fort, Fortifikation, Kastell, Zitadelle

festziehen: anziehen, festschrauben, nachziehen

Festzug: Aufmarsch, Aufzug, Parade, Prozession

Fetisch: Amulett, Anhänger, Glücksbringer, Maskottchen, Talismanen, Totem, Zaubermittel

fett: fruchtbar, gehaltvoll, kräftig, reich, üppig *einträglich, ergiebig, ertragreich, fruchtbar, lohnend, lukrativ, profitabel, profitbringend *dick, feist, fleischig, füllig, korpulent, massig, umfangreich, üppig, voll, wohl genährt *fetthaltig, fettig, fetttriefend, ölig, schmalzig, schmierig, tranig

Fett: Fettdepot, Fettgewebe, Fettmasse, Fettpolster, Polster *Feist, Fettgewebe *Schmalz, Schmer, Speck

fettarm: fettfrei, fettlos, gesundheitsbewusst, kalorienarm, mager

Fettauge: Auge, Fetttropfen

fetten: abschmieren, einfetten, ölen, schmieren *einsalben, eincremen, einfetten, einreiben, ölen, salben

fettig: fetthaltig, fetttriefend, ölig, schmalzig, schmierig, tranig *dreckig, schmierig, schmutzig, unansehnlich

fettreich: belastend, kalorienreich, dick machend, reich an Fett

Fettwanst: Brocken, Bulle, Dickerchen, Fass, Kloß, Koloss, Kugel, Mops, Pummel, Tonne

Fetus: Embryo, Fötus, Leibesfrucht

Fetzen: Schnippel, Schnipsel, Stück

feucht: dumpf, humid, klamm, nass, nässlich *begossen, benetzt, beträufelt, bewässert *regnerisch, tröpfelnd, verregnet *angelaufen, beschlagen, überzogen *schweißig, schweißtriefend, verschwitzt

feuchten: anfeuchten, durchfeuchten

feuchtfröhlich: fidel, heiter, lustig

Feuchtigkeit: Humidität, Nass, Nässe

feudal: luxuriös, prassend, strotzend, überladen, üppig, verschwenderisch *distinguiert, erlaucht, fein, fürstlich, herrschaftlich, kultiviert, nobel, prachtvoll, prunkvoll, vornehm *adelig, aristokratisch, edelmännisch, höfisch, junkerlich, ritterlich

Feudalismus: Adelsherrschaft, Feudalherrschaft, Feudalordnung, Feudalsystem, Feudalwesen
Feudel: Putztuch, Scheuerlappen, Scheuertuch, Wischlappen
Feuer: Brand, Feuergarbe, Feuermeer, Feuersbrunst, Feuersglut, Feuersturm, Flamme, Flammengezüngel, Flammenmeer, Funkengarbe *Begeisterung, Leidenschaft *Beschießung, Beschuss, Bombardement, Bombardierung, Granatfeuer, Kanonade *Blinkfeuer, Leuchtfeuer *Glanz, Licht, Schimmer
Feueralarm: Alarm, Feuermeldung, Warnruf, Warnung
Feuerbekämpfung: Brandbekämpfung, Feuerschutz
feuerfest: feuerbeständig, feuersicher, unbrennbar, unverbrennbar
Feuerfestigkeit: Feuerbeständigkeit, Feuersicherheit, Unbrennbarkeit
feuergefährlich: brennbar, entflammbar, entzündbar, entzündlich
Feuergefährlichkeit: Brennbarkeit, Entflammbarkeit, Entzündbarkeit, Entzündlichkeit
Feuerlöscher: Feuerlöschgerät
Feuerlöschzug: Feuerwehr, Feuerwehrauto
Feuermelder: Feuerglocke, Rauchmelder
feuern: beschießen, böllern, knallen, schießen, einen Schuss abgeben, einen Schuss abfeuern, Schüsse abgeben, Schüsse abfeuern, einen Schuss auslösen, Feuer geben *werfen *anfeuern, befeuern, beheizen, einfeuern, einheizen, einkacheln, heizen, Feuer machen *entlassen
Feuersbrunst: Brand, Feuer, Feuersnot, Riesenbrand, Schadenfeuer
Feuerschein: Feuerbrand, Feuersäule
Feuerschutz: Brandschutz, Brandschutzmaßnahme
Feuerstoß: Feuergarbe, Garbe
Feuerwehrauto: Löschfahrzeug, Löschzug
Feuerwehrmann: Brandmeister, Feuerwehrhauptmann
Feuilleton: Kulturteil, Unterhaltungsteil *Aufsatz, Bericht, Essay
feurig: glühend, leuchtend, strahlend *aufbrausend, besessen, beweglich, blutvoll, dynamisch, flammend, getrieben, glühend, heftig, heiß, heißblütig, impulsiv, lebendig, lebhaft, leidenschaftlich, mobil, quecksilbrig, schwungvoll, stürmisch, temperamentvoll, unruhig, vif, vital, vulkanisch, wild, mit Feuer
Fiasko: Bankrott, Fehlschlag, Katastrophe, Misserfolg, Misslingen, Niederlage, Pech, Pleite, Reinfall, Rückschlag, Versagen, Zusammenbruch
Fibel: ABC-Buch, Lesebuch *Brosche, Spange
fidel: aufgeheitert, aufgekratzt, aufgelegt, aufgeschlossen, aufgeweckt, ausgelassen, feuchtfröhlich, freudestrahlend, freudig, frisch, froh, frohsinnig, frohgemut, frohgestimmt, fröhlich, gut gelaunt, heiter, lebensfroh, lebenslustig, lustig, munter, schelmisch, sonnig, strahlend, übermütig, überschäumend, übersprudelnd, vergnüglich, vergnügt, wohlgemut, heiteren Sinnes *aufgeweckt, aufnahmebereit, interessiert, offen
Fieber: erhöhte Temperatur *Affekt, Aufwallung, Ekstase, Enthusiasmus, Erregung, Glut, Hochstimmung, Leidenschaft, Passion, Rausch, Taumel, Überschwang
fieberfrei: normale Temperatur habend, ohne Fieber sein
fieberhaft: febril, fieberkrank, fiebrig *erwartungsvoll, gespannt, nervös, unruhig, zitternd *angespannt, aufgeregt, ehrgeizig, eifrig, eilfertig, emsig, geschäftig, hastig, krampfhaft, ungeduldig, Hals über Kopf, in rasender Eile *aufgeregt
fiebrig: erkältet, febril, fieberhaft, erhöhte Temperatur habend, Fieber habend
Fierant: Marktbudenbesitzer
fighten: boxen, kämpfen
Fighter: Boxer, Faustkämpfer, Kämpfer
Figur: Erscheinung, Erscheinungsbild, Gestalt, Gestell, Körper, Körperbau, Körperform, Statur, Wuchs *Bildwerk, Büste, Denkmal, Plastik, Skulptur, Statue, Torso *Charge, Hauptrolle, Nebenrolle, Partie, Person, Rolle, Statistenrolle *Geschöpf, Gesicht, Gestalt, Individuum, Jemand, Kopf, Lebewesen, Mensch, Person, Persönlichkeit, Subjekt, Wesen *Ausdruck,

Formulierung, Redefigur, Redensart, Redeweise, Redewendung, Wendung *Eindruck, Wirkung
Fiktion: Annahme, Unterstellung *Entdeckung, Entwurf, Erdichtung, Erfindung, Gedanken, Idee, Vorstellung, schöpferischer Einfall
fiktiv: angenommen, erdichtet, gedacht, gedachtermaßen, gedanklich, ideell, imaginär, vorgestellt
Filiale: Außenstelle, Nebengeschäft, Nebenstelle, Tochterfirma, Zweiggeschäft, Zweigniederlassung, Zweigstelle
Film: Filmstreifen, Filmwerk, Streifen *Filmband, Filmmaterial, Filmrolle, Zelluloid
Filmkamera: Filmapparat, Kamera
Filou: Schlauberger, Schlaukopf, Schlaumeier *Bauernfänger, Betrüger, Gauner, Geschäftemacher, Krimineller, Preller, Scharlatan, Schieber, Schwindler, Spitzbube
Filter: Filterpapier, Filtertuch, Filtrierpapier, Papierfilter *Metallfilter, Seiher, Sieb
filtern: durchsieben, filtrieren, klären, kolieren, seihen
Filtration: Filterung, Filtrierung
filzig: berechnend, geizig, geldgierig, gewinnsüchtig, gnietschig, habsüchtig, kleinlich, knauserig, knickerig, knorzig, profitsüchtig, raffgierig, schäbig, übertrieben sparsam *borstig, faserig, pelzig, wollig
Finale: Abbruch, Abschluss, Ausgang, Ausklang, Beendigung, Beschluss, Ende, Endpunkt, Kehraus, Neige, Schluss, Schlusspunkt, Schlussakt, Schlussstück, Schlussteil, Torschluss *Endkampf, Endspiel *Ende, Schlusssatz, Schlussstück
Finalität: Zielgerichtetheit, Zielstrebigkeit, Zweckbestimmtheit
Finanzen: Bargeld, Flöhe, Geld, Geldmittel, Heu, Kies, Kleingeld, Kohlen, Koks, Kröten, Mäuse, Mittel, Moneten, Moos, Münzen, Papiergeld, Pulver, Reichtum, Taschengeld, Vermögen, Zaster, Zunder, Zwirn *Etat, Finanzlage, Vermögensverhältnisse *Budget, Etat, Haushalt, Haushaltsplan, Rechenschaftsbericht, Staatshaushalt, Voranschlag
finanziell: geldlich, geldmäßig, wirtschaftlich
finanzieren: aufkommen (für), bestreiten, bezahlen, die Kosten tragen
finden: antreffen, auffinden, aufspüren, aufstöbern, ausmachen, entdecken, erblicken, erkennen, ermitteln, feststellen, gewahren, herausbekommen, herausfinden, orten, sehen, sichten, stoßen (auf), vorfinden, ans Licht bringen, auf die Spur kommen, ausfindig machen, zutage bringen, zutage fördern *denken, glauben, meinen *auffinden, aufgabeln, auflesen, aufsammeln, entdecken, einen Fund machen, in die Hände fallen ***s. finden:** zusammenfinden, zusammenkommen, ein Paar werden *s. gegenübersehen *s. ergeben, s. erweisen, s. herausstellen *aufkreuzen, auftauchen, s. zeigen, an die Oberfläche kommen, zum Vorschein kommen *auftreten, existieren, vorkommen, in Erscheinung treten, vorhanden sein ***gut finden:** gefallen, mögen ***schlecht finden:** ablehnen, missfallen
findig: abgefeimt, ausgefuchst, ausgekocht, bauernschlau, clever, diplomatisch, durchtrieben, gerissen, geschäftstüchtig, geschickt, gewieft, gewitzt, listig, pfiffig, raffiniert, schlau, taktisch, verschlagen, verschmitzt
Findigkeit: Erfindergeist, Erfindungsgabe, Erfindungskraft, Gedankenreichtum, Ingeniosität, Ingenium, Phantasie *Bauernschläue, Cleverness, Geschäftstüchtigkeit, Mutterwitz, Raffiniertheit, Schläue, Schlauheit, Taktik, Verschlagenheit, Verschmitztheit
Findling: Findelkind *Findlingsblock, Findlingsstein, erratischer Block
Finesse: Kniff, Kunstgriff, Trick *Feinheit, Raffinesse, Spitzfindigkeit *Geschick, Schlauheit *das Letzte, das Feinste, das Beste, das Neueste, technische Besonderheit, technische Neuheit
fingerfertig: anstellig, beweglich, gelenkig, geschickt, gewandt, handfertig, kunstfertig, praktisch, wendig
Fingerfertigkeit: Beweglichkeit, Elastizität, Fertigkeit, Flinkheit, Gelenkigkeit, Gewandtheit, Schnellfüßigkeit, Schnelligkeit, Wendigkeit

Fingerring: Fingerreif, Reif, Ring
Fingerspitzengefühl: Anstand, Einfühlungsvermögen, Empfindsamkeit, Feingefühl, Sentimentalität, Takt, Zartgefühl
Fingerzeig: Andeutung, Hinweis
fingieren: heucheln, markieren, mimen, simulieren, unterstellen, vorgaukeln, vorgeben, vormachen, vorschützen, vorspiegeln, vortäuschen, vorzaubern, so tun als ob
Finish: Endkampf, Endrunde, Endspiel, Finale, Schlusskampf, Schlussrunde, letzte Runde
finster: dunkel, düster, schummrig, schwarz, stockdunkel *halbseiden, nebulös, obskur, ominös, rätselhaft, suspekt, undurchsichtig, unheilvoll, unheimlich, vage, zweideutig, zweifelhaft, nicht geheuer *missgestimmt, missmutig, mürrisch, übel gelaunt, unfreundlich, unleidlich, unwirsch, verdrießlich, verdrossen, verstimmt *dunkel, gedämpft, lichtlos *negativ, schlecht *ominös, schwarz, ungesund, Unheil bringend, Unheil drohend, unheilschwanger, unheilvoll, Schlimmes verheißend, voller Gefahr, voller Unheil, von schlimmer Vorbedeutung *unklar
Finsternis: Dunkel, Dunkelheit, Düsternis, Finsterkeit, Nacht, Schwärze
Finte: Ausflucht, Ausrede *Scheinangriff, Täuschungsmanöver
Firlefanz: Unsinn *Alberei, Albernheit, Getue, Kinderei, Narretei, Quatsch *Flitter, Talmi, Tand
firm: ausgebildet, beschlagen, fest, gebildet, gewandt, sicher, unschlagbar
Firma: Betrieb, Fabrik, Fabrikationsstätte, Geschäft, Gewerbebetrieb, Ich-AG, Manufaktur, Werk, Werkstätte
Firmament: Himmel, Himmelsgewölbe, Himmelskugel, Horizont, Sternenhimmel, Weltall
Firn: Gletscher, Schnee
First: Dach, Dachstuhl, Giebel, Zinne
fischen: angeln, auf Fischfang gehen, die Netze auswerfen
Fischer: Angler, Fischersämann, Seemann
Fischerei: Fischereiindustrie, Fischfang
Fischereischiff: Fangschiff, Fischdampfer, Fischerboot, Fischkutter, Fischverarbeitungsschiff, Hochseekutter, Trawler, Walfangschiff
Fischnetz: Falle, Fischreuse, Netz, Reuse
Fischteich: Becken, Dorfteich, Fischweiher, Teich, Tümpel, Weiher
Fischwasser: Fanggebiet, Fanggründe, Fangplatz, Fischgründe, Fischplatz
Fiskus: Finanzamt, Finanzbehörde, Staat, Staatskasse
fit: frisch, gesund, kräftig, rüstig *leistungsfähig, qualifiziert, topfit, trainiert, vorbereitet, s. wohl fühlend, in Form, in guter körperlicher Verfassung, Kondition habend
Fitnesstraining: Bodybuilding, Körperausbildung, Körpertraining, Muskeltraining
fix: feststehend, gleich bleibend *eilig, flink, flott, schnell, zügig, wie ein Blitz, wie ein Pfeil, wie der Wind *agil, behände, elastisch, gewandt, leichtfüßig, rasch, wendig
fixieren: anstarren, anstieren *festhalten, festlegen *anbringen, befestigen, festmachen *festigen, härten, haltbar machen
fixiert: aufgeschrieben, aufgezeichnet, festgelegt, notiert, protokolliert, vermerkt *angebracht, angemacht, befestigt, festgemacht
Fixierung: Befestigung, Festigung, das Fixieren
Fixum: Festbezüge, Festgehalt, Grundgehalt, festes Gehalt, etwas Festes, festes Einkommen
Fjord: Bai, Becken, Bucht, Meeresarm
flach: ausgedehnt, ausgestreckt, breit gedrückt, eben, gerade, glatt, plan, platt, waagrecht *abgedroschen, abgeschmackt, banal, fad, fade, geistlos, gewöhnlich, inhaltsleer, nichts sagend, oberflächlich, phrasenhaft, schal, trivial, unbedeutend, vordergründig, ohne Gehalt *fußhoch, klein, niedrig, seicht, untief, von geringer Höhe
Fläche: Areal, Bodenfläche, Ebene, Flachland, Gelände, Plateau, Platte, Plattform, Tafel, Terrain
flächenhaft: ausgedehnt, breit, eben, platt
Flachküste: Sandküste

Flachland: Ausdehnung, Ebene, Fläche, Niederung, Plateau, Platte, Tafel, Tafelland, Tiefebene, Tiefland, Unterland, das flache Land
flackern: brennen, flacken, zucken, züngeln
Fladen: Hefekuchen, Kuchen *Dreck, Kot, Kuhfladen, Schmutz, Unrat
Flader: Holzader, Jahresring, Maser
Flagge: Banner, Fahne
Flaggelant: Geißelbruder, Geißler
flaggen: aufheißen, aufhissen, aushängen, heißen, hissen, Flaggenzeichen geben *schmücken, verzieren
flagrant: brennend, offenbar, offenkundig, ins Auge springend, ins Auge fallend
Flair: Atmosphäre, Ausstrahlung, Fluidum, Klima, Stimmung *Gespür, Instinkt, Spürsinn, Witterung, feine Nase
Flamme: Brand, Feuerflamme, Feuergarbe, Feuersäule, Feuerzunge, Flammensäule, Lohe *Auserwählte, Beischläferin, Bekannte, Einzige, Erklärte, Freundin, Geliebte, Gspusi, Hausfreundin, Herzallerliebste, Herzensdame, Herzensfreundin, Holde, Liebschaft, Liebste, Puppe, Schatz
flammen: brennen, flackern, glühen, leuchten, lodern, lohen
flammend: lichterloh, lodernd, lohend *aufbrausend, besessen, beweglich, blutvoll, dynamisch, feurig, getrieben, glühend, heftig, heiß, heißblütig, impulsiv, lebendig, lebhaft, leidenschaftlich, mobil, quecksilbrig, schwungvoll, stürmisch, temperamentvoll, unruhig, vif, vital, vulkanisch, wild, mit Feuer
flanieren: bummeln, s. ergehen, lustwandeln, promenieren, schlendern, spazieren gehen, umhergehen, umherschlendern, umherstreifen, wandeln, einen Spaziergang machen, einen Bummel machen
Flanke: Abgabe, Abspiel, Pass, Schuss, Vorlage, Zuspiel *Weiche *Flügel, Seite, Seitenfläche, Seitenteil *Dünnung *Sprung, Stützsprung
flanken: abgeben, abspielen, passen, vorlegen, zuspielen *überqueren, überspringen, eine Flanke machen
flankieren: begleiten *umrahmen, umsäumen, zu beiden Seiten stehen
flankierend: begleitend, zusätzlich
Flasche: Behälter, Behältnis, Buddel, Pulle *Nichtskönner, Versager *Flakon, Riechfläschchen
flatterhaft: launenhaft, leichtfertig, leichtlebig, schwankend, sprunghaft, unberechenbar, unbeständig, unsolide, unstet, unzuverlässig, veränderlich, wandelbar, wankelmütig, wechselhaft, wechselnd, wetterwendisch
flattern: beben, erbeben, erzittern, schlottern, schnattern, vibrieren, zittern *fliegen, gleiten, schweben, schwingen, schwirren, segeln, durch die Luft schießen *baumeln, fliegen, wedeln, wehen
flau: kraftlos, matt, mau, schlaff, schlapp, schlecht, schwach, schwächlich, unpässlich, unwohl, weichlich, leicht übel *schal *eindruckslos, einförmig, einschläfernd, ermüdend, fade, gleichförmig, langweilig, monoton, öde, reizlos, stumpfsinnig, trist, trocken, trostlos, uninteressant, wirkungslos *kontrastarm, schwach
Flaum: Daune, Eiderdaune, Feder, Flaumfeder *Bärtchen
flaumig: flaumweich, flauschig, weich
Flausen: Blödsinn, Meinung, Unsinn, dumme Gedanken *Ausflüchte, Ausreden, Lüge
Flaute: Kalme, Windstille *Baisse, Bärenzeit, Depression, Konjunkturniedergang, Konjunkturrückgang, Krise, Rezession, Tiefstand
Fleck: Dreckfleck, Flecken, Kleckser, Klecks, Schmutzfleck, Spritzer *Makel, Schandfleck, Schandmal *Flecken, Flicken, Flicklappen, Stoffstück, Stoffstückchen *Gegend, Ort
fleckenlos: blitzblank, blitzsauber, geputzt, gereinigt, gesäubert, hygienisch, proper, rein, reinlich, sauber
fleckig: befleckt, beschmutzt, dreckig, schmutzig, speckig, unsauber *gescheckt, bunt gescheckt, bunt gefleckt, buntscheckig, gefleckt, scheckig
Flegel: Frechdachs, Grobian, Lackel, Lümmel, Rabauke, Rowdy, Rüpel, Schnösel, Stoffel
Flegelei: Flegelhaftigkeit, Pöbelei, Rüpelei, Rüpelhaftigkeit, Unart, Ungezogenheit

flegelhaft: derb, frech, lümmelhaft, plump, pöbelhaft, rüde, rüpelig, ruppig, schnöselig, stoffelig, unerzogen, ungebührlich, ungehobelt, ungezogen, unhöflich, unmanierlich, unreif, ohne Benehmen
Fleischeslust: Lüsternheit, Sinnlichkeit
Fleischkloß: Bulette, Frikadelle, Klops
Fleiß: Anspannung, Beflissenheit, Bereitschaft, Bereitwilligkeit, Bestreben, Betriebsamkeit, Dienstwilligkeit, Ehrgeiz, Eifer, Ergebenheit, Gefälligkeit, Mühe, Regsamkeit, Rührigkeit, Streben, Tatendrang, Tatenlust *Arbeitsamkeit, Arbeitseifer, Arbeitsfreude, Arbeitslust, Emsigkeit, Hingabe, Initiative, Schaffensfreude, Schaffenslust, Strebsamkeit, Tätigkeitsdrang
fleißig: aktiv, arbeitsam, arbeitsfreudig, arbeitswillig, beflissen, bemüht, bestrebt, betriebsam, dabei, diensteifrig, dienstfertig, eifrig, emsig, erpicht, geschäftig, pflichtbewusst, produktiv, rastlos, rührig, schaffensfreudig, strebsam, tätig, tatkräftig, tüchtig, unermüdlich, unverdrossen, versessen
flektieren: beugen, deklinieren, konjugieren
flektiert: dekliniert, gebeugt, konjugiert
flexibel: behände, gewandt, leichtfüßig *beweglich, biegsam, dehnbar, elastisch, federnd, gelenkig, geschmeidig, schmiegsam, weich, wendig *anpassungsfähig, aufnahmefähig, beeinflussbar, empfänglich, formbar, offen, undogmatisch *beugbar, deklinabel, deklinierbar, veränderbar, veränderlich
Flexibilität: Anpassungsfähigkeit, Beeinflussbarkeit, Biegsamkeit, Formbarkeit
flicken: ausbessern, ausflicken, stopfen, zusammennähen
Flickflack: Handstandüberschlag, Überschlag rückwärts
Flickwerk: Ausschuss, Fehler, Halbheit, Pfuschwerk, Stümperei
Fliege: Brummer, Mücke
fliegen: flattern, gleiten, schweben, schwingen, schwirren, segeln, durch die Luft schießen *mit dem Flugzeug reisen *eilen, hetzen, jagen, sausen, spurten *gehen, entlassen werden, hinausgeworfen werden, hinausgeschmissen werden, seinen Hut nehmen, den Abschied nehmen, gekündigt werden *explodieren
fliehen: s. absetzen, ausbrechen, ausbüxen, auskneifen, davonlaufen, durchbrennen, durchgehen, entfliehen, entkommen, entlaufen, entrinnen, entwischen, flüchten, türmen, verschwinden, wegschleichen, s. aus dem Staub machen, das Weite suchen, die Flucht ergreifen, Reißaus nehmen, lange Beine machen, die Fersen zeigen *desertieren, türmen, abtrünnig werden, fahnenflüchtig werden, seinen Posten verlassen, die Kurve kratzen *ausweichen, einen Bogen machen (um), meiden, scheuen, umgehen, aus dem Wege gehen
fließen: ausfließen, auslaufen, herausquellen, herausrinnen, herausschießen, heraussprudeln, herausströmen, heraustropfen *s. ergießen, fluten, laufen, plätschern, quellen, rieseln, rinnen, sickern, sprudeln, spülen, strömen, wallen, wogen
fließend: offen, unbestimmt, ineinander übergehend, ohne feste Abgrenzung, ohne Übergang *fehlerlos, flüssig, geläufig, mühelos, perfekt, sicher, tadellos, ununterbrochen, zügig, in einem Zuge, ohne Schwierigkeiten, ohne Stocken, schnell und stetig *flüssig, ohne stecken zu bleiben, ohne zu stocken, ohne Unterbrechung
flink: blitzartig, eilends, eilig, fix, flott, flugs, geschwind, schnell, schnellstens, im Nu, im Flug *agil, behände, fix, flexibel, gewandt, leichtfüßig, rasch, schnellfüßig, wendig, leichten Fußes *alsbald, augenblicklich, augenblicks, direkt, flugs, geradewegs, gleich, momentan, postwendend, prompt, schleunigst, schnellstens, schnurstracks, sofort, sogleich, spornstreichs, stracks, umgehend, ungesäumt, unmittelbar, unverweilt, unverzüglich, auf Anhieb, auf der Stelle, im Augenblick, eilenden Fußes, ohne Verzögerung, ohne Verzug, ohne Aufschub, ohne Aufenthalt, im Nu, im Handumdrehen, auf einen Ruck, lieber heute als morgen
Flinkheit: Behändigkeit, Schnelligkeit *Beweglichkeit, Elastizität, Fertigkeit,

Fingerfertigkeit, Gelenkigkeit, Gewandtheit, Schnellfüßigkeit, Schnelligkeit, Wendigkeit
Flirt: Anmache, Geschäker, Getändel, Koketterie, Liebelei, Schäkerei, Spiel, Spielerei, Tändelei, Techtelmechtel
flirten: anbändeln, balzen, girren, gurren, kokettieren, liebäugeln, plänkeln, poussieren, schäkern, schöntun, tändeln, turteln
Flitterwochen: Hochzeitsurlaub, Hochzeitsreise, Honeymoon, Honigmonat, Honigmond, Honigwochen
flitzen: eilen, hasten, jagen, laufen, preschen, rasen, rennen, sprinten, spurten, schnell laufen, schnell fahren
Flora: Pflanzenreich, Pflanzenwelt, Vegetation
florieren: blühen, s. entfalten, s. entwickeln, erstarken, gedeihen, prosperieren, vorankommen, vorwärts kommen, einen Aufschwung erleben, Fortschritte machen, in Schwung sein, in Blüte stehen
flott: eilig, fix, flugs, geschwind, schnell *adrett, alert, elegant, fesch, gefällig, hübsch, kess, kleidsam, schick *aufgeweckt, beweglich, geschickt, rasant, schmissig, schneidig, schwungvoll *ausschweifend, flatterhaft, lebenslustig, leichtblütig, leichtlebig, leichtsinnig, sorglos, unsolide ***flottmachen:** fahrbereit machen *in Betrieb setzen, in Gang setzen, in Schwung bringen, leistungsfähig machen
Flotte: Armada, Handelsflotte, Kriegsflotte, Marine, Seemacht, Seestreitkräfte
flottieren: schwanken, schweben, schwimmen
Fluch: Drohwort, Fluchwort, Gotteslästerung, Kraftwort, Lästerung, Schmähung, Verdammung, Verfemung, Verwünschung *Heimsuchung, Unheil, Unsegen, Verderben, Verhängnis, schlechter Stern *Gottesstrafe, Verdammnis
fluchen: verwünschen *schimpfen, Flüche ausstoßen, Verwünschungen ausstoßen
Flucht: Ausbruch, Entkommen *Acht, Bann
fluchtartig: augenblicklich, blitzartig, eilends, eilig, geschwind, hastig, prompt, schleunigst, sofort, überstürzt, ungesäumt, unverzüglich, auf der Stelle, Hals über Kopf, im Nu, in großer Eile, in Windeseile
Fluchtburg: Fliehburg, Kirchenburg, Wehrkirche
flüchten: s. absetzen, ausbrechen, davonlaufen, durchbrennen, durchgehen, entfliehen, entkommen, entlaufen, entrinnen, entwischen, fliehen, türmen, verschwinden, wegschleichen, das Weite suchen, Reißaus nehmen *desertieren, türmen, abtrünnig werden, fahnenflüchtig werden, seinen Posten verlassen *ausweichen, meiden, scheuen, umgehen, einen Bogen machen (um), aus dem Wege gehen
flüchtig: ausgebrochen, entflohen, entlaufen, entwichen, fliehend, verschwunden *begrenzt, endlich, kurzfristig, kurzlebig, passager, vergänglich, vorübergehend, zeitweilig, von kurzer Dauer *kurz, oberflächlich *unkonzentriert *ätherartig, ätherisch *lässig, leichthin, liederlich, nachlässig, oberflächlich, pflichtvergessen, schlampig, übereilt, ungenau, unordentlich, nicht gründlich, nicht sorgfältig, nicht gewissenhaft
Flüchtling: Ausbrecher, Ausreißer, der Flüchtige *Asylant, Heimatvertriebener, Vertriebener
Flug: Einfall, Gedankenflug, Geistesflug, Genialität, Höhenflug, Schwung *Flugreise, Luftreise *Vogelflug, Wanderung, Zug
Flügel: Fittich, Schwinge *Tragfläche *Klavier, Klimperkasten, Piano, Pianoforte *Flanke, Seite, Seitenfläche, Seitenteil
Fluggast: Flugreisender, Luftpassagier, Passagier
flügge: flugfähig, reif *erwachsen, reif, selbständig
Flugkörper: Flugobjekt *Rakete, Weltraumflugzeug *UFO, unbekanntes Flugobjekt, fliegende Untertasse
Flugplatz: Fliegerhorst, Flugfeld, Flughafen, Landeplatz, Lufthafen
Flugschrift: Flugblatt, Handzettel, Pamphlet, Schmähschrift, Streitschrift

Flugwesen: Fliegerei, Flugsport, Luftfahrt
Flugzeug: Billigflieger, Düsenflugzeug, Flieger, Jet, Kiste, Luftfahrzeug, Maschine, Passagierflugzeug, Passagiermaschine *Jagdflugzeug, Kampfflugzeug, Militärflugzeug
Flugzeugführer: Flieger, Flugkapitän, Pilot
Flugzeughalle: Flugzeugschuppen, Hangar
fluid: fließend, flüssig
Fluid: Flüssigkeit, flüssiges Mittel
Fluidität: Fließfähigkeit, Fließvermögen
Fluidum: Ausstrahlung, Flair, Wirkung
fluktuieren: schwanken, s. verändern, s. wandeln, wechseln, hin- und herfließen, ab- und zunehmen
fluoreszieren: aufleuchten, aufstrahlen, mitleuchten
Flur: Diele, Einfahrt, Eingang, Entree, Foyer, Gang, Halle, Hausflur, Hausgang, Korridor, Vorhalle, Vorzimmer *Feld, Feldmark *Bereich, Bezirk, Distrikt, Erdstrich, Gebiet, Gefilde, Gegend, Gelände, Landschaft, Landschaftsgebiet, Landstrich, Raum, Region, Revier, Terrain, Zone
Flurwächter: Feldhüter, Feldschütz, Feldwächter, Flurhüter, Flurschütz, Schütz
Fluse: Fädchen, Faser, Fussel, Wollfädchen, Wollfluse, Wollfussel
fluseln: fasern, fusseln, haaren
Fluss: Beweglichkeit, Bewegung, Fortbewegung, Gang, Gangart, Regung, Schritt, Schwung, Trab, Transport, Zug *Gewässer, Strom, Wasserader, Wasserlauf
Flussbett: Bett, Strombett
flüssig: aufgetaut, geschmolzen, verflüssigt, zerflossen *fließend, offen, unbestimmt, ineinander übergehend, ohne feste Abgrenzung, ohne Übergang *fehlerlos, fließend, geläufig, mühelos, perfekt, sicher, tadellos, ununterbrochen, zügig, in einem Zuge, ohne Schwierigkeiten, ohne Stocken, schnell und stetig *dickflüssig, dünnflüssig *fällig, liquid, liquide, verfügbar
flüstern: brummen, hauchen, murmeln, raunen, säuseln, tuscheln, wispern, zischeln, jmdm. etwas heimlich sagen, ins Ohr sagen, leise reden, mit gedämpfter Stimme sprechen, die Stimme senken
Flut: Hochflut, Hochwasser, Springflut, Sturmflut, Tide, ansteigendes Wasser, auflaufendes Wasser *Anhäufung, Menge, Schwall, Unmenge, Vielzahl, Wust
fluten: branden, s. ergießen, fließen, laufen, quellen, rinnen, strömen, wogen *eindringen, einfallen, hereinkommen
Föderation: Bundesstaat, Bündnis, Staatenbund, Verband
föderativ: bundesmäßig, bundesstaatlich
föderieren: s. verbünden, s. vereinigen, s. zusammenschließen, s. zusammentun
föderiert: verbündet, vereinigt, zusammengeschlossen
Föderierte: Verbündete, Verbündeter
Fohlen: Füllen, Jungpferd
Föhn: Fallwind *Haartrockner
föhnen: trocknen
Folge: Antwort, Auswirkung, Dank, Effekt, Endprodukt, Erfolg, Ergebnis, Fazit, Frucht, Konsequenz, Lohn, Nachspiel, Nachwehen, Nachwirkung, Rattenschwanz, Reichweite, Resultat, Strafe, Summe, Tragweite, Wirkung *Abfolge, Aneinanderreihung, Aufeinanderfolge, Fortsetzung, Hintereinander, Nacheinander, Ordnung, Reihe, Reihenfolge, Reihung, Sequenz, Serie, Turnus, Zyklus *Schwierigkeit, Verwicklung, Weiterung
folgen: s. anschließen, hinterdrein kommen, hinterhergehen, hinterherlaufen, hinterherziehen, mitgehen, nachfolgen, nachgehen, nachkommen, nachlaufen *nachkommen, später kommen *gehen (nach), s. halten (an), s. leiten lassen, s. richten (nach) *die Nachfolge antreten, ein Amt übernehmen *befolgen, gehorchen, hören (auf), spuren, Gefolgschaft leisten, gehorsam sein *s. anhören, s. konzentrieren, lauschen, verfolgen, zuhören, das Augenmerk richten (auf), Aufmerksamkeit schenken, Beachtung schenken, hellhörig sein, aufmerksam sein *zustimmen
folgend: darauf folgend, hinterher, kommend, künftig, nachfolgend, nächst, später, weiter, zukünftig *nachstehend, an späterer Stelle, weiter unter …

folgenreich: weit reichend, weittragend *akut, beachtlich, bedeutend, brennend, dringend, erforderlich, ernstlich, erwähnenswert, essenziell, geboten, gewichtig, inhaltsschwer, lebenswichtig, notwendig, obligat, relevant, schwer wiegend, signifikant, substanziell, substanzhaft, unausweichlich, unentbehrlich, unerlässlich, unumgänglich, unvermeidlich, vordringlich, wesentlich, wichtig, zwingend
folgenschwer: beängstigend, bedenklich, Besorgnis erregend, desolat, erschreckend, erschütternd, fatal, fürchterlich, gefährlich, katastrophal, schauderhaft, schicksalhaft, schlimm, tragisch, unglücklich, unglückselig, unheilvoll, unselig, verhängnisvoll
folgerichtig: durchdacht, folgerecht, konsequent, logisch, planmäßig, schlüssig, systematisch, unbeirrt, zielbewusst, zielstrebig
Folgerichtigkeit: Konsequenz, Logik
folgern: deduzieren, entwickeln, ersehen, induzieren, konkludieren, schließen, schlussfolgern, Schlüsse ziehen, Folgerungen ziehen, einen Schluss ziehen, eine Folgerung ziehen
Folgerung: Ableitung, Deduktion, Herleitung, Induktion, Konklusion, Schluss, Schlussfolge, Schlussfolgerung
folgewidrig: entgegengesetzt, gegensätzlich, gegenteilig, umgekehrt, ungleichartig, unlogisch, widersprechend, widersprüchlich
folglich: also, danach, demnach, demzufolge, ergo, infolgedessen, logischerweise, somit, sonach *dadurch, daher, daraufhin, darum, demgemäß, demzufolge, deshalb, deswegen, ebendaher, ebendarum, ebendeshalb, infolgedessen, insofern, mithin, so, somit, aus diesem Grunde, auf Grund dessen, aus dem einfachen Grund
folgsam: anständig, artig, brav, ergeben, gefügig, gefügsam, gehorsam, gutwillig, lenkbar, lieb, manierlich, willfährig, willig, wohl erzogen, zahm
Folgsamkeit: Fügsamkeit, Gefügigkeit, Gehorsam, Gehorsamkeit, Gutwilligkeit, Kadavergehorsam, Subordination, Unterordnung, Willfährigkeit, Wohlerzogenheit
Folie: Narrheit, Tollheit, Torheit, törichte Handlung *Hintergrund, Vergleichsmaßstab
Folter: Folterung, Marter, Misshandlung, Qual, Tortur
foltern: martern, misshandeln, quälen *neugierig machen, in Spannung versetzen
Fön: Fönapparat, Haartrockengerät, Haartrockner
Fond: Hinterbank, Hintersitz, Rücksitz *Background, Folie, Hintergrund, Rückseite, Rückwand, Tiefe *Fleischsaft, Sauce, Soße, Stippe, Tunke
Fonds: Anleihen, Geldbestand, Geldmittel, Geldvorrat
Fontäne: Springbrunnen
forcieren: beschleunigen, steigern, übertreiben, vorantreiben, auf die Spitze treiben
forciert: erzwungen, gezwungen, künstlich, unnatürlich
Förde: Bucht, Meeresbucht
förderlich: aufbauend, dienlich, effektiv, fruchtbar, gedeihlich, gut, hilfreich, konstruktiv, produktiv, programmatisch, sinnvoll, wirksam
fordern: ansinnen, s. ausbedingen, s. ausbitten, beanspruchen, begehren, beharren (auf), bestehen (auf), dringen (auf), heischen, pochen (auf), postulieren, verlangen, wollen, wünschen, den Anspruch erheben, geltend machen, zur Bedingung machen, eine Forderung anmelden *behelligen, brüskieren, herausfordern, provozieren, reizen, den Kampf ansagen, ins Gesicht werfen, ins Gesicht schleudern, den Fehdehandschuh hinwerfen, den Handschuh hinwerfen *verklagen ***s. fordern:** s. mühen, s. abmühen, s. plagen, s. abplagen, s. quälen, s. abquälen, s. abarbeiten, s. abrackern, s. abschleppen, anspannen, s. anstrengen, s. aufreiben, s. befleißen, s. befleißigen, s. bemühen, s. etwas abverlangen, s. Mühe geben, s. schinden
fördern: abbauen, ausbeuten, gewinnen *aufbauen, begünstigen, emporbringen, favorisieren, helfen, lancieren, prote-

gieren, unterstützen, vorwärts bringen, weiterhelfen, auf die Sprünge helfen, die Bahn ebnen, Förderung angedeihen lassen, eine Bresche schlagen, den Weg ebnen, in den Sattel heben

Forderung: Anforderung, Anrecht, Gewohnheitsrecht, Mindestforderung, Recht auf Anspruch *Anspruch, Bitte, Erhebung, Postulat, Verlangen, Wunsch *Anmaßung, Behelligung, Brüskierung, Herausforderung, Kränkung, Provokation, Reizung *Kostenrechnung, Liquidation, Rechnung

Förderung: Abbau, Gewinnung *Beistand, Fürsprache, Gönnerschaft, Hilfe, Protektion, Unterstützung

Form: Bauweise, Design, Fasson, Formung, Gestalt, Kontur, Machart, Styling, Zuschnitt, das Äußere *Anstand, Anstandsregeln, Anstandsvorschriften, Art, Benehmen, Etikette, Haltung, Manieren

formal: äußerlich, bürokratisch, formell, unpersönlich, vorschriftsmäßig, dem Buchstaben nach, der Form nach

Formalität: Förmlichkeit, Formsache, Kleinkram *Anweisung, Aufforderung, Auftrag, Befehl, Bestimmung, Diktat, Geheimauftrag, Geheimbefehl, Geheiß, Instruktion, Kommando, Mussbestimmung, Mussvorschrift, Order, Ordnung, Regel, Reglement, Satzung, Verfügung, Verhaltensmaßregel, Verordnung, Vorschrift, Weisung

Format: Ausmaß, Gestalt, Größe, Kaliber, Maß *Ausstrahlung, Charakter, Charakterstärke, Sicherheit, Überlegenheit

formbeständig: formtreu, schrumpfecht, schrumpffest

Formel: Floskel, Gemeinplatz, Phrase, Redefloskel, Redensart, Redewendung, Wendung *Gruß, Grußformel *Zusammenfassung *Sachverhalt

formell: äußerlich, förmlich, konventionell, steif, unpersönlich, zeremoniell, der Form nach, in aller Form

formen: ausformen, bilden, durchbilden, durchformen, gestalten, kneten, modellieren, modeln, prägen, Form verleihen, Form geben, ein Gepräge geben *erziehen, helfen, unterrichten, unterweisen, Lebenshilfe geben

formidabel: furchtbar, Grauen erregend, riesig, schrecklich *erstaunlich, großartig, ungewöhnlich

formieren: anfertigen, bilden, gestalten, herstellen *aufstellen, ordnen

förmlich: amtlich, dienstlich, formhaft, offiziell, nach Vorschrift *nach außen hin, nur der Form halber, pro forma, zum Schein *ausgesprochen, buchstäblich, direkt, nachgerade, regelrecht *äußerlich, konventionell, steif, unpersönlich, zeremoniell, der Form nach, in aller Form

Förmlichkeit: Äußerlichkeit, Formalie, Formalität, Formsache *Geschraubtheit, Gespreiztheit, Steifheit, Verschrobenheit

formlos: informell, nonchalant, offen, unbefangen, ungezwungen, unzeremoniell, zwanglos *amorph, gestaltlos, strukturlos, unförmig, ungeformt, ungegliedert, ungestaltet, unstrukturiert

Formular: Bogen, Formblatt, Fragebogen, Papier, Vordruck

formulieren: artikulieren, ausdrücken, äußern, benennen, mitteilen, verbalisieren, verfassen, in Worte kleiden, in Worte fassen, von sich geben, zum Ausdruck geben, zum Ausdruck bringen

Formulierung: Ausdruck, Figur, Redefigur, Redensart, Redeweise, Redewendung, Wendung *Abfassung, Anfertigung, Aufzeichnung, Manuskript, Niederschrift

Formung: Ausbildung, Bildung, Erziehung, Schliff, Schulung, Unterricht *Durchbildung, Gestaltung

formvollendet: förmlich, offiziell, zeremoniell, der Etikette entsprechend *gekonnt, hervorragend, meisterhaft, perfekt *schön, stilvoll

forsch: beherzt, dynamisch, flott, frisch, kräftig, munter, rasant, resolut, schmissig, schneidig, schwungvoll, selbstbewusst, tatkräftig, unternehmend, wendig, zackig, zielbewusst *furchtlos, kühn, mutig, wagemutig

forschen: s. befassen, durchleuchten, erkennen, ermitteln, eruieren, finden, nachspüren, recherchieren, suchen, untersuchen, s. (eingehend) beschäftigen, s. auseinander setzen (mit), auskund-

schaften, ausfindig machen, auf die Spur kommen, in Erfahrung bringen wollen, zu entdecken suchen
Forschheit: Beherztheit, Dynamik, Frische, Resolutheit, Schneid, Selbstbewusstsein, Tatkraft, Unternehmungsgeist, Wendigkeit, Zackigkeit
Forst: Buschland, Gehölz, Hain, Wald, Waldland, Waldung
Förster: Forstmann, Forstwirt, Wildhüter
Forstwirtschaft: Forstkultur, Forstwesen
fort: abwesend, ausgeflogen, ausgegangen, auswärts, dahin, fern, fortgegangen, unterwegs, verreist, weg, auf Reisen, nicht da, nicht daheim, nicht anwesend, nicht zu Hause, nicht zugegen, von dannen *unauffindbar, verschollen, verschwunden, weg, abhanden gekommen *verloren, verschwunden, nicht zu finden, von dannen, von hinnen, über alle Berge
fortbegeben (s.): s. absetzen, s. auf den Weg machen, s. aufmachen, s. entfernen, s. fortmachen, weggehen, weglaufen, wegrennen, wegtreten, das Feld räumen
Fortbestand: Bestand, Beständigkeit, Dauer, Dauerhaftigkeit, Fortbestehen, Fortdauer, Fortgang, Permanenz, Stetigkeit, Weitergehen
fortbestehen: anhalten, s. erhalten, fortdauern, fortleben, s. fortsetzen, überdauern, überleben, weiterbestehen, weiterleben, weiterwirken, Bestand haben, von Bestand sein, von Dauer sein
fortbewegen: von der Stelle bringen, vom Fleck bringen ***s. fortbewegen:** eilen, fegen, flitzen, hasten, jagen, preschen, rasen, rennen, sausen, schwärmen, springen, sprinten, spurten, stürmen, stürzen *gehen, laufen, marschieren, zu Fuß gehen *herumschlendern, schleichen, schlurfen, staksen, stapfen, stelzen, stolzieren, tänzeln, tapsen, trippeln, trotten, wallen, wandeln, waten, zockeln, zotteln, zuckeln
fortbilden: ausbilden, umschulen, weiterbilden *ausbilden, bilden, entwickeln, heranbilden, qualifizieren ***s. fortbilden:** s. bilden, lernen, pauken
Fortbildung: Ausbildung, Kurs, Seminar, Umschulung, Weiterbildung, zweiter Bildungsweg
fortbleiben: ausbleiben, fehlen, fernbleiben, s. fern halten, wegbleiben, nicht anwesend, nicht da sein, nicht eintreffen, nicht kommen
fortbringen: abtransportieren, beseitigen, wegbringen, wegnehmen, wegräumen, wegschaffen, wegstellen, aus den Augen bringen, auf die Seite bringen, beiseite bringen *entführen, verschleppen
Fortdauer: Bestand, Beständigkeit, Dauer, Dauerhaftigkeit, Fortbestand, Fortbestehen, Fortgang, Permanenz, Stetigkeit, Weitergehen
fortdauern: s. erstrecken, fortbestehen, fortwähren, s. hinziehen, überdauern, überleben, währen, weiterbestehen, weitergehen, kein Ende haben, kein Ende nehmen, von Dauer sein
forte: kräftig, laut, stark
Fortentwicklung: Aufschwung, Aufstieg, Aufwärtsbewegung, Aufwärtsentwicklung, Entfaltung, Erfolg, Fortschritt, Neuerung, Progress, Steigerung, Verbesserung, Wachstum, Weiterentwicklung, Weiterkommen, Zunahme *Entfaltung, Entwicklung, Entwicklungsperiode, Entwicklungsphase, Entwicklungsverlauf, Evolution, Prozess, Reifezeit, Reifung, Reifungsprozess, Wachstum
fortfahren: abfahren, abreisen, s. auf die Reise begeben, s. auf die Reise machen, aufbrechen, verreisen, wegfahren, auf Reisen gehen, Urlaub machen, Ferien machen *fortführen, fortschreiten, fortsetzen, weiterführen, weitergehen, weitermachen, weiterspinnen, weiterverfolgen, wieder beginnen, wieder aufnehmen, den Faden aufnehmen
fortfliegen: abheben, anheben, auffliegen, davonfliegen, starten, wegfliegen
fortführen: fortsetzen, weiterführen, weitergehen, weitermachen, weiterspinnen, weiterverfolgen, wieder beginnen, wieder aufnehmen
Fortführung: Fortbestand, Fortsetzung, Weiterführung
Fortgang: Fortlauf, Weitergang *Ablauf, Gang, Hergang, Lauf, Prozess, Verlauf

fortgeben: bescheren, hergeben, herschenken, hingeben, schenken, spenden, spendieren, vergeben, verschenken, verteilen, weggeben, wegschenken, zukommen lassen, zum Geschenk machen

fortgehen: s. abkehren, abmarschieren, abrücken, s. absetzen, s. abwenden, aufbrechen, s. aufmachen, davongehen, enteilen, s. entfernen, s. fortbegeben, s. fortmachen, kehrtmachen, losgehen, losmarschieren, s. umdrehen, s. wegbegeben, weggehen, weglaufen, wegrennen, wegtreten, weichen, zurückweichen *weitergehen

fortgesetzt: allemal, allezeit, andauernd, anhaltend, beharrlich, endlos, ewig, fortdauernd, fortlaufend, fortwährend, immer, immerfort, kontinuierlich, pausenlos, regelmäßig, ständig, unablässig, unaufhaltsam, unaufhörlich, ununterbrochen, immer wieder, in einem fort, tagaus, tagein, Tag für Tag, Sommer wie Winter *andauernd, anhaltend, dauernd, endlos, fortdauernd, fortlaufend, fortwährend, immerfort, immerwährend, pausenlos, stetig, unablässig, unaufhaltsam, unaufhörlich, ununterbrochen, unverwandt, zügig, in einem fort, am laufenden Band, alle Augenblicke, in steter Folge, ohne Pause, ohne Unterlass, ohne Absatz, von früh bis spät, vom Morgen bis zum Abend

fortissimo: sehr laut, sehr stark, mit aller Kraft

fortjagen: entlassen, hinauswerfen *verscheuchen, verstoßen, vertreiben *abschieben, ausbürgern, aussiedeln, ausweisen, deportieren, expatriieren, hinauswerfen, säubern, umsiedeln, verbannen, versprengen, verstoßen, vertreiben, des Landes verweisen, aus dem Land weisen

fortkommen: verschwinden, wegkommen, abhanden kommen, verloren gehen, nicht mehr vorhanden sein *arrivieren, aufrücken, aufsteigen, s. durchsetzen, s. emporarbeiten, s. hocharbeiten, s. verbessern, vorankommen, weiterkommen, Erfolg haben, Fortschritte erzielen *s. abkehren, abmarschieren, abrücken, s. absetzen, s. abwenden, aufbrechen, s. aufmachen, davongehen, enteilen, s. entfernen, s. fortbegeben, s. fortmachen, kehrtmachen, losmarschieren, s. umdrehen, s. wegbegeben, weglaufen, wegrennen, wegtreten, weichen, zurückweichen

fortlassen: ausklammern, auslassen, ausschließen, aussparen, übergehen, überschlagen, übersehen, überspringen, vernachlässigen, weglassen

Fortlauf: Fortgang, Weitergang, das Fortbestehen

fortlaufen: davonhasten, davonrennen, davonsausen, davonstieben, fortrennen, weglaufen, wegrennen *s. absetzen, ausbrechen, davonlaufen, durchbrennen, durchgehen, entkommen, entrinnen, entwischen, fliehen, flüchten, türmen, verschwinden, wegschleichen, das Weite suchen, Reißaus nehmen *desertieren, abtrünnig werden, fahnenflüchtig werden, seinen Posten verlassen *ausweichen, einen Bogen machen (um), meiden, scheuen, umgehen, aus dem Wege gehen

fortlaufend: anschließend, kontinuierlich, kursorisch, zusammenhängend, ohne Unterbrechung *dauernd, fortdauernd, fortwährend, ununterbrochen

fortleben: andauern, anhalten, bleiben, dauern, s. erhalten, fortbestehen, s. fortsetzen, überdauern, überleben, weiterbestehen

fortlegen: aufräumen, weglegen, wegräumen, auf die Seite legen *sichern, verstecken

fortmachen: fortfahren, weitermachen *__s. fortmachen:__ abhauen, weggehen *desertieren, fliehen, flüchten

fortreißen: entreißen, herunterreißen

fortschaffen: beseitigen, wegbringen, wegräumen

fortscheuchen: verscheuchen, vertreiben *fortjagen, hinauswerfen

fortschicken: abwimmeln, hinauswerfen, wegschicken, den Laufpass geben, die Tür weisen, zu gehen auffordern, zum Weggehen veranlassen

fortschleichen: davongehen, davonschleichen, s. entfernen, fliehen, flüchten, weggehen, wegschleichen *__s. fortschleichen:__ s. verabschieden, s. wegschleichen

fortschmeißen: s. entledigen, wegschleudern, wegwerfen
fortschreiten: s. entfalten, florieren, gedeihen, reifen, vorankommen, vorwärts kommen, s. weiterentwickeln, weitergehen, Fortschritte machen *fortsetzen, weitergehen, weitermachen
Fortschritt: Aufschwung, Aufstieg, Aufwärtsbewegung, Aufwärtsentwicklung, Entfaltung, Erfolg, Fortentwicklung, Neuerung, Progress, Steigerung, Verbesserung, Wachstum, Weiterentwicklung, Weiterkommen, Zunahme
fortschrittlich: aufsteigend, avantgardistisch, entwickelt, modern, progressiv, revolutionär, zeitgemäß, zukunftsgerichtet, zukunftsorientiert, zukunftsweisend, en vogue, mit der Zeit
fortsetzen: fortführen, fortschreiten, weiterführen, weitermachen, weiterspinnen, weiterverfolgen, wieder aufnehmen, wieder beginnen
Fortsetzung: Fortbestand, Fortdauer, Fortführung, Weiterführung
fortstehlen (s.): ausrücken, s. davonmachen, s. davonstehlen, s. fortschleichen, s. verdrücken, verduften, s. verdünnisieren, s. verkrümeln, verschwinden, s. wegbegeben, s. wegschleichen, s. aus dem Staub machen, s. heimlich entfernen, stiften gehen
forttragen: abräumen, abservieren, wegtragen
Fortuna: Erfolg, Gewinn, Glück, Glücksfall, Glückslos, Glückssache, Glücksstern, Treffer, Trumpfkarte, Zufall, Zufälligkeit *Glücksgöttin, Göttin
fortwährend: andauernd, anhaltend, dauernd, endlos, fortdauernd, fortgesetzt, fortlaufend, immerfort, immerwährend, pausenlos, stetig, unablässig, unaufhaltsam, unaufhörlich, ununterbrochen, unverwandt, zügig, in einem fort, am laufenden Band, alle Augenblicke, in steter Folge, ohne Pause, ohne Unterlass, ohne Absatz, von früh bis spät, vom Morgen bis zum Abend *allemal, allezeit, andauernd, anhaltend, beharrlich, endlos, ewig, fortdauernd, fortgesetzt, fortlaufend, immer, immerfort, kontinuierlich, pausenlos, regelmäßig, ständig, unablässig, unaufhaltsam, unaufhörlich, ununterbrochen, immer wieder, in einem fort, tagaus, tagein, Tag für Tag, Sommer wie Winter
fortwerfen: ausmustern, ausrangieren, aussieben, aussondern, aussortieren, eliminieren, entfernen, wegschaffen, wegschleudern, wegwerfen
fortziehen: ausziehen, übersiedeln, umsiedeln, umziehen, s. verändern, verziehen, weggehen, wegziehen, seine Wohnung wechseln, seine Wohnung aufgeben, seine Wohnung räumen, seine Wohnung auflösen *aufdecken *verschwinden *entziehen, verweigern *mitnehmen, wegstellen *abmarschieren, abrücken, abziehen, aufbrechen, davongehen, davonziehen, s. entfernen, fortgehen, gehen, losmarschieren, scheiden, weggehen, wegziehen
Forum: Ausschuss, Gremium, Kommission, Kreis, Runde, Zirkel
fossil: versteinert, vorweltlich
Fossil: Petrefakt, Versteinerung
Foto: Abzug, Aufnahme, Bild, Digitalaufnahme, Fotografie, Papierbild, Schnappschuss
Fotoapparat: Apparat, Digitalkamera, Kamera, Kleinbildkamera
fotogen: bildhübsch, bildwirksam, zum Fotografieren geeignet
Fotograf: Kameramann, Lichtbildner
Fotografie: Ablichtung, Aufnahme, Bild, Bildnis, Foto, Konterfei, Lichtbild
fotografieren: abbilden, aufnehmen, knipsen, konterfeien, porträtieren, eine Aufnahme machen, einen Schnappschuss machen
Fotokopie: Ablichtung, Kopie, Lichtpause, Reproduktion, Vervielfältigung, Wiedergabe
fotokopieren: ablichten, kopieren, reproduzieren, vervielfältigen
Fotomodell: Model, Modell *Prostituierte
Fotosatz: Filmsatz, Lichtsatz
Fototherapie: Lichttherapie
foul: regelwidrig, unfair, unsauber, unsportlich
Foul: Regelverstoß, Regelwidrigkeit, Unsauberkeit, Unsportlichkeit, Verstoß

Foyer: Vorhalle, Wandelgang, Wandelhalle
Fracht: Frachtgut, Frachtstück, Fuhre, Kargo, Ladung, Last, Stückgut, Transport, Versandgut
Frack: Gehrock, Gesellschaftsanzug
Frage: Anfrage, Erkundung, Ermittlung, Nachfrage *Angelegenheit, Aufgabe, Fall, Fragestellung, Problem, Problematik, Punkt, Sache, Schwierigkeit, Thema
fragen: anklopfen, antippen, ermitteln, eine Auskunft erbitten, eine Frage stellen, eine Frage aufwerfen, eine Frage vorlegen, eine Frage richten (an), eine Frage vorbringen, um Aufschluss bitten, um Auskunft bitten, zu Rate ziehen *befragen, konsultieren, zu Rate ziehen, um Rat fragen
fragil: gebrechlich, hinfällig, zart, zerbrechlich
Fragilität: Gebrechlichkeit, Hinfälligkeit, Zartheit, Zerbrechlichkeit
fraglich: besagt, betreffend, genannt, vorerwähnt, in Rede stehend *ungewiss, zweifelhaft
fraglos: absolut, bestimmt, gewiss, sicher, unbestritten, unbezweifelbar, uneingeschränkt, zweifellos, auf jeden Fall, außer Zweifel, ohne Frage
fragmentarisch: abgebrochen, bruchstückhaft, bruchstückweise, halb, lückenhaft, torsohaft, unfertig, unvollendet, unvollständig, in Bruchstücken, in Ansätzen
fragwürdig: fraglich, ungewiss, unglaubwürdig, unsicher, zweifelhaft *anrüchig, obskur, suspekt, verrufen, verschrien
frankieren: freimachen, eine Briefmarke aufkleben
frankiert: freigemacht, Porto bezahlt
franko: freigemacht, portofrei
frappant: auffallend, befremdend, schlagend, treffend, überraschend, unerwartet, verblüffend, ins Auge springend
frappieren: befremden, schlagen, treffen, überraschen, verblüffen, stutzig machen
fraternisieren: s. verbrüdern, brüderlich verkehren, vertraut werden, Brüderschaft schließen
Fraternität: Brüderlichkeit, Bruderschaft, Brüderschaft
Fratze: Entstellung, Grimasse, Spottbild, Zerrbild *Larve *Gesichtsmaske, Maske
Frau: Dame, Ehefrau, Sie, weibliches Wesen
Frauen: Frauenvolk, Frauenwelt, das schwache Geschlecht, die Weiblichkeit
Frauenheld: Charmeur, Frauenliebling, Herzensbrecher, Lebemann, Schürzenjäger, Schwerenöter, Verführer, Weiberheld, Witwentröster *Lustmolch, Wüstling
Fräulein: Jungfer, Jungfrau, Unverheiratete *Bedienung, Kellnerin, Serviererin, Serviermädchen *Telefonistin, Fräulein vom Amt
fraulich: feminin, frauenhaft, weiblich
frech: dreist, geschert, keck, kess, naseweis, pampig, rotzig, schamlos, schnodderig, unartig, unerzogen, ungesittet, ungezogen, unmanierlich, unverfroren, unverschämt, vorlaut, vorwitzig
Frechdachs: Bengel, Flegel, Frechling, Lausebengel, Lausejunge, Lausekerl, Luder, Range, Rotzjunge, Schelm, Schlingel, freches Stück
Frechheit: Bodenlosigkeit, Impertinenz, Schnodderigkeit, Unart, Ungezogenheit, Unverschämtheit, Zumutung
frei: autark, autonom, emanzipiert, selbständig, selbstverantwortlich, souverän, unabhängig, unbehindert, unbelastet, unbeschränkt, uneingeschränkt, ungebunden, unkontrolliert, auf sich gestellt, für sich allein, ohne Zwang, sein eigener Herr *disponibel, leer, offen, unbesetzt, vakant, verfügbar, zu haben, zur Verfügung *allein, allein stehend, ledig, unverheiratet, noch zu haben *befreit, entlassen, erlöst, in Freiheit *improvisiert, unvorbereitet, aus dem Stegreif *durchgängig, unverbaut *sinngemäß *formlos, gelöst, hemdsärmelig, lässig, leger, nachlässig, natürlich, salopp, unbefangen, ungeniert, ungezwungen, unzeremoniell, zwanglos *achtbar, astrein, bieder, brav, ehrbar, ehrenfest, ehrenhaft, ehrsam, rein, unverdächtig, nicht verdächtigt *großzügig *brachliegend, unbebaut, ungenutzt, nicht bebaut *frankiert, freigemacht *fortschrittlich, modern, neuartig, offen, progressiv, supermodern, unkonventionell *natür-

lich, unbeschwert *gebührenfrei, gratis, kostenlos, umsonst, unentgeltlich, ohne Geld ***frei lassen:** nicht ausfüllen, nicht blockieren, offen lassen ***frei sprechen:** ohne Konzept sprechen, ohne Notizen sprechen

freibleibend: festgelegt, offen, nicht verbindlich, nicht fixiert

Freibeuter: Pirat, Seeräuber

Freidenker: Freigeist, Glaubensloser, Konfessionsloser, Religionsverächter

freien: anhalten, s. bewerben, s. erklären, umwerben, werben, um die Hand anhalten, seine Liebe erklären, auf Freiersfüßen gehen, einen Heiratsantrag machen, Liebe schwören

Freigabe: Begnadigung, Freilassung

freigeben: entlassen, freilassen, die Freiheit geben, die Freiheit schenken, gehen lassen, in Freiheit setzen, auf freien Fuß setzen, laufen lassen *befreien, beurlauben, entbinden, entlassen, freistellen, suspendieren, Urlaub geben, Urlaub gewähren *übergeben, zulassen

freigebig: gebefreudig, generös, großzügig, hochherzig, milde, nobel, schenkfreudig, spendabel, splendid, weitherzig

Freigebigkeit: Gebefreude, Generosität, Großzügigkeit, Mildtätigkeit, Splendidität, Wohltätigkeit

freigeistig: aufgeklärt, aufklärerisch, freidenkerisch, freigesinnt, freisinnig, liberal *atheistisch, glaubenslos, heidnisch, ungläubig, unreligiös

freigesprochen: schuldlos, straffrei, straflos, unschuldig

freihalten: belegen, besetzen, offen halten, reservieren, vorbestellen, einen Platz sichern *einladen, spendieren, eine Runde zahlen

Freiheit: Autarkie, Autonomie, Eigenständigkeit, Freizügigkeit, Libertät, Selbständigkeit, Selbstbestimmung, Unabhängigkeit, Ungebundenheit, Ungezwungenheit, Zwanglosigkeit

freiheitlich: demokratisch, freiheitsliebend, liberal, repressionslos, ohne Zwang

Freiheitskampf: Aufstand, Befreiungskampf, Guerillakampf, Guerillakrieg, Partisanenkampf, Revolution, Résistance, Widerstandskampf

Freiheitskämpfer: Freischärler, Guerilla, Guerillakämpfer, Partisan, Widerstandskämpfer

Freiheitsstrafe: Arrest, Beugehaft, Einkerkerung, Einschließung, Freiheitsberaubung, Freiheitsbeschränkung, Freiheitsentzug, Gefangenschaft, Gefängnis, Gefängnisstrafe, Gewahrsam, Haft, Hausarrest, Knast, Schutzhaft, Sicherungshaft, Sicherungsverwahrung, Untersuchungshaft *Hausarrest, Stubenarrest

freikämpfen (s.): s. befreien, s. losreißen von, kämpfen gegen

Freikörperkultur: FKK, Nacktkultur, Nudismus

freilassen: entlassen, freigeben, freisetzen, herauslassen, laufen lassen, auf freien Fuß setzen, in Freiheit setzen, die Freiheit schenken, die Freiheit wiedergeben *reservieren, vormerken

Freilassung: Entlassung, Freiheit

freilegen: abdecken, aufdecken, ausgraben, ausheben, ausschaufeln, bloßlegen, an die Oberfläche bringen, sichtbar machen

Freilegung: Aufdeckung, Ausgrabung, Bloßlegung

freilich: aber, allerdings, immerhin, wohl, zwar *aber, allein, allerdings, andererseits, dabei, dagegen, doch, hinwieder, hinwiederum, höchstens, immerhin, indes, jedoch, mindestens, nur, sondern *allerdings, anstandslos, bestimmt, erwartungsgemäß, gerne, gewiss, natürlich, natürlicherweise, selbstredend, selbstverständlich, sicher, sicherlich, zweifellos, auf jeden Fall, mit Sicherheit, wie zu erwarten ist, ohne Frage, ohne weiteres

Freilichtbühne: Amphitheater, Bergtheater, Freilichttheater, Naturtheater

freimachen: frankieren, eine Briefmarke aufkleben

Freischärler: Freiheitskämpfer, Guerilla, Partisane, Rebell, Untergrundkämpfer, Widerstandskämpfer

freischaffend: selbständig, unabhängig

freisprechen: absolvieren, entsühnen, exkulpieren, lossprechen, vergeben, verzeihen, die Absolution erteilen, von einer Schuld befreien *befreien, lossprechen,

von einer Sünde befreien, die Absolution erteilen *für unschuldig erklären, nicht bestrafen, laufen lassen, straffrei ausgehen, straflos ausgehen, nicht verurteilen
Freispruch: Absolution, Lossprechung *Freisprechung, die Unschuld erklären *Ehrenrettung
freistellen: erlauben
freiwillig: unaufgefordert, ungefragt, ungeheißen, aus eigenem Antrieb, aus eigenem Willen, aus freien Stücken, ohne Druck, ohne Zwang *ehrenamtlich, umsonst, unentgeltlich, ohne Bezahlung
Freizeit: Feierabend, Ferien, Mußestunden, Mußezeit, Urlaub, nach Dienstschluss, nach der Arbeit
Freizügigkeit: Freigebigkeit, Großzügigkeit, Hochherzigkeit *Nachgiebigkeit, Nachsicht, Toleranz
fremd: ausländisch, auswärtig, exotisch, fremdländisch, ortsfremd, wildfremd, nicht von hier, von außerhalb *eingewandert, immigriert, zugewandert *ungeläufig, nicht gegenwärtig, nicht geläufig, nicht zugänglich *fern, fernstehend, fremdartig, unbekannt, ungewohnt, verschieden, nicht vertraut
Fremdarbeiter: Gastarbeiter
Fremde: Ausland, Ferne, Übersee, die weite Welt *Gäste, Reisende, Touristen, Urlauber *Ausländer, Fremder, Fremdling, der Unbekannte, kein Einheimischer, kein Hiesiger, der Ortsunkundige, der Zugereiste *der Staatenlose
Fremdenhass: Ausländerfeindlichkeit, Ausländerhass, Fremdenfeindlichkeit, Hass auf Ausländer, Hass auf Fremde *Rassenhass, Rassismus *Antisemitismus, Judendiskriminierung, Judenfeindlichkeit, Judenhass, Judenverfolgung
Fremdenverkehr: Reiseverkehr, Tourismus, Touristik
Fremdherrschaft: Feindherrschaft
fremdgehen: betrügen, ehebrechen
Fremdkörper: Einschluss, Einsprengsel *Eindringling, Hetzer, Krakeeler, Krawallmacher, Provokateur, Radaubruder, Radaumacher, Rowdy, Schreier, Störenfried, Unruhestifter
Fremdherrschaft: Besatzung
fremdländisch: ausländisch, auswärtig, exotisch, fremd, ortsfremd, wildfremd, nicht von hier, von außerhalb
Fremdsprache: Sprache eines fremden Landes, Sprache eines ausländischen Landes
fremdsprachlich: ausländisch, nicht in der Muttersprache
frequent: häufig, zahlreich *beschleunigt, hoch
frequentieren: häufig besuchen, häufig verkehren, ein und aus gehen
Frequenz: Besuch, Besucherzahl, Häufigkeit, Verkehr, Verkehrsdichte, Zulauf *Schwingungen
Fresko: Freske, Wandbild, Wandmalerei
fressen: abfressen, abgrasen, absuchen, abweiden, äsen, futtern, grasen, schlingen, weiden, kahl fressen *(gierig) essen *schlucken, verbrauchen, verschlingen *angreifen, zersetzen, zerstören ***s. fressen:** bekämpfen, hassen, s. nicht mögen
Fressen: Futter, Grünfutter, Nahrung
Fressgier: Gefräßigkeit *Appetit, Essgier, Esssucht, Fresssucht, Gefräßigkeit, Hunger, Unersättlichkeit, Unmäßigkeit, Verfressenheit
Freude: Begeisterung, Beglückung, Behagen, Entzücken, Fröhlichkeit, Frohsein, Frohsinn, Glück, Glückseligkeit, Herzensfreude, Hochgefühl, Jubel, Triumph, Vergnügen, Wohlgefallen, Wonne, Zufriedenheit *Lust, Wollust *Befriedigung, Ergötzen, Genuss, Hochgenuss, Lust, Pläsier, Spaß, Vergnüglichkeit *Belustigung, Daseinsfreude, Entzücken, Ergötzen, Erheiterung, Fröhlichkeit, Frohsinn, Gaudium, Glück, Glückseligkeit, Heiterkeit, Lebensfreude, Lebenslust, Lust, Lustigkeit, Pläsier, Seligkeit, Spaß, Unterhaltung, Vergnügen, Vergnügtheit
Freudenhaus: Absteige, Bordell, Dirnenhaus, Eros-Center, Etablissement, Puff
Freudenmädchen: Callgirl, Dirne, Hure, Nutte, Prostituierte, Straßenmädchen
Freudenruf: Freudengeschrei, Freudenschrei, Holdrio, Hosianna, Jauchzer, Juchzer *Begeisterung, Beifall, Enthusiasmus, Freude, Freudenausbruch, Freudenbezeigung, Freudenbezeugung, Freudengeheul, Freudengeschrei, Freu-

densturm, Freudentaumel, Frohlocken, Frohlockung, Gejauchze, Gejohle, Gejubel, Hochruf, Jauchzen, Jubel, Jubelgeschrei, Jubelruf
Freudentaumel: Freudenrausch
freudig: angenehm, erfreulich, erquicklich, freudenreich, günstig, gut, vergnüglich, vorteilhaft, wohltuend *selig, glückselig, beschwingt, beseligt, erfreut, fidel, freudestrahlend, freudvoll, froh, frohgemut, fröhlich, frohmütig, glücklich, heiter, lustig, munter, optimistisch, sonnig, ungetrübt, vergnügt, wohlgefällig, wohlgemut, zufrieden, voll Freude, himmelhoch jauchzend
freudlos: bedrückt, bekümmert, betrübt, defätistisch, depressiv, desolat, elegisch, elend, hypochondrisch, melancholisch, nihilistisch, pessimistisch, schwarzseherisch, schwermütig, todunglücklich, traurig, trist, trostlos, trübe, trübselig, trübsinnig, unfroh, unglücklich, wehmütig
freuen: amüsieren, beglücken, glücklich machen, Spaß machen, Freude machen, froh sein, Freude empfinden ***s. freuen:** anregen, aufheitern, aufmuntern, belustigen, erfreuen, ergötzen, genießen
freund: geneigt, zugeneigt, gewogen, gnädig, gönnerhaft, günstig, gut gesinnt, hold, huldreich, huldvoll, jovial, leutselig, wohl gesinnt, wohlmeinend, wohlwollend, zugetan, freundlich gesinnt
Freund: Gefährte, Gespiele, Herzensbruder, Intimus, Kamerad, Kumpan, Kumpel, Verbündeter, der Vertraute, der Getreue *Hausfreund, Schattenmann *Schulfreund, Studienfreund *Bekannter, Geliebter, Kavalier, Liebhaber, Liebling, Schatz, ständiger Begleiter
Freundeskreis: Anhängerschaft, Clique, Freunde, Gruppe, Klub, Kreis, Schicht, Stammtisch, Team, Tischgemeinschaft, Tischgesellschaft, Truppe, Zirkel
Freundin: Gefährtin, Gespielin, Kameradin, Kumpanin, Verbündete, Vertraute, die Getreue *Schulfreundin, Studienfreundin *Bekannte, Geliebte, Liebhaberin, Liebling, Liebste, Partnerin, Schatz, ständige Begleiterin
freundlich: annehmlich, barmherzig, einnehmend, entgegenkommend, freundschaftlich, gefällig, gnädig, gut, gut gelaunt, gut gemeint, gutherzig, gütig, gutmütig, heiter, herzensgut, herzlich, höflich, jovial, lieb, liebenswürdig, lindernd, mild, nett, sanftmütig, sympathisch, warm, warmherzig, weichherzig, wohl gesinnt, wohlmeinend, wohlwollend, zugetan, zuvorkommend *alliiert, befreundet, verbündet *angenehm, erfreulich, wohlig *einnehmend, lieb, sympathisch *angenehm, behaglich, bequem, gemütlich, heimelig, intim, komfortabel, sonnig, traulich, warm, wohnlich *gefahrlos, geschützt, sicher, ungefährdet, ungefährlich *heiß, heiter, lau, lind, schön, sommerlich, sonnig, warm, wolkenlos
Freundlichkeit: Anteilnahme, Aufgeschlossenheit, Aufmerksamkeit, Barmherzigkeit, Entgegenkommen, Güte, Gutmütigkeit, Herzensgüte, Herzlichkeit, Hilfsbereitschaft, Innigkeit, Liebenswürdigkeit, Milde, Nächstenliebe, Nettigkeit, Sanftmut, Selbstlosigkeit, Verbindlichkeit, Wärme, Warmherzigkeit, Wohlwollen, Zuneigung, Zuwendung *Anstand, Feingefühl, Galanterie, Höflichkeit, Taktgefühl, Zartgefühl, Zuvorkommenheit *Eintracht, Harmonie
Freundschaft: Beziehung, Bruderschaft, Brüderschaft, Bund, Eintracht, Gemeinschaft, Herzensfreundschaft, Kameradschaft, Verbindung, Verbundenheit, Verhältnis, Vertrautheit, Zusammengehörigkeit
freundschaftlich: befreundet, brüderlich, einig, einmütig, einträchtig, gleichgesinnt, gleichgestimmt, harmonisch, kameradschaftlich, partnerschaftlich
Freundschaftszeichen: Freundschaftsbändchen *Liebesbezeichnung
freveln: vergehen *entheiligen, entweihen, fehlen, fluchen, sündigen, s. vergehen, s. versündigen, eine Sünde begehen
Freveltat: Bluttat, Delikt, Gewalttat, Gewaltverbrechen, Gräueltat, Kapitalverbrechen, Missetat, Schandtat, Straftat, Übeltat, Übertretung, Untat, Verbrechen, Vergehen

frevlerisch: frevelhaft, sündhaft, sündig, verbrecherisch
Frieden: Einigkeit, Einklang, Eintracht, Einvernehmen, Harmonie, Partnerschaft, Ruhe *Entspannung, Stille, Verständigung *Friedenszeit, Friedenszustand, Kampfende, Waffenstillstand ***Frieden halten:** s. gut verstehen, s. gut vertragen, übereinstimmen, zusammenstehen, zusammenstimmen, Freundschaft üben ***Frieden schließen:** den Kriegszustand beenden, die Feindseligkeiten einstellen, die Waffen ruhen lassen
Friedenssymbol: Friedenszeichen, Zeichen des Friedens
Friedensverhandlung: Friedensangebot, Friedensbedingung, Friedensvorschlag, Vorfriede
friedfertig: einträchtig, friedlich, friedliebend, friedsam, friedselig, friedvoll, gütlich, harmonisch, ruhig, still, versöhnlich, verträglich
Friedhof: Gottesacker, Gräberfeld, Kirchhof, Totenacker
friedlich: beschaulich, idyllisch, ruhig, still *einträchtig, friedfertig, friedliebend, friedselig, friedvoll, gütlich, harmonisch, versöhnlich, verträglich
friedlos: angespannt, aufgewühlt, bewegt, fahrig, fieberhaft, fiebrig, flackerig, flackernd, flatterig, hastig, hektisch, kribbelig, nervös, quirlig, rastlos, ruhelos, überreizt, ungeduldig, unruhig, unstet, wirbelig, wuselig *geächtet, gebannt, rechtlos, verfemt, vogelfrei
Friedrich Wilhelm: Signum, Unterschrift
frieren: erstarren, gefrieren, vereisen, zufrieren, unter den Gefrierpunkt sinken, zu Eis werden *frösteln, schauern, schlottern, zittern, kalt sein, mit den Zähnen klappern, unter Kälte leiden
frigid: frigide, gefühlskalt, impotent, kühl, leidenschaftslos, unempfänglich, unempfindlich, nicht hingabefähig
Frigidität: Gefühlskälte, Kühle, Leidenschaftslosigkeit, Unempfänglichkeit, Verweigerung, frostiges Wesen
frisch: ausgeruht, blühend, erholt, fit, gesund, knackig, kraftvoll, lebendig, leistungsfähig, munter, rüstig, unverbraucht, in Form *eisig, frostig, kalt, kühl *frischgebacken, jung, neugebacken, taufrisch, von heute *durchblutet, gesund, rosig *faltenfrei, glatt, jugendlich, jung, straff *klar, rein, sauber *blühend, grün *feucht, nass *gut, rein, sauber *erfrischend, prickelnd *frisch eingeschenkt *warm, ofenwarm, frischgebacken, neugebacken, ofenfrisch, von heute *gegenwärtig, präsent *frisch zubereitet *deutlich, sichtbar, vorhanden *neu, ungetragen *neu, unberührt, ungebraucht *angenehm, anregend, belebend, erfrischend
Friseur: Barbier, Figaro, Haarkünstler, Haarschneider
frisieren: kämmen, ondulieren, die Haare machen, die Haare zurechtmachen *verbergen, verdunkeln, verhüllen, vernebeln, verschleiern, verstecken, vertuschen, verwischen, (heimlich) wegtun, verborgen halten *verändern, verbessern, Leistung steigern *ändern, verändern, beschönigen, manipulieren
frisiert: gebürstet, gekämmt, onduliert, zurechtgemacht *verändert, verbessert
Frist: Bedenkzeit, Zeit *Stichtag, Termin, Zeitpunkt *Aufschub, Bedenkzeit, Fristverlängerung, Galgenfrist, Gnadenaufschub, Gnadenfrist, Henkersfrist, Verschiebung
fristgemäß: exakt, fahrplanmäßig, fristgerecht, genau, ordnungsgemäß, pünktlich, rechtzeitig, ohne Verspätung, wie vereinbart, zur rechten Zeit, zur richtigen Zeit
fristlos: augenblicklich, sofort, ungesäumt, unverzüglich, (ab) sofort, auf der Stelle, im Nu, ohne Frist
Frisur: Haarputz, Haarschnitt, Haartracht, Toupet
frivol: beherzt, draufgängerisch, dreist, forsch, frech, keck, kess, leichtfertig, ungeniert, unverfroren *anstößig, gewagt, lose, ordinär, schamlos, schlüpfrig, vulgär
Frivolität: Laszivität, Leichtfertigkeit, Obszönität, Pikanterie, Schamlosigkeit, Schlüpfrigkeit, Unanständigkeit, Unsittlichkeit, Unzucht, Zweideutigkeit
froh: befreit, beruhigt, dankbar, entlastet,

erfreut, erleichtert, erlöst, glücklich, heilfroh *fidel, freudig, frohgemut, fröhlich, gut gelaunt, lustig, optimistisch, ungetrübt, vergnügt, zufrieden, frohen Mutes
fröhlich: beschwingt, erfreut, fidel, freudestrahlend, freudvoll, froh, frohgemut, frohmütig, glücklich, glückselig, gut gelaunt, heiter, munter, optimistisch, selig, sonnig, ungetrübt, vergnügt, wohlgefällig, wohlgemut, zufrieden, in froher Stimmung, voll Freude
Fröhlichkeit: Daseinsfreude, Entzücken, Freude, Frohsinn, Glück, Lebensfreude, Lebenslust, Lustigkeit, Optimismus, Vergnügen, Vergnügtheit, Wonne
fromm: andächtig, demütig, glaubensstark, gläubig, gottergeben, gottesfürchtig, gottgefällig, gottgläubig, gottselig, heilsgewiss, kirchlich, orthodox, religiös *fügbar, gehorsam, lenkbar *tüchtig, wacker *frömmlerisch, heuchlerisch, scheinfromm, scheinheilig
Frömmigkeit: Frommheit, Glauben, Glaubenseifer, Gläubigkeit, Gottesfurcht, Gottesfürchtigkeit, Gottesglaube, Orthodoxie, Religiosität
Frondienst: Fronarbeit, Sklaverei, Zwangsarbeit
Front: Feld, Feuerlinie, Gefechtslinie, Hauptkampflinie, Kampflinie, Kampfplatz, Kampfzone, Kriegsschauplatz, Schlachtfeld *Fassade, Hauptansicht, Schauseite, Stirnseite, Straßenseite, Vorderansicht, Vorderseite
frontal: frontseitig, an der Vorderseite, an der Stirnseite, von vorn, vorn befindlich
Frost: Kälte, Temperatur unter dem Gefrierpunkt, Temperatur unter Null *Frostwetter, Kälte, Winterkälte, Winterwetter
frostig: bitterkalt, eisig, frisch, frostklirrend, kalt, kühl, unterkühlt, winterlich *abweisend, distanziert, herb, reserviert, spröde, unfreundlich, unnahbar, unzugänglich *verfroren
frottieren: abfrottieren, abreiben, abrubbeln, abtrocknen, abtupfen, trockenreiben, trocken machen, trocken werden, trocknen lassen *abfrottieren, abreiben, abtrocknen, reiben, trockenreiben
fruchtbar: aufbauend, dienlich, effektiv, erfolgreich, ersprießlich, förderlich, gedeihlich, gut, hilfreich, interessant, konstruktiv, lohnend, nutzbringend, nützlich, positiv, produktiv, programmatisch, schöpferisch, sinnvoll, wegweisend, von Nutzen *einbringlich, ergiebig, ertragreich, fett, fruchtbringend, trächtig, tragend, üppig *fertil, fortpflanzungsfähig, geschlechtsreif, potent, zeugungsfähig
Fruchtbarkeit: Ergiebigkeit, Ertragfähigkeit, Fertilität
fruchtbringend: dienlich, ersprießlich, förderlich, fördernd, fruchtbar, gedeihlich, heilsam, hilfreich, konstruktiv, nützlich, sinnvoll, tauglich, wirksam, zweckvoll, zu gebrauchen *einbringlich, ergiebig, ertragreich, fett, fruchtbar, trächtig, tragend, üppig
fruchten: wirken *dienen, helfen, nutzen, Nutzen bringen, von Nutzen sein, zum Nutzen gereichen, gute Dienste leisten, dienlich sein, zugute kommen, förderlich sein
Fruchtfolge: Anbaufolge, Fruchtwechsel
fruchtlos: ergebnislos, inhaltsleer, karg, kümmerlich, nichts sagend, unersprießlich, unproduktiv, unschöpferisch, ohne Inhalt, ohne Gehalt *ausgelaugt, dürr, erschöpft, ertragsarm, karg, mager, öde, trocken, unergiebig, unrentabel *impotent, infertil, steril, zeugungsunfähig *aussichtslos, entbehrlich, erfolglos, ergebnislos, nutzlos, überflüssig, umsonst, unbrauchbar, ungeeignet, unnötig, unnütz, unwirksam, verfehlt, wertlos, wirkungslos, zwecklos
Fruchtpresse: Entmoster, Entsafter, Moster, Obstpresse, Presse, Saftpresse
Fruchtsaft: Fruchtsaftkonzentrat, Nektar, Obstsaft, Saft
frugal: abstinent, anspruchslos, einfach
Frugalität: Bescheidenheit, Einfachheit, Genügsamkeit, Mäßigkeit
früh: bald, frühmorgens, frühzeitig, morgens, rechtzeitig, zeitig, am Morgen, bei Tagesanbruch, beim ersten Hahnenschrei, in aller Frühe, in der Frühe, zur (rechten) Zeit *vorzeitig
Frühe: Morgen, Morgendämmerung,

Morgengrauen, Tagesanbruch, Tagesbeginn, Zwielicht
früher: alt, damalig, damals, ehedem, ehemals, einmal, einstens, gewesen, seinerzeit, vordem, vorher, vorig, vormals, vorzeiten, in fernen Tagen, vor Zeiten *bisherig, ehemalig, einstig, bis dato, bis jetzt *davor, eher, sonst, vorher, wie immer
frühestens: nicht eher als …, nicht früher als …, nicht vor …
Frühgebet: Morgengebet, Prim
Frühling: Frühjahr, Lenz, Vorsaison
Frühstück: Morgenmahlzeit
frühzeitig: morgens, frühmorgens, früh, am Morgen, bei Tagesanbruch, in der Frühe, in aller Frühe
Frustration: Ärger, Betroffenheit, Desillusion, Enttäuschung
frustrieren: ärgern, behindern, benachteiligen, enttäuschen, täuschen, vereiteln
Fuchs: Schlauberger, Schlaukopf, Schlaumeier *Gaul, Klepper, Mähre, Pferd, Ross, Schandmähre, Schinder *Routinier *Fuchspelz, Pelz *Rothaarige, Rotkopf *Reineke
fuchsig: wütend *ärgerlich *rotblond, rothaarig
Fuge: Spalt, Verbindungsstelle, Zwischenraum *kontrapunktisches Musikstück
fügen: anreihen, anschließen, koppeln, verbinden, vereinigen, verknüpfen, verquicken, zusammenfügen *einrichten, erlauben, ermöglichen, gestatten, Gelegenheit suchen, möglich machen, die Möglichkeit bieten, die Gelegenheit bieten ***s. fügen:** s. abfinden, anpassen, s. beugen, einlenken, gehorchen, kapitulieren, nachgeben, parieren, s. richten (nach), s. unterordnen, s. unterwerfen, zurückstecken, Ja sagen, konform gehen
fügsam: anständig, brav, folgsam, gefügig, gehorsam, gutwillig, lieb, manierlich, wohl erzogen, zahm
Fügsamkeit: Folgsamkeit, Gefügigkeit, Gehorsam, Gutwilligkeit, Kadavergehorsam, Subordination, Unterordnung, Willfährigkeit, Wohlerzogenheit
fühlbar: auffallend, bemerkbar, deutlich, erheblich, erkennbar, merklich, sichtbar, sichtlich, spürbar, zusehends *einschneidend, empfindlich, entscheidend, gravierend, hoch, merklich, nachhaltig, schmerzlich, schwer wiegend, spürbar, tief greifend
fühlen: empfinden, merken, spüren, tasten, verspüren, wahrnehmen *befühlen, tasten *ahnen, spüren ***s. fühlen:** s. befinden, gehen, zumute sein, zumute werden
Fühlung: Berührung *Beziehung, Kontaktaufnahme, Verbindung
führen: anführen, anleiten, befehligen, dirigieren, gebieten, kommandieren, leiten, lenken, präsidieren, verwalten, vorsitzen, vorstehen, an der Spitze stehen, den Vorsitz führen, die Fäden in der Hand haben, die Führung innehaben, die Leitung innehaben, die Sache in die Hand nehmen, die Zügel führen, maßgeblich sein, den Stab führen *geleiten *verkäuflich, vorrätig haben, zu haben *fahren, lenken, steuern *anführen, leiten, führend sein, die Führung innehaben, die erste Geige spielen, an der Spitze stehen *bedienen, betätigen, handhaben, regulieren, steuern *beabsichtigen *anführen, an der Spitze liegen, die Führung innehaben *verhandeln *s. aufspielen *verklagen *s. beschweren *befehligen, beherrschen, gebieten, herrschen, lenken, regieren, verwalten, vorstehen, walten (über), schalten (über), die Fäden in der Hand haben, die Herrschaft ausüben, die Herrschaft haben, das Zepter schwingen, die Geschicke des Landes bestimmen, Macht ausüben, Macht haben, Macht besitzen, Macht halten, am Ruder sein *s. unterhalten, miteinander sprechen *beweisen *beenden
führend: der Beste, der Erste *avantgardistisch, bahnbrechend, bestimmend, dominant, entscheidend, maßgebend, maßgeblich, revolutionär, richtungweisend, tonangebend, überlegen, vorherrschend, wegweisend
Führer: Reiseführer, Reiseleiter *Autofahrer, Chauffeur, Fahrer, Kraftwagenführer, Kraftwagenlenker, Lenker, Wagenlenker *Alleinherrscher, Despot, Diktator, Gewalthaber, Herrscher, Machthaber,

Potentat, Regent, Tyrann *Anführer, Begleiter, Betreuer, Haupt, Hauptperson, Leader, Leiter, Lenker, Vorsteher *Kapitän, Spielführer *Boss, Chef, Direktor, Führungskraft, Kopf, Oberhaupt, Vorgesetzter *Befehlshaber, Hauptmann *Anleitung, Handbuch, Plan, Ratgeber, Wegweiser *Kapitän, Steuermann *Häuptling, Stammesältester, Stammesoberhaupt

Führung: Anführung, Führerschaft, Herrschaft, Leitung, Verwaltungsspitze, erste Stelle *Leitung, Spitze, Stab *Allüren, Benehmen, Betragen, Gebaren, Gehabe, Handlungsweise, Verhalten, Verhaltensweise

Führungskraft: Manager, leitender Angestellter

Führungslosigkeit: Anarchie, Chaos, Durcheinander

Fülle: Farbigkeit, Palette, Reichtum, Variationsbreite, Vielfalt, große Auswahl, großes Angebot *Reichtum, Überangebot, Überfluss, Üppigkeit *Anhäufung, Ansammlung, Ballung, Flut, Menge *Einlage, Farce, Füllmasse, Füllsel, Füllung *Körperfülle, Leibesfülle, Stärke

füllen: abfüllen, anfüllen, auffüllen, einschenken, voll gießen, voll machen, voll schütten *brauchen, verbrauchen, ausfüllen, beanspruchen, belegen, fordern, nötig haben ***s. füllen:** voll werden

füllig: beleibt, wohlbeleibt, aufgedunsen, breit, dick, dickleibig, dicklich, dickwanstig, drall, feist, fett, fettleibig, fleischig, gemästet, gewaltig, korpulent, kugelrund, massig, mollig, pausbäckig, plump, pummelig, rund, rundlich, stämmig, stark, stramm, umfangreich, unförmig, üppig, vierschrötig, vollschlank, wohl genährt *aufgebläht, aufgeschwemmt, aufgetrieben, gedunsen, geschwollen, schwammig

Füllung: Inhalt, Produkt, Ware, das Verpackte *Daunen, Federn *Einlage, Farce, Fülle, Füllmasse, Füllsel

fulminant: flammend, glänzend, großartig, prächtig, zündend

Fund: Ausbeute, Ausgrabung, Entdeckung, Enthüllung, Freilegung, Fundsache

Fundament: Fuß, Grundfeste, Grundmauer, Grundstein, Piedestal, Postament, Sockel, Unterbau, Untersatz, Unterteil *Ansatz, Ausgangspunkt, Basis, Grundlage, Grundstock, Plattform, Voraussetzung, Vorbedingung

fundieren: ausstatten, erhärten, gründen, untermauern

fundiert: begründet, gesichert, unangreifbar, untermauert, unwiderlegbar, verbürgt, zuverlässig, hieb- und stichfest *bewandert, gebildet, gelehrt, geschult, informiert, kundig, sicher, unterrichtet, wissend

Fundierung: Argumentation, Begründung, Beweis, Beweisführung

fündig: erfolgreich, ergiebig

Fundus: Bestand, Bestandsmasse, Grundlage, Grundstock, Inventar, Ist-Bestand, Ist-Stärke

fungieren: dienen, wirken, wirksam sein, tätig sein, ein Amt verrichten

Funk: Funkwesen *Sendung, Übertragung

Funke: Kleinigkeit, Spur, Winzigkeit

funkelnagelneu: ungebraucht, völlig neu, ganz neu

funken: morsen, telegraphieren, durch Funk übermitteln, drahtlos übermitteln, einen Funkspruch durchgeben *funktionieren, gehen, laufen *auffassen, begreifen, verstehen

Funkmessgerät: Radar, Radargerät

Funkstörung: Schwund, Störgeräusch, Überlagerung

Funktion: Amt, Aufgabe, Aufgabengebiet *Arbeit, Ausübung, Beschäftigung, Betätigung, Geschäft, Gewerbe, Handeln, Handwerk, Hantierung, Tätigkeit, Tun, Verrichtung, Wirksamkeit *Leistung, Zweck

funktional: funktionell, tätigkeitsbedingt, wirksam, die Tätigkeit betreffend, die Funktion betreffend

Funktionär: Anführer, Chef, Direktor, Führungskraft, Geschäftsführer, Leader, Leiter, Lenker, Manager, Oberhaupt, Präsident, Vorsteher *Mitarbeiter, Parteiarbeiter, der Beauftragte

funktionieren: arbeiten, gehen, auf Touren sein, in Gang sein, in Betrieb sein, gut

abgehen, nach Wunsch gehen, richtig ablaufen, reibungslos ablaufen, ordnungsgemäß ablaufen, wie geschmiert gehen, in Ordnung sein
für: statt, anstatt, anstelle (von), ersatzweise, gegen, stellvertretend, an Stelle (von), im Austausch, im Tausch gegen *an, auf, pro, um, zu, zugunsten, zuliebe ***fürs Erste:** vorläufig, bis auf weiteres ***für sich:** allein, einzeln, isoliert *besonders
Fürbitte: Bitte, Fürsprache, Fürspruch
Furcht: Ängstlichkeit, Bangigkeit, Feigheit, Furchtsamkeit, Hasenherzigkeit, Kleinmut, Kleinmütigkeit, Memmenhaftigkeit, Mutlosigkeit, Zaghaftigkeit *Demut, Ehrfurcht, Scheu, Unterwürfigkeit
furchtbar: ängstigend, beängstigend, entsetzlich, fürchterlich, gespenstig, grässlich, Grauen erregend, grauenhaft, grauenvoll, grausig, gräulich, horrend, katastrophal, schauervoll, schaudervoll, schauerlich, schaurig, schrecklich, unheimlich, verheerend *sehr, überaus
fürchten: ahnen, argwöhnen, bangen, befürchten, s. Gedanken machen, s. Kummer machen, s. sorgen, s. Sorgen machen, Bedenken haben, Argwohn haben ***s. fürchten:** s. ängstigen, beben, erschaudern, erschauern, zittern, Furcht empfinden, Angst empfinden, Angst haben
furchtlos: beherzt, draufgängerisch, heldenhaft, heldenmütig, herzhaft, kämpferisch, kühn, mannhaft, mutig, tapfer, todesmutig, tollkühn, unerschrocken, unverzagt, vermessen, verwegen, wagemutig, waghalsig, ohne Furcht, frei von Furcht
Furchtlosigkeit: Beherztheit, Courage, Draufgängertum, Forschheit, Heldengeist, Heldenhaftigkeit, Heroismus, Herz, Herzhaftigkeit, Kühnheit, Löwenmut, Mannesmut, Mannhaftigkeit, Mumm, Mut, Schneid, Tapferkeit, Tollkühnheit, Unerschrockenheit, Unverzagtheit, Zivilcourage
furchtsam: angstbebend, angsterfüllt, ängstlich, angstschlotternd, angstverzerrt, angstvoll, argwöhnisch, aufgeregt, bang, bänglich, befangen, beklommen, besorgt, betroffen, feige, feigherzig, gehemmt, hasenherzig, kleinmütig, memmenhaft, mutlos, scheu, schreckhaft, schüchtern, verängstigt, verschreckt, verschüchtert, zag, zaghaft, zähneklappernd
fürderhin: künftig, weiterhin, bis auf weiteres
Furie: Raserei, Wut, das Toben *Drache, Ehedrache, Hausdrache, Hexe, Hyäne, Megäre, Plagegeist, wütendes Weib
furios: hitzig, leidenschaftlich, rasend, tobend, wild, wütend, wutentbrannt
fürlieb nehmen: s. begnügen, s. bescheiden, vorlieb nehmen (mit), s. zufrieden geben, zufrieden sein
Fürsorge: Diakonie, Fürsorglichkeit, Sozialfürsorge, Wohlfahrt
fürsorglich: achtsam, besorgt, betulich, helfend, hingebend, hingebungsvoll, liebevoll, mütterlich, rücksichtsvoll, rührend, schonend, schonungsvoll, sorgsam, umsichtig, väterlich
Fürsprecher: Advokat, Anwalt, Rechtsbeistand, Verteidiger
fürstlich: aufwändig, bestechend, glänzend, glanzvoll, großartig, hervorragend, märchenhaft, opulent, pompös, prächtig, prangend, prunkvoll, reichlich, stattlich, üppig, wundervoll
fürwahr: beileibe, bestimmt, echt, effektiv, ehrlich, tatsächlich, ungelogen, wahrhaftig, wahrlich, wirklich, in der Tat, ohne Übertreibung, nicht übertrieben, ohne Schmarren
Fusion: Vereinigung, Verschmelzung, Zusammenschluss *Zellvereinigung, Zellverschmelzung *Kernfusion
fusionieren: vereinigen, verschmelzen, zusammenschließen, zusammentun
Fuß: Fußgestell, Piedestal, Postament, Sockel, Standfuß *Bein, Extremität, Gliedmaße
Fußabtreter: Abkratzer, Abstreicher, Abtreter, Fußabstreicher, Fußmatte, Matte
Fußball: Ball, Leder, Lederball *Fußballspiel
Fußballtor: Gehäuse, Kasten, Pfosten, Tor
Fußbank: Fußschemel, Schemel
Fußboden: Boden, Bodenfläche, Diele, Estrich
Fussel: Fädchen, Faser, Faserstückchen,

Fluse, Wollfädchen, Wollfluse, Wollfussel
fusseln: fasern, haaren
Fußgänger: Passant, Vorübergehender
Fußgängerüberweg: Fußgängerüberführung, Fußgängerübergang *Fußgängertunnel, Fußgängerunterführung *Fußgängerweg, Zebrastreifen
Fußnote: Anmerkung, Bemerkung, Glosse, Marginalbemerkung, Marginalglosse, Marginalie, Notiz, Randbemerkung
Futter: Äsung, Fraß, Fressen, Geäse, Grünfutter, Körnerfutter, Nahrung, Weichfutter *Gewebe *Spannvorrichtung, Vorrichtung
füttern: abfüttern, ernähren, pappeln, päppeln, sättigen *atzen, halten, mästen, sättigen, zu fressen geben, Futter geben
Fütterung: Atzung, Kröpfung, Mast
Futur: Futurum, Zukunftsform
Futurologie: Zukunftsforschung

G

Gabe: Aufmerksamkeit, Dedikation, Geschenk, Mitbringsel, Präsent, Werbegeschenk, Werbepräsent, Widmung *Almosen, Beitrag, Geschenk, Obolus, Scherflein, Spende, Unterstützung, milde Gabe *Ader, Auffassungsgabe, Befähigung, Begabung, Berufung, Eignung, Fähigkeit, Gaben, Geistesgaben, Genialität, Genie, Ingenium, Intelligenz, Klugheit, Kunstfertigkeit, Talent, Veranlagung, Verstand, Vielseitigkeit, Zeug *Bruchteil, Dosis, Maß, Menge, Quantität, Quantum, Überdosis

gabeln: aufgabeln, mit der Gabel aufspießen ***s. gabeln:** abgehen, abzweigen, s. teilen, s. verzweigen

Gabelung: Abzweigung, Kreuzung, Scheideweg, Verzweigung, Weggabelung, Wegscheide

gaffen: anschauen, anstarren, bestaunen, glotzen, starren, stieren, zusehen

Gaffer: Anwesende, Beobachter, Betrachter, Neugierige, Publikum, Schaulustige, Umstehende, Zaungäste, Zuschauer

Gag: Clou, Geistesblitz, Spaß, witziger Einfall, lustige Idee

Gage: Bezahlung, Entgelt, Honorar, Lohn

gähnen: auf sein, aufstehen, klaffen, offen sein *(langsam) einatmen

Gala: Festkleidung, Festrobe, Galaanzug *Galavorstellung

Galadiner: Bankett, Diner, Ehrenmahl, Essen, Festbankett, Festessen, Festgelage, Festmahl, Festschmaus, Freudenmahl, Gastmahl, Gelage, Tafel

galant: artig, aufmerksam, fein, glatt, höflich, kultiviert, manierlich, pflichtschuldigst, ritterlich, rücksichtsvoll, taktvoll, vornehm, zuvorkommend

Galaxis: Galaxie, Milchstraße, Sternenhaufen, Sternensystem

Galerie: Ausstellung, Sammlung *Empore, oberster Rang

Galgen: Balken, Gerüst, Hebebaum, Schwebebaum *Henkergerüst

Galgenfrist: Bedenkzeit, Gnadenfrist, Strafaufschub, Verzögerung, Zeitaufschub

Galgenvogel: Galgenstrick, Lump, Nichtsnutz, Strolch

Gallert: Aspik, Gallerte, Gelatine, Gelee

gallertartig: gallertig, gelatineartig, gelatinös

gallig: bitter, gallenbitter *ärgerlich, bitterböse, bösartig, böse, boshaft, garstig, gemeingefährlich, schlimm, übel, übel gesinnt, übel wollend, unausstehlich

galoppieren: reiten, sprengen, traben, zu Pferd sitzen, im Sattel sitzen *eilen, flitzen, hasten, hetzen, jagen, laufen, preschen, rasen, rennen, sausen, schwirren, spritzen, stürmen, stürzen

galvanisieren: verchromen, mit Metall überziehen

gammeln: faulenzen, herumlungern, strolchen

Gammler: Aussteiger, Clochard, Faulenzer, Freak, Halbstarker, Hippie, Nichtstuer, Penner, Tramp

Gang: Fortbewegungsart, Gangart, Schritt, Tritt *Marsch, Promenade, Spaziergang, Spazierweg *Diele, Flur, Korridor *Ablauf, Entwicklung, Fortgang, Hergang, Lauf, Prozess, Verlauf, Vorgang *Einzelgericht, Menügang, Speisenfolge *Besorgung, Erledigung, Verrichtung, Weg *Bande, Jugendbande, Meute, Pack

gangbar: allenfalls, denkbar, erdenklich, gegebenenfalls, möglich, möglichenfalls, vermutlich, vorstellbar, womöglich, unter Umständen

gängeln: bevormunden, dirigieren, lenken, vorschreiben, bestimmen (über)

gängig: alltäglich, bekannt, eingeführt, eingewurzelt, gebräuchlich, geläufig, gewohnt, herkömmlich, normal, sprichwörtlich, üblich, verbreitet, vertraut, allgemein bekannt *begehrt, beliebt, empfohlen, gefragt, gesucht, verkäuflich, viel verlangt, gern gekauft

Gangway: Laufsteg, Treppe, Zugang

Ganove: Bandit, Filou, Gangster, Gauner, Halunke, Lump, Preller, Scharlatan, Schurke, Schwindler, Spitzbube, Strolch, Übeltäter *Gewaltverbrecher, Krimineller, Verbrecher *Bauernfänger, Erpresser, Hochstapler *Betrüger, Fälscher, Geldfälscher *Betrüger, Fälscher, Urkundenfälscher *Dieb, Hehler, Schieber
Gans: Gänserich, Ganter
Gänseblümchen: Maßliebchen, Tausendschön
ganz: gesund, heil, intakt, unberührt, unbeschädigt, unversehrt, wohlbehalten, nicht kaputt, nicht entzwei *absolut, alles, genau, gesamt, grundlegend, hundertprozentig, insgesamt, lückenlos, sämtlich, schlechterdings, schlechtweg, total, überhaupt, voll, vollends, völlig, vollkommen, vollständig, wirklich, ganz und gar, in jeder Beziehung, in jeder Hinsicht, in vollem Maße, in vollem Umfang, bis auf den Grund, von Kopf bis Fuß *geheilt, gesund, heil, intakt, unbeschädigt, unverletzt, unversehrt, wohlbehalten
Ganzheit: Allgemeinheit, Einheit, Gänze, Gesamtheit, Totalität, Vollständigkeit, das Ganze
gänzlich: schlechterdings, schlechthin, schlechtweg, völlig
gar: durch, durchgebacken, fertig, gar gekocht, weich, genügend gebraten, genügend gekocht, genügend gebacken *etwa, vielleicht, womöglich, ja wirklich
Garant: Bürge, Gewährsmann, Sicherheit
Garantie: Bürgschaft, Gewähr, Gewährleistung
garantieren: bezeugen, bürgen, gewährleisten, s. verbriefen, s. verbürgen, versichern, Gewähr bieten, Garantie leisten, Garantie bieten *geloben, versichern, versprechen, zusagen, sein Wort geben
garantiert: authentisch, gewährleistet, sicher, verbürgt, zuverlässig
Garbe: Bund, Bündel, Garbenbündel *Feuergarbe, Feuerstoß, Gewehrgarbe, Gewehrsalve
Garde: Bewachung, Leibgarde, Posten, Postendienst, Schildwache, Wachdienst, Wache, Wachmannschaft, Wachposten *Elitetruppe, Kerntruppe
Garderobe: Ablage, Flurgarderobe, Garderobenständer, Haken, Kleiderablage, Kleidergarderobe, Kleiderhaken, Kleiderständer *Ankleidekabine, Ankleideraum, Ankleidezimmer, Kabine, Umkleidekabine, Umkleideraum *Anzug, Aufzug, Bekleidung, Klamotten, Kleider, Kleidung, Kluft, Kostüm, Montur, Sachen, Tracht, Uniform, Zeug
Gardine: Scheibengardine, Store, Übergardine, Vorhang
garen: köcheln, kochen, weich machen, gar machen *braten, dünsten, schmoren
gären: arbeiten, aufgehen, säuern, treiben, in Gärung übergehen, in Gärung geraten *brodeln, kriseln, schwelen
Gärfutter: Silage, Silofutter
Gärfutterbehälter: Großspeicher, Silo
gärig: faul, faulig
Garn: Faden, Nähfaden, Nähgarn, Zwirn
Garnelen: Krabben, Shrimps
garnieren: dressieren, verzieren *ausgestalten, ausstatten, behängen, herausputzen, schmücken, schön machen, verschönern, verzieren
Garnierung: Ausschmückung, Dekoration, Schmuck, Verzierung, Zierrat
Garnison: Kaserne, Truppenstandort, Truppenunterkunft *Bataillon, Einheit, Formation, Kompanie, Regiment, Schar, Truppe, Truppeneinheit, Truppenteil
Garnitur: Gruppe, Satz, Serie, Set, Zusammenstellung
garstig: bitterböse, bösartig, böse, boshaft, gemein, gemeingefährlich, schlimm, übel, übel gesinnt, übel wollend, unausstehlich *aufmüpfig, aufsässig, dickköpfig, finster, rechthaberisch, störrisch, trotzig, unbotmäßig, ungehorsam, unnachgiebig, unversöhnlich, unzugänglich, verschlossen, widersetzlich, widerspenstig *ekelhaft, fürchterlich, hässlich, schauerlich, scheußlich, unfreundlich, unschön, widerlich
Garstigkeit: Abscheulichkeit, Arglist, Bösartigkeit, Boshaftigkeit, Bosheit, Böswilligkeit, Gehässigkeit, Gift, Heimtücke, Hinterlist, Intriganz, Niedertracht, Niedrigkeit, Ruchlosigkeit, Schadenfreude, Schikane, Schlechtigkeit, Schurkerei,

Teufelei, Tücke, Übelwollen, Unverschämtheit, böse Absicht, böser Wille

Garten: Anlagen, Gartenanlage, Grünanlage, Lustgarten, Park, Parkanlage, Vergnügungspark, Wildgarten, Wildpark, englischer Garten, grüne Lunge

Gartenzwerg: Wichtel, Wichtelmann *Knirps, Spottfigur

Gasse: schmale Straße, schmaler Weg

Gassenhauer: Evergreen, Hit, Schlager, Schnulze

Gassensprache: Slang, Umgangssprache

Gast: Besuch, Besucher, der Eingeladene, der Fremde, der Geladene *Pensionär, Stammgast *Hospitant, Praktikant

Gastarbeiter: Ausländer, Fremdarbeiter, ausländischer Arbeitnehmer

Gästehaus: Gästeheim, Gasthaus, Heim, Herberge, Hospiz

gastfreundlich: gastlich, großzügig, offen, wirtlich

Gastfreundschaft: Gastlichkeit

Gastgeber: Hausherr, Wirt, Herr des Hauses

Gastlichkeit: Gastfreundschaft

Gaststätte: Gasthaus, Gasthof, Gastwirtschaft, Kneipe, Lokal, Raststätte, Restaurant, Schenke, Wirtshaus

Gastwirt: Hotelier, Kneipenwirt, Schankwirt, Schenkwirt, Wirt

Gatte: Angetrauter, Ehemann, Gemahl, Lebensgefährte, Lebenskamerad, Mann

Gatter: Gitter, Zaun

Gattin: Angetraute, Ehepartner, Frau, Gemahlin, Lebensgefährtin, Lebenskameradin, Weib

Gattung: Art, Familie, Genre, Kategorie, Klasse, Rasse, Schlag, Sorte, Spezies, Typ, Zweig

Gau: Bezirk, Distrikt, Landschaft

Gaube: Dachfenster, Dachluke, Giebel, Mansardenfenster

Gaudi: Amüsement, Belustigung, Freude, Gaudium, Spaß, Vergnügen

Gaukelei: Einbildung, Gaukelspiel, Gauklerei, Irreführung, Spiegelfechterei, Täuschung, Trug, Vorspiegelung

gaukeln: flattern, fliegen, schwirren, segeln

Gaukler: Artist, Taschenspieler, Varietékünstler, Zauberkünstler, Zirkuskünstler

Gaul: Klepper, Mähre, Pferd, Ross

Gauner: Bandit, Filou, Gangster, Ganove, Halunke, Lump, Preller, Scharlatan, Schurke, Schwindler, Spitzbube, Strolch, Übeltäter *Gewaltverbrecher, Krimineller, Verbrecher *Bauernfänger, Erpresser, Hochstapler *Betrüger, Fälscher, Geldfälscher *Betrüger, Fälscher, Urkundenfälscher *Dieb, Hehler, Schieber

Gaunerei: Bauernfang, Bauernfängerei, Betrug, Betrügerei, Gaunerstreich, Hintergehung, Irreführung, Machenschaft, Manipulation, Mogelei, Nepp, Prellerei, Schiebung, Schummelei, Schummeln, Schwindel, Schwindelei, Täuschung, Unregelmäßigkeit, Unterschlagung

gaunerhaft: betrügerisch, illoyal, unaufrichtig, unehrlich, unkorrekt, unlauter, unredlich, unreell, unsolid, unzulässig

gaunern: andrehen, anschmieren, ausbeuten, bemogeln, beschummeln, beschwindeln, betrügen, bluffen, bringen (um), einsalben, hereinlegen, hintergehen, hochnehmen, lackmeiern, leimen, mogeln, neppen, prellen, schummeln, täuschen, überfahren, überlisten, übervorteilen, aufs Kreuz legen

Gaunersprache: Bettlerlatein, Diebessprache, Diebssprache, Ganovensprache, Krämerlatein, Kundensprache, Rotwelsch, Spitzbubensprache, Verbrechersprache

Gazette: Blatt, Journal, Lokalzeitung, Magazin, Zeitung

geachtet: anerkannt, angebetet, angesehen, bekannt, beliebt, berühmt, bewundert, geehrt, gefeiert, geliebt, geschätzt, hoch geschätzt, populär, renommiert, schätzenswert, umschwärmt, verdient, verehrt, vergöttert, volkstümlich

geächtet: friedlos, gebannt, rechtlos, verfemt, vogelfrei

Geächteter: Außenstehender, Desperado, Outcast, Outlaw, Outsider, Paria, Rechtloser, Verbannter, Verstoßener

geädert: durchzogen

gealtert: alt, angegraut, bejahrt, betagt, verbraucht *abgehärmt, alt, faltenreich, faltig, verbraucht

geartet: beschaffen, geformt, geprägt, veranlagt

Geäst: Astwerk, Gesträuch, Gezweig
Gebäck: Backware, Backwerk, Kuchen, Patisserie, das Gebackene
Gebälk: Balkenwerk, Dachstuhl, Verstrebung
Gebärde: Ausdrucksbewegung, Bewegung, Geste, Miene, Mienenspiel, Mimik, Pantomime, Wink, Zeichen
gebärden (s.): s. benehmen, s. verhalten, s. zeigen
Gebärdensprache: Fingersprache, Taubstummensprache
Gebaren: Allüren, Art, Benehmen, Betragen, Handlungsweise, Verhalten
gebaren (s.): s. aufführen, auftreten, s. benehmen, s. betragen, s. bewegen, s. gebärden, s. geben, s. halten, s. verhalten
gebären: entbinden, kreißen, niederkommen, ein Kind bekommen, ein Baby bekommen, ein Kind kriegen, Leben schenken, auf die Welt bringen *frischen, hecken, jungen, werfen, Junge bekommen
Gebäude: Bau, Baulichkeit, Bauwerk, Haus *Gedankengebäude, Gedankengebilde, Gedankenkomplex *Aufgesang
Gebäudekomplex: Häuserblock, Komplex, Trakt
gebaut: veranlagt *entwickelt, gewachsen, groß *errichtet, gemauert, hochgezogen
Gebefreude: Freigebigkeit, Generosität, Großzügigkeit, Mildtätigkeit, Splendidität, Wohltätigkeit
gebefreudig: freigebig, großherzig, großzügig, hochherzig, honorig, mildtätig, nobel, opferbereit, spendabel, verschwenderisch, verschwendungssüchtig, weitherzig
Gebeine: Gerippe, Knochen, Skelett, Totengebeine, Totenskelett
geben: austeilen, bedenken (mit), beglücken (mit), beschenken, mitbringen, mitgeben, schenken, spendieren, stiften, teilen, verehren, vermachen, versorgen (mit), weggeben, zueignen, zuteilen, angedeihen lassen *abweisen *antworten *auftreten, s. befinden, bestehen, erscheinen, existieren, vorkommen, da sein, vorhanden sein *versprechen *abliefern, abtreten, aushändigen, ausstatten (mit), darbieten, darreichen, präsentieren, reichen, überantworten, übereignen, übergeben, überlassen, überreichen, überstellen, übertragen, verabfolgen, verabreichen, versehen (mit), versorgen (mit), zureichen, in die Hand drücken *vergiften *ernähren, füttern, stillen *bloßstellen *aufführen, veranstalten *unterrichten *hinterlegen *entlassen *schimpfen, tadeln, zurechtweisen *versichern *ohrfeigen, schlagen *s. anstrengen, s. bemühen *s. erbrechen, s. übergeben, von sich geben ***s. geben:** s. beruhigen *s. anstellen, s. aufführen, auftreten, s. benehmen, s. betragen, s. bewegen, s. gebärden, s. gebaren, s. halten, s. verhalten, s. zeigen
Geber: Förderer, Geldgeber, Gönner, Mäzen, Protektor, Spender, Sponsor, Stifter, Wohltäter
gebessert: besser, verbessert
Gebet: Anrufung, Bitte, Bittgebet, Dankgebet, Danksagung, Fürbitte, Anrufung Gottes
Gebetbuch: Brevier, Laiengebetbuch, Stundenbuch
gebeten: eingeladen, geladen, gern gesehen, gerufen, willkommen *beordert, geladen, zitiert
gebeugt: dekliniert, flektiert, konjugiert *demutsvoll, niedergedrückt, niedergeschlagen *gebückt, mit rundem Rücken, mit krummem Rücken
Gebiet: Hoheitsgebiet, Staatsgebiet, Territorium *Enklave *Exklave *Landschaftsgebiet, Landschaftsschutzgebiet, Nationalpark, Naturpark *Mandat, Mandatsgebiet, Treuhandgebiet *Krisengebiet, Krisenherd *Berufszweig, Branche, Fach, Sparte, Wirkungskreis, Zweig *Areal, Bereich, Bezirk, Feld, Fläche, Gemarkung, Komplex, Land, Raum, Region, Revier, Terrain, Territorium, Zone
gebieten: administrieren, anordnen, anweisen, auferlegen, aufgeben, bestimmen, festlegen, reglementieren, veranlassen, verfügen *befehligen, beherrschen, führen, herrschen, leiten, lenken, regieren *beanspruchen, bedingen, erfordern, verlangen, in Anspruch nehmen
Gebieter: Gewalthaber, Haupt, Herr,

Herrscher, Landesvater, Machthaber, Oberhaupt, Regent, Staatsoberhaupt
gebieterisch: autoritär, barsch, bestimmt, brüsk, despotisch, diktatorisch, entschieden, erbarmungslos, gebietend, gnadenlos, grob, herrisch, herrschsüchtig, machthaberisch, rechthaberisch, repressiv, rücksichtslos, scharf, selbstherrlich, tyrannisch, unerbittlich, unnachgiebig, unnachsichtig
Gebilde: Fabrikat, Machwerk, Produkt *Beschaffenheit, Form, Gestalt, Struktur
gebildet: akademisch, belesen, beschlagen, bewandert, erfahren, firm, fit, gelehrt, gescheit, geschult, hoch gebildet, kenntnisreich, klug, kultiviert, kundig, niveauvoll, qualifiziert, sachverständig, sprachgewandt, studiert, versiert, verständig, weise, wissend
Gebimmel: Geläut, Geläute, Bimmeln, Läuten, Geklingel, Klingeln
Gebirge: Berge, Felsmassiv, Gebirgskette, Gebirgsmassiv, Gebirgszug, Gesteinsmassiv, Hochgebirge, Höhenzug, Mittelgebirge, Vorgebirge
gebirgig: abfallend, abschüssig, alpin, bergig, hügelig, steil, uneben, wellig
Gebirgsstock: Massiv
Gebiss: Kauwerkzeuge, Zähne *Zahnersatz, Zahnprothese, künstliche Zähne, dritte Zähne
geblümt: blühend, blumenreich, blumig, geschmückt, verziert
Geblüt: Familie, Haus, Stamm
gebogen: ausladend, bauchig, gekrümmt, geschweift, geschwungen, gewölbt, halbrund, krumm, verkrümmt, nicht gerade
geboren: gebürtig, stammend (aus) *das Licht der Welt erblickt, auf die Welt gekommen, zur Welt gebracht ***geboren werden:** zur Welt kommen, das Licht der Welt erblicken, auf die Welt kommen
geborgen: beschirmt, beschützt, daheim, geschützt, sicher, wohl, gut aufgehoben, in guten Händen, zu Hause, unter Dach und Fach
Geborgenheit: Abschirmung, Behütetsein, Geborgensein, Gesichertheit, Obhut, Schutz, Sicherheit, Sicherung
Gebot: Anweisung, Aufforderung, Auftrag, Befehl, Bestimmung, Diktat, Geheimauftrag, Geheimbefehl, Geheiß, Instruktion, Kommando, Mussbestimmung, Mussvorschrift, Order, Verfügung, Verhaltensmaßregel, Verordnung, Vorschrift, Weisung *Forderung, Gesetz, Glaubenssatz, Maxime, Postulat *Angebot, Höchstgebot
geboten: dringend, erforderlich, nötig, notwendig, unausweichlich, unbedingt, unentbehrlich, unerlässlich, unvermeidlich, wesentlich, zwingend
Gebrauch: Anwendung, Benutzung, Benützung, Indienstnahme, Nutzung, Verwendung *Einsatz, Inanspruchnahme, Nutzanwendung, Nutzbarmachung, Verwendung
gebrauchen: bedienen, benutzen, Gebrauch machen (von), verwenden, in Gebrauch haben *benötigen, brauchen *anwenden, benutzen, benützen, Gebrauch machen (von), nießbrauchen, nutzen, nützen, verwenden, s. zunutze machen, in Gebrauch nehmen, in Anwendung bringen, in Dienst nehmen, zum Einsatz bringen
gebräuchlich: alltäglich, bekannt, eingefahren, eingeführt, eingespielt, eingewurzelt, gängig, geläufig, gewohnt, herkömmlich, landläufig, normal, regulär, üblich, verbreitet, vertraut, gang und gäbe
Gebrauchsanweisung: Anleitung, Anweisung, Bedienungsvorschrift, Benutzungsvorschrift, Gebrauchsanleitung
gebrauchsfertig: anwendbar, benutzbar, betriebsbereit, betriebsfähig, betriebsfertig, einsatzbereit, einsatzfertig, fertig, verwendbar
Gebrauchsgegenstand: Bedarfsgegenstand, Gerät, Utensil
Gebrauchsgüter: Bedarfsgüter, Gebrauchswaren, Konsumgüter
gebraucht: alt, antiquarisch, secondhand, aus zweiter Hand, nicht mehr neu
gebräunt: braun, braun gebrannt, bräunlich, braun verbrannt, bronzen, sonnenverbrannt
gebrechen: fehlen, mangeln, nicht vorhanden sein
Gebrechen: Beschwerden, Krankheit, Leiden, Siechtum, Übel *Defekt, Fehler,

Mangel, Manko, Nachteil, Schaden, Unzulänglichkeit
gebrechlich: abgelebt, abgenutzt, abgespannt, abgezehrt, altersschwach, dünn, erholungsbedürftig, hinfällig, kraftlos, kränklich, matt, schlapp, schwächlich, schwerbeschädigt, tatterig, tattrig, wackelig, zittrig
Gebrechlichkeit: Altersschwäche, Auszehrung, Ermattung, Hinfälligkeit, Kräfteverfall, Krankheit
gebrochen: deprimiert, entmutigt, gedrückt, geknickt, kleinmütig, lebensmüde, mutlos, niedergedrückt, niedergeschlagen, niedergeschmettert, resigniert, verzagt, verzweifelt *abgehackt, holprig, stammelnd, stockend, nicht flüssig, nicht fließend *defekt, entzwei, kaputt
Gebrüll: Geheul, Gejohle, Gekreisch, Geplärr, Geschrei, Getöse, Lärm
Gebühr: Abgabe, Beitrag, Leistung, Maut, Preis, Taxe, Tribut, Unkosten, Zahlung, Zwangsabgabe, Zwangsgeld, Zwangspfand
gebühren: gehören, verdienen, zufallen, zukommen, zustehen, angemessen sein, wert sein
gebührend: angebracht, angemessen, entsprechend, gebührendermaßen, gebührenderweise, geeignet, gehörig, gemäß, gerecht, geziemend, schuldig, ziemlich, zukommend, zustehend, in gebührender Weise, wie es sich gehört, nach Verdienst, nach Gebühr *angezeigt, anständig, ordentlich, passend, richtig, schicklich, in Ordnung
Gebühreneinheit: Gesprächseinheit
gebührenfrei: frei, kostenfrei, gebührenlos, geschenkt, gratis, kostenlos, umsonst, unentgeltlich
Gebührenfreiheit: Nulltarif, kostenloser Eintritt
gebührenpflichtig: kostenpflichtig, stempelpflichtig, mit einer Gebühr versehen
gebunden: abhängig, angewiesen (auf), unfrei, unselbständig, untertan *legiert
Gebundenheit: Abhängigkeit, Unfreiheit, Unselbständigkeit
Geburt: Ankunft, Entbindung, Lebensbeginn, Niederkunft, freudiges Ereignis, schwere Stunde *Abkunft, Abstammung, Herkommen, Herkunft *Anbruch, Anfang, Auftakt, Ausgangspunkt, Beginn, Entstehung, Keim, Quelle, Ursprung, Wiege
Geburtenregelung: Empfängnisverhütung, Familienplanung, Geburtenbeschränkung, Geburtenkontrolle
gebürtig: geboren, stammend (aus)
Geburtsjahr: Altersgruppe, Altersklasse, Altersstufe, Generation, Jahrgang
Geburtsname: Eigenname, Familienname, Mädchenname, Nachname, Zuname
Geburtsort: Geburtsstätte, Heimatort
Geburtstag: Ehrentag, Wiegenfest
Gebüsch: Buschwerk, Dickicht, Gesträuch, Gestrüpp, Hecke, Jungholz, Reisig, Strauchwerk, Unterholz
Geck: Fastnachtsnarr, Narr, Spaßmacher, Spaßvogel *Dandy, Gent, Laffe, Schönling, Snob, Stutzer
geckenhaft: eitel, snobistisch
Geckenhaftigkeit: Eitelkeit, Snobismus
gedacht: angenommen, fiktiv, gedachtermaßen, gedanklich, ideell, imaginär, vorgestellt
Gedächtnis: Aufnahmefähigkeit, Erinnerung, Erinnerungsvermögen, Lernfähigkeit *Andenken, Angedenken, Gedenken, Gedenktag, Jubiläum
gedächtnisschwach: gedankenlos, gedankenverloren, nachdenklich, unzuverlässig, vergesslich, zerstreut
Gedächtnisschwäche: Amnesie, Erinnerungslücke, Erinnerungstäuschung, Erinnerungsverfälschung, Gedächtnisschwund, Gedächtnisverlust *Gedächtnislücke, Vergesslichkeit, Vergessen
Gedächtnisstütze: Anhaltspunkt, Eselsbrücke, Gedächtnisbrücke, Gedächtnishilfe, Lernhilfe, Merkhilfe *Merkwort, Stichwort *Merkspruch, Merkvers
gedämpft: dumpf, halblaut, klanglos, leise, piano, ruhig, tonlos, in Zimmerlautstärke *dezent, leise, unauffällig *dämmrig, halbdunkel, schummrig
Gedanke: Idee, Vorstellung *Einfall, Eingebung, Erleuchtung, Gag, Gedankenblitz, Geistesblitz, Geistesfunke, Idee, Inspiration, Intuition, Schnapsidee

Gedankenaustausch: Aussprache, Dialog, Gespräch, Konversation, Plauderei, Rücksprache, Unterhaltung, Unterredung, Zwiegespräch
Gedankengang: Assoziation, Gedankenfaden, Gedankenfolge, Gedankenkette, Gedankenreihe, Gedankenverknüpfung, Ideenfolge, Ideengang, Ideenkette, Überlegung, Vorstellungsablauf
Gedankengefolge: Gebäude, Gedanke, Lehre, Lehrgebäude, System
gedankenlos: automatisch, blind, mechanisch, teilnahmslos *abwesend, achtlos, fahrig, gedankenverloren, geistesabwesend, impulsiv, konfus, kopflos, unachtsam, unaufmerksam, unbedacht, unbesonnen, unkonzentriert, unüberlegt, zerfahren, zerstreut, ohne Bedacht, ohne Überlegung
Gedankenlosigkeit: Vergesslichkeit *Schussligkeit, Schusseligkeit, Unbedachtheit, Unbedachtsamkeit, Unbesonnenheit, Unklugheit, Unvernunft, Unverstand, Zerfahrenheit
gedankenreich: einfallsreich, findig, geistreich, ideenreich, kreativ, originell, phantasiebegabt, phantasiereich, phantasievoll, produktiv, schöpferisch *geistreich
Gedankenreichtum: Gedankenfülle, Gedankengehalt, Geistesfülle, Ideenreichtum *Einfallsreichtum, Erfindungsgabe
Gedankenübertragung: Telepathie
Gedankenverbindung: Assoziation, Ideenverknüpfung
gedankenverloren: abwesend, geistesabwesend, verträumt
gedankenvoll: besinnlich, besonnen, entrückt, gedankentief, gedankenverloren, grübelnd, grüblerisch, nachdenklich, selbstvergessen, tiefsinnig, träumerisch, versonnen, versunken, vertieft, verträumt, in sich gekehrt
gedanklich: angenommen, fiktiv, gedacht, ideell, imaginär, immateriell, theoretisch, vorgestellt
Gedärm: Därme, Eingeweide, Gekröse, Innereien
Gedeck: Gang, Gericht, Portion *Teller und Besteck
gedeckt: blass, matt, schwach, nicht leuchtend *hergerichtet, vorbereitet, zurechtgemacht *abgesichert, eingegraben, geschützt, gesichert *befruchtet, begattet *geschützt, zu
gedehnt: zerdehnt, breit ausgewalzt, in die Länge gezogen
gedeihen: ansteigen, anwachsen, aufblühen, blühen, s. entfalten, s. entwickeln, erblühen, florieren, geraten, prosperieren, s. steigern, voranschreiten, einen Aufschwung erleben, einen Aufstieg erleben, Erfolg haben, Fortschritte machen, gut gehen, gut wachsen, flott gehen *s. entwickeln, erstarken, strotzen, wachsen, dicker werden, stärker werden, kräftiger werden
gedenken: beabsichtigen, s. bemühen, bezwecken, planen, trachten (nach), vorhaben, s. vornehmen, wollen, s. zum Ziel setzen, ins Auge fassen *aktivieren, auffrischen, s. besinnen (auf), einfallen, s. entsinnen, s. erinnern, gemahnen, mahnen, s. merken, s. vergegenwärtigen, wieder erkennen, wieder erwachen, zurückblicken, zurückdenken, zurückschauen, eingedenk sein, erinnerlich sein, unvergesslich sein, lebendig sein, gegenwärtig sein, präsent sein, s. ins Gedächtnis rufen, in Erinnerung bringen, nicht vergessen
Gedenken: Andenken, Erinnerung, Gedächtnis, Mahnung
Gedenkmünze: Denkmünze, Medaille, Münze, Schaumünze
Gedenkrede: Denkschrift, Gedächtnisrede, Nachrede, Nachruf, Nachruhm, Nachwort, Nekrolog, Würdigung
Gedenktag: Gedächtnistag, Jahrestag, Jubiläum
Gedicht: Ballade, Ode, Poem, Romanze, Sonett, Spruch, Vers, Verse, Verschen *Ausgesuchtheit, Eleganz, Erlesenheit, Großartigkeit
gediegen: ordentlich, reell, solid, solide, verlässlich, vertrauenswürdig, wertbeständig, zuverlässig *echt, gut, haltbar, lauter, pur, qualitätsvoll, rein, stabil, unverfälscht *dezent, unauffällig
Gedränge: Auflauf, Aufruhr, Durcheinander, Enge, Gemenge, Getriebe, Getümmel, Gewimmel, Gewoge, Gewühl, Menschenansammlung, Menschenmen-

ge, Tumult, Zusammenlauf, Zusammenrottung
gedrängt: beengt, eingekeilt, eingeklemmt, zusammengepresst, dicht an dicht, Kopf an Kopf, Schulter an Schulter *bündig, klar, kurz, präzise
gedrückt: deprimiert, entmutigt, gebrochen, geknickt, kleinmütig, lebensmüde, mutlos, niedergedrückt, niedergeschlagen, niedergeschmettert, resigniert, verzagt, verzweifelt
Gedrücktheit: Bedrückung, Depression, Freudlosigkeit, Melancholie, Mutlosigkeit, Niedergeschlagenheit, Schwermut, Tief, Trauer, Trübsinn, Verzagtheit, Verzweiflung, traurige Stimmung
gedrungen: bullig, kompakt, massiv, pyknisch, stämmig, untersetzt
Geduld: Ausdauer, Engelsgeduld, Friedfertigkeit, Gelassenheit, Gleichmut, Langmut, Milde, Nachsicht, Ruhe, Sanftmut, Toleranz *Ausdauer, Beharrlichkeit, Beharrung, Beharrungsvermögen, Durchhaltevermögen, Entschiedenheit, Entschlossenheit, Festigkeit, Geradlinigkeit, Hartnäckigkeit, Konsequenz, Konstanz, Persistenz, Starrsinn, Stehvermögen, Stetigkeit, Strebsamkeit, Sturheit, Trotz, Unbeugsamkeit, Unermüdlichkeit, Unerschütterlichkeit, Unverdrossenheit, Zähigkeit, Zielbewusstsein, Zielstrebigkeit
gedulden (s.): abwarten, ausharren, harren, zuwarten, s. Zeit lassen, geduldig sein, Geduld üben, Geduld haben
geduldig: friedfertig, gelassen, gleichmütig, langmütig, nachsichtig, ruhig, tolerant, voller Mitgeduld *ausdauernd, beharrlich, durchhaltend, unermüdlich *ergeben, gottergeben
Geduldsspiel: Puzzle, Puzzlespiel, Zusammensetzspiel
Gedunsenheit: Aufgedunsenheit, Aufgequollenheit, Aufgeschwemmtheit, Schwammigkeit, Verquollenheit, Verschwollenheit
geehrt: angebetet, angesehen, beliebt, bewundert, geachtet, gefeiert, geliebt, geschätzt, hochgeschätzt, populär, renommiert, verdient, verehrt, vergöttert, volkstümlich, volksverbunden
geeignet: gegeben, gelegen, ideal, passend, recht, richtig, wie geschaffen (für) *brauchbar, dienlich, nützlich, praktikabel, praktisch, verwendbar, zweckmäßig *befähigt, begabt, berufen, fähig, prädestiniert, qualifiziert, talentiert, tauglich *__geeignet sein:__ s. eignen, passen
Gefahr: Bedrängnis, Bedrohung, Ernst, Gefährdung, Gefährlichkeit, Krise, Lebensgefahr, Nachstellung, Risiko, Todesgefahr, Unsicherheit, dicke Luft
gefährden: bedrohen, hineinreiten, in Gefahr bringen ***s. gefährden:** s. einer Gefahr aussetzen, s. in Gefahr begeben, Gefahr laufen
gefährdet: bedrängt, bedroht, exponiert, schutzlos, unbehütet, unbeschützt, unbewacht, ungeschützt, wehrlos, in Gefahr
Gefährdung: Gefahr, Gefährlichkeit, Lebensgefahr, Todesgefahr
gefährlich: beängstigend, bedenklich, bedrohend, bedrohlich, beunruhigend, brenzlig, ernst, Gefahr bringend, gefahrvoll, gemeingefährlich, gewagt, kritisch, Unheil bringend, unheilvoll, waghalsig, zugespitzt, nicht geheuer *ansteckend, bösartig, heimtückisch, infektiös, übertragbar *abenteuerlich, gewagt, halsbrecherisch, heikel, lebensgefährlich, riskant, selbstmörderisch, tollkühn, verwegen, zweischneidig *bissig, scharf, wachsam
gefahrlos: harmlos, risikolos, sicher, ungefährdet, ungefährlich, unschädlich, unverfänglich
Gefahrlosigkeit: Harmlosigkeit, Risikolosigkeit, Sicherheit, Unschädlichkeit, Unverfänglichkeit
Gefährt: Auto, Fahrzeug, Kraftfahrzeug, Personenkraftwagen, Pkw, Vehikel, Verkehrsmittel *Boot, Schiff, Wasserfahrzeug *Flieger, Flugzeug, Luftfahrzeug *Eisenbahn, Schienenfahrzeug, Zug
Gefährte: Begleiter, Freund, Genosse, Intimus, Kamerad, Sozius, Verbündeter, Vertrauter
Gefälle: Abfall, Abschüssigkeit, Gefällstrecke, Höhenunterschied, Neigung, Schräge, Senkung, Steile *Abhang, Absturz, Berg, Bergabhang, Bergabsturz, Berghang, Bergwand, Böschung, Halde, Hang, Lehne, Steilhang, Talhang

gefallen: ansprechen, anziehen, behagen, belieben, bestechen, entsprechen, imponieren, mögen, passen, schmecken, zufrieden stellen, zusagen, beliebt sein, es jmdm. angetan haben, für sich einnehmen, Geschmack abgewinnen, Geschmack treffen, gute Aufnahme finden, Beifall finden, Anklang finden, recht sein, sympathisch sein, genehm sein, angenehm sein, schön finden, Gefallen finden, Geschmack finden *Chancen haben, jmds. Typ sein, nach jmds. Herzen sein ***s. etwas gefallen lassen:** erdulden, ertragen, nachgeben
Gefallen: Geschmack, Interesse, Sympathie, Wohlwollen, Zuneigung *Entgegenkommen, Freundesdienst, Freundlichkeit, Gefälligkeit, Hilfeleistung, Hilfestellung, Liebesdienst *Anerkennung, Anklang, Beifall, Echo, Resonanz, Zustimmung
Gefallene: Kriegsopfer, Kriegstote, Tote, Verstorbene
gefällig: aufmerksam, beflissen, bereitwillig, diensteifrig, dienstwillig, entgegenkommend, erbötig, freundlich, hilfsbereit, höflich, konziliant, kulant, zuvorkommend *angenehm, anmutig, anziehend, attraktiv, aufreizend, betörend, bezaubernd, charmant, einnehmend, entzückend, gewinnend, hübsch, lieb, lieblich, liebenswert, reizend, reizvoll, sympathisch, toll
Gefälligkeit: Artigkeit, Beflissenheit, Bereitschaft, Bereitwilligkeit, Dienst, Dienstwilligkeit, Eifer, Entgegenkommen, Freundlichkeit, Gefallen, Geneigtheit, Höflichkeit, Konzilianz, Liebenswürdigkeit, Nachgiebigkeit, Nachsicht, Neigung, Nettigkeit, Verbindlichkeit, Wohlwollen, Zugeständnis, Zuvorkommenheit, gute Manieren, gute Umgangsformen
gefälligst: freundlicherweise, freundlichst, gütigst, liebenswürdigerweise, möglichst, tunlichst, so weit wie möglich, nach Möglichkeit, wenn möglich
Gefallsucht: Affigkeit, Dandytum, Eitelkeit, Geckenhaftigkeit, Hoffart, Koketterie, Putzsucht, Selbstherrlichkeit, Stutzerhaftigkeit
gefälscht: falsch, imitiert, künstlich, nachgeahmt, nachgemacht, unecht
gefangen: begeistert, ergriffen, fasziniert, gefesselt, gepackt *arretiert, festgesetzt, gepackt, inhaftiert, interniert ***gefangen halten:** arretieren, festsetzen, inhaftieren, internieren, in Gewahrsam halten, in Haft halten ***gefangen nehmen:** beeindrucken, begeistern, ergreifen, erregen, erschüttern, faszinieren, fesseln, in den Bann ziehen *abführen, arretieren, aufgreifen, einsperren, festnehmen, gefangen setzen, inhaftieren, internieren, verhaften, dingfest machen, hinter Gitter, hinter Schloss und Riegel, hinter Stacheldraht bringen, in Gewahrsam nehmen, in Haft nehmen, in Ketten legen ***gefangen sein:** brummen, einsitzen, hinter Gittern sein, im Kerker sitzen, im Gefängnis sitzen, in Gefangenschaft sein, in Haft sitzen
Gefangenenlager: Arbeitslager, Deportationslager, Konzentrationslager, KZ, Massenvernichtungslager, Straflager
Gefangener: Arrestant, Häftling, Knastbruder, Sträfling, der Inhaftierte, der Strafgefangene, der Insasse, schwerer Junge *Untersuchungsgefangener, Untersuchungshäftling *Geisel *Kriegsgefangener
Gefangenschaft: Arrest, Freiheitsentzug, Freiheitsstrafe, Gewahrsam, Haft, Verwahrung
Gefängnis: Freiheitsstrafe *Arrestanstalt, Besserungsanstalt, Kerker, Kittchen, Knast, Sicherheitsverwahrung, Strafanstalt, Strafvollzugsanstalt, schwedische Gardinen
Gefängnisstrafe: Arrest, Freiheitsstrafe, Haftstrafe, Kerkerstrafe
Gefängniswagen: Gefangenenauto, grüne Minna
gefärbt: angehaucht, tendenziös *bunt, eingefärbt *befangen, eingleisig, einseitig, parteigebunden, parteiisch, parteilich, subjektiv, tendenziös, unsachlich, voreingenommen, vorurteilsvoll, nicht objektiv
Gefasel: Altweibergeschwätz, Dorfklatsch, Geklatsche, Gemunkel, Geraune, Geschwätz, Geschwatze, Getratsche,

Getuschel, Gezischel, Heimlichtuerei, Klatsch, Klatscherei, Klatschgeschichten, Knatsch, Lärm, Munkelei, Rederei, Stadtklatsch, Tratsch, Tratscherei, Tuschelei
Gefäß: Behälter, Behältnis
gefasst: abgeklärt, ausgeglichen, bedacht, bedachtsam, beherrscht, besonnen, gelassen, gemächlich, gemessen, geruhsam, gezügelt, gleichmütig, harmonisch, kaltblütig, ruhevoll, ruhig, sicher, still, überlegen, würdevoll
Gefasstheit: Abgeklärtheit, Bedacht, Bedachtsamkeit, Beherrschung, Besonnenheit, Gelassenheit, Gleichgewicht, Gleichmut, Kontenance, Ruhe, Selbstbeherrschung, Umsicht, innere Haltung
Gefecht: Geplänkel, Kampf, Plänkelei, Scharmützel, Schießerei, Schlacht, Treffen
gefechtsbereit: aufgerüstet, bewaffnet, gefechtsklar, gepanzert, gerüstet, gewappnet, kriegsbereit
gefedert: abgefedert, federnd, mit einer Feder ausgestattet, mit einer Feder versehen
gefeiert: anerkannt, angesehen, bedeutend, bekannt, berühmt, groß, namhaft, prominent, renommiert, weltbekannt, weltberühmt, wohl bekannt, von Weltruf, von Weltrang, von Weltruhm
gefeit: geschützt, immun, resistent, unempfindlich, widerstandsfähig, nicht anfällig
gefesselt: begeistert, ergriffen, gefangen, gepackt, gespannt *bewegungsunfähig, zugeschnürt
Gefieder: Federkleid, Federn
Geflecht: Draht, Flechtwerk, Gewebe, Gewinde, Maschenwerk
gefleckt: bunt gescheckt, bunt gefleckt, buntscheckig, fleckig, gescheckt, scheckig
geflissentlich: absichtlich, absichtsvoll, beabsichtigt, beflissen, beflissentlich, bewusst, gewollt, intentional, intentionell, vorsätzlich, willentlich, wissentlich, wohlweislich, erst recht, mit Absicht, mit Bedacht, bei Bewusstsein, mit Willen, mit Fleiß, nun gerade, zum Trotz
Geflügel: Federvieh, Nutzvögel
Geflügelfarm: Brutanstalt, Hühnerfarm, Hühnermastbetrieb
Geflunker: Ausflucht, Ausrede, Entstellung, Erfindung, Fabel, Falschmeldung, Flunkerei, Irreführung, Lüge, Lügerei, Schwindel, Schwindelei, Täuschung, Unwahres, Unwahrheit, Verdrehung, Vorwand, falsche Behauptung, falsche Aussage, Lug und Trug
Geflüster: Flüstern, Geraune, Gewisper, Gezischel, Zischelei, leises Sprechen
Gefolge: Anhänger, Anhängerschaft, Begleitung, Gefolgschaft, Jüngerschaft
Gefolgschaft: Anhang, Anhänger, Anhängerschaft, Gefolge, Jüngerschaft *Begleitung, Eskorte, Geleit, Gesellschaft
Gefolgsmann: Anhänger, Begleiter, Lehnsmann, Paladin, Satellit, Satrap, Statthalter, Trabant, Vasall
gefragt: angesehen, begehrt, bekannt, beliebt, geschätzt, populär, volkstümlich
gefräßig: fressgierig, fresssüchtig, hungrig, unersättlich, verfressen
Gefräßigkeit: Appetit, Fressgier, Fressbegier, Fresssucht, Hunger, Unersättlichkeit, Verfressenheit
gefrieren: einfrieren, einfrosten, tiefgefrieren, tiefkühlen *erstarren, vereisen, zufrieren, starr werden, unbeweglich werden, steif werden
Gefrierpunkt: Nullpunkt, null Grad
gefroren: eisig, erstarrt, fest *tiefgekühlt
Gefrorenes: Eis, Eiscreme, Speiseeis *Tiefgefrorenes, Tiefgekühltes
Gefüge: Anlage, Anordnung, Aufbau, Bau, Gerüst, Gliederung, Struktur, Zusammensetzung
gefügig: brav, ergeben, folgsam, fügsam, gehorsam, geneigt, gesonnen, gewillt, hörig, lenkbar, nachgiebig, untertan, willfährig, willig, zahm ***gefügig machen:** bedrohen, erpressen, mobben, nötigen, terrorisieren, tyrannisieren, unterdrücken, vergewaltigen, zwingen, Druck ausüben, unter Druck setzen
Gefügigkeit: Demut, Folgsamkeit, Fügsamkeit, Gehorsam, Gehorsamkeit, Gutwilligkeit, Kadavergehorsam, Subordination, Unterordnung, Willfährigkeit, Wohlerzogenheit
Gefühl: Innenleben, Innenwelt, Psyche, Seele, das Innere *Tastsinn *Emotion, Empfinden, Empfindung, Gefühlsbewe-

gung, Gemütsbewegung, Gespür, Instinkt, Organ, Spürsinn, Stimmung, Witterung, seelische Regung *Ahnung, Spürnase, Vermutung, Vorgefühl, innere Stimme

gefühllos: abgebrüht, abgestumpft, barbarisch, brutal, erbarmungslos, gefühlsarm, gefühlskalt, gemütsarm, gleichgültig, gnadenlos, grausam, hartherzig, herzlos, inhuman, kaltblütig, lieblos, mitleidlos, roh, schonungslos, seelenlos, unbarmherzig, ungesittet, unmenschlich, unsozial, unzugänglich, verhärtet, verroht, ohne Mitgefühl *abgestorben, blutleer, eingeschlafen, empfindungslos, taub *abgestumpft, gleichgültig, unempfindlich

Gefühllosigkeit: Abgebrühtheit, Abstumpfung, Brutalität, Gefühlskälte, Gefühlsmangel, Härte, Hartherzigkeit, Herzensverhärtung, Herzlosigkeit, Lieblosigkeit, Mitleidlosigkeit, Rohheit, Schonungslosigkeit, Taktlosigkeit, Unbarmherzigkeit, Unmenschlichkeit *Empfindungslosigkeit, Taubheit *Abstumpfung, Gleichgültigkeit, Unempfindlichkeit

gefühlsarm: abgebrüht, abgestumpft, barbarisch, brutal, erbarmungslos, gefühllos, gefühlskalt, gemütsarm, gleichgültig, gnadenlos, grausam, hartherzig, herzlos, inhuman, kaltblütig, lieblos, mitleidlos, roh, schonungslos, seelenlos, unbarmherzig, ungesittet, unmenschlich, unsozial, unzugänglich, verroht, ohne Mitgefühl

Gefühlsarmut: Brutalität, Gefühlskälte, Gefühlsrohheit, Hartherzigkeit, Unmenschlichkeit

Gefühlsäußerung: Gefühlsausbruch, Gefühlsausdruck, Gefühlserguss, Gefühlswallung

gefühlsbetont: affektiv, ausdrucksvoll, emotional, emotionell, empfindsam, expressiv, gefühlsmäßig, irrational, mit Leidenschaft

gefühlskalt: fischblütig, fischig, frigid, frigide, kalt, leidenschaftslos

Gefühlskälte: Fischblut, Frigidität, Kälte, Leidenschaftslosigkeit *Abgebrühtheit, Abstumpfung, Brutalität, Gefühllosigkeit, Gefühlsmangel, Härte, Hartherzigkeit, Herzensverhärtung, Herzlosigkeit, Lieblosigkeit, Mitleidlosigkeit, Rohheit, Schonungslosigkeit, Taktlosigkeit, Unbarmherzigkeit, Unmenschlichkeit

Gefühlsleben: Gefühl, Gefühlslage, Innenleben, Lebensgefühl, Lebensgeister, Psyche, Seelenleben

gefühlsmäßig: emotional, emotionell, instinktiv, intuitiv, unbewusst

Gefühlsregung: Gefühlsausbruch, Gefühlsäußerung, Gemütsbewegung, Regung

Gefühlsüberschwang: Empfindsamkeit, Gefühlsduselei, Gefühlsseligkeit, Rührseligkeit, Schmalz, Sentimentalität, Tränenseligkeit

gefühlvoll: beseelt, einfühlsam, emotional, emotionell, empfindsam, feinfühlig, gefühlsbetont, gemütvoll, innerlich, romantisch, sensibel, sensitiv, zart fühlend

Geführigkeit: Före, Führigkeit

gefüllt: angefüllt, randvoll, voll, zum Überlaufen

gegebenenfalls: andernfalls, ansonsten, sonst, widrigenfalls *allenfalls, eventuell, möglichenfalls, möglicherweise, vermutlich, vielleicht, wahrscheinlich, womöglich, unter Umständen, je nachdem

Gegebenheit: Fakt, Gewissheit, Realität, Tatsache, Umstand, Wirklichkeit

gegen: entgegen, kontra, wider *im Vergleich (zu), im Verhältnis (zu), verglichen (mit), im Gegensatz zu *beinahe, circa, etwa, fast, rund, ungefähr, zirka *für, im Austausch gegen, im Tausch gegen

Gegenangriff: Gegenmaßnahme, Gegenoffensive, Gegenschlag, Revanche, Vergeltungsmaßnahme *Konter

Gegenanzeige: Kontraindikation

Gegenbehauptung: Antithese

Gegend: Abschnitt, Breiten, Ecke, Geländeabschnitt, Himmelsstrich, Landschaftsgebiet, Landstrich, Region, Sektor, Strich *Atmosphäre, Einzugsgebiet, Hinterland, Kulisse, Landschaft, Lebenskreis, Milieu, Nähe, Sphäre, Umgebung, Umgegend, Umkreis, Umland, Umwelt

gegeneinander: zueinander, einer gegen den anderen

Gegengewicht: Divergenz, Gegenpol, Gegensatz, Unterschied

Gegenklage: Widerklage
Gegenkläger: Widerkläger
Gegenleistung: Abfindung, Abgeltung, Abstand, Ausgleich, Belohnung, Dank, Entgelt, Entschädigung, Erkenntlichkeit, Ersatz, Gegendienst, Gegengabe, Gegenwert, Lohn, Preis, Vergeltung, Wiedergutmachung
Gegenliebe: Anerkennung, Anklang, Beifall, Echo, Resonanz, Zuspruch, Zustimmung
Gegenmaßnahme: Druckmittel, Gegenstoß, Repressalie, Vergeltungsmaßnahme
Gegenmittel: Antitoxin, Gegengift, Giftgegenmittel
Gegenrede: Antwort, Erwiderung, Gegenbemerkung
Gegensatz: Abweichung, Antagonismus, Antithese, Diskrepanz, Divergenz, Gegenpol, Gegensätzlichkeit, Gegenstück, Gegenteil, Kehrseite, Kluft, Kontrast, Trennung, Ungleichheit, Unterschied, Verschiedenheit, Widerspruch *Antonym, Gegenwort
gegensätzlich: antagonistisch, diametral, disparat, divergent, dualistisch, entgegengesetzt, entgegenstellend, extrem, gegenteilig, inkompatibel, kontradiktorisch, konträr, oppositionell, polar, umgekehrt, unstimmig, unverträglich, widersinnig, widersprüchlich, widerspruchsvoll, nicht vereinbar, nicht übereinstimmend *antonymisch, entgegengesetzt
Gegensätzlichkeit: Dualismus, Gegensatz, Polarität, Verschiedenartigkeit
Gegenschlag: Heimzahlung, Rache, Repressalie, Vergeltung, Vergeltungsmaßnahme
Gegenseite: Antagonist, Antipode, Gegner, Konkurrent, Kontrahent, Opponent, Opposition, Widerpart, Widersacher
gegenseitig: abwechselnd, alternierend, beiderseits, wechselseitig, wechselweise
Gegenspieler: Antipode, Erzfeind, Feind, Gegenpart, Gegner, Konkurrent, Kontrahent, Rivale, Todfeind *Antagonist, Antipode, Gegenseite, Gegner, Konkurrent, Kontrahent, Opponent, Opposition, Widerpart, Widersacher
Gegenstand: Aufgabenstellung, Objekt, Stoff, Sujet, Thema, Thematik, Themenstellung *Ding, Gebilde, Körper, Objekt, Sache
gegenständlich: anschaulich, bildhaft, bildlich, dinglich, figurativ, figürlich, gestalthaft, greifbar, konkret, wirklichkeitsnah
gegenstandslos: nutzlos, sinnlos, überflüssig, ungültig, unnötig, unnütz, wertlos, zwecklos, nicht mehr notwendig, null (und nichtig) *grundlos, haltlos, hinfällig, unbegründet, unmotiviert, aus der Luft gegriffen, ohne Grund
Gegenstimme: Aber, Anfechtung, Beanstandung, Beschwerde, Einspruch, Einwand, Einwendung, Einwurf, Entgegnung, Gegenargument, Gegenbehauptung, Gegenmeinung, Klage, Protest, Reklamation, Veto, Widerrede, Widerspruch, Zweifel
Gegenstück: Antithese, Gegenteil *Entsprechung, Pendant, Korrelat
Gegenteil: Antithese, Gegenstück
gegenteilig: anders, gegensätzlich, grundverschieden, kontradiktorisch, konträr, verschieden
gegenüber: gegen, neben, im Gegensatz zu, im Verhältnis zu, im Vergleich zu, verglichen mit *gegenüberliegend, jenseits, vis-à-vis, auf der anderen Seite
gegenüberliegend: jenseits *gegenüber, jenseits, vis-à-vis, auf der anderen Seite
gegenüberstellen: abwägen, dagegenhalten, gegenüberhalten, komparieren, konfrontieren, kontrollieren, messen, nebeneinander halten, nebeneinander stellen, prüfen, vergleichen, einen Vergleich anstellen, einen Vergleich ziehen, Parallelen ziehen, einer Prüfung unterziehen, wägend prüfen
Gegenüberstellung: Entsprechung, Parallele, Vergleich, Vergleichung
Gegenvorschlag: Alternative, Zweitmöglichkeit, andere Möglichkeit
Gegenwart: Anwesenheit, Beteiligung, Dabeisein, Präsenz, Teilnahme, Zugegensein *Augenblick, Jetztzeit, das Heute, das Jetzt, das Hier und Jetzt, die gegenwärtige Zeit, die heutige Zeit, die jetzige Zeit
gegenwärtig: derzeit, derzeitig, gerade, heute, heutzutage, jetzt, momentan, im

Augenblick, im Moment, zur Stunde, zur Zeit *aktuell, brisant, laufend, spruchreif *anwesend, da, hier, präsent, vorhanden, am Platze, zur Stelle *heutig, jetzig, zeitgenössisch, der gleichen Zeit angehörend *erinnerlich, parat, präsent

gegenwartsnah: aktuell, fortschrittlich, gegenwartsbezogen, modern, zeitgemäß, up to date

Gegenwartsnähe: Aktualität, Zeitbezogenheit

Gegenwehr: Abneigung, Abwehr, Auflehnung, Gegendruck, Gehorsamsverweigerung, Obstruktion, Protest, Renitenz, Resistenz, Verweigerung, Widerborstigkeit, Widersetzlichkeit, Widerspenstigkeit, Widerstand, Widerstreben *Abwehr, Defensive, Kampf, Notwehr, Rechtfertigung, Selbsterhaltung, Selbstschutz, Selbstverteidigung, Verteidigung

Gegenwert: Abfindung, Abgeltung, Abstand, Ausgleich, Belohnung, Dank, Entgelt, Entschädigung, Erkenntlichkeit, Ersatz, Gegendienst, Gegengabe, Gegenleistung, Lohn, Preis, Vergeltung, Wiedergutmachung

gegliedert: angeordnet, aufgefächert, aufgegliedert, aufgeteilt, geordnet, gestaffelt, klassifiziert, segmentiert, strukturiert, systematisiert, untergliedert, unterteilt

Gegner: Antipode, Erzfeind, Feind, Gegenpart, Gegenspieler, Konkurrent, Kontrahent, Rivale, Todfeind, Widerpart, Widersacher

gegnerisch: feindlich *abgeneigt, böswillig, entzweit, feind, feindselig, gehässig, gereizt, gram, hasserfüllt, spinnefeind, überworfen, unfreundlich, unversöhnlich, verfehdet, verfeindet, verstimmt, zerstritten

Gegnerschaft: Auseinandersetzung, Fehde, Feindschaft, Feindseligkeit, Gefecht, Hader, Händel, Kampf, Konflikt, Konfrontation, Kontroverse, Reiberei, Streit, Unfriede, Zank, Zerwürfnis, Zwist

Gegröle: Geschrei, Geschreie, Lärm, Radau *Gesang, Gesinge, Singerei, Singsang, das Singen

Gehabe: Affenkomödie, Affentanz, Affentheater, Drama, Geschrei, Gestürm, Gesums, Getöse, Getue, Krampf, Theater, Trara, Zirkus, unsinniges Tun *Allüren, Benehmen, Betragen, Führung, Gebaren, Handlungsweise, Verhalten, Verhaltensweise *Affektiertheit, Affigkeit, Gespreiztheit, Getue, Geziere, Ziererei

Gehacktes: Hackepeter, Hackfleisch

Gehalt: Besoldung, Bezahlung, Bezüge, Einkommen, Einkünfte, Einnahme, Entlohnung, Fixum, Gage, Honorar, Lohn, Verdienst, Vergütung *Bedeutung, Sinn, Sinngehalt *Gedankengehalt, Gedankenreichtum, Gedankentiefe, Geistesfülle, Ideengehalt, Inhalt, Kernsinn, Substanz

gehalten: abgeklärt, ausgeglichen, bedacht, bedachtsam, beherrscht, besonnen, diszipliniert, gefasst, gemächlich, gemessen, geruhsam, gezügelt, gleichmütig, harmonisch, kaltblütig, ruhevoll, ruhig, sicher, still, überlegen, würdevoll

gehaltlos: leer, inhaltsleer, banal, einfallslos, geistlos, ideenlos, nichts sagend, platt, stumpfsinnig, substanzlos, trivial, witzlos *geschmacklos, ohne Geschmack, ohne Gehalt *gehaltarm, nährstoffarm, saftlos, ohne Saft und Kraft

Gehaltserhöhung: Aufbesserung, Aufstockung, Beförderung, Gehaltszulage, Höherstufung

Gehaltskürzung: Rückstufung, Kürzung des Gehalts

Gehaltsstufe: Besoldungsgruppe, Tarif, Tarifgruppe

gehaltvoll: ausdrucksstark, aussagekräftig, geistreich, inhaltsreich, inhaltsvoll, substanziell *kalorienreich, kräftig, nahrhaft, schmackhaft, würzig

gehandikapt: behindert, benachteiligt, eingeschränkt, gefesselt, gehemmt

geharnischt: ärgerlich, gepfeffert, gesalzen, polemisch, scharf *hoch, teuer, überteuert

gehässig: bissig, bösartig, böse, boshaft, giftig, hasserfüllt, infam, niederträchtig, schadenfroh, übel gesinnt, übel wollend

Gehässigkeit: Bösartigkeit, Boshaftigkeit, Bosheit, Böswilligkeit, Garstigkeit, Gemeinheit, Gift, Heimtücke, Hinterlist, Infamie, Niedertracht, Niederträchtigkeit, Rachsucht, Schadenfreude, Schika-

ne, Schlechtigkeit, Schurkerei, Teufelei, Tücke, Übelwollen, Unverschämtheit, böser Wille
Gehäuse: Fußballtor, Kasten, Tor *Kerngehäuse, Kernhaus *Hülse, Kapsel
Gehege: Auslauf, Hof, Zwinger *Pferch, Viehweide, Weide *Einfriedung, Umzäunung
geheilt: genesen, gesund, wiederhergestellt
geheim: heimlich, sekret, verborgen, verdeckt, verhüllt, verschleiert, hinter verschlossenen Türen, im Geheimen, nicht bekannt, nicht öffentlich, hinter den Kulissen *diskret, inoffiziell, insgeheim, intern, still, unauffällig, unbemerkt, unerkannt, verschwiegen, verstohlen, unter der Hand *geheimbündlerisch, illegal, konspirativ, ungesetzlich, verschwörerisch, im Untergrund arbeitend *anonym, geheimnisvoll, inkognito, intim, undurchsichtig, vertraulich, unter dem Siegel der Verschwiegenheit, unter vier Augen ***geheim halten:** kaschieren, tarnen, totschweigen, unterschlagen, verbergen, verhehlen, verheimlichen, verhüllen, verschleiern, verschweigen, vertuschen, vorenthalten, für sich behalten, nicht verraten *schweigen, stillschweigen, kein Sterbenswort sagen
Geheimbund: Geheimorganisation, Terrororganisation, Untergrundorganisation, konspirative Vereinigung
Geheimdienst: Abwehr, Abwehrdienst, Nachrichtendienst
Geheimhaltung: Geheimnis, Geheimniskrämerei, Geheimnistuerei, Verheimlichung *Amtsgeheimnis, Amtsverschwiegenheit, Dienstgeheimnis, Schweigepflicht
Geheimkonferenz: Geheimsitzung, Geheimtagung, Geheimversammlung, Gipfeltreffen
Geheimlehre: Geheimwissenschaft
Geheimnis: Dunkel, Heimlichkeit, Mysterium, Rätsel, die letzten Dinge
geheimnisvoll: abgründig, abstrus, delphisch, dunkel, esoterisch, geheimnisreich, geheimnisumwittert, hintergründig, innerlich, magisch, mysteriös, mystisch, okkult, orakelhaft, rätselhaft, sibyllinisch, unbegreiflich, undurchdringlich, unerforschlich, unergründlich
Geheimpolizei: Abwehr, Geheimdienst, Spionageabwehr
Geheimpolizist: Agent, Geheimagent, Geheimdienstler, Geheimer, Nachrichtendienstler
Geheimschrift: Code, Geheimcode, Geheimzeichen, chiffrierter Text
Geheiß: Anordnung, Anweisung, Aufforderung, Auftrag, Befehl, Bestimmung, Diktat, Gebot, Geheimauftrag, Geheimbefehl, Instruktion, Kommando, Mussbestimmung, Mussvorschrift, Order, Verfügung, Verhaltensmaßregel, Verordnung, Vorschrift, Weisung
gehemmt: ängstlich, befangen, blockiert, gezwungen, scheu, schüchtern, steif, unsicher, verklemmt, verkrampft *angebunden, angewiesen (auf), behindert, gebunden, gefesselt, unfrei, verpflichtet
Gehemmtheit: Befangenheit, Gehemmtsein, Hemmung, Komplex, Minderwertigkeitskomplex, Scheu, Schüchternheit, Unsicherheit, Verklemmtheit, Verkrampfung, Verlegenheit
gehen: s. begeben, bummeln, flanieren, s. fortbewegen, marschieren, schleichen, schlendern, schlurfen, schreiten, spazieren, stapfen, stolzieren, trippeln, trödeln, wandeln, wandern *abfahren, abgehen, s. in Bewegung setzen, starten *im Bereich des Möglichen liegen, möglich sein, ausführbar sein, gangbar sein, denkbar sein *s. aufmachen, besuchen *s. befinden, s. fühlen, zumute sein *s. auf den Weg machen, aufbrechen, s. aufmachen, s. entfernen, s. fortmachen, weggehen *abdanken, aufhören, ausscheiden, kündigen, seine Stellung aufgeben, seine Funktion aufgeben, seinen Rücktritt nehmen, seinen Rücktritt erklären *ablaufen, abrollen, s. abspielen, s. abwickeln, ausgehen, s. begeben, s. ereignen, erfolgen, geschehen, laufen, passieren, stattfinden, verlaufen, s. vollziehen, zugehen, seinen Verlauf nehmen, vonstatten gehen, vor sich gehen *s. ausdehnen, s. erstrecken *funken, funktionieren, gelingen, klappen, vorangehen ***gehen lassen:** in Ruhe lassen, in Frieden lassen ***s. gehen lassen:**

s. aufgeben, s. nicht zusammenreißen, s. nicht zusammennehmen, keine Energie besitzen, keine Antriebskraft besitzen, keine Energie aufbringen, keine Antriebskraft aufbringen, niedergeschlagen sein, mutlos sein, deprimiert sein, energielos sein
geheuchelt: gelogen, unwahr, die Wahrheit vortäuschend, Anteilnahme vortäuschend
geheuer: sicher, vertrauensvoll
Geheul: Gejammer, Gewimmer, Gezeter, Lamentieren, Stöhnen, Wehklagen *Brüllen, Gebrüll, Gejohle, Gekreisch, Geschrei, Hallo, Johlen, Krach, Lärm, Schreierei
Gehhilfe: Gehstock, Krücke, Stock, Stütze
Gehilfe: Assistent, Beistand, Famulus, Helfer, Hilfskraft, Mitarbeiter, rechte Hand *Bedienung, Beistand, Besorger, Bote, Boy, Butler, Diener, Dienstbote, Hausangestellter, Hausdiener, Hilfskraft, Kammerdiener, Kuli, Lakai, Leibdiener, Page, Stütze, Untergebener, der Bedienstete, der Angestellte
Gehirn: Hirn, Zerebrum
Gehirnerschütterung: Kommotio, Kommotion
Gehirnschlag: Gehirnblutung, Hirnschlag, Schlaganfall
gehoben: andächtig, erhaben, feierlich, getragen, majestätisch, solenn, weihevoll, würdevoll *bessere, obere
Gehöft: Anwesen, Bauernhof, Gut, Hof
Gehör: Gehörorgan, Gehörsinn, Gehörwahrnehmung, Hörvermögen, Ohr
gehorchen: s. anpassen, befolgen, s. beugen, einwilligen, folgen, s. fügen, hören (auf), kuschen, parieren, s. richten (nach), spuren, s. unterordnen, s. unterwerfen, willfahren, artig sein, brav sein, gehorsam sein, den Wünschen entsprechen, den Wünschen nachkommen, ja sagen, klein beigeben *ansprechen (auf), anspringen (auf), reagieren
gehören: besitzen, eignen *gerechnet werden (zu), zählen (zu), zugeordnet werden *gebühren, verdienen, zukommen, zustehen, angemessen sein, wert sein *angehören, zugehören ***s. gehören:** anstehen, s. gebühren, s. schicken, angebracht sein, angemessen sein
gehörig: angebracht, angemessen, entsprechend, gebührend, geeignet, geziemend, geziemlich *anständig, ausreichend, feste, groß, prächtig, reichlich, tüchtig, viel, wacker, nicht zu knapp *eigen, ureigen, zugehörig *anständig, gebührend, gründlich, herzhaft, kräftig, ordentlich, schön, weidlich, zünftig, nach Herzenslust
gehörlos: schwerhörig, stocktaub, taub
Gehörn: Geweih, Gewicht, Krone, Stangen
gehorsam: anständig, artig, brav, ergeben, folgsam, gefügig, gefügsam, gutwillig, lenkbar, lieb, manierlich, willfährig, willig, wohl erzogen, zahm
Gehorsam: Folgsamkeit, Fügsamkeit, Gefügigkeit, Gehorsamkeit, Gutwilligkeit, Kadavergehorsam, Subordination, Unterordnung, Willfährigkeit, Wohlerzogenheit
Gehweg: Bürgersteig, Fußweg, Fußgängerweg, Fußgängerpfad, Fußsteig, Gehsteg, Gehsteig
Geifer: Schaum, Speichel, Spucke
geifern: sabbeln, sabbern *schimpfen
Geige: Fidel, Fiedel, Violine
geigen: fiedeln, Geige spielen *schimpfen, zurechtweisen
Geigenspieler: Fiedler, Geiger, Violinist
geil: begehrlich, brünstig, giererfüllt, gierig, hungrig, liebestoll, lüstern, sinnlich, triebhaft, wollüstig *dünn, hochaufgeschossen, üppig
Geilheit: Eros, Erotik, Fleischeslust, Genussfreude, Körperlichkeit, Lüsternheit, Sexualität, Sinnenrausch, Sinnenreiz, Sinnesreiz, Sinnestaumel, Sinnlichkeit, Triebhaftigkeit
Geisel: Faustpfand, Gefangener, Gekidnappter, Unterpfand
Geißel: Mühsal, Not, Plage *Karbatsche, Knute, Peitsche, Rute
geißeln: peitschen, schlagen, mit der Peitsche überziehen, mit der Peitsche schlagen, mit der Peitsche hauen *anprangern, anzeigen, bloßstellen, brandmarken, an den Pranger stellen
Geist: Auffassungsgabe, Bewusstsein,

Denkfähigkeit, Denkvermögen, Esprit, Intellekt, Klugheit, Scharfsinn, Vernunft, Verstand *Denkart, Denkweise, Einstellung, Gesinnung, Grundhaltung, Sinn *Begabung, Genie, Genius, Kapazität, Koryphäe, Phänomen *Erscheinung, Gespenst, Phantom, Spukgestalt

Geisterbeschwörung: Aberglaube, Okkultismus, Parapsychologie, Spiritismus

Geisterfahrer: Falschfahrer, Gespensterfahrer

Geistergeschichte: Gespenstergeschichte, Gruselgeschichte, Schauergeschichte, Schauerroman, Spukgeschichte

Geisterglaube: Aberglaube, Dämonismus, Gespensterglaube, Hexenglaube, Okkultismus, Spiritismus

geisterhaft: ängstigend, beängstigend, abscheulich, dämonisch, Entsetzen erregend, entsetzlich, furchtbar, fürchterlich, gespenstig, grässlich, Grauen erregend, grauenhaft, grauenvoll, grausig, gräulich, gruselig, horrend, katastrophal, schauervoll, schaudervoll, Schauder erregend, schauerlich, schaurig, schrecklich, unheimlich, verheerend, zum Fürchten

geistern: gespenstern, herumgeistern, irrlichtern, spuken, als Gespenst erscheinen, sein Unwesen treiben

Geisterwelt: Hades, Hölle, Schattenreich, Schattenwelt, Totenreich, Unterwelt

geistesabwesend: abwesend, dösig, entrückt, gedankenverloren, grübelnd, nachdenklich, selbstvergessen, träumerisch, traumverloren, unansprechbar, unerreichbar, unkonzentriert, versunken, verträumt, zerstreut, in Gedanken, in Gedanken verloren, nicht bei der Sache

Geistesabwesenheit: Abgelenktheit, Absence, Konzentrationsschwäche, Unaufmerksamkeit, Zerfahrenheit, Zerstreutheit

Geistesblitz: Einfall, Eingebung, Erleuchtung, Gag, Gedanke, Gedankenblitz, Geistesfunke, Idee, Inspiration, Intuition, Schnapsidee

geistesgegenwärtig: entschlossen, gefasst, kaltblütig, reaktionsschnell

Geistesgegenwart: Entschlossenheit, Entschlusskraft, Gefasstheit, Kaltblütigkeit, Reaktionsschnelligkeit, Reaktionsvermögen, rasches Handeln

geistesgestört: blöde, blödsinnig, debil, dumm, geisteskrank, gemütskrank, idiotisch, irr, irre, irrsinnig, phrenetisch, schwachsinnig, unzurechnungsfähig, verblödet, verrückt, wahnsinnig, (geistig) umnachtet

Geistesgestörter: Besessener, Geisteskranker, Idiot, Irrer, Schwachsinniger, Verrückter, Wahnsinniger

Geistesgestörtheit: Bewusstseinsspaltung, Blödsinn, Geisteskrankheit, Geistesstörung, Geistesumnachtung

geistesschwach: blöde, debil, geisteskrank, idiotisch, kretinhaft, schwachsinnig, verrückt

Geistesschwäche: Blödheit, Debilität, Geisteskrankheit, Idiotie, Schwachsinn, Schwachsinnigkeit, Stumpfsinn *Gedächtnisschwäche

Geistesstärke: Abstraktionsfähigkeit, Abstraktionsvermögen, Denkfähigkeit, Denkkraft, Denkvermögen, Erkenntnisvermögen, Geisteskraft, Klugheit, Urteilsfähigkeit, Urteilskraft, Verstand

geistesverwandt: ähnelnd, ebenbürtig, gleichrangig, kongenial, übereinstimmend, wesensgleich

geistig: abstrakt, begrifflich, ideell, imaginär, irreal, unwirklich *immateriell, metaphysisch, platonisch, unkörperlich, unsinnlich *alkoholisch, flüchtig

geistlich: kirchlich, klerikal, sakral, spiritual, theologisch, nicht weltlich

Geistlicher: Gottesdiener, Hirte, Kaplan, Kleriker, Mönch, Pastor, Pater, Pfarrer, Prediger, Priester, Seelenhirte, Seelsorger, Theologe, geistlicher Herr, Diener Gottes, Diener am Wort

Geistlichkeit: Klerus, Priesterschaft

geistlos: abgegriffen, abgeschmackt, alltäglich, banal, billig, dumpf, einfallslos, flach, gehaltlos, geisttötend, gewöhnlich, hohl, ideenlos, inhaltsleer, leer, mechanisch, nichts sagend, oberflächlich, phrasenhaft, platt, schal, seicht, stereotyp, stumpfsinnig, stupid, stupide, substanzlos, trivial, unbedeutend, verbraucht, witzlos, ohne Tiefe, ohne Gehalt

Geistlosigkeit: Armut, Banalität, Beschränktheit, Dummheit, Dürre, Einfallslosigkeit, Gedankenarmut, Gedankenleere, Geistesarmut, Gemeinplatz, Hohlheit, Leere, Plattheit, Stumpfsinn, Trivialität

geistreich: anregend, einfallsreich, erfinderisch, erfindungsreich, geistvoll, genial, ideenreich, ideenvoll, inhaltsreich, kreativ, originell, produktiv, spritzig, sprühend, unterhaltsam, witzig, Witz sprühend *begabt, denkfähig, gelehrig, gescheit, intelligent

geisttötend: automatisch, langweilig, mechanisch, stumpfsinnig, stupid *abgegriffen, abgeschmackt, alltäglich, banal, billig, dumpf, einfallslos, flach, gehaltlos, geistlos, gewöhnlich, hohl, ideenlos, inhaltsleer, leer, mechanisch, nichts sagend, oberflächlich, phrasenhaft, platt, schal, seicht, stereotyp, stumpfsinnig, stupid, stupide, substanzlos, trivial, unbedeutend, verbraucht, witzlos, ohne Tiefe, ohne Gehalt

Geiz: Besitzgier, Geldgier, Gewinngier, Habgier, Kleinlichkeit, Knauserei, Knauserigkeit, Knickerei, Profitgier, Raffgier, Schäbigkeit, Sparsamkeit

geizen: kargen, knausern, das Geld zusammenhalten, geizig sein, sparsam leben, übertrieben haushalten, übertrieben sparen

Geizhals: Filz, Geizkragen, Habgieriger, Knauser, Knicker, Nimmersatt, Pfennigfuchser, der Geizige

geizig: berechnend, filzig, geldgierig, gewinnsüchtig, gnietschig, habsüchtig, kleinlich, knauserig, knickerig, knorzig, mickrig, profitsüchtig, raffgierig, schäbig, übertrieben sparsam ***geizig sein:** auf seinem Geld sitzen, nichts herausrücken, den Pfennig umdrehen, am Geld hängen, die Hand auf der Tasche halten

Gejammer: Geheul, Gewimmer, Gezeter, Lamentieren, Stöhnen, Wehklagen

Gejohle: Brüllen, Gebrüll, Gekreisch, Geschrei, Hallo, Johlen, Krach, Lärm, Schreierei

gekämmt: frisiert, gebürstet

Gekicher: Gefeixe, Heiterkeit, Lachen, Lachsalve, die Lache

geklärt: bewiesen, deutlich, klar, offen dargelegt *bereinigt, erledigt *rein, sauber

Geklatsche: Altweibergeschwätz, Dorfklatsch, Gemunkel, Geraune, Gerede, Geschwätz, Geschwatze, Getratsche, Getuschel, Gezischel, Heimlichtuerei, Klatsch, Klatscherei, Klatschgeschichten, Knatsch, Lärm, Munkelei, Rederei, Stadtklatsch, Tratsch, Tratscherei, Tuschelei *Beifall

geknechtet: abhängig, entmachtet, entrechtet, geknebelt, leibeigen, rechtlos, unfrei, unselbständig, unterdrückt, untergeordnet, unterjocht, untertan, versklavt

geknickt: gedrückt, niedergedrückt, deprimiert, entmutigt, flügellahm, freudlos, gebrochen, kleinlaut, kleinmütig, lebensmüde, melancholisch, mutlos, niedergeschlagen, niedergeschmettert, resigniert, traurig, trübsinnig, verzagt, verzweifelt, mit gesenktem Haupt, gesenkten Hauptes *abgeknickt, eingeknickt, umgeknickt

gekocht: aufgekocht, erhitzt, gar

gekonnt: fachgerecht, fachkundig, fachmännisch, fachmäßig, kunstgerecht, meisterhaft, professionell, qualifiziert, routiniert, sachgemäß, sachgerecht, sachkundig, sachverständig, werkgerecht

gekränkt: beleidigt, eingeschnappt, pikiert, verletzt, verschnupft, verstimmt

gekräuselt: gelockt, geringelt, gewellt, kraus, lockig, onduliert, wellig, wuschelig, nicht glatt

Gekreisch: Brüllen, Gebrüll, Gejohle, Hallo, Johlen, Krach, Lärm, Schreierei

Gekröse: Därme, Eingeweide, Gedärme

gekrümmt: gebogen, geschweift, geschwungen, gewölbt, halbrund, krumm, verkrümmt, nicht gerade *gebeugt, mit rundem Rücken

gekühlt: abgekühlt, kalt, kühl *eingefroren, geeist, gefroren, tiefgekühlt

gekünstelt: blumenreich, geblümt, gemacht, gequält, geschraubt, geschwollen, gespreizt, gestelzt, gesucht, geziert, gezwungen, manieriert, phrasenhaft, schwülstig, unecht, unnatürlich

gekürzt: lückenhaft, teilweise, unvollständig, verkürzt, nicht komplett

Gelächter: Gefeixe, Gekicher, Heiterkeit, Lachen, Lachsalve, die Lache
geladen: voll, voll beladen *entsichert, schussbereit *eingeladen, gern gesehen, willkommen *beordert, bestellt, vorgeladen, zitiert ***geladen sein:** böse, empört, entrüstet, erbittert, erbost, rabiat, verärgert, wild, wütend, außer sich *cholerisch, hitzig
Gelage: Festessen, Fressfest, Fressgelage, Fresserei, Orgie, Völlerei *Bacchanal, Besäufnis, Kommers, Orgie, Zecherei, Zechgelage, lange Sitzung, feuchter Abend
gelähmt: gebrechlich, gehbehindert, lahm, nicht gehfähig *blockiert, handlungsunfähig, ohnmächtig
Gelände: Bereich, Bezirk, Distrikt, Erdstrich, Flur, Gebiet, Gefilde, Gegend, Landschaft, Landschaftsgebiet, Landstrich, Raum, Region, Revier, Terrain, Zone *Anwesen, Areal, Grund, Grundbesitz, Grundstück, Immobilie, Land, Terrain
Geländer: Balustrade, Brüstung, Reling, Treppengeländer
gelangen: erreichen, hinkommen, kommen (zu)
gelangweilt: apathisch, desinteressiert, gleichgültig, interesselos, passiv, teilnahmslos, unbeteiligt, ungerührt, nicht betroffen, ohne Interesse
gelassen: abgeklärt, ausgeglichen, bedacht, bedachtsam, bedächtig, beherrscht, besonnen, geduldig, gefasst, gemächlich, gemessen, geruhsam, gesetzt, gezügelt, gleichmütig, harmonisch, kaltblütig, langsam, ruhevoll, ruhig, sicher, still, stoisch, überlegen, würdevoll, mit Bedacht, ohne Übereilung, ohne Überstürzung
Gelassenheit: Abgeklärtheit, Bedacht, Bedachtsamkeit, Beschaulichkeit, Besinnlichkeit, Besonnenheit, Geduld, Gefasstheit, Gleichgewicht, Gleichmut, Kaltblütigkeit, Kontenance, Muße, Ruhe, Selbstbeherrschung, Stille, Überlegenheit, Umsicht, innere Haltung
Geläster: Kritik, Nörgelei, Tadel
Gelatine: Aspik, Bindemittel, Gallert, Gelee,
geläufig: alltäglich, bekannt, gewohnt, vertraut, wohl bekannt, nicht fremd *fließend, flüssig, mühelos, perfekt, zügig *beredsam, beredt, eloquent, redefertig, redegewaltig, redegewandt, schlagfertig, sprachgewaltig, sprachgewandt, wortgewandt, wortreich, zungenfertig
gelaunt: aufgelegt, gesonnen, gestimmt, zumute, in Form, in der Lage
gelb: beige, chamois, cremefarben, gelblich, goldgelb, kanariengelb, quittengelb, sattgelb, schwefelgelb
Geld: Bargeld, Finanzen, Flöhe, Geldmittel, Heu, Kies, Kleingeld, Knast, Kohlen, Koks, Kröten, Mammon, Mäuse, Mittel, Moneten, Moos, Münzen, Papiergeld, Pulver, Reichtum, Taschengeld, Vermögen, Zahlungsmittel, Zaster, Zunder, Zwirn
Geldangelegenheit: Finanzsache, Haushalt, Haushaltsplan *Staatsausgaben, Staatshaushalt
Geldanlage: Anlage, Investierung, Investition, Kapitalanlage
Geldbörse: Beutel, Börse, Geldbeutel, Geldtasche, Portemonnaie
Geldentwertung: Abwertung, Entwertung, Inflation, Kaufkraftminderung, Preisanstieg, Preissteigerung, Währungsverfall
Geldfälschung: Falschmünzerei, Münzfälschung
Geldforderung: Außenstände, Forderung
Geldgeber: Förderer, Mäzen, Spender, Sponsor *Gläubiger, Kreditgeber, Kreditor
Geldgier: Geldhunger, Gewinnsucht, Habgier
geldgierig: geldhungrig, gewinnsüchtig, habgierig
Geldinstitut: Bank, Kreditanstalt, Kreditinstitut, Sparkasse
geldlich: finanziell, geldmäßig, pekuniär, wirtschaftlich
Geldnot: Bankrott, Geldmangel, Geldsorgen, Geldverlegenheit, leere Taschen
Geldschein: Banknote, Note, Papiergeld
Geldschrank: Kassenschrank, Panzerschrank, Safe, Stahlfach, Tresor
Geldschwierigkeiten: Bankrott, Bankrotterklärung, Geldnot, Geldverlegen-

heit, Illiquidität, Insolvenz, Konkurs, Pleite, Ruin, Verlegenheit, Zahlungsunfähigkeit
Geldsegen: Erbe, Erbschaft, Goldregen, das Große Los
Geldstrafe: Buße, Geldbuße, Strafe
Geldstück: Groschen, Hartgeld, Kleingeld, Münze, Silbergeld
Geldverwalter: Bankier, Kassenverwalter, Kassenwart, Säckelmeister, Schatzmeister, Zahlmeister
Gelee: Aspik, Gallert, Gallerte, Gelatine *Fruchtmark, Konfitüre, Marmelade
geleert: ausgeleert, leer, nichts enthaltend, ohne Inhalt
gelegen: angenehm, bequem, erwünscht, geeignet, gern gesehen, günstig, lieb, opportun, passend, willkommen *behagen, passen
Gelegenheit: Anlass, Aufhänger *Chance, Möglichkeit
gelegentlich: bei Gelegenheit, zur passenden Zeit *anlässlich, dank, ob, wegen, weil, zu, aus Anlass, bei Gelegenheit *bisweilen, manchmal, mitunter, vereinzelt, verschiedentlich, zeitweise, ab und zu
gelehrig: aufgeweckt, gelehrsam, intelligent, lernfähig, verständig, wach *begabt, fähig, gescheit, intelligent, talentiert
Gelehrigkeit: Lernbereitschaft, Lernfähigkeit, Lernwille, Lernwilligkeit
Gelehrsamkeit: Beschlagenheit, Bildung, Einblick, Einsicht, Erfahrung, Erkenntnis, Faktenwissen, Gelehrtheit, Kenntnis, Know-how, Können, Lebenserfahrung, Menschenkenntnis, Praxis, Reife, Routine, Überblick, Weisheit, Weitblick, Weitsicht, Weltgewandtheit, Weltkenntnis, Wissen
gelehrt: akademisch, belesen, beschlagen, bewandert, erfahren, gebildet, gescheit, geschult, intelligent, kenntnisreich, klug, kundig, sachverständig, studiert, versiert, verständig, weise
Gelehrter: Akademiker, Fachmann, Fachwissenschaftler, Forscher, Geisteswissenschaftler, Wissenschaftler, der Studierte
Gelehrtheit: Befähigung, Begabung, Fähigkeit, Genialität, Gescheitheit, Intelligenz, Klugheit, Qualifikation, Scharfsinn, Schlauheit, Talent, Weisheit, (gesunder) Menschenverstand *Beschlagenheit, Bildung, Einblick, Einsicht, Erfahrung, Erkenntnis, Faktenwissen, Gelehrsamkeit, Kenntnis, Know-how, Können, Lebenserfahrung, Menschenkenntnis, Praxis, Reife, Routine, Überblick, Weisheit, Weitblick, Weitsicht, Weltgewandtheit, Weltkenntnis, Wissen
Geleit: Begleitung, Ehrengeleit, Eskorte, Gefolge, Geleitzug, Polizeieskorte, Schutz, Schutzgeleit
geleiten: begleiten, heimbegleiten, heimbringen, mitgehen, mitkommen, nach Hause bringen, das Geleit geben, Gesellschaft leisten *führen
Gelenk: Kugelgelenk, Scharnier, Scharniergelenk *Körpergelenk
gelenkig: biegsam, elastisch, federnd, flexibel, geschmeidig, graziös, leichtfüßig, wendig
gelernt: ausgebildet, bewährt, eingearbeitet, erfahren, erprobt, geschult, qualifiziert, routiniert, sachverständig, versiert
Gelichter: Abschaum, Bagage, Brut, Drachenbrut, Ganoven, Geschmeiß, Gesindel, Gezücht, Gosse, Hundepack, Kanaille, Lumpengesindel, Lumpenpack, Mob, Pack, Pöbel, Raubgesindel, Schlangenbrut, Sippschaft, asoziale Elemente
gelichtet: ausgelichtet, dünn, kahl, spärlich
geliebt: angebetet, bewundert, gefeiert, geschätzt, hoch geschätzt, vergöttert *kostbar, teuer
Geliebte: Auserwählte, Einzige, Flamme, Freundin, Hausfreundin, Herzallerliebste, Herzensdame, Herzensfreundin, Holde, Liebschaft, Liebste, Mätresse, Puppe, Schatz
Geliebter: Freund, Hausfreund, Herzensfreund, Liebhaber, Schatz, Scheich, der Liebste, der Auserwählte, der Herzallerliebste, der Einzige, der Holde
geliehen: ausgeborgt, ausgeliehen, geborgt
gelinde: behutsam, rücksichtsvoll, sacht, sanft, schonend, sorgsam, vorsichtig *leicht, mild, sanft, nicht stark

gelingen: s. durchsetzen, emporkommen, siegen, weiterkommen, das Ziel erreichen, Erfolg haben, Glück haben, es schaffen, Karriere machen *fertig bringen, funktionieren, gehen, geraten, glatt gehen, glücken, klappen, werden, gut ausgehen, gut ablaufen, in Ordnung gehen, nach Wunsch gehen, wunschgemäß verlaufen, glücklich vonstatten gehen, zustande kommen

Gelingen: Durchbruch, Erfolg, Errungenschaft, Fortschritt, Gedeihen, Gewinn, Glück, Sieg, Triumph, Trumpf, Volltreffer, Wirksamkeit

gellen: ertönen, hallen, schallen, schreien, einen Schrei ausstoßen

gellend: betäubend, dröhnend, durchdringend, geräuschvoll, grell, lärmend, laut, lauthals, lautstark, markerschütternd, ohrenbetäubend, ohrenzerreißend, schallend, schrill, unüberhörbar

geloben: beeiden, beeidigen, garantieren, huldigen, schwören, s. verbürgen, s. verpflichten, feierlich zusichern, feierlich zusagen, feierlich versprechen, sein Wort geben

Gelöbnis: Beteuerung, Ehrenwort, Eid, Gelübde, Schwur, Verheißung, Verpflichtung, Versicherung, Versprechen, Wort, Zusage, Zusicherung

gelockert: entspannt, locker, unverkrampft

gelockt: gekraust, geringelt, gewellt, kraus, lockig, onduliert, wellig

gelogen: entstellt, erdacht, erlogen, falsch, geschwindelt, unehrlich, unlauter, unwahr, der Wahrheit nicht entsprechend, den Tatsachen nicht entsprechend

gelöst: entkrampft, entspannt, gelockert, ruhig *gelockert, natürlich, nonchalant, ungehemmt, ungeniert, ungezwungen, zwanglos *locker, schlaff *entknotet, offen *gelockert, herausgedreht *aufgelöst, enträtselt *klar, offen *aufgelöst, geschieden, getrennt *heiter

gelten: herrschen, vorherrschen, walten, s. durchgesetzt haben, gültig sein, verbindlich sein, Gültigkeit haben *ausmachen, bedeuten, zählen, Gewicht haben, ins Gewicht fallen, schwer wiegen, wert sein *anbelangen, berühren, betreffen, s. beziehen (auf), tangieren, zu tun haben (mit), Bezug haben *abgelten, vergelten *angesehen werden (als), gehalten werden (für)

geltend: authentisch, beglaubigt, gesetzmäßig, gültig, unanfechtbar, unbestreitbar, unbezweifelbar, verbindlich, amtlich bescheinigt, behördlich bescheinigt

Geltung: Ansehen, Einfluss *Geltungsdauer, Gültigkeit, Laufzeit, Verbindlichkeit

Geltungsbedürfnis: Ehrgeiz, Geltungsdrang, Geltungssucht, Ruhmsucht

Geltungsbereich: Einflussbereich, Einflusssphäre, Machtbereich

geltungssüchtig: ehrgeizig, ehrsüchtig, geltungsbedürftig, ruhmsüchtig

Gelübde: Beteuerung, Ehrenwort, Eid, Gelöbnis, Schwur, Verheißung, Verpflichtung, Versicherung, Versprechen, Wort, Zusage, Zusicherung *Profess, ewige Gelübde

Gelüste: Begierde, Lust, Trieb *Appetit, Esslust, Gier, Heißhunger

gelüsten: begehren, brennen, dürsten, erstreben, fiebern, hungern, lechzen, schmachten, verlangen, wünschen, vor Sehnsucht vergehen *sinnlich sein, wollüstig sein, lüstern sein, begierig sein

gemach: gleichmütig, geruhsam, langsam, ruhevoll, ruhig, still, stoisch

Gemach: Bude, Kammer, Raum, Räumlichkeit, Stube, Zimmer

gemächlich: bedächtig, betulich, gemach, gemütlich, langsam, sachte, schleppend, stockend, zögernd, mit geringer Geschwindigkeit

gemacht: einverstanden, okay, in Ordnung, o. k. *blumenreich, geblümt, gekünstelt, gequält, geschraubt, geschwollen, gespreizt, gestelzt, gesucht, geziert, gezwungen, manieriert, phrasenhaft, schwülstig, unecht, unnatürlich *angesehen, erfahren, hochverdient, reich, wohlhabend *durchgeführt, erledigt, gehandelt, getan *behandelt, durchgenommen, gelehrt

Gemahl: Angetrauter, Ehemann, Ehepartner, Lebensgefährte, Lebenskamerad, Mann

Gemahlin: Angetraute, Ehefrau, Ehe-

partnerin, Frau, Lebensgefährtin, Lebenskameradin
gemahnen: auffrischen, erinnern, mahnen, ins Gedächtnis rufen
Gemälde: Abbildung, Bild, Bildnis, Darstellung, Kunstwerk, Porträt, Wiedergabe
Gemarkung: Feldflur, Feldmark, Flur *Grenze, Grenzscheide, Rand, Scheide, Umgrenzung
gemäß: entsprechend, laut, nach, zufolge, nach Maßgabe *adäquat, analog, angebracht, angemessen, angezeigt, entsprechend, gebührend, gebührlich, konform, kongruent, korrespondierend, laut, nach, opportun, passend, zufolge, auf … hin, nach Maßgabe
gemäßigt: ausgeglichen, nicht extrem *ausgeglichen, bescheiden, enthaltsam, maßvoll, zurückhaltend, in Grenzen, mit Maßen *durchschnittlich, dürftig, gering, mäßig, mittelmäßig, schwach
gemein: abscheulich, garstig, hundsgemein, infam, lumpig, miserabel, mistig, nichtswürdig, niederträchtig, ruchlos, schäbig, schändlich, schimpflich, schmachvoll, schmählich, schmutzig, schnöde, schofel, schuftig, verrucht, verwerflich *doppelzüngig, falsch, frömmelnd, heuchlerisch, hinterhältig, katzenfreundlich, lügenhaft, lügnerisch, scheinfromm, scheinheilig, unaufrichtig, unehrlich, unlauter, unredlich, unreell, unsolid, unwahrhaftig, verstellt *böse, bitterböse, bösartig, boshaft, garstig, gemeingefährlich, schlimm, übel, übel gesinnt, übel wollend, unausstehlich
Gemeinbesitz: Allgemeinbesitz, Allgemeingut, Allmende, Gemeineigentum, Gemeingut, Gemeinschaftsbesitz, Gütergemeinschaft
Gemeinde: Dorf, Kommune, Ort *Kirchengemeinde, Pfarrei, Sprengel *Einheit, Gemeinschaft, Gesamtheit, Gruppe
Gemeindeamt: Bürgermeisteramt, Rathaus
Gemeindevertretung: Gemeinderat, Gemeindevorstand
gemeineigen: gesellschaftlich, staatlich, vergesellschaftet, verstaatlicht
gemeingefährlich: beängstigend, bedenklich, bedrohend, bedrohlich, beunruhigend, brenzlig, ernst, Gefahr bringend, gefährlich, gefahrvoll, kritisch, Unheil bringend, unheilvoll, zugespitzt, nicht geheuer
Gemeingut: Allgemeinbesitz, Allgemeingut, Allmende, Gemeinbesitz, Gemeineigentum, Gemeinschaftsbesitz, Gütergemeinschaft, Staatsbesitz, Staatseigentum, Volksvermögen
Gemeinheit: Abscheulichkeit, Bösartigkeit, Bosheit, Böswilligkeit, Garstigkeit, Gehässigkeit, Hässlichkeit, Hinterlist, Infamie, Niedertracht, Niedrigkeit, Perfidie, Ruchlosigkeit, Schäbigkeit, Schadenfreude, Schikane, Schlechtigkeit, Schmutzigkeit, Schufterei, Schweinerei, Teufelei, Übelwollen, Unverschämtheit, Verruchtheit, böse Absicht, böser Wille *Gleisnerei, Heuchelei, Lippenbekenntnis, Scheinheiligkeit, Verstellung, Vortäuschung
gemeinhin: generell, grundsätzlich, oft, vielfach, weithin, alles in allem, fast immer, für gewöhnlich, im Allgemeinen, in aller Regel, mehr oder weniger, mehr oder minder
gemeinnützig: mitmenschlich, sozial, uneigennützig, wohltätig
Gemeinnützigkeit: Allgemeinwohl, Gemeinnutz, Gemeinwohl
Gemeinplatz: Allgemeinheiten, Allgemeinplatz, Binsenwahrheit, Binsenweisheit, Geistlosigkeit, Geschwafel, Phrase, Plattitüde, Plattheit, Redensart, Selbstverständlichkeit, Trivialität, alter Hut, alter Bart
gemeinsam: alle, gemeinschaftlich, geschlossen, im Verein (mit), in Zusammenarbeit (mit), kollektiv, kooperativ, miteinander, vereint, zusammen, Arm in Arm, im Chor, Seite an Seite, in (der) Gemeinschaft, im Kollektiv, Hand in Hand, Schulter an Schulter
Gemeinsamkeit: Gemeinschaft, Gemeinschaftlichkeit, Kollegialität, Kommunität, Solidarität *Affinität, Ähnlichkeit, Berührungspunkt, Bindeglied, Geistesverwandtschaft, Verbindung, Verwandtschaft
Gemeinschaft: Einheit, Gemeinde, Ge-

samtheit, Gruppe *Gemeinschaft, Sozietät, Verband, Zusammenschluss
gemeinschaftlich: alle, geschlossen, im Verein (mit), in Zusammenarbeit (mit), kollektiv, kooperativ, miteinander, vereint, zusammen, Arm in Arm, im Chor, Seite an Seite, in (der) Gemeinschaft, Hand in Hand, Schulter an Schulter
Gemeinsinn: Gemeinsamkeit, Gemeinwohl, Verbrüderung, Verbundenheit, Zusammengehörigkeit, Zusammengehörigkeitsgefühl
Gemeinwohl: Allgemeinwohl, Gemeinnutz, Gemeinnützigkeit
Gemenge: Auflauf, Aufruhr, Durcheinander, Enge, Gedränge, Getriebe, Getümmel, Gewimmel, Gewoge, Gewühl, Menschenansammlung, Menschenmenge, Tumult, Zusammenlauf, Zusammenrottung *Durcheinander, Emulsion, Gemisch, Konglomerat, Mengung, Mischung, Mixtur
gemessen: abgeklärt, ausgeglichen, bedacht, bedachtsam, beherrscht, besonnen, gefasst, gemächlich, geruhsam, gezügelt, gleichmütig, harmonisch, kaltblütig, ruhevoll, ruhig, sicher, still, überlegen, würdevoll *gesetzt, gravitätisch, hoheitsvoll, majestätisch, würdevoll
Gemessenheit: Abgeklärtheit, Bedacht, Bedachtsamkeit, Besonnenheit, Gefasstheit, Gelassenheit, Gleichgewicht, Gleichmut, Kontenance, Ruhe, Selbstbeherrschung, Umsicht, innere Haltung
Gemetzel: Blutbad, Blutvergießen, Massaker, Massenmord, Metzelei, Morden
Gemisch: Durcheinander, Emulsion, Gemenge, Konglomerat, Mengung, Mischung, Mixtur
gemischt: unbestimmt, undeutlich, unklar, vage, verschwommen, widersprüchlich, nicht eindeutig, nicht klar *abwechslungsreich, bunt, komplex, kunterbunt, mannigfaltig, variabel, verschieden, verschiedenartig, zusammengesetzt
Gemüse: Grünzeug, Pflanzen
gemustert: geblümt, gefleckt, gesprenkelt, gestreift, getigert, getupft, kariert, meliert, streifig
Gemüt: Herz, Innenleben, Inneres, Innerlichkeit, Psyche, Seele, Seelenleben
gemütlich: anheimelnd, behaglich, bequem, friedlich, harmonisch, häuslich, heimelig, idyllisch, intim, lauschig, ruhig, traulich, traut, urgemütlich, wohlig, wohltuend, wohnlich *angenehm, freundlich, gemächlich, ruhig, umgänglich
Gemütlichkeit: Behaglichkeit, Bequemlichkeit, Harmonie, Heimeligkeit, Idylle, Lauschigkeit, Trautheit, Wohnlichkeit
gemütsarm: dürftig, einförmig, logisch, nüchtern, phantasielos, poesielos, prosaisch, rational, realistisch, sachlich, trocken, unromantisch, verstandesmäßig, ohne Emotion, ohne Phantasie *abgestumpft, barbarisch, brutal, eisig, erbarmungslos, fest, gefühllos, gefühlsarm, gefühlskalt, gleichgültig, gnadenlos, grausam, hart, hartherzig, herzlos, inhuman, kaltblütig, kompromisslos, lieblos, mitleidlos, roh, schonungslos, seelenlos, streng, unbarmherzig, ungesittet, unmenschlich, unnachgiebig, unnachsichtig, unsozial, unzugänglich, verroht
Gemütsart: Anlage, Art, Gemüt, Gemütsanlage, Veranlagung, Wesen, Wesensart
Gemütserregung: Gefühlserregung, Gemütsbewegung, Rührung, Mitgefühl
gemütskrank: depressiv, geistesgestört, hysterisch, manisch, manisch-depressiv, nervenkrank, neurotisch, psychopathisch, psychotisch, schwermütig
Gemütskrankheit: Geisteskrankheit, Neurose, Psychose, psychische Störung
Gemütslage: Aufgelegtheit, Disposition, Gefühlslage, Gemütsverfassung, Gemütszustand, Laune, Seelenlage, Stimmung
Gemütsruhe: Ausgeglichenheit, Beherrschung, Beschaulichkeit, Besonnenheit, Fassung, Frieden, Gefasstheit, Gelassenheit, Gemächlichkeit, Gleichgewicht, Gleichmut, Haltung, Kontenance, Ruhe, Seelenruhe, Stoizismus, Unerschütterlichkeit
gemütvoll: einfühlsam, einsichtig, gefühlvoll, innerlich, rührselig, sinnenhaft, verinnerlicht, verständnisvoll, verstehend, weitherzig
Gen: Erbgutträger

genannt: beibenannt, benamst, benannt, geheißen, so genannt, zubenannt, des Namens

genau: pünktlich, rechtzeitig, auf die Minute, auf die Sekunde, Schlag ..., Punkt ... *scharf, haarscharf, akkurat, bestimmt, deutlich, eindeutig, exakt, fein, gerade, haargenau, haarklein, klar, prägnant, präzise, aufs Haar *reinlich, sauber, säuberlich, speziell, tadellos, treffend, treffsicher, unmissverständlich, wohlgezielt *ausführlich, detailliert, eingehend, erschöpfend, grundlegend, gründlich, intensiv, profund, tief, umfassend, vollständig *buchstabengetreu, buchstäblich, getreu, wortgetreu, wörtlich, wortwörtlich *eben, gerade, unbedingt *fehlerlos, fein, gewissenhaft, kleinlich, korrekt, minuziös, ordentlich, pedantisch, penibel, richtig, sorgfältig, sorgsam, zuverlässig

Genauigkeit: Akkuratesse, Akribie, Ausführlichkeit, Behutsamkeit, Bestimmtheit, Exaktheit, Gewissenhaftigkeit, Gründlichkeit, Peinlichkeit, Pflichtbewusstsein, Pflichtgefühl, Prägnanz, Präzision, Schärfe, Sorgfalt, Sorgfältigkeit, Sorgsamkeit, Treffsicherheit, Treue, Verantwortungsbewusstsein, Zuverlässigkeit *Exaktheit, Pünktlichkeit

genauso: auch, ebenso, geradeso, gleichermaßen, gleicherweise, item, in demselben Maße, in gleicher Weise

Gendarm: Gesetzeshüter, Ordnungshüter, Polizei, Polizeibeamter, Polizist, Schutzpolizist, Wachmann, Wachtmeister, Auge des Gesetzes

Genealogie: Familienforschung, Stammbaumkunde

genehm: erwünscht, geeignet, gefällig, günstig, lieb, opportun, passend, willkommen

genehmigen: billigen, einräumen, erlauben, s. gefallen lassen, gewähren, gutheißen, konzedieren, zugestehen, zulassen *autorisieren, befugen, berechtigen, bevollmächtigen, ermächtigen, lizenzieren, die Genehmigung erteilen, die Genehmigung geben

Genehmigung: Billigung, Einvernehmen, Einverständnis, Freibrief, Plazet, Zulassung, Zusage, Zustimmung *Autorisierung, Bevollmächtigung, Erlaubnis, Lizenz, Recht, Vollmacht

geneigt: freundlich, gewogen, gnädig, wohlgesinnt, wohlmeinend *gefügig, gesonnen, willens, willig, zuvorkommend *abfallend, absteigend, aufsteigend, krumm, schief, schräg *artig, bereit, brav, einsichtig, folgsam, fügsam, gefüge, gefügig, gehorsam, gesittet, gesonnen, gewillt, gutwillig, lieb, manierlich, willfährig, willig

Geneigtheit: Gewogenheit, Gunst, Huld, Jovialität, Liebenswürdigkeit, Sympathie, Wohlwollen, Zuneigung, Zuwendung

generalisieren: abstrahieren, objektivieren, verallgemeinern

Generalversammlung: Hauptversammlung

Generation: Alter, Altersklasse, Altersstufe, Geschlechterfolge, Jahrgang

generell: durchgängig, durchweg, durchwegs, gemeinhin, grundsätzlich, oft, vielfach, weitgehend, weithin, alles in allem, fast immer, für gewöhnlich, in aller Regel, mehr oder weniger, mehr oder minder, im Allgemeinen, im Großen und Ganzen, durch die Bank, (für) gewöhnlich

generös: freigebig, gebefreudig, großzügig, hochherzig, milde, nobel, schenkfreudig, spendabel, splendid, weitherzig

Genese: Anfang, Aufkommen, Beginn, Bildung, Entstehung, Entwicklung, Geburt, Genesis

genesen: ausgeheilt, geheilt, gesund, gesundet, wiederhergestellt *ausheilen, gesunden, heilen, wiederherstellen

Genesender: Patient, Rekonvaleszent

Genesung: Aufschwung, Besserung, Erholung, Gesundung, Gesundungsprozess, Heilung, Kräftigung, Neubelebung, Rekonvaleszenz, Stärkung, Wiederherstellung

genial: begnadet, einfallsreich, geistreich, geistvoll, genialisch, hoch begabt, hoch talentiert, ideenreich, kreativ, originell, produktiv, schöpferisch, überdurchschnittlich, überklug

Genialität: Begnadetheit, Einfallsreichtum, Geschicklichkeit, Kreativität

Genickfang: Genickstoß

Genickstarre: Halsstarre, Nackenstarre

Genie: Begabung, Geist, Geistesgröße, Genius, Kapazität, Koryphäe, Phänomen, Talent, Universalgenie
genieren (s.): erglühen, erröten, s. in Grund und Boden schämen, s. schämen, Scham empfinden, vor Scham erröten, schamrot werden, rot werden, vor Scham in den Erdboden versinken, vor Scham vergehen *s. stören, etwas nicht mögen
genierlich: ängstlich, genant, geziert, schamhaft, scheu, zaghaft *arg, ärgerlich, bedauerlich, blöde, fatal, genant, heikel, lästig, leidig, misslich, peinlich, prekär, schlecht, schlimm, schrecklich, skandalös, unangenehm, unbefriedigend, unbequem, unerfreulich, unerquicklich, unerwünscht, ungelegen, ungünstig, ungut, unlieb, unliebsam, unvergnüglich, unwillkommen, verwünscht, widrig
genießbar: bekömmlich, einwandfrei, essbar, trinkbar *essbar, ungiftig *annehmbar, erträglich, leidlich, passabel, vertretbar *angenehm, charmant, freundlich, gewinnend, lieb, liebenswert, liebenswürdig, nett, reizend, sympathisch
genießen: auskosten, ausschöpfen, durchkosten, frönen, schwelgen, Genuss empfinden, Genuss haben, zu schätzen wissen *bekommen, empfangen, erhalten, zuteil werden
Genießer: Feinschmecker, Genussmensch, Gourmet
genießerisch: begehrlich, genussfreudig, genüsslich, genusssüchtig, kulinarisch, lukullisch, schlemmerhaft, schwelgerisch, sinnenfreudig
Genitalien: Geschlechtsorgane, Geschlechtsteile, Schamteile
genmanipuliert: genverändert, manipuliert, verändert
genormt: der Norm entsprechend
Genosse: Parteifreund, Parteimitglied *Gefährte, Gesinnungsfreund, Getreuer, Kamerad, Verbündeter
Genossenschaft: Berufsgenossenschaft, Berufsverband, Dachorganisation, Dachverband, Gilde, Innung, Organisation, Verband, Zunft
Genre: Art, Gattung, Spezies, Typ, Wesen, Zweig
Gentleman: Ehrenmann, Kavalier, Weltmann, Mann von Welt, Mann von guter Erziehung *Gesellschafter, Unterhalter, Witwentröster
gentlemanlike: fein, hilfsbereit, höflich, kultiviert, nobel, ritterlich, vornehm
genug: ausreichend, genügend, gut, hinlänglich, hinreichend, sattsam, zureichend, zur Genüge ***genug haben:** bedient sein, eine Sache leid sein, Ekel empfinden, Abscheu empfinden, jmdm. widerstehen, überdrüssig sein, angewidert sein, angeekelt sein *viel haben, reichlich haben, in (großen) Mengen haben, ausreichend haben, zur Genüge haben *satt sein
genügen: auskommen, ausreichen, hinreichen, zufrieden stellen, den Bedarf decken, zur Genüge haben, genug haben
genügend: ausreichend, genug, hinreichend, sattsam, zureichend, zur Genüge
genügsam: anspruchslos, bescheiden, einfach, frugal, schlicht, zurückhaltend *bescheiden, geizig, haushälterisch, sorgsam, sparsam, wirtschaftlich
Genügsamkeit: Anspruchslosigkeit, Bescheidenheit, Einfachheit, Schlichtheit, Zurückhaltung
Genugtuung: Befriedigung, Satisfaktion, Wiedergutmachung, Zufriedenstellung
genuin: authentisch, echt, natürlich, originell, rein, richtig, ungekünstelt, unverfälscht, ursprünglich, urwüchsig, waschecht, nicht imitiert, nicht künstlich *angeboren, angestammt, eingeboren, erblich, ererbt, vererbbar, im Blut, von Haus aus, von Geburt an vorhanden
Genuss: Entzücken, Ergötzen, Freude, Hochgenuss, Lust, Sinnenfreude, Vergnügen, Wohlbehagen, Wollust, Wonne *Genussfreude, Genussgier, Schlemmerei, Schwelgerei, Völlerei *Annehmlichkeit, Augenweide, Erquickung, Gaumenkitzel, Labsal, Ohrenschmaus
genussfreudig: begehrlich, genießerisch, genüsslich, genusssüchtig, kulinarisch, lukullisch, schlemmerhaft, schwelgerisch, sinnenfreudig, sinnlich
Genussmensch: Epikureer, Feinschmecker, Genießer, Gourmet, Lebemann, Phäake, Schlemmer, Schwelger, Sybarit

genusssüchtig: epikureisch, genießerisch
genutzt: gebraucht, verwendet
Geodäsie: Erdvermessung, Landvermessung
geöffnet: aufgeschlossen, aufgesperrt, offen, offen stehend, unverschlossen, zugänglich, nicht (zu)geschlossen
Geographie: Erdkunde, Länderkunde
geordnet: adrett, aufgeräumt, genau, gepflegt, korrekt, ordentlich, sauber, untadelig, in Ordnung
Gepäck: Ausrüstung, Bagage, Habe, Reisegepäck, Tragelast
gepackt: arretiert, festgesetzt, gefangen, inhaftiert, interniert *bereit, fertig
Gepäckträger: Dienstmann, Lastenträger, Träger *Halter, Haltevorrichtung
gepfeffert: hoch, teuer *derb, saftig, unanständig, vulgär, nicht salonfähig *gewürzt, scharf
Gepfeife: Ausbuhen, Auspfeifen, Buhrufe, Missfallenskundgebung *Gejohle, Kreischen
gepflastert: mit Pflastersteinen belegt
gepflegt: adrett, apart, elegant, gefällig, kleidsam, schick, schmuck, gut angezogen *ausgewogen, ordentlich, sauber, sorgfältig, überlegt *distinguiert, geschmackvoll, gewählt, kultiviert, nobel, soigniert, vornehm
Gepflogenheit: Brauch, Gewohnheit, Herkommen, Sitte, Tradition, Übung, Usus
geplagt: gepeinigt, geprüft, gequält, gestraft, gezüchtigt, heimgesucht, leidvoll, unglücklich
geplant: überlegt, vorgeplant *durchdacht, folgerichtig, geregelt, gezielt, konsequent, methodisch, plangemäß, planmäßig, planvoll, programmrichtig, systematisch, überlegt, zielbewusst, mit Überlegung, mit Methode, mit Plan, mit System, nach Plan
gepresst: gedrückt, gequetscht *eingeklemmt, eingeschnürt, eingezwängt, zusammengedrückt *ausgepresst, ausgequetscht, entsaftet
geprüft: angemessen, berechnet, erwogen, geeicht *kontrolliert, nachgeprüft, nachgesehen, überprüft
gepunktet: gesprenkelt, getüpfelt, getupft, sprenkelig, tüpfelig
geputzt: glänzend, poliert, rein, sauber
gerade: augenblicklich, derzeit, eben, jetzig, jetzt, just, kürzlich, momentan, vorhin, unmittelbar vorher, vor einem Augenblick, in diesem Augenblick *sowieso, überhaupt, erst recht *ausgerechnet, genau, eben noch *aufrichtig, deutlich, direkt, einfach, freiheraus, geradeheraus, geradewegs, schlicht, unumwunden *aufrecht, geradlinig, offenherzig, redlich, verlässlich, Vertrauen erweckend, vertrauenswürdig, wahr, wahrhaftig, wahrhaftig, zuverlässig *aufrecht, lotrecht *geradlinig, gestreckt, linear, pfeilgerade, schnurgerade, in einer Linie, wie ein Pfeil ***gerade biegen:** gerade machen, zurechtbiegen *begleichen, bereinigen, einigen, vermitteln, versöhnen, aus der Welt schaffen, in Ordnung bringen ***gerade legen:** ordentlich hinlegen, sauber hinlegen, akkurat hinlegen ***gerade stehen:** aufrecht stehen, stramm stehen ***gerade stellen:** geraderücken, ordnen, wegräumen, zurechtlegen, zurechtrücken, zurechtstellen, an die richtige Stelle rücken, Ordnung machen
Gerade: gerade Linie, gerade Zeile, gerader Strich, gerader Zug
geradewegs: geradenwegs, stracks, schnurstracks, direkt, gradlinig, zielgerichtet, ohne Umweg, ohne Umschweife
geradeaus: geradezu, der Nase nach, immer in eine Richtung ***geradeaus fahren:** immer in eine Richtung fahren
geradeheraus: aufrichtig, ehrlich, freiheraus, freimütig, gerade, offen, offenherzig, unverhohlen, unverhüllt, vertrauenswürdig, wahr, wahrhaft, wahrhaftig, zuverlässig
gerädert: abgehetzt, abgekämpft, abgeschlafft, abgespannt, abgewirtschaftet, angegriffen, angeschlagen, atemlos, aufgerieben, ausgelaugt, durchgedreht, entkräftet, entnervt, erholungsbedürftig, erledigt, ermattet, erschlagen, erschöpft, geschafft, groggy, halb tot, kaputt, kraftlos, matt, mitgenommen, müde, schachmatt, schlaff, schlapp, schwach, überanstrengt, überfordert, überlastet,

urlaubsreif, verbraucht, zerschlagen, k.o., am Ende
geradeso: auch, ebenso, genauso, gleichermaßen, gleicherweise, item, in demselben Maße, in gleicher Weise
geradestehen (für): verantworten, s. verantwortlich fühlen, die Folgen tragen, die Folgen auf sich nehmen, die Verantwortung übernehmen
geradewegs: direkt, geradenwegs, schnurstracks, auf kürzestem Weg
geradezu: geradeaus, der Nase nach, immer in eine Richtung *ausgesprochen, buchstäblich, direkt, durchgehend, förmlich, geradewegs, mittendurch, regelrecht, richtiggehend, schnurstracks, vorwärts, zielbewusst, ganz und gar *aufrichtig, deutlich, direkt, ehrlich, freiheraus, freiweg, geradeheraus, offen, offenherzig, rückhaltlos, rundheraus, rundweg, schlankweg, ungeschminkt, unmissverständlich, unumwunden, unverblümt, unverhohlen, unverhüllt, ohne Rückhalt, frei von der Leber weg, ohne Umschweife, auf gut Deutsch, frank und frei, frisch von der Leber weg *ausgesprochen, direkt, förmlich, regelrecht
Geradheit: Freimut, Freimütigkeit, Offenheit, Offenherzigkeit
geradlinig: ausdauernd, beharrlich, entschieden, entschlossen, fest, geduldig, hartnäckig, konstant, krampfhaft, persistent, starrsinnig, stetig, strebsam, stur, trotzig, unbeirrbar, unbeirrt, unbeugsam, unentwegt, unermüdlich, unverdrossen, verbissen, verzweifelt, zäh, zielbewusst, zielstrebig *aufrichtig, ehrlich, freimütig, gerade, offen, offenherzig, unverhohlen, unverhüllt, wahrhaftig, zuverlässig
Geradlinigkeit: Beharrlichkeit, Beständigkeit, Charakterfestigkeit, Durchhaltevermögen, Festigkeit, Seelenstärke, Standhaftigkeit
gerafft: abgekürzt, bestimmt, gedrängt, komprimiert, kursorisch, kurz, lapidar, straff, summarisch, verkürzt, im Telegrammstil, in wenigen Worten, kurz und bündig, nicht ausführlich
Gerät: Radio, Rundfunkgerät *Fernseher, Fernsehgerät *Apparat, Arbeitsgerät, Arbeitsinstrument, Ausrüstung, Gerätschaften, Handwerkszeug, Instrument, Maschine, Vorrichtung, Werkzeug, Zubehör
geraten: funktionieren, gelingen, glatt gehen, glücken, werden, wunschgemäß verlaufen *ansteigen, florieren, gedeihen, gut gehen, Erfolg haben, Glück haben, Fortschritte machen *verkommen *ähneln, arten (nach), schlagen (nach), genauso wie, in jmds. Art schlagen *s. streiten *in die Hände fallen, in die Hände geraten, in die Gewalt kommen *staunen *anwachsen, aufblühen, aufleben, ausarten, entwickeln, erblühen, erwachen, s. erweitern, florieren, s. fortpflanzen, s. fortsetzen, gedeihen, s. steigern, s. vermehren, wachsen ***in Wut geraten:** ärgern, aufbringen, aufregen, aufreizen, beunruhigen, erbittern, erbosen, ergrimmen, erhitzen, erzürnen, verdrießen, verstimmen, aus dem Gleichgewicht bringen, aus der Fassung bringen, aus der Ruhe bringen, zornig machen, wütend machen, zur Weißglut reizen, zur Weißglut bringen, auf die Palme bringen
Gerätschaft: Apparate, Gerät, Instrumente, Werkzeug
geräuchert: geselcht, aus dem Rauch
geräumig: ausgedehnt, breit, groß, großflächig, großräumig, weit, viel Raum bietend, viel Platz bietend
Geräumigkeit: Breite, Größe, Großzügigkeit, Platz, Weite, Weitflächigkeit, Weiträumigkeit
Geraune: Geflüster, Gemunkel, Gerüchtemacherei
Geräusch: Laut, Ton *Geraschel, das Brummen, das Gebrumm, das Gesumm, das Knistern, das Rascheln, das Summen *Lärm, Radau, Tumult, das Dröhnen
geräuschlos: friedlich, geräuscharm, lautlos, leise, ruhig, still, auf Zehenspitzen, auf Fußspitzen, kaum vernehmbar, kaum hörbar
Geräuschlosigkeit: Grabesstille, Lautlosigkeit, Ruhe, Stille, Todesstille
geräuschvoll: dröhnend, grell, hörbar, lärmend, laut, lautstark, ohrenbetäubend, polternd, schallend, schrill, überlaut, unüberhörbar, vernehmbar
gerecht: angemessen, billig, gebührend,

rechtmäßig, richtig, verdient, verdientermaßen, verdienterweise, in Ordnung *fair, loyal, objektiv, rechtdenkend, redlich, unbestechlich, unparteiisch, unvoreingenommen, vorurteilsfrei, vorurteilslos
Gerechtigkeit: Fairness, Loyalität, Objektivität, Redlichkeit, Unbestechlichkeit, Unvoreingenommenheit, Vorurteilslosigkeit
Gerechtigkeitssinn: Rechtsempfinden, Rechtsgefühl, Rechtssinn
Gerede: Altweibergeschwätz, Dorfklatsch, Gefasel, Geklatsche, Gemunkel, Geraune, Geschwätz, Geschwatze, Getratsche, Getuschel, Gezischel, Heimlichtuerei, Klatsch, Klatscherei, Klatschgeschichten, Knatsch, Lärm, Munkelei, Palaver, Rederei, Stadtklatsch, Tratsch, Tratscherei, Tuschelei
geregelt: geordnet, ordentlich, planmäßig
gereift: ausgereift, erntereif, genießbar, reif, saftig *abgeklärt, ausgeglichen, erwachsen, herangewachsen, mündig, reif, vollmündig
gereizt: ärgerlich, aufgebracht, bärbeißig, böse, brummig, entrüstet, erbittert, erbost, erzürnt, fuchsteufelswild, gekränkt, grantig, griesgrämig, grimmig, knurrig, missgelaunt, missgestimmt, misslaunig, missmutig, missvergnügt, muffig, mürrisch, peinlich, schlecht gelaunt, übel gelaunt, übellaunig, unangenehm, unbefriedigt, unerfreulich, unleidlich, unlustig, unmutig, unwillig, unwirsch, unzufrieden, verärgert, verbittert, verdrießlich, verdrossen, verstimmt, wütend, wutentbrannt, wutschäumend, wutschnaubend, zähneknirschend, zornig, in schlechter Stimmung
Gereiztheit: Aufgebrachtheit, Bärbeißigkeit, Bosheit, Brummigkeit, Entrüstung, Erbostheit, Gekränktheit, Grantigkeit, Griesgrämigkeit, Misslaunigkeit, Übellaunigkeit, Unlust, Unzufriedenheit, Verärgerung, Verbitterung, Verdrossenheit, Verdruss, Verstimmung, Wut, Zähneknirschen, Zorn, schlechte Stimmung
gereuen: bedauern, s. bessern, reuen, s. auf die Brust schlagen, s. Gewissensbisse machen, in sich gehen, Gewissensbisse haben, Reue empfinden
Gericht: Essen, Mahl, Mahlzeit, Menü, Speise *Gerichtsbehörde, Gerichtshof, Tribunal *Weltgericht, Jüngstes Gericht
gerichtlich: erstinstanzlich, höchstinstanzlich, letztinstanzlich, zweitinstanzlich, vor Gericht, in … Instanz
Gerichtsbarkeit: Judikative, Justiz, Rechtspflege, Rechtsprechung, Rechtswesen
Gerichtstermin: Gerichtsverhandlung, Lokaltermin, Verhandlung
Gerichtsverfahren: Gerichtsverhandlung, Prozess, Rechtsstreit, Termin, Verfahren, Verhandlung
Gerichtsvollzieher: Vollstreckungsbeamter
gering: dürftig, geringwertig, jämmerlich, karg, kärglich, kläglich, kümmerlich, lumpig, mager, minimal, schmal, spärlich, wenig, winzig, kaum genug, nicht viel *einfach, gewöhnlich, nieder, sozial niedrig gestellt, von niederer Herkunft *ertragbar, erträglich, leicht *mindere, minderwertige, schlechtere *langsam, schleichend, immer wieder *abgemildert, abgemindert, abgeschwächt *klein, minimal, unterdurchschnittlich, nicht der Rede wert *klein, niedrig, zierlich, zwergenhaft *niedrig, tief, nicht hoch *abgeschwollen, flach, gesunken, niedrig, seicht *einfach, mangelhaft, primitiv, wenig *ausreichend, durchschnittlich, klein, mangelhaft, mittlere, unbefriedigend, ungenügend *mäßig, schwach, unterentwickelt *klein, niedrig, zwergwüchsig *leicht, schwach *billig, geringwertig, preiswert *bedächtig, langsam, schleichend, schleppend, im Kriechtempo, im Schneckentempo *billig, spottbillig, klein, mäßig, niedrig, preisgünstig, preiswert, fast umsonst *leicht, wenig *angenehm, lau, lind, mollig, überschlagen, warm *limitiert, niedrig ***gering achten:** gering denken (von), gering schätzen, herabblicken (auf), herabschauen (auf), herabwürdigen, hinunterblicken (auf), missachten, verachten, verpönen, verschmähen, die Nase rümpfen (über), mit Verachtung strafen, nicht achten, nicht

für voll nehmen, schlecht behandeln, respektlos behandeln

Geringachtung: Außerachtlassung, Despektierlichkeit, Geringschätzung, Herabsetzung, Herabwürdigung, Missachtung, Naserümpfen, Nichtbeachtung, Pejorativum, Respektlosigkeit, Verächtlichmachung, Verachtung

geringfügig: belanglos, lächerlich, leicht, unbedeutend, unbeträchtlich, unerheblich, unwesentlich, unwichtig, nicht der Rede wert, nicht ins Gewicht fallend, sehr klein, von geringem Ausmaß

geringschätzig: abfällig, abschätzig, abwertend, despektierlich, entwürdigend, missbilligend, pejorativ, respektlos, scharf, schlecht, schlimm, tadelnd, übel, unfreundlich, verächtlich, vernichtend, wegwerfend

gerinnen: koagulieren, zusammenlaufen *laben

Gerippe: Gebein, Knochen, Knochenbau, Knochengerüst, Skelett *Gerüst, Grundidee, Grundplan, Leitgedanke, Skelett

gerissen: abgefeimt, ausgefuchst, ausgekocht, ausgepicht, bauernschlau, clever, diplomatisch, durchtrieben, gerieben, angeschäftstüchtig, geschickt, gewieft, gewitzt, glatt, hinterlistig, listig, raffiniert, routiniert, schlau, taktisch, verschlagen, verschmitzt, mit allen Wassern gewaschen *abgerissen, defekt, entzwei, kaputt

Gerissenheit: Raffinement, Raffinesse, Schlauheit

gern: anstandslos, bereitwillig, freudig, gerne, mit Freude, mit Kusshand, mit Handkuss, mit Vorliebe, mit Vergnügen, von Herzen gern, liebend gern ***gern haben:** lieben, lieb haben, mögen, schätzen, verehren

Geröll: Felsschutt, Gesteinsschutt, Kies

Gerte: Rute, Stock

Geruch: Duft, Gestank *Aroma, Duft, Odeur, Wohlgeruch *Blume, Bukett *Ausdünstung, Körperausdünstung, Körpergeruch, Schweißgeruch *Witterung *Geruchsempfindung, Geruchssinn, Nase

Gerücht: Fama, Flüsterpropaganda, Gerede, Klatsch, Legende, Ondit, Sage

gerüchtweise: dem Vernehmen nach, vom Hörensagen

geruhen (s.): s. bequemen, s. herablassen, geneigt sein, gesonnen sein, gnädig sein

gerührt: aufgewühlt, betroffen, bewegt, ergriffen, erregt, erschüttert, überwältigt, (tief) beeindruckt

geruhsam: behaglich, beschaulich, friedlich, gemächlich, gemütlich, ruhevoll, ruhig, ohne Eile, ohne Überstürzung, ohne Hast *bedacht, beherrscht, gelassen, gemessen, gezügelt, sicher, überlegen

Gerümpel: Abfall, Kram, Schrott, Zeug

Gerüst: Baugerüst, Leitergerüst *Gerippe, Grundidee, Grundplan, Leitgedanke, Skelett

gerüstet: abfahrbereit, abmarschbereit, bereit, disponibel, fertig, gerichtet, gespornt, gestiefelt, reisefertig, soweit, startbereit, verfügbar, vorbereitet, in Bereitschaft

gesalzen: salzig, versalzen *kostspielig, teuer, übermäßig, überteuert, übertrieben, unerschwinglich, zu teuer *bitterböse, boshaft, garstig

gesammelt: abgeheftet, gebunden *andächtig, angespannt, angestrengt, aufmerksam, konzentriert

gesamt: absolut, alles, genau, grundlegend, hundertprozentig, insgesamt, lückenlos, sämtlich, schlechterdings, schlechtweg, total, überhaupt, voll, vollkommen, vollends, völlig, vollständig, wirklich, ganz und gar, in jeder Beziehung, in jeder Hinsicht, in vollem Maße, in vollem Umfang

Gesamtausgabe: Edition, (ungekürzte) Ausgabe

Gesamtheit: Allgemeinheit, Einheit, Ganzheit, Totalität, Vollständigkeit, das Ganze *Einheit, Gemeinde, Gemeinschaft, Gruppe

Gesamtkatalog: Zentralkatalog

Gesandter: Diplomat, Konsul, Legat, Nuntius, Staatsvertreter

Gesandtschaft: Auslandsmission, Auslandsvertretung, Botschaft, Konsulat, ständige Vertretung, diplomatische Vertretung

Gesang: Gegröle, Gesinge, Singerei, Singsang, das Singen *Lied, Liedgesang
Gesangbuch: Gebetbuch, Liederbuch *Beziehungen, Verbindungen, Vitamin B
Gesangverein: Chor, Kirchenchor, Liedertafel, Sängerchor, Sängerkreis, Sängerschaft, Sängervereinigung, Sangesgruppe, Singkreis
Gesäß: Hinterbacken, Hintern, Hinterteil, Po, Popo, Steiß, verlängerter Rücken, der Allerwerteste
gesättigt: satt, zufrieden, nicht mehr hungrig *angereichert, geballt, gehäuft, hoch konzentriert, hochprozentig, intensiv, konzentriert, stark
geschafft: abgearbeitet, abgehetzt, abgekämpft, abgeschlafft, abgespannt, abgewirtschaftet, angegriffen, angeschlagen, atemlos, aufgerieben, ausgelaugt, durchgedreht, entkräftet, entnervt, erholungsbedürftig, erledigt, ermattet, erschlagen, erschöpft, gerädert, groggy, halb tot, kaputt, kraftlos, matt, mitgenommen, müde, schachmatt, schlaff, schlapp, schwach, überanstrengt, überfordert, überlastet, urlaubsreif, verbraucht, zerschlagen, k.o., am Ende
Geschäft: Kaufhalle, Kaufhaus, Kaufladen, Krämerladen, Kramladen, Laden, Markthalle, Supermarkt, Verkaufsraum, Verkaufsstelle, Warenhaus *Firma, Gesellschaft, Handelsunternehmen, Unternehmen *Arbeit, Ausübung, Beschäftigung, Betätigung, Funktion, Gewerbe, Handeln, Handwerk, Hantierung, Tätigkeit, Tun, Verrichtung, Wirksamkeit *Einkommen, Erlös, Ertrag, Gewinn, Gewinnspanne, Handelsspanne, Nutzen, Plus, Profit, Schnitt, Überschuss, Verdienst, Vorteil *Geschäftsabschluss, Handel, Handelsgeschäft, Transaktion, Unternehmung
Geschäftemacher: Schieber, Schwindler, Spekulant *Ausbeuter, Betrüger, Wucherer *Broker, Dealer, Jobber *Investor
geschäftig: aktiv, arbeitsam, beflissen, betriebsam, eifrig, regsam, rührig, schaffensfreudig, tatkräftig, unermüdlich, unverdrossen
Geschäftigkeit: Eifer *Arbeitseifer, Arbeitsfreude, Arbeitslust, Betätigungsdrang, Emsigkeit, Energie, Feuereifer, Fleiß, Schaffenslust, Strebsamkeit
geschäftlich: behördlich, dienstlich, formell, offiziell, unpersönlich, von Amts wegen *finanziell, geldlich, gewerblich, kaufmännisch, kommerziell, merkantil, pekuniär, wirtschaftlich
Geschäftsbericht: Jahresbericht, Rechenschaftsbericht
Geschäftsbeziehungen: Güteraustausch, Güterverkehr, Handel, Handelsbeziehungen, Warenaustausch, Warenverkehr, Wirtschaftsbeziehungen
Geschäftsbücher: Bücher, Hauptbuch, Kassenbuch, Kontobuch
Geschäftsführung: Chef, Geschäftsleitung
Geschäftsjahr: Rechnungsjahr, Wirtschaftsjahr
Geschäftsmann: Businessman, Geschäftemacher, Händler, Kaufmann, Unternehmer
Geschäftsreisender: Reisevertreter, Vertreter
Geschäftssinn: Geschäftstüchtigkeit, Riecher, kaufmännisches Denken
Geschäftsstelle: Behörde, Büro, Dienststelle, Hauptstelle, Kanzlei, Nebenstelle, Office *Vertretung
geschäftstüchtig: abgefeimt, ausgefuchst, ausgekocht, bauernschlau, clever, diplomatisch, durchtrieben, gerissen, geschickt, gewieft, gewitzt, listig, raffiniert, schlau, taktisch, verschlagen, verschmitzt
Geschäftsvermittler: Agent, Beauftragter, Geschäftsbeauftragter, Vermittler, Vertragsvermittler
Geschäftsviertel: City, Einkaufszentrum, Factoryoutlet, Geschäftsstraße, Geschäftszentrum, Hauptgeschäftsstraße, Ladenstraße, Mall, Shoppingcenter
geschärft: angespitzt, geschliffen, scharf *aufmerksam, interessiert
geschätzt: anerkannt, angebetet, angesehen, begehrt, bekannt, beliebt, berühmt, bewundert, geachtet, geehrt, gefeiert, geliebt, hochgeschätzt, populär, renommiert, schätzenswert, umschwärmt, verdient, verehrt, vergöttert, volkstümlich
geschehen: s. abspielen, s. begeben, s.

einstellen, eintreten, s. ereignen, erfolgen, passieren, sein, stattfinden, verlaufen, s. vollziehen, vorfallen, vorgehen, vorkommen, s. zutragen, zustande kommen, vor sich gehen, los sein *__etwas geschehen lassen:__ billigen, tolerieren, zulassen, gewähren lassen, gelten lassen
Geschehen: Geschehnis, Handlung *Affäre, Begebenheit, Besonderheit, Einmaligkeit, Eklat, Episode, Ereignis, Erlebnis, Geschehnis, Geschichte, Hergang, Intermezzo, Phänomen, Schauspiel, Sensation, Vorfall, Vorgang, Vorkommnis, Wirbel, Zufall, Zwischenfall, Zwischenspiel
gescheit: aufgeweckt, begabt, besonnen, denkfähig, geistreich, intelligent, klar denkend, klug, lernfähig, scharfsinnig, vernunftbegabt, vernünftig, wach, weise, mit Geist *gut, hervorragend, klug, positiv
Gescheitheit: Befähigung, Begabung, Fähigkeit, Gelehrtheit, Genialität, Intelligenz, Klugheit, Qualifikation, Scharfsinn, Schlauheit, Talent, Weisheit, (gesunder) Menschenverstand
Geschenk: Aufmerksamkeit, Dedikation, Gabe, Mitbringsel, Präsent, Widmung *Schenkung, Spende
Geschichte: Historie, Urgeschichte, Vergangenheit, Vorzeit *Affäre, Angelegenheit, Fall, Frage, Problem, Punkt, Sache *Anekdote, Erzählung, Märchen, Novelle, Short Story, Skizze, Story *Affäre, Begebenheit, Besonderheit, Einmaligkeit, Eklat, Episode, Ereignis, Erlebnis, Geschehen, Geschehnis, Hergang, Intermezzo, Phänomen, Schauspiel, Sensation, Vorfall, Vorgang, Vorkommnis, Wirbel, Zufall, Zwischenfall, Zwischenspiel *Entwicklung, Werdegang
geschichtlich: authentisch, bezeugt, historisch, überliefert, verbürgt *bedeutsam, bedeutungsschwer, bedeutungsvoll, geschichtsträchtig, zukunftsweisend
Geschichtsunterricht: Gegenwartskunde, Vergangenheitskunde
Geschick: Bestimmung, Fügung, Kismet, Los, Schicksal, Schicksalsfügung, Schickung, Verhängnis, Vorsehung, Zufall *Angelegenheit, Wohl
Geschicklichkeit: Anstelligkeit, Behändigkeit, Fertigkeit, Gefügigkeit, Geläufigkeit, Gelenkigkeit, Geschick, Gewandtheit, Handfertigkeit, Leichtigkeit, Raschheit, Wendigkeit
geschickt: anstellig, fingerfertig, fix, flink, geschicklich, geübt, kundig, kunstfertig, praktisch, routiniert *aufgeweckt, gewandt *begabt, fähig, patent, talentiert
geschieden: aufgelöst, getrennt, nicht mehr verheiratet
Geschirr: Haushaltsgeschirr, Porzellan, Porzellangeschirr, Service, Tafelgeschirr *Gedeck *Joch, Kummet, Zuggeschirr *Abwasch
geschlagen: besiegt, bezwungen, erledigt, schachmatt, unterlegen, k.o., am Boden, außer Gefecht, knock-out
Geschlecht: Familie, Geblüt, Haus, Stamm *Generation *Glied, Penis
geschlechtlich: erotisch, sexuell
Geschlechtsakt: Begattung, Beischlaf, Geschlechtsverkehr, Intimverkehr, Koitus, Liebesakt, Liebesvollzug, Verkehr
geschlechtsreif: heiratsfähig, reif, volljährig *fruchtbar, mannbar, potent, zeugungsfähig *empfängnisbereit
Geschlechtsteil: Genitale, Geschlechtsorgan *Glied, Penis *Scham, Scheide, Vulva
Geschlechtstrieb: Fleischeslust, Fortpflanzungstrieb, Libido, Lüsternheit, Sexualtrieb, Sinnengenuss, Sinnlichkeit *Johannistrieb, zweiter Frühling, später Frühling *Brunst, Sexualtrieb
Geschlechtsverkehr: Begattung, Beischlaf, Geschlechtsakt, Intimverkehr, Koitus, Liebesakt, Liebesvollzug, Verkehr
geschliffen: diplomatisch, erfahren, flexibel, geschickt, gewandt, routiniert, sicher, taktisch *geschärft, scharf, scharfkantig, schneidend, spitz *ausgefeilt, gewählt, gewandt, stilistisch *akkurat, ängstlich, gefeilt, genau, gewissenhaft, gründlich, ordentlich, paragraphenhaft, pedantisch, peinlich, penibel, pingelig, sorgfältig, sorgsam *anständig, artig, aufmerksam, entgegenkommend, fein, formgewandt, freundlich, galant, gefällig, höflich, kavaliersmäßig, kultiviert, manierlich, pflichtschuldigst, ritterlich, rücksichtsvoll, taktvoll, umgänglich,

verbindlich, vornehm, wohl erzogen, zuvorkommend, in aller Höflichkeit, voll Anstand
geschlossen: einheitlich, gewachsen, organisch, unteilbar, zusammenhängend, aus einem Guss *alle, gemeinsam, gemeinschaftlich, kollektiv, kooperativ, zusammen *abgeriegelt, abgeschlossen, abgesperrt, dicht, unbetretbar, verschlossen, zu, zugeschlossen, zugesperrt, nicht offen, nicht zugänglich, nicht geöffnet
Geschlossenheit: Einheit, Zusammenhalt *Ganzheit, Vollständigkeit
Geschmack: Aroma, Gusto, Würze *Anklang, Echo, Gefallen, Interesse, Resonanz, Sympathie, Wohlwollen, Zuneigung *Formgefühl, Gout, Kultur, Kunstverständnis, Qualitätsgefühl, Schönheitssinn, Stil, Stilempfinden, Stilgefühl, künstlerisches Empfinden, ästhetisches Empfinden
geschmacklos: formlos, hässlich, kitschig, stillos, stilwidrig, überladen, unschön *abgeschmackt, abgestanden, fade, lau, schal, ungewürzt, würzlos, ohne Geschmack, ohne Aroma, ohne Würze *taktlos, ungebührlich, unverschämt, ohne Takt, ohne Zartgefühl, ohne Feingefühl
Geschmacklosigkeit: Formlosigkeit, Kitsch, Stilwidrigkeit *Abgeschmacktheit, Albernheit, Fadheit, Gemeinheit, Plattheit, Verrohung *Stillosigkeit, Stilwidrigkeit, Taktlosigkeit, Unverschämtheit *Diät, Fadheit, Flauheit, Geschmacksleere, Nüchternheit, Schalheit, flaue Kost, salzlose Kost
geschmackvoll: apart, ästhetisch, auserlesen, distinguiert, elegant, fein, gepflegt, gewählt, hübsch, kleidsam, kultiviert, künstlerisch, nobel, passend, reizvoll, schick, schön, smart, stilvoll, vornehm, gut angezogen *kulinarisch, lecker, schmackhaft
geschmeichelt: geehrt, gebauchpinselt
Geschmeide: Bijouterie, Juwel, Kette, Kleinod, Schmuck, Schmucksachen, Schmuckstück, Wertstück
geschmeidig: beweglich, biegsam, elastisch, flexibel, schmiegsam, weich, wendig
Geschmeidigkeit: Beweglichkeit, Biegsamkeit, Elastizität, Flexibilität, Schmiegsamkeit, Weichheit
geschminkt: angemalt, aufgedonnert, gepudert, schön gemacht, zurechtgemacht *andeutungsweise, erlogen, frei, gelogen, ungeklärt, verziert
geschmort: gar, gedünstet, weich
geschmückt: verbrämt, verschnörkelt, verziert
Geschöpf: Kreatur, Lebewesen, Wesen *Mensch, Person
Geschoss: Etage, Stockwerk *Granate, Kanonenkugel, Projektil, Sprengkörper *Kugel, Munition, Projektil
geschraubt: affektiert, gekünstelt, geschwollen, gespreizt, gestellt, gestelzt, geziert, gezwungen, hochtrabend, künstlich, manieriert, schwülstig, unecht, unnatürlich *gedrechselt, gedreht
Geschrei: Brüllen, Gebrüll, Gejohle, Gekreisch, Hallo, Johlen, Krach, Krakeel, Lärm, Schreierei *Geheul, Gejammer, Gewimmer, Gezeter, Konzert, Lamentieren, Stöhnen, Wehgeschrei, Wehklagen
Geschütz: Böller, Flak, Haubitze, Kanone
geschützt: windgeschützt, windstill, nicht zugig *abgeschirmt, behütet, geborgen, gesichert, sicher, unbedroht, ungefährlich *gesichert, immun, sicher, stark
geschwächt: abgespannt, energielos, erschöpft, gestresst, kraftlos, lasch, marklos, matt, müde, schlaff, übermüdet, widerstandslos, zerschlagen
Geschwätz: Gerede, Plauderei, Schnack *Banalität, Blabla, Demagogie, Faselei, Gebabbel, Gedöns, Gedröhn, Gedröhne, Gefasel, Gelaber, Geplapper, Geplätscher, Gequassel, Gequatsche, Geschnatter, Geschwafel, Gewäsch, Gickgack, Kakelei, Palaver, Phrase, Phrasendrescherei, Plapperei, Quasselei, Quatscherei, Rederei, Schleim, Schmonzes, Schmus, Schnickschnack, Schwabbelei, Schwafelei, Schwätzerei, Sermon, Unsinn, Wischiwaschi, Wischwasch, Wortaufwand, leeres Stroh
geschwätzig: aufdringlich, gesprächig, klatschhaft, klatschsüchtig, plapperhaft,

plauderhaft, redselig, schwätzerisch, schwatzhaft, tratschig, weitschweifig, wortreich, viel redend
geschweift: gebogen, gekrümmt, geschwungen
geschwind: blitzartig, hurtig, rasch, schnell, wie ein Pfeil, wie ein Blitz, wie der Wind
Geschwindigkeit: Behändigkeit, Eile, Hast, Rasanz, Schnelle, Schnelligkeit, Tempo, Zahn
Geschwister: Brüder, Schwestern, Bruder und Schwester, Brüder und Schwestern
geschwollen: aufgebläht, aufgedunsen, aufgetrieben, dick *affektiert, gekünstelt, geschraubt, gespreizt, gestellt, gestelzt, geziert, gezwungen, hochtrabend, künstlich, manieriert, schwülstig, unecht *aufgeblasen, eingebildet, überheblich
Geschworener: Beisitzer, Laienrichter, Schöffe
Geschwulst: Auswuchs, Geschwulstbildung, Geschwür, Gewächs, Gewebewucherung, Schwellung, Tumor, Wucherung
geschwungen: gebogen, gekrümmt, geschweift
Geschwür: Abszess, Eiterbeule, Eitergeschwür, Furunkel, Karbunkel, Schwäre, Schwellung, Ulkus
Geselchtes: Geräuchertes, Rauchfleisch, Selchfleisch
Geselle: Ausgelernter *Landstreicher *Freund
gesellen (s.): s. anhängen, s. anschließen, s. befreunden, begleiten, s. beigesellen, mitgehen, mitlaufen, Gesellschaft leisten
gesellig: amüsant, angenehm, anregend, ergötzlich, fidel, fröhlich, kurzweilig, lustig, unterhaltend, unterhaltsam, vergnügt *freigebig, gastfrei, gastfreundlich, gastlich, großzügig, spendabel *aufgeschlossen, extravertiert, kommunikationsfreudig, kontaktfähig, kontaktfreudig, menschenfreundlich, soziabel, umgänglich, weltoffen
Geselligkeit: Aufgeschlossenheit, Extravertiertheit, Kommunikationsfreude, Kontaktfähigkeit, Soziabilität, Umgänglichkeit, Weltoffenheit, gesellschaftlicher Verkehr, gesellschaftlicher Umgang *Fest, Gesellschaft, Zusammenkunft, festliches Beisammensein, geselliges Beisammensein
Gesellschaft: Fest, Festivität, Geselligkeit, Runde, Zusammenkunft, Zusammensein, geselliges Beisammensein, festliches Beisammensein *Begleitung, Umgang, Verkehr *Allgemeinheit, Öffentlichkeit *Betrieb, Firma, Handelsunternehmen, Unternehmen *Gemeinschaft, Gruppe, Team *Klassengesellschaft, Standesgesellschaft *Bande, Gruppe, Organisation ***in Gesellschaft:** in der Gruppe, in Begleitung, mit anderen, zu zweit, zu dritt, zu viert
Gesellschafter: Kommanditist, Kompagnon, Komplementär, Mitinhaber, Partner, Sozius, Teilhaber, stiller Teilhaber *Fabulant, Plauderer, Unterhalter *Gesellschaftsdame
gesellschaftlich: allgemein, kollektiv, öffentlich, politisch, sozial *bedeutend, bedeutsam, bedeutungsvoll, groß, wichtig
Gesellschaftsanzug: Frack, Gehrock, Smoking
gesellschaftsfähig: erfahren, gewandt, weltgewandt, geschliffen, salonfähig, welterfahren *anständig, höflich, korrekt, manierlich, sittsam
Gesellschaftsgruppe: Gesellschaftsschicht, Gruppe, Kaste, Klasse, Schicht
Gesellschaftskritik: Ideologiekritik, Sozialkritik, soziale Anklage
Gesellschaftsraum: Aufenthaltsraum, Kasino, Unterhaltungsraum
Gesellschaftsschicht: Bevölkerungsschicht, Gesellschaft, Personenkreis, Schicht
Gesellschaftswissenschaft: Gesellschaftslehre, Sozialwissenschaft, Soziologie
Gesetz: Lex, Recht, Verfassung *Gesetzmäßigkeit, Grundsatz, Norm, Ordnung, Prinzip, Regel, Regelmäßigkeit, Standard *Bestimmung, Diktat, Erlass, Gebot, Geheiß, Maßnahme, Order, Paragraph, Richtlinie, Statut, Verfügung, Verordnung, Vorschrift, Weisung *Gesetzmäßigkeit, Naturgesetz
Gesetzessammlung: Gesetzbuch, Gesetzbücher, Gesetzeswerk

gesetzgebend: legislativ, Gesetze erlassend

Gesetzgebung: Legislative, Legislatur, gesetzgebende Gewalt

gesetzlich: begründet, geschrieben, gesetzmäßig, juristisch, legal, legitim, ordnungsgemäß, rechtlich, rechtmäßig, rechtskräftig, vorschriftsmäßig, dem Gesetz entsprechend, dem Recht entsprechend, nach den Paragraphen, nach dem Gesetz, zu Recht *abgesichert, abgesprochen, genehmigt, legal *vorgeschrieben, zwangsweise

gesetzlos: anarchisch, chaotisch, durcheinander, ungeordnet, wirr

Gesetzlosigkeit: Anarchie, Anarchismus, Chaos, Durcheinander

gesetzmäßig: begründet, gesetzlich, juristisch, legal, legitim, ordnungsgemäß, rechtlich, rechtmäßig, vorgeschrieben, vorschriftsmäßig, zulässig, de jure, dem Gesetz entsprechend, dem Recht entsprechend, mit Fug und Recht, nach den Paragraphen, nach dem Gesetz, nach Recht und Gesetz, nicht gesetzwidrig, recht und billig, von Rechts wegen, zu Recht, mit Recht *naturgemäß, regelmäßig *angeordnet, vorgeschrieben, nach dem Gesetz

gesetzt: abgeklärt, ausgeglichen, bedacht, bedachtsam, beherrscht, besonnen, gefasst, gemächlich, gemessen, geruhsam, gezügelt, gleichmütig, harmonisch, kaltblütig, ruhevoll, ruhig, sicher, still, überlegen, würdevoll *abgesetzt, sedimentiert

Gesetztheit: Abgeklärtheit, Ausgeglichenheit, Bedachtsamkeit, Beherrschtheit, Besonnenheit, Gefasstheit, Gemächlichkeit, Gemessenheit, Geruhsamkeit, Gleichmut, Harmonie, Kaltblütigkeit, Ruhe, Sicherheit, Stille, Überlegenheit, Würde

gesetzwidrig: illegal, illegitim, irregulär, kriminell, ordnungswidrig, rechtswidrig, strafbar, sträflich, tabu, unbefugt, unerlaubt, ungesetzlich, unrecht, unrechtmäßig, unrechtlich, unstatthaft, untersagt, unzulässig, verboten, verfassungswidrig, verpönt, widerrechtlich, ohne Recht, ohne gesetzliche Grundlage

Gesetzwidrigkeit: Illegalität, Ordnungswidrigkeit, Rechtswidrigkeit, Strafbarkeit, Ungesetzlichkeit, Unrecht, Unrechtmäßigkeit, Unstatthaftigkeit, Unzulässigkeit, Verbot, strafbare Handlung

gesichert: behütet, beschirmt, geborgen, gefahrlos, geschützt, risikolos, sicher, unbedroht, ungefährdet, ungefährlich *begründet, bewiesen, fundiert, unangreifbar, hieb- und stichfest

Gesicht: Angesicht, Antlitz, Augen, Miene, Visage *Gesichtssinn, Sehvermögen *Achtung, Ansehen, Autorität, Bedeutung, Ehre, Format, Geltung, Größe, Leumund, Name, Nimbus, Prestige, Profil, Rang, Renommee, Ruhm, Sozialprestige, Stand, Stolz, Unbescholtenheit, Wichtigkeit, Würde *Einbildung, Fiktion, Halluzination, Hirngespinst, Illusion, Luftschloss, Phantasiegebilde, Sinnestäuschung, Täuschung, Trugbild, Vorstellung, Wahn, Wunschvorstellung, Zwangsvorstellung *Fassade, Front, Hauptansicht, Stirnseite, Straßenseite, Vorderansicht, Vorderfront, Vorderseite, Vorderteil, vordere Ansicht

Gesichtsausdruck: Ausdruck, Gesichtszug, Miene, Mimik, Zug

Gesichtsfarbe: Farbe, Hautfarbe, Teint

Gesichtskreis: Blickfeld, Gedankenwelt, Gesichtsfeld, Horizont, Reichweite, Sehkreis

Gesichtspunkt: Aspekt, Auffassung, Blickpunkt, Blickwinkel, Gesichtswinkel, Hinsicht, Perspektive, Standpunkt, Zusammenhang *Doktrin, Grundsatz, Maxime, Moralprinzip, Prinzip, Regel

Gesinde: Dienerschaft, Dienerschar, Dienstpersonal, Leute, Knechte und Mägde

Gesindel: Abschaum, Bagage, Brut, Drachenbrut, Ganoven, Geschmeiß, Gezücht, Gosse, Horde, Hundepack, Kanaille, Lumpengesindel, Lumpenpack, Mob, Pack, Pöbel, Raubgesindel, Schlangenbrut, Sippschaft, asoziale Elemente

Gesinnung: Denkweise, Einstellung, Ethos, Gesamthaltung, Grundhaltung, Haltung, Parteilichkeit, Sinnesart, Stellungnahme

Gesinnungsgenosse: Freund, Genos-

se, Gesinnungsfreund, Gleichgesinnter, Sympathisant
gesinnungslos: beeinflussbar, bestechlich, käuflich, korrupt, opportunistisch, verführbar
Gesinnungslosigkeit: (freiwillige) Anpassung, Einordnung, Opportunismus, Prinzipienlosigkeit, Unterordnung
Gesinnungswandel: Abfall, Anpassung, Frontwechsel, Gesinnungslosigkeit, Gesinnungswechsel, Schwäche, Umkehr, das Umfallen, das Drehen und Wenden
gesittet: anständig, artig, brav, ergeben, folgsam, gefügig, gefügsam, gehorsam, gutwillig, korrekt, lenkbar, lieb, manierlich, sittsam, willfährig, willig, wohl erzogen, zahm
gesondert: getrennt, abgetrennt, einzeln, extra, individuell, isoliert, separat, speziell, für sich, für sich allein *ausschließlich, besonders, eigens, extra, gerade, individuell, separat, für sich (allein)
gesonnen: bereit, entschlossen, geneigt, gewillt, willens *aufgelegt, disponiert, eingestellt, gelaunt, gestimmt
gespalten: entscheidungsunfähig, unausgegoren, unentschlossen, zerrissen, zwiespältig
Gespann: Joch, Ochsengespann *Ehepaar *Freundespaar, Liebespaar, Paar *Fuhrwerk, Gefährt, Handwagen, Karre, Karren, Leiterwagen, Wagen
gespannt: straff, stramm, nicht locker *dramatisch, explosiv, gereizt, kritisch, spannungsgeladen, verhärtet *atemlos, aufmerksam, begierig, erwartungsvoll, fiebrig, gefesselt, interessiert, neugierig, prickelnd, ungeduldig
Gespanntheit: Anspannung, Dramatik, Hochspannung, Nervosität, Neugierde, Spannung, Spannungsmoment, Ungeduld, Unruhe, Vorfreude, gespannte Erwartung
Gespenst: Alb, Dämon, Drude, Erscheinung, Geist, Höllenspuk, Höllenwesen, Kobold, Mahr, Nachtgeist, Schattengestalt, Schemen, Spukgestalt, Zauberin
Gespenstergeschichte: Gruselgeschichte, Schauergeschichte, Schauerroman, Spukgeschichte
gespenstisch: düster, entsetzlich, furchtbar, fürchterlich, grässlich, Grauen erregend, grauenhaft, grauenvoll, grausig, gräulich, gruselig, horrend, katastrophal, schattenhaft, schauderhaft, schauerlich, schauervoll, schaurig, schemenhaft, schrecklich, spukhaft, unheimlich *dunkel, stockdunkel, unheimlich
gesperrt: unbefahrbar, unbegehbar, verstellt
Gespiele: Freund, Gefährte, Herzensbruder, Intimus, Kamerad, Kumpan, Kumpel, Verbündeter, der Vertraute, der Getreue *Freund, Geliebter, Hausfreund, Herzensfreund, Liebhaber, Schatz, Scheich, der Liebste, der Bekannte, der Auserwählte, der Herzallerliebste, der Einzige, der Holde
Gespielin: Freundin, Gefährtin, Kameradin, Verbündete, Vertraute *Auserwählte, Beischläferin, Bekannte, Einzige, Erklärte, Flamme, Freundin, Geliebte, Gspusi, Hausfreundin, Herzallerliebste, Herzensdame, Herzensfreundin, Holde, Liebschaft, Liebste, Puppe, Schatz
Gespinst: Flor, Gestrick, Gewebe, Gewirk, Gewirke, Netz, Stoff, Tuch
Gespräch: Aussprache, Dialog, Gedankenaustausch, Konversation, Meinungsaustausch, Plauderei, Rücksprache, Unterhaltung, Unterredung, Zwiegespräch *Anruf, Ferngespräch, Fernruf, Ortsgespräch, Telefonanruf, Telefonat, Telefongespräch *Befragung, Fragegespräch, Interview
gesprächig: geschwätzig, mitteilsam, redefreudig, redelustig, redselig
Gesprächsteilnehmer: Diskussionspartner, Diskussionsteilnehmer, Diskutant, Gesprächspartner
gespreizt: blumenreich, geblümt, gekünstelt, gemacht, gequält, geschraubt, geschwollen, gestelzt, gesucht, geziert, gezwungen, phrasenhaft, preziös, unecht, unnatürlich *breitbeinig, mit gespreizten Beinen
Gespreiztheit: Affektiertheit, Gehabe, Getue, Geziere, Ziererei
gesprenkelt: gemustert, gepunktet, getüpfelt
Gespür: Nase, Riecher, Spürsinn, sechster Sinn

Gestade: Küste, Strand, Ufer
Gestalt: Erscheinung, Erscheinungsbild, Figur, Gestell, Körper, Körperbau, Körperform, Statur, Wuchs *Figur, Geschöpf, Gesicht, Individuum, Jemand, Kopf, Lebewesen, Mensch, Person, Persönlichkeit, Subjekt, Wesen *Bauweise, Design, Fasson, Form, Formung, Kontur, Machart, Styling, Zuschnitt, das Äußere *Beschaffenheit, Form, Gebilde, Struktur
gestalten: arrangieren, aufziehen, ausgestalten, einrichten, Gestalt geben *bilden, formen, gliedern, ordnen, strukturieren, systematisieren, untergliedern, unterteilen
gestalterisch: einfallsreich, erfinderisch, fruchtbar, gestaltend, ideenreich, ingeniös, konstruktiv, kreativ, künstlerisch, originell, phantasievoll, produktiv, schöpferisch
gestaltet: aufgeteilt, gebildet, geformt, gegliedert, geordnet, strukturiert, systematisiert, untergliedert, unterteilt *einwandfrei, geschliffen, gewählt, klar formuliert, klar gegliedert, klar ausgefeilt
gestaltlos: amorph, formlos, strukturlos, ungeformt, ungegliedert, ungestaltet, unstrukturiert, ohne Gliederung, ohne Struktur
Gestaltung: Ausformung, Bau, Darstellung, Formgebung, Formung, Konfiguration, Prägung
Geständnis: Beichte, Bekenntnis, Eingeständnis, Offenbarung, Schuldbekenntnis, Sündenbekenntnis
Gestank: Ausdünstung, Dunst, Stallgeruch, Stank, übler Geruch, schlechter Geruch, verbrauchte Luft
gestärkt: steif *erfrischt, erholt, stark
gestatten: bewilligen, billigen, einräumen, einwilligen, erlauben, ermöglichen, genehmigen, gewähren, stattgeben, tolerieren *beipflichten, zustimmen, s. einverstanden erklären, s. gefallen lassen
gestattet: berechtigt, bewilligt, erlaubt, freigegeben, genehmigt, gesetzlich, legal, legitim, statthaft, zugestanden, zulässig
Geste: Bewegung, Gebärde, Gebärdung
gestehen: aussagen, beichten, bekennen, berichten, eingestehen, einräumen, offenbaren, zugeben, die Karten aufdecken, die Karten offen auf den Tisch legen, ein Geständnis machen, ein Geständnis ablegen, eine Aussage machen, eine Beichte ablegen, geständig sein, jmdm. etwas entdecken, jmdm. etwas eröffnen, sein Gewissen erleichtern, mit der Wahrheit herausrücken
Gestehungskosten: Fabrikationskosten, Fertigungskosten, Herstellungskosten, Selbstkosten
Gestein: Fels, Felsblock, Felsbrocken, Felsgestein, Geröll, Stein *Eruptivgestein, vulkanisches Gestein *Sediment, Sedimentgestein
Gestik: Gebärden, Gesten
Gestell: Ablage, Bord, Regal, Stellage *Erscheinung, Erscheinungsbild, Figur, Gestalt, Körper, Körperbau, Körperform, Statur, Wuchs
gestelzt: affektiert, affig, blumenreich, geblümt, gekünstelt, gemacht, gequält, geschraubt, geschwollen, gespreizt, gesucht, geziert, gezwungen, phrasenhaft, preziös, unecht, unnatürlich
gestern: am gestrigen Tage *vergangen, vorbei ***von gestern:** altmodisch, gestrig, konservativ, überholt, ungebräuchlich, unmodern, unzeitgemäß, veraltet, vergangen, vorbei
Gestern: Vergangenheit, das Vergangene
gestikulieren: fuchteln, fuhrwerken, herumfuchteln, herumfuhrwerken, Gesten machen, mit den Händen reden, mit den Armen reden
gestimmt: aufgelegt, disponiert, fit, gelaunt, in Form
Gestirn: Himmelskörper, Planet, Stern
gestirnt: bestirnt, sternhell, sternenhell, sternklar, sternenklar, sternenbedeckt, mit Sternen bedeckt, mit Sternen übersät, im Sternenglanz erstrahlend
gestohlen: gefälscht, imitiert, nachgeäfft, nachgemacht, plagiiert *angeeignet, entführt, entwendet, geklaut, geplündert, geraubt, unterschlagen, veruntreut, weggenommen, weggeschleppt
gestorben: erledigt, geliefert, k. o., knockout *abgeschieden, abgelebt, entseelt, erloschen, geschieden, heimgegangen, leblos, selig, tot, verschieden, verstorben

gestört: störungsreich, schlecht zu empfangen *aufgelöst, getrennt, unterbrochen *angespannt, aggressiv, gespannt, unkollegial
gestrandet: bankrott, gescheitert, pleite *untergegangen, verunglückt, auf Grund gelaufen
Gesträuch: Buschwerk, Dickicht, Gebüsch, Gestrüpp, Strauchwerk
gestresst: abgehetzt, abgekämpft, abgeschlafft, abgespannt, abgewirtschaftet, angegriffen, angeschlagen, atemlos, aufgerieben, ausgelaugt, durchgedreht, entkräftet, entnervt, erholungsbedürftig, erledigt, ermattet, erschlagen, erschöpft, gerädert, geschafft, groggy, halb tot, kaputt, kraftlos, matt, mitgenommen, müde, schachmatt, schlaff, schlapp, schwach, überanstrengt, überfordert, überlastet, urlaubsreif, verbraucht, zerschlagen, k. o., am Ende
gestrig: altmodisch, konservativ, überholt, ungebräuchlich, unmodern, unzeitgemäß, veraltet, vergangen, vorbei *fortschrittsfeindlich, konservativ, reaktionär, rechts, restaurativ, rückschrittlich, unzeitgemäß, rückwärts gerichtet, rückwärts gewandt, von gestern, hinter dem Mond
Gestüt: Pferdezucht, Pferdezuchtanstalt, Pferdezüchterei
Gesuch: Anfrage, Ansuchen, Antrag, Bettelbrief, Bewerbung, Bitte, Bittgesuch, Bittschreiben, Bittschrift, Eingabe, Fürbitte, Petition
gesucht: gewollt, weit hergeholt, an den Haaren herbeigezogen
gesund: arbeitsfähig, aufgeblüht, blühend, kerngesund, wohl, wohlauf, nicht krank *heil, intakt, unverletzt, unversehrt *einsichtig, natürlich, normal, vernünftig, verständig *aufbauend, bekömmlich, gesundheitsfördernd, kräftigend, nahrhaft, zuträglich *durchblutet, glatt, rein, rosig *frisch, rein, sauber *ernährungsbewusst, gesundheitsbewusst *ausgeglichen *gemessen, harmonisch, ruhig *erholt, frisch *rückstandsfrei, vitaminreich, ohne Rückstände *einwandfrei, in Ordnung *intakt, stabil *gepflegt *intakt, partnerschaftlich *normal
gesunden: abschwellen, genesen, auf dem Weg der Besserung sein, geheilt werden, gesund werden, wiederhergestellt werden, seiner Genesung entgegensehen *aufwärts gehen, s. bessern, s. erholen
Gesundheit: Frische, Kraft, Rüstigkeit, Wohl, Wohlbefinden, Wohlergehen, Wohlsein, gute Verfassung, gutes Befinden, langes Leben, guter Gesundheitszustand
Gesundheitslehre: Heilkunde, Medizin
Gesundheitszustand: Allgemeinbefinden, Befinden, Ergehen, Verfassung, Zustand
Gesundung: Aufschwung, Besserung, Erholung, Genesung, Gesundungsprozess, Heilung, Kräftigung, Neubelebung, Rekonvaleszenz, Stärkung, Wiederherstellung
geteilt: aufgeteilt, auseinander, eingeteilt, getrennt, zweigeteilt, in Teile zerlegt, in Abschnitte zerlegt
getilgt: abgetan, ausgeglichen, erledigt, gestrichen, quitt *zurückgezahlt
getragen: gebraucht, secondhand *gemäßigt, langsam, mäßig, moderato
Getränk: Flüssigkeit, Trank, Trinkbares, Trunk
getrauen (s.): s. erdreisten, s. erkühnen, riskieren, s. unterfangen, s. unterstehen, s. vorwagen, wagen
geträumt: erträumt, unreal, unwirklich *erhofft, gewünscht
Getreide: Feldfrucht, Frucht, Halmfrucht, Korn, Körnerfrucht
Getreidespeicher: Getreidesilo, Silo
getrennt: auseinander, geteilt, unverbunden *einzeln, gesondert, isoliert, separat, vereinzelt, für sich ***getrennt lebend:** geschieden sein *getrennt sein, nicht miteinander lebend
getreu: anhänglich, beständig, ergeben, fest, getreulich, loyal, treu, treu gesinnt, zuverlässig, treu und brav *akkurat, deutlich, exakt, gemäß, genau, haargenau, haarklein, haarscharf, klar, präzise, scharf, treffend
Getreuer: Freund, Gefährte, Gespiele, Herzensbruder, Intimus, Kamerad, Kumpan, Kumpel, Verbündeter, der Ver-

traute *Anhänger, Fan, Kamerad, Vasall, Verehrer
Getriebe: Maschinerie, Räderwerk *Chaos, Durcheinander, Gedränge, Getümmel, Gewoge, Gewühl, Menschenansammlung
getrocknet: ausgetrocknet, gedorrt, gepresst, trocken
getrost: optimistisch, ruhig, unverzagt, vertrauensvoll, zuversichtlich, guten Mutes
getrübt: trübe, unklar, unsauber *gedrückt, niedergeschlagen *belastet
Getue: Affentheater, Affenzeck, Gedöns, Tamtam, Theater, Wirbel, Zirkus
Getümmel: Auflauf, Betrieb, Chaos, Durcheinander, Gewühl, Menge, Menschenansammlung, Tumult, Wirbel
geübt: einstudiert, geprobt, vorbereitet
Gewächs: Auswuchs, Geschwulst, Geschwulstbildung, Geschwür, Gewebewucherung, Schwellung, Tumor, Wucherung *Pflanze
gewachsen: entwickelt, gebaut, groß *natürlich, normal
Gewächshaus: Glashaus, Treibhaus
gewachst: eingewachst, mit Wachs behandelt
gewagt: abenteuerlich, gefährlich, heikel, lebensgefährlich, mutig, riskant, selbstmörderisch, tollkühn, verwegen, waghalsig, zweischneidig *ausgefallen, extravagant, ultramodern, der letzte Schrei
gewählt: ausgewählt, bestimmt *distinguiert, gehoben, gepflegt, nobel, vornehm *auserlesen, ausgesucht, elegant, kultiviert
Gewähltheit: Ausgefeiltheit, Ausgesuchtheit, Ausgewogenheit, Gepflegtheit, Geschliffenheit
Gewähr: Bürgschaft, Garantie, Gewährleistung, Unterpfand
gewahren: bemerken, entdecken, erblicken, erkennen, sichten, wahrnehmen
gewähren: beipflichten, bewilligen, billigen, s. einverstanden erklären, entsprechen, genehmigen, gestatten, stattgeben, tolerieren, zugestehen, zulassen, zustimmen, zuteil werden lassen ***gewähren lassen:** tolerieren, die Freiheit geben, freien Lauf lassen, freies Spiel lassen, nicht hindern, nicht stören, schalten und walten lassen, den Willen lassen *decken, schützen *aufnehmen, beherbergen *helfen *freilassen, laufen lassen, die Freiheit schenken
gewährleisten: bezeugen, bürgen, garantieren, s. verbriefen, s. verbürgen, versichern, Gewähr bieten, Garantie leisten, Garantie bieten
Gewährleistung: Bürgschaft, Garantie, Gewähr
Gewahrsam: Arrest, Freiheitsentzug, Freiheitsstrafe, Gefangenschaft, Haft, Verwahrung *Aufsicht, Haft, Verschluss, Verwahr, Verwahrung
Gewährsmann: Hintermann, Informant, Kontaktmann, Quelle, V-Mann, Verbindungsmann
Gewährung: Bejahung, Bekräftigung, Bestätigung, Bewilligung, Einverständnis, Einwilligung, Erlaubnis, Genehmigung, Zustimmung
Gewalt: Herrschaft, Macht, Regentschaft, Regiment *Brachialgewalt, Druck, Ellenbogenrecht, Gewaltsamkeit, Pression, Willkür, Zwang, rohe Gewalt, körperliche Gewalt *Heftigkeit, Kraft, Stärke, Vehemenz, Wucht
Gewaltenteilung: Gewaltentrennung *Legislative, legislative Gewalt, gesetzgebende Gewalt *Judikative, Juristikative, judikative Gewalt, richterliche Gewalt *Exekutive, Exekutivgewalt, exekutive Gewalt, vollziehende Gewalt
Gewalthaber: Alleinherrscher, Despot, Diktator, Gewaltherrscher, Herrscher, Schreckensherrscher, Tyrann, Unterdrücker
Gewaltherrschaft: Despotie, Despotismus, Diktatur, Schreckensherrschaft, Terror, Terrorismus, Tyrannei, absolutistische Herrschaft, totalitäres System
gewaltig: außerordentlich, enorm, exorbitant, gigantisch, immens, kolossal, mächtig, massig, monströs, monumental, mordsmäßig, riesenhaft, riesig, titanisch, überdimensional, übermächtig, unermesslich, ungeheuer, unheimlich, voluminös, wuchtig, sehr groß
gewaltlos: friedfertig, friedlich, friedliebend, verträglich

Gewaltlosigkeit: Flowerpower, Friedensliebe, Friedfertigkeit, Friedlichkeit, Gewaltverzicht, Pazifismus, Sanftheit

Gewaltmensch: Barbar, Rohling, Unmensch, Wüstling, Wüterich *Verbrecher

gewaltsam: zwangsweise, mit Gewalt, unter Zwang, wider Willen *brutal, erbarmungslos, gewalttätig, hart, mitleidlos, rabiat, rigoros, schonungslos, unbarmherzig, unmenschlich

Gewalttat: Ausschreitung, Delikt, Gewaltakt, Gewalthandlung, Gewaltverbrechen, Missetat, Straftat, Verbrechen, Vergehen, Zuwiderhandlung

gewalttätig: handgreiflich, tätlich *brutal, grob, rabiat, roh *anarchistisch, gesetzlos, zerstörerisch

Gewalttätigkeit: Ausschreitung, Gewaltsamkeit, Handgreiflichkeit, Pogrom, Tätlichkeit, Terror *Bestialität, Brutalität, Erbarmungslosigkeit, Gefühllosigkeit, Gefühlskälte, Gefühlsrohheit, Gnadenlosigkeit, Grausamkeit, Härte, Herzensverhärtung, Kälte, Kaltherzigkeit, Lieblosigkeit, Mitleidlosigkeit, Rohheit, Rücksichtslosigkeit, Schonungslosigkeit, Unbarmherzigkeit, Unmenschlichkeit

Gewand: Kleid, Oberbekleidungsstück *Aufmachung, Aufzug, Ausstattung, Form, Gestaltung

gewandt: agil, behände, beweglich, elastisch, fingerfertig, flexibel, flink, gelenkig, geschmeidig, katzenartig, leichtfüßig, rasch, schnellfüßig, wendig, leichten Fußes *aufgeweckt, diplomatisch, elegant, erfahren, geschickt, geschliffen, geübt, routiniert, sicher, smart, taktisch, weitläufig, weltgewandt, weltmännisch, wendig *begabt, hochbegabt, befähigt, begnadet, berufen, brauchbar, fähig, geeignet, gelehrig, genial, geschickt, patent, prädestiniert, qualifiziert, talentiert, tauglich, tüchtig, verwendbar

Gewandtheit: Beweglichkeit, Elastizität, Fertigkeit, Fingerfertigkeit, Flinkheit, Gelenkigkeit, Schnellfüßigkeit, Schnelligkeit, Wendigkeit *Diplomatie, Elastizität, Eleganz, Geschicklichkeit, Geschicktheit, Routine, Routiniertheit, Schick, Wendigkeit

Gewäsch: Blabla, Gefasel, Geschwafel, Geschwätz, Geseire, Schmonzes, Schmus, Wischiwaschi, leeres Gerede, leeres Stroh

Gewässer: See, Teich, Weiher *Fluss, Strom, Wasser, Wasserader, Wasserlauf *Bächlein, Quell, Quelle, Rinnsal, Wasser, Wasserlauf

Gewebe: Flor, Gespinst, Gestrick, Gewirk, Gewirke, Netz, Stoff, Tuch *Zellgewebe

geweckt: aufgeweckt, gescheit, intelligent, klug, vif *aufgeweckt, wach gemacht

Gewehr: Büchse, Donnerbüchse, Flinte, Knallbüchse, Knarre, Schießeisen, Schießgewehr, Schusswaffe *Doppelbüchse, Doppelflinte, Drilling, Jagdgewehr *Infanteriegewehr, Karabiner, Stutzen

Gewehrlauf: Büchsenlauf, Doppellauf, Flintenlauf, Lauf

Geweih: Gehörn, Gestänge, Hörner, Schaufeln

geweiht: geheiligt, gesegnet, sakral *gewidmet, zugedacht, zugeeignet *Geweih tragend

gewellt: gekräuselt, gelockt, geringelt, kraus, lockig, onduliert, wellig, wuschelig *hügelig, wellig *holprig

Gewerbe: Arbeit, Ausübung, Beschäftigung, Betätigung, Funktion, Geschäft, Handeln, Handwerk, Hantierung, Tätigkeit, Tun, Verrichtung, Wirksamkeit *Prostitution

gewerblich: beruflich, berufsmäßig, gewerbsmäßig, professionell

Gewerkschaft: Arbeitnehmerorganisation, Arbeitnehmervertretung

gewesen: alt, ehemalig, verflossen, vergangen, vorbei, vormalig

Gewicht: Druck, Gewalt, Härte, Heftigkeit, Kraft, Stärke, Vehemenz *Ballast, Gewichtigkeit, Last, Masse, Schwere *Bedeutsamkeit, Bedeutung, Einfluss, Ernst, Geltung, Größe, Rang, Relevanz, Tiefe, Tragweite, Wert, Wichtigkeit *Akzent, Betonung, Hervorhebung, Unterstreichung *Eigengewicht, Körpergewicht *Normalgewicht, Normalgewichtigkeit *Dicke, Übergewicht *Untergewicht *Idealgewicht

gewichtig: wichtig, lebenswichtig, dringend, erforderlich, geboten, notwendig, obligat, unausweichlich, unentbehrlich, unerlässlich, unumgänglich, unvermeidlich, wesentlich, zwingend *bedeutsam, bedeutungsschwer, bedeutungsvoll, epochal, Epoche machend, erwähnenswert, groß, sensationell, wesentlich, wichtig
Gewichtigkeit: Bedeutsamkeit, Bedeutung, Belang, Ernst, Gewicht, Größe, Rang, Relevanz, Schwere, Tiefe, Tragweite, Wert, Wichtigkeit, Würde
gewillt: bereit, einsichtig, entschlossen, gefügig, geneigt, gesonnen, gutwillig, willens, willfährig, willig
Gewinn: Einkommen, Erlös, Ertrag, Geschäft, Gewinnspanne, Handelsspanne, Nutzen, Plus, Profit, Schnitt, Überschuss, Verdienst, Vorteil
Gewinnanteil: Anteil, Beteiligung, Dividende, Gewinn, Tantieme
gewinnbringend: attraktiv, aussichtsreich, dankbar, einbringlich, einträglich, ergiebig, ertragreich, günstig, gut, interessant, lohnend, lukrativ, nutzbar, nutzbringend, nützlich, profitabel, profitbringend, rentabel, vorteilhaft, zugkräftig
gewinnen: erlangen, siegen, triumphieren, als Sieger hervorgehen, den Preis erringen, den Sieg erringen, den Sieg erlangen, den Sieg davontragen, den Preis erlangen, den Preis davontragen, jmdn. schlagen, Sieger sein, überlegen sein *bekommen, erlangen, erreichen, erwerben, gelangen (zu), kommen (zu) *erobern, heiraten *ernten, Gewinn ziehen (aus), profitieren, Gewinn einheimsen, Gewinn erzielen, Gewinn haben, Nutzen ziehen, Nutzen haben *vorankommen *abbauen, fördern *destillieren, herstellen *hinhalten
gewinnend: ansprechend, charmant, einnehmend, freundlich, gefällig, lieb, liebenswürdig, liebenswert, nett, reizend, sympathisch *anmutig, anziehend, attraktiv, aufregend, aufreizend, betörend, bezaubernd, charmant, hübsch, liebenswert, reizend, reizvoll, sympathisch, toll
Gewinner: Bezwinger, Champion, Matador, Meister, Sieger, Triumphator, Überwinder
Gewinnspanne: Ertrag, Handelsspanne, Reinerlös, Reinertrag, Reinverdienst
Gewinnsucht: Geldgier, Habgier, Raffgier
gewinnsüchtig: geldgierig, habgierig, raffgierig
Gewinnung: Abbau, Förderung
gewiss: authentisch, gesichert, unbestritten, unbezweifelbar, unwiderlegbar, wahr, wirklich *freilich, natürlich, sicherlich, aber ja, ganz gewiss *allemal, bestimmt, fraglos, schon, selbstverständlich, sicher, sicherlich, unstreitig, zweifelsfrei, zweifelsohne, auf jeden Fall, ohne Frage, ohne Zweifel
Gewissen: innere Stimme, das bessere Ich
gewissenhaft: akkurat, ausdauernd, beharrlich, beständig, exakt, fehlerlos, fein, genau, gründlich, korrekt, minuziös, ordentlich, pedantisch, peinlich, penibel, pflichtbewusst, pflichtgetreu, präzise, pünktlich, richtig, sorgfältig, sorgsam, stetig, verantwortungsbewusst, verlässlich, Vertrauen erweckend, vertrauenswürdig, zuverlässig
Gewissenhaftigkeit: Akkuratesse, Ausdauer, Beharrlichkeit, Beständigkeit, Exaktheit, Genauigkeit, Gründlichkeit, Korrektheit, Ordentlichkeit, Pedanterie, Peinlichkeit, Pflichtbewusstsein, Präzision, Sorgfalt, Stetigkeit, Verantwortungsbewusstsein, Verlässlichkeit, Zuverlässigkeit
gewissenlos: bedenkenlos, entmenscht, gnadenlos, herzlos, kalt, lieblos, mitleidlos, rücksichtslos, skrupellos, unbarmherzig, unmenschlich, verantwortungslos
Gewissenlosigkeit: Bedenkenlosigkeit, Herzlosigkeit, Kälte, Lieblosigkeit, Rücksichtslosigkeit, Skrupellosigkeit, Unbarmherzigkeit, Verantwortungslosigkeit
Gewissensbisse: Gewissenslast, Gewissensnot, Gewissenspein, Gewissensqual, Gewissensskrupel, Reue, Schuldbewusstsein, Schuldgefühl, Skrupel, schlechtes Gewissen, moralische Bedenken
gewissermaßen: eigentlich, gleichwie,

quasi, sozusagen, an und für sich, so gut wie

Gewissheit: Klarheit, Sicherheit, Überzeugung, sichere Kenntnis

Gewitter: Donnerwetter, Gewittertätigkeit, Wetter, Wetterleuchten *Belehrung, Denkzettel, Donnerwetter, Lehre, Lektion, Maßregelung, Schelte, Standpauke, Strafpredigt, Tadel, Warnung, Zurechtweisung

gewittern: donnern, grollen, krachen, rumpeln, wettern *schelten, schimpfen

gewittrig: feuchtwarm, gewitterschwer, schwül, stechend, stickig, tropisch, drückend heiß

gewitzt: abgefeimt, ausgefuchst, ausgekocht, bauernschlau, clever, diplomatisch, durchtrieben, findig, gerissen, geschäftstüchtig, geschickt, gewieft, listig, pfiffig, raffiniert, schlau, taktisch, verschlagen, verschmitzt

gewogen: geneigt, hold, wohlgesinnt, wohlmeinend, wohlwollend, zugetan, freundlich gesinnt

Gewogenheit: Geneigtheit, Gunst, Huld, Jovialität, Liebenswürdigkeit, Sympathie, Wohlwollen, Zuneigung, Zuwendung

gewöhnen (s.): s. anpassen, s. zusammenbeißen, s. zusammenraufen *s. aneignen, s. angewöhnen, annehmen, s. zu eigen machen *bekannt machen (mit), vertraut machen (mit)

Gewohnheit: Brauch, Gepflogenheit, Herkommen, Sitte, Tradition, Übung, Usus *Angewohnheit, Gepflogenheit

gewohnheitsmäßig: allgemein, alltäglich, eingebürgert, eingefahren, eingespielt, eingewurzelt, gängig, gebräuchlich, geläufig, gewohnheitsgemäß, gewöhnlich, gewohnt, gewohntermaßen, herkömmlich, normal, profan, regelmäßig, regulär, üblich, aus Gewohnheit

Gewohnheitstrieb: Denkfaulheit, Trägheit, Willenlosigkeit, Macht der Gewohnheit

gewöhnlich: banal, gemein, nichts sagend, nieder, niveaulos, ordinär, primitiv, unbedeutend, unfein, vulgär *meist, meistens, im Allgemeinen, in der Regel *allgemein, alltäglich, eingebürgert, eingefahren, eingespielt, eingewurzelt, gängig, gebräuchlich, geläufig, gewohnheitsmäßig, gewohnt, gewohntermaßen, herkömmlich, normal, profan, regelmäßig, regulär, üblich

gewohnt: bekannt, gangbar, gängig, geläufig, üblich, vertraut, nicht fremd

Gewölbe: Kuppel, Wölbung

gewölbt: bauchig, gebogen, geschwungen, halbrund

gewollt: absichtlich, absichtsvoll, ausdrücklich, beabsichtigt, bewusst, eigens, extra, geplant, vorbedacht, wissentlich *gesucht, weit hergeholt, an den Haaren herbeigezogen

gewunden: schneckenförmig, schraubenförmig, spiralig

Gewürz: Aroma, Speisewürze, Würze, Zutat

gewürzt: aromatisch, delikat, geschmackvoll, herzhaft, kräftig, scharf, schmackhaft, würzig

Gewürzwein: Bowle, Punsch

gezählt: abgezählt, genau festgelegt, genau bestimmt

gezähmt: abgerichtet, domestiziert, gebändigt, zahm, zutraulich, an den Menschen gewöhnt *artig, brav, folgsam, fügsam, gefügig, gehorsam, manierlich, willig *behutsam, gelinde, gemäßig, mild, rücksichtsvoll, sanft, schonungsvoll

Gezänk: Auftritt, Auseinandersetzung, Differenzen, Disharmonie, Entzweiung, Fehde, Gegensätzlichkeit, Hader, Hakelei, Händel, Handgemenge, Handgreiflichkeit, Kollision, Konflikt, Kontroverse, Krawall, Missklang, Missverständnis, Querelen, Reiberei, Reibung, Saalschlacht, Scharmützel, Spannung, Streit, Streiterei, Streitigkeit, Stunk, Szene, Tätlichkeit, Unfriede, Unzuträglichkeit, Widerstand, Widerstreit, Wortgefecht, Zank, Zerwürfnis, Zusammenprall, Zusammenstoß, Zwietracht, Zwist, Zwistigkeit

gezeichnet: signiert, unterschrieben, unterzeichnet

Gezeiten: Gezeitenströmung, Gezeitenwechsel, Tide, Ebbe und Flut

Gezeter: Gejammer, Gekeife, Geschrei, Jammern, Keifen, Schreien

gezielt: durchdacht, geplant, konsequent, methodisch, planvoll, systematisch, überlegt, zielbewusst
geziemen (s.): anstehen, s. gehören, s. schicken, angebracht sein
geziemend: angebracht, angemessen, entsprechend, gebührend, gebührlich, s. gehörend, geziemlich
Geziere: Affektiertheit, Affigkeit, Gehabe, Gespreiztheit, Getue, Mache, Ziererei
geziert: affig, blumenreich, geblümt, gekünstelt, gemacht, genant, genierlich, gequält, geschraubt, geschwollen, gespreizt, gestelzt, gesucht, gezwungen, phrasenhaft, preziös, unecht, unnatürlich
Geziertheit: Gekünsteltheit, Geschraubtheit, Geschwollenheit, Gespreiztheit, Gezwungenheit, Künstelei, Schauspielerei, Steifheit, Unnatürlichkeit, Ziererei
gezüchtet: gekreuzt, hochgezüchtet, weitergezüchtet *zurückgezüchtet
gezügelt: abgeklärt, ausgeglichen, bedacht, bedachtsam, beherrscht, besonnen, gefasst, gemächlich, gemessen, geruhsam, gleichmütig, harmonisch, ruhevoll, ruhig, sicher, still, überlegen, würdevoll
gezwungen: gezwungenermaßen, notgedrungen, unfreiwillig, ungern, zwangsläufig, zwangsweise, schweren Herzens *blumenreich, geblümt, gekünstelt, gemacht, gequält, geschraubt, geschwollen, gespreizt, gestelzt, gesucht, geziert, phrasenhaft, unecht, unnatürlich *ängstlich, befangen, blockiert, gehemmt, scheu, schüchtern, steif, unsicher, verklemmt, verkrampft
gezwungenermaßen: notgedrungen, unfreiwillig, zwangsweise, schweren Herzens, der Not gehorchend, wohl oder übel
Giebel: Dachstuhl, First, Zinne
Gier: Begehren, Begehrlichkeit, Begierde, Habgier, Habsucht, Unersättlichkeit, (heftiges) Verlangen *Erotik, Geilheit, Lüsternheit, Triebhaftigkeit, Wollust *Eile, Hast, Überstürztheit
gierig: begierig, dürstend, erpicht, hungrig, lechzend, lüstern, nimmersatt, süchtig, unersättlich, verlangend, versessen, wild *eilig, hastig, überstürzt
gießen: prasseln, regnen, schauern, schütten, in Strömen regnen *einfüllen, füllen, schütten
Gift: Giftstoff, Toxikum, Toxin *Bösartigkeit, Boshaftigkeit, Bosheit, Böswilligkeit, Garstigkeit, Gehässigkeit, Gemeinheit, Heimtücke, Hinterlist, Infamie, Niedertracht, Niederträchtigkeit, Rachsucht, Schadenfreude, Schikane, Schlechtigkeit, Schurkerei, Teufelei, Tücke, Übelwollen, Unverschämtheit, böser Wille
giftfrei: einwandfrei, entgiftet, essbar, genießbar, rückstandsfrei, trinkbar, ungiftig, ohne Gift, ohne Rückstände
Giftgas: Gas, Kampfgas, chemische Keule
giftig: gefährlich, gifthaltig, schädlich, tödlich, toxisch, ungenießbar *bissig, bösartig, böse, boshaft, garstig, gehässig, hasserfüllt, hässlich
Gigant: Bulle, Goliath, Hüne, Hünengestalt, Koloss, Monster, Riese, Titan, Ungeheuer, großer Mensch, der Lange
gigantisch: außerordentlich, enorm, exorbitant, gewaltig, immens, kolossal, massig, monströs, riesenhaft, riesig, titanisch, überdimensional, übermächtig, unermesslich, voluminös, wuchtig, sehr groß
Gilde: Innung, Zunft *Interessengruppe, Kreis, Partei, Schar
Gipfel: Bergkuppe, Bergspitze, Grat, Horn, Kuppe, Scheitel, Spitze *Baumkrone, Krone, Wipfel *Gipfelpunkt, Glanzpunkt, Höhepunkt, Krönung, Nonplusultra, Unübertreffbares, Unvergleichliches *Gipfelkonferenz, Gipfeltreffen, Tagung, Treffen, Zusammenkunft
gipfeln: s. aufstauen, kulminieren, s. sammeln, zusammenkommen
Gipfelpunkt: Glanzpunkt, Höhepunkt, Krönung, Nonplusultra, Unübertreffbares, Unvergleichliches
Gipfelstürmer: Alpinist, Bergfreund, Bergsteiger, Hochtourist, Kletterer
Gitter: Gatter, Gitterwerk, Umzäunung, Vergitterung
Glamourgirl: Fotomodell, Model, Modell, Reklameschönheit, Werbeschönheit
Glanz: Feuer, Licht, Schimmer *Glätte, Hochglanz, Politur *Glorie, Nimbus,

Ruhm, Weltgeltung, Weltruf, Weltruhm, große Ehre, hohes Ansehen, Lob und Preis *Glorie, Glorienschein, Herrlichkeit, Prunk
glänzen: blinken, blinkern, blitzen, flimmern, funkeln, gleißen, glimmern, glitzern, leuchten, schimmern, spiegeln, strahlen *beeindrucken, überzeugen
glänzend: blank, poliert, spiegelblank, spiegelig, spiegelnd *blinkend, blitzend, funkelnd, gleißend, glitzernd, leuchtend, opalisierend, schillernd, schimmernd, strahlend *außerordentlich, ausgezeichnet, berückend, bestechend, brillant, einmalig, einzigartig, erstklassig, exzellent, famos, genial, glanzvoll, glorios, glorreich, grandios, großartig, herrlich, hervorragend, hinreißend, meisterhaft, phantastisch, prächtig, ruhmreich, ruhmvoll, trefflich, triumphal, überwältigend, vorbildlich, vorzüglich, wundervoll
Glanzleistung: Gipfelpunkt, Glanzpunkt, Höhepunkt, Krönung, Maximum, Meisterleistung, Nonplusultra, Optimum, Spitzenleistung, Sternstunde, Vollendung, das Schönste, das Höchste, das Beste
glanzlos: blind, fleckig, matt, rau, schmierig, stumpf, trübe, unrein, verschmutzt
Glanznummer: Attraktion, Clou, Galanummer, Glanzpunkt, Glanzstück, Hauptattraktion, Höhepunkt, Knüller, Locknummer, Star, Stern, Zugnummer, Zugpferd
Glanzstück: Kabinettstück, Prachtexemplar, Prachtstück, Prunkstück, Schatz, Schaustück *Goldstück, Perle, Prachtstück
glanzvoll: blank, glänzend, poliert, spiegelblank, spiegelnd *blinkend, blitzend, funkelnd, glänzend, gleißend, glitzernd, leuchtend, opalisierend, schillernd, schimmernd, strahlend *außerordentlich, ausgezeichnet, berückend, bestechend, brillant, einmalig, einzigartig, erstklassig, exzellent, famos, genial, glänzend, glorios, glorreich, grandios, großartig, herrlich, hervorragend, hinreißend, meisterhaft, phantastisch, prächtig, ruhmreich, ruhmvoll, trefflich, triumphal, überwältigend, vorbildlich, vorzüglich, wundervoll *aufwändig, blendend, bombastisch, brillant, eindrucksvoll, erhaben, fürstlich, gewaltig, glänzend, grandios, großartig, herrschaftlich, illuster, imponierend, imposant, kolossal, königlich, luxuriös, majestätisch, pomphaft, pompös, prächtig, prachtvoll, prangend, prunkend, prunkvoll, repräsentativ, sondergleichen, stattlich, strahlend, unübertrefflich, unvergleichlich, üppig, wirkungsvoll
Glas: Gläser, Humpen, Kelch, Pokal, Römer, Trinkgefäß, Trinkglas *Feldstecher, Fernglas, Fernrohr, Opernglas, Prismenfeldstecher, Prismenfernrohr, Prismenglas *Augenglas, Augengläser, Brille, Gläser
Glaser: Glasbläser, Glasmacher
gläsern: durchsichtig, glasklar, transparent
Glasfluss: Glaspaste
glasig: gläsern, starr, stier, verglast
Glasur: Guss, Lasur, Schmelz, Überzug
glatt: ebenmäßig, faltenlos, plan, platt, poliert, ganz flach, ganz eben *eisglatt, glitschig, rutschig, schlickerig, schlüpfrig, spiegelglatt *einfach, einwandfrei, mühelos, perfekt, reibungslos, ruhig, ungehindert, zügig, ohne Zwischenfälle, ohne Hindernisse, ohne Komplikationen *aalglatt, raffiniert, schwierig, undurchschaubar *frisiert, gekämmt *strähnig *blank, poliert, spiegelnd *bewegungslos, ruhig, still *rasiert *bescheiden, einfach, schlicht, schmucklos, unverziert ***glatt gehen:** fertig bringen, funktionieren, gehen, gelingen, geraten, glücken, klappen, werden, gut ausgehen, gut ablaufen, in Ordnung gehen, nach Wunsch gehen, wunschgemäß verlaufen, glücklich vonstatten gehen, zustande kommen
Glätte: Eisglätte, Glatteis, Glattheit, Raureif, Reifglätte, Rutschgefahr, Schneeglätte, Straßenglätte, Vereisung
glätten: glatt legen, glatt machen, glatt streichen, glatt ziehen *schmirgeln, abschmirgeln, ebnen, einebnen, hobeln, glatt hobeln, schleifen, glatt schleifen, abfeilen, abschleifen, ausgleichen, begradigen, egalisieren, glatt feilen, nivellieren, planieren, polieren, walzen *ausglei-

chen, bereinigen, einpendeln, einrenken, neutralisieren, schlichten, in Ordnung bringen *aufbügeln, ausbügeln, bügeln, ebnen, heiß mangeln, mangeln, plätten *s. glätten: glatt werden

glattweg: aufrichtig, ehrlich, freiheraus, freimütig, gerade, geradeheraus, offen, offenherzig, unverhohlen, unverhüllt, vertrauenswürdig, wahr, wahrhaft, wahrhaftig, zuverlässig *kurzerhand, kurzweg, schlankweg, kurz entschlossen, ohne weiteres, ohne Umschweife, mir nichts, dir nichts

Glatze: Glatzkopf, Kahlkopf, Platte, Tonsur

glatzköpfig: haarlos, kahl, kahlköpfig

Glaube: Bekenntnis, Glaubensbekenntnis, Glaubensrichtung, Konfession, Religion *Frömmigkeit, Gläubigkeit, Gottvertrauen, Hingabe, Religiosität *Gewissheit, Meinung, Überzeugung *Erwartung, Hoffnung, Vertrauen, Zuversicht

glauben: abkaufen, abnehmen, schwören (auf), Glauben schenken, für bare Münze nehmen, für wahr halten, überzeugt sein *annehmen, denken, erachten, meinen, schätzen, vermuten, wähnen, für möglich halten, für richtig erachten *bauen (auf), rechnen (mit), vertrauen (auf), Vertrauen schenken

Glaubensbekenntnis: Dogma, Evangelium, Glaube, Glaubensartikel, Glaubensgewissheit, Glaubenssatz, Grundsatz, Katechismus, Lehre, Lehrmeinung

Glaubenseifer: Frommheit, Frömmigkeit, Glauben, Gläubigkeit, Gottesfurcht, Gottesfürchtigkeit, Gottesglaube, Orthodoxie, Religiosität *Fanatismus, Verbohrtheit, Verranntheit

Glaubensgenosse: Bruder, Gemeindemitglied, Kirchenangehöriger, Schwester

glaubenslos: freidenkerisch, freigeistig, gottesleugnerisch, konfessionslos, religionslos, unchristlich, ungläubig, unreligiös, ohne Religion

glaubhaft: deutlich, einleuchtend, glaubwürdig, plausibel, überzeugend, unzweideutig, Vertrauen erweckend, vertrauenswürdig, zuverlässig

gläubig: andächtig, fromm, glaubensstark, gottergeben, gottesfürchtig, gottgefällig, heilsgewiss, kirchlich, orthodox, religiös *arglos, ergeben, gutgläubig, naiv, unkritisch, vertrauensselig, vertrauenswürdig, in gutem Glauben, nicht fragend, nicht zweifelnd

Gläubige: Gemeindemitglieder, Kirchenbesucher, Kirchengemeinde

Gläubiger: Geldgeber, Kreditgeber, Kreditor *Christ, Gemeindemitglied, Kirchgänger

glaubwürdig: aufrichtig, ehrlich, verlässlich, Vertrauen erweckend, vertrauenswürdig, wahr, wahrhaftig, zuverlässig *authentisch, bewiesen, glaubenswert, glaubhaft, glaublich, überzeugend

Glaubwürdigkeit: Aufrichtigkeit, Ehrlichkeit, Verlässlichkeit, Vertrauenswürdigkeit, Wahrhaftigkeit, Wahrheit, Zuverlässigkeit *Authentizität, Beweis, Glaube, Glaubhaftigkeit, Überzeugung

gleich: ähnlich, analog, dasselbe, deckungsgleich, egal, einheitlich, genauso, gleichartig, homogen, identisch, konform, kongruent, übereinstimmend, unterschiedslos, nicht verschieden, ohne Unterschied *ebenbürtig, gleichberechtigt, gleichgestellt, gleichrangig, gleichwertig, paritätisch, vollwertig *einerlei, eins, gleichbedeutend, gehüpft wie gesprungen *adäquat, entsprechend, gemäß, vergleichbar *augenblicklich, direkt, flink, prompt, schnellstens, sofort, unvermittelt, unverzüglich, im Nu, im Augenblick *achtlos, apathisch, gleichgültig, interesselos, kühl, leidenschaftslos, passiv, teilnahmslos, unbeteiligt, uninteressant, wurstig, nicht betroffen *gerecht ***gleich bleiben:** s. nicht verändern, unverändert bleiben, von Dauer sein, konstant bleiben ***gleich bleibend:** beständig, bleibend, dauerhaft, fest, gleichmäßig, konstant, unveränderlich, von Bestand, von Dauer ***gleich gesinnt:** ähnlich, geistesverwandt, gleich, wesensgleich ***gleich lautend:** gleich klingend, gleichnamig, homonym, homonymisch

gleichaltrig: im gleichen Alter, im selben Alter, im Alter übereinstimmend

gleichartig: ähnlich, analog, egal, entsprechend, gleich, komparabel, ver-

gleichbar, vergleichsweise, verwandt, einander gleichend, einander ähnelnd, einander entsprechend
Gleichartigkeit: Ähnlichkeit, Analogie, Entsprechung, Gleichheit, Übereinstimmung, Vergleichbarkeit, Verwandtschaft, Verwandtsein
gleichbedeutend: bedeutungsähnlich, bedeutungsgleich, bedeutungsverwandt, sinnähnlich, sinngleich, sinnverwandt, synonym *einerlei, eins, gleich, gehüpft wie gesprungen
gleichberechtigt: emanzipiert, gleich, gleichgestellt, gleichrangig, gleichwertig, paritätisch
Gleichberechtigung: Emanzipation, Gleichgestelltheit, Gleichheit, Gleichrangigkeit, Gleichstellung, Parität
gleichen (s.): s. decken, s. entsprechen, gleichkommen, kongruieren, korrespondieren, übereinstimmen, gleichwertig sein, gleichrangig sein, ebenbürtig sein, gleich sein *s. ähneln, s. erinnern (an), gleichsehen, ähnlich sein
gleichermaßen: auch, ebenfalls, ebenso, genauso, gleicherweise
gleichfalls: auch, desgleichen, dito, ebenfalls, ebenso, genauso, geradeso, gleichermaßen, gleicherweise, in gleicher Weise, in demselben Maße
gleichförmig: gleichartig, vergleichbar, verwandt *schablonenhaft, schematisch, uniform, nach der Schablone *einförmig, eintönig, ereignislos, ermüdend, fad, fade, grau, langweilig, monoton, reizlos, uninteressant
Gleichförmigkeit: Alltäglichkeit, Einerlei, Einförmigkeit, Eintönigkeit, Fadheit, Langeweile, Monotonie, Öde
gleich geordnet: gleich, gleichrangig, gleichberechtigt, gleichgestellt, gleichwertig
gleichgeschlechtlich: andersherum, homoerotisch, homophil, homosexuell, invertiert, lesbisch, sapphisch, schwul
gleichgestellt: gleich, gleichrangig, gleichberechtigt, gleich geordnet, gleichwertig
Gleichgewicht: Ausgeglichenheit, Balance, Waage
gleichgültig: egal, einerlei, gleichwie, wie auch immer, wie dem auch sei *apathisch, denkfaul, desinteressiert, dickfellig, gefühllos, inaktiv, interesselos, kühl, lasch, leidenschaftslos, lethargisch, schwerfällig, stumpf, stumpfsinnig, teilnahmslos, träge, unaufgeschlossen, unbeteiligt, unbewegt, unempfindlich, ungerührt *akzidentiell, bedeutungslos, belanglos, nichtig, trivial, unbedeutend, unerheblich, unmaßgeblich, unwesentlich, unwichtig, zufällig, nicht nennenswert, nicht erwähnenswert *achtlos, gedankenlos, sorglos, unachtsam, unbedacht
Gleichgültigkeit: Abgestumpftheit, Abstumpfung, Apathie, Desinteresse, Dickfelligkeit, Gefühllosigkeit, Geistesabwesenheit, Herzlosigkeit, Indifferenz, Indolenz, Interesselosigkeit, Kühle, Laschheit, Leidenschaftslosigkeit, Lethargie, Phlegma, Stumpfheit, Stumpfsinn, Stumpfsinnigkeit, Sturheit, Teilnahmslosigkeit, Trägheit, Unaufgeschlossenheit, Unempfindlichkeit, Ungerührtheit, Uninteressiertheit, Wurstigkeit *Bedeutungslosigkeit, Belanglosigkeit, Trivialität, Unerheblichkeit, Zufälligkeit *Achtlosigkeit, Gedankenlosigkeit, Sorglosigkeit, Unachtsamkeit, Unbedachtsamkeit
Gleichheit: Ebenmaß, Egalität, Einklang, Entsprechung, Harmonie, Homogenität, Konformität, Kongruenz, Übereinstimmung *Ebenbürtigkeit, Emanzipation, Gleichberechtigung, Gleichrangigkeit, Gleichstellung, Gleichwertigkeit, Parität
gleichkommen: s. decken, s. entsprechen, gleichen, kongruieren, korrespondieren, übereinstimmen, gleichwertig sein, gleichrangig sein, ebenbürtig sein, gleich sein *ähneln, gleichsehen, ähnlich sein, erinnern (an)
gleichmachen: abgleichen, abstimmen, abtragen, ebnen, einebnen, einplanieren, glätten, glatt machen, nivellieren, planieren, eben machen, flach machen *normen, normieren, standardisieren, typisieren, vereinheitlichen, auf eine Formel bringen, auf einen Nenner bringen *adaptieren, annähern, anpassen, nivellieren, unifizieren, uniformieren *zerstören
Gleichmacherei: Anpassung, Gleich-

schaltung, Gleichstellung, Nivellierung, Vereinheitlichung, Verflachung, Vermassung
Gleichmaß: Ebenmaß, Ebenmäßigkeit, Gleichlaut, Harmonie, Symmetrie
gleichmäßig: ausgewogen, ebenmäßig, harmonisch, proportioniert, regelmäßig, symmetrisch *einförmig, einheitlich, gleichartig, gleichförmig, monoton, uniform *fifty-fifty, halbe-halbe, halb und halb, zu gleichen Teilen
Gleichmut: Abgeklärtheit, Bedacht, Bedachtsamkeit, Besonnenheit, Gefasstheit, Gelassenheit, Gleichgewicht, Kontenance, Ruhe, Selbstbeherrschung, Umsicht, innere Haltung
gleichmütig: abgeklärt, ausgeglichen, bedacht, bedachtsam, beherrscht, besonnen, gefasst, gelassen, gemächlich, gemessen, geruhsam, gezügelt, harmonisch, ruhevoll, ruhig, sicher, still, überlegen, würdevoll
Gleichnis: Analogie, Lehrstück, Parabel, Sinnbild, Vergleich
gleichrangig: geistesverwandt, gleich, gleichberechtigt, gleichgestellt, gleichstehend
Gleichrangigkeit: Gleichberechtigung, Gleichgestelltheit, Gleichheit, Gleichstellung, Parität
gleichsam: gewissermaßen, quasi, sozusagen, wie, mehr oder minder
gleichschalten: adaptieren, annähern, anpassen, gleichmachen, nivellieren, unifizieren, uniformieren
gleichsehen: ähneln, gleichen, ähnlich aussehen, ähnlich sehen, ähnlich sein, erinnern (an), aussehen (wie)
gleichsetzen: gleichstellen, identifizieren, zusammenwerfen, als dasselbe betrachten, auf eine Stufe stellen, gleich behandeln, über einen Kamm scheren, in einen Topf werfen
gleichstimmig: einstimmig, homophon, unisono *einhellig, einmütig, einstimmig, einträchtig, im Einvernehmen (mit), übereinstimmend
gleichtun: abschauen, absehen, entlehnen, imitieren, kopieren, lernen (von), nachahmen, nachbilden, nacheifern, nachfolgen, nachformen, nachmachen, nachstreben, reproduzieren, in jmds. Spuren wandeln *gleichziehen, mitziehen, dasselbe leisten, dasselbe tun
gleichviel: egal, einerlei, gleichgültig, gleichwie, unwichtig, wie dem auch sei, wie auch immer
gleichwertig: angemessen, äquivalent, entsprechend, wertentsprechend, von gleichem Wert, von entsprechendem Wert, von gleicher Geltung
gleichwie: eigentlich, gewissermaßen, quasi, sozusagen, an und für sich, so gut wie
gleichwohl: aber, dennoch, doch, jedenfalls, nichtsdestotrotz, nichtsdestoweniger, obgleich, trotzdem, trotz allem
gleichzeitig: zugleich, in einer Person *gemeinsam, gleichlaufend, simultan, synchron, synchronisch, zeitgleich, zusammen, zusammentreffend, auf einmal, im selben Augenblick, zur selben Zeit, zur gleichen Zeit
Gleichzeitigkeit: Gemeinsamkeit, Simultanität, Zeitgleichheit, Zusammentreffen
gleichziehen: gleichtun, mitziehen, dasselbe leisten, dasselbe tun
Gleis: Eisenbahngleis, Eisenbahnschienen, Geleise, Schienen, Schienenstrang, Spur
Gleisanlage: Bahnkörper, Gleiskörper
gleiten: ausrutschen, hinfallen, rutschen, schlittern, den Halt verlieren, nicht fest, nicht sitzen, nicht stehen, nicht haften *schwebend fliegen
Gletscher: Ferner, Firn, Firne, Firner
Glied: Bestandteil, Detail, Einzelheit, Element, Komponente, Teil *Angehöriger, Beteiligter, Genosse, Mitarbeiter, Mitglied, Teilnehmer *Geschlechtsteil, Penis, männliches Glied *Reihe, Serie
Glieder: Extremitäten, Gliedmaße, Körperteile
gliedern: aufgliedern, aufteilen, durchgliedern, einordnen, einteilen, fächern, klassifizieren, ordnen, paragraphieren, unterteilen ***s. gliedern:** s. unterteilen, s. verästeln, zerfallen (in)
Gliederung: Anlage, Anordnung, Aufbau, Bau, Durchgliederung, Durchorganisation, Einteilung, Fächerung, Gefüge, Gruppierung, Ordnungsgefüge, Organi-

sation, Rangordnung, Staffelung, Struktur, Strukturplan, Zusammensetzung *Anordnung, Auffächerung, Aufgliederung, Aufschlüsselung, Aufteilung, Differenzierung, Disposition, Einstufung, Klassifikation, Klassifizierung, Segmentierung, Staffelung, Stufung, Systematisierung, Untergliederung, Unterteilung

Gliedmaßen: Extremitäten, Glieder, Körperteile

glimmen: schwelen, schwach brennen, schwach glühen

Glimmstängel: Zigarette *Zigarre

glimpflich: einigermaßen, erträglich, halbwegs, leidlich, passabel, schlecht und recht *behutsam, gnädig, mild, nachsichtig, pfleglich, rücksichtsvoll, sanft, schonend, sorgfältig, sorgsam, vorsichtig

glitschig: glatt, matschig, rutschig, schlüpfrig

glitzern: blinken, blinkern, blitzen, flimmern, funkeln, glänzen, gleißen, glimmern, leuchten, schimmern, spiegeln, strahlen

global: absolut, allgemein, allgemeingültig, allseitig, enzyklopädisch, erschöpfend, generell, gesamt, total, umfassend *international, umfassend, ubiquitär, umspannend, universal, universell, weltumfassend, weltweit

Globetrotter: Abenteurer, Weltenbummler, Weltreisender

Globus: Erdglobus, Erdkugel, Welt, Weltkugel

Glocke: Bimmel, Gong, Klingel, Schelle

Glorie: Glanz, Herrlichkeit, Prunk *Ansehen, Ruhm, Weltgeltung, Weltruf, große Ehre *Glorienschein, Gloriole, Heiligenschein, Nimbus

glorifizieren: besingen, ehren, feiern, idealisieren, lobpreisen, rühmen, verherrlichen, verklären

glorreich: ehrenvoll, glänzend, glanzvoll, glorios, herrlich, rühmlich, ruhmreich, ruhmvoll, triumphal

Glosse: Anmerkung, Bemerkung

glotzen: gaffen, starren, stieren

Glück: Dusel, Erfolg, Gelingen, Glücksfall, Glücksgriff, Glückssache, Glückswurf, Heil, Segen, Sieg, Wohl, das Große Los, günstige Umstände, guter Verlauf *Begeisterung, Beglückung, Beseligung, Entzücken, Freude, Hochgefühl, Jubel, Sonnenschein, Wonne *Wohlbehagen, Wohlgefühl, Zufriedenheit *alle neune *Fortuna, Freudenbecher, Füllhorn, Glücksstern, guter Stern, günstiges Geschick

Glucke: Bruthenne, Gluckhenne

glucken: ausbrüten, brüten, horsten, nisten, sitzen

glücken: s. durchsetzen, emporkommen, gelingen, siegen, weiterkommen, das Ziel erreichen, Erfolg haben, Glück haben, es schaffen, Karriere machen *fertig bringen, funktionieren, gehen, geraten, werden, gut ausgehen, gut ablaufen, nach Wunsch gehen, in Ordnung gehen, wunschgemäß verlaufen

gluckern: blubbern, glucksen

glücklich: beflügelt, begeistert, beglückt, beschwingt, beseligt, erfüllt, freudestrahlend, freudig, froh, frohgemut, fröhlich, glückselig, glückstrahlend, selig, überglücklich, vergnügt, wonnetrunken *erfolgreich, erfreulich, gedeihlich, gesegnet, günstig, sorgenlos, ungetrübt, vorteilhaft

glücklicherweise: erfreulicherweise, gottlob, Gott sei Dank, dem Himmel sei Dank, zum Glück

Glücksbringer: Amulett, Glückskind, Maskottchen, Talisman

Glücksgöttin: Fortuna

Glückspilz: Glückskind, Goldmarie, Sonntagskind, Hans im Glück

Glücksritter: Abenteurer, Abenteurernatur, Glücksjäger, Glücksspieler, Hasardeur, Waghals

Glücksspiel: Klassenlotterie, Lotterie, Lotto, Spekulation, Spiel, Toto, Zahlenlotterie

glückstrahlend: beflügelt, begeistert, beglückt, beschwingt, beseligt, erfüllt, freudestrahlend, freudig, froh, frohgemut, fröhlich, glücklich, glückselig, selig, überglücklich

Glückwunsch: Gratulation, Segenswunsch

glühen: heiß sein, hochrot sein *brennen, glimmen, schwelen *scheinen, sengen *leuchten, brennen

glühend: brennend, brütend, heiß,

siedend *feurig, leuchtend, strahlend *begeistert, entflammt, enthusiastisch, entzückt, hingerissen, leidenschaftlich, passioniert
Glühwein: Feuerzangenbowle, Glühpunsch, Grog, Punsch, Rumgrog, Schwedenpunsch, Teepunsch, Weingrog
Glühwürmchen: Johanniskäfer, Johanniswürmchen, Leuchtkäfer
Glut: Gluthitze, Hitze, Schwüle, Wärme *Begeisterung, Ekstase, Elan, Enthusiasmus, Feuer, Inbrunst, Leidenschaft, Sturm, Temperament
glutrot: gerötet, hochrot
Gnade: Entgegenkommen, Freundlichkeit, Gunst, Güte, Huld, Jovialität, Kulanz, Liebenswürdigkeit, Wohlwollen *Absolution, Amnestie, Begnadigung, Straferlass, Straffreiheit *Barmherzigkeit, Begnadigung, Erbarmen, Milde, Nachsicht, Schonung, Vergebung, Verzeihung
Gnadenfrist: Aufschub, Bedenkzeit, Galgenfrist
gnadenlos: barbarisch, bestialisch, brutal, entmenscht, erbarmungslos, gefühllos, gewalttätig, grausam, herzlos, inhuman, kaltblütig, mitleidlos, rabiat, roh, rücksichtslos, schonungslos, tierisch, unbarmherzig, ungesittet, unmenschlich, unsozial, verroht *böse, eisig, grob, hart, hartherzig, kalt, lieblos, rigoros, streng, unerbittlich, ungerührt, unnachgiebig, unnachsichtig, unsanft, unzugänglich, keinen Bitten zugänglich, nicht zu erweichen, ohne Erbarmen, ohne Mitleid, ohne Rücksicht, ohne Rücksichtnahme, vor nichts zurückschreckend
gnädig: entgegenkommend, freundlich, gut gesinnt, gütig, kulant, liebenswürdig, wohlmeinend, wohlwollend *gönnerhaft, herablassend, jovial *behutsam, glimpflich, mild, nachsichtig, rücksichtsvoll, sanft, schonend, vorsichtig
Gnom: Kobold, Wichtel, Wichtelmann, Zwerg
golden: goldartig, goldfarben, goldig, aus Gold, von Gold
Goldesel: Dukatenesel, Dukatenmännchen
goldig: goldartig, golden, gülden, aus Gold, von Gold *allerliebst, angenehm, anmutig, ansprechend, anziehend, attraktiv, aufreizend, berückend, bestrickend, betörend, bezaubernd, charmant, einnehmend, entzückend, gewinnend, graziös, herzig, hübsch, lieb, lieblich, liebenswert, niedlich, reizend, reizvoll, süß, sympathisch, toll, gut aussehend
Golf: Bai, Fjord, Förde, Meerbusen, Meeresbucht
gondeln: bummeln, fahren, flanieren, kutschen, kutschieren, schlendern, spazieren gehen, umherschlendern, s. Zeit lassen, zotteln
gönnen: bewilligen, einräumen, gewähren, vergönnen, zubilligen, (neidlos) zugestehen ***s. gönnen:** s. leisten, s. Gutes tun
Gönner: Beschützer, Förderer, Helfer, Mäzen, Schützer, Sponsor, Wohltäter
gönnerhaft: gnädig, herablassend, jovial, wohlwollend
Göre: Balg, Frechdachs, Krabbe, Schlingel, Wildfang, vorlautes Kind, ungezogenes Kind
Gosse: Rinne, Rinnstein *Abschaum, Gesindel
Gott: Allvater, Er, Erhalter, Gottheit, Göttlichkeit, Herr, Herrgott, Jahwe, Jehova, Richter, Schöpfer, Weltenlenker, das höchste Wesen, der Allmächtige, der Allwissende, der Ewige, der Höchste, der höchste Richter, der Herr Zebaoth, himmlischer Vater ***Gott sei Dank:** erfreulicherweise, gottlob, dem Himmel sei Dank, zum Glück
gottergeben: ergeben, fatalistisch, folgsam, fügsam, gefügig, gehorsam, lenkbar *andächtig, demütig, fromm, glaubensstark, gläubig, gottesfürchtig, gottgefällig, gottgläubig, gottselig, heilsgewiss, kirchlich, orthodox, religiös
Götterspeise: Ambrosia, Nektar *Nachspeise
Gottesacker: Friedhof, Gräberfeld, Kirchhof, Totenacker
Gottesdiener: Geistlicher, Hirte, Kaplan, Pfarrer, Priester, Seelenhirte, Seelsorger, Theologe, geistlicher Herr, Diener Gottes, Diener am Wort *Bruder, Frater, Kleriker, Mönch, Ordensbruder, Pater *Pastor, Prediger, Theologe

Gottesdienst: Abendmahl, Abendmahlsfeier, Amt, Hochamt, Kirche, Messfeier, Messopfer, Messe *Pontifikalamt, Pontifikalmesse *Christmette, Mette, Mitternachtsmette *Ostermette
Gottesfurcht: Frömmigkeit, Glaubensstärke, Gottergebenheit, Gottgefälligkeit, Religiosität
gottesfürchtig: andächtig, fromm, glaubensstark, gläubig, gottergeben, gottgefällig, heilsgewiss, kirchlich, orthodox, religiös
Gotteshaus: Bethaus, Dom, Kapelle, Kathedrale, Kirche
Gottessohn: Christus, Erlöser, Gott, Gotteslamm, Heiland, Jesus, Messias, Seelenbräutigam, der Gekreuzigte, Sohn Gottes
Gottesurteil: Feuerprobe, Gottesgericht
Gottesverehrung: Anbetung, Gottesdienst, Huldigung, Kult, Lob, Lobgesang, Loblied, Lobpreis, Verherrlichung
gottgefällig: andächtig, demütig, glaubensstark, gläubig, gottergeben, gottesfürchtig, gottgläubig, gottselig, heilsgewiss, kirchlich, orthodox, religiös
gottgläubig: fromm, glaubensstark, gläubig, gottesfürchtig, kirchlich, orthodox, religiös
göttlich: gottähnlich, götterhaft, gottgleich *einzigartig, perfekt, unerreicht, unübertroffen, vollendet, vollkommen, vortrefflich *heilig, himmlisch, numinos, sakrosankt *allmächtig, allwissend, barmherzig, gnädig, omnipotent *ausgezeichnet, herrlich, überwältigend
gottlos: atheistisch, freidenkerisch, freigeistig, glaubenslos, gottesleugnerisch, religionslos, ungläubig, unreligiös
Götzenbild: Abgott, Fetisch, Götterbild, Götterbildnis, Götze, Idol
Götzendienst: Aberglaube, Abgötterei, Baalsdienst, Dämonenkult, Fetischismus, Fetischverehrung, Götzendienerei, Idolatrie
Gourmand: Genüssling, Leckermaul, Schlemmer, Vielfraß
Gourmet: Feinschmecker, Genießer, Gourmand, Kulinarier, Leckermaul, Lukullus
Gouvernante: Amme, Bonne, Kindermädchen *Ausbilderin, Erzieherin, Lehrerin, Lehrmeisterin
Grab: Erdhügel, Grabhügel, Grabplatz, Grabstätte, Grabstelle, Gruft, Leichenhügel, (letzte) Ruhestatt, (letzte) Ruhestätte
graben: ausheben, aushöhlen, ausschachten, scharren, schaufeln, schippen, schürfen, wühlen *stöbern, das Haus auf den Kopf stellen
Graben: Furche, Gang, Grube, Mulde, Rinne, Stollen, Vertiefung *Abflussgraben, Abzugsgraben, Bewässerungsgraben, Entwässerungsgraben, Straßengraben *Burggraben, Wassergraben *Grabenbruch, Grabensenke, Mulde *Laufgraben, Schützengraben *Einbuchtung, Einsenkung, Furche, Höhlung, Mulde, Vertiefung
Grabesstille: Friede, Geräuschlosigkeit, Lautlosigkeit, Ruhe, Schweigen, Stille, Stillschweigen, Stummheit, Totenstille
Grabmal: Grabstein, Monument
Grabstein: Denkstein, Gedenkstein, Gedenktafel, Leichenstein, Marterl *Soldatenkreuz
Grad: Ausmaß, Stärke *Charge, Dienstgrad, Dienstrang, Dienststellung, Rang, Rangbezeichnung, Rangstufe, Stand, Stellung
Gradierwerk: Gradierhaus, Saline
graduell: allmählich, sukzessiv, sukzessive, in Etappen, Schritt für Schritt
gram: abgeneigt, böse, übel wollend, zuwider
Gram: Bürde, Jammer, Kummer, Kümmernis, Leid, Not, Qual, Schmerz, Sorge, Unglück
grämen (s.): s. ängstigen, bangen, s. bekümmern, s. beunruhigen, s. Gedanken machen, s. härmen, s. sorgen, s. Sorgen machen *beklagen, s. bekümmern, betrauern, s. betrüben, beweinen, jammern (um), klagen, kreischen, schreien, seufzen, stöhnen, trauern, weinen, weinen (um), wimmern, Leid empfinden, Schmerz empfinden, untröstlich sein, traurig sein, Leid tragen
gramerfüllt: angsterfüllt, bedenklich, bedrückt, bekümmert, besorgt, entmutigt, freudlos, gedrückt, gramgebeugt, gramvoll, kummervoll, nachdenklich,

resigniert, sorgenbeladen, sorgenschwer, sorgenvoll, unruhig, vergrämt, verhärmt, verzagt, zentnerschwer
Grammatik: Sprachlehre
Gran: etwas, Körnchen, Prise, Stäubchen, ein bisschen, ein wenig
Granate: Geschoss, Kanonenkugel, Projektil, Sprengkörper
grandios: ausgezeichnet, erstklassig, exzellent, fabelhaft, famos, genial, großartig, hervorragend, himmlisch, klassisch, märchenhaft, phantastisch, prächtig, prachtvoll, sagenhaft, traumhaft, überwältigend, vorzüglich, wunderbar, wunderschön, wundervoll, sehr gut
granteln: brummen, knurren, murren
grantig: ärgerlich, aufgebracht, bärbeißig, böse, brummig, empört, entrüstet, erbittert, gereizt, griesgrämig, grillenhaft, grimmig, knurrig, missgelaunt, misslaunig, missmutig, muffig, mürrisch, sauertöpfisch, übellaunig, unwillig, unwirsch, verdrießlich, verdrossen
Grapefruit: Pampelmuse
Graph: Schaubild, graphische Darstellung
Gras: Grasfläche, Grasteppich, Rasen, Weide, Weidefläche, Wiese *Kiff, Marihuana, Pott
grasen: äsen, weiden
Grashüpfer: Grille, Heuhüpfer, Heupferdchen, Heuschrecke
grassieren: s. ausbreiten, s. ausdehnen, überhand nehmen
grässlich: abscheulich, beängstigend, Entsetzen erregend, entsetzlich, furchtbar, gespenstig, Grauen erregend, grauenhaft, grauenvoll, gräulich, hässlich, horrend, katastrophal, schauderhaft, scheußlich, schrecklich, unheimlich, unschön, verabscheuenswert, verabscheuungswürdig, verheerend, verwerflich, widerlich *abscheulich, ekelhaft, nass, nasskalt, regnerisch, stürmisch *unbehaglich, unbequem, ungemütlich, unwohnlich *abstoßend, furchterregend
Grat: Bergkamm, Bergrücken, Gebirgskamm
Gratifikation: Prämie, Sonderzulage, Sonderzuwendung, Vergütung, Zulage, Zuwendung
gratis: frei, gebührenfrei, geschenkt, kostenlos, umsonst, unentgeltlich, ohne Geld
grätschen: auseinander strecken, spreizen, wegstrecken, breit machen *breitbeinig, mit gegrätschten Beinen
Gratulation: Glückwunsch, Segenswunsch
gratulieren: beglückwünschen, Glück wünschen, Segen wünschen, Glückwünsche darbringen, Glückwünsche aussprechen, Glückwünsche übermitteln, Glückwünsche überbringen, Segenswünsche darbringen, Segenswünsche aussprechen, Segenswünsche übermitteln, Segenswünsche überbringen
grau: alt, altersgrau, bejahrt, betagt, ergraut, grauhaarig, weißhaarig *alltäglich, einfallslos, einförmig, einschläfernd, ereignislos, ermüdend, fad, fade, flau, gleichförmig, langweilig, monoton, öde, phantasielos, reizlos, tranig, trist, trocken, trostlos, uninteressant, unoriginell, wirkungslos, ohne Pfiff
Gräuel: Grausamkeit, Gräueltat, Scheußlichkeit, Verbrechen *Abneigung, Abscheu, Ekel, Grauen, Horror, Widerwille
grauen: dämmern, tagen, Tag werden, hell werden ***s. grauen:** s. ängstigen, s. entsetzen, s. grausen, s. gruseln, schaudern, gruselig werden, Grauen empfinden, Furcht haben, Horror haben, eine Gänsehaut bekommen
Grauen: Angst *Abgeneigtheit, Abneigung, Abscheu, Antipathie, Aversion, Ekel, Feindschaft, Feindseligkeit, Hass, Horror, Schauder, Schauer, Ungeneigtheit, Voreingenommenheit, Vorurteil, Widerwille
grauenhaft: furchtbar, grässlich, grauenerregend, grauenvoll, grausig, gräulich, katastrophal, schauderhaft, schauerlich, unheimlich
grauhaarig: alt, altersgrau, ergraut, grau, grau meliert, meliert, schlohweiß, silberhaarig, weiß, weißhaarig
gräulich: Abscheu erregend, abscheulich, böse, ekelhaft, fratzenhaft, gemein, geschmacklos, grässlich, hässlich, schauderhaft, scheußlich, unangenehm, unschön, verabscheuenswert, verab-

scheuungswürdig, verwerflich, widerlich, widerwärtig *furchtbar, grässlich, Grauen erregend, grauenhaft, grauenvoll, grausig, katastrophal, schauderhaft, schauerlich, unheimlich
grausam: barbarisch, bestialisch, brutal, entmenscht, erbarmungslos, gefühllos, gewalttätig, gnadenlos, herzlos, inhuman, kaltblütig, kaltschnäuzig, rigoros, roh, rücksichtslos, schonungslos, tierisch, unbarmherzig, unerbittlich, ungerührt, unmenschlich, verroht *bitterkalt, grimmig, stark
Grausamkeit: Bestialität, Blutdurst, Blutrausch, Brutalität, Gewalttätigkeit, Gräuel, Mordgier, Mordlust, Rohheit, Sadismus
grausig: düster, Entsetzen erregend, entsetzlich, erschreckend, fürchterlich, grässlich, Grauen erregend, grauenhaft, grauenvoll, grauslich, gräulich, schauervoll, schaurig, scheußlich
gravieren: einkerben, einritzen, stechen
gravierend: belastend, einschneidend, erschwerend, schwer, streng, tief
Gravitation: Anziehung, Anziehungskraft, Erdanziehung, Erdgravitation, Schwere, Schwerkraft
gravitätisch: andächtig, erhaben, erhebend, ernst, feierlich, festlich, galamäßig, gehoben, getragen, glanzvoll, majestätisch, pathetisch, solenn, stimmungsvoll, weihevoll, würdevoll, würdig, zeremoniell, in aller Form *erhaben, feierlich, gemessen, gesetzt, hoheitsvoll, respektierlich, respektvoll, würdevoll, würdig
Grazie: Anmut, Attraktivität, Bezauberung, Charme, Holdseligkeit, Lieblichkeit, Liebreiz, Reiz, Schönheit, Sympathie, Zauber
grazil: durchsichtig, dürr, fragil, gazellenhaft, gertenschlank, hager, mager, rank, schlank, schmächtig, schmal, zart, zartgliedrig, zierlich, wie Porzellan *mit Grazie
graziös: anmutig, anmutsvoll, gazellenhaft, gefällig, geschmeidig, leichtfüßig, lieblich, mit Grazie
greifbar: anwesend, parat, präsent, verfügbar *nahebei, ganz nah, in Reichweite, zum Greifen nah *erkennbar, offenbar, wahrnehmbar *fassbar, körperlich, materiell, real *deutlich, wirklich
greifen: fangen, verhaften *grapschen, haschen, hinlangen, langen (nach) *fassen, erfassen, anfassen, ergreifen, zufassen, in die Hand nehmen
Greis: Großvater, Opa, alter Herr, alter Mann, der Alte, graues Haupt, alter Knabe
greisenhaft: alt, bejahrt, betagt, ergraut, grau, hochbejahrt, hochbetagt, senil, steinalt, uralt
Greisin: Großmutter, Oma, die Alte, alte Frau, alte Dame
grell: gellend, laut, schrill, unüberhörbar *blendend, hell, stechend, ungedämpft *laut, schrill *aufdringlich, grellfarben, hervorstechend, knallig, kontrastierend, kunterbunt, leuchtend, reißerisch, scheckig, schreiend, in die Augen stechend, in die Augen fallend, unangenehm auffallend
Gremium: Ausschuss, Beirat, Komitee, Kommission, Kreis, Kuratorium, Rat, Sektion, Zirkel
Grenze: Demarkation, Demarkationslinie, Grenzlinie, Landesgrenze, Staatsgrenze *Abgrenzung, Begrenzung, Grenzlinie, Schranke *Gemarkung, Grenzscheide, Rand, Scheide, Umgrenzung *Flurgrenze, Grundstücksgrenze
grenzen: angrenzen, anschließen, anstoßen, s. berühren *ähneln, entsprechen, erreichen, gleichen, nahe kommen
grenzenlos: endlos, gewaltig, immens, schrankenlos, sehr, unbegrenzt, unbeschränkt, unendlich, unerschöpflich, unübersehbar, ohne Grenzen, überaus groß
Grenzstation: Grenzübergang, Kontrolle, Kontrollpunkt, Kontrollstation, Zollkontrolle, Zollstation
Grenzwache: Grenzer, Grenzpolizei, Grenzposten, Zöllner
Griesgram: Brummbär, Isegrim, Miesepeter, Muffel, Sauertopf
griesgrämig: ärgerlich, aufgebracht, bärbeißig, böse, brummig, entrüstet, erbittert, erbost, erzürnt, gekränkt, gereizt, grämlich, grantig, grimmig, knurrig, missgelaunt, missgestimmt, misslaunig,

missmutig, missvergnügt, muffig, mürrisch, schlecht gelaunt, übel gelaunt, übellaunig, unangenehm, unbefriedigt, unerfreulich, unleidlich, unlustig, unmutig, unwillig, unwirsch, unzufrieden, verärgert, verbittert, verdrießlich, verdrossen, zähneknirschend, zornig, in schlechter Stimmung

Griff: Drücker, Klinke, Türdrücker, Türgriff, Türklinke *Bügel, Handgriff, Handhabe, Heft, Henkel, Knauf, Schaft, Stiel

griffbereit: gegenwärtig, parat, verfügbar, zu haben

griffig: handgerecht, handlich, praktisch, zweckmäßig, leicht benutzbar, bequem benutzbar

Grill: Bratrost, Grillautomat, Rost

Grille: Heimchen, Heuschrecke *Albernheiten, Allüren, Anwandlung, Einfall, Flausen, Kaprice, Kapriole, Kinkerlitzchen, Laune, Mucke, Schrulle

grillen: auf dem Grill braten, auf dem Grill rösten

grillenhaft: empfindlich, gekränkt, launenhaft, launig, missgelaunt, misslaunig, reizbar, sauertöpfisch, übelnehmerisch, unberechenbar, verletzt

Grimasse: Faxen, Fratze, Fratzenspiel, Grimassen

grimmig: ärgerlich, aufgebracht, bärbeißig, böse, empört, entrüstet, martialisch, unwirsch, verärgert, wild, wütend, wutentbrannt, wutschnaubend, zornig *heftig, schlimm, schneidend, übermäßig, unerträglich

Grind: Borke, Hautschorf, Kruste, Schorf

grinsen: feixen, den Mund verziehen, schadenfroh lächeln

Grippe: Erkältung, Influenza

grob: arg, böse, gröblich, schlimm, schrecklich, stark, übel, unangenehm *derb, drastisch, grobschlächtig, grobschrötig, roh, unfein, ungehobelt, ungeschliffen, ungesittet, unkultiviert, unmanierlich, unzivilisiert *abweisend, barsch, brüsk, rau, roh, rüde, rüpelhaft, ruppig, schroff, taktlos, unwirsch, sehr unfreundlich, sehr unhöflich *grob gemahlen, großkörnig, nicht fein *grobmaschig, weit *dunkel, schemenhaft, unbestimmt, ungenau, unklar, unscharf, vage, verschwommen *ernst, fahrlässig, groß, leichtsinnig, schlimm, vorsätzlich

Grobheit: Barschheit, Schroffheit, Taktlosigkeit, Unaufmerksamkeit, Unfreundlichkeit, Ungefälligkeit, Unhöflichkeit, Unliebenswürdigkeit *Derbheit, Grobschlächtigkeit, Plumpheit, Rohheit, Ungeschliffenheit, Unkultiviertheit *Fahrlässigkeit, Leichtsinn

Grobian: Berserker, Flegel, Fuhrknecht, Kämpfer, Lümmel, Raubein, Rohling, Rüpel, Schlägertyp, Unmensch, grober Klotz, ungehobelter Kerl *Tollpatsch, Tölpel

groggy: betrunken *abgehetzt, abgekämpft, abgeschlafft, abgespannt, abgewirtschaftet, angegriffen, angeschlagen, atemlos, aufgerieben, ausgelaugt, durchgedreht, entkräftet, entnervt, erholungsbedürftig, erledigt, ermattet, erschlagen, erschöpft, gerädert, geschafft, halb tot, kaputt, kraftlos, matt, mitgenommen, müde, schachmatt, schlaff, schlapp, schwach, überanstrengt, überfordert, urlaubsreif, verbraucht, zerschlagen, k. o., am Ende

grölen: anstimmen, jodeln, plärren, schmettern, singen *brüllen, donnern, gellen, johlen, kreischen, lärmen, plärren, rufen, schreien, schrillen, laut sprechen, Schreie ausstoßen, ein Geschrei erheben

Groll: Bitterkeit, Bitternis, Erbitterung, Missmut, Unbehagen, Unzufriedenheit, Verbitterung *Animosität, Feindschaft, Feindseligkeit, Gehässigkeit, Hass, Hassgefühl, Missgunst, Odium, Rachgier, Rachsucht, Unausstehlichkeit, Unmut, Verbitterung

grollen: ärgern, hadern, hassen, schmollen, zürnen, Groll hegen, Groll empfinden *donnern, gewittern, krachen, rumpeln, wettern

Grollen: Donner, Donnerrollen, Donnerschlag, Gewitter, Schlag

Gros: Großteil, Hauptmasse, Mehrheit, Überzahl

groß: hochgradig, intensiv, kräftig, stark, nicht schwach, nicht gering *außergewöhnlich, außerordentlich, ausgefallen, erstaunlich, überraschend, ungeläufig, ungewöhnlich *hoch aufgeschossen, hoch gewachsen, hünenhaft, lang, von hohem Wuchs *baumlang, enorm, gigantisch, immens, lang, mächtig, riesengroß, riesenhaft, riesig, unermesslich, ungeheuer *erwachsen, flügge, mündig, reif *anerkannt, angesehen, bekannt, berühmt, gefeiert, namhaft, populär, prominent, renommiert *abenteuerlich, ansehnlich, auffallend, auffällig, Aufsehen erregend, beachtlich, bedeutend, bedeutsam, bedeutungsvoll, beeindruckend, beträchtlich, bewundernswert, bewunderungswürdig, brillant, eindrucksvoll, einzigartig, eminent, enorm, entwaffnend, epochal, Epoche machend, erheblich, erklecklich, extraordinär, fabelhaft, formidabel, frappant, grandios, großartig, hervorragend, imponierend, imposant, märchenhaft, nennenswert, ohnegleichen, phänomenal, sagenhaft, sensationell, sondergleichen, spektakulär, stattlich, überragend, überraschend, überwältigend, umwerfend, ungeläufig, unvergleichlich, verblüffend, ersten Ranges

großartig: dufte, fabelhaft, pfundig, prima, toll, ganz toll, ganz groß *außerordentlich, ausgezeichnet, berückend, bestechend, einmalig, einzigartig, erstklassig, exzellent, famos, fulminant, glorios, glorreich, grandios, herrlich, hinreißend, klassisch, märchenhaft, phantastisch, prächtig, ruhmreich, ruhmvoll, triumphal, überwältigend, vorzüglich, wunderbar, wundervoll *fesselnd, interessant, mitreißend, packend, spannend

Größe: Höhe, Körpermaß, Länge, Stattlichkeit, Statur *Ausdehnung, Ausmaß, Dimension, Geräumigkeit, Großflächigkeit, Mächtigkeit, Reichweite, Tiefe, Umfang, Unermesslichkeit, Weite *Ass, Berühmtheit, Könner, Koryphäe, Meister, Star, Virtuose *Bedeutung, Belang, Geltung, Gewicht, Wert *Format, Kaliber

Großgrundbesitzer: Gutsbesitzer, Gutsherr

Großhandel: Aufkaufhandel, Zwischenhandel

Großhändler: Großhandelsunternehmer, Großkaufmann, Grossist, Zwischenhändler

großherzig: freigebig, gebefreudig, großzügig, hochherzig, honorig, nobel, spendabel, verschwenderisch, verschwendungssüchtig, weitherzig *duldsam, freizügig, nachsichtig, tolerant, verständnisvoll, nicht kleinlich, nicht engherzig

Großindustrieller: Großunternehmer

Großklima: Makroklima

Großmacht: Großreich, Imperium, Weltmacht, Weltreich

Großmarkt: Einkaufsmarkt, Einkaufszentrum, Supermarkt

Großmaul: Angeber, Flunkerer, Maulheld, Münchhausen, Prahler, Prahlhans, Protz, Schaumschläger, Übertreiber, Wichtigtuer

Großmut: Edelmut, Großherzigkeit, Selbstlosigkeit, Toleranz, nobles Verhalten

Großmutter: Ahne, Großmama, Oma, Omi

großspurig: angeberisch, großmännisch, großsprecherisch, großtuerisch, protzig, säbelrasselnd, übertrieben

Großspurigkeit: Angeberei, Großmannssucht, Großsprecherei, Großtuerei, Protzentum, Säbelrasseln, Übertreibung

Großstadt: Hauptstadt, Metropole, Millionenstadt, Weltstadt

großstädtisch: städtisch, weltstädtisch

Großteil: Majorität, Masse, mehr (als), Mehrheit, Mehrzahl, Überzahl, Vielzahl, der überwiegende Teil, über die Hälfte

größtenteils: durchweg, erfahrungsgemäß, gemeinhin, gewöhnlich, meist, meistenteils, normalerweise, überwiegend, vorwiegend, weitgehend, in der Mehrzahl, in der Regel

großtuerisch: angeberisch, anmaßend, arrogant, aufschneiderisch, dünkelhaft, großsprecherisch, großspurig, hochmütig, hochnäsig, prahlerisch, überheblich, unbescheiden, weltmännisch, wichtigtuerisch

großtun: angeben, s. aufblasen, aufschneiden, aufspielen, s. blähen, prahlen, protzen, prunken, s. spreizen, eingebildet sein

Großvater: Ahne, Großpapa, Opa, Opi
Großwuchs: Gigantismus, Hypersomie, Riesenwuchs
großziehen: aufpäppeln, aufziehen, erziehen, heranziehen
großzügig: freigebig, verschwenderisch *aufgeklärt, aufgeschlossen, duldsam, einsichtig, entgegenkommend, freiheitlich, freizügig, geduldig, großmütig, human, liberal, nachsichtig, offen, offenherzig, schwach, tolerant, versöhnlich, verständnisvoll, vorurteilsfrei, vorurteilslos, weitherzig
grotesk: abstrus, absurd, komisch, lächerlich, makaber, unsinnig
Grube: Bergwerk, Mine, Stollen, Zeche *Graben, Kuhle, Loch, Mulde, Vertiefung *Grab, Totengruft
grübeln: brüten, forschen, herumrätseln, knobeln, nachdenken, nachforschen, rätseln, sinnieren, spintisieren, tüfteln, überlegen
Grübler: Forscher, Sinnierer, Tüftler
Gruft: Grab, Grabgewölbe, Grabkammer, Grabstätte, Familiengruft, Krypta, Totengruft
grün: blassgrün, dunkelgrün, giftgrün, grellgrün, grünfarben, grünlich, hellgrün, olivgrün, sattgrün *sauer, unreif *alternativ, naturbewusst, ökologisch, umweltbewusst, umweltschützend, für Umweltschutz, gegen Atomkraft, gegen Atomkraftwerke *ahnungslos, infantil, jung, kindisch, kindlich, naiv, unentwickelt, unerfahren, unfertig, unreif *keinen Schimmer haben, keinen blassen Dunst haben, unwissend sein, nichts wissen
Grünanlage: Anlagen, Garten, Lustgarten, Park, Parkanlage, Vergnügungspark, Wildgarten, Wildpark, englischer Garten, grüne Lunge
Grund: Erdboden, Meeresboden *Argument, Begründung, Beweisgrund, Erklärung *Acker, Anwesen, Boden, Erde, Gelände, Grundstück, Land, Terrain *Ansporn, Anstoß, Antrieb, Aufhänger, Bedingung, Beweggrund, Grundlage, Hintergrund, Impuls, Motiv, Triebfeder, Ursache, Veranlassung *Basis, Fundament, Grundlage, Unterbau, Unterlage *Becken, Bergeinschnitt, Cañon, Kessel, Mulde, Schlucht, Senke, Tal, Talgrund, Talkessel *Kaffeesatz
grundanständig: achtbar, angemessen, brav, charaktervoll, ehrenhaft, ehrlich, fair, fein, gebührend, gesellschaftsfähig, gesittet, höflich, honorig, keusch, korrekt, lauter, manierlich, ordentlich, rechtschaffen, redlich, sauber, schicklich, sittlich, sittsam, solide, tugendhaft, unbescholten, wohlerzogen, zuverlässig, von guter Gesinnung
Grundbegriff: Elementarbegriff
Grundbesitz: Besitz, Eigenbesitz, Grundeigentum, Grundstücke, Immobilien, Landbesitz, Länderei, Liegenschaft, Grund und Boden
Grundbuch: Flurbuch, Grundstücksverzeichnis, Kataster
gründen: anfangen, beginnen, begründen, eröffnen, errichten, etablieren, konstituieren, schaffen, stiften, aus der Taufe heben, das Fundament legen zu, ins Leben rufen *heiraten, s. vermählen *fundieren, ein Fundament legen ***s. gründen:** beruhen (auf), zurückgehen
Gründer: Anreger, Anstifter, Begründer, Erbauer, Initiator, Mitbegründer, Schöpfer, Schrittmacher, Stifter, Urheber, Vater
Gründerzeit: Gründerjahre, die gute alte Zeit
Grundfeste: Basis, Fundament, Grund, Grundlage, Keimzelle, Unterbau, Unterlage, Wurzel *Fundament, Fuß, Grundmauer, Grundstein, Piedestal, Postament, Sockel, Unterbau, Untersatz, Unterteil
Grundgedanke: Gerüst, Grundidee, Grundmotiv, Grundvorstellung, Hauptgedanke, Idee, Leitgedanke, Leitmotiv, Zeichen, roter Faden
Grundgesetz: Staatsverfassung, Verfassung
Grundhaltung: Denkweise, Einstellung, Ethos, Gesamthaltung, Gesinnung, Haltung, Sinnesart
Grundlage: Basis, Fundament, Grund, Sockel, Unterbau, Unterlage *Ausgangspunkt, Nährboden, Prämisse, Substrat, Vorausbedingung, Voraussetzung *Bestand, Fonds, Fundus, Grundstock, Reserve, Rücklage
grundlegend: ausschlaggebend, bedeu-

tend, bestimmend, durchgreifend, einschneidend, elementar, entscheidend, fundamental, gründlich, grundsätzlich, konstitutiv, maßgebend, maßgeblich, prinzipiell, radikal, schwer wiegend, wesentlich, wichtig, bis in die Wurzel, bis ins Letzte, bis ins Kleinste, durch und durch, von Grund auf

Grundlegung: Abriss, Grundabriss, Leitfaden *Begründung, Gründung, Stiftung

gründlich: ausführlich, detailliert, eindringlich, eingehend, erschöpfend, intensiv, profund, umfassend, vollständig *akkurat, bestimmt, deutlich, eindeutig, exakt, genau, haargenau, haarklein, haarscharf, klar, prägnant, präzis, präzise, reinlich, sauber, säuberlich, scharf, speziell, tadellos, treffend, unmissverständlich *fehlerlos, fein, gewissenhaft, korrekt, minuziös, ordentlich, pedantisch, penibel, richtig, sorgfältig, sorgsam, zuverlässig *gehörig, gewaltig, sehr, tüchtig, überaus *radikal, total, völlig, bis ins Letzte, von Grund auf

Gründlichkeit: Akkuratesse, Ausdauer, Beharrlichkeit, Beständigkeit, Exaktheit, Genauigkeit, Gewissenhaftigkeit, Korrektheit, Ordentlichkeit, Pedanterie, Peinlichkeit, Pflichtbewusstsein, Präzision, Sorgfalt, Stetigkeit, Verantwortungsbewusstsein, Verlässlichkeit, Zuverlässigkeit

grundlos: abgründig, abgrundtief, bodenlos *beliebig, erfunden, gegenstandslos, haltlos, hinfällig, nutzlos, unberechtigt, ungerechtfertigt, unmotiviert, unwichtig, unwirklich, wesenlos, aus der Luft gegriffen, ohne Anlass, ohne Grund, ohne Motiv, ohne Erklärung, ohne Begründung

Grundmauer: Basis, Fundament, Fuß, Grundfeste, Grundstein, Piedestal, Postament, Sockel, Unterbau, Untersatz, Unterteil

Grundmotiv: Gerüst, Grundgedanke, Grundidee, Grundvorstellung, Hauptgedanke, Idee, Leitgedanke, Leitmotiv, Zeichen, roter Faden

Grundriss: Aufriss, Bauplan, Entwurf, Plan *Abriss, Auszug, Einführung, Kompendium, Leitfaden, Zusammenfassung

Grundsatz: Doktrin, Gesichtspunkt, Maxime, Moralprinzip, Prinzip, Regel

Grundsatzerklärung: Deklaration, Manifest, Programm

grundsätzlich: fundamental, grundlegend, prinzipiell, im Prinzip, im Grundsatz, von Grund auf

Grundschule: Elementarschule, Primarschule, Volksschule

Grundstock: Bestand, Fonds, Fundus, Grundlage, Reserve, Rücklage

Grundstoff: Ausgangsmaterial, Ausgangsstoff, Grundmaterial, Rohmaterial, Rohstoff

Grundstück: Anwesen, Areal, Gelände, Grund, Grundbesitz, Immobilie, Land, Terrain

Gründung: Begründung, Grundlegung, Stiftung *Fundament

grundverkehrt: falsch, grundfalsch, fehlerhaft, irrig, unrichtig, unwahr, unzutreffend

grundverschieden: abweichend, different, divergent, ungleichmäßig, verschieden, verschiedenartig

Grundvorstellung: Gerüst, Grundgedanke, Grundidee, Grundmotiv, Hauptgedanke, Idee, Leitgedanke, Leitmotiv, Zeichen, roter Faden

Grüne: Atomkraftgegner, Naturfreunde, Naturschützer, Umweltschützer *Natur, Naturreich, Physis, Umwelt, Wald und Welt, Mutter Grün

grünen: keimen, prangen, sprießen, treiben, wachsen, grün werden

Grünkohl: Blattkohl, Braunkohl, Krauskohl, Winterkohl

Grünschnabel: Anfänger, Dummkopf, Einfaltspinsel, Gelbschnabel, Gimpel, Grünhorn, Grünling, Narr, Naseweis, Tor

Grünstreifen: Mittelstreifen, Rasenstreifen

Gruppe: Clan, Clique, Gang, Gemeinschaft, Gesellschaft, Haufen, Kollektiv, Korona, Kreis, Ring, Runde, Schar, Team, Zirkel *Block, Fraktion, Gruppierung, Lager, Sektion *Kaste, Klasse, Schicht, Stand *Kolonne, Pulk, Reihe, Truppe, Zug *Abteilung, Belegschaft, Einheit, Geschwader, Mannschaft, Verband

Gruppensprache: Berufssprache, Fachjargon, Fachsprache, Standessprache
gruppieren: anlegen, anordnen, arrangieren, aufbauen, aufstellen, gliedern, zusammensetzen, zusammenstellen *gliedern, ordnen
Gruppierung: Anordnung, Arrangement, Aufstellung, Gliederung, Zusammenstellung *Anlage, Anordnung, Aufbau, Bau, Durchgliederung, Durchorganisation, Einteilung, Fächerung, Gefüge, Gliederung, Ordnungsgefüge, Organisation, Rangordnung, Staffelung, Struktur, Strukturplan, Zusammensetzung
Gruselfilm: Horrorfilm, Psychothriller, Schocker, Thriller
gruselig: schauerlich, schauervoll, schaurig, unheimlich
gruseln (s.): s. ängstigen, s. entsetzen, s. grausen, schaudern, gruselig werden, Grauen empfinden, Furcht haben, Horror haben, eine Gänsehaut bekommen
Gruß: Ehrenbezeigung, Ehrenbezeugung, Salut, Verbeugung
grüßen: salutieren, s. verbeugen, s. verneigen, zulächeln, zunicken, guten Tag sagen, die Ehrenbezeigung erweisen, den Hut ziehen, den Hut lüften, seine Reverenz erweisen *Grüße senden, einen Gruß senden, Grüße übermitteln, einen Gruß übermitteln *willkommen heißen
gucken: äugeln, äugen, blicken, linsen, schauen, sehen, spähen *ansehen, ausmachen, bemerken, beobachten, entdecken, erblicken, erkennen, erspähen, finden, gewahren, schauen, sehen, sichten, unterscheiden, wahrnehmen, ansichtig werden, zu Gesicht bekommen
Guerilla: Partisan, Rebell, Untergrundkämpfer, Widerstandskämpfer
Guillotine: Fallbeil
Gülle: Jauche, Odel
Gully: Abfluss, Abwasserkanal, Senkloch, Sinkkasten
gültig: authentisch, beglaubigt, geltend, gesetzmäßig, unanfechtbar, unbestreitbar, unbezweifelbar, verbindlich, amtlich bescheinigt, behördlich bescheinigt
Gültigkeit: Geltung, Geltungsdauer, Laufzeit *Geltung, Verbindlichkeit *Gesetzeskraft, Rechtsgültigkeit, Rechtskraft, Rechtszustand
Gummi: Radierer, Radiergummi, Radierstift *Buna, Kautschuk *Kondom, Pariser, Präservativ, Verhütungsmittel
Gummiknüppel: Knüppel, Polizeiknüppel, Schlagstock
Gunst: Anteilnahme, Aufmerksamkeit, Freundlichkeit, Geneigtheit, Gewogenheit, Güte, Herzlichkeit, Liebe, Liebenswürdigkeit, Wohlwollen *Auszeichnung, Ehre, Gnade, Huld
günstig: billig, herabgesetzt *freundlich, gnädig, hold, huldvoll, optimistisch, positiv, wohlgesinnt, wohlmeinend, wohlwollend *angenehm, erfreulich, glücklich, gut *aussichtsreich, Erfolg versprechend, hoffnungsvoll, mit Aussicht (auf), mit Perspektive (auf), verheißungsvoll, viel versprechend, vorteilhaft, voller Möglichkeiten, voller Chancen
Günstling: Favorit, Liebling, Protegé
Günstlingswirtschaft: Cliquenwirtschaft, Vetternwirtschaft
Gurgel: Hals, Kehle
gurgeln: ausspülen, gluckern, den Mund spülen, den Hals spülen
gurren: girren, rucken, rucksen *anbändeln, balzen, flirten, girren, kokettieren, liebäugeln, liebeln, poussieren, schäkern, schöntun, tändeln, turteln
Gurt: Band, Gürtel, Koppel, Riemen
Gürtel: Gurt, Gürtelriemen, Hüftriemen, Koppel, Riemen *Bereich, Ring, Umgebung, Zone *Lebensbedingungen, Lebensumstände
Guss: Dusche, Platzregen, Regen, Regenguss, Regenschauer, Regenwetter, Schauer, Sturz, Unwetter, Wolkenbruch *Flut *Überzug
Gusto: Appetit, Esslust, Gefräßigkeit, Heißhunger, Hunger, Verlangen, Wunsch (auf) *Aroma, Geschmack, Würze
gut: aufbauend, effektiv, erfolgreich, ersprießlich, fruchtbar, gedeihlich, hilfreich, lohnend, nutzbringend, nützlich, positiv, sinnvoll, von Nutzen *entkrampft, entspannt, freundschaftlich, friedlich, natürlich *angenehm, einwandfrei, gedeihlich, positiv *heiter, klar, sommerlich, sonnig, strahlend, wolkenlos *deutlich,

klar, lesbar, leserlich, ordentlich, sauber *lustig, spaßig, unterhaltsam *abenteuerlich, ansehnlich, auffallend, auffällig, Aufsehen erregend, außergewöhnlich, außerordentlich, ausgefallen, beachtlich, bedeutend, bedeutsam, bedeutungsvoll, beeindruckend, beträchtlich, bewundernswert, bewundernswürdig, brillant, eindrucksvoll, einzigartig, enorm, entwaffnend, erstaunlich, fabelhaft, groß, großartig, hervorragend, imponierend, imposant, märchenhaft, nennenswert, ohnegleichen, sagenhaft, sensationell, sondergleichen, spektakulär, stattlich, überragend, überraschend, überwältigend, ungeläufig, ungewöhnlich, unvergleichlich, verblüffend *nahe stehend *angeheitert, aufgekratzt, ausgelassen, froh, frohgemut, munter, strahlend, übermütig, vergnüglich, vergnügt *anregend, erfindungsreich, geistreich, geistvoll, genial, ideenvoll, originell, spritzig, unterhaltsam, witzig *angenehm, positiv *einfach, leicht, schnell *hilfreich, nützlich, richtig, entsprechend passend *glaubhaft, glaubwürdig, treffend, überzeugend *gepflegt, geschont, gut erhalten, wohl erhalten *eifrig, fleißig, lernbegierig, lernwillig, strebsam, tüchtig, willig *anständig, brav, fair, fein, gebührend, gesittet, höflich, keusch, korrekt, lauter, manierlich, ordentlich, rechtschaffen, schicklich, sittlich, sittsam, solide, tugendhaft, unbescholten *achtbar, charaktervoll, ehrenhaft, ehrlich, gesellschaftsfähig, grundanständig, honorig, redlich, sauber, wohl erzogen, zuverlässig, von guter Gesinnung *ausgezeichnet, lobenswert, tadellos, vorbildlich, vortrefflich, vorzüglich, nicht schlecht, nicht übel *edel, gutartig, gutherzig, gütig, gutmütig, herzensgut, hilfsbereit, human, lieb, liebenswert, mitfühlend, nobel, selbstlos, uneigennützig, wertvoll *bestimmt, einverstanden, freilich, gewiss, ja, jawohl, jedenfalls, natürlich, selbstverständlich, sicher, auf jeden Fall *einwandfrei, essbar, frisch, genießbar, quellfrisch, trinkbar *fesselnd, interessant, spannend *gesund, rein, staubfrei *reich, reichlich, übermäßig, überreichlich, qualitativ hochwertig, quantitativ hochwertig *angenehm, positiv, willkommen *freundlich, herzlich, wohlgesinnt, wohlmeinend, wohlwollend *angenehm, erfreulich, glücklich, günstig, schön, vorteilhaft, willkommen, wohltuend *ausgebildet, fein, geschult, trainiert ***gut gehen:** blühen, florieren ***gut gehend:** blühend, erfolgreich, florierend, gut ***gut gelaunt:** aufgekratzt, aufgelegt, aufgeräumt, ausgelassen, froh, frohgemut, fröhlich, lustig, munter, übermütig, vergnügt, wohlgemut, bei guter Laune ***gut gemeint:** freundlich, freundschaftlich, ehrlich, wohlmeinend, wohlwollend, von Herzen kommend ***gut riechend:** duftend, wohl riechend ***gut gesinnt:** entgegenkommend, freundlich, liebenswürdig, nett, wohlgesinnt, wohlwollend ***gut tun:** gefallen, helfen, wohl tun, angenehm sein

Gut: Bauernhof, Domäne, Gutshof *Besitz, Vermögen

Gutachten: Begutachtung, Bewertung, Diagnose, Kritik, Stellungnahme, Zeugnis

Gutachter: Fachmann, Spezialist, der Sachverständige

gutartig: harmlos, heilbar, ungefährlich, unschädlich, unverfänglich, nicht ansteckbar *barmherzig, gnädig, gut, gutherzig, gütig, gutmütig, herzensgut, lindernd, mild, sanftmütig, warmherzig, weichherzig

Güte: Beschaffenheit, Bonität, Qualität, Wert *Anteilnahme, Aufgeschlossenheit, Aufmerksamkeit, Entgegenkommen, Freundlichkeit, Gütigkeit, Gutmütigkeit, Herzensgüte, Herzlichkeit, Hilfsbereitschaft, Innigkeit, Liebenswürdigkeit, Nächstenliebe, Selbstlosigkeit, Väterlichkeit, Wärme, Warmherzigkeit, Wohlwollen, Zuneigung, Zuwendung

gutgläubig: arglos, dumm, einfältig, kritiklos, leichtgläubig, naiv, treuherzig, vertrauensselig, zutraulich

Guthaben: Aktiva, Aktivposten, Erspartes, Haben, Positivsaldo, gespartes Geld

gutheißen: akzeptieren, annehmen, befürworten, bejahen, billigen, für angebracht erklären, für richtig erklären, für gut befinden

gütig: annehmlich, einnehmend, entgegenkommend, freundlich, freundschaftlich, gefällig, gut gelaunt, gut gemeint, heiter, herzlich, höflich, jovial, lieb, liebenswürdig, nett, sympathisch, väterlich, warm, wohlgesinnt, wohlmeinend, wohlwollend, zugetan, zuvorkommend *barmherzig, gnädig, gut, gutartig, gutherzig, gutmütig, herzensgut, lindernd, mild, sanftmütig, warm, warmherzig, weichherzig

Gütigkeit: Anteilnahme, Aufgeschlossenheit, Aufmerksamkeit, Entgegenkommen, Freundlichkeit, Güte, Gutmütigkeit, Herzensgüte, Herzlichkeit, Hilfsbereitschaft, Innigkeit, Liebenswürdigkeit, Nächstenliebe, Selbstlosigkeit, Väterlichkeit, Wärme, Warmherzigkeit, Wohlwollen, Zuneigung, Zuwendung

gütlich: einvernehmlich, friedlich, ohne Streit, ohne Zank, mit Kompromissen

gutmachen: abfinden, entgelten, entschädigen, rückvergüten, wettmachen *bereinigen, klären, klarstellen, richtig stellen, wieder gutmachen

gutnachbarlich: entgegenkommend, freundschaftlich, hilfsbereit

Gutschein: Bon, Gutschrift, Wertmarke

gutschreiben: anrechnen, aufschreiben

gutwillig: bereit, gefügig, geneigt, gesonnen, gewillt, willens, willfährig, willig *freiwillig, aus sich heraus, ohne Aufforderung, ohne Druck, ohne Zwang, von selber, von selbst

Gymnastik: Entspannungsübung, Freiübungen, Körpertraining, Lockerungsübungen, gymnastische Übungen

Gynäkologe: Frauenarzt

H

Haar: Haare, Haarschopf, Locken, Loden, Mähne, Strähnen, Wolle *Haarteil, Perücke, Toupet *Kräuselhaar, Kraushaar, Krollhaar, Naturkrause, Naturlocken, Negerkopf, Negerkrause, Wuschelhaar, Wuschelkopf *Borste
Haarausfall: Glatzenbildung, Haarschwund, Kreishaarschwund
Haaresbreite (um): bald, beinahe, fast, halb, ganz wenig, kaum, knapp, nahezu, praktisch, schier, um ein Haar, so gut wie, gerade noch
Haargefäß: Haarröhrchen, Kapillare
haarig: bärtig, behaart, borstig, stoppelig, struppig *bedenklich, Besorgnis erregend, delikat, gefährlich, heikel, kritisch, problematisch, unangenehm, verfänglich, nicht geheuer
haarklein: akkurat, bestimmt, deutlich, eindeutig, exakt, fein, genau, gerade, haargenau, haarscharf, klar, prägnant, präzise, scharf, aufs Haar
Haarknoten: Dutt, Kauz, Knoten, Nest
Haarkünstler: Coiffeur, Friseur, Perückenmacher
Haarlocke: Damenwinker, Herrenwinker, Korkenzieherlocke, Locke, Schmachtlocke, Stirnlocke
haarlos: glatzköpfig, kahl, kahlköpfig, ohne Haare
haarscharf: akkurat, bestimmt, deutlich, eindeutig, exakt, fein, genau, gerade, haargenau, haarklein, klar, prägnant, präzise, scharf, aufs Haar
Haarschleife: Schleife, Zopfband
Haarschnitt: Frisur, Haarputz, Haartracht
Haarschopf: Haare, Locke, Locken, Mähne, Schopf, Strähnen, Tolle, Wolle
Haarspalter: Sophist, Rabulist, Wortklauber, Wortverdreher *Bürokrat, Federfuchser, Kleinigkeitskrämer, Krämerseele, Pedant, Prinzipienreiter, Schreiberseele, Schulmeister, Wortklauber
Haarspalterei: Kleinlichkeit, Sophistik, Spitzfindigkeit
haarspalterisch: kleinlich, sophistisch, spitzfindig
haarsträubend: allerhand, beispiellos, bodenlos, empörend, hanebüchen, himmelschreiend, skandalös, unbeschreiblich, unerhört, unfassbar, ungeheuerlich, unglaublich, noch nicht da gewesen
Haartrockner: Föhn, Föhnapparat, Haartrockengerät
Haarwäsche: Kopfwäsche
Haarwaschmittel: Shampoo, Shampoon
Haarwechsel: Häutung, Schuppung *Federwechsel, Mauser
Haarzopf: Flechte, Haarflechte, Pferdeschwanz, Schwänzchen, Zopf
Habe: Besitz, Besitztum, Eigentum, Habschaft, Habseligkeiten, Hab und Gut
haben: besitzen, gehören, innehaben, in Besitz haben, sein eigen nennen, gebieten (über), disponieren (über), sein Eigentum nennen, verfügen (über) ***s. haben:** s. ängstigen, s. schämen, s. zieren, s. zurückhalten *s. aufregen, s. echauffieren, s. erregen ***zu haben:** käuflich sein, vorrätig sein *ledig, unverheiratet *erwerbbar, käuflich, zu kaufen
Haben: Guthaben, Plus
Habenichts: Armer, Bedürftiger, Besitzloser, Clochard, Mittelloser
Habgier: Besitzgier, Geiz, Geldgier, Gewinnsucht, Gier, Habsucht, Raffgier, Raffsucht
habgierig: geizig, geldgierig, gewinnsüchtig, gierig, habsüchtig, materialistisch, materiell, raffgierig, raffig, raffsüchtig, auf Gewinn bedacht
Habgieriger: Geizhals, Raffer, Raffke, Raffzahn
habilitieren (s.): die Lehrberechtigung erlangen, die Lehrberechtigung erwerben, die Venia Legendi erlangen
Habitus: Anblick, Ansehen, Aussehen, Erscheinung, Erscheinungsbild, Typ, das Äußere, der äußere Eindruck *Attitüde, Haltung, Pose, Positur, Stellung

Habseligkeit: Besitz, Eigentum, Habe, Vorrat
Hacke: Absatz *Ferse *Feldhacke, Gartenhacke, Haue, Spitzhacke
hacken: zerhacken, zerhauen, zerkleinern, zerstückeln, klein hacken *teilen, zerstückeln
Hacker: Computereindringling
Häcker: Weinbergsarbeiter, Winzer
Hackfleisch: Gehacktes, Hackepeter, Mett, Tatar
Hackklotz: Hackstock, Haublock, Haublotz, Holzklotz
Hader: Differenzen, Entzweiung, Knatsch, Knies, Polemik, Reiberei, Streit, Streiterei, Streitigkeiten, Stunk, Unfrieden, Unzuträglichkeit, Zerwürfnis, Zoff, Zwietracht, Zwist, Zwistigkeit, Streit um des Kaisers Bart *Generationskonflikt, Geschwisterkonflikt, Streit *Explosion, Gezänk, Gezanke, Händel, Handgemenge, Handgreiflichkeit, Krach, Krawall, Saalschlacht, Tätlichkeit, Zank, Zankerei, Zusammenstoß *Auseinandersetzung, Disput, Kontroverse, Wortgefecht, Wortstreit, Wortwechsel *Konflikt, Spannungen, kalter Krieg *Kompetenzkonflikt, Kompetenzstreitigkeit
hadern: grollen, unzufrieden sein, verbittert sein, vergrämt sein, verhärmt sein
hadersüchtig: streitbar, streitsüchtig, zänkisch
Hades: Geisterwelt, Hölle, Schattenreich, Schattenwelt, Totenreich, Unterwelt
Hafen: Port, Seehafen, Überseehafen, Welthafen *Binnenhafen *Hafenbecken *Kochtopf *Nachtgeschirr, Nachttopf *Bund, Ehe, Eheband, Ehebund, Ehebündnis, Ehehafen, Eheschließung, Ehestand, Heirat, Hochzeit, Lebensgemeinschaft, Partie, Trauung, Verbindung, Verheiratung, Vermählung, Zweisamkeit, Bund fürs Leben, ewiger Bund, eingetragene Lebenspartnerschaft
Hafenarbeiter: Dockarbeiter, Docker, Schauer, Schauermann, Schiffsarbeiter
Hafendamm: Bollwerk, Damm, Hafenmauer, Kai, Kaimauer, Mole, Pier
Haft: Arrest, Freiheitsentzug, Freiheitsstrafe, Gefangenschaft, Gewahrsam, Verwahrsam, Verwahrung *Arrest, Schutzhaft, Sicherungsverwahrung *Hausarrest, Isolierung
Haftanstalt: Gefängnis, Strafvollzugsanstalt
haftbar: ersatzpflichtig, haftpflichtig, schadenersatzpflichtig, verantwortlich
Haftbarkeit: Haftung, Verantwortung
haften: aufkommen (für), einstehen, geradestehen, die Kosten tragen (für) *kleben, festkleben, festhängen, festsitzen, halten *bürgen, garantieren, s. verbriefen, s. verpflichten, Garantie leisten, Garantie übernehmen *verantworten
***haften bleiben:** festsitzen, feststecken, häkeln, haken, hängen bleiben, stecken bleiben *festsitzen, feststecken, stecken bleiben
Häftling: Sträfling, der Inhaftierte, der Gefangene, der Strafgefangene, der Insasse
haftpflichtig: haftbar, verantwortlich, zuständig *ersatzpflichtig, haftbar, schadenersatzpflichtig, verantwortlich
Haftschale: Haftglas, Kontaktglas, Kontaktlinse, Kontaktschale
Haftung: Haftbarkeit, Verantwortlichkeit, Verantwortung
Hagelkorn: Eiskorn, Eiskristall, Graupel, Hagelschloße, Schloße
hageln: graupeln, kieseln, schauern, schloßen *einschlagen, einstürmen, einwirken, s. häufen, niedergehen, niederprasseln
Hagelwetter: Hagelschauer, Hagelschlag
hager: abgemagert, abgezehrt, ausgehungert, ausgemagert, dünn, dürr, eingefallen, feingliedrig, geschwächt, knochig, krank, mager, rank, schlank, schmächtig, schmal, zart, zerbrechlich
Hahn: Gickel, Gockel *Kapaun, Kapphahn *Drossel, Drosselventil
Hain: Gehölz, Hag, Horst, Tann, Wäldchen
Häkelei: Streit *Andeutung, Anspielung, Anzüglichkeit, Gestichel, Hieb, Stichelei *Häkelarbeit
Haken: Heftel, Krampe *Fensterhaken, Haspe, Türhaken *Spange *Bügel, Kleiderhaken *Hauptfrage, Kernfrage, Klippe, Komplexität, Kompliziertheit, Problem, Problematik, Schwierigkeit,

Streitfrage, Streitgegenstand, Verwicklung, schwierige Frage, strittiger Punkt, schwieriger Punkt, ungelöste Aufgabe *Angelhaken *Hieb, Klaps, Puff, Schlag, Stoß, Streich *Grandel
halb: zweigeteilt, zur Hälfte *bald, beinahe, fast, kaum, knapp, nahezu, praktisch, schier, um Haaresbreite, um ein Haar, so gut wie, gerade noch *unvollständig *halbwegs ***halb tot:** abgehetzt, abgekämpft, abgeschlafft, abgewirtschaftet, ausgelaugt, entkräftet, entnervt, erschlagen, erschöpft, gerädert, geschafft, groggy, kaputt, schachmatt, schlaff, schlapp, überanstrengt, überfordert, überlastet, verbraucht, zerschlagen, k. o., am Ende ***halb wach:** im Dämmerzustand
halbamtlich: offiziös, halboffiziös, halboffiziell, inoffiziell, nicht verbürgt
Halbblut: Bastard, Mischling
Halbdunkel: Abenddämmerung, Halbdämmer, Halblicht, Morgendämmerung, Schatten, Schattenlicht, Zwielicht
halb fertig: abgebrochen, lückenhaft, mangelhaft, minderwertig, unabgeschlossen, unbeendet, unfertig, ungenügend, unvollendet, unvollständig, fast fertig
halbieren: durchschneiden, zweiteilen, brüderlich teilen, in zwei Hälften zerlegen, in zwei Hälften trennen, in zwei Hälften teilen, in zwei Hälften schneiden
Halbierung: Spaltung, Teilung, Trennung
halblaut: flüsternd, gedämpft, leise, im Flüsterton, kaum vernehmlich, kaum vernehmbar, kaum hörbar, nicht laut
Halbschlaf: Dämmerschlaf, Dämmerzustand, Dusel, Halbschlummer, Schlummer
halbseiden: anrüchig, zwielichtig *homosexuell
Halbstarker: Bursche, Halbwüchsiger, Radaubruder, Randalierer, Rocker, Rowdy
halbwegs: annähernd, einigermaßen, hinlänglich, leidlich, passabel, ungefähr, ziemlich, in etwa *akzeptabel, annehmbar, brauchbar, dienlich, ertragbar, erträglich, genießbar, hinlänglich, leidlich, mittelmäßig, passabel, tauglich, tragbar, vertretbar, einigermaßen zufriedenstellend, einigermaßen befriedigend, den Verhältnissen entsprechend
Halbzeit: Pause, Ruhepause, Spielunterbrechung, Unterbrechung, Verschnaufpause
Halde: Abhang, Absturz, Berg, Bergabhang, Bergabsturz, Berghang, Bergwand, Böschung, Gefälle, Hang, Lehne, Steilhang, Talhang *Schutthalte, Müllhalde
Hälfte: Anteil, fifty-fifty, halbe-halbe, das Halbe, halbe Portion, halbe Ration, halber Teil, halbes Teil, halbes Stück *Halbzeit, Pause, Spielunterbrechung
Halle: Arbeitsraum, Fabrikhalle, Werkhalle, Werkstatt *Festsaal, Saal *Foyer, Hotelhalle, Hotelvorraum *Eingang, Entree, Foyer, Vorhalle
hallen: dröhnen, gellen, schallen, weithin tönen
Hallodri: Leichtfuß, Lotterbube, Luftikus, Windbeutel, Windhund, Bruder Leichtsinn, Bruder Leichtfuß, unruhiger Geist, leichter Vogel, loser Vogel, lockerer Vogel, windiger Bursche
Halluzination: Abstraktion, Auswüchse, Bild, Chimäre, Einbildung, Einbildungskraft, Erdichtung, Fiktion, Gaukelei, Gaukelspiel, Gaukelwerk, Gesicht, Hirngespinst, Illusion, Imagination, Irrealität, Luftschloss, Phantasie, Phantasmagorie, Phantom, Schimäre, Seifenblase, Sinnestäuschung, Spekulation, Täuschung, Theorie, Trugbild, Unwirklichkeit, Utopie, Vision, Vorstellung, Vorstellungsvermögen, Vorstellungskraft, Wahn, Wolkenkuckucksheim, Wunschtraum, Ausgeburt der Phantasie, Fata Morgana, leerer Dunst
Halm: Rohr, Schaft, Stängel, Stiel
Hals: Gurgel, Kehle, Kragen, Nacken *Rachen, Rachenhöhle, Schlund
Halsabschneider: Ausbeuter, Betrüger, Blutsauger, Gangster, Gauner, Profitmacher, Schuft, Schurke, Wucherer
halsbrecherisch: abenteuerlich, heikel, lebensgefährlich, riskant, tollkühn, verwegen, waghalsig
Halsschmerzen: Halsentzündung, Schluckbeschwerden
halsstarrig: aufmüpfig, aufsässig, bock-

beinig, bockig, dickköpfig, dickschädelig, eigensinnig, eisern, fest, finster, hartgesotten, kompromisslos, kratzbürstig, rechthaberisch, starrköpfig, starrsinnig, steifnackig, störrisch, stur, trotzig, unaufgeschlossen, unbelehrbar, unbequem, unbotmäßig, unerbittlich, unfolgsam, ungehorsam, unnachgiebig, unversöhnlich, unzugänglich, verbohrt, verschlossen, verständnislos, verstockt, widerborstig, widersetzlich, widerspenstig, zugeknöpft
Halsstarrigkeit: Aufsässigkeit, Bockigkeit, Dickköpfigkeit, Dickschädeligkeit, Eigensinn, Eigensinnigkeit, Rechthaberei, Starrsinn, Trotz, Unbotmäßigkeit, Unnachgiebigkeit, Widersetzlichkeit, Widerspenstigkeit
halt!: aufhören!, genug!, Schluss!, stopp!
Halt: Aufenthalt, Pause, Rast, Stillstand, Stockung, Unterbrechung, das Anhalten *Beistand, Hilfe, Rückhalt, Stütze *Bahnhof, Haltepunkt, Haltestelle, Station ***Halt machen:** abstellen, abstoppen, anhalten, ausruhen, aussetzen, bleiben, bremsen, einhalten, innehalten, s. niederlassen, rasten, stehen bleiben, stocken, Atem schöpfen
haltbar: unverderblich, unverweslich *beständig, dauerhaft, fest, langlebig, massiv, resistent, solid, stabil, unverwüstlich, widerstandsfähig *bestrahlt, keimfrei gemacht
Haltbarkeit: Beständigkeit, Dauerhaftigkeit, Lebensdauer, Strapazierfähigkeit, Unvergänglichkeit, Unverwüstlichkeit
halten: festhalten, nicht loslassen *beibehalten, bewahren, nicht abgehen (von), bleiben (bei), nicht verändern *abhalten, durchführen, geben, veranstalten, stattfinden lassen *dabehalten, zurückhalten, nicht hergeben, nicht fortlassen *abstellen, abstoppen, anhalten, ausruhen, aussetzen, bleiben, bremsen, einhalten, Halt machen, innehalten, s. niederlassen, rasten, stehen bleiben, stocken, Atem schöpfen *beziehen, unterhalten, abonniert haben, angeschafft haben, angestellt haben *einhalten, einbehalten *stehen, stehen bleiben *festsitzen, haften bleiben *s. ausruhen, pausieren, schlafen *fest bleiben, starr bleiben, stabil bleiben *weiterexistieren, weiterleben *blühen, weiterblühen, s. halten *geradeaus fahren, nicht abweichen *beibehalten *s. bestätigen, s. bewahrheiten *decken, fördern, protegieren, unterstützen ***s. halten:** aufnehmen, beaufsichtigen, haben *dauern, haltbar sein, genießbar bleiben *s. verhalten *s. behaupten ***s. an etwas halten:** befolgen, beherzigen, einhalten, s. fügen, gehorchen, handeln (nach), s. richten (nach), Folge leisten ***an sich halten:** s. bändigen, s. beherrschen, s. bezähmen, s. bezwingen, s. mäßigen, s. überwinden, s. zügeln, s. zurückhalten, s. zusammennehmen, Ruhe bewahren, ruhig bleiben ***den Mund halten:** s. beherrschen, dichthalten, geheim halten, schweigen, stillschweigen, verheimlichen, verschweigen, s. zurückhalten, nichts sagen, ruhig sein, still sein, unerwähnt lassen
Halter: Bügel, Griff, Henkel, Stiel *Besitzer, Eigentümer, Eigner, Inhaber *Hirt, Hüter
Haltesignal: Haltezeichen, Signal, Stoppzeichen, Verkehrsschild
Haltestelle: Busbahnhof, Bushaltestelle, Eisenbahnhaltestelle, Endhaltestelle, Endstation, Haltepunkt, Station, Terminal
haltlos: labil, nachgiebig, rückgratlos, verführbar, willenlos, willensschwach, ohne jeden Halt, ohne Rückgrat, kein Rückgrat haben *charakterlos, ehrlos, ehrvergessen, nichtswürdig, verächtlich, würdelos *erfunden, gegenstandslos, grundlos, hinfällig, unbegründet, unmotiviert, aus der Luft gegriffen
Haltung: Attitüde, Habitus, Körperhaltung, Pose, Positur, Stellung *Denkweise, Einstellung, Ethos, Gesamthaltung, Gesinnung, Grundhaltung, Parteilichkeit, Sinnesart, Stellungnahme *Anstand, Anstandsregeln, Art, Aufführung, Auftreten, Benehmen, Benimm, Betragen, Erziehung, Etikette, Form, Gehabe, Kinderstube, Lebensart, Manieren, Schliff, Sitte, Umgangsformen, Verhalten *Beherrschung
Halunke: Bandit, Filou, Gangster, Ga-

nove, Gauner, Lump, Preller, Scharlatan, Schurke, Schwindler, Spitzbube, Strolch, Übeltäter
hämisch: bösartig, boshaft, gehässig, hinterhältig, höhnisch, schadenfroh, spöttisch, übel gesinnt, verschlagen
Hammer: Fäustel, Klopfer, Schlägel
hämmern: klopfen, pochen, schlagen, trommeln
Hampelmann: Blindgänger, Niete, Schwächling, Versager, Weichling
hampeln: strampeln, zappeln, nicht stillsitzen, hin und her wippen
hamstern: ansammeln, anhäufen, horten, sammeln, speichern
Hand: Flosse, Gliedmaße, Klaue, Patsche, Pfote, Pranke, Pratze, Tatze
Handarbeit: von Hand gemacht *Qualität, Qualitätsarbeit, Qualitätsware
handarbeiten: eine Handarbeit machen
Handbewegung: Bewegung, Griff, Handgriff
Handbuch: Nachschlagewerk, Ratgeber, Verzeichnis *Abriss, Kompendium, Lehrbuch, Lehrgang, Leitfaden, Nachschlagewerk, Schulbuch
Händeklatschen: Akklamation, Applaus, Beifall, Beifallsäußerung, Beifallsbezeugung, Beifallsdonner, Beifallskundgebung, Beifallsorkan, Beifallssturm, Huldigung, Jubel, Ovation, das Klatschen
Handel: Geschäftsbeziehungen, Güteraustausch, Güterverkehr, Handelsbeziehungen, Warenaustausch, Warenverkehr, Wirtschaftsbeziehungen *Binnenhandel *Außenhandel, Welthandel *Einzelhandel *Großhandel *Transithandel *Vertrag *Geschäft
Händel: Auseinandersetzung, Differenzen, Gezänk, Hader, Hakelei, Konflikt, Kontroverse, Querelen, Reiberei, Reibung, Streit, Streiterei, Streitigkeit, Stunk, Wortgefecht, Zank, Zerwürfnis, Zwist, Zwistigkeit
handeln: feilhalten, Geschäfte machen, Handel treiben, kaufen und verkaufen *feilschen, herunterhandeln, schachern, schieben, den Preis drücken *agieren, operieren, tun, verfahren, vorgehen, wirken, Initiative ergreifen, Initiative entwickeln, tätig sein, zur Tat schreiten *austauschen, einhandeln, eintauschen, umtauschen, wechseln, einen Tausch machen, tauschen, Tauschgeschäfte machen *agiotieren, spekulieren, Geschäfte machen, Spekulationen betreiben, Wertpapiere einkaufen, Wertpapiere verkaufen *hökern, schachern, schieben, verhökern, verkaufen, Handel treiben *anbieten, hausieren ***s. handeln (um):** die Rede sein (von), s. drehen (um), gehen (um)
handelseinig: einig, fertig, handelseins, übereingekommen
Handelsgehilfe: Gehilfe, Geselle, Verkäufer *Gehilfin, Gesellin, Verkäuferin
Handelsklasse: Güte, Güteklasse, Qualität
Handelsverkehr: Geschäftsbeziehung, Geschäftsverbindung, Geschäftsverkehr, Güterverkehr
Handelsvertreter: Agent, Drücker, Generalagent, Generalvertreter, Handlungsreisender, Klinkenputzer, Reisender, Reisevertreter, Vertreter
händeringend: jammernd, lamentierend, verzweifelt, wehklagend, in größter Not
Handfeger: Bürste, Handbesen, Kehrbesen, Mopp
handfest: anschaulich, augenfällig, bestechend, deutlich, eindeutig, exakt, genau, klar, überzeugend, unmissverständlich, unwiderlegbar, unzweifelhaft *derb, hart, kernig, kräftig, kraftvoll, markig, rau, robust, rüstig, standfest, unempfindlich, widerstandsfähig
Handgeld: Anzahlung, Aufgeld, Draufgabe, Draufgeld, Handlohn, Zuwendung
Handgemenge: Rauferei, Schlägerei
handgreiflich: aggressiv, gewalttätig, tätlich *deutlich
Handhabe: Angriffspunkt, Anlass, Beweggrund, Beweisgrund, Grundlage, Möglichkeit, Motiv, Ursache, Veranlassung, Mittel und Wege *Benutzung, Gebrauch, Handhabung
handhaben: ausüben, besorgen, betreiben, hantieren, machen, tun, verfahren (mit), verrichten
Handhabung: Bedienung, Behandlungsweise, Manipulation, Manöver, Operation, Prozedur, Technik, Verfahrensweise

Handicap: Behinderung, Hemmschuh, Hindernis
Handlanger: Handreicher, Helfer, Hilfsarbeiter, Zuarbeiter *Komplize, der Mitschuldige
Händler: Ankäufer, Aufkäufer *Einzelhandelskaufmann, Einzelhändler, Geschäftsmann *Großhändler *Bootlegger, Schmuggler *Dealer, Jobber, Pusher *Hausierer, Marktschreier, Straßenhändler, Trödler, fliegender Händler, billiger Jakob *Schieber, Schleichhändler, Schwarzhändler
Handlesekunst: Chirognomie, Chirologie, Chiromantie
handlich: brauchbar, dienlich, griffig, handgerecht, nützlich, praktisch, tauglich, zweckgemäß, zweckmäßig, bequem benutzbar, leicht benutzbar, gut zu handhaben, gut zu gebrauchen *klein, transportabel, nicht zu groß
Handlung: Akt, Handlungsweise, Tat, Tun, Verhalten, Vorgang *Geschäft *Ablauf, Fabel, Geschehen
handlungsfähig: aktionsfähig, einsatzfähig
handlungsunfähig: aktionsunfähig, down, matt, unten *patt, zugunfähig
Handlungsweise: Handeln, Tun, Verfahrensweise, Vorgehensweise
Handschlag: Händedruck, Shakehands, das Händeschütteln
Handschrift: Klaue, Pfote, Schmiererei, Schreibart, Schreibweise, Schrift *Kodex, Papyrus, Pergament, Schriftrolle *Ausdrucksweise
handschriftlich: handgeschrieben, mit der Hand geschrieben
Handschuh: Fingerhandschuh, Fingerling *Fäustel, Fausthandschuh, Fäustling
Handstreich: Angriff, Anschlag, Attacke, Gewaltstreich, Offensive, Überrumpelung
Handtuch: Frotteetuch, Leinentuch
Handwagen: Leiterwagen, Wagen, Ziehwagen
handwarm: lau, lauwarm, lind, mild, überschlagen, leicht temperiert, mäßig warm
Handwerk: Arbeit, Ausübung, Beschäftigung, Betätigung, Funktion, Geschäft, Gewerbe, Handeln, Hantierung, Tätigkeit, Tun, Verrichtung
Handwerker: Geselle *Lehrling *Meister
handwerklich: handwerksmäßig, kunstgerecht, werkgerecht, werkmäßig, zünftig
Handwerkszeug: Hilfsmittel, Rüstzeug, Werkzeug
Handy: Fotohandy, Mobiltelefon
Handzeichnung: Aquarell, Bild, Graphik, Karikatur, Muster, Radierung, Skizze, Zeichnung
Handzettel: Flugblatt, Flugschrift, Flyer, Prospekt, Reklamezettel, Werbezettel
hanebüchen: allerhand, allerlei, beispiellos, bodenlos, empörend, haarsträubend, himmelschreiend, skandalös, unbeschreiblich, unerhört, unfassbar, ungeheuerlich, unglaublich, noch nicht da gewesen
Hang: Abfall, Abhang, Abschüssigkeit, Böschung, Gefälle, Lehne, Schräge, Steile *Disposition, Faible, Interesse, Neigung, Schwäche, Sehnsucht, Sympathie, Talent, Vorliebe *Abfahrtsstrecke, Hangabfahrt
hängen: bammeln, baumeln, pendeln, schweben *anbringen, aufhängen, aufstecken, aufziehen, befestigen, festmachen, hinhängen ***s. hängen:** s. erhängen *anrufen, telefonieren *s. aufdrängen ***hängen (an):** lieben *s. verlieben *nachjagen, verfolgen ***hängen bleiben:** festsitzen, feststecken, haften bleiben, häkeln, haken, stecken bleiben *s. festtreten, versacken, versumpfen, zu lange bleiben *behalten *durchfallen, nicht schaffen ***hängen lassen:** entspannen, pendeln lassen, baumeln lassen *dalassen, vergessen mitzunehmen *hinausschieben, hinausziehen, hinauszögern, retardieren, verlangsamen, auf die lange Bank schieben, anstehen lassen ***s. hängen lassen:** s. aufgeben, s. gehen lassen, s. nicht zusammennehmen, s. nicht zusammenreißen, mutlos sein, energielos sein, niedergeschlagen sein, deprimiert sein
Hänger: Anhänger, Caravan, Wohnanhänger, Wohnwagen *Anhänger, Bootsanhänger *Müdigkeit
Hansdampf: Draufgänger, Haudegen, Held, Kämpfer, Tausendsassa

hänseln: ärgern, aufziehen, ausspotten, foppen, hochnehmen, höhnen, necken, spötteln, spotten, witzeln
Hanswurst: Dummkopf, Tollpatsch, Tölpel *Spaßmacher, Spaßvogel
hantieren: arbeiten, fuhrwerken, herumfuhrwerken, herumhantieren, herumwirtschaften, wirtschaften
hapern: abgehen, benötigen, brauchen, ermangeln, fehlen, mangeln, vermissen, knapp sein, nicht genug haben
Happen: Bissen, Brocken, Stückchen *Imbiss, Snack, Stärkung, kleine Mahlzeit
Happening: Aktion, Ereignis, Fest, Kunstveranstaltung, Schau, Spektakel, Überraschung, Veranstaltung
happig: geharnischt, gepfeffert, gesalzen, horrend, überhöht, übertrieben, zu hoch, zu teuer
Happyend: glückliches Ende, guter Schluss, glücklicher Abschluss
Häresie: Ketzerei
Häretiker: Abtrünniger, Abweichler, Irrgläubiger, Ketzer, Schismatiker, Sektierer
häretisch: heterodox, irrgläubig, ketzerisch
Harke: Forke, Rechen
härmen (s.): s. ängstigen (um), bangen, s. sorgen
harmlos: artig, brav, folgsam, fügsam *gefahrlos, ungefährlich *gutartig, heilbar, ungefährlich, unschädlich, unverfänglich, nicht ansteckend *ahnungslos, arglos, bieder, einfach, einfältig, friedlich, gutgläubig, kritiklos, leichtgläubig, naiv, offenherzig, simpel, treuherzig, unbedarft, undifferenziert, unkritisch, unschuldig, vertrauensselig, zutraulich, ohne Argwohn *anständig, astrein, salonfähig *leicht, schwach, ungefährlich *anspruchsvoll, bescheiden, einfach, gelassen, schlicht, zurückhaltend *eindeutig
Harmlosigkeit: Bekömmlichkeit, Unschädlichkeit, Verträglichkeit, Zuträglichkeit *Arglosigkeit, Einfalt, Einfältigkeit, Gutgläubigkeit, Kinderglaube, Kritiklosigkeit, Leichtgläubigkeit, Naivität, Treuherzigkeit, Unbedarftheit, Unverfänglichkeit, Vertrauensseligkeit
Harmonie: Ausgeglichenheit, Ausgewogenheit, Gleichmaß, Wohlklang, Zusammenklang *Brüderlichkeit, Einheit, Einhelligkeit, Einigkeit, Einklang, Eintracht, Einvernehmen, Einverständnis, Friede, Gleichgesinntheit, Gleichheit, Zufriedenheit, gegenseitige Anerkennung, gegenseitige Bejahung, gegenseitige Zustimmung
harmonieren: passen, s. schätzen, übereinstimmen, s. verstehen, s. vertragen, zusammenpassen, zusammenstimmen, einander ergänzen, in Einklang stehen, in Frieden leben, einig leben, einträchtig leben, harmonisch leben *wohltönen, zusammenstimmen, gut klingen
harmonisch: abgestimmt, abgewogen, ausgeglichen, ausgewogen, ebenmäßig, gleichmäßig, passend, symmetrisch, wohlproportioniert, zusammenpassend, im Gleichgewicht, im richtigen Verhältnis *abgewogen, melodisch, stimmig, wohlklingend, wohllautend, wohltönend, zusammenstimmend *abgeklärt, abgestimmt, ausgeglichen, brüderlich, einträchtig, friedfertig, friedlich, mit sich ausgesöhnt, mit sich im Frieden, mit sich im Reinen
harmonisieren: anpassen, koordinieren (mit), vereinheitlichen, aufeinander abstimmen, in Einklang bringen, einander annähern
Harn: Urin, Wasser
harnen: pinkeln, urinieren, Wasser lassen, Harn lassen, Urin lassen, zur Toilette gehen, seine Notdurft verrichten
Harnisch: Eisenpanzer, Eisenrüstung, Kürass, Panzer, Rüstung
Harpune: Wurfspeer
harren: hoffen (auf), warten (auf)
hart: erstarrt, fest, kristallin, kristallisiert, starr, steif *altbacken, ausgedörrt, ausgetrocknet, trocken *heftig, kräftig, scharf, stark *betrüblich, bitter, schmerzlich, schwer, traurig *eisenhart, felsenhart, fest, glashart, kernhaft, kernig, knochenhart, stählern, stahlhart, steif, steinern, steinhart, wie ein Fels *böse, brutal, eisig, gefühllos, gnadenlos, grausam, grob, hartherzig, herzlos, kalt, lieblos, mitleidslos, rigoros, rücksichtslos,

schonungslos, streng, unbarmherzig, unerbittlich, ungerührt, unnachgiebig, unnachsichtig, unsanft, unzugänglich, keinen Bitten zugänglich, nicht zu erweichen, ohne Erbarmen, ohne Mitleid, ohne Rücksicht, ohne Rücksichtnahme, vor nichts zurückschreckend *barsch, deftig, derb, drastisch, grob, grobschlächtig, rau, rücksichtslos, rüde, unanständig, unfein, ungehobelt, ungeschliffen, vulgär *schwierig, unlösbar, kaum lösbar
Härte: Festigkeit, Robustheit, Stabilität, Unverwüstlichkeit, Widerstandsfähigkeit, Zähigkeit *Anstrengung, Gewalt, Schärfe *Benachteiligung, Ungerechtigkeit, Vernachlässigung, Zurücksetzung *Brutalität, Gefühlskälte, Grausamkeit, Grobheit, Hartherzigkeit, Kälte, Kompromisslosigkeit, Lieblosigkeit, Mitleidlosigkeit, Rücksichtslosigkeit, Schonungslosigkeit, Strenge, Unbarmherzigkeit, Unerbittlichkeit, Ungerührtheit, Unnachgiebigkeit, Unnachsichtigkeit, Unzugänglichkeit, Verhärtung *Druck, Gewalt, Kraft, Stärke, Vehemenz, Wucht, Wuchtigkeit
härten: erhärten, festigen, stählen, hart werden, hart machen
Hartgeld: Geldstück, Geldstücke, Kleingeld, Metallgeld, Münze, Münzen
hartgesotten: reuelos, unbußfertig, uneinsichtig, unverbesserlich *gefühllos
hartherzig: abgestumpft, barbarisch, brutal, eisig, erbarmungslos, fest, gefühllos, gefühlsarm, gefühlskalt, gemütsarm, gleichgültig, gnadenlos, grausam, hart, herzlos, inhuman, kaltblütig, kompromisslos, lieblos, mitleidlos, roh, schonungslos, seelenlos, streng, unbarmherzig, ungesittet, unmenschlich, unnachgiebig, unnachsichtig, unsozial, unzugänglich, verroht *abgebrüht, abgestumpft, barbarisch, brutal, erbarmungslos, gefühllos, gefühlsarm, gefühlskalt, gemütsarm, gleichgültig, gnadenlos, grausam, herzlos, inhuman, kaltblütig, lieblos, mitleidlos, roh, schonungslos, seelenlos, unbarmherzig, ungesittet, unmenschlich, unsozial, unzugänglich, verroht, ohne Mitgefühl
Hartherzigkeit: Härte, Humorlosigkeit, Strenge *Abgebrühtheit, Abstumpfung, Brutalität, Gefühllosigkeit, Gefühlskälte, Gefühlsmangel, Härte, Herzensverhärtung, Herzlosigkeit, Lieblosigkeit, Mitleidlosigkeit, Rohheit, Schonungslosigkeit, Taktlosigkeit, Unbarmherzigkeit, Unmenschlichkeit
hartnäckig: dickköpfig, eigensinnig, halsstarrig, rechthaberisch, starr, störrisch, stur, unnachgiebig, verstockt *beharrlich, unbeirrbar, unbeirrt, unentwegt, unerschütterlich, unverbrüchlich
Hartnäckigkeit: Dickköpfigkeit, Eigensinn, Halsstarrigkeit, Rechthaberei, Starrheit, Sturheit, Unnachgiebigkeit *Beharrlichkeit, Unbeirrbarkeit, Unerschütterlichkeit
Hasardeur: Glücksspieler, Hasardspieler *Abenteurer, Waghals
haschen: ergreifen, fangen, fassen, packen, schnappen
Häscher: Scherge, Verfolger
Haschisch: Hasch, Kiff, Rauschgift, Shit, Stoff, weiche Droge
Hase: Feldhase, Langohr, Mümmelmann, Schlappohr, Stallhase, Meister Lampe *Routinier, alter Hase *Angsthase, Angstpeter, Drückeberger, Duckmäuser, Feigling, Hasenfuß, Hasenherz, Jämmerling, Kneifer, Memme, Schwächling, Weichling
haspeln: s. verhaspeln, s. verheddern, s. versprechen, hastig sprechen *aufrollen, aufspulen, aufwickeln
Hass: Animosität, Feindschaft, Feindseligkeit, Gehässigkeit, Groll, Hassgefühl, Missgunst, Odium, Rachgier, Rachsucht, Unausstehlichkeit, Unmut, Verbitterung
hassen (s.): s. anfeinden, grollen, s. nicht ausstehen können, s. nicht leiden können, verabscheuen, verachten, s. zanken, zürnen, Hass empfinden, feindselig gesinnt sein, Zorn hegen, nicht grün sein, auf dem Strich haben, gefressen haben, nicht riechen können
hasserfüllt: bissig, bösartig, böse, boshaft, gehässig, giftig, infam, niederträchtig, schadenfroh, übel gesinnt, übel wollend *abgeneigt, böswillig, entzweit, feind, feindselig, feindlich, gehässig, gereizt, gram, spinnefeind, übel wollend, überworfen, unfreundlich, unversöhn-

lich, verfehdet, verfeindet, verstimmt, zerstritten

hässlich: abschreckend, abstoßend, ekelhaft, entstellt, fratzenhaft, grauenhaft, missgebildet, missgestaltet, schauerlich, scheußlich, unansehnlich, unästhetisch, unförmig, unvorteilhaft, verunstaltet, widerlich, widerwärtig, nicht schön *abscheulich, gemein, niederträchtig, schäbig, schändlich, verwerflich *nasskalt, regnerisch *geschmacklos, negativ, schlecht, unangenehm

Hässlichkeit: Bitterkeit, Bitternis, Widerlichkeit, Widerwärtigkeit, Widrigkeit *Abscheulichkeit, Bösartigkeit, Bosheit, Böswilligkeit, Garstigkeit, Gehässigkeit, Gemeinheit, Hinterlist, Infamie, Niedertracht, Niedrigkeit, Perfidie, Ruchlosigkeit, Schäbigkeit, Schadenfreude, Schikane, Schlechtigkeit, Schmutzigkeit, Schufterei, Teufelei, Übelwollen, Unverschämtheit, Verruchtheit, böse Absicht, böser Wille

Hast: Betriebsamkeit, Eile, Gejagtheit, Geschäftigkeit, Getriebe, Hektik, Rastlosigkeit, Ruhelosigkeit, Trubel, Unrast, Unruhe, Wirbel, Zeitmangel *Geschwindigkeit, Hetze, Übereilung, Überhastung, Überstürztheit, Überstürzung, übergroße Eile

hasten: eilen, hetzen, huschen, jagen, preschen, rasen, rennen, sausen, sprinten, spurten, stieben, stürmen, stürzen

hastig: eilends, eilig, fix, fluchtartig, flugs, geschwind, hurtig, rasant, rasch, schnell, sofort, zügig, Hals über Kopf, in rasender Eile, in fliegender Eile, in großer Eile, in wilder Hast, in fliegender Hast, wie der Wind, wie der Blitz *übereilt, überhastet, unüberlegt

hätscheln: verbilden, verderben, verhätscheln, verpäppeln, verweichlichen, verwöhnen, verzärteln, verziehen *kraulen, liebkosen, streicheln, tätscheln

Hatz: Hetzjagd, Jagd *Fahndung, Hetze, Hetzjagd, Jagd, Kesseltreiben, Nachstellung, Pogrom, Suche, Treibjagd, Verfolgung, Verfolgungsjagd *Eifer, Eile, Eiltempo, Gehetze, Gehetztheit, Gejage, Gejagtheit, Hast, Hetze, Hetzerei, Hetzjagd, Jagd, Rastlosigkeit, Ruhelosigkeit, Tempo, Treiberei, Übereilung, Unrast, Unruhe, Zeitmangel

Hauch: Atem, Luft, Puste *Durchzug, Lüftchen, Lufthauch, Luftstrom *Andeutung, Anflug, Idee, Kleinigkeit, Nuance, Schatten, Schimmer, Spur, Stich, Touch, Winzigkeit

hauchen: ausatmen, blasen, pusten *flüstern, säuseln, tuscheln, wispern

Haudegen: Draufgänger, Hansdampf, Held, Kämpfer, Tausendsassa

hauen: einhauen, schlagen *zerhacken, zerkleinern ***s. hauen:** s. zusammenhauen, s. zusammenschlagen, handgreiflich werden

häufen: ansammeln, aufhäufen, aufspeichern, stapeln, zusammentragen ***s. häufen:** anschwellen, anwachsen, überhand nehmen, sammeln, zunehmen *s. ansammeln, s. ballen, zusammenkommen, immer mehr werden

Haufen: Abteilung, Gruppe, Schar *Anhäufung, Berg, Stapel, Stoß *Anhäufung, Anzahl, Armee, Ballung, Batzen, Berg, Flut, Heer, Legion, Masse, Mehrzahl, Menge, Reihe, Schar, Schwall, Schwarm, Schwung, Serie, Übermaß, Unmaß, Unmasse, Unmenge, Unzahl, Vielheit, Vielzahl, Wust, große Zahl, eine ganze Ladung

haufenweise: massenhaft, massenweise, reichlich, scharenweise

häufig: etliche Mal, mehrfach, mehrmalig, mehrmals, oft, öfter, öfters, oftmalig, oftmals, ungezählt, vielfach, vielmals, wiederholt, des Öfteren, ein paar Mal, immer wieder, in vielen Fällen, nicht selten, viele Male

Häufigkeit: Ergiebigkeit *Frequenz, Verkehrsaufkommen, Verkehrsdichte

Häufung: Anhäufung, Wiederholung *Agglomeration, Akkumulation, Anhäufung, Ansammlung, Aufhäufung, Aufspeicherung, Ballung, Haufen, Kumulation, Menge, Sammlung, Speicherung

Haupt: Kopf, Schädel *Gebieter, Gewalthaber, Herr, Herrscher, Landesvater, Machthaber, Oberhaupt, Regent, Staatsoberhaupt *Anführer, Bandenführer, Boss, Chef, Gangleader, Häuptling, Hauptmann, Hauptperson, Leithammel,

Rädelsführer, Räuberhauptmann, Sprecher
Hauptattraktion: Attraktion, Clou, Glanzpunkt, Hauptanziehung, Hauptsache, Hauptsensation, Höhepunkt, Sensation, Zugstück
Hauptdarsteller: Hauptfigur, Hauptperson, Hauptrolle, Held, Star
Haupteigenschaft: Charakteristikum, kennzeichnendes Merkmal, hervorstechende Eigenschaft
Hauptgedanke: Gerüst, Grundgedanke, Grundidee, Grundmotiv, Grundvorstellung, Idee, Leitgedanke, Leitmotiv, Zeichen, roter Faden
Hauptgericht: Mittagbrot, Mittagessen, Mittagsmahl, Hauptgang
Hauptgeschäftsstelle: Geschäftsstelle, Zentrale
Hauptgewicht: Hauptbedeutung, Hauptsache, Mittelpunkt, Schwergewicht, Schwerpunkt
Hauptgewinn: Gewinn, Haupttreffer, Treffer, Volltreffer, Großes Los, erster Preis
Häuptling: Anführer, Führer, Stammeshäuptling, Stammesoberhaupt
häuptlings: kopfüber, mit dem Kopf voran, mit dem Kopf zuerst
Hauptmann: Boss, Chef, Führer, Leader, Leiter
Hauptperson: Hauptdarsteller, Hauptfigur, Held, Heros, Mittelpunkt, Schlüsselfigur
Hauptreisezeit: Hauptsaison, Hochsaison, Saison
Hauptrolle: Hauptakteur, Hauptdarsteller, Hauptfigur, Held, Heros, Schlüsselfigur, Titelrolle, tragende Rolle, tragende Figur
Hauptsache: Angelpunkt, Grundgedanke, Hauptstück, Hauptteil, Inbegriff, Kardinalpunkt, Kern, Kernpunkt, Kernstück, Quintessenz, Schwergewicht, Schwerpunkt, Wesen, das A und O, das Entscheidende, das Wichtige, das Wesentliche, der springende Punkt, Witz der Sache *Hauptattraktion, Schwerpunkt
hauptsächlich: ausdrücklich, besonders, insbesondere, vorwiegend, in der Hauptsache *ausschlaggebend, entscheidend, gewichtig, maßgeblich, relevant, signifikant, substanziell, vorherrschend, wesentlich, wichtig, zentral *zuerst, erst (einmal)
Hauptstadt: Großstadt, Metropole, Regierungssitz, Residenz
Hauptstraße: Boulevard, Hauptverkehrsstraße, Hauptweg, Magistrale, Prachtstraße, Prunkstraße
Hauptverkehrszeit: Rushhour, Stoßzeit
Hauptwort: Nomen, Substantiv
Haus: Anwesen, Apartmenthaus, Bau, Bauwerk, Baulichkeit, Besitz, Bungalow, Eigenheim, Einfamilienhaus, Gebäude, Immobilie, Mehrfamilienhaus, Mietshaus, Mietskaserne, Objekt, Reihenhaus, Typenhaus, Villa, Wohnhaus, Wohnsilo, Zweifamilienhaus *Bruchbude *Hochhaus, Wolkenkratzer *Baracke, Behelfsunterkunft, Blockhaus, Blockhütte, Bretterbude, Bude, Hütte, Jagdhütte, Kate, Skihütte, Unterkunft *Terrassenhaus *Kral *Iglu *Chalet, Datscha, Datsche, Ferienhaus, Gartenhaus, Gartenlaube, Landhaus, Laube, Pavillon, Wochenendhaus *Domizil, Heim, Unterkunft, Zuhause *Clan, Dynastie, Familie, Geschlecht, Herrscherhaus, Sippe, Stamm *Geschäft, Geschäftshaus
Hausangestellte: Butler, Diener, Dienstbote, Hausdiener, Hausgehilfe, Mädchen für alles *Dienstmädchen, Hausgehilfin, Haushaltshilfe, Hausmädchen, Hausmagd, Haustochter, Kraft, Mädchen, Stütze, dienstbarer Geist *Hilfe, Putzfrau, Raumpflegerin, Reinemachefrau, Reinigungskraft, Scheuerfrau
Hausaufgabe: Hausübung, Schularbeit, Übungsarbeit
hausbacken: bieder, fade, langweilig, reizlos, trist, uninteressant
Hausbesitzer: Besitzer, Eigentümer, Hauseigentümer, Hausherr, Hauswirt *Vermieter
Hausbewohner: Bewohner, Einwohner, Mieter *Insasse
Hausdame: Gesellschafterin, Haushälterin
Hausdiener: Bedienung, Beistand, Besorger, Bote, Boy, Butler, Diener, Dienstbote, Gehilfe, Hausangestellte, Hilfskraft,

Kammerdiener, Kuli, Lakai, Leibdiener, Page, Stütze, Untergebener, der Bedienstete, der Angestellte
Hausdrache: Drache, Ehedrache, Furie, Megäre, Xanthippe
hausen: s. aufhalten, bewohnen, s. einmieten, s. einquartieren, s. einrichten, einwohnen, leben, mieten, residieren, übernachten, unterbringen, weilen, wohnen, zubringen, seinen Wohnort haben, seinen Wohnsitz haben, seine Wohnung haben, wohnhaft sein, ansässig sein, daheim sein, beheimatet sein *stürmen, wüten
Häuserblock: Block, Gebäudekomplex, Häuserviertel, Wohnblock
Hausflur: Diele, Flur
Hausfrau: Hausbesitzerin, Hauseigentümerin, Hauswirtin, Vermieterin
Hausfreund: Freund, Geliebter, Herzensfreund, Liebhaber, Schatz, der Liebste, der Bekannte, der Auserwählte, der Herzallerliebste, der Einzige
Hausgötter: Hausgeister, Laren, Manen, Penaten
Haushalt: Haushaltung, Hausstand, Hauswesen, Hauswirtschaft, Wirtschaft, Reich der Frau *Budget, Etat, Finanzen, Haushaltsplan, Rechenschaftsbericht, Staatshaushalt, Voranschlag
haushalten: s. einschränken, einsparen, einteilen, ersparen, geizen, s. nach der Decke strecken, s. nicht viel leisten, rationieren, sparen, wirtschaften, auf die Seite legen, sparsam umgehen, sparsam sein, sein Geld zusammenhalten, die Sachen zusammenhalten, bescheiden leben
Haushälterin: Hausangestellte, Hausdame, Wirtschafterin
haushälterisch: genügsam, häuslich, sparsam, wirtschaftlich
Haushaltsplan: Budget, Etat, Finanzen, Haushalt, Rechenschaftsbericht, Staatshaushalt, Voranschlag
Hausherr: Hausbesitzer, Hauseigentümer, Hauswirt, Vermieter *Familienoberhaupt, Familienvater, Familienvorstand, Haushaltsvorstand, Haushaltungsvorstand *Gastgeber, Wirt, Herr des Hauses
hausieren: anbieten, handeln, trödeln, verkaufen, von Haus zu Haus gehen
häuslich: anheimelnd, behaglich, bequem, friedlich, gemütlich, harmonisch, heimelig, idyllisch, intim, lauschig, ruhig, traulich, traut, urgemütlich, wohlig, wohltuend, wohnlich *genügsam, haushälterisch, sparsam, wirtschaftlich
Hausmeister: Concierge, Hausverwalter, Hauswart *Schuldiener
Hausputz: Frühjahrsputz, Großputz, Großreinemachen
Hausrat: Hauseinrichtung, Hausgerät, Hauswesen, Klamotten, Mobiliar
Hausschuhe: Filzlatschen, Filzschuhe, Pantoffeln
Hausschwamm: Holzpilz, Holzschwamm
Hausse: Aufschwung, Blüte, Boom, Bullenzeit, Hoch, Hochkonjunktur
Hauswirtschaft: Haushalt, Haushaltsführung, Haushaltung
Haut: Epidermis *Balg, Fell, Pelle, Schwarte *Hülle, Hülse, Pelle, Schale, Schote *Teint
Hautausschlag: Ekzem, Flechte, Hautflechte
häuten: abbalgen, abhäuten, abziehen, enthäuten ***s. häuten:** abgehen, s. schälen, s. schuppen, verlieren
hauteng: eng, eng anliegend, knapp, knapp sitzend, körpernah, stramm
Hautevolee: Highsociety, Jetset, Oberschicht, die Reichen, vornehmste Gesellschaft, die oberen Zehntausend
Hautrelief: Hochrelief
Havarie: Kollision, Schiffbruch, Schiffskollision, Schiffsunfall, Seeschaden, Zusammenstoß
Headline: Schlagzeile, Titelzeile, Überschrift
Hebamme: Geburtshelfer, Geburtshelferin, Geburtshilfe
heben: anheben, aufheben, emporheben, erheben, hochbringen, hochheben, hochnehmen, hochwuchten, hochziehen, lüften, wuchten *hochstemmen, stemmen *aufwerten, erhöhen, stärken, steigern, verbessern, vergrößern *ausgraben, ans Licht bringen, zutage fördern *s. steigern, lauter werden, lauter sprechen *s. melden, mitarbeiten, mitschaffen, s. rühren, s. äußern wollen, etwas sagen

wollen, seinen Beitrag geben (wollen), beitragen wollen *s. **heben:** aufplatzen, aufspringen, hochgehen *s. erheben, nach oben gehen

Hebevorrichtung: Hebebaum, Hebebock, Hebebühne, Heber, Hebewinde, Hebezug *Kran

Hebung: Anstieg, Eskalation, Eskalierung, Intensivierung, Vermehrung, Verstärkung, Zunahme, Zustrom, Zuwachs *Bergung, Rettung *Anpassung, Heraufsetzung, Preisanstieg, Preissteigerung

hechten: hopsen, hüpfen, springen, einen Satz machen, einen Sprung machen, setzen (über)

Heck: Achtersteven, Hintersteven, Hinterteil *Abrissheck, Autoheck, Fließheck

Hecke: Buschwerk, Einfriedung, Sichtschutz, Umfriedung, Umgrenzung, lebender Zaun

Heckenrose: Hundsrose, Wildrose

Heckenschütze: Partisan, Schütze

Heer: Bodentruppen, Landstreitkräfte, Landtruppen *Anhäufung, Anzahl, Armee, Ballung, Batzen, Berg, Flut, Haufen, Legion, Masse, Mehrzahl, Menge, Reihe, Schar, Schwall, Schwarm, Schwung, Serie, Übermaß, Unmaß, Unmasse, Unmenge, Unzahl, Vielheit, Vielzahl, Wust, große Zahl, eine ganze Ladung

Heeresverband: Einheit, Formation, Truppe, Truppenteil, Verband *Abteilung, Armee, Armeekorps, Bataillon, Batterie, Brigade, Division, Kompanie, Korps, Regiment, Schwadron

Heft: Broschüre, Buch, Kladde, Nummer *Griff, Schaft, Stiel

heften: broschieren, verbinden, zusammenheften, zusammenmachen *anheften, anklammern, festmachen *reihen, lose nähen

heftig: gewaltig, kräftig, kraftvoll, wuchtig *leidenschaftlich, passioniert *gewaltig, gewaltsam, kräftig, massiv, scharf, stark, toll, wild *aufbrausend, aufgebracht, cholerisch, hemmungslos, hitzköpfig, impulsiv, jäh, rasend, unbändig, unbeherrscht, ungeduldig, ungestüm, vehement, wild, wütend *barsch, brutal, derb, grob, roh, rüde, schroff *grimmig, scharf, schneidend *beißend, frisch, harsch, rau, scharf, schneidend, streng, stürmisch, unangenehm, ungesund

Heftigkeit: Gewalt, Kraft, Wucht *Leidenschaft, Passion

Hege: Tierpflege, Tierschutz *Blumenhege, Pflanzenhege *Beistand, Obhut

Hegemonie: Vorherrschaft, Vormacht, Vorrangstellung, führende Rolle

hegen: empfinden, erleben, spüren, verspüren *behandeln, betreuen, hüten, kultivieren, pflegen, umsorgen, warten, schonend behandeln, fürsorglich behandeln, pfleglich behandeln *s. ängstigen *beabsichtigen *verdächtigen *hoffen *misstrauen

Hehler: Betrüger, Gangster, Gauner, Halsabschneider, Helfershelfer, Hintermann, Schieber, Schlepper, Schwindler, Spießgeselle

hehr: erhaben, heilig, hoch

Heide: Antichrist, Atheist, Gottesleugner, Gottloser, Nichtchrist, Ungetaufter *Heidelandschaft *Besenheide, Erika, Heidekraut

Heidekraut: Besenheide, Erika, Heide

Heidelbeere: Blaubeere, Mollbeere, Schwarzbeere, Waldbeere

heidnisch: freidenkerisch, freigeistig, glaubenslos, religionslos, ungläubig

heikel: bedenklich, delikat, diffizil, gewagt, kitzlig, kompliziert, kritisch, neuralgisch, peinlich, prekär, problematisch, verfänglich, zweischneidig, zwiespältig, nicht geheuer *anspruchsvoll, eigen, verwöhnt, wählerisch, schwer zu befriedigen *arg, ärgerlich, bedauerlich, blöde, fatal, genant, genierlich, lästig, leidig, misslich, peinlich, prekär, schlecht, schlimm, schrecklich, skandalös, unangenehm, unbefriedigend, unbequem, unerfreulich, unerquicklich, unerwünscht, ungelegen, ungünstig, ungut, unlieb, unliebsam, unvergnüglich, unwillkommen, verwünscht, widrig

heil: gesund, unverletzt, unversehrt, wohl, wohlbehalten *ganz, intakt, unbeschädigt, nicht entzwei, in Ordnung

Heil: Glück, Rettung, Segen, Wohl, Wohlbefinden, Wohlergehen *Gnade, Seelenheil, Seligkeit

Heiland: Christkind, Christkindchen,

Christkindlein, Christuskind, Jesuskind *Christus, Erlöser, Gottessohn, Jesus, Menschensohn, Messias, Nazarener, Seelenbräutigam, Sohn Gottes, Sohn Davids, Jesus von Nazareth, Jesus Christus, der Gekreuzigte, Lamm Gottes, der gute Hirte, König der Juden

Heilanstalt: Heilstätte, Krankenhaus, Pflegeanstalt

heilbar: behandelbar, machbar, rettbar, zu machen

Heilbehandlung: Behandlung, Kur, Therapie

heilen: abklingen, s. bessern, s. erholen, genesen, gesunden, vergehen, verschwinden, zurückgehen, auf dem Weg zur Besserung sein, wieder erholen *abheilen, ausheilen, auskurieren, durchbringen, durchkriegen, helfen, herstellen, hochbringen, kurieren, retten, sanieren, stärken, wiederherstellen, (erfolgreich) behandeln, gesund machen, erste Hilfe leisten, auf die Beine bringen, über den Berg bringen

heilend: gesundheitsfördernd, heilkräftig, heilsam, wohltuend

Heilgymnastik: Bewegungsbehandlung, Bewegungstherapie, Übungstherapie

heilig: engelhaft, geheiligt, gesegnet, geweiht, gnadenreich, gotterwählt, göttlich, gottselig, heiligmäßig, himmlisch, hochheilig, rein, sakral, sakrosankt, selig *ernst, tabu, unantastbar ***heilig sprechen:** kanonisieren

Heiligabend: Weihnachten, Weihnachtsabend, Heiliger Abend, Heilige Nacht

heiligen: konsekrieren, salben, segnen, weihen *verehren, heilig halten

Heiligenschein: Aureole, Glorie, Glorienschein, Gloriole, Korona, Mandorla, Nimbus

Heiliger: Fürbitter, Fürsprecher, Schutzpatron

Heiligsprechung: Kanonisation

Heiligtum: Gotteshaus, Kultstätte, Opferstätte, Tempel, Weihestätte *Juwel, Kleinod, Kostbarkeit

heilkräftig: gesund, gesundheitsfördernd, heilend, heilsam, kräftigend

Heilkunde: Heilkunst, Medizin

Heilkundiger: Arzt, Mediziner

heillos: arg, außerordentlich, entsetzlich, furchtbar, fürchterlich, schlimm, übel, ungeheuer, unvorstellbar

Heilmethode: Behandlung, Bekämpfung, Betreuung, Heilbehandlung, Heilung, Krankenbehandlung, Krankheitsbehandlung, Methode, Nachsorge, Therapie, Verarztung

Heilmittel: Arzneimittel, Medikament, Medizin, Pharmazeutikum, Präparat, Therapeutikum *Naturheilmittel, Naturmedizin *Hausmittel

heilsam: dienlich, ersprießlich, förderlich, fördernd, fruchtbar, fruchtbringend, gedeihlich, hilfreich, konstruktiv, nützlich, sinnvoll, tauglich, wirksam, zweckvoll, zu gebrauchen *aufbauend, heilend, heilkräftig, lindernd, unterstützend

Heilstätte: Genesungsheim, Heilanstalt, Heim, Krankenhaus, Sanatorium

Heiltrank: Absud, Auszug, Elixier, Essenz, Extrakt, Zaubertrank

Heilung: Behandlung, Bekämpfung, Betreuung, Heilbehandlung, Heilmethode, Krankenbehandlung, Krankheitsbehandlung, Methode, Nachsorge, Therapie, Verarztung *Erholung, Genesung, Gesundung, Gesundungsprozess, Heilungsprozess, Regeneration, Rekonvaleszenz, Wiederherstellung

heim: heimwärts, zurück, nach Hause, Richtung Heimat, gen Heimat

Heim: Daheim, Haus, Wohnung, Zuhause *Gästehaus, Gästeheim, Gasthaus, Herberge, Hospiz *Casino, Gesellschaftshaus, Kasino, Klubhaus *Genesungsheim, Heilanstalt, Heilstätte, Sanatorium *Erziehungsanstalt, Heimschule, Internat, Pensionat *Altersheim, Seniorenwohnheim

Heimat: Geburtsland, Geburtsort, Heimatboden, Heimatland, Vaterland

heimatlich: gewohnt, heimisch, vertraut, in der Heimat, aus der Heimat

Heimatliebe: Heimatgefühl, Patriotismus, Vaterlandsliebe

heimatlos: entwurzelt, staatenlos, umhergetrieben, ungeborgen, wurzellos, ohne Heimat

Heimatlosigkeit: Entwurzelung, Staa-

tenlosigkeit, Umhergetriebensein, Ungeborgenheit, Wurzellosigkeit
Heimatort: Geburtsort, Geburtsstadt, Geburtsstätte, Heimatstadt, Wohnort, Wohnsitz
heimatverbunden: heimatliebend, heimattreu, ortstreu, ortsverbunden *__heimatverbunden sein:__ an der Heimat kleben, an der Scholle haften, mit der Scholle verwachsen sein, nicht beweglich
heimbringen: begleiten, geleiten, heimbegleiten, mitgehen, mitkommen, nach Hause bringen, das Geleit geben, Gesellschaft leisten
heimelig: anheimelnd, behaglich, gemütlich
heimfahren: s. auf den Heimweg machen, s. auf den Nachhauseweg machen, s. auf den Rückweg machen, s. heimbegeben, s. nach Hause begeben, s. zurückbegeben
Heimfahrt: Heimkehr, Heimreise, Nachhauseweg, Rückfahrt, Rückkehr, Rückweg
heimfinden: heimkehren, wiederkehren, wiederkommen, zurückkehren, zurückkommen, nach Hause kommen
Heimgang: Ableben, Tod, Verscheiden
heimgehen: sterben, verscheiden, versterben *s. auf den Heimweg machen, s. auf den Nachhauseweg machen, s. auf den Rückweg machen, s. begeben, s. heimbegeben, heimkehren, s. zurückbegeben, zurückkehren, nach Hause gehen, heimwärts ziehen
heimgesucht: geplagt, getroffen
heimisch: angepasst, s. eingewöhnt, vertraut, wohl bekannt, nicht fremd, wie zu Hause *beheimatet, eingeboren, einheimisch, niedergelassen, ortsansässig, sesshaft, wohnhaft *__heimisch werden:__ s. adaptieren, s. akklimatisieren, s. anpassen, s. assimilieren, s. einfügen, s. eingewöhnen, s. einleben, s. einordnen, s. einstellen (auf), s. gewöhnen (an), hineinwachsen, s. unterordnen, vertraut werden, festen Fuß fassen *__s. heimisch fühlen:__ s. behaglich fühlen, s. heimelig fühlen, s. wohl fühlen, s. zu Hause fühlen
Heimkehr: Rückkehr, Rückkunft, Wiederkehr, Wiederkunft, Zurückkommen, Zurückkunft, das Zurückkommen
heimkehren: heimfinden, heimfliegen, heimgehen, heimkommen, heimreisen, umkehren, wiederkehren, wiederkommen, zurückfinden, zurückkehren, zurückkommen, nach Hause finden, nach Hause kehren
Heimkehrer: Übersiedler, Umsiedler, heimkehrender Mensch
heimkommen: heimfinden, heimkehren, wiederkehren, wiederkommen, zurückfinden, zurückkehren, zurückkommen
Heimleiter: Hausvater, Hausverwalter, Herbergsvater
heimlich: diskret, geheim, stillschweigend, unauffällig, unbeachtet, unbemerkt, unbeobachtet, unerkannt, ungesehen, verborgen, verschwiegen, verstohlen, ohne viel Aufhebens zu machen, sang- und klanglos *hintenherum, illegal, insgeheim, klammheimlich, unerlaubt, unstatthaft, unter der Hand, verboten, verbotenerweise, hinter den Kulissen, hinter jmds. Rücken, hinter verschlossenen Türen, im Geheimen, im Stillen, im Verborgenen, in aller Stille, in aller Heimlichkeit, ohne Aufsehen, still und leise, unter der Hand, durch die Hintertür *__heimlich tun:__ ein Geheimnis machen (aus), geheim tun, geheimnisvoll tun
Heimlichkeit: Dunkel, Geheimnis, Mysterium, Rätsel, die letzten Dinge *Augenspiel, Geheimniskrämerei, Geheimnistuerei, Geheimtuerei, Gerede, Heimlichtuerei, Hinterlist, Mienenspiel, Versteckspiel
Heimlichtuer: Duckmäuser, Geheimniskrämer, Geheimtuer, Spitzel, Zuträger
Heimlichtuerei: Augenspiel, Geheimniskrämerei, Geheimnistuerei, Geheimtuerei, Gerede, Heimlichkeit, Hinterlist, Mienenspiel, Versteckspiel
Heimreise: Heimfahrt, Heimkehr, Nachhauseweg, Rückfahrt, Rückkehr, Rückreise, Rückweg
heimreisen: heimkehren, zurückfahren, nach Hause fahren
heimsuchen: befallen, beschleichen, erfassen, ergreifen, s. jmds. bemächtigen,

schlagen, treffen, überfallen, überkommen, übermannen
Heimsuchung: Debakel, Desaster, Fatalität, Katastrophe, Malheur, Missgeschick, Panne, Pech, Schicksalsschlag, Schlag, Tragik, Unfall, Ungeschick, Unglück, Unglücksfall, Unheil, Verhängnis
Heimtücke: Bosheit, Falschheit, Gefährlichkeit, Gemeinheit, Hinterhältigkeit, Hinterlist, Infamie, Intrige, Machenschaften, Niedertracht, Perfidie, Unaufrichtigkeit, Unehrlichkeit, Verschlagenheit, Versteckspiel
heimtückisch: arglistig, bösartig, diabolisch, falsch, gefährlich, gemein, hinterhältig, hinterlistig, infam, intrigant, meuchlings, niederträchtig, perfide, satanisch, teuflisch, tückisch, unaufrichtig, unehrlich, verschlagen, versteckt
heimwärts: heim, zurück, nach Hause, Richtung Heimat
Heimweh: Sehnen, Sehnsucht
heimzahlen: ahnden, berechnen, rächen, vergelten, wettmachen, zurückschlagen, Rache nehmen
Heimzahlung: Gegenschlag, Rache, Repressalie, Vergeltung, Vergeltungsmaßnahme
Heirat: Ehe, Eheschließung, Hochzeit, Ringwechsel, Trauung, Verbindung, Verehelichung, Verheiratung, Vermählung
heiraten: ehelichen, s. eine Frau nehmen, s. einen Mann nehmen, hochzeiten, s. trauen lassen, s. verändern, s. verehelichen, s. verheiraten, s. vermählen, s. verpartnern, eine Ehe eingehen, eine Ehe schließen, einen Hausstand gründen, Hochzeit machen, Hochzeit feiern, Hochzeit halten, den Ehebund schließen, die Hand fürs Leben reichen, den Bund der Ehe eingehen, den Bund fürs Leben schließen, die Ringe tauschen, die Ringe wechseln, vor den Altar treten, zum Traualtar gehen, eine(n) kriegen, eine(n) nehmen
Heiratsvermittlung: Eheanbahnung, Eheinstitut, Ehevermittlung, Partnervermittlung
heiser: belegt, klanglos, kratzig, krätzig, rauchig, rau, stimmlos, tonlos ***heiser sein:** krächzen, einen Frosch im Hals haben, es im Hals haben, eine raue Kehle haben
heiß: brennend, brenzlig, brisant, drängend, explosiv, heikel, hochaktuell, spannend *leidenschaftlich, passioniert *glühend, kochend, kochend heiß, (sehr) warm *bullig, sommerlich, sonnig, wie in einem Brutofen *drückend, schwül, tropisch *Erfolg versprechend *brunftig, brünstig, läufig, rammelig, rossig, stierig
***glühend heiß:** hochsommerlich, sommerlich, sehr warm
heißblütig: besessen, brennend, dynamisch, flammend, hitzig, leidenschaftlich, rassig, wild
heißen: genannt werden *benamsen, benennen, betiteln, bezeichnen, nennen, rufen, schimpfen, taufen *beauftragen *bedeuten, meinen, repräsentieren, sein, verkörpern *lauten
Heißwassergerät: Durchlauferhitzer *Heißwasserspeicher, Kochendwassergerät, Warmwasserbereiter
heiter: aufgehellt, freundlich, hell, klar, schön, sommerlich, sonnig, wolkenlos *beschwingt, erheiternd, fidel, froh, frohgemut, frohgestimmt, fröhlich, frohmütig, gut gelaunt, lebensfroh, lebenslustig, lustig, munter, seelenvergnügt, sorgenfrei, sorgenlos, stillvergnügt, strahlend, vergnüglich, vergnügt, gut aufgelegt *aufheiternd, ausgelassen, fröhlich *froh, lachend, lustig
Heiterkeit: Behagen, Fröhlichkeit, Frohmut, Frohsinn, Geselligkeit, Humor, Lustigkeit, Optimismus, Vergnügtheit, Wohlbehagen, gute Laune *Gefeixe, Gekicher, Gelächter, Lachen, Lachsalve, die Lache
heizen: anfeuern, befeuern, beheizen, einfeuern, einheizen, einkacheln, feuern, Feuer machen *wärmen
Heizgerät: Heizapparat, Heizbrenner, Heizkörper, Heizlüfter, Heizofen, Heizsonne, Heizung, Ofen, Raumheizer, Wärmequelle
Heizmaterial: Brennmaterial, Brennstoff, Feuerung, Hausbrand, Heizstoff
Heizung: Brenner, Heizapparat, Heizbrenner, Heizgerät, Heizkörper, Heizlüf-

ter, Heizofen, Heizsonne, Ofen, Raumheizer, Wärmequelle
Hektik: Anspannung, Aufregung, Betriebsamkeit, Eile, Eiligkeit, Erregtheit, Erregung, Gejagtheit, Geschäftigkeit, Getriebe, Hast, Hochspannung, Jagd, Nervosität, Rastlosigkeit, Ruhelosigkeit, Unrast, Unruhe, Wirbel, Zappeligkeit, Zeitmangel
hektisch: angespannt, aufgelöst, aufgeregt, eilig, erregt, fahrig, fieberhaft, fiebrig, gehetzt, geschäftig, hastig, nervös, rastlos, ruhelos, turbulent, übereilt, unruhig, unstet, zapplig, zappelig *gedankenlos, kopflos, ohne lange nachzudenken
hektographieren: ablichten, abziehen, kopieren
Held: Draufgänger, Gewinner, Gigant, Heroe, Heros, Kämpe, Matador, Recke, Sieger *Berühmtheit, Mittelpunkt, Publikumsliebling, Star, Stern *Hauptdarsteller, Hauptperson, Titelfigur, Titelrolle, tragende Rolle, tragende Figur
heldenhaft: beherzt, couragiert, furchtlos, kämpferisch, mutig, tapfer, unverzagt, wacker
Heldenhaftigkeit: Beherztheit, Courage, Furchtlosigkeit, Kampfesfreude, Mut, Tapferkeit, Unverzagtheit
Heldenstück: Großtat, Heldentat, Mannestat
Heldentum: Courage, Furchtlosigkeit, Heldenhaftigkeit, Heroismus, Kühnheit, Schneid, Tapferkeit, Tollkühnheit, Wagemut
helfen: anpacken, assistieren, aushelfen, beispringen, beistehen, dienen (mit), durchhelfen, entgegenkommen, entlasten, mitarbeiten, mithelfen, sekundieren, unterstützen, zufassen, zugreifen, zupacken, Hand anlegen, Hilfe leisten, Beistand leisten, zur Seite stehen, Hilfe erweisen, mit Hand anlegen, behilflich sein, Hilfe geben *gut tun, nutzen, nützen, gute Dienste leisten, hilfreich sein, dienlich sein, förderlich sein, von Nutzen sein, nützlich sein *Hand in Hand arbeiten *ermutigen, fördern *heraushelfen, retten, Rat schaffen, Abhilfe schaffen, über Wasser halten
Helfer: Assistent, Gehilfe, Heinzelmännchen, Hilfe, Hilfskraft, Sekundant, Stütze, rechte Hand *Gönner, Retter *Handlanger, Handreicher, Hilfsarbeiter, Zuarbeiter
Helfershelfer: Komplize, Mitschuldiger, Mittäter
hell: beleuchtet, erleuchtet, freundlich, glänzend, helllicht, leuchtend, lichtdurchflutet, lichterfüllt, sonnig, strahlend *klar, glasklar, rein, glockenrein, hoch, silbern *ganz, hellauf, sehr, völlig *beleuchtet, taghell
hellhörig: achtsam, aufmerksam, geistesgegenwärtig, gespannt, wachsam, bei der Sache, mit wachen Sinnen, mit Interesse *laut, schalldurchlässig, schlecht isoliert *feinhörig
Helligkeit: Glanz, Helle, Klarheit, Leuchten, Licht, Lichtfülle, Lichtflut, Lichtstrahl, Lichtstrom, Schein, Schimmer
hellsehen: absehen, prophezeien, schwarzsehen, vorausahnen, vorausblicken, vorauskündigen, voraussagen, vorhersagen, vorhersehen, wahrsagen, weissagen, das Horoskop stellen, die Karten aufschlagen, die Karten legen, die Karten schlagen, in der Hand lesen, in den Sternen lesen, Träume ausdeuten, Träume deuten, die Zukunft deuten, die Zukunft enthüllen, die Zukunft entschleiern
Hellsehen: Sehergabe, Vorahnung, Vorausblick, Vorausschau, Vorschau, Wahrsagekunst, Blick in die Zukunft, Gedanken lesen, übernatürliche Kräfte, innerer Sinn, zweites Gesicht
Hellseher: Astrologe, Horoskopsteller, Wahrsager
hellseherisch: ahnungsvoll, feinfühlig, hellsichtig, sehend, vorausblickend, vorausschauend, weitsichtig, in die Zukunft schauend
hemdsärmlig: aufgelockert, burschikos, familiär, formlos, frei, gelöst, informell, lässig, leger, nachlässig, natürlich, nonchalant, offen, salopp, unbefangen, unförmlich, ungehemmt, ungeniert, ungezwungen, unverkrampft, unzeremoniell, zwanglos, in lässiger Haltung
hemmen: drosseln, abdrosseln, hindern, behindern, dämmen, eindämmen, ab-

bremsen, aufhalten, beeinträchtigen, behindern, blockieren, bremsen, einengen, einschränken, entgegenwirken, erschweren, lähmen, sabotieren, zügeln, Fesseln anlegen, hinderlich sein, im Wege stehen, ohnmächtig machen, handlungsunfähig machen, Schranken setzen *behindern, entgegenarbeiten, entgegenwirken, sabotieren, stören, vereiteln, Sabotage treiben, Sand ins Getriebe streuen

hemmend: behindernd, belastend, erschwerend, hindernd, hinderlich, lästig, nachteilig, störend, unangenehm, unbequem, ungelegen, ungünstig, unvorteilhaft, zeitraubend

Hemmnis: Behinderung, Erschwernis, Erschwerung, Fessel, Handikap, Hemmschuh, Hemmung, Hindernis, Schwierigkeit, Widerstand *Handikap, Hemmklotz, Klotz am Bein *Bremsklotz, Hemmklotz, Hemmschuh, Radsperre

Hemmschuh: Bremsklotz, Hemmklotz, Hemmung, Radschuh, Radsperre

Hemmung: Befangenheit, Gehemmtheit, Gehemmtsein, Komplex, Minderwertigkeitskomplex, Scheu, Schüchternheit, Unsicherheit, Verklemmtheit, Verkrampfung, Verlegenheit *Bedenken, Gewissensbisse, Skrupel *Behinderung, Erschwernis, Erschwerung, Hindernis

hemmungslos: bedenkenlos, gewissenlos, rücksichtslos, skrupellos, unbedenklich, verantwortungslos *enthemmt, frei, ungehemmt, ungeniert, wild, zügellos, zutraulich, zwanglos, ohne Hemmung *ausschweifend, disziplinlos, exzessiv, gierig, leidenschaftlich, liederlich, maßlos, schrankenlos, triebhaft, unbeherrscht, undiszipliniert, unersättlich, ungezügelt, unkontrolliert, unstillbar, zuchtlos, zügellos

Hemmungslosigkeit: Heftigkeit, Hitzköpfigkeit, Jähzorn, Unbeherrschtheit, Ungezügeltheit, Unkontrolliertheit, Zügellosigkeit, Zutraulichkeit *Gewissenlosigkeit, Rücksichtslosigkeit, Skrupellosigkeit

Henkel: Griff, Haltegriff *Anhänger, Aufhänger

henken: aufhängen, aufknüpfen, erhängen

Henker: Henkersknecht, Scharfrichter

Henkersmahlzeit: Abschiedsessen, Henkersmahl, letzte Mahlzeit

her: heran, herbei, herzu, hierher, hierhin *hierher *aus, stammend

herab: nieder, hernieder, abwärts, herunter, hinab, hinunter, in die Tiefe, nach unten *herablassend, überheblich

herabblicken: herabschauen, herabsehen *herabschauen, herabsehen, hinabblicken, hinabschauen, hinabsehen, hinunterblicken, hinunterschauen, hinuntersehen *verachten

herabfallen: abstürzen, abtrudeln, herabstürzen, herunterfallen, herunterfliegen, herunterpurzeln, herunterstürzen, hinabfallen, hinabsausen, hinunterfallen, hinunterfliegen, hinunterpurzeln, hinuntersausen, hinuntersegeln, hinunterstürzen, niederfallen, in die Tiefe fallen, in die Tiefe stürzen, in die Tiefe segeln, in die Tiefe sausen, in die Tiefe purzeln *fallen, herunterfallen, niederfallen, umfallen, umkippen

herabfliegen: herunterfliegen, landen, wassern

herablassen: herunterlassen, herunterrollen, herunterziehen

herablassend: abfällig, gnädig, gönnerhaft, überheblich *anmaßend, dünkelhaft, eingebildet, hochmütig, selbstgefällig, süffisant, von oben herab, von sich eingenommen

Herablassung: Arroganz, Blasiertheit, Dünkel, Einbildung, Eitelkeit, Geziertheit, Hochmut, Hoffart, Prahlerei, Stolz, Überheblichkeit

herabsehen: gering achten, herabblicken, herabschauen, verachten, gering denken, von oben herabblicken

herabsetzen: beschränken, dezimieren, drücken, einschränken, ermäßigen, heruntergehen (mit), heruntersenken, herunterschrauben, nachlassen, reduzieren, senken, verbilligen, vermindern, verringern *drosseln, verlangsamen *abqualifizieren, beschämen, degradieren, demütigen, diffamieren, diskriminieren, erniedrigen *ablegen, absetzen, abstellen, hinstellen, niederlegen, niedersetzen

herabsetzend: abfällig, abschätzig, ab-

sprechend, abwertend, despektierlich, geringschätzig, missbilligend, missfällig, pejorativ, verächtlich, wegwerfend
Herabsetzung: Nachlass, Preissenkung, Reduzierung *Degradierung, Demütigung, Diffamierung, Diskriminierung, Erniedrigung, Herabwürdigung, Verächtlichmachung, ungleiche Behandlung, ungerechte Behandlung, unmenschliche Behandlung, menschenunwürdige Behandlung
herabspringen: abspringen, s. herabstürzen, herunterspringen, s. herunterstürzen, hinabspringen, s. hinabstürzen, hinunterfallen, hinunterspringen, s. hinunterstürzen, s. niederstürzen
herabsteigen: absteigen, heruntergehen, herunterkommen, heruntersteigen, hinabklettern
herabstürzen: abstürzen, abtrudeln, herabfallen, herunterfallen, herunterfliegen, herunterpurzeln, herunterstürzen, hinabfallen, hinabsausen, hinunterfallen, hinunterfliegen, hinunterpurzeln, hinuntersausen, hinuntersegeln, hinunterstürzen, niederfallen, in die Tiefe fallen, in die Tiefe stürzen, in die Tiefe segeln, in die Tiefe sausen, in die Tiefe purzeln
herabwürdigen: beeinträchtigen, beleidigen, diskreditieren, entwerten, herabsetzen, schmähen, verleumden, verunglimpfen, verächtlich machen, ins Gemeine ziehen *abqualifizieren, beschämen, degradieren, demütigen, diffamieren, diskriminieren, erniedrigen, herabsetzen
Herabwürdigung: Degradierung, Demütigung, Diffamierung, Diskriminierung, Erniedrigung, Herabsetzung, Schmähung, Verächtlichmachung, ungleiche Behandlung, ungerechte Behandlung, unmenschliche Behandlung, menschenunwürdige Behandlung
heran: her, herbei, herzu, hierher, hierhin
heranbilden: ausbilden, erziehen, formen, helfen, hobeln, schleifen, schulen, unterstützen *ausbilden, bilden, entwickeln, fortbilden, qualifizieren ***s. heranbilden:** aufkommen, s. bilden
heranbringen: anfahren, herantransportieren, herbeischaffen *abliefern, befördern, beibringen, beischaffen, beschaffen, bewegen, bringen, daherbringen, einliefern, heranholen, heranschaffen, herantragen, herbeibringen, herbringen, herschaffen, hertragen, hintragen, hinzuholen, liefern, tragen
herangehen: s. annähern, herantreten, lossteuern (auf), nahen, s. nähern, zugehen (auf) *s. an die Arbeit machen, anfangen, beginnen, ans Werk gehen
herangewachsen: ausgewachsen, erwachsen, fertig, flügge, geschlechtsreif, groß, heiratsfähig, mannbar, mündig, reif, selbständig, volljährig, alt genug, voll entwickelt
heranholen: abliefern, befördern, beibringen, beischaffen, beschaffen, bewegen, bringen, daherbringen, einliefern, heranbringen, heranschaffen, herantragen, herbeibringen, herbringen, herschaffen, hertragen, hintragen, hinzuholen, liefern, tragen *aufbringen, beibringen, beschaffen, besorgen, bringen, heranschaffen, herbeiholen, herbeischaffen, holen, organisieren, vermitteln, verschaffen, versorgen, zusammenbringen
herankommen: erreichen, es aufnehmen können (mit), gleichkommen, heranreichen, ebenbürtig sein, nicht nachstehen *s. annähern, aufziehen, daherkommen, herkommen, s. nähern, zukommen (auf), nahe kommen, näher kommen
heranmachen: s. anbiedern, s. einschmeicheln, nahe kommen, s. nahen, s. nähern, umwerben
heranmarschieren: anmarschieren, anrücken, eintreffen, herankommen, kommen, nahen, s. nähern, im Anmarsch sein, näher kommen
herannahen: aufkommen, bevorstehen, drohen, heranrücken, heraufziehen, kommen, in der Luft liegen, im Anzug sein
Herannahen: Anfang, Annäherung, Aufzug, Beginn, das Nähern
heranreifen: aufschießen, aufwachsen, s. entwickeln, gedeihen, heranwachsen, reifen, schießen, wachsen, erwachsen werden, groß werden
heranrücken: anrücken, einmarschie-

ren, näher kommen, näher rücken *heranschieben, herschieben
heranrufen: laden, vorladen, zitieren, zusammenrufen *befehlen, beordern, bestellen, herbeirufen
heranschaffen: aufbringen, beibringen, beschaffen, besorgen, bringen, heranholen, herbeiholen, herbeischaffen, holen, organisieren, vermitteln, verschaffen, versorgen, zusammenbringen *abliefern, befördern, beibringen, beischaffen, beschaffen, bewegen, bringen, daherbringen, einliefern, heranbringen, heranholen, herantragen, herbeibringen, herbringen, herschaffen, hertragen, hintragen, hinzuholen, liefern, tragen *anfahren
heranschleichen: s. anschleichen, s. nähern, s. unbemerkt annähern
heranströmen: anströmen, heranfluten, herbeiströmen
herantragen: bringen, herbringen, heranholen, herbeischaffen, herbeitragen, hinbringen, transportieren *informieren, kundtun, petzen, verraten, verständigen, in Kenntnis setzen, ins Bild setzen, wissen lassen
herantreten: dazutreten, herangehen, s. nähern, vorsprechen, zugehen (auf)
heranwachsen: aufschießen, aufwachsen, s. entwickeln, gedeihen, heranreifen, reifen, schießen, wachsen, erwachsen werden, groß werden
heranwachsend: halbwüchsig, jugendlich, jung, kindlich, minderjährig
heranziehen: bemühen, einsetzen, einspannen, heranholen, herbeiholen, herbeiziehen, herzuholen, hinzuholen, hinzuziehen, zuziehen, zu Hilfe holen, zu Rate ziehen, Rat holen (bei) *auswerten, benutzen, berücksichtigen, erwägen, nutzen, s. nutzbar machen, verwerten, s. zunutze machen, in Betracht ziehen *aufziehen, dräuen, drohen, heraufziehen, s. nähern, s. zusammenbrauen, im Anzug sein *aufziehen, aufzüchten, entwickeln, großziehen, hochbringen, zum Gedeihen bringen
herauf: auf, aufwärts, empor, hinauf, hoch, in der Höhe, nach oben, von unten her
heraufarbeiten (s.): aufrücken, avancieren, emporkommen, vorwärts kommen, weiterkommen, befördert werden, Erfolg haben, Glück haben
heraufbeschwören: bewirken, evozieren, herbeiführen, hervorbringen, hervorrufen, veranlassen, verursachen, ins Rollen bringen *s. anlegen (mit), streiten, Streit anfangen *in Erinnerung haben, ins Gedächtnis zurückrufen
heraufsetzen: anheben, erhöhen, steigern
Heraufsetzung: Anhebung, Erhöhung *Gehaltserhöhung, Lohnerhöhung
heraufziehen: aufziehen, drohen, herannahen, heranziehen, hereinkommen, kommen, nahen, s. nähern, s. zusammenbrauen, im Anzug sein
heraus: aus, hervor, hinaus
herausarbeiten: betonen, darstellen, dartun, demonstrieren, erhellen, klarlegen, verdeutlichen, deutlich machen, sichtbar machen *aufarbeiten, aufholen, einholen, nacharbeiten
herausbekommen: auflösen, ausrechnen, bestehen, bewältigen, enträtseln, entschlüsseln, erraten, herausbringen, herausfinden, herauskriegen, klären, lösen, meistern, raten *enträtseln, ergründen, eruieren, feststellen, auf die Spur kommen, ausfindig machen, die Lösung finden, in Erfahrung bringen, zutage fördern *wiederbekommen, zurückbekommen, zurückerhalten, die Differenz erhalten
herausbilden (s.): abzeichnen, anbahnen, anfangen, s. ankündigen, aufkeimen, aufkommen, auftauchen, s. auftun, ausbrechen, s. ausprägen, beginnen, s. entfalten, s. entspinnen, entstehen, entwickeln, s. ergeben, erwachsen, s. formen, s. herauskristallisieren, kundtun, werden, s. zeigen, seinen Anfang nehmen, zum Vorschein kommen, zustande kommen
herausbringen: herausschaffen, hinausbringen, hinausschaffen *abdrucken, drucken, publizieren, reproduzieren, verlegen, veröffentlichen *auflösen, ausrechnen, bestehen, bewältigen, enträtseln, entschlüsseln, erraten, herausbekommen, herausfinden, herauskriegen,

klären, lösen, meistern, raten *dahinter kommen, entdecken, enträtseln, entschlüsseln, erforschen, ergründen, ermitteln, eruieren, feststellen, herausbekommen, herausfinden, herauskriegen, merken, auf den Grund gehen, auf den Grund kommen *erbrechen, speien, s. übergeben

herausdrehen: herausschrauben, öffnen

herausfahren: ausfahren *entschlüpfen, entwischen, über die Lippen kommen

herausfinden: auflösen, ausrechnen, bestehen, bewältigen, enträtseln, entschlüsseln, erraten, herausbekommen, herausfinden, herauskriegen, klären, lösen, meistern, raten *dahinter kommen, entdecken, enträtseln, entschlüsseln, erforschen, ergründen, ermitteln, eruieren, feststellen, herausbekommen, herausbringen, herauskriegen, merken, auf den Grund gehen, auf den Grund kommen *aufspüren, ausmachen, entdecken, finden, orten, sehen (auf), stoßen (auf), vorfinden ***s. herausfinden:** herauskommen, s. zurechtfinden, auf den richtigen Weg zurückfinden, auf den richtigen Pfad zurückfinden, den Weg finden

herausfischen: ausersehen, auslesen, ausmustern, aussieben, aussuchen, auswählen, bestimmen, erlesen, ernennen, erwählen, finden, herauslesen, heraussuchen, küren, suchen, wählen *auffischen, bergen, herausholen, retten

herausfordern: behelligen, brüskieren, fordern, provozieren, reizen, den Kampf ansagen, ins Gesicht werfen, ins Gesicht schleudern, den Fehdehandschuh hinwerfen, den Handschuh hinwerfen

herausfordernd: aggressiv, aufreizend, provokativ, provokatorisch, provozierend

Herausforderung: Anmaßung, Behelligung, Brüskierung, Forderung, Kränkung, Provokation, Reizung

Herausgabe: Edition, Publizierung, Verlegung, Veröffentlichung *Rückgabe, Übergabe, Überreichung

herausgeben: ausliefern, freigeben, preisgeben, übergeben, überreichen, wiederbringen, zurückgeben, wieder geben *abdrucken, drucken, edieren, herausbringen, publizieren, verlegen, veröffentlichen, erscheinen lassen

Herausgeber: Editor, Verleger

herausgehen: aus dem Haus gehen, aus der Wohnung gehen, aus der Tür gehen, aus der Tür treten ***aus sich herausgehen:** auftauen, s. entkrampfen, s. entspannen, s. lockern, die Hemmung verlieren, die Scheu verlieren, die Scheu ablegen, Hemmungen ablegen, munter werden, warm werden

heraushalten (s.): s. verbrennen, s. distanzieren, s. nicht beteiligen, s. die Finger nicht schmutzig machen, nichts zu tun haben wollen (mit), nicht teilnehmen, die Finger lassen (von), die Finger davonlassen

heraushängen: überdrüssig sein, es hängt (allmählich) zum Halse heraus *lüften

heraushauen: befreien, entsetzen, freibekommen, freikämpfen, herausholen, retten, zurückerobern

herausheben: behaupten, betonen, Gewicht legen (auf), herausstellen, hervorheben, pointieren, prononcieren, unterstreichen, Wert legen (auf), Wichtigkeit beimessen, Bedeutung beimessen *aushängen, ausheben, aus den Angeln heben *belobigen, ehren, herausstellen, loben, nennen

heraushelfen: entlasten, freikämpfen, herausreißen, retten, unterstützen, verteidigen, aus der Klemme helfen, die Karre aus dem Dreck ziehen, aus dem Dreck helfen

herausholen: entnehmen, herausnehmen, nehmen (aus), nehmen (von), wegnehmen *auffischen, bergen, herausfischen, retten *befreien, bergen, erretten, retten, aus einer Gefahr befreien, in Sicherheit bringen *ausfragen, aushorchen, herauslocken *entschlüsseln, erhellen, herausarbeiten, herausschälen, klarlegen *s. anstrengen, s. fordern *erwirken, gewinnen, profitieren, Nutzen ziehen, Profit erzielen, Nutzen erzielen, Vorteil erzielen, Gewinn erzielen *angeln, auffischen, fischen, herausangeln, herausfingern, herausfischen, herausklauben, herauspulen, herausstochern

herauskehren: behaupten, betonen, Gewicht legen (auf), herausstellen, hervorheben, pointieren, prononcieren, unterstreichen, Wert legen (auf), Wichtigkeit beimessen, Bedeutung beimessen
herauskommen: aufkommen, durchsickern, s. herumsprechen, ruchbar werden, entdeckt werden, offenbar werden, bekannt werden, an die Sonne kommen, an den Tag kommen, ans Tageslicht kommen, an die Öffentlichkeit treten *heraustreten, verlassen, nach außen kommen *ins Freie gelangen, nach außen dringen *erscheinen, veröffentlicht werden, publiziert werden *endigen, s. entfalten, s. ergeben, s. zeigen *formuliert werden, vorgebracht werden *Erfolg haben (mit), herausspringen, s. lohnen, s. rentieren
herauskriegen: zurückerhalten *auflösen, ausrechnen, bestehen, bewältigen, enträtseln, entschlüsseln, erraten, herausbekommen, herausbringen, herausfinden, klären, lösen, meistern, raten *dahinter kommen, entdecken, enträtseln, entschlüsseln, erforschen, ergründen, ermitteln, eruieren, feststellen, herausbekommen, herausbringen, herausfinden, merken, auf den Grund gehen, auf den Grund kommen
herauskristallisieren: s. abzeichnen, s. bilden, s. ergeben, s. erweisen, s. herausstellen, s. zeigen *herausarbeiten, zusammenfassen, zusammenziehen
herauslassen: entlassen, freigeben, freilassen, freisetzen, hinauslassen, laufen lassen, gehen lassen, auf freien Fuß setzen, die Freiheit schenken *ablassen
herauslösen: auslösen, ausschälen, entfernen, entnehmen, herausmachen, herausschälen
herausmachen: ausschälen, herausschälen, auslösen, entfernen, entnehmen, herauslösen ***s. herausmachen:** s. entwickeln, s. herausputzen, s. schminken, s. schön machen
herausnehmen: entnehmen, herausholen, nehmen (aus), nehmen (von), wegnehmen ***s. herausnehmen:** s. anmaßen, s. erfrechen, s. erkühnen, s. nicht scheuen, s. unterstehen, s. vermessen, nicht zurückschrecken, s. die Freiheit nehmen
herausplatzen: entfahren, entschlüpfen, den Mund nicht halten, nicht für sich behalten, unbeabsichtigt aussprechen *feixen, kichern, s. kugeln, lachen, losbrüllen, losplatzen, quietschen, s. schieflachen, s. totlachen, wiehern, s. vor Lachen ausschütten, ein Gelächter anstimmen, einen Lachanfall bekommen, einen Lachkrampf bekommen, hellauf lachen, in Lachen ausbrechen, in Gelächter ausbrechen, Tränen lachen, schallend lachen, aus vollem Halse lachen
herausputzen: ausgestalten, ausstatten, behängen, garnieren, schmücken, schön machen, verschönern, verzieren ***s. herausputzen:** s. aufdonnern, s. auftakeln, s. ausstaffieren, s. fein machen, s. in Schale schmeißen, s. putzen, s. schmücken, s. schniegeln, s. schön machen, s. zurechtmachen
herausragen: s. auszeichnen, s. die Sporen verdienen, s. einen Namen machen, s. hervortun, s. verdient machen *herausspringen, herausstehen, überhängen, überragen, vorragen, vorspringen, vorstehen
herausreden (s.): s. herauslügen, s. herausschwindeln, s. herauswinden, etwas vorschieben, eine Ausrede gebrauchen, Ausflüchte machen
herausreißen: ausrupfen, ausreißen, entfernen, herausrupfen, jäten, rupfen (aus), zupfen (aus) *ausgleichen *entlasten, freikämpfen, heraushelfen, retten, unterstützen, verteidigen, aus der Klemme helfen, die Karre aus dem Dreck ziehen, aus dem Dreck helfen
herausrücken: gestehen *zurückgeben *abgeben
herausschaffen: herausbringen, hinausbringen, hinausschaffen
herausschälen: herauslösen ***s. herausschälen:** s. ergeben, s. zeigen
herausschauen: blicken (aus), gucken (aus), herausblicken, herausgucken, heraussehen, schauen (aus), sehen (aus) *gewinnen, herausspringen
herausschlagen: erzielen, gewinnen, herausschinden, profitieren, Profit haben,

Gewinn haben, Nutzen haben, Vorteil haben, Profit ziehen, Profit erzielen, Profit schlagen, Nutzen ziehen, Gewinn erzielen, Nutzen schlagen, rentabel sein, gewinnbringend sein, einträglich sein *entfernen, herauslösen
herausschreien: kreischen, plärren, laut schreien, lauthals schreien
herausstellen: loben *betonen, hervorheben ***s. herausstellen:** s. ausweisen, s. entpuppen, s. ergeben, s. erweisen, s. finden, s. zeigen
herausstreichen: kürzen, streichen *betonen, hervorheben *ehren, herausheben, loben, würdigen ***s. herausstreichen:** s. aufspielen, wichtig tun
herauswinden (s.): abwehren, geradebiegen, s. herausreden, leugnen, s. verteidigen, s. aus der Klemme ziehen, s. aus der Schlinge ziehen, s. einen guten Abgang verschaffen, den Hals aus der Schlinge ziehen, seine Hände in Unschuld waschen
herausziehen: abzapfen, abziehen, zapfen *ausreißen, ausrupfen, ausziehen, auszupfen, entfernen, herausreißen, herausrupfen, herauszupfen, jäten *greifen (nach), hervorziehen, ziehen, zücken
herb: hart, schmerzlich, schwer, unfassbar *bitter, sauer, scharf, streng, trocken *hart, kühl, reserviert, spröde, unaufgeschlossen, unfreundlich, unzugänglich, verbittert, verschlossen, zurückgezogen *schlecht, unangenehm *adstringierend, trocken, zusammenziehend
herbei: her, heran, herzu, hierher, hierhin
herbeieilen: anlaufen, anrücken, entgegeneilen, herbeijagen, herbeilaufen, herbeirennen, herbeistürmen, herbeistürzen, hereilen, herkommen, herzueilen, herzulaufen, herzustürmen, herzustürzen, hinlaufen, s. nähern, s. stürzen (auf)
herbeiführen: anrichten, auslösen, bewirken, erwecken, heraufbeschwören, veranlassen, verursachen
herbeiholen: aufbringen, beibringen, beschaffen, besorgen, bringen, heranholen, heranschaffen, herbeischaffen, holen, organisieren, vermitteln, verschaffen, versorgen, zusammenbringen *bringen
herbeilassen: s. bequemen, geruhen, s. herablassen, s. verstehen zu tun
herbeirufen: heranrufen, herbeordern, herbestellen, herrufen, herzurufen, hinzurufen, rufen, schicken (nach) *beordern, versammeln, zitieren, zusammenrufen
herbeischaffen: aufbringen, bekommen, beschaffen, besorgen, bringen, heranschaffen, vermitteln *anfahren, heranbringen, herantransportieren
herbeisehnen: erhoffen, ersehnen, erträumen, erwarten, herbeiwünschen, schmachten (nach), s. sehnen (nach), wollen, wünschen, Hoffnungen hegen
herbeiströmen: heranströmen, herbeieilen, zusammenlaufen, zusammenströmen
Herberge: Hotel, Unterkunft *Jugendhaus, Jugendherberge *Berghütte, Hütte
herbestellen: beordern, bescheiden, bestellen, herbeizitieren, zitieren, kommen lassen
Herbheit: Sprödigkeit *Bitterkeit
herbringen: aufbringen, bekommen, beschaffen, besorgen, bringen, heranschaffen, vermitteln
Herbst: Altweibersommer, Nachsommer *Alter *Ende
Herd: Feuerherd, Kochherd, Küchenherd *Heim, Zuhause
Herde: Tierherde *Ansammlung, Gruppe, Haufen, Menge, Menschenmenge, Schar, Volksmenge
herdenweise: haufenweise, hordenweise, scharenweise, schwarmweise, viel, in Scharen, in Herden
herein!: da herein!, hereinkommen!, komm!, kommt!, kommen Sie!, bitte eintreten!
hereinbekommen: bekommen, empfangen, erhalten, beliefert werden
hereinbrechen: losgehen, zum Ausbruch kommen, unerwartet anheben, plötzlich anfangen, unerwartet treffen
hereindringen: eindringen, einfallen, hereinkommen, hereinmarschieren
hereinfahren: einfahren, hineinfahren
hereinfallen: aufsitzen, hereinfliegen, hineinfliegen, s. irren, verlieren, hintergangen werden, betrogen werden, ge-

täuscht werden, überlistet werden, in die Schlinge gehen, in die Falle gehen, ins Garn gehen, ins Netz gehen, in die Grube fallen, benachteiligt sein, auf den Leim gehen, aufs Kreuz gelegt werden

hereinkommen: betreten, eintreten, gehen (in), hereindringen, hereinspazieren, hereintreten, hineingehen, hineingelangen, hineinkommen, treten (in), Einzug halten

hereinlassen: die Tür aufschließen, die Tür aufmachen, die Tür aufsperren, die Tür öffnen, Einlass gewähren, jmdn. hereinkommen lassen, jmdn. eintreten lassen

hereinlegen: siegen, überlisten, jmdn. täuschen, jmdm. eine Grube graben, jmdn. aufs Kreuz legen, jmdn. betrügen, jmdn. überlisten, jmdn. benachteiligen

hereinplatzen: überfallen, unangemeldet erscheinen, unerwartet kommen

hereinschauen: besuchen, s. blicken lassen, vorbeischauen, vorsprechen

hereinziehen: s. einmieten, s. einquartieren, einziehen

herfahren: fahren, herkommen, kommen, s. nähern

herführen: führen, herbeiführen, leiten

Hergang: Affäre, Begebenheit, Besonderheit, Einmaligkeit, Eklat, Episode, Ereignis, Erlebnis, Geschehen, Geschehnis, Geschichte, Intermezzo, Phänomen, Schauspiel, Sensation, Vorfall, Vorgang, Vorkommnis, Wirbel, Zufall, Zwischenfall *Ablauf, Fortgang, Gang, Lauf, Prozess, Verlauf

hergeben: aushändigen, geben, reichen, zuschieben *schenken, spendieren, übergeben, übermachen, überreichen, verschenken

hergebracht: alltäglich, alt, althergebracht, anerkannt, bewährt, eingefahren, eingespielt, gängig, geläufig, gewohnheitsmäßig, gewohnt, herkömmlich, klassisch, konventionell, normal, traditionell, überkommen, überliefert, usuell

hergelaufen: unbekannt *da, hinzugekommen

herholen: beischaffen, bringen, herbeischaffen, herbringen ***weit herholen:** suchen

herkommen: (ab)stammen (von), beruhen (auf), herstammen, kommen (von) *s. einfinden, entgegenkommen, erreichen, herankommen, s. herbemühen, s. nahen, s. nähern

Herkommen: Abkunft, Abstammung, Herkunft *Brauch, Sitte, Überlieferung

herkömmlich: alt, altehrwürdig, altererbt, althergebracht, altüberliefert, ehrwürdig, ererbt, hergebracht, klassisch, konventionell, traditionell, überkommen, überliefert, üblich

herlaufen: s. einfinden, herbeilaufen, hinzukommen *folgen, hinterherlaufen

herleiern: aufsagen *abbeten, herunterbeten, herunterleiern

herleiten: ableiten (aus), ableiten (von), deduzieren, entwickeln (aus), folgern, zurückführen (auf) ***s. herleiten:** abstammen, herrühren

Herleitung: Ableitung, Beweisführung, Folgerung, Reduktion, Zurückführung

hermachen: wirken ***s. hermachen:** einfallen, überfallen *anfangen, beginnen

hermetisch: luftdicht, undurchdringlich, undurchlässig, wasserdicht, dicht verschlossen, völlig dicht *dunkel, geheimnisvoll

hernach: danach, dann, endlich, hieran, hiernach, hintennach, hinterher, nach, nachher, nachträglich, schließlich, sodann, sonach, später, im Anschluss (an), im Nachhinein, in der Folge

hernieder: ab, abwärts, herab, herunter, hinunter, nieder

Heroin: Horse, Junk, Smack, Snief

heroisch: aufrecht, beherzt, couragiert, draufgängerisch, entschlossen, forsch, furchtlos, heldenhaft, heldenmütig, herzhaft, kämpferisch, kühn, mannhaft, männlich, mutbeseelt, mutig, schneidig, standhaft, tapfer, todesmutig, tollkühn, unerschrocken, unverzagt, vermessen, verwegen, wagemutig, waghalsig

Heroismus: Beherztheit, Courage, Draufgängertum, Forschheit, Furchtlosigkeit, Heldengeist, Heldenhaftigkeit, Herz, Herzhaftigkeit, Kühnheit, Löwenmut, Mannesmut, Mannhaftigkeit, Mumm, Mut, Schneid, Tapferkeit, Toll-

kühnheit, Unerschrockenheit, Unverzagtheit, Zivilcourage
Heros: Draufgänger, Gewinner, Gigant, Held, Heroe, Kämpe, Matador, Recke, Sieger
Herr: Ehrenmann, Kavalier, Mann, Weltmann, männliches Wesen *Herrscher, Regent *Gott ***Herr des Hauses:** Besitzer, Eigentümer, Eigner, Halter, Hausherr, Inhaber *Gastgeber
herrichten: ausbessern, bereitmachen, fertig machen, richten, instand setzen, in Ordnung bringen *vorbereiten, zurechtlegen, zurechtmachen *anordnen, arrangieren, zurechtstellen
Herrin: Besitzerin, Gebieterin, Hauseigentümerin, Vermieterin *Domina
herrisch: apodiktisch, autokratisch, autoritär, barsch, bestimmt, brüsk, despotisch, diktatorisch, drakonisch, drastisch, energisch, entschieden, erbarmungslos, gebietend, gebieterisch, gestreng, gnadenlos, grob, hart, herrschsüchtig, machthaberisch, massiv, obrigkeitlich, patriarchalisch, rechthaberisch, repressiv, rigoros, rücksichtslos, scharf, schroff, selbstherrlich, streng, tyrannisch, unbarmherzig, unerbittlich, unnachgiebig, unnachsichtig
herrlich: bildschön, elysisch, elysäisch, glanzvoll, göttlich, großartig, himmlisch, köstlich, paradiesisch, phantastisch, strahlend, überdurchschnittlich, unnachahmlich, unübertrefflich, unübertroffen, unvergleichlich, vollkommen, wonnevoll, wonnig, wonniglich, wunderschön, zauberhaft, wie gemalt
Herrlichkeit: Erhabenheit, Großartigkeit, Paradies, Pracht, Schönheit, Wonne *Glanz, Glorie, Glorienschein, Prunk
Herrschaft: Alleinherrschaft, Befehlsgewalt, Botmäßigkeit, Führung, Gewalt, Gewaltherrschaft, Leitung, Macht, Regentschaft, Regierung, Regiment, Selbstherrschaft, Staatsmacht
herrschaftlich: adelig, vornehm *aufwändig, blendend, bombastisch, brillant, eindrucksvoll, erhaben, fürstlich, gewaltig, glänzend, glanzvoll, grandios, großartig, illuster, imponierend, imposant, kolossal, königlich, luxuriös, majestätisch, pomphaft, pompös, prächtig, prachtvoll, prangend, prunkend, prunkvoll, repräsentativ, sondergleichen, stattlich, strahlend, unübertrefflich, unvergleichlich, üppig, wirkungsvoll
Herrschaftsbereich: Einflussbereich, Herrschaftsbezirk, Machtbereich, Machtsphäre *Domäne, Reich, Territorium
herrschen: befehligen, beherrschen, führen, gebieten, lenken, regieren, verwalten, vorstehen, walten (über), schalten (über), die Fäden in der Hand haben, die Herrschaft ausüben, die Herrschaft haben, das Zepter schwingen, die Geschicke des Landes bestimmen, Macht ausüben, Macht haben, Macht besitzen, Macht halten, am Ruder sein *existieren, sein *obwalten, vorherrschen, walten
Herrscher: Gebieter, Gewalthaber, Haupt, Herr, Landesvater, Machthaber, Oberhaupt, Regent, Staatsoberhaupt *Fürst, Imperator, Kaiser, König, Zar *Alleinherrscher, Despot, Diktator, Gewalthaber, Gewaltherrscher, Schreckensherrscher, Tyrann, Unterdrücker
herrschsüchtig: autoritär, herrisch, keinen Widerspruch vertragen können
herrühren: basieren (auf), beruhen (auf), entspringen, herkommen (von), herstammen (von), kommen (von), resultieren (aus), rühren (von), s. herleiten (von), zurückgehen (auf), zugrunde liegen
hersagen: ableiern, aufsagen, herunterbeten, herunterleiern, heruntersagen, leiern, vorleiern, vortragen
herschaffen: aufbringen, bekommen, beschaffen, besorgen, bringen, heranschaffen, vermitteln
herstammen: ableiten, abstammen, entstammen, herkommen, kommen (von), stammen (von), zurückgehen (auf) *herrühren
herstellen: anfertigen, arbeiten (an), ausarbeiten, ausführen, ausstoßen, auswerfen, bauen, bilden, erschaffen, erstellen, erzeugen, fertigen, gewinnen, machen, produzieren, verfertigen *zustande bringen *heilen
Hersteller: Erzeuger, Fabrikant, Produzent, Unternehmer

Herstellung: Anfertigung, Arbeit, Ausstoß, Bau, Bildung, Erschaffung, Erzeugung, Fabrikation, Fertigung, Hervorbringung, Produktion, Schaffung
Herstellungsart: Ausführung, Machart, Methode, Vorgehensweise
Herstellungskosten: Fabrikationskosten, Fertigungskosten, Gestehungskosten, Selbstkosten
herum: allseitig, reihum, ringsherum, ringsum, rundherum, umher, an allen Seiten, im Kreise *etwa, ungefähr, zirka, um … herum
herumalbern: albern, kaspern, Spaß machen, Unsinn machen
herumbasteln: fummeln, herumfummeln, herummodeln, herummurksen, pusseln
herumbekommen: absitzen, rumkriegen, hinter sich bringen *aufschwatzen, bearbeiten, bekehren, bereden, beschwatzen, breitschlagen, einwickeln, erweichen, überreden, überzeugen, umstimmen, werben
herumdoktern: doktern, kurpfuschen, quacksalbern *versuchen
herumdrehen: wenden *behalten, geizen, sparen, zurückbehalten, zurückhalten
herumdrücken (s.): s. die Zeit vertreiben, faulenzen, nichts tun, nicht arbeiten, untätig sein, faul sein, müßig sein, arbeitsscheu sein, die Hände in den Schoß legen, die Zeit totschlagen *s. aufhalten, s. herumtreiben, sein
herumgehen: kreisen, kursieren, umlaufen, weitergeben, zirkulieren, durch viele Hände gehen, von Hand zu Hand gehen *enden, vergehen, verstreichen
herumhacken: ärgern, schimpfen, tadeln, zurechtweisen *bearbeiten, hacken
herumhängen: bummeln, faulenzen, krankfeiern, s. die Zeit vertreiben, die Daumen drehen, keinen Finger rühren, die Hände in den Schoß legen, die Zeit totschlagen, nicht(s) tun, nicht(s) arbeiten, untätig sein, faul sein, müßig sein, arbeitsscheu sein
herumkommen: herumreisen, reisen, umherreisen, umherziehen, s. umtreiben, viel sehen, viel erleben, auf Reisen sein *bewältigen, fertig werden, meistern, schaffen *davonkommen, so wegkommen
herumkriegen: ändern, beeinflussen, überreden, überzeugen *herumbekommen, herumbringen, herumdrehen
herumreißen: heftig drehen, heftig steuern *beeinträchtigen, erschüttern, stark beeindrucken
herumreiten: reiten, umherreiten *beharren (auf), s. verfestigen, bleiben (bei), immer wieder erörtern, nicht lockerlassen
herumrennen: tollen, umhertollen *laufen, umherlaufen
herumschlagen (s.): s. abmühen, s. bemühen, s. plagen *balgen, boxen, dreschen, durchprügeln, einprügeln (auf), einschlagen (auf), losschlagen, malträtieren, misshandeln, ohrfeigen, peitschen, prügeln, schlagen, verdreschen, verprügeln, züchtigen, zuhauen, zusammenschlagen, zuschlagen, handgreiflich werden, tätlich werden, wehtun, einen Schlag versetzen, Schläge versetzen, Prügel austeilen
herum sein: aus sein, ausgegangen sein, ausgeschaltet sein, erloschen sein, vergangen sein, verstrichen sein, zu Ende sein *kursieren, in aller Munde sein, verbreitet sein *s. aufhalten, in der Nähe sein
herumsprechen (s.): aufkommen, durchdringen, durchsickern, herauskommen, kursieren, s. verbreiten, bekannt werden, ruchbar werden, entdeckt werden, ans Licht kommen, an die Öffentlichkeit dringen, publik werden
herumstehen: herumlungern, faul sein, untätig sein
herumstrolchen: s. drücken, s. herumdrücken, herumlottern, herumlungern, herumschleichen, herumschwirren, herumstreichen, herumstreifen, herumstreunen, herumstromern, s. herumtreiben, herumvagabundieren, herumzigeunern, strolchen, umherschweifen, umherstreichen, vagabundieren, zigeunern, auf der Gasse liegen
herumtreiben (s.): herumkommen, s. herumdrücken, herumlaufen, herum-

lungern, herumstromern, herumziehen, herumzigeunern, streunen, strolchen, s. treiben lassen, s. umhertreiben, umherziehen, vagabundieren, zigeunern, ohne festen Wohnsitz sein, auf der Straße leben
Herumtreiber: Faulenzer, Früchtchen, Galgenstrick, Galgenvogel, Gammler, Haderlump, Landstreicher, Nichtsnutz, Strolch, Stromer, Taugenichts, Tunichtgut
Herumtreiberei: Landstreicherei, Vagabundendasein, Zigeunerei
herumwerfen: ausgeben, hinauswerfen, verschleudern, verschwenden *__s. herumwerfen:__ s. herumdrehen, s. wälzen
herunter: abwärts, herab, hernieder, hinab, hinunter, nieder, in die Tiefe, nach unten *abgearbeitet, abgehetzt, abgekämpft, abgeschlafft, abgespannt, abgewirtschaftet, angegriffen, angeschlagen, atemlos, aufgerieben, ausgelaugt, durchgedreht, entkräftet, entnervt, erholungsbedürftig, erledigt, ermattet, erschlagen, erschöpft, fertig, gerädert, geschafft, groggy, halb tot, kaputt, kraftlos, marode, matt, mitgenommen, müde, schachmatt, schlaff, schlapp, schwach, überanstrengt, überfordert, überlastet, urlaubsreif, verbraucht, zerschlagen, k. o., am Ende *aufgebraucht, leer, zu Ende
herunterbeten: ableiern, aufsagen, hersagen, herunterleiern, heruntersagen, leiern, vorleiern, vortragen *abbeten, herleiern, herunterleiern
herunterbringen: herunterwirtschaften, ruinieren *essen, herunterschlucken, schlucken
herunterdrücken: senken, unterbieten, verringern
herunterfallen: entfallen, entgleiten, entstürzen, aus der Hand fallen, aus der Hand rutschen *abgleiten, abstürzen, ausrutschen, fallen
herunterfliegen: abfallen, abstürzen, herabsausen, herabstürzen, herunterfallen, hinabfallen, hinuntersausen, niedergehen
heruntergehen: fallen, sinken, reduziert werden, billiger werden
heruntergekommen: arm, herabgekommen, hilfebedürftig, hilfsbedürftig *siech, ein Wrack (sein), (sehr) krank (sein) *abgewirtschaftet, ruiniert, verdorben, verkommen, verlebt, verlottert, verschlampt, verwahrlost, verwildert *abgemagert
herunterkommen: verkommen, vernachlässigen, alt werden, baufällig werden *herabsteigen
herunterlassen: herablassen, hinablassen, hinunterlassen, niederlassen, senken *herablassen, herunterziehen, verdunkeln
herunterlaufen: schaudern *abfließen
heruntermachen: anbrüllen, attackieren, ausschelten, ausschimpfen, auszanken, schelten, schimpfen, tadeln, zetern, zurechtweisen *verleumden
herunterreißen: abreißen, entfernen *entlarven *abnutzen, verbrauchen *kritisieren
herunterspielen: bagatellisieren, beschönigen, schönfärben, untertreiben, verharmlosen, verkleinern, verniedlichen
herunterwirtschaften: herunterbringen, ruinieren, schädigen, verderben, vernichten, zerstören, den Karren in den Dreck fahren, in Grund und Boden wirtschaften
hervor: aus, heraus *von dort hinten nach hier vorn
hervorbrechen: ausbrechen, hervorkommen, s. zeigen, zum Vorschein kommen
hervorbringen: anfertigen, bilden, entwickeln, erschaffen, erzeugen, kreieren, machen, produzieren, schaffen, schöpfen, zeitigen, aus dem Boden stampfen, aus der Erde stampfen *auslösen, bedingen, bewirken, entfesseln, erregen, erwecken, erzeugen, evozieren, heraufbeschwören, heraufrufen, herbeiführen, hervorrufen, veranlassen, verschulden, verursachen, wecken, zeitigen *auskramen, hervorholen
Hervorbringung: Anfertigung, Arbeit, Ausstoß, Bau, Bildung, Erschaffung, Erzeugung, Fabrikation, Fertigung, Herstellung, Produktion, Schaffung
hervorgehen: s. ergeben, s. erweisen, s. zeigen *gewinnen, siegen

hervorheben: akzentuieren, artikulieren, betonen *herausstellen, hervorkehren, pointieren, unterstreichen, verstärken, ausdrücklich bemerken, nachdrücklich bemerken, ausdrücklich erwähnen
Hervorhebung: Betonung, Unterstreichung
hervorholen: auskramen, hervorbringen
hervorkommen: brechen (aus), durchbrechen, s. enthüllen, s. entpuppen, s. herausstellen, hervorbrechen, s. zeigen, ans Licht kommen, zum Vorschein kommen, offenbar werden, erkennbar werden, zutage treten *aufgehen, entstehen, werden
hervorlocken: entlocken, herauslocken
hervorragen: auffallen, herausragen, hervorstechen, Format haben
hervorragend: abenteuerlich, ansehnlich, auffallend, auffällig, aufsehenerregend, außergewöhnlich, außerordentlich, ausgefallen, beachtlich, bedeutend, bedeutsam, bedeutungsvoll, beeindruckend, beträchtlich, bewundernswert, bewundernswürdig, brillant, eindrucksvoll, einzigartig, eminent, enorm, entwaffnend, erstaunlich, erstklassig, fabelhaft, famos, groß, großartig, herausragend, imponierend, imposant, märchenhaft, nennenswert, ohnegleichen, sagenhaft, sensationell, sondergleichen, spektakulär, stattlich, überragend, überraschend, überwältigend, ungeläufig, ungewöhnlich, unnachahmlich, unvergleichlich, verblüffend, virtuos, vollkommen
hervorrufen: auslösen, bedingen, bewirken, entfesseln, erregen, erwecken, erzeugen, evozieren, heraufbeschwören, heraufrufen, herbeiführen, hervorbringen, veranlassen, verschulden, verursachen, wecken, zeitigen
hervorsprießen: entkeimen, entknospen, entsprießen, entwachsen
hervortreten: s. enthüllen, hervorkommen, zutage kommen, zutage treten, zum Vorschein kommen, offenbar werden, sichtbar werden
hervortun (s.): s. auszeichnen, s. die Sporen verdienen, s. einen Namen machen, herausragen, s. verdient machen
Herz: Pumpe *Beherztheit, Courage, Draufgängertum, Forschheit, Furchtlosigkeit, Heldengeist, Heldenhaftigkeit, Heroismus, Kühnheit, Löwenmut, Mannesmut, Mannhaftigkeit, Mumm, Mut, Schneid, Tapferkeit, Tollkühnheit, Unerschrockenheit, Unverzagtheit, Zivilcourage *Mittelpunkt, Zentrum *Augapfel, Geliebte, Geliebter, Herzblatt, Liebling, Schatz *Gemüt, Innerlichkeit, Seele
herzählen: aufblättern, aufzählen, herblättern, zählen
herzbewegend: herzbrechend, herzergreifend, herzzerreißend, jämmerlich, mitleiderregend, steinerweichend *bewegend, ergreifend, erschütternd, rührend
herzen: abdrücken, buhlen, kosen, liebkosen, schmusen, streicheln, umgarnen, zärteln, lieb haben
Herzensbrecher: Charmeur, Frauenheld, Frauenliebling, Lebemann, Schürzenjäger, Verführer, Weiberheld, Wittentröster
herzhaft: pikant, würzig, gut gewürzt *anständig, fest, gehörig, kräftig, ordentlich, tüchtig, nach Herzenslust *heiter, lustig, überschäumend, vergnügt *beherzt, draufgängerisch, furchtlos, heldenhaft, heldenmütig, kämpferisch, kühn, mannhaft, mutig, tapfer, todesmutig, tollkühn, unerschrocken, unverzagt, vermessen, verwegen, wagemutig, waghalsig
herziehen: demütigen, lästern, moppen, schlecht machen, schlecht reden (über), gehässig reden (über)
Herzklopfen: Aufregung, Beklemmung, Beklommenheit, Erregung, Lampenfieber, Nervosität, Prüfungsangst, Unruhe
Herzkranzgefäße: Koronargefäße, Koronarien
herzlich: anständig, aufmerksam, beflissen, bereitwillig, dienstwillig, entgegenkommend, freundlich, gefällig, großmütig, großzügig, gut gesinnt, hilfsbereit, höflich, huldreich, huldvoll, konziliant, kulant, leutselig, liebenswürdig, liebevoll, nett, sehr, überaus, verbindlich, wohlgesinnt, wohlmeinend, wohlwollend, zuvorkommend
Herzlichkeit: Artigkeit, Beflissenheit, Bereitschaft, Bereitwilligkeit, Dienst,

Dienstwilligkeit, Eifer, Entgegenkommen, Freundlichkeit, Gefallen, Gefälligkeit, Geneigtheit, Höflichkeit, Liebenswürdigkeit, Nachgiebigkeit, Nachsicht, Neigung, Nettigkeit, Verbindlichkeit, Wohlwollen, Zugeständnis, Zuvorkommenheit, gute Manieren, gute Umgangsformen

herzlos: abgestumpft, barbarisch, brutal, erbarmungslos, gefühllos, gefühlsarm, gefühlskalt, gemütsarm, gleichgültig, gnadenlos, grausam, hartherzig, inhuman, kaltblütig, lieblos, mitleidlos, roh, schonungslos, seelenlos, unbarmherzig, ungesittet, unmenschlich, unsozial, unzugänglich, verroht

Herzlosigkeit: Brutalität, Erbarmungslosigkeit, Gefühllosigkeit, Gefühlsarmut, Gefühlskälte, Gefühlsrohheit, Gleichgültigkeit, Gnadenlosigkeit, Grausamkeit, Härte, Hartherzigkeit, Herzensverhärtung, Kaltblütigkeit, Kälte, Kaltherzigkeit, Lieblosigkeit, Mitleidlosigkeit, Rohheit, Schonungslosigkeit, Unbarmherzigkeit, Unmenschlichkeit, Unzugänglichkeit

herzuholen: bringen, holen *bemühen, einsetzen, einspannen, heranholen, heranziehen, herbeiholen, herbeiziehen, hinzuholen, hinzuziehen, zuziehen, zu Hilfe holen, zu Rate ziehen, Rat holen (bei)

herzzerreißend: beklagenswert, erbärmlich, herzbewegend, herzbrechend, kläglich, Mitleid erregend, steinerweichend

heterogen: abweichend, anders, andersartig, different, grundverschieden, ungleich, unterschiedlich, unvereinbar, verschiedenartig, wesensfremd, zweierlei, einer anderen Gattung angehörend, in sich nicht einheitlich, nicht gleichartig

Heterogenität: Disparität, Gegensätzlichkeit, Ungleichartigkeit, Unvereinbarkeit, Verschiedenartigkeit, Verschiedenheit

Hetze: Eile, Gehetze, Gehetztheit, Gejage, Gejagtheit, Hast, Hatz, Hetzerei, Hetzjagd, Jagd, Rastlosigkeit, Ruhelosigkeit, Tempo, Treiberei, Unrast, Unruhe, Zeitmangel *Beschleunigung, Endspurt, Spurt *Dringlichkeit, Notwendigkeit, Unaufschiebbarkeit, Wichtigkeit *Aufhetzung, Gräuelhetze, Gräuelpropaganda, Propaganda, Scharfmacherei, Stänkerei, Verleumdung, Wühlarbeit, Wühlerei, üble Nachrede

hetzen: angreifen, anspornen, aufhetzen, aufpeitschen, aufreizen, aufrühren, aufstacheln, aufwiegeln, empören, fanatisieren, lästern, quer treiben, spalten, stänkern, sticheln, verfeinden, verleumden, wühlen, Hass säen, Zwietracht säen *bedrängen, nachsetzen, nachstellen, scheuchen, verfolgen, vorwärts treiben *eilen, fliegen, galoppieren, jagen, laufen, pesen, rennen, sausen, schwirren, springen, sprinten, spritzen, stieben, stürmen, stürzen, traben, wetzen, wieseln *anfeuern, anspornen, anstacheln, antreiben, begeistern, drängen, treiben, vorwärts treiben *aufhetzen, aufstacheln, antreiben

Hetzer: Aufhetzer, Aufwiegler, Provokateur, Quertreiber, Querulant, Scharfmacher, Stänker, Unruhestifter, Wühler, der Aufständische

hetzerisch: aufrührerisch, aufwieglerisch, provokatorisch, scharfmacherisch, verleumderisch

Hetzjagd: Hatz, Hetze, Treibjagd *Fahndung, Hatz, Hetze, Jagd, Kesseltreiben, Nachstellung, Pogrom, Suche, Treibjagd, Verfolgung, Verfolgungsjagd

Heuchelei: Doppelzüngigkeit, Falsch, Falschheit, Getue, Gleisnerei, Lippenbekenntnis, Pharisäertum, Scheinheiligkeit, Unaufrichtigkeit, Verlogenheit, Verstellung, Vortäuschung

heucheln: lügen, mimen, schmeicheln, s. verstellen, vorspiegeln, Theater spielen, Krokodilstränen weinen, so tun als ob, einen falschen Eindruck erwecken

Heuchler: Biedermann, Duckmäuser, Erbschleicher, Lügner, Mucker, Pharisäer, Schmeichler, der Scheinheilige, falscher Fuffziger, falscher Hund, Wolf im Schafspelz

Heuchlerin: Schlange, die Scheinheilige, falsche Katze, falsche Schlange

heuchlerisch: doppelzüngig, falsch, frömmelnd, glattzüngig, hinterhältig, katzenfreundlich, lügenhaft, lügnerisch, pharisäisch, scheinheilig, schmeichle-

risch, unaufrichtig, unehrlich, unlauter, unredlich, unreell, unsolid, unwahrhaftig, verstellt, vielzüngig
heuer: dieses Jahr, in diesem Jahr *gegenwärtig, heutig, heutigentags, heutzutage, jetzt, neuerdings
heulen: ausheulen, s. ausweinen, beklagen, jammern, plärren, schluchzen, weinen, wimmern, s. in Tränen auflösen, Tränen vergießen
Heuschrecke: Grashüpfer, Grille, Heupferd, Heupferdchen
Heustadel: Heuboden, Heuspeicher, Scheuer, Scheune
heute: am heutigen Tag, an diesem Tag *derzeitig, gegenwärtig, heutig, heutigentags, heutzutage, jetzig, jetzt, momentan, neuerdings, im Augenblick *gleich, jetzt, sofort, gleich nachher *aktuell, modern, up to date
Heute: Gegenwart, Jetztzeit, das Jetzt, das Hier und Jetzt, die gegenwärtige Zeit, die heutige Zeit, die jetzige Zeit
heutig: augenblicklich, gegenwärtig, heute, heutigentags, heutzutage, jetzig, jetzt, momentan *am heutigen Tag, an diesem Tag, heute stattfindend *frisch, von heute
Hexe: Drude, Fee, Gespenst, Weissagerin, Zauberin, weise Frau *Drache, Ehedrache, Furie, Hausdrache, Megäre, Xanthippe
hexen: beschwören, besprechen, verwünschen, zaubern, Hokuspokus machen, Zauberei betreiben
Hexer: Drude, Fee, Geisterbanner, Magier, Medizinmann, Quacksalber, Wahrsager, Zauberer, Zauberkünstler
Hieb: Klaps, Puff, Schlag, Stoß, Streich *Andeutung, Anspielung, Anzüglichkeit, Gestichel, Häkelei, Stichelei *Schluck *Rausch
Hiebe: Haue, Prügel, Schläge
hier: da, hierzulande, an dieser Seite, auf dieser Seite, an dieser Stelle, auf dieser Stelle, an diesem Ort, bei uns, an Ort und Stelle *einheimisch, hiesig *diesseits *anwesend, da
Hierarchie: Hackordnung, Rangfolge, Rangordnung, Stufenfolge, Stufenleiter, Stufenordnung
hierbei: dabei, hieran, jetzt, an dieser Stelle, bei dieser Gelegenheit
hierfür: dafür, zu diesem Zweck, ad hoc
hierher: her, heran, herbei, herwärts, herzu, hierhin, hinzu, von dort nach hier
hierhin: dorthin, von hier nach dort, nach dort
hierin: darin, in diesem Punkt
hiermit: dadurch, damit, hierdurch, mit der betreffenden Sache
hierüber: darüber, dazu, hiervon, in Bezug auf
hierunter: darunter, drunter, unterhalb *unter *dabei, darunter, eingeschlossen
hiervon: davon, von, von dieser, von diesem, von diesen
hierzu: dazu, diesbezüglich, in Bezug auf, in dieser Beziehung *dabei, dazu, zu diesem, zu dieser
hierzulande: da, hier, in diesem Lande, bei uns, in unserer Gegend, in unserem Ort, in unserer Gemeinde
hiesig: ansässig, beheimatet, eingesessen, einheimisch, niedergelassen, ortsansässig *hier befindlich
high: angeturnt, euphorisch, unter Drogen, im Rausch *glücklich, glückselig, hochgestimmt, selig
Highsociety: Establishment, Geldadel, Hautevolee, Jetset, Oberschicht, Schickeria, die oberen Zehntausend, führende Kreise
Hilfe: Abhilfe, Assistenz, Aushilfe, Befreiung, Beistand, Beitrag, Dazutun, Dienst, Dienstleistung, Handreichung, Hilfestellung, Hilfsdienst, Mitarbeit, Mitwirkung, Unterstützung, Zutun *Assistent, Gehilfe, Helfer, Hilfskraft, Mitarbeiter, Rückhalt, Stütze *Hausangestellte, Putzfrau, Raumpflegerin, Reinemachefrau, Reinigungskraft, Scheuerfrau, Zugehfrau *Nothilfe, Rettung, Samariterdienst *Ausweg *Förderung, Unterstützung, Zuschuss
Hilfeleistung: Beihilfe, Förderung, Hilfe, Unterstützung, Zuschuss
Hilferuf: Notruf, Notsignal, SOS-Ruf *Angstschrei, Schrei
hilflos: abhängig, hilfsbedürftig, machtlos, ohnmächtig, schwach, unselbständig

*ratlos, unbeholfen, verlegen, verwirrt, am Ende, in Verlegenheit *ausgeliefert, ohnmächtig, preisgegeben, schutzlos, schwach, unbehütet, unbeschirmt, ungeborgen, ungeschützt, ohne Schutz
Hilflosigkeit: Abhängigkeit, Hörigkeit, Unmündigkeit, Unselbständigkeit *Behinderung *Minderwertigkeitsgefühl, Ohnmacht, Ratlosigkeit
hilfreich: dienstfertig, entgegenkommend, gefällig, hilfsbereit, zuvorkommend *aufopfernd, aufopferungsfähig, brüderlich, fürsorglich *dienlich, nützlich, von Nutzen
hilfsbedürftig: arm, heruntergekommen, hilfebedürftig
hilfsbereit: aufopfernd, aufopferungsfähig, brüderlich, fürsorglich, opferbereit, opferwillig, samariterhaft
Hilfsbereitschaft: Aufopferung, Einsatzbereitschaft, Entgegenkommen, Erbötigkeit, Fürsorge, Gefälligkeit, Opferbereitschaft, Samariterdienst, Samaritertum
Hilfskraft: Aushilfe, Aushilfskraft, Gelegenheitsarbeiter, Handlanger, Hilfsarbeiter, Lückenbüßer, Tagelöhner, Taglöhner
Hilfsmittel: Ersatz, Hilfe, Mittel, Prothese, Rüstzeug
Himmel: Firmament, Himmelsdach, Himmelsdom, Himmelsgewölbe, Himmelskuppel, Himmelszelt, Sternenzelt *All, Himmelsraum, Kosmos, Makrokosmos, Unbegrenztheit, Unendlichkeit, Unermesslichkeit, Universum, Weltall, Weltraum, kosmischer Raum *Ewigkeit, Himmelreich, Jenseits, Nirwana, Olymp, Paradies, ewige Seligkeit, Reich Gottes
Himmelskörper: Asteroid, Fixstern, Gestirn, Nova, Planet, Planetoid, Stern, Wandelstern
himmlisch: bildschön, elysisch, elysäisch, glanzvoll, göttlich, großartig, herrlich, köstlich, paradiesisch, phantastisch, strahlend, überdurchschnittlich, unnachahmlich, unübertrefflich, unübertroffen, unvergleichlich, vollkommen, wonnevoll, wonnig, wonniglich, wunderschön, zauberhaft, wie gemalt *abgestimmt, angenehm, appetitlich, aromatisch, blumig, delikat, deliziös, fein, köstlich, lecker, lieblich, mundend, pikant, schmackhaft, wohl schmeckend, würzig, gut abgeschmeckt *engelhaft, engelsgleich, jenseitig, überirdisch, übernatürlich, übersinnlich
hin: dorthin, hinzu *auseinander, entzwei, kaputt, zerbrochen *tot
hinab: abwärts, herab, hernieder, herunter, hinunter, nieder, in die Tiefe, nach unten
hinabblicken: verachten *hinunterblicken, hinunterschauen
hinauf: aufwärts, bergauf, empor, herauf, himmelan, himmelauf, himmelwärts, hinan, hoch, in die Höhe
hinaufgehen: ansteigen, aufsteigen, emporsteigen, heraufsteigen, hochgehen, hochsteigen, nach oben gehen, aufwärts gehen, aufwärts steigen, nach oben steigen
hinaufklettern: aufsteigen, emporklettern, entern, hochklettern, hochsteigen, klettern
hinaufschwingen (s.): s. aufschwingen *aufsitzen, aufsteigen, besteigen, s. in den Sattel schwingen
hinaufsetzen: heben, anheben, erhöhen, heraufsetzen
hinaufziehen: aufziehen, emporziehen, heben, heraufziehen, hieven, hochhieven, hochziehen, nach oben ziehen, in die Höhe ziehen
hinaus: nach draußen
hinaus!: ab!, ab mit dir!, fort!, geh!, geh weg!, hau ab!, raus!, weg!
hinausfahren: abfahren, ablegen, davonziehen, scheiden, wegfahren, ziehen, auf Fahrt gehen, die Anker lichten, in See gehen, in See stechen *ins Grüne fahren, in die Natur fahren
hinausfeuern: hinauswerfen, verschwenden
hinausfliegen: nach draußen fliegen *hinauskomplimentieren, wegbefördern *seine Stellung verlieren, gefeuert werden
hinausgehen: hinaustreten, verlassen, spazieren gehen, einen Spaziergang machen, frische Luft schnappen, ins Freie treten, nach draußen gehen
hinauswerfen: abschieben, abwimmeln, ausquartieren, fortjagen, fortscheuchen,

hinausfeuern, hinausjagen, hinausschmeißen, hinausweisen, vertreiben, aus dem Haus weisen, einen Korb geben, an die frische Luft setzen, aus dem Haus werfen, aus dem Haus jagen, die Tür weisen, vor die Tür setzen, den Stuhl vor die Tür setzen, ins Freie befördern *verschwenden *abschieben, ausbürgern, aussiedeln, ausweisen, deportieren, expatriieren, fortjagen, säubern, umsiedeln, verbannen, versprengen, verstoßen, vertreiben, des Landes verweisen, aus dem Land weisen *abberufen, ablösen, abservieren, absetzen, ausbooten, beurlauben, davonjagen, entheben, entlassen, entmachten, entthronen, fortschicken, kaltstellen, kündigen, stürzen, suspendieren, verabschieden

hinausziehen: aufschieben, aussetzen, hinauszögern, prolongieren, retardieren, säumen, verlangsamen, verschieben, verschleppen, vertagen, verziehen, verzögern, zurückstellen, anstehen lassen, hängen lassen, in die Länge ziehen *verlegen *ziehen, davonziehen, gehen, scheiden, verlassen ***s. hinausziehen:** s. hinschleppen, s. verzögern, (lange) dauern

hinauszögern: verzögern, warten, auf später verschieben ***s. hinauszögern:** s. hinausziehen, s. hinschleppen, s. verzögern

hinbiegen: ausgleichen, bereinigen, bewerkstelligen, schlichten, versöhnen

hinbringen: bringen, heranbringen, herbeibringen, hinschaffen, hinschleppen, hintragen, liefern, zuleiten, zuschicken, zusenden, zustellen *hinbegleiten, hinlenken

hinderlich: belastend, beschwerlich, destruktiv, erschwerend, hemmend, hindernd, lästig, nachteilig, störend, unangenehm, ungelegen, ungünstig, unvorteilhaft, zeitraubend, im Wege ***hinderlich sein:** stören *behindern

hindern: abhalten, aufhalten, beengen, behindern, bremsen, drosseln, entgegenarbeiten, entgegensetzen, s. entgegenstellen, entgegentreten, erschweren, komplizieren, wehren, zurückhalten, Halt gebieten, in die Quere kommen, in den Arm fallen, Einhalt gebieten, hinderlich sein *durchkreuzen, einschreiten, vereiteln, jmdm. etwas unmöglich machen, jmdn. von etwas abhalten

hindernd: belastend, beschwerlich, destruktiv, erschwerend, hemmend, hinderlich, lästig, nachteilig, störend, unangenehm, ungelegen, ungünstig, unvorteilhaft, zeitraubend, im Wege

Hindernis: Absperrung, Barriere, Barrikade, Blockade, Hürde, Schranke, Sperre *Behinderung, Erschwernis, Erschwerung, Fessel, Handikap, Hemmnis, Hemmschuh, Hemmung, Schwierigkeit, Widerstand

Hinderung: Beeinträchtigung, Behinderung, Erschwernis, Erschwerung, Fessel, Handicap, Hemmschuh, Hemmung, Hindernis *Durchkreuzung, Hintertreibung, Querstrich, Vereitelung, Verhinderung

Hinderungsgrund: Einspruch, Einwand, Gegenargument, Gegengrund

hinein: einwärts, in, von hier draußen nach dort drinnen, nach drinnen, nach innen ***mitten hinein:** dazwischen

hineindenken (s.): s. einfühlen, s. einleben, s. hineinversetzen

hineindeuten: hineininterpretieren, hineinlegen

hineinfallen: stürzen, (in etwas) fallen *Misserfolg haben, schlecht abschneiden, übertölpelt werden *betrogen werden, getäuscht werden

hineinfliegen: einfliegen, transportieren *Misserfolg haben, Pech haben

hineingehen: betreten, eintreten, gehen (in), hineingelangen, hineinlaufen, hineinspazieren, treten (in) *aufnehmen, fassen, hineinpassen

hineingeraten: dazwischengeraten, verwickelt werden, hineingezogen werden *dazukommen, hineinkommen, hinzukommen, hinzutreten

hineinlegen: einfügen, einordnen, einreihen, einsortieren, hineinstellen *betrügen, täuschen

hineinreden: dazwischenreden, unterbrechen, alles besser wissen, das Wort abschneiden, ins Wort fallen, nicht ausreden lassen *eingreifen, s. einmengen, s. einmischen, einschreiten, intervenieren

hineinschlüpfen: s. einkuscheln, hineinkriechen, kriechen (in), schlüpfen (in)
hineinstecken: einführen, eingeben, hineintun *zuschließen *anlegen, aufbieten, aufwenden, daransetzen, einsetzen, investieren, unterbringen, wagen *eingreifen, einmengen, s. einmischen, einschreiten, intervenieren *hineinpressen, hineinstopfen, pressen, zwängen (in)
hineinsteigen: besteigen, betreten, einsteigen, eintreten, hineinklettern, zusteigen
hineinsteigern (s.): s. aufregen, s. echauffieren, entbrennen, entflammen, s. erhitzen, hochspielen, übertreiben, Feuer fangen
hineinstopfen: zwängen, hineinzwängen, hineinstecken, pressen, zwängen (in)
hineintun: einfügen, einordnen, einreihen, einsortieren, hineinlegen, hineinstellen
hineinversetzen (s.): s. einfühlen, s. einleben, s. hineindenken, s. versetzen (in)
hineinziehen: gefährden, hineingeraten, hineinmanövrieren, hineinreiten, verstricken, verwickeln, in eine unangenehme Situation bringen, in eine unangenehme Lage bringen
hinfahren: streichen (über etwas) *besuchen, fahren *kontrollieren, nachschauen, nachsehen *bringen, überbringen
Hinfahrt: Ausfahrt, Weiterfahrt
hinfallen: stürzen, niederstürzen, fallen, hinfliegen, hinhauen, hinknallen, hinplumpsen, hinschlagen, hinsegeln, hinsinken, niederstürzen, zu Fall kommen, einen Fall tun, über den Haufen fallen
hinfällig: bedeutungslos, überflüssig, ungültig, unnötig, unnütz, unwichtig, wertlos, zwecklos, (null und) nichtig *gegenstandslos, grundlos, haltlos, unbegründet, ungerechtfertigt, unmotiviert, wesenlos, aus der Luft gegriffen, ohne Grund *abgelebt, abgezehrt, altersschwach, elend, gebrechlich, kraftlos, krank, kränklich, schlapp, verfallen, zittrig
hinführen: hinbegleiten, hinbringen, hinlenken, hinlotsen, hinschaffen, hinschleifen, mit hinnehmen *enden
Hingabe: Aufopferung, Eifer, Einsatz, Einsatzbereitschaft, Engagement, Entsagung, Fleiß, Hingebung, Idealismus, Nächstenliebe
Hingang: Abberufung, Abgang, Abschied, Auflösung, Ende, Erlösung, Heimfahrt, Heimgang, Lebensende, Leblosigkeit, Tod, Todesschlaf, Untergang, das Ableben, das Entschlafen, das Erblassen, das Erlöschen, das Hinscheiden, das Sterben, das Verewigen, das Verscheiden, der ewige Schlaf
hingeben: abtreten, fortgeben, hergeben, herschenken, opfern, preisgeben, vergeben, verschenken, weggeben, wegschenken ***s. hingeben:** frönen, huldigen, s. überlassen, verfallen sein *s. aufopfern, s. darbringen, s. ergeben, s. opfern, s. widmen *festbleiben *s. verknallen, s. verlieben, sein Herzblut geben *mitmachen, zu Willen sein
hingebungsvoll: aufopfernd, empfindsam, gefühlvoll, hingebend, innig, lieb, liebend, liebevoll, rührend, sanft, sensibel, weich, zart, zärtlich, mit (viel) Mühe und Sorgfalt, voller Liebe, mit Liebe, voller Hingebung, mit Hingebung, von Liebe erfüllt *aktiv, beflissen, bemüht, bestrebt, betriebsam, dabei, diensteifrig, dienstfertig, eifrig, geschäftig, pflichtbewusst, regsam, rührig, strebsam, tätig, übereifrig, unermüdlich, unverdrossen, versessen, zur Hand, mit Hingabe *konzentriert
hingegen: dagegen, dementgegen, hiergegen, indes, indessen, wiederum
hingehen: besuchen, gehen (zu) *kontrollieren, nachprüfen, nachsehen *schweifen lassen, streifen lassen *davoneilen, vergehen, verstreichen, vorübergehen
hinhalten: vertrösten, warten lassen, Zeit gewinnen wollen, zappeln lassen *aufhalten, hemmen, hinziehen, verzögern *anbieten, bieten, hinreichen, entgegenstrecken, reichen *büßen, auf sich nehmen
hinhaltend: abwartend, ausweichend, berechnend, langsam, schleppend, taktisch
hinhauen: aufgeben, kündigen *nie-

derstürzen, fallen, hinfallen, hinfliegen, hinknallen, hinplumpsen, hinschlagen, hinsinken, niederstürzen, stürzen, zu Fall kommen, einen Fall tun, über den Haufen fallen *s. eignen, entsprechen, harmonieren, passen, stimmen, zusammenpassen, zusammenstimmen *gedeihen, werden ***s. hinhauen:** s. hinlegen, s. schlafen legen *s. hinflegeln, s. hinlümmeln

hinken: humpeln, lahmen, lahm gehen

hinkommen: s. einfinden, s. einstellen, eintreffen, erreichen, erscheinen, gelangen, herankommen, hingelangen, kommen, nahen, s. nähern, näher kommen *reichen, ausreichen, genügen

hinlangen: ausreichen *grapschen, greifen, haschen, langen (nach)

hinlänglich: akzeptabel, annehmbar, brauchbar, dienlich, ertragbar, erträglich, genießbar, halbwegs, leidlich, mittelmäßig, passabel, tauglich, tragbar, vertretbar, einigermaßen zufriedenstellend, einigermaßen befriedigend, den Verhältnissen entsprechend *ausreichend, genug, genügend, gut, hinreichend, sattsam, zureichend, zur Genüge

Hinlänglichkeit: Angemessenheit, Auskommen, Befriedigung, Ergiebigkeit, Genüge, Sättigung

hinlaufen: herbeieilen, hineilen, hinjagen, hinrennen, hinstürmen, hinstürzen

hinlegen: ablegen, absetzen, abstellen, deponieren, niederlegen, platzieren *meistern *tanzen ***s. hinlegen:** s. legen, s. niederlegen, s. hinhauen, s. hinstrecken, s. schlafen legen, s. zur Ruhe begeben, ins Bett gehen, zu Bett gehen, alle viere von sich strecken

hinnehmen: s. abfinden (mit), dulden, durchmachen, erdulden, s. ergeben, erleiden, ertragen, hinunterschlucken, leiden, s. schicken, schlucken, tragen, s. bieten lassen, s. etwas gefallen lassen, s. in etwas fügen, auf sich nehmen, in Kauf nehmen, die bittere Pille schlucken

hinreichen: ausstrecken, darbieten, entgegenstrecken, geben, hinstrecken *anbieten, geben *ausreichen, langen

hinreichend: ausreichend, genug, sattsam, viel, zureichend, zur Genüge

hinreißen: begeistern, bezaubern

hinreißend: angenehm, anmutig, anziehend, attraktiv, betörend, bezaubernd, charmant, einnehmend, entzückend, gewinnend, hübsch, lieb, lieblich, liebenswert, reizend, reizvoll, sympathisch, toll

hinrichten: exekutieren, richten, töten, die Todesstrafe vollstrecken, vom Leben zum Tode bringen, vom Leben zum Tode befördern

Hinrichtung: Exekution, Tötung, Urteilsvollstreckung, Vollstreckung

Hinrichtungsstätte: Galgenstätte, Hinrichtungsplatz, Richtstätte *Golgatha, Kreuzigungsstätte

hinschaffen: hinbringen, hinführen

hinscheiden: ableben, abscheiden, absterben, s. auflösen, dahinscheiden, einschlafen, einschlummern, entschlafen, erfrieren, erlöschen, ersticken, ertrinken, gehen (von), heimgehen, hinsterben, hinübergehen, schwinden, sterben, umkommen, verdursten, vergehen, verhungern, verlöschen, verscheiden, verschwinden, versterben, abgerufen werden, (tödlich) verunglücken, die Augen schließen, die Augen zumachen, sein Leben aushauchen, aus dem Leben gehen, aus dem Leben abberufen werden, aus dem Leben scheiden

hinschicken: ausliefern, beliefern, liefern, senden, zusenden, zuleiten, zustellen *abkommandieren, abordnen, schicken (zu), senden (zu)

hinschmeißen: wegwerfen *aufgeben, kündigen

hinschwinden: sterben *vergehen

hinsehen: anschauen, anstarren, hinglotzen, hingucken, schauen

hinsetzen: absetzen ***s. hinsetzen:** ausruhen, entspannen, s. setzen

Hinsicht: Beziehung, Gesichtspunkt, Hinblick, Punkt, Richtung, Zusammenhang

hinsichtlich: betreffs, bezüglich, rücksichtlich, wegen, in Bezug auf, unter Bezugnahme auf, mit Bezugnahme auf, mit Bezug auf, im Hinblick auf, in Betreff, in Anbetracht, in Hinsicht auf, mit Rücksicht auf

hinstellen: ablegen, absetzen, abstellen,

deponieren, niederlegen, niedersetzen, niederstellen *aufstellen, platzieren, postieren *bezeichnen *darstellen, malen, wiedergeben, zeichnen
hinstrecken: ausstrecken, darbieten, entgegenstrecken, geben, hinreichen *töten *s. **hinstrecken:** s. hinlegen *dauern, s. in die Länge ziehen
hinstürzen: hinfallen *herbeieilen, hineilen, hinlaufen, hinrennen, hinstürmen
hintansetzen: benachteiligen, missachten, s. nicht genügend kümmern, vernachlässigen, nicht berücksichtigen *zurückstellen
hinten: achteraus, achtern, dahinter, rückseitig, zuhinterst, am Ende, am Schluss, an letzter Stelle, auf der Rückseite, auf der Kehrseite, im Hintergrund, im Rücken *dahinten, hintan ***nach hinten:** hinter, hinterwärts, rückwärts, zurück *hinterrücks
hintenherum: indirekt, mittelbar, auf Umwegen *doppelzüngig, falsch, frömmelnd, heuchlerisch, hinterhältig, lügenhaft, lügnerisch, scheinheilig, unaufrichtig, unehrlich, unlauter, unredlich, unreell, unsolid, unwahrhaftig, verstellt *heimlich, illegal, insgeheim, klammheimlich, unerlaubt, unstatthaft, unter der Hand, verboten, verbotenerweise, hinter den Kulissen, hinter jmds. Rücken, hinter verschlossenen Türen, im Geheimen, im Stillen, im Verborgenen, in aller Stille, in aller Heimlichkeit, ohne Aufsehen, still und leise, unter der Hand, durch die Hintertür
hinter: dahinter, hinten
Hinterbliebenenrente: Waisenrente, Witwenrente
Hinterbliebener: Erbberechtigter, Erbe, Nachfolger, Nachkomme, Überlebender *Waise, Witwe, Witwer
hinterbringen: ausplaudern, hintertragen, petzen, verraten, zutragen *kolportieren, mitteilen, verraten, zublasen, zubringen, zuflüstern, zutragen *hinunterbringen, hinunterschlucken, schlucken
hintereinander: folgend, aufeinander folgend, nacheinander, ununterbrochen, zusammenhängend, der Ordnung nach, der Reihe nach, einer nach dem anderen, eins nach dem anderen, in Aufeinanderfolge, in Reih und Glied, im Gänsemarsch
Hintergedanke: Anspielung, Argwohn, Misstrauen, Verdacht *Arglist, Falschheit, Heuchelei, Hinterhältigkeit, Hinterlist, Täuschung, Unehrlichkeit, Unredlichkeit, Unwahrheit, Verlogenheit, Verschlagenheit, Verstellungskunst *Absicht, Doppelsinn, Geheimniskrämerei, Heimlichkeit, Hinterhalt, Versteckspiel
hintergehen: beschummeln, betrügen, falsch spielen, prellen, schummeln, überfahren, ein doppeltes Spiel spielen, ein falsches Spiel treiben
Hintergrund: Bezug, Grund, Ursache, Voraussetzung, Wurzel, Zusammenhang, das Warum *Background, Folie, Fond, Rückseite, Rückwand, Tiefe
hintergründig: abgründig, doppelbödig, geheimnisvoll, tiefsinnig, schwer durchschaubar
Hintergründigkeit: Abgründigkeit, Doppelbödigkeit, Tiefsinn
Hinterhalt: Falle, Lauer, Netz, Schlinge *Schlupfwinkel, Versteck *Hintergrund, Reserve, im Verborgenen bleiben
hinterhältig: böse, bitterböse, bösartig, boshaft, garstig, gemeingefährlich, schlimm, übel, übel wollend, übel gesinnt, unausstehlich *arglistig, gemein, hinterlistig, hinterrücks, hundsgemein, meuchlings, niederträchtig, schäbig, schändlich, schimpflich, schmachvoll, schmählich, schmutzig, schnöde, unaufrichtig, unehrlich, verschlagen, versteckt
hinterher: folgend, hintennach, hintendrein, nach *danach, dann, endlich, hernach, hiernach, nachfolgend, nachher, schließlich, später, im Anschluss (an) *also, demnach, demzufolge, entsprechend, ergo, logischerweise, somit, sonach *nach, hintennach, hinten, hinterdrein, nachstehend, als Schlusslicht
hinterherhinken: abfallen, erlahmen, hintanbleiben, nachlassen, zurückbleiben, zurückfallen, s. langsamer entwickeln, in Rückstand geraten, langsamer vorwärts kommen *im Verzug sein

hinterherjagen: hinterherlaufen, nacheilen, verfolgen
hinterherlaufen: hinterherjagen, hinterherkommen, hinterherrennen, nacheilen, nachfolgen, nachjagen, nachlaufen, nachrennen, nachsetzen *nachgehen, nachstellen
hinterlassen: nachlassen, schenken, überlassen, überschreiben, vererben, vermachen, weitergeben *dalassen, nachlassen, stehen lassen, vererben, vermachen, zurücklassen
Hinterlassenschaft: Erbe, Erbschaft, Erbteil, Nachlass, Nachlassenschaft *Pflichtteil
hinterlegen: deponieren, sicherstellen, in Verwahrung geben
Hinterlegung: Bürgschaft, Faustpfand, Garantie, Garantieleistung, Gewähr, Kaution, Pfand, Sicherheit, Sicherheitsleistung, Sicherung, Verantwortung, Verpflichtung
Hinterlist: Arglist, Bosheit, Heimtücke, Hinterhältigkeit, Hinterlistigkeit, Intrige, Verschlagenheit, Verstecktheit
hinterlistig: aalglatt, arglistig, bösartig, boshaft, doppelbödig, doppelzüngig, falsch, frömmelnd, heuchlerisch, hinterhältig, hinterrücks, intrigant, katzenfreundlich, lügenhaft, lügnerisch, scheinheilig, unaufrichtig, unehrlich, unlauter, unredlich, unreell, unsolid, unwahrhaftig, verschlagen, versteckt, verstellt
Hintermann: Anstifter, Auftraggeber, Boss, Chef, Drahtzieher, Hauptfigur, Hauptperson, Macher, Obskurant, Schlüsselfigur, graue Eminenz *Verteidiger *Kolporteur, Spitzel, Verleumder, Verräter, Zubringer, Zuträger, Zwischenträger
Hintermannschaft: Verteidigung
Hintern: Gesäß, Hinterbacken, Hinterteil, Po, Popo, Steiß, verlängerter Rücken, der Allerwerteste
hinterrücks: meuchlings, unvermutet, unversehens, von hinten *aalglatt, arglistig, bösartig, boshaft, doppelbödig, doppelzüngig, falsch, frömmelnd, heuchlerisch, hinterhältig, hinterlistig, intrigant, lügenhaft, lügnerisch, scheinheilig, unaufrichtig, unehrlich, unlauter, unredlich, unreell, unsolid, unwahrhaftig, verschlagen, versteckt, verstellt
Hinterseite: Abseite, Gartenseite, Hinterfront, Hoffront, Hofseite, Kehrseite, Rückfront, Rückseite, Schattenseite *Rücken *Achterfront
Hinterteil: Achtersteven, Heck, Hintersteven *Ende, Rückteil, Schluss, Schwanz, hinterer Teil *Gesäß, Hintern
Hintertreffen: Nachteil, Rückstand, nachteilige Lage
hintertreiben: abstellen, abwehren, abwenden, boykottieren, lahm legen, sabotieren, unterbinden, vereiteln, verhindern, verhüten, verwehren, ein Ende machen, hindern (an)
Hintertür: Ausweg, Hilfe, Hoffnung, Lösung, Mittel, Rückzugsmöglichkeit *Gartentür, Hoftür
hinterwäldlerisch: kleinstädtisch, ländlich, provinziell *rückständig, unterentwickelt, zurückgeblieben
hinterziehen: betrügen, unterschlagen, veruntreuen, in die eigene Tasche stecken
Hinterziehung: Betrug, Unterschlagung, Veruntreuung
hinüber: dahin, dorthin, nach drüben *gewesen, vergangen, vorbei *gestorben, heimgegangen, tot, verschieden *betrunken, blau, voll *auseinander, auseinander gefallen, dahin, defekt, entzwei, hin, kaputt, schadhaft, zerbrochen
hinunter: nieder, hernieder, abwärts, bergab, erdwärts, herab, herunter, hinab, in die Tiefe, nach unten, zu Boden
hinunterblicken: herabblicken, herabschauen, herabsehen, hinabblicken, hinabschauen, hinabsehen, hinunterschauen, hinuntersehen *verachten
hinunterfallen: abstürzen, herabfallen, herabstürzen, herunterfallen, herunterfliegen, herunterpurzeln, heruntersegeln, herunterstürzen, hinabfallen, hinabsausen, hinabstürzen, hinunterfliegen, hinunterpurzeln, hinuntersegeln, hinunterstürzen, niederfallen, niederstürzen, runterfallen, runterfliegen, runterpurzeln, runtersausen, runtersegeln, runterstürzen, in die Tiefe fallen, in die Tiefe stürzen

hinuntergehen: absteigen, hinabgehen, runtergehen, nach unten gehen *hinabklettern, hinunterklettern *herabklettern, herunterklettern
hinunterschlucken: hinunterschlingen, hinunterstürzen, hinunterwürgen, schlingen, schlucken, verschlingen, verschlucken, hastig essen, hastig trinken *bezwingen, ersticken, niederhalten, unterdrücken, nicht hochkommen lassen, nicht aufkommen lassen *hinnehmen
hinunterspringen: abspringen, fallen, herabspringen, s. herabstürzen, herunterspringen, s. herunterstürzen, hinabspringen, s. hinabstürzen, s. hinunterstürzen, s. niederstürzen, runterspringen, s. runterstürzen
hinuntersteigen: absteigen, hinabsteigen, nach unten steigen *herabklettern, herunterklettern
hinunterstürzen: fallen, niederstürzen, runterfallen, den Halt verlieren *austrinken, bechern, hinuntergießen, hinunterspülen, hinuntertrinken, kippen, schlürfen, trinken, ein Glas leeren, einen Schluck nehmen, in sich hineingießen
hinunterwürgen: schlucken *betäuben, bezwingen, dämpfen, erdrosseln, ersticken, hindern, hinunterschlucken, niederhalten, unterdrücken, unterlassen, verbergen, verdrängen, zurückdrängen, zurückhalten, s. zusammennehmen, nicht zeigen, nicht aufkommen lassen, im Keim ersticken
hinwegsehen: s. hinwegsetzen (über), ignorieren, übersehen, außer Acht lassen, keine Beachtung schenken, keine Notiz nehmen, nicht beachten, nicht berücksichtigen *absehen (von)
hinwegsetzen (s.): abweichen, befolgen, einhalten, entgegenhandeln, missachten, s. nicht halten (an), überschreiten, übertreten, überwinden, Unrecht tun, ein Gesetz brechen, ein Gesetz verletzen, verstoßen (gegen), nicht beachten
Hinweis: Andeutung, Anspielung, Bemerkung, Deut, Fingerzeig, Rat, Tipp, Wink
hinweisen: anspielen, aufmerksam machen (auf), hindeuten (auf), hinzeigen (auf), mit den Fingern zeigen (auf), mit der Nase stoßen (auf), Schlaglichter werfen (auf), verweisen (auf), weisen (auf), zeigen, ins Blickfeld rücken, den Finger auf die Wunde legen, einen Tipp geben
hinwenden (s.): s. abgeben (mit), s. beschäftigen (mit), s. hindrehen, s. zukehren, s. zuwenden
hinwerfen: werfen, zuwerfen, hinschleudern, fallen lassen *gehen, kündigen *abbrechen, aufgeben, aufhören, aufstecken, aussteigen, beenden, beendigen, schließen, ein Ende machen, ein Ende setzen *herausfordern
hinziehen: hängen lassen, hinausschieben, hinausziehen, hinauszögern, retardieren, verlangsamen, auf die lange Bank schieben, anstehen lassen ***s. hinziehen:** anhalten, dauern, s. hinschleppen, s. in die Länge ziehen, s. verzögern, währen, in Verzug geraten, in Verzug kommen
hinzielen: absehen (auf), abzielen, ansteuern, beabsichtigen, bezwecken, planen, schmieden, sinnen (auf), tendieren, verfolgen, vorhaben, gedenken zu tun, denken zu tun, neigen zu tun
hinzu: alsdann, außerdem, dann, dazu, ferner, fernerhin, sodann, überdies, weiter, weiterhin, zudem, des Weiteren, darüber hinaus *daher, her, heran, herbei, herwärts, herzu, hierher, hierhin, von dort nach hier
hinzufügen: anfügen, anreihen, anschließen, aufrunden, beifügen, beigeben, beimengen, beimischen, dazulegen, dazutun, ergänzen, erweitern, hinzusetzen, komplettieren, nachtragen, vervollständigen, zufügen, zugeben, zusetzen
Hinzufügung: Anfügung, Anreihung, Anschluss, Beifügung, Beigabe, Ergänzung
hinzuholen: bemühen, einsetzen, einspannen, heranholen, heranziehen, herbeiholen, herbeiziehen, herzuholen, hinzuziehen, zuziehen, zu Hilfe holen, zu Rate ziehen, Rat holen (bei) *abliefern, befördern, beibringen, beischaffen, beschaffen, bewegen, bringen, daherbringen, einliefern, heranbringen, heranholen, heranschaffen, herantragen, herbeibringen, herbringen, herschaffen, hertragen, hintragen, liefern, tragen

hinzukommen: s. anschließen, s. beigesellen, dazukommen, hineingeraten, s. hinzugesellen, hinzutreten
hinzuziehen: bemühen, einsetzen, heranholen, heranziehen, herbeiholen, herbeiziehen, konsultieren, zuziehen, zu Hilfe holen, zu Rate ziehen
Hippie: Blumenkind, Pazifist
Hirn: Gehirn, Zerebrum *Verstand
Hirngespinst: Einbildung, Erfindung
Hirnschlag: Gehirnblutung, Gehirnschlag, Schlaganfall
hirnverbrannt: abnorm, geisteskrank, schwachsinnig, verrückt *anstaltsreif, blöde, dumm, durchgedreht, irr, närrisch, rappelig, toll, verdreht, wirr, nicht ganz richtig im Kopf, nicht ganz bei Trost, nicht recht gescheit, nicht ganz gescheit, von allen guten Geistern verlassen, reif fürs Irrenhaus
Hirte: Cowboy, Gaucho, Halter, Hirt, Hüter *Beschützer, Protektor, Schirmherr, Schutzherr, Schutzpatron *Priester, der Geistliche
hissen: aufheißen, aufhissen, flaggen, heißen, hieven, hochwinden, hochziehen, in die Höhe ziehen
Historie: Geschichte, Vergangenheit, Vorzeit
historisch: authentisch, geschichtlich, überliefert, verbürgt *bedeutsam, bedeutungsvoll, einmalig, zukunftsweisend
Hit: Evergreen, Gassenhauer, Glanznummer, Glanzstück, Spitzenreiter, Treffer, Zugstück *Attraktion, Bestseller, Kassenschlager, Reißer, Renner, Verkaufsschlager
Hitze: Affenhitze, Bruthitze, Bullenhitze, Glut, Gluthitze, Knallhitze, Schwüle, Siedehitze, Sommerhitze, Wärme *Anstrengung, Dynamik, Elan, Feuer, Intensität, Leidenschaft, Passion, Schwung, Verve
hitzig: aufbrausend, auffahrend, heftig, heißblütig, hitzköpfig, rasend *aufgeregt, bewegt, erregt, fiebrig, gereizt, hektisch, nervenschwach, nervös, ruhelos, turbulent, ungeduldig, unruhig, unstet, zappelig *glühend heiß, heiß, hochsommerlich, sommerlich, sehr warm
Hitzkopf: Brausekopf, Choleriker, Draufgänger, Enthusiast, Fanatiker, Feuerkopf, Heißsporn, Wirrkopf, heißes Blut
hitzköpfig: ärgerlich, aufbrausend, auffahrend, aufgebracht, böse, cholerisch, empört, entrüstet, erbittert, erbost, erzürnt, fuchsteufelswild, grimmig, heftig, hitzig, jähzornig, rabiat, ungehalten, unwillig, unwirsch, wutentbrannt, wutschäumend, wutschnaubend, zornig
Hobby: Liebhaberei, Lieblingsbeschäftigung, Passion, Spezialgebiet, Spezialität, Steckenpferd
hobeln: abhobeln, abschleifen, abziehen, glätten, glatt schleifen, schleifen
hoch: aufwärts, herauf, hinauf, in die Höhe, nach oben, von unten her *rein, glockenrein, glasklar, hell *emporragend, groß, hoch aufgeschossen, hoch gewachsen, lang, ragend, stattlich, nicht niedrig, von hohem Wuchs *angesehen, bedeutend, führend, gehoben, hoch gestellt, hoch stehend, übergeordnet, vorgesetzt, in leitender Stellung *immens, maßlos, sehr, übertrieben *drakonisch, drastisch, lang, lebenslänglich *außergewöhnlich, außerordentlich, ausgefallen, entwaffnend, erstaunlich, groß, überraschend, ungeläufig, ungewöhnlich *angeschwollen, angestaut, angestiegen *haushoch, stürmisch *stolz, überheblich *teuer, überhöht, überteuert *über den Wolken, in großer Höhe ***hoch achten:** achten, anerkennen, bewundern, ehren, hoch schätzen, respektieren, verehren ***hoch geschätzt:** angesehen *geehrt, geschätzt, hoch verehrt, hochwürdig, teuer, verehrt, wert ***hoch gestellt:** hoch stehend, von hohem Rang ***hoch stehend:** führend, gehoben, hoch gestellt, vorgesetzt, in leitender Stellung, von hohem Rang
Hoch: Hochdruckgebiet, Hochdruckzone, Schönwetterzone, Sommerwetter *Hochruf, Toast, Vivat *Aufschwung, Blüte, Boom, Bullenzeit, Hochkonjunktur
Hochachtung: Achtung, Anerkennung, Bewunderung, Ehrerbietung, Ehrfurcht, Hochschätzung, Pietät, Respekt, Rücksicht, Tribut, Verehrung
hochachtungsvoll: herzlichst, mit vorzüglicher Hochachtung, Ihr …, mit den

besten Grüßen, mit bestem Gruß, alles Gute, mit freundlichem Gruß
Hochamt: Gottesdienst, Pontifikalamt
Hochbetrieb: Aufregung, Betrieb, Treiben, Trubel, Wirbel, große Geschäftigkeit, reges Leben
hochbringen: wuchten, hochwuchten, anheben, aufheben, emporheben, erheben, heben, hochheben, hochnehmen, hochziehen, lüften *fördern *aufpäppeln, aufziehen, aufzüchten, ernähren, füttern, großziehen, heranziehen *kurieren, auskurieren, herstellen, wiederherstellen, abheilen, ausheilen, durchbringen, durchkriegen, heilen, helfen, retten, sanieren, stärken, (erfolgreich) behandeln, gesund machen, erste Hilfe leisten, auf die Beine bringen, über den Berg bringen *ärgern
Hochdeutsch: Bühnensprache, Hochsprache, Literatursprache, Schriftdeutsch, Schriftsprache
Hochdruck: Angespanntheit, Anstrengung, Dynamik, Elan, Intensität, Leidenschaft, Macht, Passion, Schwung, Verve *Aufregung, Betrieb, Hochbetrieb, Treiben, Wirbel, große Geschäftigkeit, reges Leben *Überdruck *Hypertonie, Überdruck
Hochebene: Bergland, Hochfläche, Hochplateau, Plateau, Platte
hochfahrend: anmaßend, arrogant, aufgeblasen, dünkelhaft, eingebildet, gnädig, herablassend, hochmütig, selbstbewusst, selbstgefällig, selbstsicher, selbstüberzeugt, selbstüberzogen, stolz, überheblich, wichtigtuerisch *aufbrausend, cholerisch, entzündlich, erregbar, heftig, hochgehend, hysterisch, jähzornig, poltrig, reizbar, unbeherrscht, wild *hochfliegend, hochtrabend
Hochflut: Flut, Hochwasser, Springflut, Sturmflut, ansteigendes Wasser, auflaufendes Wasser
Hochgefühl: Begeisterung, Beglückung, Behagen, Entzücken, Freude, Fröhlichkeit, Frohsein, Frohsinn, Glück, Glückseligkeit, Herzensfreude, Jubel, Triumph, Vergnügen, Wohlgefallen, Wonne, Zufriedenheit
hochgehen: aufgehen *scheitern *ansteigen, aufsteigen, emporsteigen, hochsteigen *aufbrausen, hochfahren, platzen, toben, aus sich gehen *bersten, zerbersten, platzen, zerplatzen, springen, zerspringen, auffliegen, detonieren, s. entladen, explodieren, krachen, krepieren, splittern, sprengen, zerknallen, in die Luft fliegen ***hochgehen lassen:** ertappen, erwischen, hochnehmen, hoppnehmen, verraten *ergreifen, fassen, packen
Hochgenuss: Befriedigung, Ergötzen, Freude, Genuss, Lust, Pläsier, Spaß, Vergnüglichkeit *Delikatesse, Gaumenfreude, Gaumenkitzel, Leckerbissen, Leckerei, Schleckerei
hochgradig: ausgeprägt, extrem, groß, intensiv, krass, stark
hochhalten: achten, ehren, respektieren, schätzen, in Ehren achten
Hochhaus: Skyscraper, Wolkenkratzer
hochheben: heben, erheben, aufheben, lüften *anheben, heben *schürzen, aufschürzen, aufnehmen, heben, raffen
hochherzig: edel, edelmütig, edelherzig, edelsinnig, gentlemanlike, großdenkend, großgesinnt, großherzig, großmütig, nobel, ritterlich, selbstlos, vornehm *adlig, adelig, aristokratisch
Hochherzigkeit: Edelmut, Edelsinn, Großmut, Großmütigkeit, Selbstlosigkeit
hochklettern: hinaufklettern *steigen, s. verteuern, nach oben gehen
Hochland: Bergland, Hochebene, Hochfläche, Hochplateau, Plateau, Platte
Hochmut: Affektiertheit, Angabe, Blasiertheit, Dünkel, Dünkelhaftigkeit, Einbildung, Eingebildetheit, Eitelkeit, Geziertheit, Hochmütigkeit, Hoffart, Hybris, Stolz, Überheblichkeit, Vermessenheit
hochmütig: anmaßend, arrogant, aufgeblasen, dünkelhaft, eingebildet, gnädig, herablassend, hochfahrend, selbstbewusst, selbstgefällig, selbstsicher, selbstüberzeugt, selbstüberzogen, stolz, überheblich, wichtigtuerisch
hochnehmen: andrehen, anschmieren, ausbeuten, bemogeln, beschummeln, beschwindeln, betrügen, bluffen, bringen (um), einsalben, gaunern, herein-

legen, hintergehen, lackmeiern, leimen, mogeln, neppen, prellen, schummeln, täuschen, überfahren, überlisten, übervorteilen, aufs Kreuz legen *unschädlich machen *verspotten *anheben, aufheben, emporheben, erheben, heben, hochbringen, hochheben, hochwuchten, hochziehen, lüften, wuchten

hochprozentig: angereichert, geballt, gehäuft, gesättigt, hochkonzentriert, intensiv, konzentriert, stark

Hochruf: Hoch, Hurra, Jubel, Lebehoch, Vivat

hochschlagen: aufklappen, aufschlagen, aufstülpen *brennen, aufbrennen, aufflackern, aufflammen, aufleuchten, flackern, glimmen, glühen, lohen, schmoren, schwelen

Hochschule: Akademie, College, Fachakademie, Forschungsanstalt, Uni, Universität, Alma Mater

hochschwingen: fliehen, flüchten, wegfliegen *s. aufschwingen, aufstehen

Hochsitz: Anstand, Hochstand, Jagdkanzel, Kanzel

Hochspannung: Anspannung, Gespanntheit, Nervosität, Neugier, Spannung, Ungeduld, Unruhe, Vorfreude, gespannte Erwartung

hochspielen: aufbauschen, aufblasen, ausweiten, dramatisieren, hochputschen, übersteigern, übertreiben, überziehen

Hochsprache: Gemeinsprache, Hochlautung, Literatursprache, Schriftsprache, öffentliche Sprache

hochsprachlich: dialektfrei, schriftsprachlich

Hochstand: Ansitz, Anstand, Hochsitz, Jagdkanzel, Kanzel, Wildkanzel

Hochstapelei: Angabe, Angeberei, Aufgeblasenheit, Aufschneiderei, Effekthascherei, Großsprecherei, Mache, Prahlerei, Protzerei, Schaumschlägerei, Wichtigtuerei

Hochstapler: Bauernfänger, Betrüger, Filou, Gauner, Geschäftemacher, Krimineller, Preller, Scharlatan, Schieber, Schwindler, Spitzbub

hochsteigen: aufsteigen, emporfliegen, emporklettern, entern, hinaufklettern *klettern, hochklettern,

höchstens: allenfalls, äußerstenfalls, bestenfalls, längstens, maximal, im äußersten Fall, nicht mehr als *abgesehen (von), außer, ausgenommen, bis (auf), mit Ausnahme von, es sei denn

Hochstimmung: Begeisterung, Glücksgefühl, Glückstaumel, Hochgefühl

Höchstleistung: Bestleistung, Clou, Glanzleistung, Krönung, Nonplusultra, Optimum, Spitze, Spitzenleistung

Höchstmaß: Höchstwert, Höhepunkt, Maximum, Optimum

höchstwahrscheinlich: anscheinend, möglicherweise, mutmaßlich, sicherlich, vermutbar, vermutlich, vielleicht, voraussichtlich, wahrscheinlich, wohl, aller Voraussicht nach, aller Wahrscheinlichkeit nach

Höchstwert: Höchstmaß, Höchststand, Maximum, Optimum, das Höchste

hochtrabend: anspruchsvoll, bombastisch, gewichtig, hochgestochen, pathetisch, pompös, schwülstig

Hochverrat: Landesverrat, Vaterlandsverrat, Verrat

Hochverräter: Landesverräter, Vaterlandsverräter, Verräter

Hochwasser: Flut, Hochflut, auflaufendes Wasser, hoher Wasserstand, hoher Pegelstand *Sintflut, Überschwemmung

hochwerfen: emporwerfen, in die Höhe werfen

hochwertig: auserlesen, ausgesucht, ausgezeichnet, edel, erstklassig, erstrangig, exquisit, fein, gediegen, hervorragend, kostbar, prächtig, qualitätsvoll, süperb, vortrefflich, vorzüglich, wertvoll, erste Wahl, von bester Qualität

Hochzahl: Exponent

Hochzeit: Eheschließung, Heirat, Ringwechsel, Trauung, Verbindung, Verheiratung, Vermählung

Hochzeitskleid: Brautkleid *Federschmuck, Haarschmuck

Hochzeitsnacht: Brautnacht

hochzerren: aufreißen, aufzerren, hochreißen, hochziehen *aufrichten, hochreißen

hochziehen: aufziehen, emporziehen, heben, heraufziehen, hieven, hinaufziehen, hochhieven, nach oben ziehen, in

die Höhe ziehen *aufrichten, hochreißen, hochzerren *flaggen, hissen, hochwinden, in die Höhe ziehen *bauen, errichten
Hocke: Hockstellung, Kauerstellung
hocken: dahocken, herumhocken, kauern, niederhocken, sitzen
Hocker: Drehbein, Schemel, Sitz
Höcker: Auswuchs, Buckel, Wölbung, krummer Rücken *Berg, Erhebung, Hügel
höckerig: holprig, rumpelig, schrundig, uneben, ungleichmäßig, zerklüftet, zerschrammt, nicht glatt *ausgewachsen, bucklig, krumm, krüppelig, missgestaltet, schief, verkrüppelt, verwachsen
Hof: Anwesen, Bauerngut, Bauernhof, Besitz, Gut, landwirtschaftlicher Betrieb
Hoffart: Arroganz, Blasiertheit, Dünkel, Einbildung, Eitelkeit, Geziertheit, Herablassung, Hochmut, Prahlerei, Stolz, Überheblichkeit
hoffen: s. ausmalen, s. der Hoffnung hingeben, erwarten, harren, phantasieren, wünschen, der Hoffnung sein, die Hoffnung hegen, die Hoffnung haben, die Erwartung hegen
Hoffnung: Aussicht, Ausweg, Chance, Erwartung, Glaube, Hoffnungsfunke, Hoffnungsschimmer, Hoffnungsstrahl, Lichtblick, Möglichkeit, Optimismus, Silberstreifen, Vertrauen, Zukunftsglaube, Zutrauen, Zuversicht, positive Perspektive
hoffnungsfroh: getrost, hoffnungsfreudig, hoffnungsvoll, lebensbejahend, optimistisch, positiv, sicher, siegesbewusst, siegesgewiss, siegessicher, unverdrossen, unverzagt, vertrauensvoll, zukunftsgläubig, zuversichtlich, guten Mutes, ohne Furcht, voller Zuversicht
hoffnungslos: aussichtslos, ausweglos, deprimierend, düster, sinnlos, unglücklich, unheilbar, unrettbar, verbaut, verfahren, verschlossen, verstellt, ohne Aussicht auf Erfolg, ohne Hoffnung, zu keinem Erfolg führen, daraus wird nichts *deprimiert, entmutigt, gebrochen, gedrückt, geknickt, kleinmütig, lebensmüde, mutlos, niedergedrückt, niedergeschlagen, niedergeschmettert, resigniert, verzagt, verzweifelt *pessimistisch, schwarzseherisch, skeptisch *unverbesserlich
Hoffnungslosigkeit: Aussichtslosigkeit, Ausweglosigkeit, Depression, Entmutigung, Niedergeschlagenheit, Resignation, Sinnlosigkeit, Verzweiflung *Pessimismus, Schwarzseherei, Skepsis
hoffnungsvoll: getrost, hilfreich, rosig, trostreich, zuversichtlich *fortschrittsgläubig, lebensbejahend, optimistisch, zukunftsgläubig *freudig, froh, fröhlich, gut gelaunt, heiter, wohlgemut
hofieren: flattieren, honorieren, schmeicheln, schönreden, schöntun, umschmeicheln, Komplimente machen, Süßholz raspeln, die Cour machen, schöne Worte machen
höflich: anständig, artig, aufmerksam, entgegenkommend, fein, formgewandt, freundlich, galant, gefällig, geschliffen, kavaliersmäßig, kultiviert, manierlich, pflichtschuldigst, ritterlich, rücksichtsvoll, taktvoll, umgänglich, verbindlich, vornehm, wohl erzogen, zuvorkommend, in aller Höflichkeit, voll Anstand
Höflichkeit: Anstand, Artigkeit, Aufmerksamkeit, Courtoisie, Feingefühl, Freundlichkeit, Galanterie, Gewandtheit, Herzensbildung, Liebenswürdigkeit, Ritterlichkeit, Takt, Taktgefühl, Verbindlichkeit, Zartgefühl, Zuvorkommenheit, gutes Benehmen
Höflichkeitsbesuch: Anstandsbesuch, Antrittsbesuch, Aufwartung, Besuch, Visite
Hofnarr: Schäker, Schelm, Spaßvogel, Witzbold
Höhe: Abmessung, Ausdehnung, Ausmaß, Dimension, Größe, Reichweite *Anhöhe, Bodenerhöhung, Höhenzug, Hügel
Hoheit: Amtsgewalt, Befehl, Befehlsgewalt, Gewalt, Herrschaft, Herrschergewalt, Kommando, Oberbefehl, Regierungsgewalt, Staatsgewalt *Ehre, Erhabenheit, Gravität, Majestät, Vornehmheit, Würde, Würdigkeit *Patronat, Protektorat, Schirmherrschaft, Schutz
hoheitsvoll: erhaben, gebieterisch, königlich, majestätisch

Höhenunterschied: Abfall, Abschüssigkeit, Gefälle, Gefällstrecke, Neigung, Schräge, Senkung, Steile
Höhepunkt: Clou, Gipfel, Gipfelpunkt, Höchstmaß, Höchstwert, Krönung, Kulmination, Maximum, Nonplusultra, Optimum, Wendepunkt, das Höchste *Orgasmus, Wollust *Siedepunkt *Rausch
hohl: ausgehöhlt, eingebogen, konkav *abgegriffen, abgeschmackt, alltäglich, banal, billig, dumpf, einfallslos, flach, gehaltlos, geistlos, geisttötend, gewöhnlich, ideenlos, inhaltsleer, leer, mechanisch, nichtssagend, oberflächlich, phrasenhaft, platt, schal, seicht, stereotyp, stumpfsinnig, stupid, stupide, substanzlos, trivial, unbedeutend, verbraucht, witzlos, ohne Tiefe, ohne Gehalt
Höhle: Felshöhle, Felsenhöhle, Grotte *Bau, Wohnung
Hohlraum: Vakuum
hohlwangig: abgemagert, ausgemergelt, dünn, dürr, eingefallen, knochig, mager, schmal, unterernährt
Hohlweg: Enge, Engpass, Schlucht
Hohn: Anzüglichkeit, Ironie, Sarkasmus, Spott, Spöttelei, Spötterei, Spottsucht, Stichelei, Verhöhnung, Verspottung, Zynismus
höhnen: hohnlachen, spötteln, spotten, sticheln, witzeln
höhnisch: boshaft, gehässig, hämisch, missgünstig, rachedurstig, rachgierig, rachsüchtig, schadenfroh *anzüglich, beißend, bissig, gallig, ironisch, kalt, kasuistisch, mokant, sarkastisch, satirisch, scharf, scharfzüngig, schnippisch, spitz, spöttisch, zynisch, voller Hohn
Hokuspokus: Hexenwerk, Hexerei, Magie, Taschenspielerei, Zauber, Zauberei, Zauberkunst, Zauberwesen, Schwarze Kunst, Schwarze Magie *Unsinn
hold: angenehm, anmutig, anziehend, attraktiv, aufreizend, betörend, bezaubernd, charmant, einnehmend, entzückend, gewinnend, hübsch, lieb, lieblich, liebenswert, reizvoll, sympathisch, toll *freund, geneigt, gewogen, gnädig, gönnerhaft, günstig, huldreich, huldvoll, jovial, leutselig, wohlgesinnt, wohlmeinend, wohlwollend, zugeneigt, zugetan, freundlich gesinnt, gut gesinnt *schön
Holdseligkeit: Schönheit *Anmut, Attraktivität, Bezauberung, Charme, Grazie, Lieblichkeit, Liebreiz, Reiz, Schönheit, Sympathie, Zauber
holen: abholen, beschaffen, besorgen, fortholen, herschaffen, herbeischaffen, heranholen, heranschaffen, herbringen, herholen, nehmen, wegholen *verhaften *atmen ***s. holen:** s. anstecken *anstecken, aufschnappen, s. zuziehen
Hölle: Hades, Inferno, Schattenreich, Unterwelt, ewige Finsternis, Ort der Verdammnis, Ort der Finsternis
Höllenfürst: Antichrist, Beelzebub, Dämon, Erbfeind, Erzfeind, Feind, Luzifer, Mephisto, Satan, Teufel, Verderber, Verführer, Versucher, Widersacher, Fürst der Finsternis
Höllenqual: Beschwerden, Höllenpein, Leid, Leiden, Pein, Qual, Schmerz, Schmerzen, Seelenschmerz
höllisch: ekelhaft, entsetzlich, furchtbar, fürchterlich, irrsinnig, klotzig, kolossal, lausig, mordsmäßig, rasend, riesig, schändlich, schrecklich, sehr, so, unheimlich, unsinnig, verdammt, verflixt, verflucht, verteufelt, wahnsinnig
Holocaust: Auslöschung, Ausmerzung, Ausrottung *Endlösung, Judenverfolgung, Judenvernichtung, Massenmord
holpern: rattern, rumpeln, stoßen *stolpern, straucheln
holprig: felsig, höckerig, rumpelig, steinig, uneben, ungleichmäßig, nicht glatt *abgehackt, stammelnd, stockend, stottrig
Holundertee: Fliedertee
holzen: abholzen, fällen, roden, schlagen, umhauen *bolzen, hacken, klotzen
Holzerei: Foulspiel, Regelwidrigkeit, Unsportlichkeit *Schlägerei
hölzern: aus Holz *blöd, blöde, eckig, linkisch, plump, schwerfällig, steif, taprig, taperig, täppisch, tollpatschig, tölpelhaft, umständlich, unbeholfen, unbeweglich, ungelenk, ungewandt, unpraktisch
Holzfäller: Holzarbeiter, Waldarbeiter
Holzpantoffeln: Holzlatschen, Holzpantinen, Holzschuhe, Pantinen, Pantoffeln

Holzschnitzer: Bildschnitzer, Herrgottsschnitzer, Holzbildhauer, Madonnenschnitzer
homogen: einheitlich, gleich, gleichartig, homolog, konform, kongruent, konvergent, übereinstimmend, in Einklang stehend
homosexuell: andersherum, gleichgeschlechtlich, homoerotisch, homophil, invertiert, schwul *gleichgeschlechtlich, invertiert, lesbisch, sapphisch *halbseiden
Homosexueller: Homo, Schwuler, der Invertierte, der Homophile, warmer Bruder, warmer Onkel, der Halbseidene, der Schwule *Lesbierin, die Invertierte, die Homophile
Honig: Bienenhonig, Blütenhonig *Schmeichelei
honigsüß: gesüßt, gezuckert, kandiert, süß, süßlich, übersüß, überzuckert, verzuckert, zuckrig, zuckerig, zuckersüß *heuchlerisch, schleimig, schmeichlerisch, schmierig, schönrednerisch, unterwürfig
Honorar: Bezahlung, Gage, Lohn, Vergütung
honorieren: anerkennen, belohnen, würdigen, Tribut zahlen *abgelten, bezahlen, entlohnen
hörbar: deutlich, geräuschvoll, laut, lauthals, lautstark, unüberhörbar, vernehmbar, vernehmlich, mit lauter Stimme
horchen: abhorchen, abhören, anhören, aufhorchen, behorchen, hinhören, hören, lauschen, mithören, zuhören, die Ohren aufsperren, die Ohren spitzen, ganz Ohr sein
Horcher: Kundschafter, Lauscher, Spion, Zuträger *Hörorgan, Lauscher, Ohr
Horde: Bande, Herde, Schar *Bagage, Ganoven, Gelichter, Geschmeiß, Gesindel, Lumpengesindel, Lumpenpack, Mob, Pack, Pöbel, Raubgesindel, Sippschaft, asoziale Elemente *Lattengestell, Lattenrost, Obststeige, Steige
hordenweise: haufenweise, herdenweise, scharenweise, schwarmweise, viel, in Scharen, in Herden
hören: aufhorchen, horchen, wahrnehmen, die Löffel spitzen, die Löffel aufsperren *vernehmen, verstehen, akustisch vernehmen, deutlich hören, klar hören, deutlich vernehmen, klar vernehmen, deutlich auffassen, klar auffassen *zuhören *gehorchen *aufschnappen, erfahren, ermitteln, herausbekommen, vernehmen, in Erfahrung bringen, Kenntnis erhalten, zu Ohren kommen, Wind bekommen
Hörer: Zuhörer *Kommilitone, Student, Studierende, Studiosus *Telefonhörer
Hörgerät: Hörapparat, Hörrohr
hörig: abhängig, ausgeliefert, gefügig, süchtig, untertan, verfallen, willfährig *abhängig, gebunden, geknechtet, leibeigen, sklavisch, unfrei, unterdrückt, untertan, unterworfen, versklavt, unter der Knute *gehorsam
Hörigkeit: Hörigkeitsverhältnis, Knechtschaft *Abhängigkeit, Bedrückung, Bürde, Drangsalierung, Gebundenheit, Joch, Knechtschaft, Last, Sklaverei, Unfreiheit, Unterdrückung, Unterjochung, Versklavung, Zwang *Abhängigkeit, Leibeigenschaft
Horizont: Aussicht, Kimm, Kimmung, Sichtgrenze *Bildungsabschluss, Bildungsgrad, Bildungsstand, Niveau *Blickfeld, Gesichtsfeld, Gesichtskreis, Sehkreis
horizontal: waagrecht
Horn: Beule, Delle, Schwellung *Fischbein
hörnern: hornen *hornig
horrend: ängstigend, beängstigend, Entsetzen erregend, entsetzlich, furchtbar, fürchterlich, gespenstig, grässlich, Grauen erregend, grauenhaft, grauenvoll, grausig, gräulich, katastrophal, schauervoll, schaudervoll, schauerlich, schaurig, schrecklich, unheimlich, verheerend *exzessiv, immens, maßlos, sehr, übermäßig, überspitzt, übertrieben, unverhältnismäßig, allzu massiv, über Gebühr, zu hoch, zu stark
Hörspiel: Feature, Hörbild, Hörfolge
Horst: Wald, Wäldchen *Adlernest, Nest
Hort: Kindergarten, Kinderhort, Kindertagesstätte *Obhut, Schutz, Zuflucht
horten: anhäufen, ansammeln, aufhäufen, aufspeichern, hamstern, speichern,

stapeln, zusammenraffen, zusammentragen
Hörzeichen: Signal, Warnzeichen
Hose: Beinkleid
Hospital: Krankenanstalt, Krankenhaus, Spital
Hospitant: Gasthörer
Hospiz: Pflegeheim, Sterbeheim
Hotel: Gasthof, Herberge, Pension, Unterkunft *Motel, Raststätte, Übernachtungsstätte
Hotelhalle: Foyer, Halle
hübsch: angenehm, anmutig, ansprechend, anziehend, attraktiv, aufreizend, betörend, bezaubernd, charmant, einnehmend, entzückend, gefällig, gewinnend, lieb, lieblich, liebenswert, niedlich, reizvoll, sympathisch, toll *ansehnlich, groß, hoch, stattlich
Hubschrauber: Helikopter
Hüfthalter: Hüftgürtel, Korsett, Strumpfhaltergürtel
Hügel: Anhöhe, Berg, Bodenerhebung, Buckel, Erhebung, Höcker, Höhe, Höhenrücken, Höhenzug, Steigung
hügelig: abfallend, abschüssig, bergig, bucklig, gebirgig, hüglig, uneben, wellig
Hügelkette: Bergkette, Hügelreihe
Huhn: Glucke, Gluckhenne, Haushuhn, Henne
huldigen: achten, aufblicken (zu), aufschauen (zu), aufsehen (zu), ehren, hoch achten, hoch schätzen, preisen, rühmen, verehren, vergöttern, würdigen, zu Füßen liegen *s. ergeben, frönen, genießen, s. hingeben, verfallen, s. widmen *Treue geloben
Huldigung: Treuegelöbnis *Ehrung, Feier, Lobpreis, Lobpreisung, Würdigung
Hülle: Einband, Hülse, Schale, Umschlag, Verpackung *Schoner, Schutzhülle, Überzug *Behälter, Etui, Futteral *Tarnung, Verhüllung, Verschleierung *in **Hülle und Fülle:** reichlich
hüllen: s. einhüllen ***s. hüllen:** schweigen
human: aufopfernd, aufopferungsfähig, barmherzig, brüderlich, dienstfertig, entgegenkommend, freundlich, fürsorglich, gefällig, gutherzig, gütig, hilfreich, hilfsbereit, menschlich, mitfühlend, philanthropisch, sozial, tolerant, wohltätig, wohlwollend, zuvorkommend
humanitär: edel, gutartig, gutherzig, gütig, gutmütig, herzensgut, hilfsbereit, human, karitativ, lieb, liebenswert, mildtätig, mitfühlend, nobel, selbstlos, uneigennützig, wertvoll, wohltätig *menschlich
Humanität: Humanitas, Menschenfreundlichkeit, Menschenliebe, Menschlichkeit, Philanthropie
Humor: Ausgelassenheit, Freude, Fröhlichkeit, Frohmut, Frohsinn, Heiterkeit, Lebenslust, Lustigkeit, Übermut, Vergnügen, heitere Stimmung, fröhliche Stimmung, heitere Laune, fröhliche Laune *Scherz, Spaß, Witz *Ausgelassenheit, Eulenspiegelei, Jux, Narretei, Posse, Schabernack, Scherz, Schnurre, Spaß, Streich, Ulk
humorig: heiter
Humorist: Bajazzo, Clown, Eulenspiegel, Faxenmacher, Geck, Hanswurst, Harlekin, Hofnarr, Hofzwerg, Kasper, Kobold, Komiker, Narr, Original, Possenmacher, Possenreißer, Schalk, Schelm, Spaßmacher, Spaßvogel, dummer August
humoristisch: drollig, geistreich, gelungen, herzig, humorvoll, komisch, lustig, neckisch, possenhaft, possierlich, putzig, schalkhaft, schelmisch, scherzhaft, schnurrig, spaßhaft, spaßig, trocken, ulkig, unterhaltsam, witzig
humorlos: empfindlich, ernsthaft, langweilig, lebensfremd, todernst, trocken, ohne Humor, tierisch ernst ***humorlos sein:** keinen Humor haben, keinen Spaß verstehen
Humorlosigkeit: tierischer Ernst
humorvoll: aufgelegt, fidel, freudig, fröhlich, frohsinnig, gestimmt, heiter, lustig, übermütig, vergnügt *launig, spaßig, witzig
Hund: Kläffer, Köter, Vierbeiner ***falscher Hund:** Heuchler ***fauler Hund:** Faulenzer, Faulpelz
hundertprozentig: amtlich, dokumentiert, echt, erwiesen, fehlerfrei, fundiert, fürwahr, gewiss, gut, offiziell, sicher, stichhaltig, tatsächlich, treffend, unbestreitbar, unbestritten, untrüglich, verbürgt, wahr, wahrhaftig, wahrlich, wirk-

lich, zutreffend, zweifelsfrei *absolut, alles, ganz, genau, gesamt, grundlegend, insgesamt, lückenlos, sämtlich, schlechterdings, schlechtweg, total, überhaupt, voll, vollends, völlig, vollkommen, vollständig, wirklich, ganz und gar, in jeder Beziehung, in jeder Hinsicht, in vollem Maße, in vollem Umfang, bis auf den Grund, von Kopf bis Fuß
hundsmiserabel: unwohl *schlecht
Hüne: Athlet, Hünengestalt, Riese
Hunger: Hungersnot, Mangel, Nahrungsmangel, Not *Appetit, Bärenhunger, Dampf, Esslust, Heißhunger, Kohldampf, Magenknurren, Mordshunger, Riesenhunger *Bedürfnis, Begehren, Begehrlichkeit, Gelüste, Gier, Lust, Sehnsucht, Unersättlichkeit, Verlangen
hungern: darben, fasten, schmachten (nach), arm sein, begierig sein, gierig sein, lüstern sein, Hunger haben, Hunger leiden, Mangel leiden, Not leiden, nichts zu essen haben
Hungersnot: Hunger, Nahrungsknappheit, Nahrungsmangel, Not
hungrig: ausgehungert, gefräßig, nüchtern, ungesättigt, unterernährt, mit knurrendem Magen
Hupe: Horn
hupen: tuten, warnen
hüpfen: hoppeln, hopsen *hechten, springen, einen Satz machen, einen Sprung machen, setzen (über)
Hüpfer: Satz, Sprung *Kind, junger Mensch, junger Knabe, junges Mädchen
Hürde: Absperrung, Barriere, Barrikade, Blockade, Hindernis, Schranke, Sperre *Einzäunung, Flechtwerk *Pferch
Hure: Beischläferin, Callgirl, Dirne, Freudenmädchen, Kokotte, Kurtisane, Nutte, Prostituierte, Straßenmädchen, Strichmädchen, leichtes Mädchen
Hurenhaus: Bordell, Freudenhaus, Puff
Hurerei: Prostitution, Unzucht
hurtig: behände, eilig, fix, flink, flott, schnell, zügig
husten: bellen, Luft herauspressen, Luft ausstoßen ***auf etwas husten:** abweisen, verzichten
Hut: Kopfbedeckung ***auf der Hut sein:** achten, aufpassen, s. vorsehen
hüten: pflegen, schonen, sorgsam umgehen (mit), warten, Pflege angedeihen lassen, Fürsorge angedeihen lassen, sorgsam behandeln *s. annehmen, beaufsichtigen, beschirmen, beschützen, betreuen, bewachen, bewahren, s. kümmern (um), sehen (nach), umsorgen ***s. hüten:** Acht geben, aufpassen, s. in Acht nehmen, s. vorsehen, vorsichtig sein
Hüter: Bewacher, Wächter *Cowboy, Gaucho, Halter, Hirt, Hirte
Hutmacherin: Modistin, Putzmacherin
Hütte: Anlage, Eisenwerk, Fabrik, Hüttenwerk *Baracke, Baubaracke, Baubude, Bauhütte, Bude *Häuschen, Kate, Schuppen *Berghütte, Sennhütte
Hygiene: Gesundheitslehre, Gesundheitspflege, Körperpflege, Schönheitspflege
hygienisch: rein, reinlich, sauber *gesundheitsfördernd, keimfrei, steril
hymnisch: überschwänglich
Hymnus: Festgesang, Lobgesang, Tempelgesang, feierliches Stück
Hypertonie: Hochdruck, Überdruck
Hypnose: Schlafzustand, Trance
Hypochondrie: Betrübtheit, Gram, Kummer, Melancholie, Niedergeschlagenheit, Schwermut, Trauer, Traurigkeit, Trübsinn, Verdüsterung, Verzweiflung, Wehmut, Weltschmerz
hypochondrisch: bedrückt, bekümmert, betrübt, defätistisch, depressiv, elend, freudlos, melancholisch, pessimistisch, schwarzseherisch, schwermütig, todunglücklich, traurig, trist, trübe, trübselig, trübsinnig, unfroh, unglücklich, wehmütig *gramerfüllt, gramgebeugt, gramvoll, sorgenschwer, sorgenvoll
Hypothek: Grundpfand * Bürde, Last
Hypothekenbrief: Grundpfandrecht, Grundschuld, Grundstücksbelastung, Pfandrecht
hypothetisch: angenommen, unbestimmt, unbewiesen, ungesichert, ungewiss, unsicher
Hypotonie: Unterdruck

I

ich: man, unsereiner, unsereins, wir, meine Wenigkeit, meine Person, der Sprecher selbst, mein Teil, was mich angeht, was mich betrifft, wenn Sie mich fragen
Ich: die eigene Person, meine Person, mein Teil, meine Seele
ichbezogen: egoistisch, egozentrisch, eigennützig, ichsüchtig, selbstbezogen, selbstsüchtig
Ichbezogenheit: Berechnung, Egoismus, Egozentrik, Eigennutz, Ichsucht, Selbstsucht
ideal: ausgezeichnet, beispiellos, bestmöglich, blendend, einwandfrei, erstklassig, exzellent, glänzend, göttlich, grandios, herrlich, hervorragend, klassisch, makellos, mustergültig, perfekt, phantastisch, prächtig, traumhaft, treffend, unerreicht, untadelig, unübertroffen, unvergleichbar, vollendet, vollkommen, vorbildlich, vorzüglich, wundervoll, das Beste, sehr gut *berufen, geeignet, gegeben, passend, richtig, wie geschaffen (für) *großartig *ausgedacht, gedacht, nur in der Vorstellung
Ideal: Abgott, Idee, Leitbild, Leitfigur, Leitstern, Maßstab, Modell, Musterbild, Richtschnur, Traumbild, Vorbild, Wunschbild *Perfektion, Vollendung, Vollkommenheit
idealisieren: glorifizieren, schwärmen (von), verherrlichen, verklären, verschönern
Idealisierung: Glorifizierung, Verherrlichung, Verklärung
Idealismus: Begeisterung, Eifer, Elan, Feuer, Inbrunst, Schwärmerei, Überzeugung *Aufopferung, Einsatzbereitschaft, Hingebung, Nächstenliebe
Idealist: Eiferer, Phantast, Romantiker, Schwärmer, Schwarmgeist, Träumer, Utopist, Weltverbesserer
idealistisch: hochfliegend, lebensfremd, schwärmerisch, träumerisch, unrealistisch *altruistisch, edelmütig, engagiert, selbstlos, uneigennützig
Idealität: Idealfall, bester Fall, günstigster Fall
Idee: Einfall, Eingebung, Erleuchtung, Funke, Gedanke, Geistesblitz, Impuls, Inspiration, Intuition, Vorstellung *Abstraktion, Bedeutung, Begriff, Essenz, Gedankengut, Gehalt, Grundgedanke, Grundgerüst, Grundvorstellung, Leitgedanke, Leitmotiv, Substanz, Urbild, Urform *Attraktion, Gag
ideell: abstrakt, angenommen, begrifflich, fiktiv, gedacht, gedanklich, geistig, imaginär, immateriell, irreal, metaphysisch, theoretisch, vorgestellt
ideenarm: einfallslos, einförmig, geistlos, ideenlos, nüchtern, passiv, phantasielos, träge, trocken, unoriginell, unschöpferisch, ohne Phantasie, ohne Einfälle
Ideenarmut: Einfallslosigkeit, Einförmigkeit, Geistlosigkeit, Ideenlosigkeit, Nüchternheit, Passivität, Phantasielosigkeit, Trägheit
ideenreich: aktiv, einfallsreich, erfinderisch, geniös, gestalterisch, kreativ, künstlerisch, originell, phantasievoll, produktiv, schöpferisch
Ideenreichtum: Aktivität, Einfallsreichtum, Erfindergabe, Genialität, Gestaltungskraft, Kreativität, Originalität, Phantasiereichtum, Produktivität, Schöpferkraft
idem: dasselbe, derselbe
Identifikation: Identifizierung, das Identifizieren, Feststellung der Identität *Gleichsetzung
identifizieren: bestimmen, erkennen, feststellen, vermerken, wieder erkennen *__s. identifizieren (mit)__: s. auf eine Stufe stellen, s. einfühlen, s. gleichsetzen (mit), s. hineinversetzen, voll übereinstimmen
identisch: s. deckend, deckungsgleich, eins, gleichartig, gleichbedeutend, homogen, kongruent, konvergierend, übereinstimmend, unterschiedslos, ununterscheidbar, zusammenfallend, ein und dasselbe, völlig gleich

Identität: Deckung, Gleichheit, Konformität, Kongruenz, Übereinstimmung, Wesenseinheit, Wesensgleichheit *Personalitäten, Personendaten
Ideologie: Denkart, Denkweise, Gesinnung, Grundeinstellung, Philosophie, Sinnesart, Weltanschauung, Weltbild
Idiom: Ausdrucksweise, Redensart, Redewendung, Sprachbesonderheit, Spracheigentümlichkeit
Idiot: Dummkopf, Tollpatsch, Tölpel, Trottel *Kretin, Schwachsinniger
Idiotenhügel: Flachhang, Übungshang
idiotensicher: einfach, leicht, narrensicher
Idiotie: Beschränktheit, Dummheit, Idiotismus *Blödheit, Debilität, Geisteskrankheit, Geistesschwäche, Schwachsinn, Schwachsinnigkeit, Stumpfsinn *Blödsinn, Unsinn, Unsinnigkeit
idiotisch: dumm, schwachköpfig, schwachsinnig, verblödet, verrückt *blöde, blödsinnig, debil, geistesgestört, geisteskrank, irrsinnig, schwachsinnig, verblödet, wahnsinnig *blöd, blödsinnig, unsinnig
Idol: Abgott, Angebeteter, Götze, Götzenbild, Ideal, Publikumsliebling, Schwarm, Star *Abgott, Fetisch, Götterbild, Götterbildnis, Götze, Götzenbild
Idylle: Beschaulichkeit, Harmonie, Ruhe
idyllisch: beschaulich, friedlich, friedvoll, still *anheimelnd, behaglich, bequem, friedlich, gemütlich, harmonisch, häuslich, heimelig, intim, lauschig, ruhig, traulich, traut, urgemütlich, wohlig, wohltuend, wohnlich *beschaulich, einfach, ländlich, natürlich
Iglu: Hütte, Schneehütte, Unterkunft
Ignorant: Dummkopf, Unwissender
Ignoranz: Ahnungslosigkeit, Desinformiertheit, Desinteresse, Dummheit, Einfältigkeit, Nichtwissen, Unerfahrenheit, Uninformiertheit, Unkenntnis, Unwissenheit
ignorieren: s. abwenden (von), s. hinwegsetzen (über), meiden, missachten, übergehen, überhören, übersehen, umgehen, vernachlässigen, hinweggehen (über), hinwegsehen (über), keine Beachtung schenken, keine Notiz nehmen, nicht ansehen, nicht zur Kenntnis nehmen, nicht beachten, nicht mehr kennen, unbeachtet lassen, keines Blickes würdigen, wie Luft behandeln
Ikone: Heiligenbild, Heiligengemälde
illegal: gesetzwidrig, illegitim, irregulär, kriminell, ordnungswidrig, rechtswidrig, strafbar, sträflich, tabu, unbefugt, unerlaubt, ungesetzlich, unrechtlich, unrechtmäßig, unstatthaft, untersagt, unzulässig, verboten, verfassungswidrig, verpönt, widerrechtlich, gegen die Vorschrift, gegen das Gesetz, nicht erlaubt, ohne Recht
Illegalität: Gesetzwidrigkeit, Strafbarkeit, Ungesetzlichkeit, Unrecht, Unrechtmäßigkeit, Unstatthaftigkeit, Unzulässigkeit, Verfassungswidrigkeit, Widerrechtlichkeit
illegitim: gesetzwidrig, illegal, irregulär, kriminell, ordnungswidrig, rechtswidrig, strafbar, sträflich, tabu, unbefugt, unerlaubt, ungesetzlich, unrechtlich, unrechtmäßig, unstatthaft, untersagt, unzulässig, verboten, verfassungswidrig, verpönt, widerrechtlich, ohne Recht, ohne gesetzliche Grundlage *außerehelich, nichtehelich, unehelich, vorehelich
Illegitimität: Gesetzwidrigkeit, Illegalität, Ordnungswidrigkeit, Rechtlosigkeit, Rechtswidrigkeit, Strafbarkeit, Unbefugtheit, Ungesetzlichkeit, Unrecht, Unrechtmäßigkeit, Unstatthaftigkeit, Untersagung, Unzulässigkeit, Verbot, Verfassungswidrigkeit, Widerrechtlichkeit
illiberal: egoistisch, engherzig, kleinlich, ohne Liberalität
Illiberalität: Egoismus, Engherzigkeit, Kleinlichkeit
illiquid: bankrott, finanzschwach, insolvent, pleite, zahlungsunfähig, finanziell ruiniert
illoyal: falsch, treulos, untreu, ungetreu, unredlich, unsolidarisch, vertragsbrüchig
Illoyalität: Falschheit, Treulosigkeit, Unehrlichkeit, Unredlichkeit, Untreue, Vertragsbruch
Illumination: Festbeleuchtung *Ausmalung, Bebilderung, Illustration, Verzierung *Erkenntnis, Erleuchtung

Illuminator: Buchmaler, Illustrator, Maler, Zeichner
illuminieren: ausmalen, bebildern, illustrieren, verzieren *anblinken, anleuchten, anscheinen, anstrahlen, beleuchten, bescheinen, bestrahlen, erhellen, erleuchten, scheinen (über) *erkennen, erleuchten
Illusion: Einbildung, Phantasiegebilde, Selbsttäuschung, Wahnbild, Wunschvorstellung, falsche Hoffnung, trügerische Hoffnung
Illusionist: Zauberer, Zauberkünstler *Fanatiker, Idealist, Phantast, Romantiker, Schwärmer, Schwarmgeist, Träumer
illusorisch: eingebildet, fiktiv, gedacht, hypothetisch, illusionär, illusionistisch, imaginär, scheinbar *s. erübrigend, überflüssig
illuster: glänzend, hervorragend, vortrefflich *berühmt, erlaucht, vornehm
Illustration: Bebilderung, Bildschmuck *Abbildung, Abguss, Bild, Darstellung, Nachbildung, Reproduktion, Vervielfältigung *Demonstration, Erläuterung, Illustrierung, Veranschaulichung, Verbildlichung, Verdeutlichung, Vergegenständlichung
illustrativ: anschaulich, ausdrucksvoll, bildhaft, bildlich, demonstrativ, deutlich, eidetisch, einprägsam, erklärend, erläuternd, farbig, interessant, lebendig, plastisch, sinnfällig, sprechend, veranschaulichend, verständlich, wirklichkeitsnah
illustrieren: ausmalen, bebildern *beleuchten, demonstrieren, erklären, erläutern, hervorheben, veranschaulichen, verbildlichen, verdeutlichen, vergegenwärtigen, zeigen, deutlich machen, vor Augen führen
Illustrierte: Gazette, Journal, Magazin, Zeitschrift
Image: Ansehen, Nimbus, Prestige, Renommee, Reputation, Ruf *Bild, Erscheinung, Leitbild, Vorstellung, Vorstellung, Vorstellungsbild
imaginabel: denkbar, erdenkbar, erdenklich, ersinnlich, vorstellbar
imaginär: eingebildet, fiktiv, gedacht, hypothetisch, illusionär, illusorisch, scheinbar *angenommen, fiktiv, gedacht, gedachtermaßen, gedanklich, ideell, vorgestellt
Imagination: Einbildung, Einbildungskraft, Einbildungsvermögen, Eingebung, Erfindungsgabe, Inspiration, Phantasie
Imam: Vorbeter *Führer, Leiter, religiöses Oberhaupt *islamischer Gelehrter, islamischer Ehrentitel *Herrscher, Oberhaupt
imbezil: mittelgradig, schwachsinnig
Imbiss: Bissen, Brotzeit, Erfrischung, Essen, Happen, Mahlzeit, Snack, Speise, Stärkung
Imbissstube: Schnellgaststätte, Schnellimbiss, Schnellrestaurant, Snackbar, Stehimbiss, Würstchenbude
Imitation: Abguss, Abklatsch, Anleihe, Dublette, Fälschung, Falsifikat, Kopie, Nachahmung, Nachbildung, Plagiat, Reproduktion, Verdoppelung, Wiedergabe, Wiederholung
Imitator: Artist, Imitationskünstler, Nachahmer
imitieren: abschauen, absehen, s. anlehnen, s. anzugleichen suchen, entlehnen, gleichtun, kopieren, lernen (von), nachahmen, nachbilden, nacheifern, nachfolgen, nachformen, nachstreben, reproduzieren, s. richten (nach), wiedergeben, wiederholen, s. zum Vorbild nehmen
imitiert: falsch, gefälscht, kopiert, künstlich, nachgeahmt, nachgebildet, nachgemacht, plagiiert, unecht
immanent: eigen, einbegriffen, innewohnend, verbunden, darin enthalten, in etwas enthalten, in der Sache liegend
Immanenz: das Innewohnen, das Enthaltensein
immateriell: körperlos, übersinnlich, unkörperlich, unstofflich
Immatrikulation: Anmeldung, Einschreibung, Eintragung
immatrikulieren (s.): s. anmelden (lassen), s. einschreiben, s. eintragen
immatrikuliert: angemeldet, eingeschrieben, eingetragen
immens: beträchtlich, enorm, gewaltig, gigantisch, kolossal, mächtig, riesengroß, riesig, überdimensional, unermesslich, ungeheuer, sehr groß

immensurabel: groß, unermessbar, unmessbar
immer: allemal, allezeit, andauernd, anhaltend, beharrlich, endlos, ewig, fortdauernd, fortgesetzt, fortlaufend, fortwährend, immerfort, jedes Mal, kontinuierlich, pausenlos, regelmäßig, ständig, unablässig, unaufhaltsam, unaufhörlich, ununterbrochen, immer wieder, in einem fort, tagaus, tagein, Tag für Tag, Sommer wie Winter, ohne Unterbrechung, für alle Zeit, für alle Zeiten *jeweils *eigentlich, überhaupt ***immer während:** dauernd, endlos, ewig, immer, uferlos, ununterbrochen, ohne Ende, ad infinitum, ein Fass ohne Boden *andauernd, anhaltend, dauernd, endlos, fortdauernd, fortgesetzt, fortlaufend, fortwährend, immerfort, pausenlos, stet, stetig, unablässig, unaufhaltsam, unaufhörlich, ununterbrochen, unverwandt, zügig, in einem fort, am laufenden Band, alle Augenblicke, in steter Folge, ohne Pause, ohne Unterlass, ohne Absatz, von früh bis spät, vom Morgen bis zum Abend
immerdar: für immer, für alle Zeit, auf ewig
immerfort: immer, ständig, ohne Unterbrechung
immerhin: aber, allerdings, freilich, jedenfalls, schließlich, wenigstens, zumindest, zwar, auf jeden Fall *trotz allem
immerzu: dauernd, ständig, immer wieder
Immigrant: Ansiedler, Asylant, Einwanderer, Kolonist, Siedler, Übersiedler
Immigration: Einreise, Einwanderung
immigrieren: s. ansiedeln, einreisen, einwandern, kolonisieren, zuwandern, zuziehen, ansässig werden
imminent: drohend, erwartend, kommend, nahe bevorstehend
Immission: Einsetzung, Einweisung *Einleitung, Hineinleitung, Zuführung *Einwirkung
immobil: fest, gebunden, starr, unbeweglich, verhaftet, nicht beweglich
Immobilien: Grundbesitz, Grundeigentum, Grundstücke, Grundvermögen, Häuser, Liegenschaften, Grund und Boden, unbewegliches Vermögen
Immobilität: Starre, Unbeweglichkeit
immoralisch: unmoralisch, unsittlich, gegen die Moral verstoßend
Immoralität: Amoralität, Anstößigkeit, Lasterhaftigkeit, Schamlosigkeit, Schlechtigkeit, Schlüpfrigkeit, Sittenlosigkeit, Unkeuschheit, Unmoral, Unsittlichkeit, Unzucht, Zuchtlosigkeit
Immortalität: Unsterblichkeit, ewiges Leben
immun: abwehrfähig, gefeit, geimpft, geschützt, resistent, unempfindlich, widerstandsfähig, nicht anfällig *(rechtlich) unantastbar, unverletzlich, unter Immunität stehend, vor Strafverfolgung sicher, vor Strafverfolgung geschützt
Immunisierung: Immunisation, Schutzimpfung
Immunität: Resistenz, Schutz, Unempfindlichkeit, Widerstandsfähigkeit *Schutz, Sicherheit, Tabu, Unantastbarkeit, Unverletzlichkeit, Unverwundbarkeit
Impeachment: Amtsanklage, Amtsenthebung
imperativ: befehlend, bindend, zwingend
Imperativ: Befehl, Forderung, Gebot, Pflichtgebot *Befehlsform
Imperator: Herrscher, Kaiser *Oberbefehlshaber
imperatorisch: autoritär, gebieterisch, herrisch
Imperialismus: Annexionismus, Großmachtstreben, Hegemonie, Unterwerfung, Weltmachtstreben
Imperium: Oberherrschaft, Weltreich *Befehlsgewalt, Oberbefehl
impertinent: dreist, frech, kaltschnäuzig, keck, kess, naseweis, schamlos, unartig, unausstehlich, unbescheiden, ungehörig, ungesittet, ungezogen, unmanierlich, unverfroren, unverschämt, vorlaut, vorwitzig
Impertinenz: Arroganz, Beleidigung, Bodenlosigkeit, Bosheit, Dreistigkeit, Frechheit, Kaltschnäuzigkeit, Keckheit, Kessheit, Schamlosigkeit, Unart, Unartigkeit, Unbescheidenheit, Ungehörigkeit, Ungezogenheit, Unverfrorenheit, Unverschämtheit, Vorwitz, Zumutung

Impetus: Antrieb, Begeisterung, Drang, Dynamik, Elan, Schwung, Temperament, Triebkraft, Ungestüm
impfen: immunisieren, schutzimpfen, vorbeugen, eine Impfung vornehmen, immun machen
Implantation: Einpflanzung, Einsetzung, Gewebseinpflanzung, Gewebsverpflanzung, Organeinpflanzung, Transplantation *Gewebswiedereinpflanzung, Reimplantation, Replantation, Wiedereinpflanzung *Einnistung
implantieren: einpflanzen, einsetzen, transplantieren
Implikation: Aussageverbindung, Einbeziehung, Verflechtung, Verwicklung
implizieren: beinhalten, bergen, einbeziehen, erfassen, verwickeln, in sich fassen, mit einschließen, in sich enthalten
implizit: einschließlich, implizite, inbegriffen, mit einbezogen, mit eingeschlossen, mit enthalten
implodieren: bersten, platzen, zertrümmern, von außen zusammenbrechen
Implosion: Berstung, Zerstörung, Zertrümmerung, Zusammenbruch
imponieren: auffallen, beeindrucken, bestechen, bezaubern, brillieren, gefallen, hervorstechen, wirken, Aufsehen erregen, Beachtung finden, Eindruck schinden, Eindruck machen, in Erscheinung treten, Wirkung haben, Bewunderung hervorrufen
imponierend: auffallend, außergewöhnlich, beachtlich, eindrucksvoll, einzigartig, epochal, imposant, überragend, überwältigend, weltbewegend
Import: Einfuhr, Wareneinfuhr
importieren: einführen, aus dem Ausland beziehen
importiert: ausländisch, fremdländisch *eingeführt
importun: beschwerlich, lästig, ungeeignet, ungelegen, unpassend
Importware: Einfuhrartikel, Einfuhrgut, Einfuhrware, Importartikel
imposant: abenteuerlich, ansehnlich, auffallend, auffällig, Aufsehen erregend, außergewöhnlich, außerordentlich, ausgefallen, beachtlich, bedeutend, bedeutsam, bedeutungsvoll, beeindruckend, beträchtlich, bewundernswert, bewundernswürdig, brillant, eindrucksvoll, einzigartig, enorm, entwaffnend, erstaunlich, fabelhaft, groß, großartig, hervorragend, imponierend, märchenhaft, nennenswert, ohnegleichen, sagenhaft, sensationell, sondergleichen, spektakulär, stattlich, überragend, überraschend, überwältigend, ungeläufig, ungewöhnlich, unvergleichlich, verblüffend
impotent: infertil, steril, unfruchtbar, zeugungsunfähig *einfallslos, kraftlos, phantasielos, unbegabt, unfähig, ungeeignet, untauglich
Impotenz: Erektionsschwäche, Manneschwäche, Zeugungsunfähigkeit *Einfallslosigkeit, Phantasielosigkeit, Schwäche, Unfähigkeit, Untauglichkeit, Unvermögen
imprägnieren: durchsättigen, sättigen, tränken, wasserdicht machen, undurchlässig machen
impraktikabel: unanwendbar, unausführbar, undurchführbar, schwer zu behandeln, nicht zu machen
Impression: Eindruck, Empfindung, Sinneswahrnehmung, Wahrnehmung
Imprimatur: Druckbewilligung, Druckerlaubnis
Improvisation: Einfall, Stegreifaufführung, Stegreifstück, Stegreifübung *Phantasie, Impromptu, Stimmungsstück
improvisieren: phantasieren, aus dem Boden stampfen, rasch aufführen, rasch herstellen, unvorbereitet ausführen, aus dem Stegreif aufführen
improvisiert: frei, unvorbereitet, auf Anhieb, aus dem Handgelenk, aus dem Stegreif, ohne Probe, ohne Übung, ohne Vorbereitung
Impuls: Anlass, Anregung, Anreiz, Ansporn, Anstoß, Antrieb, Drang, Stimulus, Trieb, Triebkraft, Veranlassung
impulsiv: beweglich, blutvoll, dynamisch, feurig, getrieben, heftig, heißblütig, jäh, lebendig, lebhaft, leidenschaftlich, mobil, quecksilbrig, temperamentvoll, triebhaft, ungestüm, unruhig, vehement, vif, vital, wild, leicht erregbar *fahrlässig, gedankenlos, leichtfertig, unbedacht, unbesonnen, unüberlegt, unvorsichtig

Impulsivität: Beweglichkeit, Dynamik, Erregbarkeit, Feuer, Getriebenheit, Heftigkeit, Heißblut, Lebendigkeit, Lebhaftigkeit, Leidenschaftlichkeit, Mobilität, Temperament, Triebhaftigkeit, Unruhe, Vehemenz, Vitalität, impulsives Wesen
imstande: fähig, geeignet, kräftig *sicher *können, vermögen, fähig sein
in: darunter, inmitten, innen, innerhalb, mittendrin, unter, zwischen, im Bereich *binnen, im Laufe (von), im Verlauf (von), während, in der Zeit *aktuell, modern, in Mode, der letzte Schrei, up to date
inadäquat: deplatziert, störend, unangebracht, unangemessen, ungebührlich, ungeeignet, ungehörig, ungerecht, ungeziemend, ungleichwertig, unpassend, unqualifiziert, unwillkommen, fehl am Ort, fehl am Platz, nicht entsprechend, nicht passend
inakkurat: lässig, leger, nachlässig, oberflächlich, ungenau, nicht gleichmäßig
inaktiv: arbeitsscheu, bequem, faul, faulenzerisch, müßig, passiv, phlegmatisch, träge, untätig, unwirksam *verabschiedet, ohne Amt, außer Dienst, im Ruhestand
Inaktivität: Bequemlichkeit, Faulheit, Passivität, Trägheit, Untätigkeit, Unwirksamkeit *Pension, Ruhestand
inaktuell: gestrig, unmodern, unwichtig, vergangen, von gestern, nicht aktuell
inakzeptabel: unannehmbar, ungeeignet, ungünstig, nicht annehmbar
Inangriffnahme: Anbeginn, Anbruch, Anfang, Auftakt, Ausbruch, Beginn, Eintritt, Einzug, Eröffnung, Start, Startschuss, erster Schritt
Inanspruchnahme: Einsatz, Gebrauch, Nutzanwendung, Nutzbarmachung, Verwendung *Anstrengung, Arbeit, Beanspruchung, Belastung, Bemühung, Mühe, Überlastung
inattraktiv: abstoßend, geschmacklos, hässlich, missgestaltet, scheußlich, stillos, unansehnlich, unästhetisch, unschön, unvorteilhaft, verunstaltet, nicht anziehend, nicht hübsch, nicht schön, nicht attraktiv
Inaugenscheinnahme: Begutachtung, Betrachtung
Inauguration: Einsetzung
inaugurieren: beginnen, einleiten, einsetzen, schaffen, ins Leben rufen
Inbegriff: Ausbund, Bild, Inkarnation, Musterbeispiel, Musterfall, Prototyp, Urbegriff, absolute Verkörperung
inbegriffen: einbegriffen, eingerechnet, eingeschlossen, einschließlich, inklusive, mit, miteingerechnet, plus, samt, zuzüglich
Inbesitznahme: Besetzung, Besitzergreifung
in betreff: hinsichtlich, was betrifft
Inbrunst: Affekt, Aufwallung, Begeisterung, Ekstase, Enthusiasmus, Feuer, Feurigkeit, Fieber, Glut, Hochstimmung, Innigkeit, Leidenschaft, Passion, Pathos, Rausch, Schwung, Sturm, Taumel, Überschwang, seelische Beteiligung
inbrünstig: eifrig, glühend, inständig, intensiv, leidenschaftlich, passioniert, sehnlich, voller Inbrunst, aus tiefster Seele
indem: dabei, dazwischen, derweil, einstweilen, indessen, inzwischen, mittlerweile, solange, unterdes, unterdessen, währenddem, währenddessen, zwischenher, in der Zwischenzeit *derweil, inmitten, über, während, im Verlauf von
indessen: dagegen, dementgegen, hiergegen, hingegen, indes, wiederum *dabei, dazwischen, derweil, einstweilen, indem, inzwischen, mittlerweile, solange, unterdes, unterdessen, währenddem, währenddessen, zwischenher, in der Zwischenzeit
indeterminiert: frei, unbestimmt, nicht determiniert, nicht festgelegt
Index: Aufstellung, Kartei, Liste, Namensverzeichnis, Register, Sachverzeichnis, Tabelle, Verzeichnis, Zusammenstellung *Kennziffer, Messzahl, Messziffer, Unterscheidungsziffer, Vergleichszahl
indezent: taktlos, unanständig, ungehörig, unpassend, unschicklich, nicht feinfühlig
Indezenz: Taktlosigkeit, Unanständigkeit, Ungehörigkeit, Unschicklichkeit
indifferent: unbestimmt, undifferen-

ziert, ungeklärt, unscharf, verschwommen *gleichgültig, teilnahmslos, unbeteiligt, uninteressiert
Indifferenz: Indifferenziertheit, Unbestimmtheit, Ungeklärtheit, Unschärfe, Verschwommenheit *Gleichgültigkeit, Teilnahmslosigkeit, Uninteressiertheit
Indignation: Ärger, Empörung, Entrüstung, Unwille, Verdrossenheit, Wut, Zorn
indigniert: ärgerlich, böse, empört, entrüstet, erzürnt, schockiert, unwillig, verdrossen, wütend, aufgebracht (über)
Indikation: Anzeichen, Heilanzeige, Merkmal, Zeichen
Indikator: Anzeichen, Merkmal, Zeichen
indirekt: andeutungsweise, mittelbar, unartikuliert, unausgesprochen, ungesagt, verblümt, verhüllt, verkappt, verklausuliert, verschleiert, auf Umwegen, durch Vermittlung, durch die Blume, nicht unmittelbar, nicht direkt
indiskret: gesprächig, neugierig, schwatzhaft, taktlos, zudringlich, nicht verschwiegen
Indiskretion: Gesprächigkeit, Neugierde, Taktlosigkeit
indiskutabel: unausführbar, unmöglich, nicht der Rede wert sein, nicht der Erörterung wert sein, nicht der Diskussion wert sein, nicht zur Debatte stehend, nicht in Frage kommend, nicht in Betracht kommend
indisponibel: festgelegt, unverwendbar, nicht verfügbar, nicht zu Gebote stehend
indisponiert: elend, krank, unpässlich, unwohl, in schlechter Verfassung, nicht in Form
Indisposition: Krankheit, Unpässlichkeit, Unwohlsein, schlechte Verfassung
indiszipliniert: frech, zuchtlos, ohne Disziplin
Individualist: Außenseiter, Eigenbrötler, Einzelgänger, Nonkonformist, Original, Sonderling
Individualität: Charakter, Eigenart, Gemütsart, Natur, Sinn, Veranlagung, Wesen, Wesensart *Charakter, Charakterfigur, Charaktergestalt, Person, Persönlichkeit, Respektsperson *Einmaligkeit, Einzigartigkeit
individuell: eigen, persönlich, subjektiv, auf die Person bezogen, mich betreffend, von der Person abhängig *spezifisch, verschieden, jedes Mal anders *besonders, einmalig, einzigartig, originell, speziell, in besonderer Weise, mit besonderer Note
Individuum: Einzelmensch, Einzelperson, Einzelwesen, Erdenbürger, Erdensohn, Figur, Geschöpf, Gestalt, Subjekt, Wesen
Indiz: Anhaltspunkt, Anzeichen, Beweis, Hinweis, Merkmal, Tatsache, Verdachtsgrund, Verdachtsmoment
indizieren: anzeigen, empfehlen, fordern, raten
indiziert: angezeigt, empfehlenswert, erforderlich, ratsam *auf den Index gesetzt
indolent: apathisch, bequem, denkfaul, desinteressiert, dickfellig, gefühllos, gleichgültig, inaktiv, interesselos, kühl, lasch, leidenschaftslos, lethargisch, passiv, phlegmatisch, schläfrig, schwerfällig, schwunglos, stumpf, stumpfsinnig, teilnahmslos, träge, tranig, unaufgeschlossen, unbeteiligt, unbewegt, unempfindlich, ungerührt, untätig, verschlafen
Indolenz: Abgestumpftheit, Abstumpfung, Apathie, Bequemlichkeit, Desinteresse, Dickfelligkeit, Faulheit, Gefühllosigkeit, Geistesabwesenheit, Gleichgültigkeit, Herzlosigkeit, Interesselosigkeit, Kühle, Leidenschaftslosigkeit, Lethargie, Passivität, Phlegma, Schläfrigkeit, Stumpfheit, Stumpfsinn, Stumpfsinnigkeit, Sturheit, Teilnahmslosigkeit, Trägheit, Unaufgeschlossenheit, Unempfindlichkeit, Ungerührtheit, Uninteressiertheit, Wurstigkeit
Induktion: Schlussfolgerung *Übertragung
induktiv: epagogisch, folgernd
indulgent: gnädig, gütig, mild, milde, nachgiebig, nachsichtig, schonend
Indulgenz: Gnade, Güte, Milde, Nachgiebigkeit, Nachsicht
Industrie: Unternehmerschaft, Volkswirtschaft, Wirtschaft *Massenherstel-

lung, Massenproduktion, maschinelle Herstellung
Industriegebiet: Ballungsgebiet, Ballungszentrum, Industrielandschaft
Industrieller: Fabrikant, Großindustrieller, Industriekapitän, Unternehmer, Wirtschaftsführer, Wirtschaftskapitän
Industrieprodukt: Fabrikware, Massenware
Industriestaat: Industrieland, Industriemacht, Industrienation
induzieren: ableiten, folgern, schließen *bewirken, erzeugen, hervorrufen, schaffen
ineffektiv: aussichtslos, erfolglos, ergebnislos, uneffektiv, unwirksam, wirkungslos
ineffizient: unwirksam, unwirtschaftlich, nicht leistungsfähig
inessenziell: unwesentlich, nicht wesensgemäß
inexakt: unexakt, ungenau, unordentlich, vage
inexistent: eingebildet, nicht vorhanden *ausgestorben, tot, weg, nicht mehr vorhanden
Inexistenz: Einbildung, Nichtvorhandensein
infam: abscheulich, garstig, gemein, hundsgemein, miserabel, niederträchtig, ruchlos, schäbig, schändlich, schimpflich, schmachvoll, schmählich, schmutzig, schnöde, schofel, schuftig *arg, argwillig, bissig, bösartig, böse, boshaft, böswillig, gehässig, hinterlistig, maliziös, niederträchtig, schadenfroh, schikanös, spitz, spitzzüngig, tückisch, übel gesinnt, übel wollend
Infamie: Abscheulichkeit, Bösartigkeit, Bosheit, Böswilligkeit, Garstigkeit, Gehässigkeit, Gemeinheit, Hässlichkeit, Hinterlist, Niedertracht, Niedrigkeit, Perfidie, Ruchlosigkeit, Schäbigkeit, Schadenfreude, Schikane, Schlechtigkeit, Schmutzigkeit, Teufelei, Übelwollen, Unverschämtheit, Verruchtheit, böse Absicht, böser Wille
Infanterist: Fußsoldat, Landser
infantil: heranwachsend, kindisch, kindlich, unreif, zurückgeblieben *kindhaft, kindlich, schülerhaft, unerfahren, unfertig, unmündig, unreif, zurückgeblieben
Infantilität: Kindhaftigkeit, Kindlichkeit, Unentwickeltheit, Unfertigkeit, Unreife
Infektion: Ansteckung, Entzündung, Infekt, Infizierung, Übertragung
infektiös: ansteckend, entzündbar, übertragbar
infernalisch: dämonisch, diabolisch, Entsetzen erregend, grässlich, grauenvoll, grauslich, höllisch, satanisch, schrecklich, teuflisch, unerträglich *furchtbar, fürchterlich, katastrophal, schlimm, unerträglich
Inferno: Hades, Hölle, Schattenreich, Unterwelt, ewige Finsternis, Ort der Verdammnis, Ort der Finsternis *Katastrophe, Unglück, entsetzliches Geschehen
infertil: steril, unfruchtbar, zeugungsunfähig
infiltrieren: einflößen, eingeben, einträufeln *durchtränken, eindringen, einsickern, einströmen *durchsetzen, einschleusen, unterwandern
infinit: grenzenlos, unbegrenzt, unendlich, weit
infizieren: anstecken, ausbreiten, übertragen, verseuchen ***s. infizieren:** s. anstecken, s. etwas holen, krank werden, befallen werden
infiziert: angesteckt, befallen, verseucht
in flagranti: überraschend, unerwartet, unvorbereitet, auf frischer Tat
Inflation: Abwertung, Geldentwertung, Kaufkraftminderung, Preissteigerung
inflexibel: fest, spröde, starr, unbiegsam, unveränderlich, nicht biegbar *indeklinabel, unbeugbar, unflektierbar, nicht beugbar, nicht flektierbar
Inflexibilität: Festigkeit, Sprödheit, Starrheit *Unbeugsamkeit
Influenz: Beeinflussung, Einfluss, Einwirkung
infolge: anlässlich, aufgrund, kraft, wegen, zwecks
infolgedessen: deshalb, folglich
Informatik: Computerwissenschaft
Information: Angabe, Ankündigung, Auskunft, Benachrichtigung, Bericht, Berichterstattung, Bescheid, Eröffnung, Info, Meldung, Mitteilung, Nachricht,

Übermittlung, Unterrichtung, Verbalnote *Antwort, Aufklärung, Auskunft, Bescheid, Mitteilung, Nachricht *Anordnung, Folge
informativ: aufklärend, aufschlussreich, belehrend, bildend, erhellend, hörenswert, instruktiv, interessant, lehrreich, lesenswert, sehenswert, vielsagend, wissenswert
informell: familiär, formlos, frei, gelöst, lässig, leger, natürlich, nonchalant, offen, salopp, unbefangen, ungehemmt, ungeniert, ungezwungen, unzeremoniell, zwanglos
informieren: aufklären, belehren, einführen, einweihen, instruieren, orientieren, unterrichten, vertraut machen (mit), Auskunft erteilen, die Augen öffnen, ins Bild setzen, in Kenntnis setzen *bekannt geben, bekannt machen, benachrichtigen, berichten, eröffnen, erzählen, hinweisen (auf), kundgeben, kundmachen, kundtun, melden, mitteilen, sagen, übermitteln, unterbreiten, unterrichten, vermitteln, verständigen, aufmerksam machen, Bericht geben, Bericht erstatten, Bescheid geben, Auskunft geben, Nachricht geben, eine Meldung machen, eine Mitteilung machen, wissen lassen ***s. informieren:** ausfragen, auskundschaften, s. Einblick verschaffen, s. Informationen verschaffen, s. Kenntnis verschaffen, s. Klarheit verschaffen, s. umhören, s. unterrichten
infrarot: ultrarot
ingeniös: erfinderisch, erfindungsreich, geistreich, geistvoll, scharfsinnig *kunstvoll, sinnreich
Ingeniosität: Erfindergabe, Erfindungsgabe, Geist, Scharfsinn
Ingenium: Begabung, Geist, Verstand
Ingredienzen: Beimengungen, Beimischungen, Beiwerk, Bestandteile, Elemente, Komponenten, Zubehör, Zutaten
Ingrimm: Ärger, Entrüstung, Erbitterung, Furor, Grimm, Rage, Raserei, Verdrossenheit, Wut, Zorn
Inhaber: Besitzer, Boss, Chef, Eigentümer, Eigner, Halter, Herr, Ladenbesitzer, Ladeninhaber *Fabrikbesitzer, Gesellschafter, Industrieller *Wirt
inhaftieren: abführen, abholen, arretieren, einsperren, ergreifen, erwischen, fangen, fassen, festhalten, festnehmen, festsetzen, gefangen nehmen, gefangen setzen, internieren, verhaften, dingfest machen, unschädlich machen, in Verwahrung nehmen, in Haft nehmen, in Gewahrsam nehmen, ins Gefängnis stecken
Inhaftierter: Arrestant, Gefangener, Gefängnisinsassae, Häftling, Knastbruder, Sträfling, der Strafgefangene, schwerer Junge
Inhaftierung: Abführung, Arretierung, Ergreifung, Festnahme, Inhaftnahme, Verhaftung
Inhalation: Einatmung, Einsaugung
inhalieren: rauchen, auf Lunge rauchen, Lungenzüge machen, Rauch einatmen, Rauch einziehen, Rauch einsaugen *Dämpfe einatmen, Dämpfe einziehen, Dämpfe einsaugen *atmen, einatmen, einsaugen, einschnuppern, einziehen, riechen, röcheln, schnaufen, schnuppern, wittern, Atem holen, Luft holen, Luft schnappen
Inhalt: Bedeutung, Botschaft, Essenz, Gedankengehalt, Gedankengut, Gehalt, Ideengehalt, Kern, Mitteilung, Sinn, Substanz, Wesen, das Ausgedrückte, das Mitgeteilte *Füllung, Produkt, Ware, das Verpackte
Inhaltsangabe: Exposé, Exzerpt, Resümee, Übersicht, Zusammenfassung
inhaltslos: banal, dürftig, flach, gehaltlos, geistlos, ideenlos, inhaltsarm, inhaltsleer, leer, nichts sagend, phrasenhaft, primitiv, seicht, stumpfsinnig, substanzlos, trivial, unbedeutend
Inhaltslosigkeit: Banalität, Einfallslosigkeit, Geistlosigkeit, Seichtheit
inhaltsreich: ausdrucksstark, ausdrucksvoll, bedeutungsvoll, gehaltvoll, geistreich, ideenreich, inhaltsschwer, inhaltsträchtig, inhaltsvoll, substanziell, viel sagend
Inhaltsverzeichnis: Auflistung, Übersicht, Zusammenstellung
inhärent: anhaftend, eigen, immanent, innewohnend, darin enthalten
inhomogen: heterogen, mannigfaltig, uneinheitlich, ungleichartig, verschieden

Inhomogenität: Heterogenität, Mannigfaltigkeit, Uneinheitlichkeit, Ungleichartigkeit, Verschiedenheit
inhuman: abgestumpft, barbarisch, brutal, eisig, erbarmungslos, fest, gefühllos, gefühlsarm, gefühlskalt, gemütsarm, gleichgültig, gnadenlos, grausam, hart, hartherzig, herzlos, kaltblütig, kompromisslos, lieblos, mitleidlos, roh, schonungslos, seelenlos, streng, unbarmherzig, ungesittet, unmenschlich, unnachgiebig, unnachsichtig, unsozial, unzugänglich, verroht
Inhumanität: Bestialität, Brutalität, Kannibalismus, Wandalismus
initiativ: aktiv, anregend, rührig, unternehmend, Anstoß gebend, Initiative ergreifend, Initiative besitzend
Initiative: Aktivität, Entschlusskraft, Fleiß, Unternehmungsgeist
Initiator: Anreger, Anstifter, Begründer, Motor, Schöpfer, Urheber, Vater
initiieren: einweihen, in ein Amt einführen *einleiten, veranlassen, den Anstoß geben
Injektion: Einimpfung, Einspritzung, Spritze
injizieren: einspritzen, eine Spritze geben, eine Injektion geben
Inkarnation: Fleischwerdung, Menschwerdung *Ausbund, Bild, Inbegriff, Musterbeispiel, Musterfall, Prototyp, Urbegriff, absolute Verkörperung
Inkasso: Eintreibung, Einziehung, Erhebung
Inklination: Hang, Neigung, Vorliebe
inklinieren: neigen (zu), hängen (an)
inklusive: einbegriffen, eingeschlossen, einschließlich, inbegriffen, mit, plus, samt, zuzüglich, mit eingerechnet
inkognito: anonym, heimlich, unerkannterweise, unter falschem Namen, unter anderem Namen
inkompatibel: unvereinbar, unverträglich, nicht zusammenpassend, nicht zusammenstimmend
Inkompatibilität: Unvereinbarkeit, Unverträglichkeit
inkompetent: unbefugt, unberechtigt, nicht autorisiert, nicht maßgebend, nicht zuständig, nicht bevollmächtigt, nicht verantwortlich *unzuständig, nicht befugt, nicht zuständig *außerstande, einfallslos, unfähig, ungeeignet, untauglich, unvermögend, nicht gewachsen *einfach, nicht fachmännisch
Inkompetenz: Insuffizienz, Kraftlosigkeit, Machtlosigkeit, Ohnmacht, Schwäche, Unfähigkeit, Ungenügen, Untauglichkeit, Untüchtigkeit, Unvermögen, Unzulänglichkeit, Versagen, Willensschwäche *Unzuständigkeit
inkomplett: unvollendet, unvollständig, nicht vollzählig, nicht abgeschlossen
inkonsequent: flatterhaft, grundsatzlos, schwankend, sprunghaft, unbeständig, unbestimmt, unstet, wankelmütig, wechselhaft, wetterwendisch, nicht beständig *folgewidrig, unlogisch, widersprüchlich, widerspruchsvoll, nicht folgerichtig
Inkonsequenz: Folgewidrigkeit, Widersprüchlichkeit *Flatterhaftigkeit, Grundsatzlosigkeit, Sprunghaftigkeit, Unbeständigkeit, Unstetigkeit, Wankelmut, Wechselhaftigkeit
inkonsistent: unbeständig, unhaltbar, unzusammenhängend, ohne Dauer, ohne festen Bestand
inkonstant: schwankend, unbeständig, unfest, variabel, variant, veränderlich, wandelbar, nicht feststehend *unstetig, wechselhaft, wechselnd
Inkonstanz: Veränderlichkeit *Unstetigkeit, Wechselhaftigkeit
inkonziliant: eisern, kompromisslos, unfreundlich, unversöhnlich, nicht verhandlungsbereit
Inkorporation: Angliederung, Aufnahme, Einverleibung
inkorporieren: angliedern, aufnehmen, einverleiben
inkorrekt: falsch, fehlerhaft, ungenau, nicht einwandfrei *irrtümlich, regelwidrig, sinnwidrig, unkorrekt, unlogisch, unrecht, unrichtig, unzutreffend, verfehlt, verkehrt, widersinnig, widersprüchlich, widerspruchsvoll
inkulant: eisern, hart, ungefällig, unmenschlich, nicht entgegenkommend
Inland: Heimat, Vaterland
inländisch: einheimisch, hiesig, national, regional, von hier

Inlay: Eingelegtes, Füllung, Plombe, Zahnfüllung
inliegend: anbei, anliegend, beigefügt, beigelegt, beiliegend, eingeschlossen, inklusiv, inklusive, innen, als Anlage, als Beilage
inmitten: im Herzen (von), im Zentrum (von), in der Mitte (von), zentral, im Kern, im Mittelpunkt, mitten in *bei, während *anwesend, da, zugegen
in natura: nackt, ohne alles, ohne Kleidung *ohne Zusätze
innehaben: amtieren, ausüben, bekleiden, besitzen, einnehmen, haben, tätig sein (als), versehen (mit), verwalten, in Händen haben, verfügen (über) *besitzen *führen, herrschen
innehalten: aufhören, aussetzen, einhalten, einstellen, pausieren, stehen bleiben, stocken, stoppen, unterbrechen, eine Pause einlegen *warten, abwarten, s. bedenken, s. besinnen, offen lassen, schwanken, verweilen, zagen, zaudern, zögern, Bedenken tragen, Bedenken haben, mit sich kämpfen, unentschieden sein, unentschlossen sein, unschlüssig sein
innen: darin, drinnen, innerhalb, inwendig, im Innern *anbei, anliegend, beigefügt, beigelegt, beiliegend, inliegend, als Anlage, als Beilage
Innenhof: Atrium, Patio
Innenseite: an der inneren Seite, im Innern
Innenstadt: City, Stadtkern, Stadtmitte, Stadtzentrum, Zentrum, das Stadtinnere
innere: s. innen befindend, inwendig vorhanden *innerstaatlich, nur den Staat betreffend
Innere: Gefühlsleben, Gemüt, Herz, Innenleben, Innenwelt, Kern, Mitte, Seele, Seelenleben, Tiefe, Wesen, Zentrum, das Innerste *Innenausstattung, Inneneinrichtung, Innenraum, Interieur, Zubehör
Innereien: Flecken, Gekröse, Geschlinge, Kaldaunen, Kuttelfleck, Kutteln *Aufbruch, Eingeweide, Gedärm, Gedärme, Gescheide
Inneres: Gemütsleben, Herz, Innenleben, Psyche, Seele, Seelenleben *Kernpunkt, Mittelpunkt
innerhalb: drinnen, in, inmitten, im Bereich *binnen, im Laufe (von), im Verlauf (von), während, in der Zeit
innerlich: drinnen, inwendig, im Innern *empfindlich, empfindsam, feinfühlig, gefühlvoll, sensibel, zart besaitet
innewerden: bemerken, entdecken, erkennen, feststellen, gewahren, herausfinden
innewohnen: bergen, einschließen, immanent sein, enthalten sein, eigen sein
innewohnend: immanent, inhärent
innig: eng, herzlich, warmherzig, sehr nah, tief empfunden, tief empfindend *beschwörend, demütig, eindringlich, ernsthaft, fest, flehend, flehentlich, inbrünstig, inständig, intensiv, kniefällig, leidenschaftlich, nachdrücklich, sehnlich, stürmisch *flehentlich, fußfällig, inständig, kniefällig, nachdrücklich
Innigkeit: Affekt, Aufwallung, Begeisterung, Ekstase, Enthusiasmus, Feuer, Feurigkeit, Fieber, Glut, Hochstimmung, Inbrunst, Leidenschaft, Passion, Pathos, Rausch, Schwung, Sturm, Taumel, Überschwang
Innovation: Erneuerung, Neuerung, Neugestaltung, Neuheit, Neuschöpfung, Verbesserung
innovativ: erneuernd, gestalterisch, schöpferisch, verbessernd
Innung: Gilde, Gildenschaft, Zunft
inoffensiv: abwartend, ruhig, zurückhaltend, nicht angreiferisch, nicht angriffslustig
inoffiziell: außerdienstlich, inoffiziös, intern, vertraulich, nicht öffentlich, nicht amtlich
inoperabel: nicht wiederherstellbar, nicht operierbar, nicht zu heilen
in persona: persönlich, selbst, in eigener Person
in punkto: betreffend, betreffs, bezüglich, hinsichtlich, in Bezug auf, was das betrifft
Input: Eingabe, Eingangsgröße, Eingangsleistung, zugeführte Leistung
Insasse: Häftling *Fahrgast, Gast, Mitfahrer *Beifahrer, Sozius
insbesondere: besonders, insbesondre, vor allem

Inschrift: Aufschrift, Beschriftung, Text
Insekt: Hexapode, Kerbtier, Kerf
insektizid: Insekten tötend, Insekten vernichtend
Insel: Atoll, Eiland, Klippe, Koralleninsel, Riff, Sandbank, Schäre
insensibel: empfindungslos, gefühllos, kalt, unempfänglich, nicht empfindlich, nicht empfindsam
Insensibilität: Empfindungslosigkeit, Gefühllosigkeit, Kälte, Schmerzunempfindlichkeit, Unempfindlichkeit
Inserat: Angebot, Annonce, Anzeige, Bekanntgabe, Verkaufsangebot, Werbung, Zeitungsanzeige *Kaufgesuch, Kaufwunsch *Stellenangebot, Stellengesuch *Familienanzeige
inserieren: anzeigen, werben, eine Annonce aufgeben, eine Anzeige aufgeben, ein Inserat aufgeben
insgeheim: hintenherum, im Stillen, im Geheimen, still und leise, in aller Heimlichkeit
insgesamt: ganz, gesamt, pauschal, total, vollends, zusammen, alles eingerechnet, alles in allem, im Ganzen, alles zusammen, summa summarum, en bloc
Insider: Eingeweihter, Kenner, Vertrauter, Wissender
insistent: beharrend, beharrlich, beständig, bestehend, fest, hartnäckig, unnachgiebig
Insistenz: Beharrlichkeit, Beständigkeit, Drängen, Hartnäckigkeit
insistieren: beharren (auf), bestehen (auf), erzwingen, pochen (auf), s. versteifen, Wert legen (auf), (auf etwas) dringen, Bedingungen stellen, bleiben (bei), nicht ablassen, nicht lockerlassen, sein Recht behaupten
inskribieren: s. einschreiben, s. eintragen
Inskription: Einschreibung, Eintragung
insofern: deshalb, deswegen, in Bezug (auf), mithin, somit, in dieser Hinsicht, was das anbelangt, was das betrifft *falls, vorausgesetzt, wenn, wofern
insolent: anmaßend, frech, patzig, unverschämt
Insolenz: Anmaßung, Frechheit, Unverschämtheit
insolvent: bankrott, finanzschwach, illiquid, pleite, ruiniert, zahlungsunfähig
in spe: hinfort, später, zukünftig, in Zukunft
Inspektion: Besichtigung, Inspizierung, Kontrolle, Prüfung
Inspiration: Einbildungskraft, Einfall, Eingebung, Erleuchtung, schöpferischer Einfall
inspirieren: anregen, erleuchten, ermuntern, initiieren, veranlassen
inspiriert: begeistert, belebt, beseelt, eingenommen, entflammt, entzückt, ergriffen
inspizieren: besichtigen, kontrollieren, prüfen
instabil: brüchig, schwach, schwankend, unbeständig, unfest, unsicher, veränderlich, wackelig, wechselnd, nicht fest
Instabilität: Unbeständigkeit, Unsicherheit, Veränderlichkeit
Installateur: Heizungsbauer, Klempner, Spengler, Gas- und Wasserinstallateur
Installation: Einbau, Montage, Zusammenbau *Einweisung
installieren: anbringen, anmachen, anschließen, befestigen, einbauen, einrichten, einsetzen, festmachen, montieren, zusammenbauen
instand: funktionierend, gehend, laufend, in Ordnung ***instand halten:** betreuen, erhalten, konservieren, pflegen, schonen, schützen, umsorgen, unterhalten, warten ***instand setzen:** erneuern, renovieren, reparieren, restaurieren, wieder herrichten, wiederherstellen
Instandhaltung: Erhaltung, Pflege, Unterhalt, Unterhaltung, Wartung
inständig: eindringlich, emphatisch, flehentlich, fußfällig, innig, kniefällig, nachdrücklich
Instanz: Amt, Behördenstelle, Dienststelle, Gerichtsstand, Gerichtsstelle, Obrigkeit, zuständige Behörde, verhandelndes Gericht
Instanzenweg: Amtsweg, Behördenweg, Dienstweg, Geschäftsgang
Instinkt: Impuls, Trieb, natürliche Regung *Empfindung, Gefühl, Gespür, Organ, Scharfsinn, Spürnase, Spürsinn, Witterung

instinktiv: emotional, emotionell, gefühlsmäßig, intuitiv, nachtwandlerisch, sicher, unbewusst *instinktbedingt, instinktsicher, triebmäßig
Institut: Anstalt, Ausbildungsstätte, Bildungsanstalt, Bildungsstätte, Einrichtung, Fachschule, Seminar, Studienanstalt *Forschungsanstalt, Forschungsinstitut, Labor, Laboratorium
Institution: Anstalt, Organisation, öffentliche Einrichtung
instruieren: anleiten, anlernen, anweisen, ausbilden, beraten, einarbeiten, einführen, einweisen, lehren, unterweisen, vertraut machen (mit) *aufklären, belehren, einführen, einweihen, informieren, die Augen öffnen, ins Bild setzen, in Kenntnis setzen
Instruktion: Anordnung, Anweisung, Befehl, Kommando, Order, Verfügung, Weisung
instruktiv: aufklärend, aufschlussreich, belehrend, bildend, einprägsam, erhellend, hörenswert, informativ, interessant, lehrreich, lesenswert, sehenswert, viel sagend, wissenswert
Instrument: Apparat, Gerät, Gerätschaft, Hilfsmittel, Mittel, Werkzeug *Klangmittel, Klangwerkzeug, Musikinstrument *Mittel zum Zweck
insuffizient: dürftig, leistungsunfähig, mangelhaft, schwach, unbefriedigend, ungeeignet, ungenügend, unvermögend, unzulänglich, unzureichend, nicht leistungsfähig
Insuffizienz: mangelhafte Leistungsfähigkeit *Mangelhaftigkeit, Unfähigkeit, Unzulänglichkeit
Insult: Beleidigung, Beschimpfung *Anfall
insultieren: beleidigen, beschimpfen
inszenieren: anfeuern, anrichten, anspornen, anstacheln, anstiften, antreiben, anzetteln, aufhetzen, aufstacheln, befeuern, beflügeln, einheizen, hervorrufen, überreden, verleiten, verursachen, in Gang bringen, Beine machen, Dampf machen *abhalten, arrangieren, ausrichten, durchführen, organisieren, unternehmen, veranstalten, in Szene setzen, stattfinden lassen
Inszenierung: Aufführung, Darbietung, Darstellung
intakt: einwandfrei, funktionierend, ganz, heil, rund, solide, unbeschädigt, unverletzt, unversehrt, wohlbehalten, in Ordnung
integer: achtbar, anständig, charakterfest, einwandfrei, makellos, ordentlich, rechtschaffen, redlich, rein, solide, unangetastet, unbefleckt, unbescholten, unbestechlich, untadelig, unverdorben, vertrauenswürdig, in Ordnung, ohne Makel
integral: vermischt, verschmolzen, vollständig, zusammengeschlossen, ein Ganzes bildend, ein Ganzes ausmachend
Integration: Eingemeindung, Eingliederung, Einverleibung, Rückführung, Rückgliederung *Mischung, Vereinigung, Verschmelzung, Zusammenschluss
integrieren: aufnehmen, einbetten, einflechten, einfügen, eingliedern, einpassen, einverleiben, verbinden, vereinen, vereinigen, zusammenfassen, zusammenschließen *beteiligen, einschließen
integrierend: notwendig, unentbehrlich, unerlässlich, wesentlich
Integrität: Biederkeit, Ehrlichkeit, Loyalität, Makellosigkeit, Pflichtbewusstsein, Rechtschaffenheit, Redlichkeit, Unbescholtenheit, Vertrauenswürdigkeit, Zuverlässigkeit
Intellekt: Denkfähigkeit, Denkvermögen, Erkenntnisfähigkeit, Geist, Scharfsinn, Urteilsvermögen, Verstand
intellektuell: betont verstandesmäßig, betont geistig, auf dem Intellekt beruhend
Intellektueller: Akademiker, Forscher, Geistesarbeiter, Geistesschaffender, Gelehrter, Intelligenzler, Verstandesmensch, Wissenschaftler
intelligent: aufgeweckt, begabt, denkfähig, einsichtig, geistreich, geistvoll, gelehrig, gescheit, klug, kombinationsfähig, lernfähig, scharfsinnig, umsichtig, vernunftbegabt, verständig
Intelligenz: Gelehrtheit, Gescheitheit, Klugheit, Scharfsinn, Schlauheit, Weisheit, gesunder Menschenverstand *die Geistesschaffenden, die Wissenschaftler

intelligibel: nur gedanklich, geistig erfassbar, nicht sinnlich wahrnehmbar
intendieren: beabsichtigen, planen, tun wollen
Intensität: Anspannung, Intensivität, Kraft *Leuchtkraft, Sattheit, Tiefe *Grad, Größe, Stärke
intensiv: angeregt, angespannt, angestrengt, aufmerksam, eindringlich, erschöpfend, gesammelt, gründlich, heftig, konzentriert, mit größter Kraft, mit größter Anstrengung, mit ganzer Kraft *durchdringend, eindringlich, einschneidend, ernsthaft, erschöpfend, fest, groß, gründlich, heftig, hochgradig, inbrünstig, nachdrücklich, nachhaltig, penetrant, scharf, stark, tief, umfassend *aktiv, ernst, heftig, inständig, leidenschaftlich, nachdrücklich, panisch, stürmisch, mit ganzer Kraft, mit Schwung
intensivieren: aktivieren, ankurbeln, ausbauen, erhöhen, erweitern, steigern, verdoppeln, verstärken, vertiefen, vervielfachen, vorantreiben
Intensivierung: Aktivierung, Ausbau, Erhöhung, Erweiterung, Steigerung, Verdoppelung, Verstärkung, Vertiefung, Vervielfachung
Intention: Absicht, Fernziel, Nahziel, Plan, Projekt, Streben, Vorhaben, Vornehmen, Vorsatz, Ziel, Zielsetzung, Zweck, das Bestreben, das Wollen
intentional: absichtlich, zielgerichtet, zweckbestimmt
Interaktion: Kommunikation, Verhältnis, Wechselbeziehung, Zusammenhang
interaktiv: korrelierend, wechselwirkend
Interdikt: Entmündigung *Befehl, Gebot, Machtspruch, Machtwort, Nein, Prohibition, Sperre, Tabu, Untersagung, Verbot, Veto, Vorschrift
interessant: aufschlussreich, belehrend, informativ, informatorisch, viel sagend, wissenswert *außergewöhnlich, außerordentlich, ausgefallen, entwaffnend, erstaunlich, groß, überraschend, ungeläufig, ungewöhnlich *einträglich, ertragreich, gewinnbringend, lohnend, lukrativ, rentabel *anregend, ansprechend, anziehend, attraktiv, beflügelnd, einnehmend, reizvoll, unterhaltsam
Interesse: Achtsamkeit, Anteil, Anteilnahme, Aufmerksamkeit, Augenmerk, Beachtung, Beteiligung, Eifer, Gespanntheit, Nachfrage, Neugier *Lerneifer, Tatendrang, Wissensdurst *Bedeutung, Belang, Gewicht, Rang, Wert, Wichtigkeit *Angelegenheiten, Belange, Nutzen, Vorteil *Faible, Hang, Neigung, Sympathie, Tendenz, Zug, Zuneigung *Bedarf, Kauffreude, Kaufinteresse, Kauflust, Kaufneigung, Nachfrage
interesselos: apathisch, desinteressiert, gleichgültig, kühl, passiv, teilnahmslos, unbeteiligt, ungerührt, uninteressiert, nicht betroffen, ohne Interesse
Interesselosigkeit: Apathie, Desinteresse, Desinteressiertheit, Gleichgültigkeit, Kühle, Passivität, Teilnahmslosigkeit
Interessengemeinschaft: Bund, Bündnis, Vereinigung, Zusammenschluss
Interessensphäre: Einflussgebiet
Interessent: Käufer, Kauflustige, Kunde *Antragsteller, Anwärter, Aspirant, Bewerber, Bittsteller, Kandidat, Postulant
interessieren: anregen, fesseln, jmdn. gewinnen (für), in seinen Bann ziehen, Verständnis wecken, jmdn. gefangen nehmen ***s. interessieren:** ein Auge werfen (auf), s. interessiert zeigen, teilnehmen, Wert legen (auf), Beachtung schenken, interessiert sein, Interesse haben, sein Herz entdecken
interessiert: aufgeschlossen, begierig, erwartungsvoll, fieberhaft, gespannt, ungeduldig, in atemloser Spannung, mit verhaltenem Atem *angelegentlich, geflissentlich *mitleidig, teilnehmend
Interieur: Innenausstattung, Inneneinrichtung, Innenraum, Zubehör, das Innere
Interim: Übergangslösung, Zwischenlösung, Zwischenzeit, vorläufiger Zustand
Interludium: Zwischenspiel
Intermezzo: Episode, Vorfall, Zwischenfall, Zwischenspiel
intern: inoffiziell, vertraulich, nicht öffentlich, unter dem Siegel der Verschwiegenheit *drinnen, in, inmitten, innerhalb, im kleinen Kreis, im Bereich
Internat: Erziehungsinstitut, Heim, Schülerheim, Schülerwohnheim

international: global, Staaten verbindend, überstaatlich, Völker umfassend, weltumfassend, weltweit
internieren: abführen, abholen, arretieren, einsperren, ergreifen, fangen, fassen, festhalten, festnehmen, festsetzen, gefangen nehmen, gefangen setzen, inhaftieren, verhaften, dingfest machen, in Verwahrung nehmen, in Haft nehmen, in Gewahrsam nehmen, ins Gefängnis stecken
Internierung: Gefangennahme, Gefangensetzung, Inhaftierung, Verwahrung, das Internieren, das Interniertsein, das Interniertwerden
Interpret: Ausleger, Deuter, Erklärer *Künstler
Interpretation: Auslegung, Deutung, Erklärung
interpretieren: auslegen, deuten, erklären
Intervall: Tonabstand, Zwischenraum *Abstand, Lücke, Pause, Unterbrechung, Zeitabstand, Zwischenraum, Zwischenzeit
intervenieren: dazwischentreten, ein Wort einlegen (für), eingreifen, s. einmischen, protestieren
Intervention: Dazwischentreten, Eingreifen, Einmischung, Protest
interventiv: eingreifend, vermittelnd
Interview: Befragung, Gespräch
interviewen: ausfragen, aushorchen, auskundschaften, ausquetschen, befragen, bohren, fragen, herumfragen, nachfragen, umfragen, verhören, eine Frage vorlegen, eine Frage richten, eine Frage stellen, eine Frage vorbringen, um Rat fragen
Inthronisation: Einsetzung, Krönung, Thronerhebung
inthronisieren: einsetzen, erheben, krönen
intim: begründet, fundiert, gesichert, sicher, verbürgt, zuverlässig, sehr genau *eng, familiär, freundschaftlich, gewohnt, heimisch, innig, liiert, tief, vertraut, warm, wohl bekannt, sehr nah *geheim, persönlich, privat, verborgen, vertraulich, nicht für fremde Ohren bestimmt *behaglich, gemütlich, heimelig, traulich
Intimität: Gemütlichkeit, Vertrautheit, Wärme *Vertrautheit, vertrauliche Beziehung
Intimsphäre: Privatleben, Privatsphäre, Tabubezirk
Intimus: Freund, Gefährte, Gespiele, Herzensbruder, Kamerad, Kumpan, Kumpel, Verbündeter, der Vertraute, der Getreue
intolerant: befangen, borniert, dogmatisch, doktrinär, einseitig, eng, engherzig, engstirnig, parteiisch, starr, unaufgeschlossen, unduldsam, unflexibel, voreingenommen, voller Vorurteile
Intoleranz: Befangenheit, Einseitigkeit, Engstirnigkeit, Parteilichkeit, Unduldsamkeit, Unversöhnlichkeit, Verblendung, Voreingenommenheit, Vorurteil
Intonation: Einleitung, Übergangsmusik, Vorspiel *Tonansatz, Toneinsatz, das Anstimmen *das Einstimmen, das Nachstimmen *Satzmelodie, Tonhöhenverlauf
intonieren: anstimmen, zu singen beginnen *nachstimmen, stimmen *einleiten
intravenös: in die Vene spritzen
intrigant: ränkesüchtig, ränkevoll *aalglatt, arglistig, bösartig, boshaft, doppelbödig, doppelzüngig, falsch, frömmelnd, heuchlerisch, hinterhältig, hinterlistig, hinterrücks, katzenfreundlich, lügenhaft, lügnerisch, scheinfromm, scheinheilig, unaufrichtig, unehrlich, unlauter, unredlich, unreell, unsolid, unwahrhaftig, verschlagen, versteckt, verstellt
Intrigant: Denunziant, Giftmischer, Hetzer, Hintermann, Hintertreiber, Kolporteur, Ränkeschmied, Spielverderber
Intrige: Intrigenspiel, Intrigenstück, Kabale, Ränke, Ränkespiel, Schliche, (dunkle) Machenschaften *Arglist, Bosheit, Heimtücke, Hinterhältigkeit, Hinterlist, Hinterlistigkeit, Verschlagenheit, Verstecktheit
intrigieren: hintertreiben, Ränke schmieden, Ränke spinnen
Introduktion: Einleitung, Vorspiel
introvertiert: schweigsam, undurchdringlich, unzugänglich, verschlossen, verschwiegen, zugeknöpft, zurückhal-

tend, nach innen gerichtet, in sich gekehrt, nach innen gewandt
Intuition: Ahnung, Eingebung, Erleuchtung, Funke, Geistesblitz, Instinkt, Spürsinn
intuitiv: eingegeben, gefühlsmäßig, instinktiv, nachtwandlerisch, spontan, unbewusst
intus: darin, drinnen, innen, inwendig, verstanden, im Kopf haben
invalide: arbeitsunfähig, berufsunfähig, erwerbsunfähig, schwerbehindert, schwerbeschädigt, versehrt
Invalide: Berufsunfähiger, Erwerbsunfähiger, Körperbehinderter, Krüppel, Schwerbeschädigter, Versehrter
Invalidität: Arbeitsunfähigkeit, Behinderung, Berufsunfähigkeit, Körperbehinderung
invariabel: fest, festliegend, festbleibend, festgesetzt, feststehend, konstant, unveränderlich
Invariante: Konstante, unveränderliche Größe, konstante Größe
Invasion: Besetzung, Einfall, Einmarsch, Gewaltstreich, Überfall, Überrumpelung
Invasoren: Angreifer, Eindringlinge
Inventar: Ausrüstung, Besitzstand, Bestand, Einrichtungsgegenstände, Lagerbestand, Mobiliar, Vermögenswerte
Inventur: Bestandsaufnahme, Kontrolle, Lageraufnahme, Prüfung
Inversion: Umkehrung, Umstellung, Versetzung, Vertauschung
invertieren: umkehren, umstellen, versetzen, vertauschen
invertiert: umgekehrt, umgestellt, versetzt, vertauscht *homosexuell, auf das eigene Geschlecht gerichtet
investieren: anlegen, aufwenden, ausgeben, verausgaben, zur Verfügung stellen *anwenden, aufbieten, daransetzen, einsetzen, hineinstecken, mobilisieren, opfern
Investition: Anlage, Geldanlage, Investierung, Kapitalanlage
Investitur: Einsetzung, Einweisung
involvieren: einschließen, enthalten, mit einbegreifen, in sich bergen, nach s. ziehen, mit sich bringen, in sich schließen
inwendig: drinnen, innen, innerhalb, innerlich, im Innern
inwiefern: wie, in welcher Hinsicht, in welcher Weise
inwieweit: in welchem Maß, bis zu welchem Grade
Inzest: Blutschande, Inzucht
Inzucht: Blutschande, Inzest
inzwischen: dabei, dazwischen, derweil, derweilen, einstweilen, einstweilig, indem, indessen, mittlerweile, solange, unterdes, unterdessen, vorderhand, vorerst, vorläufig, währenddem, währenddessen, zeitweilig, zunächst, zwischenher, zwischenzeitlich, in der Zwischenzeit, bis auf weiteres, fürs Erste, zum Ersten, zur gleichen Zeit
irdisch: begrenzt, diesseitig, eitel, erdgeboren, erdgebunden, fleischlich, leiblich, profan, säkular, vergänglich, weltlich, zur Erde gehörig, von der Erde stammend *sterblich, weltlich, zeitgebunden, zeitlich
irgendeiner: irgendwelcher, irgendwer, jemand, eine Person, ein x-Beliebiger
irgendwann: einmal, irgendeinmal, eines Tages, früher oder später, über kurz oder lang, einerlei wann, wann auch immer
irgendwer: irgendeiner, irgendwelcher, irgendjemand, jeder x-Beliebige, jeder Beliebige, gleichgültig wer
irgendwie: beliebig, auf die eine oder andere Weise, gleichgültig wie, so oder so
irgendwo: an irgendeinem Ort, an irgendeinem Platz, an irgendeiner Stelle, gleichgültig wo, egal wo
Ironie: Anzüglichkeit, Hohn, Sarkasmus, Spott, Spöttelei, Spötterei, Spottsucht, Stichelei, Verhöhnung, Verspottung, Zynismus
ironisch: beißend, bissig, höhnisch, mokant, sarkastisch, spöttisch, voll Ironie, mit feinem Spott
irrational: affektiv, emotional, emotionell, expressiv, gefühlsbetont
irre: blöde, blödsinnig, debil, geistesgestört, geisteskrank, idiotisch, irrsinnig, schwachsinnig, unzurechnungsfähig, verblödet, wahnsinnig *hoch, sehr, unwahrscheinlich *enorm, groß, großartig *überhöht, wahnsinnig

irreal: aussichtslos, eingebildet, hoffnungslos, illusorisch, imaginär, phantastisch, traumhaft, unrealistisch, unwirklich, utopisch, vergeblich, wirklichkeitsfremd, nicht real
Irrealität: Einbildung, Gaukelei, Hirngespinst, Hoffnungslosigkeit, Illusion, Luftschloss, Phantasie, Spekulation, Trugbild, Unwirklichkeit, Utopie, Wunschtraum, leerer Dunst
irreführen: betrügen, belügen, beschwindeln, blenden, hereinlegen, mogeln, täuschen, trügen, hinters Licht führen
Irreführung: Betrug, Falschdarstellung, Falschinformation, Falschmeldung, Schwindel, Täuschung
irregehen: fehlgehen, s. verfahren, s. verfliegen, s. verirren, s. verlaufen, die Orientierung verlieren, die Richtung verlieren, einen falschen Weg einschlagen, vom Weg abkommen, vom Weg abirren, in die Irre gehen, den Weg verfehlen *s. irren
irregulär: abnorm, anormal, atypisch, außerplanmäßig, ungewöhnlich, unregelmäßig, unüblich *abweichend, regellos, regelwidrig, ungesetzlich, ungesetzmäßig
Irregularität: Abweichung, Ausnahme, Diskrepanz, Divergenz, Missverhältnis, Regelverstoß, Regelwidrigkeit, Sonderfall, Ungleichheit, Unterschiedlichkeit, Variante
irreleiten: blenden, hereinlegen, irreführen, nasführen, täuschen, trügen, vom rechten Weg abbringen, Sand in die Augen streuen, hinters Licht führen
irrelevant: belanglos, geringfügig, klein, unbedeutend, unbedeutsam, unwesentlich, unwichtig
Irrelevanz: Bedeutungslosigkeit, Belanglosigkeit, Geringfügigkeit, Kleinigkeit, Unerheblichkeit, Unwichtigkeit
irremachen: beirren, durcheinander bringen, durcheinander machen, irritieren, konsternieren, verunsichern, verwirren, aus der Fassung bringen, in Zweifel stürzen, aus dem Konzept bringen, konfus machen, kopfscheu machen, den Kopf verdrehen, verlegen machen
irren (s.): danebengreifen, danebenhauen, danebenschießen, s. einer Illusion hingeben, fehlgehen, fehlplanen, fehlschießen, fehlschlagen, hereinfallen, s. im Irrtum befinden, irregehen, missverstehen, schief liegen, s. täuschen, s. vergaloppieren, s. verkalkulieren, einen Fehler machen, verblendet sein, s. verrechnen, s. versehen, die Rechnung ohne den Wirt machen, auf dem Holzweg sein, Illusionen haben, auf den Holzweg geraten, aufs falsche Pferd setzen, im Irrtum sein, verblendet sein
Irrenhaus: Irrenanstalt, Nervenheilanstalt, Nervenklinik
irreparabel: irreversibel, kaputt, unwiederherstellbar, nicht wieder gutzumachen, nicht wiederherstellbar, nicht zu reparieren *tödlich, unheilbar, nicht operierbar
Irrer: Geistesgestörter, Geisteskranker, Geistesschwacher, Idiot, Kretin, Psychopath, Verrückter, Wahnsinniger
irrereden: delirieren, phantasieren, spinnen
Irrgarten: Irrgang, Irrweg, Labyrinth
Irrglaube: Aberglaube, Abweichlertum, Heterodoxie, Irrlehre
irrgläubig: abgefallen, abtrünnig, sektierisch
Irrgläubiger: Abtrünniger, Abweichler, Häretiker, Ketzer, Schismatiker
irrig: falsch, fehlerhaft, inkorrekt, irrtümlich, regelwidrig, unrecht, unzutreffend, verkehrt, widersinnig *abartig, abwegig, verfehlt
irrigerweise: fälschlicherweise
irritieren: beirren, durcheinander bringen, irremachen, verunsichern, verwirren, aus dem Konzept bringen, aus der Fassung bringen, konfus machen, kopfscheu machen
Irrlehre: Abspaltung, Abweichlertum, Abweichung, Häresie, Irrglaube, Ketzerei
Irrsinn: Aberwitz, Idiotie, Unding, Unsinn, Wahnwitz *Bewusstseinsspaltung, Geistesgestörtheit, Geisteskrankheit, Geistesstörung, Schizophrenie, Schwachsinn, Umnachtung, Wahnsinn
irrsinnig: gewaltig, groß, hoch, immens, sehr, überaus *blöde, blödsinnig, debil,

dumm, geistesgestört, geisteskrank, gemütskrank, idiotisch, irr, irre, phrenetisch, schwachsinnig, unzurechnungsfähig, verblödet, verrückt, wahnsinnig, (geistig) umnachtet
Irrtum: Denkfehler, Fehleinschätzung, Fehler, Fehlgriff, Fehlurteil, Illusion, Lapsus, Missgriff, Missverständnis, Täuschung, Trugschluss, Verkennung, Verrechnung, Versehen
irrtümlich: fahrlässig, fälschlich, unabsichtlich, versehentlich
Irrweg: Abirrung, Abweg, Holzweg, Sackgasse
Isolation: Abkapselung, Absonderung, Beziehungslosigkeit, Einsamkeit, Einsiedlerleben, Kontaktarmut, Menschenscheu, Vereinsamung, Zurückgezogenheit *Abdichtung, Dämmung, Isolierschicht, Isolierung
isolieren: absondern, abspalten, ausschließen, aussondern, ausstoßen, eliminieren, entfernen, sondern, verbannen, getrennt halten *abschließen, absperren *dämmen, abdämmen, abdichten, umhüllen ***s. isolieren:** s. abkapseln, s. abschließen, s. absondern, s. einigeln, s. einsperren, s. zurückziehen
isoliert: abgesondert, abgetrennt, ausgeschlossen, kontaktlos, mutterseelenallein, separat, vereinsamt, vereinzelt, verlassen, zurückgezogen, ohne Ansprache
Isometrie: Längentreue, Maßgleichheit
isometrisch: längengetreu, maßstabsgetreu
isomorph: von gleicher Gestalt, von gleicher Kristallform
isotherm: gleich warm, von gleicher Temperatur
item: also, auch, desgleichen, ebenfalls, ebenso, ferner, fernerhin, gleichfalls, wenn

J

ja: bestimmt, einverstanden, freilich, gewiss, gut, jawohl, jedenfalls, natürlich, selbstverständlich, aber ja, auf jeden Fall, sehr wohl *auch, dazu, geradezu, selbst, sogar, überdies, zugleich, darüber hinaus, mehr noch *doch, eben, einfach, (nun) einmal *auf keinen Fall, bloß (nicht), nur (nicht) ***ja sagen:** einwilligen, genehmigen, gewähren, gutheißen, zusagen, Zustimmung geben, zustimmen

Jacht: Hochseejacht, Luxusboot, Luxusjacht, Rennjacht, Segelboot, Segeljacht, Yacht

Jacke: Blazer, Jackett, Joppe, Rock, Sakko, Wams

Jackenaufschlag: Besetz, Revers, Umschlag

Jacketkrone: Kunstharzkrone, Porzellankrone, Zahnkrone, Zahnmantelkrone

Jackpot: Gesamtgewinn

jadegrün: blassgrün, jadefarben

Jagd: Hatz, Hetzjagd, Jägerei, Pirsch, Treibjagd, Weidwerk *Rennen, Wettfahrt *Jagdgebiet, Jagdrevier, Revier *Fahndung, Kesseltreiben, Nachstellung, Suche, Verfolgung

Jagdbeute: Trophäe

Jagdeifer: Jagdfieber, Jagdleidenschaft

Jagdflugzeug: Jagdflieger, Jäger

Jagdfrevel: Jagdvergehen, Wilddieberei, Wilderei

Jagdfrevler: Raubschütz, Wilddieb, Wilderer, Wildfrevler, Wildschütz

Jagdgarn: Jagdnetz

Jagdgebiet: Jagd, Jagdrevier, Revier

jagdgemäß: jagdgerecht, weidgerecht, weidmännisch

Jagdhund: Hetzhund, Schweißhund, Spürhund, Vorstehhund

Jagdhunde: Hundekoppel, Hundemeute, Meute

Jagdkanzel: Ansitz, Hochsitz, Hochstand

Jagdlust: Jagdeifer, Jagdfieber, Jagdleidenschaft

Jagdmesser: Genickfänger, Hirschfänger, Knicker, Weidmesser, Weidner

Jagdwaffe: Jagdflinte, Jagdgewehr, Schrotflinte

jagen: beizen, hetzen, Jagd machen (auf), nachstellen, pirschen, auf Jagd gehen, auf (die) Pirsch gehen *aufjagen, aufscheuchen, aufschrecken, aufstöbern, hochjagen *fangen, wildern, dem Wild nachstellen *fischen *abschießen, erlegen, erschießen, töten *brausen, eilen, flitzen, galoppieren, hasten, hetzen, laufen, preschen, rasen, rennen, sausen, stürmen, stürzen *aneignen, erbeuten, erwerben, gewinnen

Jäger: Grünrock, Jägersmann, Waidmann, Weidmann, Wildhüter *Jagdflieger, Jagdflugzeug *Kannibale, Kopfjäger, Menschenfresser

jäh: schnell, blitzschnell, abrupt, blitzartig, jählings, plötzlich, ruckartig, schlagartig, stürmisch, übergangslos, überraschend, überstürzt, unerwartet, ungeahnt, unverhofft, unvermittelt, unvermutet, unversehens, unvorhergesehen, zufällig *abfallend, abschüssig, absteigend, schräg, schroff, steil

Jahr: Kalenderjahr, 365 Tage, zwölf Monate *Lebensjahr ***dieses Jahr:** heuer, das laufende Jahr, in diesem Jahr ***im Jahr:** jährlich, seit Jahren, auf Jahre hinaus, pro Jahr, auf viele Jahre ***jedes Jahr:** Jahr um Jahr, von Jahr zu Jahr, alle Jahre (wieder), Jahr für Jahr ***viele Jahre:** jahrelang

Jahrbuch: Almanach, Annalen, Chronik, Kalender, Stundenbuch, Tagebuch

jahrelang: langjährig, mehrjährig, viele Jahre, seit Jahren

jähren (s.): s. wiederholen, wiederkehren

Jahresabschluss: Abrechnung, Bestandsaufnahme, Bilanz, Inventur, Lageraufnahme *Altjahresabend, Jahreswechsel, Silvester

Jahresbeginn: Jahresanfang, Neujahr, 1. Januar

Jahresbericht: Abschlussbericht, Bilanz, Jahresbilanz, Rechenschaftsbericht
Jahresende: Jahreswechsel, Silvester
Jahresring: Altersring, Baumring, Flader, Maser, Ring
Jahrestag: Anniversarium, Freudentag, Gedenktag, Jahrgedächtnis, Jahresgedächtnis, Jubeltag, Jubiläum
Jahreswende: Altjahresabend, Altjahrestag, Jahresausklang, Jahreswechsel, Silvester, 31. Dezember
Jahreszeit: Frühjahr, Frühling, Lenz *Frühsommer, Hochsommer, Sommer, Spätsommer *Altweibersommer, Herbst, Indianersommer, Nachsommer, Spätherbst *Winter, die kalte Jahreszeit
Jahrgang: Altersgruppe, Altersklasse, Altersstufe, Geburtsjahr, Generation *Erntejahr *Weinjahr
jährlich: alljährlich, dauernd, immerzu, jahraus, jahrein, regelmäßig, jedes Jahr, Jahr für Jahr, von Jahr zu Jahr, alle Jahre, Jahr um Jahr
Jahrmarkt: Dom, Kirchweih, Kirmes, Markt, Messe, Rummel, Volksfest
Jahrmarktsbude: Gauklerbude, Glücksbude, Krambude, Kuriositätenkabinett, Lachkabinett, Losbude, Marktbude, Marktstand, Schaubude, Schaustellerbude, Schießbude, Spiegelkabinett, Trödelbude
Jahrmarktsplatz: Festplatz, Festwiese, Messplatz, Messeplatz, Rummelplatz
Jahwe: Gottvater, Jehova, Name Gottes
Jähzorn: Anfall, Anwandlung, Aufregung, Empörung, Entrüstung, Tobsuchtsanfall, Wut, Wutanfall, Zorn, Zornesausbruch, Zügellosigkeit
jähzornig: aufbrausend, aufschäumend, cholerisch, erregbar, explosiv, hitzig, hysterisch, rasend, reizbar, unbeherrscht, ungezügelt, wild, wütend
Jalousie: Fensterverschluss, Jalousette, Rollladen
Jammer: Gejammer, Geklage, Gewimmer, Jammergeschrei, Klagen, Lamentation, Lamento, Wehgeschrei, Wehklagen *Armut, Elend, Leid, Not, zu beklagender Zustand
Jammerbild: Elend, Jammeranblick *Jammerlappen, Weichling
jämmerlich: bedauerlich, bedauernswert, beklagenswert, ergreifend, gottserbärmlich, herzbewegend, herzergreifend, herzzerreißend, hundemäßig, jammervoll, kläglich, Mitleid erregend, zerreißend, wie ein Häufchen Unglück, wie ein Häufchen Elend, zum Gotterbarmen *ärmlich, elend, primitiv
jammern: klagen, knatschen, lamentieren, quäken, schluchzen, stöhnen, wehklagen, weinen, wimmern, winseln *beklagen, betrauern, beweinen, trauern (um), trauern (über), untröstlich sein
jammernd: händeringend, lamentierend, wehklagend
jammerschade: bedauerlich, schade
japsen: jappen, keuchen, plustern, röcheln, schnaufen
Jargon: Ausdrucksweise, Redeweise, Slang, Umgangssprache
Jasager: Anhänger, Erfüllungsgehilfe, Linientreuer
jäten: ausjäten, krauten, Unkraut rupfen, Unkraut herausreißen
Jauche: Brühe, Dung, Gülle, Mist, Odel
jauchen: düngen, güllen, odeln
Jauchegrube: Mistgrube, Senkgrube, Sickergrube
jauchzen: frohlocken, jubeln, juchzen, strahlen, triumphieren, Freudenschreie ausstoßen, glücklich sein
Jauchzer: Freudenruf, Freudenschrei, Holdrio, Jubelschrei, Juchzer
jaulen: heulen, wimmern, winseln
Jause: Imbiss, Snack, Vesper, Zwischenmahlzeit
Jawort: Billigung, Einverständnis, Einwilligung, Zusage, Zustimmung
je: irgendwann, jemals *jedes Mal, jeweils, pro, von jedem ***je nachdem:** möglicherweise ***zu je:** per, pro, zu ***seit eh und je:** immer
Jeans: Baumwollhose, Blue Jeans
jede: immer, alle …, zu jeder Zeit, zu jeder Stunde
jedenfalls: allerdings, freilich, immerhin, jedoch, schließlich, wenigstens, auf jeden Fall, in jedem Fall, wie auch immer
jeder: alle, allerseits, allesamt, ausnahmslos, gesamt, geschlossen, jedermann, jedweder, jeglicher, sämtliche, total, vollzäh-

lig, alle möglichen, alle Welt, Mann für Mann, Freund und Feind, ohne Ausnahme, reich und arm, samt und sonders, Männlein und Weiblein, die ganze …, alle miteinander
jederzeit: allemal, allzeit, anhaltend, dauernd, endlos, fortdauernd, fortgesetzt, fortwährend, immer, immerzu, jedes Mal, konstant, pausenlos, permanent, stets, unaufhaltsam, unausgesetzt, unentwegt, ununterbrochen, ohne Unterbrechung, ohne Pause, ohne Ende, ohne Unterlass
jedes Mal: immer wenn, in jedem Fall *allemal, allzeit, anhaltend, dauernd, endlos, ewig, fortdauernd, fortgesetzt, fortwährend, immer, immerzu, jederzeit, konstant, pausenlos, permanent, stets, unaufhaltsam, unausgesetzt, unentwegt, ununterbrochen, ohne Unterbrechung, ohne Pause, ohne Ende, ohne Unterlass
jedoch: aber, allein, dagegen, dennoch, doch, gleichwohl, indessen, nichtsdestoweniger, trotzdem
Jeep: Allradwagen, Geländefahrzeug, Geländewagen *Armeefahrzeug, Armeewagen
jemals: irgendwann, je, irgendwann einmal, überhaupt einmal
jemand: irgendeiner, irgendwer, man, sonst einer, sonst jemand, sonst wer, wer, eine Person, irgendjemand *irgendeine, irgendeiner
Jemand: Figur, Geschöpf, Gesicht, Gestalt, Individuum, Kopf, Lebewesen, Mensch, Person, Persönlichkeit, Subjekt, Wesen
jener: der, derjenige, dieser, ebenjener, Ersterer, der dort, der da
jenseitig: gegenüberliegend *engelhaft, engelsgleich, himmlisch, übernatürlich, übersinnlich
jenseits: drüben, entgegengesetzt, gegenüber, am anderen Ufer, am anderen Ende, auf der anderen Seite
Jenseits: Ewigkeit, Gottesreich, Himmel, Himmelreich, ewige Seligkeit, (himmlisches) Paradies *Elysium, Überwelt, elysische Gefilde, Insel der Seligen, Gefilde der Seligen, die ewigen Jagdgründe
Jeremiade: Klagegesang, Klagelied
Jesus: Christus, Erlöser, Gott, Gotteslamm, Gottessohn, Heiland, Messias, Seelenbräutigam, der Gekreuzigte, Sohn Gottes *Christkind, Christuskind, Jesuskind
Jet: Düsenflugzeug, Düsenklipper, Düsenmaschine, Jetliner, Turbojet, Überschallflugzeug
Jeton: Automatenmarke, Spielmarke, Spielmünze, Zahlpfennig
Jetset: Hautevolee, Highsociety, Schickeria, Upper Ten, die oberen Zehntausend, die Reichen
jetzig: aktuell, augenblicklich, derzeitig, diesmalig, gegeben, gegenwärtig, heutig, momentan
jetzt: eben, soeben, aktuell, augenblicklich, derzeit, diesmal, eben, gegenwärtig, heute, just, justament, momentan, nun, nunmehr, gerade (eben), im Moment, im Augenblick, zur Stunde, zur Zeit
Jetzt: Gegenwart, Jetztzeit
jeweils: immer, je, jedes Mal
Jiu-Jitsu: Selbstverteidigung
Job: Arbeit, Beruf, Gelegenheitsarbeit, Minijob, Tätigkeit *Einnahmequelle, Geldquelle, Verdienstmöglichkeit, Verdienstquelle
Jobber: Börsenhändler, Börsenspekulant, Broker
Joch: Ballast, Belastung, Bürde, Crux, Druck, Elend, Jammer, Kreuz, Kummer, Last, Leid, Mühsal, Pein, Qual, Schmerz, Schwere, Sorge *Abhängigkeit, Bedrückung, Bürde, Drangsalierung, Gebundenheit, Hörigkeit, Knechtschaft, Last, Sklaverei, Unfreiheit, Unterdrückung, Unterjochung, Versklavung, Zwang *Gespann, Ochsengespann *Bergsattel, Gebirgssattel, Pass, Sattel *Geschirr, Kummet, Zuggeschirr *Balken, Tragebalken
Joga: Kontemplation, Meditation, Versenkung, Yoga, Entspannungsübungen
joggen: dauerlaufen, langlaufen, laufen, rennen
Jogger: Dauerläufer, Langläufer, Läufer
Jogging: Dauerlauf, Geländelauf, Waldlauf
Joghurt: Dickmilch, Sauermilch
Johannisfeuer: Sonnwendfeuer
Johanniskäfer: Johanniswürmchen

Johannistrieb: zweiter Trieb *(später) Liebesdrang
johlen: brüllen, grölen, kreischen, lärmen, schreien
Johlen: Brüllen, Gejohle, Gekreisch, Geschrei
Joint: Haschischzigarette, Marihuanazigarette, Rauschgiftzigarette
Jointventure: Gemeinschaftsunternehmen, Zusammenschluss
Jongleur: Fangkünstler, Geschicklichkeitskünstler, Spielmann
Jota: Kleinigkeit, Zeichen, nicht das Geringste, eine Spur, ein Deut *Tanzform, (spanischer) Tanz
Journal: Fachzeitung, Heft, Illustrierte, Magazin, Zeitschrift *Geschäftstagebuch, (buchhalterisches) Tagebuch
Journalismus: Pressewesen, Zeitungswesen *schriftstellerische Tätigkeit
Journalist: Berichterstatter, Kolumnist, Pressevertreter, Publizist, Schreiberling, Zeitungsfritze, Zeitungsmann, Zeitungsschreiber
jovial: entgegenkommend, freundschaftlich, gnädig, gönnerhaft, gut gesinnt, leutselig, wohlwollend
Jovialität: Geneigtheit, Gewogenheit, Gunst, Huld, Liebenswürdigkeit, Sympathie, Wohlwollen, Zuneigung, Zuwendung
Joystick: Eingabegerät, Steuerhebel, Steuerknüppel
Jubel: Begeisterung, Beifall, Enthusiasmus, Freude, Freudenausbruch, Freudenbezeigung, Freudenbezeugung, Freudengeheul, Freudengeschrei, Freudenruf, Freudensturm, Freudentaumel, Frohlocken, Frohlockung, Gejauchze, Gejohle, Gejubel, Hochruf, Jauchzen, Jubelgeschrei, Jubelruf
Jubeljahre (alle): selten
jubeln: s. freuen, frohlocken, jauchzen, jodeln, jubilieren, juchzen, juhuen, krähen, lachen, preisen, rühmen, strahlen, triumphieren, Freudenschreie ausstoßen, glücklich sein, hochleben lassen
Jubilar: Gefeierter
Jubiläum: Ehrentag, Gedenkfeier, Gedenktag, Jahrestag, Jubelfeier, Jubelfest, Jubeltag
jubilieren: jauchzen, jubeln, singen
jucken: kitzeln, krabbeln, kribbeln, prickeln *krallen, kratzen, scharren
Juckreiz: Hautempfindung, Kitzel
Judas: Heuchler, Verräter
Judendiskriminierung: Antisemitismus, Judenfeindlichkeit, Judenhass, Judenverfolgung
Judenvernichtung: Endlösung, Holocaust
Judikative: Recht sprechende Gewalt, richterliche Gewalt
judizieren: richten, urteilen, Recht sprechen
Jugend: Adoleszenz, Blütezeit, Entwicklungsjahre, Jugendalter, Jugendzeit, Reifejahre *die jungen Leute, Jugendliche
jugendlich: blühend, halbwüchsig, heranwachsend, jung, unentwickelt, unerfahren, unmündig, unreif *jungenhaft, knabenhaft, lausbübisch *mädchenhaft
Jugendlicher: Halbwüchsiger, Teenager *Backfisch, Fräulein, junge Dame, junge Frau *Bursche, Jüngling, junger Kerl, junger Mann, junger Herr
Jukebox: Musikautomat, Musikbox
jung: blühend, halbwüchsig, heranwachsend, juvenil, kindlich, klein, minderjährig, unerfahren, unfertig, unreif, zart, zierlich, jung an Jahren *jungenhaft, knabenhaft, lausbübisch *mädchenhaft *frisch, neu, unbewandert, unerfahren, unkundig, unwissend ***jung bleiben:** s. jugendlich erhalten, s. jung erhalten
Junge: Bengel, Bub, Dreikäsehoch, Freundchen, Jüngling, Kerl, Kind, Knabe, Knirps, Sohn, Wicht, der Kleine
Jünger: Anhänger, Begleiter, Fan, Fanatiker, Freund, Fußvolk, Gefolgschaft, Gemeinde, Getreuer, Jasager, Kamerad, Komplize, Mitglied, Mitläufer, Nachbeter, Parteigänger, Parteigenosse, Parteimann, Schüler (von), Sympathisant, Vasall, Verehrer *Apostel
Jungfrau: Dirndl, Fräulein, Jungfer, Mädchen
jungfräulich: keusch, mädchenhaft, rein, unbefleckt, unberührt, unschuldig, unverdorben *unbetreten, unentdeckt, unerforscht, unerschlossen

Jungfräulichkeit: Ehre, Jungfernschaft, Reinheit, Unberührtheit, Unschuld, Virginität
Junggeselle: Alleinstehender, Bursche, Hagestolz, Single, Unverheirateter
Jüngling: Bursche, Halbwüchsiger, Heranwachsender, Jugendlicher, Junge, Teenager, Twen, junger Mann
jüngst: kürzlich, letztens, letzthin, neulich, unlängst, vorhin, eben erst noch, vor einer Weile, vor kurzer Zeit, in letzter Zeit
Jüngster: Benjamin, Kleinster, Küken, Nesthäkchen
Junior: Juniorchef, Sohn, der Jüngere
Junk: Drogen, Heroin, Rauschgift
Junkfood: minderwertiges Essen
Junkie: Drogenabhängiger, Drogensüchtiger, Fixer, Schießer
Junta: Komitee, Regierung, Regierungsausschuss
Jura: Jus, Recht, Rechtswissenschaft *Mesozoikum
Jurisdiktion: Gerichtsbarkeit, Rechtsprechung
Jurisprudenz: Rechtswissenschaft
Jurist: Advokat, Notar, Rechtsanwalt, Rechtsgelehrter *Kadi, Richter *Ankläger, Staatsanwalt
juristisch: gesetzlich, rechtlich, rechtswissenschaftlich, de jure, nach dem Gesetz, nach dem Recht
Jurte: Kibitka, Kuppelzelt, Nomadenzelt
Jury: Fachgremium, Juroren, Kampfgericht, Preisgericht, Preisrichter, Schiedsgericht
Jus: Jura, Recht, Rechtswissenschaft *Bratensaft *Fruchtsaft
just: gerade eben
justieren: abgleichen, ausrichten, eichen, einrichten, einstellen, zurichten
Justifikation: Berichtigung, Genehmigung, Prüfung, Rechtfertigung
justifizieren: berichtigen, genehmigen, prüfen, rechtfertigen
Justiz: Gerichtsbarkeit, Gerichtswesen, Rechtspflege, Rechtsprechung, Rechtswesen, Recht sprechende Gewalt
Justiziar: Rechtsbeistand, Syndikus
Justizirrtum: Fehlentscheidung, Fehlurteil
juvenil: jugendlich, jung *frisch, neu, rein
Juwel: Brillant, Edelstein, Schmuckstein *Geschmeide, Kleinod, Prachtstück, Schatz, Schmuck, Schmuckstück, Wertstück *Augapfel, Darling, Herzblatt, Herzchen, Liebchen, Liebling, Schätzchen
Juwelier: Goldschmied, Schmuckhändler
Jux: Ausgelassenheit, Eulenspiegelei, Humor, Narretei, Posse, Schabernack, Scherz, Schnurre, Spaß, Streich, Ulk
juxen: scherzen, Spaß machen, Schabernack treiben, einen Streich spielen

K

k. o.: besiegt, bezwungen, geschafft, kampfunfähig, schachmatt, knockout, außer Gefecht *ermüdet, erschöpft, geschafft, groggy, halb tot, kaputt, kraftlos
Kabale: Intrige, Intrigenspiel, Intrigenstück, Machenschaften, Ränke, Ränkespiel, Schliche *Arglist, Bosheit, Heimtücke, Hinterhältigkeit, Hinterlist, Hinterlistigkeit, Verschlagenheit, Verstecktheit
Kabarett: Kleinkunst, Kleinkunstbühne *Salatplatte, Speiseplatte
Kabarettist: Ironiker, Parodist, Satiriker
Kabarettlied: Chanson, Couplet, Song
Kabarettstück: Parodie, Sketch
Kabel: Depesche, Fernschreiben, Funkspruch, Telegramm *Seil, Tau *Draht, Drahtleitung, Leitung, Lichtleitung, Telefonleitung, Verbindungsdraht, Zuleitung
Kabine: Abteil, Kajüte, Raum, Zelle *Umkleidekabine, Umkleideraum
kabeln: benachrichtigen, unterrichten
Kabinett: Ministerrat, Regierung, Regierungskabinett *Zimmer
Kachel: Fliese, Platte, Tonplatte
Kadaver: Aas, Tierleiche
Kader: Führung, Führungsstamm, Kerngruppe, Leitung
Käfer: Deckflügler *VW
Kaff: Dorf, Kleinstadt, Nest
Kaffee: Bohnenkaffee *Espresso, Mokka *Ersatzkaffee, Kaffee-Ersatz, Malzkaffee, Muckefuck
Kaffeehaus: Cafeteria, Café, Kaffeestube
Kaffeeklatsch: Kaffeekränzchen, Kaffeestündchen, Plauderstündchen
Kaffeesatz: Rest, Satz
Kaffeetante: Kaffeeschwester, Klatschbase, Lästermaul, Lästerzunge, Plaudertasche, Schnattermaul, Schwatzbase, Schwätzerin
Käfig: Bauer, Vogelbauer, Vogelgehege, Vogelkäfig, Voliere *Gatter, Zwinger
kahl: abgeholzt, baumlos, unbewachsen, versteppt *glatzköpfig, haarlos, kahlköpfig *entblößt, frei, leer *entblättert, entlaubt *kalt, unbehaglich, ungemütlich, unwohnlich ***kahl fressen:** abäsen, abfressen, abgrasen, abweiden, leer fressen
Kahlkopf: Glatze, Glatzkopf
kahlköpfig: glatzköpfig, haarlos, kahl
Kahlschlag: Abholzung, Rodung, Urbarmachung
Kahn: Boot, Schiff
Kai: Anlegestelle, Hafendamm, Mole, Pier, Quai *Uferpromenade, Uferstraße
Kaiserreich: Imperium
Kajak: Boot, Sportpaddelboot
Kajüte: Kabine, Logis, Schlafraum, Wohnraum
Kakao: Kakaogetränk, Milchkakao, Schokolade, Trinkschokolade, Wasserkakao
Kalamität: Bedrängnis, Missstand, Not, Notlage, Notstand, Schwierigkeit, Zwangslage, peinliche Situation, schwierige Situation, unangenehme Situation, peinliche Lage, schwierige Lage, unangenehme Lage
Kalauer: Witzelei, albernes Wortspiel, fauler Witz
Kalender: Zeitrechnung *Almanach, Kalendarium, Tagesverzeichnis
Kaliber: Durchmesser, Format, Größe, Persönlichkeit, Qualität, Rang, Stärke *Geschossdurchmesser, Geschützweite, Kugeldurchmesser
Kalkül: Berechnung, Kostenaufstellung, Überlegung, Überschlag, Voranschlag *Politik, Spekulation, Taktik
Kalkulation: Berechnung, Kostenanschlag, Kostenaufstellung, Kostenplan, Kostenvoranschlag, Schätzung, Überschlag, Vorausberechnung
kalkulierbar: abschätzbar, berechenbar, überschaubar, voraussagbar, vorhersehbar
kalkulieren: berechnen, errechnen, festsetzen, taxieren, überschlagen, veranschlagen *abschätzen, ahnen, erwägen, erwarten, rechnen (mit), spekulieren, überlegen, vermuten

kalt: kühl, unbehaglich, unbequem, ungemütlich, unwirtlich, unwohnlich *abgekühlt, ausgekühlt, bitterkalt, eiskalt, eisig, eisig kalt, frisch, frostig, frostklirrend, kühl, unterkühlt, winterlich *abgestumpft, barbarisch, brutal, eisig, erbarmungslos, fest, gefühllos, gefühlsarm, gefühlskalt, gemütsarm, gleichgültig, gnadenlos, grausam, hart, hartherzig, herzlos, inhuman, kaltblütig, kompromisslos, lieblos, mitleidlos, roh, schonungslos, seelenlos, streng, unbarmherzig, ungesittet, unmenschlich, unnachgiebig, unnachsichtig, unsozial, unzugänglich, verroht *leidenschaftslos, lieblos, mitleidlos, seelenlos, unfreundlich, unzugänglich *durchfroren, durchkältet ***kalt bleiben:** ruhig bleiben, unberührt bleiben, kaltblütig bleiben, beherrscht bleiben ***kalt lassen:** s. nicht anfechten lassen, Abstand bewahren, an jmdm. abprallen, an jmdm. vorbeigehen, jmdn. unbeeindruckt lassen, jmdn. unberührt lassen, jmdn. gleichgültig lassen, nicht beeindrucken, nicht tangieren, nicht rühren, nicht berühren ***kalt sein:** frieren

kaltblütig: abgestumpft, barbarisch, brutal, eisig, erbarmungslos, fest, gefühllos, gefühlsarm, gefühlskalt, gemütsarm, gleichgültig, gnadenlos, grausam, hart, hartherzig, herzlos, inhuman, kompromisslos, lieblos, mitleidlos, roh, schonungslos, seelenlos, streng, unbarmherzig, ungesittet, unmenschlich, unnachgiebig, unnachsichtig, unsozial, unzugänglich, verroht *abgeklärt, bedacht, bedachtsam, beherrscht, besonnen, gefasst, gelassen, gemessen, gezügelt, ruhig, sicher, überlegen

Kaltblütigkeit: Brutalität, Erbarmungslosigkeit, Gefühlskälte, Gefühlsrohheit, Gnadenlosigkeit, Härte, Herzensverhärtung, Kaltherzigkeit, Lieblosigkeit, Mitleidlosigkeit, Rohheit, Schonungslosigkeit, Unbarmherzigkeit, Unmenschlichkeit *Sicherheit, Überlegenheit

Kälte: Bodenfrost, Eiskälte, Eiseskälte, Frische, Frost, Hundekälte, Kühle, Nachtfrost, niedrige Temperatur *Frostigkeit, Steifheit, Ungerührtheit *Brutalität, Erbarmungslosigkeit, Gefühlskälte, Gefühlsrohheit, Gnadenlosigkeit, Härte, Herzensverhärtung, Kaltherzigkeit, Lieblosigkeit, Mitleidlosigkeit, Rohheit, Schonungslosigkeit, Unbarmherzigkeit, Unmenschlichkeit

Kälteeinbruch: Kälterückfall, Kältesturz, Temperatursturz

Kältetrocknung: Gefriertrocknung

kaltmachen: abstechen, ermorden, abmurksen, töten, umbringen

kaltschnäuzig: erbarmungslos, frech, herzlos, kalt lächelnd, mitleidlos, rücksichtslos, schonungslos, unbeeindruckt, unbewegt, ungerührt

kaltstellen: abhalftern, abschieben, abschießen, abservieren, entlassen, entmachten, hinausdrängen, hinauskomplimentieren, verdrängen, aufs Abstellgleis schieben, zum alten Eisen werfen, aufs tote Gleis schieben

Kamel: Dromedar, Trampeltier, Wüstenschiff *Affe, Blödian, Depp, Dummkopf, Esel, Hampel, Hanswurst, Hohlkopf, Idiot, Narr, Nichtskönner, Nichtswisser, Ochse, Pflaume, Rindvieh, Ross, Schaf, Schwachkopf, Stümper, Tollpatsch, Tölpel, Tor, Trottel, Versager, hohler Kopf

Kamera: Digitalkamera, Fotoapparat, Fotokamera, Kleinbildkamera *Fernsehkamera, Filmkamera, Schmalfilmkamera, Videokamera

Kamerad: Anhänger, Bruder, Freund, Gefährte, Genosse, Kumpel, Schicksalsgefährte, Spezi

Kameradin: Freundin, Gefährtin, Kumpanin, Kumpel, Verbündete, Vertraute

Kameradschaft: Beziehung, Brüderschaft, Bund, Eintracht, Freundschaft, Geistesverwandtschaft, Verhältnis

kameradschaftlich: brüderlich, freundschaftlich, gefällig, partnerschaftlich, als Freund, in aller Freundschaft *anständig, aufmerksam, beflissen, bereitwillig, dienstwillig, entgegenkommend, freundlich, gefällig, großmütig, großzügig, gut gesinnt, hilfsbereit, höflich, huldreich, huldvoll, konziliant, kulant, leutselig, liebenswürdig, nett, verbindlich, wohlgesinnt, wohlmeinend, wohlwollend, zuvorkommend

Kamin: Esse, Feueresse, Rauchfang, Schlot, Schornstein *offene Feuerstelle
Kaminkehrer: Kaminfeger, Rauchfangkehrer, Schlotfeger, Schornsteinfeger
Kamm: Bergkamm, Bergrücken *Frisierkamm, Haarkamm
kämmen: bürsten, ausbürsten, s. die Frisur richten, s. die Haare richten, durchkämmen, frisieren, glätten, striegeln, das Haar ordnen, die Haare machen
Kammer: Kabäuschen, Kabuff, Nebengelass *Bude, Raum, Räumlichkeit, Stube, Zimmer *Schlafgemach, Schlafzimmer
Kämmerlein: Kemenate
Kammerzofe: Kammerjungfer, Kammermädchen, Zofe
Kampagne: Aktion, Werbeaktion *Wahlkampagne, Wahlkampf *Feldzug, Propagandafeldzug *Feldzug, Heereszug, Kriegszug
Kampf: Auseinandersetzung, Fehde, Feindseligkeiten, Feuergefecht, Feuerüberfall, Gefecht, Geplänkel, Kampfgetümmel, Kampfhandlung, Konfrontation, Krieg, Offensive, Plänkelei, Ringen, Scharmützel, Schlacht, Schlachtgetümmel, Schusswechsel, Streit, Waffengang, kriegerische Handlungen *Abwehrschlacht, Blitzkrieg, Bodenschlacht, Entscheidungsschlacht, Feldschlacht, Kesselschlacht, Luftkampf, Luftschlacht, Materialschlacht, Nahkampf, Partisanenkrieg, Rückzugsgefecht, Seeschlacht *Gegnerschaft, Konkurrenz, Rivalität, Wetteifer, Wettstreit *Bemühen, Einsatz, Eintreten, Engagement, Mühe, Streben, Tauziehen, Hin und Her *Abwehr, Behauptung, Bekämpfung, Widerstand *Nachdenken, Rangelei, Rauferei, Ringen, Streit, Streithandlung, Überlegung, Verzweiflung *Fight, Kräftemessen, Wettkampf
Kampfbahn: Aschenbahn, Bahn, Piste, Rennbahn, Rennstrecke
Kampfbeginn: Angriff, Sturmangriff *Start
kampfbereit: gerüstet, aufgerüstet, abwehrbereit, einsatzbereit, gefechtsbereit, gepanzert, gewappnet, kampfentschlossen, kriegslüstern, verteidigungsbereit, waffenstarrend, wehrhaft, bis an die Zähne bewaffnet
Kampfbereitschaft: Abwehrbereitschaft, Angriffsbereitschaft, Einsatzbereitschaft, Gefechtsbereitschaft, Gerüstetsein, Gewappnetsein, Kampfentschlossenheit, Kriegslust, Streitbarkeit, Streitsucht, Verteidigungsbereitschaft, Wehrhaftigkeit
kämpfen: aneinander geraten, fechten, s. messen, säbeln, schießen, s. schlagen, streiten, Blut vergießen, die Schwerter kreuzen, Krieg führen, einen Kampf führen
Kämpfer: Fechter, Krieger, Soldat, Waffenträger *Avantgardist, Desperado, Draufgänger, Haudegen, Heißsporn, Pionier, Schrittmacher, Streiter, Verfechter, Verteidiger, Vorkämpfer *Raufbold, Streithammel *Sportler, Sportsfrau, Sportsmann
Kampferfolg: Sieg, Triumph
kämpferisch: aggressiv, angriffslustig, furios, händelsüchtig, herausfordernd, hitzig, kampfbereit, kampfesfreudig, kampflustig, kampfmutig, kriegerisch, leidenschaftlich, martialisch, militant, provokant, streitbar, streithaft, streitsüchtig, zänkisch, zanksüchtig *mutig, wagemutig, beherzt, couragiert, draufgängerisch, eifernd, engagiert, tapfer, unverzagt
kampffähig: aggressiv, bereit *abwehrbereit, angriffsbereit, aufgerüstet, bewaffnet, gepanzert, gerüstet, gewappnet, kampfbereit, kampfentschlossen, kriegslüstern, waffenstarrend
Kampffahrzeug: Panzer, Tank
Kampfflugzeug: Bomber
Kampfhahn: Choleriker, Draufgänger, Hitzkopf, Streitkopf
Kampfgas: Giftgas, chemische Keule
Kampflinie: Front, Hauptkampffeld, Hauptkampfplatz, Kampfgebiet, Kampfplatz, Kriegsgebiet, Kriegsschauplatz, Operationsgebiet, Schlachtfeld
kampflos: widerstandslos, ohne Widerstand, ohne Gegenwehr, ohne sich zu wehren
Kampfplatz: Front, Kampfzone, Schlachtfeld *Arena, Sportplatz
Kampfrichter: Preisrichter, Punktrich-

ter, Referee, Ringrichter, Schiedsrichter, Unparteiischer, Zeitnehmer
Kampfsport: Aikido, Boxen, Fechten, Jiu-Jitsu, Judo, Karate, Ringen, Sumo
kampfunfähig: verletzt, schwer verletzt, abgeschossen, aufgerieben, besiegt, bezwungen, fertig gemacht, ruiniert, tot, überwältigt, überwunden, unterjocht, unterworfen, vernichtet, außer Gefecht *ausgezählt, k. o.
Kampfwütiger: Berserker
Kampfzeuge: Sekundant
Kampfzone: Front, Kriegsschauplatz
kampieren: hausen, übernachten, wohnen *campen, lagern, zelten, im Freien übernachten, notdürftig wohnen
Kanaille: Ganove, Gauner, Halunke, Lump, Schuft, Schurke, Strolch *Biest, Hexe, Luder, Miststück, Weibsstück
Kanal: Fleet, Hauptkanal, Seitenkanal, Wasserstraße, Wasserweg, künstlicher Wasserlauf *Abwasserkanal, Hauskanal *Gracht *Frequenzbereich
Kanalisation: Abflussgraben, Abwassersystem, Dränage, Dränierung, Kanalisierung, Regulierung
Kanalschacht: Gully
Kanalstraße: Fleet, Gracht
Kandare: Gebissstange, Halfter, Zaum *Behinderung, Einengung, Zwangsjacke
Kandelaber: Kerzenhalter, Kerzenleuchter, Kerzenständer
Kandidat: Antragsteller, Anwärter, Aspirant, Bewerber, Bittsteller, Exspektant, Postulant *Absolvent, Examenskandidat, Examinand, Prüfling
kandidieren: s. anbieten, s. aufstellen lassen, s. bemühen (um), s. bewerben, s. empfehlen, s. mühen (um), nachsuchen, vorsprechen, s. vorstellen
kandieren: überzuckern, verzuckern
Kaninchen: Hase, Karnickel, Stallhase
Kanister: Behälter, Tank
Kanne: Bembel, Karaffe, Krug
Kannibale: Unmensch, Wilder, roher Mensch, ungesitteter Mensch
kannibalisch: barbarisch, brutal, gnadenlos, grausam, herzlos, inhuman, kaltblütig, menschenfresserisch, roh, schonungslos, seelenlos, unbarmherzig, ungesittet, unmenschlich, unsozial, verroht, wie ein Kannibale *eisig, erbarmungslos, fest, gefühllos, gefühlsarm, gefühlskalt, gemütsarm, gleichgültig, hart, hartherzig, kompromisslos, lieblos, mitleidlos, streng, unnachgiebig, unnachsichtig, unzugänglich
Kannibalismus: Brutalität, Menschenfresserei, Rohheit, Unmenschlichkeit
Kanon: Faustregel, Leitfaden, Norm, Regel, Richtlinie, Richtschnur, Statut, Vorschrift *Rundgesang *Bibel, kirchliche Schriftstücke *stilles Gebet *Zeittafel *Heiligenaufzählung, Heiligenverzeichnis
Kanonade: Beschießung, Beschuss, Geschützfeuer, Kugelregen
Kanone: Böller, Flak, Geschütz, Haubitze *Leistungssportler, Leistungsträger, Professioneller, Profi, Spitzensportler *Ass, Experte, Fachmann, Größe, Kapazität, Könner, Koryphäe, Leuchte, Meister, Routinier, Spezialist, Mann vom Fach
Kanonisation: Heiligsprechung
kanonisieren: heilig sprechen
Kante: Ecke, Nahtstelle, Rand, Schnittlinie
kanteln: festmachen, versäubern
Kanten: Brotende, Brotkanten, Endstück
Kanter: Handgalopp, leichter Galopp *Kellerlager, Verschlag *Fasslager, Gestell
kantig: eckig, scharf, spitz
Kantine: Werkskantine, Werksküche *Mensa, Messe, Speiseraum, Speisesaal
Kanton: Bezirk
Kanufahrer: Kanute
Kanzel: Anstand, Hochsitz, Hochstand, Jagdkanzel *Predigtstuhl *Cockpit
Kanzlei: Amtsräume, Anwaltsbüro, Dienststelle
Kanzleistil: Amtsdeutsch, Behördendeutsch, Papierdeutsch
Kap: Überhang, Vorgebirge
Kapazität: Fachmann, Meister *Auffassungsgabe, Auffassungskraft, Aufnahmefähigkeit, Aufnahmevermögen, Fassungsvermögen, Inhalt, Rezeptivität
Kapelle: Bethaus, Gotteshaus, kleine Kirche *Band, Ensemble, Klangkörper, Orchester, Truppe *Tanzkapelle, Tanzorchester, Unterhaltungsorchester *Blas-

gruppe, Blaskapelle, Blasorchester *Jazzband, Jazzkapelle
Kapellmeister: Dirigent, Orchesterchef, Orchesterleiter
kapern: aufbringen, entern, erbeuten *bekommen, einfangen, erobern, gewinnen (für), kriegen
Kaperung: Aneignung, Beraubung
kapieren: auffassen, aufschnappen, begreifen, durchblicken, durchschauen, einsehen, erfassen, ergründen, erkennen, ermessen, s. erschließen, fassen, herausfinden, klar sehen, klug werden (aus), nachempfinden, nachvollziehen, schnallen, verstehen, folgen können, geistig aufnehmen, jmdm. gehen die Augen auf, klar werden, verständlich werden, Verständnis haben, bewusst werden, deutlich werden, richtig beurteilen können, richtig einschätzen können, zu Bewusstsein kommen
Kapillare: Haargefäß, Haarröhrchen
Kapital: Bargeld, Geld, Vermögen
Kapitalanlage: Anlage, Geldanlage, Investierung, Investition
Kapitalanlagegesellschaft: Investmentgesellschaft, Investmenttrust
Kapitalertrag: Einkommen, Einkünfte, Ertrag, Gewinn, Profit, Rendite, Revenue, Zinsen
Kapitalfehler: schwerer Fehler
kapitalkräftig: betucht, flüssig, liquide, reich, vermögend, wohlhabend
Kapitalismus: Feudalkapitalismus, Frühkapitalismus, Großkapitalismus, Monopolkapitalismus, Spätkapitalismus
Kapitalist: Bankier, Besitzender, Fabrikant, Finanzgröße, Finanzier, Finanzmann, Geldmagnat, Geldmann, Krösus, Unternehmer, reicher Mann *Ausbeuter, Bonze, Geldaristokrat
kapitalistisch: den Kapitalismus betreffend, dem Kapitalismus entsprechend
Kapitalrücklage: Reserve
Kapitalverbrechen: Attentat, Kidnapping, Mord, Piraterie, Raub
Kapitalwerte: Bilanzwerte, Passiva
Kapitän: Flugzeugführer, Pilot *Mannschaftsführer, Spielführer *Schiffsführer
Kapitel: Abschnitt, Artikel, Hauptstück, Teil
kapitulieren: aufgeben, s. beugen, s. ergeben, s. geschlagen geben, passen, zurückstecken, die Waffen niederlegen, die Waffen strecken
Kapitulation: Aufgabe, Niederwerfung, Unterwerfung
Kaplan: Hilfsgeistlicher
Käppchen: Barett, Kalotte, Käppi
Kappe: Barett, Käppi, Kopfbedeckung, Mütze
kappen: abhauen, beschneiden, durchschlagen
Kapriole: Albernheiten, Allüren, Anwandlung, Einfall, Flausen, Grille, Kaprize, Kinkerlitzchen, Laune, Mucke, Schrulle, Stimmung *Freudensprung, Luftsprung
kapriziös: eigensinnig, eigenwillig, grillenhaft, launenhaft, launisch, schrullig
Kapsel: Dragée, Pastille, Pille, Tablette *Gehäuse, Hülse *Raumschiff, Raumfahrzeug, Raumkapsel
kaputt: abgestoßen, angehauen, angeknackst, angeschlagen, angestoßen, baufällig, beschädigt, brüchig, defekt, entzwei, fehlerhaft, lädiert, lückenhaft, mitgenommen, morsch, ramponiert, schadhaft *abgehetzt, abgekämpft, abgeschlafft, abgespannt, abgewirtschaftet, angegriffen, angeschlagen, atemlos, aufgerieben, ausgelaugt, durchgedreht, entkräftet, entnervt, erholungsbedürftig, erledigt, ermattet, erschlagen, erschöpft, gerädert, geschafft, groggy, halb tot, kraftlos, matt, mitgenommen, müde, schachmatt, schlaff, schlapp, schwach, überanstrengt, überfordert, überlastet, urlaubsreif, verbraucht, zerschlagen, k.o., am Ende
kaputtgehen: platzen, zerplatzen, abreißen, einfallen, einreißen, einstürzen, entzweigehen, zerbrechen, zerschellen, zersplittern, zerspringen, zusammenfallen
kaputtmachen: demolieren, destruieren, einschlagen, entzweischlagen, ruinieren, untergraben, verheeren, verwüsten, zerdrücken, zerhauen, zerreißen, zerrütten, zerschlagen, zerschmettern, zerstören, zertreten, zertrümmern, unbrauchbar machen, zugrunde richten *herunterwirtschaften ***s. kaputtmachen:** abwirt-

schaften, s. aufzehren, s. ruinieren, s. verschleißen, s. zerstören, s. zugrunde richten
Kapuzenjacke: Anorak, Windjacke
Karacho: Rasanz, Tempo
Karaffe: Behälter, Flasche, Gefäß, Kanne, Krug, Wasserkaraffe, Weinkaraffe
Karambolage: Auffahrunfall, Kollision, Unfall, Zusammenprall, Zusammenstoß
karambolieren: zusammenstoßen, einen Unfall verursachen
Karawane: Aufmarsch, Zug *Kamelzug *Reisegesellschaft
Kardinalsversammlung: Konklave
Kardinalzahl: Grundzahl
Karenzzeit: Enthaltsamkeit, Karenz, Sperrfrist, Verzicht, Wartezeit
karg: ertragsarm, trocken, unergiebig, unfruchtbar *ärmlich, bescheiden, dürftig, einfach, gering, jämmerlich, knapp, kümmerlich, mager, schmal, spärlich, sparsam *dünn, schmächtig
Kargheit: Ärmlichkeit, Armut, Dürftigkeit, Elend, Entbehrung, Knappheit, Mangel, Not
kärglich: bescheiden, gering, kläglich, klein, knapp, mager, mangelhaft, schäbig, schmählich, spärlich, unbefriedigend, ungenügend, unzureichend
Kargo: Frachtgut, Stückgut
kariert: gekästelt, gewürfelt, schachbrettartig
Karikatur: Scherzzeichnung, Spottbild, Zerrbild, kritische Darstellung, spöttische Darstellung
karikieren: ironisieren, persiflieren, verspotten, verzerren, lächerlich machen, zur Karikatur machen
karikiert: bloßgestellt, verspottet
karitativ: barmherzig, humanitär, mildtätig, wohltätig
Karneval: Fasching, Faschingszeit, Fastnacht, Fastnachtszeit, die närrische Zeit
Karosse: Chaise, Kutsche, Kutschwagen, Prachtkutsche, Staatskarosse, Staatskutsche
Karosserie: Aufbau, Wagenaufbau, Wagenoberbau
Karotte: Möhre, Mohrrübe, gelbe Rübe
Karre: Karren, Schubkarre *Auto, Fahrzeug *Fahrrad
Karree: Karo, Quadrat, Rhombus, Viereck
Karriere: Laufbahn, Werdegang *Gangart
Karte: Billett, Fahrausweis, Fahrkarte, Fahrschein, Fahrtausweis, Ticket *Menü, Speisekarte, Speisenfolge *Landkarte, Plan *Einlasskarte, Eintrittskarte *Blatt, Spielkarte
Karteischrank: Aktenschrank, Registratur
Kartei: Datenbank, Datenverzeichnis *Zettelkartei, Zettelkatalog
Kartenwerk: Atlas, Landkartenwerk
Kartenzeichen: Gradnetz, Landkartenzeichnung, Strichelung, Umrisslinie
Kartenzeichner: Kartograph, Landkartenzeichner
Kartell: Bund, Interessengemeinschaft
kartieren: darstellen, vermessen
Kartoffel: Erdapfel, Erdbirne *Nase, Riecher, Zinken
Kartoffelbrei: Kartoffelmus, Kartoffelpüree, Quetschkartoffeln, Stampfkartoffeln
Kartoffelpuffer: Kartoffelpfannkuchen, Puffer, Reibekuchen
Karton: Box, Dose, Packung, Pappschachtel, Schachtel *Pappdeckel, Pappendeckel, Pappe
Kartonage: Verpackung
Kartothek: Kartei, Zettelkasten
karzinogen: Krebs bildend, Krebs erzeugend, Krebs fördernd
Karzinom: Knoten, Krebsgeschwulst, bösartige Geschwulst
kaschen: fangen, abfangen, greifen, ergreifen, verhaften
kaschieren: maskieren, tarnen, überspielen, verbergen, vernebeln, verschleiern, verwischen, unkenntlich machen
Kasematte: Bollwerk, Festung
Kaserne: Soldatenquartier, Standort *Mietskaserne
käsig: aschfahl, blass, blassgesichtig, blässlich, blasswangig, bleich, bleichgesichtig, bleichsüchtig, blutarm, blutleer, fahl, grau, kalkweiß, käsebleich, käseweiß, kreidebleich, kreideweiß, leichenblass, todbleich, totenblass, totenbleich, weiß *geronnen

Kasino: Spielbank, Spielhölle *Gesellschaftsraum, Klubraum
Kaskade: Katarakt, Wasserfall, Wassersturz
Kasper: Clown, Narr, Possenreißer, Spaßmacher, Witzbold
Kasse: Auszahlungsstelle, Kassenschalter, Schalter, Zahlschalter *Geldkassette, Kassette *Finanzen, Geldbestand, Geldvorrat *Krankenkasse, Krankenversicherung
Kassenfehlbetrag: Defizit, Kassendefizit, Manko
Kassenführer: Kassierer
Kassenprüfer: Revisor
Kassenschlager: Bestseller, Hit, Kassenerfolg, Publikumserfolg, Renner, Verkaufsschlager
Kassenschrank: Kassenschrankfach, Safe, Tresor
Kassenzettel: Bon, Kassenbeleg, Quittung, Rechnung
Kassette: Behälter, Etui, Kästchen, Schatulle *Schallplattensammlung *Deckenfeld *Magnetband
Kassettendeck: Kassettenrecorder, Stereoanlage
kassieren: abkassieren, einkassieren, einnehmen, einsammeln, einstreichen, eintreiben, vereinnahmen *abschaffen, abstellen, annullieren, aufheben, auflösen, einstellen, streichen, zurückziehen, rückgängig machen
Kassierer: Eintreiber, Einzieher, Kassenverwalter, Kassenwart, Kassier
Kästchen: Behälter, Etui, Kassette, Schatulle
Kaste: Gruppe, Klasse, Schicht, Stand
kasteien (s.): s. Entbehrungen auferlegen, s. enthalten, fasten, s. geißeln, hungern, enthaltsam leben
Kasteiung: Askese, Selbstkasteiung
Kastell: Bastion, Befestigung, Bollwerk, Burg, Festung, Festungsbau, Fort, Verteidigungsanlage, Wall, Wehr
Kasten: Behälter, Kiste *Gebäude, Haus *Briefkasten *Lade, Schiebkasten, Schieblade, Schubfach, Schubkasten, Schublade, Tischkasten
Kastenloser: Paria
Kastrat: Entmannter, Eunuch
kasuistisch: haarspalterisch, spitzfindig
Kasus: Fall
kastrieren: entmannen, unfruchtbar machen, der Manneskraft berauben
Katalog: Versandkatalog, Warenkatalog *Aufstellung, Bücherverzeichnis, Handbuch, Index, Kalendarium, Kartei, Kladde, Liste, Nomenklatur, Register, Sachverzeichnis, Sachweiser, Tabelle, Verzeichnis, Wortweiser, Zusammenstellung
katalogisieren: einordnen, registrieren
Katapult: Schleuder
Katarakt: Kaskade, Stromschnelle, Wasserfall, Wassersturz
Katarrh: Erkältung, Schnupfen, Unpässlichkeit
katastrophal: ängstigend, beängstigend, entsetzlich, furchtbar, fürchterlich, gespenstig, grässlich, Grauen erregend, grauenhaft, grauenvoll, grausig, gräulich, horrend, schauervoll, schaudervoll, schauerlich, schaurig, schrecklich, unheimlich, verheerend *miserabel, unglückselig, verhängnisvoll, sehr schlecht
Katastrophe: Bürde, Desaster, Drama, Geißel, Heimsuchung, Last, Missgeschick, Not, Notlage, Plage, Prüfung, Schicksalsschlag, Schreckensnachricht, Tragödie, Trauerspiel, Unglück, Unglücksfall, Unheil, Verderben, Verhängnis *Hölle, Inferno, entsetzliches Geschehen *Zusammenbruch
Kate: Häuschen, Hütte, Schuppen
Katechet: Religionslehrer
katechisieren: Religionsunterricht erteilen, Religionsunterricht geben
Kategorie: Art, Familie, Gattung, Genre, Klasse, Rubrik, Stamm, Typ *Aussageart, Erkenntnisform, Größe, Grundbegriff
kategorisch: ausdrücklich, behauptend, bestimmt, entschieden, nachdrücklich, keinen Widerspruch zulassend, keinen Widerspruch duldend, unbedingt geltend, unbedingt gültig
kategorisieren: aufgliedern, anordnen, arrangieren, aufstellen, aufteilen, ausrichten, eingliedern, einreihen, einteilen, formieren, gliedern, gruppieren, katalogisieren, ordnen, rangieren, reihen, rubrizieren, sortieren, strukturieren, systematisieren, unterteilen, zurechtrücken, zusammenstellen, in die richtige Reihen-

folge bringen, in die richtige Ordnung bringen, in ein System bringen, in Reih und Glied stellen
Kater: Katze *Brummschädel, Depression, Ernüchterung, Hangover, Katerstimmung, Katzenjammer, Kopfschmerzen, Missbehagen
Kateridee: Marotte, Schnapsidee, Schrulle
Katharsis: Bekehrung, Besserung, Läuterung, Reinigung
Katheder: Lehrstuhl, Podium, Pult *Kanzel, Predigtstuhl
Kathedrale: Dom, Domkirche, Münster, bischöfliche Hauptkirche
Kathode: Minuspol, negative Elektrode
katzbuckeln: dienern, liebedienern, s. einschmeicheln, herumschwänzeln (um), kriechen, Rad fahren, schönreden, schöntun, s. unterwürfig zeigen
Katze: Hauskatze, Mieze, Miezekatze *Heuchlerin, Lügnerin, Scheinheilige, Schmeichlerin, falsche Katze
katzenartig: agil, behände, beweglich, elastisch, flexibel, flink, gelenkig, geschmeidig, gewandt, leichtfüßig, rasch, schnellfüßig, wendig, leichten Fußes
Katzenauge: Rückleuchte, Rücklicht, Rückstrahler
Katzenbär: Panda
Katzenjammer: Brummschädel, Kater, Missbehagen *Niedergeschlagenheit
Katzenmusik: Dissonanz, Geleier, Missklang, Misstöne
kauderwelschen: radebrechen, stottern, ein paar Brocken können
kauen: durchkauen, mahlen, malmen, mampfen, mümmeln *s. abmühen, verarbeiten
kauern: dahocken, (zusammengekrümmt) dasitzen, ruhen ***s. kauern:** s. bücken, s. ducken, s. hinkauern, niederhocken, in die Hocke gehen
Kauf: Abnahme, Ankauf, Anschaffung, Besorgung, Einkauf, Erledigung, Erstehung, Erwerb, Erwerbung
kaufen: nehmen, mitnehmen, abhandeln, ankaufen, anschaffen, s. beschaffen, besorgen, beziehen, s. eindecken, einhandeln, erstehen, ersteigern, erwerben, übernehmen, s. versorgen, einen Kauf tätigen, Einkäufe machen, Besorgungen machen, Shopping machen, käuflich erwerben *bestechen ***s. kaufen:** herbeirufen, s. vorknöpfen, s. vornehmen, zitieren
Käufer: Abnehmer, Auftraggeber, Interessent, Konsument, Kunde, Kundschaft, Verbraucher
Kaufhaus: Geschäft, Kaufhalle, Laden, Mall, Shoppingcenter, Supermarkt, Verkaufsstelle, Warenhaus
Kaufinteresse: Bedarf, Interesse, Kauffreude, Kauflust, Kaufneigung, Nachfrage
Kaufkraft: Nachfrage, Wert
kaufkräftig: betucht, liquide, reich, vermögend, wohlhabend, zahlungsfähig
Kaufkraftwährung: Indexwährung
käuflich: erhältlich, erwerbbar, feil, lieferbar, vorhanden, vorrätig, auf Lager, zu haben *bestechbar, bestechlich, empfänglich, korrupt, verführbar, zugänglich
Käuflichkeit: Bestechlichkeit, Bestechung, Betrügerei, Falschheit, Hintergehung, Lumperei, Unredlichkeit, Untreue, Vertrauensmissbrauch
Kauflust: Bedarf, Bedürfnis, Nachfrage
Kauflustiger: Interessent, Käufer, Kaufwilliger
Kaufmann: Einzelhandelskaufmann, Geschäftsinhaber, Geschäftsmann, Handelsmann, Händler, Krämer, Ladenbesitzer, Ladeninhaber
kaufmännisch: kommerziell, merkantil
Kaufpreis: Gegenwert, Preis, Preislage, Wert
Kaufsumme: Preis, Rechnungsbetrag
Kaufverweigerung: Boykott
kaum: schwerlich, vermutlich nicht, wahrscheinlich nicht, wohl nicht *eben, soeben, gerade, im Augenblick, im Moment, zur Stunde *knapp, unmerklich, vereinzelt, wenig, ab und zu, fast gar nichts, gerade noch, so gut wie nie *beinahe, knapp, fast nicht, nur mit Mühe, schlecht und recht
Kaunuss: Betel, Betelnuss
kausal: begründend, bewirkend, ursächlich
Kaution: Bürgschaft, Garantie, Hinterle-

gungssumme, Pfand, Sicherheitsleistung
Kauz: Blüte, Eigenbrötler, Einzelgänger, Hagestolz, Junggeselle, Original, Sonderling, Typ, Unikum, Wunderling, seltsamer Vogel *Eule, Uhu
kauzig: eigenartig, eigenbrötlerisch, grillenhaft, grillig, schnurrig, schrullenhaft, schrullig, seltsam, skurril, sonderbar, spleenig, verschroben, wunderlich
Kavalier: Weltmann, Mann von Welt *Freund, Liebhaber, Romeo, Troubadour, Verehrer *Reiter, Ritter
Kavallerist: Dragoner, Husar, Kürassier
Kaviar: Fischeier, Rogen
keck: dreist, tolldreist, beherzt, burschikos, forsch, frech, kühn, munter, respektlos, selbstsicher, unbefangen, ungeniert, unverfroren, vorlaut, ohne Scheu
Keckheit: Anmaßung, Dreistigkeit, Frechheit, Unverfrorenheit
Kegel: Konus
Kegelbahn: Bowlingbahn, Kegelanlage, Sportkegelbahn
kegelförmig: konisch
kegeln: Kegel schieben, Bowling spielen, Kegel rollen
Kegelschnitt: Ellipse, Hyperbel, Kreis
Kehle: Gurgel, Hals, Rachen, Luft- und Speiseröhre
Kehlkopf: Adamsapfel
Kehllaut: Gutturallaut
Kehraus: Abschluss, Ausgang, Ende
Kehre: Abbiegung, Abzweigung, Gabelung, Verzweigung
kehren: auffegen, fegen, reinigen, sauber machen, säubern *drehen, wenden ***s. kehren (um):** s. bessern, s. umkehren, s. umwenden *s. nicht kümmern (um), etwas nicht befolgen
Kehrreim: Refrain
Kehricht: Abfall, Dreck, Müll, Rückstände, Schmutz, Schutt, Unrat
Kehrseite: Gegenseite, Hinterfront, Hinterseite, Hoffront, Hofseite, Rückseite, Schattenseite, die linke Seite, die andere Seite, rückwärtige Seite *Gegenpol, Gegensatz, Gegenstück, Kontrast, Unterschied, Verschiedenheit, Widerspruch, unangenehme Seite
kehrtmachen: s. abkehren, s. abwenden, s. drehen, s. umdrehen, umkehren, wegtreten, s. wenden, den Rücken kehren
keifen: anbrüllen, angreifen, attackieren, ausschelten, ausschimpfen, auszanken, heruntermachen, poltern, schelten, schimpfen, tadeln, zanken, zetern, zurechtweisen
Keiferei: Gehader, Gekeife, Gezeter
Keiferer: Choleriker, Streithammel, Zankteufel
Keiferin: Drache, Xanthippe
Keile: Abreibung, Dresche, Hiebe, Schläge, Züchtigung
keilen: durchhacken, spalten ***s. keilen:** aneinander geraten, fechten, kämpfen, s. messen, s. schlagen, streiten
Keilerei: Prügelei, Rauferei, Schlägerei
Keim: Bakterie, Bazillus, Erreger, Krankheitserreger, Krankheitskeim, Virus *Schössling
Keimbefreiung: Desinfektion, Sterilisation
Keimdrüse: Germinalie, Gonade, Hoden
Keimdrüsenentfernung: Kastration
Keimdrüsenhormone: Sexualhormone
keimen: treiben, austreiben, aufkeimen, s. auftun, s. entfalten, s. entwickeln, grünen, s. heranbilden, hervorbrechen, knospen, sprießen, sprossen, wachsen, werden, grün werden, zu wachsen beginnen, zu blühen beginnen, zum Vorschein kommen
keimfrei: antiseptisch, aseptisch, steril, sterilisiert
keimhaltig: Fäulnis erregend, septisch
Keimling: Schössling *Embryo, Fetus, Fötus, Leibesfrucht
keimtötend: antiseptisch, bakterizid
Keimzelle: Gamet, Geschlechtszelle *Ei, Eizelle *Samen, Samenfädchen, Samenfaden, Samenzelle, Spermatozoon *Grundlage
kein: nicht ein, nicht irgendein *keiner, niemand
keiner: gar niemand, kein einziger Mensch, keine Menschenseele, nicht einer
keinesfalls: nein, gewiss nicht, bestimmt nicht, nicht um alles in der Welt, nie und nimmer, unter keinen Umständen
keinesfalls!: gottbehüte!, gottbewahre!,

keineswegs!, mitnichten!, niemals!, weit gefehlt!, woher denn!, auf (gar) keinen Fall!, gewiss nicht!, sicher nicht!, bestimmt nicht!, unter keinen Umständen!, durchaus nicht!, kein Gedanke!, (ganz) im Gegenteil!, nicht entfernt!, nicht im Geringsten!, nicht im Entferntesten!

keineswegs: keinesfalls, mitnichten, nein, unmöglich, durchaus nicht, nicht im Geringsten, in keiner Weise, ganz und gar nicht

Kelch: Blumenkelch, Blütenkelch *Pokal, Schale *Trinkgefäß *Abendmahlsgerät, Altargerät

Kelle: Schöpfer, Schöpfkelle, Schöpflöffel

Keller: Abstellraum, Kellergeschoss, Kellergewölbe, Kellerraum

Kellergeschoss: Souterrain

Kellergewölbe: Kasematte

Kellerei: Weingut, Weinkellerei

Kellermeister: Küfer

Kellerwerkstätte: Hobbyraum

Kellner: Bedienung, Ober, Oberkellner *Flugbegleiter, Steward

Kellnerin: Fräulein, Serviererin, Servierfräulein, Serviermädchen, Serviertochter *Flugbegleiterin, Stewardess

kennen: s. auskennen, Kenntnis haben, wissen, s. zurechtfinden, Bescheid wissen, informiert sein, orientiert sein, unterrichtet sein ***s. kennen:** Bekanntschaft gemacht haben (mit), kennen gelernt haben, befreundet sein ***kennen lernen:** anbandeln, auffischen, aufgabeln, Bekanntschaft schließen ***s. kennen lernen:** s. anfreunden, s. befreunden

Kenner: Ass, Autorität, Experte, Fachkraft, Fachmann, Kapazität, Könner, Koryphäe, Meister, Professioneller, Profi, Routinier, Sachkundiger, Sachverständiger, Spezialist, Mann vom Fach *Feinschmecker, Genießer, Gourmet, Kulinarier, Leckermaul, Lukullus

Kennkarte: Ausweis, Ausweispapier, Personalausweis

kenntlich: erkennbar, ersichtlich, sichtbar, wahrnehmbar

Kenntnis: Einblick, Einsicht, Erfahrung, Know-how, Praxis, Überblick, Verständnis, Vertrautheit, Wissen

kenntnisarm: bildungsbedürftig, unaufgeklärt, unbelesen, uneingeweiht, unerfahren, ungebildet, ungeschult, unkundig, unwissend

kenntnisreich: allwissend, aufgeklärt, weise, wissend, gut unterrichtet, wohl informiert

Kennwort: Code, Codewort, Kode, Losung, Losungswort, Parole

Kennzahl: Chiffre, Index, Nummer

Kennzeichen: Eigenschaft, Merkmal *Benennung, Beschriftung *Ausschilderung, Kennzeichnung

kennzeichnen: ankreuzen, anstreichen, beschriften, bezeichnen, einzeichnen, markieren, kenntlich machen, mit einem Kennzeichen versehen

kennzeichnend: auszeichnend, bezeichnend, charakterisierend, charakteristisch, eigentümlich, spezifisch, symptomatisch, typisch, unverkennbar, wesensgemäß

Kennzeichnung: Beschriftung, Bezeichnung, Markierung *Charakterisierung, Spezifizierung, Typisierung

kentern: sinken, umkippen, umschlagen

Keramik: Steingut, Tonware, Töpferware

Kerbe: Einkerbung, Einschnitt, Furche, Ritze, Scharte, Schlitz, Schnitt

Kerbtiere: Insekten

Kerker: Bunker, Gefängnis, Kasten, Kittchen, Knast

Kerkermeister: Aufseher, Wachmann, Wärter

Kerl: Bursche, Held, Mordskerl, ganzer Mann, richtiger Mann

Kern: Obstkern, Samenkern, Stein *Ursache *Hauptsache, Mittelpunkt, Wesen

Kernenergie: Atomenergie, Atomkraft, Kernkraft

Kerngebiet: Brennpunkt, Herz, Mittelpunkt, Sammelpunkt, Seele, Zentrum

Kerngedanke: Grundgedanke, Hauptgedanke, Idee, Kernpunkt

Kerngehäuse: Gehäuse, Kernhaus

kerngesund: blühend, gesund, wohl, wohlauf, nicht krank *heil, intakt, unverletzt, unversehrt *aufbauend, bekömmlich, gesundheitsfördernd, kräftigend, nahrhaft, zuträglich

kernig: kräftig, kraftvoll, markig, ro-

bust, sportlich, stählern, stark, stramm, urwüchsig *eisenhart, felsenhart, fest, glashart, hart, kernhaft, knochenhart, stählern, stahlhart, steif, steinern, steinhart, wie ein Fels
Kernkraft: Atomenergie
Kernpunkt: Brennpunkt, Hauptsache *Grundgedanke, Hauptgedanke, Kerngedanke
Kernreaktor: Atommeiler, Atomreaktor, Kernkraftwerk, Reaktor
Kernspruch: Axiom, Denkspruch, Devise, Sinnspruch
Kernwaffen: Atomwaffen, Nuklearwaffen
Kerze: Licht, Stearinkerze, Talglicht, Wachskerze *Lebenslicht
kerzengerade: aufrecht, gerade, stocksteif
Kerzenleuchter: Armleuchter, Kandelaber, Kerzenhalter, Kerzenständer, Leuchter *Chanukkaleuchter, Menora
kess: draufgängerisch, dreist, forsch, frech, keck, kühn, mutig, selbstsicher, ungeniert, unverfroren *elegant
Kessel: Becken, Bergeinschnitt, Cañon, Grund, Mulde, Schlucht, Senke, Tal, Talgrund, Talkessel *Einkesselung, Einkreisung, Einschließung, Einschluss, Einzingelung, Umklammerung, Umzingelung
Kesseltreiben: Hetze, Jagd, Nachstellung, Verfolgung
Kette: Linie, Reihe, Zeile *Collier, Halsband, Halskette, Kollier
Kettenfahrzeug: Kampfpanzer, Panzer, Schützenpanzer, Tank
Kettenraucher: Nikotinabhängiger, Nikotinsüchtiger
Ketzer: Abtrünniger, Abweichler, Häretiker, Irrgläubiger, Schismatiker, Sektierer
Ketzerei: Abspaltung, Abweichung, Häresie, Irrglaube, Irrlehre, Sektenbildung
ketzerisch: häretisch, heterodox, irrgläubig
keuchen: jappen, japsen, plustern, pusten, röcheln, schnaufen
Keule: Schenkel, Schlegel
keusch: enthaltsam, jungfräulich, rein, sittsam, unbefleckt, unberührt, unschuldig, unverdorben, züchtig *anständig, brav, gesittet *enthaltsam, zölibatär
Keuschheit: Abstinenz, Askese, Enthaltsamkeit, Enthaltung, Mäßigkeit, Temperenz, Zurückhaltung
Keyboard: Tastatur *Klaviatur
kichern: gickeln, glucksen, lachen
kicken: bolzen, mit dem Fuß stoßen, Fußball spielen
kidnappen: entführen, rauben, verschleppen, wegschleppen *beschlagnahmen, entern
Kidnapping: Entführung, Menschenraub *Kindesentführung, Kindesraub *Flugzeugentführung, Luftpiraterie
kiebitzen: gaffen, hineinschielen, zugucken, zuschauen, zusehen
Kies: Kieselstein, Splitt *Flöhe, Geld, Heu, Kohlen, Koks, Kröten, Mäuse, Moneten, Moos, Pulver, Zaster, Zunder, Zwirn
kiffen: fixen, haschen, inhalieren, Rauschgift nehmen, Haschisch rauchen, einen Joint rauchen
killen: ausrotten, töten
Killer: Berufsmörder, Gunman
Kilometerstein: Markstein, Meilenstein
Kilometerzähler: Kilometerstandanzeiger, Tageskilometerzähler
Kind: Abkömmling, Erbe, Kleinkind, Nachfahr, Nachkomme, Nachwuchs, Säugling, Schoßkind, Spross, Sprössling, das Kleine *Sohn *Tochter
Kinderei: Albernheit, Dummheit, Unsinn
Kinderfrau: Amme, Bonne, Kinderfräulein, Kindermädchen, Nurse *Erzieherin, Gouvernante, Kindergärtnerin
Kindergarten: Hort, Kinderheim, Kinderhort, Kinderkrippe, Kinderladen, Kindertagesstätte, Krabbelstube, Krippe, Tagesheim
Kinderfreundschaft: Sandkastenliebe
Kinderheilkunde: Pädiatrie
Kindheit: Kinderjahre, Kinderzeit
Kinderhort: Kindergarten, Kinderheim
Kinderlähmung: Polio, Poliomyelitis
kinderleicht: bequem, leicht, problemlos, simpel, spielend, unkompliziert, unproblematisch, unschwer, sehr einfach, nicht schwierig
Kindermädchen: Amme, Babysitter, Erzieherin, Kinderfrau, Kinderfräulein,

Kinderpflegerin, Kinderschwester, Säuglingsschwester
kinderreich: viele Kinder habend
Kindersegen: Ehesegen
Kinderspiel: Kleinigkeit, Lappalie, Leichtigkeit
Kinderstube: Anstand, Benehmen, Betragen, Erziehung, Manieren, Schliff, Umgangsformen, Verhalten *Kinderzimmer
Kindesentführung: Kidnapping, Kindesraub, Menschenraub
Kindheit: Jugend, Kinderjahre, Kinderzeit, Kindesalter
kindisch: albern, blöd, dumm, einfältig, infantil, lächerlich, lachhaft, närrisch, töricht, unreif
kindlich: ahnungslos, infantil, jung, kindhaft, kindisch, naiv, unentwickelt, unfertig, unmündig, unreif
Kinkerlitzchen: Alberei, Albernheiten, Dummheiten, Firlefanz, Getue, Kindereien, Narretei, Quatsch, Unsinn
Kinnhaken: Fausthieb, Faustschlag, Haken, Knockout, Niederschlag, Schwinger
Kino: Filmbühne, Filmtheater, Lichtspiele, Lichtspielhaus, Lichtspieltheater, Traumfabrik *Filmveranstaltung, Filmvorführung
Kiosk: Bude, Häuschen, Stand
Kippe: Zigarettenstummel *Augenblick der Entscheidung *(sportliche) Übung
kippeln: schaukeln
kippen: ausschütten, herausschütten, ausgießen, ausleeren, entleeren, schütten *schräg (hin)stellen *umfallen, umkippen, umschlagen, umsinken *austrinken, bechern, s. erfrischen, genießen, hinuntergießen, hinunterspülen, hinunterstürzen, hinuntertrinken, nippen, schlürfen, trinken, ein Glas leeren, einen Schluck nehmen, in sich hineingießen
kipplig: kippelig, pendelnd, schaukelnd, schwankend, wackelig, wackelnd *schwankend, auf des Messers Schneide
Kirche: Bethaus, Gebetshaus, Gebetsstätte, Gotteshaus *Kirchenbehörde, Kirchenstaat *Glaubensrichtung, Konfession, Religionsgemeinschaft
Kirchenältester: Presbyter
Kirchenausschluss: Acht, Ächtung, Bannspruch, Exkommunikation, Kirchenbann, Verbannung
Kirchenchor: Kantorei, Singkreis *Chor, Chorverein, Gesangverein, Liedertafel, Sängerchor, Sängerkreis, Sängerschaft, Sängervereinigung, Sangesgruppe, Singkreis
Kirchendiener: Küster, Mesner, Sakristan
kirchenfeindlich: antiklerikal
Kirchengalerie: Empore
Kirchengemeinde: Gemeinde, Pfarrei, Sprengel
Kirchenglocken: Geläut
Kirchenlehrer: Geistlicher, Gottesgelehrter, Schriftgelehrter, Theologe
Kirchenlied: Choral, Hymne, Kantate, Kirchengesang, Psalm
Kirchenspaltung: Schisma
Kirchenstaat: Vatikan
Kirchgang: Gottesdienstbesuch, Kirchenbesuch, Teilnahme am Gottesdienst
Kirchhof: Begräbnisstätte, Friedhof, Gottesacker, Gräberfeld, Totenacker
kirchlich: christlich, geistlich, klerikal
Kirchturmpolitik: Kleinstaaterei, Provinzialismus
Kirchweih: Dom, Jahrmarkt, Kirmes, Rummel *Gedenktag
Kismet: Bestimmung, Fügung, Geschick, Los, Schicksal, Schicksalsfügung, Schickung, Verhängnis, Vorsehung, Zufall
Kissen: Federkissen, Kopfkissen, Polster, Schlummerrolle, Sitzkissen, Sofakissen
Kiste: Behälter, Kasten *altes Flugzeug *Altauto, Altfahrzeug, Gebrauchtfahrzeug, Gebrauchtwagen, altes Fahrzeug
Kitsch: Edelkitsch, Geschmacklosigkeit, Scheinkunst, Schund *Firlefanz, Kinkerlitzchen, Kram, Plunder, Ramsch, Tand
kitschig: abgeschmackt, geschmacklos, schmalzig, schnulzig, schwülstig, sentimental, süßlich, überladen
Kitt: Dichtstoff, Kleber, Klebstoff, Kleister
Kittchen: Arrestanstalt, Besserungsanstalt, Gefängnis, Kasten, Kerker, Knast, Strafanstalt, Strafvollzugsanstalt, schwedische Gardinen
Kittel: Arbeitsmantel, Berufsmantel *Kleidungsstück, Oberhemd

kitten: dichten, kleben, zusammenfügen *erneuern, festmachen, reparieren, wiederherstellen, heil machen
Kitzel: Hautempfindung, Juckreiz *Antrieb, Reiz, Reizung, Sinnesreiz, Stimulus *Lockung, Reiz, Verführung, Verlockung, Versuchung
kitzeln: krabbeln, reizen *jucken, krabbeln, kribbeln, prickeln *anregen, reizen, verlocken
Kitzler: Klitoris
kitzlig: heikel, peinlich, schwierig *empfindlich
klaffen: aufstehen, gähnen, offen stehen, offen sein
kläffen: schimpfen *anschlagen, belfern, bellen, blaffen, knurren, Laut geben
Kläffer: Hund, Köter, Meute, Rüde
Klage: Anklage, Anschuldigung, Anzeige, Belastung, Beschuldigung, Beschwerde, Bezichtigung *Elegie, Geheul, Gejammer, Geschrei, Gewimmer, Grabgesang, Händeringen, Jammer, Jammerrede, Jeremiade, Klagegesang, Klagelied, Lamentation, Lamento, Stöhnen, Totenklage, Wehklage, Wehklagen
Klagelaut: Jammerlaut, Klageruf, Schluchzer, Schmerzensschrei, Seufzer, Stoßseufzer, Wehlaut, das Geheul, das Gejaule, das Geseufze, das Gestöhn, das Gewimmer, das Gewinsel, das Heulen, das Wimmern
klagen: ächzen, s. beschweren, jammern, krächzen, lamentieren, schluchzen, wehklagen, wimmern, winseln, in Klagen ausbrechen *anklagen, anschuldigen, anzeigen, beklagen, bezichtigen, verdächtigen *prozessieren, verklagen, Anzeige erstatten
klagend: schmerzbewegt, tieftraurig, tränenerstickt, traurig, wehklagend, weinerlich
Kläger: Ankläger, Gegenkläger, Nebenkläger *Staatsanwalt
kläglich: ergreifend, herzergreifend, zerreißend, herzzerreißend, bedauerlich, bedauernswert, beklagenswert, herzbewegend, jämmerlich, jammervoll *bescheiden, kärglich, knapp, mager, mangelhaft, mickrig, schäbig, schmählich, spärlich, unbefriedigend, ungenügend, unzureichend *beschämend, erbärmlich
Klamauk: Aufruhr, Durcheinander, Krach, Lärm, Schabernack, Trubel, Tumult, Ulk, Unsinn, Wirbel
klamm: feucht, feuchtkalt *gefroren, starr, steif
Klamm: Felsenschlucht, Schlucht
Klammer: Klemme, Spange
klammern: befestigen, verbinden, zusammenhalten *flicken, nähen, schließen, verarzten ***s. klammern:** s. anhalten, s. anhängen, s. anklammern, s. festhalten, s. festklammern, s. festkrallen
Klang: Klangart, Klangfarbe, Ton *Klangfarbe, Kolorit, Timbre, Tonfarbe
Klangfarbe: Klang, Kolorit, Timbre, Tonfarbe
Klangkörper: Kapelle, Orchester
klanglich: ausdrucksmäßig, chörig
klanglos: belegt, heiser, hohl, matt, stumpf *heimlich, unauffällig, ungesehen, unhörbar, unmerklich, verstohlen, still und leise *bescheiden, dürftig, gering, mager, unbefriedigend, ungenügend, unzureichend *beklagenswert, elend, negativ
klangvoll: klingend, wohlklingend, melodisch, tönend, tragend, weich, wohllautend
Klangwirkung: Akustik, Sound
Klappe: Bett, Falle, Liege *Mund, Mundwerk, Schnabel, Schnute
klappen: gehen, gelingen *zustande kommen
klapperig: abgenutzt, alt, altersschwach, gebrechlich *dünn, dürr, schwach, schwächlich
klappern: lärmen, raffeln, rappeln, rasseln, scheppern *frieren, zittern
Klaps: Patsch, Schelle, Schlag
klar: anschaulich, bestimmt, bildhaft, deutlich, eindeutig, einfach, exakt, genau, greifbar, handfest, präzis, präzise, unmissverständlich, unverblümt, unzweideutig, fest umrissen, klipp und klar *durchscheinend, durchsichtig, gläsern, glasklar, hell, kristallklar, lauter, rein, sauber, transparent, ungetrübt *aufgeklärt, heiter, schön, sommerlich, sonnig, strahlend, unbewölkt, wolkenlos

*artikuliert, deutlich, erkenntlich, prägnant, verstehbar, (gut) wahrnehmbar, fest umrissen *erwiesen, evident, gewiss, offensichtlich, selbstverständlich, sicher, unbestreitbar, unbezweifelbar, unleugbar *ungetrübt, weit *einfach, geordnet, ordentlich *enträtselt, entschlüsselt, gelöst *gewiss, ja, natürlich, selbstverständlich, aber doch ***klar sehen:** ermessen, überblicken, überschauen, übersehen, einen Überblick haben ***s. klar werden:** s. bewusst machen, durchschauen, einsehen, erfassen, erkennen, herausfinden, verstehen, zum Bewusstsein kommen

klären: filtern, läutern, reinigen, sieben *abklären, aufdecken, aufhellen, aufklären, bereinigen, enträtseln, s. Klarheit verschaffen, klarlegen, klarstellen, offen legen, ordnen, richtig stellen, in Ordnung bringen

Klarheit: Glanz, Helle, Helligkeit, Leuchten, Licht, Lichtfülle, Lichtflut, Lichtstrahl, Lichtstrom, Schein, Schimmer *Bestimmtheit, Deutlichkeit, Eindeutigkeit, Exaktheit, Genauigkeit, Präzision, Ungeschminktheit, Unmissverständlichkeit, Unverblümtheit *Ordentlichkeit, Ordnungsliebe, Sauberkeit *Anschaulichkeit, Einfachheit, Unzweideutigkeit *Deutlichkeit, Reinheit, Verständlichkeit

klarkommen: ausführen, beikommen, bewältigen, bewerkstelligen, deichseln, drehen, durchführen, erreichen, fertig werden (mit), lösen, meistern, packen, verwirklichen, vollbringen, vollenden, zurechtkommen *beilegen, bereinigen, s. einigen, klären, schlichten

klarlegen: zeigen, aufzeigen, ausdeuten, auseinander legen, auseinander setzen, darlegen, darstellen, dartun, erklären, erläutern, explizieren, klarmachen, konkretisieren, umreißen, verdeutlichen, begreiflich machen, deutlich machen, verständlich machen

klarstellen: lösen, auflösen, aufdecken, beleuchten, berichtigen, dementieren, entwirren, erhellen, klären, klarlegen, korrigieren, revidieren, richtig stellen, verbessern, verdeutlichen, ins rechte Licht setzen, ins rechte Licht rücken

Klartext: Klarschrift, dechiffrierter Text

Klärung: Antwort, Aufdeckung, Aufklärung, Auflösung, Berichtigung, Enthüllung, Erklärung, Lösung

Klasse: Klassenraum, Klassenzimmer, Schulklasse, Schulstube *Art *Abteilung, Gattung, Gruppe, Kategorie, Ordnung, Rubrik *Kinder, Schüler, Schulklasse *Gesellschaftsschicht, Gruppe, Stand

Klassenarbeit: Abfrage, Extemporale, Kurzarbeit, Kurzprobe, Lernzielkontrolle, Probe, Schularbeit, Schulaufgabe, Stegreifaufgabe, Test

Klassenbester: Klassenerster, Primus

Klassenbewusstsein: Dünkel, Kastengeist, Standesbewusstsein

Klassengeist: Adelsstolz, Klassenehre, Standesdünkel, Standesehre

Klassenhass: Klassendünkel, Klassenfeindschaft, Parteidünkel

Klassenzimmer: Klasszimmer, Schulraum, Schulzimmer, Unterrichtszimmer, Unterrichtsraum

Klassifikation: Anordnung, Aufteilung, Einordnung, Einteilung, Klassifizierung

klassifizieren: einstufen, gliedern, gruppieren, staffeln, in Klassen einteilen, nach Klassen ordnen *bezeichnen, charakterisieren, kennzeichnen, abstempeln (als)

klassisch: ausgereift, ausgewogen, beispielgebend, beispielhaft, beispiellos, exemplarisch, großartig, ideal, mustergültig, musterhaft, nachahmenswert, perfekt, unerreicht, unübertroffen, vollendet, vollkommen, vorbildgebend, vorbildlich *alt, antik *bezeichnend, charakteristisch, kennzeichnend, spezifisch, symptomatisch, typisch, unverkennbar *hergebracht, althergebracht, altbewährt, gewohnt, herkömmlich, konventionell, traditionell, überkommen, üblich *allgemeingültig, zeitlos, nicht der Mode unterworfen, nicht der Zeit unterworfen, nicht zeitgebunden

Klatsch: Dorfgespräch, Geflüster, Geklatsche, Gemunkel, Geraune, Gerede, Gerüchtemacherei, Geschwätz, Stadtgespräch, Tratsch *Schlag

klatschen: akklamieren, applaudieren, Beifall klatschen, Beifall zollen, Beifall spenden, Beifall bekunden, mit Applaus überschütten, Ovationen bereiten,

Applaus spenden *breittreten, durchhecheln, lästern, quatschen, ratschen, schwatzen, tratschen
Klatschen: Applaus, Beifall
Klatscherei: Gerede, Klatschgeschichten
klatschhaft: aufdringlich, geschwätzig, gesprächig, klatschsüchtig, plapperhaft, plauderhaft, redselig, schwätzerisch, schwatzhaft, tratschig, weitschweifig, wortreich, viel redend
Klatschmaul: Lästerer, Lästermaul, Lästerzunge, Schandmaul *Schwätzer *Klatschweib, Schwätzerin, Tratschtante
Klatschsüchtigkeit: Geschwätzigkeit, Redseligkeit, Schwatzhaftigkeit
Klaue: Handschrift, Schmiererei, Schreibart, Schreibweise, Schrift *Flosse, Gliedmaße, Hand, Patsche, Pfote, Pranke, Pratze, Tatze
klauen: abnehmen, s. an fremdem Eigentum vergehen, s. an fremdem Eigentum vergreifen, s. aneignen, ausplündern, ausräubern, ausräumen, s. bemächtigen, berauben, bestehlen, betrügen, einsacken, entwenden, erbeuten, mitnehmen, stehlen, stibitzen, unterschlagen, s. vergreifen, veruntreuen, wegnehmen, wegtragen, beiseite schaffen, beiseite bringen, einen Diebstahl begehen, einen Diebstahl verüben, auf die Seite bringen, zur Seite bringen
Klause: Einsiedelei, Eremitage, Eremitei, Zelle
Klausel: Auflage, Geschäftsbedingungen, Nebenbedingung, Nebenbestimmung, Sondervereinbarung, Vorbehalt, das Kleingedruckte
Klausner: Einsiedler
Klausur: Examen, Klassenarbeit, Prüfungsarbeit *Abgeschiedenheit, Abgeschlossenheit, Isolation
Klaviatur: Tastatur
Klavier: Flügel, Klimperkasten, Piano, Pianoforte
Klavierspieler: Pianist
kleben: befestigen, kitten, kleistern, leimen, pappen, zusammenfügen, zusammenkleben *festkleben, festsitzen, haften, halten, fest sein ***eine kleben:** maßregeln, ohrfeigen, strafen, züchtigen
klebend: haftend, klebrig
Klebeschild: Etikett, Label
Klebeverband: Pflaster
klebrig: haftend, anhaftend, fest, harzig, kleistrig, kleisterig, pappig, verklebt *anhänglich
Klebrigkeit: Harzigkeit, Pappigkeit, Verklebung
Klebstoff: Klebe, Klebemittel, Kleister, Leim
Klecks: Fleck, Flecken, Spritzer
klecksen: beflecken, beschmieren, besudeln, sauen, schmieren, sudeln, verdrecken, verunreinigen, voll machen, voll schmieren
Kleid: Gewand, Oberbekleidungsstück
kleiden: anziehen *passen, schmeicheln, stehen, zieren ***s. kleiden:** s. anziehen, s. bekleiden, hineinschlüpfen
Kleidersitte: Mode
kleidsam: hübsch, passend, tragbar
Kleidung: Anzug, Aufzug, Bekleidung, Garderobe, Klamotten, Kleider, Kluft, Kostüm, Montur, Sachen, Tracht, Uniform, Zeug
klein: kleingewachsen, knapp, kurz, wenig, winzig, zierlich, zwergenhaft, von geringer Größe *dünn, fein, fisselig, klitzeklein *gering, geringfügig, heranwachsend, jung, kindlich, lächerlich, minimal, unbedeutend, unbeträchtlich, unfertig, unreif, verschwindend, wenig, nicht nennenswert, sehr wenig, von geringem Ausmaß *bedeutungslos, belanglos, egal, farblos, irrelevant, nebensächlich, nichtig, nichts sagend, peripher, unerheblich, uninteressant, unmaßgeblich, unscheinbar, unwesentlich, unwichtig, nicht erwähnenswert *gering, kurz, übersehbar ***klein machen:** verwüsten, zerkleinern, zerstören, zertrümmern *tauschen, umtauschen, eintauschen, einwechseln, umwechseln, wechseln *demütigen, erniedrigen, kleinbekommen, kleinkriegen, mobben, unterdrücken, gefügig machen ***klein schneiden:** frikassieren, häckseln, zerschneiden, zerstückeln
Kleinanzeige: Familienanzeige, Kleininserat
Kleinbürger: Banause, Biedermann, Krämer, Pfahlbürger, Philister, Schildbürger, Spießbürger, Spießer

kleinbürgerlich: engherzig, hinterwäldlerisch, kleinkariert, kleinlich, kleinstädtisch, muffig, pedantisch, pingelig, provinziell, spießbürgerlich, spießig, übergenau, unduldsam
Kleindarsteller: Komparse, Statist
Kleingeld: Geldstücke, Hartgeld, Münzen, Wechselgeld, kleines Geld
kleingläubig: ängstlich, argwöhnisch, misstrauisch, skeptisch, vorsichtig, zaghaft, zweifelnd
Kleingolf: Minigolf
Kleinhandel: Detailhandel, Einzelhandel, Kleinverkauf, Ladenverkauf
Kleinhändler: Einzelhändler, Markthändler, Wiederverkäufer
Kleinheit: Bagatelle, Begrenztheit, Belanglosigkeit, Beschränktheit, Gedrängtheit, Geringfügigkeit, Knappheit, Nebensächlichkeit, Nichtigkeit *Bissen, Happen, Imbiss, Kostprobe, Snack
Kleinholz: Brennholz, Holzabfall, Reisig
Kleinigkeit: Bagatelle, Bedeutungslosigkeit, Belanglosigkeit, Geringfügigkeit, Kinderspiel, Kinkerlitzchen, Kleinkram, Lächerlichkeit, Lappalie, Nebensache, Nebensächlichkeit, Nichtigkeit, Nichts, Pappenstiel, Spaß, Spiel, Spielerei, Unwichtigkeit, kleine Fische *Happen, Imbiss, Kostprobe, Mundvoll, Stückchen
kleinkariert: banausisch, bieder, eng, engherzig, krämerhaft, pedantisch, provinziell, spießbürgerlich, spießig
Kleinkind: Baby, Neugeborenes, Säugling, Wickelkind *Dreikäsehoch, Kind, Kleines, Schoßkind, Spross, Sprössling, Wurm, Zwerg
Kleinklima: Mikroklima
Kleinkram: Bagatelle, Bedeutungslosigkeit, Belanglosigkeit, Geringfügigkeit, Kinderspiel, Kinkerlitzchen, Kleinigkeit, Lächerlichkeit, Lappalie, Nebensache, Nebensächlichkeit, Nichtigkeit, Nichts, Pappenstiel, Spaß, Spiel, Spielerei, Unwichtigkeit, kleine Fische *Details, Einzeldinge, Einzelheiten, Feinheiten *Formalität, Förmlichkeit, Formsache
kleinkriegen: bezwingen, demütigen, drängen, erniedrigen, klein machen, unterdrücken, weich machen, zermürben, gefügig machen *kleinbekommen, klein machen, zerkleinern, zerstückeln, zerteilen, auseinander nehmen können *aufbrauchen, durchbringen, konsumieren, verbrauchen
kleinlaut: gedrückt, niedergedrückt, befangen, beschämt, betreten, eingeschüchtert, niedergeschlagen, still, verlegen, verschämt, verstummt
kleinlich: bürokratisch, engherzig, hinterwäldlerisch, kleinbürgerlich, kleinkariert, kleinstädtisch, krämerhaft, muffig, pedantisch, pingelig, provinziell, schulmeisterlich, spießbürgerlich, spießig, spitzfindig, übergenau, unduldsam, päpstlicher als der Papst
Kleinlichkeit: Bürokratie, Klauberei, Kleinkariertheit, Pedanterie, Pingeligkeit, Spitzfindigkeit, Übergenauigkeit
Kleinkraftrad: Mokick, Moped
Kleinkrieg: Guerillakrieg *Differenzen, Disharmonie, Streit, Streiterei
Kleinkunst: Kabarett, Tingeltangel
Kleinmut: Angst, Bammel, Befangenheit, Feigheit
kleinmütig: angstbebend, angsterfüllt, ängstlich, angstschlotternd, angstverzerrt, angstvoll, argwöhnisch, aufgeregt, bang, bänglich, befangen, beklommen, besorgt, betroffen, feigherzig, gehemmt, hasenherzig, memmenhaft, mutlos, scheu, schreckhaft, schüchtern, verängstigt, verschreckt, verschüchtert, zag, zaghaft, zähneklappernd
Kleinod: Juwel, Kostbarkeit, Preziosen, Schatz, Schmuck, Schmuckstück, Wertgegenstand, Wertsache, Wertstück *Bijouterie, Geschmeide, Juwel, Kette, Schmuck, Schmucksachen, Schmuckstück, Wertstück
Kleinpferd: Pony
Kleinstadt: Kreisstadt, Marktflecken, Nest, Ortschaft, Provinzstadt, Siedlung, Städtchen, Winkel
kleinstädtisch: bieder, eng, hinterwäldlerisch, kleinbürgerlich, ländlich, provinziell, spießbürgerlich, spießig
kleinste: minimalste, niedrigste, unterste
Kleinstlebewesen: Mikrobe, Mikroorganismen
kleinstmöglich: mindest, minimal

Kleinstwert: Mindestmaß, Minimum
Kleintierwelt: Mikrofauna
Kleinwagen: Kleinauto, Kleinfahrzeug, Stadtauto, kleines Automobil
Kleinwohnung: Apartment *Appartement
Kleister: Bindemittel, Klebstoff
kleistern: anheften, ankleben, ankleistern, anleimen, anmachen, befestigen, kleben, leimen, pappen, verkleben, verkleistern, zusammenfügen, zusammenkleben, zuschmieren
kleistrig: breiig, dickflüssig, klebrig
Kleinwuchs: Kümmerwuchs, Minderwuchs, Zwergwuchs
Klemme: Verbindungselement, Verbindungsstück *Aussichtslosigkeit, Not, schwierige Lage
klemmen: eindrücken, einschnüren, einzwängen, quetschen, verbinden *blockieren, sperren *halten, tragen, zwängen
klempern: hämmern, lärmen
Klempner: Spengler
Klepper: Gaul, Kutscherpferd, Mähre, Pferd, Ross, Schindmähre
Kleptomanie: Stehlsucht, Stehltrieb, Stehlzwang
klerikal: geistlich, kirchlich, sakral, theologisch, nicht weltlich
Kleriker: Geistlicher, Priester
Klerus: Geistlichkeit, Priesterschaft, Priesterstand
Klette: Kletterpflanze, Liane, Schlingpflanze *Anhang
Kletterer: Alpinist, Bergsteiger, Bergtourist
klettern: steigen, aufsteigen, klimmen, erklimmen, kraxeln, hinaufkraxeln, bergsteigen, emporklettern, krabbeln, bergauf gehen *emporklettern, ranken
Kletterpflanze: Rankengewächs, Schlinggewächs, Schlingpflanze
Klient: Auftraggeber, Kunde, Mandant
Klientel: Klienten, Kundenkreis, Kundenstamm, Mandanten
Kliff: Felswand, Steilabfall, Steilwand
Klima: Atmosphäre, Ausstrahlung, Flair, Fluidum, Stimmung *Wetter, Wetterlage, Witterung
Klimaanlage: Aircondition, Klimagerät *Ventilator
Klimaanpassung: Akklimatisation, Klimagewöhnung
Klimakterium: Wechseljahre, kritische Jahre
Klimakunde: Klimatologie
Klimbim: Dreck, Firlefanz, Gerümpel, Kram, Krempel, Plunder, Ramsch, Schund, Trödel, Zeug
klimpern: klappern, lärmen, rasseln, scheppern *musizieren, spielen, Musik machen
Klingel: Bimmel, Glocke, Gong, Schelle
klingeln: bimmeln, gongen, läuten, schellen
klingen: dröhnen, erdröhnen, schallen, erschallen, tönen, ertönen, erklingen, hallen, lauten, schmettern, schwingen *s. anhören, s. ausnehmen, wirken, den Anschein haben, den Eindruck hervorrufen, den Eindruck machen *anstoßen, feiern
Klinik: Anstalt, Hospital, Krankenhaus, Spital
Klinke: Drücker, Griff, Türdrücker, Türgriff, Türklinke
Klinkenputzer: Reisender, Reisevertreter, Vertreter *Bettelbruder, Bettler, Fechtbruder, Hausierer, Pracher, Schnorrer
Klippe: Felsklippe, Riff, Schroffe, Schroffen *Hauptfrage, Kernfrage, Komplexität, Kompliziertheit, Problem, Problematik, Schwierigkeit, Streitfrage, Streitgegenstand, Verwicklung, schwierige Frage, strittiger Punkt, schwieriger Punkt, ungelöste Aufgabe
Klippenküste: Schärenküste
klirren: klimpern, scheppern, sirren, surren
Klischee: Abklatsch, Imitation, Nachahmung, Nachbildung, Reproduktion *Gemeinplatz, Schablone
Klo: Abort, Klosett, Örtchen, Toilette, WC
Kloake: Abwasserkanal, Abzugsrinne, Gully *Senkgrube, Sickergrube *Körperausgang, Körperöffnung
klobig: breit, derb, grobschlächtig, klotzig, massig, plump, schwerfällig, unförmig, ungefüge, ungelenk, ungeschlacht, ungraziös, vierschrötig
klonen: (ungeschlechtlich) herstellen, vermehren

klönen: erzählen, schwatzen, plaudern, s. unterhalten
klopfen: ballern, bullern, bumsen, hämmern, pochen, schlagen, ticken, trommeln
Klopfer: Fäustel, Hammer, Schlägel *Türklopfer *Teppichklopfer
Klöppel: Glockenklöppel, Glockenschlägel, Glockenschwengel
Klops: Bulette, Fleischkloß, Frikadelle *Kloß, Knödel
Klosett: 00, Abort, Klo, Toilette, WC
Kloß: Kartoffelkloß, Knödel, Semmelkloß, Semmelknödel *Dickerchen, Dickwanst, Fass, Fettwanst, Koloss, Kugel, Mops, Pummel, Tonne
Kloster: Abtei, Konvent, Stift
Klosteranwärter: Novize
Klosteranwärterin: Novizin
Klosterfrau: Gottesbraut, Himmelstochter, Klosterschwester, Nonne, Ordensschwester, Schwester, Braut Christi *Äbtissin, Oberin, Priorin
Klosterspeisesaal: Refektorium
Klosterzelle: Klause
Klotz: Block, Brocken, Kloben *Berserker, Flegel, Fuhrknecht, Grobian, Grobklotz, Kämpfer, Lümmel, Raubein, Rohling, Rüpel, Schlägertyp, Unmensch, ungehobelter Kerl
klotzig: breit, derb, grobschlächtig, klobig, massig, plump, schwerfällig, unförmig, ungefüge, ungelenk, ungeschlacht, ungraziös *kolossal, mächtig, sehr
Klub: Bund, Bündnis, Gesellschaft, Körperschaft, Organ, Organisation, Partei, Verband, Verein, Vereinigung, Zusammenschluss
Klubhaus: Casino, Gesellschaftshaus, Heim, Kasino
Klubjacke: Blazer
Kluft: Abstand, Abweichung, Differenz, Diskrepanz, Divergenz, Gefälle, Gegensatz, Kontrast, Mauer, Missverhältnis, Schranke, Unähnlichkeit, Ungleichheit, Unstimmigkeit, Verschiedenheit *Abgrund, Cañon, Klamm, Schlucht, Schlund, Spalte, Tiefe *Uniform *Anzug, Aufzug, Bekleidung, Garderobe, Klamotten, Kleider, Kleidung, Kostüm, Montur, Sachen, Tracht, Uniform, Zeug
klug: geweckt, aufgeweckt, begabt, hochbegabt, befähigt, begnadet, berufen, brauchbar, clever, fähig, geeignet, gelehrig, genial, gescheit, geschickt, gewandt, helle, intelligent, klar denkend, patent, prädestiniert, qualifiziert, scharfsinnig, schlau, spitzfindig, talentiert, tauglich, tüchtig, vernunftbegabt, vernünftig, verständig, verwendbar, wach, weise, weit blickend
***klug sein:** Geist haben, Geist besitzen
Klugheit: Befähigung, Begabung, Cleverness, Fähigkeit, Gelehrtheit, Genialität, Gescheitheit, Intelligenz, Qualifikation, Scharfsinn, Schlauheit, Talent, Weisheit, (gesunder) Menschenverstand
Klumpen: Batzen, Brocken, Haufen, Klunker, Stück, Trumm
klumpen: zusammendrücken, zusammenpressen *gerinnen, stocken
Klüngel: Anhang, Bande, Clique, Parteiwirtschaft, Seilschaft
Klunker: Anhang, Ausschmückung, Schmuck, Schmuckwerk
Klüver: Vorsegel
knabbern: beißen, nagen *speisen, verspeisen, aufessen, einverleiben, ernähren, essen, frühstücken, genießen, löffeln, naschen, picknicken, schlemmen, schmausen, schnabulieren, schwelgen, s. stärken, tafeln, zu sich nehmen, den Hunger stillen, Mahlzeit halten, das Essen einnehmen
Knabe: Bub, Bube, Junge, Jüngling, Kind
***alter Knabe:** Greis, Knacker
Knabenliebe: Päderastie
knacken: aufbeißen, aufknacken, öffnen *aufbrechen *arbeiten, schuften *breit drücken, breit quetschen, breit schlagen, eindrücken, stampfen, zerdrücken, zermalmen, zerquetschen
Knackpunkt: Angelpunkt, Schwierigkeit
Knacks: Beeinträchtigung, Bruch, Einbuße, Entzweiung, Misserfolg, Schaden, Schädigung *Knick, Riss, Ritz, Sprung *Defekt, Gebrechen, Knall, Macke, Makel, Störung, Tick
Knall: Aufruhr, Donnerschlag, Gepolter, Gerassel, Geschrei, Getöse, Krach, Krachen, Lärm, Radau, Ruhestörung, Spektakel *Dachschaden, Defekt, Macke, Makel, Tick

knallen: blaffen, bläffen, bumsen, knattern, krachen, paffen, platschen, verpuffen
knallend: detonierend, donnernd, krachend, lärmend
knallig: auffallend, grell, leuchtend, poppig, schreiend
knapp: gedrängt, kursorisch, kurz, lapidar, spärlich, summarisch, kurz und bündig, mit dürren Worten *eng, eng anliegend, hauteng, knapp sitzend, körpernah, stramm *klein, kurz, von geringer Ausdehnung, von geringer Länge *kaum, selten, unmerklich, vereinzelt, wenig, ab und zu, fast gar nichts, gerade noch, so gut wie nie *rar, selten, kaum zur Verfügung, nicht vorrätig, nicht da, nicht vorhanden *bescheiden, kärglich, kläglich, mager, mangelhaft, schäbig, schmählich, spärlich, unbefriedigend, ungenügend, unzureichend ***knapp halten:** bremsen, kurz halten, mäßigen, den Hahn zudrehen, den Daumen draufhalten
Knappheit: Bedrängnis, Bedürftigkeit, Beschränktheit, Entbehrung, Kargheit, Mangel, Not, Verknappung
Knarre: Klapper, Rassel, Ratsche *Büchse, Donnerbüchse, Flinte, Gewehr, Knallbüchse, Schießeisen, Schießgewehr, Schusswaffe
knarren: ächzen, knarzen, knattern, krachen, schnarren
Knast: Gefängnis, Strafvollzugsanstalt *Freiheitsstrafe, Sicherheitsverwahrung
Knatsch: Streit, Unannehmlichkeit *Altweibergeschwätz, Dorfklatsch, Geklatsche, Gemunkel, Geraune, Gerede, Geschwätz, Geschwatze, Getratsche, Getuschel, Gezischel, Heimlichtuerei, Klatsch, Klatscherei, Klatschgeschichten, Lärm, Munkelei, Rederei, Stadtklatsch, Tratsch, Tratscherei, Tuschelei
knatschen: klagen, wehklagen, jammern, lamentieren, quäken, schluchzen, stöhnen, weinen, wimmern, winseln
knattern: böllern, donnern, knallen, knarren, krachen, poltern
Knäuel: Fitze, Garnknäuel, Knaul, Wollknäuel *Ballen, Bündel, Fülle, Packen, Paket, Stoß *Ansammlung, Chaos, Gewirr, Wirrwarr, Wust
Knauf: Griff, Heft, Henkel, Knopf, Schaft
Knauser: Filz, Geizhals, Geizkragen, Habgieriger, Knicker, Nimmersatt, Pfennigfuchser, der Geizige
knauserig: berechnend, geizig, geldgierig, gewinnsüchtig, habsüchtig, kleinlich, profitsüchtig, raffgierig, schäbig, sparsam
knausern: geizen, kargen, das Geld zusammenhalten, geizig sein, sparsam leben, übertrieben haushalten, übertrieben sparen
knautschen: knittern, zerknittern, knüllen, zerknüllen, verknautschen, zerknautschen, s. zusammendrücken, Falten werfen
Knebel: Behinderung, Fessel, Hemmschuh, Kandare, Maulkorb, Zwangsjacke
knebeln: bedrängen, bedrücken, drangsalieren, ducken, knechten, niederhalten, terrorisieren, tyrannisieren, unterdrücken, unterjochen, versklaven, ins Joch spannen, in Schach halten *anbinden, anketten, fesseln, festbinden, an Händen binden, an Füßen binden, Fesseln anlegen, Ketten anlegen
Knecht: Arbeitskraft, Feldarbeiter, Landarbeiter *Abhängiger, Ausgebeuteter, Diener, Sklave, Untergebener
knechten: bedrängen, beherrschen, drangsalieren, ducken, knebeln, mobben, niederhalten, terrorisieren, tyrannisieren, unterdrücken, unterjochen, versklaven, in Schach halten, ins Joch spannen, jmdm. das Rückgrat brechen, jmdm. seinen Willen aufzwingen, jmdn. in Unfreiheit halten, jmdn. kurz halten, nicht hochkommen lassen, nicht aufkommen lassen
knechtisch: buhlerisch, devot, ergeben, fügsam, hündisch, kriecherisch, liebedienerisch, servil, sklavisch, speichelleckerisch, untertänig, unterwürfig
Knechtschaft: Abhängigkeit, Bedrückung, Bürde, Drangsalierung, Gebundenheit, Hörigkeit, Joch, Last, Sklaverei, Unfreiheit, Unterdrückung, Unterjochung, Versklavung, Zwang
kneifen: ausweichen, drücken, s. entziehen, vermeiden, nicht ausführen, nicht

erledigen, nicht erfüllen, nicht mitmachen, nicht teilnehmen *drücken, petzen, zwacken, zwicken
Kneifer: Angsthase, Angstpeter, Drückeberger, Duckmäuser, Feigling, Hase, Hasenfuß, Hasenherz, Jämmerling, Memme, Schwächling, Weichling *Klemmer, Zwicker *Brille, Einglas, Sehhilfe
Kneipe: Gasthaus, Gasthof, Gaststätte, Gastwirtschaft, Lokal, Raststätte, Restaurant, Schenke, Wirtshaus
kneten: walken, durchwalken, wirken, durchwirken, drücken, durcharbeiten, durchkneten, quetschen, vermengen *bearbeiten, durchreiben, massieren
knetbar: formbar, weich
Knetkur: Massage
Knetmasse: Knete, Plastilin
Knick: Bruch, Eselsohr, Falte, Falz, Kniff, Knitter *Abbiegung, Abknickung, Biegung, Bogen, Drehung, Haken, Kehre, Knie, Krümmung, Kurve, Schleife, Serpentine, Wende, Wendung, Windung, Zickzackweg *Knacks, Riss, Sprung
knicken: falten *brechen, anbrechen *einknicken, umknicken, s. verletzen
Knicker: Geizhals
Knickerei: Geiz
knickrig: berechnend, filzig, geizig, geldgierig, gewinnsüchtig, gnietschig, habsüchtig, kleinlich, knauserig, knickerig, knorzig, profitsüchtig, raffgierig, schäbig, übertrieben sparsam
Knie: Abbiegung, Abknickung, Biegung, Bogen, Drehung, Haken, Kehre, Knick, Krümmung, Kurve, Schleife, Serpentine, Wende, Wendung, Windung, Zickzackweg *Knierohr *Kniegelenk
Kniefall: Demutsgebärde, Fußfall, Unterwerfung, Unterwürfigkeit
kniefällig: demütig, demutsvoll, devot, eindringlich, flehentlich, fußfällig, inbrünstig, innig, inständig, unterwürfig
Kniegeige: Cello, Gambe, Violoncello
Kniehose: Bundhose, Knickerbocker
knien: s. hinknien, niederknien, auf die Knie fallen, auf Knien liegen
Kniff: Kunstgriff, Trick *Bruch, Falte, Falz, Kante, Knick
Kniffelei: Pedanterie, Spitzfindigkeit
knifflig: brenzlig, haarig, heikel, kitzlig, mulmig, verzwickt *kompliziert, schwierig, schwer (lösbar)
knipsen: abbilden, aufnehmen, fotografieren, konterfeien, porträtieren, eine Aufnahme machen, einen Schnappschuss machen *entwerten, lochen, perforieren, wertlos machen
Knirps: Dreikäsehoch, Junge, Kind, Purzel, Steppke, Wicht, Wichtelmann, Wichtelmännchen, halbe Portion
knirschen: knacken, knistern, ratschen
knistern: knacken, knirschen, prasseln, rascheln, zischen
knitterig: durchfurcht, faltenreich, faltig, furchig, gefurcht, gekerbt, hutzelig, kraus, runzlig, runzelig, schlaff, verhutzelt, verrunzelt, welk, zerfurcht, zerklüftet, zerknautscht, zerknittert, zerschründet, nicht glatt
knittern: knautschen, verknautschen, knüllen, zerknüllen, zerknautschen, zerknittern, s. zusammendrücken, Falten werfen, knitterig werden
Knobelbecher: Würfelbecher *Militärstiefel
knobeln: rätseln, herumrätseln, sinnen, nachsinnen, besinnen, brüten, denken, durchdenken, grübeln, meditieren, nachdenken, reflektieren, sinnieren, tüfteln, überlegen
Knochen: Beine, Gebein, Gerippe, Skelett
Knochenarbeit: Anspannung, Arbeit, Beanspruchung, Beschwerde, Beschwerlichkeit, Beschwernis, Last, Mühe, Mühsal, Plage, Strapaze, Stress
Knochenbruch: Fraktur
knochendürr: abgemagert, dünn, dürftig, karg, knochig, kümmerlich, mager, rappeldürr, schlank, schmächtig, spindeldürr, ein Strich, wie eine Bohnenstange *trocken, strohtrocken
knochenhart: eisenhart, felsenhart, fest, glashart, hart, kernhaft, kernig, stählern, stahlhart, steif, steinern, steinhart, wie ein Fels
Knochenschwund: Osteoporose
Knochenverhärtung: Osteosklerose
knochig: abgemagert, dürr, hager, mager, schlank
knockout: besiegt, bezwungen, geschafft,

kampfunfähig, schachmatt, k. o., außer Gefecht
Knockout: Haken, Niederschlag, Schwinger
Knödel: Kartoffelkloß, Kloß, Semmelkloß, Semmelknödel
Knolle: Kartoffel *Wurzel, Zwiebel
Knollennase: Kartoffelnase, Knubbelnase, Zinken
knollig: birnenförmig, dick, knotenförmig, kugelig, oval, rund
Knopf: Verschluss *Griff, Halt, Knauf
Knorren: Geäst, Klotz, Knorz, Verästelung, Verkrümmung
Knospe: Auge, Auswuchs, Blumenknospe, Keim, Spross, Sprössling
knospen: aufblühen, aufgehen, ausschlagen, s. entfalten, erblühen, keimen
knoten: zusammenbinden, zusammenknüpfen, zusammenschnüren, einen Knoten machen
Knoten: Geschwulst, Verdickung, Verhärtung, Wulst *Komplikation, Kompliziertheit, Verknüpfung, Verwicklung *Dutt, Haarknoten, Kauz
Knotenpunkt: Konvergenzpunkt, Kreuzung, Kreuzungspunkt, Mittelpunkt, Scheitel, Schnittpunkt
Know-how: Beschlagenheit, Erfahrung, Erkenntnis, Geübtheit, Klugheit, Lebenserfahrung, Praxis, Routine, Überlegenheit, Vertrautheit, Weisheit, Weitblick, Weltkenntnis, Wissen
Knuff: Nasenstüber, Puff, Rippenstoß, Schub, Stoß, Stups, Tritt *Hieb, Klaps, Puff, Schlag, Streich
knuffen: puffen, rempeln, stauchen, stoßen, einen Stoß geben, einen Stoß versetzen
knüllen: knautschen, verknautschen, knittern, zerknautschen, zerknittern, zerknüllen, s. zusammendrücken
Knüller: Anreiz, Attraktion, Gag, Glanznummer, Glanzstück, Höhepunkt, Schlager, Sensation, Werbegag, Zugpferd
Knüpfarbeit: Makramee
knüpfen: knoten, zusammenknoten, binden, zusammenflechten, zusammenschnüren
Knüppel: Ast, Knüttel, Prügel, Rohr, Rohrstock, Stecken, Stock *Behinderung, Hindernis, Schwierigkeit, Steine
knüppeln: misshandeln, schlagen, verprügeln, verschlagen
knurren: brummen, granteln, murren *kritteln, herumkritteln, meckern, herummeckern, mosern, herummosern, nörgeln, herumnörgeln, beanstanden, herummäkeln, kritisieren, mäkeln, quengeln, querulieren, räsonieren, raunzen
knurrig: ärgerlich, aufgebracht, bärbeißig, böse, brummig, empört, entrüstet, erbittert, gereizt, grantig, griesgrämig, grillenhaft, grimmig, missgelaunt, misslaunig, missmutig, muffig, mürrisch, sauertöpfisch, übellaunig, unwillig, unwirsch, verdrießlich, verdrossen
knuspern: aufessen, beißen, futtern, knabbern, verspeisen, zermahlen
knusprig: appetitlich, köstlich, kross, rösch *anziehend, blühend, frisch, jung, lecker
Knute: Geißel, Gerte, Peitsche, Rute, Ziemer *Gewalt, Herrschaft, Macht
knutschen: s. abküssen, busseln, küssen, schmatzen, schnäbeln, einen Kuss geben, einen aufdrücken
koalieren: alliieren, s. anschließen, konföderieren, paktieren, s. solidarisieren, s. verbinden, s. verbrüdern, s. verbünden, s. vereinigen, s. zusammenrotten, s. zusammenschließen, s. zusammentun, einen Pakt schließen, ein Bündnis schließen
Koalition: Allianz, Bund, Bündnis, Interessengemeinschaft, Pakt, Verbindung, Vereinigung, Zusammenschluss
Kobold: Gespenst, Gnom, Hausgeist, Hutzelmännchen, Troll, Wichtel, Wichtelmännchen, Wichtelmann, Zwerg
Koch: Anrichter, Chefkoch, Gastronom, Küchenchef
Kochdunst: Brodem, Dampf, Wrasen
köcheln: brodeln, garen, sprudeln
kochen: zubereiten, zusammenbrauen, das Essen machen, das Essen zurichten *brodeln, sieden *garen, köcheln, weich machen, gar machen *s. ärgern, aufbegehren, aufbrausen, auffahren, s. entrüsten, ergrimmen, s. erzürnen, schäumen, schimpfen, sieden, wüten, Ärger empfinden, es satt haben, genug haben, wild

werden *aufbrühen, aufwallen, brodeln, erhitzen, zum Kochen bringen *brodeln, gären, kriseln, rumoren, schwelen
kochend: heiß, kochend heiß, siedend
kochfest: farbecht, indanthren, kochecht, lichtbeständig, lichtecht, waschecht
Köchin: Beiköchin, Kochfrau, Küchenfee, Küchenfrau, Küchenhilfe
Kochkunst: Feinschmeckerei, Gastronomie, Küche
Kochkünstler: Gastronom, Koch
Kochrezept: Kochanweisung, Kochvorschrift, Rezept
Kochsalz: Natriumchlorid, Salz
Kochsalzlösung: Lake, Sole
Kochtopf: Kochgefäß, Topf
Koda: Abschluss, Anhang, Ausgang, Beendigung, Coda, Ende, Finale, Nachspiel, Schluss, Schlussteil
Kode: Code, Geheimwort, Geheimzeichen, Schlüssel
Köder: Aas, Angelbissen, Geschenk, Lockmittel, Lockspeise, Luder, Reizmittel, Zugmittel
ködern: anködern, anlocken, anziehen, locken, verführen, verleiten, verlocken, an sich heranlocken
Kodex: Codex, Handschrift, Handschriftensammlung *Ehrenkodex, Verhaltensregeln, Verhaltensvorschriften *Gesetzbuch, Gesetzessammlung
kodieren: chiffrieren, enkodieren, verschlüsseln
Koexistenz: Nebeneinander, Zusammenleben *Gleichlauf
Koffer: Handkoffer, Reisekoffer
Kofferträger: Dienstbote, Kuli, Page
Kohl: Kohlgemüse, Kraut *Krampf, Mist, Quatsch, Unsinn, dummes Zeug
Kohldampf: Appetit, Hunger, Verlangen
Kohle: Geld, Koks *Brennstoff, Heizmittel, Steinkohle *Braunkohle, Brennstoff, Heizmittel
kohlen: anschwindeln, lügen
Kohlenberg: Halde, Kohlenhalde
Kohlenbergwerk: Zeche
Kohlenschicht: Flöz
Kohlepapier: Blaupapier, Durchschlagpapier, Karbonpapier
kohlrabenschwarz: dunkel, rabenschwarz, schwarz, schwarz wie die Nacht
Kohlrübe: Runkelrübe, Steckrübe
koitieren: begatten, kopulieren, s. lieben, s. paaren, s. vereinigen, zusammenliegen, mit jmdn. ins Bett gehen, den Beischlaf vollziehen, Verkehr haben
Koitus: Akt, Begattung, Beischlaf, Geschlechtsakt, Geschlechtsverkehr, Kohabitation, Kopulation, Liebesvereinigung, Vereinigung
Koje: Falle, Schiffsbett *Ausstellungsraum, Ausstellungsstand
Kokain: Koks, Rauschgift, Schnee
kokett: eingebildet, eitel, geckenhaft, gefallsüchtig, geziert, putzsüchtig, selbstgefällig, stutzerhaft
kokettieren: anbändeln, balzen, flirten, girren, gurren, liebäugeln, liebeln, poussieren, schäkern, schöntun, tändeln, turteln *aufreizen, s. brüsten, großtun, herausfordern, prahlen, s. in den Vordergrund stellen, s. in Szene setzen, s. interessant machen
Koks: Kohle *Kokain, Rauschgift, Schnee *Geld, Mäuse, Moneten, Zaster
Kolik: Krampf, Krampfschmerzen, Leibschmerzen, krampfartige Schmerzen
kollabieren: umfallen, zusammenbrechen, ohnmächtig werden, in Ohnmacht fallen
kollaborieren: am gleichen Strang ziehen, mit dem Feind zusammenarbeiten, Hand in Hand arbeiten
Kollaps: Erschöpfung, Hinfälligkeit, Kräfteverfall, Schwächeanfall
Kolleg: Besprechung, Hörstunde, Kolloquium, Unterhaltung, Zusammenkunft, Zusammentreffen
Kollege: Amtsbruder *Arbeitskamerad, Arbeitskollege, Berufsgenosse, Berufskollege, Kumpel, Mitarbeiter
kollegial: anständig, aufmerksam, beflissen, bereitwillig, dienstwillig, entgegenkommend, freundlich, freundschaftlich, gefällig, großmütig, großzügig, gut gesinnt, hilfsbereit, höflich, kameradschaftlich, konziliant, kooperativ, kulant, leutselig, liebenswürdig, loyal, nett, partnerschaftlich, solidarisch, verbindlich, wohlgesinnt, wohlmeinend, wohlwollend, zuvorkommend, wie unter Kollegen *anpassungsfähig, einordnungswillig

*angenehm, beliebt, geliebt, gewinnend, liebenswert, sympathisch
Kollegialität: Fairness, Freundschaft
Kollegium: Gremium, Kollegenkreis, Kollegenschaft, Kollegschaft, Kollektiv, Komitee, Kreis, Rat, Team
Kollekte: Geldsammlung, Sammlung, Spendenaktion
Kollektion: Mustersammlung, Sortiment, Zusammenstellung
kollektiv: alle, gemeinsam, gemeinschaftlich, geschlossen, im Verein (mit), kooperativ, vereinigt, zusammen, Arm in Arm, Hand in Hand, Seite an Seite
Kollektiv: Aktiv, Arbeitsgemeinschaft, Brigade, Ensemble, Gemeinschaft, Gespann, Gruppe, Produktionsgemeinschaft, Team
kollektivieren: enteignen, nationalisieren, vergesellschaften, versozialisieren, verstaatlichen, in Volkseigentum überführen, in Kollektiveigentum überführen
Koller: Anfall, Aufwallung, Entladung, Erregung, Explosion, Rappel, Tobsuchtsanfall, Wutausbruch, Zornesausbruch
kollidieren: aufeinander prallen, s. ineinander verkeilen, karambolieren, rammen, zusammenfahren, zusammenprallen, zusammenstoßen *konvergieren, s. überkreuzen, s. überlappen, s. überschneiden, zusammenfallen, zusammenlaufen, zusammentreffen
Kollier: Halsband, Halskette, Schmuck
Kollision: Anprall, Auffahrunfall, Aufprall, Aufschlag, Havarie, Karambolage, Zusammenprall, Zusammenstoß *Auftritt, Auseinandersetzung, Differenzen, Disharmonie, Entzweiung, Fehde, Gegensätzlichkeit, Gezänk, Hader, Hakelei, Händel, Handgemenge, Handgreiflichkeit, Konflikt, Kontroverse, Krawall, Missklang, Missverständnis, Querelen, Reiberei, Reibung, Saalschlacht, Scharmützel, Spannung, Streit, Streiterei, Streitigkeit, Szene, Tätlichkeit, Unfriede, Unzuträglichkeit, Widerstand, Widerstreit, Wortgefecht, Zank, Zerwürfnis, Zusammenprall, Zusammenstoß, Zwietracht, Zwist, Zwistigkeit *Gegensatz, Widerstreit, Zwiespalt
Kolloquium: Aussprache, Beratung, Fachgespräch, Fachzirkel, Konsultation *Beratung, Konferenz, Kongress, Sitzung, Symposium, Tagung, Versammlung
Kolonie: Auslandsbesitz, Auslandsterritorium *Tiergruppe, Tierverband *Ferienlager, Lager *Ansiedlung, Gemeinde, Gründung, Niederlassung, Standort *Zellverband, Zellverbund
Kolonisation: Erschließung, Gründung, Niederlassung
Kolorierung: Farbe, Farbenton
kolonisieren: besiedeln, bevölkern, entwickeln, kultivieren, urbar machen, nutzbar machen, Besitzungen gründen
Kolonnade: Säulengang
Kolonne: Einheit, Geschwader, Gruppe, Kommando, Mannschaft, Verband *Pulk, Reihe, Schar, Schub, Schwarm, Treck, Trupp, Truppe
Kolorit: Farbgebung, farbliche Gestaltung *Atmosphäre, Eigentümlichkeit, Stimmung *Klang, Klangfarbe, Timbre, Tonfarbe
Koloss: Gigant, Goliath, Hüne, Monster, Riese *Brocken, Dicke, Dicker, Dickerchen, Fass, Fettsack, Fettwanst, Kloß, Kugel, Mops, Nudel, Pummel, Pummelchen, Tonne
kolossal: außergewöhnlich, außerordentlich, ausgefallen, entwaffnend, erstaunlich, groß, überraschend, ungeläufig, ungewöhnlich *enorm, hochgradig, sehr
Kolumne: Zahlenreihe *Abschnitt, Rubrik, Zeitungsspalte
Kolumnist: Kommentator, Leitartikler
Koma: Besinnungslosigkeit, Ohnmacht, tiefe Bewusstlosigkeit
Kombination: Anzug, Jacke und Hose *Arbeitsanzug, Overall, Schutzanzug *Arrangement, Verbindung, Verknüpfung, Verschmelzung, Zusammenfügung, Zusammenspiel, Zusammenstellung *Chiffre, Kode, Ziffernfolge *Ableitung, Folgerung, Schlussfolgerung, Synthese
kombinieren: aneinander fügen, koppeln, verbinden, verknüpfen, verschmelzen, zusammenfügen, zusammenschmieden *ableiten, folgern, schlussfolgern, schließen
Kombüse: Schiffsküche

Komet: Irrstern, Schweifstern
kometenhaft: atemlos, blitzartig, blitzschnell, eilig, fix, flink, flott, flugs, geschwind, hurtig, pfeilgeschwind, pfeilschnell, rapide, rasant, rasch, rasend, schnell, wie der Blitz, wie der Wind, wie der Pfeil, in Windeseile
Komfort: Annehmlichkeit, Behaglichkeit, Bequemlichkeit, Luxus
komfortabel: behaglich, bequem, gemütlich, heimelig, luxuriös, wohlig, wohnlich, mit Komfort
Komik: Drolligkeit, Lächerlichkeit, Lachhaftigkeit, Scherz
Komiker: Hofnarr, Schäker, Schelm, Spaßvogel, Witzbold
komisch: amüsant, belustigend, burlesk, drollig, erheiternd, humorvoll, köstlich, lustig, närrisch, possenhaft, putzig, spaßig, trocken, ulkig, vergnüglich, witzig, zum Lachen, zum Schießen *eigen, eigenartig, merkwürdig, skurril, sonderbar
Komitee: Ausschuss, Beirat, Gremium, Kommission, Kreis, Kuratorium, Rat, Sektion, Zirkel
Kommandeur: Befehlshaber, Heerführer, Kommandant
kommandieren: anordnen, befehlen, befehligen, Befehle erteilen, Anweisungen ausgeben, den Befehl haben (über)
Kommando: Befehl, Befehlsgewalt *Abteilung, Gruppe
kommen: ankommen, anlangen, anmarschieren, anrollen, anrücken, daherkommen, s. einfinden, einlaufen, s. einstellen, eintreffen, entgegenkommen, erreichen, gelangen, herkommen, herankommen, s. herbemühen, s. herbeibemühen, herbeikommen, hinkommen, landen, s. nahen, s. nähern, zukommen, des Weges kommen, des Weges gegangen, im Anzug sein, in Anmarsch sein, näher kommen *s. abzeichnen, s. anbahnen, s. andeuten, s. ankündigen, s. bemerkbar machen, bevorstehen, zu erwarten sein *auftauchen, auftreten, s. bestätigen, eintreten, s. erfüllen, hervorkommen, s. zeigen, an die Oberfläche gelangen, an die Oberfläche kommen, in Erscheinung treten, sichtbar werden
Kommen: Anfahrt, Ankunft, Arrival, Auffahrt, Auftritt, Aufzug, Einfahrt, Eintritt, Einzug, Erscheinen, Heimkehr, Landung, Rückkehr, Rückkunft, Wiederkehr, das Ankommen, das Auftreten, das Betreten, das Eintreffen *Aufwartung, Einladung, Gesellschaft, Höflichkeitsbesuch, Hospitation, Staatsbesuch, Stippvisite, Überfall, Unterhaltung, Visite, Zusammenkunft, Zusammensein, Besuch
Kommentar: Anmerkung, Bemerkung, Erklärung, Erläuterung, Fußnote, Glosse, Randbemerkung, Randglosse, Randnote
Kommentator: Erklärer, Erläuterer, Interpret
kommentieren: auslegen, begründen, deuten, erklären, interpretieren, mit Anmerkungen versehen
Kommers: Besäufnis, Trinkgelage
Kommerz: Handel und Verkehr
kommerzialisieren: preisgeben, umwandeln, unterordnen
kommerziell: geschäftlich, gewerblich, kaufmännisch, ökonomisch, auf Gewinn bedacht
Kommilitone: Mitstudent, Studienfreund, Studiengenosse, Studienkollege
Kommiss: Barras, Heerwesen, Militär
Kommissar: Anwalt, Beauftragter, Bevollmächtigter, Botschafter, Kommissionär, Prokurator, Repräsentant, Sachwalter, Vertreter *Kriminalbeamter, Polizeibeamter
kommissarisch: vertretungsweise
Kommission: Ausschuss, Begutachter, Beirat, Gremium, Jury, Kollegium, Komitee, Kreis, Kuratorium, Prüfer, Rat, Sektion
Kommode: Möbel, Schrein, Truhe
kommunal: gemeindlich, die Gemeinde betreffend *städtisch, die Stadt betreffend
Kommunalwahl: Bürgermeisterwahl *Gemeinderatswahl, Stadtratswahl, Wahl des Gemeinderates, Wahl des Stadtrates *Kreistagswahl, Wahl des Kreistages
Kommune: Dorf, Gemeinde, Gemeindeverband, Gemeinwesen, Ort *Interessengemeinschaft, WG, Wohngemeinschaft, Wohngruppe

Kommunikation: Annäherung, Anschluss, Berührung, Brückenschlag, Fühlungnahme, Kontakt, Tuchfühlung, Verbindung, Verkehr, Verständigung, mitmenschliche Beziehung, zwischenmenschliche Beziehung *Verbindung, Zusammenhang
kommunikationsfreudig: extrovertiert, gesellig, gesprächig, kommunikativ, kontaktfreudig, redefreudig, umgänglich, zugänglich
kommunikativ: mitteilbar, mitteilsam, verbindend, die Kommunikation betreffend
Kommunion: Abendmahl, Abendmahlsfeier, Altarsakrament, Eucharistie
Kommuniqué: Bekanntmachung, Denkschrift, Mitteilung
Kommunismus: Bolschewismus, Diamat, Leninismus, Maoismus, Marxismus-Leninismus, Menschewismus, Stalinismus, Titoismus, Trotzkismus, klassenlose Gesellschaft, dialektischer Materialismus
kommunistisch: links, links gerichtet, links orientiert, sozialistisch *bolschewistisch, leninistisch, maoistisch, marxistisch, menschewistisch, stalinistisch, titoistisch, trotzkistisch
kommunizieren: die Kommunion empfangen, zum Abendmahl gehen, das Abendmahl nehmen *Kontakt haben, in Verbindung stehen
Komödiant: Akteur, Bühnenkünstler, Darsteller, Mime, Schauspieler
Komödie: Burleske, Farce, Lustspiel, Posse, Possenspiel, Schwank *Heuchelei, Schauspielerei, Theater, Verstellung, Verstellungskunst
Kompagnon: Gesellschafter, Mitinhaber, Partner, Sozius, Teilhaber
kompakt: gepresst, zusammengepresst, dicht, eng, fest, fest gefügt, gedrängt, massiv *bullig, gedrungen, stämmig, untersetzt
Kompanie: Bataillon, Formation, Garnison, Heeresverband, Regiment, Truppe, Truppeneinheit, Truppenteil *Firma, Konzern, Unternehmen
komparabel: steigerungsfähig, vergleichbar
Komparse: Figurant, Statist, stumme Rolle
kompatibel: anschließbar, vereinbar, verträglich, zusammenpassend
Kompendium: Führer, Lehrbuch, Leitfaden, Nachschlagewerk, Ratgeber
Kompensation: Angleichung, Aufwiegung, Ausgleich, Ersatz *Abgeltung, Entschädigung, Erstattung, Vergütung, Verrechnung, Wiedergutmachung
kompensieren: abarbeiten, abdecken, abschreiben, anrechnen, aufrechnen, ausgleichen, belasten, wettmachen
kompetent: ausschlaggebend, maßgebend, maßgeblich, urteilsfähig, zuständig *autorisiert, befugt, berechtigt, ermächtigt, verantwortlich
Kompetenz: Befugnis, Berechtigung, Verantwortlichkeit, Verantwortung, Zuständigkeit *Autorität
Komplement: Ergänzung, Ergänzungsstück
komplementär: ergänzend
Komplementär: Geldgeber, Gesellschafter, Kommanditist, Mitinhaber, Teilhaber
Komplementärfarben: Ergänzungsfarben, Gegenfarben, Kontrastfarben, Lichtfarben
komplementieren: auffüllen, ausfüllen, ergänzen, vervollständigen, vollenden, komplett machen
Komplet: Schlussgebet, Stundengebet
komplett: geschlossen, abgeschlossen, ausgeführt, ausgereift, fertig, fertig gestellt, ganz, lückenlos, perfekt, rund, total, umfassend, vervollständigt, vollendet, vollkommen, vollständig, vollzählig, aus einem Guss *völlig, ganz und gar *besetzt, voll
komplettieren: abrunden, auffrischen, auffüllen, ausbauen, ergänzen, erweitern, hinzufügen, hinzutun, komplementieren, nachtragen, perfektionieren, vervollkommnen, vervollständigen, vollenden
komplex: beziehungsreich, kompliziert, mehrteilig, unübersichtlich, verflochten, verschlungen, verstrebt, verwickelt, verworren, verzweigt, vielschichtig, vollständig, zusammengesetzt, zusammen-

hängend, schwer fassbar, schwer verständlich, schwer zugänglich
Komplex: Gehemmtheit, Hemmung, Minderwertigkeitsgefühl, Minderwertigkeitskomplex, Selbstzweifel, Unsicherheit, Verkrampfung, Schwierigkeit mit sich selbst *Anlage, Einheit, Gebiet, Gefüge, Gesamtheit, Gruppe, Trakt *Gesamtheit, Verknüpfung, Zusammenfassung
Komplexität: komplexer Zustand, komplexes Wesen, das Zusammengesetztsein
Komplize: Handlanger, Helfershelfer, Komplice, Kumpan, Mitbeteiligter, Mitschuldiger, Mittäter, Mitwisser, Sympathisant
Komplikation: Knoten, Kompliziertheit, Verknüpfung, Verwicklung *Erschwernis, Erschwerung, Schwere, Verschlimmerung *Bedrängnis, Dilemma, Kalamität, Not, Notlage, Notstand, Schwierigkeit, Zwangslage, peinliche Situation, schwierige Situation, unangenehme Situation, peinliche Lage, schwierige Lage, unangenehme Lage
Kompliment: Artigkeit, Aufmerksamkeit, Bewunderung, Höflichkeitsbekundung, Schmeichelei, schöne Worte
komplizieren: erschweren, verlängern, zu ausführlich machen, zu ausführlich darstellen, zu ausführlich gestalten
kompliziert: diffizil, dornig, heikel, komplex, mühsam, prekär, problematisch, schwer, schwierig, subtil, unübersichtlich, verflochten, verschlungen, verwickelt, mit Schwierigkeiten verbunden, schwer zu fassen, schwer zugänglich, schwer verständlich
Kompliziertheit: Problematik, Schwierigkeit, Subtilität, Unübersichtlichkeit, Verflochtenheit, Verwicklung
komponieren: anordnen, arrangieren, gestalten, vertonen
Komponist: Tondichter, Tonschöpfer, Tonsetzer
Komposition: Musikstück, Musikwerk, Tondichtung, Tonstück
komprimieren: konzentrieren, quetschen, zusammendrücken, zusammenpressen
Kompromiss: Angleichung, Annäherung, Ausgleich, Beilegung, Halblösung, Kuhhandel, Lösung, Mittelweg, Regelung, Zwischenlösung
kompromittieren: anprangern, blamieren, bloßstellen, brüskieren, desavouieren, erniedrigen, kränken, schlecht machen, schmähen, treffen, verletzen
kondensieren: verdichten, verflüssigen *eindampfen, eindicken, verdampfen, verdicken, verkochen
kondensiert: eingedickt, verdichtet, verflüssigt
Kondition: Ausdauer, Befinden, Form, Leistungsfähigkeit, Verfassung, Zustand *Bedingung, Geschäftsbedingung, Voraussetzung
Konditor: Feinbäcker, Kuchenbäcker, Zuckerbäcker
Konditorei: Feinbäckerei, Patisserie, Kuchenbäckerei, Zuckerbäckerei
Kondolenz: Anteilnahme, Beileidsbekundung, Beileidsbezeugung, Beileidsschreiben
kondolieren: seine Teilnahme bezeigen, sein Beileid bezeigen, sein Beileid ausdrücken, sein Beileid bekunden, sein Beileid aussprechen
Kondom: Gummi, Pariser, Präservativ
Kondukt: Leichenkondukt, Trauergeleit, Trauerparade, Trauerzug
Konfekt: Fondant, Näscherei, Naschwerk, Praline, Süßigkeiten, Zuckerwerk
Konfektion: Anfertigung, Kleideranfertigung *Bekleidungsgewerbe, Bekleidungsindustrie
Konferenz: Sitzung, Tagung, Treffen *Verhandlung
konferieren: beraten, beratschlagen, s. bereden, s. besprechen, tagen, s. unterreden, Rat halten *beraten, besprechen, diskutieren, erörtern, verhandeln, eine Verhandlung führen *tagen, s. treffen, zusammensitzen
Konfession: Bekenntnis, Kirche, Religion
Konfiskation: Ausplünderung, Bemächtigung, Beschlagnahme, Einziehung, Enteignung
konfiszieren: ausplündern, bemächtigen, berauben, beschaffen, beschlagnahmen, einziehen, enteignen

Konfitüre: Gelee, Marmelade
Konflikt: Bedrängnis, Bredouille, Dilemma, Engpass, Kalamität, Notlage, Ratlosigkeit, Schwierigkeit, Unentschiedenheit, Unschlüssigkeit, Widerstreit, Zerrissenheit, Zwiespalt *Aggression, Auftritt, Auseinandersetzung, Händel, Kontroverse, Spannung, Streit, Zerwürfnis *Auseinandersetzung, Krieg
Konfliktbefreiung: Abreaktion, Katharsis
konfliktreich: kritisch, problematisch, spannungsgeladen, zwiespältig
Konföderation: Bund, Bundesstaat, Föderation, Staat, Staatenbund, Vereinigung
konföderieren: alliieren, s. anschließen, koalieren, paktieren, s. solidarisieren, s. verbinden, s. verbrüdern, s. verbünden, s. vereinigen, s. zusammenrotten, s. zusammenschließen, s. zusammentun, einen Pakt schließen, ein Bündnis schließen
Konföderierte: Anhänger, Bundesgenossen, Bündnispartner, Freunde, Genossen, Verbündete
konform: einheitlich, einhellig, einig, entsprechend, gleich geordnet, gleich gerichtet, gleich gesinnt, korrespondierend, übereinstimmend, uniform, unterschiedslos
Konformität: Einheitlichkeit, Einigkeit, Übereinstimmung, Uniformität
konfrontieren: entgegensetzen, gegenüberstellen, vis-à-vis
konfus: durcheinander, verwirrt, verworren, wirr *chaotisch, kunterbunt, planlos, sinnlos, ungeordnet, zusammenhanglos
Konglomerat: Gemenge, Gemisch, Geröll, Haufen, Klumpen
Kongress: Beratung, Berufsversammlung, Besprechung, Fachversammlung, Sitzung, Tagung, Treffen, Versammlung, Zusammenkunft
kongruent: dasselbe, s. deckend, deckungsgleich, eins, gleich, gleichartig, identisch, konform, konvergent, konvergierend, übereinstimmend, unterschiedslos, genau entsprechend
König: Gebieter, Majestät, Monarch
königlich: absolut, gebietend, gebieterisch, gewaltig, herrschend, monarchisch, regierend *edelherzig, edelsinnig, ehrwürdig, erhaben, freigiebig, gewaltig, groß, großherzig, großmütig, großzügig, hochherzig, hoheitsvoll, majestätisch, mildtätig, nobel, ritterlich, stattlich, verschwenderisch, weihevoll, wohltätig *würdevoll, wie ein König
Königssohn: Prinz, Thronfolger
Königstochter: Prinzessin, Thronfolgerin
königstreu: royal
Königstreue: Royalismus
Konjugation: Abwandlung, Beugung, Deklination, Flexion
konjugieren: beugen, deklinieren, flektieren, verändern
Konjunktion: Bindewort *Aufeinandertreffen, Zusammentreffen *Stellungsgleichheit
konkav: hohl, nach innen gewölbt
Konkavlinse: Negativlinse, Zerstreuungslinse
Konklave: Kardinalsversammlung, Kirchenrat, Kirchenversammlung, Konvent, Versammlung, Wahlversammlung, Zusammenberufung, Zusammenkunft
konkludieren: ableiten, folgern, herleiten
Konklusion: Ableitung, Deduktion, Folge, Folgerung, Herleitung, Induktion, Konsequenz, Lehre, Schluss, Schlussfolgerung
Konkordat: Abkommen, Bündnis, Handel, Handelsabkommen, Kontrakt, Pakt, Übereinkunft, Vereinbarung, Vertrag
konkret: anschaulich, bestehend, deutlich, dinglich, existent, faktisch, fassbar, gegenständlich, greifbar, körperlich, real, realiter, stofflich, tatsächlich, vorhanden, wirklich, fest umrissen, im Zusammenhang, sinnlich wahrnehmbar
Konkubinat: Geschlechtsgemeinschaft, Liebesverhältnis, Ehe ohne Trauschein, wilde Ehe
Konkubine: Buhle, Dirne, Nebenfrau
Konkurrent: Antipode, Erzfeind, Feind, Gegenpart, Gegenspieler, Gegner, Kontrahent, Nebenbuhler, Rivale, Todfeind, Widersacher
Konkurrenz: Brotneid, Erwerbskampf,

Existenzkampf, Gegnerschaft, Nebenbuhlerschaft, Rivalität, Wettbewerb, Wetteifer, Wettkampf, Wettstreit, Wirtschaftsstreit
konkurrenzfähig: wettbewerbsfähig, wettbewerbsorientiert
konkurrenzlos: einzigartig, monopolistisch, unvergleichlich
konkurrieren: rivalisieren, Konkurrenz machen, im Wettbewerb stehen *zusammentreffen
Konkurs: Bankrott, Pleite, Zahlungsunfähigkeit *Konkursverfahren
können: denkbar sein, möglich sein, im Bereich des Möglichen liegen, nicht von der Hand zu weisen sein *die Erlaubnis haben, die Macht haben, die Einwilligung haben, die Genehmigung haben, die Möglichkeit haben, das Recht haben, erlaubt sein, berechtigt sein, gestattet sein, befugt sein, ermächtigt sein *beherrschen, meistern, taugen (zu), vermögen, s. verstehen (auf), gewachsen sein, fähig sein, in der Lage sein, mächtig sein, imstande sein, in der Hand haben, im Griff haben, nicht schwer fallen
Können: Anlage, Begabung, Eignung, Fähigkeit, Gabe, Kraft, Leistungsfähigkeit, Macht, Talent, Veranlagung
Könner: Ass, Autorität, Fachkraft, Fachmann, Kapazität, Koryphäe, Meister, Professioneller, Routinier, Sachkenner, Sachkundiger, Sachverständiger, Spezialist, Mann vom Fach
Konnex: Beziehung, Bindung *Kontakt, Verbindung, Zusammenhang
Konsens: Übereinstimmung
konsequent: ausdauernd, beharrlich, beständig, charakterfest, eisern, energisch, entschlossen, fest, geradlinig, hartnäckig, planmäßig, resolut, stetig, streng, stur, systematisch, unbeirrt, unerschütterlich, willensstark, zäh, zielstrebig *folgerecht, folgerichtig, logisch, schlüssig
Konsequenz: Erfolg, Ergebnis, Folge, Resultat *Folgerichtigkeit, Logik, Strenge, Systematik *Beharrlichkeit, Beständigkeit, Charakter, Entschlossenheit, Geradlinigkeit, Hartnäckigkeit, Konstanz, Kontinuität, Sturheit, Willensstärke, Zielbewusstsein
konservativ: fortschrittsfeindlich, illiberal, reaktionär, rechts, rückschrittlich, rückständig, unzeitgemäß, rückwärts gerichtet, rückwärts gewandt, am Überlieferten festhaltend, am Bestehenden festhaltend, auf dem Alten beharrend, den Fortschritt behindernd, den Fortschritt blockierend, den Fortschritt hemmend
Konservativer: Bürgerlicher, Reaktionärer, Rechter
Konserve: Blechbüchse, Blechdose, Dauerware, Konservenbüchse, Konservendose *haltbar gemachte Lebensmittel
konservieren: erhalten, haltbar machen
Konservierung: Konserve *Einbalsamierung, Mumifizierung
Konsistenz: Bestand, Festigkeit, Haltbarkeit, Zusammenhalt
Konsole: Pfeiler, Stütze, Träger
konsolidieren: erhärten, festigen, sichern, stärken *umwandeln *stagnieren
Konsolidierung: Festigkeit, Festigung, Sicherung *Umwandlung *Stillstand
Konsonant: Mitlaut
Konsorte: Bursche, Gefährte, Genosse, Gruppenmitglied, Kerl, Mitangeklagter, Mittäter, Teilnehmer
konspirativ: geheim, geheimbündlerisch, illegal, ungesetzlich, verschwörerisch, im Untergrund arbeitend
konspirieren: s. auflehnen, aufstehen, s. empören, s. erheben, losbrechen, meutern, s. verbünden, s. verschwören, s. zusammenrotten, eine Verschwörung beginnen
konstant: dauernd, ewig, gleich bleibend, immerzu, permanent, regelmäßig, stetig, stets, unveränderlich, unverrückbar, unzerstörbar
Konstante: Parameter, unveränderliche Größe
Konstanz: Beharrlichkeit, Beständigkeit, Gleichmaß, Kontinuität, Unbeugsamkeit, Unerschütterlichkeit, Zielbewusstsein
konstatieren: behaupten, betonen, feststellen, hervorheben, vermerken
Konstellation: Kometenbahn, Lage, Planetenstellung, Sternbild, Sternenstellung, Zusammentreffen

Konsternation: Bestürzung, Verwirrung
konsterniert: bestürzt, verwirrt
konstituieren: anfangen, beginnen, begründen, eröffnen, errichten, etablieren, gründen, schaffen, stiften, aus der Taufe heben, das Fundament legen zu, ins Leben rufen ***s. konstituieren:** s. zusammensetzen, zusammentreten
Konstitution: Grundgesetz, Rechtsbestimmung, Satzung, Verfassung *Form, Körperbeschaffenheit, Körperverfassung, Körperzustand *Konzilsbeschluss, päpstlicher Erlass *Anordnung, Aufbau, Gefüge, Gliederung, Struktur, Zusammensetzung
konstruieren: aufbauen, ausarbeiten, ausdenken, aushecken, einrichten, entwerfen, erschaffen, formen, gestalten, hervorbringen, machen, schaffen, zusammenfügen
Konstruktion: Entwicklung, Planung *Entwurf, Exposé, Gestaltung, Konzept, Konzeption, Layout, Modell, Plan, Projekt, Projektierung, Skizze, Überblick
konstruktiv: aufbauend, erfolgreich, förderlich, fruchtbar, nutzbringend, wegweisend, wirksam *einfallsreich, gestalterisch, künstlerisch, produktiv, schöpferisch
Konsul: Beauftragter, Bevollmächtigter *Diplomat
konsultieren: anfragen, aufsuchen, bedenken, befragen, beraten, besprechen, erfragen, erörtern, ratschlagen, überlegen
Konsum: Konsumierung, Verbrauch, Verzehr
Konsument: Abnehmer, Bedarfsträger, Käufer, Kunde, Verbraucher
Konsumgüter: Bedarfsartikel, Bedarfsgegenstände, Bedarfsgüter, Gebrauchsgüter, Gebrauchswaren, Verbrauchsgüter
konsumieren: aufbrauchen, essen, verbrauchen, verzehren *trinken
Kontakt: Anschluss, Berührung, Beziehung, Brückenschlag, Interaktion, Kommunikation, Konnexion, Tuchfühlung, Umgang, Verbindung, Verhältnis, Verkehr
Kontaktlinse: Haftglas, Haftschale, Kontaktglas, Kontaktschale
kontaktlos: introvertiert, kontaktarm, menschenscheu, ungesellig, unzugänglich, verhalten, verschlossen, zugeknöpft, zurückhaltend
Kontemplation: Beschaulichkeit, Betrachtung, Nachdenken, Verinnerlichung, Versenkung
kontemplativ: beschaulich, besinnlich, betrachtend, versunken
Konterfei: Aufnahme, Bild, Bildnis, Foto, Fotografie, Lichtbild, Passbild, Porträt
Kontergewicht: Gegengewicht
kontern: antworten, dagegenhalten, einwenden
Konterrevolution: Aufruhr, Aufstand, Gegenrevolution
Konterrevolutionär: Gegenrevolutionär
Kontinent: Erdteil, Festland
kontinental: festländisch *abendländisch, europäisch
Kontinentalklima: Landklima, Festlandklima, Binnenklima
Kontingent: Anteil, Hälfte, Part, Portion, Ration, Teil
kontingentieren: dosieren, verteilen, zuerteilen, zumessen, zuteilen, zuweisen *bewirtschaften, rationieren, zuteilen
Kontingentierung: Dosierung, Dosis, Zumessung, Zuteilung, Zuweisung
kontinuierlich: dauernd, andauernd, alleweil, allezeit, anhaltend, beharrlich, beständig, fortdauernd, fortgesetzt, gleich bleibend, immer, immerzu, immerfort, immer noch, immer während, konstant, pausenlos, permanent, ständig, stetig, stets, unaufhaltsam, unaufhörlich, unausgesetzt, immer wieder, jahraus, jahrein, nach wie vor, rund um die Uhr, schon immer, seit eh und je, tagaus, tagein, von je, von jeher, seit je *chronisch, schleichend, schleppend, unheilbar *althergebracht, beständig, bestehend, bleibend, ererbt, gewohnheitsmäßig, gewohnt, traditionell
Kontinuität: Beständigkeit, Konstanz, Stetigkeit, Unwandelbarkeit
Konto: Bankkonto, Bankverbindung *Guthaben, Haben
Kontor: Büro, Schreibstube
Kontorist: Buchhalter, Bürokraft
Kontoristin: Buchhalterin, Bürokraft

kontra: entgegen, gegen, wider
Kontra: Gegenmeinung, Missbilligung, Widerspruch *Gegenansage ***Kontra geben:** widersprechen
Kontradiktion: Antinomie, Disparität, Gegensätzlichkeit, Gegenteil, Gegenteiligkeit, Missverhältnis, Polarisierung, Polarität, Ungleichartigkeit, Unstimmigkeit, Unvereinbarkeit, Widerspruch, Widersprüchlichkeit, Widerstreit
kontradiktorisch: gegensätzlich, widersprüchlich, widerspruchsvoll
Kontrahent: Antipode, Erzfeind, Feind, Gegenpart, Gegenspieler, Gegner, Konkurrent, Rivale, Todfeind, Widersacher
Kontrakt: Abkommen, Bündnis, Vertrag
konträr: absurd, folgewidrig, gegensätzlich, paradox, sinnwidrig, widersinnig, widerspruchsvoll, nicht logisch
Kontrast: Abweichung, Antithese, Differenz, Divergenz, Gegenpol, Gegensatz, Gegensätzlichkeit, Gegenstück, Gegenteil, Kehrseite, Kluft, Trennung, Unterschied, Widerspruch
Kontrolle: Aufsicht, Beaufsichtigung, Beobachtung, Überwachung, Wacht, Zensur *Beherrschung, Gewalt, Herrschaft, Macht, Regiment, Übersicht *Besichtigung, Durchsicht, Inspizierung, Musterung, Nachprüfung, Probe, Stichprobe, Test, Überprüfung, Untersuchung, Visitation
Kontrolleur: Inspekteur, Inspektor, Prüfer
kontrollierbar: einsehbar, nachprüfbar, offen, überprüfbar
kontrollieren: checken, abchecken, prüfen, überprüfen, durchsehen, einsehen, examinieren, inspizieren, mustern, nachprüfen, nachrechnen, nachschauen, nachsehen, nachzählen, revidieren, testen, untersuchen, s. vergewissern, visitieren, nach dem Rechten sehen, nach dem Rechten schauen ***s. kontrollieren:** s. beherrschen, s. unter Kontrolle haben, s. zurückhalten
kontrolliert: abgeklärt, ausgeglichen, bedacht, bedachtsam, beherrscht, besonnen, gefasst, gemächlich, gemessen, geruhsam, gezügelt, gleichmütig, harmonisch, kaltblütig, ruhevoll, ruhig, sicher, still, überlegen, würdevoll *geprüft, nachgeprüft, nachgesehen, überprüft
Kontrollliste: Checkliste, Prüfliste
Kontrolluhr: Stechuhr, Stempeluhr
Kontroverse: Auftritt, Auseinandersetzung, Disput, Divergenz, Fehde, Gefecht, Gezänk, Händel, Kampf, Kollision, Konflikt, Krieg, Meinungsverschiedenheit, Polemik, Reiberei, Spannung, Streit, Streitgespräch, Streitigkeit, Szene, Tauziehen, Uneinigkeit, Unstimmigkeit, Unzuträglichkeit, Verstimmung, Wortgefecht, Wortwechsel, Zerwürfnis, Zusammenstoß, Zwietracht, Zwist, Zwistigkeit
Kontur: Linie, Profil, Schattenriss, Scherenschnitt, Silhouette, Umriss
Konvent: Beratung, Konzil, Sitzung, Synode, Tagung, Versammlung, Zusammenkunft *Abtei, Kloster, Stift
Konvention: Einigung, Übereinkommen, Übereinkunft, Vereinbarung, Vertrag *Brauch, Sitte
konventionell: alt, gebräuchlich, gewohnt, hergebracht, herkömmlich, klassisch, traditionell, überkommen, überliefert, üblich *formell, förmlich, steif, zeremoniell, in aller Form, nach Sitte, nach Brauch
Konvergenzpunkt: Knotenpunkt, Kreuzung, Kreuzungspunkt, Mittelpunkt, Scheitel, Schnittpunkt
konvergieren: s. kreuzen, s. überkreuzen, s. annähern, s. fast gleichen, s. nahe kommen, s. überschneiden, zusammenfallen, zusammenlaufen, aufeinander zustreben
konvergierend: analog, gleich, gleichartig, homogen, identisch, kongruent, übereinstimmend, zusammenfallend
Konversation: Aussprache, Gedankenaustausch, Geplauder, Gespräch, Meinungsaustausch, Plauderei, Schwatz, Smalltalk, Tischgespräch, Unterhaltung, Unterredung, Wechselrede
Konversion: Einstellungsänderung, Meinungsänderung, Transformation, Übertritt, Umdeutung, Umwandlung
konvertieren: s. bekehren, übertreten, überwechseln, die Religion wechseln, die Konfession wechseln, den Glauben wechseln

konvex: erhaben, nach außen gewölbt
Konvexlinse: Sammellinse
Konvoi: Begleitung, Geleit, Geleitzug
konzedieren: einräumen, zugestehen
Konzentration: Achtsamkeit, Andacht, Anspannung, Anteilnahme, Aufmerksamkeit, Beteiligung, Hingabe, Interesse, Sammlung *Konzentrierung, Zentralisation, Zusammenballung, Zusammendrängung, Zusammenfassung, Zusammenlegung, Zusammenziehung
Konzentrationsausgleich: Diffusion, Osmose
Konzentrationslager: KZ, Massenvernichtungslager, Vernichtungslager
konzentrieren: anreichern, sättigen, verdichten *sammeln, ansammeln, komprimieren, straffen, vereinigen, zusammenballen, zusammendrängen, zusammenfassen, zusammenlegen, zusammennehmen, zusammenschließen, zusammenziehen ***s. konzentrieren:** Acht geben, aufpassen, s. hineindenken, s. hineinversenken, s. sammeln, seine Gedanken richten (auf), s. versenken, s. vertiefen, aufmerksam sein, seine Gedanken hinwenden, seinen Verstand zusammennehmen
konzentriert: angereichert, geballt, gehäuft, gesättigt, hoch konzentriert, hochprozentig, intensiv, stark *abgekürzt, gedrängt, gerafft, gestrafft, komprimiert, kurz, straff, umrisshaft, verdichtet, verkürzt, nicht ausführlich *gespannt, angespannt, andächtig, angestrengt, aufmerksam, dabei, gegenwärtig, gesammelt, interessiert, lernbegierig, lerneifrig, umsichtig, unabgelenkt, wachsam
Konzept: Denkmodell, Entwurf, Erstschrift, Konzeption, Niederschrift, Organisationsplan, Plan, Schlachtplan, Skizze, Vorstellung
Konzeption: Entwurf *Befruchtung, Empfängnis
Konzert: Musikaufführung, Musikveranstaltung
Konzession: Entgegenkommen, Kompromiss, Zugeständnis *Genehmigung
konzessionsbereit: elastisch, flexibel, gewillt, kompromissbereit, nachgiebig
Konzil: Beratung, Konvent, Sitzung, Synode, Tagung, Versammlung, Zusammenkunft
konziliant: anständig, aufmerksam, beflissen, bereitwillig, dienstwillig, entgegenkommend, erträglich, freundlich, gefällig, großmütig, großzügig, gut gesinnt, hilfsbereit, höflich, huldreich, huldvoll, kulant, leutselig, liebenswürdig, nett, umgänglich, verbindlich, versöhnlich, wohlgesinnt, wohlmeinend, wohlwollend, zuvorkommend
Konzilianz: Diplomatie, Umgänglichkeit, Zugänglichkeit
konzipieren: abfassen, ausdenken, ausklügeln, darstellen, denken, entwerfen, ersinnen, festhalten, niederschreiben, schildern, schreiben, überlegen, verfassen, wiedergeben
Kooperation: Arbeitsteilung, Gemeinschaftsarbeit, Gruppenarbeit, Kollektivarbeit, Teamwork, Zusammenarbeit, gemeinsames Wirken, gemeinsames Arbeiten
kooperieren: zusammenarbeiten, zusammenwirken
koordinieren: abstimmen, adaptieren, anpassen, aufeinander einstellen, einander annähern, in Einklang bringen, in Übereinstimmung bringen
Kopf: Haupt, Schädel *Figur, Geschöpf, Gesicht, Gestalt, Individuum, Jemand, Lebewesen, Mensch, Person, Persönlichkeit, Subjekt, Wesen *Spitze *Titel, Überschrift
Kopfarbeit: Denkarbeit, Gedankenarbeit
Kopfbedeckung: Deckel, Hut *Kappe, Mütze
kopflos: aufgelöst, desorientiert, durcheinander, konfus, konsterniert, verstört, verwirrt, außer Fassung *blind, flüchtig, gedankenlos, überstürzt, unbedacht, unüberlegt, voreilig, vorschnell, Hals über Kopf, ohne Überlegung, ohne zu überlegen, zu schnell
Kopflosigkeit: Auflösung, Aufregung, Desorientierung, Konfusion, Panik, Verblüfftheit, Verdutztheit, Verwirrung, Wirrheit
Kopfnicken: Bejahung, Ja, Zustimmung
Kopfschmerzen: Kopfweh, Migräne

Kopfschutz: Helm, Schutzhaube, Stahlhelm, Sturzhelm
Kopfstimme: Falsett, Falsettstimme, Fistel, Fistelstimme
Kopftuch: Tuch
kopfüber: häuptlings, mit dem Kopf voran, mit dem Kopf zuerst
Kopie: Abschrift, Duplikat, Duplum, Durchschlag, Pause, Wiedergabe, Zweitschrift *Hektographie, Lichtpause, Reprint, Xerokopie *Fax, Fernkopie, Telefax *Abguss, Abklatsch, Dublette, Fälschung, Imitation, Nachahmung, Nachbildung, Nachformung, Plagiat
kopieren: abmalen, abschreiben, abzeichnen, wiedergeben *fälschen, imitieren, nachahmen, nachbilden, nachformen, plagiieren *ablichten, abziehen, einscannen, fotokopieren, hektographieren, reproduzieren, vervielfältigen, xerokopieren *faxen, fernkopieren
Koppel: Grünland, Viehweide, Weide, Weideland, Weideplatz, Wiese *Gürtel, Riemen
koppeln: aneinanderfügen, anschließen, kombinieren, montieren, verbinden, vereinigen, verflechten, verketten, verknoten, verknüpfen, verkoppeln, verkuppeln, verquicken, verschlingen, verschmelzen, verschweißen, verweben, verzahnen, zusammenbringen, zusammenfügen, zusammenhängen, zusammensetzen
Koppelung: Beziehung, Kombination, Synthese, Verbindung, Vereinigung, Verflechtung, Verkettung, Verknüpfung, Verquickung, Verschmelzung, Verzahnung, Zusammenfügung
Kopulation: Befruchtung, Begattung, Beschälung, Beschlag, Deckung, Paarung, Zeugung *Akt, Begattung, Beischlaf, Geschlechtsakt, Geschlechtsverkehr, Koitus *Pfropfung
kopulieren: befruchten, begatten, brunften, hecken, koitieren, s. lieben, s. paaren, rammeln, s. vereinigen *s. begatten, s. lieben, s. paaren, s. vereinigen, zusammenliegen, mit jmdn. ins Bett gehen, den Beischlaf vollziehen, Verkehr haben *pfropfen, veredeln
koram: in Gegenwart von, öffentlich, vor aller Augen
Korb: Behälter, Kober, Körbchen *Absage, Abweis, Zurückweisung
Korbballspiel: Basketball
Korbflasche: Ballon
Kordel: Band, Bindfaden, Schnur, Strick
kordial: einträchtig, herzlich, intim, vertraulich, wohlwollend
Korken: Flaschenverschluss, Stöpsel
Korn: Feldfrucht, Frucht, Getreide, Körnerfrucht *Alkohol, Branntwein, Schnaps
Körnchen: Granulat
Körnchenbildung: Granulation
körnen: granieren, granulieren
körnig: gekörnt, granulös, grusig
Kornspeicher: Depot, Silo
Korona: Heiligenschein *Sonnenrand, Sonnenring, Strahlenkegel, Strahlenkranz
Körper: Gestalt, Konstitution, Leib, Organismus, Rumpf, Statur, Fleisch und Blut *Gegenstand
körperbehindert: arbeitsunfähig, dienstunfähig, erwerbsunfähig, invalide, schwerbehindert, verkrüppelt, versehrt
Körperbehinderter: Behinderter, Invalide, Krüppel *Kriegsinvalide, Kriegskrüppel, Kriegsversehrter
Körpererziehung: Leibeserziehung, Leibesübungen, Sport, Turnen
Körperfehler: Entstellung, Körperbehinderung, Missbildung
Körperfülle: Beleibtheit, Breite, Dicke, Dickleibigkeit, Feistheit, Fettleibigkeit, Korpulenz, Leibesfülle, Übergewicht, Umfang
Körpergeruch: Duft, Wohlgeruch *Darmwind, Gestank, Schweißgeruch
körperhaft: dinghaft, fassbar, fühlbar, gegenständlich, gestaltet, greifbar, irdisch, konkret, materiell, wahrnehmbar, wirklich
Körperhülle: Haut
Körperkraft: Brachialgewalt, Stärke
körperlich: leiblich, physisch, somatisch *anatomisch, organisch
körperlos: geistig, ideell, immateriell, luftig, raumlos, stofflos, überirdisch, übernatürlich, unkörperlich, unpersönlich, wesenlos *hohl, inhaltslos, leer, nichts sagend

Körperpflege: Aufmachung, Gepflegtheit, Hygiene, Schönheitspflege
Körperschaft: Bund, Bündnis, Genossenschaft, Gruppe, Verband, Verbindung, Vereinigung, Versammlung, Zusammenschluss *Handelsgesellschaft
Körperübung: Gymnastik, Muskeltraining, Sport
korpulent: beleibt, wohlbeleibt, aufgedunsen, breit, dick, dickleibig, dicklich, dickwanstig, drall, feist, fett, fettleibig, fleischig, füllig, gemästet, gewaltig, kugelrund, massig, mollig, pausbäckig, plump, pummelig, rund, rundlich, stämmig, stark, stramm, umfangreich, unförmig, üppig, vierschrötig, vollschlank, wohlgenährt
Korpulenz: Bauch, Beleibtheit, Breite, Dicke, Leibesfülle, Leibesumfang, Stattlichkeit
korrekt: anständig, gesittet, höflich, sittsam *ausführlich, detailliert, eindringlich, eingehend, erschöpfend, gründlich, intensiv, profund, umfassend, vollständig *scharf, haarscharf, akkurat, bestimmt, deutlich, eindeutig, exakt, genau, haargenau, haarklein, klar, prägnant, präzis, präzise, reinlich, sauber, säuberlich, speziell, tadellos, treffend, unmissverständlich, wohlgezielt *fehlerlos, fein, gewissenhaft, minuziös, ordentlich, pedantisch, penibel, richtig, sorgfältig, sorgsam, zuverlässig *einwandfrei, fehlerfrei, fehlerlos, genau, ideal, komplett, lupenrein, makellos, meisterhaft, mustergültig, perfekt, recht, richtig, tadellos, untadelig, vollendet, vollkommen, vorbildlich, vorzüglich, zutreffend, in Ordnung, ohne Fehl, ohne Fehler
Korrektheit: Genauigkeit, Richtigkeit, Zuverlässigkeit
Korrektur: Berichtigung, Verbesserung
Korrelation: Gegenseitigkeit
Korrespondent: Bearbeiter, Berichterstatter, Journalist
Korrespondenz: Briefaustausch, Briefverkehr, Briefwechsel, Notenwechsel, Schriftverkehr, Schriftwechsel
korrespondieren: s. schreiben, mailen, eine E-Mail schreiben, eine SMS schicken, im Briefwechsel stehen, im Schriftverkehr stehen, im Schriftwechsel stehen *s. einig sein, einig gehen, übereinstimmen, die Auffassung teilen, konform gehen, einer Meinung sein, eines Sinnes sein, eins sein
Korridor: Diele, Durchgang, Eingang, Flur, Hausflur, Hausgang
korrigieren: berichtigen, dementieren, klären, revidieren, richtig stellen *anstreichen, berichtigen, umändern, umarbeiten, verbessern
korrodieren: rosten, verrosten
korrupt: bestechbar, bestechlich, empfänglich, käuflich, verführbar
Korruption: Bestechlichkeit, Bestechung, Käuflichkeit, Unredlichkeit, Veruntreuung
Korsett: Hüfthalter, Korsage, Korselett, Leibchen, Mieder
Korso: Schaufahrt
Kosmetik: Körperpflege, Schminkerei, Schönheitspflege, Verschönerung
Kosmetika: Körperpflegemittel, Schönheitspflegemittel
kosmisch: allumfassend, raumumfassend, weltraumumfassend, weltumfassend
Kosmos: All, Makrokosmos, Unendlichkeit, Universum, Welt, Weltall, Weltkugel, Weltraum
Kosmonaut: Astronaut, Raumfahrer, Weltraumfahrer
Kosmonautik: Astronautik, Raumfahrt, Weltraumfahrt
Kosmopolit: Weltbürger, Weltreisender
kosmopolitisch: weltbürgerlich, weltweit verbreitet
Kost: Ernährung, Essen, Mundvorrat, Nährstoff, Nahrung, Proviant, Speise, Verpflegung
kostbar: edel, einmalig, erlesen, erstklassig, exquisit, fein, hochwertig, kostspielig, qualitätsvoll, selten, teuer, unbezahlbar, unersetzbar, unschätzbar, wertvoll, viel wert, von guter Qualität
Kostbarkeit: Preziosen *Brillanten, Geschmeide, Juwelen, Schmuck *Erlesenheit, Exklusivität, Raffinesse
kosten: ausmachen, s. belaufen (auf), betragen, s. beziffern (auf), einen Preis haben *schmecken, abschmecken, aus-

probieren, begutachten, nippen, probieren, versuchen, vorkosten, eine Kostprobe nehmen
Kosten: Aufwand, Aufwendungen, Ausgaben, Auslagen, Belastung, Preis, Spesen, Summe, Unkosten, Zahlungen
Kostenanschlag: Kalkulation
Kostenerstattung: Aufwandsentschädigung, Kostenrückerstattung, Reisekostenerstattung, Reisekostenpauschale, Tagegeld, Vergütung
kostenlos: gratis, kostenfrei, umsonst, unentgeltlich *franko, frei, freigemacht, portofrei, postfrei *frei, kostenfrei, gebührenfrei, gebührenlos, geschenkt, gratis, umsonst, unentgeltlich, ohne Geld
kostenpflichtig: gegen Bezahlung, gegen Entgelt
Kostensteigerung: Aufschlag, Verteuerung
Kostenvoranschlag: Berechnung, Kalkulation, Kostenanschlag, Kostenaufstellung, Kostenplan, Schätzung, Überschlag, Vorausberechnung
köstlich: abgeschmeckt, abgestimmt, angenehm, appetitlich, aromatisch, delikat, gut, herrlich, lecker, schmackhaft, wohlschmeckend *blumig *amüsant, interessant, lustig, unterhaltsam
Köstlichkeit: Delikatesse, Herrlichkeit, Lust, Pracht, Schönheit
Kostprobe: Beweis, (kleines) Beispiel *Probe, Verköstigung, Verkostung
kostspielig: aufwändig, teuer, überhöht, überteuert, unbezahlbar, unerschwinglich, nicht billig
Kostüm: Anzug, Gewand, Kleid
kostümieren: maskieren, verbergen, verkleiden, vermummen
Kostümierung: Kostüm, Maske, Maskerade, Maskierung, Verkleidung, Vermummung
Kot: Ausscheidungen, Dreck, Exkremente, Fäkalien, Fäzes, Fladen, Haufen, Stuhl
Köter: Bastard, Hofhund, Hund, Kläffer, Promenadenmischung, Schoßhund
kotzen: erbrechen, speien, s. übergeben
Krabbe: Garnele, Scampi, Shrimp *kleines Mädchen
krabbeln: kriechen, robben, rutschen *aufsteigen, klimmen, erklimmen, kraxeln, hinaufkraxeln, bergsteigen, emporklettern, klettern, steigen, bergauf gehen *jucken, kitzeln, kribbeln, prickeln, reizen *kribbeln, wimmeln *jucken, kitzeln, kribbeln, prickeln
Krach: Aufruhr, Donnerschlag, Gepolter, Gerassel, Geschrei, Getöse, Knall, Krachen, Lärm, Radau, Ruhestörung, Spektakel *Wirtschaftskrise *Streit, Zank *Baisse, Börsenkrach, Kurssturz
krachen: brüllen, brummen, donnern, dröhnen, erdröhnen, grollen, klappern, Krach machen, krakeelen, krawallen, lärmen, pochen, poltern, prasseln, Rabatz machen, Radau machen *brausen, randalieren, rasseln, rattern, rauschen, rummeln, rumoren, rumpeln, sausen, schallen, spektakeln, trommeln, wettern, widerhallen *gewittern *dröhnen, knallen *hämmern, klappern, klingen, knallen ***s. krachen:** s. streiten
Krachen: Detonation, Entladung, Lärm
krächzen: ächzen, seufzen, stöhnen
krächzend: belegt, heiser, rau
kraft: anlässlich, aus, dank, durch, vermittels
Kraft: Arbeitsvermögen, Energie, Können, Lebenskraft, Leistungsfähigkeit, Potenzial, Reserven, Tatkraft, Vitalität *Körperkräfte, Potenz, Stärke *Dienstmädchen, Hausangestellte, Hausgehilfin, Haushaltshilfe, Hausmädchen, Hausmagd, Haustochter, Mädchen, Stütze, dienstbarer Geist
Kraftaufwand: Aktivität, Anspannung, Anstrengung, Arbeit, Arbeitsaufwand, Belastung, Belastungsprobe, Bemühung, Beschwerde, Beschwernis, Hochdruck, Kraftakt, Kraftanstrengung, Mühe, Mühsal, Mühseligkeit, Schlauch, Strapaze, Stress, Zerreißprobe
Kraftausdruck: Fluch, Kraftwort, Schimpfwort, Schmähwort
Kräfteverlust: Entnervung, Erschöpfung, Stress
Kräfteverschleiß: Abnützung, Abnutzung, Abnutzungserscheinung, Verfall, Verschleiß
Kraftfahrer: Autofahrer, Chauffeur, Fahrer, Lenker
Kraftfahrzeug: Auto, Automobil

Kraftfülle: Kraft, Stärke, Übermut
kräftig: aufgedunsen, beleibt, breit, dick, dickleibig, dicklich, dickwanstig, drall, feist, fett, fettleibig, fleischig, füllig, gemästet, gewaltig, kugelrund, massig, mollig, pausbäckig, plump, pummelig, rund, rundlich, stämmig, stark, stramm, umfangreich, unförmig, üppig, vierschrötig, vollschlank, wohlbeleibt, wohlgenährt *athletisch, bärenstark, baumstark, drahtig, fest, gefeit, hart, immun, kernig, kraftstrotzend, kraftvoll, markig, nervig, resistent, robust, rüstig, sehnig, sportlich, stabil, stämmig, stark, stramm, wehrhaft, zäh, nicht anfällig *derb, grob, rau, unfein, ungehobelt, ungeschliffen, vulgär *gehörig, gewaltig, heftig, vehement, wuchtig *bunt, farbig, grell, intensiv, leuchtend, saftig, satt *böig, frisch, heftig, orkanartig, stark, steif, stürmisch *gehaltvoll, würzig ***kräftiger werden:** zunehmen, stärker werden *erstarken, gesunden
kräftigen: aufrichten, erfrischen, ermuntern, ertüchtigen, stabilisieren, stählen, stärken ***s. kräftigen:** erstarken, s. stabilisieren, s. stählen, s. stärken
kräftigend: abhärtend, anregend, aufbauend, bekömmlich, belebend, erfrischend, erleichternd, ermutigend, erneuernd, fördernd, gedeihlich, gesund, heilkräftig, heilsam, krankheitsverhütend, nahrhaft, regenerierend, stärkend, verjüngend, vorbeugend, wohltuend
Kräftigung: Auffrischung, Erfrischung, Erholung
Kräftigungsmittel: Belebungsmittel, Dopingmittel, Nahrungsergänzungsmittel, Stärkungsmittel, Stimulans
kraftlos: anfällig, entkräftet, gebrechlich, hinfällig, kränklich, schwach, zart, ohne Kraft *abgespannt, energielos, erschöpft, geschwächt, gestresst, lasch, marklos, matt, müde, schlaff, übermüdet, widerstandslos, zerschlagen
Kraftlosigkeit: Abgespanntheit, Abspannung, Entkräftung, Ermattung, Ermüdung, Erschöpfung, Erschöpfungszustand, Flauheit, Kräfteverfall, Laschheit, Mattheit, Mattigkeit, Schlaffheit, Schlappheit, Schwäche, Schwächezustand, Schwachheit, Schwächlichkeit, Schwunglosigkeit, Übermüdung, Unwohlsein, Zerschlagenheit *Einflusslosigkeit, Hilflosigkeit, Impotenz, Machtlosigkeit, Ohnmacht *Haltlosigkeit, Unentschiedenheit, Unentschlossenheit, Verführbarkeit, Weichheit, Willenlosigkeit, Willensschwäche
Kraftmaschine: Motor, Turbine
Kraftmensch: Athlet, Athletiker, Herkules, Kraftmeier, Kraftprotz, Muskelmann, Muskelprotz, Supermann
Kraftmesser: Dynamometer, Ergograph, Ergometer, Kraftmessgerät
Kraftprobe: Konflikt, Kräftemessen, Machtprobe, Streit
Kraftprotz: Bodybuilder, Herkules, Kraftmensch, Muskelmann, Schlägertyp
Kraftspiel: Powerplay
Kraftstoff: Benzin, Sprit, Treibstoff *Diesel, Dieselkraftstoff
Kraftstoffbehälter: Kanister, Tank
Kraftübung: Athletik
kraftvoll: agil, dynamisch, energiegeladen, schwungvoll *gewaltig, heftig, kräftig, wuchtig
Kraftwagen: Auto, Automobil, Fahrzeug, Straßenfahrzeug
Kraftwagenführer: Chauffeur, Fahrer, Fahrzeugführer, Lenker
Kraftwagengestell: Chassis, Fahrgestell
Kraftwerk: E-Werk, Elektrizitätswerk
Krakeel: Auseinandersetzung, Zwietracht
krakeelen: streiten, zanken
Krakeeler: Brausekopf, Choleriker, Drache, Streitkopf, Zänker
krakelig: schlampig, unleserlich, unordentlich
krallen: fest halten, fest krallen
Kram: Dreck, Gerümpel, Klimbim, Krempel, Plunder, Ramsch, Schund, Trödel, Zeug
Krämer: Einzelhandelskaufmann, Trödler
Krampf: Kolik, Konvulsion, Spasmus *Affenkomödie, Affentanz, Affentheater, Drama, Gehabe, Geschrei, Gestürm, Gesums, Getöse, Getue, Theater, Trara, Zirkus, unsinniges Tun
Krämpfe: Koliken, Spasmen
krampfhaft: beharrlich, gewaltsam, ver-

bissen, verzweifelt, zäh, bis zum Letzten, mit aller Kraft, bis zum Äußersten *krampfartig, spasmodisch

krank: angegriffen, angeschlagen, befallen (von), bettlägerig, dienstunfähig, elend, fiebrig, indisponiert, kränkelnd, kränklich, leidend, morbid, pflegebedürftig, schwer krank, siech, sterbenskrank, todgeweiht, todkrank, unpässlich, unwohl, erkrankt (an), nicht gesund ***krank werden:** s. anstecken, erkranken, fiebern, s. infizieren, s. nicht wohl fühlen, unpässlich sein ***krank sein:** dahinsiechen, daniederliegen, kränkeln, im Bett liegen, ans Bett gefesselt sein, nicht auf der Höhe sein, das Bett hüten

kränkeln: häufig krank sein

kränken: anstoßen, beleidigen, betrüben, brüskieren, schmähen, schmerzen, verbittern, verletzen, verwunden, vor den Kopf stoßen, einen Hieb versetzen, einen Stich versetzen, ein Unrecht antun, ein Leid tun, weh tun, Schmerz bereiten, Gefühle verletzen, ein Unrecht zufügen, ein Leid zufügen

Krankenbehandlung: Therapie

Krankenbesuch: Arztvisite, Visite

kränkend: beleidigend, böse, verletzend

Krankenfahrstuhl: Fahrstuhl, Rollsessel, Rollstuhl

Krankengeschichte: Anamnese

Krankenhaus: Ambulanz, Anstalt, Heilstätte, Hospital, Klinik, Krankenanstalt, Lazarett, Spital

Krankenhausabteilung: Station

Krankenpfleger: Krankenwärter, Pfleger, Sanitäter

Krankenpflegerin: Krankenschwester, Schwester

Krankenwagen: Ambulanzwagen, Krankenauto, Rettungswagen, Sanitätsauto, Sanitätswagen, Sanka

Kranker: Leidender, Patient, Verletzter

krankhaft: abnorm, anormal, extrem, maßlos, pathologisch, pervers, übermäßig, übertrieben, unnatürlich, zwanghaft

Krankheit: Beschwerden, Erkrankung, Gebrechen, Leiden, Seuche, Siechtum, Störung, Übel, Unpässlichkeit, Unwohlsein

Krankheitsanfall: Attacke

Krankheitsanzeichen: Symptom

Krankheitsbehandlung: Therapie

krankheitserregend: ansteckend, infektiös, krank machend, pathogen, virulent

Krankheitserreger: Bakterie, Bazillus, Erreger, Keim, Krankheitskeim, Virus

Krankheitsforscher: Pathologe

Krankheitskeim: Krankheitsüberträger, Seuchenträger

Krankheitslehre: Pathologie

Krankheitsvorgeschichte: Anamnese

Krankheitszeichen: Anzeichen, Krankheitsbild, Symptom, Syndrom

kränklich: anfällig, empfänglich, empfindlich, labil, schwächlich, zart

krankmachen: ausschlafen, s. erholen, faulenzen, fehlen, krankfeiern, schwänzen, nicht arbeiten, nichts tun

krank machend: pathogen

Kränkung: Angriff, Beleidigung, Demütigung, Erniedrigung

kranzartig: koronar, kranzförmig *rund

Kratersee: Maar

kratzbürstig: aufmüpfig, aufsässig, dickköpfig, finster, kratzig, rechthaberisch, störrisch, trotzig, unbotmäßig, ungehorsam, unnachgiebig, unversöhnlich, unzugänglich, verschlossen, widersetzlich, widerspenstig

kratzen: jucken, krallen, scharren

Kratzer: Einschnitt, Riss, Schmiss, Schramme, Verletzung, Wunde

kratzig: bissig, bösartig, gallig, streitsüchtig, zänkisch

kraulen: baden, paddeln, planschen, schwimmen, tauchen *hätscheln, liebkosen, streicheln, tätscheln

kraus: gekräuselt, geringelt, gewellt, wuschelig, nicht glatt *durcheinander, konfus, verwirrt, verworren, wirr, zerfahren *durchfurcht, faltenreich, faltig, furchig, gefurcht, gekerbt, hutzelig, knittrig, runzlig, runzelig, schlaff, verhutzelt, verrunzelt, welk, zerfurcht, zerklüftet, zerknautscht, zerknittert, zerschründet, nicht glatt

kräuseln: aufrollen, falbeln, falten, krausen, krümmen, lockern

Kräuselstoff: Frottee

Kräuselung: Falbel

krausen: falten, furchen, runzeln

Kräutersoße: Remoulade, Vinaigrette
Krawall: Aufruhr, Lärm
Krawatte: Binde, Binder, Fliege, Halsbinde, Schleife, Schlips, Selbstbinder
kraxeln: hochsteigen, klettern
Kreation: Erschaffung, Schöpfung *Modell, Modellkleid, Modeschöpfung
kreativ: einfallsreich, erfinderisch, ideenreich, künstlerisch, originell, produktiv, schöpferisch
Kreativität: Gestaltungskraft, Ideenreichtum, Phantasie
Kreatur: Geschöpf, Lebewesen, Person, Wesen *Bube, Erzgauner, Gangster, Ganove, Gauner, Halunke, Kanaille, Lump, Schuft, Schurke, Spitzbube, Strolch, Wicht
Krebs: Karzinom, Krebsgeschwulst, Sarkom *Krustentier, Schalentier
krebsartig: geschwulstartig, kanzerös
Krebs erregend: kanzerogen, karzinogen, Krebs erzeugend
Krebsgeschwulstforschung: Onkologie
kredenzen: anbieten, aufwarten, darbieten, einschenken
Kredit: Anleihe, Darlehen *Schulden, Soll, Sollseite
Kreditanstalt: Bank, Sparkasse
Kreditbrief: Akkreditiv
kreditieren: ausborgen, belehnen, beleihen, borgen, herleihen, leihen, lombardieren, verleihen, verpfänden, vorschießen, vorstrecken
Kreditkarte: Plastikgeld
Kreide: Fettkreide, Kreidestift, Malkreide, Ölkreide, Pastellkreide, Tafelkreide, Wachskreide
kreidebleich: blass, bleich, kreideweiß, leichenblass, todbleich
kreieren: entwerfen, entwickeln, gestalten, schaffen, schöpfen
Kreis: Arbeitsgemeinschaft, Arbeitszirkel, Forum, Gruppe, Personenkreis, Ring, Runde, Zirkel *Bekanntenkreis, Freundeskreis *geschlossene Kurve
Kreisabschnitt: Segment
kreisartig: ringförmig, rund, rundlich
kreischen: beklagen, beweinen, dröhnen, lärmen
Kreisel: Dopp, Spindel *Drehung, Wirbel *Kreisverkehr
Kreiselbewegung: Pirouette
Kreiseldrall: Topspin
kreisen: drehen, kreiseln, rollen, rotieren
Kreisform: Rundung
kreisförmig: ringförmig, rund
Kreishalbmesser: Radius
Kreislauf: Bewegung, Zirkulation, Zyklus *Blutkreislauf, Blutzirkulation
Kreislaufzusammenbruch: Kollaps, Kreislaufkollaps, Zusammenbruch
Kremation: Einäscherung, Verbrennung
Krematorium: Feuerbestattungsanlage, Verbrennungsanstalt
kremieren: einäschern, verbrennen
Krempe: Hutrand, Rand, Schirm
Krempel: Plunder, Trödelkram
Kren: Meerrettich
krepieren: sterben, verenden *bersten, explodieren, platzen, zerspringen
Kretin: Idiot, Schwachkopf, Tölpel, Trottel
Kreuz: Kruzifix *Buckel, Rücken, Wirbelsäule *Last, Leiden *Autobahnknotenpunkt, Autobahnkreuz *Schnittpunkt
kreuzen: bastardieren, hybridisieren, paaren, züchten *fechten *ansteuern, fahren, schiffen ***s. kreuzen:** s. begegnen *s. überschneiden
Kreuzfeuer: Ausfragung, Kreuzverhör, Verhör, Zeugenaussage *Geschützduell, Sperrfeuer, Störfeuer, Trommelfeuer
Kreuzschmerzen: Lumbago, Lumbalgie
Kreuzung: Bastardierung, Hybridisation, Paarung *Bastard, Mischling *Einmündung, Gabelung, Kreuzungspunkt, Scheideweg, Schnittpunkt *Abzweigung, Kreuzweg, Straßenkreuzung, Wegekreuz, Wegkreuzung *Autobahnknotenpunkt, Autobahnkreuz
Kreuzweg: Leidensweg
kribbelig: fahrig, fieberhaft, fiebrig, hastig, nervös, rastlos, überreizt, unruhig, wuselig
kribbeln: jucken, kitzeln, krabbeln, prickeln *krabbeln, wimmeln
kriechen: krabbeln, robben, rutschen *s. schmeicheln, s. einschmeicheln, dienern, liebedienern, buckeln, s. bücken, s. demütigen, katzbuckeln, leisetreten, Rad fahren, auf dem Bauch liegen, auf

dem Bauch rutschen, Staub lecken, einen (krummen) Buckel machen *hineinschlüpfen, s. hinlegen
kriechend: auf allen vieren *hündisch, knechtisch, kriecherisch, lakaienhaft, sklavisch, speichelleckerisch, unterwürfig
Kriecher: Duckmäuser, Heuchler, Krummbuckel, Lakai, Liebediener, Pharisäer, Radfahrer, Schmeichler, Speichellecker
Kriecherei: Devotion, Dienerei, Ergebenheit, Katzbuckelei, Liebedienerei, Schmeichelei, Servilität, Speichelleckerei, Unterwürfigkeit
kriecherisch: buhlerisch, demütig, devot, duckmäuserisch, ergeben, hündisch, knechtisch, lakaienhaft, liebedienerisch, schmeichlerisch, servil, sklavisch, speichelleckerisch, subaltern, untertänig, unterwürfig, ohne Stolz
Kriechtier: Reptil
Kriechtierhaus: Terrarium
Krieg: Gefecht, Kampf, Waffenkampf, bewaffneter Konflikt, kriegerische Handlung, militärische Auseinandersetzung, militärischer Konflikt *Streit
kriegen: erhalten *aufgreifen, ergreifen, erwischen, fangen, fassen, greifen, schnappen, habhaft werden *bestraft werden, eine (Ohrfeige) fangen *heiraten, jmdn. finden, jmdn. bekommen *gebären *werfen
Krieger: Soldat *Fremdenlegionär
kriegerisch: aggressiv, angriffslustig, furios, händelsüchtig, herausfordernd, hitzig, kampfbereit, kämpferisch, kampfesfreudig, kampflustig, leidenschaftlich, militant, provokant, streitbar, streitsüchtig, zänkisch, zanksüchtig
Kriegsdienstverweigerer: Ersatzdienstleistender, Zivi, Zivildienstleistender
Kriegsdrohung: Säbelrasseln
Kriegsentschädigung: Reparationen
Kriegsflotte: Armada
Kriegsgegner: Antimilitarist, Pazifist
Kriegsgeschrei: Kampfgeschrei, Kriegsruf
Kriegsopfer: Gefallene, Tote, Vermisste
Kriegsschauplatz: Feuerlinie, Front, Hauptkampffeld, Hauptkampfplatz, Kampfgebiet, Kampflinie, Kampfplatz, Kriegsgebiet, Operationsgebiet, Schlachtfeld
Kriegstreiber: Aggressor, Friedensstörer, Kriegshetzer, Störenfried
Kriegsvorbereitung: Aufgebot, Aufrüstung, Aushebung, Gestellungsbefehl, Mobilisierung, Mobilmachung, Rüstung, Ruf zu den Fahnen, Ruf zu den Waffen
Kriegszug: Feldzug, Heerzug, Kampagne
Kriminalbeamter: Krimineller, Kriminalist, Kriminalpolizist
Kriminalpolizei: Kripo
Kriminalstück: Krimi, Kriminalfilm, Kriminalgroteske, Kriminalhörspiel, Kriminalkomödie
kriminell: gesetzwidrig, strafbar, verbrecherisch *straffällig, verbrecherisch *hoch, rücksichtslos, schlimm, unangenehm, unverschämt *asozial, böse, frevelhaft, schändlich
Krimineller: Straftäter, Verbrecher
Krimskrams: Firlefanz, Flitter, Kinkerlitzchen, Kram, Tand
Krippe: Hort, Kinderkrippe *Futtertrog
Krise: Not, Störung, Tiefpunkt, Tiefstand, kritische Situation *Gipfel, Höhepunkt, Krisis, Wendepunkt *Lebenskrise, Midlifecrisis
kriseln: brodeln, gären, kochen, rumoren, schwelen, sieden, s. zusammenbrauen, s. zuspitzen, ernst sein, vor einer Krise stehen, nicht in Ordnung sein, gefährlich werden
krisenfest: beständig, sicher, wertbeständig
Kristallisation: Erstarrung
kristallisiert: erstarrt
Kristallzucker: Kandis
Kriterium: Attribut, Charakterzug, Kennzeichen, Mal, Merkmal, Merkzeichen, Moment, Signatur, Symptom, Zeichen, Zug *Radrennen, Radwettkampf
Kritik: Beckmesserei, Krittelei, Stellungnahme, Wertung *Geläster, Mäkelei, Nörgelei, Tadel
Kritiker: Beckmesser, Beurteiler, Kritikaster, Kritikus, Krittler, Rezensent *Knurrhahn, Krittler, Mäkler, Meckerer, Nörgelfritze, Nörgler, Querulant

kritiklos: blind, blindgläubig, blindlings, gutgläubig, naiv
kritisch: argwöhnisch, beurteilend, differenziert, prüfend, unterscheidend, urteilsfähig, urteilssicher *angespannt, bedenklich, bedrohlich, Besorgnis erregend, brenzlig, delikat, diffizil, ernst, explosiv, folgenschwer, gefährlich, gefahrvoll, heikel, prekär, problematisch, schwierig, zweischneidig, nicht geheuer
kritisieren: abhandeln, beanstanden, beurteilen, rezensieren, werten, zerpflücken, Stellung nehmen *nörgeln, tadeln
Krittelei: Mäkelei, Nörgelei, Schmähsucht, Tadelsucht, Verhöhnung, Verleumdung
kritteln: aussetzen, beanstanden, bemängeln, geifern, kritisieren, mäkeln, nörgeln, räsonieren, rügen, schmähen, tadeln, vorhalten, vorwerfen
Kritzelei: Gekrakel, Gekritzel, Geschmier, Wandschmierereien *Sgraffito
kritzelig: krakelig, schmierig, undeutlich, unleserlich
kritzeln: bekritzeln, beschmieren, krakeln, schmieren
Krone: Baumspitze, Wipfel *Herrscherkrone, Kaiserkrone, Königskrone, Reif *Schaum, Schaumkrone *Brücke, Zahnkrone *Abschluss, Vollendung, letzter Teil, bester Teil
krönen: inthronisieren, die Krone aufsetzen *abschließen, beenden, beendigen, beschließen, schließen, zu Ende bringen, zum Abschluss bringen, einen Schlussstrich ziehen, einen Strich darunter machen, ein Ende bereiten
Kronleuchter: Lampe, Leuchter, Lüster
Krönung: Clou, Glanzpunkt, Höhepunkt, Maximum, Meisterleistung, Nonplusultra, Optimum, Spitzenleistung, Sternstunde, Vollendung, Zenit
Krösus: Börsenkönig, Finanzmagnat, Geldaristokrat, Geldmann, Großindustrieller, Industriekapitän, Kapitalist, Milliardär, Millionär
Krücke: Gehhilfe, Krückstock, Stock *Beinprothese, künstliches Bein
Krug: Bembel, Gefäß, Kanne
Krume: Brosame, Brösel, Krümel *Ackerboden, Ackerscholle, Bodenkrume, Erdbrocken, Erdklumpen, Erdscholle, Scholle
krümelig: bröckelig, bröselig
krümeln: brechen, bröckeln, brocken, bröseln, zerbröckeln, zerbröseln, zerkleinern, zerkrümeln
krumm: gebogen, geschwungen, gewölbt, halbrund, verbogen, verkrümmt, nicht gerade *bucklig, gebeugt, höckerig, missgestaltet, schief, verwachsen *illegal, schwarz, undurchsichtig, ungesetzlich, wie ein Fragezeichen *doppelzüngig, falsch, frömmelnd, heuchlerisch, hinterhältig, katzenfreundlich, lügenhaft, lügnerisch, scheinfromm, scheinheilig, unaufrichtig, unehrlich, unlauter, unredlich, unreell, unsolid, unwahrhaftig, verstellt
krümmen: anwinkeln, beugen, biegen, schlängeln, winden
Krümmung: Abknickung, Biegung, Bogen, Drehung, Kehre, Knie, Kurve, Schleife *Beugung, Biegung, Brechung, Neigung
Krüppel: Buckliger, Fratzengestalt, Missgebilde, Missgeburt, Missgestalt, Monstrum, Schreckgestalt, Zerrbild *Hilfsbedürftiger, Invalide, Kranker, Kriegsbeschädigter, Kriegsverletzter, Prothesenträger
krüppelhaft: gelähmt, kriegsbeschädigt, lahm, verkrüppelt *entstellt, missgestaltet, verunstaltet
Krustentier: Crevette, Garnele, Hummer, Languste
krustig: borkig, rindig, verkrustet *fest, hart
Kübel: Bottich, Bütte, Eimer, Fass, Zuber
Kubus: Würfel
Küche: Kombüse, Schiffsküche *Kochnische, Kochraum, Wohnküche *Feinschmeckerei, Gastronomie, Kochkunst
Küchenkraut: Gewürzpflanze, Küchengewürz
Küchenschabe: Kakerlake
Kuddelmuddel: Chaos, Durcheinander, Tohuwabohu, Unordnung, Wirrwarr, Wust
Küfer: Böttcher, Büttner, Fassbinder, Kübler, Schäffer

Kugel: Geschoss, Munition, Projektil *Gewehrkugel, Pistolenkugel, Revolverkugel
Kugeldach: Kuppel
kugelig: kreisrund, kugelrund, mondförmig, ringartig, ringförmig, rund *dick
kugeln: s. drehen, kreiseln, kullern, laufen, rollen, rotieren, s. wälzen, wirbeln, zirkulieren ***s. kugeln:** feixen, herausplatzen, kichern, s. krummlachen, lachen, losbrüllen, losplatzen, quietschen, s. schieflachen, s. totlachen, s. vor Lachen ausschütten, wiehern, ein Gelächter anstimmen, einen Lachanfall bekommen, einen Lachkrampf bekommen, hellauf lachen, in Lachen ausbrechen, in Gelächter ausbrechen, Tränen lachen, schallend lachen, aus vollem Halse lachen
Kuh: Färse, Rind
Kuhhandel: Kompromiss
Kuhhirte: Cowboy, Gaucho, Hirte
kühl: abgekühlt, ausgekühlt, bitterkalt, eiskalt, eisigkalt, eisig, frostig, frostklirrend, kalt, unterkühlt, winterlich *abgestumpft, barbarisch, brutal, distanziert, eisig, erbarmungslos, fest, frostig, gefühllos, gefühlsarm, gefühlskalt, gemütsarm, gleichgültig, gnadenlos, grausam, hart, hartherzig, herzlos, inhuman, kaltblütig, kompromisslos, lieblos, mitleidlos, roh, schonungslos, seelenlos, streng, unbarmherzig, ungesittet, unmenschlich, unnachgiebig, unnachsichtig, unsozial, unzugänglich, verroht, verschlossen *leidenschaftslos, lieblos, mitleidlos, seelenlos, unfreundlich, unzugänglich *frisch, gekühlt, schattig *besonnen, gelassen
Kuhle: Grube, Loch, Mulde
Kühle: Brutalität, Erbarmungslosigkeit, Gefühlskälte, Gefühlsrohheit, Gnadenlosigkeit, Härte, Herzensverhärtung, Kälte, Kaltherzigkeit, Lieblosigkeit, Mitleidlosigkeit, Rohheit, Schonungslosigkeit, Unbarmherzigkeit, Unmenschlichkeit, Verschlossenheit *Bodenfrost, Frische, Frost, Kälte, Nachtfrost, kalte Jahreszeit, niedrige Temperatur *Frostigkeit, Steifheit, Ungerührtheit *Abgeklärtheit, Besonnenheit, Gelassenheit
kühlen: abkühlen, abschrecken, auskühlen, auf Eis legen, erkalten lassen, kalt machen, kalt stellen *erfrischen, fächeln, fächern, wedeln
Kühlschrank: Eisschrank, Kühlanlage, Kühltruhe, Tiefkühltruhe
Kühlung: Abkühlung, Erkaltung, Temperaturrückgang, Wärmeverminderung
kühn: beherzt, draufgängerisch, furchtlos, heldenhaft, heldenmütig, herzhaft, kämpferisch, keck, mannhaft, mutig, tapfer, todesmutig, tolldreist, tollkühn, unerschrocken, unverzagt, vermessen, verwegen, wagemutig, waghalsig
Kühnheit: Beherztheit, Draufgängertum, Furchtlosigkeit, Heldentum, Herzhaftigkeit, Kampfesmut, Mut, Tapferkeit, Todesmut, Tollkühnheit, Unerschrockenheit, Unverzagtheit, Vermessenheit, Verwegenheit, Wagemut, Waghalsigkeit
Küken: Hühnchen *Jüngster, Kleinster, Nesthäkchen
kulant: anständig, bereitwillig, entgegenkommend, freundlich, gefällig, großmütig, großzügig, gut gesinnt, hilfsbereit, konziliant, leutselig, liebenswürdig, nett, verbindlich, wohlgesinnt, wohlmeinend, wohlwollend, zuvorkommend
Kulanz: Entgegenkommen, Gefälligkeit, Kundenfreundlichkeit
kulinarisch: appetitlich, götterhaft, lecker, prima, schmackhaft, wohlschmeckend, wunderbar
Kulisse: Bühnenbild, Dekoration *Farce, Irreführung, Spiegelfechterei, Täuschung, Trug *Hintergrund
kullern: rollen
Kulmination: Höhepunkt
Kult: Anbetung, Bewunderung, Liebe, Verehrung, Vergötterung *Brauch, Ritus
Kultstätte: Heiligtum, Opferstätte, Tempel
kultivieren: bebauen, besiedeln, kolonisieren *bearbeiten, bestellen, bewässern, erschließen, pflanzen, roden, urbar machen, ertragreich machen, zugänglich machen, nutzbar machen *erhöhen, verbessern, veredeln, verfeinern, verschönern, vervollkommnen, zivilisieren
kultiviert: verständig, sachverständig, akademisch, belesen, beschlagen, bewandert, erfahren, firm, fit, gebildet, gelehrt,

gescheit, geschult, kenntnisreich, klug, kundig, niveauvoll, qualifiziert, studiert, versiert, weise, wissend *adrett, apart, elegant, gefällig, gepflegt, kleidsam, schick, schmuck, gut angezogen *ausgewogen, ordentlich, sauber, sorgfältig, überlegt *distinguiert, gepflegt, geschmackvoll, gewählt, nobel, soigniert, verfeinert, vornehm, zivilisiert
Kultivierung: Besserung, Verbesserung, Veredelung, Verfeinerung, Verschönerung, Vervollkommnung
Kultstätte: Gebetsstätte, Heiligtum, Opferstätte, Weihestätte
Kultur: Bildung, Zivilisation *Zucht, Züchtung *Anbau, Aufzucht, Bebauung, Bestellung *Lebensart, Lebensstil, Lebensweise
Kummer: Gram, Jammer, Kreuz, Kümmernis, Last, Leid, Marter, Martyrium, Misere, Not, Pein, Qual, Schmerz, Seelenkummer, Seelenschmerz, Sorge, Sorgenlast, Trauer, Trostlosigkeit, Trübsal, Unglück, Verzweiflung
kümmerlich: ergreifend, herzergreifend, zerreißend, herzzerreißend, bedauerlich, bedauernswert, beklagenswert, herzbewegend, jämmerlich, jammervoll, kläglich *ärmlich, bescheiden, karg, kärglich, knapp, mager, mangelhaft, schäbig, schmählich, spärlich, sparsam, unbefriedigend, ungenügend, unzureichend *gering, (ein) wenig
kummerlos: aufgeräumt, beruhigt, froh, frohsinnig, heiter, lebensfroh, lebenslustig, sorgenfrei, unbekümmert, unbesorgt, ungetrübt, zufrieden
kümmern (s.): s. annehmen, s. bemühen (um), betreuen, s. interessiert zeigen, pflegen, schauen (nach), sehen (nach), s. sorgen, umsorgen, Anteilnahme schenken, Beachtung schenken ***s. nicht kümmern:** s. nicht scheren (um), etwas vernachlässigen, verwahrlosen
Kümmernis: Bürde, Gram, Jammer, Kreuz, Kummer, Last, Leid, Marter, Martyrium, Misere, Not, Pein, Qual, Schmerz, Seelenschmerz, Sorge, Sorgenlast, Trauer, Trostlosigkeit, Trübsal, Unglück, Verzweiflung *Angst, Bangigkeit, Bedenken, Befangenheit, Bekümmernis, Besorgnis, Beunruhigung, Furcht, Kummer, Panik, Scheu, Sorge, Unruhe
kummervoll: unglücklich, todunglücklich, bedrückt, bekümmert, betrübt, defätistisch, depressiv, desolat, elegisch, elend, freudlos, hypochondrisch, melancholisch, nihilistisch, pessimistisch, schwarzseherisch, schwermütig, traurig, trist, trübe, trübselig, trübsinnig, unfroh, wehmütig *gramerfüllt, gramgebeugt, gramvoll, sorgenschwer, sorgenvoll, zentnerschwer
Kumpan: Bekannter *Saufkumpan
Kumpel: Bekannter, Freund, Kamerad
kumulieren: anhäufen, häufen, sammeln, s. vergrößern
Kunde: Abnehmer, Auftraggeber, Interessent, Käufer, Kundschaft *Bestellung, Botschaft, Information, Meldung, Mitteilung, Nachricht, Neuigkeit
Kundendienst: Bedienung, Kundenberatung, Kundenservice, Service, Dienst am Kunden
Kundenwerbung: Anlockung, Anpreiserei, Anpreisung, Bedarfsweckung, Beeinflussung, Kundenfang, Kundenfängerei, Propaganda, Reklame, Verführungskünste, Werbekunst, Werbetätigkeit, Werbung
Künder: Mahner, Prophet, Seher, Weissager
Kundgabe: Anzeige, Bekanntgabe, Bekanntmachung, Erlass, Kundgebung, Mitteilung, Verkündigung
kundgeben: benachrichtigen, informieren, kundmachen, kundtun, melden, mitteilen *bekannt geben, bekannt machen, publizieren, veröffentlichen, publik machen
Kundgebung: Aufmarsch, Demonstration, Massenversammlung
kundig: belesen, beschlagen, bewandert, erfahren, geschult, informiert, kenntnisreich, orientiert, qualifiziert, sachverständig, unterrichtet, versiert, wissend
kündigen: demissionieren, entlassen, fortschicken, hinauswerfen, suspendieren, von seinem Amt entheben, von seinem Posten entheben, von seinem Amt entbinden, von seinem Posten entbinden *abheuern, abmustern *abdanken, abtre-

ten, aufhören, aufkündigen, ausscheiden, gehen, s. verändern, s. zur Ruhe setzen, zurücktreten, den Kram hinwerfen, den Kram hinschmeißen, den Dienst quittieren, die Arbeit niederlegen, sein Amt niederlegen, seinen Abschied nehmen
Kündigung: Ablösung, Amtsenthebung, Entfernung, Entlassung, Entmachtung, Hinauswurf, Zwangspensionierung *Abdankung, Abschied, Amtsverzicht, Austritt, Demission, Rücktritt *Abbau, Reduzierung
kundmachen: bekannt geben, darstellen, kundgeben, veröffentlichen
Kundmachung: Anzeige, Bekanntmachung, Erlass
Kundschaft: Abnehmer, Abnehmerkreis, Käuferschaft, Kaufinteressenten, Kunden, Kundenkreis, Verbraucherkreis, Verbraucherschaft *Aufklärung, Erhebung, Erkundung, Ermittlung, Feststellung, Nachfrage, Sondierung
Kundschafter: Agent, Aufklärer, Melder, Späher
kundtun: ausdrücken, äußern, mitteilen, vortragen, zu erkennen geben *bekannt geben, bekannt machen, kundgeben, publizieren, veröffentlichen, publik machen *informieren, unterrichten, verständigen *ankündigen
künftig: einst, dereinst, demnächst, einmal, fernerhin, fortab, fortan, forthin, hinfort, weiterhin, des Weiteren, eines Tages, in spe, in Zukunft, nach wie vor, über kurz oder lang, von nun an, von jetzt an, von heute an *folgend, nachfolgend, angehend, darauf folgend, kommend, nächst, später, zukünftig
Kunst: Fähigkeit, Fertigkeit *Gesamtwerk, Schaffen, Schöpfung, Werk *schöpferische Tätigkeit
Kunstarbeit: Artefakt, Kunsterzeugnis
Kunstausstellung: Ausstellung, Bilderausstellung, Galerie, Gemäldeausstellung, Vernissage
Kunstdünger: Düngemittel, Mineraldünger
Künstelei: Manier, Manieriertheit, Manierismus
Kunstfasern: Synthetics
kunstfeindlich: amusisch
Kunstfertigkeit: Erfahrenheit, Erfahrung, Fertigkeit, Fingerfertigkeit, Geschick, Geschicklichkeit, Geübtheit, Gewandtheit, Praxis, Routine, Training, Übung, Wendigkeit
Kunstförderer: Mäzen, Sponsor
Kunstgegenstand: Kunstwerk
kunstgemäß: stilvoll
kunstgerecht: entsprechend, richtig, sachgemäß, fachlich richtig
Kunstgriff: Dreh, Geschick, Kniff, Trick
Kunsthandlung: Galerie
Kunsthändler: Antiquar, Antiquitätenhändler *Galeriebesitzer, Galerist
Kunsthandwerk: Kunstgewerbe
Künstler: Kunstjünger, Kunstschöpfer, Maestro, Meister
künstlerisch: ästhetisch, formvollendet, kunstreich, kunstvoll, schön, stilvoll *einfallsreich, erfinderisch, ideenreich, kreativ, originell, phantasievoll, schöpferisch
Künstlerkreise: Boheme
Künstlerunterschrift: Autogramm
Künstlerwerkstatt: Atelier, Studio
künstlich: chemisch, falsch, imitiert, nachgemacht, synthetisch, unecht, unnatürlich, auf künstlichem Weg, aus der Retorte *blumenreich, geblümt, gekünstelt, gemacht, gequält, geschraubt, geschwollen, gespreizt, gestelzt, gesucht, geziert, gezwungen, phrasenhaft, unecht, unnatürlich
kunstlos: einfach, glatt, gradlinig, natürlich, primitiv, schlicht, schmucklos, ungegliedert, ungekünstelt, unkompliziert
Kunststück: Dressur, Dressurakt, Dressurnummer *Kniff, Trick, Zauberei
Kunsttanz: Ballett
kunstvoll: ästhetisch, formvollendet, künstlerisch, kunstreich, schön, stilvoll
Kunstwerk: Kreation, Meisterleistung, Meisterstück, Œuvre, Opus, Produkt, Schöpfung, Werk
kunterbunt: chaotisch, durcheinander, gemischt, planlos, ungeordnet, unordentlich, vermengt, wild, wirr, zusammengewürfelt
Kunterbunt: Allerlei, Durcheinander
kupieren: abschneiden, abstutzen, ausschneiden, beschneiden, kappen, kür-

zen, lichten, scheren, schneiden, stutzen, trimmen, zurechtstutzen, zurückschneiden *abscheren, abschneiden, schneiden
Kupon: Abschnitt, Dividendenschein, Zinsabschnitt, Zinsschein
Kuppe: Bergspitze, Gipfel, Grat, Horn, Scheitel
Kuppel: Gewölbe
Kuppelei: Ehestiftung, Mädchenhandel, Verkuppelung, Zuhälterwirtschaft
kuppeln: aneinanderbringen, verbinden, zusammenbringen, zusammenfügen *anmachen, verbinden, verkuppeln
Kuppler: Bordellmutter *Mädchenhändler, Vermittler, Zuhälter
Kur: Heilverfahren, Kuraufenthalt, Verschickung
Kurator: Treuhänder, Vertreter, Verwalter
Kurbel: Leier, Spule, Winde
kurbeln: andrehen, ankurbeln, aufdrehen, aufkurbeln, drehen
küren: erwählen, wählen
Kurier: Bote
kurieren: behandeln, betreuen, heilen, pflegen, verarzten, wiederherstellen
kurios: absonderlich, abnorm, abstrus, abwegig, abweichend, anders, anomal, atypisch, ausgefallen, befremdend, befremdlich, bizarr, drollig, eigen, eigenbrötlerisch, eigenartig, eigentümlich, kauzig, komisch, merkwürdig, närrisch, ominös, schrullig, seltsam, skurril, sonderbar, spaßig, ungewöhnlich, unüblich, verschroben, verwunderlich, wunderlich, fremd anmutend
Kuriosität: Eigentümlichkeit, Merkwürdigkeit, Seltsamkeit, Skurrilität
Kuriosum: Eigentümlichkeit, Kuriosität, Merkwürdigkeit, Sehenswürdigkeit, Seltsamkeit, Skurrilität
Kurort: Bad, Badeort
kurpfuschen: herumdoktern
Kurpfuscher: Dilettant, Medizinmann, Nichtskönner, Quacksalber, Scharlatan, Stümper
Kurs: Fortbildungsveranstaltung, Kursus, Lehrgang *Bahn, Fahrtrichtung, Lauf, Richtung, Wegrichtung *Aktienkurs, Devisenkurs *Wechselkurs
Kursbestimmung: Navigation
kursieren: herumgehen, umlaufen, zirkulieren
kursierend: bekannt, umlaufend
Kursindex: Aktienindex, Börsenindex
kursorisch: fortlaufend, nicht unterbrochen *flüchtig, rasch
Kurssteigerung: Hausse, Kursaufschwung
Kurssturz: Baisse, Börsenkrach, Krach
Kursus: Instruktionsstunde, Kurs, Lehrgang, Nachhilfeunterricht, Schulung, Übung, Vorlesung
Kurtisane: Allerweltsliebchen, Buhlerin, Dirne, Freudenmädchen, Geliebte, Halbweltdame, Kokotte, Konkubine, Liebchen, Liebedienerin, Mätresse, Prostituierte, Straßenmädchen
Kurve: Abbiegung, Abknickung, Biegung, Bogen, Haken, Kehre, Knick, Knie, Krümmung, Schleife, Schlinge, Schwenkung, Serpentine, Wegkrümmung, Wende, Wendung, Windung
kurvenlos: gerade, schnurgerade, kerzengerade, kurvenfrei, ohne Kurven
Kurvenmesser: Kartometer
kurvenreich: gewunden, in Kurven, in Serpentinen
kurz: flüchtig, kurzfristig, kurzlebig, kurzzeitig, vorübergehend, zeitweilig, zeitweise, auf Zeit, eine Zeitlang, eine Weile, auf einen Sprung, auf einen Augenblick, auf die Schnelle, auf ein Stündchen, nicht für immer, nicht für lange, nicht für dauernd, schnell (vorbei) *abgekürzt, bestimmt, gedrängt, gerafft, komprimiert, kursorisch, lapidar, straff, summarisch, verkürzt, im Telegrammstil, in wenigen Worten, kurz und bündig, nicht ausführlich *klein, knapp, von geringer Länge, von geringer Ausdehnung
***kurz treten:** einschränken, sparen
Kurzarbeit: Minijob
kurzatmig: asthmatisch
Kurzausflug: Kurztour, Trip
Kurzbesuch: Stippvisite
Kurzbericht: Beitrag, Essay, Feature, Kolumne
Kürze: Begrenztheit, Gedrängtheit, Geringfügigkeit, Kleinheit, Knappheit *Eile, Hast, Hetze
Kürzel: Abkürzungszeichen, Sigel

kürzen: abstreichen, abziehen, beschränken, dezimieren, drosseln, einschränken, herabsetzen, heruntergehen, herunterschrauben, reduzieren, schmälern, senken, verringern *abhacken, abscheren, abschlagen, abschneiden, abtrennen, abzwicken, beschneiden, kupieren, stutzen, verkleinern, verkürzen, wegschneiden, kürzer machen
kurzerhand: glattweg, kurzweg, schlankweg, kurz entschlossen, ohne weiteres, ohne Umschweife, mir nichts, dir nichts
Kurzfassung: Abriss, Extrakt, Inhaltsangabe, Resümee, Zusammenfassung
kurzfristig: flüchtig, kurz, kurzzeitig, kurzlebig, vorübergehend, zeitweilig, zeitweise, auf Zeit, eine Zeitlang, eine Weile, nicht für immer, nicht für lange, nicht für dauernd, schnell (vorbei)
kurzlebig: vergänglich
kürzlich: neuerdings, in letzter Zeit, seit kurzem *gerade, jüngst, just, justament, letzthin, neulich, unlängst, vorhin, am ..., eben (noch), noch nicht lange her, vor kurzem, vor nicht (sehr) langer Zeit, vor kurzer Zeit, erst am ...
Kurzschluss: Stromunterbrechung
Kurzschlusshandlung: Verzweiflungstat
Kurzschrifttext: Stenogramm
Kurzschrift: Eilschrift, Schnellschrift, Steno, Stenographie
kurzsichtig: beschränkt, eng, engstirnig, verblendet, nicht weit blickend, nicht vorausschauend *schwachsichtig, sehbehindert, schlecht sehend
Kurzsichtigkeit: Beschränktheit, Borniertheit, Engstirnigkeit *Fehlsichtigkeit, Schwachsichtigkeit, Sehbehinderung
Kurzstreckenläufer: Sprinter
kurzum: zusammengefasst
Kürzung: Abbau, Abstrich, Begrenzung, Beschneidung, Beschränkung, Dezimierung, Drosselung, Einschränkung, Herabsetzung, Minderung, Reduktion, Reduzierung, Schmälerung, Streichung, Verminderung, Verringerung
Kurzweil: Ablenkung, Abwechslung, Amüsement, Belustigung, Freude, Geselligkeit, Lustbarkeit, Spaß, Unterhaltung, Vergnügen, Zeitvertreib, Zerstreuung
kurzweilig: abwechslungsreich, amüsant, angenehm, anregend, belebend, erfrischend, ergötzend, ergötzlich, erheiternd, gesellig, interessant, spaßig, unterhaltend, unterhaltsam, vergnüglich, zerstreuend
kuscheln: s. anschmiegen
kuschen: gehorchen, nachgeben, parieren, spuren *s. niederlegen, s. niedersetzen
Kusine: Base, Cousine
Kuss: Busserl, Schmatz, Schmätzchen
küssen: s. abküssen, busseln, knutschen, schmatzen, schnäbeln, einen Kuss geben, einen aufdrücken
Küssen: Geknutsche, Geküsse, Geschnäbel, Knutscherei, Küsserei, Liebkosung, Schnäbelei
Küste: Küstengebiet, Küstenland *Strand
Küster: Kirchendiener, Kirchengehilfe, Kirchenhüter, Messner
Kutsche: Chaise, Karosse, Kutschwagen
Kutscher: Anspänner, Fuhrknecht, Fuhrmann, Pferdekutscher, Wagenlenker
Kutte: Amtstracht, Anzug, Bekleidung, Chorrock, Gewand, Kleidung, Mönchsgewand, Ordenskleid, Ornat, Priesterkleidung, Priesterrock, Talar, Umhang
Kuvert: Besteck, Gedeck, Tafelgedeck *Briefumschlag, Hülle, Umhüllung, Umschlag

L

laben (s.): s. erfrischen, s. ergötzen, s. erquicken, s. stärken
labend: behaglich, erfrischend, kräftigend
labern: schwatzen
labil: anfällig, schwach, schwächlich, leicht aus dem Gleichgewicht zu bringen, nicht widerstandsfähig, nicht stabil *beeinflussbar, gespalten, haltlos, ratlos, schwankend, unentschieden, unentschlossen, unsicher, unstet, unzuverlässig, veränderlich, zerrissen, mit sich uneins, ohne jeden Halt
Labilität: Schwachheit, Schwächlichkeit, Unstabilität *Anfälligkeit, Beeinflussbarkeit, Gespaltenheit, Haltlosigkeit, Ratlosigkeit, Störbarkeit, Unentschiedenheit, Unentschlossenheit, Unsicherheit, Unstetigkeit, Unzuverlässigkeit, Veränderlichkeit, Zerbissenheit
Labor: Forschungsanstalt, Laboratorium
Laborgehilfe: Laborant
Laborgehilfin: Laborantin
Laboratorium: Arbeitsraum, Forschungsstätte, Untersuchungsraum, Versuchsraum
laborieren: s. herumplagen, s. mit einer Krankheit abmühen, s. quälen (mit), leiden (an)
Labsal: Augenweide, Erfrischung, Erquickung, Genus, Ohrenschmaus, Stärkung, Wohltat *Aufmunterung, Trost, Tröstung
Labyrinth: Irrgang, Irrgarten *Durcheinander, Gewirr, Wirrwarr
labyrinthisch: dunkel, unentwirrbar, verschlungen, verwickelt, verworren, wie ein Labyrinth
Lache: Pfuhl, Pfütze, Suhle *Gelächter, Lachen
lächeln: s. eins in den Bart lachen, feixen, grienen, grinsen, schmunzeln, den Mund verziehen, ein freundliches Gesicht machen
Lächeln: Gekicher, Lachen, Schäkerei, Schmunzeln, Spaß
lachen: feixen, herausplatzen, kichern, s. krummlachen, s. kugeln, losbrüllen, losplatzen, quietschen, s. schieflachen, s. totlachen, s. vor Lachen ausschütten, wiehern, ein Gelächter anstimmen, einen Lachanfall bekommen, einen Lachkrampf bekommen, hellauf lachen, in Lachen ausbrechen, in Gelächter ausbrechen, Tränen lachen, schallend lachen, aus vollem Halse lachen *froh sein, fröhlich sein, vergnügt sein, gut aufgelegt sein, guter Laune sein
Lachen: Freude, Fröhlichkeit, Frohmut, Frohsinn, Heiterkeit, Humor, Lache, Lebenslust, Lustigkeit, Vergnügen, heitere Stimmung, fröhliche Stimmung, heitere Laune, fröhliche Laune
lächerlich: absurd, albern, grotesk, kindisch, komisch, lachhaft, läppisch, närrisch, spaßig, töricht, ulkig, verrückt *gering, geringfügig, wenig, winzig ***lächerlich machen:** jmdn. blamieren
Lächerlichkeit: Absonderlichkeit, Affenspiel, Bärentanz, Drolligkeit, Seltsamkeit, Spaß *Geringfügigkeit, Kleinigkeit, Lappalie, Winzigkeit
lachhaft: absurd, albern
Lachhaftigkeit: Komik, Lächerlichkeit
Lackel: Flegel, Frechdachs, Grobian, Lümmel, Rabauke, Rowdy, Rüpel, Schnösel, Stoffel
lackieren: anmalen, anstreichen, lacken, malen, streichen, Lack auftragen
Lackierer: Anstreicher, Maler
lackiert: angemalt, bemalt, überzogen, verschönert
Lackierung: Anstrich, Schutzlack, Schutzüberzug
lackmeiern: anführen, hereinlegen, veralbern
Lacküberzug: Firnis, Lasur
Lade: Schiebfach, Schubfach, Schublade
Ladebühne: Laderampe, Rampe
laden: aufbürden, aufladen, beladen, belasten, bepacken, einladen, verladen, voll laden *einladen, zu sich bitten, zum

Kommen auffordern *durchladen, mit Munition versehen, schussbereit machen *beordern, bestellen, evozieren, vorladen, zitieren, kommen lassen, zu sich bescheiden *aufladen, speichern
Laden: Geschäft, Großhandlung, Großmarkt, Kaufhaus, Supermarkt, Warenhaus *Fensterladen, Jalousette, Jalousie, Markise, Rollladen
Ladenbesitzer: Geschäftsbesitzer, Geschäftsinhaber, Ladeninhaber
Ladenhüter: Altware, Ausschuss, Ausschussware, Plunder, Ramsch, Schleuderware, Schund, Tand, schlechte Ware
Ladenstraße: Basar, Bazar, Einkaufstraße
Ladentisch: Theke, Tresen
Ladenverkauf: Detailhandel, Einzelhandel
Laderampe: Ladebühne, Rampe, Verladebühne, Verladerampe
Laderaum: Frachtraum, Gepäckraum, Stückgutraum
lädieren: ankratzen, anschlagen, anstoßen, beeinträchtigen, beschädigen, ramponieren, ruinieren, schaden, schädigen, verwüsten, zurichten, in Mitleidenschaft ziehen *verletzen, versehren, eine Wunde beibringen, eine Verletzung zufügen
lädiert: beschädigt, defekt, entzwei, kaputt, schadhaft, zerbrochen
Ladung: Fracht, Frachtgut, Frachtstück, Fuhre, Kargo, Last, Stückgut, Transport, Versandgut *Menge *Vorladung, Zitierung
Lady: Dame, adlige Frau
ladylike: damenhaft, geziert, vornehm, nach Art einer Lady
Lage: Konstellation, Sachlage, Sachverhalt, Situation, Status, Verhältnis, Verhältnisse, Zustand *Stimmung, Stimmungslage *Runde *Schicht *Ort, Position, Stand, Standort, Standpunkt, Stellung
Lagebeschreibung: Topographie
Lager: Depot, Lagerbestand, Lagerhaus, Lagerraum, Magazin, Speicher, Vorratshaus, Warenlager *Bettlager, Lagerstatt, Lagerstätte, Liegestatt, Ruhelager, Schlafgelegenheit *Camp, Campingplatz, Übernachtungsplatz, Zeltplatz
Lagerarbeiter: Lagerist, Magaziner
Lagerhaus: Depot, Lager
lagern: ablegen, aufbewahren, aufstapeln, deponieren, einlagern, horten, magazinieren, schichten, speichern, stauen, türmen *s. ausruhen, s. niedersetzen, pausieren, rasten, s. Ruhe gönnen, ruhen, eine Ruhepause einlegen, eine Ruhepause einschieben, eine Ruhepause machen *biwakieren, campen, campieren, übernachten, zelten
Lagerung: Ablagerung, Alterung, Reifung *Aufbewahrung, Einlagerung, Verwahrung *Einquartierung
Lagerverlust: Schwund, Verlust
lahm: gehbehindert, gehunfähig, gelähmt, kreuzlahm, krüppelhaft, verkrüppelt *träge *einförmig, einschläfernd, ermüdend, fad, fade, gleichförmig, langweilig, monoton, öde, reizlos, stumpfsinnig, trist, trocken, trostlos, uninteressant, wirkungslos *erschöpft, kraftlos, müde, schwerfällig, unentschlossen ***lahm legen:** stilllegen, stoppen, außer Betrieb setzen, zum Erliegen bringen, zum Stillstand bringen *beeinträchtigen, behindern, einengen, einschränken, hemmen *blockieren, hintertreiben, sabotieren, systematisch stören, planmäßig stören
lahmen: hinken, humpeln *erlahmen
lähmen: beeinträchtigen, behindern, einengen, einschränken, hemmen *paralysieren, schwächen
Lähmung: Lähmungserscheinung, Lähmungszustand, Paralyse, Querschnittslähmung *Angst, Erstarrung
Laie: Amateur, Anfänger, Dilettant, Einfaltspinsel, Nichtfachmann, Nichtskönner, Unkundiger
laienhaft: dilettantenhaft, dilettantisch, lückenhaft, mangelhaft, stümperhaft, ungenügend, unvollständig, unzulänglich, unzureichend, nicht fachgerecht, nicht fachgemäß
Laienrichter: Geschworenenrichter, Geschworener, Schöffe
Laisser-faire: Duldung, Gewährenlassen, Machenlassen, Nichteinmischung, Treibenlassen
Lakai: Bediensteter, Butler, Diener, Hausdiener, Kammerherr *Begleitper-

son, Träger *Duckmäuser, Heuchler, Kriecher, Liebediener, Pharisäer, Radfahrer, Schmeichler, Speichellecker
Lake: Salzbrühe, Salzlake, Salzlösung, Sole *Beize
Laken: Bettlaken, Betttuch, Leintuch
lakonisch: einsilbig, reserviert, schweigsam, sprachlos, still, stumm, verschlossen, verschwiegen, wortarm, wortkarg, zurückhaltend, nicht mitteilsam *adäquat, akkurat, exakt, genau, haargenau, haarscharf, knapp, passend, prägnant, präzise, treffend, wohlgezielt, zutreffend, der Sache entsprechend, genau richtig
lallen: stammeln, unverständlich sprechen
Lama: Schafkamel *Klosterbewohner, Mönch
lamentieren: klagen, wehklagen, jammern, knatschen, quäken, schluchzen, stöhnen, weinen, wimmern, winseln
Lamento: Gejammer, Geklage, Gewimmer, Jammer, Jammergeschrei, Klagegesang, Klagen, Lamentation, Wehgeschrei, Wehklagen
lammfromm: domestiziert, fromm, gebändigt, gezähmt, zahm *sanftmütig, zahm *artig, brav, folgsam, gehorsam, gesittet, lieb, manierlich, wohlerzogen
Lampe: Beleuchtungskörper, Leuchte, Lichtquelle, Raumleuchte
Lampenfieber: Angst, Aufregung, Erregung, Herzklopfen, Nervosität, Prüfungsangst, Spannung
lancieren: fördern, helfen, protegieren, pushen, unterstützen
Land: Acker, Areal, Boden, Erde, Erdreich, Feld, Flur, Gelände, Grund, Scholle, Terrain *Festland, festes Land, fester Boden *Bodenbesitz, Grundbesitz, Grundstück, Landbesitz *Nation, Staat *Geburtsland, Heimat, Vaterland *Bezirk, Distrikt, Gebiet, Provinz, Region
Landarbeiter: Arbeiter, Tagelöhner *Bauer
Landbestellung: Anbau, Feldbestellung
Landbewohner: Bauer, Landwirt *Dorfbewohner, Dörfler
Landenge: Halbinsel, Landbrücke, Landzunge, Meerenge, Meereszunge, Nehrung
Landebahn: Piste, Rollbahn, Startbahn
landen: anlanden, (auf dem Land) ankommen, an Land gehen *aufsetzen, niedergehen, wassern *heiraten
Landeplatz: Fliegerhorst, Flugfeld, Flughafen, Flugplatz, Lufthafen *Anlegebrücke, Anlegesteg, Anlegestelle, Lände, Landungsbrücke, Landungssteg, Seebrücke
Landesregierung: Staatsregierung (Bayern)
Landesteil: Gebiet, Provinz, Region, Territorium
Landgut: Domäne, Gutshof
Landkarte: Karte, Plan
Landkartenerstellung: Kartographie
Landkartensammlung: Atlas, Kartenwerk
Landkartenzeichner: Kartograph
landläufig: alltäglich, gängig, gebräuchlich, gewöhnlich, gewohnt, herkömmlich, normal, obligat, regelrecht, üblich, verbreitet, vorschriftsmäßig, der Regel entsprechend, der Norm entsprechend, der Gewohnheit entsprechend, gang und gäbe
ländlich: hinterwäldlerisch, kleinstädtisch, provinziell *bäuerlich, dörflich, rustikal, außerhalb der Stadt, fern der Stadt
Landmesser: Feldmesser
Landmessungslehre: Geodäsie
Landnahme: Besitznahme, Einverleibung, Eroberung
Landpartie: Abstecher, Ausfahrt, Ausflug, Lustfahrt, Partie, Sonntagsausflug, Tour, Trip, Vergnügungsfahrt, Fahrt ins Blaue, Fahrt ins Grüne *Ausflug, Spaziergang, Wanderung
Landpolizei: Gendarmerie
Landpolizist: Gendarm
Landschaft: Ecke, Gau, Gebiet, Gefilde, Gegend, Landesteil, Landstrich, Revier, Terrain, Territorium, Winkel, Zone
Landschaftsgarten: Park, Parklandschaft
Landschaftsgebiet: Bereich, Bezirk, Distrikt, Erdstrich, Flur, Gebiet, Gefilde, Gegend, Gelände, Landschaft, Landstrich, Raum, Region, Revier, Terrain, Zone
Landsitz: Bauernhof, Farm, Gutshof, Landgut

Landsleute: Bevölkerung, Bundesgenossen *Eingeborene, Landsmann, Mitbewohner, Mitbürger, Staatsangehöriger
Landspitze: Kap, Klippe, Riff
Landstraße: Chaussee, Fahrstraße
Landstreicher: Pennbruder, Penner, Taugenichts, Tippelbruder, Tramp, Vagabund, heimatloser Geselle
Landstreitkräfte: Bodentruppen, Heer, Landtruppen
Landstrich: Gegend, Landschaftsgebiet
Landstück: Gemarkung
Landtag: Landesparlament, Abgeordnetenhaus (Berlin), Bürgerschaft (Hamburg, Bremen)
Landung: Ankunft, Arrival, das Ankommen, das Eintreffen
Landungsbrücke: Anlegebrücke, Anlegesteg, Anlegestelle, Lände, Landeplatz, Landungssteg, Seebrücke
Landungsplatz: Absteigeplatz, Ankerplatz, Anlegebrücke, Anlegeplatz, Dock, Hafen, Haltestelle, Kai, Landungssteg, Mole, Reede, Schiffsgelände, Schiffslände, Werft *Flughafen, Flugplatz, Landepiste
Landvermesser: Feldmesser, Geometer, Landmesser
landwärts: ins Land hinein, ins Landesinnere hinein
Landwirt: Ackersmann, Bauer, Bauersmann, Farmer, Großbauer, Kleinbauer, Kleinlandwirt
Landwirtschaft: Anwesen, Aussiedlerhof, Bauerngehöft, Bauerngut, Bauernhof, Gehöft, Gut, Hof, Pachthof, Staatsgut, Wirtschaft, landwirtschaftlicher Betrieb *Ackerbau, Agrarwesen, Agrikultur, Bodenkultur, Feldbau, Feldbestellung, Landbau, Pflanzenzucht, Weidewirtschaft *Stallwirtschaft, Tierzucht, Viehwirtschaft, Viehzucht
landwirtschaftlich: agrarisch, bäuerlich, ländlich
Landzunge: Landspitze, Landvorsprung
lang: groß, hochaufgeschossen, von hohem Wuchs *gedehnt, ausgedehnt, ellenlang, lang gezogen, länglich, nicht kurz *ausführlich, ausgiebig, eingehend, umfassend *endlos, ewig, jahrelang, lange, langfristig, längst, langwierig, stundenlang, tagelang, unabsehbar, unendlich, wochenlang, geraume Zeit, ohne Ende, eine (halbe) Ewigkeit, seit langem, seit längerem, für längere Zeit, seit langer Zeit *lang gestreckt: ausgedehnt, ausgestreckt, breit, geräumig, groß, weit, weitläufig, weitschichtig
langatmig: ausführlich, ausholend, eingehend, umständlich, weitläufig, weitschweifig, wortreich, zeitraubend, in extenso, lang und breit
lange: endlos, ewig, jahrelang, langfristig, längst, langwierig, stundenlang, tagelang, unabsehbar, unendlich, wochenlang, geraume Zeit, ohne Ende, eine (halbe) Ewigkeit, seit langem, seit längerem, für längere Zeit, seit langer Zeit
Länge: Größe, Körpergröße, hoher Wuchs *Dauer, Verlauf, Zeitdauer *Abmessung, Ausdehnung, Ausmaß, Breite, Dimension, Erstreckung, Größenordnung, Reichweite, Tiefe, Umfang, Weite
langen: abliefern, abtreten, aushändigen, geben, in die Hand drücken *reichen, ausreichen, auslangen, genügen, hinkommen ***eine langen:** ohrfeigen, strafen
längen: ausweiten, dehnen, strecken
Längenkreis: Meridian
Längenmaß: Dezimeter, Kilometer, Meile, Meter, Millimeter, Zentimeter
Langeweile: Einerlei, Einförmigkeit, Eintönigkeit, Gleichförmigkeit, Monotonie, Öde, Tretmühle, die alte Leier, unausgefüllte Stunden, leere Stunden
Langfinger: Dieb, Einbrecher, Ganove, Kleptomane, Kleptomanin, Plünderer, Räuber, Spitzbube, Taschendieb
langfingrig: beutegierig, diebisch
langfristig: langwierig, unabsehbar *bleibend, dauerhaft, auf lange Sicht, auf längere Sicht, auf lange Zeit, auf längere Zeit, geraume Weile
langjährig: andauernd, anhaltend, beständig, fortgesetzt, fortwährend, jahrelang, kontinuierlich, lang, mehrjährig, stetig, ununterbrochen, über Jahre
Langlaufpiste: Loipe
langlebig: andauernd, dauerhaft, ewig, konstant, stets, für immer
Langlebigkeit: Dauerhaftigkeit, Ewigkeit

lang legen, s.: s. aalen, lagern, liegen, ruhen
länglich: ausgedehnt, gedehnt, oval
Langmut: Ausdauer, Friedfertigkeit, Geduld, Gelassenheit, Gleichmut, Milde, Nachsicht, Ruhe, Sanftmut, Toleranz
langmütig: friedfertig, geduldig, gelassen, gleichmütig, nachsichtig, ruhig, tolerant, voller Mitgeduld
längs: entlang, seitlich, seitwärts, am Rand, an der Seite hin, der Länge nach, von oben nach unten
langsam: bedächtig, behäbig, betulich, bummelig, gemächlich, gemütlich, geruhsam, kriechend, ruhig, sachte, säumig, saumselig, schleppend, stockend, trödelig, zögernd, gemessenen Schrittes, im Schritttempo, mit geringer Geschwindigkeit, nicht überstürzt, nicht übereilt, im Schneckentempo *allmählich, etappenweise, graduell, schrittweise, stückweise, stufenweise, sukzessive, unmerklich, im Laufe der Zeit, kaum merklich, mit der Zeit, nach und nach, nicht auf einmal, peu à peu, Schritt für Schritt *begriffsstutzig, schwerfällig
Langsamkeit: Behäbigkeit, Betulichkeit, Bummelei, Gemächlichkeit, Gemessenheit, Ruhe, Saumseligkeit, Schneckentempo, Schritttempo, Trödelei
Langschläfer: Faultier, Pennbruder, Schlafratte, Schlafratz, Schlaftante
Längsrichtung: Trimmung
längst: bereits, lange (vorher), nicht erst, seit längerem, seit langem, seit längerer Zeit, seit langer Zeit, von langer Hand
Langstreckenrakete: Interkontinentalrakete
langweilen: abstumpfen, anöden, einschläfern, ermüden, Überdruss bereiten ***s. langweilen:** die Zeit totschlagen, nichts mit sich anfangen können, vor Langeweile umkommen, Überdruss empfinden, die Daumen drehen *fast einschlafen vor Langeweile, Langeweile haben
langweilig: alltäglich, doof, einfach, einfallslos, einförmig, einschläfernd, ereignislos, ermüdend, fad, fade, flau, gleichförmig, langstielig, monoton, öde, phantasielos, reizlos, stimmungslos, tranig, trist, trocken, trostlos, üblich, uninteressant, unoriginell, wirkungslos, nicht viel los, ohne Pfiff *apathisch, denkfaul, desinteressiert, dickfellig, gefühllos, gleichgültig, inaktiv, interesselos, kühl, lasch, leidenschaftslos, lethargisch, schwerfällig, stumpf, stumpfsinnig, teilnahmslos, träge, unaufgeschlossen, unbeteiligt, unbewegt, unempfindlich, ungerührt, unlebendig
Langweiligkeit: Bummelei, Langeweile, Monotonie
langwierig: andauernd, anhaltend, chronisch, s. in die Länge ziehend, schleichend, schleppend, zeitraubend *diffizil, dornig, kniffelig, komplex, kompliziert, mühsam, problematisch, schwer, schwierig, steinig, subtil, unübersichtlich, verflochten, vertrackt, verwickelt, verzwickt, mit Schwierigkeiten verbunden, nicht leicht, nicht einfach, schwer zu fassen, schwer zugänglich, schwer verständlich
lanzettförmig: lanzenförmig, pfeilförmig, spitz
lapidar: abgekürzt, bestimmt, gedrängt, gerafft, komprimiert, kursorisch, kurz, straff, summarisch, verkürzt, im Telegrammstil, in wenigen Worten, kurz und bündig, nicht ausführlich
Lappalie: Bagatelle, Bedeutungslosigkeit, Belanglosigkeit, Geringfügigkeit, Kinderspiel, Kinkerlitzchen, Kleinigkeit, Lächerlichkeit, Nebensache, Nebensächlichkeit, Nichtigkeit, Nichts, Pappenstiel, Spaß, Spiel, Spielerei, Unwichtigkeit, kleine Fische
Lappen: Fetzen, Flicken, Lumpen, Stück
läppisch: albern, infantil, kindisch, komisch, lächerlich, närrisch, simpel, töricht
Lapsus: Fehler, Fehlgriff, Fehlleistung, Fehlschluss, Inkorrektheit, Irrtum, Missgriff, Schnitzer, Unrichtigkeit, Unstimmigkeit, Verrechnung, Versehen, Versprecher
largo: sehr mäßig, sehr breit, sehr langsam
Larifari: Gerede, Geschmarre, Geschwätz, Unsinn
Lärm: Aufruhr, Donner, Dröhnen, Gejodel, Geklapper, Geklirr, Geknatter,

Gekreische, Gelärme, Gepolter, Gerassel, Geratter, Geräusch, Geschrei, Getobe, Getöse, Hallo, Heidenlärm, Heidenspektakel, Höllenlärm, Höllenspektakel, Klamauk, Krach, Krachen, Krakeel, Krawall, Rabatz, Radau, Randale, Ruhestörung, Rummel, Skandal, Spektakel, Stimmengewirr, Tamtam, Trara, Trubel, Tumult

lärmen: donnern, dröhnen, klappern, krachen, krakeelen, krawallen, poltern, randalieren, rasseln, rattern, rummeln, rumoren, schallen, spektakeln, Rabatz machen, Krach machen, Radau machen

Larve: Gesichtsmaske, Maske *Engerling, Made, Puppe, Raupe

lasch: energielos, entkräftet, geschwächt, kraftlos, lahm, schlaff, schwach, träge *dünn, fade, schal, ungewürzt, würzlos, ohne Würze, ohne Geschmack, ohne Aroma *lässig, nachlässig, leichtfertig, schlampig, unordentlich *lässig, nachlässig, disziplinlos, laissez faire

Laschheit: Schlaffheit, Weichheit

lasieren: mit Lasur überziehen, mit Lasur versehen

lassen: ablehnen, absehen (von), Abstand nehmen (von), abstehen (von), bleiben lassen, s. enthalten, s. ersparen, unterlassen, s. verbeißen, s. verkneifen, vermeiden, verzichten, beiseite lassen, nicht tun *belassen, unterlassen, unverändert lassen, nicht bearbeiten, nicht wieder aufnehmen, nicht erörtern, so bleiben lassen, es bewenden lassen, auf sich ruhen lassen *abgeben, abliefern, abtreten, aushändigen, geben, überantworten, übereignen, übergeben, überlassen, überreichen, überstellen, übertragen, aus der Hand geben, zukommen lassen, zur Verfügung stellen, zuteil werden

lässig: flüchtig, leichtfertig, liederlich, nachlässig, oberflächlich, schlampig, ungenau, unordentlich, unsorgfältig *aufgelockert, formlos, frei, gelockert, informell, leger, locker, natürlich, nonchalant, offen, salopp, unbefangen, ungeniert, ungezwungen, unverbindlich, unzeremoniell, zwanglos *großartig, pfundig, prima, toll

Lässigkeit: Burschikosität, Freiheit, Gelöstheit, Natürlichkeit, Nonchalance, Saloppheit, Unbefangenheit, Ungeniertheit, Ungezwungenheit, Zwanglosigkeit

lässlich: entschuldbar, leicht, verzeihlich

Lasso: Fangleine, Fangseil, Wurfleine, Wurfschlinge

Last: Fracht, Frachtgut, Frachtstück, Fuhre, Kargo, Ladung, Stückgut, Transport, Versandgut *Druck, Gewicht, Schwere, Tension *Ballast, Belastung, Bürde, Crux, Druck, Elend, Jammer, Joch, Kreuz, Kummer, Leid, Mühsal, Pein, Qual, Schmerz, Schwere, Sorge

lasten (auf): anhaften, anhängen, aufhängen, bedrücken, beschweren, peinigen, quälen, schwer wiegen, traurig machen

lastend: belastend, drückend *beunruhigend, erschwerend *gravierend, schwer wiegend

lastenfrei: schuldenfrei, ohne Belastung, ohne Hypothek

Lastenheber: Bagger, Kran

Laster: Ausschweifung, Schwäche, Sünde, Übel, Unsitte, Untugend, Verirrung, schlechte Angewohnheit, wunde Stelle, schwache Stelle, wunder Punkt *Brummi, Fernlaster, Lastauto, Lastkraftwagen, Lastwagen, Lkw, Transporter, Truck

Lästerer: Klatschmaul, Lästermaul, Lästerzunge, Schandmaul

lasterhaft: ausschweifend, haltlos, hemmungslos, heruntergekommen, liederlich, locker, lose, lotterhaft, ruchlos, schmutzig, sittenlos, tugendlos, ungehörig, unkeusch, unmoralisch, unschicklich, unsittlich, unsolide, untugendhaft, unziemlich, unzüchtig, verderbt, verdorben, verkommen, verrucht, verworfen, wüst, zuchtlos, zügellos, zweifelhaft, einem Laster verfallen

Lasterhöhle: Opiumhöhle *Bordell, Sündenbabel

lästerlich: Abscheu erregend, abscheulich, blasphemisch, böse, fluchwürdig, frevelhaft, frevlerisch, gemein, gotteslästerlich, gottlos, gräulich, lasterhaft, ruchlos, schändlich, sündhaft, unverzeihlich, verbrecherisch, widerwärtig *mühsam *aufdringlich, unangenehm

Lästermaul: Kritiker, Lästerer, Lästerzunge, böse Zunge

lästern: s. mokieren, schimpfen, schmähen, spotten, verunglimpfen, abfällig sprechen, schlecht reden, in ein schlechtes Licht setzen
Lästerung: Beleidigung, Beschimpfung, Beschmutzung, Ehrenrührigkeit, Gespött, Herabsetzung, Kränkung, Nachrede, Pfuirufe, Schmähung, Spöttelei, Verleumdung, Verunglimpfung *Blasphemie, Entweihung, Fluch, Fluchwort, Gotteslästerung, Verfluchung, Verhöhnung
lästig: aufdringlich, ekelhaft, frech, indiskret, penetrant, plump, taktlos, unangenehm, unverschämt, widerlich, zudringlich *belastend, beschwerlich, hemmend, hinderlich, mühevoll, mühsam, mühselig, störend, unangebracht, unbequem, unerwünscht, ungelegen, unliebsam, unpassend, unwillkommen, widrig ***lästig sein:** behindern, plagen, stören, nicht in Ruhe lassen
Lastkahn: Prahm, Schute
Lastkraftwagen: Brummi, Fernlaster, Lastauto, Laster, Lastwagen, Lkw, Transporter, Truck
Lasttier: Maultier, Esel, Saumtier, Tragtier
Lastwagenfahrer: Trucker
Lasur: Glasur, Guss, Lackschicht, Überzug
lasziv: anstößig, anzüglich, ausschweifend, liederlich, obszön, ruchlos, schmutzig, shocking, unanständig, ungebührlich, ungehörig, unkeusch, unschicklich, unsolide, verdorben, verwerflich, verworfen, wüst, zweideutig, gegen die Sitte, nicht salonfähig, nicht stubenrein
Laszivität: Anstößigkeit, Anzüglichkeit, Ausschweifung, Liederlichkeit, Obszönität, Ruchlosigkeit, Schmutzigkeit, Unanständigkeit, Ungebührlichkeit, Ungehörigkeit, Unkeuschheit, Unschicklichkeit, Verdorbenheit, Verwerflichkeit, Zweideutigkeit
lateinamerikanisch: iberoamerikanisch, südamerikanisch
latent: schlummernd, unbemerkt, unerkannt, unmerklich, unterschwellig, verborgen, verdeckt, verhüllt, verkappt, verschleiert, versteckt, dem Auge entzogen, nicht offenkundig, unter der Oberfläche
Latenz: Verborgenheit, Verstecktheit
lateral: äußere, seitlich, seitwärts gelegen, nach den Seiten zu
Laterne: Lampion, Papierlaterne *Beleuchtungskörper, Straßenbeleuchtung, Straßenlaterne
Latrine: Abort, Bedürfnisanstalt, Grube, Häuschen, Kloake, Klosett, Lokus, Ort, Örtchen, Pissoir, Senkgrube, WC
latschen: gehen, schlendern, schlurfen
Latschen: Hausschuhe, Pantoffeln *Schuhe
Latte: Brett, Leiste, Planke *Goliath, Lulatsch, Riese *Stab, Stecken
Lattengestell: Horde, Obststeige
lau: handwarm, lauwarm, lind, mild, überschlagen, leicht temperiert, mäßig warm *halbherzig, lustlos, unentschlossen, unwillig, widerstrebend, mit halbem Herzen, ohne Begeisterung, ohne Freude, ohne Lust *desinteressiert, gleichgültig, interesselos, kühl, teilnahmslos, ungerührt *passiv, uninteressiert, nicht betroffen, ohne Interesse, ohne Teilnahme
Laub: Belaubung, Blätter, Laubkrone, Laubwerk
Laube: Gartenlaube, Pergola
Laubengang: Pergola
Laubgewinde: Girlande
Laubhölzer: Laubbäume, Laubgehölze
Laudatio: Lobeserhebung, Lobgesang, Loblied, Lobpreis, Lobpreisung, Lobrede, Lobspruch
lauern: warten *abpassen, spähen, im Hinterhalt liegen, auf der Lauer liegen
Lauf: Ablauf, Aufeinander, Aufeinanderfolge, Bahn, Fluss, Fortgang, Hergang, Nacheinander, Prozess, Strom, Verlauf, Weg *Rennen, Wettlauf, Wettrennen *Gang, Schritt, Tritt *Bahn, Fahrtrichtung, Kurs, Richtung, Wegrichtung
Laufbahn: Aufstieg, Entwicklungsgeschichte, Karriere, Vorwärtskommen, Werdegang
Laufbursche: Bote, Botenfrau, Botenjunge, Boy, Kurier, Sendbote, Stafette, Überbringer
laufen: s. beeilen, preschen, eilen, galoppieren, hasten, pesen, preschen, rasen, rennen, sausen, sprinten, spurten, stür-

men, stürzen, traben, wetzen, wieseln *s. fortbewegen, spazieren, spazieren gehen, wandern, (zu Fuß) gehen *arbeiten, funktionieren, gehen, eingeschaltet sein, angestellt sein, in Tätigkeit sein, in Betrieb sein, in Gang sein, in Funktion sein *fließen, plätschern, rieseln, sickern, strömen, wogen *gelten, Gültigkeit haben, Laufzeit haben, verbindlich sein, gültig sein *auslaufen, lecken, tröpfeln, tropfen, undicht sein *ablaufen, abrollen, s. abspielen, s. abwickeln, ausgehen, s. begeben, s. ereignen, erfolgen, gehen, geschehen, passieren, stattfinden, verlaufen, s. vollziehen, zugehen, seinen Verlauf nehmen, vonstatten gehen, vor sich gehen ***laufen lassen:** entlassen, freigeben, freilassen, freisetzen, herauslassen, auf freien Fuß setzen, in Freiheit setzen, die Freiheit schenken, die Freiheit wieder geben

laufend: alleweil, allezeit, andauernd, anhaltend, beharrlich, beständig, dauernd, fortdauernd, fortgesetzt, gleich bleibend, immer, immerzu, immerfort, immer während, konstant, kontinuierlich, pausenlos, permanent, ständig, stetig, stets, unaufhaltsam, unaufhörlich, unausgesetzt

laufende: derzeitige, diese, jetzige *fixe, ständige, s. wiederholende, wiederkehrende

Läufer: Kurzstreckenläufer, Sprinter *Bettvorleger, Bodenbelag, Brücke, Teppich, Teppichboden, Vorleger

Lauferei: Gelatsche, Gerenne, Rennerei

Laufgang: Gangway *Laufsteg

läufig: brunftig, brünstig, rammelig, rollig, rossig, stierig, in Hitze

Laufschiene: Kufe

Laufschuhe: Joggingschuhe, Spikes, Sportschuhe, Turnschuhe, Walkingschuhe

Laufstall: Laufgitter, Ställchen

Laufsteg: Gangway, Landgang, Steg *Brettersteg, Steg *Catwalk

Laufzeit: Geltungsdauer, Gültigkeit, Vertragsdauer, Zeitdauer

Laune: Albernheiten, Allüren, Anwandlung, Einfall, Flausen, Grille, Kaprize, Kapriole, Kinkerlitzchen, Mucke, Schrulle, Stimmung

Launenhaftigkeit: Brummigkeit, Reizbarkeit, Übellaunigkeit

launisch: bizarr, empfindlich, exzentrisch, flatterhaft, gekränkt, grillenhaft, kapriziös, launenhaft, missgelaunt, misslaunig, reizbar, sauertöpfisch, übelnehmerisch, unausgeglichen, unberechenbar, unbeständig, unstet, unzuverlässig, verletzt, wankelmütig, wechselnd, wetterwendisch, voller Launen

Lausbub: Bengel, Flegel, Frechdachs, Frechling, Lausebengel, Lausejunge, Lausekerl, Luder, Range, Schelm, Schlingel, freches Stück

Lausbüberei: Bubenstreich, Dummejungenstreich, Dummheit, Eskapade, Eulenspiegelei, Hanswursterei, Jungenstreich, Schabernack, Schelmenstreich, Spitzbubenstreich, Streich

lausbübisch: spitzbübisch

Lauschangriff: Abhörung

lauschen: aufhorchen, horchen, spitzeln, zuhören, ganz Ohr sein, lange Ohren machen, die Löffel spitzen, die Ohren spitzen

Lauscher: Horcher, Kundschafter, Spion, Zuträger *Mithörer, Schwarzhörer

lauschig: angenehm, anheimelnd, behaglich, bequem, beschaulich, friedlich, gemütlich, harmonisch, häuslich, heimelig, intim, traulich, traut, wohlig, wohnlich

Lausebengel: Flegel, Frechdachs, Frechling, Lausbube, Lausejunge, Lauser, Range, Schelm, Schlingel, Spitzbube, Strolch

lausig: katastrophal, schlecht, übel *spartanisch, ungenügend, wenig

laut: betäubend, dröhnend, durchdringend, fortissimo, gellend, geräuschvoll, grell, hörbar, lärmend, lauthals, lautstark, markerschütternd, ohrenbetäubend, ohrenzerreißend, schallend, schrill, unüberhörbar, vernehmbar, vernehmlich, aus Leibeskräften, aus voller Kehle, aus vollem Hals, durch Mark und Bein gehend, mit erhobener Stimme, mit voller Lautstärke, nicht leise, nicht ruhig, voller Lärm, aus vollem Halse, aus voller Brust, aus voller Lunge *entsprechend, gemäß, nach, zufolge, auf … hin

Laut: Geräusch, Hall, Klang, Schall, Ton *Sprachlaut

lauten: dröhnen, erdröhnen, schallen, erschallen, tönen, ertönen, erklingen, hallen, klingen, schmettern, schwingen *heißen, s. nennen, den Namen haben
läuten: bimmeln, klingeln, schellen
lauter: anständig, aufrichtig, geradlinig, offen, redlich, ohne Hintergedanken *allein, ausschließlich, bloß, lediglich, nur, einzig und allein, nichts (anderes) als *makellos, pur, rein, sauber, ungetrübt, unverdorben, unverfälscht, durch nichts vergiftet, durch nichts beeinträchtigt, durch nichts entstellt *anständig, unschuldig
Lauterkeit: Anständigkeit, Unschuld
läutern: filtern, klären, reinigen, sieben *s. läutern: s. bessern, umkehren
Läuterung: Besserung, Buße, Reinigung, Sündenvergebung, Umkehr, Waschung
lauthals: gellend, laut, schreiend
Lautlehre: Phonetik
lautlos: geräuschlos, leise, still, ohne Sang und Klang, nicht hörbar, kaum hörbar, nicht vernehmbar, kaum vernehmbar, auf Zehen, auf Zehenspitzen
Lautlosigkeit: Friede, Geräuschlosigkeit, Grabesstille, Schweigen, Stille, Stillschweigen, Stummheit, Totenstille
lauwarm: handwarm, lau, lind, mild, überschlagen, leicht temperiert, mäßig warm
Lautstärkeeinheit: Phon
Lautstärkenmesser: Phonometer
Lava: Schmelzfluss, Vulkangestein, Vulkanschmelzfluss
lavieren: balancieren, s. diplomatisch verhalten, s. hindurchwinden, jonglieren, taktieren, geschickt vorgehen, Schwierigkeiten umgehen *mischen, vermengen, verwischen
Lawine: Eismasse, Lahn, Lähne, Laue, Lauene, Schneemasse *Fülle, Haufen, Menge *Abgang, Bergrutsch, Erdrutsch, Murbruch, Murenabgang
lax: leichthin, liederlich, nachlässig, obenhin, oberflächlich, schlampig, unordentlich
Laxheit: Lässigkeit, Leichtsinn
Layout: Bild- und Textgestaltung *Preview, Seitenvorschau
Lazarett: Feldlazarett, Heimatlazarett, Kriegslazarett, Militärkrankenhaus, Notkrankenhaus, Notlazarett, Reservelazarett
leasen: mieten, pachten
Leasing: Vermietung
Lebemann: Genussmensch, Partyhengst, Playboy, Salonlöwe, Wüstling
leben: atmen, existieren, am Leben sein, auf der Welt sein, lebendig sein, unter den Lebenden weilen *ein Dasein führen, ein Leben haben, ein Leben führen, sein Leben verbringen *s. aufhalten, s. befinden, hausen, sitzen, weilen, wohnen
Leben: Atem, Bestehen, Dasein, Existenz, Sein, Fleisch und Blut *Aktivität, Betriebsamkeit, Regsamkeit, Trubel *Erdenleben, Erdentage, Lebensbahn, Lebensdauer, Lebenslinie, Lebenstage, Lebensweg, Lebenszeit, Werdegang *Lebensgestaltung, Lebensstil, Lebenswandel, Lebensweise *Materie, Praxis, Realität, Sachverhalt, Tatsache, Wirklichkeit, tatsächliche Lage
lebendig: existierend, lebend, am Leben, mit Leben erfüllt, nicht tot *agil, beweglich, blutvoll, dynamisch, feurig, getrieben, heftig, heißblütig, lebhaft, mobil, quecksilbrig, temperamentvoll, unruhig, vif, vital, wild *anschaulich, bildlich, deutlich, eingängig, greifbar, klar, konkret, lebensnah, lebhaft, leicht verständlich, plastisch, sprechend, veranschaulichend *farbig, groß, reich *im Gedächtnis, in Erinnerung
Lebendigkeit: Dynamik, Mobilität, Temperament, Unruhe, Vitalität
Lebensabend: Alter, Lebensausklang, Lebensherbst, Ruhestand, die alten Tage
Lebensalter: Alter
Lebensanschauung: Denkart, Denkweise, Einstellung, Gesinnung, Lebenseinstellung, Sinnesart, Weltanschauung, Wesen
Lebensart: Daseinsweise, Lebensform, Lebensgewohnheit, Lebensstil, Lebensweise, Stil *Anstand, Benehmen, Betragen, Erziehung, Haltung, Kinderstube, Manieren, Verhalten
Lebensbaum: Thuja, Thuje
lebensbejahend: getrost, hoffnungsfreudig, hoffnungsfroh, hoffnungsvoll, opti-

mistisch, positiv, sicher, siegesbewusst, siegesgewiss, siegessicher, unverdrossen, unverzagt, vertrauensvoll, zukunftsgläubig, zuversichtlich, guten Mutes, ohne Furcht, voller Zuversicht
Lebensbereich: Einflussgebiet, Lebensraum, Milieu, Umfeld, Umgebung, Umwelt
Lebensbeschreibung: Autobiographie, Biographie, Lebensbild, Lebenserinnerungen, Lebensgeschichte, Lebenslauf
lebensecht: echt, lebensnah, natürlich, real, wahr, wirklich
Lebensende: Abberufung, Abgang, Abschied, Auflösung, Ende, Erlösung, Heimfahrt, Heimgang, Hingang, Leblosigkeit, Sterben, Tod, Todesschlaf, Untergang, das Ableben, das Abscheiden, das Absterben, das Entschlafen, das Erblassen, das Erlöschen, das Hinscheiden, das Verewigen, das Verscheiden, der ewige Schlaf
Lebensentstehung: Biogenese
lebenserfahren: erfahren, klug, weise, wissend
Lebenserfahrung: Erfahrung, Lebenskenntnis, Lebensweisheit
Lebenserinnerungen: Autobiographie, Erinnerungen, Lebensbeschreibung, Memoiren
lebensfähig: kräftig, lebenskräftig, existenzfähig, gesund
Lebensfähigkeit: Gesundheit, Vitalität
Lebensform: Daseinsform, Daseinsweise, Fasson, Leben
lebensfremd: idealistisch, lebensfern, theoretisch, unrealistisch, utopisch, versponnen, verträumt, weltentrückt, weltfremd, weltverloren, wirklichkeitsfern, ohne Lebenserfahrung
Lebensfreude: Daseinsfreude, Daseinslust, Freude, Fröhlichkeit, Frohmut, Frohsinn, Heiterkeit, Humor, Lebenslust, Lustigkeit, Urbehagen, Vergnügen, heitere Stimmung, fröhliche Stimmung, heitere Laune, fröhliche Laune *Witz *Ausgelassenheit, Scherz
lebensfroh: amüsant, aufgelegt, entgegenkommend, fidel, freudig, froh, frohgemut, fröhlich, frohsinnig, glücklich, heiter, humorvoll, lebenslustig, leichtlebig, lose, lustig, munter, quietschvergnügt, schwungvoll, stillvergnügt, übermütig, unbesorgt, unkompliziert, vergnüglich, vergnügt, vergnügungssüchtig
lebensgefährlich: abenteuerlich, gefährlich, gewagt, halsbrecherisch, heikel, mutig, riskant, selbstmörderisch, tollkühn, verwegen
Lebensgefährte: Angetrauter, Ehegemahl, Ehemann, Ehepartner, Erhalter, Gatte, Gemahl, Lebenskamerad, Lebenspartner, Mann
Lebensgefährtin: Angetraute, Ehefrau, Ehepartnerin, Frau, Gattin, Gemahlin, Lebenskameradin, Lebenspartnerin, Vermählte, Weib, bessere Hälfte
Lebensgefühl: Daseinsfreude, Lebensfreude, Lebenskraft, Lebenslust
Lebensgeister: Dynamik, Elan, Frische, Lebenskraft, Munterkeit, Schwung, Spannkraft, Temperament, Vitalität
Lebensgemeinschaft: Bund, Ehe, Eheband, Ehebund, Ehebündnis, Ehestand, Partie, Verbindung, Zweisamkeit
Lebensgeschichte: Autobiographie, Entwicklungsgeschichte, Lebensbeschreibung, Lebenserinnerungen, Lebenslauf, Memoiren, Vita, Werdegang
Lebensgesetz: Naturgesetz
lebensgierig: besessen, lebenshungrig, lechzend, lüstern, unersättlich, unstillbar, versessen
Lebenshaltung: Lebensart, Lebensführung, Lebenskunst, Lebensstandard, Lebensstil, Lebensunterhalt, Lebensweise
Lebenshilfe: Beistand, Hilfe, Hilfestellung, Rat, Seelsorge, seelische Betreuung
lebenshungrig: abenteuerlustig, lebensdurstig, lebensgierig
Lebensjahr: Jahr
Lebenskampf: Daseinskampf, Existenzkampf, Kampf ums Überleben, Kampf ums Brot, Kampf ums Dasein
Lebenskraft: Arterhaltungstrieb, Energie, Kraft, Lebensflamme, Lebensfunke, Lebenstrieb, Selbsterhaltungstrieb, Vitalität *Fortpflanzungstrieb, Geschlechtstrieb
lebenskräftig: vital, vollblütig, voller Lebenskraft *gesund, lebensfähig
Lebenskreis: Sphäre

Lebenskunde: Biologie
lebenskundig: beschlagen, bewandert, versiert
Lebenslage: Situation
lebenslänglich: lebenslang, ein (ganzes) Leben lang, auf Lebenszeit, bis zum Tode dauernd, bis zum Ende des Lebens
Lebenslauf: Autobiographie, Biographie, Lebensbeschreibung, Lebensbild, Lebenserinnerungen, Lebensgeschichte *Karriere, Laufbahn, Leben
Lebenslust: Daseinsfreude, Lebensfreude, Tatkraft
lebenslustig: aufgeheitert, aufgekratzt, aufgelegt, aufgeschlossen, aufgeweckt, ausgelassen, feuchtfröhlich, fidel, freudestrahlend, freudig, frisch, froh, frohsinnig, frohgemut, froh gestimmt, fröhlich, gut gelaunt, heiter, lebensfroh, lustig, munter, schelmisch, sonnig, strahlend, übermütig, überschäumend, übersprudelnd, vergnüglich, vergnügt, wohlgemut, heiteren Sinnes
Lebensmittel: Essbares, Esswaren, Nährmittel, Nahrung, Nahrungsmittel, Nahrungsgüter, Naturalien, Viktualien *Nahrungsergänzungsmittel
Lebensmittelkorb: Fresskorb, Präsentkorb
Lebensmut: Energie, Lebensfreude, Tatkraft
lebensmüde: depressiv, entmutigt, gebrochen, gedrückt, geknickt, niedergedrückt, niedergeschlagen, niedergeschmettert, verzagt, verzweifelt
lebensnah: praxisnah, wirklichkeitsnah, am Leben orientiert, an der Praxis orientiert
lebensnotwendig: essenziell, existenziell
Lebensraum: Umkreis, Wirkungsbereich *Brutbereich, Nestbereich, Standort *Ausdehnung, Expansion, Reichweite
Lebensregel: Leitsatz, Maxime, Prinzip
Lebensretter: Helfer, Retter, Rettungsschwimmer *Beschützer, Schutzengel, Schützer, Verteidiger
Lebensrettungsgesellschaft: Seenotdienst, Seerettung, Seerettungsdienst *Bergwacht
Lebenssaft: Blut
Lebensstandard: Existenzniveau
Lebensstil: Lebensart, Lebenshaltung
Lebenstage: Dasein, Erdentage
Lebenstrieb: Erhaltungstrieb, Fortpflanzungstrieb, Geschlechtstrieb, Zeugungstrieb
lebenstüchtig: tüchtig, geschäftstüchtig, clever *anstellig, geschickt, gewandt *diplomatisch, wendig
lebensüberdrüssig: daseinsmüde, depressiv, lebensmüde, lebenssatt
Lebensüberdruss: Bedrücktheit, Depression, Lebensmüdigkeit, Lebensunlust, Melancholie, Niedergeschlagenheit, Schwermut, Schwermütigkeit, Trauer, Trübsinn
Lebensunlust: Depression, Lebensmüdigkeit, Lebensüberdruss, Lustlosigkeit, Schwermut, Verzweiflung
Lebensunterhalt: Alimente, Erhaltung, Ernährung, Existenz, Haushaltungskosten, Lebenshaltung, Lebenshaltungskosten, Unterhalt, Unterhalt, Unterhaltungskosten, Versorgung, das tägliche Brot
lebensverneinend: bedrückt, defätistisch, depressiv, desolat, hypochondrisch, melancholisch, nihilistisch, pessimistisch, schwarzseherisch, schwermütig, trübsinnig
Lebensverneinung: Agnostizismus, Defätismus, Fatalismus, Miesmacherei, Nihilismus, Panikmache, Pessimismus, Schwarzmalerei, Schwarzseherei, Skepsis, Skeptizismus
Lebensweg: Laufbahn, Lebenslauf, Schicksal, Werdegang
Lebensweise: Lebensart, Lebensform, Lebensführung, Lebensgestaltung, Lebensgewohnheit, Lebensstil
Lebenswerk: Lebensarbeit
lebenswichtig: beachtlich, bedeutend, dringend, erforderlich, essenziell, gewichtig, notwendig, obligat, relevant, schwer wiegend, signifikant, substanziell, substanzhaft, unentbehrlich, unerlässlich, unumgänglich, unvermeidlich, vordringlich, wesentlich, wichtig, zwingend *ausschlaggebend, bedeutend, bestimmend, durchgreifend, einschneidend, elementar, entscheidend, fundamental, grundlegend, gründlich, konstitutiv,

maßgebend, maßgeblich, prinzipiell, radikal, schwer wiegend, wesentlich
Lebenswille: Lebensenergie, Lebenskraft *Selbsterhaltungstrieb, Überlebenswille
Lebewesen: Geschöpf, Kreatur, Leben, Organismus, Person, Wesen *Pflanze, Pflanzenwelt *Tiere, Tierwelt
Lebenswille: Lebenskraft
Lebenszeichen: Anruf, Gruß, Nachricht
Leberentzündung: Hepatitis
Leberfleck: Muttermal
Leberschrumpfung: Leberzirrhose
Lebersekret: Galle
Lebewohl: Abschied, Scheiden, Trennung, Weggang
lebhaft: agil, betriebsam, beweglich, bewegt, blutvoll, dynamisch, feurig, geschäftig, getrieben, heftig, heißblütig, lebendig, mobil, munter, quecksilbrig, quick, quicklebendig, sanguinisch, sprudelnd, temperamentvoll, ungestüm, unruhig, vif, vital, wild, wie aufgezogen *auffällig, bunt, farbenfreudig, farbenprächtig, farbig, grell, kräftig, leuchtend, satt *anschaulich, bildlich, deutlich, eingängig, greifbar, klar, konkret, lebendig, lebensnah, leicht verständlich, plastisch, sprechend, veranschaulichend *groß, intensiv, stark *blühend, florierend, schwungvoll *allegro, schnell, vivace *belebt, bevölkert, verkehrsreich *sorglos, unbekümmert, unbesorgt
Lebhaftigkeit: Aktivität, Begeisterung, Behändigkeit, Temperament
Lebkuchen: Honigkuchen, Pfefferkuchen, Printe, brauner Kuchen
leblos: abgestorben, ausgestorben, bewegungslos, entseelt, erstarrt, regungslos, starr, tot, unbelebt, unbewegt, ohne Leben *anorganisch, nicht organisch *bewegungslos, erstarrt, reglos, regungslos, ruhig, starr, still, unbeweglich, unbewegt, ohne Bewegung, wie angewurzelt, wie aus Erz gegossen, wie tot *anorganisch, nicht organisch
Leblosigkeit: Ohnmacht *Tod
lechzen: gelüsten (nach), hungern (nach), schmachten (nach), s. sehnen (nach), vergehen (vor), Verlangen haben, begierig sein
lechzend: gierig, schmachtend, sehnend
leck: durchlässig, löcherig, porös, undicht *angeschlagen, defekt, lädiert, mitgenommen, schadhaft
Leck: Bruchstelle, Loch, Riss
lecken: ablecken, labbern, lutschen, schlecken *ausfließen, auslaufen, ausströmen, s. entleeren, tröpfeln, tropfen, leck sein, ein Leck haben, undicht sein
lecker: appetitlich, delikat, fein, köstlich, kräftig, mundend, schmackhaft, schmeckbar, vollmundig, wohlschmeckend, würzig
Leckerbissen: Delikatesse, Gaumenfreude, Gaumenkitzel, Hochgenuss, Leckerei, Schleckerei, Schmankerl
Leckerei: Süßigkeit
leckermäulig: feinschmeckerisch, genießerisch
Leckermaul: Feinschmecker, Naschkatze, Schlecker, Schleckermaul
Leder: Ball *Haut, Hülle
Ledergurt: Gürtel, Riemen
ledern: hart, lederartig, ledrig, sehnig, zäh, aus Leder
ledig: allein, allein stehend, ehelos, frei, gattenlos, single, unabhängig, unverehelicht, unverheiratet, unvermählt, noch zu haben *allein, solo, unbeweibt, unverheiratet, nicht verheiratet, ohne Frau *im Zölibat lebend *alleine, jungfräulich, unbemannt, ohne Mann
lediglich: allein, alleinig, bloß, nur, uneingeschränkt, nicht mehr als
Lee: auf der vom Wind abgewandten Seite, nach der vom Wind abgewandten Seite
leer: brach, leer stehend, unbesetzt, unbewohnt, nichts enthaltend, ohne Inhalt *ausgegossen, ausgetrunken *frei, unbedruckt, unbeschrieben, vakant *abgegriffen, abgeschmackt, alltäglich, banal, billig, dumpf, einfallslos, flach, gehaltlos, geistlos, geisttötend, gewöhnlich, hohl, ideenlos, inhaltsleer, mechanisch, nichts sagend, oberflächlich, phrasenhaft, platt, schal, seicht, stereotyp, stumpfsinnig, stupid, stupide, substanzlos, trivial, unbedeutend, verbraucht, witzlos, ohne Tiefe, ohne Gehalt *entleert, kahl ***leer ausgehen:** zurückstehen, schlecht wegkommen, ins Hintertreffen geraten, durch

die Röhre gucken, nichts abbekommen, beiseite stehen, verzichten müssen, das Nachsehen haben, nichts abkriegen *leer **stehend:** leer, unbesetzt, unbewohnt, nichts enthaltend, ohne Inhalt

Leere: Nichts, Vakuum, luftleerer Raum *Ausgestorbenheit, Einöde, Einsamkeit, Unbelebtheit, Verlassenheit *Beschränktheit, Einfallslosigkeit, Gedankenarmut, Gedankenleere, Gehaltlosigkeit, Geistesarmut, Geistlosigkeit, Hohlheit, Inhaltslosigkeit, Plattheit, Seichtheit, Stumpfsinn, Trivialität

leeren: räumen, ausräumen, ausgießen, ausleeren, auspacken, ausschütten, entladen, entleeren, herausnehmen, leer werden, leer machen *trinken, austrinken, ausschlürfen, ex trinken ***s. leeren:** leer werden

Leerlauf: Nutzlosigkeit, Stillstand, Vergeblichkeit, Verlustgeschäft, unnötige Tätigkeit, sinnlose Tätigkeit, nutzlose Tätigkeit, unrationelle Tätigkeit, unnötige Arbeitsgänge, sinnlose Arbeitsgänge, nutzlose Arbeitsgänge, unrationelle Arbeitsgänge

legal: begründet, geschrieben, gesetzlich, gesetzmäßig, juristisch, legitim, ordnungsgemäß, rechtlich, rechtmäßig, rechtskräftig, vorschriftsmäßig, dem Gesetz entsprechend, dem Recht entsprechend, nach den Paragraphen, nach dem Gesetz, zu Recht

legalisieren: anerkennen, beglaubigen, billigen, genehmigen, legitimieren, ratifizieren, sanktionieren, amtlich bestätigen, zum Gesetz erheben

Legalität: Berechtigung, Gesetzlichkeit, Gesetzmäßigkeit, Grundsatz, Norm, Ordnung, Prinzip, Rechtmäßigkeit, Regel, Standard

Legat: Vermächtnis, Zuwendung *Botschafter, Gesandter

legen: ablegen, absetzen, betten, deponieren, hinlegen, hinstellen, niederlegen, platzieren, unterbringen *bauen, anbauen, setzen, einsetzen, anpflanzen, bebauen, bestellen, einpflanzen, kultivieren, pflanzen, säen, stecken ***s. legen:** abebben, abflachen, abflauen, einschlafen, erlahmen, nachlassen, schwinden, verebben, versanden, verstummen *s. hinlegen, s. hinstrecken, s. niederlegen, ruhen, s. zur Ruhe begeben, schlafen gehen

legendär: legendenhaft, mythisch, sagenhaft, sagenumwoben *lebensfremd, unrealistisch, unwahrscheinlich, unwirklich

Legende: Heiligenerzählung, Heiligenleben, fromme Sage *Gewesenes, Vergangenes, historisches Ereignis *Beschreibung, Erklärung, Erläuterung, Zeichenerklärung *Aufschrift, Inschrift, Umschrift

leger: entkrampft, entspannt, gelockert, gelöst, ruhig *familiär, formlos, frei, gelöst, informell, lässig, natürlich, nonchalant, offen, salopp, unbefangen, ungehemmt, ungeniert, ungezwungen, unzeremoniell, zwanglos

legiert: gebunden, abgebunden, angedickt, eingedickt, sämig *verschmolzen, zusammengeschmolzen

Legion: Heer, Masse, Menge, Schar, Unmenge, Unzahl *Freiwilligentruppe, Söldnertruppe

legislativ: Gesetze erlassend, gesetzgebend

Legislative: Gesetzgeber, Gesetzgebung, Legislation, Legislatur, gesetzgebende Gewalt, gesetzgebende Versammlung

legitim: begründet, geschrieben, gesetzlich, gesetzmäßig, juristisch, legal, ordnungsgemäß, rechtlich, rechtmäßig, rechtskräftig, vorschriftsmäßig, dem Gesetz entsprechend, dem Recht entsprechend, nach den Paragraphen, nach dem Gesetz, zu Recht *ehelich, aus gesetzlicher Ehe stammend

Legitimation: Ausweis, Ausweiskarte, Ausweispapiere, Bescheinigung, Fahrerlaubnis, Identifikationskarte, Kennkarte, Papiere, Pass, Passierschein, Personalausweis, Reisepass, Studentenausweis

legitimieren: akkreditieren, anerkennen, beglaubigen, bestätigen, legalisieren, sanktionieren, zulassen ***s. legitimieren:** s. ausweisen, seine Papiere vorzeigen, seinen Pass vorzeigen, seinen Führerschein vorzeigen

Legitimierung: Akkreditierung, Beglaubigung, Bestätigung, Legalisation

Legitimität: Berechtigung, Billigkeit, Erlaubnis, Legalität, Rechtmäßigkeit
Lehensmann: Abhängiger, Gefolgsmann, Lehnsmann, Vasall
lehmig: dickflüssig, matschig, modderig, morastig, muddig, schlammig, schlickerig, sumpfig, verschlammt
Lehne: Halter, Rücken, Rückenlehne, Rückenstütze, Stütze *Armlehne, Armstütze, Stütze *Abhang, Bergabfall, Berghang, Hang
lehnen: anlegen, anlehnen, anschmiegen, anstellen, stellen, stützen, legen (an) ***s. lehnen:** s. anlehnen *s. auflehnen *s. beugen (über)
Lehnstuhl: Armsessel, Armstuhl, Lehnsessel
Lehnsverband: Clan, Stammesverband
Lehranstalt: Internat, Lyzeum, Pensionat, Schule, Schülerheim, Unterrichtsanstalt
Lehrauftrag: Berufung, Ruf
Lehrausflug: Exkursion
Lehrbuch: Abriss, Handbuch, Kompendium, Lehrgang, Leitfaden, Nachschlagewerk, Schulbuch
Lehre: Ausbildung, Berufsausbildung, Lehrjahre, Lehrzeit, Werdegang *Lebenserfahrung, heilsame Erkenntnis, bittere Arznei *Behauptung, Dogma, Doktrin, Gedankengebäude, Lehrmeinung, Lehrsatz, Satz, Theorem, Theorie, These
lehren: anleiten, ausbilden, beibringen, dozieren, instruieren, unterrichten, unterweisen, vertraut machen (mit), zeigen, Unterricht erteilen, Vorlesungen halten *beibringen, einbläuen, eindrillen, eingraben, einhämmern, einimpfen, einpauken, einprägen, einschärfen, eintrichtern, eintrommeln, unterrichten
Lehrer: Ausbilder, Dozent, Erzieher, Instruktor, Kursleiter, Lehrkraft, Lehrmeister, Lektor, Magister, Mentor, Pädagoge, Pauker, Schullehrer, Schulmann
lehrerhaft: doktrinär, lehrermäßig, lehrhaft, pedantisch, schulmeisterlich
Lehrerin: Ausbilderin, Erzieherin, Gouvernante, Lehrmeisterin
Lehrgang: Ausbildung, Fortbildung, Kurs, Kursus, Unterricht, Unterweisung, Vortragsfolge *Abriss, Handbuch, Kompendium, Lehrbuch, Leitfaden, Nachschlagewerk, Schulbuch
lehrhaft: belehrend, didaktisch, dogmatisch, lehrreich, schulmäßig
Lehrherr: Lehrmeister, Meister
Lehrling: Auszubildender, Azubi, Lehrbub, Lehrjunge, Praktikant, Stift, Volontär *Auszubildende, Azubi, Lehrmädchen, Praktikantin, Volontärin
Lehrmeinung: Behauptung, Dogma, Doktrin, Gedankengebäude, Lehre, Lehrsatz, Satz, Theorem, Theorie, These
Lehrmeister: Lehrherr, Meister *Ideal, Leitbild, Leitfigur, Leitstern, Vorbild
Lehrplan: Curriculum, Lehrstoff, Lernstoff, Pensum, Studienplan
lehrreich: anschaulich, aufschlussreich, belehrend, bildend, informativ, informatorisch, instruktiv, lehrhaft, wissenswert *erzieherisch, pädagogisch
Lehrsatz: Axiom, Denkspruch, Devise, Dogma, Gebot, Grundgedanke, Grundregel, Grundsatz, Kerngedanke, Kernspruch, Leitgedanke, Leitmotiv, Maxime, Motto, Norm, Postulat, Prinzip, Regel, Reglement, Richtlinie, Richtschnur, Satzung, Sentenz, Statut, These
Lehrspruch: Axiom, Lehrsatz
Lehrstück: Analogie, Gleichnis, Parabel
Lehrstuhl: Ordinariat, Professorenstelle, Professur
Lehrstunde: Lektion
Leib: Gestalt, Konstitution, Körper, Organismus, Rumpf, Statur, Fleisch und Blut *Abdomen, Bauch, Ranzen, Unterleib
Leibbinde: Schärpe
leibeigen: abhängig, gebunden, geknechtet, unfrei, unterdrückt, untertan, unterworfen, versklavt
Leibeigener: Sklave
Leibeigenschaft: Sklaverei
Leibeserziehung: Körperertüchtigung, Körpererziehung, Leibesertüchtigung, Sport, Turnen
Leibesfrucht: Embryo, Fetus, Fötus, Keimling
Leibesfülle: Korpulenz, Leibesumfang
Leibgarde: Leibwache
Leibgericht: Leibspeise, Lieblingsessen, Lieblingsspeise

leibhaftig: direkt, fassbar, greifbar, lebendig, persönlich, real, selber, selbst, tatsächlich
Leibhaftiger: Antichrist, Beelzebub, Dämon, Erbfeind, Erzfeind, Feind, Höllenfürst, Luzifer, Mephisto, Satan, Teufel, Verderber, Verführer, Versucher, Widersacher, Fürst der Finsternis
leiblich: körperlich, physisch *blutsverwandt, unmittelbar verwandt
Leibschmerz: Bauchgrimmen, Bauchschmerz, Bauchschmerzen, Bauchweh
Leibwächter: Beschützer, Bewacher, Bodyguard
Leibwäsche: Körperwäsche, Unterwäsche
Leiche: Leichnam, Mumie, der Tote, die sterblichen Überreste, sterbliche Hülle, irdische Hülle, der (die) Verstorbene *Aas, Kadaver
Leichenausgrabung: Exhumierung
leichenblass: aschfahl, bleichgesichtig, fahl, kreidebleich, kreideweiß, totenblass, weiß
leichenhaft: erkaltet, erstarrt, leblos, leichenblass, starr
Leichenhalle: Friedhofskapelle, Leichenhaus, Leichenkapelle, Totenhaus
Leichenrede: Grabrede, Nachruf, Nekrolog, Totenrede
Leichenschau: Autopsie
Leichenhaus: Leichenhalle, Leichenkapelle, Leichenschauhaus, Totenhalle, Totenhaus
Leichenschmaus: Leich, Raue, Totenmahl, Totenschmaus
Leichenverbrennung: Einäscherung, Feuerbestattung
Leichenverbrennungsanlage: Krematorium
Leichenwagen: Begräbniswagen, Totenwagen
Leichenzug: Leichengefolge, Leichenkondukt, Trauergefolge, Trauergeleit, Trauerkondukt, Trauerparade, Trauerzug
Leichnam: Leiche, Verstorbene, Tote, Abgeschiedene, die Gebeine, die sterblichen Überreste, toter Körper
leicht: federleicht, gewichtslos, tragbar, zart, nicht massiv, nicht schwer, ohne Gewicht, von geringem Gewicht, wie eine Feder *bekömmlich, gesund, leicht verdaulich, verträglich, zuträglich, gut verdaulich *babyleicht, bequem, einfach, gefahrlos, kinderleicht, lässig, locker, mühelos, problemlos, simpel, spielend, spielerisch, unkompliziert, unproblematisch, unschwer, mit Leichtigkeit, nicht schwierig, ohne Mühe, ohne Schwierigkeiten *absolut, durchaus, gut, unbedingt, auf jeden Fall, unter allen Umständen *schlagartig, schnell, überraschend, unvermittelt, unvermutet, unversehens, beim geringsten Anlass, ohne weiteres *angenehm, entspannend, erbaulich, oberflächlich, seicht, trivial, unterhaltend, unterhaltsam, nicht anspruchsvoll, von geringem Gehalt *belanglos, folgenlos, irrelevant, nebensächlich, nichts sagend, unbedeutend, unerheblich, unmaßgeblich, unscheinbar, unwesentlich, unwichtig, zweitrangig *gering, geringfügig, lächerlich, minimal, unbeträchtlich, verschwindend, nicht ins Gewicht fallend *lind, luftig, schwachwindig *sandig, wasserdurchlässig *arglos, beruhigt, fidel, gelassen, glücklich, heiter, leicht, leichtlebig, ruhig, sorgenfrei, sorgenlos, sorglos, übersprudelnd, unbekümmert, unbeschwert, unkompliziert, vergnügt, ohne Sorgen *__leicht bewaffnet:__ nur mit leichten Waffen bewaffnet, nur mit einfachen Waffen bewaffnet, nur mit primitiven Waffen bewaffnet *__leicht entzündlich:__ leicht entflammbar *__leicht fallen:__ mühelos, keine Mühe machen, mit Leichtigkeit gehen, mit leichter Hand schaffen *__leicht nehmen:__ s. keine Gedanken machen, s. keine Sorgen machen, etwas auf die leichte Schulter nehmen *__leicht verdaulich:__ einfach, kalorienarm *__leicht verständlich:__ anschaulich, durchsichtig, einfach, gegliedert, geordnet, klar, verständlich
leichtblütig: vergnügt, quietschvergnügt, amüsant, aufgelegt, fidel, freudig, froh, frohgemut, fröhlich, frohsinnig, glücklich, heiter, humorvoll, lebensfroh, lebenslustig, leichtlebig, lose, lustig, munter, schwungvoll, übermütig, unbe-

sorgt, unkompliziert, vergnüglich, vergnügungssüchtig
leichtern: ausladen, entladen, löschen
leichtfertig: abenteuerlich, bedenkenlos, fahrlässig, gedankenlos, impulsiv, leichtsinnig, nachlässig, oberflächlich, pflichtenlos, pflichtvergessen, sorglos, sträflich, unbedacht, unbekümmert, unbesonnen, unüberlegt, unverantwortlich, unvertretbar, unvorsichtig, verantwortungslos, wahllos, ziellos
Leichtfertigkeit: Achtlosigkeit, Fahrlässigkeit, Gedankenlosigkeit, Lässigkeit, Leichtsinn, Nachlässigkeit, Sorglosigkeit, Übereiltheit, Unvorsichtigkeit
Leichtfuß: Hallodri, Lotterbube, Luftikus, Windbeutel, Windhund, Bruder Leichtsinn, Bruder Leichtfuß, unruhiger Geist, leichter Vogel, loser Vogel, lockerer Vogel, windiger Bursche
leichtfüßig: behände, beweglich, elastisch, flink, gelenkig, geschmeidig, gewandt, rasch, wendig
Leichtgewicht: Federgewicht
leichtgläubig: arglos, einfältig, gutgläubig, harmlos, naiv, treuherzig, unschuldig, vertrauend, vertrauensselig
leichtherzig: leicht, sorglos, unbekümmert, unbesorgt, ohne Sorgen
leichthin: leichtfertig, oberflächlich, unbedacht, unbesonnen, unüberlegt, vorschnell, ohne zu überlegen, en passant
Leichtigkeit: Bagatelle, Bedeutungslosigkeit, Belanglosigkeit, Geringfügigkeit, Kinderspiel, Kleinigkeit, Lächerlichkeit, Lappalie, Nebensache, Nebensächlichkeit, Nichtigkeit, Nichts, Unwichtigkeit
leichtlebig: ausschweifend, flatterhaft, flott, lebenslustig, leichtblütig, leichtsinnig, sorglos, unsolide
Leichtsinn: Ausgelassenheit, Fahrlässigkeit, Gedankenlosigkeit, Mutwille, Pflichtvergessenheit, Sorglosigkeit, Übermut, Unbedachtsamkeit, Unbekümmertheit, Unbesonnenheit, Verantwortungslosigkeit, Spiel mit dem Feuer
leichtsinnig: bedenkenlos, fahrlässig, gedankenlos, impulsiv, leichtfertig, locker, pflichtvergessen, sorglos, sträflich, unbedacht, unbekümmert, unbesonnen, unüberlegt, unverantwortlich, unvertretbar, unvorsichtig, verantwortungslos, wahllos, ziellos
Leid: Ärmlichkeit, Armseligkeit, Armut, Bedürftigkeit, Beschränkung, Besitzlosigkeit, Elend, Entbehrung, Geldnot, Kargheit, Knappheit, Krise, Not, Notstand, Unglück, Verelendung *Crux, Gram, Herzeleid, Herzweh, Jammer, Kreuz, Kummer, Kümmernis, Last, Marter, Martyrium, Misere, Not, Pein, Qual, Schmerz, Seelenschmerz, Sorge, Trauer, Trostlosigkeit, Trübsal, Unglück, Verzweiflung, Weh
Leideform: Passiv, Passivum
leiden: tragen, ertragen, aushalten, ausstehen, bestehen, bewältigen, durchstehen, erdulden, s. fügen, hinnehmen, hinwegkommen, mitmachen, quälen, schlecht gehen, schmachten, überleben, überstehen, verarbeiten, verdauen, verkraften, verschmerzen, vertragen, krank sein, zu klagen haben, die Hölle auf Erden haben ***leiden können:** bevorzugen, s. hingezogen fühlen, lieben, mögen, sympathisieren, gern haben, gut finden, hängen (an), lieb haben, nicht abgeneigt sein
Leiden: Beschwerden, Erkrankung, Gebrechen, Krankheit, Qual, Störung, Unpässlichkeit, Unwohlsein *Krankheit, Übel *Crux, Gram, Herzeleid, Herzweh, Jammer, Kreuz, Kummer, Kümmernis, Last, Marter, Martyrium, Misere, Not, Pein, Qual, Schmerz, Seelenschmerz, Sorge, Trauer, Trostlosigkeit, Trübsal, Unglück, Verzweiflung, Weh
leidend: krank, todkrank, angegriffen, arbeitsunfähig, befallen (von), bettlägerig, dienstunfähig, elend, erkrankt (an), fiebrig, indisponiert, kränkelnd, kränklich, morbid, pflegebedürftig, schwerkrank, siech, sterbenskrank, todgeweiht, unpässlich, unwohl, nicht gesund
Leidenschaft: Affekt, Aufwallung, Begeisterung, Ekstase, Enthusiasmus, Feuer, Feurigkeit, Fieber, Glut, Hochstimmung, Inbrunst, Innigkeit, Passion, Pathos, Rausch, Schwung, Sturm, Taumel, Überschwang *Begierde, Gier, Verlangen
leidenschaftlich: aufbrausend, besessen,

beweglich, blutvoll, dynamisch, feurig, flammend, getrieben, glühend, heftig, heiß, heißblütig, impulsiv, lebendig, lebhaft, mobil, passioniert, quecksilbrig, schwungvoll, stürmisch, temperamentvoll, unruhig, vif, vital, vulkanisch, wild, mit Feuer
leidenschaftslos: apathisch, denkfaul, desinteressiert, dickfellig, fischblütig, gefühllos, gleichgültig, inaktiv, interesselos, kühl, lasch, lethargisch, schwerfällig, stumpf, stumpfsinnig, teilnahmslos, träge, unaufgeschlossen, unbeteiligt, unbewegt, unempfindlich, ungerührt
Leidensgenosse: Leidensgefährte, Schicksalsgenosse
Leidensweg: Dornenweg, Golgathaweg, Kreuzweg, Passion *Canossagang, Gang nach Canossa *Durststrecke, Not
Leidenszug: Bittermiene, Leichenbittermiene, böses Gesicht
leider: schade, jammerschade, bedauerlicherweise, dummerweise, fatalerweise, unglücklicherweise, mit Bedauern, zu meinem Leidwesen, zu meinem Bedauern
leidgeprüft: gepeinigt, geplagt, gequält, heimgesucht, vom Schicksal geschlagen, vom Pech verfolgt
leidig: arg, beschwerlich, böse, dumm, fatal, lästig, peinlich, prekär, schlecht, schlimm, schrecklich, skandalös, traurig, übel, unangenehm, unbefriedigend, unerfreulich, unerquicklich, unerwünscht, ungelegen, ungut, unliebsam, unwillkommen, verdrießlich
leidlich: mäßig, mittelmäßig, akzeptabel, annehmbar, ausreichend, einigermaßen, genügend, hinlänglich, notdürftig, passabel, zufrieden stellend, halbwegs befriedigend, halbwegs erträglich
Leidtragende(r): Hinterbliebene, Trauernde, Witwe, Witwer *Opfer
leidvoll: unglücklich, todunglücklich, bedrückt, bekümmert, betrübt, defätistisch, depressiv, desolat, elegisch, elend, freudlos, hypochondrisch, kummervoll, melancholisch, pessimistisch, schwarzseherisch, schwermütig, traurig, trist, trübe, trübselig, trübsinnig, unfroh, wehmütig *bejammernswert, beklagenswert, gramerfüllt, gramgebeugt, gramvoll, sorgenschwer, sorgenvoll, zentnerschwer
Leierkasten: Drehorgel, Leier, Nudelkasten, Werkel
Leierkastenmann: Drehorgelspieler, Leiermann, Werkelmann
leiern: drehen, kurbeln, rollen *wiederholen, nicht nachlassen
Leihbücherei: Buchausleihe, Bücherei, Leihbibliothek
leihen: ausborgen, auslegen, ausleihen, borgen, herleihen, pumpen, überlassen, verauslagen, verborgen, verleihen, vorlegen, vorstrecken, auf Borg geben, zur Verfügung stellen ***s. leihen:** s. ausborgen, beleihen, s. borgen, entlehnen, s. pumpen, verpfänden, versetzen, Schulden machen, Verbindlichkeiten eingehen, eine Anleihe aufnehmen, anschreiben lassen
Leihhaus: Pfandhaus, Pfandleihanstalt, Pfandleihe, Versatzamt
leihweise: als Leihgabe, auf Borg, auf Pump, auf Kredit
Leim: Bindemittel, Klebemittel, Kleber, Klebstoff, Kleister, Papp
leimartig: viskos, viskös
leimen: befestigen, kitten, kleben, kleistern, pappen, zusammenfügen, zusammenkleben *andrehen, anschmieren, ausbeuten, bemogeln, beschummeln, beschwindeln, betrügen, bluffen, bringen (um), einsalben, gaunern, hereinlegen, hintergehen, hochnehmen, lackmeiern, mogeln, neppen, prellen, schummeln, täuschen, überfahren, überlisten, übervorteilen, aufs Kreuz legen
Leine: Riemen, Zügel *Reep, Schnur, Seil, Strang, Strick, Tau, Trosse
Leinen: Batist, Damast, Gitterleinen, Halbleinen, Leinengewebe, Leinenzeug, Leinwand, Linnen, Sackleinen, Stramin
Leintuch: Bettlaken, Betttuch
Leinwand: Gewebe, Leinen, Linnen *Batist, Damast, Halbleinen, Sackleinen *Filmwand, Projektionswand
leise: dumpf, flüsternd, gedämpft, geräuschlos, heimlich, piano, ruhig, still, tonlos, verhalten, auf Zehenspitzen, kaum vernehmlich, kaum vernehmbar, kaum hörbar, nicht laut, nicht störend

leisetreten: herumspuken, huschen *dienern, s. ducken, katzbuckeln, kriechen, scharwenzeln
Leisetreter: Duckmäuser, Heuchler, Kriecher, Liebediener, Pharisäer, Schmeichler, Speichellecker
Leiste: Randeinfassung, Warenkante, Webkante, Webrand *Lende, Schenkelbeuge
leisten: abwickeln, arbeiten, ausführen, bewerkstelligen, durchführen, erledigen, fertig bekommen, tun, verrichten, vollbringen, vollführen *ausrichten, bewerkstelligen, bewirken, deichseln, durchboxen, durchdrücken, durchfechten, durchkämpfen, durchsetzen, erarbeiten, erlangen, erreichen, erringen, ertrotzen, erwirken, erzielen, erzwingen, fertig bekommen, fertig bringen, fertig kriegen, managen, realisieren, schaffen, verwirklichen, vollbringen, zuwege bringen, zustande bringen *bezeigen, entgegenbringen, erweisen, erzeigen, angedeihen lassen, zuteil werden lassen ***s. etwas leisten:** s. etwas genehmigen, s. finanziell ermöglichen, s. gestatten, s. gönnen
Leisten: Schuhleisten, Schuhspanner
Leistung: Arbeitskraft, Kraft, Leistungsfähigkeit, Leistungspotenzial, Leistungsvermögen, Potenzial, das Funktionieren, das Können *Aufwendung, Zahlung *Arbeit, Ergebnis, Großtat, Kunststück, Meisterwerk, Schöpfung, Tat, Werk *Erfolg, Ergebnis, Großtat, Meisterwerk, Meriten, Produkt, Tat, Verdienst
Leistungsaufschub: Moratorium, Stundung
leistungsfähig: arbeitsfähig, fähig, fit, gesund, kräftig, patent, stark, strapazierbar, tüchtig, sehr gut
Leistungsfähigkeit: Arbeitskraft, Fitness, Können, Kraft, Leistung, Leistungsvermögen, Leistungspotenzial, Potenzial, Spannkraft, das Funktionieren
Leistungsgrenze: Schallmauer *Ende
Leistungslohn: Akkordlohn
Leistungsprüfung: Abschlussprüfung, Examen, Leistungskontrolle, Lernzielkontrolle, Prüfung
Leistungssoll: Norm
Leitartikel: Kolumne
Leitbild: Abgott, Ideal, Idol, Leitstern, Musterbild, Richtschnur, Vorbild, Wunschbild, höchstes Ziel
leiten: fortführen, übertragen, weiterführen, weiterleiten, hindurchgehen lassen *bugsieren, dirigieren, einweisen, lotsen, den Weg vorzeichnen, den Weg zeigen, den Weg weisen *anführen, anleiten, befehligen, führen, gebieten, kommandieren, lenken, präsidieren, verwalten, vorsitzen, vorstehen, an der Spitze stehen, den Vorsitz führen, die Fäden in der Hand haben, die Führung innehaben, die Leitung innehaben, die Sache in die Hand nehmen, die Zügel führen, maßgeblich sein *dirigieren, führen, lenken, vorstehen, den Stab führen
leitend: anweisend, beherrschend, führend, herrschend, tonangebend, überlegen *anleitend *dirigierend
Leiter: Anführer, Chef, Direktor, Führungskraft, Funktionär, Geschäftsführer, Leader, Lenker, Manager, Oberhaupt, Präsident, Vorsteher *Abt, Prinzipal *Bandleader, Dirigent, Orchesterchef *Anstellleiter, Stiege, Treppenleiter, Tritt, Trittleiter
Leiterin: Chefin, Direktorin *Äbtissin, Mutter Oberin
Leiterstufe: Sprosse
Leitfaden: Abriss, Grundabriss, Grundlegung *Lehrbuch, Nachschlagewerk, Ratgeber, Vademekum
Leitgedanke: Gerüst, Grundgedanke, Grundidee, Grundmotiv, Grundvorstellung, Hauptgedanke, Idee, Leitmotiv, Zeichen, roter Faden
Leithammel: Anführer, Leithund, Spitze, Vordermann, Zugpferd
Leitsatz: Devise, Grundsatz, Motto, Prinzip, Richtschnur, Wahlspruch
Leitstelle: Leitungsstelle, Zentrale
Leitstern: Ideal
Leitstrahl: Peilstrahl, Richtstrahl *Funkpeilung, Radar, Richtstrahl
Leitung: Aufsicht, Direktion, Führung, Herrschaft, Kommando, Lenkung, Management, Oberaufsicht, Regie, Regiment, Vorsitz *Direktorium, Präsidium, Spitze, Verwaltung, Vorstand *Draht, Drahtleitung, Kabel, Lichtleitung, Rohr-

leitung, Telefonleitung, Verbindungsschnur, Zuleitung
Leitungsnetz: Netz, Stromnetz, Verbundnetz
Lektion: Denkzettel, Donnerwetter, Epistel, Gardinenpredigt, Moralpredigt, Predigt, Standpauke, Strafpredigt, Strafrede, Tadel, Zurechtweisung *Anleitung, Kurs, Stunde, Unterrichtsstunde, Unterweisung *Buchabschnitt, Kapitel *Lehreinheit
Lektüre: Bücher, Lesestoff, Literatur
Lendenstück: Filet
lenkbar: anpassungsfähig, folgsam, manipulierbar, willig
lenken: bugsieren, dirigieren, fahren, leiten, lotsen, manövrieren, steuern *beeinflussen, einreden, einwirken, suggerieren, einen Einfluss ausüben, Einfluss haben, Wirkung erzielen, Wirkung ausüben
Lenker: Autofahrer, Chauffeur, Fahrer, Führer, Fuhrmann, Kraftfahrer, Pilot *Lenkrad, Lenkstange *Anführer
Lenkrad: Steuer, Steuerrad, Steuerung, Volant
Lenkung: Steuerung *Aufsicht, Direktion, Führung, Herrschaft, Kommando, Leitung, Management, Oberaufsicht, Regie, Regiment, Vorsitz
lento: gedehnt, langsam
Lenz: Frühjahr, Frühling, Maienzeit *Entwicklungszeit, Jugend, Jugendzeit, Reifezeit
Leopard: Panther
Lernabschnitt: Lektion
Lerneifer: Interesse, Lernbegierde, Lernwille, Tatendrang, Wissbegier, Wissbegierde, Wissensdrang, Wissensdurst
lerneifrig: gelehrig, lernbeflissen, lernbegierig, strebsam, unersättlich, wissbegierig, wissensdurstig
lernen: pauken, einpauken, s. anlesen, s. auf den Hosenboden setzen, büffeln, s. einprägen, einstudieren, einüben, erlernen, s. etwas beibringen, s. Fähigkeiten aneignen, s. Kenntnisse aneignen, memorieren, studieren, s. Wissen aneignen, s. zu Eigen machen, auswendig lernen, über den Büchern sitzen, die Nase in ein Buch stecken *s. ausbilden, s. fortbilden, eine Berufsausbildung (durch)machen, einen Beruf lernen, in die Lehre gehen *eine Lehre ziehen *s. aneignen, s. anlernen, s. anlesen, erlernen, erwerben, studieren
Lernen: Aneignung, Büffelei, Einübung, Erlernung, Erwerb, Studium, Übung, Wissenserwerb
Lernende(r): Anfänger, Auszubildender, Hörer, Lehrjunge, Lehrling, Schüler, Schülerin, Stift, Student, Studiosus, Zögling *Rekrut
Lernfähigkeit: Auffassung, Aufnahmefähigkeit, Begabung, Geist, Intelligenz, Klugheit, Köpfchen, Talent, Verstand, Verständigkeit, geistige Fähigkeiten
lernwillig: ansprechbar, aufgeschlossen, aufnahmebereit, empfänglich, offen, zugänglich
Lesart: Variante, Version
lesbar: deutlich, entzifferbar, klar, leserlich, sauber, übersichtlich, verständlich, gut zu lesen, leicht zu lesen, leicht zu verstehen, leicht zu entziffern
Lesbierin: Homophile, Homosexuelle, Invertierte, Lesbe
lesbisch: gleichgeschlechtlich, homosexuell, invertiert, sapphisch
Lese: Ernte, Weinernte, Weinlese
Leseglas: Lupe
lesen: auslesen, durcharbeiten, durchlesen, schmökern, studieren, ein Buch zur Hand nehmen, ein Buch in die Hand nehmen, etwas verschlingen *ablesen, deklamieren, vorlesen, vortragen, wiedergeben *dozieren, lehren, unterrichten, eine Vorlesung halten *aufsammeln, einbringen, ernten, pflücken *ausgliedern, auslesen, ausmustern, ausscheiden, aussieben, aussondern, aussortieren, aussuchen, auswählen, eliminieren, entfernen
lesenswert: fesselnd, interessant
Leser: Bibliomane, Bücherfreund, Büchermensch, Büchernarr, Bücherwurm, Leseratte, Vielleser *Abonnent, Bezieher
Lese-Rechtschreib-Schwäche: Legasthenie, Lernstörung
Leserschaft: Lesergemeinde, Leserkreis, Leserpublikum
Leserzuschrift: Leserbrief, Leserstimme, Stellungnahme, Zuschrift
Lesung: Aussprache, Beratung, Bespre-

chung, Erörterung *Dichterlesung, Vortragsabend *Epistel
letal: todbringend, tödlich, zum Tode führend
Lethargie: Abgestumpftheit, Abstumpfung, Apathie, Bequemlichkeit, Desinteresse, Dickfelligkeit, Faulheit, Gefühllosigkeit, Geistesabwesenheit, Gleichgültigkeit, Herzlosigkeit, Indolenz, Interesselosigkeit, Kühle, Leidenschaftslosigkeit, Passivität, Phlegma, Schläfrigkeit, Stumpfheit, Stumpfsinn, Stumpfsinnigkeit, Sturheit, Teilnahmslosigkeit, Trägheit, Unaufgeschlossenheit, Unempfindlichkeit, Ungerührtheit, Uninteressiertheit, Wurstigkeit
lethargisch: apathisch, bequem, denkfaul, desinteressiert, dickfellig, gefühllos, gleichgültig, inaktiv, indolent, interesselos, kühl, lasch, leidenschaftslos, passiv, phlegmatisch, schläfrig, schwerfällig, schwunglos, stumpf, stumpfsinnig, teilnahmslos, träge, tranig, unaufgeschlossen, unbeteiligt, unbewegt, unempfindlich, ungerührt, untätig, verschlafen
Letter: Druckbuchstabe, Druckletter, Drucktype, Schriftzeichen, Type
letzt: vorher, vorherig, vorig *äußerst, höchst, letztmöglich *schließlich, zuletzt, letzten Endes, als Letzter, zu guter Letzt, an letzter Stelle
letzte: verflossene, vergangene, vorige *allerletzte, äußerste, letztmögliche *restliche, überschüssige, übrige, übrig gebliebene, übrig gelassene
letztendlich: endlich, letztens, letztlich, schließlich, zuletzt, letzten Endes, zu guter Letzt, am Ende, zum Schluss, in der Endkonsequenz, im Endeffekt
letztens: jüngst, kürzlich, letzthin, neulich, unlängst, dieser Tage, noch nicht lange her, vor einer Weile, vor kurzem, vor kurzer Zeit *letztlich, schließlich
letzter: dümmster, faulster, schlechtester, schwächster, unbegabtester
Letzter: Hinterster, Nachhut, Nachzügler, Schlusslicht *Verlierer
letzthin: kürzlich, neulich
letztmalig: zum letzten Mal, das letzte Mal
letztmöglich: äußerst, höchst, letzte(r,s)
letztwillig: testamentarisch, dem letzen Willen entsprechend
Leuchte: Beleuchtungskörper, Lampe, Raumleuchte *Fachmann, Meister
leuchten: blinken, blitzen, flimmern, funkeln, glänzen, gleißen, glitzern, scheinen, schimmern, strahlen *blenden, erhellen, hell werden, Helligkeit aussenden, Licht aussenden, Licht ausstrahlen, Licht verbreiten
leuchtend: auffallend, grell, unangenehm, in die Augen fallend *blinkend, funkelnd, glänzend, schimmernd, strahlend
Leuchter: Armleuchter, Kerzenhalter, Kerzenständer, Kerzenträger, Kronleuchter, Leuchte
Leuchtfeuer: Blinkfeuer, Feuer, Feuerschiff, Feuerturm, Leitfeuer, Leuchtbake, Leuchtboje, Leuchtschiff, Leuchttonne, Leuchtturm, Richtfeuer
Leuchtkäfer: Glühwürmchen, Johanniskäfer, Johanniswürmchen
Leuchtöl: Petroleum
Leuchtröhre: Neonröhre
Leuchtstoff: Leuchtmasse
leugnen: ableugnen, abstreiten, bestreiten, verleugnen, verneinen, als unwahr hinstellen, als unzutreffend hinstellen, als falsch hinstellen, als unwahr bezeichnen, nicht wahrhaben wollen, als unrichtig bezeichnen, als unzutreffend bezeichnen, als falsch bezeichnen, in Abrede stellen
Leumund: Achtung, Ansehen, Autorität, Bedeutung, Ehre, Format, Geltung, Gesicht, Größe, Name, Nimbus, Prestige, Profil, Rang, Renommee, Ruf, Sozialprestige, Stand, Stolz, Unbescholtenheit, Würde
Leute: Öffentlichkeit *Menge *Dienerschaft, Dienerschar, Dienstpersonal, Gesinde, Knechte und Mägde *Angestellte, Arbeitskräfte, Belegschaft, Mitarbeiter, Untergebene
leutselig: entgegenkommend, gönnerhaft, gütig, huldreich, jovial, konziliant, kulant, wohlwollend *extravertiert, munter, selbstbewusst, sicher
Leutseligkeit: Freundlichkeit, Umgänglichkeit, Verbindlichkeit

Lex: Gesetz, Gesetzesantrag, Recht, Rechtsvorschrift, Verfassung
Lexem: Wortbestand, Wortschatzeinheit
Lexikon: Nachschlagewerk *Wörterbuch, Wörterverzeichnis, Wortschatzsammlung, Wortverzeichnis, Zitatensammlung
Liaison: Allianz, Bund, Bündnis, Entente, Fusion, Koalition, Organisation, Verbindung, Vereinigung, Zusammenschluss, Schutz-und-Trutz-Bündnis *Affäre, Liebesverbindung, Liebesverhältnis, Liebschaft, intime Beziehung
liberal: aufgeklärt, freiheitlich, freisinnig, repressionsfrei, tolerant, vorurteilsfrei, vorurteilslos *freigebig, hochherzig, honorig
liberalisieren: freiheitlich gestalten, von Einschränkungen befreien
Liberalität: Aufgeklärtheit, Freiheit, Freisinnigkeit, Toleranz, Vorurteilslosigkeit *Freigebigkeit, Hochherzigkeit
Libido: Fortpflanzungstrieb, Geschlechtstrieb *Begierde, Sinnenlust, Sinnlichkeit, Wollust
licht: gelichtet, spärlich, dünn bewachsen *glänzend, hell, helllicht, lichtdurchflutet, lichterfüllt, sonnig, strahlend *freundlich, hell *ausgedehnt, frei, geräumig, groß, hell, offen, weit, nicht begrenzt
Licht: Beleuchtung, Beleuchtungskörper, Lampe, Leuchte, Lichtquelle *Glanz, Helle, Helligkeit, Himmelslicht, Lichtfülle, Lichtkegel, Lichtschein, Lichtstrom, Schein, Schimmer, Strahlenkegel, Strahlung *Kerze, Stearinkerze, Talglicht, Wachskerze
Lichtangst: Heliophobie, Fotophobie
Lichtbild: Aufnahme, Bild, Bildnis, Foto, Fotografie, Konterfei
Lichtbildarchiv: Lichtbildsammlung, Fotothek
Lichtbildstreifen: Film
Lichtblick: Aufheiterung, Aufrichtung, Balsam, Beruhigung, Labe, Trost, Tröstung, Zusprache, Zuspruch *Aussicht, Hoffnung, Lichtpunkt, Perspektive, Rettung, Zukunft
lichten: aufholen, heraufziehen, hochziehen *davonfahren, hinausfahren, verschwinden *abholzen, kürzen, roden, zurückschneiden ***s. lichten:** s. aufhellen, s. aufklären, s. entwölken, freundlich werden, hell werden, klar werden, schön werden, sonnig werden *abnehmen, schwinden, s. verringern, durchsichtiger werden, dünner werden, schütter werden, weniger werden
Lichtengel: Cherub, Seraph
Lichterkette: Kerzenprozession, Lichterprozession
lichterloh: fackelnd, flackernd, leuchtend, lodernd, lohend
Lichterscheinung: Lumineszenz *Biolumineszenz, Zellstrahlung
Lichtlehre: Lichtwissenschaft, Optik
lichtlos: aussichtslos, hoffnungslos, sinnlos *finster, stockfinster *abendlich, beschattet, dämmrig, dunkel, düster, halbdunkel, rabenschwarz, schattig, schwarz, stockdunkel, trübe
Lichtlosigkeit: Dunkelheit
Lichtpause: Ablichtung, Fotokopie, Kopie, Reproduktion, Vervielfältigung, Wiedergabe
Lichtpunkt: Hoffnung, Lichtblick
Lichtquant: Biophoton, Energieteilchen, Photon
Lichtschalter: Knipser, Schalter *Dimmer
lichtscheu: anrüchig, berüchtigt, dunkel, finster, gemein, obskur, suspekt, übelbeleumdet, undurchsichtig, verrufen, verschrien, zwielichtig
Lichtsignal: Lichtzeichen
Lichtspielhaus: Filmtheater, Kino, Lichtspieltheater
Lichtstärkemesser: Photometer
Lichtstift: Lichtgriffel, Lightpen
Lichtstrahl: Lichtkegel, Lichtquelle, Scheinwerferkegel, Strahlenkegel *Hoffnung, Lichtblick
Lichtung: Blöße, Rodung, Schlag, Schneise, Schwende, Waldlichtung
lichtvoll: luminös
Lid: Augendeckel, Augenlid
lieb: edel, gut, gutartig, gutherzig, gütig, gutmütig, herzensgut, hilfsbereit, human, liebenswert, mitfühlend, nobel, selbstlos, uneigennützig, wertvoll *aufopfernd, hingebungsvoll, innig, liebevoll,

sanft, sorgfältig, weich, zärtlich *anständig, brav, folgsam, fügsam, gehorsam, lenkbar, manierlich, wohlerzogen *angenehm, charmant, einnehmend, liebenswert, liebenswürdig, nett, reizend, sympathisch *angenehm, genehm, erfreulich, erwünscht, gern gesehen, hochwillkommen, recht, wie gerufen, willkommen *angebetet, geliebt, geschätzt, heiß geliebt, hoch geschätzt, angebetet, kostbar, teuer, unentbehrlich, unersetzlich, verehrt, vergöttert, wert, ans Herz gewachsen ***lieb gewinnen:** s. anfreunden, entbrannt sein (für), s. erwärmen, gern haben, s. hingezogen fühlen, s. jmdm. anschließen, lieben, mögen, s. verlieben ***lieb haben:** begehren, eine Neigung haben (für), entbrannt sein (für), lieben, schmachten (nach), verehren, vergöttern, vernarrt sein (in), verrückt sein (nach), ins Herz geschlossen haben, sein Herz verschenken, einen Affen gefressen haben (an), verliebt sein, zärtliche Gefühle hegen, zugetan sein, im Herzen tragen, gern haben, zugeneigt sein, einen Narren gefressen haben (an), jmdm. gut sein, hängen (an), ins Herz schließen *abdrücken, buhlen, herzen, kosen, liebkosen, schmusen, streicheln, umgarnen, zärteln

liebäugeln: anbändeln, balzen, flirten, girren, gurren, kokettieren, liebeln, poussieren, schäkern, schöntun, tändeln, turteln

Liebe: Amor, Anhänglichkeit, Eros, Freundschaft, Herzenswärme, Herzlichkeit, Hingabe, Hingebung, Hingezogenheit, Hinneigung, Innigkeit, Leidenschaft, Liebesgefühl, Liebesverlangen, Schwäche (für), Verbundenheit, Verliebtheit, Wohlwollen, Zärtlichkeit, Zuneigung *Sinnlichkeit

liebebedürftig: anlehnungsbedürftig, anschmiegsam, schutzsuchend

Liebediener: Duckmäuser, Heuchler, Krummbuckel, Lakai, Pharisäer, Radfahrer, Schmeichler, Speichellecker

Liebedienerei: Duckmäuserei, Kriecherei, Schmeichelei, Speichelleckerei

liebedienerisch: buhlerisch, demütig, devot, duckmäuserisch, ergeben, hündisch, knechtisch, kriecherisch, lakaienhaft, schmeichlerisch, servil, sklavisch, speichelleckerisch, subaltern, untertänig, unterwürfig, ohne Stolz

liebedienern: s. schmeicheln, s. einschmeicheln, s. anbiedern, buckeln, s. bücken, s. demütigen, dienern, katzbuckeln, kriechen, leisetreten, Rad fahren, auf dem Bauch liegen, auf dem Bauch rutschen, Staub lecken, einen (krummen) Buckel machen

Liebelei: Abenteuer, Affäre, Bratkartoffelverhältnis, Episode, Erlebnis, Flirt, Gspusi, Liebesabenteuer, Liebeserlebnis, Liebesverhältnis, Liebschaft, Romanze, Techtelmechtel, Verhältnis

lieben: begehren, entbrannt sein (für), lieb haben, schmachten (nach), verehren, vergöttern, vernarrt sein, verrückt sein (nach), ins Herz geschlossen haben, eine Neigung haben, vor Liebe auffressen wollen, sein Herz verschenken, einen Affen gefressen haben (an), verliebt sein, zärtliche Gefühle hegen, zugetan sein, im Herzen tragen, gern haben, zugeneigt sein, einen Narren gefressen haben (an), jmdm. gut sein, hängen (an), ins Herz schließen ***s. lieben:** koitieren *s. mögen, s. verstehen

liebend: anhänglich, eingenommen (für), ergeben, gewogen, hold, liebevoll, zugeneigt, zugetan

liebenswert: edel, gut, gutartig, gutherzig, gütig, herzensgut, hilfsbereit, human, mitfühlend, nobel, selbstlos, uneigennützig, wertvoll *angenehm, anmutig, anziehend, attraktiv, betörend, bezaubernd, charmant, einnehmend, entzückend, gewinnend, hübsch, lieb, lieblich, reizvoll, sympathisch, toll

liebenswürdig: aufmerksam, entgegenkommend, freundlich, gefällig, großzügig, gütig, hilfsbereit, lieb, nett, warmherzig, wohlgesinnt, wohlmeinend, zuvorkommend

Liebenswürdigkeit: Anteilnahme, Aufgeschlossenheit, Aufmerksamkeit, Barmherzigkeit, Entgegenkommen, Freundlichkeit, Güte, Gutmütigkeit, Herzensgüte, Herzlichkeit, Hilfsbereitschaft, Innigkeit, Milde, Nächstenliebe, Nettigkeit, Sanftmut, Selbstlosigkeit, Verbind-

lichkeit, Wärme, Warmherzigkeit, Wohlwollen, Zuneigung, Zuwendung
lieber: eher, mehr, vielmehr, im Gegenteil *allenfalls, denkbar, eventuell, gefälligst, gegebenenfalls, möglicherweise, möglichst, notfalls, tunlichst, womöglich, nach Möglichkeit, wenn möglich, wenn es möglich ist, unter Umständen
Liebesabenteuer: Abenteuer, Affäre, Amouren, Liaison, Liebeserlebnis, Liebesverhältnis, Liebschaft
Liebesakt: Beischlaf, Geschlechtsakt
Liebesbezeichnung: Liebesbeweis, Liebesdienst, Liebesgabe, Liebespfand, Minnedienst
Liebesdienerin: Callgirl, Dirne, Freudenmädchen, Hure, Kokotte, Kurtisane, Nutte, Prostituierte, Straßenmädchen
Liebesdienst: Freundlichkeit, Freundschaftsbeweis, Gefälligkeit, Liebe, Liebenswürdigkeit, Nettigkeit
Liebeserklärung: Antrag, Bewerbung, Erklärung, Heiratsantrag, Liebesantrag, Liebesgeständnis, Liebeswerben, Liebeswerbung, Werbung
Liebeserlebnis: Abenteuer, Affäre, Konkubinat, Liaison, Liebesabenteuer, Liebesgeschichte, Liebeshändel, Liebesverhältnis, Liebschaft, Romanze, Verhältnis, intime Beziehung *Cybersex
Liebesgott: Amor, Eros
Liebesgöttin: Aphrodite, Venus
liebeshungrig: geil, liebestoll, lüstern, satyrisch, scharf, sexbesessen, spitz
Liebeskraft: Potenz
liebeskrank: bedrückt, entflammt, kopflos, liebesdurstig, liebeshungrig, schmachtend, verlangend, verliebt, verschossen
Liebeskummer: Liebesnot, Liebesnöte, Liebespein, Liebesqual, Liebesschmerz, Liebesverlangen
Liebesleben: Liebeskunst, Sexualität
Liebespaar: Brautpaar, Liebesleute, Paar, Pärchen, die Liebenden
Liebesspiel: Getändel, Liebeswerbung *Vorspiel
Liebesstündchen: One-Night-Stand, Schäferstündchen, Stell-dich-ein, Tête-à-tête
liebestoll: entbrannt, entflammt, geil, schmachtend, verliebt, vernarrt
Liebestollheit: Geilheit, Liebesraserei, Liebeswahnsinn, Liebeswut, Vernarrtheit
Liebesverhältnis: Liaison, Liebelei, Liebesabenteuer
Liebesverlangen: Begierde, Brunst
Liebeswerbung: Freiersfüße, Galanterie, Heiratsantrag, Liebesbezeigung, Liebeserklärung, Liebesspiel, Liebeswerben, Minnedienst, Umwerbung
liebevoll: aufopfernd, empfindsam, gefühlvoll, hingebend, hingebungsvoll, innig, lieb, liebend, rührend, sanft, sensibel, weich, zart, zärtlich, mit (viel) Mühe und Sorgfalt, voller Liebe, mit Liebe, voller Hingebung, mit Hingebung, von Liebe erfüllt
Liebhaber: Freund, Kavalier, Romeo, Troubadour, Verehrer *Hausfreund, Schattenmann *Sammler
Liebhaberei: Hobby, Lieblingsbeschäftigung, Spezialgebiet, Spezialität, Steckenpferd
liebkosen: abdrücken, buhlen, herzen, kosen, lieb haben, schmusen, streicheln, umgarnen, zärteln
Liebkosung: Gehätschel, Küssen, Tätschelei, Zärtelei, Zärtlichkeit
lieblich: angenehm, anmutig, anziehend, attraktiv, aufreizend, betörend, bezaubernd, charmant, einnehmend, entzückend, gewinnend, hübsch, lieb, liebenswert, reizvoll, sympathisch, toll *süffig, süß *gut, wohlschmeckend *anmutig, gefällig, schön *angenehm, wohlriechend
Lieblichkeit: Anmut, Attraktivität, Bezauberung, Charme, Grazie, Holdseligkeit, Liebreiz, Reiz, Schönheit, Sympathie, Zauber
Liebling: Augapfel, Darling, Goldkind, Goldstück, Herzblatt, Herzchen, Liebchen, Puppe, Schatz, Schätzchen, Schwarm, die Liebste *Favorit, Günstling, Protegé
Lieblingsbeschäftigung: Hobby, Liebhaberei, Spezialgebiet, Spezialität, Steckenpferd
Lieblingsspeise: Leibgericht, Leibspeise, Lieblingsessen
lieblos: abweisend, barsch, eisig, eis-

kalt, frostig, gefühllos, grob, hartherzig, herzlos, kränkend, kühl, rüde, stiefmütterlich, unfreundlich, unliebenswürdig, verletzend, ohne Liebe, ohne Mitgefühl, ohne Wärme

Lieblosigkeit: Bosheit, Gefühllosigkeit, Hass, Herzlosigkeit, Kälte

liebreich: barmherzig, freundlich, liebevoll, tröstend

Liebreiz: Anmut, Charme, Schönheit

liebreizend: angenehm, anmutig, ästhetisch, charmant, schön

Liebschaft: Affäre, Liaison, Liebesverbindung, Liebesverhältnis, intime Beziehung

Lied: Arie, Arioso, Choral, Gesang, Gesangsstück, Hymne, Hymnus, Kanon, Kanzone, Madrigal, Psalm, Vokalmusik, Vokalstück *Chanson, Schlager, Song

liederlich: anrüchig, bedenkenlos, flatterhaft, frivol, lose, skrupellos, unseriös, vergnügungssüchtig *lässig, lax, leichthin, nachlässig, pflichtvergessen, schludrig, unordentlich, nicht gewissenhaft, nicht sorgfältig, nicht gründlich *anstößig, unsittlich, verdorben, die gute Sitte verletzend, den Anstand verletzend

Liederlichkeit: Ausschweifung *Nachlässigkeit, Schlendrian, Schluderei, Unordentlichkeit

Liedertheater: Musical, Oper, Operette

Liedteil: Strophe

Lieferant: Bezugsquelle, Verkäufer

lieferbar: disponibel, erhältlich, feil, parat, verfügbar, vorrätig, (jederzeit) zu haben, am Lager, auf Lager

liefern: bringen, beibringen, schicken, zuschicken, anliefern, ausfahren, ausliefern, austragen, beliefern, bieten, herbeischaffen, hergeben, spedieren, übergeben, übermitteln, versenden, zuleiten, zustellen, (zum Versand) bringen, ins Haus schaffen, mit Waren versorgen, zukommen lassen

Liefersperre: Boykott

Lieferung: Ablieferung, Anlieferung, Auslieferung, Belieferung, Expedition, Übergabe, Überstellung, Versand, Verschickung, Weiterleitung, Zuführung, Zuleitung, Zustellung

Liege: Bettcouch, Couch, Liegecouch, Liegesofa, Ottomane, Ruhebett, Schlafcouch, Sofa

Liegebett: Diwan, Liege, Ottomane

liegen: ausruhen, daliegen, dämmern, dösen, lagern, langliegen, pennen, ruhen, schlafen, schlummern, ausgestreckt sein *s. aufhalten, s. befinden, anwesend sein *s. erheben, s. erstrecken, s. hinziehen, ausgebreitet sein *stehen, s. verhalten, bestellt sein, eine Bewandtnis haben *rangieren, einen Platz einnehmen *behagen, entsprechen, schön finden *liegen bleiben: ausschlafen, im Bett bleiben, nicht aufstehen *übrig bleiben, überzählig sein, übrig sein, zu viel sein *eine Panne haben, nicht weiterkommen, nicht weiterkönnen ***liegen lassen:** zurücklassen, dort lassen *unbeachtet lassen, unversorgt lassen *schlafen lassen, ruhen lassen *belassen, vergessen, zurücklassen *übersehen, in Ruhe lassen, unbeachtet lassen, nicht in Angriff nehmen, nicht anrühren, nicht bewegen

Liegeplatz: Ankerplatz, Dock, Hafen, Kai, Mole, Reede, Schiffswerft, Werft *Lager, Nest, Obdach, Ruheplatz, Schlupfwinkel, Unterschlupf, Zuflucht

Liegenschaften: Bodenbesitz, Grundbesitz, Immobilien, Ländereien, Grund und Boden

Liegestatt: Bett, Falle, Lager, Matratze

Lift: Aufzug, Fahrstuhl, Paternoster

Liga: Bruderschaft, Bund, Bündnis, Interessengemeinschaft, Korporation, Ring, Verband, Verein, Vereinigung, Zusammenschluss *Achse, Allianz, Entente, Koalition, Pakt

liieren (s.): s. assoziieren, s. verbinden, s. vereinigen, s. zusammenschließen, s. zusammentun, eine Verbindung eingehen *s. an eine Frau binden, s. an einen Mann binden, s. zusammentun, eine Liebesbeziehung eingehen

liiert: gebunden, versprochen

lila: fliederfarben, violett, zartlila

Liliputaner: Gnom, Kobold, Pygmäe, Zwerg

Limes: Grenzwall

limitieren: abbauen, beengen, begrenzen, beschränken, drosseln, eindämmen, einengen, einschnüren

Limonade: Brause, Limo, Sprudel, Sprudelwasser
lind: achtsam, aufmerksam, bedacht, bedachtsam, behutsam, gelinde, liebevoll, pfleglich, pflegsam, pflichtbewusst, rücksichtsvoll, sacht, sanft, schonend, sorgfältig, sorglich, sorgsam, umsichtig, verantwortungsbewusst, vorsichtig, zart, mit Bedacht, mit Sorgfalt *gemäßigt, lau, mild, warm, nicht rau, nicht kalt
lindern: schwächen, abschwächen, bessern, dämpfen, erleichtern, mäßigen, mildern, trösten, (den Schmerz) stillen, erträglich machen, helfen (bei)
lindernd: entspannend, erleichternd, heilkräftig, lösend, tröstlich
Linderung: Abklingen, Beruhigung, Erleichterung, Hilfe, Trost
Linderungsmittel: Beruhigungsmittel, Erleichterungsmittel, Schmerzbekämpfungsmittel, Schmerzmittel, schmerzstillendes Mittel
Lindwurm: Drache, Ungeheuer
Lineal: Maßstab, Metermaß
linear: gerade, gradlinig, linienförmig, nicht krumm, in einer Linie
Linie: Strich *Kontur, Profil, Schattenriss, Silhouette, Umriss *Kette, Reihe, Zeile *Strecke, Verkehrslinie
Linienführung: Strecke, Streckenführung, Trasse, Trassenführung
linientreu: angepasst, einig, geradlinig, hundertfünfzigprozentig, hundertprozentig, konform, übereifrig, übereinstimmend, überzeugt, zuverlässig, (treu) ergeben, auf Parteilinie
Linientreuer: Anhänger, Hundertfünfzigprozentiger, Hundertprozentiger, Übereifriger, Überzeugter
Linierung: Lineatur, Liniatur, Liniierung
link: ungeschickt, zwei linke Hände haben, zur linken Hand, linker Hand
linker Hand: links, linke Seite
linkisch: unbeholfen, ungeschickt, wie ein Stück Holz, wie ein Stock
links: backbord, backbords, linksseitig, auf der linken Seite, zur Linken *an der Herzseite, linker Hand *kommunistisch, links gerichtet, links orientiert, sozialistisch *innen, auf der Unterseite, auf der Innenseite, auf der Rückseite *fortschrittlich, progressiv, revolutionär, zukunftsorientiert
Lippenbekenntnis: Gleisnerei, Heuchelei, Scheinheiligkeit
liquid: solvent, verfügbar, zahlungsfähig *aufgetaut, flüssig, geschmolzen, zerflossen
Liquidation: Abwicklung, Auflösung, Stilllegung *Faktur, Faktura, Rechnung, Zeche
liquidieren: aufgeben, auflösen, ausverkaufen, schließen, stilllegen
Liquidität: Bonität, Solvenz, Zahlungsfähigkeit
lispeln: mit der Zunge anstoßen *flüstern
List: Bauernschläue, Durchtriebenheit, Gewitztheit, Intrige, Irreführung, Kunstgriff, Manöver, Pfiffigkeit, Ränke, Ränkespiel, Schachzug, Schlauheit, Täuschung, Trick, Tücke, Übertölpelung, Verschlagenheit, Winkelzug, falsches Spiel
Liste: Aufstellung, Aufzählung, Auswahl, Handbuch, Index, Inventar, Kartei, Katalog, Nachweis, Register, Sachregister, Übersicht, Verzeichnis, Zusammenstellung *Bibliographie, Bücherverzeichnis *Nomenklatur, Verzeichnis
listig: schlau, bauernschlau, abgefeimt, ausgefuchst, ausgekocht, clever, diplomatisch, durchtrieben, fintenreich, gerissen, geschäftstüchtig, geschickt, gewieft, gewitzt, raffiniert, schlangenklug, taktisch, verschlagen, verschmitzt
Litanei: Wechselgebet, langes Gebet *Vorbeten, Wiederholung, eintöniges Gerede, endlose Aufzählung
Literat: Autor, Dichter, Lyriker, Poet, Schreiber, Schriftsteller, Stückeschreiber, Texter, Verfasser
Literatur: Dichtung, Schriftgut, Schrifttum *Belletristik, Unterhaltungsliteratur
Literaturforscher: Philologe
Literaturkritiker: Rezensent
Literaturnachweis: Bibliographie, Literatur, Literaturangabe, Literaturverzeichnis, Quellenangabe, Titelverzeichnis
Literaturwissenschaft: Dichtungswissenschaft, Literaturgeschichte, Poetik *Stilistik, Stilkunde, Stillehre

Litfaßsäule: Anschlagsäule, Anschlagtafel, Plakatsäule, Werbefläche
Litze: Besatz, Blende, Bordüre, Borte, Einfassung, Paspel, Tresse, Volant, Zierband
live: dabei, direkt übertragen, original übertragen
Livesendung: Direktsendung, Direktübertragung, Live-Übertragung, Originalübertragung
Livree: Dienstanzug, Dienstkleidung, Uniform
Lizenz: Befugnis, Erlaubnis, Genehmigung, Konzession, Zulassung
Lob: Anerkennung, Auszeichnung, Beifall, Belobigung, Billigung, Ehrung, Huldigung, Loblied, Lobpreis, Lobpreisung, Lobrede, Vorschusslorbeeren, Wertschätzung, Würdigung, Zustimmung, anerkennende Worte
Lobby: Interessengruppe
Lobbyist: Hintermann, Interessenvertreter
loben: preisen, lobpreisen, anerkennen, s. anerkennend äußern, auszeichnen, beloben, belobigen, ehren, feiern, hochpreisen, huldigen, idealisieren, rühmen, schwärmen (von), verherrlichen, verklären, würdigen, ein Loblied anstimmen, jmdn. mit Lob überhäufen, Lob zollen, Lob spenden, Lob erteilen, von jmdm. schwärmen, mit Lob überschütten, mit Lob bedenken, in den Himmel heben
lobenswert: achtbar, achtenswert, anerkennenswert, beachtlich, beifallswürdig, dankenswert, gut, löblich, musterhaft, preiswürdig, rühmenswert, rühmlich, verdienstlich, verdienstvoll, ein Lob verdienend, hoch anzurechnen, nicht tadelnswert
Lobgesang: Festgesang, Hymne, Weihelied
Lobhudelei: Chauvinismus, Eigenlob, Schmeichelei
lobhudeln: loben, schmeicheln
Lobhudler: Claqueur, Schmeichler
löblich: achtbar, gut, lobenswert
lobpreisen: besingen, ehren, feiern, glorifizieren, loben, lobsingen, preisen, verherrlichen
Lobrede: Eloge, Laudatio, Lobeserhebung, Lobgesang, Loblied, Lobpreis, Lobpreisung, Lobspruch
Loch: Bruchstelle, Leck, Lücke, Öffnung, Riss, Schlitz, schadhafte Stelle *Graben, Grube, Höhle, Kerbe, Kuhle, Mulde, Schacht, Vertiefung *Bude, Kammer, Zimmer *Gefängnis, Kasten, Kerker, Kittchen, Knast
lochen: durchbohren, durchlöchern, durchstechen, durchstoßen, perforieren, mit Löchern versehen
löcherig: durchlässig, durchlöchert, leck, porös, undicht
löchern: fragen, nachfragen, ausforschen, ausfragen, aushorchen, auskundschaften, auspressen, ausquetschen, befragen, bitten, bohren, interviewen, recherchieren
Locke: Haarbüschel, Haarlocke, Haarschopf, Schmachtlocke, Welle
locken: rufen, heranrufen, anlocken, anziehen, heranlocken, ködern *anziehen, begeistern, interessieren, reizen, verlocken, den Mund wässerig machen, den Mund wässrig machen *überlisten, in die Falle locken, in einen Hinterhalt locken
lockend: anziehend, ersehnenswert, erwünscht, faszinierend
Lockenkopf: Krauskopf, Wuschelkopf
locker: abgelöst, gelockert, lose, losgelöst, unbefestigt, wackelig, nicht fest *entkrampft, entspannt, gelockert, gelöst, ruhig *familiär, formlos, frei, gelöst, informell, lässig, leger, leichtsinnig, natürlich, nonchalant, offen, salopp, unbefangen, ungehemmt, ungeniert, ungezwungen, unzeremoniell, zwanglos *bröckelig, durchlässig, mürbe, weich, zart, zerfallend
lockerlassen: aufgeben, nachgeben, (klein) beigeben
lockermachen: ausgeben, bezahlen, hergeben, spendieren
lockern: s. lösen, s. ablösen, abgehen, auflockern, aufmachen, freimachen, losgehen, locker machen, locker werden ***s. lockern:** s. entkrampfen, s. entspannen, s. erleichtern, s. lösen, s. öffnen
Lockerung: Entkrampfung, Entspannung, Erleichterung, Öffnung
lockig: gekräuselt, gelockt, geringelt, ge-

wellt, kraus, onduliert, wellig, wuschelig, nicht glatt
Lockmittel: Aas, Angelbissen, Köder, Lockspeise, Luder *Attraktion, Geschenk, Köder, Lockvogel, Magnet, Reizmittel, Zugmittel *Anreiz, Anziehungspunkt, Blickfang
Lockruf: Balzruf *Ruf
Lockung: Lockmittel, Verlockung
Lockvogel: Anreiz, Lockmittel
lodern: brennen, flackern, flammen, knistern, leuchten, lohen, in Flammen stehen
lodernd: begeistert, flammend, leidenschaftlich *flackernd, flammend, lichterloh, lohend
Löffel: Kelle, Schöpfer *Lauscher, Ohren
Log: Geschwindigkeitsmesser
Loge: Theaterplatz *Freimaurerei, Geheimbund *Klub, Vereinigung
Loggia: Bogengang, Säulenhalle *Altan, Balkon, Brust, Söller, Terrasse, Vorbau
logieren: wohnen *beherbergen, unterbringen
Logik: Folgerichtigkeit, Konsequenz
Logis: Wohnung *Absteige, Asyl, Behausung, Bleibe, Herberge, Obdach, Quartier, Schlafstelle, Unterkunft, Unterschlupf
logisch: denkrichtig, durchdacht, einleuchtend, folgegemäß, folgerichtig, konsequent, methodisch, schlüssig, stichhaltig, systematisch, überlegt, vernünftig, widerspruchsfrei
logischerweise: also, danach, demnach, demzufolge, ergo, folgerichtig, folglich, infolgedessen, somit, sonach
logistisch: formelhaft, mathematisierend, schematisierend, genau durchdacht
Logopäde: Spracherzieher, Sprachheilkundiger, Sprecherzieher
Logopädie: Spracherziehung, Sprachheilkunde
Lohe: Feuer, Flamme, Glut
lohen: brennen, flackern, flammen, knistern, leuchten, lodern, in Flammen stehen
lohend: brennend, flammend, glühend
Lohn: Arbeitslohn, Belohnung, Bezahlung, Einkommen, Einkünfte, Einnahme, Entgelt, Entlohnung, Erlös, Erwerb, Fixum, Gehalt, Verdienst *Gage, Honorar *Besoldung, Sold, Wehrsold *Belohnung, Entlohnung, Heuer *Abrechnung, Bestrafung, Buße, Denkzettel, Heimzahlung, Lehre, Strafaktion, Strafe, Sühne, Vergeltung, Vergeltungsmaßnahme *Anerkennung, Belohnung, Dank, Dankbarkeit, Dankesschuld, Dankeswort, Dankgebet, Dankgefühl, Danksagung, Erkenntlichkeit, Vergeltung
Lohnabtretung: Lohnpfändung, Lohnzession, Zession
lohnen: ausgleichen, belohnen, beschenken, danken, entschädigen, s. erkenntlich zeigen, s. revanchieren, vergelten, wieder gutmachen ***s. lohnen:** s. auszahlen, s. bezahlt machen, s. rentieren, s. verzinsen, der Mühe wert sein
löhnen: besolden, bezahlen, entlohnen, entlöhnen, geben, honorieren
lohnend: einträglich, gewinnbringend, günstig, lukrativ, rentabel *dankbar, ergiebig
Lohnerhöhung: Gehaltserhöhung, Lohnanhebung, Lohnanpassung
Lohnerwerb: Broterwerb, Erwerb, Lebensunterhalt, (täglich) Brot
Lohnherr: Arbeitgeber
Lohnkampf: Arbeitskampf, Tarifgespräch, Tarifverhandlung *Streik, Streikmaßnahme
Lohnstruktur: Tarifstruktur
Löhnung: Ausbeute, Belohnung, Bezahlung, Einkommen, Entgelt
lokal: begrenzt, beschränkt, örtlich, räumlich, regional
Lokal: Bar, Gaststätte, Kneipe, Restaurant
lokalisieren: aufspüren, entdecken, ermitteln, eruieren, festlegen, feststellen, herausbringen, herausfinden, orten, näher bestimmen, ausfindig machen, den Standort bestimmen, in Erfahrung bringen *abgrenzen, abstecken, beschränken, eindämmen, eingrenzen, isolieren
Lokalität: Gemach, Lokal, Raum, Räumlichkeit, Stube, Zimmer *Ort, Örtlichkeit, Platz, Stätte, Stelle
Lokomotive: Dampflokomotive, Dampfross, Dampfwagen, Diesellok, Diesel-

lokomotive, Elektrolokomotive, Güterlokomotive, Lok, Rangierlokomotive, Schnellzuglokomotive, Triebwagen
Look: Äußeres, Aussehen, Erscheinung *Mode, Moderichtung, Modetendenz, Modetrend
los: gelöst, losgelöst, abgerissen, abgetrennt, frei, locker, unbefestigt, nicht fest (verbunden)
los!: auf!, avanti!, Beeilung!, fort!, marsch!, schnell!, Tempo!, voran!, vorwärts!, weg!, weiter!
Los: Bestimmung, Fügung, Geschick, Kismet, Schicksal, Schicksalsfügung, Schickung, Verhängnis, Vorsehung, Zufall *Glückslos, Lotterielos *Glück
lösbar: auflösbar, entwirrbar *aussichtsreich, hoffnungsreich, möglich, offen *auflösbar, löslich, zu machen *erratbar, zu erraten, zu raten, zu machen
losbinden: lösen, ablösen, abbinden, abmachen, abschnellen, entfesseln, losketten, losknüpfen, losmachen
losbrechen: abbrechen, fortgehen, wegbrechen *s. auf den Weg machen, aufbrechen *aufkeimen, auflodern, ausbrechen, entbrennen, entflammen, entstehen, zum Ausbruch kommen
löschen: aufheben, beenden, beseitigen, tilgen, aus der Welt schaffen *ausladen, ausräumen, entladen, leeren *abschalten, ausblasen, ausdrücken, *ausgießen, auslöschen, ausschalten, ausschlagen, austreten, ersticken, zum Erlöschen bringen *auflösen
Löschpapier: Fließblatt, Fließpapier, Löschblatt, Saugblatt, Saugpapier
Löschung: Begleichung, Stornierung, Tilgung
lose: gelöst, losgelöst, abgerissen, abgetrennt, frei, locker, unbefestigt, nicht fest (verbunden) *frech, keck, mutwillig *anrüchig, ausgelassen, ausschweifend, bedenkenlos, charakterlos, flatterhaft, flott, freizügig, frivol, lebenslustig, leichtfertig, leichtlebig, leichtsinnig, liederlich, locker, lotterhaft, munter, skrupellos, ungezügelt, unseriös, unsolide, vergnügungssüchtig, zügellos
loseisen: abwerben, ausspannen, befreien, freibekommen, losbekommen
losen: knobeln, das Los entscheiden lassen, durch Los entscheiden
lösen: auflösen, ausrechnen, bestehen, bewältigen, enträtseln, entschlüsseln, erraten, herausbekommen, herausbringen, herausfinden, herauskriegen, klären, meistern, raten, *abtrennen, aufbinden, aufhaken, aufknöpfen, aufknoten, auflösen, aufmachen, auseinander bekommen, auseinander bringen, entwirren, lockern, losbinden, losknüpfen, lostrennen *s. fein verteilen, s. verflüssigen, flüssig machen, flüssig werden, zerfallen lassen, zergehen lassen *auseinander gehen, fortgehen, s. lossagen, s. scheiden (lassen), s. trennen, weggehen *entkrampfen, entspannen, lockern ***s. lösen:** s. entkrampfen, s. entspannen *s. loslösen, s. lossagen, s. trennen *abfallen, abgehen, s. ablösen
lösend: befreiend, erlösend, heilend, heilkräftig, heilsam, lindernd, wohltätig, wohltuend, zuträglich *verdünnend, verflüssigend
losfahren: abfahren, abgehen, anfahren, fortfahren, s. in Bewegung setzen, starten, wegfahren
losgehen: abbröckeln, s. ablösen, abspringen, s. lockern, losbrechen, s. lösen, *s. auf den Weg machen, s. aufmachen, s. entfernen, fortgehen, s. fortmachen, weggehen *anfangen, beginnen, einsetzen, starten, in Schwung kommen, ins Rollen kommen
losgondeln: abfahren, aufbrechen
loskaufen: auslösen, freikaufen, retten, Lösegeld zahlen
losketten: abwerfen, auslösen, entfesseln, entspannen, lösen
loskommen: abkommen, abschütteln, entkommen, entsagen, entwischen, fortkommen, freikommen, wegkommen
loslassen: freigeben, freilassen, freisetzen, die Freiheit schenken, die Freiheit geben, nicht mehr festhalten, fahren lassen, gehen lassen, laufen lassen
loslegen: auspacken, herausplatzen, schimpfen, seinem Ärger Luft machen, offen seine Meinung sagen *anfangen, anpacken, beginnen, darangehen, s. daransetzen, herangehen, starten, den An-

fang machen, in Angriff nehmen, die Initiative ergreifen, den ersten Schritt tun, in die Wege leiten, in Schwung kommen
löslich: auflösbar, lösbar *lösbar, machbar, zu machen
loslösen: abschütteln, s. freimachen, s. trennen, s. verabschieden, weggehen *ablösen, abreißen, entfernen ***s. loslösen:** s. abspalten, s. absplittern, s. lösen, s. lossagen, s. trennen
Loslösung: Ablösung, Spaltung, Trennung *Scheidung, Trennung
losmachen: aufbinden, aufmachen, lockern, losbinden, lösen *anfangen *abklopfen, abkratzen, ablösen, abmachen, abreißen, abschaben, abschütteln, abstreifen, entfernen, losbinden, loslösen, losreißen
losmarschieren: abdampfen, s. abkehren, abmarschieren, abrücken, abschwirren, abseilen, s. absetzen, s. abwenden, s. auf den Weg machen, aufbrechen, s. aufmachen, davongehen, s. davonmachen, enteilen, s. entfernen, s. fortbegeben, fortgehen, s. fortmachen, s. in Bewegung setzen, kehrtmachen, losgehen, s. umdrehen, verschwinden, s. wegbegeben, weggehen, wegtreten, zurückweichen, das Feld räumen, das Haus verlassen, das Weite suchen, den Rücken kehren, seiner Wege gehen, von dannen gehen
losreißen (s.): abbrechen, abreißen, herausreißen, wegreißen *davoneilen, davongehen, davonrennen, wegrennen
lossagen: absagen, abschwören, abspringen, aufgeben, entsagen *ausstoßen, verbannen, verstoßen ***s. lossagen:** s. lösen, s. loslösen, s. absondern, auseinander gehen, fortgehen, s. scheiden (lassen), s. trennen, weggehen *abkommen (von), ablehnen
Lossagung: Abfall, Bruch, Trennung
losschlagen: prügeln, verprügeln, balgen, boxen, dreschen, durchprügeln, einprügeln (auf), einschlagen (auf), ohrfeigen, peitschen, prügeln, schlagen, verdreschen, züchtigen, zuhauen, zusammenschlagen, zuschlagen, handgreiflich werden, tätlich werden, wehtun, einen Schlag versetzen, Schläge versetzen, Prügel austeilen *verkaufen
lossprechen: absolvieren, entbinden, entheben, exkulpieren, freisprechen, vergeben, verzeihen
Lossprechung: Ablass, Absolution, Amnestie, Begnadigung, Freisprechung, Freispruch, Gnade, Straferlass, Sündenerlass, Sündennachlass, Vergebung, Verzeihung
lossteuern: Kurs nehmen (auf), zusteuern (auf), direkt auf jmdn. zugehen
Lostrennung: Isolierung, Trennung
Losung: Devise, Leitsatz, Leitspruch, Maxime, Motto, Schlagwort, Slogan, Wahlspruch *Erkennungszeichen, Kennwort, Losungswort, Parole, Stichwort *Kot *Tageseinnahme, Tageskasse
Lösung: Aufgabe, Auflösung, Auseinandergehen, Bruch, Loslösung, Scheidung, Spaltung, Trennung *Lauge, Tinktur *Aufklärung, Ausweg, Dreh, Ergebnis, Patentrezept, Resultat, Schlüssel, Ei des Kolumbus *Beruhigung, Entkrampfung, Entspannung, Erleichterung, Lockerung, Ruhe
Losungswort: Chiffre, Erkennungszeichen, Kennwort, Losung, Parole
loswerden: abstoßen, losbringen, verhökern, verkaufen, verramschen, an die Leute bringen *verlieren *loskommen, s. vom Halse schaffen *draufzahlen, verlieren *abschütteln, s. befreien
losziehen: aufbrechen, fortgehen, s. in Bewegung setzen, s. in Marsch setzen, weggehen
Lot: Senkblei, Senklot
loten: auspeilen, messen, vermessen *eintauchen, herunterlassen
löten: anlöten, anschweißen, verbinden, verlöten, verschweißen, zusammenlöten, zusammenschweißen
lotrecht: fallrecht, seiger, senkrecht, vertikal
Lotse: Führer
lotsen: führen, herausführen, einweisen, erklären, hineinführen, leiten, lenken, zeigen
Lotterie: Glücksspiel, Lotteriespiel, Tombola, Verlosung
Lotteriegewinn: Gewinn, Treffer
Löwe: Leu, Wüstenkönig, König der Tiere *Partylöwe

Löwenanteil: Majorität, Mehrheit
Löwenzahn: Butterblume, Kuhblume, Lichterblume, Pusteblume
loyal: anständig, fair, rechtschaffen, redlich, zuverlässig *ergeben, gesetzestreu, getreu, regierungstreu
Loyalität: Anstand, Fairness, Rechtschaffenheit, Redlichkeit, Zuverlässigkeit *Gesetzestreue, Regierungstreue, Staatstreue, Treue
Lücke: Bresche, Durchbruch, Spalt, Zwischenraum
Lückenbüßer: Aushilfe, Aushilfskraft, Behelf, Ersatzmann *Prügelknabe, Sündenbock, schwarzer Peter, räudiges Schaf, schwarzes Schaf
lückenhaft: fragmentarisch, halb, halbfertig, unabgeschlossen, unbeendet, unfertig, unvollkommen, unvollständig
lückenlos: ganz, komplett, restlos, total, vollkommen, vollständig
Luder: Bengel, Flegel, Frechdachs, Frechling, Lausebengel, Lausejunge, Lausekerl, Range, Schelm, Schlingel, freches Stück *Schlauberger, Schlaukopf, Schlaumeier *Aas, Lockmittel
Luderleben: Laster
Luft: Atmosphäre, Erdatmosphäre, Lufthülle, Luftmeer *Lüftchen, Wind
Luftabsaugegerät: Ventilator
Luftangriff: Bombardement, Bombardierung, Bombenangriff, Fliegerangriff, Tieffliegerangriff
luftdicht: undurchlässig, luftundurchlässig, dicht, geschlossen, verschlossen, zu
Luftdruckmesser: Aerometer, Barograph, Barometer
luftdurchlässig: leicht, luftig, porös
lüften: anheben, hochheben, hochnehmen *auslüften, belüften, durchlüften, entlüften, ventilieren, die Fenster öffnen, Luft hereinlassen, Durchzug machen *aufdecken, herausfinden
Lüfter: Ventilator, Wedel
Luftfahrt: Fliegerei, Flugsport, Flugwesen, Luftsport, Luftverkehr
Luftfahrzeug: Düsenflugzeug, Flieger, Flugzeug, Kiste, Maschine, Passagierflugzeug, Passagiermaschine *Ballon, Fesselballon, Heißluftballon, Luftschiff, Zeppelin
Luftfeuchtigkeitsmesser: Hygrometer
Luftfeuchtigkeitsregler: Hygrostat
Luftforschung: Aerologie
Luftgebilde: Phantasie
Lufthauch: Atem, Hauch, Windhauch
luftig: leicht, luftdurchlässig *auffrischend, bewegt, böig, frisch, hochgelegen, windig, zugig, dem Wind ausgesetzt
Luftikus: Draufgänger, Teufelskerl
Luftklappe: Ventil
luftleer: isoliert, im luftleeren Raum
Luftleere: Vakuum
Luftleitblech: Spoiler
Luftmesser: Aerometer
Luftpirat: Flugzeugentführer, Hijacker, Skyjacker
Luftröhrenäste: Bronchien
Luftröhrenentzündung: Bronchitis
Luftröhrenspiegel: Tracheoskop
Luftrolle: Salto, Salto mortale
Luftsack: Airbag, Balg
Luftscheu: Aerophobie, Luftangst
Luftschicht: Atmosphäre
Luftschiff: Zeppelin *Ballon, Fesselballon, Freiballon
Luftschiffkabine: Gondel
Luftschloss: Einbildung, Erdichtung, Fiktion, Halluzination, Hirngespinst, Illusion, Luftblase, Phantasie, Phantasiegebilde, Sinnestäuschung, Spekulation, Täuschung, Trugbild, Vorstellung, Wahn, Wunschvorstellung, Zwangsvorstellung, fixe Idee
Luftschraube: Propeller
Luftschutzkeller: Bunker, Luftschutzbau, Schutzkeller
Luftsportverein: Aeroklub
Luftsprung: Freudensprung, Kapriole, Salto
Luftströmung: Luftbewegung, Strömung
Lüftung: Abzug, Belüftung, Entlüftung, Frischluftzufuhr, Klimaanlage, Luftschacht, Ventilation
Luftveränderung: Luftwechsel, Tapetenwechsel, Urlaub, Wechsel
Luftverunreinigung: Emission, Immission
Luftwirbel: Sog, Tornado, Trombe, Turbulenz, Wirbelsturm
Luftwaffe: Luftstreitkräfte

Luftzug: Durchzug, Hauch, Lufthauch, Luftstrom, Lüftung, Zug
Lüge: Ausflucht, Ausrede, Entstellung, Erfindung, Fabel, Falschmeldung, Flunkerei, Geflunker, Irreführung, Lügerei, Schwindel, Schwindelei, Täuschung, Unwahres, Unwahrheit, Verdrehung, Vorwand, falsche Aussage, falsche Behauptung, Lug und Trug
lügen: anlügen, anschwindeln, belügen, benebeln, beschwindeln, erfinden, erlügen, s. etwas aus den Fingern saugen, flunkern, heucheln, kohlen, schwindeln, täuschen, verdrehen, verfälschen, verzerren, vorgaukeln, vorlügen, vorschwindeln, Ausflüchte machen, die Unwahrheit sagen, ein falsches Bild geben, falsch darstellen, Lügen auftischen, das Blaue vom Himmel herunterlügen, nicht bei der Wahrheit bleiben, unaufrichtig sein, falsches Zeugnis ablegen
Lügengeschichte: Ammenmärchen, Erfindung, Jägerlatein, Legende, Lüge, Lügenmärchen, Märchen, Münchhausiade, Seemannsgarn
Lügenhaftigkeit: Falschheit, Lüge
Lügner: Aufschneider, Fabelhans, Fabulant, Flunkerer, Lügenbeutel, Lügenmaul, Lügenpeter, Lügensack, Schaumschläger, Schwindelgeist, Schwindler
Lügnerin: Heuchlerin, Katze, Scheinheilige, Schmeichlerin, Schwindlerin
lügnerisch: betrügerisch, lügenhaft, scheinheilig, unaufrichtig, unehrlich, unlauter, unredlich, unreell, unwahr, unwahrhaftig, verlogen
Luke: Bullauge, Fensterluke, Fensteröffnung *Bodenfenster, Bodenluke *Dachfenster, Dachluke, Oberlicht
lukrativ: ertragreich, gewinnbringend, günstig, lohnend, profitabel, rentabel
lukullisch: feinschmeckerisch, feudal, fürstlich, gastronomisch, kulinarisch, luxuriös, opulent, schlemmerhaft, üppig, verschwenderisch
Lukullus: Feinschmecker, Genießer, Gourmet, Kenner, Kulinarier, Leckermaul
Lümmel: Flegel, Frechdachs, Grobian, Lackel, Rabauke, Rowdy, Rüpel, Schnösel, Stoffel
lümmelhaft: derb, flegelhaft, frech, plump, pöbelhaft, rüde, rüpelig, ruppig, schnöselig, stoffelig, unerzogen, ungebührlich, ungehobelt, ungezogen, unhöflich, unmanierlich, unreif, ohne Benehmen
lümmeln (s.): s. flegeln, s. gehen lassen, s. hinlümmeln, s. räkeln, alle viere von sich strecken
Lump: Bandit, Bösewicht, Gangster, Ganove, Gauner, Halunke, Kanaille, Strolch, Tunichtgut, Verbrecher
lumpen: s. amüsieren, durchfeiern, durchmachen, s. vergnügen, die Zeit vertreiben, das Leben genießen ***s. nicht lumpen lassen:** freigebig sein, großzügig sein, spendabel sein, die Spendierhosen anhaben
Lumpen: Fetzen, Flicken, Lappen *Gelichter, Gesindel, Lumpengesindel, Lumpenpack *Feudel, Putztuch, Scheuerlappen, Wischtuch
Lumpengesindel: Bettler, Lumpenkerl, Pack, Pöbel
Lumpensammler: Altstoffhändler, Altwarenhändler, Krempler, Lumpenhändler, Trödler
Lumperei: Betrügerei, Falschheit, Gaunerei, Hinterlist, Niedertracht, Schurkerei, Schwindel, Unredlichkeit, Verlogenheit
lumpig: dürftig, gering, geringwertig, jämmerlich, karg, kärglich, kläglich, kümmerlich, mager, minimal, schmal, spärlich, wenig, winzig, kaum genug, nicht viel *abscheulich, garstig, gemein, hundsgemein, infam, miserabel, niederträchtig, ruchlos, schäbig, schändlich, schimpflich, schmachvoll, schmählich, schmutzig, schnöde, schofel, schuftig, verrucht
Lungenbläschen: Alveolen
Lungenentzündung: Pneumonie
Lungenheilkunde: Pneumologie, Pulmologie
Lungenschwindsucht: Tuberkulose
lungern: s. drücken, s. herumdrücken, strolchen, herumstrolchen, stromern, herumstromern, vagabundieren, herumvagabundieren, zigeunern, herumzigeunern, herumlottern, herumlungern,

herumschleichen, herumschwirren, herumstreichen, herumstreifen, herumstreunen, herumtreiben, umherschweifen, umherstreichen
Lupe: Linse, Vergrößerungsglas
Lust: Begeisterung, Freude, Fröhlichkeit, Hochgefühl, Lebenslust, Vergnügen, Wonne *Bereitwilligkeit, Geneigtheit, Laune, Neigung, Stimmung *Begehren, Begierde, Gelüste, Gier, Leidenschaft, Sehnsucht, Verlangen, heißer Wunsch
lustbetont: entzückt, freudig, froh
Lüster: Krone, Kronleuchter, Leuchter
lüstern: begehrlich, geil, gierig, leidenschaftlich, liebestoll, scharf, sehnsüchtig, sinnlich, triebhaft, verlangend, wollüstig, mit Gier, voll Gier, *satyrartig, weibertoll, weibstoll *männertoll, mannstoll, nymphoman
Lüsternheit: Begier, Begierde, Brunst, Fleischeslust, Geilheit, Gier, Leidenschaft, Libido, Liebessehnsucht, Sinnlichkeit, Triebhaftigkeit, Wollust
Lustgefilde: Elysium, Paradies
Lustgefühl: Glücksgefühl, Hochstimmung, Lust, Orgasmus, Wohlgefühl
Lusthaus: Bordell, Eroscenter, Freudenhaus, Hurenhaus
lustig: amüsant, aufgeheitert, aufgelegt, aufgeräumt, entgegenkommend, erheiternd, fidel, freudig, froh, frohgemut, fröhlich, frohsinnig, glücklich, heiter, humoristisch, humorvoll, kreuzfidel, lebensfroh, lebenslustig, lebhaft, leichtlebig, locker, lose, munter, quietschfidel, quietschvergnügt, scherzhaft, schwungvoll, sonnig, spaßig, stillvergnügt, übermütig, unbesorgt, unkompliziert, vergnüglich, vergnügt, vergnügungssüchtig, gut aufgelegt, in gehobener Stimmung
Lustigkeit: Drolligkeit, Gaudium, Gelächter, Jubel, Lust, Schäkerei, Spaß, Tollerei, Übermut
Lüstling: Blaubart, Casanova, Faun, Wüstling, (geiler) Bock
lustlos: gleichgültig, notgedrungen, träge, unlustig, unwillig, widerstrebend, widerwillig, wohl oder übel
Lustlosigkeit: Missstimmung, Unlust, Unlustgefühl, Unmut, Verstimmung, schlechte Laune, schlechte Stimmung
Lustspiel: Burleske, Farce, Komödie, Posse, Possenspiel, Schwank, Theaterstück, heiteres Schauspiel
lustvoll: geil, lustbetont, lüstern
lutschen: lecken, saugen, ziehen, im Mund zergehen lassen
Lutscher: Nuckel, Sauger, Schnuller *Lolly
Luv: auf der dem Wind zugekehrten Seite, nach der dem Wind zugekehrten Seite
luxieren: ausrenken, verrenken
luxuriös: edel, funkelnd, komfortabel, kostbar, pompös, prächtig, prunkvoll
Luxus: Reichtum, Wohlergehen, Wohlstand *Prunk, Reichtum, Wohlleben
Luxusauto: Luxusschlitten, Nobelauto, Nobelkarosse, Prachtschlitten
Luxushotel: Luxusabsteige, Prominentenherberge
luzid: einleuchtend, klar *durchsichtig, glänzend, hell, klar, leuchtend, licht, strahlend
Luzidität: Durchsichtigkeit, Glanz, Helle, Klarheit, das Strahlen, das Leuchten
Luzifer: Antichrist, Beelzebub, Dämon, Erbfeind, Erzfeind, Feind, Höllenfürst, Leibhaftiger, Mephisto, Satan, Teufel, Verderber, Verführer, Versucher, Widersacher, Fürst der Finsternis
lynchen: abrechnen (mit), drangsalieren, foltern, misshandeln, s. rächen, töten, Rache nehmen, Rache üben, Lynchjustiz betreiben
Lyrik: Dichtkunst, Poesie, Wortkunst, (lyrische) Dichtung
Lyriker: Autor, Dichter, Literat, Poet, Schreiber, Schriftsteller, Stückeschreiber, Verfasser
lyrisch: dichterisch, gefühlvoll, poetisch, stimmungsvoll

M

Machart: Fasson, Herstellungsart
machbar: ausführbar, durchführbar, möglich, zu machen
Mache: Angabe, Aufschneiderei, Blendwerk, Gaukelspiel, Geschraubtheit, Getue, Geziertheit, Manieriertheit, Mätzchen, Pose, Schein, Vornehmtuerei, Vorspiegelung, Vortäuschung,Ziererei
machen: fertigen, verfertigen, anfertigen, basteln, bereiten, fabrizieren, herstellen, kneten, meißeln, modellieren, nähen, schmieden, schnitzen, zubereiten, arbeiten (an) *schreiben, aufschreiben, niederschreiben *anordnen, aufgeben, auftragen, befehlen, bestimmen, festlegen, verfügen *bewältigen, durchführen, erledigen, erreichen, handeln, meistern, schaffen, verwirklichen, vollbringen, vollenden *ablegen, absolvieren, leisten *anfertigen, anrichten, bereitmachen, herrichten, vorbereiten, zubereiten, fertig machen *durchführen, veranstalten ***s. machen:** angeben, s. aufblähen, s. aufblasen, s. aufplustern, s. aufspielen, s. herausstreichen, prahlen, s. wichtig machen, wichtig tun *s. beeilen, s. schicken *s. entwickeln, vorankommen *s. bessern, vorangehen, besser werden *aussehen, passen
Machenschaften: Macherei, Manipulationen, Manöver, Schiebung, dunkle Geschäfte *Intrige, Intrigenspiel, Intrigenstück, Kabale, Ränke, Ränkespiel, Schliche, Umtriebe
Macht: Befehlsgewalt, Gewalt, Herrschaft, Obrigkeit, Regentschaft, Regierung, Regiment *Achtung, Ansehen, Einfluss, Einwirkung, Geltung, Können, Prestige, Stärke, Vermögen *Staatsgewalt, Staatsmacht *Einfluss, Geltung, Gewicht
Machtausgleich: Gegengewicht
Machtbereich: Einflussbereich, Herrschaftsbereich
Machtbewusstsein: Autoritätsanspruch, Herrschaftsanspruch, Machtanspruch
Machtdemonstration: Aufrüstung, Machtdarstellung, Säbelrasseln
Machtergreifung: Regierungsantritt, Thronbesteigung, Usurpation *Selbstherrschaft *Führerschaft
Machtfülle: Übergewicht, Überlegenheit, Vormacht, Vormachtstellung
Machtgefühl: Macht, Stärke
Machtgier: Herrschsucht, Imperialismus, Machtbesessenheit
Machthaber: Gebieter, Herrscher, Staatsoberhaut *Befehlshaber, Führer
Machthunger: Machtbesessenheit, Machtbestreben, Machtgier
mächtig: Achtung gebietend, allmächtig, angesehen, einflussreich, machtvoll, maßgebend, potent, stark, tonangebend, vermögend, wichtig, wirksam, wirkungsvoll *außerordentlich, enorm, exorbitant, gewaltig, gigantisch, immens, kolossal, massig, monströs, riesenhaft, riesig, titanisch, überdimensional, übermächtig, unermesslich, ungeheuer, unheimlich, voluminös, wuchtig, sehr groß *baumlang, enorm, gigantisch, groß, immens, lang, riesengroß, riesenhaft, riesig, unermesslich, ungeheuer *dick, gewaltig, stark
Mächtigkeit: Dicke, Stärke
machtlos: ausgeliefert, einflusslos, entmachtet, hilflos, ohnmächtig, schutzlos, schwach, wehrlos
Machtlosigkeit: Autoritätslosigkeit, Einflusslosigkeit, Hilflosigkeit, Hilfsbedürftigkeit, Kraftlosigkeit, Ohnmacht, Schwäche
Machtmensch: Alleinherrscher, Despot, Diktator, Gewaltherrscher, Gewaltmensch, Tyrann, Unterdrücker
Machtordnung: Hierarchie, Rangordnung
Machtpolitik: Faustrecht, Rechtlosigkeit, Rechtsbruch, Rechtswidrigkeit, Ungerechtigkeit, Unrecht, Vergehen, Willkür
Machtprobe: Belastungsprobe, Kräftemessen, Kraftprobe, Zerreißprobe
Machtstellung: Einfluss, Geltung, Gewicht, Macht

Machtstreben: Ehrgeiz, Geltungsdrang, Herrschaftsanspruch, Machtanspruch, Machtbesessenheit, Machtgier, Machthunger, Machtwahn, Profilneurose
Machtwort: Eingriff, Entscheidung, Machtspruch, Urteil, Verbot
Machwerk: Fabrikat, Gebilde, Produkt
Macke: Fimmel, Marotte, Tick, Verrücktheit
Mädchen: Freundin, Geliebte, die Kleine *Dirn, Fräulein, Jungfrau, junge Frau, junges Geschöpf *Dienstmädchen, Hausangestellte, Hausgehilfin, Haushaltshilfe, Hausmädchen, Hausmagd, Haustochter, Kraft, Stütze, dienstbarer Geist
mädchenhaft: feminin, weiblich
Mädchenhaftigkeit: Weiblichkeit
Mädchenjäger: Casanova, Herzensbrecher, Wüstling
Mädchenoberschule: Lyzeum
Made: Engerling, Larve
madig: wurmig, wurmstichig ***madig machen:** abfällig reden (von), anschwärzen, denunzieren, diffamieren, entwürdigen, herabsetzen, herabwürdigen, schlecht machen, schmähen, verdächtigen, verleumden, verschreien, verteufeln, verunglimpfen, mit Schmutz bewerfen, über jmdn. herfallen, die Ehre abschneiden, Übles nachreden *mies machen, verderben, verekeln, vergällen, vergraulen, verleiden, vermiesen
Madonna: Gnadenmutter, Gottesmutter, Himmelskönigin, Mutter Gottes, Unsere liebe Frau, die Heilige Jungfrau
Mafia: Gangstertum, Geheimorganisation, Maffia, Ring, Syndikat, Unterwelt, Verbrechertum *Gruppe, Interessengruppe, Lobby, Organisation *Bande, Clan, Clique, Gang
Magazin: Fachzeitung, Heft, Illustrierte, Journal, Zeitschrift *Depot, Lager, Lagerbestand, Lagerhaus, Lagerraum, Speicher, Vorratshaus, Warenlager
Magd: Landarbeiterin, Stallmagd
Magen: Bauch, Verdauungsorgan
Magenkrampf: Gastralgie, Magenschmerz
Magenkunde: Gastrologie
Magenschleimhautentzündung: Gastritis
Magenspiegelung: Gastroskopie, Magenuntersuchung
mager: schlank, gertenschlank, abgezehrt, dürr, hager, schlankwüchsig, schmal *abgemagert, dünn, dürftig, karg, knochendürr, knochig, kümmerlich, rappeldürr, schlank, schmächtig, spindeldürr, ein Strich, wie eine Bohnenstange *arid, ausgelaugt, dürr, erschöpft, ertragsarm, karg, öde, trocken, unergiebig, unfruchtbar, unrentabel, wüstenhaft
Magerkeit: Abmagerung, Abnahme, Auszehrung, Gewichtsabnahme, Gewichtsreduzierung, Gewichtssenkung, Gewichtsverlust, Gewichtsverminderung, Gewichtsverringerung, Magersucht, Reduktion, Senkung, Verringerung *Dürre, Trockenheit, Wasserarmut, Wassermangel, Wassernot
Magermilch: fettarme Milch, entrahmte Milch
Magie: Aberglaube, Hexenwerk, Hexerei, Höllenkunst, Teufelskunst, Zauberei, Zauberkunst
Magier: Drude, Fee, Geisterbanner, Hexer, Medizinmann, Quacksalber, Wahrsager, Zauberkünstler
magisch: dämonisch, geheimnisvoll, mystisch, okkultisch, spiritistisch, überirdisch, übernatürlich, übersinnlich, unerklärlich, zauberisch
Magistrat: Obrigkeit, Senat, Stadtverwaltung *Konsul, Praetor, hoher Beamter
Magnat: Finanzgröße, Finanzmann, Geldmann, Großindustrieller, Industriekapitän, Kapitalist
Magnet: Anziehungspunkt, Blickfang, Köder, Lockmittel, Lockvogel
magnetisch: anziehend
Magnetismus: Anziehungskraft
Mahd: Abmähen, Ernte, Ertrag, Futterernte, Grasschnitt, Grummet, Grünfutterernte, Heuernte, Schnitt
mähen: sicheln, absicheln, abmähen, hauen, schneiden, sensen *blöken, schreien
Mahl: Essen, Gericht, Imbiss, Mahlzeit, Picknick, Schmaus
mahlen: klein hacken, mörsern, pulverisieren, zerbröseln, zerkleinern, zerklopfen, zermahlen, zerreiben, zerstoßen, zu Mehl verarbeiten

Mahnbrief: Mahnbescheid, Mahnschreiben, Mahnung, Verwarnungsschreiben
Mähne: Locke, Pelz, Pferdemähne, Wolle
mahnen: anmahnen, erinnern *erbitten, ermahnen, ersuchen, nachsuchen, verlangen, zurückfordern *beschwören, gemahnen, rügen, tadeln, zureden
Mahner: Forderer, Geldeintreiber, Gläubiger, Schuldforderer *Ermahner, Rufer
Mahnruf: Anruf, Appell, Warnung
Mahnung: Anmahnung, Erinnerung, Mahnruf *Ermahnung, Mahnbrief *Zahlungsaufforderung, Zahlungsbefehl *Tadel
mailen: e-mailen, eine E-Mail verschicken
Maisfladen: Tortilla
Maisflocken: Cornflakes
Maitresse: Buhlerin, Dirne, Frauenzimmer, Freudenmädchen, Geliebte, Hetäre, Kokotte, Konkubine, Liebchen
Majestät: Ehre, Erhabenheit, Gravität, Hoheit, Vornehmheit, Würde, Würdigkeit
majestätisch: eindrucksvoll, erhaben, erlaucht, gebieterisch, gemessen, gravitätisch, hoheitsvoll, imponierend, königlich, würdig
majorisieren: nötigen, überstimmen, zwingen
Majorität: Großteil, Masse, Mehrheit, Überzahl, Vielzahl
makaber: abstrus, absurd, grotesk, komisch, lächerlich, unsinnig *beängstigend, beklemmend, dämonisch, Entsetzen erregend, Furcht erregend, geisterhaft, gespensterhaft, gespenstig, gespenstisch, gewaltig, Grauen erregend, gräulich, gruselig, schauerlich, schauervoll, schaurig, spukhaft, unheimlich, nicht geheuer, zum Fürchten
Makel: Missbildung, Verunstaltung, Verunzierung *Schandfleck, dunkler Punkt *Defekt, Gebrechen, Mangel, Schaden
Mäkelei: Geläster, Kritik, Krittelei, Krittelsucht, Nörgelei, Tadel
mäkelig: anmaßend, überkritisch
makellos: einwandfrei, fehlerfrei, korrekt, meisterhaft, perfekt, tadellos, untadelig, vollendet, vollkommen
Makellosigkeit: Fehlerlosigkeit, Perfektion, Schönheit, Vollkommenheit
mäkeln: herumkritteln, kritteln, meckern, mosern, nörgeln *ablehnen, anfechten, aussetzen, beanstanden, bemäkeln, bemängeln, s. beschweren, herummäkeln, knurren, kritisieren, missbilligen, monieren, nörgeln, quengeln, querulieren, räsonieren, raunzen, reklamieren, s. stören (an), s. stoßen (an), angehen (gegen), etwas auszusetzen haben, Klage führen, klagen (über), Kritik üben, unmöglich finden
Make-up: Rouge, Schminke, Schönheitsmittel *Aufmachung, Schönheitspflege, Verschönerung
Makler: Mittelsmann, Mittelsperson, Mittler, Verbindungsmann, Vermittler *Grundstücksmakler, Immobilienhändler, Immobilienmakler, Immobilienvermittlung
Maklergebühr: Courtage
Makroklima: Großklima
Makrokosmos: All, Himmel, Himmelsraum, Kosmos, Unbegrenztheit, Unendlichkeit, Unermesslichkeit, Universum, Weltall, Weltraum, kosmischer Raum
Makulatur: Altpapier, Fehldruck *Abfall
Mal: Abzeichen, Brandzeichen *Attribut, Charakterzug, Kennzeichen, Kriterium, Merkmal, Merkzeichen, Moment, Signatur, Symptom, Zeichen, Zug *Leberfleck, Muttermal, Narbe, Wundmal
malen: darstellen, konterfeien, porträtieren, zeichnen *klecksen, pinseln, schmieren *abfassen, abmalen, abschreiben, aufschreiben, aufzeichnen, formulieren, kopieren, niederlegen, niederschreiben, notieren, schreiben, verfassen, vermerken, eine Notiz machen, schriftlich festhalten, zur Feder greifen
Maler: Künstler, Kunstmaler *Anstreicher, Dekorationsmaler, Tüncher
Malerei: Bemalung, Bildwerk, Gemälde
malerisch: farbig, malenswert, pittoresk *schön, wunderschön
Malheur: Debakel, Desaster, Fatalität, Heimsuchung, Katastrophe, Missgeschick, Panne, Pech, Schicksalsschlag, Schlag, Tragik, Unfall, Ungeschick, Unglück, Unglücksfall, Unheil, Verhängnis

maliziös: abscheulich, bösartig, boshaft, böswillig, gehässig, giftig, hämisch, heimtückisch, missgünstig, niederträchtig, scharfzüngig, scheelsüchtig, unausstehlich, zuwider
Mall: Kaufhaus, Shoppingcenter, Supermarkt, Warenhaus
malmen: aufessen, essen, kauen, verzehren, zerkleinern, zermahlen, zermalmen
malnehmen: multiplizieren, vervielfachen
malochen: s. abplagen, s. abarbeiten, s. anstrengen, arbeiten, s. befleißigen, s. Mühe geben, s. mühen, s. plagen, s. rühren
malträtieren: drangsalieren, foltern, martern, misshandeln, peinigen, quälen, schinden, terrorisieren, traktieren, tyrannisieren, grausam sein, Schmerzen bereiten, Qualen bereiten, Pein bereiten, weh tun
Malweise: Malstil, Maltechnik, Stil
Mama: Mami, Mutter, Mutti
Mammon: Bargeld, Geld, Geldmittel, Moneten, Reichtum, Vermögen
Mammonismus: Geldgier, Geldherrschaft
man: dieser, ein, eine, einer, jemand, jener *mal, nur *alle, jeder, jedermann, die Leute, die Gesamtheit, die Allgemeinheit, die Gesellschaft *bestimmte, einige, manche, viele Leute *ich, meine Person, der Sprecher selbst, meine Wenigkeit *du, ihr
Management: Aufsicht, Direktion, Führung, Herrschaft, Kommando, Leitung, Lenkung, Oberaufsicht, Regie, Regiment, Vorsitz
managen: aufbauen, fördern, lancieren, protegieren, s. verwenden (für), vorwärts bringen, weiterhelfen, groß herausbringen, ins Geschäft bringen *arrangieren, ausrichten, bewerkstelligen, bewirken, ermöglichen, erreichen, erzielen, fertig bringen, können, realisieren, vermögen, zustande bringen, in die Tat umsetzen, geschickt anstellen, in die Wege leiten *holen, heranholen, aufbringen, beibringen, beschaffen, besorgen, bringen, heranschaffen, herbeiholen, herbeischaffen, organisieren, vermitteln, verschaffen, versorgen, zusammenbringen
Manager: Boss, Führungskraft, Leiter, Wirtschaftskapitän *Agent, Betreuer, Impresario, Trainer, Vermittler
Managerkrankheit: Arbeitswut, Dystonie, Stress, Überanstrengung, Überarbeitung
manche: diverse, einige, etliche, mehrere, verschiedene, wenige, dieser und jener, ein paar
mancherlei: allerhand, allerlei, hunderterlei, mehrerlei, unterschiedliche, verschiedenerlei, vielerlei, alles Mögliche, dieses und jenes, dies und das, von dem und dem
manches: allerhand, allerlei, einiges, etwas, mancherlei, verschiedenes, vielerlei, vieles
manchmal: bisweilen, gelegentlich, mitunter, okkasionell, selten, sporadisch, stellenweise, streckenweise, vereinzelt, verschiedentlich, zeitweise, zuweilen, zuzeiten, ab und zu, dann und wann, hin und wieder, hier und da, von Zeit zu Zeit, ab und an
Mandant: Auftraggeber, Klient, Kunde
Mandat: Abgeordnetenamt, Abgeordnetensitz *Auftrag, Autorisation, Befugnis, Ermächtigung, Vollmacht, Weisung
Mandelentzündung: Angina, Tonsillitis
Manege: Reitbahn, Zirkusrund
Manen: Geister, Totengeister, Unterwelt
Mangel: Armut, Ausfall, Beschränktheit, Beschränkung, Entbehrung, Knappheit, Verknappung, das Fehlen *Defekt, Fehler, Lücke, Manko, Nachteil, Schwäche, Unzulänglichkeit *Defekt, Gebrechen, Makel, Schaden *Bügelmaschine, Mange, Wäschemangel, Wäscherolle
Mängelanzeige: Mängelrüge, Reklamation
Mangelerscheinung: Engpass, Not *Nährstoffmangel, Vitaminmangel
mangelfrei: instand, in Ordnung *ideal, klassisch, vollendet, vollkommen, vorbildlich *ausreichend, befriedigend, gut, hervorragend, profund, solide, überdurchschnittlich
mangelhaft: halbwertig, kümmerlich, primitiv, schlecht, ungenügend, unzulänglich, unzureichend
Mangelhaftigkeit: Dürftigkeit, Karg-

heit, Knappheit, Mangel, Flickwerk, Spärlichkeit *Fehler, Fehlerhaftigkeit, Minderwertigkeit, Unvollkommenheit, Unvollständigkeit, Unzulänglichkeit, Stückwerk, Unfertigkeit
mangeln: benötigen, brauchen, fehlen, vermissen, knapp sein, nicht genug haben *bügeln, glätten, rollen
mangelnd: gering, klein, ungenügend
mangels: fehlend, nicht vorhanden
Manie: Besessenheit, Drang, Komplex, Leidenschaft, Passion, Sucht, Trieb, Zwang *Hang, Neigung, Schwäche, Vorliebe
Manier: Besonderheit, Charakter, Duktus, Eigenart, Eigenheit, Eigenschaft, Eigentümlichkeit, Gepräge, Kennzeichen, Merkmal, Spezialität, Spezifikum, Typ, Wesensart *Künstelei
Manieren: Anstand, Anstandsregeln, Art, Aufführung, Auftreten, Benehmen, Benimm, Betragen, Erziehung, Etikette, Form, Gehabe, Haltung, Kinderstube, Lebensart, Schliff, Sitte, Umgangsformen, Verhalten
manieriert: blumenreich, geblümt, gekünstelt, gemacht, gequält, geschraubt, geschwollen, gespreizt, gestelzt, gesucht, geziert, gezwungen, phrasenhaft, unecht, unnatürlich
manierlich: anständig, artig, brav, ergeben, folgsam, gefügig, gefügsam, gehorsam, gutwillig, lenkbar, lieb, willfährig, willig, wohlerzogen, zahm
Manierlichkeit: Höflichkeit, gutes Benehmen
manifest: aufgelegt, augenfällig, augenscheinlich, ausgemacht, blank, deutlich, eklatant, ersichtlich, evident, flagrant, handgreiflich, offenbar, offenkundig, offensichtlich, sichtbar, sichtlich
Manifest: Aufruf, Deklaration, Erklärung, Grundsatzerklärung, Programm, Proklamation, Verkündung
Manifestation: Demonstration, Kundgebung *Darlegung, Erklärung
manifestieren: abhandeln, ansprechen, aufdecken, aufrollen, ausbreiten, ausdrücken, auseinander setzen, behandeln, beleuchten, berichten, betrachten, charakterisieren, darlegen, darstellen, entfalten, entrollen, entwickeln, erklären, erläutern, erzählen, schildern, skizzieren, zusammenstellen, eine Darstellung geben, ein Bild entwerfen, eine Darlegung geben *dokumentieren, kundgeben, kundtun, offenbaren, erkennen lassen, an den Tag bringen, ans Licht bringen, vor Augen führen, Zeugnis ablegen ***s. manifestieren:** s. ausdrücken, s. präsentieren, s. zeigen, deutlich werden, sichtbar werden, offenbar werden, erkennbar werden, Beweis sein, Zeugnis sein, Zeichen sein
Maniküre: Handpflege, Nagelpflege
Manipulation: Dreh, Kunstgriff, List, Schliche, Trick *Demagogie, Verführung, Verhetzung *Betrug, Betrügerei, Hintergehung, Irreführung, Machenschaft, Macherei, Schiebung, Schwindel, Schwindelei, Täuschung, Unterschlagung, dunkle Geschäfte
manipulierbar: beeinflussbar, beugbar, lenkbar, schwach
manipulieren: bearbeiten, dirigieren, einreden, indoktrinieren, suggerieren, überreden, gezielt beeinflussen, bewusst lenken *entstellen, verdrehen, verfälschen, verkehren, verschleiern, ungenau wiedergeben *kunstgerecht hantieren, geschickt handhaben
manipuliert: bearbeitet, entstellt, verdreht, verfälscht, verkehrt, verschleiert, verändert *beeinflusst *genmanipuliert
Manko: Defekt, Fehler, Lücke, Mangel, Nachteil, Schwäche, Unzulänglichkeit *Ausfall, Defizit, Differenz, Differenzbetrag, Einbuße, Fehl, Fehlbetrag, Minus, Unterbilanz, Unterschuss, Verlust
Mann: Er, Herr, Mannsbild, Mannsperson, Mannsstück, das starke Geschlecht, männliches Wesen *Bursche, Kerle *Angetrauter, Ehemann, Lebensgefährte, Lebenskamerad
mannbar: erwachsen, zeugungsfähig
Mannequin: Fotomodell, Model, Modell, Topmodel, Vorführdame
Männer: das starke Geschlecht, die Herrenwelt, die Herren der Schöpfung
Männerfacharzt: Androloge
Männerfeindlichkeit: Männerhass, Misandrie

Männerheilkunde: Andrologie
Männerscheu: Androphobie
männertoll: ausschweifend, mannstoll
Manneskraft: Lebenskraft, Lebenstrieb, Virilität, Zeugungsfähigkeit, Zeugungskraft
Mannesmut: Courage, Heldenhaftigkeit, Mut
Mannestat: Großtat, Heldentat
Manneswort: Ehrenwort
Manneswürde: Anständigkeit, Charakter, Ehrbarkeit, Mannesehre, Reife, Selbstachtung, Stolz, Wertschätzung
mannhaft: beherzt, draufgängerisch, furchtlos, heldenhaft, heldenmütig, herzhaft, kämpferisch, kühn, mutig, tapfer, todesmutig, tollkühn, unerschrocken, unverzagt, vermessen, verwegen, wagemutig, waghalsig
Mannhaftigkeit: Aufrichtigkeit, Beherztheit, Charakterstärke, Festigkeit, Heldenhaftigkeit, Kühnheit, Männerherz, Mannesmut, Mannesstärke, Männlichkeit, Mut, Tapferkeit, Todesmut, Verwegenheit, Wagemut *Zeugungskraft
mannigfach: abwechslungsreich, allerhand, allerlei, diverse, kunterbunt, mancherlei, mannigfaltig, mehrere, reichhaltig, verschiedenerlei, vielartig, vielfältig, vielförmig, vielgestaltig, vielstimmig, wechselvoll
Mannigfaltigkeit: Abwechslung, Buntheit, Farbigkeit, Fülle, Gemisch, Palette, Reichhaltigkeit, Reichtum, Skala, Variationsbreite, Verschiedenartigkeit, Vielfalt, Vielförmigkeit, Vielgestaltigkeit, große Auswahl, großes Angebot
männlich: kräftig, maskulin, stark, viril
Männlichkeit: Courage, Entschlossenheit, Mann, Mut
Männlichkeitswahn: Machismo, Männlichkeitsgefühl
Mannschaft: Auswahl, Besetzung, Ensemble, Equipe, Gemeinschaft, Gruppe, Team *Abteilung, Brigade, Einheit, Haufen, Kolonne, Korps, Schar, Trupp, Truppe, Zug *Belegschaft, Besatzung, Crew, Schiffsbesatzung, Schiffsmannschaft, Stab
mannstoll: liebestoll, lüstern, nymphomanisch
Mannstollheit: Liebestollheit, Nymphomanie
Mannweib: Amazone, Feministin
Manöver: Bauernschläue, Durchtriebenheit, Gewitztheit, Intrige, Irreführung, Kunstgriff, List, Pfiffigkeit, Ränke, Ränkespiel, Schachzug, Schlauheit, Täuschung, Trick, Tücke, Übertölpelung, Verschlagenheit, Winkelzug, falsches Spiel *Gefechtsübung, Geländeübung, Heeresübung, Kriegsspiele, Übung, militärische Übung
manövrieren: chauffieren, lotsen, steuern, geschickt lenken
Mansarde: Dachstube, Dachwohnung, Giebelzimmer, Mansardenwohnung, ausgebauter Dachstuhl
Manschette: Fessel, Handfessel, Handschelle, Strick *Ärmelabschluss, Röllchen
Mantel: Hänger, Trenchcoat, Überzieher *Futteral, Hülle, Schoner, Schutzhülle, Überzug
Mantelaufschlag: Revers
Manual: Tastatur
manuell: mit der Hand, per Hand
Manuskript: Druckvorlage, Satzvorlage *Drehbuch, Filmmanuskript, Filmszenarium, Szenarium *Ausarbeitung, Fassung, Niederschrift, Skript, Skriptum
Mappe: Aktenköfferchen, Aktenmappe, Aktentasche, Büchertasche, Diplomatenköfferchen, Diplomatentasche, Schultasche, Tasche
Mär: Erfindung, Erzählung, Fama
Märchen: Ammenmärchen, Erfindung, Jägerlatein, Lüge, Lügengeschichte, Seemannsgarn *Erzählung, Geschichte
Märchenerzähler: Fabulant
Märchenzauberin: Fee
märchenhaft: außergewöhnlich, ausgefallen, beeindruckend, bewundernswert, eindrucksvoll, einzigartig, formidabel, großartig, imponierend, ohnegleichen, prächtig, sagenhaft, schön, traumhaft, umwerfend, unglaublich, unwirklich, wunderbar, zauberhaft
Märchenland: Fabelland, Utopia, Wunderland, Zauberland
Marge: Erlös, Gewinnspanne, Schnitt
Marginalie: Anmerkung, Fußnote, Glos-

se, Kurzkommentar, Randbemerkung, Vermerk, Zusatz, Zwischenbemerkung
Mariendarstellung: Madonna
Marienkäfer: Glückskäfer, Johanniskäfer, Siebenpunkt, Sonnenkäfer
Marihuana: Gras, Joint, Kiff, Kraut, Pot
Marine: Armada, Flotte, Handelsflotte, Kriegsflotte, Seemacht, Seestreitkräfte
marinieren: einlegen, einsäuern, säuern
Marionette: Drahtpuppe, Gelenkpuppe, Gliederpuppe *Spielzeug, Strohmann, Strohpuppe, Werkzeug, willenloses Geschöpf
Mark: Gewebe, Knochenmark, Knochenmarksgewebe, Rinderknochen *Grundgewebe, Pflanzgewebe *Währungseinheit *Gebiet, Gegend, Grenze, Grenzgebiet, Grenzland *Fruchtbrei, Tomatenmark, konzentrierter Brei
markant: ausgeprägt, charakteristisch, deutlich, einprägsam, interessant, klar, scharf geschnitten *auffallend, auffällig, augenfällig, frappant, krass
Marke: Fabrikat, Fabrikmarke, Handelsmarke, Handelszeichen, Schutzmarke, Warenzeichen *Briefmarke, Freimarke, Porto, Postwertzeichen *Spaßmacher, Spaßvogel
markerschütternd: betäubend, dröhnend, durchdringend, fortissimo, gellend, geräuschvoll, grell, hörbar, lärmend, laut, lauthals, lautstark, ohrenbetäubend, ohrenzerreißend, schallend, schrill, unüberhörbar, vernehmbar, vernehmlich, aus Leibeskräften, aus voller Kehle, aus vollem Hals, durch Mark und Bein gehend, mit erhobener Stimme, mit voller Lautstärke, nicht leise, nicht ruhig, voller Lärm, aus vollem Halse, aus voller Brust, aus voller Lunge
markieren: abgrenzen, abstecken, ausstecken, bezeichnen, demarkieren *heucheln, mimen, simulieren, täuschen, vorgeben, etwas vormachen, so tun als ob *abhaken, abstecken, ankreuzen, anstreichen, hervorheben, kennzeichnen, unterstreichen, zeichnen, *andeuten
markiert: angekreuzt, bezeichnet, gekennzeichnet, kenntlich gemacht *geheuchelt, gemimt, simuliert, vorgemacht, vorgetäuscht
Markierung: Ausschilderung, Beschilderung, Kennzeichnung
markig: kernig, robust, sehnig, stämmig, widerstandsfähig
Markise: Lichtschutz, Regenschutz, Schutzdach, Sonnendach, Sonnenschutz, Sonnensegel
Markstein: Höhepunkt, Meilenstein, Tiefpunkt, Umbruch, Umkehr, Wendepunkt
Markt: Absatzgebiet, Absatzmarkt, Gebiet, Wirtschaftslage *Handelsplatz, Umschlagplatz, Warenhandel, Warenverkauf, Warenverkehr *Forum, Marktplatz *Aktienbörse, Börse, Geldmarkt, Warenbörse, Wertpapierbörse
Marktforschung: Absatzforschung, Bedarfsermittlung, Bedarfsforschung, Käuferbefragung, Marketing, Marktanalyse, Marktbeobachtung, Research
marktgängig: begehrenswert, begehrt, erstrebenswert, erwünscht, gängig, gefragt, gesucht, verlangt, wünschenswert, leicht verkäuflich
marktgerecht: absetzbar, handelsüblich, marktfähig, umsetzbar, verkäuflich
marktläufig: anerkannt, bekannt, eingeführt
Marktpreis: Preis, Verkaufspreis
Marktschreier: Anreißer, Aufschneider, Ausrufer, Ausschreier, Chauvinist, Claqueur, Großhans, Großschnauze, Großsprecher, Maulheld, Prahler, Scharlatan, Schaumschläger, Schnauze, Schreier, Werber, Wichtigtuer, Wortheld
Marktschreierei: Blendwerk, Prahlerei, Täuschung *Anmache
marktschreierisch: anreißerisch, aufdringlich, aufmacherisch, reißerisch
Marktwert: Marktpreis, Preis
Marktwirtschaft: soziale Marktwirtschaft, freie Marktwirtschaft
Marmelade: Fruchtmark, Gelee, Konfitüre
marode: abgearbeitet, abgehetzt, abgekämpft, abgeschlafft, abgespannt, abgewirtschaftet, angegriffen, angeschlagen, atemlos, aufgerieben, ausgelaugt, durchgedreht, entkräftet, entnervt, erholungsbedürftig, erledigt, ermattet, erschlagen, erschöpft, gerädert, geschafft, groggy, halb

tot, kaputt, kraftlos, matt, mitgenommen, müde, schachmatt, schlaff, schlapp, schwach, überanstrengt, überfordert, überlastet, urlaubsreif, verbraucht, zermürbt, zerschlagen, k.o., am Ende
Marone: Edelkastanie, Esskastanie, Maroni, Röstkastanie
Marotte: Fimmel, Grille, Laune, Mucke, Schrulle, Spleen, Tick, wunderlicher Einfall, fixe Idee
marsch!: ab!, fertig!, fort!, los!, weg! *hopp!, schnell!, sofort!
Marsch: Koog, Marschland, Polder, Schwemmland *Fußmarsch, Fußreise, Tour, Trip, Wanderung
Marschboden: Fenn, Schlick, Sumpf
marschfertig: abreisebereit, reisefertig
marschieren: im Gleichschritt gehen, in Reih und Glied gehen *wandern, einen Spaziergang machen, einen Ausflug machen, einen Marsch machen, eine Wanderung machen
Marschranzen: Tornister
Marschverpflegung: Proviant *Fresspaket, Proviant
Marter: Beschwernis, Drangsal, Folter, Hölle, Höllenqual, Leidensweg, Martyrium, Mühsal, Plage, Qual, Quälerei, Strapaze, Tortur
martern: foltern, misshandeln, quälen *drangsalieren, foltern, malträtieren, misshandeln, peinigen, quälen, schinden, terrorisieren, traktieren, tyrannisieren, grausam sein, Schmerzen bereiten, Qualen bereiten, Pein bereiten, weh tun
martervoll: bohrend, marternd, nagend, peinigend, quälend, quälerisch, qualvoll, schmerzhaft, schmerzlich, schmerzvoll, stechend, zehrend, ziehend
martialisch: aggressiv, angriffslustig, furios, händelsüchtig, herausfordernd, hitzig, kampfbereit, kämpferisch, kampfesfreudig, kampflustig, kampfmutig, kriegerisch, leidenschaftlich, militant, provokant, streitbar, streithaft, streitsüchtig, zänkisch, zanksüchtig *wütend
Märtyrer: Bekenner, Gedemütigter, Gekreuzigter, Gequälter, Leidender, Opfer, Schlachtopfer
Martyrium: Beschwernis, Drangsal, Folter, Hölle, Höllenqual, Leidensweg, Marter, Mühsal, Plage, Qual, Quälerei, Strapaze, Tortur *Opfertod *Dornenweg, Golgathaweg, Kreuzesweg, Leidensweg, Passion
Masche: Schlaufe, Schleife, Schlinge *Dreh, Kunstgriff, List, Manipulation, Schliche, Trick *Ausweg, Lösung
Maschine: Feuerstuhl, Krad, Kraftrad, Motorrad, Motorroller *Düsenflugzeug, Flieger, Flugzeug, Kiste, Luftfahrzeug, Passagierflugzeug, Passagiermaschine *Apparat, Automat, Gerät, Maschinerie
***Maschine schreiben:** tippen, Schreibmaschine schreiben
maschinell: maschinenmäßig, seriell, serienmäßig *automatisch, mechanisch, mit Maschinenkraft
Maschinenbauer: Mechaniker
maschinenmäßig: maschinell, mechanisch, unbewusst *abgestumpft, gefühllos, roboterhaft, seelenlos, stumpf
Maschinenmensch: Roboter
Maschinensatz: Aggregat
Maschinenschreiberin: Schreibkraft, Sekretärin, Stenotypistin, Tippfräulein
maschinenschriftlich: getippt, mit der Maschine geschrieben, mit der Schreibmaschine geschrieben, mit Computer geschrieben
Maschinerie: Apparatur, Getriebe, Maschine, Mechanismus, Räderwerk
Maske: Fastnachtsgesicht, Larve *Haube, Schutzmaske, Schutzvorrichtung *Verkleidung *Schein, Täuschung, Verstellung *Farbabweichung, Farbwechsel, Tönung
Maskenball: Kostümball, Kostümfest, Maskenfest, Maskerade, Mummenschanz
maskenhaft: gespannt, starr, verspannt
Maskerade: Maske, Verkleidung
maskieren: s. ein Kostüm anlegen, s. eine Maske anlegen, s. kostümieren, s. verkleiden, s. vermummen *s. tarnen, s. unkenntlich machen, s. verhüllen, das Gesicht verdecken, das Gesicht verbergen, das Gesicht verstecken
Maskierung: Maskerade, Mummenschanz, Verkleidung, Vermummerei
Maskottchen: Amulett, Fetisch, Glücksbringer, Talisman

maskulin: männlich, viril
masochistisch: abartig, abnormal, pervers *selbstquälerisch, selbstzerstörerisch
Maß: Abmessung, Ausdehnung, Dimension, Dosis, Menge, Quantum *Bierseidel, Maßkrug ***mit Maßen:** gemäßigt, maßvoll, Schritt für Schritt, in kleinen Schritten ***ohne Maß:** maßlos, ungezügelt ***Maß nehmen:** anmessen, vorbereiten, zurichten *zielen
Massage: Abreibung, Knetkur
Maßarbeit: Facharbeit, Qualitätsarbeit
Massaker: Abschlachtung, Blutbad, Blutvergießen, Gemetzel, Gemorde, Hinschlachtung, Massenmord, Metzelei, Morden, Schlacht, Schlächterei, Tötung, Völkermord, das Hinschlachten
massakrieren: hinmorden, hinschlachten, niedermachen, niedermetzeln, quälen, töten
Masse: Anzahl, Ballung, Fülle, Mehrzahl, Menge, Schwarm, Unmenge, Unzahl, Vielzahl, große Zahl *Material, Materie, Stoff, Substanz
Maßeinteilung: Skala, Skale
Massenaufmarsch: Demonstration
massenhaft: bergeweise, dutzendweise, haufenweise, massenweise, reichlich, reihenweise, scheffelweise, übergenug, unzählig, zahllos, in Massen, en masse, wie die Fliegen
Massenmedien: Informationsvermittler, Kommunikationsmittel, Medien
Massenmord: Abschlachtung, Blutbad, Blutvergießen, Gemetzel, Gemorde, Genozid, Hinschlachtung, Massaker, Metzelei, das Morden, Schlacht, Schlächterei, Tötung, Völkermord, das Hinschlachten
Massenware: Fließbandware
Massenvernichtungslager: Konzentrationslager, KZ, Vernichtungslager
Massenversammlung: Aufmarsch, Demonstration, Kundgebung
massenweise: bergeweise, dutzendweise, haufenweise, massenhaft, reichlich, reihenweise, scheffelweise, übergenug, unzählig, zahllos, in Massen, en masse, wie die Fliegen
maßgebend: autoritativ, entscheidend, maßgeblich, normativ, richtunggebend, richtungweisend, wegweisend
maßgeblich: ausschlaggebend, beherrschend, bestimmend, entscheidend, gewichtig, kompetent, maßgebend, tonangebend, wegweisend
massieren: abreiben, bürsten, durchkneten, durchreiben, kneten, reiben, streichen, zirkeln *konzentrieren, sammeln, zusammenziehen
massig: aufgedunsen, beleibt, breit, dick, dickleibig, dicklich, dickwanstig, drall, feist, fett, fettleibig, fleischig, füllig, gemästet, gewaltig, korpulent, kugelrund, mollig, pausbäckig, plump, pummelig, rund, rundlich, stämmig, stark, stramm, umfangreich, unförmig, untersetzt, üppig, vierschrötig, vollschlank, wohlbeleibt, wohlgenährt *massenhaft, übergenug, viel, in Massen
mäßig: abstinent, beherrscht, enthaltsam, gemäßigt, gezügelt, maßvoll, zurückhaltend, in Grenzen, mit Maßen *durchschnittlich, dürftig, mau, mittelmäßig, schwach, nicht besonders *gering, klein, winzig
mäßigen: mildern, abmildern, abschwächen, bremsen, dämpfen, drosseln, entschärfen, herabmindern, herabsetzen, schwächen, zügeln ***s. mäßigen:** s. beherrschen
Mäßigkeit: Abstinenz, Askese, Enthaltsamkeit, Enthaltung, Keuschheit
Mäßigung: Beherrschtheit, Beherrschung, Besonnenheit, Fassung, Gefasstheit, Gelassenheit, Haltung, Kontenance, Ruhe, Selbstbeherrschung
massiv: fest, haltbar, kräftig, solide, stabil, stark, unverwüstlich, unzerstörbar, widerstandsfähig *außerordentlich, drastisch, energisch, entschieden, gewaltig, grob, hart, heftig, rigoros, scharf, schwer *barsch *unförmig, untersetzt, vierschrötig, vollschlank, wohlbeleibt, wohlgenährt
Massiv: Gebirge, Gebirgskette, Gebirgszug
Maßkrug: Bierkrug, Maß
maßlos: ausschweifend, extrem, exzessiv, sehr, übersteigert, übertrieben, ungezügelt, unmäßig, ohne Maß *extremistisch, radikal, radikalistisch, rücksichtslos, scharf
Maßlosigkeit: Ausschweifung, Extrava-

ganz, Exzess, Übertriebenheit, Zügellosigkeit *Getue, Zirkus
Maßnahme: Demarche, Einrichtung, Maßregel, Regelung, Schritt *Aktion, Ausführung, Durchführung, Handlungsweise, Schritt, Schutzmaßnahme, Tat, Unternehmen, Unternehmung, Verfahren, Vorgehen, Vorgehensweise
maßregeln: anbrüllen, attackieren, ausschelten, ausschimpfen, auszanken, heruntermachen, schelten, schimpfen, tadeln, zetern, zurechtweisen *ahnden, bestrafen, strafen, verabreichen *degradieren, herabstufen, zurücksetzen
Maßregelung: Abrechnung, Ahndung, Bestrafung, Heimzahlung, Sühne, Vergeltung, der gerechte Lohn, der verdiente Lohn *Abfertigung, Abfuhr, Schelte, Strafpredigt, Tadel, Zurechtweisung *Degradierung, Herabstufung, Zurücksetzung
Maßstab: Lineal, Messlatte, Metermaß, Zollstock *Größenverhältnis
maßvoll: abstinent, beherrscht, enthaltsam, gemäßigt, gezügelt, mäßig, zurückhaltend, in Grenzen, mit Maßen
Mast: Mastkur, Mästung *Mastbaum, Pfahl, Pfeiler, Pfosten, Stamm
mästen: ausfüttern, herausfüttern, aufmästen, ausmästen, nudeln, stopfen
Masthahn: Kapaun
Masthuhn: Poularde, Poulet
Masturbation: Selbstbefriedigung, geschlechtliche Befriedigung
masturbieren: s. selbst befriedigen, s. verlustieren, in Erregung versetzen
Matador: Espada, Stierkämpfer, Torero *Berühmtheit, Champion, Favorit, Held, Meister, Publikumsliebling, Star
Match: Begegnung, Kampf, Konkurrenz, Spiel, Treffen, Wettbewerb, Wettkampf, Wettspiel, Wettstreit
material: körperlich, sachlich, stofflich, wirklich vorhanden
Material: Ausgangsmaterial, Grundstoff, Naturprodukt, Rohstoff, Werkstoff *Masse, Materie, Stoff, Substanz
Materialermüdung: Materialfehler
Materie: Realität, Wirklichkeit *Leben, Praxis *Masse, Material, Stoff, Substanz *Gegenstand, Stoff, Thema
Materialismus: Geldliebe
Materialist: Mammonsdiener
materialistisch: gewinnorientiert
Materie: Ding, Stoff, Substanz *Gegenstand, Thema *Realität, Wirklichkeit
materiell: gegenständlich, stofflich, nicht ideell
Matinee: Vormittagsveranstaltung, Vormittagsvorstellung
Matratze: Lager, Unterbett
Mätresse: Allerliebste, Angebetete, Auserwählte, Beischläferin, Freundin, Geliebte, Gespielin, Herzensdame, Herzensfreundin, Liebhaberin, Liebste, Püppchen, Puppe *Konkubine, Kurtisane
Matriarchat: Mutterherrschaft, Mutterrecht
Matrize: Druckform, Gießform, Hohlform, Modell, Muster, Musterbild, Musterblatt, Musterform, Original, Schablone, Stanzform, Urbild, Urform, Vorbild, Vordruck, Vorlage
Matrone: Gebieterin, Herrin *dicke Frau
Matrose: Blaujacke, Bootsmann, Mariner, Seefahrer, Seemann, blaue Jungs
Matrosenlohn: Heuer
matsch: alt, faul, matschig, verdorben *erschlagen, erschöpft, groggy
Matsch: Brei, Brühe, Modder, Morast, Mud, Schlamm, Schlick, Soße, Sumpf
matschig: dickflüssig, lehmig, modderig, morastig, muddig, schlammig, schlickerig, sumpfig, verschlammt
matt: abgehetzt, abgekämpft, abgeschlafft, abgespannt, abgewirtschaftet, angegriffen, angeschlagen, atemlos, aufgerieben, ausgelaugt, durchgedreht, entkräftet, entnervt, erholungsbedürftig, erledigt, ermattet, erschlagen, erschöpft, gerädert, geschafft, groggy, halb tot, kaputt, kraftlos, mitgenommen, müde, schachmatt, schlaff, schlapp, schwach, überanstrengt, überfordert, überlastet, urlaubsreif, verbraucht, zerschlagen, k. o., am Ende *beschlagen, blind, dumpf, fahl, glanzlos, stumpf *belegt, gedämpft, klanglos *besiegt, fertig, geschlagen, schachmatt, überwunden
Matte: Fußabstreifer, Fußabtreter, Fuß-

matte, Türvorleger *Läufer, Teppich *Alpweide, Bergweide, Bergwiese
Mattigkeit: Abgeschlagenheit, Abgestumpftheit, Abspannung, Ermattung, Ermüdung, Erschlaffung, Erschöpfung, Erschöpfungszustand, Mattheit, Müdigkeit, Ruhebedürfnis, Schlappheit, Schwäche, Schwächeanfall, Schwächezustand, Schwächung, Zerschlagenheit
Mattscheibe: Fernseher, Fernsehgerät *Ausfall, Blackout, Blockade, Gedächtnisstörung, Kurzschluss, Ladehemmung, Sperre
Matura: Abitur, Reifeprüfung
Mätzchen: Albernheit, Dummheiten, Faxen, Fez, Kindereien, Narrheiten, Possen, Späße, Torheiten, Unsinn, törichte Einfälle
mau: flau, kraftlos, matt, schlaff, schlapp, schlecht, schwach, schwächlich, unpässlich, unwohl, weichlich, leicht übel *durchschnittlich, dürftig, mäßig, mittelmäßig, schwach, nicht besonders
Mauer: Einfriedung, Eingrenzung, Einzäunung, Mauerwerk, Stützmauer, Umfassung, Umzäunung, Wall, Wand
Mauerblümchen: Aschenbrödel, graues Mäuschen
mauern: bauen, hochziehen *s. mäßigen, s. verkrampfen, s. zurückhalten *abblocken
Maul: Rachen, Schnabel, Schnauze *Mund *Gosche, Mundwerk
Maulaffe: Bummler, Faulenzer, Faulpelz, Faulsack, Faultier, Herumlungerer, Müßiggänger, Nichtstuer, Siebenschläfer, Taugenichts
maulen: kritteln, herumkritteln, mäkeln, herummäkeln, meckern, herummeckern, mosern, herummosern, nörgeln, herumnörgeln, beanstanden, kritisieren, quengeln, querulieren, räsonieren, raunzen *brummen, knurren, murren
maulfaul: einsilbig, lakonisch, mundfaul, reserviert, ruhig, schweigsam, sprachlos, still, verschlossen, verschwiegen, wortkarg, wortlos
Maulheld: Angeber, Aufschneider, Besserwisser, Gernegroß, Großsprecher, Großtuer, Möchtegern, Münchhausen, Prahler, Prahlhans, Protzer, Schaumschläger, Wichtigtuer, Windbeutel, Wortheld
Maulschelle: Backenstreich, Backpfeife, Ohrfeige, Prügel, Schelle, Schläge, Watsche, Watschen
Maultier: Muli *Lasttier, Packesel, Saumtier, Tragtier
mauscheln: intrigieren, klüngeln, kungeln, schachern, schummeln
mausen: abnehmen, s. an fremdem Eigentum vergehen, s. an fremdem Eigentum vergreifen, s. aneignen, ausplündern, ausräubern, ausräumen, s. bemächtigen, berauben, bestehlen, betrügen, einsacken, entwenden, erbeuten, klauen, mitnehmen, stehlen, stibitzen, unterschlagen, s. vergreifen, veruntreuen, wegnehmen, wegtragen, beiseite schaffen, beiseite bringen, einen Diebstahl begehen, einen Diebstahl verüben, auf die Seite bringen, zur Seite bringen
Mauser: Abstreifung, Entblößung, Enthaarung, Federlosigkeit, Häutung, Mauserung
Mauserei: Dieberei, Stehlerei
mausern (s.): entwachsen, s. entwickeln, heranreifen, heranwachsen, s. herausmachen, s. verändern, flügge werden, groß werden *die Federn wechseln, in die Mauser kommen
Mausoleum: Begräbnisstätte, Grabmal, Grabmonument, Grabstätte
Maut: Autobahngebühr, Wegegeld, Wegezoll
maximal: größtmöglich, höchstmöglich *allenfalls, äußerstenfalls, bestenfalls, höchstens, längstens, im äußersten Fall, nicht mehr als
Maxime: Doktrin, Gesichtspunkt, Grundsatz, Leitsatz, Moralprinzip, Regel
Maximum: Höchstleistung, Höchstmaß, Höchstwert, Höhepunkt, Meisterleistung, Nonplusultra, Optimum, Spitzenleistung
Mäzen: Förderer, Geldgeber, Gönner, Helfer, Wohltäter
mechanisch: automatisch, gedankenlos, selbsttätig, unbewusst, unüberlegt, unwillkürlich, zwangsläufig, von selbst *fabrikmäßig, maschinell, maschinenmäßig, seriell, serienmäßig, mit Maschi-

nenkraft *geisttötend, gewohnheitsmäßig, stumpfsinnig, stupid
mechanisieren: automatisieren
Mechanismus: (selbsttätiger) Ablauf, Maschinerie
Meckerei: Angriff, Gemecker, Genörgel, Gequengel, Kritik, Mäkelei, Missbilligung, Nörgelei, Quengelei, Tadelsucht, Verurteilung
Meckerer: Knurrhahn, Kritiker, Nörgler, Querulant, Räsonierer
meckern: angreifen, beanstanden, bemängeln, herumnörgeln, kritisieren, mäkeln, missbilligen, monieren, nörgeln, quengeln, querulieren, schimpfen, tadeln, verurteilen
Medaille: Auszeichnung, Dekoration, Dekorierung, Ehrenzeichen, Orden, Preis
medial: innen, innen gelegen, nach innen zu
Mediation: Vermittlung
Mediator: Vermittler
Medien: Kommunikationsmittel
Medikament: Arznei, Arzneimittel, Heilmittel, Medizin, Mittel, Präparat
Medikamentenmissbrauch: Abusus, Arzneimittelmissbrauch
Meditation: Besinnlichkeit, Einkehr, Nachdenken, Versenkung
meditieren: s. konzentrieren, s. nach innen kehren, s. nach innen wenden, s. sammeln, s. vertiefen, Meditation ausüben
Medium: Mittelglied, Mittler, Spiritist, Versuchsperson
Medizin: Heilkunde, Heilkunst, Heilwesen *Arznei, Arzneimittel, Droge, Heilmittel, Mixtur, Pharmazeutikum, Präparat
Mediziner: Arzt, Doktor, Heilkünstler, Medikus
Medizinmann: Dilettant, Kurpfuscher, Nichtskönner, Quacksalber, Scharlatan, Stümper *Doktor, Heilkünstler
Meer: Binnenmeer, Ozean, Weltmeer, hohe See, offene See, das große Wasser, der große Teich
Meerbusen: Bai, Becken, Bucht
Meeresboden: Grund, Meeresgrund
Meeresbucht: Bai, Bucht, Fjord, Förde, Golf, Meerbusen
Meeresgott: Neptun, Poseidon
Meeresgöttin: Nereide, Sirene
Meereskunde: Ozeanographie
Meereskundler: Ozeanograph
Meeresküste: Gestade, Küste, Meeresrand, Meeresstrand, Strand, Ufer, Ufersaum
Meeresströmung: Drift, Trift
Meerestiefenmessgerät: Bathymeter, Echolot, Lot
Meerfee: Melusine
Meerjungfrau: Meergott, Meerweib, Nereide, Nixe, Nymphe, Seejungfer, Undine, Wasserjungfrau
Meerrettich: Kren
Meeting: Treffen, Versammlung, Zusammenkunft
Megäre: Drache, Ehedrache, Furie, Hausdrache, Hexe, Hyäne, Xanthippe
mehlig: pulverförmig, pulvrig, pulverisiert, staubig, zermahlen, zerrieben, zerschrotet, zerstampft, zerstoßen *breiig, zermatscht, zerquetscht *geschmacklos, saftlos
Mehlschwitze: Einbrenne, Schwitze
mehr: reichlich, über, viel mehr (als) *gewissermaßen, gleichsam, quasi, sozusagen, mehr oder minder, mehr oder weniger *einige Male, etliche Mal, häufig, mehrfach, mehrmals, wiederholt *auch, sogar, mehr noch, ja sogar *außerdem, dazu, weiter, des Weiteren
Mehr: Anhäufung, Luxus, Masse, Menge, Opulenz, Plus, Reichtum, Überangebot, Überfluss, Übermaß, Überproduktion, Überschuss, Überschwang, Üppigkeit, Zuviel
mehrdeutig: doppeldeutig, doppelsinnig, missverständlich, strittig, undurchsichtig, unklar, vage, verschwommen, vieldeutig, zweideutig *geheimnisvoll, hintergründig, rätselhaft
Mehrdeutigkeit: Ambivalenz, Doppelbödigkeit, Vieldeutigkeit
Mehrehe: Bigamie, Polygamie, Vielehe
mehren: ansteigen, anwachsen, häufen, steigern, vergrößern, vermehren, vervielfachen *s. fortpflanzen, die Art erhalten *ansteigen, anwachsen, ausdehnen, ausweiten, s. verdichten, s. vergrößern, s. verstärken, zunehmen

mehrere: einige, einzelne, manche, verschiedene, ein paar
mehrerlei: einige *allerhand, allerlei, hunderterlei, mancherlei, unterschiedliche, verschiedenerlei, vielerlei, alles Mögliche, dieses und jenes, dies und das, von dem und dem
mehrfach: mehrmalig, mehrmals, oft, oftmals, wiederholt, immer wieder, nicht selten
mehrfarbig: bunt, farbenfroh, poppig, vielfarbig
Mehrheit: Gros, Großteil, Hauptmasse, Majorität, Masse, Mehrzahl, Überzahl, Vielzahl, mehr als die Hälfte
mehrjährig: jahrelang, langjährig, wiederholt
mehrteilig: komplex, verflochten, verschlungen, verworren, vielschichtig
mehrmalig: häufig, oft, öfter, vielmalig, wiederholt, immer wieder
mehrmals: etliche Mal, häufig, oft, oftmals, ungezählt, vielmals, immer wieder, nicht selten, viele Male, etliche Male
mehrsprachig: polyglott, vielsprachig, mehrere Sprachen beherrschend, mehrere Sprachen sprechend
mehrstimmig: dreistimmig, vierstimmig (...), vielstimmig, polyphon
Mehrstimmigkeit: Vielstimmigkeit, Polyphonie
mehrteilig: lose, ungebunden, unzusammenhängend, vielteilig, zahlreich
Mehrwertigkeit: Multivalenz
Mehrzweckwagen: Kombi, Kombiwagen, Van
Mehrzahl: Gros, Großteil, Majorität, Masse, Mehrheit, Überzahl, Vielzahl, mehr als die Hälfte *Plural
meiden: ausweichen, fernbleiben, fliehen, s. herumdrücken, scheuen, umgehen, vermeiden *abrücken, s. abwenden, einen (großen) Bogen machen, s. verstecken (vor), jmdn. ignorieren, jmdn. übergehen, jmdn. schneiden
Meilenstein: Höhepunkt, Umbruch, Wendepunkt, entscheidendes Ereignis *Markstein
Meineid: Eidbruch, Falschschwur, Wortbruch, falsche Aussage, falscher Schwur, falscher Eid
meinen: dafürhalten, denken, finden, glauben, urteilen, vermuten, der Ansicht sein, der Meinung sein
meinetwegen: meinethalben, um meinetwillen, für mich *meinethalben, in Gottes Namen, von mir aus, also gut
Meinung: Annahme, Anschauung, Ansicht, Auffassung, Dafürhalten, Denkweise, Standpunkt, Überzeugung, Urteil, Weltanschauung
Meinungsaustausch: Aussprache, Dialog, Gedankenaustausch, Gespräch, Konversation, Plauderei, Rücksprache, Unterhaltung, Unterredung, Zwiegespräch
Meinungsforschung: Demoskopie, Enquete, Feldforschung, Meinungsumfrage, Repräsentativerhebung, Umfrage
Meinungsstreit: Auseinandersetzung, Federkrieg, Streit
Meinungsverschiedenheit: Auseinandersetzung, Differenz, Dissens, Divergenz, Meinungsunterschied, Nichtübereinstimmung, Unstimmigkeit
Meinungsvielfalt: Pluralismus
meißeln: behauen, bilden, formen, gestalten, herausarbeiten, schlagen
meistens: meist, zumeist, durchweg, erfahrungsgemäß, gemeinhin, gewöhnlich, größtenteils, meistenteils, normalerweise, überwiegend, vorwiegend, weitgehend, in der Mehrzahl, in der Regel
Meister: Ass, Experte, Fachmann, Größe, Kanone, Kapazität, Könner, Koryphäe, Leuchte, Routinier, Spezialist, Mann vom Fach *Champion, Crack, Gewinner, Sieger, Spitzensportler *Altmeister *Lehrherr, Lehrmeister *Maestro, Virtuose
meisterhaft: ansehnlich, auffallend, auffällig, Aufsehen erregend, außergewöhnlich, außerordentlich, ausgefallen, beachtlich, bedeutend, bedeutsam, bedeutungsvoll, beeindruckend, beträchtlich, bewundernswert, bewundernswürdig, brillant, eindrucksvoll, einzigartig, enorm, erstaunlich, fabelhaft, großartig, hervorragend, imponierend, imposant, märchenhaft, nennenswert, ohnegleichen, sagenhaft, sensationell, sondergleichen, spektakulär, stattlich, überragend, überwältigend, ungeläufig, ungewöhnlich, unvergleichlich, verblüffend

Meisterklasse: Leistungsklasse, Oberklasse
Meisterleistung: Bestleistung, Clou, Glanzleistung, Höchstleistung, Krönung, Nonplusultra, Spitze, Spitzenleistung
meistern: bezwingen, ausführen, beikommen, bewältigen, bewerkstelligen, erledigen, erreichen, können, schaffen, verwirklichen, vollbringen, vollenden, zurechtkommen, zwingen, fertig werden, Herr werden, in den Griff bekommen
Meisterschaft: Championat, Wettkampf *Worldcup, Olympiade *Bravour, Können, Kunstfertigkeit, Meisterhaftigkeit, Perfektion, Virtuosität, Vollendung, Vollkommenheit
Meisterstück: Glanzstück, Kabinettstück, Kunstwerk, Meisterleistung, Meisterwerk, Prachtexemplar, Prachtstück, Prunkleistung *Einzelanfertigung, Einzelarbeit, Facharbeit, Handarbeit
Melancholie: Gram, Jammer, Kreuz, Kummer, Kümmernis, Last, Leid, Marter, Martyrium, Misere, Not, Pein, Qual, Schmerz, Schwermut, Seelenschmerz, Sorge, Trauer, Trostlosigkeit, Trübsal, Trübsinn, Unglück, Verzweiflung, Wehmut
melancholisch: unglücklich, todunglücklich, bedrückt, bekümmert, betrübt, defätistisch, depressiv, desolat, elegisch, elend, freudlos, hypochondrisch, kümmerlich, nihilistisch, pessimistisch, schwarzseherisch, schwermütig, traurig, trist, trübe, trübselig, trübsinnig, unfroh, wehmütig *gramerfüllt, gramgebeugt, gramvoll, sorgenschwer, sorgenvoll
melden: beibringen, eröffnen, informieren, mitteilen, sagen, übermitteln, vermelden, wissen lassen, Mitteilung machen, auf die Nase binden, eine Meldung machen *anzeigen, bezichtigen, denunzieren, Anzeige erstatten, zur Polizei gehen *ankündigen, Meldung erstatten, Meldung machen ***s. melden:** s. bemerkbar machen, s. zu Wort melden, die Hand heben, die Finger strecken *s. anmelden, s. ansagen *von sich hören lassen
Melder: Kundschafter, Meldegänger, Ordonnanz, Spion *Denunziant
Meldung: Mitteilung, Nachricht *Anzeige, Berichterstattung, Bezichtigung, Denunziation *Anmeldung, Benachrichtigung, Bereitschaftserklärung, Teilnahmeerklärung, Verpflichtung
melken: strippen, Milch entnehmen *ausbeuten, ausnehmen, ausnutzen, fordern, s. zunutze machen
Melodie: Motive, Tonfolge, Tonweise, Weise
melodisch: klangrein, klangvoll, melodiös, musikalisch, sonor, wohlklingend, wohltönend
Memme: Angsthase, Angstpeter, Drückeberger, Duckmäuser, Feigling, Hase, Hasenfuß, Hasenherz, Jämmerling, Kneifer, Schwächling, Weichling
memmenhaft: angstbebend, angsterfüllt, ängstlich, angstschlotternd, angstverzerrt, angstvoll, argwöhnisch, aufgeregt, bang, bänglich, befangen, beklommen, besorgt, betroffen, feige, feigherzig, gehemmt, hasenherzig, kleinmütig, mutlos, scheu, schreckhaft, schüchtern, verängstigt, verschreckt, verschüchtert, zag, zaghaft, zähneklappernd
Memoiren: Autobiographie, Biographie, Lebensbeschreibung, Lebenserinnerungen, Lebensgeschichte, Vita
Memorandum: Adresse, Aufzeichnung, Bittschrift, Darlegung, Denkschrift, Eingabe, Kommuniqué, Memoire, Note, Sammlung, Schrift, Streitschrift, amtliche Mitteilung
memorieren: s. aneignen, s. einbläuen, s. eindrillen, einlernen, einpauken, s. einprägen, einstudieren, einüben, lernen
Menagerie: Tierschau, Zirkus *Zwinger
Menge: Anhäufung, Anzahl, Armee, Ballung, Batzen, Berg, Flut, Haufen *Heer, Legion, Masse, Mehrzahl, Reihe, Schar, Schwall, Schwarm, Schwung, Serie, Übermaß, Unmaß, Unmasse, Unmenge, Unzahl, Vielheit, Vielzahl, Wust, große Zahl, eine ganze Ladung *Allgemeinheit, Öffentlichkeit, Volk, das breite Publikum, die breite Masse, die Menschen, die Leute, die schweigende Mehrheit *Ansammlung, Haufen, Herde, Menschenmenge, Schar, Volksmenge
mengen: durchmischen, mischen, mi-

xen, vermischen, verquirlen, verrühren, zusammenschütten *s. **mengen (in):** eingreifen, s. einmischen (in), mitmischen
mengenmäßig: quantitativ
Menhir: Steinsäule
Mensch: Erdbewohner, Erdenbürger, Individuum, Jemand, Person, Zweibeiner, Homo sapiens *Figur, Geschöpf, Gesicht, Gestalt, Individuum, Jemand, Kopf, Lebewesen, Person, Persönlichkeit, Subjekt, Wesen
Menschenaffe: Anthropoide
menschenähnlich: anthropoid
Menschenauflauf: Ansammlung, Auflauf, Demonstration, Gedränge, Versammlung, Zusammenrottung
Menschenfeind: Menschenhasser, Menschenverächter, Misanthrop
menschenfeindlich: inhuman, menschenverachtend, unmenschlich
Menschenfresser: Kannibale, Kopfjäger
Menschenfresserei: Kannibalismus
Menschenfreund: Humanist, Philanthrop, Wohltäter der Menschheit
menschenfreundlich: human, menschlich, philanthropisch
Menschenfreundlichkeit: Agape, Barmherzigkeit, Caritas, Humanität, Menschenliebe, Menschlichkeit, Nächstenliebe, Philanthropie, Wohltätigkeit
menschenleer: ausgestorben, einsam, entvölkert, öde, tot, unbelebt, unbevölkert, unbewohnt, unkultiviert, unzivilisiert, vereinsamt, verlassen, verödet *geräumt, leer
Menschenliebe: Altruismus, Aufopferung, Barmherzigkeit, Caritas, Edelmut, Freigebigkeit, Großmut, Güte, Herzlichkeit, Humanismus, Liebestätigkeit, Liebeswerk, Menschenfreundlichkeit, Menschlichkeit, Milde, Mitgefühl, Nächstenliebe, Opfersinn, Selbstaufgabe, Selbstlosigkeit, Selbstverleugnung, Uneigennützigkeit, Wohltätigkeit
Menschenmenge: Ansammlung, Haufen, Herde, Menge, Schar, Volksmenge
Menschenraub: Entführung, Geiselnahme, Kidnapping, Piraterie
Menschenrecht: Gerechtigkeit, Unantastbarkeit
menschenscheu: kontaktarm, kontaktscheu, ungesellig, verschlossen, zurückhaltend
Menschenverachtung: Menschenfeindschaft, Menschenfurcht, Menschenhass, Menschenscheu, Misanthropie
menschenwürdig: dem Menschen angemessen
Menschheit: Erdbevölkerung, Menschengeschlecht, Völkerfamilie, menschliche Gesellschaft, die Menschen, die Völker der Erde
menschlich: gut, herzensgut, freundlich, menschenfreundlich, annehmlich, barmherzig, einnehmend, entgegenkommend, freundschaftlich, gefällig, gnädig, gutherzig, gütig, gutmütig, herzlich, höflich, lieb, liebenswürdig, menschenwürdig, mild, nett, sanftmütig, sympathisch, tolerant, warm, warmherzig, weichherzig, wohlgesinnt, wohlmeinend, wohlwollend, zugetan, zuvorkommend *human, humanitär, humanistisch, menschenfreundlich, mitfühlend, mitmenschlich, philanthropisch, sozial, wohltätig, wohlwollend
Menschlichkeit: Humanitas, Humanität, Menschenliebe, Philanthropie, edle Gesinnung
Menstruation: Menorrhö, Menses, Monatsblutung, Monatsfluss, Periode, Regel, Regelblutung, Zyklusblutung, die kritischen Tage
mental: geistig, in Gedanken, zum Geist gehörend, den Geist betreffend
Mentalität: Anschauung, Anschauungsweise, Auslegung, Beurteilung, Dafürhalten, Denkart, Denkungsweise, Denkweise, Einstellung, Gedanken, Gedankengang, Gesinnung, Ideologie, Interpretation, Meinung, Sinnesart, Überzeugung, Weltanschauung, das Denken
Mentor: Anleiter, Beistand, Berater, Erzieher, Lehrer, Ratgeber, Tutor
Menü: Gang, Gedeck, Speisenfolge
Menükarte: Speisekarte
merkantil: finanziell, geldlich, geschäftlich, gewerblich, kaufmännisch, kommerziell, pekuniär, wirtschaftlich
merken: aufnehmen, s. einprägen, s. ins Gedächtnis schreiben, lernen, nicht vergessen *dahinter blicken, durchblicken,

durchschauen, registrieren *spitzbekommen, spitzkriegen, spüren, den Braten riechen *spüren, verspüren, empfinden, fühlen, tasten, wahrnehmen *s. **merken:** bewahren, s. einprägen, etwas behalten, nicht vergessen, in Erinnerung behalten
Merkfähigkeit: Gedächtnis
Merkspruch: Sentenz, Spruch
merklich: auffallend, bemerkbar, deutlich, erheblich, erkennbar, fühlbar, merkbar, sichtbar, sichtlich, spürbar, zusehends *empfindlich, groß, hoch
Merkmal: Attribut, Charakterzug, Kennzeichen, Kriterium, Mal, Merkzeichen, Moment, Signatur, Symptom, Zeichen, Zug
merkwürdig: absonderlich, befremdend, befremdlich, drollig, eigen, eigenartig, eigenbrötlerisch, eigentümlich, erstaunlich, kauzig, komisch, kurios, ominös, schrullig, seltsam, skurril, sonderbar, sonderlich, ulkig, verschroben, verwunderlich, wunderlich
merkwürdigerweise: eigentümlicherweise, erstaunlicherweise, komischerweise, sonderbarerweise
Merkwürdigkeit: Eigentümlichkeit, Kuriosität, Kuriosum, Seltsamkeit, Skurrilität
Mesner: Kirchendiener, Küster, Sakristan
Messdiener: Ministrant
Messe: Gottesdienst, Hauptgottesdienst *Ausstellung, Exposition, Musterschau, Verkaufsausstellung, Verkaufsmesse *Aufenthaltsraum, Kantine, Speiseraum, Speisesaal *Jahrmarkt, Kirchweih, Kirmes, Markt, Rummel, Volksfest
Messeinteilung: Graduation, Skala
messen: abmessen, abzirkeln, ausmessen, berechnen, dosieren, ermitteln, vermessen ***s. messen:** kämpfen, s. vergleichen, wettstreiten
Messer: Schneidwerkzeug, Skalpell *Messgerät *Messender
messerscharf: äußerst scharf, sehr scharf *bissig, streng, sehr hart, äußerst hart
Metall: Edelmetall, Schwermetall
Metallabfall: Alteisen, Schrott
Metallbarren: Ingot, Metallblock
Metallblatt: Folie, Metallfolie
Metallbolzen: Niet, Niete
Metallfadenschmuck: Filigran
Metallgussform: Hartgussform, Kokille
metallisch: eisern, metallähnlich, metallhaltig, stählern
Metallmischung: Legierung
Metallsalz: Haloid
Metallsiegel: Plombe
Metallstecher: Ziseleur
Metallüberzug: Email
Metamorphose: Gestaltwandel, Umformung, Umgestaltung, Verwandlung
Metapher: Bild, Übertragung, Vergleich, bildlicher Ausdruck
metaphorisch: allegorisch, bildlich, blumig, figürlich, gleichnishaft, parabolisch, sinnbildlich, symbolisch, übertragen, als Gleichnis, im Bilde
metaphysisch: jenseitig, transzendent, überirdisch, übernatürlich, übersinnlich
Meteorologe: Klimaforscher, Wetterfrosch
Metermaß: Maßstab, Messlatte, Zentimetermaß, Zollstock
Methode: Arbeitsweise, Behandlungsweise, Handhabung, Praktik, Praxis, Strategie, System, Taktik, Verfahrensweise, Vorgehensweise, Weg
methodisch: bedacht, folgerichtig, konsequent, planmäßig, planvoll, programmmäßig, systematisch, taktisch, wissenschaftlich, zielbewusst
Metropole: Brennpunkt, Herz, Kerngebiet, Mittelpunkt, Sammelpunkt, Seele, Zentrum *Hauptstadt, Regierungsstadt, Residenzstadt, Weltstadt
Metzelei: Blutbad, Bluttat, Massaker
metzeln: abschlachten, massakrieren, niedermetzeln
Metzger: Fleischer, Schlachter
meucheln: ausmerzen, ausrotten, hinrichten, hinschlachten, liquidieren, lynchen, morden, töten, vernichten, aus der Welt schaffen
meuchlings: hinterrücks, unvermutet, unversehens, von hinten
Meute: Bande, Gang, Gesellschaft, Horde, Korona, Räuberbande, Rotte, Rudel, Straßenbande, Straßengang *Hundekoppel, Hundemeute, Jagdhunde
Meuterei: Auflehnung, Aufruhr, Auf-

stand, Ausschreitung, Empörung, Erhebung, Gewaltakt, Komplott, Krawall, Putsch, Rebellion, Revolte, Revolution, Tumult, Übergriff, Unruhen, Unterwanderung, Verschwörung

Meuterer: Aufrührer, Aufständischer, Aufwiegler, Hetzer, Rebell, Revolutionär, Streikführer, Unruhestifter

meutern: s. aufbäumen, aufbegehren, s. auflehnen, aufmucken, aufmucksen, auftrumpfen, s. dagegenstellen, s. empören, s. erheben, opponieren, protestieren, rebellieren, revoltieren, s. sträuben, trotzen, s. verschwören, s. widersetzen, s. zur Wehr setzen, Gehorsam verweigern, Widerpart bieten

mickrig: berechnend, filzig, geizig, geldgierig, gewinnsüchtig, gnietschig, habsüchtig, kleinlich, knauserig, knickerig, knorzig, profitsüchtig, raffgierig, schäbig, übertrieben sparsam *bescheiden, kärglich, kläglich, klein, knapp, mager, mangelhaft, schäbig, schmählich, spärlich, unbefriedigend, ungenügend, unzureichend

Mieder: Hüftgürtel, Hüfthalter, Korselett, Korsett, Stützkorsett *BH, Büstenhalter, Bustier *Miederhose

Mief: Ausdünstung, Gestank, Schweißgeruch

Miene: Ausdruck, Gesichtsausdruck, Gesichtszug, Mienenspiel, Mimik, Zug

mies: elend, erbärmlich, erbarmungswürdig, hilfsbedürftig, indisponiert, jämmerlich, kläglich, miserabel, mitgenommen, schlecht, schwach, schwächlich, übel, unpässlich, unwohl *billig, geringwertig, halbwertig, mangelhaft, minderwertig, miserabel, ungenügend, wertlos, zweitklassig, nichts wert ***mies machen:** verekeln, vergällen, vergraulen, verleiden, vermiesen, madig machen *schwarz malen, schwarz sehen, unken, pessimistisch sein

Miesepeter: Griesgram, Miesmacher, Pessimist, Schwarzseher

Miete: Abgabe, Entgelt, Hauszins, Mieteinnahme, Pachtzins *Grube *Schober, Stapel

mieten: s. einlogieren, s. einmieten, s. einquartieren, pachten, eine Wohnung beziehen, eine Wohnung nehmen, in Pacht nehmen *leihen, ausleihen, chartern, heuern *lagern, ablagern, deponieren, einkellern, einlagern, einmieten, einwintern, magazinieren, speichern, auf Lager legen

Mieter: Mietpartei, Mietperson

Mietkutsche: Fiaker, Pferdekutsche

Mietvertrag: Abmachung, Mietvereinbarung, Pachtvertrag

Mietwagen: Leihwagen, Leasingfahrzeug, Mietauto

Migräne: Kopfschmerzen, Kopfweh

Mikrophon: Abhörgerät, Spion, Wanze

Mikroklima: Kleinklima

milchig: trüb, undurchsichtig, weißlich

Milchzucker: Laktose

Milchstraße: Galaxie, Galaxis, Sternenhaufen, Sternensystem, galaktisches System

Milchwirtschaft: Meierei, Molkerei

mild: gemäßigt, lau, lind, warm, nicht rau, nicht kalt *gut, herzensgut, barmherzig, einnehmend, entgegenkommend, freundlich, freundschaftlich, gefällig, gnädig, gutherzig, gütig, gutmütig, herzlich, lieb, liebenswürdig, menschlich, nett, sanftmütig, sympathisch, warm, warmherzig, weichherzig, wohlgesinnt, wohlmeinend, wohlwollend, zugetan, zuvorkommend *gnädig, gütig, human, menschlich, nachsichtig, sanft, wohlwollend *lieblich, süffig *gedämpft *gering, klein

Milde: Anteilnahme, Aufgeschlossenheit, Aufmerksamkeit, Entgegenkommen, Freundlichkeit, Güte, Gutmütigkeit, Herzensgüte, Herzlichkeit, Hilfsbereitschaft, Humanität, Innigkeit, Liebenswürdigkeit, Nächstenliebe, Selbstlosigkeit, Wärme, Warmherzigkeit, Wohlwollen, Zuneigung, Zuwendung *Schönwetter, Wärme *Duldung, Geduld, Hinnahme, Langmut, Nachsicht *Süße

mildern: dämpfen, abdämpfen, schwächen, abschwächen, abmildern, abschirmen, ausgleichen, beruhigen, bessern, entschärfen, erleichtern, glätten, herunterspielen, lindern, verringern

Milderungsgrund: Entlastungsmoment, Entlastungspunkt, Entschuldigungsgrund, mildernde Umstände

mildtätig: aufopfernd, edelmütig, großherzig, idealistisch, selbstlos, uneigennützig, wohltätig
Mildtätigkeit: Edelmut, Selbstlosigkeit, Uneigennutz, Wohltätigkeit
Milieu: Ambiente, Atmosphäre, Klima, Mitwelt, Umfeld, Umgebung, Umkreis, Umwelt, soziale Verhältnisse *Gesellschaft, Kreis, Szene
militant: aggressiv, angriffslustig, händelsüchtig, herausfordernd, kampfbereit, kämpferisch, kampfesfreudig, kampflustig, kampfmutig, kriegerisch, leidenschaftlich, martialisch, provokant, streitbar, streithaft, streitsüchtig, zänkisch, zanksüchtig
Militär: Rekrutenzeit, Wehrdienst *Armee, Bundeswehr, Bürgerheer, Bürgermiliz, Bürgerwehr, Heer, Landstreitkräfte, Miliz, Streitkräfte, Truppe, Volksheer, Volksmiliz, Wehrmacht *Kriegsmarine, Marine, Seestreitkräfte *Luftstreitkräfte, Luftwaffe
Militäraufmarsch: Militärparade, Parade
Militärbündnis: Entente
Militärdienst: Barras, Heeresdienst, Kommiss, Kriegsdienst, Rekrutenzeit, Soldatenzeit, Wehrdienst
militärisch: militärähnlich, militaristisch, soldatisch
militarisieren: rüsten, aufrüsten, bewaffnen, mobilisieren
Militärkrankenhaus: Lazarett
Miliz: Bürgergarde, Bürgerwehr, Söldnerheer, Volksheer
Mime: Darsteller, Komödiant, Schauspieler
mimen: heucheln, spielen, vortäuschen *agieren, chargieren, darbieten, darstellen, figurieren, verkörpern, vorstellen, wiedergeben
Mimik: Gebärdenspiel, Miene, Mienenspiel, Mienensprache
mimisch: darstellerisch, schauspielerisch
mimosenhaft: empfindlich, verweichlicht, wehleidig, weichlich, zimperlich
Minarett: Moscheeturm
minder: geringer, weniger, in geringerem Maße *billig, geringwertig, halbwertig, mangelhaft, mies, minderwertig, miserabel, ungenügend, wertgemindert, wertlos, zweitklassig, nichts wert
minderbegabt: dumm, schwerfällig, talentlos, unbegabt, untalentiert
minderbemittelt: arm, bedürftig, besitzlos, bettelarm, blank, elend, hungernd, mittellos, Not leidend, pleite, unbemittelt, unvermögend, verarmt, verelendet, vermögenslos, ohne Einkommen, ohne Geld *beschränkt, dumm
Minderheit: Minderzahl, Minorität, der kleinere Teil, der geringere Teil, weniger als die Hälfte
minderjährig: halbwüchsig, unmündig, noch nicht mündig, noch nicht erwachsen, unter 18 Jahren
mindern: beeinträchtigen, beschränken, drosseln, drücken, heruntersetzen, reduzieren, schmälern, verkleinern, vermindern, verringern
Minderung: Beeinträchtigung, Beschränkung, Drosselung, Reduzierung, Verminderung, Verringerung
minderwertig: billig, geringwertig, halbwertig, mangelhaft, mies, minder, miserabel, ungenügend, wertgemindert, wertlos, zweitklassig, nichts wert *charakterlos, verdorben, verrucht, verworfen, charakterlich schlecht *dünn, elend, schwach, zweifelhaft
Minderwertigkeitskomplex: Gehemmtheit, Hemmung, Komplex, Minderwertigkeitsgefühl, Selbstzweifel, Unsicherheit, Verkrampfung, Schwierigkeit mit sich selbst
Minderzahl: Minderheit, Minorität
Mindestanforderung: Mindestgrad, Mindestmaß, Minimum
mindeste: geringste, kleinste, wenigste
Mindesteinkommen: Existenzminimum, Mindestlohn
mindestens: mindest, zumindest, geringstenfalls, wenigstens, auf jeden Fall, zum Mindesten
Mindestmaß: Mindestwert, Minimum, Untergrenze, das Mindeste
Mine: Sprengkörper, Sprengladung *Bergwerk, Grube, Zeche
Minensperre: Minenfeld, Minengürtel, Minenriegel

Mineralwasser: Brunnenwasser, Heilwasser, Sauerbrunnen, Selters, Selterswasser, Soda, Sprudel, Sprudelwasser, Tafelwasser, Wasser
mini: klein, unscheinbar, winzig
Mini: Minikleid
Minijob: Kurzarbeit
minimal: dürftig, gering, karg, klein, kümmerlich, mager, schmal, winzig *belanglos, geringfügig, unbedeutend, unbeträchtlich, unerheblich, unwesentlich, unwichtig, verschwindend
Minimum: Mindestmaß, Mindestwert, Mindestzahl, Untergrenze, das Kleinste, das Wenigste, das Mindeste
Minister: Bundesminister, Regierungsmitglied *Landesminister, Senator
Ministerpräsident: Kabinettschef, Landesvater, Premierminister, Regierungschef
Ministerrunde: Kabinett
Ministrant: Altardiener, Messdiener, Messknabe
Minnedienst: Liebesdienst, Liebespfand, Liebeswerbung
Minnesänger: Balladensänger, Barde, Meistersinger, Troubadour
Minorität: Minderheit, Minderzahl, der kleinere Teil, der geringere Teil, weniger als die Hälfte
minus: abgerechnet, abgezogen, abzüglich, ausgenommen, exklusive, ohne, weniger, nach Abzug
Minus: Ausfall, Defizit, Differenzbetrag, Einbuße, Fehlbetrag, Manko, Verlust *Kehrseite, Makel, Mangel, Manko, Nachteil, Schaden, Schattenseite, Ungunst, Verlust, schwacher Punkt, ungünstiger Umstand, wunde Stelle, schwache Stelle
Minute: Augenblick, sechzig Sekunden
minuziös: fehlerlos, fein, genau, gewissenhaft, kleinlich, korrekt, ordentlich, pedantisch, penibel, richtig, sorgfältig, sorgsam, zuverlässig
Mirakel: Erscheinung, Phänomen, Wunder, Wundererscheinung, Wunderwerk
Misanthrop: Menschenfeind, Menschenhasser, Menschenverächter
misanthropisch: menschenfeindlich, menschenscheu
mischen: anrühren, durcheinander wirken, durchmengen, durchmischen, manschen, mixen, unterarbeiten, untermengen, vermengen, vermischen, verquirlen, verrühren, verschneiden, versetzen (mit), zusammenbrauen, zusammenschütten *durcheinander bringen, durcheinander werfen, durcheinander würfeln, zusammenstellen
Mischgetränk: Cocktail, Drink, Mixgetränk *Alcopops
Mischling: Bastard, Halbblut, Mestize, Mulatte, Zambo
Mischung: Durcheinander, Emulsion, Gemenge, Gemisch, Konglomerat, Mengung, Mischmasch, Mixtur *Mittelding, Zwischending
miserabel: bedauerlich, bedauernswert, beklagenswert, desolat, ergreifend, herzergreifend, herzbewegend, herzzerreißend, jämmerlich, jammervoll, kläglich *bescheiden, kärglich, knapp, mager, mangelhaft, schäbig, schmählich, spärlich, unbefriedigend, ungenügend, unzureichend *mangelhaft, minderwertig, schlecht, stümperhaft, ungenügend *defekt, ungenügend *abscheulich, garstig, gemein, hundsgemein, infam, niederträchtig, ruchlos, schäbig, schändlich, schimpflich, schmachvoll, schmählich, schmutzig, schnöde, schofel, schuftig
Misere: Elend, Mängel, Unordnung, katastrophale Situation, unerträgliche Situation, schlimmer Zustand *Ärmlichkeit, Armseligkeit, Armut, Bedürftigkeit, Beschränkung, Besitzlosigkeit, Elend, Entbehrung, Kargheit, Knappheit, Krise, Not, Notstand, Unglück, Verelendung
missachten: ablehnen, abweisen, ausschlagen, gering achten, gering schätzen, ignorieren, verachten, verpönen, verschmähen, zurückweisen
Missachtung: Außerachtlassung, Despektierlichkeit, Geringachtung, Geringschätzung, Herabsetzung, Herabwürdigung, Naserümpfen, Nichtbeachtung, Pejorativum, Respektlosigkeit, Verächtlichmachung, Verachtung
Missbehagen: Beklemmung, Beklommenheit, Lustlosigkeit, Missfallen, Unbehagen, Widerwillen, unangenehmes Gefühl

Missbildung: Auswuchs, Bastardform, Deformation, Deformierung, Missform, Missgebilde, Misswuchs, Schaden
missbilligen: ablehnen, abweisen, ausschlagen, negieren, verneinen, versagen, verweigern, zurückweisen, dagegen sein *beanstanden, tadeln, Anstoß nehmen
Missbilligung: Abfuhr, Ablehnung, Absage, Durchfall, Fiasko, Nein, Zurückweisung, abschlägiger Bescheid, negative Antwort *Beanstandung, Tadel
Missbrauch: Entehrung, Schändung, Vergewaltigung *Vergeudung, Verschwendung
missbrauchen: Missbrauch treiben (mit) *entehren, notzüchtigen, schänden, verführen, s. vergehen (an), vergewaltigen, s. vergreifen (an), zwingen, Notzucht verüben (an), Gewalt antun
missbräuchlich: einen Missbrauch darstellend, zu einem falschen Zweck, zu einem schlechten Zweck
missdeuten: s. irren, missverstehen, s. täuschen, übel nehmen, s. verhören, verkennen, falsch verstehen, falsch auffassen, falsch auslegen, falsch interpretieren, in die falsche Kehle kriegen, in die falsche Kehle bekommen
missen: abgehen, entbehren, ermangeln, fehlen, hapern, vermissen, verzichten, Mangel haben (an), nicht haben
Misserfolg: Bankrott, Debakel, Durchfall, Enttäuschung, Fehlschlag, Fiasko, Flop, Katastrophe, Misslingen, Niederlage, Pech, Pleite, Reinfall, Rückschlag, Ruin, Versagen, Zusammenbruch, Schlag ins Wasser
Missetat: Fehltritt, Freveltat, Schandtat, Sünde, Übeltat, Übertretung, Untat, Vergehen, Verstoß, Zuwiderhandlung, böse Tat
Missetäter: Erzgauner, Gangster, Ganove, Gauner, Halunke, Kanaille, Lump, Schuft, Schurke *Attentäter, Bandit, Betrüger, Dieb, Frevler, Gangster, Gesetzesbrecher, Krimineller, Rechtsbrecher, Täter, Übeltäter, Unhold, Unmensch, Verbrecher
missfallen: nicht gefallen, keinen Gefallen finden (an), nicht ansprechen, nicht ankommen *abstoßen, anwidern, stören, verdrießen, widerstreben, ein Dorn im Auge sein, gegen den Strich gehen, Missfallen erregen, nicht erbaut sein, unangenehm berühren, nicht in die Karten passen, nicht zusagen
Missfallen: Beklemmung, Beklommenheit, Lustlosigkeit, Unbehagen, Widerwillen, unangenehmes Gefühl *Missbilligung
Missgebilde: Missgeburt, Missgestalt *Auswuchs, Bastardform, Deformation, Deformierung, Missbildung, Missform, Misswuchs, Schaden
missgebildet: behindert, bucklig, entstellt, fehlerhaft, hässlich, krumm, missförmig, missgestaltet, monströs, schief, unförmig, verkrüppelt, verwachsen
Missgeburt: Missgebilde, Missgestalt
missgelaunt: ärgerlich, aufgebracht, bärbeißig, böse, brummig, empört, entrüstet, erbittert, erbost, erzürnt, fuchsteufelswild, gereizt, grantig, griesgrämig, grimmig, misslaunig, missmutig, muffig, mürrisch, peinlich, rabiat, übellaunig, unwillig, unwirsch, verdrießlich, verdrossen, wütend, wutentbrannt, wutschäumend, wutschnaubend, zornig
Missgeschick: Ärmlichkeit, Armseligkeit, Armut, Bedürftigkeit, Beschränkung, Besitzlosigkeit, Elend, Entbehrung, Geldnot, Kargheit, Knappheit, Krise, Not, Notstand, Unglück, Verelendung
missgestaltet: behindert, bucklig, entstellt, fehlerhaft, hässlich, krumm, missförmig, missgebildet, monströs, schief, unförmig, verkrüppelt, verwachsen
missglücken: fehlschlagen, scheitern, stranden, straucheln, s. zerschlagen, zusammenbrechen, Schiffbruch erleiden, zerbrechen (an)
missglückt: ergebnislos, fehlgeschlagen, fruchtlos, geplatzt, gescheitert, misslungen, nutzlos, vergebens, verunglückt, wirkungslos, zwecklos
missgönnen: neiden, beneiden, schielen (nach), neidisch sein, missgünstig sein, eifersüchtig sein, nicht gönnen
Missgriff: Fehler, Fehlgriff, Fehlleistung, Fehlschluss, Inkorrektheit, Irrtum, Lapsus, Unrichtigkeit, Unstimmigkeit, Verrechnung, Versehen

Missgunst: Eifersucht, Neid, Scheelsucht, böser Wille
missgünstig: eifersüchtig, neidisch, scheel, scheelsüchtig, scheel blickend
misshandeln: drangsalieren, quälen, schikanieren, schinden, terrorisieren, traktieren, tyrannisieren, schlecht behandeln, wehtun *schlagen
Misshandlung: Drangsalierung, Folter, Körperverletzung, Peinigung, Quälerei, Schinderei, Tyrannei
Mission: Amt, Aufgabe, Auftrag, Berufung, Funktion, Obliegenheit, Pflicht, Sendung
Missionar: Prediger, Verkündiger *Apostel, Glaubensbote
Missklang: Disharmonie, Dissonanz, Kakophonie, Misslaut, Misston, Paraphonie
missklingen: ächzen, jaulen, misstönen, quietschen
Misskredit: schlechtes Ansehen, übler Ruf, übler Leumund
misslaunig: ärgerlich, aufgebracht, bärbeißig, böse, brummig, empört, entrüstet, erbittert, gereizt, grantig, griesgrämig, grimmig, knurrig, missgelaunt, missgestimmt, missmutig, muffig, mürrisch, sauertöpfisch, übellaunig, unwirsch, verdrießlich, verdrossen
misslich: arg, ärgerlich, bedauerlich, blöde, fatal, genant, genierlich, heikel, lästig, leidig, peinlich, prekär, schlecht, schlimm, schrecklich, skandalös, unangenehm, unbefriedigend, unbequem, unerfreulich, unerquicklich, unerwünscht, ungelegen, ungünstig, ungut, unlieb, unliebsam, unvergnüglich, unwillkommen, verwünscht, widrig
missliebig: unbeliebt, unsympathisch, verhasst
misslingen: danebengehen, danebengelingen, danebengeraten, fehlschlagen, missglücken, missraten, scheitern, verfehlen, verunglücken, aus der Art schlagen, nicht gelingen, schlecht ablaufen, zu Bruch gehen, schlecht ausfallen, schlecht abgehen, in die Brüche gehen, schlecht auslaufen
Misslingen: Enttäuschung, Misserfolg, Unglück
misslungen: erfolglos, missglückt, nutzlos, umsonst
Missmut: Ärger, Groll, Misslaune, Missstimmung, Übellaunigkeit, Unlust, Unmut, Unzufriedenheit, Verdrießlichkeit, Verdrossenheit, Verstimmtheit, Verstimmung, schlechte Laune
missmutig: ärgerlich, aufgebracht, bärbeißig, böse, brummig, empört, entrüstet, erbittert, erbost, erzürnt, fuchsteufelswild, gereizt, grantig, griesgrämig, grimmig, missgelaunt, misslaunig, muffig, mürrisch, rabiat, übellaunig, unbefriedigt, unerfreulich, unleidlich, unmutig, unvergnügt, unwillig, unwirsch, verdrießlich, verdrossen, wütend, wutentbrannt, wutschäumend, wutschnaubend, zornig, in schlechter Stimmung
Missordnung: Chaos, Durcheinander, Konfusion, Lotterwirtschaft, Schlamperei, Unordnung
missorganisiert: abstrus, chaotisch, durcheinander, konfus, unordentlich, unübersichtlich, wirr
missraten: dreist, frech, impertinent, keck, kess, naseweis, schamlos, unartig, ungesittet, ungezogen, unmanierlich, unverfroren, unverschämt, vorlaut, vorwitzig *fehlgeschlagen, misslungen, verfehlt, aus der Art schlagen, nicht gelungen *danebengehen, danebengeraten, fehlschlagen, missglücken, misslingen, scheitern, verunglücken, schlecht ablaufen, zu Bruch gehen, schlecht ausfallen, schlecht abgehen, in die Brüche gehen, schlecht auslaufen
Missstand: Auswüchse, Elend, Mängel, Misere, Übelstand, Ungerechtigkeit, Unordnung, schlimmer Zustand, unerträgliche Situation, katastrophale Situation
Missstimmung: Lustlosigkeit, Misslaune, Missmut, Missvergnügen, Spannung, Übellaunigkeit, Überdruss, Unbehagen, Unmut, Verbitterung, Verdrießlichkeit, Verdrossenheit, Verstimmtheit, schlechte Laune
Misston: Disharmonie, Dissonanz, Missklang, Misslaut
misstönend: disharmonisch, dissonant, falsch, kakophonisch, unmelodisch, unrein, unsauber, verzerrt

misstrauen: argwöhnen, beargwöhnen, bezweifeln, kein Vertrauen haben (zu), verdächtigen, Argwohn schöpfen, Argwohn hegen, in Frage stellen, nicht glauben, nicht über den Weg trauen
Misstrauen: Argwohn, Bedenken, Skepsis, Unglaube, Verdacht, Zweifel
misstrauisch: ängstlich, argwöhnisch, kleingläubig, kleinmütig, kritisch, skeptisch, ungläubig, vorsichtig, zweifelnd, zweiflerisch
Missvergnügen: Lustlosigkeit, Misslaune, Missmut, Missstimmung, Spannung, Übellaunigkeit, Überdruss, Unbehagen, Unmut, Verbitterung, Verdrießlichkeit, Verdrossenheit, Verstimmtheit, schlechte Laune
missvergnügt: ärgerlich, aufgebracht, bärbeißig, böse, brummig, empört, entrüstet, erbittert, gereizt, grantig, griesgrämig, grillenhaft, grimmig, knurrig, missgelaunt, missgestimmt, misslaunig, missmutig, muffig, mürrisch, sauertöpfisch, übellaunig, unwillig, unwirsch, verdrießlich, verdrossen
Missverhältnis: Diskrepanz, Disproportion, Gegensatz, Kontrast, Widerspruch
missverständlich: ambivalent, doppeldeutig, doppelsinnig, mehrdeutig, strittig, undurchsichtig, unklar, vage, verschwommen, vieldeutig, zweideutig *geheimnisvoll, hintergründig, rätselhaft
Missverständnis: Fehldeutung, Fehlschluss, Irrtum, Verkennung, Verwechslung, falsche Auslegung
missverstehen: s. irren, missdeuten, s. täuschen, übel nehmen, verhören, verkennen, falsch verstehen, falsch auffassen, falsch auslegen, falsch interpretieren, in die falsche Kehle kriegen, in die falsche Kehle bekommen
Misswirtschaft: Lotterei, Lotterwirtschaft, Schlendrian, Unordnung
Mist: Altwaren, Kitsch, Kram, Ladenhüter, Ramsch, Schleuderware, Schrott, Schund, Tand, Tandwerk, Unrat, Zeug, schlechte Ware, minderwertige Ware *Ausscheidungen, Kot *Dünger, Guano, Kompost, Naturdünger, Stalldung, Stalldünger, Stallmist, natürlicher Dünger *Aberwitz, Blödsinn, Idiotie, Irrsinn, Nonsens, Quatsch, Torheit, Unding, Unfug, Unsinn, Wahnwitz *verdammt, verflucht
mistig: abscheulich, garstig, gemein, hundsgemein, infam, lumpig, miserabel, niederträchtig, ruchlos, schäbig, schändlich, schimpflich, schmachvoll, schmählich, schmutzig, schnöde, schofel, schuftig, verrucht *dreckig, fett, fettig, kotig, verunreinigt, in unbeschreiblichem Zustand, mit Kot übersät, voller Kot
mit: eingerechnet, eingeschlossen, einschließlich, inklusive, inbegriffen, mitsamt, samt, und, im Verein mit *durch, mittels, per, vermöge, an Hand von, mit Hilfe von
Mitarbeit: Arbeitsteilung, Kooperation, Teamarbeit, Zusammenarbeit
mitarbeiten: s. beteiligen, eingreifen, mithalten, mitlaufen, mitmachen, mitmischen, mitspielen, mittun, mitwirken
Mitarbeiter: Arbeitskollege, Berufskollege, Kollege *Amtsgehilfe, Assistent, Helfer, Hilfskraft
Mitarbeitergruppe: Stab, Team
mitbekommen: mitanhören, mitkriegen *erben
Mitbestimmung: Mitbestimmungsrecht, Mitsprache, Mitspracherecht
Mitbeteiligter: Komplize, Mitglied
Mitbewerber: Gegner, Konkurrent, Nebenbuhler, Nebenmann, Rivale
Mitbewohner: Hausgast *Hausgenosse, Untermieter *Einwohner, Mitbürger
mitempfinden: Anteil nehmen, mitleiden
Mitempfinden: Anteilnahme, Caritas, Mitleid
mitbringen: mitnehmen *schenken, überreichen
Mitbürger: Bevölkerung, Einwohner, Einwohnerschaft, Gesamtbevölkerung, Population, Volk, die Bewohner *Bürger, Einwohner
miteinander: gemeinsam, gemeinschaftlich, geschlossen, kollektiv, kooperativ, mitsammen, zusammen
mitenthalten: impliziert
mitfahren: begleiten, hitchhiken, trampen, per Anhalter fahren, per Autostopp fahren

Mitfahrer: Beifahrer, Fahrgast, Passagier, Sozius
Mitfahrgelegenheit: freie Plätze
mitfühlen: mitempfinden, mitleiden, teilnehmen, Teilnahme bezeigen, Anteil nehmen, den Schmerz teilen
mitfühlend: teilnehmend, anteilnehmend, fühlend, einfühlend, beseelt, einfühlsam, empfindend, entgegenkommend, gefühlvoll, gerührt, herzlich, innig, mitleidig, rücksichtsvoll, seelenvoll, taktvoll, teilnahmsvoll, warm, zartfühlend
mitführen: mitnehmen, bei sich haben, bei sich tragen
Mitgefühl: Anteil, Anteilnahme, Einfühlungsgabe, Einfühlungsvermögen, Entgegenkommen, Herzlichkeit, Höflichkeit, Innigkeit, Mitleid, Rücksicht, Sympathie, Takt, Taktgefühl, Teilnahme, Verständnis, Verstehen, Wärme, das Mitfühlen
mitgehen: s. anschließen, begleiten, s. beigesellen, geleiten, mitkommen *entflammt sein, enthusiastisch sein, entzückt sein, begeistert sein, hingerissen sein
mitgenommen: beschädigt, defekt, gebraucht, ramponiert *krank, kränklich *fort, gestohlen, weg
mitgerechnet: einschließlich, inklusive
Mitgift: Ausstattung, Aussteuer, Brautausstattung, Dotation, Heiratsgut, Schenkung, Zuwendung, das Eingebrachte
Mitglied: Angehöriger, Beteiligter, Genosse, Glied, Mitarbeiter, Mitwirkender, Teilnehmer ***Mitglied werden:** s. anschließen, beitreten, eintreten, s. zugesellen
Mitgliederversammlung: Konvent *Generalversammlung, Vollversammlung
Mitgliedschaft: Beteiligung, Zugehörigkeit
mithelfen: beispringen, s. beteiligen, helfen
Mithelfer: Assistent, Helfer
Mithilfe: Assistenz, Beistand, Dienst, Gefälligkeit, Hilfe, Unterstützung, Zutun
mithin: also, dadurch, daher, darum, dementsprechend, deshalb, folglich
mithören: abhorchen, belauschen, horchen, mitlauschen, überwachen
Mitinhaber: Gesellschafter, Kommanditist, Kompagnon, Komplementär, Partner, Sozius, Teilhaber, stiller Teilhaber
mitjammern: klagen, weinen
Mitkämpfer: Helfer, Komplize *Kamerad, Sportkamerad, Teamkollege
mitkommen: begreifen, erfassen, nachempfinden, verstehen *nachkommen, folgen können, Schritt halten *begleiten, geleiten, mitgehen
Mitläufer: Jasager, Opportunist, Wendehals, Wetterfahne
Mitlaut: Konsonant
Mitleid: Anteil, Anteilnahme, Barmherzigkeit, Einfühlungsgabe, Einfühlungsvermögen, Entgegenkommen, Erbarmen, Erbarmung, Herzlichkeit, Höflichkeit, Innigkeit, Mitgefühl, Nächstenliebe, Rücksicht, Sympathie, Takt, Taktgefühl, Teilnahme, Verständnis, Verstehen, Wärme, menschliches Rühren
mitleiden: mitempfinden, mitfühlen, teilnehmen, Teilnahme bezeigen, Anteil nehmen, den Schmerz teilen
Mitleid erregend: herzbewegend, herzbrechend, herzergreifend, herzzerreißend, jämmerlich
mitleidig: anteilnehmend, fühlend, einfühlend, barmherzig, beseelt, einfühlsam, empfindend, entgegenkommend, erbarmungsvoll, gefühlvoll, herzlich, innig, mitfühlend, rücksichtsvoll, seelenvoll, taktvoll, teilnehmend, warm, zartfühlend
mitleidlos: barbarisch, kalt, mitleidslos, roh, rücksichtslos, unbarmherzig *gehässig, hämisch, missgünstig, rachdurstig, rachedurstig, rachgierig, rachsüchtig, schadenfroh *desinteressiert, gleichgültig, stumpf, teilnahmslos, unberührt, wurstig
mitmachen: s. beteiligen, dabei sein, mitarbeiten, mitwirken, partizipieren, teilnehmen
Mitmensch: Bruder, Hausgenosse, Landsmann, Mitbürger, Mitlebender, Nachbar, Zeitgenosse, der Nächste
mitmenschlich: anteilnehmend, human, menschlich
mitmischen: s. beteiligen, eingreifen, mitarbeiten, mithalten, mitlaufen, mitmachen, mitspielen, mittun, mitwirken
mitnehmen: mitführen, bei sich tragen,

bei sich haben *ermüden, erschöpfen, fertig machen, müde machen *abnehmen, stehlen, bestehlen, s. an fremdem Eigentum vergreifen, s. aneignen, ausplündern, ausräubern, ausräumen, s. bemächtigen, berauben, betrügen, einsacken, erbeuten, nehmen, unterschlagen, veruntreuen, wegnehmen, wegtragen, beiseite schaffen, beiseite bringen *kaufen

mitnichten: keinesfalls, keineswegs, nein, unmöglich, durchaus nicht, nicht im Geringsten, in keiner Weise, ganz und gar nicht

mitrechnen: einbeziehen

mitreden: mitsprechen, seinen Beitrag kundtun

mitreißen: begeistern, berauschen, entflammen, enthusiasmieren, entzücken, fortreißen, hinreißen, in Begeisterung versetzen, in Begeisterung bringen, mit Begeisterung erfüllen

mitreißend: atemberaubend, aufwühlend, bewegend, dramatisch, ergreifend, faszinierend, fesselnd, interessant, packend, spannend, spannungsreich

mitsamt: eingeschlossen, einschließlich, inbegriffen, inklusive, mit, plus, samt, und, zusammen (mit), zusätzlich, alles in allem

mitschaffen: s. beteiligen, mitarbeiten, mithelfen

mitschreiben: protokollieren, ein Protokoll aufnehmen, zu Protokoll nehmen

mitschuldig: schuldbeladen, schuldhaft, schuldig

Mitschuldiger: Handlanger, Helfershelfer, Komplize, Konsorte, Kumpan, Mitbeteiligter, Mittäter, Mitwisser, Spießgeselle

Mitschüler: Klassenkamerad, Schulkamerad

mitspielen: mithalten, mitmischen, mitwirken, mitziehen

Mitspieler: Helfer, Komplize *Spielkamerad

mitsprechen: s. am Gespräch beteiligen, mitdiskutieren, mitreden, seine Meinung äußern

Mitstudent: Kommilitone

Mitstudentin: Kommilitonin

Mittag: Mittagsstunde, Mittagszeit, zwölf Uhr mittags *Mittagspause, Mittagsruhe, Siesta

Mittagessen: Diner, Dinner, Mittag, Mittagbrot, Mittagsmahl, Mittagsmahlzeit, Mittagstisch

mittags: über Mittag, zu Mittag, um zwölf Uhr

Mittagsruhe: Mittagsschlaf, Nickerchen, Siesta

Mittäter: Helfershelfer, Komplize, Konsorte, Kumpan

Mitte: Herz, Kern, Mittelpunkt, Zentrum *Ausgleich, Kompromiss, Mittelweg, Vergleich

mitteilen: beibringen, eröffnen, melden, sagen, übermitteln, vermelden, wissen lassen, Mitteilung machen, auf die Nase binden, eine Meldung machen

mitteilsam: beredt, offenherzig, redselig

Mitteilsamkeit: Beredsamkeit, Offenheit, Redseligkeit

Mitteilung: Angabe, Ankündigung, Auskunft, Benachrichtigung, Bericht, Berichterstattung, Bescheid, Eröffnung, Information, Meldung, Nachricht, Übermittlung, Unterrichtung, Verbalnote

Mitteilungsform: Ausdrucksweise, Stil

Mittel: Arzneimittel *Durchschnittswert *Bargeld, Finanzen, Flöhe, Geld, Geldmittel, Heu, Kies, Kleingeld, Knast, Knete, Kohlen, Koks, Kröten, Mäuse, Moneten, Moos, Münzen, Papiergeld, Pulver, Reichtum, Taschengeld, Vermögen, Zaster, Zunder, Zwirn *Ersatz, Hilfe, Hilfsmittel, Prothese, Rüstzeug *Handhabe, Instrument, Waffe, Werkzeug, Mittel und Wege

mittelalterlich: mediäval *altmodisch

mittelbar: andeutungsweise, hintenherum, indirekt, unausgesprochen, verblümt, verklausuliert, verschleiert, auf Umwegen

Mittelklasse: Mittelschicht

mittellos: arm, bettelarm, bedürftig, Not leidend, unvermögend, verelendet

Mittellosigkeit: Armut, Bedürftigkeit, Besitzlosigkeit, Dürftigkeit, Elend, Geldmangel, Geldnot, Kärglichkeit, Knappheit, Mangel, Not, Spärlichkeit, Verknappung

Mittelmaß: Durchschnitt
mittelmäßig: alltäglich, bescheiden, durchschnittlich, durchwachsen, einigermaßen, erträglich, genügend, gewöhnlich, hinlänglich, leidlich, mäßig, mittelprächtig, passabel, soso, nicht weit her, nicht besonders, nicht gerade berühmt, nicht berauschend
Mittelmäßigkeit: Bedeutungslosigkeit
Mittelpunkt: Brennpunkt, Herz, Kerngebiet, Metropole, Mitte, Nabel, Sammelpunkt, Seele, Zentrum *Hauptbedeutung, Hauptgewicht, Hauptsache, Schwergewicht, Schwerpunkt *Knotenpunkt, Konvergenzpunkt, Kreuzung, Kreuzungspunkt, Scheitel, Schnittpunkt *Sammelbecken
mittelpunktsgleich: konzentrisch
mittels: durch, mit, per, vermöge, an Hand von, mit Hilfe von
Mittelschicht: Bürgertum, Kleinbürgertum, Mittelstand
Mittelsmann: Kontaktmann, Kontaktperson, Mittelsperson, Mittler, Schlichter, Verbindungsmann, Vermittler
Mittelweg: Kompromiss, Mittelstraße, goldene Mitte
Mittelwert: Durchschnitt, Mittel, Mittelmaß, Norm, Normwert, Querschnitt, Regelmaß
mitten: dazwischen, im Herzen (von), im Zentrum (von), in der Mitte (von), inmitten, zentral
mittendrin: dazwischen, eingekeilt, in, inmitten, verkeilt, verklemmt, zwischen, zwischendrin
Mitternacht: Geisterstunde, Tageswechsel, null Uhr, vierundzwanzig Uhr
Mittler: Mediator, Vermittler
mittlerweile: dadurch, dazwischen, indessen, inzwischen, solange, unterdessen, währenddessen, zwischenzeitlich
mittragen: s. beteiligen *helfen, tragen
mittun: mitarbeiten, s. beteiligen
mitunter: bisweilen, gelegentlich, manchmal, okkasionell, selten, sporadisch, stellenweise, streckenweise, vereinzelt, verschiedentlich, zeitweise, zuweilen, zuzeiten, ab und zu, dann und wann, hin und wieder, hier und da, von Zeit zu Zeit, ab und an
Mitverfasser: Koautor
Mitwelt: Lebenskreis, Umgebung, Umwelt *Landsleute, Mitbürger, Mitmenschen, Zeitgenossen
mitwirken: assistieren, beisteuern, s. beteiligen, dazugehören, eingreifen, mitarbeiten, mithalten, mitlaufen, mitmachen, mitmischen, mitspielen, mittun, partizipieren, teilnehmen, behilflich sein
Mitwirkung: Amtsbeihilfe, Aushilfe, Beihilfe, Beistand, Beitrag, Dienstleistung, Einsatz, Handreichung, Hilfe, Hilfeleistung, Mitarbeit, Mithilfe, Stütze, Teilnahme, Unterstützung, Zusammenarbeit, Zusammenwirken
mitwissend: eingeweiht, informiert
Mitwisser: Helfershelfer, Komplize, Mitschuldiger, Mittäter, Mitverantwortlicher, Spießgeselle
mitziehen: s. anschließen, mitgehen, mitkommen, mitlaufen, mitreisen *mithalten, mitspielen, mitwirken
mixen: anrühren, durcheinander wirken, durchmengen, durchmischen, manschen, mengen, mischen, unterarbeiten, vermengen, vermischen, verrühren, verschneiden, versetzen (mit), zusammenbrauen, zusammenschütten
Mixer: Handquirl *Mixbecher, Shaker *Barkeeper
Mixgetränk: Cocktail, Drink, Fizz, Flip, Longdrink, Mischgetränk *Alcopops
Mixtur: Durcheinander, Emulsion, Gemenge, Gemisch, Konglomerat, Mengung, Mischung *Arznei, Arzneimittel, Droge, Heilmittel, Medikament, Medizin, Pharmazeutikum, Pillen, Präparat *Kombinationspräparat, Kombipräparat
Mob: Abschaum, Bagage, Brut, Drachenbrut, Ganoven, Geschmeiß, Gesindel, Gezücht, Gosse, Horde, Hundepack, Kanaille, Lumpengesindel, Lumpenpack, Pack, Pöbel, Raubgesindel, Schlangenbrut, Sippschaft, asoziale Elemente
Möbel: Einrichtungsgegenstände, Hausrat, Inventar, Möbelstücke, Mobiliar, Wohnungseinrichtung
mobil: beweglich, fahrbar, tragbar, verrückbar, versetzbar, zerlegbar *agil, anpassungsfähig, betriebsam, geschäftig, rege, vif, wandlungsfähig

Mobilien: Einrichtung, Mobiliar, bewegliche Habe, bewegliche Güter
mobilisieren: aktivieren, anspornen, anstacheln, aufwenden, einsetzen, hineinstecken *ausheben, einberufen, einziehen, heranziehen, mobilmachen, rekrutieren, zu den Fahnen rufen, zu den Waffen rufen
Mobilisierung: Aufbietung, Aufgebot, Aufwand, Aufwendung, Einsatz *Aushebung, Einberufung, Einziehung, Mobilmachung, Musterung, Rekrutierung
möblieren: ausgestalten, ausstatten, einrichten, mit Möbeln vollstellen
möbliert: ausgestaltet, ausgestattet, eingerichtet
Modalität: Art und Weise, Ausführungsart, Vorgehensweise
Mode: Tagesgeschmack, Zeiterscheinung, Zeitgeschmack, Zeitstil
Modejournal: Modeheft, Modezeitschrift, Modezeitung
Model: Schablone, Wachsmodel *Fotomodell, Mannequin
Modeladen: Boutique, Salon
Modell: Kreation, Modeschöpfung *Dessin, Muster, Musterstück, Musterzeichnung, Schablone, Schema, Vorbild, Vorlage, Zeichnung *Fotomodell, Mannequin, Model, Vorführdame *Dressman, Fotomodell, Vorführmann
modellierbar: behaubar, biegsam, bildbar, elastisch, formbar, knetbar, plastisch, weich
modellieren: anfertigen, arbeiten, ausformen, bilden, gestalten, herstellen, prägen
modelliert: angefertigt, plastisch
modeln: abändern, ändern, reformieren, revolutionieren, umändern, umbilden, umformen, umgestalten, ummodeln, umstürzen, verändern, verwandeln *bilden, durchbilden, ausformen, durchformen, formen, gestalten, kneten, modellieren, prägen, Form verleihen, Form geben, ein Gepräge geben
Moder: Fäule, Fäulnis, Schimmel, Verwesung, Zerfall, Zersetzung
moderig: faul, schimmelig, verdorben
modern: aktuell, aufgeschlossen, fortschrittlich, hochmodern, hypermodern, modisch, neuartig, neuzeitlich, progressiv, super, zeitgemäß, zeitgenössisch, von heute *auserlesen, apart, ausgesucht, chic, elegant, erlesen, fein, fesch, gewählt, kultiviert, mondän, nobel, piekfein, rassig, schick, schmuck, schneidig, schnieke, schnittig, smart, stilvoll, todschick, vornehm *in Mode sein, mit der Zeit gehen *faulen, verfaulen, umkommen, verderben, verkommen, vermodern, verrotten, verschimmeln, verwesen, s. zersetzen
modernisieren: aufarbeiten, auffrischen, aufpolieren, erneuern, renovieren, restaurieren, überholen, umgestalten
Modernisierung: Erneuerung, Renovierung, Restaurierung
Modeschöpfer: Couturier
Modeschöpfung: Design, Kreation, Modell, Modellkleid
Modestil: Look
Modifikation: Abänderung, Abwandlung, Modifizierung, Spielart, Umgestaltung, Variante, Variation, Veränderung
modifizieren: abwandeln, abändern, ändern, korrigieren, novellieren, revidieren, transformieren, überarbeiten, umändern, umarbeiten, umformen, umfunktionieren, umgestalten, ummodeln, ummünzen, umsetzen, umwandeln, variieren, verändern, verbessern, verwandeln, wandeln, anders werden, anders machen
modisch: aktuell, aufgeschlossen, fortschrittlich, hochmodern, hypermodern, modern, neuartig, neuzeitlich, progressiv, super, zeitgemäß, von heute
Modistin: Hutmacherin, Putzmacherin
Modulation: Aussprache, Betonung, Klang
modulieren: abändern, abwandeln, verändern
Modus: Art, Gewohnheit, Manier, Weise, Art und Weise *Gattung, Genre, Schlag, Spezies, Typ
Mogelei: Bauernfang, Bauernfängerei, Betrug, Betrügerei, Gaunerei, Gaunerstreich, Hintergehung, Irreführung, Machenschaft, Manipulation, Nepp, Prellerei, Schiebung, Schummelei,

Schummeln, Schwindel, Schwindelei, Täuschung, Unregelmäßigkeit, Unterschlagung
mogeln: schwindeln *betrügen, schwindeln, überlisten
mögen: abgewinnen, bevorzugen, lieb haben, sympathisieren (mit), viel übrig haben (für), wohlwollen, angetan sein, nicht abgeneigt sein, Geschmack finden, eingenommen sein, Gefallen finden, Gefallen haben, zugeneigt sein ***s. mögen:** s. gern haben, s. lieben, s. verstehen
möglich: ausführbar, denkbar, erdenklich, erreichbar, erschwinglich, erwägenswert, erzielbar, erzwingbar, eventuell, gangbar, potenziell, realisierbar, virtuell, vorstellbar, wahrscheinlich, nicht ausgeschlossen, in Reichweite, im Bereich der Möglichkeit, nicht unmöglich, im Bereich des Möglichen
möglicherweise: allenfalls, eventuell, gegebenenfalls, möglichenfalls, vermutlich, vielleicht, wahrscheinlich, womöglich, unter Umständen, je nachdem
Möglichkeit: Mittel, Weg, Mittel und Wege *Chance, Glück, Glücksfall, Sprungbrett, Aussicht (auf Erfolg) *Eventualität, Fall, Opportunität, Potenzialität, Virtualität, Weg
Möglichkeitsform: Konjunktiv
möglichst: freundlicherweise, freundlichst, gefälligst, gütigst, liebenswürdigerweise, tunlich, tunlichst, so weit wie möglich, nach Möglichkeit, wenn möglich
mohammedanisch: islamisch, moslemisch
Mohnsaft: Opium, Rauschgift
Mohr: Afrikaner, Farbiger, Neger, Schwarzer
Möhre: Karotte, Mohrrübe, gelbe Rübe
mokant: anzüglich, beißend, bissig, gallig, höhnisch, ironisch, kalt, kasuistisch, sarkastisch, satirisch, scharf, scharfzüngig, schnippisch, spitz, spöttisch, zynisch, voller Hohn
mokieren (s.): höhnen, hohnlachen, spötteln, spotten, sticheln, witzeln
Mole: Hafendamm, Hafenmauer, Kai, Kaimauer, Pier
Molke: Milchflüssigkeit
Molkerei: Meierei, Milchwirtschaft, Milchverarbeitungsbetrieb
Moll: weiche Tonart
mollig: beleibt, breit, dick, dickleibig, dicklich, dickwanstig, drall, feist, fett, fettleibig, fleischig, füllig, gemästet, kräftig, kugelrund, pausbäckig, plump, pummelig, rund, rundlich, stämmig, stark, stramm, umfangreich, unförmig, üppig, vierschrötig, vollschlank, wohlbeleibt, wohlgenährt *angenehm, gemütlich, heimelig, warm, wohlig
momentan: augenblicklich, derzeit, derzeitig, gegenwärtig, heute, jetzig, jetzt, nun, im Augenblick, im Moment
Monarch: König, Souverän
Monarchie: Alleinherrschaft, Königsherrschaft
Monarchin: Königin, Souverän
Monarchist: Royalist
Monatsblutung: Mensis, Menstruation, Periode
Monatsletzter: Ultimo
monatlich: jeden Monat, alle dreißig Tage
Mönch: Bruder, Frater, Klosterbruder, Novize, Ordensbruder, Ordensgeistlicher, Pater, geistlicher Ordensmann *Einsiedler, Eremit
Mönchskutte: Kutte, Mönchshabit, Mönchskleid, geistliches Gewand, geistliche Tracht
Mönchsleben: Einsiedlerleben, Mönchtum, Weltabgeschiedenheit, Abschied von der Welt, Rückzug aus der Welt
Mönchszelle: Einsiedelei, Klause, Klausur, Kloster, Zelle
Mond: Erdbegleiter, Himmelskörper, Trabant *Halbmond, Neumond, Viertelmond, Vollmond
mondän: elegant, exklusiv, extravagant, fein, modisch, schick, weltmännisch, von Welt
Mondfinsternis: Eklipse
Mondforschung: Mondgeologie, Mondkunde, Selenologie
Mondgöttin: Luna, Selene
mondsüchtig: nachtwandlerisch, schlafwandlerisch, somnambul
Mondsüchtiger: Nachtwandler, Schlafwandler, Somnambuler

Mondumlauf: Lunation
Moneten: Geld, Kohle, Kohlen, Kröten, Mäuse, Zaster
Mongolenhütte: Jurte
monieren: ablehnen, anfechten, aussetzen, beanstanden, bemäkeln, bemängeln, s. beschweren, herumkritteln, kritisieren, missbilligen, nörgeln, reklamieren, s. stören (an), s. stoßen (an), angehen (gegen), etwas auszusetzen haben, Klage führen, klagen (über), Kritik üben, unmöglich finden *anpflaumen, meckern, auf jmdm. herumhacken
monochrom: einfarbig, uni
Monogamie: Einehe
Monolog: Selbstgespräch
Monokel: Einglas
Monopol: Alleinanspruch, Alleinrecht, alleiniges Vorrecht
monoton: alltäglich, einfach, einfallslos, einförmig, ermüdend, fad, fade, gleichförmig, langweilig, öde, phantasielos, reizlos, trist, trocken, trostlos, üblich, uninteressant, unoriginell, wirkungslos, ohne Pfiff
Monotonie: Einerlei, Einförmigkeit, Eintönigkeit, Gleichförmigkeit, Langeweile, Öde, die alte Leier, unausgefüllte Stunden, leere Stunden
Monster: Gespenst, Koloss, Monstergestalt, Monstrum, Schreckgespenst, Ungeheuer
monströs: außerordentlich, enorm, exorbitant, gewaltig, gigantisch, immens, kolossal, mächtig, massig, riesenhaft, riesig, titanisch, überdimensional, übermächtig, unermesslich, ungeheuer, unheimlich, voluminös, wuchtig, sehr groß
Monstrum: Berserker, Bestie, Bluthund *Krüppel, Missgebildeter
Montage: Aufbau, Installation, Zusammenbau, das Zusammenstellen, das Aufstellen
Montagehandwerker: Monteur
Monteurkittel: Overall
montieren: installieren, zusammenbauen, zusammenfügen, zusammensetzen *anbringen, anmontieren, aufmontieren, befestigen, festmachen
Montur: Anzug, Aufzug, Bekleidung, Garderobe, Klamotten, Kleider, Kleidung, Kluft, Kostüm, Sachen, Tracht, Uniform, Zeug *Dienstbekleidung, Dienstkleidung, Uniform
Monument: Denkmal, Ehrenmal, Gedenkstein, Mahnstein, Memorial
monumental: außerordentlich, enorm, exorbitant, gewaltig, gigantisch, immens, kolossal, mächtig, massig, monströs, riesenhaft, riesig, titanisch, überdimensional, übermächtig, unermesslich, ungeheuer, unheimlich, voluminös, wuchtig, sehr groß
Moor: Au, Bruch, Moorlandschaft, Ried, Sumpf, Sumpfland, Sumpflandschaft
Moorgrund: Darg, torfartige Schicht
Moos: Moospflanze *Bargeld, Finanzen, Flöhe, Geld, Geldmittel, Heu, Kies, Kleingeld, Knast, Knete, Kohlen, Koks, Kröten, Mäuse, Mittel, Moneten, Münzen, Papiergeld, Pulver, Reichtum, Taschengeld, Vermögen, Zaster, Zunder, Zwirn
Mopp: Kehrbesen, Staubbesen
Mops: Brocken, Bulle, Dickerchen, Fass, Fettwanst, Kloß, Koloss, Kugel, Pummel, Tonne
mopsen: abnehmen, s. an fremdem Eigentum vergehen, s. an fremdem Eigentum vergreifen, s. aneignen, einsacken, entwenden, klauen, mausen, mitnehmen, stehlen, stibitzen, unterschlagen, wegnehmen, wegtragen
Moral: Moralität, Sittlichkeit
moralisch: puritanisch, sittenreich, sittenstreng, sittlich, tugendhaft, tugendreich, züchtig
Moralist: Philister, Saubermann, Sittenlehrer, Sittenrichter *Banause, Kleinbürger, Pedant, Spießer
Moralpredigt: Epistel, Ermahnung, Gardinenpredigt, Lektion, Standpauke, Strafpredigt, Zurechtweisung
Morast: Bruch, Moor, Schlamm, Sumpf *Brei, Brühe, Matsch, Modder, Mud, Schlamm, Schlick, Soße, Sumpf
morastig: moorig, schlammig, sumpfig *dickflüssig, lehmig, matschig, modderig, muddig, schlammig, schlickerig, sumpfig, verschlammt
morbid: brüchig, morsch *angekränkelt, krank, krankhaft, im Verfall begriffen
Mord: Blutbad, Bluttat, Ermordung,

Meuchelei, Meuchelmord, Mordtat, Raubmord, Ritualmord, Tötung
Mordanschlag: Anschlag, Attentat, Selbstmordattentat
morden: ermorden, metzeln, töten, einen Mord begehen, seine Hände mit Blut besudeln, seine Hände mit Blut beflecken
Mörder: Killer, Täter, Verbrecher
mörderisch: blutig, grausam, mordend *hoch, rasend, schnell *furchtbar, schlimm
Mordgier: Bestialität, Blutdurst
mordgierig: barbarisch, bestialisch, blutdurstig, blutgierig, blutrünstig, vampirisch
Mordskerl: Draufgänger, Hansdampf, Himmelstürmer, Tausendsassa
mordsmäßig: außerordentlich, enorm, exorbitant, gewaltig, gigantisch, immens, kolossal, mächtig, massig, monströs, monumental, riesenhaft, riesig, titanisch, überdimensional, übermächtig, unermesslich, ungeheuer, unheimlich, voluminös, wuchtig, sehr groß *ekelhaft, entsetzlich, furchtbar, fürchterlich, höllisch, irrsinnig, klotzig, kolossal, lausig, rasend, riesig, schändlich, schrecklich, sehr, so, unheimlich, unsinnig, verdammt, verflixt, verflucht, verteufelt
Mordsucht: Amoklauf, Blutdurst, Blutgier, Mordlust
mordsüchtig: blutdürstig, blutgierig, blutig, blutrünstig, mordlustig
Morgen: Frühe, Morgenstunde, Tagesanbruch, Tagesbeginn, Vormittag, erste Tageshälfte
Morgendämmerung: Dämmergrau, Dämmerlicht, Dämmerung, Dunkelheit, Halbdunkel, Morgengrauen, Tagesanbruch, Zwielicht
Morgengabe: Aussteuer, Mitgift
Morgengebet: Frühgebet, Prim
Morgengrauen: Frühlicht, Morgendämmerung, Morgenrot, Morgenröte, Sonnenaufgang, Tagesanbruch, Tagesbeginn, Tagesgrauen, Tagesschimmer
Morgenland: Nahost, Orient, Ferner Osten, Mittlerer Osten, Naher Osten, Vorderer Orient
Morgenländer: Levantiner, Orientale
Morgenrock: Morgenkleid, Negligé
morgens: frühmorgens, vormittags, bei Tagesanbruch, des Morgens, früh am Tag, vor Tage, vor Tau und Tag, in aller Frühe, am Vormittag
Morgenstern: Venus
Morgenveranstaltung: Matinee, Morgenvorstellung, Vormittagsveranstaltung
Moritat: Bänkellied, Bänkelsang
Moritatensänger: Balladensänger, Bänkelsänger
morsch: baufällig, bröcklig, brüchig, faul, mürbe, schrottreif, verfallen, verkommen, vermodert, verrottet, zerfallen
morsen: funken, telegrafieren
Mörser: Stampfer, Zerkleinerer *Stampfgefäß, Tiegel *Geschützwaffe, Granatwerfer, Steilfeuergeschütz
Mörtel: Baustoff, Putz
Moschee: (moslemisches) Bethaus, Gebetshaus, Gebetsstätte, Gotteshaus
mosern: beanstanden, herumkritteln, herummäkeln, herummeckern, herummosern, herumnörgeln, kritteln, knurren, kritisieren, mäkeln, maulen, meckern, motzen, nörgeln, quengeln, querulieren, räsonieren, raunzen
Moskito: Mücke, Schnake, Stechmücke
moslemisch: islamisch, mohammedanisch, muslimisch
Most: Apfelmost, Fruchtsaft, Obstwein, Süßmost
Mostrich: Senf
Motel: Autohotel, Autoraststätte
Motiv: Anhaltspunkt, Anlass, Anstoß, Gegenstand, Leitgedanke, Ursache
motivieren: argumentieren, begründen, überzeugen, deutlich machen, Argumente bringen ***motivieren (zu):** anfachen, animieren, anregen, anreizen, anspornen, aufpeitschen, aufputschen, aufregen, beleben, dopen, initiieren, innervieren, stimulieren, Auftrieb geben
motiviert: begründet, durchdacht, fundiert, geformt, methodisch, unanfechtbar *angeregt, angespornt, animiert, stimuliert
Motor: Antrieb, Dynamik, Triebfeder, Triebkraft *Antrieb, Kraftquelle, Triebwerk, Verbrennungsmotor *Anreger, Initiator, Schöpfer, Urheber, Vater

Motorrad: Feuerstuhl, Krad, Kraftrad, Maschine, Motorroller
Motto: Devise, Leitgedanke, Leitsatz, Losung, Parole, Schlagwort, Slogan, Wahlspruch
moussieren: perlen, prickeln, schäumen, sprudeln
Mücke: Moskito, Schnake, Stechmücke
müde: bettreif, ermüdet, lahm, matt, ruhebedürftig, schlafbedürftig, schläfrig, schlaftrunken, schwach, todmüde, übermüdet, übernächtigt, unausgeschlafen, verschlafen, zum Umsinken müde *__müde sein:__ einschlafen, vor Müdigkeit umfallen, Müdigkeit verspüren, schwere Lider haben *__müde werden:__ ermüden, die Augen fallen zu, Müdigkeit verspüren
Müdigkeit: Bettschwere, Ermüdung, Erschöpfung, Schläfrigkeit
Muffel: Brummbär, Griesgram, Miesepeter, Sauertopf
muffelig: bärbeißig, beleidigt, missgelaunt, missgestimmt, missmutig, mürrisch, verdrossen
muffeln: beleidigt sein, mürrisch sein, missmutig sein, übellaunig sein, in schlechter Stimmung sein *ausdünsten, stinken, schlecht riechen, einen üblen Geruch haben
muffig: ärgerlich, aufgebracht, bärbeißig, böse, brummig, entrüstet, erbittert, gereizt, grantig, griesgrämig, grimmig, missgelaunt, misslaunig, missmutig, mürrisch, übellaunig, unwillig, unwirsch, verdrießlich, verdrossen *dumpf, modrig, schlecht riechend
Mühe: Aktivität, Anstrengung, Arbeit, Arbeitsaufwand, Bemühung *Anspannung, Arbeit, Beanspruchung, Beschwerde, Beschwerlichkeit, Beschwernis, Knochenarbeit, Last, Mühsal, Plage, Rackerei, Strapaze, Stress *__mit Mühe:__ kaum, knapp, mühsam, gerade noch, eben noch, mit Müh und Not, nach langem Bemühen
mühelos: leicht, kinderleicht, bequem, einfach, narrensicher, spielend, unkompliziert, unproblematisch, aus dem Handgelenk, mit Leichtigkeit, mit ein paar Handgriffen, ohne Mühe, mit einem Griff, ohne Schwierigkeiten
Mühelosigkeit: Kinderspiel, Kleinigkeit, Leichtigkeit
mühen (s.): s. abplagen, s. abarbeiten, s. abmühen, s. abplacken, s. abquälen, s. abrackern, s. abschleppen, anspannen, s. anstrengen, s. aufreiben, s. befleißen, s. befleißigen, s. bemühen, s. etwas abverlangen, s. fordern, s. Mühe geben, s. plagen, s. quälen, s. schinden
mühevoll: aufreibend, nervenaufreibend, anstrengend, aufregend, beschwerlich, ermüdend, krampfhaft, mühsam, mühselig, strapaziös
Mühle: Altauto, Altfahrzeug, Schrottfahrzeug *Zerkleinerungsanlage *Wassermühle, Windmühle *Steinmühle
Mühsal: Anstrengung, Fron, Knochenarbeit, Mühe, Plackerei, Plage, Rackerei, Riesenarbeit, Schinderei, Sklavenarbeit
mühsam: anstrengend, beschwerlich, lästig, mühevoll, mühselig, schwierig
Mulatte: Bastard, Halbblut, Mischling
Mulde: Bodenmulde, Bodensenke, Bodenvertiefung, Geländesenkung, Gesenke, Graben, Grube, Senke, Synklinale, Talsenke, Vertiefung *Krippe, Trog
Müll: Abfall, Kehricht, Rückstände, Schmutz, Schrott, Unrat *Ausschuss, Dreck, Gerümpel, Ramsch *E-Mail-Spam, Spam, Spam-Mail, elektronischer Werbemüll
Müllabfuhr: Entsorgung
Müllabladeplatz: Abfallgrube, Abfallhaufen, Abraumhalde, Deponie, Müllgrube, Müllhalde, Müllhaufen, Müllkippe, Müllplatz, Schuttabladeplatz, Schutthalde, Schutthaufen, Schuttplatz *Entsorgungszentrum, Mülldeponie *Endlager, Endlagerstelle *Autofriedhof, Schrotthaufen, Schrottplatz *Zwischenlager
Mülleimer: Abfallbehälter, Abfalleimer, Ascheimer, Ascheneimer, Müllkübel, Mülltonne
Müllverwertung: Aufbereitung, Recycling, Umwandlung, Wiederaufbereitung, Wiederverwertung
mulmig: bedenklich, gefährlich, heikel, kritisch, unbehaglich
multilateral: mehrseitig, mehrere Seiten betreffend, zwischen mehreren Staaten

Multiplikation: das Malnehmen, Vervielfachung *Vervielfältigung
multiplizieren: malnehmen, vervielfachen *vervielfältigen
mumifizieren: ausstopfen, einbalsamieren, erhalten, konservieren, präparieren
Mumps: Ziegenpeter
Münchhausiade: Blendwerk, Chauvinismus, Lüge, Lügengeschichte, Lügengespinst
Mund: Klappe, Maul, Mundwerk, Schnabel, Schnute
Mundart: Dialekt, Idiolekt, Idiom, Umgangssprache, regionale Sprachvariante
Mundartkunde: Idiomatik
mundartlich: dialektal, dialektisch, landschaftlich, regional, umgangssprachlich
Mundartwörterbuch: Idiotikon
Mündel: Patenkind, Schützling
mündelsicher: abgesichert, garantiert, risikolos, sicher
munden: gefallen, schmecken, zusagen
münden: einmünden, enden, fließen (in), hineinfließen, zusammenfließen, zusammenlaufen, zusammenströmen
mundend: essbar, genießbar, gut, lecker, schmackhaft
mundfaul: einsilbig, lakonisch, reserviert, schweigsam, stumm, verschlossen, verschwiegen, wortkarg, wortlos, nicht mitteilsam
mündig: erwachsen, großjährig, volljährig
Mündigkeit: Volljährigkeit *Reife
mündlich: gesprochen, persönlich, verbal, mit Worten, nicht schriftlich
Mundtuch: Latz, Sabberlätzchen, Serviette
Mündung: Delta, Einmündung, Flussmündung *Auslauf, Ende, Endpunkt, Zusammenfluss
Mundwerk: Klappe, Maulfertigkeit, Redseligkeit, Schwatzhaftigkeit, Zungenfertigkeit
Munition: Geschoss, Patronen
munkeln: raunen, tuscheln, zuflüstern, Gerüchte verbreiten, Vermutungen weitererzählen
Münster: Dom, Kathedrale
munter: besessen, beweglich, blutvoll, dynamisch, feurig, flammend, frisch, getrieben, glühend, heftig, heiß, heißblütig, impulsiv, lebendig, lebhaft, leidenschaftlich, mobil, quecksilbrig, stürmisch, temperamentvoll, unruhig, vif, vital, vulkanisch, wild *obenauf, rege, regsam, springlebendig *ausgeschlafen, hellwach, wach
Munterkeit: Freude
Münze: Geldstück, Hartgeld, Kleingeld, Silbergeld
münzen: ausmünzen, ausprägen, drücken, prägen, schlagen
Münzen: Kleingeld, Hartgeld, Klimperling, Moneten, Pimperlinge
Münzkunde: Numismatik
Münzrückseite: Revers
Münzvorderseite: Avers
Münzwert: Nominalwert
mürbe: butterweich, krümelig, leicht, locker, pflaumenweich, zart, zerfallend *demoralisiert, entnervt, nachgiebig, schwach, weich, widerstandslos, ohne Widerstandskraft *bröckelig, bröckelnd, brüchig, morsch, rissig, spröde, wackelig *__mürbe machen:__ aufreiben, aufzehren, zermürben, zerrütten
Mure: Bergrutsch, Gesteinsstrom, Gletscherlauf, Schlammstrom
murksen: hudeln, huscheln, pfuschen, schlampen, schludern, stümpern, sudeln
Murmel: Glaskugel, Klicker, Schusser
murmeln: brummen, vor sich hinreden, vor sich hin sagen, in den Bart brummen *blubbern, gluckern, glucksen, gurgeln
murren: brummen, knurren, maulen
Murren: Gebrumme, Knurren
mürrisch: ärgerlich, aufgebracht, bärbeißig, böse, brummig, empört, entrüstet, erbittert, gereizt, grantig, griesgrämig, grillenhaft, grimmig, knurrig, missgelaunt, missgestimmt, misslaunig, missmutig, missvergnügt, muffig, sauertöpfisch, übellaunig, unwillig, unwirsch, verdrießlich, verdrossen *__mürrisch sein:__ s. fuchsen, s. giften, muffeln, jmdm. böse sein, auf jmdn. nicht gut zu sprechen sein
Mus: Brei, Pampe, Papp, Püree
Museum: Galerie, Kunsthalle, Kunstsammlung, Pinakothek, Sammlung
Museumsstück: Ausstellungsstück, Exponat

Musik: Klänge, Tonkunst *Musikkapelle, Tanzkapelle
musikalisch: kreativ, schöpferisch, musikalisch begabt, musikalisch begnadet
Musikaufführung: Konzert, Musikveranstaltung
Musikbox: Jukebox, Musikautomat
Musiker: Musikant, Musikus, Tonkünstler
Musikeragent: Impresario
Musikerfolg: Hit, Schlager
Musikergemeinschaft: Band, Kapelle, Orchester
Musikfest: Festival
Musikgerät: Instrument
Musikhochschule: Konservatorium
Musikstück: Komposition, Musikwerk, Opus
Musikveranstaltung: Aufführung, Konzert
Musikzeichen: Note
musisch: feinsinnig, kunstempfänglich, künstlerisch, kunstsinnig, kunstverständig, schöpferisch
musizieren: spielen, aufspielen, Musik machen, ein Instrument spielen
Muskelkräftiger: Expander, Muskelstrecker
Muskelkraftmesser: Ergometer
Muskelreißen: Rheuma
Muskeltraining: Bodybuilding
Muskelzucken: Tic, Tremor
muskulös: athletisch, drahtig, frisch, kräftig, kraftstrotzend, sehnig, sportlich, stark, gut gebaut
Muss: Befehl, Gebot, Notwendigkeit, Pflicht *Fessel, Knechtung, Nötigung
Muße: Beschaulichkeit, Freizeit, Nichtstun, Stille *Arbeitsschluss, Atempause, Feiertag, Ferien, Rast, Urlaub
müssen: s. nicht enthalten können, obliegen, verurteilt sein (zu), zollen, die Pflicht haben, genötigt sein, gehalten sein, verpflichtet sein, auferlegt sein, gezwungen sein, nicht umhinkönnen, keine andere Wahl haben
Mußezeit: Dämmerstündchen, Feierabend
müßig: arbeitsscheu, bequem, faulenzerisch, inaktiv, passiv, phlegmatisch, träge, untätig *aussichtslos, entbehrlich, fruchtlos, nutzlos, sinnlos, überflüssig, umsonst, unbrauchbar, unnötig, unwirksam, vergebens, zwecklos
Müßiggang: Arbeitsscheu, Bequemlichkeit, Faulenzerei, Faulheit, Müßigkeit, Passivität, Phlegma, Trägheit, Untätigkeit
Müßiggänger: Drohne, Drückeberger, Faulenzer, Faultier, Flaneur, Nichtsnutz, Nichtstuer, Tagedieb
Mustang: Präriepferd
Muster: Ansichtssendung, Ausstellungsstück, Auswahl, Mustersendung, Musterstück, Probe, Warenprobe *Dessin, Modell, Musterstück, Musterzeichnung, Schablone, Schema, Vorbild, Vorlage, Zeichnung
Musterausstellung: Ausstellung, Musterschau, Submission
Musterbild: Beispiel, Exempel, Muster
Musterblatt: Formular *Dessin, Muster, Musterzeichnung
Musterfall: Präzedenzfall, Schulbeispiel *Ausbund, Bild, Inbegriff, Musterbeispiel, Prototyp, Urbegriff, absolute Verkörperung
Musterform: Abguss, Einheitsform, Exempel, Modell
mustergültig: beispielgebend, einwandfrei, exemplarisch, fehlerlos, ideal, makellos, musterhaft, nacheifernswert, perfekt, vollkommen, vorbildlich
Mustergültigkeit: Fehlerlosigkeit, Makellosigkeit, Untadeligkeit, Vollkommenheit
musterhaft: dankenswert, löblich, rühmlich, tugendhaft, verdienstvoll
Musterknabe: Musterschüler, Tugendbold, Vorbild
musterlos: einfarbig, monochrom, uni, nicht bunt
mustern: ansehen, betrachten, durchsehen, inspizieren, kontrollieren *auf Tauglichkeit prüfen
Mustersammlung: Auswahl, Kollektion
Musterung: Durchsicht, Kontrolle, Sichtung, Überprüfung *Kontrolle, Prüfung, Tauglichkeitsprüfung
Musterzeichner: Designer
Mut: Beherztheit, Courage, Draufgängertum, Forschheit, Furchtlosigkeit, Hel-

dengeist, Heldenhaftigkeit, Heroismus, Herz, Herzhaftigkeit, Kühnheit, Löwenmut, Mannesmut, Mannhaftigkeit, Mumm, Schneid, Tapferkeit, Tollkühnheit, Unerschrockenheit, Unverzagtheit, Zivilcourage
Mutation: Stimmbruch, Stimmwechsel *Umschwung, Veränderung, Wandlung, Wechsel
mutieren: s. abändern, abweichen, s. verändern
mutig: aufrecht, beherzt, couragiert, draufgängerisch, entschlossen, forsch, furchtlos, heldenhaft, heldenmütig, heroisch, herzhaft, kämpferisch, kühn, mannhaft, männlich, mutbeseelt, schneidig, standhaft, tapfer, todesmutig, tollkühn, unerschrocken, unverzagt, vermessen, verwegen, wacker, wagemutig, waghalsig *hoffnungsvoll, optimistisch, sicher, siegesbewusst, siegesgewiss, siegessicher, unverdrossen, zuversichtlich, guten Mutes, voller Zuversicht
mutlos: angstbebend, angsterfüllt, ängstlich, angstschlotternd, angstverzerrt, angstvoll, argwöhnisch, aufgeregt, bang, bänglich, befangen, beklommen, besorgt, betroffen, feigherzig, gehemmt, hasenherzig, kleinmütig, memmenhaft, scheu, schreckhaft, schüchtern, verängstigt, verschreckt, verschüchtert, zag, zaghaft, zähneklappernd *deprimiert, gedrückt, niedergeschlagen, pessimistisch
Mutlosigkeit: Ängstlichkeit, Bangigkeit, Feigheit, Furchtsamkeit, Hasenherzigkeit, Kleinmut, Kleinmütigkeit, Memmenhaftigkeit, Schwachherzigkeit, Unmännlichkeit, Verzagtheit, Waschlappigkeit, Zaghaftigkeit *Depression, Niedergeschlagenheit, Pessimismus
mutmaßen: annehmen, befürchten, s. einbilden, erahnen, erwarten, fürchten, kalkulieren, rechnen (mit), riechen, schätzen, spekulieren, vermuten, wähnen, s. zusammenreimen
mutmaßlich: angeblich, höchstwahrscheinlich, möglicherweise, vermutlich, vielleicht, voraussichtlich, wahrscheinlich, wohl
Mutmaßung: Argwohn, Bedenken, Befürchtung, Misstrauen, Unterstellung, Vermutung, Zweifel
Mutter: Mama, Muttchen, Mutterherz, Mütterlein, Mutti, alte Dame
Mutterboden: Humus
Mutterherz: Herzensgüte, Mutterliebe
Mutterkuchen: Plazenta
mütterlich: aufopfernd, besorgt, fürsorglich, gütig, hingebungsvoll, selbstlos, uneigennützig, zärtlich
Muttermal: Geburtsmal, Gefäßfleck, Leberfleck, Pigmentmal
mutterseelenallein: abgeschieden, abgeschlossen, abgesondert, allein, ausgestoßen, einsam, einsiedlerisch, einzeln, eremitenhaft, isoliert, klösterlich, separat, solo, vereinsamt, vereinzelt, verlassen, verwaist, weltverloren, zurückgezogen, für sich, ohne Begleitung, ohne Freunde, ohne Gesellschaft, ohne Kontakt
Muttersöhnchen: Herzenssöhnchen, Mutterknabe, Schürzenkind, Weichling, Zärtling
Mutwille: Ausgelassenheit, Übermut
mutwillig: absichtlich, absichtsvoll, beabsichtigt, bewusst, gewollt, vorsätzlich, willentlich, wissentlich, wohlweislich, erst recht, mit Absicht, mit Bedacht, mit Willen, mit Fleiß, nun gerade, zum Trotz *böswillig, in böser Absicht *aufgeheitert, aufgekratzt, aufgelegt, aufgeschlossen, aufgeweckt, ausgelassen, bubenhaft, feuchtfröhlich, fidel, freudestrahlend, freudig, frisch, froh, frohgemut, froh gestimmt, fröhlich, frohsinnig, gut gelaunt, heiter, jungenhaft, lebensfroh, lebenslustig, lustig, munter, schelmisch, sonnig, strahlend, übermütig, überschäumend, übersprudelnd, unbekümmert, vergnüglich, vergnügt, wohlgemut, heiteren Sinnes, außer Rand und Band
Mutwilligkeit: Absicht, Absichtlichkeit, Bedacht, Bewusstheit, Vorsätzlichkeit
Mütze: Kappe, Käppi, Kopfbedeckung
mysteriös: abgründig, abstrus, delphisch, dunkel, esoterisch, geheimnisreich, geheimnisumwittert, geheimnisvoll, hintergründig, innerlich, magisch, mystisch, okkult, orakelhaft, rätselhaft, sibyllinisch, unbegreiflich, undurchdringlich, unerforschlich, unergründlich

Mysterium: Dunkel, Geheimnis, Rätsel *Mirakel, Phänomen, Übersinnliches, Unerforschliches, Unerklärliches, Wunder
Mystifikation: Irreführung, Täuschung, Verschleierung, Vorspiegelung
Mystik: Geheimlehre, Glaube, Wunderglaube
mystisch: geheimnisvoll
Mythologie: Götterdichtung, Göttersage, Mythos
Mytos: Fabel, Sage

N

Nabel: Bauchnabel *Brennpunkt, Herz, Kerngebiet, Metropole, Mittelpunkt, Sammelpunkt, Seele, Zentrum
Nabelschnur: Nabelstrang
nach: danach, dann, darauf, hinterher, nachfolgend, nachher, später, im Anschluss (an) *gen …, in Richtung ***nach und nach:** allmählich, langsam, kaum merklich, mit der Zeit
nachäffen: auslachen, karikieren, nachahmen, verspotten
nachahmen: abschauen, absehen, entlehnen, gleichtun, imitieren, kopieren, lernen (von), nachäffen, nachbilden, nacheifern, nachfolgen, nachformen, nachmachen, nachstreben, nachtun, reproduzieren, in jmds. Spuren wandeln *s. anzugleichen suchen, s. richten (nach), s. zum Vorbild nehmen *wiedergeben, wiederholen
nachahmend: imitatorisch
nachahmenswert: außerordentlich, ausgezeichnet, beispielhaft, beispiellos, bestens, brillant, erstklassig, exemplarisch, exzellent, famos, hervorragend, mustergültig, preisgekrönt, tadellos, überdurchschnittlich, überragend, untadelig, vorbildlich, vortrefflich, vorzüglich, (sehr) gut
Nachahmer: Epigone, Imitator *Abschreiber, Kopist, Plagiator
Nachahmung: Abklatsch, Anleihe, Fälschung, Falsifikat, Imitation, Kopie, Nachbildung, Plagiat, Reproduktion, Wiedergabe
nacharbeiten: aufarbeiten, aufholen, gleichziehen, gutmachen, nachholen, nachlernen, nachziehen, wettmachen, später erledigen *korrigieren, überarbeiten *abdrücken, abformen, abgießen, abklatschen, abmodeln, kopieren, nachahmen, nachbilden, nachformen, nachmalen, nachschaffen, reproduzieren, wiedergeben
Nachbar: Anrainer, Anwohner *Banknachbar *Zimmernachbar
Nachbarschaft: Gegenüber, Mitwelt, Nähe, Umgebung, Umgegend, Umkreis, Umland, Umwelt
Nachbarsleute: Nachbarn
nachbeten: nachlallen, nachplappern, nachreden, nachsagen, nachsprechen, wiederholen
nachbetend: epigonenhaft
Nachbeter: Echo, Epigone, Nachäffer, Nachplappler, Papagei
nachbilden: abdrücken, abformen, abgießen, abklatschen, abmodeln, kopieren, nachahmen, nacharbeiten, nachformen, nachmalen, nachschaffen, reproduzieren
Nachbildung: Abguss, Abklatsch, Klischee, Kopie, Nachguss, Reproduktion, Wiedergabe
nachblicken: hinterhersehen, nachgucken, nachschauen, nachsehen
nachbohren: ausforschen, ausfragen, aushorchen, auskundschaften, auspressen, ausquetschen, befragen, bohren, fragen, interviewen, recherchieren
nachdem: nach, danach, dann, darauf, nachher, später *als *da, weil, zumal ***je nachdem:** eventuell, mal abwarten, ob …, möglicherweise
nachdenken: grübeln, nachgrübeln, sinnen, nachsinnen, denken, meditieren, rätseln, reflektieren, seinen Kopf anstrengen, das Hirn zermartern, Überlegungen anstellen, seinen Geist anstrengen, versunken sein
Nachdenken: Begriffsentscheidung, Denkart, Grübelei
nachdenklich: abwägend, abwesend, besinnlich, gedankenvoll, geistesabwesend, grübelnd, grüblerisch, tiefsinnig, überlegt, versonnen, verträumt, in Gedanken versunken, in sich gekehrt *angsterfüllt, bedenklich, bedrückt, bekümmert, besorgt, entmutigt, freudlos, gedrückt, gramerfüllt, gramgebeugt, gramvoll, kummervoll, resigniert, sorgenbeladen, sorgenschwer, sorgenvoll, unruhig, vergrämt, verhärmt, verzagt, zentnerschwer

Nachdenklichkeit: Bedenken, Besinnlichkeit, Erwägung, Gedankentiefe, Grübelei, Prüfung, Tiefsinn, Überlegung
Nachdruck: Abdruck, Herausgabe, Neuauflage, Reprint, Veröffentlichung *Ausdrücklichkeit, Bestimmtheit, Deutlichkeit, Dringlichkeit, Eindringlichkeit, Emphase, Energie, Entschiedenheit, Ernst, Inständigkeit, Schärfe, Stringenz, Unmissverständlichkeit *Bedeutung, Gewicht, Relevanz, Tragweite, Wert, Wichtigkeit, Wirksamkeit
nachdrucken: abdrucken, herausgeben, veröffentlichen
nachdrücklich: bestimmt, betont, drastisch, dringend, eindeutig, eindringlich, emphatisch, energisch, entschieden, entschlossen, ernst, ernsthaft, ernstlich, fest, intensiv, ostentativ, prononciert, stringent, ultimativ, unmissverständlich, mit Nachdruck, mit Gewicht, deutlich ausgesprochen
Nachdrücklichkeit: Bestimmtheit, Eindringlichkeit, Ernst, Intensität, Nachdruck
nachdrucksvoll: ausgesucht, betont, demonstrativ, herausgehoben, herausgestellt, hervorgehoben, ostentativ, pointiert, prononciert
nachdunkeln: dunkler werden
nacheifern: nachfolgen, nachleben, nachstreben, es gleichtun, so sein wie … *abschauen, entlehnen, imitieren, kopieren, nachahmen, plagiieren
nacheilen: hinterdrein jagen, hinterherjagen, hinterherrennen, hinterherstürzen, nachfolgen, nachhetzen, nachjagen, nachrennen, nachstürzen, verfolgen
nacheinander: folgend, aufeinander folgend, abwechselnd, hintereinander, der Ordnung nach, der Reihe nach, einer nach dem anderen, in Aufeinanderfolge, in kurzen Abständen
Nacheinander: Ablauf, Aufeinanderfolge, Folge, Fortlauf, Hintereinander, Nacheinanderfolge, Reihenfolge *Dauer, Dauerhaftigkeit
nachempfinden: s. einfühlen, s. einleben (in), s. hineindenken, s. hineinversetzen, mitfühlen, mitleiden, nacherleben, nachfühlen, nachvollziehen, verstehen
Nachen: Barke, Boot, Gondel, Kahn, Nussschale, Paddelboot, Schaluppe, Schelch
nacherzählen: referieren, wiedererzählen, wiedergeben, wiederholen
Nachfahr: Abkomme, Abkömmling, Deszendent, Nachfahre, Nachkomme, Nachwuchs, Spross, Verwandter
nachfahren: folgen, hinterherfahren
Nachfolge: Anreihung, Aufeinanderfolge *Erbe
nachfolgen: s. anschließen, hinterhergehen, nachgehen, nachkommen *folgen, die Nachfolge antreten, ein Amt übernehmen *nacheifern, nachleben, nachstreben, es gleichtun, so sein wie …
nachfolgend: folgend, nachgeboren, nachkommend *danach, hinterher
Nachfolger: Abkommen, Abkömmling, Angehöriger, Deszendent, Nachkomme, Nachwuchs, Spross *Juniorchef, Rechtsnachfolger, Thronfolger, Amtsnachfolger *Erbberechtigte, Erbe, Hinterbliebene, Nachkomme, Überbliebene, Überlebende
nachformen: abdrücken, abformen, abgießen, abklatschen, abmodeln, kopieren, nachahmen, nacharbeiten, nachbilden, nachschaffen, reproduzieren, wiedergeben
nachforschen: anstellen, auskundschaften, ermitteln, forschen, nachspüren, nachsuchen, Recherchen anstellen, recherchieren, Nachforschungen anstellen, Ermittlungen anstellen *suchen
Nachforschung: Erhebung, Ermittlung, Ermittlungsverfahren, Fahndung, Nachprüfung, Prüfung, Recherche, Sondierung, Spurensuche, Suche, Untersuchung, Voruntersuchung
Nachfrage: Bedarf, Bedürfnis, Kaufinteresse, Kauflust, Verlangen, Wunsch *Auskundschaftung, Erhebung
nachfragen: ausfragen, aushorchen, auskundschaften, nachforschen *s. erkundigen, fragen (nach), um Auskunft bitten
nachfühlen: s. hineinversetzen, mitfühlen, nachempfinden, nacherleben, nachvollziehen
nachfüllen: auffüllen, ergänzen, nachschütten, voll machen, voll schütten

nachgeahmt: imitiert, nachgebildet, nachgeformt, nachgemacht
nachgeben: s. biegen, s. dehnen, nicht standhalten *s. anpassen, s. beugen, einlenken, s. ergeben, s. erweichen, s. fügen, gehorchen, kapitulieren, lockerlassen, s. überreden lassen, s. unterordnen, s. unterwerfen, zurückstecken, zurückweichen, s. zurückziehen, schwach werden, Zugeständnisse machen, weich werden, dem Zwang weichen, einen Rückzieher machen, klein beigeben *erhören, gewähren, tolerieren, willfahren, zulassen
nachgehen: ermitteln, eruieren, nachforschen *nachfolgen, nachschleichen, nachstellen, verfolgen, auf der Fährte bleiben, auf der Spur bleiben, hinter jmdm. her sein *s. auseinander setzen, s. befassen (mit), nachspionieren, s. beschäftigen
nachgemacht: falsch, gefälscht, imitiert, kopiert, nachgeahmt, nachgebildet, unecht
nachgeordnet: ephemer, nebensächlich, sekundär, unbedeutend, an zweiter Stelle
nachgeprüft: beurteilt, geprüft, gesehen, nachgemessen, nachgerechnet, nachgesehen, überprüft
nachgeraten: ähneln, gleichen, gleichsehen, nachahmen, nacharten, nachschlagen, nahe kommen, s. nähern, passen, ähnlich aussehen, ähnlich sehen, ähnlich sein, erinnern (an), nach jmdm. arten, nach jmdm. kommen, nach jmdm. schlagen, nach jmdm. geraten, aussehen (wie), genauso sein wie
Nachgeschmack: Andenken, Erinnerung, Nachhall, Nachklang *Beigeschmack
nachgewiesen: authentisch, erwiesen, nachgeprüft
nachgraben: aufspüren, forschen, wühlen
nachgiebig: biegsam, elastisch, formbar, geschmeidig, schmiegsam *beugsam, gutherzig, gütig, gutmütig, mürbe, sanft, sanftmütig, schwach, weich, weichlich, widerstandslos, willenlos, willensschwach, willig, zart, ohne Widerstand *einordnungsbereit, einordnungswillig, einsichtig, kollegial, kooperativ
Nachgiebigkeit: Beugsamkeit, Schwäche, Versöhnlichkeit, Weichheit, Willenlosigkeit, Willensschwäche *Einordnungsbereitschaft, Kollegialität, Kooperation, Teamgeist
nachgrübeln: rätseln, herumrätseln, sinnen, nachsinnen, besinnen, brüten, denken, durchdenken, grübeln, knobeln, meditieren, nachdenken, reflektieren, sinnieren, tüfteln, überlegen
Nachgrübeln: Denken, Nachdenken
nachgucken: hinterhersehen, nachblicken, nachschauen, nachsehen, mit den Blicken verfolgen
Nachhall: Echo, Gegenhall, Gegenschall, Nachklang, Resonanz, Rückhall, Rückschall, Widerhall, Widerklang, Widerschall
nachhaltig: anhaltend, dauernd, für längere Zeit *durchgreifend, einschneidend, entscheidend, tief greifend
nachhelfen: unterstützen, Hilfe gewähren, Hilfestellung geben, behilflich sein
nachher: alsdann, anschließend, danach, darauf, hiernach, hinterher, nachdem, nachfolgend, seitdem, sodann, später
nachhetzen: hetzen, hinterherlaufen, nachjagen, nachstellen, verfolgen
Nachhilfeunterricht: Nachhilfestunden, Privatstunden, Privatunterricht
Nachhinein (im): hinterher, nachträglich, später, verzögert
nachhinken: hintanbleiben, nachstehen, unpünktlich sein, im Rückstand sein, im Verzug sein, die Zeit überschreiten
nachholen: aufarbeiten, aufholen, gleichziehen, gutmachen, nacharbeiten, nachlernen, nachziehen, wettmachen, später erledigen
Nachhut: Nachkömmling, Nachkömmlinge, Nachtrupp, Nachzügler, Schlusslicht, die Letzten
nachjagen: s. an jmds. Sohlen heften, fahnden (nach), hetzen, hinterherjagen, hinterhersetzen, jagen, nachlaufen, nachrennen, nachsetzen, nachstellen, treiben, verfolgen, auf der Spur sein, auf der Fährte sein, hinter jmdm. her sein, hinterher sein, jmdm. auf den Fersen bleiben, zu fangen suchen *hinterdreinjagen, hinterherjagen, hinterherrennen, hinterherstürzen, nacheilen, nachfolgen,

nachhetzen, nachrennen, nachstürzen, verfolgen
Nachklang: Echo *das Ausklingen
Nachkomme: Erbberechtigte, Erbe, Hinterbliebene, Nachfolger, Überbliebene, Überlebende *Abkömmling, Enkel, Kind, Nachfahr
nachkommen: mitkommen, auf dem Laufenden bleiben, den Anforderungen gewachsen sein, folgen können, Schritt halten *befriedigen, einlösen, entsprechen, erfüllen, vollziehen, zufrieden stellen, Genüge tun *folgen, nachfolgen, s. anschließen, hinterherkommen, später kommen
Nachkommen: Abkomme, Abkömmling, Angehöriger, Verwandter
Nachkommenschaft: Kindersegen, Nachwuchs
Nachkömmling: Nachzügler, Spätling
Nachkriegszeit: Hungerjahre, die schlechte Zeit, Zeit des Wiederaufbaus, Zeit des Neubeginns
Nachlass: Besitz, Erbe, Erbgut, Erbschaft, Erbteil, Hinterlassenschaft, Vermächtnis, Vermögen *Preisnachlass, Rabatt
nachlassen: hinterlassen, überlassen, vererben, vermachen, weitergeben, weiterreichen *abbauen, abebben, abflachen, abflauen, abklingen, abschlaffen, s. abschwächen, abschwellen, absinken, s. beruhigen, s. dem Ende zuneigen, einschlafen, erlahmen, erlöschen, ermatten, s. legen, verebben, zurückgehen, zur Ruhe kommen *abbauen, absteigen, rückwärtsgehen, s. verschlechtern, s. verschlimmern, zurückfallen, im Abstieg begriffen sein, kraftlos werden, nicht Schritt halten *ablassen, erlassen, ermäßigen, herabsetzen, heruntergehen (mit), heruntersetzen, verbilligen, billiger geben, Prozente geben, den Preis senken, Preisnachlass gewähren, Rabatt gewähren, Skonto gewähren *abbauen, abebben, abflachen, abflauen, abklingen, abnehmen, s. abschwächen, abschwellen, absinken, erlahmen, erlöschen, ermatten, zurückgehen
nachlassend: abflauend, degressiv, regressiv, rezessiv, rückläufig, schwindend, sinkend, stagnierend, zurückgehend
nachlässig: achtlos, gedankenlos, gleichgültig, indifferent, lieblos, unachtsam *beiläufig, flüchtig, lässig, lax, leichtfertig, leichthin, liederlich, obenhin, oberflächlich, pflichtvergessen, salopp, schlampig, schludrig, sorglos, übereilt, unaufmerksam, ungenau, unkorrekt, unordentlich, unsorgfältig, nicht sorgfältig, nicht gewissenhaft, nicht gründlich, so nebenher
Nachlässigkeit: Flüchtigkeit, Lässigkeit, Laxheit, Leichtfertigkeit, Oberflächlichkeit, Pflichtvergessenheit, Schlamperei, Schluderei, Sorglosigkeit, Unaufmerksamkeit, Ungenauigkeit, Unkorrektheit, Unordentlichkeit, Unsorgfältigkeit, mangelnde Sorgfalt, unordentliches Arbeiten *Achtlosigkeit, Gedankenlosigkeit, Gleichgültigkeit
Nachlasssteuer: Erbschaftssteuer
nachlaufen: folgen, hinterherjagen, hinterherlaufen, nacheilen, nachrennen, nachstürzen, verfolgen *werben, umwerben, den Hof machen
nachleben: folgen, nachstreben
nachlesen: durchblättern, durchsehen, nachblättern, nachschauen, nachschlagen, nachsehen, suchen
nachleuchten: phosphoreszieren
nachmachen: gleichtun, imitieren, nachahmen, nacheifern, nachstreben *fälschen, falsifizieren, verfälschen
Nachmacher: Nachahmer *Fälscher
Nachmittag: Mittag, zweite Tageshälfte
nachmittags: mittags, in der zweiten Tageshälfte
Nachmittagskaffee: Jause, Kaffee, Vesper
Nachnahme: Nachnahmesendung
Nachname: Familienname, Personenname, Vatername, Vatersname, Zuname
nachprüfen: checken, abchecken, prüfen, überprüfen, durchsehen, einsehen, examinieren, inspizieren, kontrollieren, mustern, nachrechnen, nachschauen, nachsehen, nachzählen, revidieren, testen, untersuchen, s. vergewissern *kontrollieren, recherchieren, visitieren, nach dem Rechten sehen, nach dem Rechten schauen
Nachprüfung: Besichtigung, Durch-

sicht, Inspizierung, Kontrolle, Musterung, Probe, Recherche, Stichprobe, Test, Überprüfung, Untersuchung *Besuch, Kontrolle, Visitation

nachrangig: nachfolgend, sekundär, subaltern, untergeordnet *unwichtig

Nachrede: Verleumdung *Denkschrift, Gedächtnisrede, Gedenkrede, Nachruf, Nachruhm, Nachwort, Nekrolog, Würdigung

nachreden: abfällig reden (von), anschwärzen, denunzieren, diffamieren, entwürdigen, herabsetzen, herabwürdigen, schlecht machen, schmähen, verdächtigen, verleumden, verschreien, verteufeln, verunglimpfen, mit Schmutz bewerfen, über jmdn. herfallen, die Ehre abschneiden, Übles nachreden, jmdn. madig machen *nachbeten, nachlallen, nachplappern, nachsagen, nachsprechen

nachrennen: folgen, hinterherlaufen, hinterherrennen, nacheilen, nachjagen, nachsetzen, nachstürzen, verfolgen, zu fangen suchen *nachsteigen, umgarnen, umwerben, den Hof machen

Nachricht: Bestellung, Botschaft, Information, Kunde, Meldung, Mitteilung, Neuigkeit *Brief, Schreiben *E-Mail, Mail *MMS, SMS, SMS-Nachricht

Nachrichtendienst: Abwehr, Abwehrdienst, Geheimdienst *Nachrichtenwesen

Nachrichtenmittel: Kommunikationsmittel, Medien

Nachrichtenwesen: Berichterstattung, Nachrichtendienst

nachrücken: folgen, nachfolgen, aufrücken, aufschließen, die Lücke schließen, den Abstand schließen

Nachruf: Denkschrift, Gedächtnisrede, Gedenkrede, Grabrede, Nachrede, Nachruhm, Nachwort, Nekrolog, Würdigung

nachrüsten: aufrüsten, s. bewaffnen, mobilisieren, mobilmachen, rüsten

nachsagen: andichten, annehmen, behaupten, beilegen, halten (für), zuschreiben *nachplappern, nachreden, nachsprechen, wiederholen ***jmdm. etwas nachsagen:** abfällig reden (von), anschwärzen, denunzieren, diffamieren, entwürdigen, herabsetzen, herabwürdigen, schlecht machen, schmähen, verdächtigen, verleumden, verschreien, verteufeln, verunglimpfen, mit Schmutz bewerfen, über jmdn. herfallen, die Ehre abschneiden, Übles nachreden, jmdn. madig machen

Nachsatz: Anhang, Beifügung, Ergänzung, Nachtrag, Schluss, Schlusssatz

nachschallen: nachklingen, nachtönen, wiederhallen, wiederschallen

nachschauen: hinterherschauen, nachblicken, nachgucken, nachsehen, mit den Blicken verfolgen *durchblättern, durchsehen, nachblättern, nachlesen, nachschlagen, suchen *kontrollieren, s. vergewissern

nachschicken: nachliefern, nachsenden

nachschlagen: durchblättern, durchsehen, nachblättern, nachlesen, nachschauen, nachsehen, suchen ***jmdm. nachschlagen:** ähneln, gleichen, gleichsehen, nachahmen, nacharten, nachgeraten, nahe kommen, s. nähern, passen, ähnlich aussehen, ähnlich sehen, ähnlich sein, erinnern (an), nach jmdm. arten, nach jmdm. kommen, nach jmdm. schlagen, nach jmdm. geraten, aussehen (wie)

Nachschlagewerk: Enzyklopädie, Fibel, Handbuch, Kompendium, Leitfaden, Lexikon, Wörterbuch *Abriss, Handbuch, Kompendium, Lehrbuch, Lehrgang, Leitfaden, Schulbuch

nachschleichen: folgen, nachfolgen, nachgehen, nachstellen, verfolgen, auf der Fährte bleiben, auf der Spur bleiben, hinter jmdm. her sein

Nachschlüssel: Diebshaken, Diebsschlüssel, Dietrich, langer Heinrich

nachschnüffeln: ausforschen, auskundschaften, ausspähen, ausspionieren, erfragen, erkunden, nachforschen, s. orientieren, spionieren *kontrollieren, nachforschen, nachgehen, recherchieren

Nachschrift: Diktat *Postskript, Postskriptum

Nachschub: Proviant, Versorgung

Nachschubgebiet: Etappe, Versorgungsgebiet

Nachschubwesen: Logistik

nachsehen: hinterherblicken, hinterherschauen, hinterhersehen, nachblicken, nachgaffen, nachgucken, nachschauen, nachspähen *checken, abchecken, prüfen, überprüfen, durchsehen, einsehen, examinieren, inspizieren, kontrollieren, mustern, nachprüfen, nachrechnen, nachschauen, nachzählen, revidieren, testen, untersuchen, s. vergewissern, visitieren, nach dem Rechten sehen, nach dem Rechten schauen *durchblättern, durchsehen, nachblättern, nachlesen, nachschauen, nachschlagen, suchen *durchlassen, tolerieren, Nachsicht üben, durch die Finger sehen, durchgehen lassen, ein Auge zudrücken, hingehen lassen, beide Augen zudrücken

nachsenden: nachschicken, an die neue Adresse schicken

Nachsicht: Entschuldigung, Vergebung, Verzeihung *Behutsamkeit, Duldsamkeit, Geduld, Gnade, Großzügigkeit, Indulgenz, Milde, Rücksicht, Schonung, Toleranz, Verständnis

nachsichtig: duldsam, freizügig, geduldig, glimpflich, großzügig, indulgent, mild, tolerant, verständnisvoll, weitherzig, zahm, mit Fingerspitzengefühl

Nachsilbe: Suffix

nachsinnen: rätseln, herumrätseln, grübeln, nachgrübeln, besinnen, brüten, durchdenken, knobeln, meditieren, nachdenken, reflektieren, sinnen, sinnieren, tüfteln, überlegen

Nachsinnen: Denkart, Erinnerung, Nachdenklichkeit

nachsitzen: dableiben, nacharbeiten, nachbleiben, nachbrummen

Nachsommer: Altweibersommer

Nachspann: Abkündigung, Absage

Nachspeise: Dessert, Nachtisch, Süßspeise

Nachspiel: Epilog, Nachtrag, Nachwort, Schlusswort *Folge, Nachwehen, Nachwirkung, böses Ende

nachspionieren: abhören, aufpassen, aushorchen, beaufsichtigen, belauern, belauschen, beobachten, beschatten, bespitzeln, bewachen, inspizieren, kontrollieren, nachspüren, observieren, spionieren, überwachen, verfolgen, im Auge behalten, nicht aus den Augen lassen, nicht aus den Augen verlieren, unter Aufsicht stellen, auf die Finger sehen, aufs Korn nehmen, unter die Lupe nehmen

nachsprechen: nachbeten, nachplappern, wiederholen

nachspüren: anstellen, auskundschaften, ermitteln, forschen, nachforschen, nachsuchen, recherchieren, Recherchen anstellen, Nachforschungen anstellen, Ermittlungen anstellen *ermitteln, eruieren, herausfinden, nachgehen

nächst: nahe, nebenbei, unmittelbar, ganz in der Nähe, zu Seiten, in Reichweite *darauf folgend, kommend, nachfolgend

nächste: räumlich folgend, unmittelbar folgend *zeitlich unmittelbar folgend *bekannte, nahe stehende, verwandte

nachstehen: hintanstehen, zurückbleiben, das Nachsehen haben, hinter jmdm. zurückstehen, jmdm. nicht das Wasser reichen können, unterlegen sein, nachgeordnet sein, zurückgesetzt sein, benachteiligt sein

nachstehend: folgend, nachfolgend, darauf folgend, kommend, an anderer Stelle, an späterer Stelle, weiter unten

nachstellen: nachrennen, nachsteigen, umwerben, den Hof machen *einrichten, einstellen, justieren, regulieren, reparieren, neu einstellen

Nachstellung: Falle

Nächstenliebe: Barmherzigkeit, Caritas, Humanität, Menschenfreundlichkeit, Menschenliebe, Menschlichkeit, Mitleid, Wohltätigkeit

nächstens: alsbald, demnächst, in nächster Zeit, in naher Zukunft, in Kürze, binnen kurzem

nachsuchen: abklopfen (auf), absuchen, durchkämmen, durchsuchen, durchwühlen, nachschauen, recherchieren *anfragen, beantragen, bitten, s. etwas ausbitten, wollen, vorstellig werden, zu erreichen suchen

Nacht: Dunkel, Dunkelheit, Finsternis, Schwärze

Nachtblindheit: Tagsichtigkeit

Nachtdienst: Bereitschaftsdienst, Nachtarbeit, Schicht, Schichtdienst

Nachteil: Kehrseite, Makel, Mangel, Manko, Minus, Schaden, Schattenseite,

Ungunst, Verlust, schwacher Punkt, ungünstiger Umstand, wunde Stelle, schwache Stelle
nachteilig: abträglich, hemmend, hinderlich, misslich, nachträglich, negativ, schädlich, schlecht, unerfreulich, ungünstig, ungut, unratsam, unvorteilhaft, unwirtschaftlich, unzweckmäßig, verderblich, verlustreich, widrig, Nachteile bringend, von Übel
Nachtessen: Abendessen, Abendmahl, Diner, Dinner, Nachtmahl
Nachtgebet: Abendgebet
Nachtgeschirr: Hafen, Nachttopf
Nachtgewand: Nachthemd, Pyjama, Schlafanzug
nächtigen: campieren, schlafen, übernachten, zelten
Nachtisch: Dessert, Nachspeise, Süßspeise
Nachtlokal: Bar, Disco, Diskothek, Nachtbar, Nachtclub, Nightclub
Nachtmahr: Alp, Alptraum, Angsttraum
Nachtmusik: Abendmusik, Nocturne, Notturno, Serenade
Nachtquartier: Absteige, Asyl, Behausung, Bleibe, Herberge, Logis, Obdach, Quartier, Schlafstelle, Unterkunft, Unterschlupf
Nachtrag: Anhang, Epilog, Ergänzung, Hinzufügung, Nachwort, Schlusswort, Zugabe
nachtragen: ausbauen, dazutun, ergänzen, erweitern, hinzufügen, hinzusetzen, hinzutun, komplettieren, vervollkommnen, vervollständigen *anlasten, übel nehmen, verargen, zürnen, nicht vergessen können, nicht verzeihen können, übel vermerken
nachtragend: grollend, hart, rachsüchtig, unversöhnlich, verbittert, zürnend
nachträglich: anschließend, danach, dann, daraufhin, hintennach, hinterher, nachfolgend, nachher, später, verspätet, im Anschluss (an), im Nachhinein *abträglich, hinderlich, nachteilig, negativ, schädlich, schlecht
Nachtragsgesetz: Gesetzesergänzung, Novelle
nachtrauern: nachjammern, nachweinen, vermissen
Nachtruhe: Schlaf, Schlummer
Nachtrupp: Nachhut
nachts: nächtens, nächtlicherweise, nachtsüber, bei Dunkelheit, bei Nacht, des Nachts, im Dunkeln, inmitten der Nacht, in der Nacht, während der Nacht, zu nachtschlafender Zeit, zu nächtlicher Stunde, zur Nachtzeit
Nachtschwärmer: Nachtbummler, Nachtrabe, Nachtvogel
Nachtseite: Dunkelheit, Düsterkeit, Schattenseite *Ahnung, Ahnungsvermögen, Vorgefühl
Nachttisch: Nachtkästchen, Nachtschränkchen
Nachttopf: Nachtgeschirr, Topf, Töpfchen
nachtun: abschauen, absehen, entlehnen, gleichtun, imitieren, kopieren, lernen (von), nachäffen, nachahmen, nachbilden, nacheifern, nachfolgen, nachformen, nachmachen, nachstreben, reproduzieren, in jmds. Spuren wandeln *spicken, abschreiben
nachtwandeln: herumgeistern, schlafwandeln, umgehen
Nachtwandler: Mondsüchtiger, Schlafwandler, Somnambuler, Traumwandler
nachtwandlerisch: mondsüchtig, somnambul *instinktiv, intuitiv
nachvollziehen: s. einfühlen, einsehen, ermessen, nachempfinden, nacherleben, nachfühlen, Verständnis haben (für), folgen können
nachwachsen: s. erneuern, s. regenerieren
Nachwehen: Auswirkungen, Ende, Ergebnis, Folge, Konsequenz, Nachwirkung, Resultat
nachweinen: trauern, weinen
Nachweis: Argument, Begründung, Rechtfertigung, Richtigkeitserweis *Attest, Beglaubigung, Bescheinigung, Bestätigung, Zeugnis
nachweisbar: begründet, bekannt, beweisbar, bewiesen, dokumentiert, erwiesenermaßen, nachweislich, stichhaltig, überzeugend, unwiderlegbar, verbürgt
nachweisen: bringen, erbringen, aufzeigen, begründen, belegen, bestätigen,

beweisen, dokumentieren, erhärten, untermauern, zeigen, den Beweis erbringen, den Nachweis erbringen, den Beweis liefern, den Nachweis liefern, den Beweis führen, unter Beweis stellen
nachweislich: beweisbar, bewiesenermaßen, echt, erwiesenermaßen, geschehen, nachweisbar, tatsächlich, wirklich
Nachwelt: Nachkommen, Zukunft, die Folgezeit, kommende Geschlechter, nachfolgende Generationen
nachwirken: bleiben, nachhängen, nachklingen, nicht verblassen, nicht vergessen werden, unvergessen bleiben, einen Einfluss haben
Nachwirkung: Folge, Nachspiel, Nachwehen, böses Ende *Antwort, Auswirkung, Dank, Effekt, Endprodukt, Erfolg, Ergebnis, Fazit, Folge, Frucht, Konsequenz, Lohn, Nachspiel, Nachwehen, Reichweite, Resultat, Strafe, Summe, Tragweite, Wirkung
Nachwort: Epilog, Nachtrag, Schlusswort *Denkschrift, Gedächtnisrede, Gedenkrede, Grabrede, Nachrede, Nachruf, Nachruhm, Nekrolog, Würdigung
Nachwuchs: Kind, Kinder, Kindersegen, Nachfolger, Nachkommenschaft *Baby, Kleinkind, Säugling
nachzahlen: nachbezahlen, zahlen
nachzählen: kontrollieren, nachrechnen, nachschauen, nachsehen
Nachzahlung: Rest, Restsumme, nachträgliche Zahlung
nachzeichnen: durchpausen, kopieren, nachahmen, nachmalen
nachziehen: anziehen, festschrauben, festziehen *aufarbeiten, aufholen, ausgleichen, einbringen, einholen, gleichziehen, gutmachen, nacharbeiten, nachholen, wettmachen, das Gleichgewicht herstellen, die Scharte auswetzen
Nachzügler: Nachkömmling, Spätling *Nachhut, Schlusslicht, die Letzten
Nacken: Genick, Hals
Nackenstarre: Genickstarre
nackt: ausgezogen, blank, bloß, entblößt, entkleidet, frei, hüllenlos, kleidungslos, pudelnackt, splitternackt, unbedeckt, unbekleidet, unverhüllt, ohne Bekleidung, in natura, im Adamskostüm, barfuß bis zum Hals *tatsächlich, ungeschminkt, wirklich *kahl *pur
Nacktbadestrand: FKK-Gelände, FKK-Strand, Nacktbadeplatz, Naturistenstrand, Nudistenstrand
Nacktdarstellung: Akt
Nacktheit: Blöße, Hüllenlosigkeit, Nudität
Nadel: Agraffe, Anstecknadel, Brosche, Schmuckspange, Spange *Haarnadel *Nähnadel, Sticknadel, Stricknadel *Fichtennadel, Kiefernnadel, Tannennadel
Nadelbaum: Konifere
Nadelhölzer: Koniferen, Nadelgehölze, Zapfenträger
Nadelöhr: Loch, Nadelloch, Öffnung, Öhr *Engstelle, Engpass
Nagel: Drahtstift, Eisennagel, Stift *Fingernagel, Fußnagel, Zehennagel
Nagelpflege: Handpflege, Maniküre *Fußpflege, Pediküre
nageln: anheften, annageln, befestigen, einklopfen, einschlagen, festmachen, festnageln, hämmern, klopfen, zusammennageln
nagen: beißen, herumbeißen, herumnagen, knabbern *angreifen, aufreiben, beeinflussen, belasten, quälen, schaden, schwächen, zehren, zusetzen
nagend: marternd, peinigend, quälend, schmerzvoll
Nager: Nagetier
Nahaufnahme: Makroaufnahme
nahe: eng, innig, intim, nah, nahe stehend, vertraut *daneben, nebenbei, unnah, unweit, nahe bei, direkt bei, dicht bei, in der Nähe, in Reichweite, leicht erreichbar, zum Greifen nahe, vor der Nase ***nahe bringen:** erwärmen (für), verlebendigen, Verständnis wecken (für), schmackhaft machen ***nahe gehen:** aufregen, aufwühlen, berühren, bestürzen, erschüttern, schockieren, von Bedeutung sein, innerlich bewegen, zu Herzen gehen, nicht kalt lassen ***nahe kommen:** s. anfreunden, s. kennen lernen, s. näher kommen, intim werden, vertraut werden, bekannt werden, Fühlung nehmen, ins Gespräch kommen *erreichen, herankommen, heranreichen ***nahe legen:**

auffordern, empfehlen, vorschlagen, zuraten, ans Herz legen *__nahe liegend:__ begreiflich, eingängig, einleuchtend, einsehbar, fassbar, offenbar, offensichtlich, auf der Hand liegend *__nahe stehen:__ zusammengehören, gut bekannt sein, vertraut sein, befreundet sein *__nahe stehend:__ verwandt, zusammengehörend, befreundet, eng befreundet, eng bekannt, eng vertraut, gut bekannt, sehr vertraut

Nähe: Hörweite, Nachbarschaft, Reichweite, Rufweite, Sichtweite, Umgebung, Umkreis, kurze Entfernung *Anwesenheit, Berührung, Kontakt, Umgebung

nahen (s.): s. nähern, s. annähern, s. zubewegen (auf), zugehen (auf), zusteuern, näher kommen *anrücken, aufziehen, herankommen, näher kommen

nähen: anfertigen, schneidern *flicken, steppen, sticheln, zunähen, zusammennähen

näher: ausführlich, detailliert, eingehend, genauer, gründlicher, intensiver, tiefer, umfassend

nähern (s.): s. annähern, s. nahe kommen, s. näher kommen *aufkommen, herangehen, herankommen, s. heranmachen, s. heranschleichen, s. heranstehlen, herantreten, nahen, zugehen (auf), zukommen (auf), näher kommen, im Verzug sein *kommen, ankommen, aufziehen, im Anzug sein

nahezu: bald, beinahe, fast, halb, kaum, knapp, praktisch, schier, um Haaresbreite, um ein Haar, so gut wie, gerade noch

Nährboden: Basis, Grund, Grundlage *Anzuchtschale, Petrischale

nähren: säugen, stillen, an die Brust nehmen, die Brust geben *nahrhaft sein, gehaltvoll sein, kalorienreich sein, kräftigend sein, nährend sein, sättigend sein *anheizen, eskalieren, fördern, schüren, steigern, vergrößern, vermehren, verstärken, vorantreiben

nährend: bekömmlich, essbar, kräftigend, nahrhaft, sättigend

nahrhaft: bekömmlich, deftig, gehaltvoll, genießbar, gesund, kalorienreich, kräftig, kräftigend, nährend, nährstoffreich, sättigend, schmackhaft

Nahrung: Ernährung, Essen, Kost, Mundvorrat, Nährstoff, Proviant, Speise, Verpflegung *Esswaren, Konsumgüter, Lebensmittel, Nahrungsmittel, Naturalien

Nahrungsmittelchemie: Lebensmittelchemie

Nahrungsmittelvergiftung: Lebensmittelvergiftung

Nährvater: Ernährer

Nahtband: Eggenband, Eckenband, Saumband

nahtlos: ohne Naht, ohne Übergang *eins, einwandfrei, fugenlos, übergangslos, wie aus einem Guss, ohne Bruch

Nahverkehr: Berufsverkehr, Regionalverkehr, Stadtverkehr

Nahverkehrszug: Bummelzug, S-Bahn

naiv: ahnungslos, arglos, einfältig, gutgläubig, harmlos, infantil, jung, kindlich, kritiklos, leichtgläubig, natürlich, nichts ahnend, treuherzig, unbedarft, unbefangen, unerfahren, unfertig, unkritisch, unreif, unschuldig, unvorbereitet, vertrauensselig, ohne Hintergedanken

Naivität: Ahnungslosigkeit, Albernheit

Name: Eigenname *Familienname, Geburtsname, Geschlechtsname, Mädchenname, Zuname *Kosename, Spitzname *Vorname *Deckname, Künstlername, Pseudonym

namenlos: anonym, inkognito, ungenannt, ohne Namen *horrend, unbeschreiblich, unglaublich, unsagbar, unsäglich

Namenlosigkeit: Anonymität

Namensbruder: Namensvetter

Namensforschung: Namenskunde, Onomastik

Namenszug: Autogramm, Handzeichen, Namenskürzel, Namenszeichen, Signatur, Signum, Unterschrift

namentlich: ausdrücklich, explizit, expressis verbis, im Einzelnen, mit Namen *besonders, vorwiegend, im Besonderen, in erster Linie

namhaft: geschätzt, hochgeschätzt, anerkannt, bedeutend, bekannt, berühmt, gefeiert, prominent

nämlich: bekanntlich, denn, weil, wie man weiß *und zwar, als da sind *gewis-

sermaßen, das heißt, genau gesagt, mit anderen Worten
Napf: Schälchen, Schüsselchen, Terrine
Naphtha: Erdöl
Narbe: Schmarre, Schmiss, Schmitz, Wundmal
narbig: blatternarbig, verunstaltet
Narkose: Anästhesie, Äthernarkose, Ätherrausch, Betäubung
Narkotika: Beruhigungsmittel, Einschläferungsmittel, Narkosemittel
narkotisch: berauschend, betäubend
narkotisieren: anästhesieren, betäuben, chloroformieren, einschläfern, schmerzunempfindlich machen, unter Narkose setzen
Narr: Bajazzo, Clown, Eulenspiegel, Faxenmacher, Geck, Hanswurst, Harlekin, Hofnarr, Hofzwerg, Humorist, Kasper, Kobold, Komiker, Original, Possenmacher, Possenreißer, Schalk, Schelm, Spaßmacher, Spaßvogel, dummer August *Dummkopf, Einfaltspinsel, Gelbschnabel, Gimpel, Grünhorn, Grünling, Grünschnabel, Naseweis, Tollpatsch, Tölpel, Tor, Trottel
narren: äffen, anführen, anulken, foppen, nasführen, necken, täuschen, veralbern, veräppeln, verkohlen, verulken, an der Nase herumführen, zum Narren halten, zum Besten haben, zum Besten halten, in den April schicken, auf den Arm nehmen, auf die Schippe nehmen
Narrenfest: Fasching, Karneval *Faschingsball, Kostümfest
Narrenhaus: Irrenhaus, Tollhaus
Narrenkleid: Narrenkostüm
narrensicher: idiotensicher
Narretei: Narrenpossen, Narrenstreich, Narrheit, Torheit, Unsinn, Widersinn
närrisch: ausgefallen, phantastisch, skurril, toll, überspannt, überspitzt, verschroben, verstiegen *amüsant, belustigend, burlesk, drollig, erheiternd, humorvoll, komisch, köstlich, lustig, possenhaft, putzig, spaßig, trocken, ulkig, vergnüglich, witzig, zum Lachen, zum Schießen *albern, dumm, lächerlich, lachhaft *merkwürdig *anstaltsreif, blöde, dumm, durchgedreht, hirnverbrannt, irr, rappelig, toll, verdreht, verrückt, wirr, nicht ganz richtig im Kopf, nicht ganz richtig bei Trost, nicht recht gescheit, nicht ganz gescheit, von allen guten Geistern verlassen, reif fürs Irrenhaus
Narwal: Einhornwal
Narzissmus: Selbstbezogenheit, Selbstliebe
Nasal: Nasenlaut
naschen: probieren, schlecken, schnabulieren, heimlich kosten
Näscherei: Confitüre, Feinkost
Naschhaftigkeit: Feinschmeckerei, Unmäßigkeit
naschhaft: gefräßig, genäschig, leckermäulig, vernascht
Naschkatze: Feinschmecker, Leckermaul, Nascher, Naschmaul, Schlecker, Schleckermaul
Nase: Gesichtsteil, Riecher, Riechorgan *Knolle, Zinken *Rüssel *Nüstern *Geruchssinn *Ahnung, Gespür
näseln: nuscheln, schnüffeln
näselnd: nasal
Nasenheilkunde: Rhinologie
Nasenschleimhautentzündung: Schnupfen
Nasenspiegelung: Rhinoskopie
Nasenspülung: Nasendusche
Nasenwucherung: Polyp
naseweis: altklug, dreist, frech, keck, kess, unverschämt, vorlaut, vorwitzig
nasführen: irreführen, irreleiten, täuschen, Sand in die Augen streuen, hinters Licht führen *äffen, anführen, anulken, foppen, narren, necken, täuschen, veralbern, veräppeln, verkohlen, verulken, an der Nase herumführen, zum Narren halten, zum Besten halten, zum Besten haben, in den April schicken, auf den Arm nehmen, auf die Schippe nehmen, aufs Glatteis führen
Nashorn: Rhinozeros
nass: durchnässt, durchweicht, feucht, klatschnass, pudelnass, regennass, triefend, triefnass, tropfnass, nass bis auf die Haut, vor Nässe triefend *begossen, benetzt, bewässert *angelaufen, beschlagen, überzogen *feucht, humid, klamm, regnerisch
nassauern: s. durchbetteln, s. durchessen, s. durchfechten, schmarotzen, schnorren

Nässe: Feuchtigkeit, Humidität, Nass, Wasser
nässen: durchfeuchten, Wasser abgeben, Nässe abgeben, Feuchtigkeit abgeben *netzen, benetzen, anfeuchten, befeuchten, benässen, nass machen
Nation: Volk, Völkerschaft, Volksgemeinschaft
national: einheimisch, patriotisch, vaterländisch, vaterlandsliebend, volksbewusst
Nationalflagge: Bundesfahne, Nationalfahne
Nationalgefühl: Heimatgefühl, Patriotismus, Vaterlandsliebe
Nationalität: Staatsangehörigkeit, Volkszugehörigkeit
nationalisieren: enteignen, kollektivieren, vergesellschaften, versozialisieren, verstaatlichen, in Volkseigentum überführen, in Kollektiveigentum überführen
Nationalismus: Gemeinschaftsgefühl, Gemeinschaftsgeist, Gemeinsinn, Staatsempfinden, Staatsgesinnung, Volksempfinden, Volksgefühl, Zugehörigkeitsgefühl, Zusammengehörigkeitsgefühl
Nationalist: Chauvinist, Patriot
nationalistisch: chauvinistisch, heimatliebend, übersteigert, vaterlandsliebend
Nationalität: Staatsangehörigkeit, Volkszugehörigkeit *nationale Minderheit, nationale Gruppe
Nationalsozialismus: Hitlerfaschismus, Nazismus, Rechtsextremismus
Nationalsozialist: Braunhemd, Faschist, Nazi
Nationaltracht: Volkskleidung, Volkstracht
natur: bio, echt, naturbelassen, natürlich, rein, ungespritzt, unverändert
Natur: Naturreich, Physis, Umwelt, Wald und Welt, Mutter Grün *Charakter, Eigenart, Gemütsart, Individualität, Naturell, Sinn, Veranlagung, Wesen, Wesensart
Naturalbezüge: Deputat, Naturalien, Naturallohn
Naturalien: Naturalwerte, Naturprodukte, Rohstoffe, Waren
naturalisieren: einbürgern, die Staatsbürgerschaft geben, die Staatsangehörigkeit verleihen
Naturalisierung: Einbürgerung, Naturalisation
naturalistisch: naturgetreu, realistisch, wirklichkeitsgetreu, genau nachgebildet, dem Vorbild nachgebildet, wie echt
naturbewusst: alternativ, ökologisch, umweltbewusst, umweltfreundlich
Naturbursche: Naturkind, Naturmensch
Naturell: Charakter, Eigenart, Gemütsart, Individualität, Natur, Sinn, Veranlagung, Wesen, Wesensart
Naturerzeugnisse: Naturalien, Naturprodukte
Naturgas: Erdgas
naturgemäß: erwartungsgemäß, natürlich, verständlicherweise, der Natur entsprechend, dem Charakter entsprechend
naturgetreu: naturalistisch, realistisch, wirklichkeitsgetreu, genau nachgebildet, wie echt, dem Vorbild nachgebildet
Naturgewalt: Element, Elementargewalt, Elementarkraft
Naturgummi: Kautschuk
naturhaft: elementar, elementarisch, erdgebunden, erdhaft, erdverbunden, naturverbunden, naturwüchsig, urwüchsig
Naturkunde: Biologie, Naturlehre
natürlich: authentisch, echt, genuin, naturgemäß, original, rein, spontan, unmittelbar, unverbildet, unverdorben, unverfälscht, ursprünglich, urtümlich, urwüchsig *entkrampft, entspannt, gelockert, gelöst, ruhig *familiär, formlos, frei, gelöst, informell, lässig, leger, nonchalant, offen, salopp, unbefangen, ungehemmt, ungeniert, ungezwungen, unzeremoniell, zwanglos *bodenständig, elementar, schmucklos, ungeniert *bestimmt, freilich, zweifellos, zweifelsohne, mit Sicherheit *biologisch, naturgemäß *einfach, glatt, gradlinig, klar, kunstlos, normal, phrasenlos, primitiv, schlicht, schmucklos, ungegliedert, ungekünstelt, ungeschminkt, unkompliziert
Natürlichkeit: Burschikosität, Gelöstheit, Lässigkeit, Unbefangenheit, Ungeniertheit, Ungezwungenheit, Zwanglosigkeit

*Einfachheit, Schlichtheit, natürliche Weise, natürliche Beschaffenheit
Naturrecht: Faustrecht
naturrein: biologisch, echt, naturbelassen, natürlich, pur, rein, sauber, unverfälscht, unvermischt, unversetzt, nicht genmanipuliert
Naturschutzgebiet: Landschaftsschutzgebiet, Nationalpark, Naturpark, Naturreservat
Naturtrieb: Instinkt, Trieb
naturverbunden: bodenständig, erdverbunden, ursprünglich
naturwidrig: schädlich, unnatürlich, wider die Natur, gegen die Natur
Nautik: Schifffahrtskunde
Navigationsgerät: Routenberechner
Nebel: Brodem, Dampf, Dunst, Fog, Nebelschleier, Smog, Suppe, Trübung, Wasserdampf
nebelhaft: nebulös, rätselhaft, undeutlich, ungenau, unklar, unpräzis, unpräzise, unscharf, unsicher, unübersichtlich, vage, verschwommen, wirr *dunstig
Nebelhaftigkeit: Dunkelheit, Dunst, Eintrübung, Trübung, Undurchsichtigkeit, Unklarheit, Verschwommenheit, Verworrenheit, Zusammenhanglosigkeit *Dämmer, Ferne, Weite
nebelig: diesig, dunstig, getrübt, grau, neblig, trübe, verhangen
neben: bei, daneben, nächst, nahe, seitlich (von), an der Seite, zu Seiten *gegenüber, verglichen, im Gegensatz, im Verhältnis zu, im Vergleich zu *abgesehen von, ausgenommen, bis auf, mit Ausnahme (von), ohne, nicht mitgerechnet, nicht inbegriffen
nebenan: daneben, nahe, unweit, nahe bei, direkt bei, dicht bei, in der Nähe, in Reichweite, leicht erreichbar, zum Greifen nahe, vor der Nase
Nebenanschluss: Nebenstelle
Nebenarbeit: Aushilfe, Heimarbeit, Nebenberuf, Nebentätigkeit, Nebenverdienst, Zusatzarbeit, Zusatzbeschäftigung, Zusatzbetätigung, Zusatzgewerbe, Zusatztätigkeit
Nebenausgabe: Ausgaben, Auslagen, Extraauslagen, Nebenkosten, Trinkgeld, Unkosten
nebenbei: apropos, beiläufig, leichthin, nebenher, obenhin, übrigens, am Rande, wie zufällig *bisweilen, gelegentlich, unregelmäßig, außer der Reihe, außer der Zeit *außerdem, daneben, nebenher
Nebenberuf: Nebenbeschäftigung, Nebenerwerb, Zweitberuf
Nebenbestimmung: Bedingung, Klausel
Nebenbuhler: Gegner, Konkurrent, Rivale
Nebenbuhlerei: Brotneid
nebeneinander: beieinander, beisammen, zusammen, einer neben dem anderen *alleine, isoliert, kontaktarm, kontaktlos, kontaktschwach, unbeteiligt, unverbunden, verbindungslos, vereinzelt, aneinander vorbei, ohne Beziehung ***nebeneinander halten:** abwägen, dagegenhalten, gegenüberhalten, gegenüberstellen, komparieren, konfrontieren, kontrollieren, nebeneinander stellen, vergleichen, prüfen (an), messen (an), einen Vergleich anstellen, einen Vergleich ziehen, Parallelen ziehen, einer Prüfung unterziehen, wägend prüfen ***nebeneinander laufend:** parallel ***nebeneinander stellen:** vergleichen
Nebeneinander: Absonderung, Beziehungslosigkeit, Gesondertheit, Getrenntheit, Isolation, Kontaktlosigkeit, Selbständigkeit, Unabhängigkeit, Ungleichartigkeit, Unverbundenheit *Eintracht, Harmonie, Verbundenheit
Nebenfigur: Nebenperson
Nebenfrau: Geliebte, Konkubine
Nebengebäude: Anbau, Nebenbau, Nebenhaus
Nebengedanke: Hintergedanke, Nebenabsicht *Berechnung, Vorbedacht, Wunschziel *Absicht, Ziel
Nebenmann: Geliebter, Hausfreund
Nebenprodukt: Abfallerzeugnis, Abfallprodukt
Nebenraum: Alkoven, Kammer, Kämmerchen, Nebenzimmer
Nebenrolle: Anmelderolle, Bedientenrolle, Charge, Chargenrolle, Episodenrolle
Nebensache: Bagatelle, Belanglosigkeit, Kinderspiel, Kleinigkeit, Lächerlichkeit, Nebensächlichkeit, Nichtigkeit *Bei-

werk, Staffage, Zutat, schmückende Ergänzung
nebensächlich: bedeutungslos, belanglos, egal, einflusslos, ephemer, farblos, folgenlos, irrelevant, nachgeordnet, nichts sagend, peripher, sekundär, unbedeutend, unerheblich, uninteressant, unmaßgeblich, unscheinbar, untergeordnet, unwesentlich, unwichtig, wertlos, wesenlos, zweitrangig, an zweiter Stelle, nicht der Rede wert, nicht von Interesse, nicht erwähnenswert, ohne Belang, ohne Einfluss, ohne Relevanz
Nebensächlichkeit: Bagatelle, Banalität, Bedeutungslosigkeit, Belanglosigkeit, Nebensache
Nebenstehender: Nebenmann
Nebenstelle: Filiale, Zweigstelle *Vertretung
Nebenstraße: Feldweg, Schleichweg, Schotterstraße, Verbindungsstraße, Zubringer, Zugangsweg
Nebenumstände: Begleitumstände, Brimborium, Kontext, Zusammenhang, alles, was damit zusammenhängt, alles, was damit verbunden ist, das Drum und Dran
Nebenverdienst: Nebeneinkommen, Zweiteinkommen
Nebenwirkung: Auswirkungen, Begleiterscheinung, Folge
neblig: diesig, dunstig, getrübt, grau, nebelig, trübe, verhangen
nebst: einbegriffen, eingeschlossen, einschließlich, inklusive, mit, mitsamt, plus, samt, und, zusammen (mit), zusätzlich, alles in allem
nebulös: anrüchig, bedenklich, berüchtigt, dubios, fragwürdig, halbseiden, lichtscheu, notorisch, obskur, ominös, suspekt, übelbeleumdet, undurchsichtig, verdächtig, verrufen, zweifelhaft, nicht astrein *diffus, dunkel, nebelhaft, obskur, schattenhaft, schemenhaft, unklar, verwaschen
necken: anpflaumen, aufziehen, foppen, frotzeln, hänseln, narren, scherzen, schrauben, seinen Spaß treiben (mit), uzen, verspotten, verulken, auf den Arm nehmen, zum Besten halten, auf die Schippe nehmen, zum Besten haben
Neckerei: Fopperei, Frotzelei, Gehänsele, Hänselei, Schelmerei, Scherz, Spott, Uzerei
neckisch: affig, albern, kess, kindisch, lächerlich, läppisch, töricht
Neckname: Beiname, Scherzname, Schimpfname, Spitzname, Spottname
Neffe: Bruderkind, Schwesterkind
Negation: Ablehnung, Verneinung, Zurückweisung
negativ: ablehnend, abschlägig, verneinend *erfolglos, missglückt, nutzlos, umsonst, unnütz, unwirksam, vergebens, vergeblich, wirkungslos, zwecklos, ohne Ergebnis, ohne Resultat *abträglich, nachteilig, schädlich, ungünstig, verderblich *kleiner als Null *bitter, schlecht
Neger: Afrikaner, Farbiger, Mohr, Schwarzer
negieren: ablehnen, abstreiten, bestreiten, leugnen, verneinen, mit Nein beantworten, nein sagen
Negierung: Verneinung
Negligé: Hauskleid, Morgenrock
Neigungsmesser: Klinometer
nehmen: abjagen, abnehmen, s. aneignen, s. einer Sache bemächtigen, entreißen, entwenden, entwinden, fortnehmen, wegnehmen, s. zu Eigen machen, an sich reißen, Besitz ergreifen, in Besitz bringen, in Besitz nehmen, zu seinem Eigentum machen *annehmen, entgegennehmen, s. schenken lassen, an sich nehmen, in Empfang nehmen *einnehmen, s. einverleiben, essen, zu sich nehmen *fassen, erfassen, ergreifen, packen, zugreifen, zur Hand nehmen, in die Hand nehmen *benutzen, s. einer Sache bedienen, Gebrauch machen (von), gebrauchen, s. zunutze machen *auffassen, aufnehmen, auslegen, beurteilen, deuten, einschätzen, empfinden (als), halten (für), herauslesen, interpretieren, verstehen, denken (über) *einkassieren, stehlen, wegnehmen *erwerben, kaufen *einnehmen, erobern ***auf sich nehmen:** s. aufbürden, s. auflasten, tragen
Neid: Eifersucht, Missgunst, Scheelsucht, böser Wille
neiden: beneiden, missgönnen, schielen (nach), eifersüchtig sein, neidisch sein,

missgünstig sein, nicht gönnen, scheel sehen, scheele Augen machen, vor Neid platzen
Neider: Giftnudel, Giftzahn, Neidhammel, Schielauge
neidisch: eifersüchtig, missgünstig, neiderfüllt, scheel, scheelsüchtig, scheel blickend
neidlos: anerkennend, gewogen, lobend, wohlgesinnt, freundlich gesinnt, positiv gesinnt
Neige: Rest, Rückstand, Überbleibsel, Übriggebliebenes, das Übrige
neigen: beugen, senken, nach unten biegen, sinken lassen, zur Seite drehen, zur Seite bewegen *hinneigen (zu), inklinieren, tendieren (zu) ***s. neigen:** s. drehen, s. senken *abfallen, heruntergehen *hinzubewegen, auf ein Ende zugehen, zu einem Abschluss kommen *schräg verlaufen
Neigung: Abfall, Abschüssigkeit, Gefälle, Höhenunterschied, Schräge, Senkung, Steile *Bedürfnis, Faible, Hang, Hinneigung, Interesse, Schwäche, Sehnsucht, Sympathie, Talent, Veranlagung, Vorliebe, Zuneigung *Inklination
nein: denkste, keinesfalls, keineswegs, unmöglich, durchaus nicht, das fehlte gerade noch, kommt nicht in Frage, nicht (doch), um Himmels willen, nie und nimmer, weit gefehlt, nicht dass ich wüsste
Nekrophilie: Nekromanie
Nekrolog: Grabrede, Leichenrede, Nachruf, Totenrede
Nekropsie: Leichenöffnung, Leichenschau
Nekrose: Gewebstod
Nektar: Fruchtnektar, Fruchtsaft, Obstsaft *Ambrosia, Götterspeise
Nennbetrag: Nominalbetrag
nennen: anführen, erwähnen *benamsen, benennen, betiteln, bezeichnen, heißen, rufen, schimpfen, taufen
nennenswert: beachtenswert, beachtlich, bemerkenswert, bewundernswert, erwähnenswert, lobenswert, überlegenswert
Nennfall: Nominativ
Nennform: Infinitiv
Nennwert: Nominalwert
Nennwertabschlag: Disagio
Nepp: Ausbeutung, Betrug, Gaunerei, Geldschneiderei, Preisschneiderei, Übervorteilung, Wucher
neppen: ablisten, ausbeuten, begaunern, betrügen, prellen, schröpfen, übervorteilen
Nerv: wunde Stelle, wunder Punkt, das Innerste, im Zentrum *Nervenfaser *Blattader, Blattrippe *Flügelader *Gespür, Sinn, Verständnis
nerven: behelligen, plagen, stören, nicht in Ruhe lassen, zur Last fallen *aufbringen, aufregen, aufreizen, aufrühren, aufwühlen, elektrisieren, ereifern, erhitzen, erregen, in Fahrt bringen
Nervenarzt: Psychiater, Seelenarzt
Nervenberuhigungsmittel: Sedativum
Nervenentzündung: Neuritis
Nervenerschütterung: Schock
Nervenfaser: Fibrille
Nervengeflecht: Plexus
Nervenheilkunde: Neurologie
Nervenkitzel: Reiz, Sensation
Nervenklinik: Irrenanstalt, Nervenheilanstalt, neurologische Klinik
Nervenknoten: Ganglion
nervenkrank: depressiv, gemütskrank, nervenleidend, neurotisch, psychopathisch, seelenkrank
Nervenleiden: Nervenkrankheit, Neuropathie
Nervensäge: Plagegeist, Quälgeist, Ruhestörer, Störenfried
Nervenschmerz: Neuralgie
Nervenschwäche: Neurasthenie
Nervenstrang: Nervenbahn
Nervenzelle: Neuron
nervenzerreißend: atemberaubend, aufregend, aufwühlend, dramatisch, erregend, faszinierend, fesselnd, mitreißend, packend, prickelnd, spannend, spannungsreich
Nervenzusammenbruch: Anfall, Kollaps, Schock, Zusammenbruch
nervig: kraftvoll, sehnig
nervös: aufgeregt, fahrig, flatterig, gereizt, hektisch, nervenschwach, neurotisch, rastlos, reizbar, ruhelos, schusslig, schusselig, überanstrengt, übererregt,

überreizt, unbeherrscht, unruhig, unstet, zappelig, zerfahren
Nervosität: Nervenschwäche, Reizbarkeit, Spannung, Überreiztheit *Erregung, Herzklopfen, Lampenfieber *Managerkrankheit, Stress *Getriebensein, Ruhelosigkeit, Umhergetriebensein, Unrast, Unruhe
Nesselausschlag: Nesselfieber, Nesselsucht
Nesseltier: Polyp *Meduse
Nest: Horst, Nistplatz, Vogelnest *Schlupfloch, Schlupfwinkel, Versteck, Zuflucht *Bauerndorf, Dorf, Flecken, Kaff, Niederlassung, Ort, Örtlichkeit, Weiler *Bett, Bettgestell, Bettlager, Bettstatt, Bettstelle, Falle, Koje, Lager, Pritsche, Schlafgelegenheit, Schlafstatt, Schlafstätte, die Federn *Dutt, Haarknoten
Nesthäkchen: Benjamin, Jüngstes, Kleinstes, Nestküken, Schoßkind, Zärtling
Nestor: Beirat, Berater *Ältester
Nestwärme: Behütetsein, Geborgenheit, Liebe, Zuwendung
nett: ansprechend, einnehmend, entgegenkommend, freundlich, gefällig, herzlich, höflich, lieb, liebenswürdig, reizend, sympathisch, warm *angenehm, annehmlich, behaglich, erquicklich, gemütlich, wohlig, wohltuend, zusagend *angenehm, anmutig, anziehend, attraktiv, aufreizend, betörend, bezaubernd, charmant, einnehmend, entzückend, gewinnend, hübsch, lieb, lieblich, liebenswert, reizvoll, sympathisch, toll *ansehnlich, groß, stattlich *anregend, informativ, interessant *adrett, gepflegt, ordentlich *angenehm, aufgeräumt, heimelig, wohnlich
netto: rein, nach Abzug, ohne Verpackung, ohne Zusatz
Nettoeinkommen: Einkommen nach Abzug, Nettolohn
Nettoertrag: Nettogewinn, Reinerlös, Reinertrag, Reingewinn
Nettogewicht: tatsächliches Gewicht
Netz: Flechtwerk, Gewebe, Maschenwerk, Netzwerk, Verknotung, Verschlingung *Fangnetz, Fischnetz, Fischernetz, Fischreuse, Reuse, Wurfnetz *Drahtgeflecht, Drahtnetz *Einkaufsnetz *Haarnetz *Gesamtheit, Netzwerk, System
Netzauge: Facettenauge
netzen: anfeuchten, begießen, berieseln, besprengen, bewässern, einsprengen, einspritzen, gießen, nässen, spritzen
netzförmig: durchbrochen
Netzhaut: Retina
Netzwerk: Filigran, Geflecht
neu: nagelneu, funkelnagelneu, fabrikneu, neu gebacken, neuwertig, taufrisch, unberührt, ungebraucht, ungenutzt, ungetragen, nicht verwendet *anders, erstmalig, fremd, neuartig, originell, unbekannt, ungewohnt, noch nie dagewesen, noch nie gesehen, noch nie gehört *abermals, erneut, nochmals, wieder, wiederum, aufs Neue, noch einmal, von neuem, von vorn *erneuert, renoviert, repariert, restauriert, saniert, wiederhergestellt, neu gemacht *modern, modisch *aktuell, akut, brandneu *jung, unbewandert, unerfahren, unkundig, unwissend *frisch gespurt *frisch, jung *blank, glänzend ***neu gestalten:** abändern, abwandeln, ändern, reformieren, reorganisieren, umändern, umbilden, umformen, umgestalten, umschaffen, umwandeln, verändern, verwandeln, neu ordnen *renovieren, restaurieren ***neu ordnen:** ändern, verändern, reorganisieren, umändern, umschaffen, neu gestalten
Neubeginn: Comeback
Neubelebung: Auffrischung, Erholung
Neubildung: Regeneration
Neubürger: Neuling, Neusiedler, Zugereister
Neuerer: Avantgardist, Neugestalter, Pionier, Reformator
neuerdings: letztens, nun, in letzter Zeit, seit neuem, seit kurzem, seit kurzer Zeit
neuerlich: abermals, erneut, nochmals, wieder, wiederholt, wiederum, aufs Neue, noch einmal, wieder einmal, von neuem, von vorn, zum anderen Male, zum zweiten Male
Neuerscheinung: Faksimile, Nachdruck, Neuauflage, Reprint *Neuheit, Novität
Neuerung: Innovation, Neugestaltung, Neuheit

neugeboren: erholt, frisch, gesund, jung
Neugeborenes: Baby, Brustkind, Nachwuchs, Säugling, Wickelkind, Wiegenkind
Neugestalter: Neuerer, Reformer, Reorganisator *Restaurator
Neugestaltung: Änderung, Neuerung, Neuordnung, Neuregelung, Reorganisation, Umformung, Veränderung
Neugier: Forschertrieb, Indiskretion, Interesse, Neugierde, Sensationslust, Ungeduld, Wissbegier, Wissensdrang
neugierig: indiskret, schaulustig, sensationslüstern, vorwitzig, wissbegierig, wissensdurstig, von Neugier erfüllt ***neugierig machen:** foltern, auf die Folter spannen, in Spannung versetzen ***neugierig sein:** s. den Hals ausrecken, s. den Hals ausrenken, gaffen, einen langen Hals machen
Neuheit: Neuerscheinung, Neuerung, Neues, Neuland, Novität, Novum, der letzte Schrei
Neuigkeit: Nachricht, das Neueste
Neujahr: Jahresanfang, Jahresbeginn, Neujahrstag, 1. Januar
Neuland: Anschwemmung, Marschland, Schwemmland *Neues, Unbekanntes, Unbestimmtes, Ungewohntes
neulich: jüngst, jüngstvergangen, kürzlich, letztens, letzthin, unlängst, dieser Tage, noch nicht lange her, vor einer Weile, vor kurzem, vor kurzer Zeit
Neuling: Anfänger, Debütant, Greenhorn, Unerfahrener *Novize
neumodisch: modern, neuartig, zeitgemäß, à la mode, auf dem neusten Stand, mit der Zeit, up to date
Neuneck: Nonagon
Neunmalkluger: Besserwisser, Klugscheißer, Rechthaber, Schlaumeier
Neuordnung: Neugestaltung, Neuregelung
neuralgisch: bedenklich, delikat, diffizil, gewagt, heikel, kitzlig, kompliziert, kritisch, peinlich, prekär, problematisch, verfänglich, zweischneidig, zwiespältig, nicht geheuer
Neureicher: Arrivierter, Aufsteiger, Emporkömmling, Karrieremensch, Moneymaker, Parvenü, Selfmademan
neurotisch: depressiv, gemütskrank, nervenkrank, nervenleidend, psychopathisch, seelenkrank
neutral: fair, gerecht, indifferent, objektiv, parteilos, sachlich, unabhängig, unbefangen, unparteiisch, unvoreingenommen, vorurteilsfrei, vorurteilslos, wertfrei, nicht festgelegt
neutralisieren: balancieren, ausbalancieren, ausgleichen, das Gleichgewicht wahren, das Gleichgewicht herstellen, die Waage halten, ein Gegengewicht bilden *ausschalten, ausschließen, eliminieren, unterbinden, unwirksam machen, gegenseitig aufheben
Neutralität: Nichtbeteiligung, Nichteinmischung
Neutronenwaffe: Neutronenbombe
Neuverfilmung: Neufassung, Neugestaltung, Remake
Neuwert: Anschaffungspreis, Anschaffungswert, Neupreis
neuwertig: nagelneu, funkelnagelneu, fabrikneu, neu, neugebacken, taufrisch, unberührt, ungebraucht, ungenutzt, ungetragen, nicht verwendet
Neuzeit: Moderne
neuzeitlich: modern, neuartig, neumodisch, zeitgemäß, à la mode, auf dem neusten Stand, mit der Zeit, up to date
nicht: keinesfalls, nein, unmöglich, durchaus nicht, kommt nicht in Frage, nie und nimmer, weit gefehlt, nicht dass ich wüsste, nicht doch
Nichtachtung: Demütigung, Despektierlichkeit, Geringachtung, Geringschätzung, Herabsetzung, Missachtung, Pejoration, Respektlosigkeit, Verachtung
nicht amtlich: inoffiziell, privat
Nichtanerkennung: Ablehnung, Missachtung, Schimpf, Verachtung *Rüge, Tadel
Nichtangriffspakt: Abmachung, Gewaltverzichtsabkommen, Gewaltverzichtserklärung, Nichtangriffsabkommen
Nichtbeachtung: Außerachtlassung, Missachtung, Nichteinhaltung, Übertretung, Verletzung, Zuwiderhandlung
Nichte: Bruderkind, Schwesterkind
Nichteingeweihter: Außenstehender, Exoteriker, Laie

Nichteinmischung: Neutralität, Unabhängigkeit, Untätigkeit
nichtehelich: außerehelich, illegitim, unehelich, vorehelich
Nichterfüllung: Fahrlässigkeit, Nachlässigkeit, Nichtausführung, Nichteinhaltung, Unaufmerksamkeit, Unterlassung, Vernachlässigung, Versäumnis
Nichtfachmann: Amateur, Anfänger, Dilettant, Laie, Nichtskönner, Unkundiger
nichtig: gegenstandslos, grundlos, haltlos, hinfällig, überflüssig, unbrauchbar, ungültig, unwirksam, verfallen, wertlos, wesenlos, zwecklos, außer Kraft, es erübrigt sich *akzidentiell, bedeutungslos, belanglos, einflusslos, farblos, gleichgültig, irrelevant, minderbedeutend, nichts sagend, peripher, unauffällig, unbedeutend, unerheblich, uninteressant, unscheinbar, unwesentlich, unwichtig, wertlos, wesenlos, nicht erwähnenswert, ohne Belang, nicht der Rede wert, kaum der Rede wert
Nichtiges: Belangloses, Unwichtiges
Nichtigkeit: Bedeutungslosigkeit, Geringfügigkeit, Kleinigkeit, Nebensache, Nichts, Quark, Unwichtigkeit
Nichtigkeitserklärung: Annullierung
Nichtkundiger: Anfänger, Dilettant, Laie
Nichtmitglied: Außenstehender, Outsider
nichtöffentlich: geheim, inoffiziell, vertraulich, ohne Öffentlichkeit
nichts: null, kein Deut, nicht das Geringste, nicht ein Deut, keine Silbe, keine Spur, nicht das Mindeste, nicht die Bohne, überhaupt nichts, gar nichts, kein Funke, kein Fünkchen ***nichts ahnend:** ahnungslos, unvorbereitet, unwissend, nichts Böses ahnend ***nichts sagend:** ausdruckslos, bedeutungslos, belanglos, fade, farblos, klein, leer, unbedeutend, unwesentlich, wesenlos, ohne Ausdruck *geistlos, ohne Inhalt, ohne Gehalt *banal, hohl, inhaltslos, leer, phrasenhaft, stereotyp
Nichts: Bedeutungslosigkeit, Geringfügigkeit, Kleinigkeit, Nebensache, Nichtigkeit, Quark, Unwichtigkeit *Leere, Vakuum, luftleerer Raum
nichtsdestoweniger: aber, dem ungeachtet, dennoch, dessen ungeachtet, doch, gleichwohl, jedenfalls, nichtsdestotrotz, obgleich, trotzdem, trotz allem
Nichtskönner: Amateur, Anfänger, Dilettant, Einfaltspinsel, Laie, Nichtfachmann, Nichtswisser, Stümper, Unkundiger
Nichtsnutz: Faulenzer, Früchtchen, Galgenstrick, Galgenvogel, Gammler, Haderlump, Herumtreiber, Landstreicher, Strolch, Stromer, Taugenichts, Tunichtgut
Nichtstuer: Bummelant, Bummler, Daumendreher, Drückeberger, Faulenzer, Faulpelz, Flaneur, Müßiggänger, Phlegmatiker, Schmarotzer, Tagedieb, Taugenichts, fauler Strick
Nichtswisser: Dummkopf, Dümmling, Einfaltspinsel, Strohkopf, hohler Kopf
nichtswürdig: gemein, hundsgemein, abscheulich, garstig, infam, lumpig, miserabel, mistig, niederträchtig, ruchlos, schäbig, schändlich, schimpflich, schmachvoll, schmählich, schmutzig, schnöde, schofel, schuftig, verrucht
Nichtübereinstimmung: Differenz, Disput, Entzweiung, Streit
nichtweltlich: esoterisch, geistig *geistlich, kirchlich, klerikal, sakral
Nichtwissen: Ahnungslosigkeit, Ignoranz, Unkenntnis, Unwissenheit
Nichtzuständigkeit: Inkompetenz
nicken: begrüßen, bejahen, zustimmen, ja sagen, mit Ja antworten *begrüßen, grüßen, zunicken
Nickerchen: Ausruhen, Mittagsschlaf, Schlaf, Sekundenschlaf, Siesta
nie: ausgeschlossen, keineswegs, nein, niemals, undenkbar, absolut nicht, ganz und gar nicht, gewiss nicht, sicher nicht, beileibe nicht, bestimmt nicht, durchaus nicht, auf keinen Fall, nicht um alles in der Welt, nie und nimmer, weit gefehlt
nieder: abwärts, herunter, hinab, hinunter, in die Tiefe, nach unten, zu Boden *bodennah, ebenerdig, flach, fußhoch, klein, kniehoch, niedrig, nicht hoch, von geringer Höhe *banal, gemein, gewöhnlich, nichts sagend, niveaulos, ordinär, primitiv, unbedeutend, unfein, vulgär

niederbeugen (s.): s. beugen, s. bücken, s. ducken, s. krümmen, s. neigen
niederbrennen: abbrennen, einäschern, in Schutt und Asche legen, in Flammen aufgehen *abbrennen, anzünden, brennen, einäschern, s. in Rauch auflösen, verbrennen, verkohlen, verlodern, in Asche legen, ein Raub der Flammen werden, in Flammen aufgehen, in Rauch aufgehen
niedere: flache, kleine, tiefe *einfache, untere
niederfallen: fallen, herabfallen, herunterfallen, umfallen, umkippen
Niedergang: Abstieg, Fall, Rückwärtsentwicklung, Untergang, Verfall, Vernichtung, Verschlechterung, Zerfall, Zerrüttung, Zusammenbruch
niedergehen: fallen, s. senken, zu Boden gehen *ankommen, s. auf die Erde senken, aufsetzen, landen, an Land setzen *abstürzen, auftreffen *untergehen, versinken, hinter dem Horizont verschwinden *absterben, aussterben, degenerieren, entarten, untergehen, verfallen, dem Untergang entgegengehen, in Verfall geraten
niedergeschlagen: gedrückt, niedergedrückt, deprimiert, entmutigt, flügellahm, freudlos, gebrochen, geknickt, kleinlaut, kleinmütig, lebensmüde, melancholisch, mutlos, niedergeschmettert, resigniert, traurig, trübsinnig, verzagt, verzweifelt, mit gesenktem Haupt, gesenkten Hauptes
Niedergeschlagenheit: Bedrückung, Depression, Freudlosigkeit, Gedrücktheit, Melancholie, Mutlosigkeit, Schwermut, Tief, Trauer, Trübsinn, Verzagtheit, Verzweiflung, traurige Stimmung
niederhalten: bedrängen, bedrücken, drangsalieren, ducken, knebeln, knechten, mobben, terrorisieren, tyrannisieren, unterdrücken, unterjochen, versklaven, ins Joch spannen, in Schach halten
niederkämpfen: besiegen, fertig machen, niederwerfen, ruinieren, schlagen, überwältigen, unterjochen, unterkriegen, vernichten
niederknien: s. hinknien, knien, auf die Knie fallen
niederkommen: entbinden, gebären, kreißen, ein Kind bekommen, ein Baby bekommen, ein Kind kriegen, das Leben schenken, auf die Welt bringen *landen
Niederkunft: Ankunft, Entbindung, Geburt, Lebensbeginn, freudiges Ereignis, schwere Stunde
Niederlage: Abfuhr, Bankrott, Debakel, Durchfall, Fiasko, Misserfolg, Misslingen, Pech, Ruin, Schlappe, Versagen, Zusammenbruch
niederlassen: herablassen, herunterlassen, hinablassen, hinunterlassen, senken ***s. niederlassen:** s. ansiedeln, s. einnisten, s. etablieren, s. festsetzen, siedeln, ansässig werden, sesshaft werden, seine Zelte aufschlagen, seinen Wohnsitz aufschlagen *eine Praxis eröffnen, ein Geschäft eröffnen, ein Unternehmen eröffnen, eine Firma eröffnen, eine Praxis gründen, ein Geschäft gründen, ein Unternehmen gründen, eine Firma gründen *bleiben
Niederlassung: Ansiedlung, Kolonie, Siedlung *Annahmestelle, Außenstelle, Geschäftsstelle, Vertretung, Zweigstelle
niederlegen: aufschreiben, aufzeichnen, niederschreiben, schriftlich festhalten *betten, hineinlegen, zu Bett bringen *streiken *ablegen, deponieren, hinlegen, hinstellen *ablegen, absetzen, abstellen, herabsetzen, hinstellen, niedersetzen *zurücktreten *abbrechen ***s. niederlegen:** s. hinlegen, s. hinstrecken, s. schlafen legen, s. zur Ruhe begeben, schlafen gehen, ins Bett gehen
niedermachen: erlegen, niedermetzeln, niederstechen, töten, umbringen, zur Strecke bringen *schelten, ausschelten, schimpfen, ausschimpfen, anbrüllen, angreifen, attackieren, auszanken, heruntermachen, poltern, tadeln, zanken, zetern, zurechtweisen
niedermetzeln: massakrieren, töten
niederprasseln: einschlagen, einstürmen, einwirken, hageln, s. häufen, niedergehen
niederreißen: abbrechen, abreißen, abtragen, beseitigen, einebnen, einreißen, entfernen, planieren, schleifen, zerstören, dem Erdboden gleichmachen

Niederreißung: Abbruch, Beseitigung
niederringen: besiegen, fertig machen, niederkämpfen, niederwerfen, ruinieren, schlagen, überwältigen, unterjochen, unterkriegen, vernichten
Niederschlag: Knockdown, Knockout, K.o., K.o.-Niederlage, K.o.-Schlag *Ablagerung, Absatz, Bodensatz, Rest, Sediment, zurückbleibender Stoff *Dauerregen, Dusche, Guss, Regen, Regenfall, Regenguss, Regenschauer, Regentröpfchen, Regentropfen, Regenwetter, Regenzeit, Schauer, Tropfen *Unwetter, Wolkenbruch *Eiskristall, Schnee, Schneefall, Schneeflocke, Schneegestöber, Schneekristall, Schneeregen, Schneeschauer, Schneesturm, Schneetreiben *Hagel, Hagelschauer *Gewitter, Gewitterguss, Gewitterregen, Gewitterschauer
niederschlagen: schlagen, zusammenschlagen, niederschmettern, niederstoßen, niederstrecken, verprügeln, k.o. schlagen, knockout schlagen, zu Boden schlagen, zu Boden werfen *beenden, unterbinden, unterdrücken, vereiteln, im Keim ersticken ***s. niederschlagen:** s. ablagern, s. abschlagen, s. absetzen, s. ansammeln, sedimentieren, einen Bodensatz bilden
niederschlagsarm: regenarm, trocken
niederschmettern: erschüttern, einen Schock versetzen *schlagen, zusammenschlagen, niederschlagen, niederstoßen, niederstrecken, verprügeln, k.o. schlagen, knockout schlagen, zu Boden schlagen, zu Boden werfen
niederschmetternd: bejammernswert, beschämend, schlimm, schmerzlich
niederschreiben: aufschreiben, aufzeichnen, protokollieren
Niederschrift: Aufzeichnung, Manuskript, Notierung, Notizen, Protokoll *Aufsatz, Deutschaufsatz, Schulaufsatz *Abfassung, Anfertigung, Aufzeichnung, Formulierung, Manuskript *Vertrag
niedersetzen: absetzen, deponieren, herabstellen, hinabstellen, hinstellen, niederlegen, niederstellen, platzieren ***s. niedersetzen:** s. setzen, s. hinsetzen, s. niederlassen, Platz nehmen *s. ausruhen
niederstimmen: überstimmen
niederstoßen: schlagen, zusammenschlagen, niederschlagen, niederschmettern, niederstrecken, umstoßen, verprügeln, k.o. schlagen, knockout schlagen, zu Boden schlagen, zu Boden werfen
niederstrecken: ermorden, erschießen, niederknallen, niederschießen, töten *schlagen, zusammenschlagen, niederschlagen, niederschmettern, niederstoßen, umstoßen, verprügeln, k.o. schlagen, knockout schlagen, zu Boden schlagen, zu Boden werfen
Niedertracht: Bösartigkeit, Boshaftigkeit, Bosheit, Böswilligkeit, Garstigkeit, Gehässigkeit, Gemeinheit, Gift, Heimtücke, Hinterlist, Infamie, Niederträchtigkeit, Rachsucht, Schadenfreude, Schikane, Schlechtigkeit, Schurkerei, Teufelei, Tücke, Übelwollen, Unverschämtheit, böser Wille
niederträchtig: gemein, hundsgemein, boshaft, schäbig, schändlich, schimpflich, schmachvoll, schmählich, schmutzig, schnöde
Niederung: Ebene, Fläche, Flachland, Plateau, Platte, Tafel, Tafelland
niederwalzen: ausradieren, destruieren, ruinieren, verheeren, vernichten, verwüsten, zerbomben, zermalmen, zerrütten, zerschießen, zerstören, zusammenschießen, dem Erdboden gleichmachen, zugrunde richten
niederwerfen: beenden, lahm legen, niederschlagen, unterbinden, vereiteln, ein Ende machen, im Keim ersticken *besiegen, schlagen, überrennen, überwältigen ***s. niederwerfen:** s. auf den Boden werfen, s. auf die Erde werfen, s. auf die Knie werfen, s. jmdm. zu Füßen werfen, s. untergeben, auf die Knie fallen
niedlich: angenehm, anmutig, anziehend, attraktiv, aufreizend, betörend, bezaubernd, charmant, einnehmend, entzückend, gewinnend, hübsch, lieb, lieblich, liebenswert, reizend, reizvoll, sympathisch, toll
niedrig: gemein, gewöhnlich, niveaulos, ordinär, pöbelhaft, primitiv, schlecht, unfein *böswillig, gehässig, gemein, niederträchtig *einfach, gering, gewöhnlich, niedrig stehend, von niederer Her-

kunft *gering, kläglich, minimal, wenig *flach, fußhoch, klein, seicht, untief, von geringer Höhe ***niedrig stehend:** unentwickelt, unterentwickelt, untergeordnet
Niedrigkeit: Bosheit, Böswilligkeit, Gehässigkeit, Gemeinheit, Niedertracht, Niederträchtigkeit, Übelwollen, böse Absicht, böser Wille
niedrigste: tiefste, unterste *flachste, seichteste *böseste, gemeinste, niederträchtigste, schlimmste
Niedrigwasser: Ebbe, Hollebbe
niemals: keinesfalls, nie, nicht im Schlaf, auf keinen Fall, unter keinen Umständen, um keinen Preis
niemand: keiner, kein (einziger) Mensch, keine Menschenseele, nicht einer, keine Seele, keine zehn Pferde
Niemand: Nichtsnutz, Taugenichts *Keiner, Nobody, Null
Nierenentzündung: Nephritis
nieseln: fisseln, fusseln, rieseln, sprühen, tröpfeln, tropfen, leicht regnen
Nieselregen: Nebelregen, Regentröpfchen, leichter Regen
Niete: Metallbolzen, Niet *Fehllos *Blindgänger, Nichtsnutz, Niemand, Taugenichts, Versager *Fehlschlag, Niederlage
Nihilismus: Fatalismus, Werteverneinung, Ablehnung der Normen
nihilistisch: unglücklich, todunglücklich, bedrückt, bekümmert, betrübt, defätistisch, depressiv, desolat, elegisch, elend, freudlos, hypochondrisch, melancholisch, pessimistisch, schwarzseherisch, schwermütig, traurig, trist, trübe, trübselig, trübsinnig, unfroh, wehmütig
Nimbus: Aureole, Glanz, Glorie, Glorienschein, Gloriole, Heiligenschein, Korona, Mandorla *Achtung, Ansehen, Autorität, Bedeutung, Ehre, Format, Geltung, Gesicht, Größe, Leumund, Name, Prestige, Profil, Rang, Renommee, Ruhm, Sozialprestige, Stand, Stolz, Unbescholtenheit, Wichtigkeit, Würde
nimmermüde: beharrlich, durchhaltend, entschlossen, erbittert, hartnäckig, rastlos, stur, unaufhörlich, unbeirrt, unentwegt, unermüdlich, unverdrossen, verbissen, zäh
nimmer: keineswegs, nie, niemals
nimmersatt: esslustig, gefräßig, gierig, maßlos, unersättlich, unmäßig, unstillbar
Nimmersatt: Fresssack, Vielfraß
nippen: kosten, probieren, schlürfen, einen Tropfen versuchen, einen kleinen Schluck nehmen
nirgends: nirgendwo, an keiner Stelle, an keinem Ort, an keinem Platz
Nische: Einbauchung, Höhle, Loch, Mauervertiefung, Vertiefung, Wandvertiefung *Zimmerecke, Zimmernische
nisten: s. einnisten, horsten, wohnen
Niveau: Bildungsabschluss, Bildungsgrad, Bildungsstand, Grad, Horizont, Rang, Stufe *Ebene, Höhenlage, Höhenstufe, Oberfläche *Meeresspiegel, Wasserstand *Bildungsstand, Bildungsstufe
niveaulos: anspruchslos, ungebildet, geistig nicht hochstehend, kulturell nicht hochstehend, ohne Niveau
niveauvoll: anspruchsvoll, gebildet, kulturell hochstehend, geistig hochstehend, von Niveau, mit Niveau
nivellieren: ebnen, einebnen, abgleichen, abstimmen, abtragen, einplanieren, glätten, glatt machen, gleichmachen, planieren, eben machen, flach machen *adaptieren, annähern, anpassen, gleichmachen, unifizieren, uniformieren
Nivellierung: Gleichmachung
Nixe: Meerjungfrau, Meerweib, Nymphe, Seejungfer
nobel: elegant, exklusiv, fein, feinfühlend, feinsinnig, kultiviert, vornehm *freigebig, gebefreudig, großzügig, hochherzig, spendabel, splendid *elegant, schick
Nobelauto: Luxusauto, Luxusschlitten, Nobelkarosse
Noblesse: Adel *Distinktion, Feinheit, Vornehmheit, Würde
noch: augenblicklich, derzeit, momentan, bis jetzt, bis zu diesem Zeitpunkt, zur Zeit *weiterhin, für die nächste Zeit, für kurz, nach wie vor ***gerade noch:** kaum, knapp, unmerklich, vereinzelt, wenig, ab und zu, fast gar nichts, so gut wie nie
nochmals: abermalig, abermals, erneut, mehrfach, mehrmals, neuerlich, noch-

malig, vielfach, wieder, wiederholt, wiederkehrend, noch einmal, von neuem, von vorn
Nomade: Hirte, Ruheloser, Umherirrender, Umherziehender, Wanderer *Streuner, Vagabund
nomadisch: ruhelos, umherirrend, umherschweifend, umherziehend, unstet
nominell: vorgeblich, nur dem Namen nach, nicht wirklich
nominieren: benennen, designieren, ernennen, vorschlagen, namhaft machen, auf die Wahlliste setzen, ein Amt anvertrauen, eine Stellung anbieten
Nominierung: Aufstellung, Benennung, Berufung, Ernennung
nonchalant: aufgelockert, burschikos, familiär, formlos, frei, gelöst, informell, lässig, leger, nachlässig, natürlich, offen, salopp, unbefangen, unförmlich, ungehemmt, ungeniert, ungezwungen, unverkrampft, unzeremoniell, zwanglos, in lässiger Haltung
Nonkonformist: Abweichler, Alternativer, Aussteiger *Asozialer, Außenseiter, Außenstehender, Ausgeflippter, Eigenbrötler, Einzelgänger, Kauz, Original, Outsider, Paria, Sonderling, Subjektivist, Verfemter *Entrechteter, Geächteter
nonkonformistisch: abweichend, alternativ, anders, gegenläufig, subkulturell, unkonventionell *eigenständig, eigenwillig, individualistisch, souverän, unangepasst
Nonne: Klosterfrau, Klosterschwester, Ordensfrau, Ordensschwester, Schwester, Braut Gottes
Nonplusultra: Clou, Glanzpunkt, Höhepunkt, Krönung, Maximum, Meisterleistung, Optimum, Spitzenleistung
Nonsens: Aberwitz, Blödsinn, Idiotie, Irrsinn, Mist, Quatsch, Torheit, Trödel, Unding, Unfug, Unsinn, Wahnwitz
nonstop: ohne Halt, ohne Pause, ohne Unterbrechung
Nonstopflug: Direktflug
nördlich: im Norden liegend, im Norden gelegen
Nordpolargebiet: Arktis
nordwärts: nach Norden, in Richtung Norden, gen Norden
Nörgelei: Gemecker, Genörgel, Gequengel, Kritik, Krittelei, Mäkelei, Meckerei, Quengelei, Tadelsucht
nörgelig: knietschig, mäklig, nörglig, quengelig, tadelsüchtig, weinerlich
nörgeln: beanstanden, herumkritteln, herummäkeln, herummeckern, herummosern, herumnörgeln, knurren, kritisieren, kritteln, mäkeln, maulen, meckern, mosern, quengeln, querulieren, räsonieren, raunzen
Nörgler: Knurrhahn, Kritiker, Krittler, Mäkler, Meckerer, Nörgelfritze, Querulant, Räsonierer, Raunzer, der Tadelsüchtige
Norm: Direktive, Maßstab, Regel, Richtlinie, Richtschnur *Arbeitsnorm, Leistungssoll, Planaufgabe *Durchschnitt, Mittelmaß, Mittelmäßigkeit *Brauch, Sitte
normabweichend: abnorm, absonderlich, abweichend, anomal, anormal, atypisch, eigenartig, pervers, seltsam, ungewöhnlich, unüblich
Normabweichung: Toleranz *Abweichung, Andersartigkeit
normal: alltäglich, gängig, gebräuchlich, gewöhnlich, gewohnt, herkömmlich, landläufig, obligat, regelrecht, üblich, verbreitet, vorschriftsmäßig, der Regel entsprechend, der Norm entsprechend, der Gewohnheit entsprechend, gang und gäbe *rüstig, stabil, zurechnungsfähig, geistig gesund, körperlich gesund, mit gesundem Menschenverstand
Normale: Lotrechte, Senkrechte *Richtangabe, Richtgröße, Richtmaß
normalisieren: beruhigen, regeln, regulieren, der Norm angleichen, ins Gleichgewicht bringen, ins rechte Gleis bringen, in Ordnung bringen, normal gestalten ***s. normalisieren:** s. abkühlen, s. abreagieren, s. abregen, s. beruhigen, s. entspannen, s. geben, s. legen, s. setzen, s. wieder geben, zur Ruhe kommen
Normalität: Normalzustand, normale Beschaffenheit
Normallösung: Standardlösung
Normalmaß: Durchschnitt, Richtmaß, Standard, Standardmaß
Normalton: Kammerton

Normalverbraucher: Durchschnittsmensch
normativ: ausschlaggebend, bestimmend, entscheidend, geltend, maßgebend, maßgeblich, obligatorisch, verbindlich, verpflichtend, wegweisend
Normativ: Anweisung, Grundlage, Regel, Richtschnur
normen: eichen, festlegen, festsetzen, normieren, regeln, regulieren, standardisieren, typisieren, uniformieren, vereinheitlichen
normwidrig: abweichend, anormal, atypisch, gesetzwidrig, irregulär, regelwidrig, unüblich, die Norm verletzend
Not: Armseligkeit, Armut, Bedrängnis, Drangsal, Druck, Elend, Krise, Misere, Pression, missliche Lage, missliche Umstände *Bedrängnis, Dilemma, Kalamität, Komplikation, Notfall, Notlage, Notstand, Schwierigkeit, Zwangslage, peinliche Situation, schwierige Situation, unangenehme Situation, peinliche Lage, schwierige Lage, unangenehme Lage *Ausweglosigkeit, Hilflosigkeit, Hoffnungslosigkeit, Sackgasse ***Not leiden:** darben, dahinvegetieren, kümmern, mangeln ***Not leidend:** arm, bettelarm, bedürftig, besitzlos, blank, elend, hungernd, minderbemittelt, mittellos, pleite, unbemittelt, unvermögend, verarmt, verelendet, vermögenslos, ohne Einkommen, ohne Geld
Nota: Anmerkung, Auftrag, Mitteilung, Notiz, Rechnung, Vormerkung, Zeichen
notabene: beachte!, übrigens!, wohlgemerkt!, merke wohl!
Notabene: Anmerkung, Bemerkung, Denkzettel, Merkzeichen, Vermerk
Notabilität: Bedeutsamkeit, Berühmtheit, (angesehene) Persönlichkeit
Notation: Darstellung, das Notieren, das Aufzeichnen
Notanker: Ausweg, Behelf, Ersatz, Rettung
Notausgang: Feuertür, Hintertüre, Nottür
Notbehelf: Ersatz, Ersatzmittel, Flickwerk, Hilfe, Notlösung, Provisorium, Zwischenlösung
notdürftig: behelfsmäßig, primitiv, provisorisch, unzureichend, vorläufig, vorübergehend, zur Not, schlecht und recht
Note: Beurteilung, Zensur *Denkschrift, Dokument, Mitteilung, Notenwechsel *Banknote, Geldschein *Beurteilung, Bewertung, Klassifizierung *Schriftzeichen *Besonderheit, Charakteristikum, Eigenheit, Prägung, Wesen
Notenpult: Notenständer
Notenschlüssel: Notenaufteilung, Notenvergabe, Punkteverteilung, Schlüssel *Musikschlüssel
Notentext: Noten, Notenblatt, Notenheft, Partitur
Notfall: Bedrängnis, Dilemma, Kalamität, Komplikation, Not, Notlage, Notstand, Schwierigkeit, Zwangslage, peinliche Situation, schwierige Situation, unangenehme Situation, peinliche Lage, schwierige Lage, unangenehme Lage
notfalls: erforderlichenfalls, gegebenenfalls, gezwungenermaßen, notgedrungen, nötigenfalls, schlimmstenfalls, im Fall der Fälle
notgedrungen: gezwungenermaßen, notwendigerweise, unfreiwillig, wennschon, zwangsläufig, wohl oder übel, der Not gehorchend
Notgroschen: Alterspfennig, Altersrücklage, Ersparnis, Ersparnisse, Notpfennig, Rücklage, Sicherheit, Spargeld, Spargroschen, Sparguthaben, Sparpfennig, das Ersparte, eiserne Reserve
notieren: anmerken, aufkritzeln, aufschreiben, aufzeichnen, niederschreiben, schreiben, vermerken, verzeichnen, zu Papier bringen, aufs Papier werfen
Notierung: Anmerkung, Aufzeichnung, Feststellung, Vermerk
nötig: dringend, erforderlich, geboten, notwendig, unausweichlich, unbedingt, unentbehrlich, unerlässlich, unvermeidlich, wesentlich, zwingend
nötigen: drängen, erpressen, hineinpressen, terrorisieren, tyrannisieren, veranlassen, zwingen, Druck ausüben, Zwang ausüben, Gewalt anwenden, nicht in Ruhe lassen
Nötigung: Drohung, Druck, Einengung, Gewalt, Pression, Zwang

Notiz: Angabe, Anmerkung, Bemerkung, Mitteilung, Vermerk *Auffassung, Beachtung, Kenntnis
Notizbuch: Merkbuch, Merkheft, Taschenbuch, Terminkalender, Vormerkbuch
Notjahre: Hundejahre
Notlage: Bedrängnis, Kalamität, Not, Notstand, Schwierigkeit, Zwangslage, peinliche Situation, schwierige Situation, unangenehme Situation, peinliche Lage, schwierige Lage, unangenehme Lage
Notlösung: Ersatz, Ersatzmittel, Flickwerk, Hilfe, Notbehelf, Provisorium, Zwischenlösung
Notlüge: Alibi, Ausflucht, Ausrede, Ausweg, Entschuldigung, Flucht, Kniff, Rückzieher, Rückzug, Täuschung, Trick, Unwahrheit, Verlegenheitslüge, Vorwand, das Herausreden
notorisch: gewohnheitsmäßig, regelmäßig, süchtig, aus Gewohnheit
Notruf: Alarm, Angstruf, Appell, Hilferuf, Notschrei, Notsignal, SOS, SOS-Ruf
Notsignal: Notzeichen
Notstand: Bedrängnis, Dilemma, Kalamität, Komplikation, Not, Notfall, Notlage, Schwierigkeit, Zwangslage, peinliche Situation, schwierige Situation, unangenehme Situation, peinliche Lage, schwierige Lage, unangenehme Lage *Ausnahmezustand, Kriegsrecht
Notwehr: Defensive, Gegenwehr, Verteidigung
notwendig: empfehlenswert, erforderlich, geboten, nötig, unabweisbar, unentbehrlich, unerlässlich, unumgänglich, unvermeidlich, vonnöten, wichtig, zwangsläufig
Notwendigkeit: Bedingung, Erfordernis, Gebot, Pflicht, Unabwendbarkeit, Unerlässlichkeit, Voraussetzung
Notzucht: Schändung, Vergewaltigung
notzüchtigen: entehren, missbrauchen, schänden, verführen, s. vergehen (an), vergewaltigen, s. vergreifen (an), zwingen, Notzucht verüben (an), Gewalt antun
Novelle: Erzählung *Gesetzesergänzung, Nachtragsgesetz
Novität: Neuerscheinung, Neuerung, Neuheit, Neuigkeit, Neuland, Novum, der letzte Schrei
Novize: Anfänger, Debütant, Greenhorn, Neuling, Unerfahrener *Mönch, Ordensbruder in der Probezeit
Noviziat: Probezeit im Kloster
Novizin: Nonne, Ordensschwester in der Probezeit
Nuance: Abschattung, Abstufung, Feinheit, Schattierung, Staffelung, Tönung *Anflug, Hauch, Idee, Kleinigkeit, Prise, Quäntchen, Schatten, Schimmer, Schluss, Spur, Stich, Touch, Winzigkeit
nuancieren: abschatten, abschattieren, abstufen, abtönen, schattieren *abstufen, staffeln
nüchtern: ungefrühstückt, mit leerem Magen, nichts getrunken haben, nichts gegessen haben, ohne Essen, ohne zu essen, ohne Frühstück *dürftig, einförmig, gemütsarm, logisch, phantasielos, poesielos, prosaisch, rational, realistisch, sachlich, trocken, unromantisch, verstandesmäßig, ohne Emotion, ohne Phantasie *fad, fade, langweilig, leer, öde, reizlos, schal, schmucklos, spannungslos *besonnen
Nüchternheit: Abstinenz, Beherrschung
nuckeln: lutschen, saugen
nudeln: ausfüttern, aufmästen, ausmästen, mästen, stopfen
Nudismus: FKK, Freikörperkultur, Nacktkultur
Nudität: Blöße, Nacktheit, Natürlichkeit
Nugget: Goldklumpen, Goldstück
null: kein, nichts, kein Deut, nicht das Geringste, nicht ein Deut, keine Silbe, keine Spur, nicht das Mindeste, nicht die Bohne, überhaupt nichts, gar nichts, kein Funke, kein Fünkchen
Null: Blindgänger, Dummkopf, Nichtsnutz, Nobody, Schwächling, Taugenichts, Versager *Nichts, Zero
Nullpunkt: Gefrierpunkt, null Grad *Bankrott, Ende, Endpunkt, Ruin, Tiefstand
Nullwachstum: Stagnation
numerisch: arithmetisch, zahlenmäßig, der Zahl nach, mit Ziffern
numinos: göttlich, heilig, himmlisch, sakrosankt

Numismatik: Münzkunde
Numismatiker: Münzkenner, Münzsammler
Nummer: Kerl, Spaßmacher, Spaßvogel *Chiffre, Zahl, Ziffer *Auftritt, Szene
nummerieren: benummern, beziffern, durchnummerieren, paginieren
nummeriert: beziffert, paginiert *geordnet, klassifiziert
nun: eben, soeben, augenblicklich, derzeit, gegenwärtig, gerade, just, justament, momentan, diese Sekunde, diese Minute, diese Stunde, im Moment, im Augenblick, zur Stunde
nunmehr: aktuell, derzeitig, momentan, nun, nunmehrig
nur: allein, alleinig, ausschließlich, bloß, lediglich, nichts als, niemand sonst, einzig und allein
nuscheln: näseln, undeutlich sprechen
Nusskonfekt: Nugat
Nut: Vertiefung
Nutte: Callgirl, Dirne, Freudenmädchen, Hure, Prostituierte, Straßenmädchen
nutzbar: einträglich, ergiebig, ertragreich, gewinnbringend, gut, lohnend, lukrativ, nutzbringend, nützlich, profitabel, profitbringend, rentabel, sachdienlich, vorteilhaft
nutzen: nützen, benützen, anwenden, ausbeuten, einsetzen, gebrauchen, verwenden, verwerten, wahrnehmen *dienen, fruchten, helfen, Nutzen bringen, von Nutzen sein, zum Nutzen gereichen, gute Dienste leisten, dienlich sein, zugute kommen, förderlich sein
Nutzen: Ausbeute, Einnahme, Erlös, Ertrag, Frucht, Gewinn, Profit, Verdienst, Vorteil, Wert *Brauchbarkeit, Hilfe, Nützlichkeit, Verwendbarkeit, Zweckdienlichkeit, Zweckmäßigkeit
nützlich: dienlich, ersprießlich, förderlich, fördernd, fruchtbar, fruchtbringend, gedeihlich, heilsam, hilfreich, konstruktiv, sinnvoll, tauglich, wirksam, zweckvoll, zu gebrauchen *einträglich, ergiebig, ertragreich, gewinnbringend, gut, lohnend, lukrativ, nutzbar, nutzbringend, profitabel, profitbringend, rentabel, sachdienlich, vorteilhaft
nutzlos: aussichtslos, entbehrlich, erfolglos, ergebnislos, fruchtlos, überflüssig, umsonst, unbrauchbar, ungeeignet, unnötig, unnütz, unwirksam, verfehlt, wertlos, wirkungslos, zwecklos
Nutzlosigkeit: Aussichtslosigkeit, Fruchtlosigkeit, Wirkungslosigkeit
nutznießen: ausnützen, beanspruchen, benützen, benutzen, s. beteiligen, gebrauchen, profitieren, teilnehmen
Nutznießer: Parasit, Schmarotzer, Trittbrettfahrer *Besitzer, Erbe, Hinterbliebene
Nutznießung: Benutzung, Gebrauch
Nutzungsrecht: Lizenz, Patent
Nutzung: Auswertung, Verwertung *Ausbeutung, Ausnutzung, Ausschöpfung, Raubbau *Anwendung, Benutzung, Benützung, Gebrauch, Indienstnahme, Verwendung
Nymphe: Meerjungfrau, Meerweib, Nixe, Seejungfer
nymphoman: liebestoll, lüstern, mannstoll
Nymphomanie: Liebestollheit, Mannstollheit

O

Oase: Wasserplatz, Wasserstelle, Wüsteninsel *Insel, Ruheplatz, Ruhepunkt, Ort der Erholung, Ort der Erbauung
ob: angesichts, aufgrund, dank, hinsichtlich, infolge, kraft, wegen, zwecks, auf Grund, auf … hin, um … zu, um … willen *obgleich *dank, durch
Obacht: Achtsamkeit, Achtung, Aufmerksamkeit, Augenmerk, Beachtung, Beobachtung, Berücksichtigung, Betracht, Sorgfalt, Umsicht, Vorsicht, Wachsamkeit, Wahrnehmung
Obdach: Absteige, Asyl, Behausung, Bleibe, Herberge, Logis, Quartier, Schlafstelle, Unterkunft, Unterschlupf
obdachlos: heimatlos, wohnungslos, ohne Bleibe, ohne Wohnung
Obduktion: Autopsie, Leichenöffnung, Leicheneröffnung, Nekropsie, Sektion
obduzieren: öffnen, sezieren, untersuchen, zerlegen, eine Obduktion vornehmen
oben: auf, obenauf, droben, hoch oben, an der Spitze, auf dem Gipfel, in der Höhe
obenauf: darüber, droben, darauf, hoch oben, an der Spitze, auf dem Gipfel, in der Höhe *beschwingt, fidel, frohgemut, fröhlich, frohmütig, heiter, lebendig, munter, unkompliziert, vergnügt, frohen Mutes, guter Laune, guter Stimmung
obendrein: auch, außerdem, ferner, obendrauf, überdies, zudem, darüber hinaus, des Weiteren
obenhin: beiläufig, flüchtig, leichthin, nebenbei, vorschnell, am Rande, ohne zu überlegen
Ober: Bedienung, Garçon, Kellner
Oberaufsicht: Aufsicht, Direktion, Führung, Herrschaft, Kommando, Leitung, Lenkung, Management, Regie, Regiment, Vorsitz
Oberbefehl: Befehlsgewalt, Kommando, Oberkommando
Oberbefehlshaber: Admiral, General, Oberkommandierender
Oberbehörde: Direktorium
obere: höhere, höherstehende *äußere
Oberfläche: Außenseite, Fassade, Hülle, Oberseite, Schale, Überzug, das Äußere
oberflächlich: äußerlich, peripher *äußerlich, banal, flach, gehaltlos, geistlos, nichts sagend, platt, seicht, trivial, veräußerlicht, verflacht, vordergründig, ohne Tiefgang *flüchtig, lässig, nachlässig, salopp, schlampig, unaufmerksam, ungenau, unordentlich *flatterhaft, leichtsinnig, sorglos, sprunghaft, unbedacht, unbekümmert, wechselhaft, zerfahren
Oberflächlichkeit: Flachheit, Gehaltlosigkeit, Geistlosigkeit, Inhaltslosigkeit, Plattheit, Seichtheit, Trivialität *Flatterhaftigkeit, Sprunghaftigkeit, Wechselhaftigkeit, Zerfahrenheit
oberhalb: über, darüber, höher (als)
Oberhaupt: Alleinherrscher, Befehlshaber, Chef, Diktator, Führer, Fürst, Gebieter, Häuptling, Herrscher, Kaiser, König, Landesherr, Machthaber, Monarch, Präsident, Regent, Statthalter *Oberpriester, Papst, der Heilige Vater, Pontifex maximus, Summus Episcopus
Oberhaus: House of Lords, Senat
Oberhaut: Epidermis
Oberherrschaft: Führung, Leitung, Verantwortung
Oberhirte: Bischof *Kardinal *Papst
Oberin: Vorsteherin
Oberkörper: Oberleib
Oberschicht: Hautevolee, Highsociety, Jetset, Prominenz, Schickeria, Upper Ten, (gute) Gesellschaft, Crème de la Crème, die Oberen, die Reichen *Adel, Adelsstand, Aristokratie, Fürstenstand
Oberschule: Gymnasium, Lyzeum
Oberschüler: Gymnasiast, Pennäler
Oberseite: Oberfläche, Vorderseite
oberste: allerbeste, erste, höchste, maximale *äußerste
Oberstimme: Diskant
Oberton: Aliquotton, Partialton
obgleich: obschon, obwohl, obzwar,

trotzdem, wenngleich, wennschon, wiewohl, wenn auch, ob (auch)
Obhut: Bedeckung, Betreuung, Bewachung, Deckung, Fürsorge, Geleit, Pflege, Schutz, Schutzwache, Sicherheit, Sicherheitswache, Sicherung, Verteidigung
obig: besagt, bewusst, oben erwähnt, oben genannt, vorgenannt, vorstehend, weiter oben stehend
Objekt: Aufgabenstellung, Ding, Gegenstand, Sache, Stoff, Sujet, Thema, Thematik, Themenstellung *Haus, Immobilie
objektiv: gerecht, nüchtern, parteilos, sachdienlich, sachlich, unbeeinflusst, unbefangen, unparteiisch, unverblendet, unvoreingenommen, vorurteilsfrei, vorurteilslos, wertfrei, wertneutral
Objektiv: Linse
objektivieren: vergegenständlichen, als Gegenstand darstellen
Objektivität: Neutralität, Sachlichkeit, Überparteilichkeit, Unparteilichkeit, Unvoreingenommenheit, Vorurteilslosigkeit
obliegen: gebühren, s. gehören, s. geziemen, zukommen
Obliegenheit: Amt, Amtspflicht, Angelegenheit, Arbeit, Aufgabe, Auftrag, Beruf, Dienstpflicht, Last, Mission, Pflicht, Schuldigkeit, Verbindlichkeit, Verpflichtung
obligat: bestimmt, bindend, definitiv, endgültig, fest, feststehend, pflichtgemäß, unabänderlich, unwiderruflich, verbindlich, verordnet, verpflichtend, vorgeschrieben *alltäglich, gebräuchlich, normal *dringend, geboten, nötig *notwendig, unentbehrlich, unerlässlich, wichtig, nicht weglassbar
Obligation: Schuld, Schuldschein, Schuldverschreibung, Verbindlichkeit, Verpflichtung, Verpflichtungsurkunde *Haftung, das Geradestehen
obligatorisch: bestimmt, bindend, definitiv, endgültig, fest, feststehend, obligat, pflichtgemäß, unabänderlich, unwiderruflich, verbindlich, verordnet, verpflichtend, vorgeschrieben
Obolus: Almosen, Beitrag, Betrag, Gabe, Geschenk, Scherflein, Spende, Summe, Unterstützung, milde Gabe
Obrigkeit: Behörde, Herrschaft, Oberhoheit, Regierung, Verwaltung, Vorstand, oberste Instanz
obrigkeitlich: anmaßend, autoritär, gebieterisch, herrisch, selbstherrlich, unumschränkt, willkürlich
obschon: obgleich, obwohl, obzwar, trotzdem, wenngleich, wennschon, wiewohl, wenn auch, ob (auch)
Observation: Beobachtung, Überwachung
Observatorium: Beobachtungsstation, Planetarium, Sternwarte, Wetterwarte
observieren: ausspionieren, belauern, belauschen, bemerken, beobachten, beschatten, bespähen, bespitzeln, bewachen, spionieren, überwachen, umlauern, verfolgen, ins Auge fassen, nicht aus den Augen lassen, nicht aus dem Gesicht lassen, aufs Korn nehmen
obsiegen: ausstechen, bewältigen, überbieten
obskur: bedenklich, dubios, dunkel, finster, fragwürdig, halbseiden, ominös, suspekt, undurchsichtig, unheimlich, verdächtig, verfänglich, zwielichtig, nicht geheuer *diffus, dunkel, nebelhaft, nebulös, schattenhaft, schemenhaft, unklar, verwaschen
obsolet: alt, ungebräuchlich, veraltet
Obstgarten: Baumgarten, Fruchtgarten
Obstgestell: Horde, Hürde, Steige, Stiege
obstinat: halsstarrig, hartnäckig, starrsinnig, störrisch, widerspenstig
Obstpresse: Kelter
obstruieren: entgegenarbeiten, hemmen, hindern *verstopfen
Obstruktion: Behinderung, Störung, Verhinderung, Widerstand *Verstopfung
obstruktiv: hemmend, hinderlich, störend
Obstwein: Most, Süßmost
obszön: anstößig, frech, gemein, gewagt, gewöhnlich, locker, ordinär, pikant, pornographisch, schamlos, schlüpfrig, schmutzig, unfein, unziemlich, wüst, zotenhaft
Obszönität: Anstößigkeit, Schamlosigkeit, Schlüpfrigkeit, Zote
Obus: Oberleitungsbus, Oberleitungsomnibus, Trolleybus

obwohl: allein, dagegen, dennoch, dessen ungeachtet, doch, hingegen, obschon, obzwar, trotz
Ochse: Rind *Armleuchter, Dummkopf, Dümmling, Einfaltspinsel, Flachkopf, Grünschnabel, Hampel, Hanswurst, Hohlkopf, Ignorant, Kauz, Kindskopf, Narr, Nichtskönner, Nichtswisser, Pflaume, Schwachkopf, Strohkopf, Stümper, Tollpatsch, Tölpel, Tor, Trottel, Versager
ochsen: bimsen, büffeln, s. einhämmern, s. einpauken, lernen, pauken
Ochsenauge: Spiegelei *Fensterrose, Rosette, Rundfenster
Ochserei: Büffelei, Lerneifer, Lernen, Paukerei, Studium
öde: brach, felsig, kahl, karg, steinig, trist, trostlos, unbebaut, unergiebig, unfruchtbar, ungenutzt, verwildert, wild, wüst *abgelegen, einsam, entlegen, entvölkert, menschenleer, tot, trist, unbelebt, unbevölkert, vereinsamt, verlassen, verödet, wild, wüst, (wie) ausgestorben *alltäglich, einfach, einfallslos, einförmig, ermüdend, fad, fade, gleichförmig, langweilig, monoton, phantasielos, reizlos, trist, trocken, trostlos, üblich, uninteressant, unoriginell, wirkungslos, ohne Pfiff
Öde: Abgeschiedenheit, Brachland, Einöde, Ödland, Wüste
Odel: Gülle, Jauche
Odem: Atem, Hauch, Luft, Puste
Ödem: Flüssigkeitsansammlung, Gewebswassersucht, Wasseransammlung
oder: anderenfalls, beziehungsweise, respektive, sonst, (oder) vielmehr, besser gesagt, das heißt, entweder … oder, im anderen Fall, je nachdem, oder auch, mit anderen Worten
Odeur: Aroma, Bukett, Duft, Duftwolke, Geruch, Hauch, Parfüm, Wohlgeruch
Ödipuskomplex: Mutterkomplex
Odium: Makel, Schandfleck, übler Beigeschmack *Animosität, Feindschaft, Feindseligkeit, Gehässigkeit, Groll, Hass, Hassgefühl, Missgunst, Rachgier, Rachsucht, Unausstehlichkeit, Unmut, Verbitterung
Ödland: Brachland, Einöde
Œuvre: Arbeit, Lebenswerk, Opus, Schaffen, Werk *Kreation, Kunstwerk, Meisterleistung, Meisterstück, Opus, Produkt, Schöpfung, Werk
Ofen: Heizapparat, Heizgerät, Heizkörper, Heizofen, Heizung, Raumheizer, Wärmequelle
Ofenröhre: Backofen, Backröhre
offen: aufgeschlossen, aufgesperrt, aufhalten, geöffnet, offen stehend, unverschlossen, (frei) zugänglich, nicht (zu)geschlossen, geöffnet halten *aufrichtig, freimütig, herzig, offenherzig, ungeschminkt, unmissverständlich *befahrbar, begehbar, betretbar, erreichbar, erschlossen, freigegeben, wegsam *aufgeschlossen, aufnahmebereit, aufnahmewillig, empfänglich, interessiert *frei, (noch) zu vergeben, nicht besetzt *einzeln, lose, nicht verpackt, ohne Verpackung *ausgedehnt, frei, geräumig, groß, hell, licht, weit, nicht begrenzt *ausstehend, umstritten, unabgeschlossen, unbestimmt, unbewältigt, unentschieden, unerledigt, ungeklärt, ungelöst, ungewiss, unsicher, unvollendet, nicht geklärt *encodiert, enkodiert, geknackt, unverschlüsselt *öffentlich, vor aller Öffentlichkeit *aufgelegt, einsehbar, sichtbar, zu sehen *aufgelockert, frei, gelöst *locker, lose, unbefestigt *eiternd, nicht verschlossen, nicht verheilt, nicht behandelt *nicht bezahlt, nicht beglichen, nicht überwiesen *aufrichtig, deutlich, direkt, ehrlich, freiheraus, freiweg, geradeheraus, geradezu, offenherzig, rückhaltlos, rundheraus, rundweg, schlankweg, ungeschminkt, unmissverständlich, unumwunden, unverblümt, unverhohlen, unverhüllt, ohne Rückhalt, frei von der Leber weg, ohne Umschweife, auf gut Deutsch, frank und frei, frisch von der Leber weg ***offen bleiben:** auf bleiben, geöffnet bleiben ***offen halten:** aufhalten, geöffnet halten ***s. offen halten:** s. ausbedingen, s. nicht entscheiden, s. nicht festlegen, offen lassen, s. vorbehalten ***offen lassen:** geöffnet lassen, nicht schließen *abwarten, s. ausbedingen, s. nicht entschließen können, s. nicht festlegen, schwanken, s. vorbehalten, zögern, in der Schwebe lassen, noch nicht ent-

schieden *__offen legen:__ aufdecken, bloßlegen, bloßstellen, enthüllen, entlarven, entschleiern, herunterreißen, publizieren, veröffentlichen *__offen liegend:__ erkennbar, klar, offen *__offen stehen:__ geöffnet, offen *offen, ungedeckt, noch nicht bezahlt *__offen stehend:__ dahingestellt, offen *sperrangelweit

offenbar: bestechend, einleuchtend, evident, glaubhaft, klar, offenkundig, offensichtlich, plausibel, sichtbar *frei *aufgelegt, augenfällig, augenscheinlich, ausgemacht, blank, deutlich, eklatant, ersichtlich, evident, flagrant, manifest, offenkundig, offensichtlich, sichtbar, sichtlich *wahrscheinlich, höchstwahrscheinlich, angeblich, anscheinend, denkbar, möglich, offensichtlich, vermeintlich, vermutlich, voraussichtlich, dem Anschein nach, nicht ausgeschlossen, wie es scheint

offenbaren: ausdrücken, beichten, enthüllen, gestehen, die Wahrheit sagen, eine Aussage machen *__s. offenbaren:__ s. auftun, s. äußern (in), s. darstellen, s. präsentieren, s. zeigen *s. anvertrauen, s. aussprechen, s. bekennen, gestehen, s. mitteilen, s. öffnen, s. outen, die Karten aufdecken

Offenbarung: Enthüllung

Offenheit: Aufrichtigkeit, Ehrlichkeit, Freimut, Freimütigkeit, Geradheit, Geradlinigkeit, Lauterkeit, Offenherzigkeit

offenherzig: aufrichtig, freiheraus, freimütig, gerade, geradsinnig, offen, unverblümt, frank und frei *frei, freizügig, (stark) dekolletiert, (tief) ausgeschnitten

offenkundig: aufgelegt, augenscheinlich, ausgemacht, blank, deutlich, eklatant, ersichtlich, evident, flagrant, offenbar, offensichtlich, sichtbar, sichtlich

Offenkundigkeit: Evidenz

offensichtlich: wahrscheinlich, höchstwahrscheinlich, angeblich, anscheinend, denkbar, möglich, offenbar, vermeintlich, vermutlich, voraussichtlich, dem Anschein nach, nicht ausgeschlossen, wie es scheint *aufgelegt, augenscheinlich, ausgemacht, blank, deutlich, eklatant, ersichtlich, evident, flagrant, offenbar, offenkundig, sichtbar, sichtlich

offensiv: aktiv, angreifend, angreiferisch, angriffslustig, kämpferisch, kampfesfreudig, die Initiative ergreifend, zum Angriff übergehend

Offensive: Angriff, Attacke, Einfall, Einmarsch, Gewaltstreich, Invasion, Überfall, Übergriff, Überrumpelung, Vorstoß

öffentlich: allen zugänglich, auf offener Straße, coram publico, für alle hörbar, für alle sichtbar, für die Öffentlichkeit bestimmt, vor allen Leuten, vor aller Augen, vor aller Welt, in den Medien *allgemein, allgemeingültig, amtlich, behördlich, offiziell

Öffentlichkeit: Allgemeinheit, Publizität, (das breite) Publikum, die Leute, die öffentliche Meinung

Öffentlichkeitsarbeit: Public relations

offerieren: anbieten, anpreisen, aufwarten, bereitstellen, darbringen, kredenzen, reichen

Offerte: Anerbieten, Angebot, Annonce, Anzeige, Ausschreibung, Inserat, Insertion *Anerbieten, Angebot, Antrag, Vorschlag

offiziell: allgemein, allgemeingültig, amtlich, amtshalber, beglaubigt, behördlich, dienstlich, öffentlich, verbindlich, verbürgt *feierlich, formell, förmlich, konventionell, steif

Offizier: Leutnant, Soldat, Truppenführer

offiziös: halbamtlich, unverbindlich, nicht verbürgt, nicht offiziell bestätigt

öffnen: aufbekommen, aufbrechen, aufbringen, aufklappen, aufkriegen, aufmachen, aufreißen, aufschneiden, aufstoßen, auftun, aufziehen, erbrechen *aufschließen, aufsperren, Einlass gewähren, zugänglich machen *aufpacken, auspacken, auswickeln *obduzieren, sezieren, zerlegen *exhumieren *lüften *__s. öffnen:__ aufgehen, aufspringen, s. entfalten, s. entrollen, s. erschließen *s. anvertrauen, s. auftun, s. mitteilen, s. offenbaren, s. outen, die Wahrheit sagen *auffliegen, aufgehen, aufschnappen, aufspringen, s. auftun

Öffnung: Auslass, Einstieg, Luke

oft: dutzendfach, dutzend Mal, etliche Mal, häufig, hundertmal, mehrfach, mehrmalig, mehrmals, öfter, oftmalig, oftmals, ungezählt, vielfach, vielmals, wiederholt, x-mal, des Öfteren, ein paar Mal, immer wieder, in vielen Fällen, nicht selten, viele Male, etliche Male, doppelt und dreifach, ein paar Male

ohne: abgerechnet, abgesehen (von), abzüglich, außer, ausgenommen, bis (auf), exklusive, mit Ausnahme (von), nicht einbegriffen, nicht inbegriffen *bar, frei (von) ***ohne Weiteres:** anstandslos, bedenkenlos, bereitwillig, gerne, selbstverständlich, unbesehen, ungeprüft, widerspruchslos, ohne Zögern, mit Vergnügen ***ohne Geld:** bankrott, pleite, ruiniert

ohnedies: eh, ohnedem, ohnehin, sowieso, auf alle Fälle, auf jeden Fall

ohnegleichen: abenteuerlich, ansehnlich, auffallend, auffällig, Aufsehen erregend, außergewöhnlich, außerordentlich, ausgefallen, beachtenswert, beachtlich, bedeutend, bedeutsam, bedeutungsvoll, beispiellos, bewundernswert, bewunderungswürdig, eindrucksvoll, einzigartig, eminent, enorm, epochal, Epoche machend, erheblich, erstaunlich, extraordinär, exzeptionell, fabelhaft, formidabel, frappant, grandios, groß, großartig, hervorragend, imponierend, imposant, kapital, märchenhaft, nennenswert, phänomenal, sagenhaft, sensationell, sondergleichen, spektakulär, stattlich, überragend, überraschend, überwältigend, umwerfend, ungeläufig, ungewöhnlich, unvergleichlich, verblüffend, ohne Beispiel, ersten Ranges

ohnehin: sowieso

Ohnmacht: Handlungsunfähigkeit, Machtlosigkeit, Schwäche *Anfall, Bewusstlosigkeit

ohnmächtig: besinnungslos, bewusstlos, nicht bei sich, nicht da, ohne Besinnung, ohne Bewusstsein *ausgeliefert, einflusslos, gelähmt, handlungsunfähig, hilflos, machtlos, paralysiert, schutzlos, schwach, wehrlos ***ohnmächtig werden:** schlappmachen, umfallen, umkippen, umsinken, zusammenbrechen, zusammenklappen, zusammensacken, in Ohnmacht fallen, in Ohnmacht sinken, zu Boden sinken

Ohr: Horcher, Hörorgan, Lauscher ***ganz Ohr sein:** aufmerksam sein, konzentriert sein, ganz bei der Sache sein

Öhr: Drahtschlinge, Öse, Schlaufe

ohrenbetäubend: dröhnend, durchdringend, fortissimo, gellend, geräuschvoll, grell, hörbar, lärmend, laut, lauthals, lautstark, markerschütternd, ohrenzerreißend, schallend, schrill, unüberhörbar, vernehmbar, vernehmlich, aus Leibeskräften, aus voller Kehle, aus vollem Hals, durch Mark und Bein gehend, mit erhobener Stimme, mit voller Lautstärke, nicht leise, nicht ruhig, voller Lärm, aus vollem Halse, aus voller Brust, aus voller Lunge

Ohrensausen: Ohrenklingen

Ohrenspiegel: Otoskop

ohrenzerreißend: gellend, grell, laut, markerschütternd, schrill

Ohrfeige: Backenstreich, Backpfeife, Maulschelle, Prügel, Schelle, Schläge, Watsche, Watschen

ohrfeigen: backpfeifen, schlagen, watschen, eine (Ohrfeige) verabreichen, eine Backpfeife geben, eine hinter die Löffel geben, eine herunterhauen, Schellen geben, eine watschen, eine langen, eine latschen, eine knallen, eine kleben, eine schmieren, eine pfeffern

okay: einverstanden, gut, o. k., in Ordnung *geordnet, legal, ordentlich, ordnungsgemäß, richtig, vorschriftsgemäß, vorschriftsmäßig, der Vorschrift entsprechend, in Ordnung, nach Vorschrift, laut Vorschrift, nach der Regel, wie vorgeschrieben

okkult: dunkel, geheim, geheimnisvoll, magisch, mystisch, okkultistisch, spiritistisch, übernatürlich, unergründlich, verborgen

Okkupation: Aneignung, Besetzung, Besitzergreifung, Einnahme, Überfall

okkupieren: s. aneignen, annektieren, s. bemächtigen, besetzen, einnehmen, entmachten, erobern, unterwerfen, gefügig machen, in Besitz nehmen, in Beschlag nehmen

ökologisch: naturbewusst, umweltbewusst, umweltfreundlich

Ökonom: Bauer, Landwirt

Ökonomie: Rentabilität, Sparsamkeit, Wirtschaftlichkeit, Wirtschaftskunde
ökonomisch: geschäftlich, kaufmännisch, kommerziell, wirtschaftlich *achtsam, genau, haushälterisch, rationell, sorgfältig, sparsam, überlegt
Oktaeder: Achtflächner
oktroyieren: aufdrängen, aufnötigen, aufzwingen, diktieren
okulieren: veredeln
Okulierreis: Pfropfreis
Okzident: Abendland, Europa, der Westen, die Alte Welt
Öl: Brennstoff, Erdöl, Rohöl *Speiseöl
Ölbaum: Olive, Olivenbaum
Ölbild: Ölgemälde
ölen: abschmieren, eincremen, einfetten, einsalben, einschmieren, fetten, schmieren
ölig: fettig, fetttriefend, pomadig, schmierig, schmutzig, tranig *salbungsvoll, übertrieben feierlich *glatt, reibungslos
Öljacke: Friesennerz, Ölzeug
Ölleitung: Erdölleitung, Pipeline
Olympiade: Olympia, Olympische Spiele
Oma: Ahne, Großmama, Großmutter *Frau, Greisin, alte Dame
Omelette: Crêpe, Eierkuchen, Palatschinken, Pfannkuchen
Omen: Anhaltspunkt, Anzeichen, Erscheinung, Mahnung, Symptom, Vorzeichen, Zeichen
ominös: finster, schwarz, ungesund, Unheil bringend, Unheil drohend, unheilschwanger, Unheil verkündend, unheilvoll, Schlimmes verheißend, voller Gefahr, voller Unheil, von schlimmer Vorbedeutung *anrüchig, bedenklich, dubios, dunkel, finster, fragwürdig, halbseiden, obskur, suspekt, undurchsichtig, unheimlich, verdächtig, verfänglich, zwielichtig, nicht geheuer
Omnibus: Autobus, Bus, Fernreisebus, Reisebus
omnipotent: absolut, allgegenwärtig, allgewaltig, allmächtig, allwissend, einflussreich, mächtig, übermenschlich, übernatürlich, unbeschränkt, uneingeschränkt, vollkommen
Omnipotenz: Absolutheit, Allgegenwärtigkeit, Allgewalt, Allmacht, Allwissenheit, Übermenschlichkeit, Übernatürlichkeit, Vollkommenheit
Onanie: Selbstbefriedigung, geschlechtliche Befriedigung
onanieren: s. selbst befriedigen, s. verlustieren
Ondit: Fama, Flüsterpropaganda, Gerede, Gerücht, Klatsch, Legende, Sage
ondulieren: s. frisieren, die Haare herrichten, die Haare wellen
Onkel: Oheim
Onkologie: Geschwulstlehre
Online: Netzanbindung
Ontogenese: Ontogenie, Entwicklung des Einzelwesens
Opa: Ahnherr, Großpapa, Großvater *Greis, der alte Herr
opalisierend: irisierend, schillernd
Oper: Operngebäude, Opernhaus *Bühnenstück, Musikdrama
Operation: Behandlung, chirurgischer Eingriff, operativer Eingriff, medizinischer Eingriff, operative Eröffnung, operative Entfernung *Einfall, Einmarsch, Krieg, Überfall, militärische Unternehmung *Rechenoperation, Rechenvorgang *Arbeitsvorgang, Arbeitsweise, Handlung, Unternehmung, Verfahren
Operationsbasis: Voraussetzung *Ausgangsgebiet, Stützpunkt
Operationsmesser: Skalpell
operativ: chirurgisch, mit Hilfe einer Operation *militärisch *strategisch, weitschauend
Operette: Musical, Singspiel
operierbar: heilbar, operabel
operieren: aufschneiden, schneiden, sezieren, unter das Messer nehmen, eine Operation vornehmen *agieren, handeln, tun, verfahren, vorgehen, wirken, Initiative ergreifen, Initiative entwickeln, tätig sein, zur Tat schreiten
Opernglas: Theaterglas
Operntextschreiber: Librettist
Opfer: Beitrag, Opfergabe, Sammlung, Spende *Schlachtopfer *Betroffener, Geschädigter, Leidtragender, Verunglückter *Aufopferung, Entbehrung, Entsagung, Hingabe, Verzicht *Opferhandlung, Opferung

opferbereit: gebefreudig, nobel, opferfähig, opferfreudig, opfermütig, opferwillig, selbstlos
Opferbereitschaft: Bereitwilligkeit, Selbstlosigkeit
Opferfreudigkeit: Hingabe, Opfermut, Selbstlosigkeit
opfern: geben, spenden, spendieren *aufopfern, hingeben, hinopfern, Opfer bringen *dahingeben, darbringen, weihen ***s. opfern:** s. hingeben
Opfertisch: Altar, Opferaltar, Opferblock, Opferherd, Opferstätte, Opferstein
Opferung: Darbringung, Opferhandlung, Weihehandlung *Messteil
Opferwille: Hingabe, Selbstlosigkeit
opferwillig: barmherzig, freigebig, opferbereit, selbstlos
Opponent: Antipode, Erzfeind, Feind, Gegenpart, Gegenspieler, Gegner, Konkurrent, Kontrahent, Rivale, Todfeind, Widersacher *Abweichler, Andersdenker, Dissident, Gegner, neinsager, Rebell, Widerständler
opponieren: s. aufbäumen, aufbegehren, s. auflehnen, s. erheben, trotzen, s. wehren, s. widersetzen, nein sagen
opportun: angebracht, angemessen, angezeigt, geeignet, gegeben, gelegen, genehm, günstig, klug, nützlich, passend, ratsam, sachdienlich, sinnvoll, tauglich, vernünftig, zeitgemäß, zweckentsprechend, zweckgemäß, zweckmäßig, einer Gelegenheit folgend
Opportunismus: Anpassung, Einordnung, Gesinnungslosigkeit, Prinzipienlosigkeit, Unterordnung
Opportunist: Mitläufer, Wendehals, Wetterfahne
opportunistisch: angepasst, prinzipienlos, auf den eigenen Vorteil bedacht, mit dem Strom schwimmend
Opposition: Gegenpartei, Gegenseite, Gegner, Kontrahent, Opponent, Widerpart, Widersacher *Auflehnung, Aufstand, Einspruch, Gegensatz, Gegenwehr, Protest, Rebellion, Weigerung, Widerspruch, Widerstand
oppositionell: antagonistisch, diametral, disparat, divergent, dualistisch, entgegengesetzt, entgegenstellend, extrem, gegensätzlich, gegenteilig, inkompatibel, kontradiktorisch, konträr, polar, umgekehrt, unverträglich, widersinnig, widersprüchlich, widerspruchsvoll, nicht vereinbar, nicht übereinstimmend
optieren: s. frei entscheiden, votieren (für), seine Stimme geben, eine Wahl treffen *beanspruchen, Gebrauch machen (von)
Optik: Lichtlehre *Linsen, Linsensystem
optimal: beste, bester, bestmöglich, größtmöglich, höchst, sehr gut *außergewöhnlich, außerordentlich, ausgefallen, beachtenswert, beachtlich, bedeutend, bedeutsam, bedeutungsvoll, beispiellos, eindrucksvoll, einzigartig, eminent, enorm, epochal, Epoche machend, erstaunlich, extraordinär, exzeptionell, fabelhaft, formidabel, frappant, grandios, groß, großartig, hervorragend, imponierend, imposant, kapital, phänomenal, sondergleichen, überragend, überraschend, überwältigend, umwerfend, unvergleichlich, verblüffend, ohne Beispiel, ersten Ranges
optimieren: perfektionieren, verbessern, vervollkommnen, zur Vervollkommnung bringen
Optimismus: Fortschrittsglaube, Fortschrittsgläubigkeit, Heiterkeit, Hoffnung, Hoffnungsfreude, Lebensbejahung, Lebensfreude, Zukunftsglaube, Zuversicht, Zuversichtlichkeit, Glaube an das Gute, positive Lebenseinstellung
Optimist: Frohnatur, Sanguiniker, Schwärmer, Zukunftsgläubiger
optimistisch: getrost, hoffnungsfreudig, hoffnungsfroh, hoffnungsvoll, lebensbejahend, positiv, sicher, siegesbewusst, siegesgewiss, siegessicher, unverdrossen, unverzagt, vertrauensvoll, zukunftsgläubig, zuversichtlich, guten Mutes, ohne Furcht, voller Zuversicht
Optimum: Bestleistung, Clou, Glanzleistung, Höchstleistung, Krönung, Nonplusultra, Spitze, Spitzenleistung
Option: Anrecht, Reservierung, Vorkaufsrecht
optisch: visuell, vom äußeren Eindruck her

opulent: ausgedehnt, feudal, fürstlich, lukullisch, luxuriös, reichhaltig, reichlich, schwelgerisch, üppig
Opus: Arbeit, Erzeugnis, Kunstwerk, Meisterleistung, Œuvre, Produkt, Schöpfung, Werk
Orange: Apfelsine
Orakel: Weissagung, Zukunftsdeutung
orakelhaft: abgründig, abstrus, delphisch, dunkel, esoterisch, geheimnisreich, geheimnisumwittert, geheimnisvoll, hintergründig, innerlich, magisch, mystisch, okkult, rätselhaft, unbegreiflich, undurchdringlich, unerforschlich, unergründlich, vieldeutig
orakeln: hellsehen, nachdenken, prophezeien, rätseln, voraussagen, wahrsagen, weissagen, aus der Hand lesen, die Zukunft deuten, in die Zukunft schauen
oral: durch den Mund, per os
Oral: Mundlaut
orangefarben: orange, orangefarbig, orangegelb, orangerot
oratorisch: hinreißend, phrasenhaft, rednerisch, schwungvoll
Orchester: Band, Ensemble, Kammerorchester, Kapelle, Klangkörper, Truppe *Bläser, Blasorchester *Streicher, Streichorchester
Orchesterchef: Dirigent, Kapellmeister
Orden: Auszeichnung, Belohnung, Dekoration, Dekorierung, Ehrenzeichen, Medaille, Prämiierung, Preis, Verleihung *Bruderschaft, Kongregation, Ordensgemeinschaft
Ordensbruder: Bruder, Frater, Klosterbruder, Mönch, Novize, Ordensgeistlicher, Ordensmann, Pater
Ordensgeistlicher: Pater
Ordenskleid: Kutte, Mönchsgewand, Mönchskutte, Ordenstracht
Ordensritter: Komtur
Ordensschwester: Klosterfrau, Klosterschwester, Nonne, Ordensfrau, Schwester, Braut Gottes
Ordensverleihung: Auszeichnung, Dekoration
ordentlich: planmäßig, regelmäßig, regelrecht, regulär, vorschriftsmäßig, nach der Regel, nach der Vorschrift *anständig, artig, fein, gesittet, höflich, rechtschaffen, schicklich, zuverlässig *ausreichend, gehörig, herzhaft, kräftig, richtig, weidlich, nach Herzenslust, nicht zu knapp *adrett, akkurat, aufgeräumt, diszipliniert, genau, geordnet, gepflegt, korrekt, ordnungsliebend, penibel, präzis, proper, sauber, sorgfältig, sorgsam, tadellos, untadelig, wohlgeordnet, auf Ordnung achtend, auf Ordnung haltend, auf Ordnung bedacht, in Ordnung, mit Sorgfalt
Ordentlichkeit: Klarheit, Ordnungsliebe, Sauberkeit
Order: Anordnung, Anweisung, Aufforderung, Auftrag, Befehl, Bestimmung, Diktat, Gebot, Geheimauftrag, Geheimbefehl, Geheiß, Instruktion, Kommando, Mussbestimmung, Mussvorschrift, Verfügung, Verhaltensmaßregel, Verordnung, Vorschrift, Weisung
ordinär: anstößig, frivol, gewagt, lose, schamlos, unanständig, vulgär, zotig *alltäglich, banal, belanglos, fade, gewöhnlich, immer dasselbe
Ordinarius: Hochschullehrer, Lehrstuhlinhaber, Professor
Ordination: Amtseinführung, Amtseinsetzung, Installation, Investitur, Vereidigung *Priesterweihe, Weihe *Praxis, Sprechstunde
ordinieren: praktizieren, Sprechstunde haben, Sprechstunde halten *weihen *einsetzen *ärztlich verordnen
ordnen: aufräumen, gerade rücken, gerade stellen, richten, säubern, wegräumen, zurechtrücken, in Ordnung bringen, Ordnung machen, Ordnung schaffen *gliedern, aufgliedern, anordnen, arrangieren, aufstellen, aufteilen, ausrichten, eingliedern, einreihen, einteilen, s. formieren, gruppieren, katalogisieren, kategorisieren, rangieren, reihen, rubrizieren, sortieren, strukturieren, systematisieren, unterteilen, zurechtrücken, zusammenstellen, in die richtige Reihenfolge bringen, in die richtige Ordnung bringen, in ein System bringen, in Reih und Glied stellen
Ordner: Aufseher, Bewacher, Ordnungshüter, Saalordner, Wächter, Wärter *Ablegemappe, Hefter, Sammelmappe, Schnellhefter, Schnellheftmappe

Ordnung: Genauigkeit, Gleichmaß, Korrektheit, Planmäßigkeit, Regelmäßigkeit, Richtigkeit, geregelter Gang, geregelter Tagesablauf, geregelter Zustand *Disziplin, Drill, Regelung, Strenge, Zucht *Abstufung, Anordnung, Arrangement, Folge, Gliederung, Gruppierung, Reihe, Reihenfolge, Schema, Systematik, Zuordnung, Zusammenstellung *Abteilung, Gattung, Kategorie, Klasse, Reihe, Rubrik ***in Ordnung:** einverstanden, gut, ja, jawohl, okay, o. k. *geordnet, ordentlich, ordnungsgemäß, richtig, nach der Regel ***in Ordnung bringen:** aufräumen, beseitigen, entrümpeln, ordnen, richten, zusammenstellen, Ordnung machen, Ordnung schaffen *abhelfen, ausbalancieren, ausbügeln, ausgleichen, aussöhnen, begleichen, beilegen, bereinigen, beseitigen, einrenken, geradebiegen, geradebügeln, hinbiegen, regeln, reinwaschen, schlichten, vermitteln, s. versöhnen, wieder gutmachen, zurechtbiegen, zurechtbügeln, zurechtrücken, ins Reine bringen, ins rechte Gleis bringen, ins Lot bringen
Ordnungsbegriff: Kategorie
ordnungsgemäß: geordnet, legal, ordentlich, richtig, vorschriftsgemäß, vorschriftsmäßig, der Vorschrift entsprechend, in Ordnung, nach Vorschrift, laut Vorschrift, nach der Regel, wie vorgeschrieben
Ordnungshüter: Polizist
ordnungsliebend: adrett, akkurat, aufgeräumt, diszipliniert, genau, geordnet, gepflegt, korrekt, ordentlich, penibel, präzis, proper, sauber, sorgfältig, sorgsam, tadellos, untadelig, wohlgeordnet, auf Ordnung achtend, auf Ordnung bedacht, Ordnung haltend, in Ordnung, mit Sorgfalt
Ordnungslinie: Koordinate
ordnungslos: chaotisch, durcheinander, unordentlich
ordnungsmäßig: geregelt, ordnungsgemäß
Ordnungsprinzip: System
Ordnungsruf: Tadel, Verweis
Ordnungsstufe: Rang
ordnungswidrig: gesetzwidrig, illegal, kriminell, rechtswidrig, strafbar, unerlaubt, ungesetzlich, unrechtmäßig, verfassungswidrig, widerrechtlich
Ordnungszahl: Atomnummer
Organ: Körperorgan, Sinnesorgan, Spürsinn *Zeitung *Stimme *Bund, Bündnis, Gesellschaft, Klub, Körperschaft, Organisation, Partei, Verband, Verein, Vereinigung, Zusammenschluss
Organisation: Abwicklung, Durchführung, Organisierung, Planung, Veranstaltung *Anlage, Aufbau, Einteilung, Gefüge, Gliederung, Organismus, Struktur, Zusammensetzung *Bund, Bündnis, Gesellschaft, Klub, Körperschaft, Organ, Partei, Verband, Verein, Vereinigung, Zusammenschluss
Organisationsmangel: Desorganisation
Organisator: Arrangeur, Ausrichter, Veranstalter
organisch: einheitlich, gewachsen, homogen, naturgemäß, unteilbar, zusammenhängend, eine Einheit bildend *anatomisch, körperlich *belebt, beseelt, lebend *gegliedert, geordnet
organisieren: aufbringen, beibringen, beschaffen, besorgen, bringen, heranholen, heranschaffen, herbeiholen, herbeischaffen, holen, managen, vermitteln, verschaffen, versorgen, zusammenbringen *klauen, stehlen *abhalten, arrangieren, ausrichten, durchführen, inszenieren, unternehmen, veranstalten, in Szene setzen, stattfinden lassen ***s. organisieren:** s. vereinigen, s. zusammenschließen
organisiert: arrangiert, inszeniert, veranstaltet *assoziiert, vereinigt, zusammengeschlossen *beigeschafft, herbeigeschafft, beschafft, besorgt, gestohlen *angelegt, gegliedert, geordnet, gestaltet
Organismus: Geschöpf, Kreatur, Lebewesen, Mensch *Einheit, Ganzheit
Organist: Kantor, Orgelspieler
Organtod: Nekrose
Organverpflanzung: Transplantation
Orgasmus: sexueller Höhepunkt *Ejakulation, Samenerguss
orgiastisch: ausschweifend, bacchantisch, ekstatisch, hemmungslos, zügellos
Orgie: Ausschweifung, Buhlerei, Hu-

rerei, Schlüpfrigkeit, Unanständigkeit, Unkeuschheit, Unsittlichkeit, Unzucht *Bacchanal, Besäufnis, Zecherei, Zechgelage, lange Sitzung, feuchter Abend *Fresserei, Fressfest, Fressgelage, Gelage, Kommers, Völlerei
Orient: Morgenland, Nahost, Osten, Naher Osten, Ferner Osten, Mittlerer Osten
orientalisch: östlich, fernöstlich, morgenländisch, den Orient betreffend
orientieren: aufklären, einweihen, unterrichten *ausrichten, einstellen ***s. orientieren:** s. zurechtfinden *auskundschaften, s. umschauen, die Lage peilen
Orientierung: Kenntnis, Richtung, Wissen *Informierung, das Orientieren, das Sichorientieren
original: echt, eigen, primär, urschriftlich, ursprünglich *geistreich, geistvoll, gestalterisch, kreativ, originell
Original: Erstschrift, Grundlage, Grundtext, Handschrift, Originalausgabe, Quelle, Urbild, Urfassung, Urschrift, Urtext, Vorlage, echtes Stück, erste Fassung *Eigenbrötler, Einzelgänger, Kauz, Outsider, Sonderling, Wunderling, besonderes Exemplar
Originalausgabe: Erstausgabe, Urfassung, Urschrift, erste Fassung
Originalität: Absonderlichkeit, Besonderheit, Eigenheit, Eigentümlichkeit, Eigenwilligkeit, Singularität, Sonderheit *Ursprünglichkeit
Originalübertragung: Livesendung
originär: eigentlich, genuin, original, primär, ursprünglich, nicht abgeleitet
originell: erfinderisch, erfindungsreich, findig, geistvoll, genial, gestalterisch, ideenreich, kreativ, original, phantasiebegabt, phantasievoll, schöpferisch *besonders, eigen, eigenartig, eigentümlich, spezifisch, ungewöhnlich *attraktiv, neu, neuartig *komisch
Orkan: Hurrikan, Sturm, Sturmwind, Taifun, Tornado, Unwetter, Wirbelsturm, Zyklon, Aufruhr der Elemente
Ornament: Arabeske, Dekor, Muster, Rankenwerk, Schmuck, Schmuckwerk, Verschnörkelung, Verzierung, Zier
ornamental: schmückend, zierend
Ornat: Amtskleidung, Amtstracht
ornamentieren: ausschmücken, dekorieren
Ornithologe: Vogelkundler
Ornithologie: Vogelkunde
Ort: Flecken, Örtlichkeit, Ortschaft, Stadt *Fleck, Örtlichkeit, Platz, Punkt, Standort, Stätte, Stelle, Winkel
Örtchen: Klosett, Toilette, WC
orten: ertappen, herausfinden, auf die Spur kommen, ausfindig machen, zutage bringen, zutage fördern
orthodox: fromm, gottesfürchtig, kirchlich, rechtgläubig, strenggläubig *halsstarrig, kompromisslos, obstinat, stur, unbelehrbar, unnachgiebig, verbohrt
Orthodoxie: Frömmigkeit, Rechtgläubigkeit, Strenggläubigkeit
Orthographie: Rechtschreibung
orthographisch: rechtschriftlich
örtlich: lokal, räumlich, regional
Örtlichkeit: Ort, Raum
ortsansässig: ansässig, beheimatet, eingeboren, eingebürgert, eingesessen, einheimisch, heimisch, hiesig, wohnhaft
Ortsbestimmung: Demarkation, Lokalisation
Ortschaft: Ansiedlung, Dorf, Gemeinde, Kommune, Niederlassung, Ort, Stadt
ortsfest: ansässig, bleibend, ortsgebunden, standörtlich, stationär, stillstehend
ortsfremd: ausländisch, exotisch, fremd, fremdländisch, wildfremd, nicht von hier, von außerhalb
ortskundig: einheimisch, vertraut, von hier
Ortssinn: Orientierungssinn, Orientierungsvermögen, Ortsgedächtnis
ortsüblich: bekannt, gewohnt, vom Ort, im Ort
ortsunabhängig: flexibel, mobil
Ortsunabhängigkeit: Flexibilität, Mobilität
Ortsveränderung: Bewegung
Öse: Drahtschlinge, Loch, Öffnung, Öhr, Schlaufe
Osten: Ostblock, Ostblockstaaten, Oststaaten *Nahost, Orient, Naher Osten, Mittlerer Osten, Ferner Osten *östliche Himmelsrichtung
ostentativ: augenfällig, bestimmt, betont, drastisch, dringend, eindeutig,

eindringlich, emphatisch, energisch, entschieden, entschlossen, ernst, ernsthaft, ernstlich, fest, herausfordernd, intensiv, nachdrücklich, offensichtlich, unmissverständlich, mit Nachdruck
Osteoporose: Knochenschwund
Osteosklerose: Knochenverhärtung
Ostern: Auferstehungsfest, Osterfest, die Ostertage
Ostersonnabend: Karsamstag
östlich: fernöstlich, morgenländisch, orientalisch *im Osten gelegen, im Osten liegend, in östlicher Richtung
Ostmark: Ostgeld
ostwärts: nach Osten, in Richtung Osten, gen Osten
oszillieren: pendeln, schwingen *s. bewegen, s. heben und senken, schwanken, wanken
outen (s.): s. anvertrauen, s. aussprechen, s. bekennen, gestehen, s. offenbaren, s. öffnen, die Karten aufdecken
Outfit: Ausrüstung, Ausstattung, Einrichtung *Aussehen
Output: Ausgangsleistung *Datenausgabe
Outsider: Außenseiter, Außenstehender *Sonderling
Ouvertüre: Introduktion, Präludium, Vorspiel, musikalische Einleitung *Anbeginn, Anbruch, Anfang, Auftakt, Ausbruch, Beginn, Eintritt, Eröffnung, Startschuss, erster Schritt
oval: eiförmig, eirund, ellipsenähnlich
Oval: Eiform
Ovation: Akklamation, Applaus, Beifall, Beifallssturm, Beifallsäußerung, Beifallskundgebung, Ehrung, Huldigung, das Klatschen
Overall: Arbeitsanzug, Hosenanzug, Schutzanzug
oxidieren: s. mit Sauerstoff verbinden, verwittern, zerfallen, zersetzen, Sauerstoff aufnehmen
Ozean: Atlantik, Meer, Pazifik, See, Weltmeer
ozeanisch: den Ozean betreffend, zum Ozean gehörig

P

paar: diverse, einige, etliche, mehrere, verschiedene, eine Reihe, eine Anzahl *paar Mal: öfter, einige Male, mehrere Male, mehrmals

Paar: Eheleute, Ehepaar, Verheiratete *Brautpaar, Liebesleute, Liebespaar, Pärchen, die Liebenden *zwei, alle beide, die beiden

paaren: verbinden, vereinigen, verflechten, verketten, verknüpfen, verkoppeln, zusammenstellen ***s. paaren:** begatten, beischlafen, s. hingeben, koitieren, s. lieben, s. schenken, Geschlechtsverkehr haben, intime Beziehungen haben, intim werden, mit jmdm. schlafen, mit jmdm. ins Bett gehen

Paarhufer: Paarzeher, Zweihufer

Paarung: Befruchtung, Begattung, Beischlaf, Beschälung, Beschlag, Deckung, Geschlechtsverkehr, Koitus, Kopulation, Vereinigung, Zeugung *Bastardierung, Hybridisation, Kreuzung *Balz, Liebesspiel, Tanz

Paarungszeit: Brunft, Brunst

paarweise: gepaart, zusammen, als Paar, je zwei, zu zweien, zu zweit

Pacht: Gebühr, Miete, Mietzins, Pachtzins

pachten: mieten, in Pacht nehmen

Pachtzins: Miete, Pacht, Pachtsumme, Pachtgeld, Pachtpreis

Pack: Abschaum, Bagage, Brut, Drachenbrut, Ganoven, Geschmeiß, Gesindel, Gezücht, Gosse, Hundepack, Kanaille, Lumpengesindel, Lumpenpack, Mob, Pöbel, Raubgesindel, Schlangenbrut, Sippschaft, asoziale Elemente *Ballen, Bündel, Päckchen, Packen, Paket, Stapel, Stoß

Packeis: Eisschollen

packen: einpacken, einrollen, einwickeln, zusammenpacken, zusammenstellen *erfassen, ergreifen, erwischen, fangen ***s. packen:** davonlaufen, fortgehen, weggehen, weglaufen ***jmdn. packen:** ergreifen, fassen

Packen: Ballen, Bündel, Paket, Stapel, Stoß

packend: atemberaubend, aufregend, aufrüttelnd, bewegend, dramatisch, ergreifend, faszinierend, fesselnd, interessant, prickelnd, spannend

Packer: Verpacker, Verpackungsarbeiter

Packesel: Lasttier, Muli, Saumtier, Tragtier

Packung: Kompresse, Umschlag, Verband, Wickel *Box, Dose, Karton, Pappschachtel, Schachtel

Packwagen: Gepäckwagen *Waggon

Pädagoge: Erzieher, Lehrer

Pädagogik: Erziehungswissenschaft

pädagogisch: erzieherisch, erziehlich, schulisch

Paddelboot: Boot, Faltboot, Kajak, Kanu

paddeln: s. in die Riemen legen, rudern, staken, wriggen, Paddelboot fahren *baden, kraulen, planschen, schwimmen, tauchen

Päderastie: Knabenliebe

Pädiatrie: Kinderheilkunde

paffen: rauchen, verpaffen, in die Luft blasen

Page: Edelknabe, Knappe *Bedienung, Beistand, Besorger, Bote, Boy, Butler, Diener, Gehilfe, Hausangestellter, Hausdiener, Hilfskraft, Kammerdiener *Dienstbote, Kofferträger, Kuli, Lakai, Leibdiener, Stütze, Untergebener, der Bedienstete, der Angestellte

Pagina: Blattseite, Buchseite, Seite, Seitenzahl

Pagode: Turmtempel *Götterfigur *indische Goldmünze

Paket: Ballen, Bund, Bündel, Packen, Rolle, Stapel, Stoß *Frachtgut, Gütersendung, Postgut, Postsendung, Warensendung

Pakt: Abkommen, Bündnis, Handel, Handelsabkommen, Konkordat, Kontrakt, Übereinkunft, Vereinbarung, Vertrag

paktieren: alliieren, s. anschließen, koalieren, s. solidarisieren, s. verbinden, s. verbrüdern, s. verbünden, s. vereinigen, s. zusammenrotten, s. zusammenschließen, s. zusammentun, einen Pakt schließen, ein Bündnis schließen
Palais: Palast, Prachtbau, Residenz, Schloss
Palast: Herrschaftshaus, Herrschaftssitz, Palais, Prachtbau, Schloss
Palatschinken: Crêpe, Eierkuchen, Omelett, Pfannkuchen
Palaver: Gerede, Geschmarre, Geschwätz, Plauderei, Unterhaltung
palavern: plaudern, quatschen, reden, schmarren, s. unterhalten
Palette: Farbmischscheibe *Stapelgutuntersatz *Auswahl, Kollektion, Warenangebot
Palisade: Pfahlwerk, Schanzpfahl, Sperre
palliativ: schmerzlindernd
Palmfett: Palmöl
Pampe: Brei, Brühe, Matsch, Modder, Morast, Mud, Patsche, Schlamm, Schlick, Soße, Sumpf *Brei, Pampf
Pampelmuse: Grapefruit
Pamphlet: Flugblatt, Flugschrift, Lästerschrift, Schmähschrift, Schmähung, Streitschrift
pampig: dickflüssig, lehmig, matschig, modderig, morastig, muddig, schlammig, schlickerig, sumpfig, verschlammt *dreist, frech, geschert, keck, kess, naseweis, schamlos, schnodderig, unartig, unerzogen, ungesittet, ungezogen, unmanierlich, unverfroren, unverschämt, vorlaut, vorwitzig
Pan: Hirtengott, Waldgott
Pandemie: (weltweite) Epidemie, Seuche
Panflöte: Hirtenflöte, Syrinx
Paniermehl: Brösel, Panade, Semmelbrösel, Semmelmehl, Weckmehl
Panik: Angst, Befürchtung, Besorgnis, Bestürzung, Entsetzen, Erschrecken, Furcht, Horror, Konfusion, Kopflosigkeit, Lähmung, Schock, Schreck, Schrecken, Sorge, Unruhe, Verwirrung
panisch: heftig, intensiv, lebhaft, leidenschaftlich, maßlos, massiv, rasend, stark, stürmisch, unbändig, wild, von Panik ergriffen, von Panik bestimmt
Panne: Desaster, Fatalität, Katastrophe, Malheur, Missgeschick, Pech, Schicksalsschlag, Schlag, Tragik, Unfall, Ungeschick, Unglück, Unglücksfall, Unheil, Verhängnis *Platten, Plattfuß, Reifenpanne *Nachteil, Schaden
Panorama: Aussicht, Rundblick, Rundschau, Rundsicht
Panoramaaufnahme: Landschaftsaufnahme
panschen: strecken, verdünnen, verfälschen, vermischen, versetzen, verwässern *planschen, platschen, plätschern, spritzen
Pansen: Rindermagen
Pantoffelheld: Angsthase, Feigling, Frauenknecht, Hasenfuß, Jammergestalt, Jammerlappen, Laffe, Memme, Pimpelhans, Schlappschwanz, Waschlappen, Weichling
Pantoffeln: Filzpantoffeln, Hausschuhe, Holzpantoffeln, Latschen, Pantoletten, Schlappen
Pantomime: Gebärdenspiel, Gestenspiel, Gestik, Mienenspiel, Mimik *Mimiker, Verwandlungskünstler
Panty: Miederhöschen, Strumpfhose
Panzer: Kampfpanzer, Kettenfahrzeug, Panzerwagen, Schützenpanzer, Tank *Eisenpanzer, Eisenrüstung, Harnisch, Küsass, Rüstung
Panzerechse: Alligator, Gavial, Kaiman, Krokodil
panzern: decken, rüsten, schützen, wappnen, mit einem Schutzpanzer versehen, mit Panzerplatten umgeben ***s. panzern:** s. unempfindlich machen, s. in Acht nehmen
Panzerschrank: Bankschrank, Geldschrank, Kassenschrank, Safe, Tresor
Papa: Papi, Vater, Vati
Papat: Papsttum, Papstwürde
Paperback: Taschenbuch
Papier: Wertpapier *Akte, Aktenstück, Dokument, Schreiben, Schriftstück, Skript, Unterlage, Urkunde *Schreibpapier *Packpapier
Papiere: Ausweis, Dokument *Fahrzeugpapiere, Wagenpapiere *Fahrerlaubnis, Führerschein *Personalausweis, Reisepass

Papierdeutsch: Amtsdeutsch, Behördendeutsch, Kanzleideutsch, Kanzleistil
Papiergeld: Banknote, Geldschein, Note, Schein
Papiergeschäft: Bürogeschäft, Büroladen, Papierwarenhandlung, Schreibwarenhandlung
Papierkette: Girlande
Papierkorb: Abfallkorb
Papierkram: Akten, Formulare, Vordrucke *Formularunwesen *Bürokratie
Papierkrieg: Bürokratismus, Korrespondenz, Notenwechsel
Papierlaterne: Lampion
Papierschnitzel: Konfetti
Papierstaude: Papyrus
Pappdruckform: Mater
Pappe: Kleber, Klebstoff *Karton, Pappdeckel, Pappendeckel
päppeln: aufpäppeln, aufziehen, großziehen, hegen, hochziehen *füttern, mästen *verwöhnen, verzärteln
pappen: befestigen, kitten, kleben, kleistern, leimen, zusammenfügen, zusammenkleben, zusammenmachen
Pappenstiel: Bagatelle, Bedeutungslosigkeit, Belanglosigkeit, Geringfügigkeit, Kinderspiel, Kinkerlitzchen, Kleinigkeit, Kleinkram, Lächerlichkeit, Lappalie, Nebensache, Nebensächlichkeit, Nichtigkeit, Nichts, Spaß, Spiel, Spielerei, Unwichtigkeit, kleine Fische
pappig: breiig, dickflüssig
Pappschachtel: Karton, Schachtel
Papst: Oberhaupt, Oberpriester, der Heilige Vater, Pontifex maximus, Summus Episcopus
Papstbotschafter: Nuntius
Papstkrone: Tiara
päpstlich: apostolisch
Parabel: Bild, Gleichnis, Gleichnisrede, Lehrstück, Sinnbild, lehrhafte Erzählung
parabolisch: gleichnishaft, gleichnisweise *parabelförmig
Parabolspiegel: Hohlspiegel
Parade: Aufmarsch, Defilee, Flottenschau, Heeresschau, Truppenvorbeimarsch, Vorbeimarsch *Aufmarsch, Wachparade *Abwehr, Gegenstoß, Verteidigung
Paradenummer: Bravourstück, Glanzleistung, Glanznummer
Paradeschritt: Gleichschritt, Stechschritt
paradieren: aufmarschieren, defilieren, vorbeimarschieren, vorbeiziehen
Paradies: Märchenland, Schlaraffenland, Traumland, Zauberwelt *Elysium, Jenseits, Garten Eden, Garten Gottes, Insel der Seligen *Dorado, Eldorado, Jenseits *Bilderbuchlandschaft, schöner Ort
Paradiesgarten: Eden
paradiesisch: abgeschieden, friedlich, harmonisch, herrlich, himmlisch, idyllisch, ländlich, lauschig, malerisch, schön, verträumt, wonnig *beglückend, elysäisch, elysisch, himmlisch, sorgenlos, ungetrübt
Paradieswächter: Cherub
paradox: abstrus, absurd, folgewidrig, unlogisch, unsinnig, unvereinbar, vernunftwidrig, widersinnig, widersprechend, widersprüchlich
Paragraph: Absatz, Abschnitt, Artikel, Passage, Passus, Ziffer, Teil eines Gesetzes, Teil einer Verfügung
parallel: gleichgerichtet, gleichgeschaltet, gleichlaufend, gleichzeitig, nebeneinander geschaltet, simultan, synchron, vergleichbar, zeitgleich, zugleich, zusammenfallend, zur gleichen Zeit, zur selben Zeit
Parallele: Entsprechung, Gegenüberstellung, Vergleich
paralysieren: lähmen, schwächen *enervieren, entkräften, entnerven, erschöpfen, schwächen, zehren
paramilitärisch: halbmilitärisch, militärähnlich
paraphieren: abzeichnen, gegenzeichnen, quittieren, ratifizieren, signieren, unterfertigen, unterschreiben, unterzeichnen, seine Unterschrift geben, seinen Namen setzen (unter)
paraphiert: abgemacht, unterzeichnet
Parapsychologie: Metapsychik, Metapsychologie
Parasit: Nassauer, Schädling, Schmarotzer, Schnorrer
parasitenhaft: parasitisch, schmarotzerisch

parat: fertig *gegenwärtig, griffbereit, verfügbar, zu haben, in der Nähe *da, zugegen
Pardon: Entschuldigung, Gnade, Nachsicht, Vergebung, Verzeihung
par excellence: gänzlich, schlechterdings, schlechthin, schlechtweg, völlig
Parfüm: Duftwasser, Essenz, Riechwasser, Eau de Cologne *Aroma, Bukett, Duft, Duftwolke, Geruch, Hauch, Odeur, Wohlgeruch
Parfümfläschchen: Flakon
parfümieren: einbalsamieren, konservieren, mumifizieren ***s. parfümieren:** s. schön machen, s. zurechtmachen, mit Duft versehen
parfümiert: duftend, gut riechend, angenehm riechend
parieren: folgen, befolgen, s. anpassen, s. beugen, s. fügen, gehorchen *abwehren, halten
Parität: Gleichberechtigung, Gleichgestelltheit, Gleichheit, Gleichrangigkeit, Gleichstellung
paritätisch: gleich, gleichberechtigt, gleichgestellt, gleichrangig, gleichwertig
Park: Anlagen, Garten, Gartenanlage, Grünanlage, Lustgarten, Naturpark, Parkanlage, Vergnügungspark, Wildgarten, Wildpark, englischer Garten, grüne Lunge
parken: abstellen, hinstellen, unterbringen, unterstellen
Parkett: Parkettfußboden *Tanzboden, Tanzfläche *Theaterplatz, Zuschauerraum
Parkgebäude: Pavillon
Parkplatz: Abstellplatz, Autoabstellplatz, Autohof, Parkstelle
Parkstraße: Allee, Avenue
Parlament: Abgeordnetenhaus, Volksvertretung
Parlamentarier: Abgeordneter, Bundestagsabgeordneter, Delegierter, Repräsentant, Volksvertreter, Mitglied des Bundestages *Delegierter, Mitglied des Bundesrates *Bevollmächtigter, Deputierter, Funktionär *Abgeordneter, Landtagsabgeordneter, Volksvertreter
Parlamentariergruppe: Fraktion *Koalition *Opposition
Parlamentsanfrage: Interpellation
Parlamentsaussprache: Debatte
Parodie: Karikatur, Nachahmung, Spott
parodieren: karikieren, nachäffen, nachmachen, verspotten, wiedergeben, spöttisch imitieren
Parole: Code, Codewort, Kennwort, Kode, Losung, Losungswort *Devise, Leitsatz, Leitspruch, Losung, Motto, Wahlspruch
Part: Partie, Rolle, Theaterrolle *Gesangsstimme *Instrumentalstimme *Anteil
Partei: Fraktion, Gruppe, Organisation, Vereinigung
Parteigruppe: Fraktion
parteiisch: befangen, eingleisig, einseitig, gefärbt, parteigebunden, parteilich, subjektiv, tendenziös, unsachlich, voreingenommen, vorurteilsvoll, nicht objektiv
Parteiklüngel: Bonzenwesen, Bonzenwirtschaft, Parteiwirtschaft, Vetternwirtschaft, Zusammenarbeit
Parteilichkeit: Befangenheit, Einseitigkeit, Voreingenommenheit
parteilos: neutral, sachlich
Parteimitglied: Anhänger, Parteifreund, Parteigänger
Parteiwechsel: Farbenwechsel, Gesinnungswandel, Übertritt, Wechsel einer Partei
Parterre: Erdgeschoss
Partie: Absatz, Abschnitt, Ausschnitt, Bereich, Bruchstück, Bruchteil, Passage, Segment, Teil *Abstecher, Ausfahrt, Ausflug, Landpartie, Lustfahrt, Sonntagsausflug, Spaziergang, Tour, Trip, Vergnügungsfahrt, Wanderung, Fahrt ins Blaue, Fahrt ins Grüne *Charge, Figur, Hauptrolle, Nebenrolle, Person, Rolle, Statistenrolle *Match, Runde, Spiel, Treffen, Turnier, Wettfahrt, Wettkampf, Wettrennen
partiell: teils, teilweise, nicht unbedingt, nicht ganz, nicht eingeschränkt, unter Umständen, zum Teil
Partikel: Teil
partikular: teils, nur als Teil, nicht uneingeschränkt, halb und halb, unter Umständen, in einigen Fällen
Partisan: Aufständischer, Freiheits-

kämpfer, Freischärler, Guerilla, Heckenschütze, Rebell, Untergrundkämpfer, Widerstandskämpfer
Partitur: Noten, Notentext
Partizip: Mittelwort
partizipieren: s. beteiligen, teilhaben, teilnehmen, Anteil haben
Partner: Beteiligter, Gesellschafter, Kompagnon, Mitinhaber, Sozius, Teilhaber *Ehemann, Lebensgefährte *Mitspieler *Lebensabschnittspartner, Lebenspartner
Partnerin: Freundin, Kameradin, Lebensgefährtin *Geschäftspartnerin *Mitspielerin
Partnerschaft: Ehe, Freundschaft, Gemeinschaft, Kameradschaft, Verbindung, Verhältnis, Zweierbeziehung
partnerschaftlich: brüderlich, einträchtig, freundschaftlich, friedlich, kameradschaftlich
paschen: doppeln, gaunern, mogeln, nassauern, prellen, schieben, schmuggeln, schwärzen, schwindeln, täuschen, veruntreuen *würfeln
Partnerstadt: Patenstadt, Städtepartnerschaft
Partnervermittlung: Eheinstitut, Ehevermittlung, Heiratsvermittlung
partout: absolut, durchaus, unabhängig (von), unbedingt, auf jeden Fall, auf alle Fälle, so oder so, wie auch immer, um jeden Preis, unter allen Umständen, koste es, was es wolle, auf Biegen oder Brechen
Party: Belustigung, Cocktailparty, Empfang, Feier, Fest, Festivität, Festlichkeit, Fete, Freudenfeier, Freudenfest, Geselligkeit, Hausball, Hausfest, Lustbarkeit, Veranstaltung, Vergnügen, Vergnügung, das Zusammensein
Parvenü: Emporkömmling, Karrieremacher, Moneymaker, Neureicher, Wirtschaftswunderknabe
parzellieren: abteilen, aufteilen, einteilen, teilen, trennen, verteilen, in Parzellen zerlegen
Pass: Ausweis, Ausweiskarte, Ausweispapiere, Bescheinigung, Fahrerlaubnis, Identifikationskarte, Kennkarte, Legitimation, Papiere, Passierschein, Personalausweis, Reisepass, Studentenausweis *Abgabe, Abspiel, Vorlage, Zuspiel *Bergsattel, Gebirgssattel, Gebirgsübergang, Joch, Sattel
passabel: akzeptabel, annehmbar, brauchbar, erträglich, leidlich, mittelmäßig, tauglich, vertretbar, zufriedenstellend
Passage: Absatz, Abschnitt, Artikel, Kapitel, Paragraph, Passus, Perikope, Punkt, Rubrik, Spalte, Textabschnitt, Textstelle *Ausgang, Durchfuhr, Durchgang, Durchlass, Durchschlupf, Einfahrt, Eingang, Furt, Gasse, Mauerloch, Pass, Schlupfloch *Durchgang, Gang, (überdachte) Ladenstraße *(schneller) Lauf
Passagier: Beifahrer, Fahrgast, Mitfahrer *Fluggast, Flugreisender, Luftpassagier *__blinder Passagier:__ Schwarzfahrer
Passant: Durchreisender, Fußgänger, Vorübergehender
passé: abgelebt, altertümlich, altmodisch, angestaubt, antiquarisch, antiquiert, gestrig, unmodern, uralt, veraltet, vorsintflutlich *abgelebt, abgetan, begraben, dahin, ehemalig, entschwunden, erledigt, fern, gestrig, gewesen, tot, veraltet, verflossen, vergangen, vergessen, verjährt, verschollen, versunken, verweht, verwichen, vorbei, vorüber, zurückliegend, lange her
passen: stimmen, zusammenstimmen, s. eignen, entsprechen, harmonieren, hinhauen, zusammenpassen *behagen, zusagen *aufgeben, aufhören, kapitulieren, zurücktreten *abspielen, weiterleiten, zuspielen *behagen, gelegen *wie angegossen, gut sitzen *kleiden, schmeicheln, stehen
passend: harmonisch, stilgerecht, stimmig, zusammenstimmend *adäquat, angebracht, angemessen, angezeigt, annehmbar, dienlich, entsprechend, geboten, gegeben, ideal, opportun, recht, richtig, sinnvoll, tauglich *abgezählt, exakt, genau, gezählt *bequem, fußgerecht *sitzend, gut sitzend, angenehm, bequem, formgerecht, tragbar *annehmbar, verwendbar, zweckmäßig
Passform: Fasson, Machart, Zuschnitt
passierbar: begehbar, gangbar, überquerbar, überschreitbar

passieren: s. abspielen, s. begeben, s. einstellen, eintreten, s. ereignen, erfolgen, geschehen, sein, stattfinden, verlaufen, s. vollziehen, vorfallen, vorgehen, vorkommen, s. zutragen, zustande kommen, vor sich gehen, los sein *abseihen, ausseihen, durchfiltern, durchgießen, durchseihen, durchsieben, klären, seihen *begegnen, betreffen, geschehen, hereinbrechen, unterlaufen, widerfahren, zustoßen, zuteil werden *durchgehen, durchqueren, hinüberwechseln, überqueren, überschreiten, vorübergehen, vorüberziehen
Passion: Dornenweg, Golgathaweg, Kreuzesweg, Leidensweg, Martyrium *Hobby, Liebhaberei, Lieblingsbeschäftigung, Spezialgebiet, Spezialität, Steckenpferd *Affekt, Aufwallung, Begeisterung, Ekstase, Enthusiasmus, Feuer, Feurigkeit, Fieber, Glut, Hochstimmung, Inbrunst, Innigkeit, Leidenschaft, Pathos, Rausch, Schwung, Sturm, Taumel, Überschwang
Passionswoche: Karwoche
passioniert: begeistert, besessen, dynamisch, feurig, flammend, getrieben, leidenschaftlich, schwungvoll, stürmisch, temperamentvoll, vital
passiv: abgestumpft, apathisch, denkfaul, desinteressiert, dickfellig, gefühllos, geistesabwesend, gleichgültig, inaktiv, interesselos, kühl, lasch, leidenschaftslos, lethargisch, schwerfällig, stumpf, stumpfsinnig, teilnahmslos, träge, unaufgeschlossen, unbeteiligt, unbewegt, unempfindlich, ungerührt, uninteressiert, untätig, wurstig
Passiv: Leideform, Passivum
Passiva: Obligationen, Rückstände, Schuld, Schulden, Verbindlichkeiten, Verpflichtungen, Verschreibungen
passives Wahlrecht: Recht, gewählt zu werden, wählbar
Passivität: Abgestumpftheit, Abstumpfung, Apathie, Desinteresse, Dickfelligkeit, Gefühllosigkeit, Geistesabwesenheit, Gleichgültigkeit, Herzlosigkeit, Interesselosigkeit, Kühle, Leidenschaftslosigkeit, Lethargie, Nichtstun, Phlegma, Schwerfälligkeit, Stumpfheit, Stumpfsinn, Stumpfsinnigkeit, Teilnahmslosigkeit, Trägheit, Unaufgeschlossenheit, Unempfindlichkeit, Ungerührtheit, Uninteressiertheit, Untätigkeit, Wurstigkeit
Passus: Absatz, Abschnitt, Artikel, Kapitel, Paragraph, Passage, Perikope, Punkt, Rubrik, Schriftstelle, Spalte
Paste: Balsam, Creme, Krem, Pasta, Salbe *Gewürz, Gewürzmasse, Gewürzpaste, Masse
Pastete: Blätterteiggebäck *Terrine
pasteurisieren: abkochen, auskochen, desinfizieren, entkeimen, sterilisieren, keimfrei machen, steril machen
Pasteurisierung: Abtötung, Entkeimung, Pasteurisation
Pastille: Kügelchen, Pille, Plätzchen
Pastor: Geistlicher, Gottesdiener, Hirte, Pfarrer, Prediger, Priester, Seelenhirte, Seelsorger, Theologe, geistlicher Herr, Diener Gottes, Diener am Wort
pastoral: feierlich, salbungsvoll, würdig *pfarramtlich, priesterhaft, priesterlich, seelsorgerisch
pastös: teigartig, teigig *aufgeschwemmt, gedunsen, teigig
Pate: Patenonkel, Taufpate, Taufzeuge *Firmpate, Patenonkel
Patenkind: Schützling, Mündel *Patensohn *Patentochter
patent: befähigt, begabt, brauchbar, erfahren, geschickt, gewandt, großartig, nett, praktisch, qualifiziert, schneidig, tüchtig
Patenschaft: Kuratel, Pflegschaft, Vormundschaft *Protektion *Bürgschaft, Gewähr, Gewährleistung, Sicherheit
Patent: Befähigungsnachweis, Befähigungsurkunde, Bestallungsurkunde, Ernennungsurkunde *Berechtigungsurkunde, geschütztes Recht, Verwertungsrecht
Pater: Bruder, Frater, Klosterbruder, Mönch, Ordensbruder *Ordensgeistlicher, geistlicher Ordensmann *Novize
Paternoster: Aufzug, Fahrstuhl, Lift, Personenaufzug *Gebet, Vaterunser, Gebet des Herrn
pathetisch: erhaben, feierlich, festlich, glanzvoll, majestätisch, solenn, stimmungsvoll, weihevoll, würdevoll *ausdrucksvoll, dramatisch, expressiv, gefühlvoll

pathogen: krankheitserregend, krank machend
Pathogenese: Krankheitsentstehung, Krankheitsentwicklung, Krankheitsgeschichte
pathologisch: abnorm, anormal, extrem, krankhaft, maßlos, pervers, übermäßig, übertrieben, unnatürlich, zwanghaft
Pathos: Affekt, Aufwallung, Begeisterung, Ekstase, Enthusiasmus, Feuer, Feurigkeit, Fieber, Glut, Hochstimmung, Inbrunst, Innigkeit, Leidenschaft, Passion, Rausch, Schwung, Sturm, Taumel, Überschwang
Patient: Bettlägeriger, Kranker, Leidender
Patin: Patentante, Taufpatin, Taufzeugin *Firmpatin, Patentante
Patina: Ablagerung, Belag, Grünspan, Überzug
Patriarch: Altvater, Erzvater, Familienoberhaupt, Stammesoberhaupt, Stammvater
patriarchalisch: altehrwürdig, altväterlich, ehrwürdig, erhaben *absolutistisch, autokratisch, bevormundend, selbstherrlich, unumschränkt, vaterrechtlich
Patriarchat: Vaterherrschaft, Vaterrecht
Patriot: Vaterlandsfreund
patriotisch: national, vaterländisch, vaterlandsliebend
Patriotismus: Heimatgefühl, Heimatliebe, Heimatverbundenheit, Nationalgefühl, Vaterlandsliebe
Patrizier: Adliger
Patron: Schutzengel, Schutzheiliger, Schutzherr, Schutzpatron *Förderer, Gönner, Mäzen, Spender, Sponsor, Wohltäter
Patronat: Amt, Pflicht, Recht, Schirmherrschaft, Schutzherrschaft, Würde
Patrone: Geschoss, Ladung, Munition, Projektil, Schuss *Filmhülle, Filmhülse
patrouillieren: auskundschaften, aufpassen (auf), beaufsichtigen, bewachen, erkunden, kundschaften, überwachen, Wache halten, Wache schieben, auf Streifengang gehen, auf und ab gehen
Patronenkammer: Magazin
Patsch: Backenpfeife, Ohrfeige, Schelle, Watsche, Watschen *Geräusch, Schlag
Patsche: Flosse, Gliedmaße, Hand, Klaue, Pfote, Pranke, Pratze, Tatze *Brei, Brühe, Matsch, Modder, Morast, Mud, Schlamm, Schlick, Soße, Sumpf *Notlage, Notsituation, Schlamassel, Verlegenheit
patschen: abschlagen, schlagen, treffen *panschen, plantschen, spritzen
patt: punktgleich, remis, unentschieden
patzen: murksen, pfuschen, quacksalbern, schludern, stümpern
Patzer: Dummheit, Fehler, Fehltritt, Kapitalfehler, Schnitzer, Schuld, Übertretung, Verfehlung, Vergehen, Verstoß, Zuwiderhandlung
patzig: dreist, frech, impertinent, keck, kess, naseweis, schamlos, unartig, ungesittet, ungezogen, unmanierlich, unverfroren, unverschämt, vorlaut, vorwitzig
pauken: lernen *trommeln, wirbeln, die Trommel rühren, die Trommel schlagen, die Pauke schlagen
Pauker: Erzieher, Lehrer, Lehrkraft, Lehrmeister, Lektor, Pädagoge, Schullehrer, Schulmann
pauschal: insgesamt, komplett, total, zusammen, alles in allem, alles umfassend, im ganzen, in toto
Pauschale: Pauschalpreis, Pauschalsumme, Pauschsumme, Spesen
Pause: Atempause, Erholungspause, Halt, Rast, Ruhepause, Unterbrechung, Verschnaufpause *Halbzeit, Ruhepause, Spielunterbrechung, Unterbrechung, Verschnaufpause *Abzug, Durchschlag, Durchzeichnung, Kopie *Einkehr, Mußestunde *Ferien, Urlaub *Verschnaufpause, Zigarettenpause
pausen: abpausen, abzeichnen, durchpausen, durchschreiben, durchzeichnen
pausenlos: alleweil, allezeit, andauernd, anhaltend, beharrlich, beständig, dauernd, fortdauernd, fortgesetzt, gleich bleibend, immer, immerzu, immerfort, immer während, konstant, kontinuierlich, permanent, ständig, stetig, stets, unaufhaltsam, unaufhörlich, unausgesetzt, immer wieder, jahraus, jahrein, nach wie vor, rund um die Uhr, schon immer, seit eh und je, seit je, tagaus, tagein, von je, von jeher

Pausenzeichen: Erkennungsmelodie, Erkennungszeichen, Sendezeichen *Gong, Pausengong
pausieren: s. ausruhen, entspannen, halten, Halt machen, innehalten, lagern, rasten, ruhen, unterbrechen, verschnaufen, verweilen, eine Ruhepause einlegen, eine Ruhepause machen, eine Ruhepause einschieben, Rast machen
Pavillon: Festgebäude, Festzelt, Gartenhaus, Gartenzelt, Laube, Lusthäuschen, Rondell, Rotunde, Rundbau
Pazifismus: Friedensliebe, Gewaltlosigkeit, Gewaltverzicht, Kriegsablehnung, Kriegsgegnerschaft
Pazifist: Friedensfreund, Kriegsgegner
Pech: Bürde, Desaster, Drama, Geisel, Heimsuchung, Katastrophe, Last, Missgeschick, Not, Notlage, Plage, Prüfung, Schicksalsschlag, Schreckensnachricht, Tragödie, Trauerspiel, Unglück, Unglücksfall, Unheil, Verderben, Verhängnis
pechschwarz: nachtfarben, nachtschwarz, rabenschwarz, rußfarben, rußfarbig, rußgeschwärzt, schwarz, schwärzlich, tiefschwarz *dunkel, pechrabenschwarz
Pechsträhne: Unglück, Verhängnis
Pechvogel: Pechmarie, Unglücksmensch, Unglücksrabe, Unglückswurm
Pedal: Fußhebel, Fußstück, Tretkurbel, Tretwerk *Fußpedal, Gaspedal
Pedant: Bürokrat, Federfuchser, Kleinigkeitskrämer, Krämerseele, Prinzipienreiter, Schreiberseele, Schulmeister, Wortklauber
Pedanterie: Bürokratie, Klauberei, Kleinigkeitskrämerei, Kleinkariertheit, Kleinlichkeit, Pingeligkeit, Spitzfindigkeit, Übergenauigkeit
pedantisch: engherzig, hinterwälderisch, kleinbürgerlich, kleinkariert, kleinlich, kleinstädtisch, muffig, pingelig, provinziell, schulmeisterlich, spießbürgerlich, spießig, übergenau, unduldsam
Peddigrohr: spanisches Rohr, Rattan
Pedell: Hausmeister, Hauswart, Schuldiener
Pediküre: Fußpflege, Fußnagelpflege *Fußpflegerin
Pegel: Messeinrichtung, Wasserstandsmesser
Pegelstand: Pegelhöhe, Wasserstand
peilen: anpeilen, anvisieren, orientieren, zielen (auf) ***die Lage peilen:** ausforschen, auskundschaften, ausspähen, ausspionieren, erfragen, erkunden, nachforschen, nachschnüffeln, s. orientieren, spionieren ***über den Daumen peilen:** abschätzen, ansetzen, erachten, hochrechnen, schätzen, taxieren, überschlagen, veranschlagen
Pein: Ärmlichkeit, Armseligkeit, Armut, Bedürftigkeit, Beschränkung, Besitzlosigkeit, Elend, Entbehrung, Geldnot, Kargheit, Knappheit, Krise, Not, Notstand, Unglück, Verelendung *Gram, Jammer, Kreuz, Kummer, Kümmernis, Last, Leid, Marter, Martyrium, Misere, Not, Qual, Schmerz, Seelenschmerz, Sorge, Trauer, Trostlosigkeit, Trübsal, Unglück, Verzweiflung
peinigen: drangsalieren, foltern, martern, misshandeln, quälen, schinden, terrorisieren, tyrannisieren, weh tun
peinigend: martervoll, quälend, quälerisch, qualvoll, schmerzlich
Peiniger: Schinder, Despot, Diktator, Gewaltherrscher, Tyrann, Unterdrücker *Nervensäge, Nervtöter, Plagegeist, Plager, Quälgeist, Quälteufel, Quengler, Störenfried
Peinigung: Drangsalierung, Folter, Körperverletzung, Misshandlung, Quälerei, Schinderei, Tyrannei
peinlich: beschämend, blamabel, fatal, genant, genierlich, heikel, instinktlos, misslich, prekär, unangebracht, unangenehm, unerfreulich, unerquicklich, ungut, fehl am Platz, in Verlegenheit bringend *exakt, genau, gewissenhaft, ordentlich, zuverlässig
Peinlichkeit: Gewissenhaftigkeit, Sorgfalt
Peitsche: Geißel, Karbatsche, Knute, Rute
peitschen: geißeln, schlagen, mit der Peitsche überziehen, mit der Peitsche schlagen, mit der Peitsche hauen
Peitscher: Auspeitscher, Flagellant, Geißler, Selbstauspeitscher

pekuniär: finanziell, geldlich, geldmäßig, geschäftlich, wirtschaftlich, das Geld betreffend
Pelle: Balg, Fell, Haut, Schwarte *Haut, Hülle, Hülse, Schale, Schote
pellen: abhäuten *abpellen, abschälen, schälen
Pelz: Balg, Decke, Fell, Haardecke, Haarkleid, Haut, Schwarte *Haar, Haarschopf
pelzig: dumpf, gefühllos, taub, unbestimmt, unterdrückt *wie ein Pelz
Pelzstoff: Webpelz
Pelzware: Fellwerk, Kürsch, Pelzwerk, Rauchware
Penaten: Hausgötter, Heimgötter, Laren, Schutzgeister, Schutzgötter
Pendant: Entsprechung, Gegenstück, Korrelat
Pendel: Perpendikel, Uhrpendel
Pendelbewegung: Oszillation, Schwingung
pendeln: ausschlagen, flattern, schaukeln, schlendern, schwingen, wackeln, s. wiegen, wippen, wogen *rudern, schlenkern, schwenken, schwingen
pendelnd: oszillatorisch
penetrant: aufdringlich, frech, indiskret, lästig, plump, taktlos, unangenehm, unverschämt, zudringlich *beißend, durchdringend, intensiv, scharf, stechend, streng
Penetranz: Annäherungsversuch, Aufdringlichkeit, Belästigung, Zudringlichkeit
penibel: eigen, gewissenhaft, kleinlich, ordentlich, pingelig, sorgfältig, übergenau, auf Ordnung achtend, Ordnung haltend *sauber
Penis: Phallus, (männliches) Glied, (männliches) Geschlechtsteil, (männliches) Genitale
Pennbruder: Landstreicher, Obdachloser, Penner
Penne: Absteige, Asyl, Behausung, Bleibe, Herberge, Logis, Obdach, Quartier, Schlafstelle, Unterkunft, Unterschlupf
pennen: campieren, nächtigen, schlafen, übernachten, zelten
Penner: Clochard, Stadtstreicher, Tramp, Vagabund
Pension: Gasthof, Herberge, Hotel, Unterkunft *Altersrente, Altersversorgung, Ruhegehalt, Ruhegeld *Ruhestand *Mahlzeiten, Verpflegung, Essen und Trinken
Pensionär: Privatier, Rentner, Ruheständler *Gast, Stammgast
Pensionat: Erziehungsinstitut, Internat
pensionieren: emeritieren, entpflichten, verabschieden, in den Ruhestand versetzen, in Pension schicken, außer Dienst setzen
pensioniert: emeritiert, entpflichtet, in Pension, außer Dienst, im Ruhestand
Pensum: Arbeit, Aufgabe, Hausaufgabe, Schulaufgabe
Pentagon: Fünfeck *amerikanisches Verteidigungsministerium
pentagonal: fünfeckig
Pentagramm: Drudenfuß, Pentalpha
Pep: Aktivität, Begeisterung, Dynamik, Elan, Fitness, Impetus, Lebhaftigkeit, Leidenschaft, Schwung, Spannkraft, Temperament, Vehemenz, Verve, Vitalität
per: anhand, durch, für, gegen, infolge, kraft, mit, mit Hilfe (von), mittels, vermöge, wegen
per annum: jährlich, das Jahr hindurch, jedes Jahr
perfekt: ausgereift, druckreif, erstklassig, fehlerfrei, fehlerlos, glänzend, korrekt, makellos, meisterhaft, mustergültig, routiniert, tadellos, unangreifbar, unerreicht, unfehlbar, untadelig, unübertroffen, vollendet, vollkommen, vorbildlich, aus einem Guss *abgeschlossen, erledigt, gemacht, gültig, vollzogen *fließend, geläufig, mühelos, zügig, in einem Zug
Perfektion: Kunstfertigkeit, Meisterschaft, Reife, Vollendetheit, Vollendung, Vollkommenheit
perfektionieren: ergänzen, überarbeiten, vervollkommnen, vervollständigen, vollenden
Perfektionierung: Ergänzung, Verbesserung, Vervollkommnung
perfide: gemein, hundsgemein, niederträchtig, schäbig, schändlich, schimpflich, schmachvoll, schmählich, schmutzig, schnöde *arglistig, hinterhältig, infam, intrigant, niederträchtig, untreu, verräterisch

Perfidie: Abfall, Abtrünnigkeit, Charakterlosigkeit, Ehrlosigkeit, Flatterhaftigkeit, Gemeinheit, Hinterlist, Treuebruch, Treulosigkeit, Unbeständigkeit, Unehrlichkeit, Unredlichkeit, Unstetigkeit, Untreue, Wankelmut, Wankelmütigkeit, Wortbrüchigkeit
Perforation: Reißlinie
perforieren: durchbohren, durchbrechen *durchlöchern, lochen, zähnen, mit Löchern versehen
Pergament: Pergamentbogen, Pergamentdruck, Pergamentpapier, Pergamentrolle
Pergola: Laube, Laubengang
Periode: Menstruation, Monatsblutung *Abschnitt, Ära, Epoche, Frist, Halbjahr, Intervall, Jahr, Jahreszeit, Jahrhundert, Jahrtausend, Jahrzehnt, Kalenderjahr, Minute, Monat, Mondjahr, Phase, Sekunde, Semester, Spanne, Stunde, Tag, Trimester, Weile, Woche, Zeit, Zeitabschnitt, Zeitalter, Zeitraum, Zeitspanne, sieben (...) Tage
Periodenzahl: Frequenz
periodisch: regelmäßig, zyklisch, in bestimmter Folge, in regelmäßiger Folge, in gleichmäßigen Intervallen, in regelmäßigen Intervallen, in gleichen Intervallen, in bestimmten Intervallen, in gleichmäßigen Abständen, in regelmäßigen Abständen, in gleichen Abständen, in bestimmten Abständen, regelmäßig wiederkehrend, regelmäßig auftretend
periodisieren: fächern, auffächern, gliedern, untergliedern, teilen, unterteilen, aufgliedern, aufteilen, differenzieren, eingliedern, einordnen, einstufen, einteilen, fächern, gruppieren, klassifizieren, ordnen, paragraphieren, rubrizieren, segmentieren, staffeln, systematisieren, unterteilen, zerlegen
Periodisierung: Aufgliederung, Aufschlüsselung, Aufteilung, Differenzierung, Einordnung, Einstufung, Einteilung, Gliederung, Gruppierung, Klassifikation, Ordnung
Periodizität: Regelmäßigkeit, Wiederkehr
peripher: äußerlich, oberflächlich, am Rande befindlich, am Rande liegend *irrelevant, nebensächlich, unbedeutend, unwichtig, nicht der Rede wert, ohne Relevanz
Peripherie: Außenbezirk, Rand, Randbezirk, Randgebiet, Stadtrand, Tangente
Peripheriewinkel: Umfangwinkel
Periphrase: Metaphrase, Paraphrase, Umschreibung
Perle: edler Tropfen *Glanzstück, Goldstück, Prachtstück *Hausangestellte
perlen: träufeln, triefen, tröpfeln, tropfen *moussieren, prickeln, schäumen, sprudeln
Permafrost: Dauerfrost
permanent: anhaltend, beharrlich, dauernd, ewig, fortwährend, unablässig, unausgesetzt, unentwegt
Permanenz: Bestand, Beständigkeit, Dauer, Dauerhaftigkeit, Fortbestand, Fortbestehen, Fortdauer, Fortgang, Stetigkeit, Weitergehen
perplex: erstaunt, fassungslos, konsterniert, reglos, sprachlos, überrascht, verblüfft, verdutzt, versteinert, verwirrt
per se: von sich aus, von selbst, an sich, durch sich, für sich
Persien: Iran
Persiflage: Parodie, Satire, Spott
persiflieren: parodieren, verspotten, spöttisch imitieren, spöttisch nachahmen, spöttisch nachmachen, spöttisch wiedergeben
persistent: ausdauernd, beharrlich, entschieden, entschlossen, fest, geduldig, geradlinig, hartnäckig, konstant, krampfhaft, starrsinnig, stetig, strebsam, stur, trotzig, unbeirrbar, unbeirrt, unbeugsam, unentwegt, unermüdlich, unverdrossen, verbissen, verzweifelt, zäh, zielbewusst, zielstrebig
Persistenz: Ausdauer, Beharrlichkeit, Entschiedenheit, Entschlossenheit
Person: Figur, Geschöpf, Gesicht, Gestalt, Individuum, Jemand, Kopf, Lebewesen, Mensch, Persönlichkeit, Subjekt, Wesen *Mann *Frau *Charge, Figur, Hauptrolle, Nebenrolle, Partie, Rolle, Statistenrolle
Personal: Arbeiterschaft, Belegschaft, Beschäftigte, Betriebsangehörige, Bodenpersonal, Firmenangehörige, Mann-

schaft, Mitarbeiter, Team *Dienerschaft, Dienstleute, Dienstpersonal, Stab
Personalabbau: Stellenabbau, Stellenreduzierung
Personenaufzug: Lift, Paternoster
Personalausweis: Ausweis, Ausweiskarte, Ausweispapier, Identifikationskarte, Legitimation, Papiere, Pass, Reisepass
Personalchef: Personalleiter
Personalien: Angaben zur Person, Personendaten
Personenkraftwagen: Auto, Automobil, Fahrzeug, Gefährt, Kraftfahrzeug, Kraftwagen, Pkw, Vehikel, Wagen
Personenname: Beiname, Familienname, Nachname, Vatername, Vatersname, Zuname
Personenzug: Bummelzug, Nahverkehrszug, Vorortzug
Personifikation: Bild, Inbegriff, Inkarnation, Personifizierung, Verkörperung, absolute Verkörperung
personifizieren: agieren, darbieten, darstellen, figurieren, mimen, verkörpern, verleiblichen, vorstellen, wiedergeben
persönlich: direkt, eigenhändig, höchstpersönlich, höchstselbst, selber, selbst, unmittelbar, in (eigener) Person, in persona *unübertragbar, an die Person gebunden *außerdienstlich, eigen, individuell, privat, nicht öffentlich, nicht amtlich *anzüglich, ausfällig, beleidigend, kränkend
Persönlichkeit: Charakter, Charakterfigur, Charaktergestalt, Individualität, Person, Respektsperson *Prominenter
Persönlichkeiten: Prominente, Prominenz
Personenstandsregister: Matrikel, Personenverzeichnis, Verzeichnis
Persönlichkeitsforschung: Charakterologie, Typik
Persönlichkeitsreifung: Individuation
Perspektive: Ausblick, Aussicht, Hoffnung, Lichtblick, Lichtpunkt, Rettung, Zukunft *Fluchtbild, Raumsicht
Perücke: Haarersatz, Kunsthaare, Toupet, Zweitfrisur, falsche Haare
pervers: abartig, abnorm, anomal, anormal, unnatürlich, widernatürlich, anders geartet, krankhaft veranlagt
Perversion: Abartigkeit, Abnormität, Anomalie, Krankhaftigkeit, Normwidrigkeit, Perversität, Regelwidrigkeit, Widernatürlichkeit
Pessimismus: Agnostizismus, Defätismus, Fatalismus, Lebensverneinung, Miesmacherei, Nihilismus, Panikmache, Schwarzmalerei, Schwarzseherei, Skepsis, Skeptizismus, Unkerei *Depression, Mutlosigkeit, Niedergeschlagenheit
Pessimist: Defätist, Fatalist, Miesepeter, Miesmacher, Nihilist, Schwarzmaler, Schwarzseher, Skeptiker, Unheilsprophet, Unke
pessimistisch: am Boden zerstört, bedrückt, bekümmert, betroffen, betrüblich, betrübt, defätistisch, depressiv, deprimiert, desolat, elegisch, elend, ernsthaft, freudlos, gebrochen, gedrückt, hypochondrisch, kummervoll, lebensverneinend, leidend, melancholisch, niedergeschlagen, nihilistisch, schmerzerfüllt, schwarzseherisch, schwermütig, todunglücklich, traurig, trist, trübe, trübselig, trübsinnig, unfroh, unglücklich, untröstlich, verzweifelt, von Trauer erfüllt, wehmütig, wehmutsvoll
Pest: Fäulnis, Pestilenz, Pestseuche, der schwarze Tod
Pestilenz: Pest, Pesthauch, Seuche, Seuchenherd
pestilenzialisch: stinkend, stinkig, übel riechend
Petition: Antrag, Bettelbrief, Gesuch
Petrefikation: Petrefakt, Versteinerung
Petroleum: Erdöl, Mineralöl, Kerosin, Leuchtöl, Steinöl
Petticoat: Halbrock, Unterrock
petzen: anschwärzen, anzeigen, ausliefern, ausplaudern, denunzieren, preisgeben, verraten
Petzer: Angeber, Denunziant, Verräter, Zuträger
peu à peu: allmählich, anfangs, graduell, gradweise, langsam, nacheinander, schrittweise, stufenweise, sukzessiv, auf die Dauer, der Reihe nach, kaum merklich, mit der Zeit, nach und nach, Schritt für Schritt, Stück um Stück, im Laufe der Zeit
Pfad: Fahrweg, Feldweg, Gehsteig, Geh-

weg, Leinpfad, Steig, Treidelpfad, Treidelweg, Weg
Pfadfinder: Pionier, Scout
pfadlos: unwegsam, verwildert, wild
Pfahl: Pfeiler, Pflock, Pfosten, Poller
pfählen: abstützen, verstreben *durchbohren, töten
Pfahlwerk: Abstützung, Balkenwerk, Gerüst, Pfahlbau, Pfosten, Strebe, Stütze, Stützwerk, Verpfählung
Pfahlzaun: Palisade
Pfand: Einlage, Einsatz, Versatz *Bürgschaft, Faustpfand, Garantie, Garantieleistung, Gewähr, Hinterlegung, Kaution, Sicherheit, Sicherheitsleistung, Sicherung, Verantwortung, Verpflichtung *Zwangspfand
Pfandbrief: Realobligation
pfänden: abnehmen, beschlagnahmen, einziehen, konfiszieren, requirieren, sequestrieren, sichern, sicherstellen, mit Beschlag belegen
Pfandhaus: Leihhaus, Pfandleihanstalt, Pfandleihe, Versatzamt
Pfandschein: Leihschein
Pfändung: Beschlagnahme, Beschlagnahmung, Einziehung, Konfiskation, Konfiszierung, Sequestration, Sicherstellung, Sicherung, Sperrung, Zwangsverwaltung
Pfanne: Behälter, Gefäß, Bratpfanne, Tiegel *Dachpfanne, Dachziegel, Hohlziegel, Krummziegel *Gelenkpfanne, Knochenvertiefung
Pfannkuchen: Crêpe, Eierkuchen, Kartoffelpfannkuchen, Omelett, Omelette, Palatschinken
Pfarramt: Pastorat
Pfarrei: Kirchengemeinde, Kirchensprengel, Kirchspiel, Parochie, Pfarramt, Pfarrbezirk
Pfarrer: Geistlicher, Ortspfarrer, Priester, Stadtpfarrer
Pfarrvikar: Pfarrhelfer
Pfeffer: Pfeffergewürz, Gewürz *Esprit, Geist, Witz
pfeffern: abschmecken, abstimmen, schärfen, würzen *werfen ***eine pfeffern:** ohrfeigen, eine schmieren, eine langen, eine kleben, die Handschrift zeigen
Pfeife: Tabakspfeife *Friedenspfeife *Dummkopf, Versager *Schössling
pfeifen: piepen, piepsen, quirilieren, schilpen, schlagen, singen, tirilieren, trillern, tschilpen, ziepen, zirpen, zwitschern *fiepen, klagen, rufen
Pfeil: Orientierungshilfe, Richtungsweiser *Bogengeschoss, Wurfgeschoss *Anspielung, Bissigkeit, Seitenhieb, Spitze, Stichelei, boshafte Bemerkung
Pfeiler: Eckpfeiler, Grundpfeiler, Pfahl, Pilaster, Säule, Ständer, Stütze, Tragstütze
pfeilgerade: gerade, geradlinig, gestreckt, linear, schnurgerade, in einer Linie, wie ein Pfeil
pfeilgeschwind: pfeilschnell, schnell
Pfennigfuchser: Geizhals, Geizhammel, Geizkragen, Geizteufel, Knauser, Knicker, Raffke
Pferch: Abzäunung, Einfriedung, Eingrenzung, Einhegung, Einzäunung, Gitter, Mauer, Umfassung, Umhegung, Umzäunung, Zaun
pferchen: zusammendrängen
Pferd: Gaul, Hengst, Klepper, Mähre, Ross, Schindmähre, Stute
Pferdefuß: Schwierigkeit *Teufel
Pferdeknecht: Pferdejunge, Reitknecht, Stallbursche
Pferdekur: Radikalkur, Rosskur
Pferdekutscher: Anspänner, Fuhrknecht, Fuhrmann, Kutscher, Wagenlenker
Pferdehockey: Polo
Pfiff: Pfeifen, Ruf, Schrillton *Deut, Kleinheit, Kleinigkeit *Ausweg, Dreh
Pfifferling: Pilz *Bagatelle
pfiffig: schlau, bauernschlau, abgefeimt, ausgefuchst, ausgekocht, clever, diplomatisch, durchtrieben, gerissen, geschäftstüchtig, geschickt, gewieft, gewitzt, listig, raffiniert, taktisch, verschlagen, verschmitzt
Pfiffigkeit: Bauernschläue, Cleverness, Findigkeit, Geschäftstüchtigkeit, Mutterwitz, Raffiniertheit, Schläue, Schlauheit, Taktik, Verschlagenheit, Verschmitztheit
Pfiffikus: Schlauberger, Schlaukopf, Schlaumeier
Pflanze: Gewächs, Kraut *Nichtskönner, Niete, Pflaume, Versager
pflanzen: bauen, anbauen, setzen, ein-

setzen, anpflanzen, bebauen, bestellen, einpflanzen, kultivieren, legen, säen, stecken
Pflanzenanbau: Agrikultur
Pflanzenauszug: Essenz
Pflanzenesser: Vegetarier
Pflanzenfarbstoff: Chlorophyll
Pflanzenforscher: Botaniker
Pflanzenfresser: Phytophage, Vegetarier
Pflanzenheilkunde: Phytotherapie
Pflanzenkost: Vegetabilien, vegetarische Kost
Pflanzenkunde: Botanik
Pflanzenvernichtungsmittel: Herbizid
Pflanzenwelt: Flora, Pflanzenwuchs, Pflanzenreich, Vegetation
pflanzlich: fleischlos, vegetarisch, von pflanzlicher Herkunft
Pflänzling: Schössling
Pflanzung: Anpflanzung, Baumschule, Pflanzenkultur, Plantage
Pflaster: Kopfsteinpflaster, Pflasterung, Straßenpflaster *Entschädigung *Heftpflaster, Pflästerchen, Wundpflaster
pflastern: bepflastern, mit Pflastersteinen versehen ***eine pflastern:** ohrfeigen, eine schmieren
Pflaume: Dummkopf, Nichtskönner, Nichtswisser, Stümper, Tollpatsch, Tölpel, Tor, Trottel, Versager, hohler Kopf *Zwetsche, Zwetschge, Zwetschke
Pflege: Behandlung, Betreuung, Erhaltung, Fürsorge, Hege, Hilfe, Instandhaltung, Konservierung, Schonung, Schutz, Sorgfalt, Unterhaltung, Versorgung, Wartung *Kultivierung
Pflegeanstalt: Pflegeheim, Pflegestätte *Krankenhaus
Pflegekind: Pflegling, Ziehkind
Pflegemutter: Ziehmutter
pflegen: aufpäppeln, beistehen, betreuen, helfen, hüten, umhegen, umsorgen, warten, Fürsorge angedeihen lassen, Pflege angedeihen lassen *hüten, schonen, warten, instand halten, pfleglich behandeln, pfleglich umgehen *pfleglich umgehen (mit), schonen, schonend umgehen (mit), sorgsam umgehen (mit), gut behandeln *fördern, konservieren, kultivieren *die Gewohnheit haben, gewohnt sein *s. abgeben, s. angelegen sein, s. beschäftigen (mit) ***s. pflegen:** s. schonen, auf sein Äußeres achten *s. fein machen, s. schminken, s. schön machen, s. verschönern
Pfleger: Erziehungsberechtigter, Kurator, Tutor, Vormund, gesetzlicher Vertreter *Krankenpfleger, Krankenwärter, Sanitäter
Pflegevater: Ziehvater
pfleglich: achtsam, aufmerksam, bedacht, bedachtsam, behutsam, fürsorglich, gelinde, gewissenhaft, liebevoll, lind, pflegsam, pflichtbewusst, rücksichtsvoll, sacht, sanft, schonend, schonsam, schonungsvoll, sorgfältig, sorglich, sorgsam, umsichtig, verantwortungsbewusst, vorsichtig, zart, mit Bedacht, mit Sorgfalt
Pflegschaft: Kuratel
Pflicht: Auftrag, Menschenpflicht, Mission, Obliegenheit, Plan, Schuldigkeit, Soll, Verbindlichkeit, Verpflichtung *Erfordernis, Gebot, Muss, Unabwendbarkeit, Unerlässlichkeit, Zwang
Pflichtanteil: Kontingent
pflichtbewusst: gewissenhaft, pflichteifrig, pflichterfüllt, pflichtgemäß, pflichtgetreu, pflichtschuldig, pflichtschuldigst, pünktlich, rechtschaffen, verantwortlich, verantwortungsbewusst,verantwortungsvoll, verlässlich, vertrauenswürdig, zuverlässig
Pflichtbewusstsein: Dienstbeflissenheit, Diensteifer, Gewissenhaftigkeit, Pflichteifer, Pflichterfüllung, Pflichtgefühl, Pflichttreue, Rechtschaffenheit, Verantwortlichkeit, Verantwortung, Verantwortungsbewusstsein, Verantwortungsgefühl, Zuverlässigkeit
pflichteifrig: pflichtbewusst, pflichterfüllt
Pflichterfüllung: Charakterstärke, Dienstbarkeit, Ehrenpunkt, Treue
pflichtvergessen: nachlässig, pflichtwidrig, säumig, saumselig, sorglos, unzuverlässig, verantwortungslos, ohne Pflichtgefühl
Pflichtvergessenheit: Nachlässigkeit, Säumigkeit, Saumseligkeit, Sorglosigkeit, Unzuverlässigkeit, Verantwortungslosigkeit

pflichtwidrig: nachlässig, pflichtvergessen, säumig, saumselig, sorglos, unzuverlässig, verantwortungslos, ohne Pflichtgefühl
Pflock: Bolzen, Pfahl, Pfosten, Stock, Zapfen *Hering, Zeltpflock
pflücken: abbrechen, abknicken, abpflücken, abreißen, abzupfen, brechen, ernten, herunterholen, lesen
pflügen: ackern, bearbeiten, durchfurchen, durchpflügen, furchen, schälen, umbrechen, umgraben, umpflügen, wenden
Pforte: Bresche, Durchbruch, Durchgang, Durchlass, Durchstich, Einschnitt, Enge, Engpass, Stollen *Ausgang, Eingang, Tor, Tür
Pförtner: Portier, Torwächter, Türhüter, Türwächter, Wächter
Pförtnerin: Concierge, Portiersfrau
Pfosten: Pfahl, Pfeiler, Pflock, Poller
Pfote: Pranke, Pratze, Tatze *Handschrift, Klaue, Schmiererei *Flosse, Gliedmaße, Hand, Klaue, Patsche, Pranke, Pratze, Tatze
Pfriem: Ahle
Pfropf: Kork, Korken, Pfropfen, Spund, Stopfen, Stöpsel, Zapfen
pfropfen: stopfen *verschließen, zukorken, zumachen *impfen, okulieren, pelzen, schäften, veredeln
Pfropfreis: Ableger, Impfreis, Pfröpfling, Schössling, Senker
Pfründe: Einkommen, Unterhalt, Unterstützung, Zugabe, Zuschuss *Kirchenamt
Pfuhl: Morast, Pfütze, Schlamm, Schlick, Schmutzlache, Sumpf, Tümpel
pfui!: igitt!, igittigitt!, puh!, pfui Deibel!, pfui Teufel!
pfundig: dufte, fabelhaft, großartig, prima, toll, ganz toll, ganz groß *arbeitsam, arbeitswillig, betriebsam, ehrgeizig, eifrig, emsig, fleißig, geschäftig, lebenstüchtig, leistungsfähig, nimmermüde, patent, rastlos, strebsam, tätig, tüchtig, unermüdlich
Pfundskerl: Perle, Prachtexemplar, Prachtmensch, Schatz, liebenswerter Mensch, umgänglicher Mensch, anständiger Mensch
Pfusch: Ausschuss, Murkserei, Pfuscharbeit, Pfuscherei
pfuschen: hudeln, huscheln, murksen, schlampen, schludern, stümpern, sudeln
Pfuscher: Analphabet, Banause, Besserwisser, Dilettant, Nichtskönner, Nichtswisser, Stümper *Kurpfuscher, Quacksalber
Pfuscherei: Ausschuss, Dilettantismus, Flickwerk, Hudelei, Huschelei, Murkserei, Pfuscharbeit, Schluderarbeit, Schluderei, Stümperei, Sudelei
pfuscherhaft: pfuschig, stümperhaft
Pfütze: Lache, Pfuhl, Suhle
Phallus: Penis, (männliches) Glied, (männliches) Geschlechtsteil, (männliches) Genitale
Phänomen: Begabung, Geist, Geistesgröße, Genie, Genius, Kapazität, Könner, Koryphäe, Meister, Talent, Universalgenie *Erscheinung, Kuriosität, Kuriosum, Mirakel, Sehenswürdigkeit, Wunder, Wundererscheinung, Wunderwerk
phänomenal: abenteuerlich, ansehnlich, auffallend, auffällig, aufsehenerregend, außergewöhnlich, außerordentlich, ausgefallen, bedeutend, bedeutsam, bedeutungsvoll, beeindruckend, beträchtlich, bewundernswert, brillant, eindrucksvoll, einzigartig, eminent, enorm, epochal, Epoche machend, erheblich, erklecklich, erstaunlich, extraordinär, fabelhaft, formidabel, grandios, hervorragend, imponierend, imposant, nennenswert, ohnegleichen, sensationell, sondergleichen, spektakulär, stattlich, überragend, überwältigend, umwerfend, ungewöhnlich, unvergleichlich, verblüffend, ersten Ranges
Phantasie: Einbildungskraft, Einbildungsvermögen, Vorstellungskraft, Vorstellungsvermögen *Einbildung, Irrealität, Phantom, Unwirklichkeit, Utopie, Vision *Einfallsreichtum, Erfindungsgabe, Ideenreichtum, Schöpferkraft
phantasiebegabt: einfallsreich, findig, gedankenreich, geistreich, ideenreich, kreativ, originell, phantasiereich, phantasievoll, produktiv, schöpferisch
Phantasiebild: Bilder, Erscheinung, Gesicht, Halluzination, Phantasma,

Phantom, Schimäre, Sinnestäuschung, Täuschung, Trugbild, Vision, Wahnvorstellung
Phantasiegebilde: Annahme, Befürchtung, Einbildung, Erdichtung, Fiktion, Halluzination, Hirngespinst, Illusion, Luftschloss, Mutmaßung, Phantasie, Sinnestäuschung, Spekulation, Täuschung, Trugbild, Vorstellung, Wahn, Wunschvorstellung, Zwangsvorstellung, fixe Idee
Phantasiegestalt: Fabelgeschöpf, Fabelgestalt, Fabeltier, Fabelwesen, Märchengestalt
phantasielos: dürftig, einförmig, gemütsarm, logisch, nüchtern, poesielos, prosaisch, rational, realistisch, sachlich, trocken, unromantisch, verstandesmäßig, ohne Emotion, ohne Phantasie
phantasiereich: einfallsreich, findig, gedankenreich, geistreich, ideenreich, kreativ, originell, phantasiebegabt, phantasievoll, produktiv, schöpferisch *schwärmerisch
phantasieren: fiebern, irre reden, wirr reden *improvisieren, aus dem Stegreif spielen *ausdenken, s. ausmalen, erdichten, erfinden, schwärmen, träumen, einen Traum haben, in den Wolken schweben
phantasievoll: einfallsreich, erfindungsreich, geistreich, genial, ideenreich, kreativ, produktiv, schöpferisch, voller Phantasie
Phantasmagorie: Blendwerk, Hirngespinst, Truggebilde, Zauber
Phantast: Fanatiker, Idealist, Illusionist, Romantiker, Schwärmer, Schwarmgeist, Träumer
Phantasterei: Schwärmerei, Träumerei, Überspanntheit
phantastisch: einmalig, großartig, hervorragend, ungewöhnlich *beispiellos, haarsträubend, unbeschreiblich, unerhört, ungeheuerlich, unwahrscheinlich, noch nie dagewesen *bizarr, fabelhaft, gespenstig, grotesk, irreal, märchenhaft, seltsam, skurril, traumhaft, unheimlich, unwirklich *exaltiert, extravagant, überschwänglich, überspannt, überstiegen, verstiegen
Phantom: Bilder, Erscheinung, Gesicht, Halluzination, Phantasiebild, Phantasma, Scheinbild, Schimäre, Sinnestäuschung, Täuschung, Trugbild, Vision, Wahnvorstellung
Pharisäer: Biedermann, Duckmäuser, Erbschleicher, Heuchler, Lügner, Mucker, Schmeichler, der Scheinheilige, falscher Fuffziger, falscher Hund, Wolf im Schafspelz
Pharisäertum: Doppelzüngelei, Doppelzüngigkeit, Doppelzünglerei, Falsch, Falschheit, Getue, Gleisnerei, Heuchelei, Lippenbekenntnis, Scheinheiligkeit, Unaufrichtigkeit, Verlogenheit, Verstellung, Vortäuschung
pharisäisch: doppelzüngig, falsch, falschherzig, frömmelnd, glattzüngig, heuchlerisch, hinterhältig, katzenfreundlich, lügenhaft, lügnerisch, muckerhaft, muckerisch, scheinfromm, scheinheilig, schmeichlerisch, unaufrichtig, unehrlich, unlauter, unredlich, unreell, unsolid, unwahrhaftig, verstellt, vielzüngig
Pharmazie: Arzneikunde, Arzneilehre
Phase: Entwicklungsepoche, Entwicklungsperiode, Entwicklungsstand, Entwicklungsstufe *Zeitabschnitt, Zeitraum
Philanthrop: Gönner, Menschenfreund, Wohltäter
philanthropisch: human, menschenfreundlich, menschlich
Philharmonie: Philharmoniker, philharmonisches Orchester
Philister: Banause, Biedermann, Kleinbürger, Krämer, Pfahlbürger, Schildbürger, Spießbürger, Spießer
philisterhaft: einseitig, kleinlich
Philosoph: Begriffsforscher, Denker, Geistesritter, Weisheitslehrer *Gemütsmensch, Lebenskünstler, Stoiker
Philosophie: Denkweise, Meinung, Weltanschauung *Denkwissenschaft, Grundwissenschaft
philosophieren: s. Gedanken machen, grübeln, nachdenken, sinnieren, philosophische Studien betreiben, denken (über)
philosophisch: abgeklärt, erfahren, gereift, klug, lebenserfahren, überlegen, weise, welterfahren, wissend
Phlegma: Abgestumpftheit, Abstump-

fung, Apathie, Gefühllosigkeit, Geistesabwesenheit, Gleichgültigkeit, Interesselosigkeit, Lethargie, Passivität, Stumpfheit, Stumpfsinn, Stumpfsinnigkeit, Teilnahmslosigkeit, Trägheit, Unempfindlichkeit, Uninteressiertheit, Wurstigkeit
Phlegmatiker: Faulenzer, Schlafmütze, Schnecke, lahme Ente
phlegmatisch: apathisch, denkfaul, desinteressiert, gefühllos, gleichgültig, inaktiv, interesselos, kühl, lasch, leidenschaftslos, lethargisch, passiv, stumpf, stumpfsinnig, teilnahmslos, träge, unaufgeschlossen, unbeteiligt, unbewegt, unempfindlich, ungerührt
Phobie: Angstneurose, Erwartungsangst, Situationsangst, Zwangsbefürchtung, krankhafte Furcht
Phonetik: Lautkunde, Lautlehre
Phrase: Banalität, Blabla, Demagogie, Faselei, Gebabbel, Gedöns, Gedröhn, Gedröhne, Gefasel, Gelaber, Geplapper, Geplätscher, Gequassel, Gequatsche, Geschnatter, Geschwafel, Geschwätz, Gewäsch, Gickgack, Kakelei, Palaver, Plapperei, Quasselei, Quatscherei, Rederei, Schleim, Schmonzes, Schmus, Schnickschnack, Schwabbelei, Schwätzerei, Sermon, Unsinn, Wischiwaschi, Wischwasch, Wortaufwand, leeres Stroh *Äußerung, Floskel, Redensart, Schlagwort, hohle Phrase, leere Worte, große Worte, schöne Worte, leere Phrase *Tonfolge ***Phrasen dreschen:** schmarren, schwafeln, Phrasen reden, Phrasen drechseln
phrasenhaft: abgedroschen, abgeleiert, alt, ausgeleiert, bekannt, formelhaft, inhaltsarm, inhaltslos, nichts sagend
Phylogenese: Phylogenie, Stammesgeschichte
Physis: Körperbeschaffenheit, Natur, das Körperliche
Physiognomie: Ausdruck, Gesichtszug, Miene, Mienenspiel
physisch: körperlich, leiblich, somatisch
Pianist: Klavierspieler
piano: leise, verhalten
Piano: Flügel, Klavier, Tasteninstrument
Pickel: Spitzhacke *Blüte, Eiterbläschen, Finne, Furunkel, Pustel
pickelig: pustelig, unrein
picken: essen, herauspicken *anpinnen, ansticken, kleben
Picknick: Imbiss, Mahlzeit
Pick-up: Lieferwagen
picobello: sauber *hervorragend
piekfein: adrett, sauber
Piep: Piepser, (hoher) Ton
piepsen: flöten, pfeifen, piepen, schilpen, ziepen, zirpen, zwitschern
Pier: Bollwerk, Damm, Hafendamm, Hafenmauer, Kai, Kaimauer, Landungsbrücke, Mole
piercen: durchbohren, durchstechen
piesacken: ärgern, quälen, peinigen
Pietät: Achtung, Anerkennung, Ehrfurcht, Hochachtung, Respekt, Rücksicht, Scheu, Verehrung
pietätlos: gottlos, ketzerisch, schändlich, verwerflich, ohne Ehrfurcht, ohne Pietät, ohne Scheu, keine Pietät besitzend
pietätvoll: achtungsvoll, ehrerbietig, ehrfürchtig, ehrfurchtsvoll, respektvoll, Pietät besitzend
pikant: aromatisch, feurig, herzhaft, scharf, schmackhaft, würzig, gut gewürzt *anstößig, schlüpfrig, unanständig, ungehörig, unmoralisch, unschicklich, zotig, zweideutig *prickelnd, reizend
Pikanterie: Frivolität, Laszivität, Obszönität, Schlüpfrigkeit, Unanständigkeit, Unsittlichkeit, Unzucht, Zweideutigkeit
piken: beißen, kneifen, kribbeln, piksen, schmerzen, stechen, zwacken, zwicken
pikieren: aufziehen, verpflanzen, verziehen
pikiert: beleidigt, eingeschnappt, gekränkt, getroffen, grantig, sauer, verletzt, verschnupft, verstimmt
Pilger: Pilgersmann, Wallfahrer *Wandersmann, Wanderer des Herrn
Pilgerfahrt: Bittgang, Bußgang
pilgern: wallfahren, wallfahrten, einen Bittgang machen, eine Pilgerfahrt unternehmen *herumziehen, streifen, umherstreifen *s. fortbewegen, marschieren, spazieren gehen, wandern, ziehen
Pille: Arzneimittel, Dragee, Kapsel, Medikament, Pastille, Tablette *Antibabypille, Empfängnisverhütungsmittel, Ovulationshemmer, Verhütungsmittel

Pilot: Flieger, Flugzeugführer, Flugzeugkapitän *Rallyefahrer, Rennfahrer
Pilotenkabine: Cockpit
Pilzerkrankung: Mykose
Pilzkunde: Mykologie
pilztötend: fungizid
pingelig: bürokratisch, eklig, engherzig, hinterwäldlerisch, kleinbürgerlich, kleindenkend, kleinkariert, kleinlich, kleinstädtisch, krämerhaft, muffig, pedantisch, provinziell, schulmeisterlich, spießbürgerlich, spießig, spitzfindig, übergenau, unduldsam, päpstlicher als der Papst
pinkeln: urinieren, Wasser lassen, Harn lassen, Urin lassen, zur Toilette gehen, seine Notdurft verrichten
Pinkepinke: Bargeld, Geld, Vermögen
Pinnwand: Infotafel, Infowand
Pinsel: Anstreicherpinsel, Malerpinsel, Malgerät *Borstenbüschel *Betrogener, Einfaltspinsel, Simpel
pinseln: klecksen, malen, schmieren *schreiben, hinschreiben, aufschreiben, kritzeln
Pionier: Bahnbrecher, Schrittmacher, Vorbereiter, Vorkämpfer, Vorläufer, Vorreiter, Wegbereiter
Pionierleistung: Spitzenleistung
Pipeline: Erdölleitung, Ölleitung, Rohrleitung
Pirat: Freibeuter, Korsar, Seeräuber
Piraterie: Freibeuterei, Piratentum, Seeräuberei
Pirsch: Hatz, Jagd, Jägerei, Waidwerk
pirschen: beizen, hetzen, Jagd machen (auf), jagen, nachstellen, auf Jagd gehen, auf (die) Pirsch gehen
Piste: Landebahn, Rollbahn, Startbahn *Abfahrt, Abfahrtshang, Abfahrtsstrecke, Hang, Rodelbahn, Spur *Rennbahn, Rennstrecke, Rundkurs, Wettkampfstrecke
Pistole: Colt, Revolver, Schießeisen, Schusswaffe
pittoresk: idyllisch, malerisch, schön
placken (s.): s. abarbeiten, s. abmühen, s. abschleppen, s. anstrengen, s. etwas abverlangen, s. bemühen, s. fordern, s. mühen, s. plagen, s. strapazieren, seine ganze Kraft aufbieten
Plackerei: Anstrengung, Fron, Knochenarbeit, Mühe, Mühsal, Plage, Rackerei, Riesenarbeit, Schinderei, Sklavenarbeit
plädieren: s. bekennen, s. bemühen, s. einsetzen, eintreten, s. engagieren, s. erklären, s. stark machen, s. verwenden, etwas vertreten, etwas verfechten, etwas verteidigen, Partei nehmen, Partei ergreifen, die Stange halten
Plage: Anstrengung, Belästigung, Bürde, Fron, Joch, Knechtschaft, Kreuz, Last, Leid, Mühe, Mühsal, Qual, Quälerei, Sklaverei, Übel
Plagegeist: Nervensäge, Nervtöter, Peiniger, Plager, Quälgeist, Quälteufel, Quengler, Störenfried
plagen: bedrücken, beunruhigen, peinigen *s. aufdrängen, stören, nicht in Ruhe lassen, nicht gehen lassen ***s. plagen:** s. abmühen, s. abquälen, s. abarbeiten, s. abplacken, s. abplagen, s. abrackern, s. abschleppen, anspannen, s. anstrengen, s. aufreiben, s. befleißen, s. befleißigen, s. bemühen, s. etwas abverlangen, s. fordern, s. mühen, s. Mühe geben, s. quälen, s. schinden
Plagiat: Abklatsch, Anleihe, Diebstahl, Falsifikat, Imitation, Nachahmung, Wiedergabe
Plagiator: Abschreiber, Kopist, Nachahmer
plagiieren: entlehnen, kopieren, s. mit fremden Federn schmücken, nachahmen, nachmachen, übernehmen, geistigen Diebstahl begehen, ein Plagiat begehen
Plakat: Anschlag, Aufruf, Aushang, Bekanntmachung
plakatieren: anschlagen, aushängen, bekannt geben, bekannt machen, veröffentlichen, (öffentlich) anbringen
plakativ: auffallend, demonstrativ, herausgestellt, plakathaft, plakatmäßig, schlagwortartig, werbewirksam, stark betont, stark pointiert
Plakatsäule: Anschlagsäule, Litfaßsäule
Plakette: Abzeichen, Anstecknadel, Ehrenzeichen, Embleme, Hoheitszeichen, Insignien, Kokarde, Nadel, Wahrzeichen
plan: ausgedehnt, ausgestreckt, breit gedrückt, eben, flach, gerade, glatt, platt, waagrecht

Plan: Absicht, Arbeitsplan, Planung, Programm, Projekt, Vorhaben, Vorsatz, Zielsetzung, das Beginnen *Aufriss, Bauplan, Entwurf, Grundriss, Konstruktion, Konzept, Skizze *Überblick, Übersicht *Angebot, Anregung, Empfehlung, Rat, Ratschlag, Tipp, Vorschlag *Arbeitssoll, Soll *Ferienplanung, Urlaubsplan, Urlaubsplanung *Fahrplan

Plane: Schutzdach, Verdeck *Schutzdecke, Wagendecke, Wagenplane

planen: entwerfen, projektieren, vorbereiten *absehen (auf), abzielen, ansteuern, beabsichtigen, bezwecken, hinzielen, intendieren, neigen (zu), schmieden, sinnen (auf), tendieren, verfolgen, vorhaben, s. vornehmen, wollen, gedenken zu tun, denken zu tun, gewillt sein, die Absicht haben, die Absicht hegen *bestimmen, einplanen, vorsehen, in Aussicht nehmen

Planet: Gestirn, Himmelskörper, Stern, Wandelstern

Planetenstand: Konstellation

Planetoid: Asteroid

planieren: abtragen, ausgleichen, begradigen, ebnen, einebnen, glätten, glatt machen, gleichmachen, nivellieren, planmachen, walzen

Planierraupe: Bulldozer

Planierung: Abtragung, Denudation, Einebnung, Nivellierung

Planke: Bohle, Bord, Brett, Diele, Latte, Leiste, Platte

Plänkelei: Faustkampf, Fehde, Geplänkel, Handgemenge, Keilerei, Prügelei, Rauferei, Scharmützel, Streit, Streitigkeit, Zusammenstoß, Zwist

plänkeln: anbändeln, flirten, kokettieren, liebäugeln, liebeln, poussieren, schäkern, schöntun, tändeln *krakeelen, rechten, stänkern, streiten, eine Szene machen

planlos: chaotisch, impulsiv, unbedacht, unbesonnen, ungeordnet, unmethodisch, unorganisiert, unsystematisch, unüberlegt, ziellos, aus dem Stegreif, ins Blaue hinein, ohne Verstand, ohne Sinn, ohne System, aufs Geratewohl, ohne Methode, ohne Plan, ohne Überlegung, auf gut Glück

planmäßig: durchdacht, folgerichtig, geplant, geregelt, gezielt, konsequent, methodisch, plangemäß, planvoll, programmrichtig, systematisch, überlegt, zielbewusst, mit Überlegung, mit Methode, mit Plan, mit System, nach Plan

planschen: baden, s. im Wasser tummeln, pantschen, plätschern, plempern, spritzen

Plansoll: Auflage, Plan, Richtlinie, Vorschlag

Planspiel: Kriegsspiel, Planübung

Plantage: Anwesen *Anpflanzung, Baumschule, Pflanzung

planvoll: ausgearbeitet, ausgeklügelt, berechnet, durchdacht, gezielt, methodisch, planmäßig, sorgsam, systematisch, überlegt, vorbereitet

Planwirtschaft: zentral gelenkte Wirtschaft, geplante Wirtschaft

Planzeichnung: Skizze

plappern: abschweifen, auspacken, dahinlabern, labern, reden, schwatzen, sprechen

plärren: schreien, weinen *anstimmen, grölen, jodeln, schmettern, singen, summen, trällern, tremolieren, trillern

Pläsier: Annehmlichkeit, Befriedigung, Ergötzen, Freude, Genus, Hochgenus, Lust, Spaß, Vergnüglichkeit *Belustigung, Daseinsfreude, Entzücken, Erheiterung, Fröhlichkeit, Frohsinn, Gaudium, Glück, Glückseligkeit, Heiterkeit, Lebensfreude, Lebenslust, Lust, Lustigkeit, Seligkeit, Unterhaltung, Vergnügen, Vergnügtheit

pläsierlich: erfreulich, ergötzlich, lustig, vergnüglich

Plastik: Bildwerk, Büste, Denkmal, Figur, Skulptur, Statue, Torso *Anschaulichkeit, Plastizität

plastisch: anschaulich, bildhaft, deutlich, einprägsam, farbig, fassbar, illustrativ, klar, lebendig, leicht verständlich *anschaulich, ausdrucksvoll, bildhaft, bildlich, demonstrativ, deutlich, eidetisch, einprägsam, farbig, illustrativ, interessant, lebendig, sinnfällig, sprechend, veranschaulichend, verständlich, wirklichkeitsnah *dreidimensional, körperlich, räumlich *formbar, knetbar, modellierbar

Plastizität: Anschaulichkeit, Bildhaftigkeit, Formbarkeit, Körperlichkeit
Plateau: Bergland, Hochebene, Hochfläche, Hochplateau, Platte, Tafelland
Platine: Leiterplatte
platonisch: unsinnlich, nicht sinnlich, rein geistig, rein seelisch
plätschern: fließen, gluckern, rauschen, rieseln, rinnen *baden, s. im Wasser tummeln, panschen, pantschen, planschen, plantschen, plempern, spritzen
platt: eben, flach, plan *baff, durcheinander, überrascht, verdattert *billig, geistlos, hohl, seicht, trivial ***platt drücken:** kleinwalzen, pressen, zusammenquetschen
Platte: Langspielplatte, LP, Schallplatte, Scheibe, Single *Bohle, Bord, Diele, Holzplatte, Latte, Leiste, Planke, Tischplatte *Bergland, Hochebene, Hochfläche, Hochplateau, Plateau *Glatze
Plätteisen: Bügeleisen, Dampfbügeleisen, Plätte, elektrisches Bügeleisen
plätten: ausbügeln, bügeln, mangeln, heißmangeln, aufbügeln, ebnen, glätten, Wäsche rollen
Plattensammlung: Diskothek, Schallplattenarchiv, Schallplattensammlung
Plattenspieler: Grammophon
Plattform: Bühne, Forum, Schauplatz *Aussichtsgalerie, Aussichtsterrasse, Tribüne *Ausgangspunkt, Basis, Ebene, Fundament, Grundlage, Voraussetzung
Plattheit: Banalität, Geistlosigkeit, Gemeinplatz, Plattitüde, Trivialität
Plattitüde: Allgemeinheiten, Allgemeinplatz, Binsenwahrheit, Binsenweisheit, Geistlosigkeit, Gemeinplatz, Geschwafel, Phrase, Plattheit, Redensart, Selbstverständlichkeit, alter Hut, alter Bart *Banalität, Geistlosigkeit, Gemeinplatz, Plattheit, Trivialität
Platz: Sitzgelegenheit, Sitzplatz, Stuhl *Forum, Marktplatz, freier Raum *Fleck, Örtlichkeit, Punkt, Stelle *Platzierung, Position, Rang, Stellung *Feld, Rasen, Spielfeld, Spielfläche, Sportfeld *Auslauf, Bewegungsfreiheit, Spielraum, Weite, freie Bahn *Unterbringungsmöglichkeit, freie Stelle, freier Raum ***Platz machen:** ausweichen *entfernen
Platzangst: Agoraphobie, Angst, Ängstlichkeit, Beklemmung, Beklommenheit, Verschüchterung
Platzdeckchen: Set
platzen: aufbrechen, aufplatzen, aufspringen, auseinander reißen, bersten, s. entladen, entzweigehen, explodieren, krachen, splittern, zerbersten, zerknallen, zerplatzen, zerspringen, in Stücke fliegen *fehlschlagen, missglücken, misslingen, missraten, querschlagen, scheitern, s. zerschlagen, zusammenbrechen, ins Wasser fallen, ohne Erfolg bleiben, schlecht ausfallen, schlecht ausgehen, schlecht auslaufen
platzieren: anlegen *aufstellen *hinbringen, hinstellen, postieren, setzen, stellen, zuweisen
Platzmangel: Enge, Raumknappheit, Raummangel, Raumnot, wenig Platz
Platzregen: Dusche, Gewitterregen, Guss, Regen, Regenguss, Regenschauer, Regenwetter, Schauer, Sturz, Unwetter, Wolkenbruch
Plauderei: Aussprache, Geplauder, Geschwätz, Gespräch, Kaffeeklatsch, Plauderstündchen, Plausch, Schwatz, Schwätzchen, Unterhaltung
Plauderer: Fabulant, Fabulist, Gesellschafter *Fabulant, Phrasendrescher, Plapperer, Quasselkopf, Quasselstrippe, Salbader, Schwadroneur, Schwätzer, Wortemacher, Zungendrescher
plaudern: erzählen, plauschen, sagen, schnacken, s. unterhalten, miteinander sprechen, miteinander reden *ausplaudern, ausquasseln, preisgeben, verraten *plauschen, unterhalten
Plaudertasche: Klatschbase, Klatschtante, Raffel, Schwatzbase, Waschweib
plausibel: begreiflich, einleuchtend, evident, offensichtlich, überzeugend, verständlich
Playboy: Dandy, Draufgänger, Frauenheld, Lebemann, Partyhengst, Salonlöwe
Play-off-Runde: Ausscheidungsrunde
Plazet: Bejahung, Bekräftigung, Bestätigung, Einverständnis, Einwilligung, Erlaubnis, Freibrief, Konsens
plebejisch: proletenhaft, ungebildet, ungehobelt, ungesittet, unhöflich

Plebiszit: Volksabstimmung
Plebs: Mob, Pöbel
pleite: bankrott, fertig, insolvent, ruiniert, überschuldet, zahlungsunfähig *abgebrannt, bankrott, blank, finanzschwach, illiquid, insolvent, zahlungsunfähig, finanziell ruiniert, ohne Geld
Pleite: Bankrott, Ruin *Bankrott, Debakel, Durchfall, Enttäuschung, Fehlschlag, Fiasko, Katastrophe, Misserfolg, Misslingen, Niederlage, Pech, Reinfall, Rückschlag, Ruin, Schlag, Versagen, Zusammenbruch, Schlag ins Wasser
Plenum: Vollversammlung
plombieren: schließen, schützen, sichern, versiegeln, zumachen, zusiegeln *ausbessern, sanieren, instand setzen, mit einer Plombe versehen
Plotter: Computerzeichner, Kurvenschreiber, Zeichengerät
plötzlich: abrupt, jäh, jählings, ruckartig, schlagartig, schnell, schroff, überraschend, unerwartet, ungeahnt, unverhofft, unvermerkt, unvermittelt, unvermutet, unversehens, unvorhergesehen, urplötzlich, zufällig, auf einmal, mit einem Mal, mit einem Ruck, mit einem Schlag, über Nacht
Plötzlichkeit: Blitz, Schnelligkeit
Plumeau: Bettdecke, Deckbett, Federdeckbett, Federdecke, Oberbett, Zudecke
plump: derb, grob, grobgliedrig, grobschlächtig, grobschrötig, klobig, klotzig, knorrig, massig, schwerfällig, unförmig, ungeschlacht, ungraziös, vierschrötig *linkisch, steif, unbeholfen, ungelenk, ungeschickt, ungeschliffen, unpraktisch *grob, taktlos, ungalant, unhöflich, unverschämt *durchsichtig, fadenscheinig, transparent
plumpsen: abfallen, absacken, fallen
Plunder: Altwaren, Dreck, Gerümpel, Klimbim, Kram, Krempel, Ramsch, Schund, Trödel, Zeug
Plünderer: Dieb, Marodeur, Räuber
plündern: ausrauben, brandschatzen, fleddern, marodieren, rauben, räubern, stehlen
Plünderung: Dieberei, Diebstahl, Eigentumsdelikt, Eigentumsvergehen, Einbruch, Einbruchdiebstahl, Entwendung, Raub, Wegnahme, widerrechtliche Aneignung
Plural: Mehrzahl
plus: auch, gleichzeitig, sowie, und, zugleich *eingerechnet, eingeschlossen, inbegriffen, inklusive, mehr, mitgerechnet, zuzüglich
Plus: Oberhand, Trumpf, Überlegenheit, Vorsprung, Vorteil *Ausbeute, Erlös, Gewinn, Mehrbetrag, Profit, Überschuss
Pneuma: Heiliger Geist
Po: Gesäß, Hinterbacken, Hintern, Hinterteil, Popo, Steiß, verlängerter Rücken, der Allerwerteste, der Hintere
Pöbel: Abschaum, Bagage, Brut, Drachenbrut, Ganoven, Geschmeiß, Gesindel, Gezücht, Gosse, Horde, Hundepack, Kanaille, Lumpengesindel, Lumpenpack, Mob, Pack, Raubgesindel, Schlangenbrut, Sippschaft, asoziale Elemente
Pöbelei: Flegelei, Flegelhaftigkeit, Ungezogenheit, Unhöflichkeit
pöbelhaft: derb, flegelhaft, frech, gewöhnlich, lümmelhaft, plump, rüde, rüpelig, ruppig, schnöselig, stoffelig, unerzogen, ungebührlich, ungehobelt, ungezogen, unhöflich, unmanierlich, unreif, ohne Benehmen
pochen: hämmern, klopfen, pulsieren, schlagen *ballern, bullern, bumsen, hämmern, klopfen, schlagen, ticken, trommeln *bestehen (auf)
Podest: Bühne, Podium *Absatz, Stufe, Treppenabsatz, Treppenpodest, Treppenstufe, Tritt
Podium: Bühne, Erhöhung, Podest, Tribüne
Poesie: Belletristik, Dichtkunst, (lyrische) Dichtung, Dramatik, Epik, Literatur, Lyrik, Poetik, Wortkunst
Poet: Autor, Bühnenautor, Dichter, Dichterling, Federheld, Literat, Lyriker, Prosaist, Schreiber, Schreiberling, Schriftsteller, Mann der Feder
poesielos: eintönig, fad, geistlos, hölzern, langweilig, nüchtern, prosaisch, unromantisch
poetisch: dichterisch, literarisch, lyrisch, schöpferisch *ausdrucksstark, ausdrucksvoll, bilderreich, stimmungsvoll
Pogrom: Ausschreitung, Gewalttätigkeit,

Handgreiflichkeit, Hetze, Jagd, Kesseltreiben, Tätlichkeit, Terror, Übergriff, Verfolgung
Pointe: Angelpunkt, Clou, Hauptsache, Höhepunkt, Knalleffekt, Schluss, Schlusseffekt, Spitze, Überraschungseffekt, Witz
pointieren: behaupten, betonen, Gewicht legen (auf), herauskehren, herausstellen, hervorheben, prononcieren, unterstreichen, Wert legen (auf), zuspitzen, Wichtigkeit beimessen, Bedeutung beimessen
pointiert: ausgesucht, betont, demonstrativ, herausgehoben, herausgestellt, hervorgehoben, nachdrucksvoll, ostentativ, prononciert, zugespitzt
Pokal: Auszeichnung, Cup, Preis, Siegespreis, Siegestrophäe, Trophäe *Glas, Gläser, Humpen, Kelch, Römer, Trinkgefäß, Trinkglas
pökeln: durchsalzen, einpökeln, einsalzen, konservieren, in Salz legen, in Salzlake legen
pokern: bluffen, spekulieren, spielen
Pol: Achse, Angelpunkt, Brennpunkt, Drehpunkt, Kern, Knotenpunkt, Mitte, Mittelpunkt, Nabe, Schnittpunkt, Zentralpunkt, Zentrum *Nordpol *Südpol
polar: antagonistisch, diametral, disparat, divergent, dualistisch, entgegengesetzt, entgegenstellend, extrem, gegensätzlich, gegenteilig, inkompatibel, kontradiktorisch, konträr, oppositionell, umgekehrt, unverträglich, widersinnig, widersprüchlich, widerspruchsvoll, nicht vereinbar, nicht übereinstimmend *arktisch, kalt
Polarität: Dualismus, Gegensatz, Gegensätzlichkeit, Verschiedenartigkeit
Polemik: Debatte, Diskurs, Disput, Disputation, Erörterung, Streit, Streitgespräch, Wortgefecht, Wortstreit
polemisch: aggressiv, angreifend, bissig, böse, feindselig, gehässig, herausfordernd, provokativ, scharf, spitz, streitbar, überspitzt, unsachlich
polemisieren: kritisieren, s. streiten, s. Wortgefechte liefern, Kritik üben, jmdn. angreifen, die Klingen kreuzen
Police: Versicherungsschein, Versicherungsurkunde
Polier: Anführer, Bauführer, Bauleiter
polieren: putzen, auf Hochglanz bringen, Glanz geben, glänzend machen, blank reiben, glänzend reiben, blank machen *glätten, schleifen, verfeinern
poliert: blank, blitzsauber, geputzt, glänzend, sauber, spiegelnd
Politik: Staatsführung, Staatskunst *Berechnung
Politikum: Ereignis (Vorgang) von Bedeutung
Politur: Glanz, Glätte, Hochglanz *Poliermittel, Reinigungsmittel
Polizei: Gendarm, Gesetzeshüter, Ordnungshüter, Polizeibeamter, Polizist, Schutzpolizist, Wachmann, Wachtmeister, Auge des Gesetzes *Politesse, Polizistin
Polizeifahndung: Razzia
Polizeirevier: Polizeibüro, Polizeidienststelle, Polizeistation, Polizeiwache, Revier, Wache
Polizeistreife: Fahndungsstreife, Streife, Streifendienst
Polizeistunde: Ausgangssperre, Ausgehverbot, Sperrstunde
Polka: Rundtanz
Pollen: Blütenstaub, Sporen
Poller: Pfahl, Pfosten
Polster: Federung, Polsterung, Unterlage *Fett, Fettdepot, Fettgewebe, Fettmasse, Fettpolster *Federkissen, Kissen, Kopfkissen, Schlummerrolle, Sitzkissen, Sofakissen
Polsterbank: Couch, Diwan, Sofa
polstern: federn *auspolstern, bepolstern, wattieren
poltern: lärmen, rasseln, rumpeln *s. amüsieren, s. belustigen, feiern, s. vergnügen, ein Fest geben, eine Gesellschaft geben, eine Feier veranstalten *anbrüllen, angreifen, attackieren, ausschelten, ausschimpfen, auszanken, heruntermachen, schelten, schimpfen, tadeln, zanken, zetern, zurechtweisen
polychrom: bunt, buntfarbig, mehrfarbig, vielfarbig
Polychromie: Farbenreichtum
Polygamie: Mehrehe, Vielehe, Vielweiberei
polyglott: mehrsprachig, vielsprachig

Polygon: Vieleck
polymorph: vielförmig, vielgestaltig
Polyp: Fangarmtier, Kopffüßer, Qualle, Tintenfisch *Nasengewächs, Wucherung *Polizeibeamter, Polizist, Schutzmann
polyphon: mehrstimmig, vielstimmig
Polyphonie: Mehrstimmigkeit, Vielstimmigkeit
Pomade: Creme, Haarcreme, Salbe
pomadig: eingeschmiert, fettglänzend, fettig, ölig *behäbig, langsam, schläfrig, träge, tranig
Pommes: (frittierte) Kartoffelstäbchen, Pommes frites
Pomp: Aufwand, Gala, Glanz, Herrlichkeit, Kostbarkeit, Luxus, Pracht, Prachtentfaltung, Prunk, Prunkentfaltung, Reichtum, Schönheit, Staat, Überfluss, Üppigkeit
pompös: brillant, fürstlich, glänzend, glanzvoll, herrschaftlich, illuster, königlich, luxuriös, majestätisch, pomphaft, prächtig, prachtvoll, prunkvoll *heiter, sonnig, warm
Pool: Bassin, Becken, Schwimmbecken *Gemeinschaftsvorrat
popelig: erbärmlich, kläglich, kleinlich
poppig: farbenfreudig, grell, leuchtend, scheckig
populär: allgemein verständlich, eingängig *bekannt, berühmt, gefeiert, volkstümlich *beliebt, erwünscht, willkommen
popularisieren: bekannt machen, propagieren, verbreiten, in Umlauf setzen *s. einfacher ausdrücken, s. gemeinverständlich ausdrücken, s. genauer ausdrücken, vereinfachen
Popularität: Beliebtheit, Volkstümlichkeit
Population: Bevölkerung, Einwohner, Einwohnerschaft, Gesamtbevölkerung, Volk, die Bewohner
pornographisch: anstößig, anzüglich, ausschweifend, empörend, lasziv, liederlich, obszön, pikant, ruchlos, schmutzig, shocking, unanständig, ungebührlich, ungehörig, unkeusch, unschicklich, unsolide, unziemlich, verdorben, verwerflich, verworfen, wüst, zweideutig, gegen die Sitte, nicht salonfähig, nicht stubenrein
Pore: Hautöffnung, Loch, Schweißloch
porös: durchlässig, durchlöchert, leck, löchrig, löcherig, porig, undicht
Portal: Eingangstor, Eingangstür, Pforte, Tor
Portemonnaie: Beutel, Börse, Brieftasche, Geldbeutel, Geldbörse, Geldtasche
Portier: Pförtner, Türhüter, Türsteher
Portion: Anteil, Hälfte, Kontingent, Part, Ration, Teil
Porto: Briefporto, Gebühr, Postgebühr
portofrei: franko, freigemacht, kostenlos, postfrei, ohne Gebühr
portopflichtig: gebührenpflichtig, kostenpflichtig, unfrei
Porträt: Abbild, Bildnis, Konterfei, Portrait
porträtieren: darstellen, konterfeien, malen, zeichnen *abbilden, aufnehmen, fotografieren, knipsen, konterfeien, eine Aufnahme machen, einen Schnappschuss machen
Pose: Körperhaltung, Position, Positur, Stellung
Position: Lage, Ort, Stand, Standort, Standpunkt, Stellung *Blickpunkt, Blickwinkel, Schau, Sicht, Standpunkt, Warte *Betrag, Einzelposten, Posten, Summe *Anstellung, Arbeit, Arbeitsplatz, Arbeitsverhältnis, Aufgabe, Beruf, Beschäftigung, Dienst, Posten, Stellung
Positionslampe: Positionslaterne
positiv: affirmativ, beifällig, bejahend, zustimmend *erfolgreich, günstig, gut, verheißungsvoll, viel versprechend, vorteilhaft, voller Chancen *getrost, hoffnungsfreudig, hoffnungsfroh, hoffnungsvoll, lebensbejahend, optimistisch, sicher, siegesbewusst, siegesgewiss, siegessicher, unverdrossen, unverzagt, vertrauensvoll, zukunftsgläubig, zuversichtlich, guten Mutes, ohne Furcht, voller Zuversicht
Positiv: Abzug, Bild *Standorgel
Posse: Burleske, Farce, Klamotte, Komödie, Lustspiel, Possenspiel, Scherz, Schwank *Narretei, Spaß, Streich, Unfug
possenhaft: drollig, geistreich, gelungen, herzig, humoristisch, humorvoll, komisch, lustig, neckisch, possierlich, putzig, schalkhaft, schelmisch, scherzhaft,

schnurrig, spaßhaft, spaßig, trocken, ulkig, unterhaltsam, witzig *amüsant, belustigend, burlesk, drollig, erheiternd, humorvoll, komisch, köstlich, lustig, närrisch, putzig, spaßig, trocken, ulkig, vergnüglich, witzig, zum Lachen, zum Schießen
Possenhaftigkeit: Drolligkeit, Narretei
Possenreißer: Komödiant, Narr, Spaßmacher, Spaßvogel
Possenreißerei: Narretei, Spaß
Possenspiel: Lustspiel, Scherz
possierlich: lustig, spaßig, ulkig
Post: Briefsendung, Paketsendung, Postsendung, Sendung *Nachricht *Postamt, Poststelle
Postbote: Briefbote, Briefträger, Briefzusteller, Postbeamter
Posten: Lieferung, Stoß, Warenmenge *Bewachung, Garde, Leibgarde, Postendienst, Schildwache, Wachdienst, Wache, Wachmannschaft, Wachposten *Betrag, Einzelposten, Position, Summe *Amt, Anstellung, Arbeit, Arbeitsplatz, Arbeitsverhältnis, Aufgabe, Beruf, Beschäftigung, Dienst, Stelle, Stellung
Postenkette: Kordon
Postgebühr: Porto
postieren: antreten, s. aufbauen, aufstellen, hinsetzen, hinstellen ***s. postieren:** s. platzieren
Postierung: Aufstellung, Platzierung
Postsendung: Briefsendung, Post, Sendung *Paketsendung, Postgut
Postulant: Antragsteller, Anwärter, Aspirant, Bewerber, Bittsteller, Interessent, Kandidat
Postulat: Anspruch, Bitte, Erhebung, Forderung, Verlangen, Wunsch
postulieren: ansinnen, s. ausbedingen, s. ausbitten, beanspruchen, begehren, beharren (auf), bestehen (auf), dringen (auf), fordern, heischen, pochen (auf), verlangen, wollen, wünschen, den Anspruch erheben, geltend machen, zur Bedingung machen, eine Forderung anmelden
postwendend: alsbald, augenblicklich, augenblicks, direkt, flink, flugs, geradewegs, gleich, momentan, prompt, schleunigst, schnellstens, schnurstracks, sofort, sogleich, spornstreichs, stracks, umgehend, ungesäumt, unmittelbar, unverweilt, unverzüglich, auf Anhieb, auf der Stelle, im Augenblick, eilenden Fußes, ohne Verzögerung, ohne Verzug, ohne Aufschub, ohne Aufenthalt, im Nu, im Handumdrehen, auf einen Ruck, lieber heute als morgen
Postwertzeichen: Briefmarke, Freimarke, Marke, Porto
potent: fortpflanzungsfähig, geschlechtsreif, zeugungsfähig *angesehen, einflussreich, machtvoll, maßgeblich, wichtig *finanzkräftig, reich, vermögend
Potentat: Gebieter, Gewalthaber, Haupt, Herr, Herrscher, Landesvater, Machthaber, Oberhaupt, Regent, Staatsoberhaupt
Potenz: Fortpflanzungsfähigkeit, Fruchtbarkeit, Geschlechtsreife, Mannbarkeit, Manneskraft, Zeugungsfähigkeit *Arbeitskraft, Kraftreserve, Leistungsfähigkeit, Leistungsvermögen, Potenzial *Verdünnungsgrad
Potenzial: Arbeitskraft, Kraftreserve, Leistungsvermögen, Potenz, Reservoir, Spannkraft
potenziell: denkbar, möglich, vorstellbar, nicht ausgeschlossen, nicht unmöglich
potenzieren: ins Quadrat erheben, zur Potenz erheben *anheben, erhöhen, heraufsetzen, intensivieren, steigern, vergrößern, verhundertfachen, vermehren, verschärfen, verstärken, vervielfachen, in die Höhe treiben *verdünnen
Potpourri: Allerlei, Durcheinander, Gemenge, Gemisch, Konglomerat, Kunterbunt, Mischmasch, Mixtur, Sammlung *Melodienreigen
poussieren: befreundet sein (mit), gehen (mit), eine feste Freundschaft haben *anbändeln, balzen, flirten, girren, gurren, kokettieren, liebäugeln, liebeln, plänkeln, schäkern, schöntun, tändeln, turteln
Präambel: Einführung, Einleitung, Vorrede, Vorspruch
Präambulum: Introduktion, Präludium, Vorspiel
Pracht: Glanz, Herrlichkeit, Luxus, Pomp, Prachtentfaltung, Prunk, Schönheit

Prachtentfaltung: Extravaganz, Farbenglanz, Üppigkeit, Verschwendung *Glanz, Luxus, Pomp, Pracht, Prunk
Prachtexemplar: Perle, Pfundskerl, Prachtmensch, Prachtstück, Schatz, lieber Mensch *Attraktion, Glanzpunkt, Glanzstück, Juwel, Kabinettstück, Kleinod, Meisterstück, Prachtstück, Prunkstück, Schatz, Schaustück, Zierstück
prächtig: aufwändig, blendend, bombastisch, brillant, eindrucksvoll, erhaben, fürstlich, gewaltig, glänzend, glanzvoll, grandios, großartig, herrschaftlich, illuster, imponierend, imposant, kolossal, königlich, luxuriös, majestätisch, pomphaft, pompös, prachtvoll, prangend, prunkend, prunkvoll, repräsentativ, sondergleichen, stattlich, strahlend, unübertrefflich, unvergleichlich, üppig, wirkungsvoll *herrlich, schön, sommerlich, sonnig
prachtliebend: pompsüchtig, prunkliebend, prunksüchtig
Prachtstraße: Allee, Avenue, Boulevard
Prädestination: Vorherbestimmung
prädestinieren: vorherbestimmen
prädestiniert: begabt, berufen, fähig, geeignet, ideal, qualifiziert, talentiert, tauglich, wie geschaffen, genau richtig
Prädikat: Prämierung, Prämiierung, Rang, Titel *Beurteilungsergebnis, Bewertung, Note, Zensur *Satzaussage, Satzteil
Präferenz: Vergünstigung, Vorrang, Vorzug
Präfix: Anhang, Beifügung
Prägeform: Mater, Matrize
prägen: gestalten, mitgestalten, beeinflussen, einwirken, erziehen, formen *formulieren, in die Welt setzen, zum Ausdruck bringen, in eine Form bringen *eindrücken, einschlagen, stanzen, Münzen herstellen
Prägestempel: Stanze
Prägestock: Patrize
Prägewalze: Molette, Mörserstößel
pragmatisch: emotionslos, klar, leidenschaftslos, logisch, nüchtern, objektiv, rational, real, sachlich, trocken, unbefangen, unparteiisch, unvoreingenommen, verstandesbetont, vorurteilsfrei, vorurteilslos, frei von Emotionen *fachmännisch
prägnant: deutlich, eindeutig, genau, klar, komprimiert, lakonisch, lapidar, schlagend, treffend, treffsicher, unmissverständlich, in gedrängter Form
Prägnanz: Genauigkeit, Gewissenhaftigkeit, Peinlichkeit, Sorgfalt, Sorgsamkeit
Prägung: Aussehen, Eigenart, Gestalt, Gestaltung *Aufdruck, das Aufgeprägte *Formung
prahlen: angeben, aufschneiden, s. aufspielen, aufspielen, auftrumpfen, s. brüsten, posaunen, renommieren, s. rühmen, schwadronieren, in Superlativen reden, den Mund voll nehmen
Prahler: Angeber, Aufschneider, Besserwisser, Gernegroß, Großsprecher, Großtuer, Maulheld, Möchtegern, Münchhausen, Prahlhans, Schaumschläger, Wichtigtuer, Windbeutel, Wortheld
Prahlerei: Angabe, Angeberei, Aufgeblasenheit, Aufschneiderei, Effekthascherei, Großsprecherei, Mache, Protzerei, Schaumschlägerei, Wichtigtuerei
prahlerisch: angeberisch, großkotzig, großmäulig, großschnäuzig, großsprecherisch, hochtönend, prahlsüchtig
Präjudiz: Vorentscheidung, Vorurteil, vorgefasste Meinung
Praktik: Dreh, Kunstgriff, List, Manipulation, Masche, Schliche, Trick *Arbeitsweise, Behandlungsweise, Handhabung, Methode, Praxis, Strategie, System, Taktik, Verfahrensweise, Vorgehensweise, Weg
praktikabel: behilflich, brauchbar, geeignet, passend, praktisch, richtig, sinnreich, sinnvoll, tauglich, verwertbar, wertvoll, zweckdienlich, zweckmäßig, von Wert, von Nutzen *anwendbar, brauchbar, dienlich, geeignet, nutzbar, nützlich, praktisch, tauglich, verwendbar, verwertbar
Praktikant: Azubi, Auszubildender, Lehrjunge, Lehrling, Stift, Volontär
Praktikantin: Azubi, Auszubildende, Lehrling, Lehrmädchen, Stift, Volontärin
praktisch: auf die Praxis bezogen, auf die Wirklichkeit bezogen *anstellig, be-

gabt, fingerfertig, geschickt *anwendbar, brauchbar, dienlich, griffig, handlich, tauglich, verwendbar, zweckgemäß, zweckmäßig, gut zu handhaben, gut zu gebrauchen *tatsächlich, wirklich, in der Tat, in Wirklichkeit, so gut wie *beinahe, fast, förmlich, nahezu, regelrecht

praktizieren: ordinieren, eine Praxis ausüben *ausüben, tun

Praline: Konfekt, Naschwerk, Pralinee, Praliné, Süßigkeit

prall: eng, straff, stramm *voll, randvoll *dick, feist, fett

prallen: anprallen, anschlagen, anstoßen, entgegenprallen *auffallen, aufprallen, aufschlagen, aufstoßen, auftreffen, gegen etwas fahren *anfahren, aufeinander prallen, aufeinander stoßen, auffahren, karambolieren, kollidieren, rammen, zusammenfahren, zusammenprallen, zusammenstoßen

Präludium: Introduktion, Vorspiel

Prämie: Auszeichnung, Belohnung, Geldprämie, Gratifikation, Jahresprämie, Leistungsprämie, Preis, Sachprämie, Treueprämie, Vergütung, Zuwendung *Beitrag, Versicherungsbeitrag, Versicherungsgebühr, Versicherungsprämie

prämieren: auszeichnen, belohnen, dekorieren, ehren, prämiieren, preiskrönen, würdigen, einen Preis zuerkennen, mit einer Prämie auszeichnen

prämiert: ausgezeichnet, belohnt, preisgekrönt

Prämierung: Auszeichnung, Belohnung, Ehrung, Ordensverleihung, Prämiierung

Prämisse: Voraussetzung, Vorbedingung

prangen: paradieren, prunken, Staat machen, Prunk entfalten, Pracht entfalten *grünen, keimen, sprießen, treiben, wachsen, grün werden *aufblühen, aufbrechen, blühen, erblühen, gedeihen, grünen, knospen, aufgeblüht sein, Blüten haben, in Blüte stehen, Blüten tragen

Pranger: Schandpfahl

Pranke: Hand, Klaue, Patsche, Pfote, Pratze, Tatze

Präparat: Arznei, Arzneimittel, Droge, Heilmittel, Medikament, Medizin, Mixtur, Pharmazeutikum, Pillen

Präparation: Einstimmung, Präparierung, Vorbereitung

präparieren: bereithalten, bereitlegen, bereitmachen, bereitstellen, fertig machen, herrichten, rüsten, vorbereiten, zurechtlegen, zurechtmachen ***s. präparieren:** s. einstellen, s. vorbereiten *lernen, pauken, üben

Präposition: Verhältniswort

Präriepferd: Mustang

Präriewolf: Kojote

präsent: anwesend, da, gegenwärtig, hier, omnipräsent, vorhanden, zugegen *greifbar, parat, verfügbar, zur Verfügung, zur Hand

Präsent: Aufmerksamkeit, Dedikation, Gabe, Geschenk, Mitbringsel, Widmung

Präsentation: Darbietung, Darstellung

präsentieren: offerieren, unterbreiten, vorführen, vorlegen, vorzeigen, zeigen *geben, schenken, übergeben, überreichen ***s. präsentieren:** s. bekannt machen, s. produzieren, s. sehen lassen, s. vorstellen, s. zeigen

Präsens: Gegenwart, Gegenwartsform

Präsent: Aufmerksamkeit, Geschenk

Präsenz: Allgegenwart, Anwesenheit, Dabeisein, Dasein, Gegenwart, Omnipräsenz, Zugegensein

Präservativ: Gummi, Gummischutz, Kondom, Pariser, Verhütungsmittel

Präses: Vorsitzender, Vorstand

Präsident: Staatsoberhaupt *Vorsitzender, Vorstand

präsidieren: anführen, anleiten, befehligen, führen, gebieten, kommandieren, leiten, lenken, verwalten, vorsitzen, vorstehen, an der Spitze stehen, den Vorsitz führen, die Fäden in der Hand haben, die Führung innehaben, die Leitung innehaben, die Sache in die Hand nehmen, die Zügel führen, maßgeblich sein

Präsidium: Führung, Leitung, Vorsitz, Vorstand *Vorstand, leitendes Gremium

prasseln: gießen, regnen, schütten *knistern, lodern, zischen

prassen: schlemmen, schwelgen, übertreiben, verschwenden, aus dem Vollen schöpfen, leben wie ein Fürst, verschwenderisch leben

Prasser: Schlemmer, Vergeuder, Verschleuderer, Verschwender
prasserisch: ausschweifend, bacchantisch, verschwenderisch
Prasserei: Genussfreude, Schlemmerei, Schwelgerei, Übertreibung, Verschwendung
prätentiös: anmaßend, dünkelhaft, hochmütig, hochnäsig, überheblich, vermessen
Pratze: Pfote
Praxis: Berufserfahrung, Erfahrung, Routine, Vertrautheit *Fakten, Leben, Realität, Wirklichkeit *Anwaltskanzlei, Kontor *Arztpraxis, Behandlungsräume, Ordination, Sprechstunde, Sprechzimmer
Präzedenzfall: Muster, Musterfall, Schulbeispiel
präzise: akkurat, bestimmt, deutlich, eindeutig, exakt, genau, haargenau, haarklein, haarscharf, klar, prägnant, reinlich, sauber, säuberlich, scharf, speziell, tadellos, treffend, unmissverständlich, wohlgezielt *gerade, unbedingt, eben (noch) *fehlerlos, fein, gewissenhaft, korrekt, minuziös, ordentlich, pedantisch, penibel, richtig, sorgfältig, sorgsam, zuverlässig
präzisieren: beleuchten, demonstrieren, klarmachen, konkretisieren, veranschaulichen, verdeutlichen, vergegenständlichen
Präzision: Akkuratesse, Behutsamkeit, Bestimmtheit, Exaktheit, Genauigkeit, Gewissenhaftigkeit, Pflichtbewusstsein, Pflichtgefühl, Prägnanz, Sorgfalt, Verantwortungsbewusstsein, Zuverlässigkeit *Akribie, Ausführlichkeit, Gründlichkeit, Peinlichkeit, Sorgsamkeit
predigen: die Predigt halten, von der Kanzel reden *schwatzen *auffordern, erinnern, ermahnen, mahnen, rügen, schimpfen, tadeln, verwarnen, zur Ordnung rufen, ins Gewissen reden
Prediger: Geistlicher, Pfarrer *Schwätzer
Predigt: Kanzelrede, Sonntagspredigt *Rede *Donnerwetter, Epistel, Gardinenpredigt, Lektion, Moralpredigt, Standpauke, Strafpredigt, Strafrede, Tadel, Zurechtweisung
Predigtbuch: Erbauungsbuch, Postille
Predigtstuhl: Kanzel
Preis: Gebühr, Gegenwert, Kaufpreis, Kosten, Preislage, Taxe, Wert, Wertbetrag *Abgabepreis, Einkaufspreis, Herstellerpreis *Einzelhandelspreis, Einzelhandelsverkaufspreis, Verkaufspreis *Großabnehmerpreis, Großhandelspreis *Auszeichnung, Cup, Pokal, Siegespreis, Siegestrophäe, Trophäe *Anerkennung, Lob, Würdigung
Preisabfall: Baisse, Deflation
Preisabschlag: Disagio
Preisabzug: Preisnachlass, Rabatt, Skonto
Preisangabe: Auszeichnung, Deklaration
Preisangebot: Kalkulation, Kosten, Preis
Preisanstieg: Kostenexplosion, Preiserhöhung, Preislawine, Preisspirale, Preissteigerung, Verteuerung
Preisausschreiben: Preisfrage, Preisrätsel, Quiz, Rätsel, Wettbewerb
preisen: ehren, feiern, glorifizieren, hochhalten, hochloben, loben, rühmen, verherrlichen, ein Hoch ausbringen, hochleben lassen, in Ehren halten
Preiserhöhung: Kostenexplosion, Preisanstieg, Preislawine, Verteuerung, Lohn-und-Preis-Spirale
Preisermäßigung: Abschlag, Ermäßigung, Freundschaftspreis, Gelegenheitskauf, Nachlass, Preisnachlass, Rabatt, Schleuderpreis, Skonto, Verbilligung, Vergünstigung
Preisgabe: Aufgabe, Kapitulation *Verrat
preisgeben: ablassen (von), abstellen, aufgeben, einstellen, verzichten *ausliefern, überantworten, übergeben, ans Messer liefern, in die Arme treiben *abfallen, verraten, die Treue brechen, im Stich lassen *ausplaudern, mitteilen, weitererzählen, weitergeben, weitersagen, Gerüchte verbreiten ***s. preisgeben:** s. ausliefern, s. stellen, s. überlassen
preisgekrönt: begünstigt, erfolggekrönt, erfolgreich, sieggekrönt, sieghaft, siegreich
Preisgericht: Juroren, Jury, Kampfrichter, Preisrichter, Punktrichter, Schiedsgericht, Unparteiische

Preisgrenze: Limit, Schallmauer
preisgünstig: billig, erschwinglich, günstig, herabgesetzt, preiswert, spottbillig, wohlfeil, für ein Butterbrot, (weit) unter dem Preis, zum halben Preis, fast umsonst, halb geschenkt, nicht teuer
Preislage: Preis
preislich: kostenwertmäßig
Preisliste: Preisschild, Preistafel, Preisverzeichnis, Prospekt
Preisnachlass: Abzug, Diskont, Herabsetzung, Nachlass, Preissenkung, Prozente, Rabatt, Skonto, günstiges Angebot
Preisrichter: Ausschuss, Jury, Kampfrichter
Preissatz: Tarif
Preisschild: Etikett, Preisauszeichnung
Preissenkung: Abbau, Abschlag, Ermäßigung, Herabsetzung, Preisabbau, Preisabschlag, Rabatt, Senkung, Verbilligung
Preissteigerung: Preisanstieg, Preistreiberei, Verteuerung *Wucher
Preissturz: Baisse, Preisnachlass, Sturz, (radikaler) Preisabbau
Preisträger: Gewinner, Hauptgewinner, Sieger
Preistreiberei: Beutelschneiderei, Geldschneiderei, Überteuerung, Übervorteilung, Wucher
Preisverfall: Baisse, Deflation
Preisverzeichnis: Katalog, Preisliste
Preisvorschlag: Angebot, Offerte
preiswert: bezahlbar, billig, erschwinglich, günstig, herabgesetzt, preisgünstig, spottbillig, wohlfeil, weit unter dem Preis, fast umsonst, halb geschenkt, nicht teuer
Preiswettbewerb: Preiskonkurrenz
preiswürdig: bezahlbar, billig, erschwinglich, herabgesetzt, preisgünstig, preiswert, wohlfeil *achtbar, achtenswert, anerkennenswert, beachtlich, beifallswürdig, dankenswert, gut, lobenswert, löblich, musterhaft, rühmenswert, rühmlich, verdienstlich, verdienstvoll, ein Lob verdienend, hoch anzurechnen, nicht tadelnswert
Preiszettel: Etikett
prekär: delikat, diffizil, heikel, kritisch, neuralgisch, problematisch, unangenehm, verfänglich
Prellbock: Bremsblock, Puffer
prellen: andrehen, anschmieren, ausbeuten, bemogeln, beschummeln, beschwindeln, betrügen, bluffen, bringen (um), einsalben, gaunern, hereinlegen, hintergehen, hochnehmen, lackmeiern, leimen, mogeln, neppen, schummeln, täuschen, überfahren, überlisten, übervorteilen, aufs Kreuz legen
Prellerei: Bauernfang, Bauernfängerei, Betrug, Betrügerei, Gaunerei, Gaunerstreich, Hintergehung, Irreführung, Machenschaft, Manipulation, Mogelei, Nepp, Schiebung, Schummelei, Schummeln, Schwindel, Schwindelei, Täuschung, Unregelmäßigkeit, Unterschlagung
Premiere: Erstaufführung, Uraufführung
preschen: eilen, flitzen, laufen, rennen, sausen
pressant: drängend, dringend, dringlich, eilig, unaufschiebbar, wichtig, höchste Zeit, möglichst sofort
Presse: Blätterwald, Pressewesen, Zeitung, Zeitungswesen *Entmoster, Entsafter, Fruchtpresse, Moster, Obstpresse, Saftpresse
Presseagentur: Agentur, Pressedienst
Pressebericht: Reportage
Presseberichterstatter: Korrespondent, Reporter
Pressefeldzug: Kampagne
Pressefreiheit: Redefreiheit, Schreibfreiheit, freie Meinungsäußerung
pressen: drücken, quetschen, zusammendrücken, zusammenquetschen *einschnüren, einzwängen, zusammendrängen, zusammendrücken, zusammenpferchen *entsaften, herausdrücken, herauspressen *bedrohen, erpressen, nötigen, terrorisieren, tyrannisieren, vergewaltigen, zwingen, Druck ausüben, gefügig machen, unter Druck setzen
Pressespalte: Rubrik
Pressevertreter: Berichterstatter, Journalist, Kolumnist, Publizist, Schreiberling, Zeitungsfritze, Zeitungsmann, Zeitungsschreiber
Pressfalte: Plissee
pressieren: brennen, drängen, eilen,

treiben, keinen Aufschub dulden, keinen Aufschub leiden
Pression: Drohung, Druck, Einengung, Fessel, Gewalt, Kette, Knechtschaft, Muss, Nötigung, Sklaverei, Unfreiheit, Vergewaltigung, Zwang *Armseligkeit, Armut, Bedrängnis, Drangsal, Druck, Elend, Krise, Misere, Not, missliche Lage, missliche Umstände
Presskohle: Brikett
Prestige: Achtung, Ansehen, Autorität, Bedeutung, Ehre, Format, Geltung, Größe, Leumund, Name, Nimbus, Profil, Rang, Renommee, Ruhm, Sozialprestige, Stand, Stolz, Unbescholtenheit, Wichtigkeit, Würde
presto: eilig, sehr schnell
preziös: blumenreich, geblümt, gekünstelt, gemacht, gequält, geschraubt, geschwollen, gespreizt, gestelzt, gesucht, geziert, gezwungen, phrasenhaft, unecht, unnatürlich *erlesen, auserlesen, ausgesucht, ausgewählt, edel, einmalig, exquisit, fein, hochwertig, kostbar, qualitätsvoll, rar, teuer, wertvoll, de luxe, viel wert
prickeln: moussieren, perlen, schäumen, sprudeln *jucken, kitzeln, krabbeln, kribbeln
prickelnd: atemlos, aufmerksam, begierig, erwartungsvoll, fiebrig, gefesselt, gespannt, interessiert, neugierig, ungeduldig
Priester: Geistlicher, Gottesdiener, Hirte, Kaplan, Kleriker, Mönch, Pastor, Pater, Pfarrer, Prediger, Seelenhirte, Seelsorger, Theologe, geistlicher Herr, Diener Gottes, Diener am Wort
Priesterweihe: Ordination, Weihe
prima: angenehm, ausgezeichnet, dufte, erstklassig, großartig, irre, klasse, nett, pfundig, sagenhaft, toll
Primaballerina: Solotänzerin, erste Tänzerin
primär: eigentlich, original, originär, ursächlich, ursprünglich, vorab, zuerst, zuvörderst, in erster Linie
Primat: Dominanz, Führerschaft, Führung, Hegemonie, Übergewicht, Überlegenheit, Übermacht, Vorherrschaft, Vormacht, Vormachtstellung *Priorität, Vorrang
primitiv: anspruchslos, einfach, eingeschränkt, karg, schlicht *gewöhnlich, nieder, niveaulos, ordinär, unfein, vulgär *behelfsmäßig, notdürftig, provisorisch, unzulänglich *unerfahren, ungebildet, uninformiert, unwissend, ohne Kenntnisse, ohne Wissen, ohne Erfahrung *ärmlich, dürftig, knapp, kümmerlich, mangelhaft, notdürftig, schlecht, schmalspurig, unbefriedigend, ungenügend, unzulänglich, unzureichend
Primitivität: Anspruchslosigkeit, Einfachheit, Schlichtheit *Banalität, Gemeinheit, Unfeinheit, niedere Gesinnung *Behelfsmäßigkeit, Unzulänglichkeit *Unerfahrenheit, Ungebildetheit, Unkenntnis, Unwissenheit
Primus: Bester, Erster, Klassenbester, Klassenerster
Prinzip: Doktrin, Gesichtspunkt, Grundsatz, Maxime, Moralprinzip, Regel *Direktive, Faustregel, Grundsatz, Instruktion, Kanon, Kompass, Lebensregel, Leitlinie, Leitsatz, Merkspruch, Norm, Regel, Regelung, Reglement, Richtlinie, Richtmaß, Richtsatz, Richtschnur, Satzung, Spielregel, Standard, Statut, Vorschrift
prinzipiell: bestimmend, durchgreifend, einschneidend, elementar, entscheidend, fundamental, grundlegend, radikal, wesentlich, von Grund auf *fundamental, grundlegend, grundsätzlich, im Prinzip, im Grundsatz, von Grund auf
prinzipienlos: charakterlos, ehrlos, gemein, nichtswürdig
Prinzipienreiter: Bürokrat, Federfuchser, Kleinigkeitskrämer, Krämerseele, Pedant, Schreiberseele, Schulmeister, Wortklauber
Prior: Abt, Ordensoberer
Priorität: Primat, Vorrang *Freiheit, Privileg, Sonderrecht, Vergünstigung, Vorrecht
Pritsche: Holzpritsche, Lager, Lagerstatt, Schlafstelle *Ladefläche
privat: eigen, höchstpersönlich, individuell *familiär, heimisch, vertraut *intern, vertraulich, im Vertrauen, unter vier Augen, unter dem Siegel der Verschwiegenheit *außerdienstlich, inoffi-

ziell, nicht staatlich, nicht öffentlich, nicht dienstlich, auf privatem Weg
privatisieren: ein Rentnerdasein führen, als Rentner leben, die Ruhe pflegen
Privatleben: Intimsphäre, Privatsphäre, Tabubezirk, intimer Bereich
Privatmann: Privatperson *Pensionär, Privatier, Rentner, Ruheständler
Privileg: Freiheit, Priorität, Sonderrecht, Vergünstigung, Vorrecht
privilegiert: bevorrechtet, bevorzugt, in einer Sonderstellung
Privilegium: Anrecht, Sonderrecht
pro: für, je, jedes Mal, jeweils, von jedem *für, dafür, an, auf, um, zu, zugunsten, zuliebe
Pro: das Für
Proband: Prüfling, Testperson, Versuchsperson
probat: bewährt, altbewährt, anerkannt, bekannt, eingeführt, erprobt, fähig, gängig, gebräuchlich, geeignet, geltend, gültig, renommiert, verlässlich, zuverlässig
Probe: Experiment, Versuch *Belastungsprobe, Kontrolle, Kraftprobe, Machtprobe, Test *Bestätigung, Beweis, Erweis, Nachweis *Kostprobe, Musterstück, Testexemplar, Versuchsstück, Warenprobe
Probeabdruck: Fahne, Korrekturabzug, Korrekturfahne, Probeabzug, Probeblatt, Probefahne, Probesatz, Probeseite, Satzabzug, Satzprobe
proben: durchproben, einstudieren, einüben, lernen, üben, vorbereiten *ausprobieren, prüfen, überprüfen, versuchen
Probevorhaben: Pilotprojekt
probeweise: provisorisch, versuchsweise, vorläufig, auf Probe, als Versuch
Probezeit: Bewährungsfrist, Prüfungszeit, Test
probieren: üben, einüben, durchproben, einstudieren, lernen *auskosten, ausprobieren, begutachten, verkosten, eine Kostprobe nehmen
Problem: Angelegenheit, Aufgabe, Frage, Problematik, Schicksalsfrage *Haken, Hauptfrage, Kernfrage, Klippe, Komplexität, Kompliziertheit, Problematik, Schwierigkeit, Streitfrage, Streitgegenstand, Verwicklung, schwierige Frage, strittiger Punkt, schwieriger Punkt, ungelöste Aufgabe
problematisch: diffizil, kompliziert, mühsam, schwer, schwierig, verwickelt *heikel, kritisch, prekär, zwiespältig *dubios, strittig, ungeklärt, ungesichert, zweifelhaft
problemlos: babyleicht, bequem, einfach, mühelos, spielend, unkompliziert, unproblematisch, unschwer, mit Leichtigkeit, nicht schwierig, ohne Mühe, ohne Schwierigkeiten
Produkt: Erzeugnis, Ware *Ausbeute, Befund, Bilanz, Effekt, Endergebnis, Endprodukt, Endresultat, Endstand, Endsumme, Ergebnis, Ertrag, Erzeugnis, Fazit, Folge, Gewinn, Konsequenz, Quintessenz, Resultat, Resümee, Schlussergebnis, Schlussfolgerung, Summe, Wirkung
Produktanalyse: Marktanalyse
Produktfamilie: Produktlinie
Produktion: Anfertigung, Erzeugung, Fabrikation, Fertigstellung, Herstellung, Schaffung
Produktionsausweitung: Diversifikation
produktiv: arbeitsam, fleißig, leistungsfähig, strebsam, willig *effektiv, ersprießlich, fruchtbar, gedeihlich, nützlich *einfallsreich, erfinderisch, gestalterisch, kreativ, künstlerisch, phantasievoll, schöpferisch
Produktivität: Einfallsreichtum, Schöpferkraft
Produzent: Erzeuger, Fabrikant, Hersteller, Unternehmer
produzieren: anfertigen, bereiten, erschaffen, erzeugen, fabrizieren, herstellen, hervorbringen, machen ***s. produzieren:** s. aufspielen, s. präsentieren, s. zeigen
profan: diesseitig, irdisch, säkular, unheilig, weltlich, nicht kirchlich *alltäglich, gewöhnlich
professionell: berufsmäßig, profimäßig, als Beruf, als Profi
Professor: Dozent, Gelehrter, Hochschullehrer, Privatdozent, Studienprofessor, Wissenschaftler
Profi: Berufssportler, Professional, Pro-

fessioneller *Fachfrau, Fachmann *Experte, Fachmann
Profil: Aufriss, Kontur, Schattenriss, Seitenansicht, Seitenbild, Silhouette, Umriss *Längsschnitt, Querschnitt *Kontur, Linie, Schattenriss, Silhouette, Umriss
profilieren (s.): s. einen Namen machen, s. entwickeln, s. hervortun, Anerkennung finden, Ansehen gewinnen
profiliert: ausgeprägt, markant, scharf umrissen *exakt, fundiert, genau, gründlich, gut
Profisportler: Berufssportler, Leistungssportler
Profit: Ertrag, Gewinn, Nutzen
Profit bringend: einträglich, gut, profitabel, rentabel
Profitgier: Geiz, Geldgier, Habgier
profitieren: einträglich sein, gewinnbringend sein, Gewinn erzielen, Gewinn haben, herausschlagen, Nutzen haben, Nutzen schlagen, Nutzen ziehen, Profit erzielen, Profit haben, Profit schlagen, Profit ziehen, rentabel sein, Vorteil haben
pro forma: dem Namen nach, dem Schein nach, der Form halber, nicht wirklich, nicht eigentlich
profund: ausführlich, detailliert, erschöpfend, groß, grundlegend, gründlich, tief, tiefgründig, umfangreich, umfassend
Prognose: Vorausbestimmung, Voraussage, Vorhersage
prognostizieren: voraussagen, vorhersagen
Programm: Grundsatzerklärung, Manifest *Rundfunkprogramm *Fernsehprogramm *Ablauf, Ablaufplan, Spielfolge *Tagesablauf, Tagesordnung *Programmheft, Programmzettel, Übersicht *Darbietung, Festordnung, Festplan, Repertoire, Spielplan *Computerprogramm, Software
programmatisch: richtungweisend, wegweisend, zielsetzend
programmgemäß: planmäßig, programmmäßig, nach dem Programm
Programmiersprache: Maschinensprache
Progress: Aufschwung, Aufstieg, Aufwärtsbewegung, Aufwärtsentwicklung, Entfaltung, Erfolg, Fortentwicklung, Fortschritt, Neuerung, Steigerung, Verbesserung, Wachstum, Weiterentwicklung, Weiterkommen, Zunahme
Progression: Anstieg, Erhöhung, Eskalation, Eskalierung, Folge, Gradation, Intensivierung, Potenzierung, Steigerung, Stufenfolge, Vergrößerung, Vermehrung, Zuwachs, das Fortschreiten
progressiv: fortschrittlich, kämpferisch, modern, richtungweisend, wegweisend, zeitgemäß *s. entwickelnd, fortschreitend, s. steigernd
Prohibition: Befehl, Gebot, Interdikt, Machtspruch, Machtwort, Nein, Sperre, Tabu, Untersagung, Verbot, Veto, Vorschrift *Alkoholverbot
Projekt: Absicht, Arbeit, Bau, Entwurf, Konzept, Plan, Vorhaben
projektieren: ausarbeiten, s. ausdenken, entwerfen, entwickeln, erarbeiten, konstruieren, konzipieren, planen, skizzieren, umreißen, s. zurechtlegen, einen Plan machen
Projektor: Beamer, Bildwerfer, Diaprojektor, Filmapparat, Filmvorführgerät, Projektionsgerät
projizieren: abbilden, wiedergeben, an die Wand werfen *übertragen, zuschreiben
Proklamation: Aufruf, Bekanntmachung
proklamieren: ausrufen, bekannt geben, bekannt machen, verkünden
Prokurist: Beauftragter, Bevollmächtigter
Prolet: Unerzogener, Ungebildeter *Proletarier, Werktätiger
Proletariat: Arbeiterklasse, Arbeiterschaft, die Werktätigen, die arbeitende Klasse
Proletarier: Arbeiter, Lohnabhängiger, Lohnempfänger, Werktätiger
Prolog: Einführung, Einleitung, Vorbemerkung, Vorrede, Vorspiel
Prolongation: Fristverlängerung, Kreditverlängerung, Stundung
prolongieren: aufschieben, ausdehnen, hinausschieben, stunden, verlängern, vertagen, auf die lange Bank schieben, Aufschub gewähren

Promenade: Uferstraße *Bummel, Spaziergang
Promenadenmischung: Bastard
prometheisch: himmelstürmend
promenieren: ausgehen, spazieren, spazieren gehen, einen Spaziergang machen
pro mille: für tausend, für das Tausend, vom Tausend
Promille: Tausendstel, ein Teil von Tausend
prominent: anerkannt, angesehen, bedeutend, bekannt, berühmt, gefeiert, groß, namhaft, renommiert, weltbekannt, weltberühmt, wohlbekannt, von Weltruf, von Weltrang, von Weltruhm
Prominente: Persönlichkeit *Prominenz, die Prominenten, die Oberschicht
Promotion: Dissertation, Doktorarbeit, Doktorhut, Doktortitel, Doktorwürde, Ehrendiplom, Promovierung
Promotor: Förderer, Manager
promovieren: dissertieren, die Doktorwürde erlangen, den Doktorgrad erwerben, seinen Doktor machen
prompt: gleich, sofort, auf der Stelle *erwartungsgemäß, natürlich, wie zu erwarten
Pronomen: Fürwort
prononcieren: deutlich aussprechen, deutlich sagen, mit Nachdruck sagen
prononciert: bestimmt, betont, drastisch, dringend, eindeutig, eindringlich, emphatisch, energisch, entschieden, entschlossen, ernst, ernsthaft, ernstlich, fest, intensiv, nachdrücklich, ostentativ, stringent, ultimativ, unmissverständlich, mit Nachdruck, mit Gewicht *scharf betont, deutlich ausgesprochen
Propaganda: Agitation, Agitationstätigkeit, Agitationsarbeit, Aufklärung, Aufklärungsarbeit, Aufklärungstätigkeit, Öffentlichkeitsarbeit, Schulung *Werbetätigkeit, Werbung
Propagandist: Agitator, Aufklärer, Propagandamacher *Werber, Werberedner
propagieren: ausbreiten, ausstreuen, bekannt machen, erzählen, herumerzählen, kundtun, lancieren, popularisieren, verbreiten, verkünden, weitererzählen, weiterverbreiten, unter die Leute bringen, in Umlauf bringen *Propaganda machen (für), Reklame machen (für), werben, die Werbetrommel rühren
proper: makellos, ordentlich, rein, sauber, ohne Flecken
Prophet: Deuter, Künder, Mahner, Rufer, Seher, Weissager *Hellseher, Wahrsager, Zeichendeuter
prophetisch: seherisch, visionär, vorausschauend, voraussehend, weit blickend
prophezeien: ankündigen, erwarten, hellsehen, offenbaren, orakeln, verheißen, verkünden, vorausahnen, voraussagen, weissagen, in die Zukunft sehen, die Zukunft deuten, kommen sehen
Prophezeiung: Horoskop, Offenbarung, Orakel, Prognose, Voraussage, Weissagung
prophylaktisch: verhütend, krankheitsverhütend, präventiv, schützend, vorbeugend
Prophylaxe: Prävention, Schutz, Verhütung, Vorbeugung
Proportion: Bedingung, Verhältnis *Gleichmaß
proportional: angemessen, entsprechend, gleichmäßig, verhältnisgleich, verhältnismäßig, in gleichem Verhältnis stehend
Proportionalrechnung: Schlussrechnung, Verhältnisrechnung
proportioniert: verhältnisgleich, im gleichen Verhältnis *ausgewogen, ebenmäßig, wohlgestaltet
Prosa: ungebundene Rede
prosaisch: in Prosa *amusisch, nüchtern, phantasielos, poesielos, sachlich, ohne Phantasie, ohne Poesie
Prosaist: Autor, Dichter, Epiker, Erzähler, Prosaiker, Prosaschreiber, Prosaschriftsteller, Publizist, Romanschreiber, Romanschriftsteller, Schriftsteller
prosit!: prost!, zum Wohl!, wohl bekomm's!, auf Ihr Wohl!
Prospekt: Preisliste, Preisschild, Preistafel, Preisverzeichnis *Katalog, Werbekatalog, Werbeprospekt, Werbeschrift *Ansicht
prosperieren: blühen, gedeihen, vorankommen
Prosperität: Besitztum, Geld, Güter, Kapital, Wohlstand

Prostata: Vorsteherdrüse
prosten: anstoßen, zuprosten, zutrinken, einen Toast ausbringen, einen Trinkspruch ausbringen, jmdn. hochleben lassen
prostituieren (s.): s. hingeben, huren, s. verkaufen, auf den Strich gehen, käuflich sein, seinen Körper hergeben, seinen Körper verkaufen
Prostituierte: Callgirl, Dirne, Freudenmädchen, Hure, Kokotte, Konkubine, Kurtisane, Liebesdienerin, Nutte, Straßenmädchen, Strichmädchen
Prostitution: Hurerei, horizontales Gewerbe
Protagonist: Hauptdarsteller, Held *Vorkämpfer
Protegé: Günstling, Schützling, Zögling
protegieren: aufbauen, begünstigen, emporbringen, favorisieren, fördern, helfen, lancieren, unterstützen, vorwärts bringen, weiterhelfen, auf die Sprünge helfen, die Bahn ebnen, Förderung angedeihen lassen, eine Bresche schlagen, den Weg ebnen, in den Sattel heben
Protektion: Begünstigung, Beistand, Förderung, Fürsprache, Gönnerschaft, Hilfe, Schutz, Unterstützung
Protektor: Beschützer, Patron, Schirmherr, Schützer, Schutzpatron
Protektorat: Schirmherrschaft, Schutzherrschaft *Hoheit, Patronat, Schirmherrschaft, Schutz
Protest: Auflehnung, Gehorsamsverweigerung, Renitenz, Widerspenstigkeit, Widerstand *Beschwerde, Einspruch, Einwand, Veto
Protestant: Evangelischer, Lutheraner
protestieren: ablehnen, dagegenreden, interpellieren, s. verwahren, widersprechen, zurückweisen, Veto einlegen, Protest einlegen, Einspruch einlegen, Halt gebieten, Einhalt gebieten *buhen, pfeifen, zischen
Protestkultur: Alternativszene, Gegenkultur, Subkultur
Protestmarsch: Demonstration, Kundgebung, Massenkundgebung, Protestkundgebung
Prothese: Ersatzglied, Gliedersatz, Kunstglied, künstliches Glied *Zahnersatz, künstliche Zähne
Protokoll: Aufzeichnung, Manuskript, Niederschrift, Notierung, Notizen
Protokollant: Protokollführer, Schriftführer, Sekretär
protokollieren: mitschreiben, nachschreiben, ein Protokoll aufnehmen, zu Protokoll nehmen
Prototyp: Ausbund, Inbegriff, Inkarnation, Muster, Urbild, Verkörperung
Protz: Angeber, Großmaul, Prahler
protzen: angeben, aufblasen, aufschneiden, aufspielen, s. blähen, großtun, prahlen, prunken, s. spreizen
Protzentum: Bombast, Chauvinismus, Prahlerei
Protzer: Angeber, Aufschneider, Besserwisser, Gernegroß, Großsprecher, Großtuer, Maulheld, Möchtegern, Münchhausen, Prahler, Prahlhans, Protz, Schaumschläger, Wichtigtuer, Windbeutel, Wortheld
protzig: angeberisch, dünkelhaft, großsprecherisch, großspurig, großtuerisch, prahlerisch, wichtigtuerisch
Provenienz: Herkunft, Ursprung
Proviant: Marschverpflegung, Mundvorrat, Ration, Reiseproviant, Verpflegung, Vorrat, Wegzehrung, Zehrung
Provinz: Bezirk, Distrikt, Gebiet, Land, Region
provinziell: hinterwäldlerisch, kleinstädtisch, ländlich
Provision: Gehalt, Gratifikation, Honorar, Kostenerstattung, Kostenrückerstattung, Vergütung *Maklergebühr, Vergütung, Vermittlergebühr, Vermittlungsgebühr
provisorisch: mangelhaft, notdürftig, vorübergehend, schlecht und recht *behelfsmäßig, probeweise, versuchsweise, vorläufig, unter Vorbehalt *einstweilen, vorerst, bis auf Weiteres
Provisorium: Behelf, Behelfseinrichtung, Hilfseinrichtung, Überbrückungsmaßnahme, vorläufige Einrichtung
provokant: aufreizend, herausfordernd, provozierend, streitsüchtig
Provokateur: Hetzer, Krakeeler, Krawallmacher, Radaubruder, Radaumacher, Rowdy, Schreier, Störenfried, Unruhestifter *Aufhetzer, Aufwiegler, Hetzer,

Quertreiber, Querulant, Scharfmacher, Stänker, Unruhestifter, Wühler, der Aufständische
Provokation: Anmaßung, Behelligung, Brüskierung, Forderung, Herausforderung, Kränkung, Reizung
provokatorisch: aufreizend, aufrührerisch, aufwieglerisch, hetzerisch, scharfmacherisch, verleumderisch
provozieren: behelligen, brüskieren, fordern, herausfordern, reizen, den Kampf ansagen, ins Gesicht werfen, ins Gesicht schleudern, den Fehdehandschuh hinwerfen, den Handschuh hinwerfen
provozierend: aggressiv, aufreizend, herausfordernd, provokativ, provokatorisch
Prozedur: Methode, Verfahren, Verfahrenstechnik, Verfahrensweise
Prozent: Hundertstel, vom Hundert
Prozente: Abzug, Nachlass, Preisnachlass, Rabatt, Skonto
Prozess: Ablauf, Fortgang, Gang, Hergang, Lauf, Verlauf *Entfaltung, Entwicklung, Entwicklungsperiode, Entwicklungsphase, Entwicklungsverlauf, Evolution, Fortentwicklung, Reifezeit, Reifung, Reifungsprozess, Wachstum *Gerichtsverfahren, Gerichtsverhandlung, Rechtsstreit, Rechtsverfahren, Verfahren, Verhandlung *Sensationsprozess, Skandalprozess
prozessieren: anklagen, belangen, beschuldigen, einklagen, klagen, verklagen, Anklage erheben, Klage führen (gegen), auf die Anklagebank bringen, einen Prozess führen (gegen)
Prozession: Bittgang, Dankgang
prüde: altjüngferlich, genierlich, herb, kühl, schamhaft, spröde, verschämt, zimperlich, zurückhaltend
Prüderie: Herbheit, Scham, Schamhaftigkeit, Sprödheit, Zimperlichkeit
prüfen: abfragen, examinieren, kontrollieren, zensieren *ausprobieren, versuchen *abchecken, durchsehen, einsehen, erproben, testen, überprüfen, unter die Lupe nehmen, auf Herz und Nieren prüfen, auf den Zahn fühlen, einer Prüfung unterwerfen, einer Prüfung unterziehen *inspizieren, kontrollieren, visitieren
Prüfer: Examinator, Prüfender *Inspekteur, Inspektor, Kontrolleur *Dienstvorgesetzter, Vorgesetzter
Prüfglas: Reagenzglas
Prüfling: Absolvent, Examenskandidat, Examinand, Kandidat, Prüfungskandidat
Prüfliste: Checkliste, Katalog, Kontrollliste, Überprüfungsliste
Prüfstein: Bewährungsprobe, Feuerprobe, Feuertaufe
Prüfung: Abschlussexamen, Abschlussprüfung, Examen *Durchsicht, Erprobung, Test
Prüfungsarbeit: Examen, Klausur *Klassenarbeit, Schulaufgabe, Test *Extemporale, Kurzprobe, Lernzielkontrolle, Stegreifaufgabe *Diplomarbeit, Magisterarbeit, Zulassungsarbeit
Prüfungskommission: Abnahmekommission, Begutachter, Prüfer, Prüfungsausschuss
Prüfungsurkunde: Diplom, Zertifikat, Zeugnis
Prüfungsurteil: Note, Prädikat, Zensur
Prügel: Abreibung, Dresche, Hiebe, Keile, Schläge, Züchtigung *Knüppel, Knüttel, Rohr, Rohrstock, Stecken, Stock ***Prügel austeilen:** prügeln, schlagen, verhauen, verschlagen ***Prügel beziehen:** geschlagen werden, verhaut werden
Prügelei: Keilerei, Rauferei, Schlägerei
Prügeljunge: Lückenbüßer, Prügelknabe, Sündenbock, schwarzer Peter, räudiges Schaf, schwarzes Schaf
prügeln: balgen, boxen, dreschen, durchprügeln, einprügeln (auf), einschlagen (auf), losschlagen, ohrfeigen, peitschen, schlagen, verdreschen, verhauen, verklopfen, verprügeln, züchtigen, zuhauen, zusammenschlagen, zuschlagen, handgreiflich werden, tätlich werden, weh tun, einen Schlag versetzen, Schläge versetzen, Prügel austeilen ***s. prügeln:** s. balgen, s. schlagen, s. verhauen, s. verklopfen, s. verprügeln
Prunk: Aufwand, Gala, Glanz, Herrlichkeit, Kostbarkeit, Luxus, Pomp, Pracht, Prachtentfaltung, Prunkentfaltung, Reichtum, Schönheit, Staat, Überfluss, Üppigkeit
Prunkbau: Palais, Palast, Schloss

prunken: paradieren, prangen, Staat machen, Prunk entfalten, Pracht entfalten
prunkhaft: brillant, pompös, prächtig
prunklos: bescheiden, einfach, kunstlos, natürlich, schlicht, schmucklos, unauffällig
Prunksarg: Sarkophag
Prunkstück: Glanzstück, Kabinettstück, Prachtexemplar, Prachtstück, Schatz, Schaustück
Prunksucht: Aufwand, Prasserei, Schlemmerei, Schwelgerei, Vergeudung, Verschwendung
prunksüchtig: großzügig, überreichlich, verschwenderisch, verschwendungssüchtig, allzu schenkfreudig, allzu großzügig, allzu freigebig, allzu gebefreudig, allzu spendabel, allzu generös *ausladend, feudal, luxuriös, pompös, prunkend, üppig
prunkvoll: aufwändig, brillant, fürstlich, glänzend, glanzvoll, königlich, luxuriös, pompös, prächtig, prachtvoll, prunkhaft, übertrieben, mit allen Schikanen
prusten: pusten, schnauben, schnaufen, laut atmen *herausplatzen, lachen, loslachen, losprusten
Psalm: Arie, Arioso, Choral, Gesang, Gesangstück, Hymne, Hymnus, Kanon, Kanzone, Lied, Madrigal, Vokalmusik, Vokalstück
Pseudonym: Deckname, Künstlername, Scheinname, Tarnname, falscher Name
Psyche: Brust, Gemüt, Herz, Innenleben, Inneres, Innerlichkeit, Seele, Seelenleben, Sinn, (seelische) Empfindung, innere Verfassung
Psychiater: Nervenarzt, Seelenarzt
psychisch: emotional, seelisch, auf die Psyche bezogen, das Gemüt betreffend, die Seele betreffend
Psychologe: Psychoanalytiker, Psychotherapeut, Therapeut *Menschenkenner
psychologisch: seelenkundlich, seelisch
Psychopath: Geistesgestörter, Geisteskranker, Geistesschwacher, Idiot, Irrer, Kretin, Verrückter
psychopathisch: depressiv, gemütskrank, nervenkrank, nervenleidend, neurotisch, seelenkrank
Pubertät: Entwicklungszeit, Geschlechtsreife, Reifejahre, Reifezeit
Pubertätskrise: Adoleszentenkrise
Publicity: Bekanntheit, Berühmtheit, Öffentlichkeit, Publizität *Angebot, Anreißerei, Kundenfang, Kundenwerbung, Propaganda, Reklame, Verkaufsförderung, Werbefeldzug, Werbetätigkeit, Werbung
Publicrelations: Kontaktpflege, Meinungspflege, Öffentlichkeitsarbeit, PR
publik: amtlich, bekannt, veröffentlicht *__publik machen:__ bekannt geben, bekannt machen, kundgeben, kundmachen, kundtun, verkünden, verkündigen, verlautbaren, veröffentlichen, verlauten lassen *__publik werden:__ s. herumsprechen, kundwerden, Schlagzeilen machen, unter die Leute kommen, (groß) herauskommen
Publikation: Abdruck, Druck, Drucklegung, Herausgabe, Veröffentlichung *Bekanntmachung
Publikum: Auditorium, Beobachter, Besucher, Betrachter, Schaulustige, Teilnehmer, Umstehende, Zuhörer, Zuhörerschaft, Zuschauer *__das breite Publikum:__ Allgemeinheit, Öffentlichkeit, Publizität, die Leute, die öffentliche Meinung
publizieren: abdrucken, drucken, edieren, herausbringen, verlegen, veröffentlichen, erscheinen lassen, an die Öffentlichkeit bringen
Publizist: Berichterstatter, Journalist, Korrespondent, Pressemann, Reporter, Schriftsteller, Zeitungsmann, Zeitungsschreiber
pudelnackt: nackt, splitternackt
Puder: Pulver, Staub
pudern: bepudern, bestreuen, einpudern, einstäuben, Puder auflegen, mit Puder bestreuen
Puff: Wäschebehälter, Wäschekorb, Wäschepuff *Knuff, Schlag, Stoß *Absteige, Bordell, Dirnenhaus, Freudenhaus, Hurenhaus
puffen: knuffen, rempeln, stauchen, stoßen, einen Stoß geben, einen Stoß versetzen
Puffer: Stoßdämpfer *Kartoffelpfannkuchen
Puffmais: Popcorn
Pulk: Haufen, Menge

Pulle: Behälter, Flasche
Pullover: Jumper, Pulli, Sweater
Pulpa: Zahnmark
Pulsader: Aorta, Arterie, Schlagader
pulsieren: branden, s. ergießen, fließen, fluten, pulsen, wogen, lebhaft strömen *hämmern, klopfen, pochen, schlagen
Pult: Katheder, Schreibpult, Schreibtisch *Betstuhl, Kanzel
Pulver: Puder, Staub *Arzneimittel *Schießpulver, Schwarzpulver
pulverig: mehlig, puderig, pulverartig, pulverförmig, zermahlen *leicht, trocken
pulverisieren: klein hacken, mahlen, mörsern, zerbröseln, zerkleinern, zerklopfen, zermahlen, zerreiben, zerstoßen, zu Mehl verarbeiten
pulvern: beschießen, böllern, feuern, knallen, schießen, einen Schuss abgeben, einen Schuss abfeuern, Schüsse abgeben, Schüsse abfeuern, einen Schuss auslösen, Feuer geben
Pump: Anleihe, Ausleihe, Beleihung, Borg, Darlehen, Entlehnung, Geliehenes, Kredit, Schulden, Wechsel
Pumpe: Brunnen, Pumpbrunnen *Herz
pumpen: auspumpen, entleeren, heraufpumpen, hochpumpen, leerpumpen *borgen, ausborgen, auslegen, ausleihen, herleihen, leihen, überlassen, verauslagen, verborgen, verleihen, vorlegen, vorstrecken, auf Borg geben, zur Verfügung stellen
Pumpenkolben: Piston, Zündstift
Pumphose: Knickerbocker
Punkt: Affäre, Angelegenheit, Fall, Frage, Geschichte, Problem, Sache *Hauptsache *Sprenkel, Tüpfel, Tupfen *Wertung, Wertungspunkt *Fleck, Ort, Örtlichkeit, Platz, Standort, Stätte, Stelle, Winkel
punktgleich: ausgeglichen, patt, remis, unentschieden
punktieren: punkten, tüpfeln *die Nadel setzen, Körperflüssigkeit entnehmen
pünktlich: beizeiten, exakt, fahrplanmäßig, fristgemäß, fristgerecht, rechtzeitig, zur richtigen Zeit, zur rechten Zeit, zur vereinbarten Zeit, auf die Minute, ohne Verspätung, auf die Sekunde genau
Pünktlichkeit: Exaktheit, Genauigkeit
Punktrichter: Juroren, Jury, Kampfrichter, Preisgericht, Preisrichter, Schiedsgericht, Schiedsrichter, Unparteiische
punktuell: gesondert, getrennt, punktweise, Punkt für Punkt, im Einzelnen
Punktum!: genug!, Schluss!
punzen: aufdrucken, aufprägen, bedrucken, einätzen, eingravieren, einhämmern, einprägen, einstampfen, einzeichnen, prägen, punzieren, stanzen, stempeln
Puppe: Püppchen, Spielpuppe *Freundin, Geliebte, Liebling, Mädchen *Büste, Schneiderbüste, Schneiderpuppe
Puppenspiel: Kasperltheater, Marionettentheater, Puppentheater
puppig: hübsch, niedlich, putzig, zierlich
pur: rein, naturrein, unvermischt, unversetzt
Püree: Brei, Kartoffelbrei, Kartoffelpüree, Mus
Purgatorium: Fegefeuer
purgieren: abführen, ablassen, säubern
puritanisch: anständig, ethisch, korrekt, moralisch, sittenfest, sittenreich, sittenstreng, sittlich, tugendhaft, tugendreich, tugendsam, züchtig *anspruchslos, bescheiden, einfach, frugal, genügsam, primitiv, spartanisch
Purpur: Dunkelrot, Karminrot, Purpurröte, Rubinrot, Scharlachrot, Tiefrot *Krönungsmantel, Purpurgewand, Purpurmantel
Purzelbaum: Flickflack, Rolle, Salto, Überschlag
purzeln: ausgleiten, fallen, glitschen, hinfallen, hinschlagen, niedergehen, niederstürzen, rutschen, stolpern, stürzen, den Halt verlieren, zu Boden gehen, zu Fall kommen
Puste: Atem, Hauch, Luft, Odem *Geld, Kleingeld *Kraft
Pustel: Blüte, Eiterbläschen, Finne, Furunkel, Pickel
pusten: atmen, blasen, fauchen, hauchen, prusten, schnauben, schnaufen, schniefen, zischen *jappen, japsen, keuchen, plustern, röcheln
Putsch: Aufruhr, Aufstand, Ausschreitung, Bürgerkrieg, Erhebung, Freiheits-

kampf, Komplott, Konterrevolution, Meuterei, Rebellion, Revolte, Revolution, Staatsstreich, Übergriff, Unruhen, Verschwörung, Volksaufstand, Volkserhebung

Putschist: Aufrührer, Aufständische, Hetzer, Meuterer, Rebell, Umstürzler, Verschwörer

Putte: Engelsfigur

Putz: Anstrich, Anwurf, Bewurf, Mörtel, Verputz *Arabeske, Ausschmückung, Beiwerk, Dekor, Ornament, Rankenwerk, Schmuck, Schnörkel, Verschnörkelung, Verzierung, Zier, Zierrat, Zierde

putzen: aufwaschen, bürsten, reinigen, sauber machen, säubern, scheuern, spülen, rein machen ***s. putzen:** s. fein machen, s. herausputzen, s. schmücken, s. schön machen, s. zurechtmachen

Putzfrau: Hausangestellte, Hilfe, Raumpflegerin, Reinmachefrau, Reinemachefrau, Scheuerfrau, Stundenfrau, Zugehfrau

putzig: drollig, geistreich, gelungen, herzig, humoristisch, humorvoll, komisch, lustig, neckisch, possenhaft, possierlich, schalkhaft, schelmisch, scherzhaft, schnurrig, spaßhaft, spaßig, trocken, ulkig, unterhaltsam, witzig *amüsant, belustigend, burlesk, drollig, erheiternd, humorvoll, komisch, köstlich, lustig, närrisch, possenhaft, spaßig, trocken, ulkig, vergnüglich, witzig, zum Lachen, zum Schießen

Putzlappen: Aufnehmer, Aufwischlappen, Feudel, Flicken, Putzlumpen, Putztuch, Scheuerlappen, Scheuertuch *Staubtuch, Wischlappen, Wischtuch

Putzmacherin: Hutmacherin, Modistin

Putzmittel: Putzzeug, Reinigungsmittel

Putzsucht: Eitelkeit, Geckenhaftigkeit, Gefallsucht, Koketterie, Selbstgefälligkeit, Selbstgefühl, Stutzerhaftigkeit *Reinheitsfimmel, Reinlichkeitsfimmel, Sauberkeitsfimmel

putzsüchtig: affig, eitel, geckenhaft, gefallsüchtig, geziert, kokett, stutzerhaft

Putzwerk: Ausschmückung, Schmuck

Pyjama: Nachtanzug, Nachtgewand, Schlafanzug

pyknisch: bullig, gedrungen, kräftig, stämmig, untersetzt

Q

Qigong: Energieübung
Quacksalber: Dilettant, Kurpfuscher, Medizinmann, Nichtskönner, Scharlatan, Stümper
quacksalbern: herumdoktern, kurieren, pfuschen
Quadrant: Höhenwinkelmesser
Quadrat: (gleichseitiges) Viereck
quadratisch: viereckig
Qual: Beschwerden, Höllenpein, Leid, Leiden, Pein, Schmerz, Schmerzen, Seelenschmerz *Beschwernis, Drangsal, Folter, Hölle, Höllenqual, Leidensweg, Marter, Martyrium, Mühsal, Plage, Quälerei, Strapaze, Tortur
quälen: drangsalieren, foltern, malträtieren, martern, misshandeln, peinigen, schinden, terrorisieren, traktieren, tyrannisieren, grausam sein, Schmerzen bereiten, Qualen bereiten, Pein bereiten, wehtun *belästigen, drangsalieren, peinigen, plagen, schikanieren, triezen, das Leben zur Hölle machen ***s. quälen:** s. abarbeiten, s. abmühen, s. aufreiben, s. fordern, s. plagen, s. schinden, s. übernehmen *aushalten, ausstehen, bestehen, bewältigen, durchstehen, erdulden, ertragen, s. fügen, hinnehmen, hinwegkommen, leiden, mitmachen, tragen, schlecht gehen, schmachten, überleben, überstehen, verarbeiten, verdauen, verkraften, verschmerzen, vertragen, krank sein, zu klagen haben, die Hölle auf Erden haben
quälend: martervoll, peinigend, quälerisch, qualvoll, schmerzlich
Quäler: Schinder, Drangsalierer
Quälerei: Beschwernis, Drangsal, Folter, Hölle, Höllenqual, Leidensweg, Marter, Martyrium, Mühsal, Plage, Qual, Strapaze, Tortur *Drangsalierung, Folter, Körperverletzung, Misshandlung, Schinderei, Tyrannei
Quälgeist: Nervensäge, Nervtöter, Peiniger, Plagegeist, Plager, Quälteufel, Quengler, Störenfried
Qualifikation: Befähigung, Brauchbarkeit, Eignung, Fähigkeit, Geeignetheit, Qualifizierung, Tauglichkeit *Anrecht, Anspruch, Befugnis, Berechtigung, Ermächtigung, Freibrief, Freiheit, Qualifizierung, Recht, Zustimmung *Ausbildung, Befähigungsnachweis
qualifizieren: ausbilden, befähigen, bilden, entwickeln, fortbilden, heranbilden, weiterbilden, ***s. qualifizieren:** s. bilden, s. fortbilden, s. entwickeln, hochkommen, s. weiterbilden
qualifiziert: fachgerecht, fachkundig, fachmännisch, fachmäßig, gekonnt, kunstgerecht, meisterhaft, professionell, routiniert, sachgemäß, sachgerecht, sachkundig, sachverständig, werkgerecht *verständig, sachverständig, akademisch, belesen, beschlagen, bewandert, erfahren, firm, fit, gebildet, gelehrt, gescheit, geschult, hoch gebildet, kenntnisreich, klug, kultiviert, kundig, niveauvoll, sprachgewandt, studiert, versiert, weise, wissend
Qualität: Brauchbarkeit, Güte, Niveau, Wertbeständigkeit, Zustand *Anlagen, Befähigung, Begabung, Stärken, Talente, Vorzüge, (gute) Eigenschaften
Qualitätsarbeit: gute Arbeit, fachmännische Arbeit, sorgfältige Arbeit, gründliche Arbeit, ordentliche Arbeit
Qualitätswein: Prädikatswein
Qualle: Nesseltier, Polyp
quallig: dickflüssig, schleimig, schlierig, schlüpfrig, schmierig, seifig
Quällust: Sadismus
Qualm: Dampf, Dunst, Rauch, Rauchgas, Rauchschwaden, Ruß, Schmauch, Schwaden
qualmen: s. eine Pfeife anzünden, s. eine Zigarette anzünden, s. eine Zigarre anzünden, paffen, rauchen, schmauchen, Raucher sein *rauchen, rußen, schwelen
qualmig: rauchig, verräuchert, voller Rauch
qualvoll: bohrend, marternd, martervoll, nagend, peinigend, quälend, quälerisch,

schmerzhaft, schmerzlich, schmerzvoll, stechend, zehrend, ziehend *bitter, leidvoll, schlimm
Quäntchen: kleine Menge, Winzigkeit
Quantität: Anzahl, Fülle, Größe, Masse, Menge, Quantum, Vielheit, Vielzahl
quantitativ: mengenmäßig, zahlenmäßig, der Menge nach, der Masse nach, der Größe nach
Quantum: Anteil, Anzahl, Dosis, Maß, Menge, Ration *Betrag, Summe
Quarantäne: Isolation, Isolierung
Quark: Frischkäse, Schichtkäse, Topfen, Weißkäse *Albernheit, Blödsinn, Nichtigkeit, Quatsch, Unsinn
Quartal: Trimester, Vierteljahr, drei Monate
quartalsweise: dreimonatlich, vierteljährlich, alle drei Monate
Quartier: Asyl, Herberge, Unterkunft, Unterschlupf, Zuflucht *Aufenthalt, Aufenthaltsort, Domizil, Heimat, Heimatort, Ort, Ortschaft, Sitz, Stadt, Standort, Standquartier, Unterkunft, Wohnsitz, Wohnstatt, Wohnung
quasi: eigentlich, gewissermaßen, gleichwie, sozusagen, an und für sich, so gut wie
Quasselstrippe: Fabulant, Phrasendrescher, Plapperer, Plauderer, Quasselkopf, Salbader, Schwadroneur, Schwätzer, Wortemacher, Zungendrescher
Quaste: Bommel, Klunker, Puschel, Troddel
Quatsch: Aberwitz, Blödsinn, Idiotie, Irrsinn, Mist, Nonsens, Torheit, Trödel, Unding, Unfug, Unsinn, Wahnwitz
quatschen: ausplaudern, ausposaunen, schwatzen, verraten *schwätzen, s. unterhalten, miteinander reden
Quecksilber: Quirl, Wirbelwind, Zappelphilipp, Zappler
quecksilbrig: aufgeregt, fahrig, flatterig, hektisch, lebhaft, nervös, quick, quicklebendig, rastlos, ruhelos, ungeduldig, unruhig, zappelig, in Fahrt, wie aufgezogen
Quelle: Brunnen, Quell, Spring *Bach, Quellwasser *Bezugsquelle, Einkaufsmöglichkeit, Kaufgelegenheit *Informant, Informationsquelle *Original, Sekundärliteratur, Urfassung, Urschrift, Vorlage *Anfang, Herd, Herkunft, Schoß, Ursprung, Wurzel
quellen: anschwellen, aufgehen, aufquellen, auftreiben, s. ausdehnen, s. voll saugen, größer werden, dick werden *s. ergießen, herausdringen, herausfließen, herauskommen, herausquellen, heraustreten, s. verbreiten
Quellenangabe: Bibliographie, Literatur, Literaturangabe, Literaturnachweis, Literaturverzeichnis, Titelverzeichnis
quellend: fließend, heraustretend, rieselnd, sprudelnd, strömend, tropfend, aufsteigend
Quengelei: Gemecker, Genörgel, Gequengel, Kritik, Krittelei, Mäkelei, Meckerei, Nörgelei, Tadelsucht
quengelig: knietschig, mäklig, nörgelig, nörglig, tadelsüchtig
quengeln: s. ausheulen, s. ausweinen, beklagen, heulen, s. in Tränen auflösen, jammern, plärren, schluchzen, weinen, wimmern, Tränen vergießen *herumkritteln, meckern, herummeckern, mosern, herummosern, beanstanden, herummäkeln, herumnörgeln, kritteln, kritisieren, mäkeln, nörgeln, querulieren, räsonieren, raunzen *bedrängen, belästigen, bohren, drängen, nicht aufhören (mit), treiben, zusetzen, keine Ruhe lassen, nicht nachlassen
Quengler: Plagegeist, Quäler, Querkopf, Stänkerer
quer: schief, schräg, überquer, der Breite nach, der Quere nach ***quer gehen:** danebengehen, danebengelingen, danebengeraten, fehlschlagen, missglücken, misslingen, missraten, scheitern, verunglücken, schlecht ablaufen, schlecht ausfallen, schlecht abgehen, schlecht auslaufen, zu Bruch gehen, in die Brüche gehen ***s. quer legen:** s. aufbäumen, aufbegehren, s. auflehnen, aufmucken, aufmucksen, auftrumpfen, s. dagegenstellen, s. empören, s. erheben, meutern, opponieren, protestieren, rebellieren, revoltieren, s. sträuben, trotzen, s. verschwören, s. widersetzen, s. zur Wehr setzen, Gehorsam verweigern, Widerpart bieten ***quer schießen:** behindern, dagegenarbeiten, dazwischenfunken, s. entgegenstellen,

entgegenwirken, sabotieren, hinderlich sein, in die Parade fahren *quer treiben: angreifen, anspornen, aufhetzen, aufpeitschen, aufreizen, aufrühren, aufstacheln, aufwiegeln, empören, fanatisieren, hetzen, lästern, spalten, stänkern, sticheln, verfeinden, verleumden, wühlen, Hass säen, Zwietracht säen *quer gestreift: travers *kreuz und quer: planlos, richtungslos, unmethodisch, unsystematisch, ziellos, ohne festes Ziel

Querelen: Ärger, Klage, Streit, Streitigkeiten

querfeldein: feldein, mittendurch, querbeet, querdurch, über Stock und Stein, auf allen Wegen

Querfeldeinrennen: Crosslauf

Querkopf: Dickkopf, Dickschädel, Quadratschädel, Starrkopf, sturer Bock

querköpfig: aufmüpfig, aufsässig, bockbeinig, bockig, dickköpfig, dickschädelig, eigensinnig, eisern, fest, finster, halsstarrig, hartgesotten, kompromisslos, kratzbürstig, rechthaberisch, standhaft, starrköpfig, starrsinnig, steifnackig, störrisch, stur, trotzig, unaufgeschlossen, unbelehrbar, unbequem, unbotmäßig, unerbittlich, unfolgsam, ungehorsam, unnachgiebig, unversöhnlich, unzugänglich, verbohrt, verschlossen, verständnislos, verstockt, widerborstig, widersetzlich, widerspenstig, zugeknöpft

Querschnitt: Auszug, Kurzfassung, Überblick, Überschau, Übersicht, Zusammenschau

Quertreiber: Aufhetzer, Aufwiegler, Hetzer, Provokateur, Querulant, Scharfmacher, Stänker, Unruhestifter, Wühler, der Aufständische

Querulant: Knurrhahn, Kritiker, Krittler, Mäkler, Meckerer, Nörgelfritze, Nörgler, Räsonierer, Raunzer *Aufhetzer, Aufwiegler, Hetzer, Provokateur, Quertreiber, Scharfmacher, Stänker, Unruhestifter, Wühler, der Aufständische

querulieren: kritteln, herumkritteln, meckern, herummeckern, mosern, herummosern, beanstanden, herummäkeln, herumnörgeln, motzen, kritisieren, mäkeln, nörgeln, quengeln, räsonieren, raunzen

Quetsche: Filter, Presse, Kelter *Akkordeon, Schifferklavier *Bedrängnis, Enge, Gefahr, Klemme, Not, Schwierigkeit, Sackgasse, Zwangslage, Dilemma *Kleinbetrieb *Zwetschge, Pflaume

quetschen: dazwischenklemmen, dazwischenpressen, einkeilen, einklemmen, einkneifen, einquetschen, festklemmen *zusammendrängen *pressen, auspressen, ausdrücken, drücken, klemmen, kneten, plattdrücken, Druck ausüben

quick: agil, betriebsam, beweglich, bewegt, blutvoll, dynamisch, feurig, geschäftig, getrieben, heftig, heißblütig, lebendig, lebhaft, mobil, munter, quecksilbrig, quicklebendig, sanguinisch, sprudelnd, temperamentvoll, ungestüm, unruhig, vif, vital, wild, wie aufgezogen *schnell

quietschen: quieken, schreien *feixen, herausplatzen, kichern, s. kugeln, lachen, losbrüllen, losplatzen, s. schieflachen, s. totlachen, s. vor Lachen ausschütten, wiehern, ein Gelächter anstimmen, einen Lachanfall bekommen, einen Lachkrampf bekommen, hellauf lachen, in Lachen ausbrechen, in Gelächter ausbrechen, Tränen lachen, schallend lachen, aus vollem Halse lachen

quietschfidel: heiter, lustig, quietschvergnügt *gesund, wohlauf

Quintessenz: Ausbeute, Befund, Bilanz, Effekt, Endergebnis, Endresultat, Endstand, Endsumme, Ergebnis, Ertrag, Fazit, Folge, Gewinn, Konsequenz, Produkt, Resultat, Resümee, Schlussergebnis, Schlussfolgerung, Summe, Wirkung *Essenz, Extrakt, Gehalt, Kern, Kernstück, Sinn, Substanz, Wesen, das Wesentliche, das Wichtige

quirlen: kreiseln, schwirren, strudeln, wirbeln *rühren, umrühren

quirlig: angespannt, aufgewühlt, bewegt, fahrig, fieberhaft, fiebrig, flackerig, flackernd, flatterig, friedlos, hastig, hektisch, kribbelig, nervös, rastlos, ruhelos, überreizt, ungeduldig, unruhig, unstet, wirbelig, wuselig

quitt: einig, eins (sein) *entlastet, erledigt, wettgemacht

quittieren: bescheinigen *ausscheiden,

aussteigen, kündigen, den Dienst quittieren

Quittung: Ausgabenbeleg, Einzahlungsschein, Empfangsbescheinigung, Empfangsbestätigung, Empfangsschein *Beleg, Bescheinigung

Quiz: Denkaufgabe, Denkspiel, Denksportaufgabe, Preisaufgabe, Rätsel, Frage-und-Antwort-Spiel

Quizmaster: Spielleiter, Moderator

Quote: Anteil, Anzahl, Kontingent, Menge, Rate, Teilbetrag

Quodlibet: Allerlei, Durcheinander, Kunterbunt, Mischmasch, Potpourri

R

Rabatt: Abzug, Frühbucherrabatt, Nachlass, Preisnachlass, Prozente, Skonto
Rabatte: Randbeet *Ärmelaufschlag
Rabatz: Aufruhr, Donner, Dröhnen, Gejodel, Geklapper, Geklirr, Geknatter, Gekreische, Gelärme, Gepolter, Gerassel, Geratter, Geräusch, Geschrei, Getobe, Getöse, Hallo, Heidenlärm, Heidenspektakel, Höllenlärm, Höllenspektakel, Klamauk, Krach, Krachen, Krakeel, Krawall, Lärm, Radau, Randale, Ruhestörung, Rummel, Skandal, Spektakel, Stimmengewirr, Tamtam, Trara, Trubel, Tumult
rabiat: aggressiv, ärgerlich, aufgebracht, empört, entrüstet, erbittert, erbost, erzürnt, fuchsteufelswild, giftig, heftig, jähzornig, tobsüchtig, unwillig, unwirsch, wild, wütend, wutentbrannt, wutschäumend, außer sich *angriffslustig, hadersüchtig, offensiv, provokativ, streitbar, streitsüchtig, zanksüchtig *bestialisch, brutal, gewalttätig, kannibalisch, roh, ruchlos, tierisch, verroht, wüst *barbarisch, erbarmungslos, gnadenlos, grausam, inhuman, kaltblütig, mitleidlos, schonungslos, unbarmherzig
rabulistisch: haarspalterisch, rechtsverdrehend
Rache: Abrechnung, Bestrafung, Gegenmaßnahme, Gegenstoß, Heimzahlung, Revanche, Sanktionen, Vergeltung, Vergeltungsmaßnahme *Blutrache, Racheakt, Vendetta
Rachegöttinnen: Erinnyen, Eumeniden, Furien, Megären
rächen: abrechnen, ahnden, heimzahlen, s. revanchieren, vergelten, auf Rache sinnen, den Spieß umdrehen, mit gleicher Münze zahlen, Gleiches mit Gleichem vergelten, Vergeltung üben, Rache nehmen, Rache üben
Rachen: Hals, Rachenhöhle, Schlund
Rachitis: Knochenweiche, englische Krankheit
rachsüchtig: feindselig, nachtragend, rachedurstig, rachgierig
Racker: Frechdachs, Lausebengel, Range, Wildfang, vorlautes Kind, ungezogenes Kind *Göre, Krabbe, vorlautes Kind, ungezogenes Kind
Rackerei: Anspannung, Arbeit, Beanspruchung, Beschwerde, Beschwerlichkeit, Beschwernis, Fron, Knochenarbeit, Last, Mühe, Mühsal, Plage, Schinderei, Strapaze, Stress
rackern: s. plagen, s. abplagen, s. quälen, s. abquälen, s. abplacken, s. anstrengen, s. fordern, schuften
Rad: Fahrrad, Stahlross *Wagenrad ***Rad fahren:** radeln, strampeln, Fahrrad fahren *hofieren, kriechen, schöntun, s. unterwerfen
Radargerät: Funkmessgerät, Radar, Radarpistole
Radau: Aufsehen, Donnern, Gekreische, Gelärme, Gepolter, Geschrei, Krach, Lärm, Ruhestörung, Spektakel, Tumult, Unruhe
radebrechen: kauderwelschen, stottern, ein paar Brocken können
Rädelsführer: Anführer, Anstifter, Bandenchef, Drahtzieher, Führer, Gangleader, Häuptling, Hauptmann, Initiator, Kopf
Räderwerk: Apparat, Maschine, Maschinerie
Radfahrer: Fahrradfahrer, Radler *Duckmäuser, Heuchler, Kriecher, Krummbuckel, Lakai, Liebediener, Pharisäer, Schmeichler, Speichellecker
radial: radiär, strahlenförmig
Radialreifen: Gürtelreifen
Radiation: Strahlung
radieren: ausradieren, löschen, wegradieren, mit einem Radiergummi entfernen
Radiergummi: Gummi, Radierer, Radierstift
radikal: extrem, extremistisch, kompromisslos, maßlos, scharf, übersteigert *bestialisch, brutal, tierisch, verroht *anarchistisch, zerstörerisch *absolut, ganz,

grundlegend, komplett, lückenlos, völlig, vollkommen *gründlich, total, völlig, bis ins Letzte, von Grund auf
Radikaler: Extremist, Radikalist
radikalisieren: aufhetzen, aufrühren, aufstacheln, aufwiegeln, fanatisieren *eskalieren, verschärfen, zuspitzen, bis zum Äußersten treiben, extreme Verhältnisse schaffen
Radikalismus: Extremismus, extremistische Einstellung *Bedenkenlosigkeit, Gewissenlosigkeit, Herzlosigkeit, Kälte, Lieblosigkeit, Rücksichtslosigkeit, Skrupellosigkeit, Unbarmherzigkeit
Radikalkur: Gewaltkur, Pferdekur, Rosskur
Radio: Radioapparat, Radioempfänger, Rundfunkgerät *Rundfunk
Radiosender: Radiostation, Rundfunkanstalt
Radius: Halbmesser, halber Durchmesser *Aktionsradius, Horizont, Reichweite, Spielraum
Radkranz: Felge
Radnabe: Nabe, Radmitte
Radweg: Radfahrweg
raffen: s. aneignen, horten, zusammenraffen, zusammentragen *hochheben, hochziehen
Raffer: Geizhals, Habgieriger, Raffke, Raffzahn
Raffgier: Besitzgier, Geiz, Geldgier, Gewinnsucht, Gier, Habgier, Habsucht, Raffsucht
raffgierig: geizig, geldgierig, gewinnsüchtig, gierig, habgierig, habsüchtig, materialistisch, materiell, raffig, raffsüchtig, auf Gewinn bedacht
Raffinesse: Feinheit, Verfeinerung *Bauernschläue, Cleverness, Durchtriebenheit, Gerissenheit, Geschäftstüchtigkeit, Hinterlist, Raffinement, Taktik, Verschlagenheit
raffinieren: läutern, reinigen
raffiniert: abgefeimt, ausgefuchst, ausgekocht, ausgepicht, bauernschlau, clever, diplomatisch, durchtrieben, gerissen, geschäftstüchtig, geschickt, getrieben, gewieft, gewitzt, glatt, hinterlistig, listig, routiniert, taktisch, schlau, verschlagen, verschmitzt, mit allen Wassern gewaschen *kultiviert, verbessert, verfeinert, vervollkommnet
Rage: Ärger, Aufgebrachtheit, Empörung, Entrüstung, Erbitterung, Erregung, Furor, Ingrimm, Raserei, Wut, Zorn
ragen: anstreben, s. aufbauen, aufragen, aufstreben, s. auftürmen, s. erheben, gen Himmel ragen
ragend: emporragend, groß, hoch, hoch aufgeschossen, hoch gewachsen, lang, stattlich, nicht niedrig, von hohem Wuchs
Ragout: Durcheinander, Eintopf
Rahm: Sahne, Sauerrahm, Schmant, Süßrahm
rahmen: fassen, einfassen, einrahmen, mit einem Rahmen versehen
Rahmen: Einfassung, Einrahmung, Fassung, Rand, Umgrenzung *Flair, Umgebung *Chassis, Fahrzeuggestell
Rain: Ackergrenze, Feldrain
räkeln (s.): s. aalen, s. flegeln, s. hinlümmeln, s. recken, s. strecken
Rakete: Feuerwerkskörper *Flugkörper, Weltraumflugzeug
Rallye: Automobilwettbewerb, Autorennen, Rennen, Sternfahrt
Rammelei: Drängelei, Gedränge
Rammbug: Rammsteven
rammeln: stoßen *drängen *befruchten, begatten, brunften, hecken, kopulieren, s. paaren, ranzen
rammelvoll: belegt, besetzt, überbelegt, überbesetzt, überfüllt, voll gestopft, brechend voll, dicht besetzt, dicht gedrängt, zu voll, zu viele, zum Brechen voll
rammen: einschlagen, einstoßen, eintreiben, hineinklopfen, hineintreiben *anfahren, aufeinander prallen, aufeinander stoßen, auffahren, karambolieren, kollidieren, zusammenfahren, zusammenprallen, zusammenstoßen
Rammklotz: Rammbär, Rammbock, Ramme, Rammhammer
Rampe: Auffahrt, Aufgang, Einfahrt, Zufahrt, Zugang *Laderampe, Verladerampe
Rampenlicht: Lichtkegel, Lichtstrahl, Scheinwerferlicht ***im Rampenlicht stehen:** herausragen, hervortreten, im Mittelpunkt stehen, in der Öffentlichkeit stehen, bekannt sein, gesehen werden

ramponieren: ankratzen, anschlagen, anstoßen, beeinträchtigen, beschädigen, lädieren, ruinieren, schaden, schädigen, verwüsten, zurichten, in Mitleidenschaft ziehen

ramponiert: abgestoßen, angebrochen, angehauen, angeschlagen, angestoßen, beschädigt, defekt, durchlöchert, kaputt, lädiert, mitgenommen, schadhaft, zerrissen

Ramsch: Altwaren, Dreck, Gerümpel, Klimbim, Kram, Krempel, Plunder, Schund, Trödel, Zeug *Ausschuss, Ramschware, Schund

Rand: Abschluss, Begrenzung, Bord, Ecke, Einfassung, Grenze, Grenzstreifen, Peripherie, Ufer, Umgrenzung, Umrahmung *Mund *Hutrand, Krempe *Kante, Saum ***am Rande:** beiläufig, leichthin, nebenbei, en passant, wie zufällig ***außer Rand und Band:** albern, aufgekratzt, aufgelegt, aufgeweckt, ausgelassen, heiter, stürmisch, übermütig, überschäumend, übersprudelnd, unbändig, ungebärdig, ungestüm, vergnügt, wild

Randale: Aufruhr, Donner, Dröhnen, Gejodel, Geklapper, Geklirr, Geknatter, Gekreische, Gelärme, Gepolter, Gerassel, Geratter, Geräusch, Geschrei, Getobe, Getöse, Hallo, Heidenlärm, Heidenspektakel, Höllenlärm, Höllenspektakel, Klamauk, Krach, Krachen, Krakeel, Krawall, Lärm, Rabatz, Radau, Ruhestörung, Rummel, Skandal, Spektakel, Stimmengewirr, Tamtam, Trara, Trubel, Tumult

randalieren: brüllen, grölen, johlen, krakeelen, lärmen, poltern, toben, laut sein, gewalttätig sein, Radau machen

Randalierer: Flegel, Raufbold, Rowdy, Streithammel

Randbemerkung: Anmerkung, Marginalie, Randanmerkung, Randbescheid, Randglosse, Randvermerk

Randgebiet: Randbezirk, Randzone, Stadtrand

Rang: Charge, Dienstgrad, Dienstrang, Dienststellung, Grad, Rangbezeichnung, Rangstufe, Stand, Stellung *Bedeutsamkeit, Bedeutung, Belang, Ernst, Gewicht, Gewichtigkeit, Größe, Relevanz, Schwere, Tiefe, Tragweite, Wert, Wichtigkeit, Würde *Platz, Stelle

Rangalter: Amtsalter, Dienstalter

Range: Flegel, Fratz, Frechdachs, Racker, Wildfang, ungezogenes Kind, vorlautes Kind

rangeln: s. balgen, raufen, ringen, streiten, miteinander kämpfen, handgreiflich werden

Rangerhöhung: Aufstieg, Avancement, Beförderung, Blitzkarriere, Vorwärtskommen

Rangfolge: Gliederung, Hierarchie, Klassifikation, Klassifizierung, Rangordnung, Reihenfolge, Stufenleiter

ranggleich: ebenbürtig, gleichrangig, gleichwertig, kongenial, wesensgleich

Rangierbahnhof: Verschiebebahnhof

rangieren: anordnen, arrangieren, aufgliedern, aufstellen, aufteilen, ausrichten, eingliedern, einreihen, einteilen, s. formieren, gliedern, gruppieren, katalogisieren, kategorisieren, ordnen, reihen, rubrizieren, sortieren, strukturieren, systematisieren, unterteilen, zurechtrücken, zusammenstellen, in die richtige Reihenfolge bringen, in die richtige Ordnung bringen, in ein System bringen, in Reih und Glied stellen

Rangordnung: Hackordnung, Hierarchie, Rangfolge, Stufenfolge, Stufenleiter, Stufenordnung *Anlage, Anordnung, Aufbau, Bau, Durchgliederung, Durchorganisation, Einteilung, Fächerung, Gefüge, Gliederung, Gruppierung, Ordnungsgefüge, Organisation, Staffelung, Struktur, Strukturplan, Zusammensetzung

rank: dünn, dürr, gertenschlank, grazil, schlank, schmächtig, sportlich

Ränke: Intrige, Intrigenspiel, Intrigenstück, Kabale, Ränkespiel, Schliche, (dunkle) Machenschaften

ranken: s. emporranken, klettern, s. ringeln, s. schlingen, s. winden

Rankenwerk: Arabeske, Ausschmückung, Beiwerk, Dekor, Ornament, Putz, Schmuck, Schnörkel, Verschnörkelung, Verzierung, Zier, Zierrat, Zierde

ränkesüchtig: intrigant, ränkevoll

Ranzen: Büchertasche, Schultasche

*Bündel, Ränzlein, Rucksack, Tornister *Bauch, Bierbauch, Fettbauch
ranzig: alt, schlecht, ungenießbar, verdorben, nicht mehr gut, nicht mehr frisch
Ranzzeit: Brunft, Brunftzeit, Brunst, Brunstzeit, Läufigkeit, Paarungszeit, Rauschzeit
rapide: eilig, flink, flott, flugs, geschwind, hurtig, rapid, rasant, rasch, schnell, zügig
Rappel: Anfall, Aufwallung, Entladung, Erregung, Explosion, Koller, Tobsuchtsanfall, Wutausbruch, Zornesausbruch
rappeln: klappern, lärmen, raffeln, rasseln, scheppern
rappelvoll: belegt, überbelegt, besetzt, überbesetzt, rammelvoll, überfüllt, voll gestopft, brechend voll, dicht besetzt, dicht gedrängt, zu voll, zu viel, zum Brechen voll
Rapport: Benachrichtigung, Bericht, Berichterstattung, Bescheid, Mitteilung, Nachricht, Schilderung, Unterrichtung
rar: beschränkt, knapp, selten, spärlich, sporadisch, vereinzelt, fast nie *erlesen, auserlesen, ausgesucht, ausgewählt, edel, einmalig, exquisit, fein, hochwertig, kostbar, preziös, qualitätsvoll, teuer, wertvoll, de luxe, viel wert
Rarität: Ausnahme, Besonderheit, Seltenheit
rasant: eilig, flink, flott, geschwind, hurtig, rapide, rasch, schnell, zügig *rassig, schmissig, schneidig, schwungvoll, sportlich, wendig, zackig
Rasanz: Behändigkeit, Eile, Geschwindigkeit, Hast, Schnelle, Schnelligkeit, Tempo
rasch: eilig, flink, flott, geschwind, rasant, schnell, sportlich, zügig
rascheln: bewegen, rauschen *lispeln, säuseln, wispeln, wispern
Raschheit: Elastizität, Fertigkeit, Fingerfertigkeit, Flinkheit, Gewandtheit, Schnelligkeit
rasen: sehr schnell fahren, flott fahren, zügig fahren *laufen, rennen, stürmen *s. aufregen, berserkern, explodieren, schäumen, schnauben, toben, überkochen, wettern, wüten, zetern, außer sich geraten, wild werden
Rasen: Grasfläche, Grasplatz, Grasstück, Grünfläche, Grünstreifen, Rasenfläche, Rasenplatz, Wiese *Feld, Platz, Spielfeld, Spielfläche, Spielplatz, Sportplatz
rasend: heftig, intensiv, stark, stürmisch, toll, ungestüm, wild *frenetisch, leidenschaftlich, stürmisch, tobend *aufgekratzt, tobend, wütend, zornig
Raserei: Ärger, Empörung, Entrüstung, Erbitterung, Erregung, Furor, Tobsucht, Wildheit, Wut, Zorn
rasieren: barbieren, schaben, den Bart scheren, den Bart schaben, Barthaare entfernen, von Haaren befreien
rasiert: bartlos, geschabt, geschoren, haarlos, ohne Bart, ohne Haare
Räson: Einsicht, Vernunft ***zur Räson bringen:** maßregeln, zurechtweisen, zur Vernunft bringen, zur Ordnung rufen, eine Lehre erteilen, eine Lektion erteilen ***zur Räson kommen:** s. beruhigen, etwas einsehen, zur besseren Einsicht gelangen, vernünftig werden
räsonieren: kritteln, herumkritteln, meckern, herummeckern, mosern, herummosern, beanstanden, herummäkeln, herumnörgeln, kritisieren, mäkeln, nörgeln, quengeln, querulieren, raunzen *schimpfen
Räsonierer: Knurrhahn, Kritiker, Krittler, Mäkler, Meckerer, Nörgelfritze, Nörgler, Querulant, Raunzer
raspeln: raffeln, zerkleinern
Rasse: Art, Menschenrasse, Nation, Spezies *Menschenrasse, Tierrasse
Rassel: Klapper, Knarre, Ratsche
rasseln: durchfallen, durchrasseln, nicht schaffen, nicht erreichen *drohen, androhen, schimpfen, wettern, zetern *klappern, klirren, lärmen, poltern, scheppern
Rassenhygiene: Eugenik
Rassentrennung: Apartheid
rassig: erlesen, auserlesen, apart, ausgesucht, chic, elegant, fein, fesch, gewählt, kultiviert, modern, mondän, nobel, piekfein, schick, schmuck, schneidig, schnieke, schnittig, smart, stilvoll, todschick, vornehm
Rassismus: Fremdenhass, Rassenhass, Rassenwahn

Rast: Atempause, Erholungspause, Halt, Pause, Ruhepause, Unterbrechung, Verschnaufpause *Besinnung, Einkehr, Mußestunde
rasten: s. ausruhen, entspannen, halten, Halt machen, innehalten, lagern, ruhen, unterbrechen, verschnaufen, verweilen, eine Ruhepause einlegen, eine Ruhepause machen, eine Ruhepause einschieben, Rast machen *s. besinnen, einkehren, s. zurückziehen, in sich gehen
Raster: Muster, Schablone, Schema, Vorlage
Rasthaus: Autobahnraststätte, Gaststätte, Motel, Raststätte
rastlos: geschäftig, getrieben, ruhelos, unablässig, unermüdlich, ohne Rast, ohne Ruhe
Rastlosigkeit: Aufgeregtheit, Beunruhigung, Getriebensein, Nervosität, Ruhelosigkeit, Spannung, Ungeduld, Unrast, Unruhe, Unstetigkeit, innere Erregung
Rat: Empfehlung, Ratschlag, seine Meinung geben
Rate: Ratenzahlung, Teilzahlung
raten: anempfehlen, anraten, beibringen, beraten, einschärfen, empfehlen, nahe legen, vorschlagen, zuraten, zureden, einen Rat geben, einen Rat erteilen *enträtseln, erraten, herausbringen, lösen
ratenweise: abstottern, regelmäßig bezahlen, auf Stottern bezahlen, in Raten bezahlen, in Abständen bezahlen, langsam abtragen
Ratgeber: Beistand, Berater, Fachmann, Helfer, Meister, Mentor, Tutor *Anweisung, Aufforderung, Instruktion, Verhaltensmaßregel, Weisung *Führer, Handbuch, Kompendium, Leitfaden, Nachschlagewerk, Wegweiser
ratifizieren: anerkennen, annehmen, bekräftigen, bestätigen, genehmigen, paraphieren
Ratifizierung: Anerkennung, Annahme, Bestätigung, Genehmigung, Paraphierung, Ratifikation
Ratio: Besinnung, Einsicht, Klarsicht, Vernunft, Verstand, Verständigkeit, Verständnis, Wirklichkeitssinn, geistige Reife, gesunder Menschenverstand
Ration: Quantum, Verpflegungssatz, Zuteilung *Anteil, Hälfte, Kontingent, Part, Portion, Teil
rational: vernunftgemäß, vernunftmäßig, der Vernunft entsprechend, mit dem Verstand *analytisch, denkend, sachlich, überlegt, klar besonnen
rationalisieren: nur den Verstand sprechen lassen, der Vernunft untergeordnet *modernisieren, organisieren, straffen, technisieren, umstrukturieren, vereinfachen, vereinheitlichen, auf Maschinen umstellen *einen Belegschaftsabbau durchführen, gesundschrumpfen, Abbau von Fachkräften
rationell: durchdacht, ökonomisch, planvoll, sinnvoll, vernünftig, wirtschaftlich, zeitsparend, zweckdienlich, zweckentsprechend, zweckgemäß, zweckmäßig
rationieren: abmessen, begrenzen, beschränken, bewirtschaften, dosieren, einteilen, kontingentieren
ratlos: durcheinander, hilflos, hoffnungslos, konfus, verwirrt, verzweifelt, in Nöten
Ratlosigkeit: Hilflosigkeit, Unschlüssigkeit
ratsam: angezeigt, empfehlenswert, empfehlungswürdig, indiziert, notwendig
ratschen: klatschen, schwätzen, tratschen, s. unterhalten
Ratschlag: Angebot, Anregung, Plan, Tipp, Vorschlag *Beistand, Empfehlung, Hilfe, Rat
ratschlagen: beraten, beratschlagen, raten, unterweisen, Ratschläge geben, Ratschläge erteilen, mit Ratschlägen bedenken, mit Ratschlägen überhäufen
Ratsdiener: Amtsdiener, Gemeindebote, Gemeindediener
Rätsel: Denkaufgabe, Denkspiel, Denksportaufgabe, Frage, Preisaufgabe, Quiz *Dunkel, Geheimnis, Heimlichkeit, Mysterium, die letzten Dinge
rätselhaft: dunkel, geheimnisvoll, mystisch, nebulös *unbegreifbar, unbegreiflich, undurchsichtig, unerforschlich, unergründlich, unerklärbar, unfassbar
rätseln: brüten, forschen, grübeln, herumrätseln, knobeln, nachdenken, nachforschen, sinnieren, spintisieren, tüfteln,

überlegen *grübeln, nachgrübeln, sinnen, nachsinnen, denken, meditieren, nachdenken, reflektieren, seinen Kopf anstrengen, das Hirn zermartern, Überlegungen anstellen, seinen Geist anstrengen, versunken sein
Rattenschwanz: Anhängsel, Folge, Zopf
rattern: holpern, rumpeln, stoßen *donnern, dröhnen, klappern, krachen, krakeelen, lärmen, poltern, randalieren, rasseln, rummeln, rumoren, schallen, Rabatz machen, Krach machen, Radau machen
rau: aufgesprungen, borstig, narbig, rissig, schrundig, spröde, stoppelig, uneben, zerklüftet, zerrissen, nicht glatt *beißend, frisch, heftig, scharf, streng, stürmisch, unangenehm, ungesund *belegt, heiser *barsch, brüsk, deftig, derb, drastisch, flegelhaft, grob, grobschlächtig, hart, herrisch, kernig, raubeinig, rüde, rüpelhaft, rüpelig, ruppig, schroff, unfreundlich, ungehobelt, ungeschliffen, unwirsch, ohne Gefühl, ohne Takt *harsch, heftig, scharf, schneidend
Raub: Beute, Diebesbeute, Diebesgut, Eroberung, Fang, Raubgut, heiße Ware *Entführung *Dieberei, Diebstahl, Eigentumsdelikt, Eigentumsvergehen, Einbruch, Einbruchdiebstahl, Entwendung, Plünderung, Wegnahme, widerrechtliche Aneignung
Raubbau: Ausbeutung, Ausnutzung, Ausschöpfung, Nutzung
rauben: entführen, fortbringen, kidnappen, verschleppen, wegschleppen *entmutigen, ernüchtern *belästigen *nehmen, abnehmen, entreißen, wegnehmen
Räuber: Dieb, Plünderer, Seeräuber, Straßenbande, Straßenräuber, Strauchdieb, Strauchritter, Verbrecher, Wegelagerer
räuberisch: beutegierig, diebisch, freibeuterisch, raubgierig, raublustig, raubsüchtig
räubern: ausrauben, brandschatzen, fleddern, marodieren, plündern, rauben, stehlen
Raubkrieg: Eroberungskrieg
Raubtierbändiger: Dompteur, Tierbändiger
Raubüberfall: Anschlag, Attentat, Gewaltstreich, Handstreich, Raubzug, Überfall, Überrumpelung
Rauch: Dampf, Dunst, Qualm, Rauchgas, Rauchschwaden, Ruß, Schmauch, Schwaden
rauchen: s. eine Pfeife anzünden, s. eine Zigarette anzünden, s. eine Zigarre anzünden, paffen, qualmen, schmauchen, Raucher sein *dampfen, räuchern, rußen, schwärzen, schwelen
Raucher: Gelegenheitsraucher, Kettenraucher, Zigarettenraucher *Pfeifenraucher *Zigarrenraucher *Raucherabteil
räuchern: anräuchern, durchräuchern, haltbar machen
Rauchfang: Dunstabzug, Dunstabzugshaube, Rauchabzug, Wrasenabzug *Esse, Feueresse, Kamin, Schlot, Schornstein
Rauchfleisch: Selchfleisch, das Geselchte
rauchgeschwärzt: angeraucht, rauchig
rauchig: dampfig, dunstig, qualmig, raucherfüllt, rauchgeschwärzt, rauchgetränkt, trübe, verräuchert, verraucht
Rauchquarz: Quarztopas, Rauchtopas
Rauchware: Fellwerk, Pelzware, Pelzwerk, Rauware
Rauchwaren: Tabakerzeugnisse, Tabakwaren
rauen: aufkratzen, aufrauen, einkratzen, rau machen
Raufbold: Raufbruder, Raufdegen, Raufer, Rowdy, Schläger, Streithammel, Streitsüchtiger
raufen: s. balgen, kämpfen, ringen, s. schlagen
Rauferei: Balgerei, Gebalge, Geraufe, Handgemenge, Schlägerei
Raum: Kammer, Räumlichkeit, Saal, Stube, Zimmer *Ort, Platz, Stelle, Unterbringungsmöglichkeit *Bereich, Bezirk, Feld, Gebiet, Gefilde, Region, Reich, Revier, Sektor, Sphäre *Entwicklungsmöglichkeit, Spielraum *Weltall *Gegend, Landschaftsgebiet, Umgebung *Cyberspace
Raumabstand: Abstand, Distanz, Entfernung, Ferne, Kluft, Weite, Zwischenraum
räumen: ausziehen, evakuieren, fortziehen, verlassen, wegziehen, die Wohnung

wechseln *leeren, entleeren, abräumen, ausräumen, ordnen, verlagern, verlegen, in Ordnung bringen *abtransportieren, entfernen, fortschaffen, wegräumen *abernten
Raumfahrer: Astronaut, Kosmonaut, Weltraumfahrer
Raumfahrt: Astronautik, Kosmonautik, Weltraumfahrt
Raumfahrzeug: Erdsatellit, Erdtrabant, Kapsel, Orbitalstation, Raumkapsel, Raumschiff, Raumsonde, Raumstation, Spacelab, Sputnik
Raumgestalter: Innenarchitekt, Innendekorateur, Raumausstatter
Raumgestaltung: Innenarchitektur, Innendekoration, Raumausstattung
Rauminhalt: Fassungskraft, Fassungsvermögen, Inhalt, Volumen
Raumkapsel: Weltraumkapsel
Raumknappheit: Enge, Platzmangel, Raummangel
Raumlabor: Spacelab
räumlich: lokal, örtlich, regional *ausgedehnt, geräumig
Raumpflegerin: Hausangestellte, Hilfe, Putzfrau, Reinemachefrau, Reinigungskraft, Scheuerfrau
Raumschiff: Erdsatellit, Erdtrabant, Kapsel, Orbitalstation, Raumfahrzeug, Raumkapsel, Raumsonde, Raumstation, Spacelab, Sputnik, Weltraumstation
Räumung: Abzug, Aufgabe, Rückzug, Zurückweichen
raunen: brummen, fispern, flüstern, hauchen, murmeln, säuseln, tuscheln, wispern, zischeln, jmdm. etwas heimlich sagen, ins Ohr sagen, leise reden, mit gedämpfter Stimme sprechen, die Stimme senken
Raupe: Gleiskette, Raupenband, Raupenkette *Larve, Schmetterlingsraupe
Raureif: Raufrost, Reif
Rausch: Benebelung, Berauschtheit, Betrunkenheit, Bewusstseinstrübung, Bierseligkeit, Delirium, Schwips, Weinseligkeit *Begeisterung, Eifer, Ekstase, Elan, Enthusiasmus, Entzücken, Entzückung, Feuer, Freude, Gefühlsüberschwang, Glut, Idealismus, Inbrunst, Leidenschaft, Schwärmerei, Strohfeuer, Übereifer, Überschwang, Überschwänglichkeit, Verzücktheit, Verzückung *Erregung, Erregungszustand, Hochgefühl, Trance, Trip
rauschen: auffrischen, aufkommen, aufwirbeln, bewegen, blähen, blasen, brausen, dröhnen, pfeifen, rascheln, säuseln, sausen, stürmen, toben, tosen, wehen, wirbeln, wüten, ziehen
Rauschgift: Droge, Rauschmittel, Stoff, Suchtmittel *Aufputschmittel, Dopingmittel, Reizmittel, Stimulans *Betäubungsmittel, Tranquilizer
Rauschgiftabhängiger: Drogenabhängiger, Fixer, Rauschmittelsüchtiger, Schnüffler
Rauschzeit: Brunft, Brunftzeit, Brunst, Brunstzeit, Läufigkeit, Paarungszeit, Ranzzeit
räuspern (s.): hüsteln, husten, scharren
rausschmeißen: abberufen, ablösen, abservieren, absetzen, ausbooten, beurlauben, davonjagen, entheben, entlassen, entmachten, entthronen, fortschicken, hinauswerfen, kaltstellen, kündigen, rauswerfen, stürzen, suspendieren, verabschieden
Rausschmiss: Ablösung, Abschiebung, Abschied, Absetzung, Amtsenthebung, Dienstentlassung, Entfernung, Enthebung, Entlassung, Entmachtung, Fall, Kündigung, Personalabbau, Sturz, Suspendierung, Zwangsbeurlaubung, Zwangspensionierung
Rauware: Fellwerk, Pelzware, Pelzwerk, Rauchware
Razzia: Durchsuchung, Fahndung, Hausdurchsuchung, Säuberungsaktion, Säuberungsmaßnahme
Reagenzglas: Probierglas, Prüfglas
reagieren: ansprechen (auf), anspringen (auf), gehorchen *s. verhalten
Reaktion: Antwort, Beantwortung, Erwiderung, Gegenbewegung, Handlungsweise, Rückwirkung, Verhalten, Verhaltensweise *Fortschrittsfeindlichkeit, Rückschritt, reaktionäre Kräfte, konservative Kräfte
reaktionär: fortschrittsfeindlich, illiberal, konservativ, rechts, restaurativ, rückschrittlich, rückständig, unzeitgemäß

Reaktionär: Dunkelmann, Finsterling, der Ewiggestrige
reaktionsschnell: entschlossen, gefasst, geistesgegenwärtig, kaltblütig
Reaktionsvermögen: Entschlossenheit, Entschlusskraft, Gefasstheit, Geistesgegenwart, Kaltblütigkeit, Reaktionsschnelligkeit, rasches Handeln
Reaktionswärme: Wärmetönung
Reaktor: Atomkraftwerk, Kernkraftwerk, Kernreaktor
real: dinglich, existent, gegenständlich, greifbar, konkret, materiell, reell, sachlich, stofflich, substanziell *echt, effektiv, faktisch, tatsächlich, unbestreitbar, wahr, wirklich
Realisation: Ausführung, Erfüllung, Realisierung, Verwirklichung *Verkauf
realisierbar: durchführbar, erreichbar, gangbar, gehbar, machbar, möglich
realisieren: ausführen, erfüllen, Ernst machen (mit), tun, verwirklichen, wahr machen, in die Tat umsetzen, zustande bringen *verkaufen ***s. realisieren:** s. abspielen, s. als richtig erweisen, s. als wahr erweisen, s. bewahrheiten, eintreffen, eintreten, s. ereignen, erfolgen, s. erfüllen, geschehen, passieren, s. verwirklichen, s. zutragen, wahr werden
Realisierung: Ausführung, Erfüllung, Realisation, Verwirklichung *Verkauf
Realismus: Sachlichkeit, Wirklichkeitssinn, Wirklichkeitstreue
Realist: nüchterner Mensch, sachlicher Mensch
realistisch: lebensnah, wirklichkeitsnah, der Wirklichkeit entsprechend, der Realität entsprechend *klar, kühl, leidenschaftslos, nüchtern, objektiv, sachlich, den Tatsachen ins Auge sehend
Realität: Gegebenheit, Sachlage, Sachverhalt, Tatsache, Wirklichkeit, tatsächliche Lage
realiter: effektiv, faktisch, gemäß, konkret, praktisch, tatsächlich, wirklich, de facto, den Tatsachen entsprechend, den Tatsachen gemäß, in der Tat, in Wirklichkeit
Rebe: Rebstock, Weinrebe, Weinstock
Rebell: Aufständischer, Meuterer, Protestierer, Revolutionär, Schinderhannes
rebellieren: s. aufbäumen, aufbegehren, s. auflehnen, aufmucken, aufmurren, s. dagegenstellen, s. dagegenstemmen, s. empören, s. erheben, meutern, protestieren, revoltieren, s. sträuben, s. wehren, s. widersetzen, s. zur Wehr setzen
Rebellion: Aufruhr, Aufstand, Ausschreitung, Bürgerkrieg, Empörung, Erhebung, Freiheitskampf, Gewaltakt, Komplott, Krawall, Meuterei, Putsch, Revolte, Revolution, Staatsstreich, Tumult, Übergriff, Unruhen, Unterwanderung, Verschwörung, Volksaufstand, Volkserhebung
rebellisch: aufbegehrend, auflehnend, aufrührerisch, aufsässig, aufständisch, aufwieglerisch, revoltierend, subversiv, umstürzlerisch, zersetzend, zerstörerisch
Rebensaft: Traubensaft, Wein
Rebstock: Rebe, Wein, Weinrebe, Weinstock
Rechen: Forke, Harke
Rechenaufgabe: Rechenexempel, Rechnung
Rechenbrett: Rechentafel
Rechenmaschine: Rechner
Rechenschaftsbericht: Abschlussbericht, Geschäftsbericht, Jahresbericht, Tätigkeitsbericht
Recherche: Erhebung, Ermittlung, Ermittlungsverfahren, Fahndung, Nachforschung, Nachprüfung, Prüfung, Sondierung, Suche, Untersuchung, Voruntersuchung
recherchieren: nachforschen, einer Sache nachgehen, Recherchen anstellen
rechnen: berechnen, zusammenrechnen, zusammenzählen, eine Rechnung ausführen, ein Ergebnis ermitteln, eine Rechenaufgabe lösen *dazurechnen, einrechnen, mitzählen *dazugehören, gehören (zu), gerechnet werden, zugeordnet werden, zugeordnet sein *s. einschränken, haushalten, Maß halten, sparen, wirtschaften, sparsam sein, das Geld zusammenhalten, sparsam umgehen ***rechnen (mit):** einkalkulieren, erwarten, spekulieren, s. verlassen (auf), vertrauen (auf), überzeugt sein *absehen, s. bereitmachen, s. einstellen (auf), s. gefasst machen, voraussehen, s. vorbereiten (auf), s. wappnen

Rechnung: Rechenaufgabe, Rechenexempel *Anrechnung, Berechnung, Gegenrechnung, Verrechnung *Faktur, Faktura, Liquidation, Zeche *Beleg, Kaufbeleg, Quittung

recht: angebracht, angemessen, billig, entsprechend, geeignet, gegeben, genau, gerechtfertigt, gut, ideal, ordnungsgemäß, passend, rechtmäßig, richtig, zutreffend, in Ordnung, wie es sein soll ***recht sein:** behagen, gefallen, passen, zusagen, angenehm sein, sympathisch sein

Recht: Anrecht, Anspruch, Befugnis, Berechtigung, Ermächtigung, Freibrief, Freiheit, Qualifikation, Qualifizierung, Zustimmung *Gesetz, Gesetze, Rechtsordnung, Rechtsprechung, sittliche Norm *Gesetzeskunde, Jura, Jurisprudenz, Rechtsgelehrsamkeit, Rechtswissenschaft *Erlaubnis, Genehmigung, Lizenz ***im Recht sein:** s. nicht irren, Recht haben, Recht behalten, nicht fehlgehen ***Recht geben:** anerkennen, beipflichten, beistimmen, bejahen, bekräftigen, bestätigen, tolerieren, unterschreiben, zubilligen, zulassen, zustimmen, seine Zustimmung geben, für gut befinden, dafür sein ***Recht haben:** im Recht sein, Recht behalten, das letzte Wort haben ***Recht machen:** entsprechen, zufrieden stellen, Genüge tun, Genüge leisten ***Recht sprechen:** urteilen, nach dem Gesetz entscheiden

rechtfertigen: entlasten, entschuldigen, rehabilitieren, reinwaschen, weißwaschen ***s. rechtfertigen:** s. entlasten, s. entschuldigen, s. rehabilitieren, s. reinwaschen, s. wehren, s. weißwaschen, Rechenschaft ablegen, Rede und Antwort stehen

Rechtfertigung: Entlastung, Entschuldigung, Rehabilitierung *Ehrenerklärung, Ehrenrettung, Entlastung, Rehabilitation, Rehabilitierung

rechtgläubig: dogmatisch, fromm, orthodox, religiös, strenggläubig, überzeugt

Rechtgläubigkeit: Frömmigkeit, Orthodoxie, Strenggläubigkeit

Rechthaber: Alleswisser, Besserwisser, Naseweis, Neunmalkluger, Neunmalschlauer, Sprücheklopfer, Sprüchemacher

Rechthaberei: Bockigkeit, Dickköpfigkeit, Dickschädeligkeit, Eigensinn, Eigensinnigkeit, Eigenwille, Eigenwilligkeit, Halsstarrigkeit, Hartköpfigkeit, Starrköpfigkeit, Starrsinn, Steifnackigkeit, Sturheit, Uneinsichtigkeit, Verbohrtheit, Widerspenstigkeit, dicker Schädel

rechthaberisch: aufmüpfig, aufsässig, bockbeinig, bockig, dickköpfig, dickschädelig, eigensinnig, eisern, fest, finster, halsstarrig, hartgesotten, kompromisslos, kratzbürstig, standhaft, starrköpfig, starrsinnig, steifnackig, störrisch, stur, trotzig, unaufgeschlossen, unbelehrbar, unbequem, unbotmäßig, uneinsichtig, unerbittlich, unfolgsam, ungehorsam, unnachgiebig, unversöhnlich, unzugänglich, verbohrt, verschlossen, verständnislos, verstockt, widerborstig, widersetzlich, widerspenstig, zugeknöpft

rechtlich: juristisch, das Recht betreffend, dem Recht nach *ehrlich, ordentlich, rechtschaffen, redlich

rechtlos: entrechtet, geächtet, schutzlos

rechtmäßig: begründet, gesetzlich, gesetzmäßig, juristisch, legal, legitim, ordnungsgemäß, rechtlich, vorgeschrieben, vorschriftsmäßig, zulässig, de jure, dem Gesetz entsprechend, dem Recht entsprechend, mit Fug und Recht, nach den Paragraphen, nach dem Gesetz, nach Recht und Gesetz, nicht gesetzwidrig, recht und billig, von Rechts wegen, zu Recht, mit Recht

Rechtmäßigkeit: Berechtigung, Billigkeit, Erlaubnis, Legalität, Legitimität

rechts: rechtsseitig, an der rechten Seite, auf der rechten Seite, rechter Hand, zur Rechten *steuerbord, steuerbords *konservativ *reaktionär, rückständig

Rechtsanwalt: Advokat, Anwalt, Fürsprecher, Jurist, Justitiar, Rechtsbeistand, Syndikus, Verteidiger

Rechtsbeugung: Gesetzwidrigkeit, Illegalität, Rechtsbruch, Rechtsverdrehung, Rechtsverletzung, Rechtswidrigkeit, Ungesetzlichkeit, Unrechtmäßigkeit

Rechtssache: Rechtsangelegenheit

rechtschaffen: angesehen, anständig, aufrecht, aufrichtig, bieder, brav, charakterfest, echt, ehrlich, integer, lauter, ordentlich, rechtlich, redlich, sauber, solide, unbescholten, unbestechlich, untadelig, vertrauenswürdig, wacker, wahrheitsliebend, zuverlässig, vom alten Schlag
Rechtschaffenheit: Biederkeit, Ehrlichkeit, Integrität, Loyalität, Pflichtbewusstsein, Redlichkeit, Unbescholtenheit, Vertrauenswürdigkeit, Zuverlässigkeit
Rechtschreibung: Orthographie, richtige Schreibung, richtige Schreibweise
Rechtsextremismus: Faschismus, Nationalsozialismus, Nazismus
Rechtsextremist: Nationalsozialist, Nazi, Nazianhänger, Rechter
Rechtsgebiet: Recht, Rechtsdisziplin
Rechtsgelehrsamkeit: Jura, Recht, Rechtswissenschaft
Rechtsgelehrter: Jurist, Rechtskundiger
rechtsgültig: gesetzlich, rechtlich, rechtskräftig, rechtsverbindlich
Rechtsgültigkeit: Gesetzeskraft, Gültigkeit, Rechtskraft, Rechtszustand
rechtsherum: rechtshin, nach rechts
Rechtsprechung: Gerichtsbarkeit, Gerichtswesen, Jurisdiktion, Justiz, Rechtspflege, Rechtswesen
Rechtssache: Fall, Rechtsangelegenheit, Rechtsfall, Rechtsfrage, Sache, Streitfall
Rechtsspruch: Bescheid, Beschluss, Entscheid, Entscheidung, Richterspruch, Schiedsspruch, Urteil, Urteilsfällung, Urteilsspruch, Verdammungsurteil, Verdikt
Rechtsstreit: Auseinandersetzungsverfahren, Prozess, Rechtshandel, Rechtsverfahren, Streit, Streitsache, Verfahren, gerichtliche Auseinandersetzung, gerichtliche Klarstellung
Rechtsvorbehalt: Reservation
Rechtsweg: Beschwerdeweg, Instanzenweg, Instanzenzug, Klageweg, Rechtsgang
rechtswidrig: gesetzwidrig, illegal, kriminell, strafbar, unrechtmäßig, verboten, verfassungswidrig, verpönt, widerrechtlich
Rechtswissenschaft: Gesetzkunde, Jura, Jurisprudenz, Juristerei, Jus, Recht, Rechtskunde, Rechtslehre
rechtzeitig: zeitig, frühzeitig, beizeiten, pünktlich, früh genug, zur richtigen Zeit, zur rechten Zeit
recken (s.): s. dehnen, s. entspannen, s. lang machen, s. strecken
recyceln: wieder verwerten
Recycling: Wiederverwertung
Redakteur: Chefredakteur, Lektor, Schriftleiter
Redaktion: Geschäftsstelle, Schriftleitung
Rede: Ansprache, Festrede, Propagandarede, Referat, Rezitation, Vortrag, Wahlrede *Predigt *Äußerung, Dialog, Gespräch, Konversation, Sprechakt, Unterredung, Worte
Redefluss: Erguss, Redeschwall, Tirade, Wortschwall
redefreudig: gesprächig, redelustig
Redefreiheit: Pressefreiheit
redegewandt: beredsam, beredt, eloquent, geläufig, redefertig, redegewaltig, schlagfertig, sprachgewaltig, sprachgewandt, wortgewandt, wortreich, zungenfertig
Redegewandtheit: Beredsamkeit, Eloquenz, Redefertigkeit, Redegabe, Redegewalt, Schlagfertigkeit, Sprachgewalt, Sprachgewandtheit, Wortgewandtheit, Wortreichtum, Zungenfertigkeit
Redekünstler: Redner, Rhetoriker
reden: s. artikulieren, s. äußern, Ausdruck verleihen, Ausdruck geben, etwas von sich geben, laut werden, etwas verlauten lassen, zum Ausdruck bringen *sprechen, das Wort ergreifen, eine Rede halten, eine Ansprache halten, einen Vortrag halten, etwas sagen *bereden, besprechen, plaudern, s. unterhalten *s. auslassen (über), formulieren, s. verbreiten, vortragen, seine Meinung kundtun, Stellung nehmen, Stellung beziehen ***umsonst reden:** in den Wind reden, verlorene Liebesmüh sein, in der Wüste reden
Redensart: Floskel, Formel, Gemeinplatz, Phrase, Redefloskel, Redewendung, Wendung
Rederei: Altweibergeschwätz, Dorfklatsch, Gefasel, Geklatsche, Gemunkel, Geraune, Gerede, Geschwätz, Geschwatze, Getratsche, Getuschel, Gezischel,

Heimlichtuerei, Klatsch, Klatscherei, Klatschgeschichten, Knatsch, Lärm, Munkelei, Palaver, Stadtklatsch, Tratsch, Tratscherei, Tuschelei
redescheu: einsilbig, karg, lakonisch, mundfaul, ruhig, schweigsam, steif, still, stumm, verschlossen, verschwiegen, wortkarg, zurückhaltend, nicht gesprächig, nicht mitteilsam
Redescheu: Schweigsamkeit, Verschlossenheit, Wortkargheit, Zugeknöpftheit, Zurückhaltung
Redeschwall: Erguss, Redefluss, Sermon, Tirade, Wortschwall
Redeweise: Ausdrucksweise, Darstellungsweise, Diktion, Sprache, Sprechweise, Stil *Ausdruck, Figur, Formulierung, Redefigur, Redensart, Redewendung, Wendung
Redewendung: Ausdruck, Figur, Formulierung, Idiom, Redefigur, Redensart, Redeweise, Wendung *Floskel, Phrase, Schlagwort
redigieren: korrigieren, überarbeiten, verbessern, vervollkommnen
redlich: anständig, aufrecht, aufrichtig, brav, charakterfest, ehrlich, integer, lauter, rechtschaffen, sauber, solide, unbescholten, untadelig, vertrauenswürdig, wahrheitsliebend, zuverlässig
Redlichkeit: Anstand, Aufrichtigkeit, Charakter, Ehrlichkeit, Integrität, Lauterkeit, Rechtschaffenheit, Unbescholtenheit, Zuverlässigkeit
Redner: Redekünstler, Referent, Sprecher, Vortragender, Vortragskünstler *Rhetoriker
redselig: geschwätzig, gesprächig, klatschsüchtig, mitteilsam, redefreudig, redelustig, schwatzhaft, tratschsüchtig, gerne erzählend, gerne redend
Redseligkeit: Geschwätzigkeit, Gesprächigkeit, Klatschsucht, Mitteilsamkeit, Rededrang, Redefreudigkeit, Redelust, Schwatzhaftigkeit, Tratschsucht
Reduktion: Dezimierung, Minderung, Reduzierung, Schwund, Verminderung *Ableitung, Beweisführung, Folgerung, Herleitung, Zurückführung
redundant: reduzierbar, überreichlich *weitschweifig
Redundanz: Anhäufung, Fülle, Luxus, Masse, Menge, Opulenz, Reichtum, Überangebot, Überfluss, Überfülle, Überfüllung, Übermaß, Überproduktion, Überreichtum, Überschuss, Überschwang, Üppigkeit, Zuviel
reduzieren: begrenzen, dezimieren, drosseln, schmälern, senken, verkleinern, vermindern, verringern, niedriger machen *ermäßigen, herabsetzen, nachlassen, verbilligen, Prozente geben, Rabatt(e) geben
reduziert: ermäßigt, herabgesetzt, verbilligt
Reduzierung: Begrenzung, Drosselung, Reduktion, Senkung, Verkleinerung, Verminderung, Verringerung *Ermäßigung, Herabsetzung, Nachlass, Preisnachlass, Prozente, Rabatt, Skonto, Verbilligung
Reeder: Eigner, Schiffseigner, Schiffsherr
Reederei: Schifffahrtsbetrieb, Schifffahrtsgesellschaft
Reep: Seil, Tau
reell: echt, greifbar, konkret, real, tatsächlich, wirklich *ehrlich, fair, integer, loyal, rechtschaffen, redlich, untadelig *gediegen, gut, qualitätsvoll, solide, stabil, wertbeständig
Referendum: Volksabstimmung, Volksentscheid
Referent: Redekünstler, Redner, Sprecher, Vortragender, Vortragskünstler *Fachmann, Sachbearbeiter, Sachgebietsleiter *Berichterstatter, Journalist, Korrespondent, Publizist, Reporter
referieren: aufsagen, deklamieren, hersagen, lesen, rezitieren, verlesen, vorlesen, vorsingen, vorsprechen, vortragen, das Wort ergreifen, ein Referat halten, eine Rede halten, eine Ansprache halten, einen Vortrag halten, etwas zum Besten geben, zu Gehör bringen *auspacken, aussagen, berichten, beschreiben, darlegen, erzählen, mitteilen, schildern, vorbringen, vortragen, wiedergeben, Bericht erstatten, Bericht abstatten, Bericht geben
reflektieren: spiegeln, widerscheinen, widerspiegeln, zurückwerfen *grübeln, nachgrübeln, sinnen, nachsinnen, denken, meditieren, nachdenken, rätseln,

seinen Kopf anstrengen, das Hirn zermartern, Überlegungen anstellen, seinen Geist anstrengen, versunken sein *erstreben, wollen, zu erreichen suchen
Reflex: Reflexion, Rückstrahlung, Widerschein
Reflexion: Abwägung, Berechnung, Erwägung, Gedankengang, Kopfzerbrechen, Nachdenken, Überlegung *Reflex, Rückstrahlung, Widerschein
Reform: Innovation, Neuerung, Neugestaltung, Neuordnung, Neuregelung, Reorganisation, Umgestaltung, Umstellung, Umwandlung, Veränderung, Verbesserung, Wandel
Reformer: Erneuerer, Initiator, Neugestalter, Pionier, Schrittmacher, Verbesserer, Vorreiter
reformieren: reorganisieren, umgestalten, umstellen, umwandeln, verändern, verbessern, wandeln
Refugium: Schlupfloch, Schlupfwinkel, Unterschlupf, Versteck, Zuflucht, Zufluchtsort, Zufluchtsstätte
Regal: Bord, Bücherbord, Bücherregal, Gestell, Stellage *Hausorgel, Zimmerorgel
Regatta: Bootsrennen, Bootswettfahrt, Bootswettkampf, Motorbootregatta, Ruderregatta, Segelregatta
rege: aktiv, betriebsam, geschäftig, rührig, tatkräftig, unternehmend, unternehmungslustig
Regel: Direktive, Faustregel, Grundsatz, Instruktion, Kanon, Kompass, Lebensregel, Leitlinie, Leitsatz, Merkspruch, Norm, Prinzip, Regelung, Reglement, Richtlinie, Richtmaß, Richtsatz, Richtschnur, Satzung, Spielregel, Standard, Statut, Vorschrift *Gesetz, Gesetzmäßigkeit, Regelmäßigkeit *Brauch, Gepflogenheit, Gewohnheit, Herkommen, Sitte, Tradition, Übung, Usus *Menstruation, Periode, Regelblutung, Tage ***in der Regel:** meist, zumeist, durchweg, erfahrungsgemäß, gemeinhin, gewöhnlich, größtenteils, meistens, meistenteils, normalerweise, überwiegend, vorwiegend, weitgehend, in der Mehrzahl
Regelblutung: Menstruation, Periode, Regel, Tage
regelgemäß: vorschriftsmäßig, der Regel entsprechend, den Richtlinien entsprechend, nach der Regel
regellos: chaotisch, durcheinander, ungeordnet, wirr, ohne feste Regeln, ohne feste Richtlinien
Regellosigkeit: Chaos, Durcheinander, Unordnung
regelmäßig: immer, periodisch, rhythmisch, wiederholt, zyklisch, immer wieder, immer wiederkehrend *ausgewogen, gleichmäßig, harmonisch *alltäglich, gewöhnlich, normal, üblich *dauernd, geordnet, gewohnheitsmäßig, konstant, ordnungsgemäß *ebenmäßig, wohlgebaut, wohlgestaltet, wohlproportioniert
Regelmäßigkeit: Beständigkeit, Pünktlichkeit, Stetigkeit, Wiederholung, Zyklus *Ebenmaß, Wohlgestalt *Alltag, Normalität
regeln: dirigieren, erledigen, führen, leiten, lenken, ordnen, organisieren, in Ordnung bringen *beilegen, bereinigen, geradebiegen, normalisieren, regulieren, zurechtbiegen, ins rechte Gleis bringen
regelrecht: ordentlich, ordnungsgemäß, regelgemäß, regelmäßig, reglementarisch, regulär, richtig, vorschriftsgemäß, vorschriftsmäßig, nach Vorschrift, nach der Regel *ausgesprochen, direkt, förmlich, geradezu
Regelung: Demarche, Einrichtung, Maßnahme, Maßregel, Schritt *Abfertigung, Ausführung, Besorgung, Bestellung, Durchführung, Erledigung, Tat *Direktive, Faustregel, Grundsatz, Instruktion, Kanon, Kompass, Lebensregel, Leitlinie, Leitsatz, Merkspruch, Norm, Prinzip, Regel, Reglement, Richtlinie, Richtmaß, Richtsatz, Richtschnur, Satzung, Spielregel, Standard, Statut, Vorschrift
Regelverstoß: Foul, Unsauberkeit, Unsportlichkeit
regelwidrig: normal, abnormal, falsch, normwidrig, unkonventionell, unnormal, verkehrt, aus dem Rahmen fallend, nicht richtig
Regelwidrigkeit: Regelverstoß, Verstoß *Bolzerei, Foul, Holzerei, Unsauberkeit
regen: bewegen, rühren, nicht ruhig halten, die Lage verändern ***s. regen:** s.

bewegen, s. nicht ruhig verhalten, s. rühren *treiben, betreiben, arbeiten, basteln, s. befassen, s. beschäftigen, s. betätigen, nachdenken, s. rühren, schaffen, tüfteln, tun, werken, s. widmen, wirken, Arbeit leisten, tätig sein
Regen: Niederschlag, Nieselregen, Regenguss, Wolkenbruch
regenarm: ausgetrocknet, heiß, trocken, wasserarm, wasserlos, wüstenhaft
Regeneration: Änderung, Auffrischung, Erneuerung, Überholung, Verjüngung
regenerieren: ändern, auffrischen, beleben, erneuern, überholen, verjüngen ***s. regenerieren:** s. erholen, s. erneuern, s. verjüngen, wiederbeleben *ausspannen, zu Kräften kommen, Urlaub machen, gesund werden, auf dem Weg der Besserung sein
Regenguss: Dusche, Guss, Platzregen, Regen, Regenschauer, Regenwetter, Schauer, Sturz, Unwetter, Wolkenbruch
Regenmantel: Regenhaut, Trenchcoat, Wettermantel
Regenmesser: Pluviometer
regenreich: feucht, nass, niederschlagsreich, regnerisch *ertragreich, fruchtbar, üppig
Regenrinne: Dachrinne, Dachtraufe, Traufe
Regenschirm: Knirps, Parapluie, Schirm
Regent: Gebieter, Gewalthaber, Haupt, Herrscher, Landesvater, Machthaber, Oberhaupt, Staatsoberhaupt
Regentschaft: Alleinherrschaft, Befehlsgewalt, Botmäßigkeit, Führung, Gewalt, Gewaltherrschaft, Herrschaft, Leitung, Macht, Regierung, Regiment, Selbstherrschaft, Staatsmacht
Regenwetter: Schlechtwetter, Tief, schlechtes Wetter, regnerisches Wetter, nasses Wetter
Regie: Aufsicht, Direktion, Führung, Herrschaft, Kommando, Leitung, Lenkung, Management, Oberaufsicht, Regiment, Vorsitz
regieren: leiten, die Macht (inne)haben, die Macht ausüben, die Macht besitzen, am Ruder sein, die Fäden in der Hand haben, die Zügel in der Hand haben *leiten, verwalten
Regierung: Bundesregierung, Kabinett, Regierungskabinett *Landesregierung *Herrschaft, Regime, Staatsmacht
Regierungsbezirk: Bezirk, Verwaltungseinheit
Regierungsform: Regierungssystem, Regime, Staatsform, System
Regierungsstelle: Behörde, Ministerium, Verwaltung
Regiment: Alleinherrschaft, Befehlsgewalt, Botmäßigkeit, Führung, Gewalt, Gewaltherrschaft, Herrschaft, Leitung, Macht, Regentschaft, Regierung, Selbstherrschaft, Staatsmacht *Bataillon, Einheit, Formation, Kompanie, Schar, Truppe, Truppeneinheit, Truppenteil
Region: Gegend, Landschaftsgebiet *Bereich, Bezirk, Feld, Gebiet, Gefilde, Raum, Reich, Revier, Sektor, Sphäre
regional: begrenzt, gebietsweise, lokal, örtlich, räumlich, strichweise *landschaftlich, mundartlich
Regisseur: Inszenator, Spielleiter, künstlerischer Leiter
Register: Aufstellung, Bücherverzeichnis, Handbuch, Index, Kalendarium, Kartei, Katalog, Kladde, Liste, Nomenklatur, Sachverzeichnis, Sachweiser, Tabelle, Verzeichnis, Wortweiser, Zusammenstellung
registrieren: aufzeichnen, buchen, einschreiben, eintragen, erfassen, vermerken, verzeichnen *beobachten, feststellen, sehen
registriert: aufgezeichnet, eingeschrieben, eingetragen, erfasst, gebucht, vermerkt, verzeichnet *aufgefasst, bemerkt, beobachtet, gehört, gesehen
Registrierung: Aufzeichnung, Buchung, Eintrag, Erfassung, Vermerk *Beobachtung, Feststellung
Reglement: Anordnung, Befehl, Dienstvorschrift, Kannvorschrift, Mussvorschrift, Order, Regel, Vorschrift
reglementarisch: ordentlich, ordnungsgemäß, regelgemäß, regelmäßig, regelrecht, regulär, richtig, vorschriftsgemäß, vorschriftsmäßig, nach Vorschrift, nach der Regel
reglementieren: befehlen, bestimmen, diktieren, festlegen, verfügen, vorschrei-

ben, ein Gesetz erlassen, eine Verfügung treffen, eine Auflage erteilen, behördlich anordnen
reglos: bewegungslos, erstarrt, leblos, regungslos, ruhig, starr, still, unbeweglich, unbewegt, ohne Bewegung, wie angewurzelt, wie aus Erz gegossen, wie tot
regnen: gießen, niederprasseln, nieseln, rieseln, rinnen, schütten, tröpfeln, in Strömen regnen
regnerisch: feucht, feuchtkalt, nass, nasskalt, niederschlagsreich, regenreich
regsam: munter, obenauf, rege, springlebendig *aktiv, beflissen, bemüht, bestrebt, betriebsam, betulich, dabei, diensteifrig, dienstfertig, eifrig, erpicht, geschäftig, hingebungsvoll, pflichtbewusst, rührig, strebsam, tätig, übereifrig, unermüdlich, unverdrossen, versessen, zur Hand, mit Hingabe
Regsamkeit: Anspannung, Beflissenheit, Bereitschaft, Bereitwilligkeit, Bestreben, Betriebsamkeit, Dienstwilligkeit, Ehrgeiz, Eifer, Ergebenheit, Gefälligkeit, Mühe, Rührigkeit, Streben, Tatendrang, Tatenlust
regulär: alltäglich, gängig, gebräuchlich, gewöhnlich, gewohnt, ordnungsgemäß, regelmäßig, vorschriftsmäßig, nach der Regel, nach Vorschrift richtig
regulieren: bedienen, betätigen, führen, handhaben, steuern *beilegen, bereinigen, geradebiegen, normalisieren, regeln, zurechtbiegen, ins rechte Gleis bringen *einrichten, einstellen, justieren, nachstellen, reparieren *begradigen, gerade machen
Regulierung: Bedienung, Betätigung, Führung, Handhabung, Steuerung *Schadensausgleich, Schadensbegleichung, Schadensbehebung, Schadensersatz, Schadensregulierung
Regung: Anwandlung, Empfindung, Gefühlsausdruck, Gefühlsäußerung, Gefühlsregung, Gemütsbewegung *Beweglichkeit, Bewegung, Fluss, Fortbewegung, Gang, Gangart, Schritt, Schwung, Trab, Transport, Zug
regungslos: bewegungslos, erstarrt, leblos, reglos, ruhig, starr, still, unbeweglich, unbewegt, ohne Bewegung, wie angewurzelt, wie aus Erz gegossen, wie tot
Reh: Rehgeiß, Ricke *Rehbock *Kitz, Rehkalb, Rehkitz
Rehabilitation: Ehrenrettung, Rechtfertigung, Schadensausgleich *Regeneration, Reha, Wiederherstellung
rehabilitieren: korrigieren, rechtfertigen, revidieren, richtig stellen, wiederherstellen, zurückführen, wieder einsetzen, wieder eingliedern
Reibekuchen: Kartoffelpfannkuchen, Kartoffelpuffer
reiben: rubbeln, schaben, scheuern, wetzen *abfrottieren, abreiben, abtrocknen, abwischen, entfernen, frottieren, reinigen, trockenreiben *polieren *raffeln, raspeln, zerkleinern ***s. reiben:** aneinandergeraten, s. streiten
Reibung: Gegendruck, Widerdruck, Widerstand *Auftritt, Auseinandersetzung, Differenzen, Disharmonie, Entzweiung, Fehde, Gegensätzlichkeit, Gezänk, Hader, Hakelei, Händel, Handgemenge, Handgreiflichkeit, Kollision, Konflikt, Kontroverse, Krawall, Missklang, Missverständnis, Querelen, Reiberei, Saalschlacht, Scharmützel, Spannung, Streit, Streiterei, Streitigkeit, Szene, Tätlichkeit, Unfriede, Unzuträglichkeit, Widerstand, Widerstreit, Wortgefecht, Zank, Zerwürfnis, Zusammenprall, Zusammenstoß, Zwietracht, Zwist, Zwistigkeit
reibungslos: einwandfrei, geordnet, glatt, ohne Zwischenfall, in Ruhe, wie geplant, wie am Schnürchen *glatt, geglättet, gehobelt
reich: begütert, bemittelt, einkommensstark, finanzkräftig, finanzstark, gut situiert, kapitalkräftig, potent, steinreich, vermögend, wohlhabend, wohl situiert *einträglich, ergiebig, ertragreich, fruchtbar, üppig *ansehnlich, beträchtlich, enorm, groß, umfangreich, umfassend, unermesslich, unerschöpflich *ausgiebig, bunt, mannigfach, mannigfaltig, opulent, reichhaltig, verschiedenartig, vielfältig, vielförmig *wertvoll ***reich sein:** aus dem Vollen schöpfen, begütert sein, keine Not leiden, viel Geld haben, viel Geld besitzen, Geld wie Heu haben,

im Geld schwimmen, nach Geld stinken *__reicher machen:__ bereichern

Reich: Land, Staat, Staatsgebiet *Bereich, Bezirk, Feld, Gebiet, Gefilde, Raum, Region, Revier, Sektor, Sphäre

reichen: anbieten, entgegenhalten, entgegenstrecken, hinhalten, hinreichen, hinstrecken *geben, übergeben, aushändigen, präsentieren, überreichen, übertragen *auskommen, ausreichen, genügen, hinreichen *auftischen, darreichen, offerieren, vorlegen, vorsetzen, zeigen *s. ausbreiten, s. ausdehnen, s. erstrecken, s. hinziehen, verlaufen

Reicher: Geldsack, Kapitalist, Krösus, Milliardär, Millionär *Neureicher

reichhaltig: ausgiebig, mannigfaltig, massenhaft, opulent, reichlich, unerschöpflich, üppig, vielfältig, vielförmig, eine Menge, in Hülle und Fülle, viel zuviel

Reichhaltigkeit: Abwechslung, Buntheit, Farbigkeit, Fülle, Gemisch, Mannigfaltigkeit, Palette, Reichtum, Skala, Variationsbreite, Verschiedenartigkeit, Vielfalt, Vielförmigkeit, Vielgestaltigkeit, große Auswahl, großes Angebot

reichlich: ausreichend, genügend, sattsam, übergenug, überreichlich, unerschöpflich, ungezählt, unzählig, üppig, verschwenderisch, viel, zahllos, ein gerüttelt Maß, eine Masse, eine Menge, gut gemessen, gut bemessen, in großer Menge, in großer Zahl, in Hülle und Fülle, in reichem Maße, mehr als genug, nicht wenig, nicht zu knapp, wie Sand am Meer, zur Genüge

Reichtum: Besitz, Besitztum, Geld, Güter, Kapital, Millionen, Mittel, Schätze, Vermögen, Wohlstand *Luxus, Prunk, Überangebot, Überfluss, Überproduktion, Überschuss, Unmaß, Üppigkeit, Zuviel *Buntheit, Farbigkeit, Fülle, Mannigfaltigkeit, Reichhaltigkeit, Vielfalt, Vielgestaltigkeit, großes Angebot

Reichweite: Aktionsradius, Einflussbereich, Schutzgebiet, Verkaufsgebiet

reif: ausgereift, erntereif, genießbar, saftig *erwachsen, großjährig, herangewachsen, mündig, volljährig, aus den Kinderschuhen heraus, kein Kind mehr *abgeklärt, ausgeglichen, erfahren, gefestigt, geformt, gereift, lebensklug, lebenskundig *ausgearbeitet, ausgefeilt, ausgeklügelt, durchdacht, überlegt, hohen Ansprüchen genügend

Reif: Raufrost, Raureif *Fingerreif, Fingerring, Ring *Diadem, Krone, Stirnreif

Reife: Erfahrenheit, Erwachsensein *Blüte, Blütezeit, Hoch, Höhe *Reifezeit, Reifung, Vollreife *Perfektion, Vollkommenheit

reifen: ausreifen, reif werden, zur Reife gelangen *lagern, ablagern, ruhen

Reifen: Ring *Autobereifung, Decke, Pneu, Pneumatik, Radbereifung *Gummischlauch, Luftreifen, Schlauch

Reifenschaden: Autopanne, Panne, Plattfuß, Reifendefekt, Reifenpanne, Reifenplatzer

Reifeprüfung: Abitur, Matura

Reifezeit: Adoleszenz, Entwicklungsjahre, Entwicklungsperiode, Jugendjahre, Jugendzeit, Pubertät, Reifungsprozess, Wachstum *Alterungsprozess, Reife, Reifung, Vollreife

reiflich: ausführlich, breit, eingehend, gründlich, langatmig, umständlich, weitschweifig, wortreich

Reihe: Schlange, Schwanz *Abteilung, Gattung, Kategorie, Klasse, Ordnung, Rubrik *Menge, Vielzahl *Glied, Serie *Kette, Linie, Zeile *__der Reihe nach:__ folgend, aufeinander folgend, abwechselnd, hintereinander, nacheinander, der Ordnung nach, einer nach dem anderen, in Aufeinanderfolge, in kurzen Abständen

reihen: gliedern, aufgliedern, anordnen, arrangieren, aufstellen, aufteilen, ausrichten, eingliedern, einreihen, einteilen, s. formieren, gruppieren, katalogisieren, kategorisieren, ordnen, rangieren, rubrizieren, sortieren, strukturieren, systematisieren, unterteilen, zurechtrücken, zusammenstellen, in die richtige Reihenfolge bringen, in die richtige Ordnung bringen, in ein System bringen, in Reih und Glied stellen *aufreihen

Reihenfolge: Abfolge, Aneinanderreihung, Aufeinanderfolge, Folge, Hintereinander, Nacheinander, Ordnung,

Reihung, Sequenz, Turnus *Rangfolge, Stufenleiter
reihenweise: bergeweise, dutzendweise, haufenweise, massenhaft, massenweise, reichlich, scheffelweise, übergenug, unzählig, zahllos, in Massen, en masse, wie die Fliegen
Reim: Gleichklang, Vers
reimen: dichten, Verse schmieden
Reimlexikon: Reimwörterbuch
rein: sauber, blitzsauber, fleckenlos, gediegen, gereinigt, gesäubert, hygienisch, lauter, makellos, proper, reinlich, schmutzfrei, unbeschmutzt *echt, natürlich, naturrein, pur, unverfälscht, unvermischt, unversetzt *ausgesprochen, buchstäblich, förmlich, geradezu, nachgerade, regelrecht, richtig, schlechterdings, schlechthin *jungfräulich, keusch, lauter, makellos, schuldlos, unberührt, unschuldig, unverdorben *absolut, komplett, pur, richtig, völlig, vollkommen, vollständig, durch und durch *wirklich *durchscheinend, durchsichtig, gläsern, glasklar, hell, klar, kristallklar, lauter, sauber, transparent, ungetrübt
Reinerlös: Ertrag, Gewinn, Reinertrag
Reinfall: Desillusion, Enttäuschung, Ernüchterung *Abfuhr, Bankrott, Fehlschlag, Fiasko, Misslingen, Niederlage, Ruin, Zusammenbruch
Reinheit: Jungfräulichkeit, Keuschheit, Unbeflecktheit, Unberührtheit, Unschuld, Virginität *Anständigkeit, Fleckenlosigkeit, Gepflegtheit, Hygiene, Keuschheit, Klarheit, Makellosigkeit, Ordentlichkeit, Ordnung, Reinlichkeit, Sauberkeit, Unbeschmutztheit
reinigen: putzen, abputzen, abkehren, abreiben, abseifen, abspritzen, abstauben, abtreten, abwischen, aufräumen, aufscheuern, aufwischen, ausklopfen, bürsten, fegen, feudeln, sauber machen, säubern, scheuern, rein machen, in Ordnung bringen, in Ordnung halten *bereinigen, klären ***s. reinigen:** s. abbrausen, s. abseifen, baden, duschen, s. erfrischen, s. säubern, s. waschen
Reinigungskraft: Hausangestellte, Hilfe, Putzfrau, Raumpflegerin, Reinemachefrau, Scheuerfrau
Reinigungsmittel: Putzmittel, Putzzeug *Fleckenentferner, Fleckenmittel
reinlich: adrett, blitzsauber, fleckenlos, hygienisch, makellos, proper, sauber, schmutzfrei, unbeschmutzt
Reinlichkeit: Fleckenlosigkeit, Gepflegtheit, Hygiene, Klarheit, Makellosigkeit, Ordentlichkeit, Ordnung, Reinheit, Sauberkeit, Unbeschmutztheit
reinstecken: aufwenden, hineinstecken, investieren
reinwaschen (s.): bereinigen, s. rechtfertigen, s. verteidigen
Reise: Abstecher, Ausflug, Exkursion, Fahrt, Streifzug, Tour, Trip, Weg *Urlaubsreise, Weltreise *Delirium, Rausch, Trip
Reisebegleiter: Begleiter, Beifahrer *Betreuer, Fremdenführer, Führer
reisefertig: abfahrbereit, gerüstet, marschbereit, marschfertig, startbereit
Reisegast: Fahrgast, Mitfahrer
Reisegepäck: Ausrüstung, Gepäck, Habe, Tragelast
reisen: abreisen, aufbrechen, s. begeben (nach), s. die Welt ansehen, durchreisen, umherreisen, verreisen, wegreisen, auf Reisen gehen, eine Reise machen, unterwegs sein, von Stadt zu Stadt ziehen, von Ort zu Ort ziehen, von Land zu Land ziehen, in die Fremde ziehen, auf Reisen sein
Reisender: Ausflügler, Tourist, Urlauber *Handelsvertreter, Handlungsreisender, Vertreter *Fahrgast, Insasse, Passagier, Reisegast
Reiseproviant: Marschverpflegung, Mundvorrat, Proviant, Ration, Verpflegung, Vorrat, Wegzehrung, Zehrung
Reisespesen: Aufwandsentschädigung, Spesen, Tagegeld, Verpflegungsaufwand, Verpflegungsmehraufwand
Reisevertreter: Handelsvertreter, Handlungsagent, Handlungsreisender, Klinkenputzer, Reisender, Vertreter
Reisig: Dürrholz, Kleinholz, Leseholz, Reisigholz, Zweige
reißen: schleppen, zerren, mit Gewalt ziehen, heftig ziehen *auseinander brechen, auseinander gehen, durchbrechen, entzweigehen, zerbersten, zerbrechen,

zerreißen, zerspringen, Risse geben *ausreißen ***s. reißen:** s. aufreißen, s. verletzen ***s. reißen (um):** begehren, s. bemühen (um), s. drängen (nach), streben (nach), Wert legen (auf), zu erreichen versuchen

reißend: gewaltig, heftig, rasant, rasch, rasend, rege, stark, ungestüm, vehement, wild

reißerisch: aufdringlich, auffallend, aufreizend, durchschlagend, groß, reklamehaft, schreiend, verführerisch, werbewirksam

Reißstift: Reißnagel, Reißzwecke

Reißwolf: Autoreißwolf, Schredder, Schredderanlage *Aktenvernichter, Papierwolf, Papierzerkleinerer

Reißzwecke: Heftzwecke, Pinne, Reißnagel, Reißstift, Zwecke

Reitbahn: Manege, Vorführfläche *Bahn, Piste, Rennbahn, Rennstrecke

reiten: galoppieren, sprengen, traben, zu Pferd sitzen, im Sattel sitzen

Reiter: Dragoner, Husar, Kavallerist, Kürassier *Jockey

Reitgerte: Reitpeitsche

Reiz: Antrieb, Kitzel, Reizung, Sinnesreiz, Stimulus *Anfechtung, Anreiz, Anziehung, Attraktivität, Bann, Unwiderstehlichkeit, Verführung, Verlockung, Wirkung *Air, Anmut, Appeal, Ausstrahlung, Charme, Flair, Fluidum, Liebreiz, Schönheit, Sexappeal, Zauber, das gewisse Etwas

reizbar: aufbrausend, cholerisch, explosiv, heftig, hitzig, hitzköpfig, hochgehend, überempfindlich, ungeduldig, leicht zu ärgern, leicht erregbar *aufgeregt, fahrig, flatterig, gereizt, hektisch, nervenschwach, nervös, rastlos, ruhelos, schusslig, schusselig, überanstrengt, überreizt, unruhig, unstet, zappelig, zerfahren

Reizbarkeit: Nervenschwäche, Nervosität, Spannung, Überreiztheit

reizen: aufbringen, erzürnen, herausfordern, provozieren, wütend machen, zornig machen *entzücken, faszinieren, interessieren, verlocken, verzaubern *angreifen, einwirken, schädigen, eine Veränderung hervorrufen *anlocken *anregen, kitzeln, krabbeln, verlocken

reizend: allerliebst, angenehm, anmutig, ansprechend, anziehend, attraktiv, aufreizend, berückend, bestrickend, betörend, bezaubernd, charmant, einnehmend, entzückend, gewinnend, goldig, graziös, herzig, hübsch, lieb, lieblich, liebenswert, niedlich, reizvoll, süß, sympathisch, toll, gut aussehend *entgegenkommend, freundlich, gefällig, herzlich, höflich, jovial, nett, zuvorkommend *informativ, interessant, packend, reizvoll, spannend *interessant, sehenswert

reizlos: alltäglich, einfach, einfallslos, einförmig, ermüdend, fad, fade, gleichförmig, langweilig, monoton, öde, phantasielos, trist, trocken, trostlos, üblich, uninteressant, unoriginell, wirkungslos, ohne Pfiff

Reizmittel: Geschenk, Köder, Lockmittel, Zugmittel *Anregungsmittel, Dopingmittel, Stimulans

Reizung: Kitzel, Reiz, Sinnesreiz, Stimulus *Anmaßung, Behelligung, Brüskierung, Forderung, Herausforderung, Kränkung, Provokation

reizvoll: aufreizend, angenehm, anmutig, anziehend, attraktiv, betörend, bezaubernd, charmant, einnehmend, entzückend, gewinnend, hübsch, lieb, lieblich, liebenswert, liebenswürdig, reizend, sympathisch, toll

Rekapitulation: Wiederholung, Zusammenfassung

rekapitulieren: erneuern, repetieren, wiederholen, wiederkäuen, wiedertun, nochmals sagen, nochmals tun, von vorn anfangen

rekeln (s.): s. dehnen, s. entspannen, s. räkeln, s. recken, s. strecken

Reklamation: Ablehnung, Anfechtung, Beanstandung, Bemängelung, Beschwerde, Klage, Kritik, Missbilligung

Reklame: Angebot, Anreißerei, Kundenfang, Kundenwerbung, Propaganda, Publicity, Verkaufsförderung, Werbefeldzug, Werbetätigkeit, Werbung *Reklametafel, Reklamewand

reklamieren: ablehnen, anfechten, beanstanden, bemäkeln, bemängeln, s. beschweren, herumkritteln, kritisieren,

missbilligen, monieren, nörgeln, s. stören (an), s. stoßen (an), angehen (gegen), etwas auszusetzen haben, Klage führen, klagen (über), Kritik üben, unmöglich finden
rekonstruieren: nachbilden, nachkonstruieren, nachvollziehen, vergegenwärtigen, wiederherstellen, zurückverfolgen, vor Augen führen
Rekonstruktion: Nachbildung, Rekonstruierung, Wiederherstellung
Rekonvaleszenz: Aufschwung, Besserung, Erholung, Genesung, Gesundungsprozess, Heilung, Kräftigung, Neubelebung, Stärkung, Wiederherstellung
Rekord: Bestleistung, Gipfelleistung, Glanzleistung, Höchstleistung, Meisterleistung, Rekordmarke, Rekordzahl, Rekordzeit, Spitzenklasse, Spitzenleistung
rekrutieren: ausheben, einberufen, einziehen, heranziehen, mobilisieren, mobilmachen, zu den Fahnen rufen, zu den Waffen rufen ***s. rekrutieren:** s. zusammensetzen (aus)
Rekrutierung: Aushebung, Einberufung, Einziehung, Mobilisierung, Mobilmachung, Musterung
rektal: anal, per rectum, per anum
Rektor: Direktor, Schulchef, Schulleiter *Hochschulrektor, Leiter einer Hochschule
Relation: Abhängigkeit, Bezug, Konnex, Verbindung, Verhältnis, Wechselbeziehung, Zusammenhang
relativ: bezogen (auf), vergleichsweise, verhältnismäßig, je nach Standpunkt *bedingt, begrenzt, eingeschränkt, vorbehaltlich, mit Einschränkung, mit Vorbehalt
relativieren: abmindern, abschwächen, als bedingt ansehen, die Absolutheit absprechen
Relativität: Abhängigkeit, Bedingtheit, Determiniertheit
Relativzahl: Messzahl
Relegation: Ächtung, Anathema, Ausschließung, Ausschluss, Ausstoßung, Disqualifikation, Disqualifizierung, Elimination, Eliminierung, Entfernung, Exkommunikation, Kirchenbann, Kündigung, Säuberungsaktion, Verfluchung
relegieren: ausschließen, ausstoßen, disqualifizieren, isolieren, sperren, verstoßen, vom Platz stellen, vom Platz verweisen, vom Spiel verweisen
relevant: gewichtig, bedeutungsvoll, dringend, erforderlich, geboten, lebenswichtig, notwendig, obligat, unausweichlich, unentbehrlich, unerlässlich, unumgänglich, unvermeidlich, wesentlich, wichtig, zwingend, von Bedeutung
Relevanz: Bedeutsamkeit, Bedeutung, Belang, Ernst, Gewicht, Gewichtigkeit, Größe, Rang, Schwere, Tiefe, Tragweite, Wert, Wichtigkeit, Würde
Religion: Ansicht, Glaube *Glaubensbekenntnis *Frömmigkeit, Gottesfurcht *Glaubensgemeinschaft
Religionsgemeinschaft: Christenheit, Glaubensgemeinschaft, Kirche, Kirchengemeinde, Kirchengemeinschaft *Kultgemeinschaft, Sekte
Religionskrieg: Glaubenskrieg
religionslos: atheistisch, freidenkerisch, glaubenslos, gottlos, ungläubig, ohne Religionszugehörigkeit
Religionslosigkeit: Atheismus, Freidenkertum, Glaubenslosigkeit, Gottesleugnung, Gottlosigkeit, Heidentum, Unglaube, Ungläubigkeit
Religionsstreit: Glaubensstreit
religiös: fromm, glaubensstark, gläubig, gottergeben, gottesfürchtig, gottgefällig, heilsgewiss, kirchlich, orthodox
Religiosität: Frömmigkeit, Gläubigkeit, Gottergebenheit, Gottesfurcht, Orthodoxie
Relikt: Abfall, Bruchstück, Fragment, Rest, Rudiment, Überbleibsel, Überrest
Reling: Balustrade, Brüstung, Geländer, Treppengeländer
Reliquie: Andenken, Heiligengebeine, Überreste
Reminiszenz: Anklang, Erinnerung, Nachwirkung
remis: ausgeglichen, patt, unentschieden
Remis: Ausgeglichenheit, das Unentschieden, das Patt
rempeln: knuffen, puffen, stauchen, stoßen, einen Stoß geben, einen Stoß versetzen

Renaissance: Erneuerung, Neubelebung, Wiederbelebung, Wiedergeburt
Rendezvous: Begegnung, Date, Meeting, Stelldichein, Treffen, Tête-à-Tête, Verabredung, Zusammenkunft, Zusammentreffen
Rendite: Apanage, Einkommen, Einkünfte, Einnahmen, Erträge, Honorar, Revenue
renitent: bockbeinig, dickköpfig, eigensinnig, trotzköpfig, unnachgiebig, verstockt, widerborstig, widerspenstig
Renitenz: Bockbeinigkeit, Eigensinn, Störrigkeit, Trotz, Widerborstigkeit, Widersetzlichkeit, Widerspenstigkeit
Rennbahn: Aschenbahn, Bahn, Kampfbahn, Piste, Rennstrecke
rennen: eilen, fegen, hasten, jagen, rasen, sausen, sprinten, spurten, stürmen, wetzen
Rennen: Lauf, Wettlauf, Wettrennen *Jagd, Wettfahrt
Renner: Attraktion, Bestseller, Hit, Kassenschlager, Neuheit, Reißer
Rennplatz: Reitbahn, Reitstrecke, Rennbahn, Rennstrecke *Pferderennbahn, Turf
Renommee: Ansehen, Leumund, Ruf
renommieren: angeben, aufschneiden, loben, prahlen, preisen, rühmen
renommiert: geschätzt, hoch geschätzt, anerkannt, angebetet, angesehen, begehrt, bekannt, beliebt, berühmt, bewundert, geachtet, geehrt, gefeiert, geliebt, populär, schätzenswert, umschwärmt, verdient, verehrt, vergöttert, volkstümlich *anerkannt, angesehen, bedeutend, bekannt, berühmt, gefeiert, groß, namhaft, prominent, weltbekannt, weltberühmt, wohlbekannt, von Weltruf, von Weltrang, von Weltruhm
renovieren: ausbessern, erneuern, modernisieren, reparieren, restaurieren, umbauen, verbessern, wiederherstellen, instand bringen, instand setzen
renoviert: erneuert, gemacht, neu, repariert, restauriert, saniert, wiederhergestellt
Renovierung: Ausbesserung, Erneuerung, Instandsetzung, Reparatur, Restauration, Wiederherstellung
rentabel: dankbar, einträglich, ertragreich, gewinnbringend, lohnend, lukrativ, ökonomisch, profitbringend, vorteilhaft, wirtschaftlich
Rentabilität: Ökonomie, Sparsamkeit, Wirtschaftlichkeit
Rente: Altersrente, Altersversorgung, Hinterbliebenenrente, Pension, Ruhegehalt, Ruhegeld *Invalidenrente *Unfallrente
Rentenpapier: Rentenwert
rentieren (s.): s. auszahlen, s. bezahlt machen, s. lohnen, s. verzinsen, der Mühe wert sein
Rentner: Pensionär, Privatier, Privatmann, Rentenempfänger, Ruheständler
reparabel: wieder gutzumachend, wiederherstellbar
Reparatur: Ausbesserung, Erneuerung, Instandsetzung, Wiederherstellung
reparieren: aufbessern, ausbessern, ausflicken, wieder herrichten, wiederherstellen, einen Schaden beseitigen, einen Schaden beheben, in Ordnung bringen, instand bringen, instand setzen, ganz heil machen
Repertoire: Festordnung, Festplan, Programm, Spielplan
repetieren: erneuern, rekapitulieren, wiederholen, wiederkäuen, wieder tun, nochmals sagen, nochmals tun, von vorn anfangen
Repetition: Erneuerung, Rekapitulation, Wiederholung, Wiederkehr
Replik: Antwort, Entgegnung, Erwiderung *Kopie, Wiederholung
replizieren: antworten, entgegnen, erwidern *eine Replik herstellen, eine Kopie herstellen
Report: Abhandlung, Ausführung, Aussage, Bekanntgabe, Bekanntmachung, Bericht, Berichterstattung, Botschaft, Bulletin, Darbietung, Darlegung, Darstellung, Dokumentarbericht, Dokumentation, Erfolgsmeldung, Erzählung, Lagebericht, Meldung, Mitteilung, Nachricht, Neuigkeit, Rapport, Referat, Reisebericht, Reportage, Schilderung, Situationsbericht, Verkündigung, Verlautbarung, Veröffentlichung
Reportage: Augenzeugenbericht, Be-

richterstattung, Hörbericht, Tatsachenbericht
Reporter: Berichterstatter, Journalist, Korrespondent, Publizist
repräsentabel: dekorativ, effektiv, effektvoll, effizient, eindrucksvoll, entscheidend, farbig, nachhaltig, repräsentativ, unvergesslich, wirksam, wirkungsreich, wirkungsvoll *repräsentativ, würdig *stattlich
Repräsentant: Bevollmächtigter, Stellvertreter, Vertreter *Abgeordneter, Volksvertreter
Repräsentation: Repräsentanz, Vertretung *Aufwand, Ausstattung, Extravaganz, Luxus, Pomp, Pracht, Prachtentfaltung, Prunk, Üppigkeit, Verschwendung, Wohlleben
repräsentativ: ausschlaggebend, bedeutsam, beherrschend, bestimmend, entscheidend, maßgeblich, relevant, tonangebend, wesentlich, wichtig *ansehnlich, eindrucksvoll, imponierend, imposant, repräsentabel, stattlich, würdig *charakteristisch, kennzeichnend, stellvertretend, typisch, in Vertretung (von)
Repräsentativerhebung: Meinungsforschung, Meinungsumfrage, Umfrage
repräsentieren: auftreten (für), erscheinen (für), vertreten, an die Stelle treten, Vertreter sein
Repressalie: Druckmittel, Gegenschlag, Heimzahlung, Pression, Rache, Vergeltung, Vergeltungsmaßnahme, Zwangsmaßnahme
repressionsfrei: antiautoritär, frei, freiheitlich, liberal, unkonventionell, zwanglos, ohne Zwang, ohne Norm
repressiv: absolutistisch, autoritär, diktatorisch, totalitär, uneingeschränkt, unumschränkt, willkürlich
Reprise: Wiederholung *Aufschwung, Erholung, Kursaufschwung, Kurserholung *Neuauflage, Wiederaufnahme, Wiederholung
reprivatisieren: ins Privateigentum zurückführen
Reproduktion: Abguss, Dublette, Duplikat, Imitation, Kopie, Nachahmung, Nachformung, Plagiat *Abschrift, Kopie, Vervielfältigung *Druck, Druckerzeugnis, Druckschrift, Druckwerk, Faksimile, Faksimiledruck, Veröffentlichung, Wiedergabe
reproduzieren: abdrücken, abformen, abgießen, abklatschen, abmodeln, kopieren, nachahmen, nacharbeiten, nachbilden, nachformen, nachmalen, nachschaffen, wiedergeben *abdrucken, drucken, herausbringen, publizieren, verlegen, veröffentlichen *abziehen, hektographieren, kopieren, vervielfältigen
reproduziert: imitiert, kopiert, nachgebildet
Reputation: Achtung, Ansehen, Autorität, Bedeutung, Ehre, Format, Geltung, Gesicht, Größe, Leumund, Name, Nimbus, Prestige, Profil, Rang, Renommee, Ruhm, Sozialprestige, Stand, Stolz, Unbescholtenheit, Wichtigkeit, Würde
Requiem: Seelenamt, Seelenmesse, Totenamt, Totengedenkmesse, Totenmesse
Requisiten: Accessoires, Arbeitsgerät, Ausrüstung, Ausstaffierung, Beiwerk, Utensilien, Zubehör
Reservat: Reservation, Schutzgebiet, Freigehege, Naturschutzgebiet *Rechtsvorbehalt, Sonderrecht, Vorbehalt
Reserve: Ersatz, Fettpolster, Reservefonds, Reservoir, Rücklage, Vorrat *Ersatztruppe, Hilfsheer, Hilfstruppe *Distanz, Distanziertheit, Einsilbigkeit, Reserviertheit, Schweigsamkeit, Unnahbarkeit, Unzulänglichkeit, Verhaltenheit, Verschlossenheit, Vorbehalt, Wortkargheit, Zurückhaltung ***eiserne Reserve:** Alterspfennig, Altersrücklage, Ersparnis, Ersparnisse, Notgroschen, Rücklage, Sicherheit, Spargeld, Spargroschen, Sparguthaben, Sparpfennig, das Ersparte
Reservemann: Ersatzmann, Ersatzspieler
Reservereifen: Ersatzreifen
Reservetruppe: Ersatztruppe
reservieren: aufheben, behalten, vormerken, zurücklegen *belegen, besetzen *bestellen, ordern
reserviert: distanziert, introvertiert, kühl, schweigsam, unnahbar, unterkühlt, unzugänglich, verhalten, verschlossen, wortkarg, zugeknöpft, zurückhaltend

*belegt, besetzt, vergeben, vorbestellt, vorgemerkt, nicht frei
Reserviertheit: Distanziertheit, Introvertiertheit, Kühle, Schweigsamkeit, Unnahbarkeit, Unzugänglichkeit, Verhaltenheit, Verschlossenheit, Zugeknöpftheit, Zurückhaltung
Reservoir: Sammelbehälter, Speicher, Wasserbecken, Wasserbehälter *Bestand, Vorrat
Residenz: Amtssitz, Wohnsitz *Großstadt, Hauptstadt, Metropole
residieren: s. aufhalten, bewohnen, s. einmieten, s. einquartieren, s. einrichten, einwohnen, hausen, leben, mieten, übernachten, unterbringen, weilen, wohnen, zubringen, seinen Wohnort haben, seinen Wohnsitz haben, seine Wohnung haben, wohnhaft sein, ansässig sein, daheim sein, beheimatet sein
Resignation: Entsagung, Ergebenheit, Ergebung, Unterordnung, Verzicht
resignieren: s. abfinden (mit), aufgeben, s. beugen, s. fügen, s. in sein Schicksal fügen, passen, s. unterordnen, verzagen, verzichten, den Mut verlieren, entmutigt sein, die Hände sinken lassen, den Dingen ihren Lauf lassen, die Hände in den Schoß legen
Résistance: Freiheitskampf, Widerstand, Widerstandsfähigkeit, Widerstandsbewegung
resistent: immun, robust, stabil, unempfindlich, widerstandsfähig, zäh
resolut: bestimmt, energisch, entschieden, entschlossen, forsch, konsequent, tatkräftig, willensstark, zielbewusst, zielsicher, zielstrebig, zupackend
Resolution: Beschluss, Entschließung *Besserung, Rückgang
Resonanz: Anklang, Echo, Gefallen, Widerhall *Echo, Mitschwingen, Mittönen, Nachhall, Nachklang, Rückhall, Rückschall, Widerhall
resorbieren: aufnehmen, aufsaugen
Resorption: Aufnahme, das Aufsaugen
resozialisieren: angleichen, anpassen, eingewöhnen, integrieren, wieder eingliedern, wieder einordnen
Respekt: Achtung, Anerkennung, Bewunderung, Ehrerbietung, Ehrfurcht, Hochachtung, Hochschätzung, Pietät, Rücksicht, Tribut, Verehrung
respektabel: abenteuerlich, ansehnlich, auffallend, auffällig, Aufsehen erregend, außergewöhnlich, außerordentlich, ausgefallen, beachtlich, bedeutend, bedeutsam, bedeutungsvoll, beeindruckend, beträchtlich, bewundernswert, bewundernswürdig, brillant, eindrucksvoll, einzigartig, enorm, entwaffnend, erstaunlich, fabelhaft, groß, großartig, hervorragend, imponierend, imposant, märchenhaft, nennenswert, ohnegleichen, sagenhaft, sensationell, sondergleichen, spektakulär, stattlich, überragend, überraschend, überwältigend, ungeläufig, ungewöhnlich, unvergleichlich, verblüffend *angesehen
respektieren: achten, hochachten, anbeten, anerkennen, anhimmeln, bewundern, ehren, honorieren, schätzen, verehren, vergöttern, würdigen, Ehre erweisen, Ehre bezeugen *anerkennen, ernst nehmen, für voll nehmen
respektierlich: anständig, außergewöhnlich, außerordentlich, ausgefallen, bedeutend, bemerkenswert, beträchtlich, entwaffnend, erheblich, erklecklich, erstaunlich, groß, respektabel, sehr, stattlich, überraschend, ungeläufig, ungewöhnlich, ziemlich
respektive: anderenfalls, beziehungsweise, oder, sonst, (oder) vielmehr, besser gesagt, das heißt, entweder … oder, im anderen Fall, je nachdem, oder auch, mit anderen Worten
respektlos: abschätzig, demütig, despektierlich, entwürdigend, geringschätzig, pejorativ, verächtlich *aufmüpfig, aufsässig, bockbeinig, bockig, dickköpfig, dickschädelig, eigensinnig, eisern, fest, finster, halsstarrig, hartgesotten, kompromisslos, kratzbürstig, rechthaberisch, standhaft, starrköpfig, starrsinnig, steifnackig, störrisch, stur, trotzig, unartig, unaufgeschlossen, unbelehrbar, unbequem, unbotmäßig, unerbittlich, unfolgsam, ungehorsam, ungezogen, unmanierlich, unnachgiebig, unversöhnlich, unzugänglich, verbohrt, verschlossen, verständnislos, verstockt, widerborstig,

widersetzlich, widerspenstig, zugeknöpft *dreist, tolldreist, beherzt, burschikos, forsch, frech, keck, kühn, munter, scheulos, selbstsicher, unbefangen, ungeniert, unverfroren, vorlaut, ohne Scheu

Respektsperson: Charakter, Charakterfigur, Charaktergestalt, Individualität, Person, Persönlichkeit

respektvoll: achtungsvoll, ehrerbietig, ehrfürchtig, ehrfurchtsvoll, höflich

Ressentiment: Abgeneigtheit, Abneigung, Abscheu, Antipathie, Aversion, Ekel, Feindschaft, Feindseligkeit, Hass, Ungeneigtheit, Voreingenommenheit, Vorurteil, Widerwille

Ressort: Amtsbereich, Arbeitsbereich, Arbeitsgebiet, Dezernat, Geschäftsbereich, Tätigkeitsfeld *Berufszweig, Branche, Fach, Gebiet, Sparte, Wirkungskreis, Zweig

Rest: Abfall, Neige, Rückstand, Überbleibsel, Überrest, trauriger Rest *Bodensatz, Satz

Restaurant: Gaststätte, Lokal, Speisegaststätte

restaurieren: erneuern, rekonstruieren, renovieren, reparieren, wiederaufbauen, wieder herrichten, wiederherstellen ***s. restaurieren:** aufleben, s. aufrappeln, s. erholen, erstarken, genesen, gesunden, s. herausmachen, s. hochrappeln, s. kräftigen, s. regenerieren, zu Kräften kommen, auf die Beine kommen

Restaurierung: Erneuerung, Rekonstruierung, Rekonstruktion, Renovierung, Reparatur, Restauration, Wiederaufbau, Wiederherstellung

Reste: Restbestand, Restposten

restlich: entbehrlich, überflüssig, überschüssig, überzählig, übrig, übrig geblieben, unverwendet, verbleibend, zurückbleibend, zuviel, noch vorhanden

restlos: abgeschlossen, fertig, komplett, lückenlos, total, umfassend, vervollständigt, vollendet, völlig, vollständig, vollzählig

Restriktion: Begrenzung, Beschränkung, Einengung

restriktiv: beengend, begrenzend, beschränkend, einengend, Schranken setzend, Grenzen ziehend

restringieren: beschränken, einengen

Resultat: Ausbeute, Befund, Bilanz, Effekt, Endergebnis, Endresultat, Endstand, Endsumme, Ergebnis, Ertrag, Fazit, Folge, Gewinn, Konsequenz, Produkt, Quintessenz, Resümee, Schlussergebnis, Schlussfolgerung, Summe, Wirkung *Antwort, Auswirkung, Dank, Effekt, Endprodukt, Erfolg, Ergebnis, Fazit, Folge, Frucht, Konsequenz, Lohn, Nachspiel, Nachwehen, Nachwirkung, Reichweite, Strafe, Summe, Tragweite, Wirkung

resultieren: herrühren, herstammen, stammen (von) *s. abzeichnen, s. ergeben (aus), s. erhellen (aus), folgen (aus), s. herausschälen, hervorgehen, als Folge entstehen, zustande kommen

Resümee: Abriss, Aufriss, Ergebnis, Komprimierung, Querschnitt, Quintessenz, Überblick, Zusammenfassung, Zusammenschau

resümieren: zusammenfassen, abschließend feststellen

Retardation: Verlangsamung, Verzögerung

retardieren: aufschieben, hemmen, hinausschieben, hinhalten, hinziehen, verlangsamen, verzögern

retour: rückläufig, rückwärts, zurück, in umgekehrter Richtung, nach hinten

retrospektiv: rückschauend, zurückschauend, hinterher, nachher, nachträglich, rückblickend, zurückblickend, rückwärts blickend, rückwärts sehend, im Nachhinein, nach rückwärts gerichtet

Retrospektive: Erinnerung, Reminiszenz, Retrospektion, Rückblende, Rückblick, Rückerinnerung, Rückschau, Blick in die Vergangenheit

retten: helfen, heraushelfen, befreien, bergen, erlösen, erretten, herausholen, Gefahr abwenden, in Sicherheit bringen, Leben erhalten, Rettung bringen, Unheil verhindern, der Gefahr entreißen *kurieren, auskurieren, herstellen, wiederherstellen, abheilen, ausheilen, durchbringen, durchkriegen, heilen, helfen, hochbringen, sanieren, stärken, (erfolgreich) behandeln, gesund machen,

Erste Hilfe leisten, auf die Beine bringen, über den Berg bringen *s. **retten:** fliehen, flüchten, s. schützen, am Leben bleiben, dem Tod entrinnen, der Gefahr entgehen
Retter: Befreier, Erlöser, Erretter, Helfer in der Not, rettender Engel
Rettung: Ausweg, Lösung *Befreiung, Bergung, Entsatz, Erlösung, Errettung, Hilfe, Notanker
Rettungsausgang: Notausgang, Rettungsweg
Rettungsauto: Krankenauto, Krankenwagen, Rettungswagen, Rotkreuzauto, Sanitätsauto, Sanitätsfahrzeug, Sanka, Unfallwagen
rettungslos: hilflos, unrettbar, verloren
Rettungssignal: Alarm, Brandalarm, Einsatzsignal, Feueralarm, Hupzeichen, Rettungsruf, Warnruf, Warnsignal
Reue: Bedauern, Bekehrung, Besserung, Bußbereitschaft, Bußfertigkeit, Einkehr, Gewissensbisse, Reuegefühl, Reumütigkeit, Schuldgefühl, Selbstanklage, Selbstverdammung, Selbstverurteilung, Selbstvorwurf, Umkehr, Zerknirschtheit, Zerknirschung, schlechtes Gewissen, böses Gewissen
reuen: s. auf die Brust schlagen, bedauern, bekennen, bereuen, s. bessern, gereuen, s. Gewissensbisse machen, in sich gehen, Gewissensbisse haben, Reue empfinden
reumütig: beschämt, bußfertig, reuevoll, reuig, schuldbewusst, zerknirscht, zerknittert, Reue empfindend, seiner Schuld bewusst
Revanche: Abrechnung, Bestrafung, Gegenmaßnahme, Gegenstoß, Heimzahlung, Rache, Sanktionen, Vergeltung, Vergeltungsmaßnahme
revanchieren: abrechnen, ahnden, heimzahlen, s. rächen, vergelten, auf Rache sinnen, den Spieß umdrehen, mit gleicher Münze zahlen, Gleiches mit Gleichem vergelten, Vergeltung üben, Rache nehmen, Rache üben ***s. revanchieren:** ausgleichen, s. dankbar erweisen, danken, s. erkenntlich zeigen, erwidern, vergelten, wieder gutmachen, eine Gegenleistung bringen
Reverenz: Achtung, Anerkennung, Ansehen, Bewunderung, Ehrerbietung, Ehrerweisung, Ehrfurcht, Hochachtung, Hochschätzung, Pietät, Respekt, Rücksicht, Schätzung, Tribut, Verehrung, Wertschätzung, hohe Meinung *Ehrerbietung, Verbeugung
Revers: Kehrseite, Rückseite, Wappenseite *Besatz, Jackenaufschlag, Mantelaufschlag, Umschlag
reversibel: anfechtbar, umkehrbar
Reversion: Inversion, Umdrehung, Umkehrung
revidieren: ändern, umändern, berichtigen, dementieren, klären, klarlegen, klarstellen, korrigieren, richtig stellen, verbessern *prüfen, nachprüfen, besichtigen, durchsehen, inspizieren, kontrollieren, mustern, nachsehen, testen, überprüfen, überwachen, s. überzeugen, untersuchen
Revier: Bereich, Bezirk, Gebiet, Landschaftsgebiet *Krankenstation, Krankenstube *Meldestation, Meldestelle, Polizeistation *Brutgebiet, Jagdgebiet, Wohngebiet
Revision: Durchsicht, Kontrolle, Nachprüfung, Prüfung, Überprüfung *Änderung, Berichtigung, Korrektur, Richtigstellung, Verbesserung *Rechtsmittel, Wiederaufnahme
Revisor: Korrektor, Prüfer
Revolte: Auflehnung, Aufruhr, Aufstand, Ausschreitung, Bürgerkrieg, Empörung, Erhebung, Freiheitskampf, Gewaltakt, Komplott, Krawall, Meuterei, Putsch, Rebellion, Revolution, Staatsstreich, Tumult, Übergriff, Unruhen, Unterwanderung, Verschwörung, Volksaufstand, Volkserhebung
revoltieren: s. an einem Aufstand beteiligen, s. an einem Putsch beteiligen, an einer Revolte teilnehmen *s. aufbäumen, aufbegehren, s. auflehnen, aufmucken, aufmucksen, auftrumpfen, s. dagegenstellen, s. empören, s. erheben, meutern, opponieren, protestieren, s. querlegen, rebellieren, s. sträuben, trotzen, s. verschwören, s. widersetzen, s. zur Wehr setzen, Gehorsam verweigern, Widerpart bieten
Revolution: Umbruch, Umschwung,

Umsturz, Umwälzung *Fortschritt, Innovation, Neubelebung, Neuorientierung, Neuregelung, Reform, Veränderung, Wandel, Wandlung, Wende *Aufstand, Bürgerkrieg, Freiheitskampf, Massenerhebung
revolutionär: bahnbrechend, Epoche machend, umwälzend *aufrührerisch, destruktiv, subversiv, umstürzlerisch, zersetzend, zerstörerisch
Revolutionär: Anarchist, Aufrührer, Aufständischer, Bürgerschreck, Kämpfer, Neuerer, Partisan, Rebell, Reformator, Terrorist, Umstürzler, Verschwörer
revolutionieren: abändern, ändern, modeln, reformieren, umändern, umbilden, umformen, umgestalten, ummodeln, umstürzen, verändern, verwandeln
Revolver: Colt, Pistole, Schießeisen, Schusswaffe
Revue: Bühnendarbietung, Bühnenstück, Schau, Show, Varieté
Rezensent: Beckmesser, Beurteiler, Kritikaster, Kritiker, Kritikus, Krittler
rezensieren: besprechen, kritisieren, urteilen, würdigen
Rezension: Besprechung, Kritik, Urteil, Würdigung
Rezept: Arzneiverordnung, Verordnung, Verschreibung *Kochanleitung, Kochrezept, Kochvorschrift *Methode, Mittel, Trick, Vorgehensweise, Vorschlag
Rezeption: Anmelderaum, Aufnahme, Aufnahmeraum, Empfang, Empfangsbüro, Empfangshalle, Empfangsraum, Empfangsschalter, Halle
rezeptiv: aufnehmend, empfänglich
Rezession: Konjunkturrückgang, Rückgang, Stagnation, Stockung, Verminderung
reziprok: abwechselnd, gegenseitig, umschichtig, wechselseitig, wechselweise, im Wechsel
Rezitation: Darbietung, Deklamation, Rede, Referat, Vortrag
rezitieren: aufsagen, deklamieren, hersagen, lesen, vorlesen, vorsprechen, vortragen, etwas zum Besten geben, zu Gehör bringen
Rhetorik: Beredsamkeit, Redekunst, Sprechkunst
Rhetoriker: Redekünstler, Redner, Rhetor
Rheuma: Gliederreißen, Gliederschmerzen, Reißen, Rheumatismus
Rhombus: Raute, Viereck
rhythmisch: regelmäßig, s. wiederholend
Rhythmus: Betonung, Gleichmaß, Takt
richten: herrichten, vorbereiten, zurichten *beilegen, bereinigen, berichtigen, einrenken, schlichten *exekutieren, hinrichten, töten, die Todesstrafe vollstrecken, vom Leben zum Tode bringen, vom Leben zum Tode befördern *reparieren, wiederherstellen, in Ordnung bringen *herrichten, machen, tun, zubereiten ***richten (über):** kritisieren, verurteilen, negativ bewerten, ein Urteil fällen (über) ***s. richten:** s. töten, s. umbringen ***s. richten nach:** s. anlehnen, s. halten (an), s. stützen (auf), zum Vorbild nehmen *beachten, befolgen, beherzigen, s. beugen, einhalten, s. fügen, gehorchen, s. halten (an), nachkommen, s. unterwerfen, s. unterziehen, Folge leisten ***zugrunde richten:** abwirtschaften, erledigen, fertig machen, ruinieren, verderben, vernichten, zerrütten, zerstören, Bankrott richten, das Wasser abgraben, das Rückgrat brechen, das Genick brechen, den Todesstoß versetzen
Richter: Jurist, Kadi, Unparteiischer *Laienrichter, Schöffe
Richtergewalt: Judikative, Recht sprechende Gewalt, richterliche Gewalt
richterlich: juristisch
Richterspruch: Bescheid, Beschluss, Entscheid, Entscheidung, Erkenntnis, Rechtsspruch, Schiedsspruch, Urteil, Urteilsfällung, Urteilsspruch, Verdammungsurteil, Verdikt
richtig: einwandfrei, fehlerfrei, fehlerlos, genau, grundrichtig, komplett, korrekt, mustergültig, perfekt, recht, tadellos, vollkommen, vorschriftsmäßig, wahr, wohlgetan, zutreffend, in Ordnung, sehr wahr *gebührend, logisch, passend, stichhaltig *angemessen, entsprechend, geeignet, gegeben, günstig, ideal, passend, zutreffend *echt, fürwahr, tatsächlich, wahrhaftig, wahrlich, wirklich *reizend, aufreizend,

dynamisch, feurig, leidenschaftlich, temperamentvoll *behilflich, brauchbar, geeignet, passend, praktikabel, praktisch, sinnreich, sinnvoll, tauglich, verwertbar, wertvoll, zweckdienlich, zweckmäßig, von Wert, von Nutzen *fachgerecht, fachkundig, fachmännisch, fachmäßig, gekonnt, kunstgerecht, meisterhaft, professionell, qualifiziert, routiniert, sachgemäß, sachgerecht, sachkundig, sachverständig, werkgerecht, zunftgemäß, zünftig ***richtig sein:** s. bestätigen, s. bewahrheiten, stimmen, zutreffen, zutreffend sein, wahr sein, in Ordnung sein, der Fall sein ***richtig stellen:** berichtigen, korrigieren, nacharbeiten, redigieren, verbessern, vervollkommnen ***richtig gehend:** akkurat, exakt, genau, präzise, pünktlich, stimmend

richtiggehend: ausgesprochen, buchstäblich, direkt, durchgehend, förmlich, geradewegs, geradezu, mittendurch, regelrecht, schnurstracks, vorwärts, zielbewusst, ganz und gar

Richtigkeit: Korrektheit, Unanfechtbarkeit, Wahrheit *Fehlerfreiheit, Genauigkeit, Gründlichkeit *Realität, Wahrheit

Richtigstellung: Berichtigung, Dementi, Klärung, Korrektur

Richtkranz: Richtkrone

Richtlinie: Leitschnur, Regel, Richtmaß, Richtschnur

Richtplatz: Gerichtsplatz, Gerichtsstätte, Hinrichtungsplatz, Hinrichtungsstätte, Richtstatt, Richtstätte

Richtung: Bahn, Fahrtrichtung, Kurs, Lauf, Wegrichtung *Schattierung, Schule, Strömung *Seite, Seitenteil *Himmelsgegend, Himmelsrichtung

richtunggebend: richtungweisend, wegweisend *maßgebend, richtungweisend

Richtungsänderung: Änderung, Wendung *Meinungswechsel, Wandlung, das Umfallen

Richtungsanzeiger: Blinker, Blinklicht, Fahrtrichtungsanzeiger

richtungslos: fahrlässig, impulsiv, leichtfertig, planlos, unbedacht, unbesonnen, unentschlossen, unüberlegt, unvorsichtig, ziellos, kreuz und quer *ohne Richtung

riechen: schnüffeln, schnuppern, winden, wittern, Geruch wahrnehmen, Wind prüfen *schnüffeln, schnuppern *ahnen, spüren, vermuten ***gut riechen:** duften, Wohlgeruch ausströmen ***schlecht riechen:** stinken, übel riechen ***nicht riechen können:** anfeinden, grollen, hassen, s. nicht ausstehen können, s. nicht leiden können, verabscheuen, verachten, s. zanken, zürnen, Hass empfinden, feindselig gesinnt sein, Zorn hegen, nicht grün sein, gefressen haben

Riecher: Nase, Riechorgan *Ahnung, Spürsinn, Vermutung

Riechorgan: Riechwerkzeug

Riechwasser: Duftwasser, Essenz, Parfüm, Eau de Cologne

Ried: Gras, Rohr, Schilf, Schilfrohr, Teichrohr

Riege: Abteilung, Turnmannschaft

Riegel: Schieber, Schloss, Sicherheitsvorrichtung, Sperre, Verschluss *Balken, Bohle, Kantholz, Sparren

riegeln: verrammeln, versperren, zuschließen

Riemen: Gurt, Gürtel, Gürtelriemen, Hüftriemen, Koppel *Paddel, Ruder

Riese: Bulle, Gigant, Goliath, Hüne, Hünengestalt, Koloss, Titan, Ungeheuer, großer Mensch, der Lange

rieseln: fließen, laufen, plätschern, rinnen *herabfallen, nieseln, tröpfeln

riesengroß: mächtig, übermächtig, außerordentlich, enorm, exorbitant, gewaltig, gigantisch, immens, kolossal, massig, monströs, monumental, riesenhaft, unermesslich, voluminös, wuchtig, sehr groß *groß, immens, unlösbar

Riesenschlange: Boa, Python

Riesenslalom: Riesentorlauf

riesig: baumlang, enorm, gigantisch, groß, immens, lang, mächtig, riesengroß, riesenhaft, unermesslich, ungeheuer *außerordentlich, enorm, exorbitant, gewaltig, gigantisch, immens, kolossal, mächtig, massig, monströs, riesenhaft, titanisch, überdimensional, übermächtig, unermesslich, ungeheuer, unheimlich, voluminös, wuchtig, sehr groß *ekelhaft, entsetzlich, furchtbar, fürchterlich, höllisch, irrsinnig, klotzig, kolos-

sal, lausig, mordsmäßig, rasend, schändlich, schrecklich, sehr, so, unheimlich, unsinnig, verdammt, verflixt, verflucht, verteufelt
Riff: Felsklippe, Klippe, Schroffe, Schroffen
rigoros: bestimmt, drastisch, energisch, gebieterisch, hart, massiv, scharf, schroff, streng, strikt *bedenkenlos, gewissenlos, gnadenlos, herzlos, kalt, lieblos, mitleidlos, rücksichtslos, skrupellos, unbarmherzig, unmenschlich
Rigorosität: Bestimmtheit, Härte, Schärfe, Schroffheit, Strenge *Gewissenlosigkeit, Kälte, Lieblosigkeit, Mitleidlosigkeit, Rücksichtslosigkeit, Skrupellosigkeit, Unbarmherzigkeit
Rille: Furche, Kerbe, Vertiefung
rillen: auskehlen, durchziehen, furchen, vertiefen
Rind: Färse, Kuh
Rinde: Baumrinde, Borke *Brotrinde, Kruste *Hirnrinde
Ring: Ehering, Fingerring, Reif *Gangstertum, Mafia, Syndikat, Unterwelt, Verbrechertum, Verbrecherwelt *Bereich, Gürtel, Umgebung, Zone *Altersring, Baumring, Flader, Jahresring *Arbeitsgemeinschaft, Arbeitszirkel, Forum, Gruppe, Kreis, Personenkreis, Runde, Zirkel *Assoziation, Bruderschaft, Brüderschaft, Bund, Körperschaft, Korporation, Union, Verband, Vereinigung *Reifen
ringartig: atollförmig, kreisrund, ringförmig, rund, wie ein Ring
ringeln (s.): s. aufranken, s. emporranken, klettern, ranken, s. schlingen, s. winden
ringen: kämpfen, rangeln, raufen, streiten *nachdenken, überlegen, verzagen, verzweifeln, mit sich kämpfen ***ringen (um):** s. bemühen (um), s. einsetzen, kämpfen (für), streben (nach)
Ringen: Kampf, Rangelei, Rauferei, Streit, Streithandlung *Kampf, Nachdenken, Überlegung, Verzweiflung
Ringer: Ringkämpfer
Ringfinger: Goldfinger
Ringrichter: Kampfrichter, Preisrichter, Punktrichter, Schiedsrichter, Unparteiischer
ringsum: herum, rundherum, reihum, rings, ringsumher, ringsherum, überall, im Kreis, in jeder Richtung, in der Runde, nach allen Seiten
Rinne: Furche, Gang, Graben, Grube, Mulde, Vertiefung *Gosse, Rinnstein
rinnen: ergießen, fließen, fluten, laufen, plätschern, quellen, rieseln, sickern, sprudeln, spülen, strömen, wallen, wogen *ablaufen, dahingehen, dahingleiten, dahinschwinden, enteilen, entrinnen, entschwinden, fliehen, gleiten, hingehen, schwinden, verfliegen, vergehen, verlaufen, verrauschen, verrinnen, verschwinden, verstreichen, vorbeigehen, vorüberfliegen, vorübergehen, zerrinnen
Rinnsal: Bach, Bächlein, Gerinnsel, Gewässer
Rinnstein: Gosse, Rinne
Rippe: Ader, Blattader, Blattnerv, Blattrippe *Brustknochen, Rippenknochen *Bogen, Pfeiler *Heizrippe, Radiatorrippe *Leiste
Risiko: Bedrängnis, Bedrohung, Ernst, Gefahr, Gefährdung, Gefährlichkeit, Krise, Lebensgefahr, Nachstellung, Todesgefahr, Unsicherheit, dicke Luft *Abenteuer, Experiment, Unterfangen, Wagnis
risikolos: gefahrlos, harmlos, ungefährlich, unriskant, unschädlich, unverfänglich
riskant: abenteuerlich, brenzlig, gefährlich, gefahrvoll, gewagt, kritisch, lebensgefährlich, risikoreich, selbstmörderisch, tödlich, voller Risiko
riskieren: s. trauen, s. getrauen, s. erdreisten, s. erkühnen, s. überwinden, s. unterfangen, s. unterstehen, wagen
Riss: Bruch, Einriss, Loch, Öffnung, Spalt, Spalte *Bruchstelle, Haarriss *Mauerriss, Spalt *Knacks, Knick, Sprung *Ritzer, Schramme, Wunde *Erdspalte
rissig: aufgesprungen, rau, schrundig, spröde
Ritt: Ausritt, Spazierritt
Ritter: Burgherr, Rittersmann
ritterlich: anständig, artig, aufmerksam, ehrenhaft, entgegenkommend, fair, fein, freundlich, galant, gefällig, geschliffen, gesittet, glatt, höflich, kavaliersmäßig, korrekt, kultiviert, manierlich, pflicht-

schuldigst, rücksichtsvoll, sittsam, taktvoll, umgänglich, verbindlich, vornehm, wohlerzogen, zuvorkommend, voll Anstand *freigebig, gebefreudig, großzügig, hochherzig, honorig, nobel, spendabel, verschwenderisch, verschwendungssüchtig, weitherzig
Ritterlichkeit: Artigkeit, Beflissenheit, Bereitschaft, Bereitwilligkeit, Dienst, Dienstwilligkeit, Eifer, Entgegenkommen, Freundlichkeit, Gefallen, Gefälligkeit, Geneigtheit, Höflichkeit, Konzilianz, Liebenswürdigkeit, Nachgiebigkeit, Nachsicht, Neigung, Nettigkeit, Verbindlichkeit, Wohlwollen, Zugeständnis, Zuvorkommenheit, gute Manieren, gute Umgangsformen
Ritual: Brauch, Ritus, Zeremoniell *Kult, Liturgie, Zeremonie, religiöse Handlung
Ritus: Kulthandlung, religiöser Brauch
Ritz: Riss, Ritze, Spalt
ritzen: einritzen, verewigen ***s. ritzen:** s. schürfen, s. aufschürfen, s. aufreißen, s. aufritzen, s. reißen, s. schrammen, s. verletzen
Ritzer: Riss, Ritze, Schramme, Wunde
Rivale: Antipode, Erzfeind, Feind, Gegenpart, Gegenspieler, Gegner, Konkurrent, Kontrahent, Nebenbuhler, Todfeind, Widersacher *Konkurrent, Nebenbuhler
rivalisieren: konkurrieren, wetteifern
Rivalität: Kampf, Streit, Wettbewerb, Wetteifer *Nebenbuhlerschaft
robben: krabbeln, kriechen, rutschen
Robe: Amtstracht, Dienstkleidung, Habit, Ornat, Talar *Festgewand, Gala, elegantes Kleid
Robinson: Gestrandeter, Schiffbrüchiger
Robot: Fronarbeit, Frondienst
Roboter: Apparat, Automat, Maschine, Maschinenmensch *Arbeitsmaschine, Arbeitspferd, Arbeitstier
robust: stark, baumstark, athletisch, bärenstark, drahtig, fest, gefeit, hart, immun, kernig, kräftig, kraftstrotzend, kraftvoll, markig, nervig, resistent, rüstig, sehnig, sportlich, stabil, stämmig, stramm, wehrhaft, widerstandsfähig, zäh, nicht anfällig
Robustheit: Bärenstärke, Härte, Immunität, Kraft, Stabilität, Stärke, Widerstandsfähigkeit, Zähigkeit
röcheln: jappen, japsen, keuchen, plustern, schnaufen
Rock: Jacke, Kittel *Damenrock, Oberbekleidungsstück
Rocker: Halbstarker, Protestler, Rowdy, Schlägertyp, Skinhead
Rodel: Rodelschlitten, Schlitten
Rodelbahn: Abfahrtsstrecke, Bobbahn, Piste, Schlittenbahn
roden: ausroden, urbar machen *buddeln, ausbuddeln, ausmachen, ausroden, ernten
Rodung: Abholzung, Kahlschlag, Lichtung, Urbarmachung
roh: abgestumpft, barbarisch, brutal, eisig, erbarmungslos, fest, gefühllos, gefühlsarm, gefühlskalt, gemütsarm, gleichgültig, gnadenlos, grausam, hart, hartherzig, herzlos, inhuman, kaltblütig, kompromisslos, lieblos, mitleidlos, schonungslos,seelenlos,streng,unbarmherzig, ungesittet, unmenschlich, unnachgiebig, unnachsichtig, unsozial, unzugänglich, verroht *ungebraten, ungekocht, nicht zubereitet *natürlich, unbearbeitet, in natürlichem Zustand *etwa
Rohgewicht: Bruttogewicht
Rohheit: Brutalität, Erbarmungslosigkeit, Gefühlskälte, Gefühlsrohheit, Gnadenlosigkeit, Härte, Herzensverhärtung, Kälte, Kaltherzigkeit, Lieblosigkeit, Mitleidlosigkeit, Schonungslosigkeit, Unbarmherzigkeit, Unmenschlichkeit
Rohling: Barbar, Gewaltmensch, Unmensch, Wüstling, Wüterich *Vorlage, (unbearbeitetes) Gussstück, (unbearbeitetes) Werkstück
Rohmaterial: Rohstoff
Rohöl: Bergöl, Erdöl, Naphtha, Steinöl
Rohr: Hohlkörper, Röhre, Schlauch, Wasserrohr *Rohrstock *Lauf *Rohrdickicht, Schilf, Schilfbestand
Röhre: Bau, Unterschlupf, Wohnung *Hohlkörper, Rohr, Schlauch, Wasserrohr *Fernseher, Fernsehgerät
röhren: brüllen, orgeln, schreien
Rohrstock: Knüppel, Knüttel, Prügel, Rohr, Stecken, Stock
Rohstoff: Ausgangsmaterial, Grundstoff,

Material, Naturprodukt, Rohmaterial, Werkstoff
Rollbahn: Landebahn, Landeplatz, Piste, Startbahn
Rolle: Flickflack, Purzelbaum, Salto, Überschlag *Locke *Charge, Figur, Hauptrolle, Nebenrolle, Partie, Person, Statistenrolle *Rad, Röllchen, Spule, Walze ***eine Rolle spielen:** agieren, chargieren, darbieten, darstellen, figurieren, mimen, verkörpern, vorstellen, wiedergeben *wichtig sein, Bedeutung haben, ins Gewicht fallen ***aus der Rolle fallen:** s. danebenbenehmen, entgleisen, s. flegelhaft benehmen, s. vorbeibenehmen, einen Fauxpas begehen, aus dem Rahmen fallen, aus der Reihe tanzen
rollen: s. drehen, kreiseln, kugeln, kullern, laufen, rotieren, s. wälzen, wirbeln, zirkulieren *befördern, spedieren *dümpeln, rudern, schaukeln, schleudern, schlingern, schütteln, stampfen, wackeln, hin und her schwanken *ausrollen, auswalzen, glätten, kneten *aufrollen *glätten, mangeln *einpacken, einrollen, einwickeln
Rollenbesetzung: Casting
Roller: Tretroller *Motorroller, Vespa
Rollladen: Fensterladen, Jalousette, Jalousie, Laden, Markise
Rollsitz: Gleitsitz
Rollstuhl: Fahrstuhl, Krankenfahrstuhl, Rollsessel
Romantik: Empfindsamkeit, Gefühlstiefe, Schwärmerei, Sensibilität, Träumerei, Zartheit
romantisch: beseelt, einfühlsam, empfindsam, feinfühlend, feinfühlig, feinsinnig, gefühlsbetont, gefühlsselig, gefühlstief, gefühlvoll, gemüthaft, gemütvoll, innerlich, mimosenhaft, rührselig, schmalzig, schwärmerisch, seelenvoll, sensibel, sinnenhaft, tränenselig, träumerisch, überempfindlich, überspannt, verinnerlicht, weich, zart, zartfühlend, zartbesaitet *abgelegen, friedlich, friedvoll, geheimnisvoll, idyllisch, ländlich, malerisch, reizvoll, verträumt
Romanze: Liebeserlebnis, Liebesverhältnis *Ballade, Gedicht, Ode, Poem, Sonett, Spruch, Vers, Verse, Verschen
röntgen: durchleuchten, untersuchen, eine Aufnahme machen
Röntgenbehandlung: Röntgentherapie
rosa: blassrosa, fleischfarben, hautfarben, lachsfarben, rosafarben, rosafarbig, rosarot, rosenfarben, rosenfarbig, rosenrot, rosig *gleichgeschlechtlich, homosexuell
rosig: angenehm, bestmöglich, golden, optimal, optimistisch *rosa, rosafarben, rosafarbig *durchblutet, gesund, jung *aussichtsreich, erfolgreich, günstig, gut, positiv, viel versprechend
Rosine: Sultanine, Weinbeere *das beste Stück, das lukrativste Stück
Ross: Gaul, Klepper, Mähre, Pferd, Schindmähre, Schinder *Dummkopf, Einfaltspinsel, Versager
Rosskur: Pferdekur, Radikalkur
Rost: Bratrost, Feuerrost *Eisenoxid, Patina, Rostschicht
rosten: einrosten, verrosten, durch Rost unbrauchbar werden, Rost bilden, Rost ansetzen
rösten: braten, bräunen, toasten *trocknen
rostfarben: rostbraun, rostfarbig, rostig, rostrot
rostig: verrostet, zerfressen, voller Rost *rostbraun, rostfarben, rostfarbig, rostrot
Röstkartoffeln: Bratkartoffeln
rot: blassrot, blutrot, dunkelrot, feuerfarben, feuerrot, feurig, hellrot, hochrot, kirschrot, purpurfarben, purpurfarbig, purpurn, purpurrot, rotfarben, rötlich, rubinrot, scharlachrot, tizianrot, weinrot, ziegelrot
Rotation: Drehung, Strudel, Tour, Umdrehung, Umlauf, Wirbel *Austausch, Fruchtfolge, Wechsel
Rotationspresse: Rotationsmaschine
röten: rot färben ***s. röten:** erglühen, erröten, s. genieren, s. schämen, s. verfärben, rot werden, schamrot werden, verlegen sein
rothaarig: fuchsig, rotblond
Rothaarige: Fuchs, Rotkopf
rotieren: kreisen, laufen (um), s. um die eigene Achse drehen, wirbeln, zirkulieren *durchdrehen, explodieren, platzen, die Beherrschung verlieren, unbeherrscht

sein, aus der Haut fahren, ungerecht werden *s. ärgern, aufbegehren, aufbrausen, auffahren, entrüsten, ergrimmen, s. erzürnen, kochen, schäumen, sieden, Ärger empfinden, es satt haben, genug haben, wild werden

Rotkohl: Blaukraut, Rotkraut

Rotor: Drehflügel, Läufer, Luftschraube, Propeller

Rotte: Bande, Gruppe, Haufen, Schar

rotten: verfaulen, vergehen, verrotten, zerfallen

Rotz: Nasenschleim, Nasensekret

rotzig: dickflüssig, quallig, schleimig, schlierig, schlüpfrig, schmierig *dreist, frech, geschert, keck, kess, naseweis, pampig, schamlos, schnodderig, unartig, unerzogen, ungesittet, ungezogen, unmanierlich, unverfroren, unverschämt, vorlaut, vorwitzig

Rotzjunge: Bengel, Flegel, Frechdachs, Frechling, Lausebengel, Lausejunge, Lausekerl, Luder, Range, Schelm, Schlingel, freches Stück

Rouge: Schminke, Wangenrot

Route: Kurs, Richtung *Flugstrecke, Marschroute, Reiseweg, Wegstrecke

Routenberechner: Navigationsgerät

Routine: Erfahrung, Fertigkeit, Praxis, Technik, Übung *Check, Durchlauf, Prüfgang

Routinier: Fachmann, Könner, Meister, alter Hase, alter Fuchs

routiniert: fachgerecht, fachkundig, fachmännisch, fachmäßig, gekonnt, kunstgerecht, meisterhaft, professionell, qualifiziert, sachgemäß, sachgerecht, sachkundig, sachverständig, werkgerecht *anstellig, fingerfertig, geschicklich, geschickt, gewandt, vielseitig

Routiniertheit: Diplomatie, Elastizität, Eleganz, Geschicklichkeit, Geschicktheit, Gewandtheit, Routine, Schick, Wendigkeit

Rowdy: Flegel, Messerheld, Radaubruder, Randalierer, Raufbold, Rocker, Schlägertyp, Skinhead, Streithammel, gewalttätiger Mensch

rubbeln: abreiben, frottieren, reiben

Rübe: Hauptwurzel *Kopf

Rubrik: Absatz, Abschnitt, Artikel, Kapitel, Paragraph, Passage, Passus, Perikope, Punkt, Spalte *Abschnitt, Kolumne, Spalte

rubrizieren: einordnen, einstufen

ruchlos: gemein, niederträchtig, schändlich, scheußlich, schrecklich, verwerflich, wüst

Ruchlosigkeit: Gemeinheit, Niedertracht, Scheußlichkeit, Verwerflichkeit

Ruck: Rucker, Stoß, Stups, plötzlicher Schlag, heftiger Stoß ***s. einen Ruck geben:** s. beherrschen, s. bezwingen, s. entschließen, s. selbst besiegen, s. überwinden ***mit einem Ruck:** abrupt, jäh, jählings, plötzlich, ruckartig, schlagartig, schnell, schroff, überraschend, unerwartet, ungeahnt, unverhofft, unvermerkt, unvermittelt, unvermutet, unversehens, unvorhergesehen, urplötzlich, zufällig, auf einmal, mit einem Mal, mit einem Schlag, über Nacht

ruckartig: ruckweise, stoßweise, in Schüben, in Stößen *abrupt, jäh, jählings, plötzlich, schlagartig, schnell, schroff, überraschend, unerwartet, ungeahnt, unverhofft, unbemerkt, unvermittelt, unvermutet, unversehens, unvorhergesehen, urplötzlich, zufällig, auf einmal, mit einem Mal, mit einem Ruck, mit einem Schlag, über Nacht

Rückbildung: Degeneration, Rückgang, Verkümmerung

Rückblick: Erinnerung, Reminiszenz, Retrospektive, Rückblende, Rückerinnerung, Rückschau, Blick in die Vergangenheit

rückblickend: rückschauend, zurückschauend, hinterher, nachher, nachträglich, retrospektiv, zurückblickend, rückwärts blickend, rückwärts sehend, im Nachhinein, nach rückwärts gerichtet

rucken: s. bewegen, stoßen, wackeln *girren, gurren, rucksen

rücken: schieben, verschieben, bewegen, drücken, umstellen, verrücken, verstellen, an einen anderen Platz stellen

Rücken: Buckel, Kreuz, Rückgrat, Wirbelsäule *Halter, Lehne, Stütze *Rückseite *Bergkamm, Bergrücken, Gebirgskamm, Grat, Kamm ***jmdm. den Rücken stärken:** s. bekennen, s. bemühen, s. einsetzen, eintreten (für), s. engagieren, s. erklären, plädieren (für), s. stark machen, s. verwenden, etwas vertreten, etwas verfechten, etwas verteidigen, Partei nehmen, Partei ergreifen, die Stange halten *__jmdm. den Rücken kehren:__ s. abkehren, abwenden, s. wegkehren, s. wegwenden, s. wenden (von), s. zurückziehen, den Rücken wenden, mit jmdm. brechen, mit etwas brechen *__jmdm. in den Rücken fallen:__ s. abkehren, s. abwenden, die Hand ziehen (von), verlassen, verraten, (die Treue) brechen, abtrünnig werden, anderen Sinnes werden, ein Vertrauensverhältnis zerstören, im Stich lassen, Verrat begehen, Verrat üben

Rückendeckung: Beistand, Hilfe, Rückenstärkung, Rückhalt, Stütze, Unterstützung

Rückerstattung: Entschädigung, Rückgabe, Rückvergütung, Rückzahlung, Wiedererstattung

Rückfahrt: Heimfahrt, Heimkehr, Heimreise, Nachhauseweg, Rückkehr, Rückreise, Rückweg

Rückfall: Rezidiv, Wiederholung *Abnahme, Rücklauf, Rückschritt, Stagnation

rückfällig: rezidiv, s. wiederholend, zurückkehrend *zurückfallen (in)

Rückführung: Eingemeindung, Eingliederung

Rückgabe: Reklamation, Rücksendung, Umtausch, Wandlung, Zurückgabe *Entschädigung, Rückerstattung, Rückvergütung, Rückzahlung, Wiedererstattung

Rückgang: Abbau, Abnahme, Nachlassen, Rückfall, Rücklauf, Rückschritt, Schwund, Stagnation, Verminderung, Verringerung *Einbuße, Verlust *Anlehnung, Bezugnahme, Rekurs, Rückgriff *Niedergang, Rückbildung, Rückwärtsentwicklung, rückläufige Entwicklung

Rückgrat: Rücken, Stütze, Wirbelsäule *Eckpfeiler, Eckstein, Halt, Pfeiler, Säule, Stütze, Widerhalt *Charakter, Festigkeit, Gesinnung, Haltung, Standhaftigkeit, Stetigkeit, Unbeirrbarkeit

rückgratlos: charakterlos, haltlos, haltungslos, labil, nachgiebig, verführbar, willenlos, willensschwach, ohne jeden Halt, ohne Rückgrat, kein Rückgrat haben

Rückhalt: Beistand, Hilfe, Rückendeckung, Rückenstärkung, Stütze, Unterstützung

rückhaltlos: bedingungslos, vorbehaltlos, ohne Vorbehalt, ohne Einschränkung *aufrichtig, ehrlich, freiheraus, freimütig, gerade, geradeheraus, glattweg, offen, offenherzig, unverhohlen, unverhüllt, vertrauenswürdig, wahr, wahrhaft, wahrhaftig, zuverlässig

Rückkehr: Heimkehr, Rückkunft, Wiederkehr, Wiederkunft, das Zurückkommen, Zurückkunft

Rücklage: Ersparnis, auf der hohen Kante *Fettpolster, Reserve, Reservefonds, Reservoir, Vorrat

rückläufig: abflauend, nachlassend, regressiv, schwindend, sinkend, stagnierend, zurückgehend

Rücklicht: Katzenauge, Rückleuchte, Rückstrahler, Schlusslicht

rücklings: von hinten, nach hinten, von rückwärts, nach rückwärts

Rückprall: Gegenprall, Rückschlag, Rückstoß

Rucksack: Bündel, Ranzen, Ränzlein, Reisesack, Tornister

Rückschau: Erinnerung, Reminiszenz, Retrospektive, Rückblende, Rückblick, Rückerinnerung, Blick in die Vergangenheit

rückschauend: rückblickend, zurückblickend, nach hinten schauend

Rückschlag: Gegenprall, Rückprall, Rückstoß *Bankrott, Debakel, Durchfall, Enttäuschung, Fehlschlag, Fiasko, Katastrophe, Misserfolg, Misslingen, Niederlage, Pech, Pleite, Reinfall, Ruin, Versagen, Zusammenbruch, Schlag ins Wasser

Rückschritt: Abnahme, Rückfall, Rücklauf, Stagnation *Niedergang, Rückbildung, Rückwärtsentwicklung

rückschrittlich: fortschrittsfeindlich, gestrig, konservativ, reaktionär, restaurativ, unzeitgemäß, rückwärts gerichtet, rückwärts gewandt, von gestern, hinter dem Mond

Rückseite: Gegenseite, Hinterfront, Hin-

terseite, Hoffront, Hofseite, Kehrseite, Schattenseite, die linke Seite, die andere Seite, rückwärtige Seite
rückseitig: hinten, links
Rücksicht: Behutsamkeit, Berücksichtigung, Diskretion, Nachsicht, Rücksichtnahme, Schonung, Vorsicht *Achtung, Anerkennung, Ansehen, Bewunderung, Ehrerbietung, Ehrerweisung, Ehrfurcht, Hochachtung, Hochschätzung, Pietät, Respekt, Reverenz, Schätzung, Tribut, Verehrung, Wertschätzung, hohe Meinung ***Rücksicht nehmen (auf):** anrechnen, beachten, berücksichtigen, einbeziehen, einkalkulieren, mitberücksichtigen, vorbedenken, nicht vorübergehen (an), denken (an), in Erwägung ziehen, in Betracht ziehen ***mit Rücksicht (auf):** betreffs, bezüglich, hinsichtlich, rücksichtlich, wegen, in Bezug (auf), unter Bezugnahme, mit Bezugnahme, mit Bezug (auf), im Hinblick, in Betreff, in Anbetracht, in Hinsicht (auf)
rücksichtslos: bedenkenlos, egoistisch, entmenscht, gewissenlos, gnadenlos, herzlos, kalt, kaltlächelnd, lieblos, mitleidlos, radikal, rigoros, schonungslos, selbstsüchtig, skrupellos, unbarmherzig, unerbittlich, unmenschlich, ohne Bedenken, ohne Rücksicht ***rücksichtslos sein:** seine Ellenbogen gebrauchen, über Leichen gehen
Rücksichtslosigkeit: Bedenkenlosigkeit, Erbarmungslosigkeit, Gewissenlosigkeit, Herzlosigkeit, Kälte, Lieblosigkeit, Radikalismus, Rigorosität, Schonungslosigkeit, Selbstsucht, Skrupellosigkeit, Unbarmherzigkeit, Willkür, Willkürakt
rücksichtsvoll: aufmerksam, behutsam, bescheiden, diskret, ehrerbietig, ehrfurchtsvoll, einfühlend, gefällig, liebenswürdig, nachsichtig, schonend, schonungsvoll, taktvoll, verbindlich, vorsichtig, zartfühlend, zuvorkommend
Rücksitz: Fond, Hintersitz
Rückstand: Bodensatz, Rest, zurückbleibender Stoff *Ausstand, Verspätung, Verzögerung, Verzug
Rückstände: Obligationen, Passiva, Schuld, Verbindlichkeiten, Verpflichtungen, Verschreibungen *Abstand, Zwischenraum
rückständig: hinterwäldlerisch, unterentwickelt, zurückgeblieben *altmodisch, gestrig, unmodern, von gestern, nicht zeitgemäß *offen, nicht bezahlt
Rückständigkeit: Zurückgebliebenheit, der alte Zopf
rückstandsfrei: belastungsfrei, biologisch, natürlich, rückstandslos, ohne Rückstände, ohne Belastung, ohne Giftstoffe
Rückstau: Autoschlange, Stau, Warteschlange
Rückstoß: Gegenprall, Rückprall, Rückschlag
Rückstrahler: Katzenauge, Reflektor, Rücklicht
Rückstrahlung: Reflex, Reflexion, Spiegelung, Widerschein
rücktauschen: umtauschen, wechseln
Rücktritt: Abdankung, Abschied, Amtsabtretung, Amtsaufgabe, Amtsniederlegung, Ausscheiden, Demission, Kündigung
rückvergüten: entschädigen, zurückgeben, zurückzahlen
Rückvergütung: Entschädigung, Rückzahlung, Zurückzahlung
rückversichern (s.): nachfragen, s. versichern
rückwärtig: abseitige, hintere
rückwärts: gegenläufig, hintenüber, retour, rückläufig, zurück, in umgekehrter Richtung, nach hinten ***rückwärts blickend:** rückblickend ***rückwärts fahren:** zurückfahren, zurückstoßen ***rückwärts gehen:** zurückgehen, zurückweichen, s. zurückziehen, nach hinten gehen *abbauen, nachlassen, verblühen, zurückfallen, im Abstieg begriffen sein, nicht Schritt halten *s. verschlechtern, s. verschlimmern
Rückweg: Heimweg, Nachhauseweg, Rückmarsch
ruckweise: ruckartig, stoßweise
Rückwirkung: Echo, Reaktion *Abzug, Aufgabe, Räumung
Rückzahlung: Entschädigung, Rückerstattung, Rückgabe, Rückvergütung, Wiedererstattung

Rückzieher: Distanzierung, Einschränkung, Zurücknahme *Fallrückzieher ***einen Rückzieher machen:** s. anpassen, s. beugen, einlenken, s. ergeben, s. erweichen, s. fügen, gehorchen, kapitulieren, lockerlassen, nachgeben, s. überreden lassen, s. unterordnen, s. unterwerfen, zurückstecken, zurückweichen, s. zurückziehen, schwach werden, Zugeständnisse machen, weich werden, dem Zwang weichen, klein beigeben

Rückzug: Abzug, Aufgabe, Räumung, Zurückweichen

rüde: abweisend, barsch, brüsk, flegelhaft, grobschlächtig, lümmelhaft, rüpelhaft, rüpelig, ruppig, taktlos, unfreundlich, ungehobelt, ungeschliffen, unhöflich, unkultiviert, unliebenswert, unritterlich, unverbindlich

Rudel: Bande, Gang, Gruppe, Horde *Haufen, Heer, Herde, Legion, Pulk, Schar, Schwarm, Trupp, Zug

Ruder: Riemen, Ruderstange *Steuer, Steuerung *Führung, Leitung, Zügel

rudern: s. in die Riemen legen, staken, wriggen, Paddelboot fahren *pendeln, schlenkern, schwenken, schwingen

Rudiment: Abfall, Relikt, Rest, Überbleibsel, Überrest

rudimentär: klein, verkümmert, zurückgeblieben, nicht ausgebildet

Ruf: Aufschrei, Hilferuf, Hilfeschrei, Schrei *Telefonnummer *Achtung, Ansehen, Ehre, Leumund, Renommee, Reputation, Ruhm *Appell, Aufforderung, Aufruf, Mahnung *Angebot, Berufung

rufen: brüllen, gellen, grölen, johlen, kreischen, lärmen, schreien *alarmieren, anrufen, aufrufen, herbeirufen, zurufen, Alarm schlagen, Lärm schlagen, *anreden, ansprechen, heißen, nennen ***rufen (nach):** begehren, verlangen, kommen lassen ***ins Leben rufen:** aufdecken, aufmachen, einrichten, einweihen, eröffnen, gründen, öffnen, starten, dem Publikum übergeben, der Öffentlichkeit übergeben, der Öffentlichkeit zugänglich machen, in Betrieb nehmen ***ins Gedächtnis rufen:** mahnen, gemahnen, auffrischen, erinnern, in Erinnerung bringen ***zur Ordnung rufen:** ermahnen, mahnen, predigen, rügen, schimpfen, tadeln, verwarnen, ins Gewissen reden

Rüffel: Anpfiff, Anschnauzer, Ermahnung, Maßregelung, Missbilligung, Rüge, Strafpredigt, Tadel, Verweis, Vorwurf

rüffeln: schelten, ausschelten, anpfeifen, beanstanden, herabkanzeln, herunterkanzeln, kritisieren, meckern, missbilligen, reklamieren, rügen, tadeln, verurteilen, zurechtweisen

Rufmord: Anschwärzung, Beleidigung, Denunziation, Diffamierung, Diskreditierung, Ehrverletzung, Herabwürdigung, Hetze, Schlechtmacherei, Unterstellung, Verdächtigung, Verleumdung, Verunglimpfung, üble Nachrede

Rufname: Taufname, Vorname

Rufnummer: Fernsprechnummer, Telefonnummer *Handynummer

Rufweite: Hörweite, Reichweite, Sichtweite

Rüge: Anpfiff, Anschnauzer, Anwurf, Ermahnung, Maßregelung, Missbilligung, Rüffel, Strafpredigt, Tadel, Verweis, Vorwurf

rügen: anpfeifen, beanstanden, kritisieren, meckern, missbilligen, reklamieren, tadeln, verurteilen, zurechtweisen

Ruhe: Ausgeglichenheit, Beherrschung, Beschaulichkeit, Besonnenheit, Fassung, Frieden, Gefasstheit, Gelassenheit, Gemächlichkeit, Gemütsruhe, Gleichgewicht, Gleichmut, Haltung, Kontenance, Seelenruhe, Stoizismus, Unerschütterlichkeit *Pause, Stillstand *Geistesgegenwart, Kaltblütigkeit *Atempause, Entspannung, Erholung, Ferien, Muße, Ruhepause, Sichausruhen, Urlaub, Zurückgezogenheit *Apathie, Gleichgültigkeit, Inaktivität, Lässigkeit, Laxheit, Lethargie, Passivität, Phlegma, Sesshaftigkeit, Sitzfleisch, Teilnahmslosigkeit, Trägheit, Untätigkeit *Friede, Frieden, Lautlosigkeit, Schweigen, Stille, Stillschweigen, Ungestörtsein, das Nichtgestörtwerden *Dämmerschlaf, Dämmerzustand, Halbschlaf, Mittagsruhe, Mittagsschlaf, Nachtruhe, Nachtschlaf, Schlaf, Schlummer

ruhebedürftig: erholungsbedürftig, erschöpft *bettreif, ermüdet, lahm, matt,

müde, schlafbedürftig, schläfrig, schlaftrunken, schwach, todmüde, übermüdet, übernächtigt, unausgeschlafen, verschlafen, zum Umsinken müde
Ruhegehalt: Altersrente, Rente, Ruhegeld *Pension, Pensionszahlung
ruhelos: fieberhaft, fiebrig, hastig, kribbelig, rastlos, überreizt, unruhig
Ruhelosigkeit: Anspannung, Aufgeregtheit, Aufregung, Erregtheit, Erregung, Hektik, Hochspannung, Nervosität, Unruhe, Zappeligkeit
ruhen: dämmern, schlafen, im Schlaf liegen *aussetzen, brachliegen, lahmliegen, stagnieren, stillstehen, stocken, nicht aktiv sein, nicht aktiv arbeiten, nicht in Tätigkeit sein, nicht in Gang sein, nicht in Bewegung sein *beerdigt sein, begraben sein, beigesetzt sein, bestattet sein *s. ausruhen, ausspannen, s. entspannen, s. erholen, pausieren, s. regenerieren, s. Ruhe gönnen, verschnaufen, eine Pause einlegen, eine Pause machen, Urlaub machen, Ferien machen ***ruhen (auf):** fußen (auf), stehen (auf), s. stützen (auf), getragen werden ***ruhen lassen:** nicht wiederaufnehmen, nicht bearbeiten, nicht erörtern
Ruhepause: Atempause, Halt, Pause, Rast, Unterbrechung, Verschnaufpause
Ruhestand: Lebensabend, Pension
Ruheständler: Rentenempfänger, Rentner *Pensionär, Pensionist
Ruhestätte: Erdhügel, Grab, Grabhügel, Grabplatz, Grabstätte, Grabstelle, Gruft, Leichenhügel, (letzte) Ruhestatt *Bank, Couch, Diwan, Liegestatt, Schlafstelle, Sofa
Ruhestörung: Aufruhr, Donner, Dröhnen, Gejodel, Geklapper, Geklirr, Geknatter, Gekreische, Gelärme, Gepolter, Gerassel, Geratter, Geräusch, Geschrei, Getobe, Getöse, Hallo, Heidenlärm, Heidenspektakel, Höllenlärm, Höllenspektakel, Klamauk, Krach, Krachen, Krakeel, Krawall, Lärm, Rabatz, Radau, Randal, Rummel, Skandal, Spektakel, Stimmengewirr, Tamtam, Trara, Trubel, Tumult
Ruhetag: Feiertag, Ferientag, Festtag, Sonntag, Urlaubstag
ruhevoll: gemütlich, geruhsam, harmonisch
Ruhezeit: Bettruhe, Schlaf *Erholungszeit, Ferienzeit, Urlaub *Feierabend, Wochenende
ruhig: flüsternd, gedämpft, geräuschlos, leise, still, tonlos, im Flüsterton, kaum vernehmbar, kaum hörbar, kaum vernehmlich, nicht laut, nicht störend *kühl, ungerührt *geistesgegenwärtig, kaltblütig *bedacht, beherrscht, besonnen, diszipliniert, gefasst, gelassen, gesetzt, gleichmütig, stoisch, überlegen, unerschütterlich *einsilbig, lakonisch, redescheu, schweigsam, sprachlos, still, stumm, verschwiegen, wortkarg, nicht mitteilsam, nicht gesprächig *abgeklärt, ausgeglichen, bedachtsam, beherrscht, gefasst, gemächlich, gemessen, geruhsam, gezügelt, gleichmütig, harmonisch, kaltblütig, ruhevoll, sicher, still, stoisch, überlegen, würdevoll *still, verkehrsarm *monoton, uninteressant *glatt, still *lau, mild, still, windstill *abgelegen, einsam, idyllisch *in Ruhe, ohne Hast, in aller Gemütsruhe, in aller Gemütlichkeit *gelassen, gründlich, langsam
Ruhm: Glanz, Glorie, Nimbus, Weltgeltung, Weltruf, Weltruhm, große Ehre, hohes Ansehen, Lob und Preis
rühmen: preisen, lobpreisen, anerkennen, s. anerkennend äußern, auszeichnen, beloben, belobigen, ehren, feiern, loben, schwärmen (von), verherrlichen, würdigen, Lob zollen, Lob spenden, Lob erteilen ***s. rühmen:** angeben, auftrumpfen, s. brüsten, großtun, prahlen, prunken, übertreiben
rühmlich: achtbar, achtenswert, anerkennenswert, beachtlich, beifallswürdig, dankenswert, ehrenhaft, ehrenvoll, glorios, glorreich, gut, lobenswert, löblich, musterhaft, rühmenswert, ruhmreich, verdienstlich, verdienstvoll, ein Lob verdienend, hoch anzurechnen
ruhmlos: blamabel, demütigend, entehrend, entwürdigend, erniedrigend, schändlich, scheußlich, schmachvoll, schmählich, unrühmlich, verletzend
ruhmvoll: ehrenvoll, glänzend, glanzvoll, glorios, glorreich, rühmlich, ruhmreich

rühren: bewegen, regen *mischen, vermischen, quirlen, verquirlen, anrühren, durchrühren, umrühren, unterarbeiten, verrühren *ergreifen
rührend: bewegend, ergreifend, erschütternd, herzbewegend *aufopfernd, empfindsam, gefühlvoll, hingebend, hingebungsvoll, innig, lieb, liebend, liebevoll, sanft, sensibel, weich, zart, zärtlich, mit (viel) Mühe und Sorgfalt, voller Liebe, mit Liebe, voller Hingebung, mit Hingebung, von Liebe erfüllt
rührig: aktiv, arbeitsam, arbeitsfreudig, arbeitswillig, beflissen, bemüht, bestrebt, betriebsam, dabei, diensteifrig, dienstfertig, eifrig, emsig, erpicht, fleißig, geschäftig, pflichtbewusst, produktiv, rastlos, schaffensfreudig, strebsam, tätig, tatkräftig, tüchtig, unermüdlich, unverdrossen, versessen *begeistert, berauscht, eifrig, entflammt, fanatisch, feurig, glühend, glutvoll, hingerissen, inbrünstig, leidenschaftlich, mitgerissen, schwärmerisch, übereifrig
Rührigkeit: Begeisterung, Eifer, Feuer, Gefühlsüberschwang, Glut, Inbrunst, Leidenschaft, Schwärmerei, Strohfeuer, Übereifer, Überschwang, Überschwänglichkeit *Anspannung, Beflissenheit, Bereitschaft, Bereitwilligkeit, Bestreben, Betriebsamkeit, Dienstwilligkeit, Ehrgeiz, Ergebenheit, Gefälligkeit, Mühe, Regsamkeit, Streben, Tatendrang, Tatenlust
rührselig: empfindsam, gefühlsduselig, gefühlsselig, gefühlvoll, schmalzig, sentimental, tränenselig *wehleidig, wehmütig, weinerlich
Rührseligkeit: Empfindsamkeit, Gefühlsduselei, Gefühlsseligkeit, Gefühlsüberschwang, Schmalz, Sentimentalität, Tränenseligkeit
Rührung: Betroffenheit, Bewegtheit, Bewegung, Ergriffenheit, Erregung, Erschütterung, Mitleid *Gefühlsseligkeit, Rühren, Rührseligkeit, Sentimentalität, Tränenseligkeit
Ruin: Bankrott, Unglück, Verderben, Vernichtung, Zerstörung, Zusammenbruch
Ruine: Trümmer, Trümmerhaufen, Überbleibsel, Überreste
ruinieren: abwirtschaften, erledigen, fertig machen, verderben, verheizen, vernichten, zerrütten, zerstören, bankrott richten, zugrunde richten, das Wasser abgraben, das Rückgrat brechen, das Genick brechen, den Todesstoß versetzen ***s. ruinieren:** abwirtschaften, s. kaputtmachen, s. zugrunde richten
ruiniert: bankrott, fertig, insolvent, pleite, überschuldet, zahlungsunfähig
ruinös: schadhaft, schädlich, verheerend, vernichtend, zum Ruin führend
rülpsen: aufstoßen, hochkommen, laut aufstoßen
Rummel: Lärm, Rumor, Trubel *Dom, Jahrmarkt, Kirchweih, Kirmes, Markt, Messe, Volksfest
rummeln: feiern, lärmen, poltern
Rummelplatz: Festplatz, Festwiese, Vergnügungspark
rumoren: kollern, rumpeln *donnern, dröhnen, klappern, krachen, krakeelen, krawallen, lärmen, poltern, randalieren, rasseln, rattern, rummeln, schallen, spektakeln, Rabatz machen, Krach machen, Radau machen *brodeln, gären, kochen, schwelen, sieden, s. zusammenbrauen, s. zuspitzen, ernst sein, vor einer Krise stehen, nicht in Ordnung sein, gefährlich werden
Rumpelkammer: Abstellkammer, Abstellraum, Besenkammer, Nebenraum, Speicher, Vorratskammer
Rumpf: Schiffsraum *Körper, Organismus
rumpeln: lärmen, poltern, rasseln *holpern, rattern, stoßen *aufziehen, donnern, nahen, s. nähern
Run: Andrang, Ansturm, Gedränge
rund: kreisrund, kugelig, kugelrund, mondförmig, ringartig, ringförmig *beleibt, wohlbeleibt, aufgedunsen, breit, dick, dickleibig, dicklich, dickwanstig, drall, feist, fett, fettleibig, fleischig, füllig, gemästet, gewaltig, kräftig, kugelrund, massig, mollig, pausbäckig, plump, pummelig, rundlich, stämmig, stark, stramm, umfangreich, unförmig, üppig, vierschrötig, vollschlank, wohlgenährt *abgerundet, aufgerundet *etwa, ungefähr, zirka

Rundblick: Panorama, Rundschau, Rundsicht
Runde: Arbeitsgemeinschaft, Arbeitszirkel, Forum, Gruppe, Kreis, Personenkreis, Ring, Zirkel *Fest, Festivität, Geselligkeit, Gesellschaft, Zusammenkunft, Zusammensein, geselliges Beisammensein, festliches Beisammensein *Lage
runden: aufrunden *abrunden *vollenden *s. **runden:** anschwellen, aufblähen, aufquellen, s. heben, s. wölben, zunehmen, dick werden *s. abrunden, gedeihen, vervollkommnen, s. vollenden, wachsen, perfekt werden
Rundfrage: Befragung, Erhebung, Feldforschung, Hörerumfrage, Interview, Leserumfrage, Meinungsforschung, Meinungsumfrage, Publikumsbefragung, Publikumsumfrage, Repräsentativbefragung, Repräsentativerhebung, Umfrage, Verbraucherumfrage, Volksbefragung, Wählerumfrage, Zuschauerumfrage, demoskopische Untersuchung
Rundfunk: Empfänger, Funk, Hörfunk, Kofferradio, Radio, Radioapparat, Radiogerät, Rundfunkapparat, Rundfunkempfänger, Rundfunkgerät *Funkwesen, Rundfunkwesen
Rundfunkhörer: Rundfunkteilnehmer
Rundfunkprogramm: Hörfolge, Radioprogramm, Sendefolge, Sendeplan, Sendeprogramm
Rundfunksender: Radiosender, Radiostation, Rundfunk, Rundfunkanstalt, Rundfunkstation, Sendeanlage, Sender
Rundfunkwellen: Radiowellen
rundheraus: aufrichtig, freimütig, offen, rundweg, wahrheitsgemäß
rundherum: herum, reihum, rings, ringsumher, ringsherum, ringsum, überall, im Kreis, in jeder Richtung, in der Runde, nach allen Seiten
Rundhorizont: Bühnenhimmel, Prospekt
Rundschreiben: Bekanntmachung, Umlauf, Verordnung *Enzyklika
Rundung: Ausbuchtung, Bauch, Bogen, Einbuchtung, Schwellung, Wölbung, runde Form
rundweg: allgemein, ausnahmslos, durchgängig, durchgehend, durchweg, durchwegs, gemein, ohne Ausnahme, samt und sonders, durch die Bank *aufrichtig, freimütig, offen, rundheraus, wahrheitsgemäß
runzelig: durchfurcht, faltig, hutzelig, knittrig, knitterig, kraus, runzlig, schrumpelig, schrumplig, schrundig, verhutzelt, verrunzelt, verschrumpelt, welk, zerfurcht, zerklüftet, zerknittert, zerschründet, nicht glatt
runzeln: furchen, krausen, zusammenziehen, in Falten ziehen, in Falten legen *finster dreinschauen
Rüpel: Flegel, Frechdachs, Grobian, Lackel, Lümmel, Rabauke, Rowdy, Schnösel
rüpelhaft: dreist, flegelhaft, frech, impertinent, keck, kess, naseweis, schamlos, unartig, ungesittet, ungezogen, unmanierlich, unverfroren, unverschämt, vorlaut, vorwitzig
Rüpelhaftigkeit: Flegelei, Flegelhaftigkeit, Pöbelei, Rüpelei, Unart, Ungezogenheit
rupfen: ausrupfen, herausrupfen, ausreißen, auszupfen, entfernen, herausreißen, jäten, reißen (aus), zupfen *schröpfen *pflücken *dehnen, reißen, rütteln, zerren, ziehen, zupfen
ruppig: derb, flegelhaft, frech, lümmelhaft, plump, pöbelhaft, rüde, rüpelig, schnöselig, unerzogen, ungebührlich, ungehobelt, ungezogen, unhöflich, unmanierlich, unreif, ohne Benehmen *barsch, brüsk, deftig, derb, drastisch, flegelhaft, grob, grobschlächtig, hart, herrisch, kernig, rau, raubeinig, rüde, rüpelhaft, rüpelig, schroff, unfreundlich, ungehobelt, ungeschliffen, unwirsch, ohne Gefühl, ohne Takt
Rüsche: Bordüre, Litze, Paspel, Tresse, Volant
Rushhour: Hauptverkehrszeit
rußen: qualmen, rauchen, schwelen *schwärzen, schwarz machen
rußfarben: rußfarbig, rußgeschwärzt, schwarz, voller Ruß
rußig: geschwärzt, rauchig, schmutzig
rüsten: armieren, aufrüsten, bewaffnen, s. militärisch stärken, mobilisieren, Kriegsvorbereitungen treffen, mobil

machen *s. rüsten: s. anschicken, gerade anfangen (mit), vorbereiten, im Begriff sein, Vorbereitungen treffen, ans Werk gehen, zu tun beginnen
rüstig: beweglich, fit, gesund, kräftig, leistungsfähig, strapazierbar *jung, sportlich
rustikal: bäuerlich, dörflich, ländlich, außerhalb der Stadt, fern der Stadt
Rüstung: Aufrüstung, Bewaffnung, Mobilisierung, Mobilmachung *Harnisch, Kettenhemd, Panzerhemd
Rüstzeug: Ersatz, Hilfe, Hilfsmittel, Mittel, Prothese
Rute: Gerte, Peitsche *Zweig *Blume, Fahne, Lunte, Schwanz, Schweif, Standarte, Sterz, Wedel, Zagel
Rutsch: Abstecher, Ausflug, Exkurs, Spritzfahrt, Spritztour, Trip, Umweg
Rutschbahn: Eisbahn, Rutsche, Schlitterbahn
rutschen: schlittern *krabbeln, kriechen, robben *abgleiten
rutschig: eisglatt, glatt, glitschig, schlickerig, schlüpfrig, spiegelglatt
rütteln: schütteln, ruckartig bewegen, schnell hin und her bewegen *donnern, poltern, rattern, stoßen

S

Saal: Festsaal, Halle *Raum, Räumlichkeit

Saaltochter: Bedienung, Fräulein, Kellnerin

Saat: Aussaat, Einsaat *Saatgut, Samen, Sämerei

Saatgut: Saat, Samen, Sämerei

Säbelbeine: O-Beine

säbelbeinig: o-beinig

säbeln: abschneiden, trennen, ungeschickt schneiden *aneinandergeraten, kämpfen, s. messen (mit), schießen, s. schlagen, streiten, Blut vergießen, die Schwerter kreuzen, Krieg führen

Sabotage: Anschlag, Beschädigung, Sabotageakt, Sprengstoffanschlag, Terrorakt, Terroranschlag

Saboteur: Agent, Terrorist, Verbrecher

sabotieren: behindern, entgegenarbeiten, entgegenwirken, hemmen, stören, vereiteln, Sabotage treiben, Sand ins Getriebe streuen

Sachbearbeiter: Fachmann, Referent, Sachgebietsleiter

Sachbeschädigung: Beeinträchtigung, Beschädigung, Defekt, Einbuße, Lädierung, Sachschaden, Schaden, Verlust

sachdienlich: dienlich, förderlich, gut, nützlich

Sache: Angelegenheit, Sachverhalt *Ding, Gegenstand *Rechtsangelegenheit, Rechtssache, Streitfall, Verfahren

sachfremd: nicht entsprechend, nicht gemäß, nicht zugehörig

Sachgebiet: Arbeitsgebiet, Fach

sachgemäß: angemessen, fachmännisch, gekonnt, kunstgerecht, meisterhaft, profihaft, richtig, sachgerecht, sachkundig, zutreffend

Sachkenner: Ass, Autorität, Experte, Fachkraft, Fachmann, Kapazität, Könner, Koryphäe, Meister, Professioneller, Profi, Routinier, Sachkundiger, Sachverständiger, Spezialist, Mann vom Fach *Expertin, Fachfrau, Professionelle, Sachkundige, Sachverständige, Spezialistin

Sachkenntnis: Bildung, Detailwissen, Erfahrung, Fachkenntnis, Fachwissen, Kennerschaft, Praxis, Routine, Sachverstand, Spezialwissen, Überblick, Wissen

sachkundig: ausgebildet, beschlagen, bewandert, erfahren, gelernt, geschult, qualifiziert, routiniert, sachverständig, wissend, gut unterrichtet, vom Fach

Sachlage: Sache, Sachverhalt, Situation, Tatbestand, Umstand *Konstellation, Lage, Sachverhalt, Situation, Status, Verhältnis, Verhältnisse, Zustand

sachlich: emotionslos, klar, leidenschaftslos, logisch, nüchtern, objektiv, pragmatisch, rational, real, trocken, unbefangen, unparteiisch, unvoreingenommen, verstandesbetont, vorurteilsfrei, vorurteilslos, frei von Emotionen

Sachlichkeit: Objektivität, Vorurteilslosigkeit *Realismus, Wirklichkeitssinn, Wirklichkeitstreue

Sachregister: Katalog, Sachverzeichnis, Verzeichnis

Sachschaden: Beeinträchtigung, Beschädigung, Defekt, Einbuße, Lädierung, Nachteil, Sachbeschädigung, Schaden, Verlust

sachte: achtsam, behutsam, fürsorglich, lind, mild, rücksichtsvoll, sacht, sanft, schonend, sorgsam, vorsichtig, zahm *lau, leicht, leise, ruhig, still, unhörbar, unmerklich *bedächtig, behäbig, betulich, bummelig, gemächlich, gemütlich, geruhsam, kriechend, langsam, ruhig, säumig, saumselig, schleppend, stockend, trödelig, zögernd, gemessenen Schrittes, im Schritttempo, mit geringer Geschwindigkeit

Sachverhalt: Sache, Sachlage, Situation, Tatbestand, Umstand

sachverständig: ausgebildet, beschlagen, bewandert, erfahren, gelernt, geschult, qualifiziert, routiniert, sachkundig, wissend, gut unterrichtet, vom Fach

Sachverständige: Ass, Expertin, Fachfrau, Sachkundige, Frau vom Fach

Sachverständiger: Ass, Autorität, Experte, Fachkraft, Fachmann, Kapazität, Könner, Koryphäe, Meister, Professioneller, Profi, Routinier, Sachkenner, Sachkundiger, Spezialist, Mann vom Fach
Sachverzeichnis: Katalog, Sachregister, Verzeichnis
Sachwalter: Anwalt, Beauftragter, Bevollmächtigter, Botschafter, Kommissar, Kommissionär, Prokurator, Repräsentant, Vertreter *Verteidiger
Sachwörterbuch: Realwörterbuch
Sack: Behälter, Beutel, Säckel, Tasche, Tüte *Hosentasche, Jackentasche *Geldbeutel, Geldtasche, Portemonnaie *Blödian, Bursche, Kerl
Sackbahnhof: Kopfbahnhof
Säckel: Geldbeutel, kleiner Sack *Hosentasche
Sackgasse: Ausweglosigkeit, Hilflosigkeit, Hoffnungslosigkeit, Not
Sackpfeife: Dudelsack
sadistisch: grausam, peinigend, quälend, quälerisch
säen: streuen, ausstreuen, anbauen, aussäen, bestellen, einsäen, legen, pflanzen, stecken *anrichten, auslösen, bewirken, den Keim legen (zu), entfesseln, erzeugen, herbeiführen, schaffen, verursachen *__Hass säen:__ angreifen, anspornen, aufhetzen, aufpeitschen, aufreizen, aufrühren, aufstacheln, aufwiegeln, empören, fanatisieren, hetzen, lästern, quertreiben, spalten, stänkern, sticheln, verfeinden, verleumden, wühlen, Zwietracht säen
Safe: Geldschrank, Kassenschrank, Panzerschrank, Stahlfach, Tresor
Saft: Fruchtsaft, Fruchtsaftkonzentrat, Nektar, Obstsaft *Sauce, Soße, Tunke
saftig: dickfleischig, saftvoll, reich an Saft, voller Saft *anstößig, derb, lasterhaft, liederlich, pikant, ruchlos, schlecht, schlüpfrig, sittenlos, unanständig, ungebührlich, ungehörig, unkeusch, unmoralisch, unschicklich, unsittlich, unsolide, unziemlich, unzüchtig, verdorben, verrucht, verworfen, wüst, zotig, zuchtlos, zweideutig *bunt, farbig, grell, intensiv, kräftig, leuchtend, satt *hoch, überhöht, zu teuer
Saftkur: Saftdiät, Saftfasten
saftlos: ausgetrocknet, trocken, ohne Saft *leer, inhaltsleer, abgegriffen, abgeschmackt, alltäglich, banal, billig, dumpf, einfallslos, flach, gehaltlos, geistlos, geisttötend, gewöhnlich, hohl, ideenlos, mechanisch, nichts sagend, oberflächlich, phrasenhaft, platt, schal, seicht, stereotyp, stumpfsinnig, stupid, stupide, substanzlos, trivial, unbedeutend, verbraucht, witzlos, ohne Tiefe, ohne Gehalt
Saftpresse: Entmoster, Entsafter, Fruchtpresse, Obstpresse, Presse
saftvoll: dickfleischig, reich an Saft, voller Saft
Sage: Göttersage *Heldensage *Fama, Flüsterpropaganda, Gerede, Gerücht, Klatsch, Legende, Ondit
Sägebock: Bock, Holzbock, Holzgestell
Sägemehl: Holzspäne, Sägespäne, Späne
Sägemühle: Schneidemühle
sagen: dagegenhalten, dagegenreden, dawiderreden, dazwischenrufen, dazwischenwerfen, einwenden, einwerfen, entgegenhalten, entgegnen, entkräften, erwidern, kontern, protestieren, vorbringen, widerlegen, widersprechen, Kontra geben, Veto einlegen, zu bedenken geben *äußern, behaupten, erklären, finden, glauben, meinen, mitteilen, der Meinung sein *aussagen, bekennen, gestehen, offenbaren, zugeben, geständig sein *bedeuten, repräsentieren, verkörpern, vorstellen, zählen, Gewicht haben, von Belang sein
sägen: absägen, schneiden *gurgeln, schnarchen
sagenhaft: fabelhaft, feenhaft, märchenhaft, mirakulös, phantastisch, romanhaft, traumhaft, wunderbar, zauberhaft *legendär, mythisch *ausgezeichnet, exzellent, hervorragend
Sägespäne: Holzspäne, Sägemehl, Späne
Sahne: Rahm, Schlagrahm, Schlagsahne, Schmant
sahnig: rahmig, mit Sahne
Saison: Hauptreisezeit, Hauptzeit, Reisezeit *Spielsaison, Spielzeit, Theatersaison
Saite: Faser, Flechse *Violinsaite
Sakko: Jacke, Jackett, Rock
sakral: heilig, kirchlich

Sakralbau: Kirche
Sakrament: Glaubenszeichen, Heilszeichen, heilige Handlung, göttliches Gnadenzeichen, gottesdienstliche Handlung
Sakrament!: Donnerwetter!, Verflixt!, Verflucht!
Sakrileg: Gotteslästerung, Kirchenraub, Religionsfrevel, Religionsvergehen, Tempelraub
säkular: diesseitig, irdisch, profan, weltlich, nicht geistlich, nicht kirchlich, nicht sakral
säkularisieren: verweltlichen, in weltlichen Besitz überführen
Salbe: Creme, Kreme, Paste, Vaseline
salben: balsamieren, eincremen, einfetten, einmassieren, einreiben, einsalben, einschmieren, schmieren (auf) *heiligen, konsekrieren, segnen, weihen *andrehen, anschmieren, ausbeuten, bemogeln, beschummeln, beschwindeln, betrügen, bluffen, bringen (um), gaunern, hereinlegen, hintergehen, hochnehmen, lackmeiern, leimen, mogeln, neppen, prellen, schummeln, täuschen, überfahren, überlisten, übervorteilen, aufs Kreuz legen
salbungsvoll: pastoral, priesterhaft, priesterlich *ölig, sanft, süßlich, übertrieben würdevoll, übertrieben feierlich
Saldo: Differenz, Unterschied, Unterschiedsbeitrag
Salon: Anmelderaum, Empfangsraum, Empfangssaal, Empfangszimmer, Wandelhalle *Wohnraum, Wohnstube, Wohnzimmer, gute Stube
salonfähig: anständig, artig, brav, charakterfest, fair, gesellschaftsfähig, gesittet, höflich, korrekt, lauter, manierlich, ordentlich, rechtschaffen, redlich, schicklich, sittsam, tugendhaft, wohlerzogen, zuverlässig *passend, schicklich
salopp: familiär, formlos, frei, gelöst, informell, lässig, leger, nachlässig, natürlich, nonchalant, offen, unbefangen, ungehemmt, ungeniert, ungezwungen, unzeremoniell, zwanglos
Salto: Flickflack, Purzelbaum, Rolle, Überschlag
Salut: Ehrenbezeigung, Gruß, Verbeugung
salutieren: bewillkommnen, grüßen, s. verbeugen, s. verneigen, zulächeln, zunicken, guten Tag sagen, die Ehrenbezeigung erweisen, den Hut ziehen, den Hut lüften, seine Reverenz erweisen
Salz: Jodsalz, Kochsalz, Kräutersalz, Meersalz, Siedesalz, Speisesalz
Salzbrühe: Lake, Salzlake, Salzlösung
salzen: abschmecken, abstimmen, schärfen, verfeinern, würzen
salzig: gesalzen, scharf, reich an Salz *übersalzen, versalzen
Salzlake: Lake, Salzbrühe, Salzlösung
salzlos: flau, kraftlos, schal, ungesalzen
Salzlösung: Lake, Salzbrühe, Salzlake
Salzwasser: Meerwasser, salzhaltiges Wasser
Salzwerk: Gradierwerk, Saline
Samen: Keim, Saatgut, Samenkorn *Sperma *Keimzelle, Samenfädchen, Samenfaden, Samenzelle, Spermatozoon
Samenerguss: Ejakulation, Samenentleerung
Samenfaden: Samenzelle
Samenfluss: Samenabgang
Samengang: Samenleiter
Samenkern: Kern, Obstkern, Stein
Samenkorn: Keim, Saatgut, Samen
Samenzelle: Keimzelle, Samen, Samenfädchen, Samenfaden, Spermatozoon
Sämerei: Saat, Saatgut, Samen
sämig: breiartig, breiig, dick, dickflüssig, dicklich, gallertartig, geronnen, klitschig, schleimig, schwerflüssig, steif, teigig, viskös, viskos, zäh, zähflüssig
Sammelbecken: Auffangbecken, Eldorado, Sammelplatz, Sammelpunkt, Sammelstelle, Schmelztiegel, Tummelplatz
Sammellinse: Konvexlinse
Sammelmappe: Ablegemappe, Hefter, Ordner, Schnellhefter, Schnellheftmappe
sammeln: kassieren, abkassieren, einheimsen, einkassieren, einnehmen, einsammeln, einstecken, eintreiben, einziehen, erheben *auffangen, aufschnappen, mitbekommen, mitkriegen, (zufällig) hören *bündeln, resümieren, zusammenfassen, (kurz) wiederholen, das Fazit ziehen *einen, vereinen, integrieren, verbinden, verschmelzen, zusammenfassen, zusammenschließen *auffangen, ein-

fangen, erhaschen, fangen *s. **sammeln:** Acht geben, aufpassen, s. hineindenken, s. hineinversenken, s. konzentrieren, seine Gedanken richten (auf), s. versenken, s. vertiefen, aufmerksam sein, seine Gedanken hinwenden, seinen Verstand zusammennehmen *s. assoziieren, fusionieren, s. organisieren, s. verbinden, s. vereinigen, s. verschmelzen, s. zusammenschließen, s. zusammentun

Sammelname: Kollektivum, Sammelbegriff

Sammelort: Sammelplatz, Sammelpunkt, Sammelstelle, Treffpunkt

Sammelsurium: Allerlei, Chaos, Durcheinander, Gewirr, Hexenkessel, Knäuel, Konfusion, Krimskrams, Kuddelmuddel, Kunterbunt, Mischmasch, Mischung, Tohuwabohu, Unordnung, Verwirrung, Wirrnis, Wirrsal, Wirrwarr, Wust

Sammelwut: Sammeleifer, Sammeltrieb

Sammler: Freund, Liebhaber

Sammlung: Anhäufung, Arsenal, Fülle, Masse, Menge, Reihe, Schatz, Serie, Stapel, Vielzahl, Vorrat, große Zahl *Album, Almanach, Anthologie, Auslese, Auswahl, Zusammenstellung *Aufnahme, Erfassung, Kodifizierung, Registrierung, Zählung *Aufmerksamkeit, Konzentration *Geldsammlung, Kollekte *Achtsamkeit, Andacht, Anspannung, Aufmerksamkeit, Augenmerk, Konzentration *Dokumentation, Zusammenstellung, Zusammentragung

samt: einbegriffen, eingeschlossen, einschließlich, inklusive, mit, mitsamt, nebst, plus, und, zusammen (mit), zusätzlich, alles in allem ***samt und sonders:** alle, allerseits, allesamt, ausnahmslos, ganz, jeder, jedermann, jedweder, sämtliche, vollzählig, alle Altersstufen, alle Möglichen, alle Welt, Arm und Reich, die verschiedensten, Groß und Klein, Hoch und Nieder, Jung und Alt, Kind und Kegel, Menschen jeder Sorte, Mann für Mann, ohne Ausnahme, wer auch immer *allgemein, ausnahmslos, durchgängig, durchgehend, durchweg, durchwegs, gemein, rundweg, ohne Ausnahme, durch die Bank

samtartig: flauschig, mollig, samten, samtig, samtweich, seidig, weich, zart, nicht hart, nicht fest

sämtlich: alle, allerseits, allesamt, geschlossen, jeder, jedermann, jeglicher, total, vollständig, vollzählig *absolut, ganz, komplett, lückenlos, vollends

samtweich: flauschig, mollig, samtartig, samten, samtig, seidig, weich, zart, nicht hart, nicht fest

Sanatorium: Genesungsheim, Genesungsstätte, Heilanstalt, Heilstätte, Heim, Krankenhaus, Pflegeheim

Sand: Strand *Scheuersand *Flugsand, Streusand *Verwitterungsschutt

Sandale: Sandalette, Sommerschuhe

Sandbank: Bank, Untiefe

Sandpapier: Glaspapier, Schmirgelpapier

Sandstrahlgebläse: Sandgebläse

Sanduhr: Stundenglas

Sandwich: belegtes Brot, belegtes Brötchen

sanft: annehmlich, anständig, aufmerksam, barmherzig, beflissen, bereitwillig, dienstwillig, einnehmend, entgegenkommend, freundlich, freundschaftlich, gefällig, gnädig, großmütig, großzügig, gut, gut gelaunt, gut gemeint, gut gesinnt, gutherzig, gütig, gutmütig, heiter, herzensgut, herzlich, hilfsbereit, höflich, huldreich, huldvoll, jovial, konziliant, kulant, leutselig, lieb, liebenswürdig, lindernd, menschlich, mild, nett, sanftmütig, sympathisch, verbindlich, warm, warmherzig, weichherzig, wohlgesinnt, wohlmeinend, wohlwollend, zugetan, zuvorkommend *lau, mild *gedämpft, intim, schwach *flüsternd, lautlos, leise, weich, im Flüsterton, kaum vernehmbar, kaum vernehmlich, kaum hörbar, nicht laut *dezent *allmählich, nicht überstürzt *mild, wohltuend *behutsam, sachte, schonend, weich, zart

sänftigen: abwiegeln, bändigen, begütigen, beruhigen, besänftigen, beschwichtigen, einlullen, einschläfern, trösten, vermitteln, versöhnen, zufrieden stellen, die Wogen glätten, zur Ruhe bringen

Sanftmut: Anteilnahme, Aufgeschlossenheit, Aufmerksamkeit, Entgegenkommen, Freundlichkeit, Güte, Gut-

mütigkeit, Herzensgüte, Herzlichkeit, Hilfsbereitschaft, Innigkeit, Liebenswürdigkeit, Nächstenliebe, Selbstlosigkeit, Wärme, Warmherzigkeit, Wohlwollen, Zuneigung, Zuwendung
sanftmütig: annehmlich, barmherzig, einnehmend, entgegenkommend, freundlich, freundschaftlich, gefällig, gnädig, gut, gut gelaunt, gut gemeint, gutherzig, gütig, gutmütig, heiter, herzensgut, herzlich, höflich, jovial, lieb, liebenswürdig, lindernd, menschlich, mild, nett, sympathisch, warm, warmherzig, weichherzig, wohlgesinnt, wohlmeinend, wohlwollend, zugetan, zuvorkommend *lammfromm, zahm
Sänger: Chorsänger, Gesangskünstler, Opernsänger *Lyriker *Balladensänger, Bänkelsänger, Liedermacher, Straßensänger
Sängerin: Opernsängerin, Primadonna
Sängervereinigung: Chor, Sängerkreis, Sängerschaft, Singgruppe
Sangesbruder: Chorist, Chorknabe, Chorsänger, Kirchensänger, Sänger
sanguinisch: agil, betriebsam, beweglich, bewegt, blutvoll, dynamisch, feurig, geschäftig, getrieben, heftig, heißblütig, lebendig, lebhaft, mobil, munter, quecksilbrig, quick, quicklebendig, sprudelnd, temperamentvoll, ungestüm, unruhig, vif, vital, wild, wie aufgezogen
sanieren: aufbessern, ausbessern, ausflicken, reparieren, wieder herrichten, wiederherstellen, einen Schaden beseitigen, einen Schaden beheben, in Ordnung bringen, instand bringen, instand setzen, ganz heil machen *kurieren, auskurieren, herstellen, wiederherstellen, abheilen, ausheilen, durchbringen, durchkriegen, heilen, helfen, hochbringen, retten, stärken, (erfolgreich) behandeln, gesund machen, Erste Hilfe leisten, auf die Beine bringen, über den Berg bringen ***s. sanieren:** s. bereichern, wirtschaftlich gesunden, Profit erzielen, Gewinn ziehen, ein gutes Geschäft machen
Sanitäter: Rettungssanitäter, Rotkreuzmann, Sani *Krankenpfleger, Krankenwärter, Lazarettgehilfe, Sanitätssoldat
Sanitätswagen: Krankenwagen, Sanka
Sanktion: Boykott, Druckmittel, Gegenmaßnahme, Pressionen, Repressalien, Vergeltungsmaßnahmen, Zwangsmaßnahmen *Anerkennung, Bestätigung, Billigung, Einwilligung, Erteilung, Zustimmung
sanktionieren: billigen, zubilligen, beipflichten, bewilligen, s. einverstanden erklären, einwilligen, erlauben, s. gefallen lassen, genehmigen, gestatten, gewähren, konzedieren, stattgeben, zugestehen, zulassen, zustimmen, die Erlaubnis geben, die Erlaubnis gewähren, seine Einwilligung geben, seine Zustimmung geben, sein Einverständnis geben
Sarg: Sarkophag, Totenlade, Totenschrein *Aschenkrug, Behälter, Urne
Sarkasmus: Hohn, Spott, Spöttelei, Spötterei, Spottsucht, Verhöhnung, Verspottung
sarkastisch: anzüglich, beißend, bissig, bitter, gallig, höhnisch, ironisch, kalt, satirisch, scharf, scharfzüngig, schnippisch, spitz, spöttisch, zynisch
Sarkom: Karzinom, Krebs, Krebsgeschwulst
Sarkophag: Sarg, Steinsarg, Totenlade, Totenschrein
Satan: Antichrist, Beelzebub, Erbfeind, Erzfeind, Feind, Höllenfürst, Luzifer, Mephisto, Teufel, Verderber, Verführer, Versucher, Widersacher, Fürst der Finsternis *Bestie, Bluthund, Gewaltmensch, Kannibale, Scheusal, Schurke, Teufel, Tier, Übeltäter, Ungeheuer, Unhold, Unmensch, Vandale, Verbrecher, Wandale
satanisch: bösartig, böse, dämonisch, diabolisch, feindselig, gottlos, hasserfüllt, infernalisch, lästerlich, luziferisch, mephistophelisch, niederträchtig, schändlich, schuftig, schurkisch, sündhaft, teufelhaft, unrettbar, verdammt, verloren, verteufelt
Satellit: Anhänger, Begleiter *Nebenplanet, Mond, Trabant *Himmelskörper, Raumstation, künstlicher Raumkörper
Satellitenstadt: Trabantenstadt, Vorort
Satire: Entlarvung, Gewitzel, Karikatur, Parodie, Persiflage, Spott, Spottgedicht, Stichelei, Travestie, Übertreibung, Verhöhnung

satirisch: anzüglich, beißend, bissig, gallig, höhnisch, ironisch, kalt, sarkastisch, scharf, scharfzüngig, schnippisch, spitz
Satisfaktion: Befriedigung, Genugtuung, Wiedergutmachung, Zufriedenstellung
satt: gemästet, genudelt, gesättigt, nudeldick, übersatt, voll, zufrieden, gestopft voll, nicht mehr hungrig *grell, intensiv, kräftig, lebhaft, leuchtend, saftig, tief, voll ***satt sein:** genug haben, gestärkt sein, nicht mehr mögen
Sattel: Pferdesattel, Pritsche, Sattelkissen *Antiklinale, Bergsattel, Gebirgssattel, Joch, Kamm, Pass
sattelfest: belesen, beschlagen, bewandert, firm, fit, fundiert, gebildet, gewandt, informiert, klug, unterrichtet, versiert
satteln: aufsatteln, den Sattel auflegen
Sattheit: Fülle, Sättigung, Überfluss, Überfüllung, Übersättigung, Völle
sättigen: füttern, satt machen *anreichern, konzentrieren
Sättigung: Befriedigung, Wohlleben *Anreicherung, Konzentration
sattsam: ausreichend, befriedigend, genügend, gut, hinlänglich, zur Genüge
Satz: Ausspruch, Bemerkung, Bonmot, Denkspruch, Devise, Gedankenblitz, Gedankensplitter, Kernspruch, Lebensregel, Losung, Sentenz, Sprichwort, Wort, Zitat, geflügeltes Wort *Behauptung, Dogma, Doktrin, Gedankengebäude, Lehre, Lehrmeinung, Lehrsatz, Theorem, Theorie, These *Flucht, Hüpfer, Kaskade, Sprung *Bodensatz, Rest *Kaffeesatz, Rest
Satzgegenstand: Subjekt
Satzglied: Satzteil
Satzlehre: Syntax
Satzreihe: Satzverbindung
Satzung: Ordnung, Regel, Reglement, Statut, Verordnung, Vorschrift, Weisung
Satzvorlage: Druckvorlage, Manuskript
Sau: Borstentier, Borstenvieh, Hausschwein, Schwein *Dreckspatz, Ferkel, Schmutzfink
sauber: blank, blitzblank, adrett, blitzsauber, fleckenlos, gepflegt, gereinigt, gesäubert, hygienisch, klar, makellos, ordentlich, proper, rein, reinlich, säuberlich, schmuck, schmutzfrei, schön, unbenutzt, unbeschmutzt, frisch (gewaschen) *akkurat, genau, gewissenhaft, ordentlich, penibel, sorgfältig *aufgeräumt, einwandfrei, tadellos, wohlgeordnet, in Ordnung *anständig, aufrecht, ehrenhaft, ehrlich, fair, gebührlich, gerecht, lauter, rechtschaffen, redlich, ritterlich, solidarisch, sportlich, zuverlässig *auffällig, böse, frech, unangenehm ***sauber machen:** abreiben, abscheuern, abstauben, abwischen, aufräumen, aufwaschen, putzen, reinigen, staubsaugen, waschen, rein machen, den Schmutz entfernen, in Ordnung bringen
Sauberkeit: Fleckenlosigkeit, Gepflegtheit, Hygiene, Klarheit, Makellosigkeit, Ordentlichkeit, Ordnung, Reinheit, Reinlichkeit, Unbeschmutztheit *Anständigkeit, Keuschheit, Reinheit
säuberlich: akkurat, genau, gewissenhaft, ordentlich, penibel, sorgfältig *appetitlich *blank, blitzblank, adrett, blitzsauber, fleckenlos, gepflegt, gereinigt, gesäubert, hygienisch, klar, makellos, ordentlich, proper, rein, reinlich, sauber, schmuck, schmutzfrei, schön, unbenutzt, unbeschmutzt, frisch (gewaschen)
säubern: abputzen, abreiben, abscheuern, abstauben, abwischen, aufräumen, aufwaschen, reinigen, sauber machen, staubsaugen, rein machen, den Schmutz entfernen, in Ordnung bringen *beseitigen, liquidieren, töten ***s. säubern:** s. abseifen, s. abwaschen, s. duschen, s. einseifen, s. reinigen, s. sauber machen, s. waschen, s. rein machen
Säuberung: Desinfektion, Reinigung *Abtransport, Beseitigung *Hausputz
sauer: durchsäuert, essigsauer, gesäuert, herb, säuerlich, scharf, unreif *gegoren, ranzig, stichig, vergoren, einen Stich habend *ärgerlich, missgestimmt, verärgert, verdrossen *anstrengend, dornig, ermüdend, kräftezehrend, langwierig, mühevoll, mühsam, mühselig, steinig, strapaziös, unbequem ***sauer sein:** einen Stich haben, ungenießbar sein *s. ärgern, ärgerlich sein, beleidigt sein
Sauerei: Abscheulichkeit, Bösartigkeit, Bosheit, Böswilligkeit, Garstigkeit, Gehässigkeit, Gemeinheit, Hässlichkeit, Hin-

terlist, Infamie, Niedertracht, Niedrigkeit, Perfidie, Ruchlosigkeit, Schäbigkeit, Schadenfreude, Schikane, Schlechtigkeit, Schmutzigkeit, Schufterei, Teufelei, Übelwollen, Unverschämtheit, Verruchtheit, böse Absicht, böser Wille *Dreck, Kot, Schmutz, Staub, Unflat, Unrat *Schweinigelei, Schweinerei, Unanständigkeit, Unflätigkeit, Zote, unanständiger Witz, frivoler Witz, obszöner Witz

säuerlich: durchsäuert, essigsauer, gesäuert, herb, scharf

Sauerstoffgerät: Sauerstoffapparat

Sauertopf: Brummbär, Griesgram, Isegrim, Miesepeter

sauertöpfisch: ärgerlich, aufgebracht, bärbeißig, böse, brummig, empört, entrüstet, erbittert, gereizt, grantig, griesgrämig, grillenhaft, grimmig, knurrig, missgelaunt, misslaunig, missmutig, muffig, mürrisch, übellaunig, unwillig, unwirsch, verdrießlich, verdrossen

Saufbold: Saufbruder, Saufkumpan, Trinkbruder, Trinker, Trunkenbold

saufen: s. einen antrinken, hinuntergießen, hinunterkippen, trinken, zechen

Säufer: Alkoholiker, Gewohnheitstrinker, Trinker, Trunkenbold, Zecher

Saufgelage: Bacchanal, Gelage, Sauferei, Trinkgelage, Zechgelage, Zechtour

saugen: nähren, säugen, die Brust nehmen, an die Brust nehmen, zu trinken geben *ziehen, einziehen, einsaugen *lecken, lutschen

säugen: nähren, stillen, an die Brust nehmen, die Brust geben, zu trinken geben

Sauger: Lutscher, Nuckel, Schnuller

Säuger: Säugetier

Saugflasche: Babyflasche, Flasche, Milchflasche

Säugling: Baby, Brustkind, Neugeborenes, Wickelkind, Wiegenkind

Säuglingsgymnastik: Babygymnastik, Säuglingsturnen

Saugpumpe: Hubpumpe

Saugrohr: Pipette, Stechheber

Sauhatz: Saujagd, Wildschweinjagd

Säule: Eckpfeiler, Eckstein, Halt, Pfeiler, Stütze

Saum: Bund, Bündchen, Einfassung, Rand

säumen: einfassen, einsäumen *zagen, zaudern, zögern

säumig: langsam, nachlässig, saumselig, unpünktlich, im Rückstand, im Verzug, mit Verspätung, nicht zur vereinbarten Zeit, nicht zur rechten Zeit, zu spät

Säumnis: Versäumnis, Versäumung, versäumte Gelegenheit

Saumpfad: Pfad, Steig, Weg

saumselig: gemessen, gemütlich, langsam, sachte, schleppend, träge, verträumt

Saumtier: Lasttier, Maulesel, Maultier, Muli, Tragtier

Sauna: Dampfbad, Heißluftbad, Schwitzbad

Säure: saurer Geschmack *(chemische) Verbindung

Sauregurkenzeit: Sommerloch

säuseln: fächeln, rascheln, leicht wehen, leise rauschen *flüstern, tuscheln, wispern, leise sprechen *flöten, schönreden, süßreden, Süßholz raspeln

sausen: s. beeilen, preschen, eilen, galoppieren, hasten, laufen, pesen, preschen, rasen, rennen, sprinten, spurten, stürmen, stürzen, traben, wetzen, wieseln *brausen, fegen, rasen, vorbeizischen

Scanner: (elektronisches) Eingabegerät, Lesegerät

scannen: abtasten, einlesen

Scene: Gesellschaftskreis, Kreis, Milieu, Szene

schaben: kratzen, schuppen *reiben, rubbeln, scheuern, wetzen *barbieren, rasieren, den Bart scheren, den Bart schaben, Barthaare entfernen, von Haaren befreien

Schabernack: Bubenstreich, Dummheit, Eskapade, Jungenstreich, Lausbüberei, Schelmenstreich, Schelmenstück, Streich *Possen, Scherz, Ulk

schäbig: abgefahren, abgelaufen, abgenutzt, abgeschabt, abgetragen, ausgedient, vernachlässigt, verschlissen, zerfleddert, zerlesen, zerrissen *berechnend, geizig, geldgierig, habsüchtig, kleinlich, profitsüchtig, raffgierig *ekelhaft, gemein, hinterlistig, niederträchtig, niedrig, schändlich, schmählich, schmutzig, schnöde *geringwertig, jämmerlich,

kläglich, lumpig, mager, schmal, spärlich, unergiebig
Schäbigkeit: Besitzgier, Geiz, Geldgier, Gewinngier, Habgier, Kleinlichkeit, Knauserei, Knickerei, Profitgier, Raffgier, Sparsamkeit *Abscheulichkeit, Bösartigkeit, Bosheit, Böswilligkeit, Garstigkeit, Gehässigkeit, Gemeinheit, Hässlichkeit, Hinterlist, Infamie, Niedertracht, Niedrigkeit, Perfidie, Ruchlosigkeit, Schadenfreude, Schikane, Schlechtigkeit, Schufterei, Teufelei, Übelwollen, Unverschämtheit, Verruchtheit, böse Absicht, böser Wille
Schabkunst: Mezzotinto, Schabmanier, Schwarzkunst
Schablone: Dessin, Modell, Muster, Musterstück, Musterzeichnung, Schema, Vorbild, Vorlage, Zeichnung
schablonenhaft: gleichförmig, schematisch, uniform, nach der Schablone
schachbrettartig: gekästelt, gewürfelt, kariert, würfelig
schachern: abdingen, feilschen, handeln, handeln (um), markten, den Preis drücken
schachmatt: abgehetzt, abgekämpft, abgeschlafft, abgespannt, abgewirtschaftet, angegriffen, angeschlagen, atemlos, aufgerieben, ausgelaugt, durchgedreht, entkräftet, entnervt, erholungsbedürftig, erledigt, ermattet, erschlagen, erschöpft, gerädert, geschafft, groggy, halb tot, kaputt, kraftlos, matt, mitgenommen, müde, schlaff, schlapp, schwach, überanstrengt, überfordert, überlastet, urlaubsreif, verbraucht, zerschlagen, k. o., am Ende *aufgerieben, besiegt, bezwungen, geschlagen, ruiniert, unterjocht, unterworfen, vernichtet, kampfunfähig (gemacht)
Schacht: Bergwerk *Graben. Loch, Vertiefung
Schachtel: Box, Dose, Karton, Kassette, Packung, Pappschachtel *Frau, Weib
Schachzug: Aktion, Handlungsweise, List, Manöver, Schlauheit, Schritt, Trick, Vorgehen, Winkelzug, kluge Maßnahme
schade: bedauerlich, bedauernswert, beklagenswert, jammerschade, ein Jammer *unglücklicherweise, zu meinem Bedauern *leider Gottes, es tut mir leid
Schädel: Haupt, Kopf
Schädellehre: Kraniologie
schaden: beeinträchtigen, benachteiligen, schädigen, übel wollen, verderben, Abbruch tun, einen Bärendienst erweisen, einen schlechten Dienst erweisen, keinen guten Dienst erweisen, jmdm. etwas anhaben, jmdm. etwas zuleide tun, jmdn. in Mitleidenschaft ziehen, Nachteile zufügen, Schaden zufügen, Verluste zufügen, Böses zufügen, Unheil anrichten, Unheil stiften, Schaden bereiten, übel gesinnt sein *s. ungünstig auswirken, Nachteile bringen, von Schaden sein, zum Schaden gereichen ***s. schaden:** s. Schaden zufügen, s. schädigen, s. unbeliebt machen, zu Schaden kommen, in Ungnade fallen
Schaden: Abwertung, Beeinträchtigung, Beschädigung, Wertminderung, Zerstörung *Ausfall, Defizit, Einbuße, Manko, Misserfolg, Nachteil, Reinfall, Unbill, Ungunst, Verlust, Verlustgeschäft *Deformierung, Entstellung, Gebrechen, Makel, Verletzung, Verstümmelung, Verunstaltung *Bruch, Defekt, Fehler, Minus, Schadhaftigkeit, Schwäche, Störung *Kollateralschaden
Schadenersatz: Abfindung, Abfindungssumme, Abgeltung, Abstand, Abstandssumme, Anstandssumme, Ausgleich, Entschädigung, Erkenntlichkeit, Ersatz, Erstattung, Gegenleistung, Gegenwert, Kompensation, Rückerstattung, Rückzahlung, Schadensersatz, Schmerzensgeld, Sühne, Vergütung, Wiedergutmachung ***Schadenersatz leisten:** abfinden, abgelten, ausgleichen, entgelten, entschädigen, ersetzen, erstatten, rückvergüten, sühnen, vergüten, wettmachen, wieder gutmachen, zurückzahlen, Schuld tilgen, Ersatz leisten
schadenersatzpflichtig: ersatzpflichtig, haftbar, haftpflichtig, verantwortlich
Schadenfreude: Boshaftigkeit, Bosheit, Rachsucht, Übelwollen, boshafte Freude
schadenfroh: boshaft, gehässig, hämisch, höhnisch, missgünstig, rachedurstig, rachgierig, rachsüchtig ***schadenfroh sein:** s. die Hände reiben, frohlocken, s. ins Fäustchen lachen

schadhaft: abgestoßen, angehauen, angeknackst, angestoßen, baufällig, beschädigt, brüchig, defekt, durchlöchert, entzwei, fehlerhaft, lädiert, lückenhaft, mitgenommen, morsch, ramponiert, ruinös, wurmstichig
schädigen: beeinträchtigen, benachteiligen, schaden, übel wollen, verderben, Abbruch tun, einen Bärendienst erweisen, einen schlechten Dienst erweisen, keinen guten Dienst erweisen, jmdm. etwas anhaben, jmdm. etwas zuleide tun, jmdn. in Mitleidenschaft ziehen, Nachteile zufügen, Schaden zufügen, Verluste zufügen, Böses zufügen, Unheil anrichten, Unheil stiften, Schaden bereiten, übel gesinnt sein *__s. schädigen:__ s. schaden, s. Schaden zufügen
Schädigung: Aderlass, Defizit, Einbuße, Fehlbetrag, Minus, Schaden, Verlust *Abbruch, Abtrag, Beeinträchtigung, Minderung, Schaden, Schmälerung
schädlich: abträglich, hemmend, hinderlich, nachteilig, negativ, schlecht, ungünstig, verderblich *gefährlich, gesundheitsschädigend, gesundheitsschädlich, unbekömmlich, ungesund, unzuträglich
Schädling: Geziefer, Ungeziefer *Agent, Saboteur
Schaf: Lamm *Mutterschaf *Schafbock
Schäfer: Hirte, Hüter
Schaff: Bottich, Bütte, Fass, Kübel, Zuber
schaffen: arbeiten, befassen (mit), s. beschäftigen, s. betätigen, hantieren, leisten, einen Beruf ausüben, erwerbstätig sein *ausführen, bewältigen, erreichen, hervorbringen, meistern, verwirklichen, vollbringen *bilden, entwickeln, erschaffen, machen, produzieren, in die Welt setzen *abliefern, befördern, expedieren, fortbringen, transportieren, verfrachten *zwingen, bezwingen, ausführen, beikommen, bewältigen, bewerkstelligen, erledigen, erreichen, können, meistern, verwirklichen, vollbringen, vollenden, zurechtkommen, fertig werden, Herr werden, in den Griff bekommen *aufessen, aufzehren, konsumieren, verdrücken, verkonsumieren, verschlingen, verschlucken, verschmausen, verspeisen, vertilgen, verzehren, wegputzen, leer machen, leer essen
Schaffensdrang: Aktivität, Betätigungsdrang, Betriebsamkeit, Elastizität, Energie, Energieaufwand, Entschlusskraft, Kraft, Leistungsfähigkeit, Regsamkeit, Rührigkeit, Spannkraft, Tatkraft, Tatwille, Tüchtigkeit, Unternehmungsgeist, Wille
Schaffensfreude: Arbeitsamkeit, Arbeitseifer, Arbeitsfreude, Arbeitslust, Emsigkeit, Fleiß, Fleißigkeit, Hingabe, Initiative, Schaffenslust, Strebsamkeit, Tätigkeitsdrang
schaffensfreudig: aktiv, arbeitsam, arbeitsfreudig, arbeitswillig, beflissen, bemüht, bestrebt, betriebsam, dabei, diensteifrig, dienstfertig, eifrig, emsig, erpicht, fleißig, geschäftig, pflichtbewusst, produktiv, rastlos, rührig, strebsam, tätig, tatkräftig, tüchtig, unermüdlich, unverdrossen, versessen
Schäffler: Böttcher, Büttner, Fassbinder, Küfer
Schaffner: Bahnschaffner, Zugbegleiter *Straßenbahnschaffner
Schaffung: Begründung, Grundlegung, Stiftung *Kreation, Schöpfung *Bau, Errichtung, Erschaffung, Erzeugung, Herstellung, Produktion
Schafhirte: Schäfer
Schafott: Blutgerüst, Guillotine, Hinrichtungsstätte
Schaft: Bügel, Griff, Handgriff, Handhabe, Heft, Henkel, Knauf, Stange, Stecken, Stiel
Schäker: Anmacher, Schelm, Spaßvogel, Witzbold
schäkern: s. einen Spaß erlauben, scherzen, spaßen, Spaß machen, Unsinn treiben, Ulk machen, einen Scherz machen *anbändeln, balzen, flirten, girren, gurren, kokettieren, liebäugeln, liebeln, poussieren, schöntun, tändeln, turteln
schal: abgestanden, dünn, fad, fade, geschmacklos, lau, salzlos, ungesalzen, ungewürzt, wässrig, würzlos, ohne Geschmack, ohne Aroma, ohne Würze, schlecht gewürzt, nicht gewürzt, ohne Salz *alltäglich, einfach, einfallslos, einförmig, ermüdend, fad, fade, gleichför-

mig, langweilig, monoton, nüchtern, öde, phantasielos, reizlos, trist, trocken, trostlos, üblich, uninteressant, unoriginell, wirkungslos, ohne Pfiff
Schale: Haut, Hülle, Hülse, Pelle, Schote *Borke, Haut, Kruste, Rinde *Becken, Napf, Schalbrett, Schüssel *Tasse, Trinkschale
schälen: abpellen, abschälen, pellen ***s. schälen:** abgehen, s. häuten, s. schuppen, verlieren
Schalenobst: Schalobst
Schalk: Clown, Hanswurst, Hofnarr, Hofzwerg, Narr, Original, Possenreißer, Schelm, Spaßmacher, Spaßvogel, dummer August
schalkhaft: drollig, geistreich, gelungen, herzig, komisch, neckisch, possenhaft, possierlich, putzig, scherzhaft, schnurrig, spaßhaft, trocken, ulkig, witzig
Schall: Echo, Hall, Lärm, Ton
schalldicht: schallisoliert, gut gegen Schall isoliert
schalldurchlässig: hellhörig, schlecht gegen Schall isoliert
schallen: dröhnen, erdröhnen, erklingen, erschallen, ertönen, gellen, hallen, klingen, lärmen, tönen
schallend: gellend, geräuschvoll, grell, hörbar, laut, lauthals, lautstark, markerschütternd, ohrenbetäubend, ohrenzerreißend, schrill, vernehmbar, voller Lärm
Schallplatte: Langspielplatte, LP, Platte, Scheibe, Single, Tonträger *CD, Compact Disk, Kompaktschallplatte
Schallrohr: Megaphon, Schalltrichter
Schaltbrett: Armaturenbrett, Schalttafel, Schaltzentrale, Schaltzentrum
schalten: auffassen, begreifen, erfassen, mitbekommen, nachvollziehen, verstehen *anmachen, ausschalten, einschalten *den Gang einlegen *befehligen, beherrschen, führen, gebieten, herrschen, lenken, regieren, verwalten, vorstehen, walten (über), die Fäden in der Hand haben, die Herrschaft ausüben, die Herrschaft haben, das Zepter schwingen, die Geschicke des Landes bestimmen, Macht ausüben, Macht haben, Macht besitzen, Macht halten, am Ruder sein
Schalter: Auskunftsschalter, Bankschalter, Fahrkartenschalter, Postschalter *Knipser, Lichtschalter
Schaltplan: Schaltbild, Schaltskizze
Schalttafel: Armaturenbrett, Schaltbrett, Schaltzentrale, Schaltzentrum
Schalung: Verkleidung, Verschalung
Scham: Prüderie, Schamhaftigkeit, Schüchternheit *Beschämung, Schamgefühl *Geschlechtsteil, Vulva *Anstand, Keuschheit
schämen (s.): erglühen, erröten, s. genieren, s. in Grund und Boden schämen, Scham empfinden, vor Scham erröten, schamrot werden, rot werden, vor Scham in den Erdboden versinken, vor Scham vergehen
Schamgefühl: Beschämung, Scham
schamhaft: schüchtern, verschämt, zurückhaltend, voller Scham *anständig, gesittet, korrekt, sittsam
Schamhaftigkeit: Prüderie, Scham, Schüchternheit, Sittsamkeit *Angst, Ängstlichkeit, Befangenheit, Verschüchterung
schamlos: abgeschmackt, anstößig, dreist, frech, frivol, impertinent, keck, kess, naseweis, unartig, ungesittet, ungezogen, unmanierlich, unverfroren, unverschämt, vorlaut, vorwitzig *anstößig, ausschweifend, lasterhaft, liederlich, pikant, pornographisch, ruchlos, schlecht, schlüpfrig, sittenlos, unanständig, ungebührlich, ungehörig, unkeusch, unmoralisch, unschicklich, unsittlich, unsolide, unziemlich, unzüchtig, verdorben, verrucht, verworfen, wüst, zotig, zuchtlos, zweideutig *dreckig, herabgekommen, heruntergekommen, lasterhaft, verderbt, verkommen, verworfen
Schamlosigkeit: Beleidigung, Dreistigkeit, Frechheit, Unverfrorenheit, Zumutung *Amoralität, Anstößigkeit, Lasterhaftigkeit, Schlechtigkeit, Schlüpfrigkeit, Sittenlosigkeit, Unkeuschheit, Unmoral, Unschamhaftigkeit, Unzucht, Zuchtlosigkeit
Schamteile: Genitalien, Geschlechtsorgane, Geschlechtsteile
schandbar: Abscheu erregend, abscheulich, ekelhaft, elend, gemein, hässlich,

niederträchtig, schändlich, schandvoll, scheußlich, schimpflich, schmählich, skandalös, verächtlich, verwerflich
Schande: Beschämung, Blamage, Bloßstellung, Demütigung, Entehrung, Erniedrigung, Kompromittierung, Kränkung, Schimpf, Schmach, Skandal, Unehre, Verruf, Schimpf und Schande
schänden: beflecken, beschmutzen, entehren, entheiligen, entweihen, entwürdigen, die Ehre nehmen, die Ehre rauben *misshandeln, notzüchtigen, vergewaltigen, (sexuell) missbrauchen, Notzucht verüben
Schänder: Kirchenräuber, Kirchenschänder *Sittenloser, Vergewaltiger, Wüstling
Schandfleck: Fleck, Makel, Schandmal
schändlich: abscheulich, böse, charakterlos, elend, gemein, grässlich, gräulich, nichtswürdig, niederträchtig, niedrig, schandbar, schauderhaft, scheußlich, schimpflich, schmählich, skandalös, verabscheuenswert, verächtlich, verbrecherisch, verwerflich, widerlich, würdelos *entehrend, entwürdigend, schmachvoll, verächtlich, verletzend
Schandmal: Fleck, Makel, Schandfleck
Schandmaul: Klatschmaul, Lästerer, Lästermaul, Lästerzunge
Schandtat: Bluttat, Delikt, Gewalttat, Gewaltverbrechen, Gräueltat, Kapitalverbrechen, Missetat, Straftat, Übeltat, Übertretung, Untat, Verbrechen, Vergehen
Schändung: Entheiligung, Entweihung, Profanation, Profanierung, Säkularisation *Notzucht, Vergewaltigung, Zwang
Schankstube: Gaststätte, Gaststube, Schenke, Schenkstube
Schanktisch: Ausschank, Büfett, Schenktisch, Theke, Tresen
Schankwirt: Gastwirt, Hotelier, Kneipenwirt, Schenkwirt, Wirt
Schankwirtschaft: Gaststätte, Gastwirtschaft, Kneipe, Lokal
Schanze: Bakken, Sprungschanze *Bastei, Bastion, Befestigung, Befestigungsanlage, Befestigungsbau, Befestigungssystem, Befestigungswerk, Bollwerk, Festung, Festungsbau, Kastell, Mauer, Verschanzung, Verteidigungsanlage, Wehr, Zitadelle *Schanzwerk, Schutzwall, Verteidigungsbau
Schar: Gemeinschaft, Gesellschaft, Gruppe, Kreis, Runde *Masse, Menschenmenge, Reihe, Vielzahl *Abteilung, Einheit, Kolonne, Kommando, Truppe, Verband *Haufen, Heer, Herde, Horde, Legion, Pulk, Rudel, Schwarm, Trupp, Zug *Pflugschar
Schäre: Eiland, Insel
scharen: herbeirufen, zusammenrufen, um sich scharen ***s. scharen:** s. sammeln, versammeln, s. zusammenfinden, zusammenkommen, zusammenströmen, zusammentreten
scharenweise: haufenweise, herdenweise, hordenweise, schwarmweise, viel, in Scharen, in Herden
scharf: gewaltig, heftig, hitzig, impulsiv, kraftvoll, ungestüm, vehement, wild *eckig, geschärft, gewetzt, scharfkantig, schneidend, spitz, (gut) geschliffen *bissig, gnadenlos, hart, massiv, rigoros, rücksichtslos, schonungslos, streng, strikt, unerbittlich *grimmig, harsch, kalt, rau, stark *hell, klar, wach *beißend, brennend, gepfeffert, pikant, salzig, stark gewürzt *augenfällig, deutlich, erkennbar, genau, merklich, plastisch, sichtbar, fest umrissen *ätzend, zerstörend *einschneidend, empfindlich, fühlbar, gewichtig, gravierend, merklich, nachhaltig, spürbar *durchdringend, herb, intensiv, penetrant, stechend *aggressiv, bissig *hoch, schnell, überhöht *geweckt, klug, scharfblickend, scharfsichtig, scharfsinnig, wach *unübersichtlich, nicht ausgebaut *hochprozentig *engherzig, engstirnig, kleinlich, paragraphenhaft, pingelig, stur *eng, gefährlich *durchdringend, grell *begehrlich, geil, giererfüllt, gierig, leidenschaftlich, liebestoll, lüstern, sehnsüchtig, sinnlich, triebhaft, verlangend, wollüstig, voll Gier, mit Gier *knusprig ***scharf machen:** abstreichen, abziehen, dengeln, schleifen, spitzen, wetzen, zufeilen
Scharfblick: Auffassungsgabe, Beobachtungsgabe, Geistesgegenwart, Scharfsichtigkeit, Weitblick
Schärfe: Gewalt, Härte, Heftigkeit, Hitzigkeit *Deutlichkeit, Genauigkeit, Nach-

druck, Prägnanz *Gnadenlosigkeit, Härte, Hartherzigkeit, Kompromisslosigkeit, Massivität, Schonungslosigkeit, Strenge, Striktheit, Unerbittlichkeit, Ungerührtheit, Unnachsichtigkeit *Stärke

schärfen: abstreichen, abziehen, dengeln, schleifen, spitzen, wetzen, zufeilen, scharf machen *ausbilden, ausgestalten, entfalten, entwickeln, verbessern, verfeinern, vervollkommnen

scharfkantig: eckig, kantig, lanzettförmig, scharf, schartig, spitz

scharfmachen: anmachen, aufgeilen, aufreizen, betören, erregen *anführen, anstacheln, anstiften, anzetteln, aufheizen, aufhetzen, aufputschen

Scharfmacher: Aufhetzer, Aufwiegler, Hetzer, Provokateur, Quertreiber, Querulant, Stänker, Unruhestifter, Wühler, der Aufständische

Scharfrichter: Henker, Henkersknecht

Scharfsinn: Befähigung, Begabung, Fähigkeit, Gelehrtheit, Genialität, Gescheitheit, Intelligenz, Klugheit, Qualifikation, Schlauheit, Talent, Weisheit, (gesunder) Menschenverstand

scharfsinnig: geweckt, aufgeweckt, begabt, hochbegabt, befähigt, begnadet, berufen, brauchbar, fähig, geeignet, gelehrig, genial, gescheit, geschickt, gewandt, geweckt, helle, hellsichtig, intelligent, klarblickend, klar denkend, klug, patent, prädestiniert, qualifiziert, scharf blickend, scharfsichtig, schlau, sinnreich, spitzfindig, talentiert, tauglich, tüchtig, vernunftbegabt, vernünftig, verständig, verwendbar, wach, weit blickend

Scharlatan: Bauernfänger, Betrüger, Filou, Gauner, Geschäftemacher, Krimineller, Preller, Schieber, Schwindler, Spitzbube *Dilettant, Kurpfuscher, Medizinmann, Nichtskönner, Quacksalber, Stümper

Scharmützel: Gefecht, Geplänkel, Kampf, Plänkelei, Schießerei, Schlacht, Treffen

scharren: buddeln, graben, jucken, krallen, kratzen, reiben

Scharte: Kratzer, Riss, Ritz, Schramme, Schürfung *Einkerbung, Einschnitt, Kerbe, Schnitt, Spalt

schartig: abgestumpft, stumpf

scharwenzeln: s. anbiedern, s. anbieten, s. einschmeicheln, kriechen, liebedienern, nachlaufen, umschmeicheln, den Hof machen, nach dem Mund reden

schassen: abberufen, ablösen, abservieren, absetzen, ausbooten, beurlauben, davonjagen, entheben, entlassen, entmachten, entthronen, fortschicken, hinauswerfen, kaltstellen, kündigen, rausschmeißen, stürzen, suspendieren, verabschieden

Schatten: Kernschatten, Schlagschatten *Dämmerung, Dunkel, Dunkelheit, Halbdunkel, Schattenlicht *Halbschatten *Ringe unter den Augen

Schattenbild: Schattenriss, Silhouette

Schattendasein: Schattenleben, Scheindasein

schattenhaft: andeutungsweise, diffus, dunkel, nebelhaft, schemenhaft, unbestimmt, undeutlich, ungenau, unklar, unscharf, vage, verschwommen *düster, entsetzlich, furchtbar, fürchterlich, grässlich, grauenerregend, grauenhaft, grauenvoll, grausig, gräulich, gruselig, horrend, katastrophal, schauderhaft, schauerlich, schauervoll, schaurig, schemenhaft, schrecklich, spukhaft, unheimlich

Schattenreich: Geisterwelt, Hades, Hölle, Schattenwelt, Totenreich, Unterwelt

Schattenriss: Schattenbild, Scherenschnitt, Silhouette *Kontur, Profil, Umriss

Schattenseite: Dunkel, Nachtseite *Kehrseite, Makel, Mangel, Manko, Minus, Nachteil, Schaden, Ungunst, Verlust, schwacher Punkt, ungünstiger Umstand, wunde Stelle, schwache Stelle

schattieren: abschatten, abschattieren, abstufen, abtönen, nuancieren

Schattierung: Abschattierung, Abschattung, Abstufung, Abtönung, Nuancierung *Bewegung, Prägung, Richtung, Schule, Strömung

schattig: beschattet, kühl, schattenreich, sonnenlos, umschattet *dämmerig, dunkel, halbdunkel, lichtarm, schummerig, zwielichtig

Schatulle: Etui, Geldkasten, Kästchen, Schmuckkästchen

Schatz: Auserwählte, Einzige, Erklärte, Freundin, Geliebte, Hausfreundin, Herzallerliebste, Herzensdame, Herzensfreundin, Holde, Liebling, Liebste *Freund, Hausfreund, Herzensfreund, Liebhaber, Liebling, der Liebste, der Bekannte, der Auserwählte, der Herzallerliebste, der Einzige, der Holde *Juwel, Kleinod, Kostbarkeit, Pretiosen, Schmuck, Wertgegenstand, Wertsache, Wertstück *Glanzstück, Kabinettstück, Prachtexemplar, Prachtstück, Prunkstück, Schaustück
schätzbar: abschätzbar, ermesslich *gering, wenig *wertlos
schätzen: annehmen, glauben, kalkulieren, mutmaßen, wähnen, eine Vermutung haben *abschätzen, ansetzen, erachten, hochrechnen, taxieren, überschlagen, veranschlagen, über den Daumen peilen *achten, anerkennen, eine hohe Meinung haben (von), hochachten, hochhalten, lieben, verehren, viel geben (auf), wertschätzen, Tribut zollen
schätzenswert: geschätzt, hochgeschätzt, anerkannt, angebetet, angesehen, begehrt, bekannt, beliebt, berühmt, bewundert, geachtet, geehrt, gefeiert, geliebt, populär, renommiert, umschwärmt, verdient, verehrt, vergöttert, volkstümlich
Schätzung: Abschätzung, Taxierung, Veranschlagung *Achtung, Anerkennung, Ansehen, Bewunderung, Ehrerbietung, Ehrerweisung, Ehrfurcht, Hochachtung, Hochschätzung, Pietät, Respekt, Reverenz, Rücksicht, Tribut, Verehrung, Wertschätzung, hohe Meinung
schätzungsweise: annähernd, annäherungsweise, beiläufig, beinahe, circa, einigermaßen, fast, gegen, pauschal, rund, überschlägig, überschläglich, zirka, in etwa
Schau: Akt, Aufführung, Darbietung, Darstellung, Nummer, Schaustellung, Spiel, Vorführung, Vorstellung *Ausstellung, Exposition, Messe, Musterausstellung, Musterschau, Verkaufsmesse *Blickpunkt, Blickwinkel, Position, Sicht, Standpunkt, Warte
Schaubude: Kiosk, Marktbude, Marktstand, Stand
Schauder: Frösteln, Gänsehaut, Schauer *Abgeneigtheit, Abneigung, Antipathie, Aversion, Ekel, Feindschaft, Feindseligkeit, Grauen, Hass, Horror, Schauer, Voreingenommenheit, Vorurteil, Widerwille
schauderhaft: abscheulich, abstoßend, entsetzlich, furchtbar, fürchterlich, grässlich, gräulich, schaudervoll, schlimm, schrecklich, übel, verabscheuenswert *sehr, überaus *stockend, sehr schlecht, sehr einfach
schaudern: erschauern, schauern *ängstigen, bangen, beben, erbeben, erbleichen, erschrecken, s. fürchten, s. gruseln, s. scheuen, schlottern, zittern, zurückscheuen, zurückschrecken, zusammenfahren, Blut schwitzen, die Nerven verlieren, Furcht haben, den Atem anhalten, Angst haben *frieren, frösteln, schauern, schlottern, zittern, kalt sein, mit den Zähnen klappern, unter Kälte leiden *ekeln, s. entsetzen, s. schütteln
schauen: spähen, erspähen, äugeln, äugen, ausmachen, bemerken, beobachten, blicken, entdecken, erblicken, erkennen, finden, gewahren, gucken, linsen, sehen, sichten, unterscheiden, wahrnehmen, ansichtig werden, zu Gesicht bekommen
***schauen (nach):** s. annehmen, s. bemühen (um), betreuen, s. interessiert zeigen, s. kümmern, pflegen, s. sorgen, umsorgen, Anteilnahme schenken, Beachtung schenken
Schauer: Frösteln, Gänsehaut, Schauder *Abgeneigtheit, Abneigung, Abscheu, Antipathie, Aversion, Ekel, Feindschaft, Feindseligkeit, Grauen, Hass, Horror, Ungeneigtheit, Voreingenommenheit, Vorurteil, Widerwille *Dusche, Guss, Platzregen, Regen, Regenguss, Regenschauer, Regenwetter, Sturz, Unwetter, Wolkenbruch
Schauergeschichte: Geistergeschichte, Gespenstergeschichte, Gruselgeschichte, Schauerroman, Spukgeschichte
schauerlich: ängstigend, beängstigend, abscheulich, dämonisch, Entsetzen erregend, entsetzlich, furchtbar, fürchterlich, geisterhaft, gespenstig, grässlich, Grauen erregend, grauenhaft, grauenvoll, grausig, gräulich, gruselig, horrend, katastrophal, schauervoll, schaudervoll, Schauder

erregend, schaurig, schrecklich, unheimlich, verheerend, zum Fürchten
schauern: erschauern, schaudern *frieren, frösteln, schlottern, zittern, kalt sein, mit den Zähnen klappern, unter Kälte leiden *herunterhauen, prasseln, regnen, schütten, in Strömen regnen
Schauerroman: Gespenstergeschichte, Gruselgeschichte, Schauergeschichte, Spukgeschichte
Schaufel: Schippe, Spaten
schaufeln: ausheben, aushöhlen, ausschachten, graben, scharren, schippen, schürfen, wühlen
Schaufenster: Auslage, Dekoration, Schaukasten, Vitrine
Schaukel: Wippe *Wiege
schaukeln: kippeln, pendeln, schunkeln, schwingen, wippen *dümpeln, rollen, schlingern, schütteln, stampfen, wiegen *zwingen, bezwingen, ausführen, beikommen, bewältigen, bewerkstelligen, erledigen, erreichen, können, meistern, schaffen, verwirklichen, vollbringen, vollenden, zurechtkommen, fertig werden, Herr werden, in den Griff bekommen
Schaukelreck: Trapez
schaulustig: indiskret, neugierig, sensationslüstern, wissbegierig
Schaulustige: Anwesende, Auditorium, Augenzeugen, Beobachter, Besucher, Betrachter, Neugierige, Publikum, Schlachtenbummler, Teilnehmer, Umstehende, Zaungäste, Zuschauer
Schaum: Gischt, Wassergischt, Wasserspritzer *Geifer, Speichel
schäumen: gischen, spritzen, versprühen *brauen, brausen, brodeln, sprudeln, wallen, zischen *moussieren, perlen, prickeln, sprudeln *s. aufregen, rasen, schimpfen, schnauben, schreien, toben, s. wie wild gebärden, wüten, heftig werden, wild werden
Schaumschläger: Angeber, Blender, Effekthascher *Schneebesen
Schaumschlägerei: Angabe, Angeberei, Aufgeblasenheit, Aufschneiderei, Effekthascherei, Großsprecherei, Mache, Prahlerei, Protzerei, Wichtigtuerei
Schaumwein: Champagner, Perlwein, Sekt
Schauplatz: Arena, Bühne, Szenerie
schaurig: ängstigend, beängstigend, abscheulich, Entsetzen erregend, entsetzlich, furchtbar, fürchterlich, gespenstig, grässlich, Grauen erregend, grauenhaft, grauenvoll, grausig, gräulich, gruselig, horrend, katastrophal, schauervoll, schaudervoll, Schauder erregend, schauerlich, schrecklich, unheimlich, verheerend, zum Fürchten
Schauseite: Fassade, Straßenseite, Vorderseite
Schauspiel: Drama, Theaterstück *Affäre, Begebenheit, Besonderheit, Einmaligkeit, Eklat, Episode, Ereignis, Erlebnis, Geschehen, Geschehnis, Geschichte, Hergang, Intermezzo, Phänomen, Sensation, Vorfall, Vorgang, Vorkommnis, Wirbel, Zufall, Zwischenfall, Zwischenspiel
Schauspieler: Akteur, Bühnenkünstler, Darsteller, Komödiant, Mime
Schauspielerei: Heuchelei, Komödie, Theater, Verstellung, Verstellungskunst
Schauspielerin: Diva, Filmschauspielerin, Leinwandgröße, Star, Sternchen
schauspielerisch: darstellerisch, mimisch
schauspielern: s. anders geben, s. den Anschein geben, s. den Anstrich geben, heucheln, simulieren, s. stellen, als ob, täuschen, verbergen, verstellen, vorspiegeln, vortäuschen
Schauspielhaus: Festspielhaus, Kammerspiele, Theater
Schausteller: Budenbesitzer
Schaustellung: Akt, Aufführung, Darbietung, Darstellung, Nummer, Schau, Spiel, Vorführung, Vorstellung
Schaustück: Glanzstück, Kabinettstück, Prachtexemplar, Prachtstück, Prunkstück, Schatz *Ausstellungsgegenstand, Ausstellungsobjekt, Ausstellungsstück, Dekorationsstück, Exponat, Messemuster, Muster
scheckig: buntgescheckt, fleckig, gefleckt, mehrfarbig
scheel: argwöhnisch, eifersüchtig, missgünstig, misstrauisch, neiderfüllt, neidisch, scheel blickend, scheelsüchtig
scheelsüchtig: argwöhnisch, eifersüchtig,

missgünstig, misstrauisch, neiderfüllt, neidisch, scheel, scheel blickend
Scheffel: Feldmaß, Getreidemaß, Hohlmaß
scheffeln: anhäufen, zusammenkratzen, zusammenraffen
Scheibe: Langspielplatte, LP, Platte, Schallplatte, Single *Fensterscheibe, Glas *Brotscheibe, Brotschnitte, Schnitte *Schießscheibe, Zielscheibe
Scheibengardine: Gardine, Vorhang
Scheich: Freund, Geliebter, Hausfreund, Herzensfreund, Liebhaber, Liebling, der Liebste, der Bekannte, der Auserwählte, der Herzallerliebste, der Einzige, der Holde *Herrscher
Scheide: Vagina *Gemarkung, Grenze, Grenzscheide, Rand, Umgrenzung *Wasserscheide *Futteral
scheiden: absondern, aussortieren, separieren, trennen *abheben, auseinander halten, differenzieren, unterscheiden, einen Unterschied machen, gegeneinander abgrenzen *s. beurlauben, s. empfehlen, fortgehen, s. verabschieden, Abschied nehmen, das Amt aufgeben *sterben, verscheiden ***s. scheiden lassen:** auseinander gehen, s. lösen, s. trennen, die Ehe auflösen
Scheiden: Lebewohl, Trennung, Weggang
Scheidewand: Abteilungswand, Trennwand *Paravent, Wandschirm
Scheidewasser: Goldscheidewasser
Scheideweg: Einmündung, Gabelung, Kreuzung, Kreuzungspunkt, Schnittpunkt
Scheidung: Auflösung, Ehescheidung, Trennung *Abbruch, Bruch, Entzweiung, Lockerung, Trennung
Schein: Glanz, Helle, Helligkeit, Licht, Schimmer, Strahl, Strahlenkegel *Feuerschein *Anschein, Aussehen, Eindruck *Bilder, Erscheinung, Gesicht, Halluzination, Phantasiebild, Phantom, Sinnestäuschung, Täuschung, Trugbild, Vision *Attest, Beglaubigung, Beleg, Bescheinigung, Bestätigung, Beurkundung, Beweis, Diplom, Erklärung, Nachweis, Quittung, Testat, Urkunde, Zertifikat, Zeugnis *Banknote, Geldschein, Papiergeld ***zum Schein:** äußerlich, nur der Form halber, nicht wirklich, pro forma, dem Schein nach, nach außen hin
Scheinangriff: Finte, Täuschungsmanöver
scheinbar: eingebildet, fiktiv, gedacht, hypothetisch, illusionär, illusorisch, imaginär *anscheinend, wirklich, dem Schein nach, nicht eigentlich *falsch, irreführend, täuschend, trügerisch
scheinen: anmuten, dünken, erscheinen, vorkommen, den Anschein haben *blinken, blitzen, funkeln, glänzen, gleißen, glitzern, leuchten, schimmern, strahlen
scheinheilig: doppelzüngig, falsch, falschherzig, frömmelnd, glattzüngig, heuchlerisch, hinterhältig, katzenfreundlich, lügenhaft, lügnerisch, muckerisch, pharisäisch, scheinfromm, schmeichlerisch, unaufrichtig, unehrlich, unlauter, unredlich, unreell, unsolid, unwahrhaftig, verstellt, vielzüngig
Scheinheilige: Heuchlerin, Lügnerin, Schlange, die Scheinheilige, falsche Katze, falsche Schlange
Scheinheiliger: Biedermann, Duckmäuser, Erbschleicher, Heuchler, Lügner, Mucker, Pharisäer, Schmeichler, Schönredner, Schöntuer, der Scheinheilige, falscher Fuffziger, falscher Hund, Wolf im Schafspelz
Scheinheiligkeit: Doppelzüngelei, Doppelzüngigkeit, Falsch, Falschheit, Getue, Gleisnerei, Lippenbekenntnis, Pharisäertum, Unaufrichtigkeit, Verlogenheit, Verstellung, Vortäuschung
Scheinname: Deckname, Künstlername, Pseudonym, Tarnname, falscher Name
scheintot: komatös, todesähnlich, wie im Koma, ohne Bewusstsein, scheinbar tot
Scheinwerfer: Flutlicht, Laserkanone, Lichtorgel, Rampenlicht, Scheinwerferlicht
Scheitel: Knotenpunkt, Konvergenzpunkt, Kreuzung, Kreuzungspunkt, Schnittpunkt *Bergkuppe, Bergspitze, Gipfel, Grat, Horn, Kuppe, Spitze
Scheitelkäppchen: Kalotte
Scheitelpunkt: Gipfelpunkt, Zenit
scheitern: fehlschlagen, missglücken, misslingen, missraten, platzen, quer-

schlagen, s. zerschlagen, zusammenbrechen, ins Wasser fallen, ohne Erfolg bleiben, schlecht ausfallen, schlecht ausgehen, schlecht auslaufen *straucheln, zerbrechen (an), Schiffbruch erleiden, aus dem Gleis geworfen werden

Schelle: Backenstreich, Backpfeife, Ohrfeige, Prügel, Schläge, Watsche, Watschen *Bimmel, Glocke, Klingel

schellen: bimmeln, klingeln, läuten

Schelm: Bengel, Flegel, Frechdachs, Frechling, Lausebengel, Lausejunge, Lausekerl, Luder, Range, Schlawiner, Schlingel, freches Stück *Schäker, Spaßvogel, Witzbold *Bajazzo, Clown, Hanswurst, Harlekin, Komiker, Possenmacher, Possenreißer, Spaßmacher

Schelmenstreich: Bubenstreich, Dummejungenstreich, Dummheit, Eskapade, Eulenspiegelei, Hanswursterei, Jungenstreich, Lausbüberei, Schabernack, Spitzbubenstreich, Streich

schelmisch: drollig, neckisch, putzig, schalkhaft, scherzhaft, spaßhaft, spitzbübisch, ulkig

Schelte: Beanstandung, Belehrung, Denkzettel, Ermahnung, Kritik, Lehre, Lektion, Maßregelung, Missbilligung, Rüge, Schimpfe, Standpauke, Strafpredigt, Tadel, Verweis, Vorhaltung, Warnung, Zigarre, Zurechtweisung

schelten: anbrüllen, angreifen, anherrschen, anschreien, attackieren, ausschimpfen, beschimpfen, maßregeln, rügen, schimpfen, tadeln

Schema: Dessin, Modell, Muster, Musterstück, Musterzeichnung, Schablone, Vorbild, Vorlage, Zeichnung

schematisch: anschaulich, bildlich, eingängig, einprägsam, plastisch, übersichtlich, vereinfacht, verständlich *automatisch, einförmig, eingefahren, eintönig, erstarrt, feststehend, formelhaft, gängig, gewohnheitsmäßig, gleichförmig, klischeehaft, monoton, phrasenhaft, regelmäßig, schablonenhaft, schemenhaft, stereotyp, uniform, unveränderlich, s. wiederholend, immer wieder gleich, immer wiederkehrend, nach Schema F, stets auf dieselbe Art

schematisieren: banalisieren, schablonisieren, simplifizieren, vereinfachen, verflachen, vergröbern, verharmlosen, verwässern

Schematismus: Schematisierung, Simplifikation, Vereinfachung, Vergröberung

Schemel: Drehbein, Hocker, Sitz

schemenhaft: diffus, nebelhaft, schattenhaft, ungenau, unklar, unscharf, vage, verschwommen *gespenstisch, spukhaft, unheimlich

Schenk: Gastwirt, Schankwirt, Schenkwirt

Schenke: Gasthaus, Gasthof, Gastwirtschaft, Kneipe, Lokal, Raststätte, Wirtshaus

Schenkel: Keule, Oberschenkel, Unterschenkel *Ecke, Kante *Kathete, Seite

schenken: abtreten, bedenken (mit), beglücken (mit), beschenken, bescheren, darbringen, fortgeben, hergeben, herschenken, hingeben, opfern, spenden, spendieren, stiften, übergeben, überlassen, übertragen, verehren, verschenken, verteilen, weggeben, wegschenken, als Gabe überreichen, zukommen lassen, zum Geschenk machen, ein Geschenk machen, ein Präsent machen, zur Verfügung stellen ***s. schenken:** absehen, s. ersparen, unterlassen, beiseite lassen, nicht tun, sein lassen

Schenkung: Dotation, Dotierung, Gabe, Geschenk, Spende, Stiftung, Zueignung, Zuwendung

Schenkwirt: Gastwirt, Kneipenwirt, Schankwirt, Schenk, Wirt

scheppern: klappern, klirren, lärmen, poltern, rasseln

Scherbe: Bruchstück, Glasstück, Scherben, Splitter *Blumenkübel, Blumenschale, Blumentopf, Pflanzentopf

scheren: abscheren, abschneiden, beschneiden, kupieren, kürzen, rasieren, stutzen, trimmen, wegschneiden, kurz schneiden, kürzer machen ***s. scheren:** s. rasieren, s. abrasieren, kürzen, stutzen *abdampfen, s. abkehren, abmarschieren, abrücken, abschwirren, abseilen, s. absetzen, s. abwenden, s. auf den Weg machen, aufbrechen, s. aufmachen, davongehen, s. davonmachen, enteilen, s. entfernen, s. fortbegeben, fortgehen, s. fortmachen,

s. in Bewegung setzen, kehrtmachen, losgehen, losmarschieren, s. umdrehen, verschwinden, s. wegbegeben, weggehen, wegtreten, zurückweichen, das Feld räumen, das Haus verlassen, das Weite suchen, den Rücken kehren, seiner Wege gehen, von dannen gehen *__s. nicht scheren (um):__ gleichgültig sein, keine Anteilnahme schenken, keine Beachtung schenken, nicht betreuen, nicht pflegen, nicht umsorgen, s. nicht annehmen, s. nicht bemühen, s. nicht interessiert zeigen, s. nicht kümmern, s. nicht sorgen

Schererei: Ärger, Ärgernis, Knatsch, Krach, Schlamassel, Tanz, Theater, Unannehmlichkeit, Ungemach, Verdruss

Scherflein: Almosen, Beitrag, Gabe, Obolus, Spende

Scherge: Häscher, Verfolger

Scherz: Ausgelassenheit, Eulenspiegelei, Humor, Jux, Narretei, Posse, Schabernack, Schnurre, Spaß, Spielerei, Streich, Ulk

scherzen: albern, flachsen, kaspern, narren, necken, schäkern, spaßen, ulken, Dummheiten machen, Witze machen, Unsinn machen, Scherze machen, Spaß machen

scherzhaft: frotzelnd, humorvoll, lustig, neckend, scherzend, spaßig, witzig, im Scherz, nicht ernst

Scherzname: Beiname, Kosename, Neckname, Nickname, Spitzname, Spottname

scheu: befangen, gehemmt, genierlich, schamhaft, schüchtern, unsicher, verschämt, zaghaft, zurückhaltend, nicht zutraulich, voller Scheu

Scheu: Demut, Ehrfurcht, Furcht, Unterwürfigkeit *Befangenheit, Gehemmtheit, Gehemmtsein, Hemmung, Komplex, Minderwertigkeitskomplex, Schüchternheit, Unsicherheit, Verklemmtheit, Verkrampfung, Verlegenheit *Ängstlichkeit, Befangenheit, Schüchternheit, Verschüchterung *Abneigung, Abscheu, Ekel, Ekelgefühl, Lustlosigkeit, Überdruss, Unlust, Unwille, Widerwille

scheuchen: austreiben, davonjagen, entfernen, entlassen, fortjagen, fortscheuchen, forttreiben, jagen (aus), jagen (von), treiben, vergrämen, verjagen, verscheuchen, vertreiben, wegjagen, wegscheuchen, wegtreiben, in die Flucht schlagen, in die Flucht treiben

scheuen: ausbrechen, davonlaufen, durchgehen *__s. scheuen:__ s. entziehen, s. fernhalten, s. fürchten, meiden, umgehen, Angst haben, Scheu haben, Hemmungen haben

Scheuer: Feldscheune, Scheune, Schober, Stadel

Scheuerfrau: Hausangestellte, Hilfe, Putzfrau, Raumpflegerin, Reinemachefrau, Reinigungskraft

Scheuerlappen: Aufnehmer, Aufwischlappen, Aufwischtuch, Feudel, Scheuertuch

scheuern: abkehren, ausreiben, fegen, feudeln, schrubben, wischen *putzen, abputzen, abreiben, abseifen, abspritzen, abstauben, abtreten, abwischen, aufräumen, aufscheuern, aufwischen, ausklopfen, bürsten, reinigen, sauber machen, säubern, rein machen, in Ordnung bringen, in Ordnung halten

Scheuertuch: Aufnehmer, Aufwischlappen, Aufwischtuch, Feudel, Scheuerlappen

Scheune: Feldscheune, Scheuer, Schober, Stadel

Scheusal: Moloch, Monstrum, Ungeheuer, Ungetüm, Ungetier, Untier *Aas, Bestie, Bluthund, Gewaltmensch, Kannibale, Satan, Schurke, Teufel, Tier, Übeltäter, Unhold, Unmensch, Vandale, Verbrecher, Wandale *Barbar, Ekel, Lump, Schurke, Widerling, widerliche Person

scheußlich: abscheulich, böse, charakterlos, elend, gemein, grässlich, gräulich, nichtswürdig, niederträchtig, niedrig, schandbar, schändlich, schauderhaft, schimpflich, schmählich, skandalös, verabscheuenswert, verächtlich, verbrecherisch, verwerflich, widerlich, würdelos *abstoßend, ekelhaft, erschreckend, geschmacklos, hässlich, missgestaltet, schauerlich, unästhetisch, widerlich *feuchtkalt, nasskalt, schrecklich *sehr, überaus

Scheußlichkeit: Grausamkeit, Gräuel, Gräueltat, Verbrechen

Schi: Bretter, Ski *Schneeschuh
Schicht: Decke, Haut *Lage *Belag, Kruste, Schutzschicht, Überzug *Gesellschaftsgruppe, Gesellschaftsschicht, Gruppe, Kaste, Klasse *Arbeitszeit, Beschäftigungszeit, Dienstzeit, Turnus
schichten: aufhäufeln, häufeln, stapeln, türmen
schick: apart, elegant, fesch, geschmackvoll, modisch, mondän, schmuck, schön, stilvoll, vornehm
Schick: Eleganz, Stil, Vornehmheit *Diplomatie, Elastizität, Geschicklichkeit, Geschicktheit, Gewandtheit, Routiniertheit, Wendigkeit *Anstand, Anstandsgefühl, Benehmen, Feingefühl, Höflichkeit, Korrektheit, Lauterkeit, Sittlichkeit, Sittsamkeit, Takt, Taktgefühl, Tugendhaftigkeit, Unbescholtenheit, Zartgefühl, Zucht
schicken: senden, absenden, einwerfen, transportieren, übermitteln, übersenden, überweisen, versenden, zuleiten, zuschicken, zusenden, zukommen lassen, zugehen lassen *beauftragen, beordern, berufen, bescheiden, delegieren, entsenden, kommandieren (zu), senden, verfügen (zu), weisen, verweisen (an) ***s. schicken:** s. hetzen, s. abhetzen, s. beeilen *anstehen, s. gehören, passen, s. ziemen, angebracht sein, angemessen sein ***s. schicken (in):** s. begnügen, s. beruhigen, dulden, s. ergeben, s. finden, s. fügen, s. gewöhnen, hinnehmen, nachgeben, s. zufrieden geben, zufrieden sein
Schickeria: Establishment, Geldadel, High Society, Jetset, Oberschicht, die oberen Zehntausend, führende Kreise, die Reichen
schicklich: adäquat, angemessen, angezeigt, anständig, entsprechend, gebührend, gebührlich, geeignet, gemäß, gesittet, geziemend, korrekt, passend, richtig
Schicklichkeit: Anstand, Anstandsgefühl, Benehmen, Feingefühl, Höflichkeit, Korrektheit, Lauterkeit, Sittlichkeit, Sittsamkeit, Takt, Taktgefühl, Tugendhaftigkeit, Unbescholtenheit, Zartgefühl, Zucht
Schicksal: Bestimmung, Fügung, Geschick, Kismet, Los, Schicksalsfügung, Schickung, Verhängnis, Vorsehung, Zufall
schicksalhaft: schicksalsmäßig, schicksalsschwer, unabweislich, unausbleiblich, unvermeidlich, vorbestimmt
Schicksalsfrage: Angelegenheit, Aufgabe, Frage, Problem, Problematik
Schicksalsfügung: Bestimmung, Fügung, Geschick, Kismet, Los, Schicksal, Schickung, Verhängnis, Vorsehung, Zufall
Schicksalsgenosse: Kamerad, Kampfgefährte, Kampfgenosse, Leidensgefährte, Leidensgenosse, Schicksalsgefährte
Schicksalsschlag: Bürde, Desaster, Drama, Geisel, Heimsuchung, Katastrophe, Last, Missgeschick, Not, Notlage, Plage, Prüfung, Schreckensnachricht, Tragödie, Trauerspiel, Unglück, Unglücksfall, Unheil, Verderben, Verhängnis
schicksalsschwer: schicksalhaft, schicksalsmäßig, unabweislich, unausbleiblich, unvermeidlich, vorbestimmt
Schickung: Bestimmung, Fügung, Geschick, Kismet, Los, Schicksal, Schicksalsfügung, Verhängnis, Vorsehung, Zufall
schieben: abrücken, drängen, drücken, rollen, rücken, stoßen, beiseite schieben *heilen, schmuggeln, unsaubere Geschäfte machen
Schieber: Bauernfänger, Betrüger, Filou, Gauner, Geschäftemacher, Krimineller, Preller, Scharlatan, Schwindler, Spitzbube *Geschäftemacher, Schwindler, Spekulant
Schiebung: Machenschaften, Macherei, Manipulationen, dunkle Geschäfte *Bauernfang, Bauernfängerei, Betrug, Betrügerei, Gaunerei, Gaunerstreich, Hintergehung, Irreführung, Machenschaft, Manipulation, Mogelei, Nepp, Schummelei, Schwindel, Schwindelei, Täuschung, Unregelmäßigkeit, Unterschlagung
Schiedsrichter: Kampfrichter, Preisrichter, Punktrichter, Referee, Ringrichter, Schiri, Unparteiischer, Zeitnehmer
schief: abfallend, abschüssig, geneigt, krumm, schräg, s. senkend, windschief, nicht gerade *falsch, fehlerhaft, inkorrekt, irrig, unhaltbar, unlogisch, unrecht,

unzutreffend, verkehrt, widersinnig, widersprüchlich *einseitig, engherzig, engstirnig, entstellt, festgefahren, frisiert, gefärbt, parteiisch, subjektiv, tendenziös, unsachlich, verdreht, verzerrt, voreingenommen, vorurteilsvoll *falsch, fehlerhaft, grundfalsch, grundverkehrt, inkorrekt, irrig, irrtümlich, regelwidrig, sinnwidrig, unhaltbar, unkorrekt, unlogisch, unrecht, unrichtig, unzutreffend, verfehlt, verkehrt, widersinnig, widersprüchlich, widerspruchsvoll, nicht richtig *amorph, formlos, gestaltlos, plump, unförmig, ungeformt, ungefüge, ungeschlacht ***schief laufen:** fehlschlagen, missglücken, misslingen, missraten, scheitern, schief gehen, straucheln, s. zerschlagen, ins Wasser fallen, ohne Erfolg bleiben, schlecht ausfallen, schlecht ausgehen, schlecht auslaufen, zerbrechen (an) *ablaufen ***schief gehen:** fehlschlagen, missglücken, misslingen, missraten, scheitern, schief laufen, straucheln, s. zerschlagen, ins Wasser fallen, ohne Erfolg bleiben, schlecht ausfallen, schlecht ausgehen, schlecht auslaufen, zerbrechen (an)

Schiefe: Schräge, Schrägheit, Schräglage

schielen: schräg gucken, den Silberblick haben *neidisch sein, eifersüchtig sein, missgünstig sein, scheel(süchtig) sein, scheel blickend sein ***schielen (nach):** beneiden, missgönnen, neiden, eifersüchtig sein, neidisch sein, missgünstig sein, nicht gönnen, scheel sehen, scheele Augen machen, vor Neid platzen

Schiene: Eisenbahngleis, Eisenbahnschienen, Geleise, Gleis, Schienenstrang, Spur *Bandage, Schienung

Schienenstrang: Eisenbahngleis, Eisenbahnschienen, Geleise, Gleis, Schienen, Spur

Schienenweg: Bahnstrecke, Eisenbahngleis, Eisenbahnlinie, Eisenbahnschienen, Eisenbahnstrecke, Schienenstrang, Strecke

schier: bald, beinahe, fast, nahezu, um Haaresbreite, um ein Haar *bloß, lauter, nur, pur, rein

Schießeisen: Handfeuerwaffe, Schusswaffe *Büchse, Donnerbüchse, Doppelbüchse, Doppelflinte, Drilling, Flinte, Gewehr, Infanteriegewehr, Jagdgewehr, Karabiner, Knallbüchse, Knarre, Schießgewehr, Stutzen *Colt, Pistole, Revolver

schießen: beschießen, böllern, feuern, knallen, pulvern, einen Schuss abgeben, einen Schuss abfeuern, Schüsse abgeben, Schüsse abfeuern, einen Schuss auslösen, Feuer geben *abschießen, erlegen, erschießen, jagen, treffen, zur Strecke bringen *wachsen, in die Höhe schießen *hochwerfen, schleudern, schmettern, schnellen, werfen, durch die Luft fliegen lassen

Schießerei: Gefecht, Kampf, Scharmützel, Schlacht, Treffen

Schießgewehr: Büchse, Donnerbüchse, Doppelbüchse, Doppelflinte, Drilling, Flinte, Gewehr, Infanteriegewehr, Jagdgewehr, Karabiner, Knallbüchse, Knarre, Schießeisen, Schusswaffe, Stutzen

Schießpulver: Pulver, Schwarzpulver

Schießscheibe: Scheibe, Zielscheibe

Schifahrer: Schiläufer, Skifahrer

Schiff: Boot, Dampfer, Frachter *Kahn, Kasten

Schiffbruch: Abfuhr, Bankrott, Debakel, Durchfall, Enttäuschung, Fehlschlag, Fiasko, Katastrophe, Misserfolg, Misslingen, Niederlage, Niete, Pech, Rückschlag, Ruin, Versagen, Zusammenbruch

Schiffer: Matrose, Schiffsmann, Seebär, Seefahrer, Seemann *Fährmann

Schifferklavier: Akkordeon, Handharmonika

Schifffahrt: Seefahrt, Wasserverkehr

Schifffahrtsstraße: Kanal, Schifffahrtsweg, Seestraße, Wasserstraße, Wasserweg

Schiffsbesatzung: Besatzung, Crew, Mannschaft, Schiffsmannschaft

Schiffseigner: Reeder

Schiffsjunge: Blaujacke, Matrosenlehrling, Seemann

Schikane: Bösartigkeit, Boshaftigkeit, Bosheit, Böswilligkeit, Garstigkeit, Gehässigkeit, Gemeinheit, Gift, Heimtücke, Hinterlist, Infamie, Niedertracht, Niederträchtigkeit, Rachsucht, Schadenfreude, Schlechtigkeit, Schurkerei, Teufelei, Tücke, Übelwollen, Unverschämtheit, böser Wille *Mobbing, Psychoterror ***mit allen**

Schikanen: aufwändig, brillant, fürstlich, glänzend, glanzvoll, königlich, luxuriös, pompös, prächtig, prachtvoll, prunkhaft, prunkvoll, übertrieben

schikanieren: belästigen, drangsalieren, peinigen, plagen, quälen, das Leben zur Hölle machen

Schiläufer: Schifahrer, Skifahrer

Schild: Aufkleber, Aufklebezettel, Etikett, Preisschild *Beschilderung, Verkehrsschild, Verkehrszeichen *Richtungsanzeiger, Wegweiser

schildern: artikulieren, ausdrücken, äußern, berichten, beschreiben, darstellen, kundmachen, kundtun, mitteilen, referieren, sagen, verkünden, verkündigen, vermelden, verraten, weitererzählen, weitertragen, zutragen, eine Beschreibung geben *ausführen, ausmalen, erzählen, illustrieren, veranschaulichen, vortragen, wiedergeben *auspacken, aussagen, darlegen, mitteilen, referieren, vorbringen, Bericht erstatten, Bericht abstatten, Bericht geben

Schilderung: Äußerung, Beschreibung, Darlegung, Darstellung, Mitteilung *Abhandlung, Ausführung, Aussage, Bekanntgabe, Bekanntmachung, Bericht, Berichterstattung, Botschaft, Bulletin, Darbietung, Darlegung, Darstellung, Dokumentarbericht, Dokumentation, Erfolgsmeldung, Erzählung, Lagebericht, Meldung, Mitteilung, Nachricht, Neuigkeit, Rapport, Referat, Reisebericht, Report, Reportage, Situationsbericht, Verkündigung, Verlautbarung, Veröffentlichung

Schildwache: Bewachung, Garde, Leibgarde, Posten, Postendienst, Wachdienst, Wachmannschaft, Wachposten

Schilf: Gras, Ried, Rohr, Schilfrohr, Teichrohr *Rohrdickicht, Röhricht, Schilfdickicht

schillern: changieren, irisieren, leuchten

schillernd: changeant, irisierend, schillerig *flatterhaft, flatterig, inkonsequent, launenhaft, launisch, schwankend, sprunghaft, unausgeglichen, unbeständig, veränderlich, wandelbar, wankelmütig, wechselhaft, wechselnd, wetterwendisch, voller Launen

Schimäre: Annahme, Befürchtung, Einbildung, Erdichtung, Fiktion, Gesicht, Halluzination, Hirngespinst, Illusion, Luftschloss, Mutmaßung, Phantasie, Phantasiegebilde, Sinnestäuschung, Spekulation, Täuschung, Trugbild, Vorstellung, Wahn, Wunschvorstellung, Zwangsvorstellung, fixe Idee

Schimmel: Fäulnis, Moder, Pilzüberzug, Schimmelpilz, Schwamm *weißes Pferd

schimmelig: kahmig, moderig, sporig, ungenießbar, verfault, verschimmelt, zu alt

schimmeln: faulen, verkommen, vermodern, verschimmeln, Schimmel ansetzen

Schimmer: Feuerschein, Glanz, Licht, Schein *Anschein, Augenschein, Aussehen, Schein, Vermutung, Wahrscheinlichkeit

schimmern: blinken, blinkern, blitzen, flimmern, funkeln, glänzen, gleißen, glimmern, glitzern, leuchten, spiegeln, strahlen

schimmernd: brillant, farbenfroh, leuchtend, opalisierend

Schimpf: Blamage, Bloßstellung, Entehrung, Schande, Schmach, Unehre

schimpfen: anbrüllen, angreifen, attackieren, ausschelten, ausschimpfen, auszanken, heruntermachen, keifen, niedermachen, poltern, schelten, tadeln, zanken, zetern, zurechtweisen, zusammenstauchen

Schimpfen: Gekeife, Geschimpfe, Gezeter, Schimpferei

schimpflich: abscheulich, böse, charakterlos, elend, gemein, grässlich, gräulich, nichtswürdig, niederträchtig, niedrig, schandbar, schändlich, schauderhaft, scheußlich, schmählich, skandalös, verabscheuenswert, verächtlich, verbrecherisch, verwerflich, widerlich, würdelos

schinden: drangsalieren, foltern, martern, quälen, schikanieren, terrorisieren, tyrannisieren, grausam sein, Schmerzen bereiten, Qualen bereiten, Pein bereiten, weh tun *ausbilden, drillen, schleifen *abhäuten, abschwarten, abstreifen, abziehen, enthäuten, Haut abziehen ***s. schinden:** s. mühen, s. abmühen, s. pla-

gen, s. abplagen, s. quälen, s. abquälen, s. abarbeiten, s. abplacken, s. fordern
Schinder: Abdecker *Peiniger, Unterdrücker *Gaul, Klepper, Mähre, Pferd, Ross, Schindermähre, Schindmähre
Schinderei: Anstrengung, Fron, Knochenarbeit, Mühe, Mühsal, Plackerei, Plage, Rackerei, Riesenarbeit, Sklavenarbeit *Drangsalierung, Folter, Körperverletzung, Misshandlung, Quälerei, Tyrannei
Schinken: Hinterteil, Keule *Bild *Buch, Schmöker, Schwarte, Wälzer
Schippe: Schaufel, Spaten
schippen: ausheben, aushöhlen, ausschachten, graben, scharren, schaufeln, schürfen, wühlen
Schirm: Knirps, Parapluie, Regenschirm *Sonnenschirm *Schirmwand, Wandschirm, spanische Wand *Hutrand, Krempe, Rand
schirmen: abschirmen, behüten, beschützen, bewachen, bewahren, schützen *absichern, abwehren, schützen, verteidigen, Schutz gewähren
Schirmherr: Beschützer, Patron, Protektor, Schutzherr, Schutzpatron
Schirmherrschaft: Patronat, Protektorat, Schutzherrschaft *Betreuung, Schutz
schirmlos: ausgeliefert, hilflos, ohnmächtig, preisgegeben, schutzlos, schwach *unbehütet, unbeschirmt, ungeborgen, ungeschützt
Schirmwand: Schirm, Wandschirm, spanische Wand
Schismatiker: Abgefallener, Abtrünniger, Häretiker, Irrgläubiger, Ketzer, Sektierer, Verräter
Schizophrenie: Bewusstseinsspaltung, Geisteskrankheit
schlabbern: labbern, schlürfen *ausschütten, kleckern, umschütten, vergießen, verschütten
Schlacht: Gefecht, Geplänkel, Kampf, Plänkelei, Scharmützel, Schießerei, Treffen *Abschlachtung, Blutbad, Gemetzel, Gemorde, Hinschlachtung, Massaker, Massenmord, Metzelei, Mord, Schlächterei, Tötung, Völkermord
schlachten: abschlachten, abstechen, metzeln, töten
Schlachtenbummler: Anwesende, Auditorium, Augenzeugen, Beobachter, Besucher, Betrachter, Neugierige, Publikum, Schaulustige, Teilnehmer, Umstehende, Zaungäste, Zuschauer
Schlachter: Fleischhacker, Fleischhauer, Metzger, Schlächter
Schlachtfeld: Front, Kampfplatz, Kampfzone
Schlachtopfer: Opfer, Opfertier
Schlacke: Abfall, Überrest, Unrat
Schlaf: Dämmerschlaf, Dämmerzustand, Halbschlaf, Mittagsruhe, Mittagsschlaf, Nachtruhe, Nachtschlaf, Ruhe, Schlummer
Schlafanzug: Nachtanzug, Nachtgewand, Pyjama
schlafbedürftig: bettreif, ermüdet, lahm, matt, müde, ruhebedürftig, schläfrig, schlaftrunken, schwach, todmüde, übermüdet, übernächtigt, unausgeschlafen, verschlafen, zum Umsinken müde
schlafen: einschlafen, ruhen, schlummern, im Schlaf liegen *campieren, nächtigen, pennen, übernachten, zelten *träumen, unaufmerksam sein, geistesabwesend sein, versunken sein, vertieft sein ***schlafen gehen:** ruhen, ausruhen, s. hinlegen, s. niederlegen, s. schlafen legen, s. zur Ruhe begeben, ins Bett gehen, zu Bett gehen ***schlafen lassen:** nicht (auf)wecken ***miteinander schlafen:** begatten, koitieren, s. vereinigen, den Beischlaf vollziehen
schlaff: abgehetzt, abgekämpft, abgeschlafft, abgespannt, abgestumpft, abgewirtschaftet, angegriffen, angeschlagen, atemlos, aufgerieben, ausgelaugt, durchgedreht, energielos, entkräftet, entnervt, erholungsbedürftig, erledigt, ermattet, erschlagen, erschöpft, gerädert, geschafft, gleichgültig, groggy, halb tot, kaputt, kraftlos, leblos, matt, mitgenommen, müde, schachmatt, schlapp, schwach, stumpf, teilnahmslos, überanstrengt, überfordert, überlastet, urlaubsreif, verbraucht, willenlos, zerschlagen, k. o., am Ende *lasch, locker, lose, schlaksig, schlapp, schlotterig, nicht straff, nicht gespannt
Schlaffheit: Abgespanntheit, Abspan-

nung, Entkräftung, Ermattung, Ermüdung, Erschöpfung, Erschöpfungszustand, Flauheit, Kräfteverfall, Kraftlosigkeit, Mattheit, Mattigkeit, Schlappheit, Schwäche, Schwächezustand, Schwachheit, Schwächlichkeit, Schwunglosigkeit, Übermüdung, Unwohlsein, Zerschlagenheit

Schlafgelegenheit: Bett, Lager, Schlafstelle, Übernachtungsgelegenheit, Übernachtungsmöglichkeit, Unterkunft

Schlafgemach: Kammer, Schlafkammer, Schlafstube, Schlafzimmer

Schlaflied: Eiapopeia, Wiegenlied

Schlaflosigkeit: Ruhelosigkeit, Wachheit

Schlafmittel: Durchschlafmittel, Einschlafmittel, Hypnotikum, Schlafpille, Schlafpulver, Schlaftablette, Tranquilizer

Schlafmütze: Langweiler, Schnecke, Schussel, Tränentier, Tranfunzel, Transuse *Nachtmütze, Schlafhaube

Schlafpulver: Durchschlafmittel, Einschlafmittel, Hypnotikum, Schlafmittel, Schlafpille, Schlaftablette, Tranquilizer

schläfrig: müde, todmüde, ermüdet, ruhebedürftig, schlaff, schlaftrunken, schwerfällig, übermüdet, übernächtigt, verschlafen *langsam ***schläfrig werden:** einnicken, gähnen, müde werden, vom Schlaf übermannt werden, zu lange aufbleiben

Schläfrigkeit: Bettschwere, Ermüdung, Erschöpfung, Müdigkeit *Abgestumpftheit, Abstumpfung, Apathie, Bequemlichkeit, Faulheit, Gefühllosigkeit, Geistesabwesenheit, Gleichgültigkeit, Indolenz, Interesselosigkeit, Lethargie, Passivität, Phlegma, Stumpfheit, Stumpfsinn, Stumpfsinnigkeit, Teilnahmslosigkeit, Trägheit, Unempfindlichkeit, Ungerührtheit, Uninteressiertheit, Wurstigkeit

Schlaftabletten: Durchschlafmittel, Einschlafmittel, Hypnotikum, Schlafmittel, Schlafpille, Schlafpulver, Tranquilizer

schlaftrunken: bettreif, ermüdet, lahm, matt, müde, ruhebedürftig, schlafbedürftig, schläfrig, schwach, todmüde, übermüdet, übernächtigt, unausgeschlafen, verschlafen, zum Umsinken müde

schlafwandeln: herumgeistern, herumirren, nachtwandeln, umgehen, umherirren, irren (durch)

Schlafwandler: Mondsüchtiger, Nachtwandler, Somnambuler, Traumwandler

Schlafzimmer: Schlafgemach, Schlafkammer, Schlafraum, Schlafstube

Schlag: Haken, Hieb, Klaps, Puff, Schwinger, Stoß, Streich *Gehirnblutung, Gehirnschlag, Hirnschlag, Schlaganfall *Art, Gattung, Genre, Spezies, Typ *Abteilung, Bretterverschlag, Verschlag *Blöße, Lichtung, Rodung, Schneise, Schwende, Waldlichtung *Autotür, Wagentür *Donner, Donnerrollen, Donnerschlag, Gewitter, Grollen *Aufsitzer, Enttäuschung, Pleite, Reinfall

Schlagader: Ader, Aorta, Arterie, Halsschlagader, Pulsader

Schlaganfall: Gehirnblutung, Gehirnschlag, Hirnschlag

schlagartig: schnell, blitzschnell, plötzlich, urplötzlich, abrupt, jäh, jählings, ruckartig, sprunghaft, überraschend, unvermutet, unversehens

Schlagbaum: Abgrenzung, Barriere, Begrenzung, Fallbaum, Grenze, Grenzlinie, Schranke

Schläge: Abreibung, Dresche, Hiebe, Keile, Prügel, Züchtigung

schlagen: prügeln, verprügeln, balgen, boxen, dreschen, durchprügeln, einprügeln (auf), einschlagen (auf), losschlagen, ohrfeigen, peitschen, prügeln, verdreschen, züchtigen, zuhauen, zusammenschlagen, zuschlagen, handgreiflich werden, tätlich werden, weh tun, einen Schlag versetzen, Schläge versetzen, Prügel austeilen *aufreiben, besiegen, bezwingen, niederringen, obsiegen, ruinieren, überwältigen, überwinden, unterjochen, unterwerfen, vernichten, kampfunfähig machen, den Sieg abgewinnen *spielen, zupfen *hämmern, klopfen, pochen, pulsieren *abhauen, abschlagen, einschlagen, fällen, umhauen, umlegen *klopfen, nageln, schmettern *ausstechen, überbieten, überflügeln, überragen, überrunden, übertreffen, übertrumpfen, in den Schatten stellen, den Rang ablaufen, den Vogel abschießen *eindrücken, einschlagen, prägen *branden, s. brechen, fluten, wogen *pfeifen, schilpen, singen, tirilieren, trillern, tschilpen, zwitschern ***s. schlagen:** aneinander geraten, fechten, kämpfen, s. keilen, s. messen (mit), schießen, streiten, Blut vergießen, die Schwerter kreuzen, Krieg führen, Kugeln wechseln, einen Kampf führen

schlagend: augenfällig, bestechend, beweiskräftig, bündig, einleuchtend, einsichtig, glaubhaft, glaubwürdig, klar, offenkundig, plausibel, stichhaltig, triftig, überzeugend, unzweideutig, vernünftig, verständlich, zwingend

Schlager: Evergreen, Gassenhauer, Hit, Schnulze *Attraktion, Galanummer, Glanznummer, Glanzstück, Hauptattraktion, Knüller, Zugnummer, Zugstück

Schläger: Raufbold, Raufbruder, Raufdegen, Raufer, Rowdy, Streithammel, Streitsüchtiger *Stecken, Stock

Schlägerei: Handgemenge, Keilerei, Prügelei, Rauferei, Tätlichkeiten

schlagfertig: geistesgegenwärtig, mundfertig, redegewandt, spritzig, sprühend, zungenfertig

Schlagfertigkeit: Redegewandtheit, Sprachgewandtheit, Wortreichtum

Schlagkraft: Durchschlagskraft, Effekt, Stoßkraft, Wirksamkeit, Wirkung, Zugkraft

schlagkräftig: einsatzbereit, kampffähig, vorbereitet, gut ausgerüstet, gut ausgebildet *bestechend, evident, frappant, glaubwürdig, plausibel, schlagend, schlüssig, stichhaltig, treffend, triftig, überzeugend, unwiderlegbar, zwingend

Schlagsahne: Rahm, Sahne, Schlagrahm

Schlagschatten: Halbdunkel, Schatten

Schlagstock: Gummiknüppel, Polizeiknüppel

Schlagwort: Lemma, Lexem, Merkwort, Stichwort, Suchwort *Äußerung, Phrase, Redensart, hohle Phrase, leere Worte, große Worte, schöne Worte, leere Phrase *Devise, Leitwort, Losung, Motto, Parole, Slogan, Wahlspruch

Schlagzeile: Balkenüberschrift, Headline, Titel, Überschrift

Schlamassel: Ärger, Ärgernis, Schererei, Unannehmlichkeit, Ungemach, Verdruss

Schlamm: Brei, Brühe, Matsch, Modder, Morast, Mud, Patsche, Schlick, Soße, Sumpf

schlammig: dickflüssig, lehmig, matschig, modderig, morastig, muddig, pampig, schlickerig, sumpfig, verschlammt

Schlampe: Schmutzfink, Schmutzliese, Vettel, liederliches Frauenzimmer

schlampen: hudeln, huscheln, pfuschen, schludern, stümpern, sudeln

Schlamperei: Hudelei, Misswirtschaft, Schlendrian, Trödelei, Trott, Unordnung

schlampig: liederlich, nachlässig, schludrig, sorglos, unordentlich, unsorgfältig, unsorgsam, vernachlässigt

Schlange: Kriechtier, Reptil *Reihe, Schwanz *Heuchlerin, die Scheinheilige, falsche Katze, falsche Schlange *Autoschlange, Reihe, Stau, Verkehrsstauung *Ansammlung

schlängeln (s.): biegen, drehen, s. winden, s. in Kurven bewegen,

Schlangenbrut: Abschaum, Bagage, Brut, Drachenbrut, Ganoven, Geschmeiß, Gesindel, Gezücht, Gosse, Hundepack, Kanaille, Lumpengesindel, Lumpenpack, Mob, Pack, Pöbel, Raubgesindel, Sippschaft, asoziale Elemente

schlank: abgezehrt, dünn, dürr, gertenschlank, grazil, hager, knochig, mager, rank, schlankwüchsig, schmächtig, schmal, sportlich *hoch wachsend

Schlankheitskur: Abmagerungskur, Diät, Entfettungskur, Fastenkur, Hungerkur

schlankweg: kurzerhand, kurzweg, kurz entschlossen, ohne weiteres, ohne Umschweife, mir nichts, dir nichts *aufrichtig, deutlich, direkt, ehrlich, freiheraus, freiweg, geradeheraus, geradezu, offen, offenherzig, rückhaltlos, rundheraus, rundweg, ungeschminkt, unmissverständlich, unumwunden, unverblümt, unverhohlen, unverhüllt, ohne Rückhalt, frei von der Leber weg, ohne Umschweife, auf gut Deutsch, frank und frei, frisch von der Leber weg

schlapp: abgehetzt, abgekämpft, abgeschlafft, abgespannt, abgewirtschaftet, angegriffen, angeschlagen, atemlos, aufgerieben, ausgelaugt, durchgedreht, entkräftet, entnervt, erholungsbedürftig, erledigt, ermattet, erschlagen, erschöpft, gerädert, geschafft, groggy, halb tot, kaputt, kraftlos, matt, mitgenommen, müde, schachmatt, schlaff, schwach, überanstrengt, überfordert, überlastet, urlaubsreif, verbraucht, zerschlagen, k. o., am Ende

Schlappe: Abfuhr, Bankrott, Debakel, Durchfall, Fiasko, Katastrophe, Misserfolg, Misslingen, Niederlage, Pech, Rückschlag, Ruin, Versagen, Zusammenbruch

Schlappen: Filzpantoffeln, Hausschuhe, Holzpantoffeln, Latschen, Pantoffeln, Pantoletten

Schlappheit: Abgespanntheit, Abspannung, Entkräftung, Ermattung, Ermüdung, Erschöpfung, Erschöpfungszustand, Flauheit, Kräfteverfall, Kraftlosigkeit, Mattheit, Mattigkeit, Schlaffheit, Schwächezustand, Schwachheit, Schwächlichkeit, Schwunglosigkeit, Übermüdung, Unwohlsein, Zerschlagenheit

schlappmachen: zusammenbrechen, zusammenklappen *erlahmen, ermatten, ermüden, erschlaffen, erschöpfen, schwächen, müde werden, kraftlos werden, schwach werden, matt werden, den Dienst versagen *ausfallen, durchfallen, enttäuschen, s. nicht bewähren, unterliegen, versagen, zurückbleiben, zurückfallen, auf der Strecke bleiben, ein Versager sein, untauglich sein, unfähig sein, ungeeignet sein

Schlappschwanz: Muttersöhnchen, Pantoffelheld, Weichling, Zärtling

Schlaraffenland: Märchenland, Paradies, Traumland, Traumwelt, Zauberwelt

schlau: abgefeimt, ausgefuchst, ausgekocht, bauernschlau, clever, diplomatisch, durchtrieben, findig, gerissen, geschäftstüchtig, geschickt, gewieft, gewitzt, listig, pfiffig, raffiniert, taktisch, trickreich, verschlagen, verschmitzt

Schlauberger: Aas, Filou, Luder, Schlauer, Schlaufuchs, Schlaukopf, Schlaumeier, Schlawiner, schlauer Fuchs

Schlauch: Reifen *Röhre *Schluckspecht, Trinker *Aktivität, Anspannung, Anstrengung, Arbeit, Arbeitsaufwand, Belastung, Belastungsprobe, Bemühung, Beschwerde, Beschwernis, Hochdruck, Kraftakt, Kraftanstrengung, Kraftaufwand, Mühe, Mühsal, Mühseligkeit, Strapaze, Stress, Zerreißprobe

schlauchen: mühen, abmühen, quälen, abquälen, abmartern, abschinden, anstrengen, aufreiben, beanspruchen, fordern, placken, plagen, schuften, strapazieren, überanstrengen, etwas abverlangen

Schläue: Bauernschläue, Cleverness, Findigkeit, Geschäftstüchtigkeit, Mutterwitz, Raffiniertheit, Schlauheit, Taktik, Verschlagenheit, Verschmitztheit

Schlaufe: Masche, Schleife, Schlinge

Schlauheit: Bauernschläue, Cleverness, Findigkeit, Geschäftstüchtigkeit, Mutterwitz, Pfiffigkeit, Raffiniertheit, Schläue, Taktik, Verschlagenheit, Verschmitztheit

Schlaukopf: Filou, Schlauberger, Schlauer, schlauer Fuchs

Schlawiner: Bengel, Flegel, Frechdachs, Frechling, Lausebengel, Lausejunge, Lausekerl, Luder, Range, Schelm, Schlingel, freches Stück *Faulenzer, Früchtchen, Galgenstrick, Galgenvogel, Gammler, Haderlump, Herumtreiber, Landstreicher, Nichtsnutz, Strolch, Stromer, Taugenichts, Tunichtgut

schlecht: elend, erbärmlich, erbarmungswürdig, hilfsbedürftig, indisponiert, jämmerlich, kläglich, mies, miserabel, mitgenommen, schwach, schwächlich, übel, unpässlich, unwohl *abscheulich, charakterlos, ehrlos, erbärmlich, gemein, hässlich, niedrig, ruchlos, schändlich, scheußlich, unwürdig, verabscheuenswert, verächtlich, verdammenswert, verwerflich, verworfen *ausgehungert, geschwächt, krank, zerbrechlich *arm, armselig, ärmlich, bedürftig, bettelarm, güterlos, hilfsbedürftig, Not leidend, unbemittelt, unvermögend, verarmt, verelendet *alt, faul, faulig, ungenießbar, verdorben, verfault, verkommen, verrottet, verwest, nicht mehr gut, nicht mehr frisch *armselig, dilettantisch, elend, erbärmlich, fürchterlich, kümmerlich, misslungen, missraten, stümperhaft *undeutlich, unleserlich, unordentlich, unsauber *kariös, ungepflegt *miserabel, unterdurchschnittlich, unter dem Durchschnitt *schlimm, unerfreulich, unerquicklich *fehlerhaft, makelhaft, miserabel *fehlsichtig, kurzsichtig, weitsichtig *schlimm *destruktiv, herabwürdigend, negativ, zerreißend, zerstörend *feuchtkalt, kühl, nasskalt, regnerisch, schrecklich, stürmisch *blamabel, unrühmlich *schlecht gelaunt: ärgerlich, aufgebracht, bärbeißig, böse, brummig, empört, entrüstet, erbittert, erbost, erzürnt, fuchsteufelswild, gereizt, grantig, griesgrämig, grimmig, missgelaunt, misslaunig, missmutig, muffig, mürrisch, peinlich, rabiat, übellaunig, unwillig, unwirsch, verdrießlich, verdrossen, wütend, wutentbrannt, wutschäumend, wutschnaubend, zornig *schlecht gesinnt: subjektiv, übel gesinnt, voreingenommen, negativ eingestellt *schlecht machen: abqualifizieren, diffamieren, diskriminieren, entwürdigen, herabwürdigen, verketzern, verlästern, verleumden, verteufeln, verunglimpfen *schlecht riechend: modrig, moderig, muffig, stinkend

schlechthin: gänzlich, schlechterdings, schlechtweg, völlig, par excellence

Schlechtigkeit: Charakterlosigkeit, Gemeinheit, Niederträchtigkeit, Schurkerei, schlechte Eigenschaft, schlechte Beschaffenheit

Schlechtmacherei: Anschwärzung, Beleidigung, Denunziation, Diffamierung, Diskreditierung, Ehrverletzung, Herabwürdigung, Hetze, Rufmord, Unterstellung, Verdächtigung, Verunglimpfung, üble Nachrede

schlechtweg: gänzlich, schlechterdings, schlechthin, völlig

Schlechtwetter: Regenwetter, Tief, Tiefdruckgebiet, Wettersturz

schlecken: naschen, probieren, schnabulieren, heimlich kosten *labbern, lecken *abküssen, küssen

Schleckermaul: Feinschmecker, Leckermaul, Naschkatze, Schlecker

Schlegel: Keule, Schenkel

schleichen: auf Fußspitzen gehen, auf Zehenspitzen gehen, leise gehen, behutsam gehen, unbemerkt gehen, heimlich gehen, vorsichtig gehen

schleichend: allmählich, langsam, sukzessiv, sukzessive, unmerkbar, unmerklich

Schleicher: Duckmäuser, Feigling, Heuchler, Kriecher, Leisetreter, Mucker, Schwächling, Weichling

Schleichhandel: Schwarzhandel, Schwarzmarkt, schwarzer Markt

Schleichhändler: Pascher, Schmuggler, Schwarzhändler

Schleichware: Bannware, Konterbande, Schmuggelware, heiße Ware

Schleichweg: Geheimpfad, Schleichpfad *Ausweg, Finte, Hintertürchen, Winkelzug *Heimlichtuerei, Hintergedanken

Schleier: Flor, Kopfbedeckung

schleierhaft: geheimnisumwittert, geheimnisvoll, mehrdeutig, nebulös, orakelhaft, unbegreiflich, undurchschaubar, undurchsichtig, unerklärlich, unfassbar, unverständlich, vage

Schleife: Masche, Schlaufe, Schlinge *Haarschleife, Zopfband *Binde, Binder, Fliege, Halsbinde, Krawatte, Schlips, Selbstbinder *Abbiegung, Biegung, Bogen, Kehre, Knick, Krümmung, Kurve, Wende, Windung

schleifen: bugsieren, schleppen, zerren, ziehen *abziehen, schärfen, spitzen, wetzen, zufeilen, scharf machen *ausbilden, ausgestalten, entfalten, entwickeln, verbessern, verfeinern, vervollkommnen *abbrechen, niederreißen, vernichten, zerstören *schmirgeln, abschmirgeln, ebnen, einebnen, hobeln, glatt hobeln, abfeilen, abschleifen, glätten, glatt schleifen *ausgleichen, begradigen, egalisieren, nivellieren, planieren *drillen, schinden, stählen, trimmen

Schleifscheibe: Schleifrad

Schleifstein: Abziehstein, Wetzstein

Schleim: Auswurf, Sputum *Brei *Faselei, Gebabbel, Gefasel, Gelaber, Geplapper, Quatscherei, Rederei, Unsinn, leeres Stroh

schleimen: daherreden, einherreden, faseln, schwafeln, Phrasen dreschen, leeres Stroh dreschen, Phrasen drechseln, Phrasen reden, einen Stuss zusammenreden

schleimig: dickflüssig, quallig, rotzig,

schlierig, schlüpfrig, schmierig, seifig *heuchlerisch, honigsüß, katzenfalsch, katzenfreundlich, schmeichlerisch, schmierig, schönrednerisch, unterwürfig
schleißen: einreißen, entzweireißen, zerfetzen, zerreißen, zerrupfen, zerstückeln
schlemmen: frönen, genießen, prassen, schwelgen, es sich schmecken lassen, in Saus und Braus leben, luxuriös leben *prassen, verprassen, durchbringen, verbringen, vergeuden, verjubeln, verplempern, verprassen, verpulvern, verschlemmen, verschleudern, verschwenden, verschwenderisch umgehen (mit), verspielen, vertun, verwirtschaften, sein Geld zum Fenster hinauswerfen, auf großem Fuß leben, über seine Verhältnisse leben, mit vollen Händen ausgeben
Schlemmer: Epikureer, Feinschmecker, Genießer, Gourmet, Kenner, Kulinarier, Lebemann, Lukullus, Phäake, Schwelger *Prasser, Vergeuder, Verschleuderer, Verschwender
Schlemmerei: Gelage, Luxusgelage, Schwelgerei *Aufwand, Prasserei, Prunksucht, Schwelgerei, Vergeudung
schlendern: bummeln, flanieren, gondeln, spazieren gehen, trudeln, umherschlendern, s. Zeit lassen, zotteln
Schlendrian: Hudelei, Misswirtschaft, Schlamperei, Schluderei, Trödelei, Trott, Unordnung
schlenkern: pendeln, rudern, schwenken, schwingen
Schleppdampfer: Motorschiff, Motorschlepper, Schlepper, Schleppschiff
schleppen: bugsieren, lotsen, manövrieren, ziehen, hinter sich herziehen, ins Schlepptau nehmen *befördern, tragen, transportieren ***s. schleppen:** s. aufraffen, s. aufrichten
schleppend: bedächtig, betulich, gemächlich, gemütlich, geruhsam, kriechend, langsam, sachte, säumig, saumselig, stockend, zögernd, gemessenen Schrittes, im Schritttempo, mit geringer Geschwindigkeit, nicht überstürzt, nicht übereilt *allmählich, etappenweise, graduell, schrittweise, stückweise, stufenweise, sukzessive, unmerklich, im Laufe der Zeit, kaum merklich, mit der Zeit, nach und nach, nicht auf einmal, peu à peu, Schritt für Schritt
Schlepper: Motorschiff, Motorschlepper, Schleppdampfer, Schleppschiff *Bulldozer, Traktor, Trecker, Zugmaschine *Kuppler, Zubringer *Packesel, Träger *Bauernfänger, Lockvogel
Schleppkahn: Lastkahn, Prahm, Schlepper, Schute, Zille
Schleuder: Separator, Wäscheschleuder, Zentrifuge *Katapult
schleudern: hochwerfen, schießen, schmettern, schnellen, werfen, durch die Luft fliegen lassen *dümpeln, rollen, schaukeln, schlingern, schütteln, schwanken, stampfen
Schleuderware: Altwaren, Kitsch, Kram, Ladenhüter, Ramsch, Schund, Tand, Tandwerk, Unrat, Zeug, schlechte Ware, minderwertige Ware
schleunig: blitzartig, eilends, flott, flugs, geschwind, hurtig, rasant, schleunigst, zügig
Schleuse: Schütt, Stauwehr, Talsperre, Wehr
schleusen: einschleusen, schmuggeln *durchlassen
Schliche: Intrige, Intrigenspiel, Intrigenstück, Kabale, Ränke, Ränkespiel, (dunkle) Machenschaften *Dreh, Kunstgriff, List, Manipulation, Trick
schlicht: einfach, glatt, gradlinig, kunstlos, natürlich, phrasenlos, primitiv, schmucklos, ungegliedert, ungekünstelt, ungeschmückt, unkompliziert *anspruchslos, bescheiden, frugal, genügsam *arglos, einfältig, harmlos, kindhaft, kritiklos, leichtgläubig, naiv, treuherzig, unbedarft, unkritisch, weltfremd *farblos, primitiv, unauffällig, unscheinbar *anspruchslos, bescheiden, einfach, gelassen, zurückhaltend *kurzerhand, ohne Umstände, ohne weiteres
schlichten: ausbalancieren, begraben, bereinigen, beseitigen, einigen, klären, liquidieren, regeln, richtig stellen, vermitteln, versöhnen, wieder gutmachen, zurechtrücken
Schlichtheit: Anspruchslosigkeit, Aufrichtigkeit, Einfachheit, Freimut, Geradlinigkeit, Natürlichkeit, Offenheit

*Arglosigkeit, Einfalt, Gutgläubigkeit, Harmlosigkeit, Leichtgläubigkeit, Unbedarftheit, Unschuld *Eingängigkeit, Klarheit, Übersichtlichkeit, Undifferenziertheit, Unkompliziertheit, Verständlichkeit *Natürlichkeit, Naturnähe, Naturverbundenheit, Naturzustand, Urwüchsigkeit *Kritiklosigkeit, Urteilslosigkeit

Schlichtung: Ausgleich, Begleichung, Beilegung, Bereinigung, Beseitigung, Kompromiss, Regelung, Vergleich, Vermittlung

Schlick: Brei, Brühe, Matsch, Modder, Morast, Mud, Schlamm, Soße, Sumpf

Schließe: Koppelschloss, Schnalle, Verschluss

schließen: abriegeln, abschließen, absperren, vernageln, verriegeln, verschließen, versperren, zudrehen, zuklappen, zuklinken, zumachen, zunageln, zuriegeln, zuschieben, zuschließen, zuschmettern, zusperren, zustoßen, zuwerfen, die Türe ins Schloss fallen lassen *abmachen, abschließen, festlegen, festmachen, übereinkommen, vereinbaren, eine Vereinbarung treffen, eine Abmachung treffen *anfügen, angliedern, anreihen, s. anschließen, folgen (lassen) *zumachen, den Betrieb einstellen, den Laden schließen, die Geschäftszeit beenden, Feierabend machen *verstopfen, zubinden, zuhaken, zukleben, zuknöpfen, zukorken, zuschnallen, zuschrauben *füllen, ausfüllen, einfügen, zugießen, zuschütten, zustopfen *einschließen, sichern, sicherstellen, versperren, verwahren, wegschließen, beiseite legen, beiseite bringen, unter Verschluss halten, in Gewahrsam nehmen, in Verwahrung nehmen *deduzieren, entnehmen, entwickeln, ersehen, folgern, herleiten, induzieren, konkludieren, urteilen *erledigen, fertig stellen, vollenden *abreißen, aufhören, ausklingen, auslaufen, endigen, erlöschen, stillstehen, verebben, verhallen, versiegen, zum Abschluss kommen, zum Abschluss gelangen, zum Erliegen kommen, zur Ruhe kommen, zur Neige gehen *aufgeben, aufhören, aufstecken, aussteigen, beenden, beendigen, begraben, beschließen, einstellen, Schluss machen, ein Ende machen, zu Ende bringen, zu Ende führen ***s. schließen:** einschnappen, zugehen, ins Schloss fallen *zusammengehen, zusammenwachsen, zuwachsen

Schließfach: Aufbewahrungsort, Box, Safe, Tresor

schließlich: endlich, letztendlich, letztens, letztlich, zuletzt, letzten Endes, zu guter Letzt, am Ende, zum Schluss, in der Endkonsequenz, im Endeffekt *eigentlich, genau genommen, gewissermaßen, ordnungsgemäß, rechtens, sozusagen, streng genommen, ursprünglich, an sich, an und für sich, im Grunde, von Rechts wegen *allerdings, freilich, immerhin, jedenfalls, jedoch, wenigstens, auf jeden Fall, in jedem Fall, wie auch immer

Schließung: Aufhebung, Beendigung, Einstellung *Abdichtung, Verschließung, Versiegelung

Schliff: Anstand, Anstandsregeln, Art, Aufführung, Auftreten, Benehmen, Benimm, Betragen, Etikette, Form, Haltung, Lebensart, Manieren, Sitte, Umgangsformen, Verhalten *Ausbildung, Bildung, Erziehung, Formung, Schulung, Unterricht

schlimm: arg, entscheidend, ernsthaft, existenziell, folgenreich, gewichtig, gravierend, grundsätzlich, schwer wiegend, tief greifend, wesentlich *beängstigend, bedenklich, bedrohend, beunruhigend, brenzlig, ernst, gefahrbringend, gefährlich, gefahrvoll, kritisch, unangenehm, Unheil bringend, unheilvoll, zugespitzt, nicht geheuer *ansteckend, bösartig, heimtückisch, infektiös, übertragbar *böse, bitterböse, bösartig, boshaft, garstig, gemeingefährlich, übel, übel wollend, übel gesinnt, unausstehlich

schlimmstenfalls: erforderlichenfalls, notfalls, nötigenfalls

Schlinge: Masche, Schlaufe, Schleife *Armschlinge, Binde

Schlingel: Bengel, Flegel, Frechdachs, Frechling, Lausebengel, Lausejunge, Lausekerl, Luder, Range, Schelm, freches Stück

schlingen: hinunterschlingen, hinunterschlucken, schlucken, verschlingen *binden, umwickeln, winden *ineinander binden, verknoten ***s. schlingen:** s. ranken, s. ringeln, s. schlängeln, s. winden
schlingern: dümpeln, rollen, rudern, schaukeln, schleudern, schütteln, stampfen, wackeln, hin und her schwanken
Schlingpflanze: Kletterpflanze, Rankengewächs, Schlinggewächs
Schlips: Binde, Binder, Fliege, Halsbinde, Krawatte, Selbstbinder
Schlitten: Bob, Kufenschlitten, Rodel, Rodelschlitten *Auto, Fahrzeug, Luxuskarosse, Straßenkreuzer
Schlittenbahn: Abfahrtsstrecke, Bobbahn, Piste, Rodelbahn
schlittern: rutschen *hineingeraten, schusseln
Schlittschuhlauf: Eiskunstlauf, Eislauf, Eisschnelllauf, Eistanz
Schlitz: Fuge, Loch, Ritze, Spalt, Spalte
Schloss: Burg, Palais, Palast *Hängeschloss, Riegel, Sicherheitsschloss, Vorhängeschloss
Schloße: Eiskorn, Eiskristall, Graupel, Hagelkorn, Hagelschloße
schloßen: graupeln, hageln, kieseln, schauern
Schlot: Esse, Feueresse, Kamin, Rauchfang, Schornstein
Schlotfeger: Kaminfeger, Kaminkehrer, Schornsteinfeger, schwarzer Mann
schlottern: beben, erbeben, erzittern, flattern, vibrieren, zittern *baumeln, schlenkern, am Leibe hängen
Schlucht: Abgrund, Canyon, Cañon, Klamm, Kluft, Schlund, Spalte, Tiefe
schluchzen: ausheulen, s. ausweinen, beklagen, heulen, s. in Tränen auflösen, jammern, plärren, wimmern, Tränen vergießen
Schluchzer: Ächzer, Seufzer, Stoßseufzer
Schluck: Zug
Schluckauf: Schlucker, Schluckser
schlucken: würgen, hinunterwürgen, einnehmen, essen, hinunterschlucken, trinken, verschlucken, zu sich nehmen *dulden, erdulden, leiden, erleiden, tragen, ertragen, s. abfinden (mit), s. bieten lassen, durchmachen, s. ergeben, s. etwas gefallen lassen, hinnehmen, hinunterschlucken, s. in etwas fügen, s. schicken, auf sich nehmen, in Kauf nehmen, die bittere Pille schlucken
Schluderei: Ausschuss, Hudelei, Huschelei, Murkserei, Pfuscharbeit, Pfuscherei, Schluderarbeit, Stümperei, Sudelei *Hudelei, Misswirtschaft, Schlamperei, Schlendrian, Trödelei, Trott, Unordnung
schludern: hudeln, huscheln, pfuschen, schlampen, stümpern, sudeln
schludrig: flüchtig, lässig, liederlich, nachlässig, oberflächlich, pflichtvergessen, salopp, schlampig, sorglos, unkorrekt, unordentlich
Schlummer: Dämmerschlaf, Dämmerzustand, Halbschlaf, Nickerchen, Schläfchen, leichter Schlaf
schlummern: dösen, einnicken, ruhen, schlafen, ein Schläfchen machen, im Halbschlaf liegen
schlummernd: latent, unbemerkt, unerkannt, unmerklich, unterschwellig, verborgen, verdeckt, verhüllt, verkappt, verschleiert, versteckt, dem Auge entzogen, nicht offenkundig, unter der Oberfläche
Schlund: Hals, Rachen, Rachenhöhle *Abgrund, Cañon, Klamm, Kluft, Schlucht, Spalte, Tiefe
schlüpfen: auskriechen, ausschlüpfen, herauskriechen, herausschlüpfen, kommen
Schlüpfer: Höschen, Slip, Unterhose
Schlupfloch: Nest, Schlupfwinkel, Versteck, Zuflucht *Ausgang, Durchgang, Durchlass, Durchschlupf, Einfahrt, Eingang, Furt, Gasse, Mauerloch, Pass, Passage
schlüpfrig: anstößig, frivol, lasterhaft, lasziv, liederlich, obszön, pikant, ruchlos, schlecht, sittenlos, unanständig, ungebührlich, ungehörig, unkeusch, unmoralisch, unschicklich, unsittlich, unsolide, unziemlich, unzüchtig, verdorben, verrucht, verworfen, wüst, zotig, zuchtlos, zweideutig *eisglatt, glatt, spiegelglatt *feucht, glitschig, quallig, rutschig, schleimig, schmierig
Schlüpfrigkeit: Frivolität, Laszivität, Obszönität, Pikanterie, Unanständigkeit, Unsittlichkeit, Unzucht, Zweideutigkeit

Schlupfwinkel: Nest, Schlupfloch, Versteck, Zuflucht
schlürfen: schleppen, s. schleppen, schlurfen, trotten, schleppend gehen *schlabbern, geräuschvoll trinken
Schluss: Abbruch, Abschluss, Ausgang, Ausklang, Beendigung, Ende, Endpunkt, Finale, Neige, Schlussakt, Schlusspunkt, Torschluss *Ableitung, Deduktion, Folge, Folgerung, Induktion, Konklusion, Konsequenz, Schlussfolgerung
Schlüssel: Hausschlüssel, Haustürschlüssel *Autoschlüssel, Wagenschlüssel *Aufklärung, Ausweg, Ergebnis, Lösung, Patentrezept, Resultat, Ei des Kolumbus
Schlüsselfigur: Hauptdarsteller, Hauptfigur, Hauptperson, Held, Heros, Mittelpunkt
Schlussergebnis: Ausbeute, Befund, Bilanz, Effekt, Endergebnis, Endresultat, Endstand, Endsumme, Ertrag, Fazit, Folge, Gewinn, Konsequenz, Produkt, Quintessenz, Resultat, Resümee, Schlussfolgerung, Summe, Wirkung
schlussfolgern: deduzieren, entwickeln, ersehen, folgern, induzieren, konkludieren, schließen, Schlüsse ziehen, Folgerungen ziehen, einen Schluss ziehen
Schlussfolgerung: Ableitung, Deduktion, Herleitung, Induktion, Konklusion, Schluss, Schlussfolge
schlüssig: beweiskräftig, folgerichtig, logisch, stichhaltig, stringent, systematisch, triftig, überzeugend, zwingend ***schlüssig sein:** entschlossen sein, sicher sein, energisch sein
Schlusskampf: Endkampf, Endrunde, Endspiel, Finale, Finish, Schlussrunde, letzte Runde
Schlusslicht: Katzenauge, Rückleuchte, Rücklicht, Rückstrahler *Letzter, Nachhut
Schlussmann: Torhüter, Tormann, Torsteher, Torwächter, Torwart, Nummer eins, Mann zwischen den Pfosten
Schlusspunkt: Abbruch, Abschluss, Ausgang, Ausklang, Beendigung, Ende, Endpunkt, Finale, Neige, Schluss, Schlussakt, Torschluss
Schlussrechnung: Proportionalrechnung, Verhältnisrechnung *Abrechnung, Bilanz, Ergebnis, Handelsbilanz, Rechnungslegung, Schlussergebnis
Schlussverkauf: Ausverkauf, Inventurverkauf, Räumungsverkauf *Ausverkauf, Inventurverkauf, Räumungsverkauf, Sommerschlussverkauf, Winterschlussverkauf
Schlusswort: Epilog, Nachtrag, Nachwort *Nachschrift, Postskriptum
Schmach: Beschämung, Blamage, Demütigung, Entehrung, Erniedrigung, Kompromittierung, Kränkung, Schande, Schimpf, Skandal, Unehre
schmachten: tragen, ertragen, aushalten, ausstehen, bestehen, bewältigen, durchstehen, erdulden, s. fügen, hinnehmen, hinwegkommen, leiden, mitmachen, quälen, schlecht gehen, überleben, überstehen, verarbeiten, verdauen, verkraften, verschmerzen, vertragen, krank sein, zu klagen haben, die Hölle auf Erden haben *dürsten, durstig sein, Durst haben, Durst empfinden *gieren, lechzen, streben, trachten, verlangen, zu erreichen suchen *begierig sein, gierig sein, lüstern sein *darben, fasten, hungern, Hunger haben, Hunger leiden, nichts zu essen haben *entbehren, ermangeln, missen, vegetieren, arm sein, Mangel leiden, Not leiden, sein Leben fristen, sein Dasein fristen
Schmachten: Drang, Fernweh, Heimweh, Sehnsucht, Verlangen, Wunsch
schmächtig: abgezehrt, dünn, dürr, grazil, hager, mager, rank, schmal *klein
Schmachtlocke: Haarlocke, Haarschopf, Locke
schmachvoll: demütigend, entehrend, entwürdigend, erniedrigend, verletzend *gemein, hundsgemein, niederträchtig, schäbig, schändlich, schimpflich, schmählich, schmutzig, schnöde
schmackhaft: abgestimmt, angenehm, appetitlich, aromatisch, blumig, delikat, deliziös, fein, himmlisch, knusprig, köstlich, kräftig, lecker, lieblich, mundend, pikant, schmeckbar, vollmundig, wohlschmeckend, würzig, gut abgeschmeckt ***schmackhaft machen:** schönreden
Schmackhaftigkeit: Aroma, Blume, Wohlgeschmack, Würze

schmähen: abqualifizieren, demütigen, diffamieren, entwürdigen, erniedrigen, herabsetzen, schlecht machen, verletzen, verunglimpfen *attackieren, ausschelten, belästigen, beleidigen, beschimpfen, fertig machen, insultieren, poltern, schelten, schimpfen, wettern, zanken, zetern, zurechtweisen *anbrüllen, ausschimpfen, auszanken, beanstanden, heruntermachen, kritisieren, missbilligen, monieren, reklamieren, rügen, tadeln, verweisen, angehen (gegen), einen Tadel erteilen, eine Rüge erteilen, einen Verweis erteilen, einen Verweis geben
schmählich: abscheulich, böse, ehrlos, gemein, niederträchtig, niedrig, ruchlos, schändlich, skandalös, verwerflich, widerlich, würdelos *bedauerlich, bedauernswert, bedauernswürdig, beklagenswürdig, bemitleidenswert, elend, erbärmlich, herzzerreißend, jämmerlich, kläglich, mitleiderregend, unrühmlich
Schmährede: Affront, Ausfall, Beleidigung, Beschimpfung, Diskriminierung, Ehrenkränkung, Ehrverletzung, Erniedrigung, Kränkung, Lästerung, Rufmord, Schmähung, Verletzung, Verleumdung, Verunglimpfung, üble Nachrede, böse Nachrede
Schmähschrift: Pamphlet, Schmähung, Streitschrift
Schmähung: Degradierung, Demütigung, Diffamierung, Diskriminierung, Erniedrigung, Herabsetzung, Herabwürdigung, Verächtlichmachung, ungleiche Behandlung, ungerechte Behandlung, unmenschliche Behandlung, menschenunwürdige Behandlung *Affront, Ausfall, Beleidigung, Beschimpfung, Diskriminierung, Ehrenkränkung, Ehrverletzung, Erniedrigung, Kränkung, Lästerung, Rufmord, Schmährede, Verletzung, Verleumdung, Verunglimpfung, üble Nachrede, böse Nachrede
schmal: abgezehrt, dünn, dürr, grazil, hager, mager, rank *begrenzt, eingeengt, eng, schmalspurig *bescheiden, dürftig, gering, klein, mager
schmalbrüstig: engbrüstig, krank, kränklich, schwach, schwächlich
schmälern: begrenzen, drosseln, eingrenzen, kürzen, verkleinern, vermindern, verringern *begrenzen, einengen, verengen
Schmälerung: Abbruch, Abtrag, Beeinträchtigung, Minderung, Schaden, Schädigung *Kürzung, Verringerung
schmalspurig: begrenzt, eingeengt, eng, schmal *ärmlich, dürftig, knapp, kümmerlich, mangelhaft, notdürftig, primitiv, schlecht, unbefriedigend, ungenügend, unzulänglich
Schmalz: Fett, Schmer, Speck *Empfindsamkeit, Gefühlsduselei, Gefühlsseligkeit, Gefühlsüberschwang, Rührseligkeit, Sentimentalität, Tränenseligkeit
schmalzig: fetthaltig, fettig, fetttriefend, ölig, schmierig, tranig
Schmankerl: Delikatesse, Gaumenfreude, Gaumenkitzel, Hochgenuss, Leckerbissen, Leckerei, Schleckerei
Schmant: Rahm, Sahne, Schlagsahne
schmarotzen: s. durchbetteln, s. durchessen, s. durchfechten, nassauern, schnorren
Schmarotzer: Parasit *Faulenzer, Nassauer, Schnorrer
schmarotzerhaft: parasitär, parasitisch, schmarotzerisch
Schmarre: Narbe, Ritzer, Schmiss, Schramme
schmarren: daherreden, labern, Unsinn reden, dummes Zeug reden
Schmarren: Aberwitz, Blödsinn, Idiotie, Irrsinn, Mist, Nonsens, Quatsch, Torheit, Trödel, Unding, Unfug, Unsinn, Wahnwitz
Schmatz: Busserl, Dauerbrenner, Kuss, Schmätzchen
schmatzen: schlürfen, laut essen *schnalzen, schnippen *s. abküssen, busseln, knutschen, küssen, schnäbeln, einen Kuss geben, einen aufdrücken
Schmauch: Dampf, Dunst, Qualm, Rauch, Rauchgas, Rauchschwaden, Schwaden
schmauchen: s. eine Pfeife anzünden, s. eine Zigarette anzünden, s. eine Zigarre anzünden, paffen, qualmen, rauchen *Raucher sein
Schmaus: Essen, Gericht, Imbiss, Mahl, Mahlzeit, Picknick

schmausen: speisen, verspeisen, aufessen, s. einverleiben, ernähren, essen, frühstücken, genießen, knabbern, löffeln, naschen, picknicken, schlemmen, schwelgen, s. stärken, tafeln, zu sich nehmen, den Hunger stillen, Mahlzeit halten, das Essen einnehmen
Schmauserei: Essen, Esserei, Festessen, Mahlzeit
schmecken: munden, zusagen *ansprechen, anziehen, behagen, belieben, bestechen, entsprechen, gefallen, imponieren, mögen, passen, zufrieden stellen, es jmdm. angetan haben, Geschmack abgewinnen, Geschmack treffen, Beifall finden, Anklang finden, recht sein, sympathisch sein, genehm sein, angenehm sein, Gefallen finden, Geschmack finden *begutachten, kosten, probieren, versuchen, vorkosten, eine Kostprobe nehmen
Schmeichelei: Artigkeit, Geschmeichel, Geschmuse, Kompliment, Lobhudelei, Schmeichelrede, Schmus, Schönrednerei, Schöntuerei, Schwänzelei, Unterwürfigkeit, schöne Worte
schmeichelhaft: ehrend, ehrenvoll, honorabel
Schmeichelkatze: Duckmäuser, Lobhudler, Radfahrer, Schmeichelkätzchen, Schmeichelzunge, Schmeichler, Schönredner, Schöntuer
schmeicheln: flattieren, hofieren, honorieren, schönreden, schöntun, schwänzeln, umschmeicheln, Komplimente machen, Süßholz raspeln, die Cour machen, schöne Worte machen *jmds. Selbstbewusstsein heben, angenehm berühren *kleiden, passen, stehen
Schmeichelrede: Artigkeit, Geschmeichel, Geschmuse, Kompliment, Lobhudelei, Schmeichelei, Schmus, Schönrednerei, Schöntuerei, Unterwürfigkeit, schöne Worte
Schmeichler: Duckmäuser, Lobhudler, Radfahrer, Schmeichelkätzchen, Schmeichelkatze, Schmeichelzunge, Schmuser, Schönredner, Schöntuer
schmeichlerisch: heuchlerisch, honigsüß, katzenfalsch, katzenfreundlich, schleimig, schmierig, schönrednerisch, unterwürfig
schmeißen: hochwerfen, schießen, schleudern, schmettern, schnellen, werfen, durch die Luft fliegen lassen *anfangen, anpacken, anstellen, bewerkstelligen, deichseln, drehen, ermöglichen, erreichen, fädeln, hinbiegen, hinkriegen, managen, meistern, steuern, zurechtkommen, zustande bringen, zuwege bringen
Schmeißfliege: Aasfliege, Brummer, Brummfliege
Schmelz: Emaille *Glanz, Glasur, Guss, Lasur, Überzug
Schmelze: Eisschmelze, Schneeschmelze, Tauwetter
schmelzen: auftauen, wegschmelzen, zerfließen, zergehen, zerlaufen, zerrinnen, flüssig werden *auslassen, verflüssigen, flüssig machen *aufschmelzen, zerschmelzen *abnehmen, dahinschmelzen, s. reduzieren, schrumpfen, schwinden, s. verkleinern, s. verkürzen, s. vermindern, s. verringern, geringer werden, weniger werden, kleiner werden
Schmelztiegel: Auffangbecken, Sammelbecken *Keramiktopf, Topf
Schmer: Fett, Schmalz, Speck
Schmerbauch: Bierbauch, Fettbauch, Ranzen, Ränzlein, Wampe
Schmerz: Beschwernis, Höllenqual, Leiden, Mühsal, Pein, Plage, Qual, Strapaze, Weh
schmerzen: beißen, bohren, brennen, schneiden, stechen, ziehen, wehtun *bedrücken, beklemmen, belasten, beschweren, drücken, peinigen, plagen, traurig machen, im Magen liegen, an die Nieren gehen *anstoßen, beleidigen, betrüben, brüskieren, kränken, schmähen, verbittern, verletzen, verwunden, vor den Kopf stoßen, einen Hieb versetzen, einen Stich versetzen, ein Unrecht antun, ein Leid tun, wehtun, Schmerz bereiten, Gefühle verletzen, ein Unrecht zufügen, ein Leid zufügen
Schmerzensruf: Ächzer, Schluchzer, Seufzer
schmerzerfüllt: schmerzdurchdrungen, traurig, schweren Herzens
schmerzhaft: bohrend, brennend, nagend, peinigend, quälend, qualvoll,

schmerzend, schmerzlich, schmerzvoll, stechend, ziehend *negativ
schmerzlich: betrüblich, bitterlich, gramvoll, grausam, herzzerreißend, kummervoll, leidvoll, martervoll, peinigend, quälend, schmerzvoll, traurig
schmerzlos: indolent, schmerzfrei *gesund, wohl
Schmetterling: Falter
schmettern: hochwerfen, schießen, schleudern, schmeißen, schnellen, werfen, durch die Luft fliegen lassen *nageln, schlagen *dröhnen, erdröhnen, schallen, erschallen, tönen, ertönen, erklingen, hallen, klingen, lauten, schwingen *blasen, trompeten, tuten
schmieden: anfertigen, herstellen, machen, tun ***Pläne schmieden:** absehen (auf), abzielen, ansteuern, beabsichtigen, bezwecken, hinzielen, intendieren, neigen (zu), planen, sinnen (auf), tendieren, verfolgen, vorhaben, s. vornehmen, wollen, gedenken zu tun, denken zu tun, gewillt sein, die Absicht haben, die Absicht hegen ***Ränke schmieden:** hintertreiben, intrigieren, Ränke spinnen
schmiegen (s.): s. andrücken, s. ankuscheln, s. anlehnen, s. anschmiegen, s. kuscheln (an)
schmiegsam: s. anpassend, anpassungsfähig, biegsam, dehnbar, elastisch, flexibel, geschmeidig, nachgiebig, weich
Schmiere: Schmutz *Paste, Salbe *Theater, Wanderbühne
schmieren: kritzeln, unleserlich schreiben, schlecht schreiben *anpinseln, anschmieren, streichen *abschmieren, einfetten, fetten, ölen *anbieten, bestechen, erkaufen, korrumpieren *salben, einsalben, balsamieren, eincremen, einfetten, einmassieren, einreiben, einschmieren *ohrfeigen, verhauen, verprügeln, eine kleben
Schmiererei: Gekrakel, Gekritzel, Geschmiere, Kritzel
Schmierfink: Schmierer, Schmutzfink
Schmiergeld: Bestechungsgeld, Bestechungssumme, Handgeld, Handmittel, Schmiermittel, Schweigegeld
schmierig: fettig, fleckig, schmuddelig, schmutzig, speckig *quallig, schleimig, schlüpfrig *heuchlerisch, honigsüß, katzenfalsch, katzenfreundlich, schleimig, schmeichlerisch, schönrednerisch, unterwürfig
Schminke: Make-up, Rouge, Schönheitsmittel
schminken: Schminke auflegen, Rouge auflegen, Make-up auflegen, Schminke auftragen, Rouge auftragen, die Lippen nachziehen ***s. schminken:** s. anmalen, s. herausputzen, s. zurechtmachen, Make-up benutzen
schmirgeln: ebnen, einebnen, hobeln, glatt hobeln, schleifen, glattschleifen, abfeilen, abschleifen, abschmirgeln, ausgleichen, begradigen, egalisieren, glätten, glatt feilen, nivellieren, planieren, polieren, walzen
Schmirgelpapier: Glaspapier, Sandpapier
Schmiss: Narbe, Ritzer, Schmarre, Schramme *Dynamik, Elan, Schwung, Temperament, Verve
schmissig: beweglich, flott, rasant, schneidig, schnittig, schwungvoll, sportlich, wendig, zackig
Schmöker: Band, Bestseller, Broschüre, Buch, Druckerzeugnis, Einzelband, Erfolgsbuch, Paperback, Sammelband, Schinken, Schrift, Schwarte, Taschenbuch, Titel, Wälzer, Werk
schmökern: auslesen, durcharbeiten, durchlesen, lesen, studieren, ein Buch zur Hand nehmen, ein Buch in die Hand nehmen, ein Buch verschlingen
schmollen: maulen, beleidigt tun, die Lippen hängen lassen, ein Gesicht ziehen, einen Flunsch ziehen, die beleidigte Leberwurst spielen *ärgern, grollen, hadern, hassen, zürnen, Groll hegen, Groll empfinden
Schmollecke: Schmollwinkel
Schmorbraten: Schmorfleisch
schmoren: dampfen, schwitzen *backen, braten, brutzeln, dünsten, garen, grillen, rösten, schmurgeln
Schmu: Bauernfang, Bauernfängerei, Betrug, Betrügerei, Gaunerei, Gaunerstreich, Hintergehung, Irreführung, Machenschaft, Manipulation, Mogelei, Nepp, Prellerei, Schiebung, Schummel,

Schummelei, Schwindel, Schwindelei, Täuschung, Unregelmäßigkeit, Unterschlagung
schmuck: adrett, hygienisch, sauber, unbenutzt *elegant, fesch, gewählt, kultiviert, mondän, smart, sehr schön
Schmuck: Bijouterie, Geschmeide, Juwel, Kette, Kleinod, Schmucksachen, Schmuckstück, Wertstück *Arabeske, Ausschmückung, Beiwerk, Dekor, Ornament, Putz, Rankenwerk, Schnörkel, Verschnörkelung, Verzierung, Zier, Zierrat, Zierde
schmücken: staffieren, ausstaffieren, ausgestalten, ausstatten, behängen, garnieren, herausputzen, schön machen, verschönern, verzieren ***s. schmücken:** s. aufdonnern, s. auftakeln, s. ausstaffieren, s. fein machen, s. in Schale schmeißen, s. putzen, s. schniegeln, s. schön machen, s. zurechtmachen
schmucklos: einfach, glatt, kunstlos, natürlich, primitiv, schlicht, ungekünstelt
Schmucksachen: Bijouterie, Geschmeide, Juwel, Kette, Kleinod, Schmuck, Schmuckstück, Wertstück
Schmuckstein: Brillant, Edelstein, Juwel
schmuddelig: angeschmutzt, angestaubt, befleckt, beschmutzt, dreckig, fett, fettig, fleckig, klebrig, kotig, mistig, ölig, schmierig, schmutzig, schmutzstarrend, schnuddlig, schnuddelig, speckig, sudelig, trübe, unansehnlich, ungewaschen, unrein, unsauber, verfleckt, verschmutzt, verstaubt, verunreinigt, in unbeschreiblichem Zustand, mit Flecken übersät, voller Schmutz
Schmuggel: Schmuggelei, Schwarzhandel, Zollvergehen *Menschenhandel
schmuggeln: paschen, schieben, Schmuggel treiben *einschleusen
Schmuggelware: Bannware, Konterbande, Schleichware, heiße Ware
Schmuggler: Pascher, Schleichhändler, Schwarzhändler *Menschenhändler
schmunzeln: s. eins in den Bart lachen, feixen, grienen, grinsen, den Mund verziehen, ein freundliches Gesicht machen
Schmus: Gerede, Geschwätz, Plauderei *Banalität, Blabla, Demagogie, Faselei, Gebabbel, Gedöns, Gedröhn, Gedröhne, Gefasel, Gelaber, Geplapper, Geplätscher, Gequassel, Gequatsche, Geschnatter, Geschwafel, Gewäsch, Gickgack, Kakelei, Palaver, Phrase, Phrasendrescherei, Plapperei, Quasselei, Quatscherei, Rederei, Schleim, Schmonzes, Schnickschnack, Schwabbelei, Schwätzerei, Sermon, Unsinn, Wischiwaschi, Wischwasch, Wortaufwand, leeres Stroh *Artigkeit, Geschmeichel, Geschmuse, Kompliment, Lobhudelei, Schmeichelei, Schmeichelrede, Schönrednerei, Schöntuerei, schöne Worte
schmusen: abdrücken, buhlen, herzen, kosen, lieb haben, liebkosen, streicheln, umgarnen, zärteln
Schmuser: Duckmäuser, Lobhudler, Radfahrer, Schmeichelkätzchen, Schmeichelkatze, Schmeichelzunge, Schmeichler, Schönredner, Schöntuer *Heiratsvermittler, Hochzeitslader
Schmutz: Dreck, Kot, Schweinerei, Unflat, Unrat *Staub, Unsauberkeit, Verunreinigung
schmutzen: stauben, schmutzig machen
Schmutzfink: Dreckspatz, Ferkel, Schmierfink
Schmutzfleck: Dreckfleck, Fleck, Flecken, Klecker, Klecks
schmutzfrei: blank, blitzblank, adrett, blitzsauber, fleckenlos, gepflegt, gereinigt, gesäubert, hygienisch, klar, makellos, ordentlich, proper, rein, reinlich, säuberlich, schmuck, schön, unbenutzt, unbeschmutzt, frisch (gewaschen)
schmutzig: angeschmutzt, angestaubt, befleckt, beschmutzt, dreckig, fett, fettig, fleckig, klebrig, kotig, mistig, ölig, schmierig, schmuddelig, schmutzstarrend, schnuddlig, schnuddelig, speckig, sudelig, trübe, unansehnlich, ungewaschen, unrein, unsauber, verfleckt, verschmutzt, verstaubt, verunreinigt, in unbeschreiblichem Zustand, mit Flecken übersät, voller Schmutz *gemein, hundsgemein, niederträchtig, schäbig, schändlich, schimpflich, schmachvoll, schmählich, schnöde *anstößig, anzüglich, frech, gewagt, locker, lose, ordinär, pikant, schamlos, schlüpfrig, wüst
Schmutzigkeit: Abscheulichkeit, Bösar-

tigkeit, Bosheit, Böswilligkeit, Garstigkeit, Gehässigkeit, Gemeinheit, Hässlichkeit, Hinterlist, Infamie, Niedertracht, Niedrigkeit, Perfidie, Ruchlosigkeit, Schäbigkeit, Schadenfreude, Schikane, Schlechtigkeit, Schufterei, Teufelei, Übelwollen, Unverschämtheit, Verruchtheit, böse Absicht, böser Wille *Anstößigkeit, Lasterhaftigkeit, Schlüpfrigkeit, Sittenlosigkeit, Unanständigkeit, Unkeuschheit, Unzucht, Unzüchtigkeit, Verdorbenheit *Schmuddeligkeit, Schmutz, Ungepflegtheit, Unreinheit, Unreinlichkeit, Unsauberkeit, Verschmutztheit

schmutzstarrend: angeschmutzt, angestaubt, befleckt, beschmutzt, dreckig, fett, fettig, fleckig, klebrig, kotig, ölig, schmierig, schmuddelig, schmutzig, speckig, trübe, unansehnlich, ungewaschen, unrein, unsauber, verfleckt, verschmutzt, verstaubt, verunreinigt, in unbeschreiblichem Zustand, mit Flecken übersät, voller Schmutz

Schnabel: Klappe, Mund, Mundwerk, Schnute *Ausguss, Schnauze, Tülle

schnäbeln: s. abküssen, busseln, knutschen, küssen, schmatzen, einen Kuss geben, einen aufdrücken

schnabulieren: speisen, verspeisen, aufessen, s. einverleiben, ernähren, essen, frühstücken, genießen, knabbern, löffeln, naschen, picknicken, schlemmen, schmausen, schwelgen, s. stärken, tafeln, zu sich nehmen, den Hunger stillen, Mahlzeit halten, das Essen einnehmen

Schnack: Gerede, Geschwätz, Konversation, Palaver, Plauderei, Plausch, Unterhaltung, Wortwechsel

schnacken: debattieren, diskutieren, kommunizieren, palavern, plaudern, plauschen, reden (mit), schwatzen, sprechen (mit), s. unterhalten, Gedanken austauschen, ein Gespräch führen, eine Unterhaltung führen, Worte wechseln, Konversation machen *erzählen, plaudern, plauschen, sagen, s. unterhalten, miteinander sprechen, miteinander reden

Schnake: Moskito, Mücke

Schnalle: Koppelschloss, Schließe, Verschluss

schnallen: auffassen, aufschnappen, begreifen, durchblicken, durchschauen, einsehen, erfassen, ergründen, erkennen, ermessen, s. erschließen, fassen, herausfinden, kapieren, klar sehen, klar werden, klug werden (aus), nachempfinden, nachvollziehen, verstehen, folgen können, geistig aufnehmen, jmdm. gehen die Augen auf, verständlich werden, Verständnis haben, bewusst werden, deutlich werden, richtig beurteilen können, richtig einschätzen können, zu Bewusstsein kommen *schmatzen, schnalzen

schnalzen: knallen, schmatzen, schnallen, schnippen

schnappen: beißen, zubeißen, zuschnappen *abfassen, ertappen, erwischen, überführen, überraschen *holen, abholen, arretieren, festnehmen, gefangen nehmen, inhaftieren, verhaften, dingfest machen, in Gewahrsam nehmen, in Haft nehmen *aufgreifen, ergreifen, erwischen, fangen, fassen, greifen, kriegen, habhaft werden *abjagen, abnehmen, ausplündern, ausrauben, ausräumen, berauben, bestehlen, brandschatzen, einstecken, entführen, entreißen, entwenden, entwinden, fortnehmen, konfiszieren, mitnehmen, nehmen, plündern, räubern, stehlen, unterschlagen, veruntreuen, wegnehmen, in Besitz bringen, in Besitz nehmen, beiseite bringen, beiseite schaffen

Schnaps: Alkohol, Branntwein, Feuerwasser, Klarer, Lebensbalsam, Lebenswasser

Schnapsidee: Kateridee, blöder Einfall, verrückter Einfall

schnarchen: gurgeln, sägen

schnattern: beben, erbeben, erzittern, flattern, schlottern, vibrieren, zittern *babbeln, plappern, quasseln, quatschen, schwätzen, schwatzen

schnauben: atmen, blasen, fauchen, keuchen, prusten, pusten, schnaufen, schnieben, schniefen *s. aufregen, rasen, schäumen, schimpfen, schreien, toben, s. wie wild gebärden, wüten, heftig werden, wild werden ***s. schnauben:** s. schnäuzen, trompeten, die Nase putzen

schnaufen: atmen, blasen, fauchen, keuchen, prusten, pusten, schnauben,

schniefen *jappen, japsen, keuchen, plustern, röcheln
Schnauzbart: Bart, Bärtchen, Bartwuchs, Lippenbart, Schnauzer, Schnurrbart
Schnauze: Klappe, Mund, Mundwerk, Schnabel, Schnute *Ausguss, Tülle
schnauzen: belfern, bellen, blaffen, bläffen, brüllen, donnern, schimpfen, schreien
schnäuzen (s.): schnauben, trompeten, die Nase putzen
Schnecke: Weichtier *Spirale, Windung *Faulenzer, Phlegmatiker, Schlafmütze, lahme Ente
schneckenförmig: gewunden, schraubenförmig, spiralförmig, spiralig
Schneckengang: Schneckengewinde
Schneckenlinie: Spirale
Schneckentempo: Bummelei, Langsamkeit, Schlendrian ***im Schneckentempo:** gemächlich, langsam
Schnee: Firn *Schaum *Kokain, Koks, Rauschgift *Schneeflocke
schneearm: aper, grün, schneefrei
Schneebesen: Schaumschläger, Schneeschläger
Schneegestöber: Flockentanz, Flockentreiben, Flockenwirbel, Gestöber, Schneetreiben
Schneeglätte: Eisglätte, Glätte
schneereich: eingeschneit, weiß, winterlich, mit Schnee bedeckt, unter einer Schneedecke liegend, unter Schnee begraben
Schneeschmelze: Eisschmelze, Schmelze, Tauwetter
Schneeschuh: Bretter, Schi, Ski
Schneetreiben: Flockentanz, Flockentreiben, Flockenwirbel, Gestöber, Schneegestöber
Schneewehe: Wechte, Wehe
schneeweiß: weiß, reinweiß, blütenweiß, weiß wie Schnee
Schneid: Beherztheit, Courage, Draufgängertum, Forschheit, Furchtlosigkeit, Heldengeist, Heldenhaftigkeit, Heroismus, Herz, Herzhaftigkeit, Kühnheit, Löwenmut, Mannesmut, Mannhaftigkeit, Mumm, Mut, Tapferkeit, Tollkühnheit, Unerschrockenheit, Unverzagtheit, Zivilcourage
schneiden: auseinander schneiden, zerkleinern, zerstückeln, zerteilen, in Stücke schneiden *schnitzeln, schnitzen *stutzen, zurechtstutzen, abschneiden, abtrennen, abzwicken, beschneiden, kappen, kupieren, kürzen, scheren, trimmen, wegschneiden, kürzer machen *geschärft sein, scharf sein *operieren, eine Operation vornehmen, eine Operation durchführen, unters Messer nehmen *ignorieren, meiden, nicht beachten ***s. schneiden:** s. eine Verletzung zuziehen, s. eine Wunde zuziehen, s. verletzen, zu Schaden kommen, Schaden nehmen
schneidend: geschärft, gewetzt, scharf *grimmig, harsch, heftig, kalt, stark
Schneiderbüste: Puppe, Schneiderpuppe
Schneiderin: Näherin
schneidern: anfertigen, machen, nähen
Schneiderpuppe: Puppe, Schneiderbüste
schneidig: beherzt, draufgängerisch, furchtlos, heldenhaft, heldenmütig, kämpferisch, kühn, mannhaft, mutig, tapfer, todesmutig, tollkühn, unerschrocken, unverzagt, vermessen, verwegen, wagemutig, waghalsig *flott, forsch, rasant, schmissig, schnittig, schwungvoll, sportlich, wendig *dynamisch, energisch, munter, resolut *apart, chic, elegant, fein, fesch, modern, mondän, nobel, piekfein, rassig, schick, schmuck, schnittig, smart, stilvoll, todschick, vornehm
Schneise: Blöße, Lichtung, Rodung, Schlag, Schwende, Waldlichtung
schnell: atemlos, blitzartig, blitzschnell, eilig, fix, flink, flott, flugs, geschwind, hurtig, kometenhaft, pfeilgeschwind, pfeilschnell, rapide, rasant, rasch, wie der Blitz, wie der Wind, wie der Pfeil, in Windeseile *alsbald, dringend, eilfertig, gleich, kurzerhand, sofort, ungesäumt, unverzüglich, in kurzer Zeit *atemberaubend, überaus groß, sehr hoch *flüchtig, kurz, kurzfristig, kurzlebig, kurzzeitig, vorübergehend, zeitweilig, zeitweise, auf Zeit, eine Zeit lang, eine Weile, auf einen Sprung, auf einen Augenblick, auf die Schnelle, auf ein Stündchen, nicht für

immer, nicht für lange, nicht für dauernd, schnell vorbei
schnell!: dalli!, Tempo!, nun aber Tempo!, ein bisschen plötzlich!
Schnelle: Behändigkeit, Eile, Geschwindigkeit, Hast, Schnelligkeit, Tempo
schnellen: knipsen, schnippen, schnipsen, wegschnellen
schnellfüßig: agil, behände, beweglich, elastisch, flexibel, flink, gelenkig, geschmeidig, gewandt, katzenartig, leichtfüßig, rasch, wendig, leichten Fußes
Schnellfüßigkeit: Beweglichkeit, Elastizität, Fertigkeit, Flinkheit, Gelenkigkeit, Gewandtheit, Schnelligkeit, Wendigkeit
Schnellhefter: Ablegemappe, Hefter, Ordner, Sammelmappe, Schnellheftmappe
Schnelligkeit: Eile, Fixheit, Geschwindigkeit, Raserei, Tempo *Elastizität, Fertigkeit, Fingerfertigkeit, Flinkheit, Gewandtheit, Raschheit
Schnellkochtopf: Dampfkochtopf
Schnellschrift: Eilschrift, Kurzschrift, Steno, Stenographie
Schnellzug: D-Zug, Fernschnellzug, ICE, Intercity
schnetzeln: durchschneiden, entzweischneiden, klein schneiden, schnippeln, schnipseln, schnitzeln, zerhacken, zerkleinern, zerschneiden, zerstückeln
Schnickschnack: Gerede, Geschwätz, Plauderei, Schnack *Banalität, Blabla, Demagogie, Faselei, Gebabbel, Gedöns, Gedröhn, Gedröhne, Gefasel, Gelaber, Geplapper, Geplätscher, Gequassel, Gequatsche, Geschnatter, Geschwafel, Gewäsch, Gickgack, Kakelei, Palaver, Phrase, Phrasendrescherei, Plapperei, Quasselei, Quatscherei, Rederei, Schleim, Schmonzes, Schmus, Schwabbelei, Schwätzerei, Sermon, Unsinn, Wischiwaschi, Wischwasch, Wortaufwand, leeres Stroh
schniefen: atmen, blasen, fauchen, keuchen, pusten, prusten, schnauben, schnaufen, schnieben
schniegeln (s.): s. aufdonnern, s. auftakeln, s. ausstaffieren, s. fein machen, herausputzen, s. in Schale schmeißen, s. putzen, s. schmücken, s. schön machen, s. zurechtmachen
schnieke: erlesen, auserlesen, apart, ausgesucht, chic, elegant, fein, fesch, gewählt, kultiviert, modern, mondän, nobel, piekfein, rassig, schick, schmuck, schneidig, schnittig, smart, stilvoll, todschick, vornehm
Schnippel: Fetzen, Schnipsel, Stück
schnippeln: durchschneiden, entzweischneiden, schnipseln, schnitzeln, zerschneiden, zerstückeln
schnippen: knipsen, schnallen, schnalzen *knipsen, schnellen, schnipsen, wegschnellen
schnippisch: bissig, dreist, forsch, frech, kess, lausbübisch, scharf, spitz, spöttisch, kurz angebunden
Schnipsel: Fetzen, Schnippel, Stück
schnipseln: durchschneiden, entzweischneiden, schnippeln, schnitzeln, zerschneiden, zerstückeln
schnipsen: knipsen, schnallen, schnalzen *knipsen, schnellen, schnippen, wegschnellen
Schnitt: Einkerbung, Einschnitt, Kerbe, Scharte, Spalt *Musterbogen, Schnittmuster, Schnittmusterbogen *Durchschnitt, Durchschnittswert, Medianwert, Mittelwert *Einkommen, Erlös, Ertrag, Geschäft, Gewinn, Gewinnspanne, Handelsspanne, Nutzen, Plus, Profit, Überschuss, Verdienst, Vorteil *Absonderung, Abspaltung, Abtrennung, Aufspaltung, Aufteilung, Spaltung, Teilung, Trennung, Unterteilung, Zerlegung, Zweiteilung
Schnitte: Brot, Brotscheibe, Brotschnitte, Scheibe, Stulle
Schnitter: Mäher *Tod, Schnitter Tod, Gevatter Tod
schnittig: erlesen, auserlesen, apart, ausgesucht, chic, fein, fesch, gewählt, kultiviert, modern, mondän, nobel, piekfein, rassig, schick, schmuck, schneidig, schnieke, smart, stilvoll, todschick, vornehm
Schnittmuster: Musterbogen, Schnitt, Schnittmusterbogen
Schnittpunkt: Knotenpunkt, Konvergenzpunkt, Kreuzung, Kreuzungspunkt, Mittelpunkt, Scheitel
Schnittstelle: Interface, Übergang
Schnitz: Bruchstück, Bruchteil, Papierschnitzel, Schnitzel, Stück

Schnitzel: Bruchstück, Bruchteil, Papierschnitzel, Schnitz, Stück *dünne Fleischscheibe
schnitzeln: durchschneiden, entzweischneiden, schnippeln, schnipseln, zerschneiden, zerstückeln *schneiden, schnitzen
schnitzen: schneiden, schnitzeln
Schnitzer: Dummheit, Fehler, Fehltritt, Kapitalfehler, Patzer, Schuld, Übertretung, Verfehlung, Vergehen, Verstoß, Zuwiderhandlung *Holzbildhauer, Holzschnitzer, Schnitzler
schnodderig: dreist, frech, keck, kess, naseweis, schamlos, schnoddrig, unartig, ungesittet, ungezogen, unmanierlich, unverfroren, unverschämt, vorlaut, vorwitzig
Schnodderigkeit: Bodenlosigkeit, Impertinenz, Ungezogenheit, Unverschämtheit, Zumutung
schnöde: abscheulich, garstig, gemein, hundsgemein, infam, miserabel, niederträchtig, ruchlos, schäbig, schändlich, schimpflich, schmachvoll, schmählich, schmutzig, schuftig
Schnörkel: Arabeske, Ausschmückung, Beiwerk, Dekor, Ornament, Putz, Rankenwerk, Schmuck, Verschnörkelung, Verzierung, Zier, Zierrat, Zierde
schnörkelhaft: barock, geschmückt, schnörkelig, verbrämt, verschnörkelt, verziert
schnorren: betteln, bitten, fordern, Klinken putzen, die Hand aufmachen *s. durchbetteln, s. durchfechten, nassauern, schmarotzen
Schnorrer: Bettelbruder, Bettler, Klinkenputzer, Pracher *Faulenzer, Nassauer, Schmarotzer
Schnösel: Flegel, Frechdachs, Grobian, Lackel, Lümmel, Rabauke, Rowdy, Rüpel
schnöselig: derb, frech, lümmelhaft, plump, pöbelhaft, rüde, rüpelig, ruppig, unerzogen, ungebührlich, ungehobelt, ungezogen, unhöflich, unmanierlich, unreif, ohne Benehmen
schnucklig: durchsichtig, fragil, gazellenhaft, grazil, schlank, schmächtig, schmal, zart, zerbrechlich
Schnüffelei: Bespitzelung, Spitzelei
schnüffeln: riechen, schnuppern, wittern, Geruch wahrnehmen, Wind prüfen *ausforschen, herausfinden, spionieren, suchen
Schnüffler: Agent, Aufpasser, Spion, Spitzel, Spürhund, Zuträger
Schnuller: Lutscher, Nuckel, Sauger
Schnulze: Evergreen, Gassenhauer, Hit, Schlager
Schnupfen: Erkältung, Katarrh, Nasenschleimhautentzündung
Schnupftuch: Einstecktuch, Sacktuch, Schnäuztuch, Taschentuch
schnuppern: riechen, schnüffeln, wittern, Geruch wahrnehmen, Wind prüfen
Schnur: Band, Bindfaden, Faden, Kordel, Litze, Strippe
Schnürband: Schnürriemen, Schnürsenkel, Schuhband, Schuhriemen, Senkel
schnüren: sichern, verpacken, verschnüren, zubinden, zuknoten, zuknüpfen, zumachen *flechten, zusammenflechten, knoten, zusammenknoten, knüpfen, zusammenknüpfen, binden, umwickeln, zusammenschnüren
schnurgerade: gerade, geradlinig, linear, pfeilgerade, in einer Linie, wie ein Pfeil
Schnurrbart: Bart, Bärtchen, Bartwuchs, Lippenbart, Schnauzbart, Schnauzer
Schnurre: Ausgelassenheit, Eulenspiegelei, Humor, Jux, Narretei, Posse, Schabernack, Scherz, Spaß, Streich, Ulk
schnurren: brummen, schnarren, surren
Schnurrhaar: Spürhaar
Schnürsenkel: Schnürband, Schnürriemen, Schuhband, Schuhriemen, Schuhsenkel, Senkel
schnurstracks: direkt, durchgehend, geradewegs, geradezu, mittendurch, vorwärts, zielbewusst *augenblicklich, flugs, geradewegs, momentan, postwendend, prompt, schnellstens, sofort, sogleich, unmittelbar, unverzüglich, auf Anhieb, auf der Stelle
Schnute: Klappe, Mund, Mundwerk, Schnabel
Schober: Heuhaufen, Strohhaufen
Schock: 60 Stück *Erschütterung, Kommotion, Nervenschock, Trauma *Entsetzen, Erschrecken, Panik, Schreck, Schrecken

schockieren: brüskieren, empören, entrüsten, verärgern, vor den Kopf stoßen, wütend machen, zornig machen
schockiert: aufgeregt, bestürzt, betroffen, empört, entrüstet, erregt, geschockt, getroffen
schofel: abscheulich, garstig, hundsgemein, infam, miserabel, niederträchtig, ruchlos, schäbig, schändlich, schimpflich, schmachvoll, schmählich, schmutzig, schnöde, schuftig
Schöffe: Beisitzer, Geschworener, Laienrichter
Schokolade: Kakao, Kakaogetränk
scholastisch: ausgeklügelt, haarspalterisch, kasuistisch, sophistisch, spitzfindig, subtil, wortklauberisch
Scholastizismus: Finesse, Haarspalterei, Kasuistik, Klügelei, Sophismus, Sophisterei, Spitzfindigkeit, Subtilität, Vernünftelei, Wortklauberei
Scholle: Plattfisch *Ackerboden, Ackerscholle, Bodenkrume, Erdbrocken, Erdklumpen, Erdscholle, Krume
schon: bereits, lange, längst, früher als gedacht, seit langem, seit längerem, seit langer Zeit, seit längerer Zeit *allein, bloß, einzig, lediglich, nur *ohnedem, ohnedies, ohnehin, sowieso *alle Mal, bestimmt, fraglos, gewiss, selbstverständlich, sicher, sicherlich, unstreitig, zweifelsfrei, zweifelsohne, auf jeden Fall, ohne Frage, ohne Zweifel
schön: ästhetisch, bildhübsch, bildschön, blühend, formvollendet, fotogen, klassisch, makellos, schmuck, wohlgeformt, wohlgestaltet, wunderbar, wunderschön, wundervoll *attraktiv, begehrenswert, charmant, faszinierend, gewinnend, reizend, reizvoll, verführerisch *idyllisch, malenswert, malerisch, pittoresk *angenehm, berückend, bezaubernd, erfreulich, glanzvoll, göttlich, großartig, herrlich, paradiesisch, sagenhaft, strahlend, traumhaft, ungetrübt, unvergleichlich, vollkommen, wohltuend, wonnevoll, wonniglich, wie gemalt *heiter, sommerlich, sonnig, warm *apart, ästhetisch, auserlesen, distinguiert, elegant, fein, gepflegt, geschmackvoll, gewählt, hübsch, kleidsam, kultiviert, künstlerisch, nobel, passend, reizvoll, schick, smart, stilvoll, vornehm, gut angezogen *sehr, überaus *ansehnlich, groß, hoch *aufgeklärt, heiter, klar, sommerlich, sonnig, strahlend, unbewölkt, wolkenlos *hoch *blühend, jung ***s. schön machen:** s. anmalen, s. aufputzen, s. auftakeln, s. fein machen, s. herausputzen, s. pudern, s. putzen, s. schminken, s. zurechtmachen
Schöne: Beauty, Beauté, Helena, Holde, Schönheit, Venus
schonen: hegen, pflegen, Rücksicht nehmen (auf), sorgsam umgehen (mit), warten, gut behandeln, behutsam behandeln, schonend behandeln, vorsichtig behandeln, sorgfältig behandeln, nicht strapazieren, nicht abnützen, Rücksicht nehmen *nachsehen, verschonen, wegsehen, Milde walten lassen, nachsichtig sein ***s. schonen:** s. pflegen, Anstrengungen vermeiden, nach der Gesundheit leben, viel auf seine Gesundheit achten
schonend: achtsam, aufmerksam, bedacht, bedachtsam, behutsam, fürsorglich, gelinde, gewissenhaft, liebevoll, lind, pfleglich, pflegsam, pflichtbewusst, rücksichtsvoll, sacht, sanft, schonungsvoll, sorgfältig, sorglich, sorgsam, umsichtig, verantwortungsbewusst, vorsichtig, zart, mit Bedacht, mit Sorgfalt *duldsam, freizügig, geduldig, gemäßigt, großzügig, mild, nachsichtig, tolerant, verständnisvoll, weitherzig, zahm, mit Fingerspitzengefühl
Schoner: Futteral, Hülle, Mantel, Schutzhülle, Überzug *Segelschiff
schönfärben: ausschmücken, bemänteln, beschönigen, idealisieren, verbrämen, verharmlosen
schöngeistig: ästhetisch, geschmackvoll *bildhübsch, bildschön, blühend, formvollendet, fotogen, klassisch, makellos, schmuck, schön, wohlgeformt, wohlgestaltet, wunderbar, wunderschön, wundervoll *auserlesen, distinguiert, elegant, fein, gepflegt, gewählt, hübsch, kleidsam, kultiviert, künstlerisch, nobel, passend, reizvoll, schick, schön, smart, stilvoll, vornehm, gut angezogen *kulinarisch, lecker, schmackhaft
Schönheit: Anmut, Ebenmaß, Erha-

benheit, Erlesenheit, Formvollendung, Glanz, Grazie, Harmonie, Herrlichkeit, Liebreiz, Pracht, Reiz, Stattlichkeit, Wohlgestalt *Beauty, Beauté, Helena, Schöne, Venus
Schönheitspflege: Hautpflege, Körperpflege, Kosmetik, Make-up, Teintpflege
Schönheitssinn: Ästhetik, Formgefühl, Geschmack, Gout, Kultur, Kunstverständnis, Qualitätsgefühl, Stil, Stilempfinden, Stilgefühl, künstlerisches Empfinden, ästhetisches Empfinden
Schönheitswettbewerb: Misswahl, Schönheitskonkurrenz
Schonkost: Diät, Heilkost, Krankenkost
Schönling: Adonis, Dandy, Geck, Gent, Laffe, Pomadenhengst, Snob, Stutzer
schönmachen: Männchen machen
schönreden: flattieren, hofieren, honorieren, schmeicheln, schöntun, umschmeicheln, Komplimente machen, Süßholz raspeln, die Cour machen, schöne Worte machen
Schönredner: Duckmäuser, Lobhudler, Radfahrer, Schmeichelkätzchen, Schmeichelkatze, Schmeichelzunge, Schmeichler, Schmuser, Schöntuer
Schönrednerei: Artigkeit, Geschmeichel, Geschmuse, Kompliment, Lobhudelei, Schmeichelei, Schmeichelrede, Schmus, Schöntuerei, Unterwürfigkeit, schöne Worte
schönrednerisch: heuchlerisch, honigsüß, katzenfalsch, katzenfreundlich, schleimig, schmeichlerisch, schmierig, unterwürfig
Schöntuer: Duckmäuser, Lobhudler, Radfahrer, Schmeichelkätzchen, Schmeichelkatze, Schmeichelzunge, Schmeichler, Schmuser, Schönredner
Schöntuerei: Artigkeit, Geschmeichel, Geschmuse, Kompliment, Lobhudelei, Schmeichelei, Schmeichelrede, Schmus, Schönrednerei, Unterwürfigkeit
schöntun: hofieren, honorieren, schönreden, umschmeicheln, Komplimente machen, Süßholz raspeln, die Cour machen, schöne Worte machen *anbändeln, balzen, flirten, girren, gurren, kokettieren, liebäugeln, liebeln, poussieren, schäkern, tändeln, turteln
Schonung: Behutsamkeit, Geduld, Gnade, Großzügigkeit, Milde, Nachsicht, Rücksicht, Sanftmut, Weichheit, Zartheit *Gehege, Schule, Zuchtbetrieb *Gehege, Hegewald, Schonwald *Fürsorge, Pflege, Rücksicht, Rücksichtnahme, Sorgfalt
schonungslos: abgestumpft, barbarisch, brutal, eisig, erbarmungslos, fest, gefühllos, gefühlsarm, gefühlskalt, gemütsarm, gleichgültig, gnadenlos, grausam, hart, hartherzig, herzlos, inhuman, kaltblütig, kompromisslos, lieblos, mitleidlos, roh, seelenlos, streng, unbarmherzig, unmenschlich, unnachgiebig, unnachsichtig, unsozial, unzugänglich, verroht
Schonungslosigkeit: Bedenkenlosigkeit, Erbarmungslosigkeit, Gewissenlosigkeit, Herzlosigkeit, Kälte, Lieblosigkeit, Radikalismus, Rigorosität, Rücksichtslosigkeit, Selbstsucht, Skrupellosigkeit, Unbarmherzigkeit, Willkür, Willkürakt
schonungsvoll: aufmerksam, behutsam, bescheiden, diskret, ehrerbietig, ehrfurchtsvoll, einfühlend, gefällig, liebenswürdig, nachsichtig, rücksichtsvoll, schonend, taktvoll, verbindlich, vorsichtig, zart fühlend, zuvorkommend *achtsam, aufmerksam, bedacht, bedachtsam, behutsam, fürsorglich, gelinde, gewissenhaft, liebevoll, lind, pfleglich, pflegsam, pflichtbewusst, rücksichtsvoll, sacht, sanft, schonend, sorgfältig, sorglich, sorgsam, umsichtig, verantwortungsbewusst, vorsichtig, zart, mit Bedacht, mit Sorgfalt *duldsam, freizügig, geduldig, gemäßigt, großzügig, mild, nachsichtig, tolerant, verständnisvoll, weitherzig, zahm, mit Fingerspitzengefühl
Schonzeit: jagdfreie Zeit *Erholungszeit, Ruhezeit
Schopf: Haar, Haarschopf, Locke
Schöpfeimer: Putzeimer, Wassereimer
schöpfen: schaffen, erschaffen, entwickeln, erzeugen, hervorbringen, hervorrufen, kreieren, entstehen lassen *herausnehmen
Schöpfer: Allvater, Er, Erhalter, Gott, Gottheit, Göttlichkeit, Herr, Herrgott, Jahwe, Jehova, Richter, Weltenlenker, das höchste Wesen, der Allmächtige, der Allwissende, der Ewige, der Höchste,

der höchste Richter, der Herr Zebaoth, himmlischer Vater *Erschaffer, Urheber, Vater, Verfasser *Kelle, Löffel, Schöpfkelle, Schöpflöffel, Soßenlöffel
schöpferisch: einfallsreich, erfinderisch, fruchtbar, gestaltend, gestalterisch, ideenreich, ingeniös, konstruktiv, kreativ, künstlerisch, originell, phantasievoll, produktiv
Schöpferkraft: Einfallsreichtum, Kreativität, Produktivität
Schöpflöffel: Schöpfkelle
Schöpfung: Arbeit, Kunstwerk, Produkt, Werk *Erschaffung, Kreation *Arbeit, Artikel, Ergebnis, Erzeugnis, Fabrikat, Gebilde, Produkt, Ware
Schorf: Borke, Grind, Kruste, Wundschorf
Schornstein: Esse, Feueresse, Kamin, Rauchfang, Schlot
Schornsteinfeger: Essenkehrer, Kaminfeger, Kaminkehrer, Rauchfangkehrer, Schlotfeger, schwarzer Mann
Schoß: Ableger, Reis, Schössling, Setzling *Rock, Rockschoß, Schoßrock *Becken, Hüften, Lenden
Schoßkind: Feigling, Jammerlappen, Memme, Muttersöhnchen, Nesthäkchen, Pantoffelheld, Schwächling, Weichling, Zärtling *Kind, Kleine, Kleinkind
Schössling: Ableger, Reis, Schoß, Setzling
Schote: Hülle, Hülse, Kapsel, Schale
schräg: schief, windschief, abfallend, abschüssig, absteigend, geneigt, s. senkend, nicht gerade *diagonal, kursiv, quer, der Quere nach, nach der Quere
Schräge: Schiefe, Schrägheit, Schräglage
schrägen: abdachen, abfasen, abkanten, abschrägen, fasen, schräger machen
Schräglage: Schiefe, Schräge, Schrägheit
Schramme: Kratzer, Riss, Schrunde, Schürfung, Verletzung *Kratzer, Riss, Ritz, Scharte, Schürfung
schrammen: einritzen, ritzen, verewigen *s. aufreißen, s. aufritzen, s. aufschürfen, s. reißen, s. schrammen, s. schürfen, s. verletzen
Schrank: Kasten, Schrein, Spind *Dickwanst
Schranke: Abgrenzung, Begrenzung, Grenze, Grenzlinie *Barre, Barriere, Schlagbaum *Absperrung, Barrikade, Blockade, Hindernis, Hürde, Sperre *Abstand, Abweichung, Differenz, Diskrepanz, Divergenz, Gefälle, Gegensatz, Kluft, Kontrast, Missverhältnis, Unähnlichkeit, Ungleichheit, Unstimmigkeit, Verschiedenheit
schrankenlos: absolut, total, unbegrenzt, uneingeschränkt, vollkommen, ohne Einschränkung *unbeschrankt, ungesichert, nicht mit Schranken versehen
Schrankfach: Fach, Schubfach, Schublade
schrauben: befestigen, eindrehen, einschrauben *s. drehen *aufschrauben, öffnen
schraubenförmig: gewunden, schneckenförmig, spiralig
Schraubengang: Schraubentunnel
Schraubenlinie: Schnecke, Spirale, Windung
Schreck: Angst, Bestürzung, Betroffenheit, Entsetzen, Erschrecken, Erschrockenheit, Erschütterung, Fassungslosigkeit, Grauen, Grausen, Horror, Panik, Schauder, Schock, Schrecken
schrecken: deprimieren, entmutigen, verängstigen, mutlos machen
Schreckensherrschaft: Despotie, Despotismus, Diktatur, Gewaltherrschaft, Terror, Terrorismus, Tyrannei, absolutistische Herrschaft, totalitäres System
Schreckensherrscher: Alleinherrscher, Despot, Diktator, Gewaltherrscher, Herrscher, Tyrann, Unterdrücker
Schreckensnachricht: Hiobsbotschaft, Hiobskunde
Schreckgespenst: Albtraum, Kinderschreck, Kobold, Phantom, Popanz, Scheuche, Schimäre, Schreckbild, Schreckgestalt, der schwarze Mann
schreckhaft: angstbebend, angsterfüllt, ängstlich, angstschlotternd, angstverzerrt, angstvoll, argwöhnisch, aufgeregt, bang, bänglich, befangen, beklommen, besorgt, betroffen, feigherzig, gehemmt, hasenherzig, kleinmütig, memmenhaft, mutlos, scheu, schüchtern, verängstigt, verschreckt, verschüchtert, zag, zaghaft, zähneklappernd

schrecklich: ängstigend, beängstigend, abscheulich, charakterlos, ehrlos, Entsetzen erregend, erbärmlich, furchtbar, fürchterlich, gemein, gespenstig, grässlich, Grauen erregend, grauenhaft, grauenvoll, grausig, gräulich, hässlich, horrend, katastrophal, niedrig, ruchlos, schändlich, schauervoll, schaudervoll, Schauder erregend, schauerlich, schaurig, scheußlich, unangenehm, unheimlich, unschön, unwürdig, verabscheuenswert, verabscheuungswürdig, verächtlich, verdammenswert, verheerend, verwerflich, widerlich, zum Fürchten *furchtbar, fürchterlich, irrsinnig, kolossal, riesig, sehr, unheimlich, unsinnig *sehr, überaus

Schredder: Häcksler, Papierwolf, Reißwolf

Schrei: Aufschrei, Notruf, Ruf

Schreibart: Ausdruck, Ausdrucksart, Ausdrucksform, Ausdrucksweise, Schreibweise

schreiben: abfassen, abmalen, abschreiben, aufschreiben, aufzeichnen, formulieren, kopieren, malen, niederlegen, niederschreiben, notieren, verfassen, vermerken, eine Notiz machen, schriftlich festhalten, zur Feder greifen *anschreiben, korrespondieren, mitteilen, schicken, senden, übermitteln, herantreten (an) *abfassen, anfertigen, behandeln, darlegen, darstellen, formulieren, verfassen, arbeiten (an) ***s. schreiben:** korrespondieren, im Briefwechsel stehen, im Schriftverkehr stehen, im Schriftwechsel stehen, eine E-Mail verfassen, eine SMS senden

Schreiben: Antwort, Benachrichtigung, Botschaft, Brief, E-Mail, Kassiber, Leserbrief, Mitteilung, Nachricht, Post, Schrieb, Schriftstück, Sendbrief, SMS, Wisch, Zeilen, Zuschrift, offener Brief *Akte, Aktenstück, Dokument, Papier, Schriftstück, Skript, Unterlage, Urkunde

Schreiber: Autor, Dichter, Dichterling, Federheld, Literat, Poet, Schreiberling, Schriftsteller, Mann der Feder *Autor, Schriftsteller, Verfasser

Schreibkraft: Bürokraft, Datentypistin, Maschinenschreiberin, Schreibdame, Stenotypistin

Schreibstube: Büro, Kontor, Sekretariat

Schreibtisch: Katheder, Schreibpult, Schreibschrank, Sekretär

Schreibweise: Orthographie, Rechtschreibung, Schreibung

schreien: brüllen, donnern, gellen, grölen, johlen, kreischen, lärmen, plärren, rufen, schrillen, laut sprechen, Schreie ausstoßen, ein Geschrei erheben

schreiend: blendend, grell, grellfarben, knallig, kunterbunt, scheckig *auffallend, Aufsehen erregend, augenfällig, hervorstechend, markant, reißerisch, ungewöhnlich, verblüffend, nicht alltäglich

Schreier: Hetzer, Krakeeler, Krawallmacher, Provokateur, Radaubruder, Radaumacher, Störenfried, Unruhestifter

Schreierei: Brüllen, Gebrüll, Gejohle, Gekreisch, Geschrei, Hallo, Johlen, Krach, Lärm

Schreihals: Krawallmacher, Radaumacher, Schreier, Unruhestifter

Schrein: Kasten, Schrank, Spind *Kommode, Lade, Truhe *Sarg, Totenlade

Schreiner: Möbelmacher, Tischler

schreinern: tischlern, zimmern *arbeiten, basteln

schreiten: s. begeben, bummeln, flanieren, s. fortbewegen, gehen, marschieren, schleichen, schlendern, schlurfen, spazieren, stapfen, trippeln, trödeln, wandeln, wandern

Schrift: Handschrift, Schreibart, Schreibweise *Arbeit, Aufsatz, Beitrag, Broschüre, Buch, Druckwerk, Publikation, Studie, Untersuchung, Veröffentlichung *Buchstabe, Letter, Schriftzeichen, Type

schriftdeutsch: bühnendeutsch, hochdeutsch

Schriftführer: Protokollant, Protokollführer, Sekretär

Schriftgelehrter: Kirchenlehrer, Theologe

Schriftleiter: Bearbeiter, Chefredakteur, Hauptschriftleiter, Lektor, Redakteur

schriftlich: brieflich, handschriftlich, maschinenschriftlich, niedergeschrieben, in geschriebener Form, schwarz auf weiß

Schriftsetzer: Anzeigensetzer, Handsetzer, Maschinensetzer, Setzer *Layouter
Schriftsprache: Bühnensprache, Hochsprache, Literatursprache
Schriftsteller: Autor, Dichter, Drehbuchautor, Literat, Poet, Schreiber, Stückeschreiber, Texter, Verfasser *Werbetexter
schriftstellerisch: dichterisch, episch, erzählerisch, literarisch, lyrisch, poetisch
schriftstellern: dichten, fabulieren, reimen, schreiben, Reime machen, Verse machen, Verse schmieden
Schriftstück: Manuskript, Original, Typoskript, Urschrift *Akte, Charta, Diplom, Dokument *Akte, Aktenstück, Dokument, Papier, Schreiben, Skript, Skriptum, Unterlage, Urkunde
Schrifttum: Belletristik, Dichtkunst, Dichtung, Dramatik, Epik, Literatur, Lyrik, Poesie, Poetik, Wortkunst
Schriftverkehr: Briefaustausch, Briefverkehr, Briefwechsel, Korrespondenz, Notenwechsel, Schriftwechsel
Schriftzeichen: Buchstabe, Letter, Schrift, Type
Schriftzug: Duktus, Linienführung, Schreibart
schrill: durchdringend, gellend, grell, hell, laut, lautstark, markerschütternd, ohrenbetäubend, ohrenzerreißend, scharf, überlaut, aus voller Kehle
schrillen: brüllen, donnern, gellen, grölen, johlen, kreischen, lärmen, plärren, rufen, schreien, laut sprechen, Schreie ausstoßen, ein Geschrei erheben
Schrippe: Brötchen, Kipf, Semmel, Weck, Wecken
Schritt: Gang, Gangart, Lauf, Tritt *Demarche, Einrichtung, Maßnahme, Maßregel, Regelung
Schrittmacher: Herzschrittmacher *Bahnbrecher, Pionier, Vorbereiter, Vorkämpfer, Vorläufer, Wegbereiter
Schritttempo (im): Gemessenheit, Schneckentempo
schrittweise: allmählich, etappenweise, nacheinander, stückweise, stufenweise, sukzessive, unmerklich, kaum merklich, nach und nach, nicht auf einmal
schroff: abweisend, barsch, brüsk, grob, plump, rüde, ruppig, taktlos, unfreundlich, ungehobelt, ungeschliffen, unhöflich, unkultiviert, unritterlich *abfallend, abschüssig, absteigend, jäh, schräg
Schroffe: Felsklippe, Klippe, Riff, Schroffen
schröpfen: ausbeuten, ausnehmen, ausputzen, ausräubern, erleichtern, bis aufs Hemd ausziehen, das Geld aus der Tasche ziehen *zur Ader lassen, Blut abnehmen, Blut abzapfen
Schrot: Dunst, Hagel, Posten, Rehposten, Vogeldunst
schroten: mahlen, malmen, zermahlen, zerschroten, zerstoßen
Schrott: Abfallmaterial, Abfallprodukte, Abfallstoffe, Alteisen, Altmaterial, Altmetall, Altstoff, Altwaren, Kehricht, Müll, Überrest, Unrat *Schrottware
Schrotthändler: Altwarenhändler, Gebrauchtwarenhändler, Lumpensammler, Trödler
Schrottware: Altwaren, Kitsch, Kram, Ladenhüter, Mist, Ramsch, Schleuderware, Schund, Tand, Tandwerk, Unrat, Zeug, schlechte Ware, minderwertige Ware
schrubben: abkehren, abreiben, abschrubben, abseifen, abspritzen, abwischen, ausreiben, auswaschen, bürsten, durchwaschen, durchziehen, fegen, feudeln, putzen, reiben, reinigen, sauber machen, säubern, scheuern, spülen, waschen, wienern, wischen, rein machen
Schrulle: Absonderlichkeit, Fimmel, Marotte, Mucke, Spleen, Tick *Anwandlung, Einfall, Kaprice, Kapriole, Laune, Stimmung
schrullig: eigenartig, eigenbrötlerisch, grillenhaft, grillig, kauzig, schnurrig, schrullenhaft, seltsam, skurril, sonderbar, sonderlich, spleenig, verschroben, verschrullt, wunderlich
Schrumpel: Falte, Krähenfuß, Runzel
schrumpelig: durchfurcht, faltig, hutzelig, knittrig, knitterig, kraus, runzelig, runzlig, schrundig, verhutzelt, verrunzelt, verschrumpelt, welk, zerfurcht, zerklüftet, zerknittert, zerschründet, nicht glatt
schrumpfen: eindorren, einfallen, einlaufen, einschrumpfen, eintrocknen, schrumpeln, verdorren, s. verkleinern,

verkümmern, zusammenfallen, zusammenschrumpfen, s. zusammenziehen *abnehmen, s. dezimieren, s. reduzieren, schwinden, verringern, weniger werden, geringer werden

Schrumpfung: Kürzung, Schwund, Verringerung *Einschrumpfung, Eintrocknung, Verkleinerung, Zusammenziehung

Schub: Knuff, Puff, Ruck, Schubs, Stoß, Tritt

Schubfach: Kasten, Lade, Schiebkasten, Schieblade, Schubkasten, Schublade, Tischkasten

Schubkarre: Handkarre, Karre, Schiebkarre, Schubkarren

Schubs: Knuff, Puff, Ruck, Schub, Stoß, Tritt

schubsen: knuffen, puffen, rammeln, rempeln, stauchen, stoßen, einen Stoß geben, einen Stoß versetzen

schüchtern: angstbebend, angsterfüllt, ängstlich, angstschlotternd, angstverzerrt, angstvoll, argwöhnisch, aufgeregt, bang, bänglich, befangen, beklommen, besorgt, betroffen, feigherzig, geduckt, gehemmt, hasenherzig, kleinmütig, memmenhaft, mutlos, scheu, schreckhaft, verängstigt, verschreckt, verschüchtert, zag, zaghaft, zähneklappernd *achtsam, behutsam, vorsichtig, zart *befangen, gehemmt, gezwungen, scheu, unsicher, verklemmt, verkrampft

Schüchternheit: Angst, Ängstlichkeit, Befangenheit, Scheu, Verschüchterung *Ängstlichkeit, Bammel, Bangigkeit, Bänglichkeit, Befangenheit, Beklemmung, Beklommenheit, Furcht, Furchtsamkeit, Heidenangst, Hemmungen, Herzbeklemmung, Herzensangst, Höllenangst, Panik, Phobie, Scheu, Unsicherheit, Verlegenheit *Prüderie, Scham, Schamhaftigkeit *Befangenheit, Gehemmtheit, Gehemmtsein, Hemmung, Komplex, Minderwertigkeitskomplex, Scheu, Unsicherheit, Verklemmtheit, Verkrampfung, Verlegenheit

Schuft: Bube, Erzgauner, Gangster, Ganove, Gauner, Halunke, Kanaille, Kreatur, Lump, Schurke, Spitzbube, Strolch, Wicht

schuften: s. mühen, s. abmühen, s. plagen, s. abplagen, s. quälen, s. abquälen, s. abarbeiten, abmühen, s. abrackern, s. abschleppen, anspannen, s. anstrengen, s. aufreiben, s. befleißen, s. befleißigen, s. bemühen, s. etwas abverlangen, s. fordern, s. Mühe geben, rackern, s. schinden

Schufterei: Arbeit *Abscheulichkeit, Bösartigkeit, Bosheit, Böswilligkeit, Garstigkeit, Gehässigkeit, Gemeinheit, Hässlichkeit, Hinterlist, Infamie, Niedertracht, Niedrigkeit, Perfidie, Ruchlosigkeit, Schäbigkeit, Schadenfreude, Schikane, Schlechtigkeit, Schmutzigkeit, Teufelei, Übelwollen, Unverschämtheit, Verruchtheit, böse Absicht, böser Wille

schuftig: gemein, hundsgemein, niederträchtig, schäbig, schändlich, schimpflich, schmachvoll, schmählich, schmutzig, schnöde

Schuhband: Schnürband, Schnürriemen, Schnürsenkel, Schuhriemen, Senkel

Schuhcreme: Fett, Lederfett, Schuhwichse, Wichse

Schuhe: Schuhbekleidung, Schuhwerk

Schuhmacher: Flickschuster, Schuster

Schuhriemen: Schnürband, Schnürriemen, Schnürsenkel, Schuhband, Senkel

Schuhsohle: Schuhabsatz, Sohle

Schuhwichse: Fett, Lederfett, Schuhcreme, Wichse

Schulanfänger: Abc-Schüler, Abc-Schütze, Anfänger, Erstklässler

Schularbeit: Arbeit, Aufgabe, Hausarbeit, Hausaufgabe, Pensum, Schulaufgabe

Schuld: Entgleisung, Fehler, Fehltritt, Versagen, Verschulden, Verstoß *Haftung, Verantwortung *Obligationen, Passiva, Rückstände, Verbindlichkeiten, Verpflichtungen, Verschreibungen

Schuldbekenntnis: Beichte, Geständnis, Gewissenserleichterung

schuldbeladen: fehlerhaft, haftbar, schuldhaft, schuldig, schuldvoll, sündig, verantwortlich, in Schuld verstrickt

schuldbewusst: beschämt, bußfertig, reuevoll, reuig, reumütig, seiner Schuld bewusst

Schuldbewusstsein: Gewissensangst, Gewissensbisse, Gewissenslast, Gewissensnot, Gewissenspein, Gewissensqual, Gewissensskrupel, Gewissenswurm, Schuldkomplex, Skrupel, Zerknirschtheit, Zerknirschung

schulden: schuldig sein, verschuldet sein, zu zahlen haben, Schulden haben, Rückstände haben *verdanken, s. zu Dank verpflichtet fühlen, verpflichtet sein, zu danken haben, Dank schulden

schuldenfrei: abbezahlt, hypothekenfrei, lastenfrei, unbelastet, unverschuldet, ohne Schulden

Schuldgefühl: Gewissensangst, Gewissensbisse, Gewissenslast, Gewissensnot, Gewissenspein, Gewissensqual, Gewissensskrupel, Gewissenswurm, Schuldkomplex, Skrupel, Zerknirschtheit, Zerknirschung

schuldig: fehlerhaft, haftbar, schuldbeladen, schuldhaft, schuldvoll, sündig, verantwortlich, in Schuld verstrickt

Schuldigkeit: Auftrag, Menschenpflicht, Mission, Obliegenheit, Pflicht, Plan, Soll, Verbindlichkeit, Verpflichtung

schuldlos: makellos, tadelfrei, tadellos, unangreifbar, unschuldig, frei von Schuld, nicht schuldig *keusch, lauter, rein, unbefleckt, unberührt, unerfahren, unverdorben, frei von Sünde

Schuldlosigkeit: Makellosigkeit, Tadellosigkeit, Unschuld

Schuldner: Gemeinschuldner, Gesamtschuldner, Hauptschuldner, Kreditnehmer, Mitschuldner, Wechselschuldner

Schuldschein: Obligation, Schuldverschreibung, Verbindlichkeit

Schuldspruch: Richterspruch, Urteil, Urteilsspruch, Verurteilung

schuldvoll: fehlerhaft, haftbar, schuldbeladen, schuldhaft, schuldig, sündig, verantwortlich, in Schuld verstrickt

Schule: Bildungsanstalt, Bildungsstätte, College, Kolleg, Lehranstalt, Unterrichtsanstalt *Instruktion, Kurs, Kursus, Kursunterricht, Lehrgang, Lektion, Nachhilfestunde, Schulung, Seminar, Übung, Unterricht, Unterrichtsstunde, Unterweisung, Vorlesung *Schulgebäude, Schulhaus ***Schule haben:** die Schulbank drücken, die Schule besuchen, in die Schule gehen, zur Schule gehen, Unterricht haben ***keine Schule haben:** ausspannen, s. entspannen, schulfrei haben, Ferien haben, frei haben *fehlen, schwänzen, krank sein ***Schule halten:** erziehen, lehren, unterrichten

schulen: abführen, abrichten, dressieren *anleiten, anweisen, ausbilden, beibringen, belehren, bilden, drillen, einbläuen, eindrillen, einhämmern, einpauken, einweisen, eintrichtern, erklären, erziehen, exerzieren, helfen, unterrichten, unterweisen, vormachen, Lebenshilfe geben, Lebenshilfe gewähren

Schüler: Eleve, Schuljunge, Schulkind, Schulmädchen, Zögling *Anhänger

schülerhaft: kindhaft, kindlich, unerfahren, unfertig, unreif, wie ein Schüler

Schülerwohnheim: Erziehungsinstitut, Internat, Pensionat, Pensionsanstalt

Schulfach: Fach, Studienfach, Unterrichtsfach

Schulfreund: Klassenkamerad, Mitschüler, Schulkamerad, Studienfreund

Schulgebäude: Schule, Schulhaus

schulisch: erzieherisch, erziehlich, pädagogisch

Schuljunge: Eleve, Schüler, Schulkind, Zögling

Schulkamerad: Klassenkamerad, Mitschüler, Schulfreund, Studienfreund

Schulkenntnisse: Lernstoff, Wissensstoff

Schulkind: Eleve, Schüler, Schuljunge, Schulmädchen, Zögling

Schulklasse: Klasse, Klassenraum, Klassenzimmer, Schulstube *Kinder, Schüler

Schullehrer: Erzieher, Kursleiter, Lehrer, Lehrkraft, Lehrmeister, Pädagoge, Schulmann

Schulleiter: Direktor, Oberstudiendirektor, Rektor

Schulmappe: Aktentasche, Mappe, Ranzen, Schulranzen, Schulrucksack, Schultasche

schulmäßig: belehrend, didaktisch, dogmatisch, doktrinär, lehrhaft, lehrreich, professorenhaft, schulmeisterlich

Schulmeister: Ausbilder, Dozent, Erzieher, Kursleiter, Lehrer, Lehrkraft, Lehrmeister, Lektor, Magister, Mentor, Pädagoge

schulmeisterlich: besserwisserisch, lehrerhaft, lehrhaft, paukerhaft *bürokratisch, engherzig, hinterwäldlerisch, kleinbürgerlich, kleindenkend, kleinkariert, kleinlich, kleinstädtisch, krämerhaft, muffig, pedantisch, pingelig, provinziell, spießbürgerlich, spießig, spitzfindig, übergenau, unduldsam, päpstlicher als der Papst
schulmeistern: belehren
Schulstube: Klasse, Klassenraum, Klassenzimmer
Schultasche: Aktentasche, Mappe, Ranzen, Schulmappe, Schulranzen
Schulterklappe: Achselklappe, Achselstück, Epaulette, Schulterstück
Schulung: Instruktion, Kurs, Kursus, Kursunterricht, Lehrgang, Lektion, Nachhilfestunde, Schule, Seminar, Übung, Unterricht, Unterrichtsstunde, Unterweisung, Vorlesung *Ausbildung, Ausbildungszeit, Berufsausbildung, Bildung, Erziehung, Lehre, Lehrjahr, Lehrzeit, Schulausbildung, Schulbildung, Studienjahre *Abrichtung, Dressur *Agitation, Agitationstätigkeit, Agitationsarbeit, Aufklärung, Aufklärungsarbeit, Aufklärungstätigkeit, Öffentlichkeitsarbeit, Propaganda
Schulzeit: Ausbildungszeit, Lehrzeit, Schülerzeit
Schulzeugnis: Abiturzeugnis, Abschlusszeugnis, Diplom, Dokument, Entlassungszeugnis, Reifezeugnis, Urkunde, Zeugnis, Zwischenzeugnis
Schummelei: Bauernfang, Bauernfängerei, Betrug, Betrügerei, Gaunerei, Gaunerstreich, Hintergehung, Irreführung, Machenschaft, Manipulation, Mogelei, Nepp, Prellerei, Schiebung, Schummel, Schummeln, Schwindel, Schwindelei, Täuschung, Unregelmäßigkeit, Unterschlagung
schummeln: andrehen, anschmieren, ausbeuten, beschummeln, beschwindeln, betrügen, bluffen, bringen (um), einsalben, gaunern, hereinlegen, hintergehen, hochnehmen, lackmeiern, leimen, mogeln, neppen, prellen, täuschen, überfahren, überlisten, übervorteilen, aufs Kreuz legen
schummerig: dämmerig, dunkel, halbdunkel, lichtarm, schattig, zwielichtig
Schummerstunde: Abenddämmerung, Abendgrauen, Abendlicht, Abendrot, Dämmerlicht, Halbdunkel, Sonnenuntergang, Zwielicht
Schundliteratur: Dreigroschenheft, Groschenheft, Groschenroman, Schmutzliteratur, Schund
Schundware: Altwaren, Kitsch, Kram, Ladenhüter, Ramsch, Ramschware, Schleuderware, Schrott, Schund, Tand, Tandwerk, Unrat, Zeug, schlechte Ware, minderwertige Ware
schunkeln: kippeln, pendeln, schaukeln, schwingen, wippen
Schupo: Polizist, Schutzmann
Schuppe: Häutchen, Plättchen
schuppen: kratzen, schaben ***s. schuppen:** s. häuten, die Schuppen verlieren
Schuppen: Schauer, Schupfen *Gaststätte, Lokal *Abstellraum, Scheune, Schoppen
schüren: anbrennen, anfeuern, anheizen, anschüren, anstecken, anzünden, einheizen, entfachen, entzünden, Feuer legen *ankurbeln, anspornen, anstacheln, aufwiegeln, fanatisieren, steigern
schürfen: ausheben, aushöhlen, ausschachten, graben, scharren, schaufeln, schippen, wühlen ***s. schürfen:** s. ritzen, s. verletzen
Schürfung: Kratzer, Riss, Ritz, Scharte, Schramme, Schrunde, Verletzung
Schurke: Bube, Erzgauner, Gangster, Ganove, Gauner, Halunke, Kanaille, Kreatur, Lump, Missetäter, Schuft, Spitzbube, Strolch, Wicht
Schurkenstreich: Bubenstreich, Bubenstück, Gemeinheit, Lumperei, Schurkerei
schurkisch: gemein, hundsgemein, niederträchtig, schäbig, schändlich, schimpflich, schmachvoll, schmählich, schmutzig, schnöde
schürzen: anheben, hochheben, lüften, raffen *aufwerfen, entwickeln, entstehen lassen *binden, knüpfen
Schürzenjäger: Frauenheld, Frauenliebling, Herzensbrecher, Lebemann, Verführer, Weiberheld, Witwentröster

Schürzenkind: Feigling, Jammerlappen, Muttersöhnchen, Nesthäkchen, Pantoffelheld, Schoßkind, Schwächling, Weichling, Zärtling
Schuss: Stoß *Einschlag, Einschuss, Eintrag *Schussfaden
Schussel: Langweiler, Schlafmütze, Schnecke, Tränentier, Tranfunzel, Transuse
Schüssel: Napf, Suppenschüssel, Terrine *Becken, Napf, Schale
schusselig: abwesend, entrückt, gedankenverloren, geistesabwesend, grübelnd, nachdenklich, schusslig, selbstvergessen, träumerisch, traumverloren, unansprechbar, unerreichbar, unkonzentriert, vergesslich, versunken, verträumt, zerfahren, zerstreut, in Gedanken, nicht bei der Sache
Schusser: Glaskugel, Klicker, Murmel
Schussfaden: Einschlag, Einschuss, Eintrag, Schuss
Schusswaffe: Colt, Handfeuerwaffe, Pistole, Revolver, Schießeisen, Waffe *Büchse, Donnerbüchse, Flinte, Gewehr, Knallbüchse, Knarre, Schießeisen, Schießgewehr
Schusswechsel: Ballerei, Feuergefecht, Feuerwechsel, Gefecht, Knallerei, Kugelwechsel, Schießen, Schießerei
Schuster: Flickschuster, Schuhmacher
Schutt: Geröll, Geschiebe *Reste, Ruinen, Trümmer, Überbleibsel, Überreste *in **Schutt und Asche legen:** zerstören
Schuttabladeplatz: Abfallgrube, Abraumhalde, Müllabladeplatz, Müllgrube, Müllhalde, Müllhaufen, Schrottplatz, Schutthaufen
Schüttelfrost: Fieberfrost, Fieberschauer, Schauer *Malaria, Tropenfieber
schütteln: durchbeuteln, durchrütteln, durchschütteln *rütteln *dümpeln, rollen, rudern, schaukeln, schleudern, schlingern, stampfen, wackeln, hin und her schwanken ***s. schütteln:** s. ekeln, s. entsetzen, zurückschaudern, Abscheu empfinden, Ekel empfinden
schütten: einfüllen, füllen *gießen, prasseln, regnen, schauern, in Strömen regnen *werfen
schütter: dürftig, gelichtet, licht, spärlich, dünn (bewachsen)
schüttern: aufbeben, beben, erbeben, erschüttern, erzittern
Schutz: Abschirmung, Bedeckung, Beistand, Beschützung, Hilfe, Obhut, Sicherheit, Sicherung, Wahrung *Bewahrung, Erhaltung, Verteidigung *Bedeckung, Begleitung, Bewachung, Eskorte, Gefolge, Geleit *Hort, Obhut, Zuflucht
Schutzanzug: Kombination, Overall
Schutzbefohlene: Pflegebefohlene, Schützling
Schütze: Soldat *Jäger *Heckenschütze, Partisan
schützen: erhalten, retten, schonen, wahren, in Deckung nehmen *decken, abdecken, sichern, absichern, abwehren, aufpassen (auf), behüten, beschützen, bewachen, bewahren, garantieren, verteidigen ***s. schützen:** s. einigeln, s. feien, s. unterstellen, s. verschanzen, in Deckung gehen *s. immunisieren, s. impfen lassen, vorbauen, vorbeugen
Schutzengel: Beschützer, Patron, Schutzheiliger
Schützengraben: Graben, Laufgraben
Schützer: Beschützer, Protektor, Schirmherr, Schutzpatron
Schutzgebiet: Naturschutzgebiet, Reservat, Reservation
Schutzhaft: Arrest, Haft, Sicherungsverwahrung
Schutzheiliger: Patron, Schutzengel, Schutzherr, Schutzpatron
Schutzherr: Patron, Schutzengel, Schutzpatron *Beschützer, Gönner, Mäzen, Patron, Protektor, Schirmherr, Schutzpatron
Schutzherrschaft: Protektorat, Schirmherrschaft
Schutzhülle: Futteral, Hülle, Mantel, Schoner, Überzug, Verpackung
schutzimpfen: immunisieren, impfen, vorbeugen, eine Impfung vornehmen, immun machen
Schutzimpfung: Immunisation, Immunisierung
Schützling: Mündel, Pflegebefohlener, Schutzbefohlener *Favorit, Günstling, Liebling, Protegé
schutzlos: ausgeliefert, hilflos, ohnmächtig, preisgegeben, schirmlos, schwach,

unbehütet, unbeschirmt, unbeschützt, ungeborgen, ungeschützt, ohne Schutz *entrechtet, geächtet, rechtlos

Schutzmann: Gendarm, Gesetzeshüter, Ordnungshüter, Polizeibeamter, Polizist, Wachmann, Wachtmeister, Auge des Gesetzes

Schutzmarke: Fabrikat, Fabrikmarke, Handelsmarke, Handelszeichen, Marke, Warenzeichen

Schutzpatron: Patron, Schutzengel, Schutzheilige, Schutzherr

Schutzpolizist: Gendarm, Gesetzeshüter, Ordnungshüter, Polizei, Polizeibeamter, Polizist, Wachmann, Wachtmeister, Auge des Gesetzes

Schutzwall: Brustwehr, Schanze, Schanzwerk *Abdämmung, Absperrung, Aufschüttung, Aufwurf, Damm, Deich, Eindämmung, Erdwall, Ring, Stauwerk, Verschanzung, Wall, Wehr

schwabbelig: gedunsen, aufgedunsen, aufgebläht, aufgeschwemmt, aufgetrieben, dick, geschwollen, schwammig *quabbelig, schwammig, teigig, wabbelig, weich

schwach: abgehetzt, abgekämpft, abgeschlafft, abgespannt, abgewirtschaftet, anfällig, angegriffen, angeschlagen, atemlos, aufgerieben, ausgelaugt, durchgedreht, entkräftet, entnervt, erholungsbedürftig, erledigt, ermattet, erschlagen, erschöpft, flau, gerädert, geschafft, groggy, halb tot, kaputt, kraftlos, krank, matt, mitgenommen, müde, schachmatt, schlaff, schlapp, überanstrengt, überfordert, überlastet, urlaubsreif, verbraucht, widerstandslos, zerschlagen, k. o., am Ende *einflusslos, hilflos, machtlos, ohnmächtig, schutzlos, wehrlos *anfällig, energielos, entkräftet, gebrechlich, geschwächt, hinfällig, kraftlos, kränklich, marklos, matt, müde, schlaff, widerstandslos, zart, ohne Kraft *dünn, dürftig, fein, zerbrechlich *charakterlos, charakterschwach, energielos, gefährdet, haltlos, labil, verführbar, willensschwach, ohne jeden Halt, ohne Rückgrat *begrenzt, dürftig, gering, karg, kläglich, kümmerlich, mäßig, minimal, schmal, spärlich, wenig *erbärmlich, gehaltlos, kläglich, langweilig, minderwertig, niveaulos, oberflächlich, schäbig, schlecht, zweitklassig *begrenzt, gering, mäßig *flüsternd, geräuschlos, heimlich, lautlos, leise, nicht laut *vorübergehend, nicht lange anhaltend *angreifbar, widerlegbar, nicht plausibel *schön, weiblich *einsturzgefährdet, instabil, nichttragend *matt, nicht leuchtend *fehlsichtig, krank *leise, verhaltend *mangelhaft, ungenügend, unterdurchschnittlich *brüchig, dünn, fadendünn, fein, hauchdünn, instabil, schwankend, unfest, unsicher, veränderlich, wackelig *leicht *lau, lind ***schwach bevölkert:** dünn besiedelt, schwach besiedelt, unterbevölkert

Schwäche: Abgespanntheit, Abspannung, Entkräftung, Ermattung, Ermüdung, Erschöpfung, Erschöpfungszustand, Flauheit, Kräfteverfall, Kraftlosigkeit, Mattheit, Mattigkeit, Schlaffheit, Schlappheit, Schwächezustand, Schwachheit, Schwächlichkeit, Schwunglosigkeit, Übermüdung, Unwohlsein, Zerschlagenheit *Einflusslosigkeit, Hilflosigkeit, Impotenz, Machtlosigkeit, Ohnmacht *Haltlosigkeit, Unentschiedenheit, Unentschlossenheit, Verführbarkeit, Weichheit, Willenlosigkeit, Willensschwäche *Bedürfnis, Hinneigung, Interesse, Neigung, Sehnsucht, Sympathie, Veranlagung, Vorliebe, Zug

schwächen: aushöhlen, erlahmen, ermatten, ermüden, erschlaffen, erschöpfen, müde werden, kraftlos werden, schwach werden, matt werden *mildern

Schwächezustand: Abgespanntheit, Abspannung, Entkräftung, Ermattung, Ermüdung, Erschöpfung, Erschöpfungszustand, Flauheit, Kräfteverfall, Kraftlosigkeit, Mattheit, Mattigkeit, Schlaffheit, Schlappheit, Schwachheit, Schwächlichkeit, Schwunglosigkeit, Übermüdung, Unwohlsein, Zerschlagenheit

Schwachheit: Abgespanntheit, Abspannung, Entkräftung, Ermattung, Ermüdung, Erschöpfung, Erschöpfungszustand, Flauheit, Kräfteverfall, Kraftlosigkeit, Mattheit, Mattigkeit, Schlaffheit, Schlappheit, Schwächezustand, Schwäch-

lichkeit, Schwunglosigkeit, Übermüdung, Unwohlsein, Zerschlagenheit
schwachherzig: ängstlich, bang, feige, furchtsam, hasenherzig, kleinmütig, mutlos, zaghaft
Schwachherzigkeit: Ängstlichkeit, Bangigkeit, Feigheit, Furchtsamkeit, Hasenherzigkeit, Kleinmut, Kleinmütigkeit, Memmenhaftigkeit, Mutlosigkeit, Unmännlichkeit, Waschlappigkeit, Zaghaftigkeit
Schwachkopf: Dummkopf, Einfaltspinsel, Esel, Kindskopf, Narr, Nichtskönner, Nichtswisser, Simpel, Stümper, Tollpatsch, Tölpel, Tor, Trottel, Versager
schwachköpfig: dumm, idiotisch, schwachsinnig, verblödet, verrückt
schwächlich: anfällig, energielos, entkräftet, gebrechlich, geschwächt, hinfällig, kraftlos, kränklich, marklos, matt, müde, schlaff, schwach, widerstandslos, zart, ohne Kraft
Schwächling: Muttersöhnchen, Pantoffelheld, Schlappschwanz, Weichling, Zärtling
schwachsichtig: fehlsichtig, kurzsichtig, sehgestört *weitsichtig
Schwachsinn: Blödheit, Debilität, Geisteskrankheit, Geistesschwäche, Idiotie, Schwachsinnigkeit, Stumpfsinn
schwachsinnig: blöde, debil, geisteskrank, geistesschwach, idiotisch, kretinhaft, verrückt
Schwachsinniger: Idiot, Irrer, Kretin
Schwachsinnigkeit: Blödheit, Debilität, Idiotie, Stumpfsinn
Schwaden: Dampf, Dunst, Qualm, Rauch, Rauchgas, Rauchschwaden, Ruß, Schmauch
Schwadroneur: Angeber *Fabulant, Phrasendrescher, Plapperer, Plauderer, Quasselkopf, Quasselstrippe, Salbader, Schwätzer, Wortemacher, Zungendrescher
schwadronieren: erzählen, faseln, palavern, parlieren, plappern, quasseln, quatschen, reden, schwafeln, schwatzen, schwätzen, unterhalten *angeben, aufschneiden, s. aufspielen, aufspielen, auftrumpfen, s. brüsten, posaunen, prahlen, renommieren, s. rühmen, in Superlativen reden, den Mund voll nehmen
Schwafelei: Banalität, Blabla, Demagogie, Faselei, Gebabbel, Gedöns, Gedröhn, Gedröhne, Gefasel, Gelaber, Geplapper, Geplätscher, Gequassel, Gequatsche, Geschnatter, Geschwafel, Geschwätz, Gewäsch, Gickgack, Kakelei, Palaver, Phrase, Phrasendrescherei, Plapperei, Quasselei, Quatscherei, Rederei, Schleim, Schmonzes, Schmus, Schnickschnack, Schwätzerei, Sermon, Unsinn, Wischiwaschi, Wischwasch, Wortaufwand, leeres Stroh
schwafeln: daherreden, dahinreden, einherreden, schwadronieren, Phrasen dreschen, leeres Stroh reden
Schwager: Verwandter *Kutscher
Schwaiger: Almhirt, Alpenhirt, Senn, Senner, Sennhirt
Schwall: Anhäufung, Anzahl, Armee, Ballung, Batzen, Berg, Flut, Größe, Haufen, Heer, Ladung, Legion, Masse, Mehrzahl, Menge, Reihe, Schar, Schwarm, Schwung, Serie, Übermaß, Unmaß, Unmasse, Unmenge, Unzahl, Vielheit, Vielzahl, Wust, große Zahl, eine ganze Ladung
Schwamm: Moder, Schimmel, Schimmelpilz *Pilz
schwammig: quabbelig, schwammartig, teigig, wabbelig, weich *aufgedunsen, aufgeschwemmt, aufgeschwollen, aufgetrieben, dick, gedunsen
schwanen: ahnen, annehmen, befürchten, erahnen, erwarten, s. etwas einbilden, s. etwas zusammenreimen, kalkulieren, mutmaßen, schätzen, spekulieren, spüren, vermuten, vorausahnen, wähnen, eine Ahnung haben, rechnen (mit), undeutlich fühlen
schwängern: befruchten, zeugen *durchdringen, durchfluten, durchströmen, durchziehen, erfüllen
Schwangerschaftsunterbrechung: Abbruch, Abtreibung, Schwangerschaftsabbruch *Fehlgeburt
schwanger: ein Kind erwarten, guter Hoffnung, Mutter werden, schwanger gehen, in anderen Umständen
Schwank: Burleske, Farce, Komödie, Lustspiel, Posse, Possenspiel, Theaterstück, heiteres Schauspiel

schwanken: s. hin und her bewegen, schaukeln, schlenkern, schlingern, schwingen, taumeln, torkeln, wackeln, wanken, zittern *fluktuieren, s. verändern, s. wandeln, wechseln, nicht stabil sein, nicht fest sein *fließen *warten, abwarten, s. bedenken, s. besinnen, innehalten, offen lassen, verweilen, zagen, zaudern, zögern, Bedenken tragen, Bedenken haben, mit sich kämpfen, unentschieden sein, unentschlossen sein, unschlüssig sein
schwankend: entschlusslos, labil, schwach, unausgeglichen, unbeständig, unentschieden, unschlüssig, unsicher, unstet, wankelmütig, zaghaft, zögernd *lose, torkelnd, wacklig, wankend
Schwankung: Preisschwankung *Gewoge, Schlingern, Schwingung *Abwägung, Unsicherheit, Wechsel
Schwanz: Blume, Fahne, Lunte, Rute, Schweif, Standarte, Sterz, Wedel, Zagel *Ende, Hinterteil, Zipfel *Reihe, Schlange *Glied, Penis
Schwänzelei: Artigkeit, Geschmeichel, Geschmuse, Kompliment, Lobhudelei, Schmeichelei, Schmeichelrede, Schmus, Schönrednerei, Schöntuerei, Unterwürfigkeit, schöne Worte
schwänzeln: flattieren, hofieren, honorieren, schmeicheln, schönreden, schöntun, umschmeicheln, Komplimente machen, Süßholz raspeln, die Cour machen, schöne Worte machen *schweifwedeln, wedeln, mit dem Schwanz wackeln
schwänzen: blaumachen, bummeln, faulenzen, fehlen, fernbleiben, krankfeiern, wegbleiben, nicht teilnehmen
schwappen: überfließen, überlaufen, überquellen, überschwappen, übersprudeln, überströmen, überwallen
Schwäre: Abszess, Eiterbeule, Eitergeschwür, Furunkel, Geschwür, Karbunkel, Ulkus
schwären: eitern, s. entzünden
schwärig: eitrig, entzündet
Schwarm: Abgott, Idol, Publikumsliebling, Star *Anhäufung, Anzahl, Armee, Batzen, Flut, Haufen, Heer, Legion, Masse, Mehrzahl, Menge, Schar, Schwung, Serie, Übermaß, Unmaß, Unmasse, Unmenge, Unzahl, Vielheit, Vielzahl, Wust, große Zahl, eine ganze Ladung *Haufen, Heer, Herde, Horde, Legion, Pulk, Rudel, Schar, Trupp, Zug
schwärmen: phantasieren, träumen *s. ausbreiten, s. auseinander ziehen, ausfliegen, ausschwärmen, fortgehen, hinauseilen, verlassen, s. verteilen
Schwärmer: Fanatiker, Idealist, Illusionist, Phantast, Romantiker, Schwarmgeist, Träumer *Feuerwerkskörper
Schwärmerei: Phantasterei, Romantik, Träumerei *Überschwang, Verliebtheit *Begeisterung, Eifer, Ekstase, Elan, Enthusiasmus, Entzücken, Entzückung, Feuer, Freude, Gefühlsüberschwang, Glut, Idealismus, Inbrunst, Leidenschaft, Rausch, Strohfeuer, Übereifer, Überschwang, Überschwänglichkeit, Verzücktheit, Verzückung
schwärmerisch: hochfliegend, idealistisch, lebensfremd, phantasievoll, phantastisch, romantisch, träumerisch, unrealistisch, verträumt, weltentrückt, weltfremd, weltverloren, wirklichkeitsfern *begeistert, entflammt, hingerissen, leidenschaftlich, verzückt *überschwänglich
Schwarmgeist: Fanatiker, Idealist, Illusionist, Phantast, Romantiker, Schwärmer, Träumer
Schwarte: Haut, Pelle *Band, Bestseller, Broschüre, Buch, Druckerzeugnis, Einzelband, Erfolgsbuch, Sammelband, Schinken, Schmöker, Schrift, Taschenbuch, Titel, Wälzer, Werk
schwarten: abhäuten, abschwarten, abstreifen, abziehen, enthäuten, Haut abziehen
schwarz: nachtfarben, nachtschwarz, pechschwarz, rabenschwarz, rußfarben, rußfarbig, rußgeschwärzt, schwärzlich, tiefschwarz *dunkel, düster, kohlrabenschwarz, stockdunkel *heimlich, hintenherum, illegal, bei Nacht und Nebel, hinter verschlossenen Türen *angeschmuddelt, schmutzig, verdreckt *konservativ, reaktionär, rechts *braun, braunhaarig, brünett, dunkel, dunkelhaarig, schwarzhaarig *finster, ominös, ungesund, Unheil bringend, Unheil

drohend, unheilschwanger, unheilvoll, Schlimmes verheißend, voller Gefahr, voller Unheil, von schlimmer Vorbedeutung *unerlaubt, verboten ***schwarz auf weiß:** handschriftlich, niedergeschrieben, schriftlich, in geschriebener Form ***schwarz malen:** mies machen, schwarz sehen, unken, pessimistisch sein ***schwarz werden:** Nacht werden

Schwärze: Bosheit *Dämmerung, Dunkel, Dunkelheit, Düsterkeit, Düsternis, Finsterkeit, Finsternis, Halbdunkel, Nacht, Rabennacht

schwärzen: rußen, schwarz anmalen, schwarz machen *unkenntlich machen

Schwarzer: Afrikaner, Afroamerikaner, Neger

Schwarzfahrer: blinder Passagier

Schwarzfärber: Defätist, Fatalist, Miesepeter, Miesmacher, Nihilist, Pessimist, Schwarzseher, Skeptiker, Unheilsprophet

Schwarzfärberei: Agnostizismus, Defätismus, Fatalismus, Lebensverneinung, Miesmacherei, Nihilismus, Panikmache, Pessimismus, Schwarzseherei, Skepsis, Skeptizismus

schwarzhaarig: dunkel, dunkelhaarig, tiefschwarz

Schwarzhandel: Schleichhandel, Schwarzmarkt

Schwarzhändler: Pascher, Schleichhändler, Schmuggler

schwärzlich: nachtfarben, nachtschwarz, pechschwarz, rabenschwarz, rußfarben, rußfarbig, rußgeschwärzt, schwarz, tiefschwarz

Schwarzmaler: Defätist, Fatalist, Miesepeter, Miesmacher, Nihilist, Pessimist, Schwarzfärber, Schwarzseher, Skeptiker, Unheilsprophet

Schwarzmalerei: Agnostizismus, Defätismus, Fatalismus, Lebensverneinung, Miesmacherei, Nihilismus, Panikmache, Pessimismus, Schwarzfärberei, Schwarzseherei, Skepsis, Skeptizismus

Schwarzmarkt: Schleichhandel, Schwarzhandel, schwarzer Markt

Schwarzpulver: Pulver, Schießpulver

schwarzsehen: mies machen, schwarz malen, unken, pessimistisch sein

Schwarzseher: Defätist, Fatalist, Miesmacher, Nihilist, Pessimist, Unheilsprophet

schwarzseherisch: unglücklich, todunglücklich, bedrückt, bekümmert, betroffen, betrüblich, betrübt, defätistisch, depressiv, deprimiert, desolat, elegisch, elend, ernsthaft, freudlos, gebrochen, gedrückt, hypochondrisch, kummervoll, lebensverneinend, leidend, melancholisch, niedergeschlagen, nihilistisch, pessimistisch, schmerzerfüllt, schwermütig, traurig, trist, trübe, trübselig, trübsinnig, unfroh, unglücklich, untröstlich, verzweifelt, wehmütig, wehmutsvoll, am Boden zerstört, von Trauer erfüllt

Schwatz: Aussprache, Geplauder, Geschwätz, Gespräch, Kaffeeklatsch, Plauderei, Plauderstündchen, Plausch, Schwätzchen, Unterhaltung

Schwatzbase: Klatschbase, Klatsche, Klatschtante, Plapperliese, Plappertasche, Plaudertasche, Raffel, Schnatterliese, Schwätzerin, Waschfrau, Waschweib

Schwätzchen: Aussprache, Geplauder, Geschwätz, Gespräch, Kaffeeklatsch, Plauderei, Plauderstündchen, Plausch, Unterhaltung

schwatzen: erzählen, faseln, palavern, parlieren, plappern, quasseln, quatschen, reden, schwadronieren, schwafeln, schwätzen, unterhalten *sagen, weitersagen, ausplappern, ausplaudern, ausposaunen, ausquasseln, austrompeten, preisgeben, verraten, weitererzählen, zutragen

Schwätzer: Fabulant, Phrasendrescher, Plapperer, Plauderer, Quasselkopf, Quasselstrippe, Salbader, Schwadroneur, Wortemacher, Zungendrescher

Schwätzerin: Klatschbase, Klatsche, Klatschtante, Plapperliese, Plappertasche, Plaudertasche, Raffel, Schnatterliese, Schwatzbase, Waschfrau, Waschweib

schwatzhaft: aufdringlich, geschwätzig, gesprächig, klatschhaft, klatschsüchtig, plapperhaft, plauderhaft, redselig, tratschig, weitschweifig, wortreich, viel redend

Schwatzhaftigkeit: Geschwätzigkeit, Klatschhaftigkeit, Klatschsüchtigkeit, Redseligkeit

schweben: bammeln, baumeln, hängen, pendeln *flattern, fliegen, gleiten, schwingen, schwirren, segeln, durch die Luft schießen
schwebend: anhängig, (noch) offen, unabgeschlossen, in der Schwebe
Schweif: Blume, Fahne, Lunte, Rute, Schwanz, Standarte, Sterz, Wedel, Zagel
schweifen: ziehen, herumziehen, streifen, umherstreifen, gleiten, wandern
Schweigegeld: Bestechungsgeld, Bestechungssumme, Handgeld, Handmittel, Schmiergeld
schweigen: s. ausschweigen, geheim halten, s. in Schweigen hüllen, s. nicht in die Karten gucken lassen, stillschweigen, totschweigen, verbergen, verhehlen, verheimlichen, verschweigen, verstummen, den Mund halten, den Mund nicht auftun, die Zunge im Zaum halten, die Zunge hüten, eine Antwort schuldig bleiben, es auf sich beruhen lassen, für sich behalten, kein Sterbenswort sagen, kein Wort verlieren, keine Antwort geben, keine Silbe verraten, keinen Ton von sich geben, keinen Ton verlauten lassen, nicht sprechen, nichts sagen, nichts reden, nichts erwidern, nichts erzählen, nichts entgegnen, Schweigen bewahren, stumm sein, ruhig sein, still sein, stumm bleiben, verschwiegen wie ein Grab
Schweigen: Friede, Geräuschlosigkeit, Grabesstille, Lautlosigkeit, Stille, Stillschweigen, Stummheit, Totenstille *Friede, Frieden, Geräuschlosigkeit, Grabesstille, Lautlosigkeit, Ruhe, Stille, Totenstille
schweigend: stillschweigend, stumm, tonlos, wortlos
Schweigepflicht: Amtsgeheimnis, Amtsverschwiegenheit, Dienstgeheimnis, Geheimhaltung
schweigsam: einsilbig, karg, lakonisch, mundfaul, redescheu, ruhig, steif, still, stumm, verschlossen, verschwiegen, wortkarg, zurückhaltend, nicht gesprächig, nicht mitteilsam
Schwein: Borstentier, Borstenvieh, Hausschwein, Sau *Ferkel, Schmutzfink, Zotenreißer *Halunke, Kanaille, Kreatur, Lump, Schuft, Schurke *Glück, Glücksfall, Glückstreffer
Schweinerei: Dreck, Kot, Schmutz, Staub, Unflat, Unrat *Bosheit, Gehässigkeit, Gemeinheit, Hinterlist, Infamie, Niedertracht, Niedrigkeit, Perfidie, Ruchlosigkeit, Schäbigkeit, Schikane, Schlechtigkeit, Schufterei *Anstößigkeit, Lasterhaftigkeit, Schlüpfrigkeit, Schmutzigkeit, Sittenlosigkeit, Unanständigkeit, Unkeuschheit, Unzucht, Unzüchtigkeit, Verdorbenheit
Schweiß: Aussonderung, Transpiration, Wasser
schweißen: bluten *anlöten, verbinden, verschmelzen, zusammenlöten
Schweißhund: Hetzhund, Jagdhund, Spürhund, Vorstehhund
schweißtriefend: feucht, schweißig, verschwitzt
Schweizer: Eidgenosse, Einwohner der Schweiz *Melker
schwelen: glimmen, schwach brennen, schwach glühen *gären, kochen, kriseln, rumoren
schwelgen: genießen, prassen, schlemmen, es sich schmecken lassen, essen wie ein Fürst, in Saus und Braus leben, luxuriös leben, sich's wohl sein lassen, zu leben wissen
schwelgerisch: begehrlich, genießerisch, genussfreudig, genüsslich, genusssüchtig, kulinarisch, lukullisch, opulent, reichlich, schlemmerhaft, sinnenfreudig, überreichlich, üppig
schwellen: quellen, aufquellen, anschwellen, aufschwellen, auftreiben, s. ausdehnen, s. ausweiten, s. blähen, s. verdicken, s. vergrößern, s. wölben, zunehmen, dick werden, stärker werden, größer werden *aufblähen
Schwellung: Anschwellung, Beule, Horn *Auswuchs, Geschwulst, Geschwulstbildung, Geschwür, Gewächs, Gewebewucherung, Tumor, Wucherung *Ausbuchtung, Rundung, Wölbung
Schwemme: Bierkeller, Bierkneipe, Bierlokal, Bräu, Bräustüberl, Gaststätte, Imbissstube, Probierstube, Schankstube, Schankwirtschaft, Schenke, Schenkstube, Schenkwirtschaft, Stehbierhalle

schwemmen: ablagern, absetzen, anschwemmen, spülen, an Land spülen, an Land schwemmen, ans Ufer spülen
schwenken: schlackern, schlendern, schwingen, wedeln, hin und her bewegen *abbiegen, abzweigen, drehen, umlenken, wenden, die Richtung ändern *durchspülen, reinigen, spülen
schwer: bleiern, bleischwer, drückend, gewichtig, lastend, massig, wuchtig, kaum zu heben, kaum zu tragen, kaum zu bewegen, nicht leicht, schwer wie Blei, viel Gewicht habend, wie ein Klotz *diffizil, komplex, kompliziert, langwierig, mühsam, problematisch, schwierig, verflochten, verständlich, verwickelt, nicht einfach, nicht leicht, schwer zugänglich, schwer zu fassen *drastisch, ernst, hart, rigoros, scharf, streng, strikt *beängstigend, bedrückend, beklemmend, belastend, grausam, peinigend, quälend, schrecklich, traurig, unangenehm, ungut, sehr schlecht *plump, schwerfällig, tölpelhaft, unbeholfen, ungelenk, ungeschickt *berauschend, betäubend, sinnverwirrend *betäubend, schwül ***schwer fallen:** s. schwer tun, große Mühe machen, große Schwierigkeiten machen ***schwer nehmen:** s. etwas zu Herzen nehmen, s. sorgen (um), s. wegen etwas Gedanken machen, als schlimm empfinden, als bedrückend empfinden, als belastend empfinden ***schwer beschädigt:** behindert, gebrechlich, invalid, körperbehindert, verkrüppelt, versehrt ***schwer verständlich:** abstrus, dunkel, unklar, unverständlich, verworren *schwer zu hören, schwer zu vernehmen ***schwer wiegend:** ausschlaggebend, bedeutend, bedeutsam, durchgreifend, eingreifend, entscheidend, ernstlich, folgenreich, folgenschwer, fühlbar, gewaltig, gewichtig, gravierend, schwer, spürbar, ins Gewicht fallend, von Belang, von Gewicht, von Bedeutung
Schwerbeschädigte(r): Körperbehinderte, Krüppel, Verkrüppelte(r), Versehrte(r) *Kriegsversehrte(r)
Schwere: Eigengewicht, Gewicht, Körpergewicht *Schwierigkeit *Kalorienreichtum *Anziehung, Anziehungskraft, Erdanziehung, Erdgravitation, Gravitation, Schwerkraft *Druck, Gewicht, Last, Tension *Bedeutsamkeit, Bedeutung, Belang, Ernst, Gewicht, Gewichtigkeit, Größe, Rang, Relevanz, Tiefe, Tragweite, Wert, Wichtigkeit, Würde *Ballast, Belastung, Bürde, Crux, Druck, Elend, Gewicht, Jammer, Joch, Kreuz, Kummer, Last, Leid, Mühsal, Pein, Qual, Schmerz, Sorge, Tension
schwerelos: federleicht, schwebend, ohne Gewicht
Schwerenöter: Charmeur, Frauenheld, Frauenliebling, Herzensbrecher, Lebemann, Schürzenjäger, Verführer, Weiberheld, Witwentröster
schwerfällig: langsam, plump, tölpelhaft, umständlich, unbeholfen, ungelenk *begriffsstutzig, beschränkt, borniert, dumm, engstirnig, zurückgeblieben *apathisch, denkfaul, desinteressiert, dickfellig, gefühllos, gleichgültig, inaktiv, interesselos, kühl, lahm, lasch, leidenschaftslos, lethargisch, stumpf, stumpfsinnig, teilnahmslos, träge, tranig, unaufgeschlossen, unbeteiligt, unbewegt, unempfindlich, ungerührt
Schwerfälligkeit: Apathie, Desinteresse, Gefühllosigkeit, Gleichgültigkeit, Passivität, Stumpfheit, Teilnahmslosigkeit, Unempfindlichkeit
Schwergewicht: Hauptbedeutung, Hauptgewicht, Hauptsache, Mittelpunkt, Schwerpunkt
schwerhörig: vermindert hörfähig
Schwerkraft: Anziehung, Anziehungskraft, Erdanziehung, Erdgravitation, Gravitation, Schwere
schwerlich: kaum, vermutlich, wahrscheinlich nicht, wohl nicht, vermutlich nicht
Schwermut: Betrübtheit, Gram, Hypochondrie, Kummer, Melancholie, Niedergeschlagenheit, Trauer, Traurigkeit, Trübsinn, Verdüsterung, Verzweiflung, Wehmut, Weltschmerz
schwermütig: deprimiert, elegisch, freudlos, gebrochen, gedrückt, hypochondrisch, melancholisch, niedergeschlagen, traurig, trist, trübsinnig, unfroh, wehmütig, am Boden zerstört

Schwerpunkt: Hauptbedeutung, Hauptgewicht, Hauptsache, Mittelpunkt, Schwergewicht
Schwester: Nonne, Ordensschwester *Krankenschwester *weibliches Geschwisterteil
Schwiele: Hautschwiele, Hornhaut, Hornschwiele
schwierig: diffizil, dornig, kniffelig, komplex, kompliziert, langwierig, mühsam, problematisch, schwer, steinig, subtil, unübersichtlich, verflochten, vertrackt, verwickelt, verzwickt, mit Schwierigkeiten verbunden, nicht leicht, nicht einfach, schwer zu fassen, schwer zugänglich, schwer verständlich *komplex, kompliziert, problematisch, unübersichtlich, verflochten, verwickelt, verzwickt *heikel
Schwierigkeit: Haken, Hauptfrage, Kernfrage, Klippe, Komplexität, Kompliziertheit, Problem, Problematik, Streitfrage, Streitgegenstand, Verwicklung, schwierige Frage, strittiger Punkt, schwieriger Punkt, ungelöste Aufgabe *Dilemma, Druck, Misere, Übel, Zwangslage *Kleinlichkeit, Spitzfindigkeit, Subtilität
Schwimmbad: Bad, Badeanstalt, Freibad, Hallenbad
Schwimmbecken: Bassin, Becken, Pool, Swimmingpool
schwimmen: baden, kraulen, paddeln, planschen, tauchen *auf schwachen Beinen stehen, unsicher sein *driften, treiben
Schwindel: Schwindelanfall, Schwindelgefühl, Schwindligkeit, Taumel *Bauernfang, Bauernfängerei, Betrug, Betrügerei, Gaunerei, Gaunerstreich, Hintergehung, Irreführung, Machenschaft, Manipulation, Mogelei, Nepp, Prellerei, Schiebung, Schummelei, Schummeln, Schwindelei, Täuschung, Unregelmäßigkeit, Unterschlagung *Unsinn *Lüge
Schwindelanfall: Schwindel, Schwindelgefühl, Schwindligkeit, Taumel
Schwindelei: Bauernfang, Bauernfängerei, Betrug, Betrügerei, Gaunerei, Gaunerstreich, Hintergehung, Irreführung, Machenschaft, Manipulation, Mogelei, Nepp, Prellerei, Schiebung, Schummelei, Schummeln, Schwindel, Täuschung, Unregelmäßigkeit, Unterschlagung *Lüge
schwindelerregend: schwindelhaft, schwindlig *sehr, überaus
Schwindelgefühl: Schwindel, Schwindelanfall, Schwindligkeit, Taumel
schwindelhaft: betrügerisch, falsch, gaunerhaft, heuchlerisch, katzenfreundlich, lügnerisch, scheinheilig, schwindlerisch, trügerisch, unaufrichtig, unehrlich, unlauter, unredlich, unreell, unsolid, unwahrhaftig *schwindelerregend, schwindlig
schwindeln: lügen, anlügen, beschwindeln, erdichten, erfinden, verdrehen, verfälschen, Lügen auftischen, nicht die Wahrheit sagen, unaufrichtig sein *schwanken, taumeln, schwindlig sein, von Schwindel befallen werden
schwinden: entweichen, weggehen, unsichtbar werden, von der Bildfläche verschwinden *abflauen, nachlassen, vermindern, weniger werden *ausgehen *ablaufen, dahingehen, dahingleiten, dahinschwinden, enteilen, entrinnen, entschwinden, fliehen, gleiten, hingehen, verfliegen, vergehen, verlaufen, verrauschen, verrinnen, verschwinden, verstreichen, vorbeigehen, vorüberfliegen, vorübergehen, zerrinnen *abklingen, aufhören, aushallen, ausklingen, ausschwingen, austönen, verhallen, verklingen, verstummen, vertönen, verwehen
Schwindler: Bauernfänger, Betrüger, Filou, Gauner, Geschäftemacher, Krimineller, Preller, Scharlatan, Schieber, Spitzbube
schwindlerisch: betrügerisch, falsch, gaunerhaft, heuchlerisch, katzenfreundlich, lügnerisch, scheinheilig, schwindelhaft, trügerisch, unaufrichtig, unehrlich, unlauter, unredlich, unreell, unsolid, unwahrhaftig
schwindlig: benommen, dumm, duselig, nebelig, schwummerig, taumelig *schwindelerregend, schwindelhaft
Schwindsucht: Auszehrung, Tb, Tbc, Tuberkulose
schwindsüchtig: lungenkrank, tuberkulös, tuberkulosekrank
Schwinge: Fittich, Flügel

schwingen: wedeln, hin und her schwenken, hin und her bewegen *ausschlagen, flattern, pendeln, schaukeln, schlendern, wackeln, s. wiegen, wippen, wogen *federn, schnellen, vibrieren *pendeln, rudern, schlenkern, schwenken
schwingend: klangvoll, klingend, schallend
Schwinger: Haken, Schlag
Schwingung: Oszillation, Pendelbewegung *Bewegung
Schwips: Berauschtheit, Betrunkenheit, Bewusstseinstrübung, Bierseligkeit, Delirium, Rausch, Weinseligkeit
schwirren: flattern, fliegen, gleiten, schweben, schwingen, segeln, durch die Luft schießen *kreiseln, quirlen, strudeln, wirbeln
schwitzen: ausdünsten, dampfen, durchschwitzen, riechen, transpirieren, in Schweiß geraten, in Schweiß gebadet sein, erhitzt sein, schweißgebadet sein, Schweiß absondern *dampfen, schmoren *anlaufen, s. bedecken, beschlagen, s. beziehen, feucht werden
schwitzig: feucht, schweißig, schweißtriefend, verschwitzt
schwören: beeiden, garantieren, geloben, versprechen, zusichern, an Eides Statt erklären, die Hand darauf geben, durch Eid bekräftigen, durch Eid versichern, einen Eid ablegen, einen Schwur ablegen, einen Eid leisten, einen Schwur leisten
schwul: andersherum, gleichgeschlechtlich, invertiert *homosexuell *lesbisch
schwül: feuchtwarm, gewitterschwer, gewittrig, stechend, stickig, tropisch, drückend heiß *erotisch, sinnlich anreizend, leicht erotisch gefärbt *beklemmend, drückend
Schwule: Homosexuelle, Lesbe
Schwüle: feuchte Hitze, dumpfe Hitze, drückende Hitze *erotische Atmosphäre *Angst, Ängstlichkeit, Beklemmung, Beklommenheit, Platzangst, Verschüchterung
Schwuler: Homo, Homophiler, Homosexueller, Invertierter
Schwulität: Bedrängnis, Not, Schwierigkeit, Verlegenheit
Schwulst: Bombast, Geschwollenheit, Schwülstigkeit *Geschwulst
schwülstig: barock, blumig, bombastisch, gekünstelt, geschraubt, geschwollen, hochgestochen, hochtönend, hochtrabend, pathetisch, schwulstig, theatralisch, überladen, übertrieben, verschnörkelt
Schwülstigkeit: Bombast, Geschwollenheit, Schwulst *Geschwulst
Schwund: Abnahme, Reduktion, Reduzierung, Rückgang, Schmälerung, Schrumpfung, Verminderung, Verringerung
Schwung: Aktivität, Begeisterung, Dynamik, Elan, Fitness, Impetus, Lebhaftigkeit, Leidenschaft, Pep, Spannkraft, Temperament, Vehemenz, Verve, Vitalität *Einfall, Flug, Gedankenflug, Geistesflug, Genialität, Höhenflug *Beweglichkeit, Bewegung, Fluss, Fortbewegung, Gang, Gangart, Regung, Schritt, Trab, Transport, Zug *Anzahl, Batzen, Berg, Flut, Haufen, Masse, Menge, Reihe, Schar, Schwall, Schwarm, Unmenge, Vielzahl, Wust, große Zahl, eine ganze Ladung
schwunghaft: intensiv, lebhaft, rege
schwunglos: einförmig, einschläfernd, eintönig, ermüdend, langweilig, monoton, uninteressant *träge, ohne Begeisterung
Schwunglosigkeit: Abspannung, Erschöpfungszustand, Schwächezustand, Zerschlagenheit
schwungvoll: beschwingt, fröhlich, gelassen, heiter *aktiv, regsam, rührig, tätig, unternehmend, unternehmungslustig *begeistert, beweglich, dynamisch, energiegeladen, flott, lebhaft, leidenschaftlich, rasant, schmissig, schneidig, temperamentvoll, wendig, mit Elan
Schwur: Eid, Gelöbnis, Gelübde, eidesstattliche Versicherung, Versprechen an Eides Statt, Erklärung an Eides Statt
sedieren: begütigen, beruhigen, besänftigen, beschwichtigen, einlullen, zufrieden stellen, die Wogen glätten, zur Ruhe bringen
Sediment: Ablagerung, Absatz, Bodensatz, Niederschlag, Rest, zurückbleibender Stoff *Absatzgestein, Schichtgestein, Sedimentgestein

Sedimentgestein: Absatzgestein, Schichtgestein, Sediment
sedimentieren: s. ablagern, s. abschlagen, s. absetzen, s. ansammeln, niederschlagen, einen Bodensatz bilden
See: Meer, Ozean *Gewässer, Teich, Weiher *Binnenmeer, Binnensee *Welle *auf dem Seeweg
Seebär: Fahrensmann, Schiffer, Seefahrer, Seemann
Seebrücke: Anlegebrücke, Anlegesteg, Anlegestelle, Lände, Landeplatz, Landungsbrücke, Landungssteg
Seefahrer: Fahrensmann, Schiffer, Seebär, Seemann
Seegang: Dünung, Gewoge, Wellen, Wellengang, Wellenschlag
Seejungfer: Meerjungfrau, Meerweib, Nixe, Nymphe
Seele: Brust, Gemüt, Herz, Innenleben, Inneres, Innerlichkeit, Psyche, Seelenleben, Sinn, (seelische) Empfindung, innere Verfassung
Seelenamt: Requiem, Seelenmesse, Totenamt, Totengedenkmesse, Totenmesse
Seelenfriede: Ausgeglichenheit, Behagen, Erfüllung, Genugtuung, Gleichgewicht, Wohlbehagen, Wohlgefallen, Wohlgefühl, Zufriedenheit
seelengut: gutartig, gütig
Seelenhirte: Geistliche, Gottesdiener, Hirte, Kaplan, Kleriker, Mönch, Pastor, Pater, Pfarrer, Prediger, Priester, Seelsorger, Theologe, geistlicher Herr, Diener Gottes, Diener am Wort
Seelenkummer: Gram, Jammer, Kreuz, Kummer, Kümmernis, Last, Leid, Marter, Martyrium, Misere, Not, Pein, Qual, Schmerz, Seelenschmerz, Sorge, Sorgenlast, Trauer, Trostlosigkeit, Trübsal, Unglück, Verzweiflung
Seelenleben: Brust, Gemüt, Herz, Innenleben, Inneres, Innerlichkeit, Psyche, Seele, Sinn, (seelische) Empfindung, innere Verfassung
seelenlos: abgebrüht, abgestumpft, barbarisch, brutal, erbarmungslos, gefühllos, gefühlsarm, gefühlskalt, gemütsarm, gleichgültig, gnadenlos, grausam, hartherzig, herzlos, inhuman, kaltblütig, lieblos, mitleidlos, roh, schonungslos, unbarmherzig, ungesittet, unmenschlich, unsozial, unzugänglich, verroht, ohne Mitgefühl *automatenhaft, wie ein Automat
Seelenmesse: Requiem, Seelenamt, Totenamt, Totengedenkmesse, Totenmesse
Seelenruhe: Ausgeglichenheit, Beherrschung, Beschaulichkeit, Besonnenheit, Fassung, Frieden, Gefasstheit, Gelassenheit, Gemächlichkeit, Gemütsruhe, Gleichgewicht, Gleichmut, Haltung, Kontenance, Ruhe, Stoizismus, Unerschütterlichkeit
seelenruhig: abgeklärt, beherrscht, gefasst, gemächlich, gemessen, geruhsam, gezügelt, gleichmütig, harmonisch, kaltblütig, ruhevoll, ruhig, sicher, überlegen, würdevoll
Seelenschmerz: Crux, Gram, Herzeleid, Herzweh, Jammer, Kreuz, Kummer, Kümmernis, Last, Leid, Marter, Martyrium, Misere, Not, Pein, Qual, Schmerz, Sorge, Trauer, Trostlosigkeit, Trübsal, Unglück, Verzweiflung, Weh
Seelenstärke: Beharrlichkeit, Beständigkeit, Charakterfestigkeit, Festigkeit, Standhaftigkeit
seelenvoll: beseelt, durchseelt *gefühlvoll, mitleidig
seelisch: emotional, gefühlsmäßig, nervlich, psychisch, die Seele betreffend, das Gemüt betreffend
Seelsorge: Hilfe, Lebenshilfe, geistliche Führung, geistliche Hilfe
Seelsorger: Pastor, Pfarrer, Priester
seelsorgerisch: geistlich, pastoral, seelsorglich
Seemacht: Armada, Flotte, Handelsflotte, Kriegsflotte, Marine, Seestreitkräfte
Seemann: Fahrensmann, Schiffer, Seebär, Seefahrer *Matrose
Seemannsgarn: Lügengeschichte
Seeräuber: Freibeuter, Korsar, Pirat
Seeräuberei: Freibeuterei, Piratentum, Piraterie
Seerose: Seeanemone, Wasserrose
Seestraße: Kanal, Schifffahrtsstraße, Schifffahrtsweg, Wasserstraße, Wasserweg
Seestreitkräfte: Armada, Flotte, Handelsflotte, Kriegsflotte, Marine, Seemacht

seetüchtig: geeignet, seefest, seetauglich
Seeufer: Gestade, Ufer
seewärts: ablandig, auf die See zu
Segelboot: Jolle, Segeljacht, Segelschiff, Segler, Windjacht
segeln: flattern, fliegen, gleiten, schweben, schwingen, schwirren, durch die Luft schießen
Segen: Benediktion, Gnade, Gunst, Hilfe *Dusel, Erfolg, Gelingen, Glück, Glücksfall, Glücksgriff, Glückssache, Glückswurf, Heil, Sieg, Wohl, das Große Los, günstige Umstände, guter Verlauf
segensreich: einträglich, ersprießlich, förderlich, gedeihlich, heilsam, hilfreich, konstruktiv, nützlich, segensvoll, sinnvoll, tauglich, wirksam, zweckvoll, zu gebrauchen
Segler: Jolle, Segelboot, Segeljacht, Segelschiff, Windjacht
Segment: Abschnitt, Ausschnitt, Glied, Kreisabschnitt, Kugelabschnitt, Teilstück
segnen: benedeien, weihen, den Segen erteilen, den Segen geben, den Segen spenden, den Segen sprechen *auszeichnen, beglücken, begnaden, beschenken
sehen: ansehen, ausmachen, bemerken, beobachten, entdecken, erblicken, erkennen, erspähen, finden, gewahren, gucken, schauen, sichten, unterscheiden, wahrnehmen, ansichtig werden, zu Gesicht bekommen *erfahren, erleben, registrieren, gewahr werden *begreifen, einsehen, erkennen, feststellen, merken, bewusst werden, ein Einsehen haben *erleben, mitmachen *prüfen, überlegen *erkennen, feststellen, konstatieren, registrieren, eine Feststellung machen, eine Erfahrung machen ***sehen (nach):** s. annehmen, s. bemühen (um), betreuen, s. interessiert zeigen, s. kümmern (um), pflegen, schauen (nach), s. sorgen, umsorgen, Anteilnahme schenken, Beachtung schenken ***kommen sehen:** abschätzen, absehen, voraussehen, vorhersehen *ankündigen, hellsehen, offenbaren, orakeln, prophezeien, verheißen, verkünden, vorausahnen, voraussagen, weissagen, in die Zukunft sehen, die Zukunft deuten
sehenswert: aufklärend, aufschlussreich, erhellend, informativ, instruktiv, interessant, sehenswürdig, vielsagend
Sehenswürdigkeit: Besonderheit, Eigentümlichkeit, Kuriosität, Kuriosum, Seltsamkeit, Skurrilität, sehenswertes Bauwerk, sehenswerte Landschaft
Seher: Hellseher, Prophet, Wahrsager, Weissager, Zeichendeuter, Zukunftsdeuter
seherisch: prophetisch, visionär, vorausschauend, voraussehend, weit blickend
Sehfeld: Blickfeld, Gesichtsfeld, Sehraum, Sehvermögen
Sehhilfe: Augenglas, Brille *Kontaktlinse *Feldstecher, Fernrohr
Sehkraft: Augenlicht, Gesicht, Gesichtssinn, Sehvermögen
Sehnen: Drang, Fernweh, Heimweh, Schmachten, Sehnsucht, Verlangen, Wunsch
sehnen (s.): begehren, fiebern (nach), gieren (nach), vergehen (vor), verlangen (nach), s. verzehren, s. wünschen, Sehnsucht haben, von Sehnsucht erfüllt sein, vor Sehnsucht vergehen, vor Sehnsucht verschmachten, starkes Verlangen haben, schmachten nach, versessen sein
sehnig: lederartig, ledern, ledrig, zäh *athletisch, bärenstark, baumstark, drahtig, fest, gefeit, hart, immun, kernig, kräftig, kraftstrotzend, kraftvoll, markig, nervig, resistent, robust, rüstig, sportlich, stabil, stämmig, stark, stramm, wehrhaft, zäh, nicht anfällig
sehnlich: sehnsüchtig, sehnsuchtsvoll, verlangend, mit Sehnsucht, voller Verlangen
Sehnsucht: Drang, Fernweh, Heimweh, Schmachten, Sehnen, Verlangen, Wunsch
sehnsuchtsvoll: sehnlich, sehnsüchtig, verlangend, mit Sehnsucht, voller Verlangen
sehr: abenteuerlich, ansehnlich, auffallend, auffällig, Aufsehen erregend, außergewöhnlich, außerordentlich, ausgefallen, beachtlich, bedeutend, bedeutsam, bedeutungsvoll, beeindruckend, beträchtlich, bewundernswert, bewundernswürdig, brillant, eindrucksvoll, einzigartig, enorm, entwaffnend, er-

staunlich, fabelhaft, groß, großartig, hervorragend, imponierend, imposant, märchenhaft, nennenswert, ohnegleichen, sagenhaft, sensationell, sondergleichen, spektakulär, stattlich, überaus, überragend, überraschend, überwältigend, ungeläufig, ungewöhnlich, unvergleichlich, verblüffend, zutiefst *arg, äußerst, ausnehmend, denkbar, höchst, recht, stark, unbeschreiblich, ungeheuer, ungemein, unsagbar, unsäglich, zutiefst *aufs Höchste, in hohem Maße, über alle Maßen, in hohem Grade, in höchstem Grade *abgöttisch, abscheulich, bitterlich, gar, grenzenlos, heillos, horrend, unbändig, viel, nicht wenig, wie die Pest, ohne Grenzen *ekelhaft, entsetzlich, fruchtbar, fürchterlich, höllisch, irrsinnig, klotzig, kolossal, lausig, mordsmäßig, rasend, riesig, schändlich, schrecklich, so, unheimlich, unsinnig, verdammt, verflixt, verflucht, verteufelt

Sehvermögen: Gesicht, Gesichtssinn

seicht: flach, fußhoch, klein, niedrig, untief, nicht tief, von geringer Höhe *abgegriffen, abgeschmackt, alltäglich, banal, billig, einfallsarm, gehaltlos, geistlos, hohl, ideenlos, oberflächlich, phrasenhaft, schal, trivial, unbedeutend, verbraucht, witzlos

seidenweich: butterweich, daunenweich, federweich, flaumig, flauschig, mollig, samten, samtig, samtweich, seidig, weich, zart, nicht hart, nicht fest

Seife: Seifenflocken, Seifenmittel, Seifenpulver

seihen: durchgießen, durchsieben, filtern, filtrieren, klären, kolieren

Seiher: Filter, Sieb

Seil: Drahtseil, Fall, Kabel, Leine, Reep, Stahlseil, Strang, Strick, Tau, Trosse

Seilbahn: Drahtseilbahn, Gondelbahn, Schwebebahn, Sesselbahn, Sessellift

Seilschaft: Bergsteigergruppe *Beziehungen, Verbindungen, Zusammenhalt *Klüngel, Sippschaft

sein: s. aufhalten, s. befinden, bestehen, existieren, leben, liegen, stehen, weilen, wohnen, zubringen *agieren (als), auftreten (als), erscheinen (als), fungieren (als), verkörpern *abgeben, bedeuten, bilden, darstellen, gelten, heißen, repräsentieren, vorstellen *da sein, geben, herrschen, vorkommen, auf der Welt sein, real sein, wirklich sein, vorhanden sein *ergehen, s. fühlen, zumute sein *s. abspielen, s. begeben, s. einstellen, eintreten, s. ereignen, erfolgen, geschehen, passieren, stattfinden, verlaufen, s. vollziehen, vorfallen, vorgehen, vorkommen, s. zutragen, zustande kommen, vonstatten gehen *s. abspielen, s. begeben, s. einstellen, eintreten, s. ereignen, erfolgen, geschehen, passieren, stattfinden, verlaufen, s. vollziehen, vorfallen, vorgehen, vorkommen, s. zutragen, zustande kommen, vor sich gehen, los sein

Sein: Bestehen, Dasein, Existenz, Gegenwart, Vorhandensein *Leben, Realität, Wirklichkeit

seinerzeit: damals, dazumal, derzeit, ehedem, ehemals, einmal, einst, einstens, einstmals, früher, vordem, vormals, in jenen Tagen, zu jener Zeit, in jener Zeit, vor langem, vor Zeiten, anno dazumal

seinetwegen: seinethalben, seinetwillen, jmdm. zuliebe, um seinetwillen

seit: seitdem, seither, seit dieser Zeit, seit damals, seit dem Zeitpunkt, von da an, von dem Augenblick an, von dem Zeitpunkt an

seitab: abseits, beiseite

seitdem: seit, seither, seit jener Zeit, seit dieser Zeit, seit damals, von da an, von Stund an

Seite: Richtung, Seitenteil *Eigenart, Eigenschaft, Kennzeichen, Qualität, Wesensmerkmal, Wesenszug

Seitenaltar: Nebenaltar

Seitenansicht: Profil, Seitenbild, Seitenriss *Layout, Seitenvorschau

Seiteneingang: Nebeneingang, Nebentür, Seitenpforte, Seitenportal

Seitenhieb: Anspielung, Bissigkeit, Gestichel, Pfeil, Spitze, Stichelei

seitenlang: ausführlich, langatmig, umfassend, umständlich, weitschweifig, mehrere Seiten lang

Seitenpforte: Nebeneingang, Nebentür, Seiteneingang, Seitenportal

Seitensprung: Abenteuer, Affäre, Amouren, Ehebruch, Eskapade, Untreue

Seitenstraße: Nebenstraße
Seitenteil: Richtung, Seite
seitenverkehrt: spiegelbildlich, umgedreht, umgekehrt, verdreht, verkehrt, verkehrt herum
seither: seit, seitdem, seit dieser Zeit, seit damals, seit dem Zeitpunkt, von da an, von dem Augenblick an, von dem Zeitpunkt an *bisher, bislang, bis jetzt, bis heute, bis zum heutigen Tage, bis dato
seitlich: neben, daneben, bei, nächst, zu Seiten *seitwärts, an der Seite, auf der Seite, nach der Seite, zur Seite hin *von der Seite
seitwärts: seitlich, zur Seite hin, nach der Seite hin
Sekret: Absonderung, Ausdünstung, Ausfluss, Ausscheidung, Aussonderung, Auswurf, Entleerung, Exkret, Exkretion, Schleim, Sekretion
Sekretär: Protokollant, Protokollführer, Schriftführer *Schreibtisch
Sekretariat: Anmelderaum, Anmeldung, Vorzimmer
Sekt: Champagner, Perlwein, Schampus, Schaumwein
Sekte: Fraktion, Gesinnungsgemeinschaft, Sektiererbund, Splittergruppe
Sektierer: Abtrünniger, Abweichler, Irrgläubiger, Ketzer
sektiererisch: abgefallen, abtrünnig, flatterhaft, ketzerisch, perfide, treulos, unbeständig, unstet, verräterisch, wankelmütig, wortbrüchig, un(ge)treu (werden)
Sektion: Autopsie, Leichenöffnung, Obduktion *Ausschuss, Gruppe *Abteilung, Bereich, Block, Lager, Sparte
Sektor: Ausschnitt, Bruchstück, Bruchteil, Passage, Segment, Teil *Abteilung, Bereich, Fach, Fachgebiet, Gruppe, Ressort, Sparte, Teilbereich
Sekundant: Assistent, Gehilfe, Heinzelmännchen, Helfer, Hilfe, Hilfskraft, Stütze, rechte Hand
sekundär: ephemer, nebensächlich, an zweiter Stelle *akzidentiell, belanglos, einflusslos, farblos, gleichgültig, nichtig, nichts sagend, peripher, unerheblich, uninteressant, unscheinbar, unwesentlich, unwichtig, wertlos, wesenlos, zweitrangig, nicht erwähnenswert
Sekunde: Augenblick, Minute, Moment, Weilchen, Weile
sekundieren: anpacken, assistieren, aushelfen, beispringen, beistehen, dienen (mit), durchhelfen, entgegenkommen, entlasten, helfen, mitarbeiten, mithelfen, unterstützen, zugreifen, Hand anlegen, Hilfe leisten, Beistand leisten, zur Seite stehen, Hilfe erweisen, mit Hand anlegen, behilflich sein, Hilfe geben
selber: persönlich, höchstpersönlich, direkt, eigenhändig, unmittelbar
selbst: auch, schon, sogar *persönlich, höchstpersönlich, direkt, eigenhändig, selber, unmittelbar
Selbstachtung: Ehre, Selbstbewusstsein
selbständig: autonom, eigenständig, eigenverantwortlich, emanzipiert, frei, selbstverantwortlich, souverän, unabhängig, unbehindert, uneingeschränkt, ungebunden, unkontrolliert, auf sich gestellt, für sich allein, für sich alleine, ohne Anleitung, ohne Hilfe, sein eigener Herr *eigenmächtig, selbstherrlich, unbefugt, unberechtigt, unerlaubt, willkürlich, auf eigene Faust, ohne Erlaubnis
Selbständigkeit: Autarkie, Autonomie, Eigenständigkeit, Eigenverantwortlichkeit, Freiheit, Freizügigkeit, Libertät, Selbstbestimmung, Souveränität, Unabhängigkeit, Ungebundenheit, Zwanglosigkeit
Selbstanklage: Bedauern, Bekehrung, Besserung, Bußbereitschaft, Bußfertigkeit, Einkehr, Gewissensbisse, Reue, Reuegefühl, Reumütigkeit, Schuldgefühl, Selbstverdammung, Selbstverurteilung, Selbstvorwurf, Umkehr, Zerknirschtheit, Zerknirschung, schlechtes Gewissen, böses Gewissen
Selbstaufopferung: Altruismus, Aufopferung, Edelmut, Edelsinn, Hochherzigkeit, Selbstlosigkeit, Selbstüberwindung, Selbstverleugnung, Uneigennützigkeit, Verzicht
Selbstbedienungsladen: Großmarkt, Kaufhaus, Supermarkt
Selbstbefriedigung: Masturbation, sexuelle Stimulation *Ipsation, Onanie, sexuelle Stimulation
Selbstbeherrschung: Beherrschtheit,

Beherrschung, Charakterstärke, Gefasstheit, Haltung, Selbstbezähmung, Selbstbezwingung, Selbstdisziplin, Selbstkontrolle, Selbstzucht, Zügelung
Selbstbesinnung: Einkehr, Selbstreflexion, innere Sammlung
Selbstbestimmung: Autonomie, Selbstbestimmungsrecht, Souveränität
Selbstbetrug: Selbsttäuschung, frommer Betrug
selbstbewusst: anmaßend, arrogant, aufgeblasen, dünkelhaft, eingebildet, erfolgssicher, gnädig, herablassend, hochmütig, hochnäsig, ichbewusst, selbstgefällig, selbstsicher, selbstüberzeugt, selbstüberzogen, siegessicher, stolz, überheblich, wichtigtuerisch
Selbstbewusstsein: Durchsetzungskraft, Durchsetzungsvermögen, Selbstgefühl, Selbstwertgefühl, Selbstachtung, Selbstbehauptung, Selbstsicherheit, Selbstvertrauen, Sicherheit, Stolz
Selbstbezähmung: Beherrschung, Selbstbeherrschung, Selbstbezwingung, Selbstdisziplin, Selbstzucht, Zügelung
selbstbezogen: egoistisch, egozentrisch, eigennützig, ichbezogen, ichsüchtig, selbstsüchtig
Selbstbinder: Binde, Binder, Fliege, Halsbinde, Krawatte, Schleife, Schlips
Selbsterhaltungstrieb: Lebensdrang, Lebenslust, Selbstschutz, Überlebenswille
selbstgefällig: angeberisch, aufgeblasen, blasiert, dünkelhaft, eingebildet, eitel, hoffärtig, snobistisch, überheblich, von sich eingenommen *angeberisch, aufgeblasen, blasiert, dünkelhaft, eingenommen, eitel, gespreizt, großspurig, herablassend, hochmütig, hochnäsig, hoffärtig, prahlerisch, snobistisch, überheblich, wichtigtuerisch, von oben herab *anmaßend, arrogant, aufgeblasen, blasiert, dünkelhaft, eingebildet, gnädig, großspurig, herablassend, hochfahrend, hochmütig, hochnäsig, hoffärtig, prätentiös, selbstbewusst, selbstgerecht, selbstherrlich, selbstsicher, selbstüberzeugt, selbstüberzogen, stolz, süffisant, überheblich, wichtigtuerisch, von oben herab
Selbstgefälligkeit: Eitelkeit, Geckenhaftigkeit, Gefallsucht, Koketterie, Putzsucht, Selbstgefühl, Stutzerhaftigkeit *Anmaßung, Arroganz, Aufgeblasenheit, Blasiertheit, Dünkel, Dünkelhaftigkeit, Einbildung, Eingebildetheit, Herablassung, Hochmut, Hochmütigkeit, Hoffart, Selbstgerechtigkeit, Selbstüberhebung, Stolz, Süffisance, Überheblichkeit, (übertriebenes) Geltungsbedürfnis
Selbstgefühl: Durchsetzungskraft, Durchsetzungsvermögen, Selbstachtung, Selbstbehauptung, Selbstbewusstsein, Selbstsicherheit, Selbstvertrauen, Selbstwertgefühl, Sicherheit, Stolz *Eitelkeit, Geckenhaftigkeit, Gefallsucht, Koketterie, Putzsucht, Selbstgefälligkeit, Stutzerhaftigkeit
selbstgerecht: anmaßend, arrogant, aufgeblasen, blasiert, dünkelhaft, eingebildet, gnädig, großspurig, herablassend, hochfahrend, hochmütig, hochnäsig, hoffärtig, prätentiös, selbstbewusst, selbstgefällig, selbstherrlich, selbstsicher, selbstüberzeugt, selbstüberzogen, stolz, süffisant, überheblich, wichtigtuerisch, von oben herab
Selbstgespräch: Monolog
selbstherrlich: eigenmächtig, selbständig, unbefugt, unberechtigt, unerlaubt, willkürlich, auf eigene Faust, ohne Erlaubnis *anmaßend, arrogant, aufgeblasen, blasiert, dünkelhaft, eingebildet, gnädig, großspurig, herablassend, hochfahrend, hochmütig, hochnäsig, hoffärtig, prätentiös, selbstbewusst, selbstgefällig, selbstgerecht, selbstsicher, selbstüberzeugt, selbstüberzogen, stolz, süffisant, überheblich, wichtigtuerisch, von oben herab *streng, gestreng, apodiktisch, autokratisch, autoritär, barsch, bestimmt, brüsk, despotisch, diktatorisch, drakonisch, drastisch, energisch, entschieden, erbarmungslos, gebietend, gebieterisch, gnadenlos, grob, hart, herrisch, herrschsüchtig, machthaberisch, massiv, obrigkeitlich, patriarchalisch, rechthaberisch, repressiv, rigoros, rücksichtslos, scharf, schroff, tyrannisch, unbarmherzig, unerbittlich, unnachgiebig, unnachsichtig
Selbstherrschaft: Absolutismus, Alleinherrschaft, Autokratie, Diktatur, Gewaltherrschaft, Monarchie

Selbstherrscher: Absolutist, Alleinherrscher, Autokrat, Diktator, Monarch, Souverän

Selbsthilfe: Eigenhilfe, Faustrecht

selbstisch: egoistisch, egozentrisch, eigennützig, ichbezogen, ichsüchtig, selbstsüchtig

Selbstkosten: Fabrikationskosten, Fertigungskosten, Gestehungskosten, Herstellungskosten

Selbstliebe: Berechnung, Egoismus, Eigenliebe, Eigennutz, Eigennützigkeit, Eigensucht, Ichbezogenheit, Ichsucht, Selbstsucht

Selbstlob: Eigenlob, Selbstvergötterung, Selbstverherrlichung

selbstlos: altruistisch, aufopfernd, barmherzig, edelmütig, entsagungsvoll, gemeinnützig, großherzig, hingebend, idealistisch, karitativ, mildtätig, opferbereit, selbstverleugnend, sozial, unegoistisch, uneigennützig, wohltätig

Selbstlosigkeit: Altruismus, Aufopferung, Edelmut, Edelsinn, Hochherzigkeit, Selbstaufopferung, Selbstüberwindung, Selbstverleugnung, Uneigennützigkeit, Verzicht

Selbstmord: Freitod, Harakiri, Selbstentleibung, Selbsttötung, Selbstvernichtung, Suizid

selbstredend: allerdings, anstandslos, bestimmt, erwartungsgemäß, freilich, gerne, gewiss, natürlich, natürlicherweise, selbstverständlich, sicher, sicherlich, zweifellos, auf jeden Fall, mit Sicherheit, wie zu erwarten ist, ohne Frage, ohne weiteres

selbstsicher: anmaßend, arrogant, aufgeblasen, dünkelhaft, eingebildet, erfolgssicher, gnädig, herablassend, hochmütig, hochnäsig, ichbewusst, selbstbewusst, selbstgefällig, selbstüberzeugt, selbstüberzogen, siegessicher, stolz, überheblich, wichtigtuerisch

Selbstsicherheit: Durchsetzungskraft, Durchsetzungsvermögen, Selbstgefühl, Selbstwertgefühl, Selbstachtung, Selbstbehauptung, Selbstbewusstsein, Selbstvertrauen, Sicherheit, Stolz

Selbstsucht: Berechnung, Egoismus, Eigenliebe, Eigennutz, Eigennützigkeit, Eigensucht, Ichbezogenheit, Ichsucht, Selbstliebe *Bedenkenlosigkeit, Erbarmungslosigkeit, Gewissenlosigkeit, Herzlosigkeit, Kälte, Lieblosigkeit, Radikalismus, Rigorosität, Rücksichtslosigkeit, Schonungslosigkeit, Skrupellosigkeit, Unbarmherzigkeit, Willkür, Willkürakt

selbstsüchtig: egoistisch, eigennützig, eigensüchtig, ichbezogen, ichsüchtig, selbstisch *bedenkenlos, egoistisch, entmenscht, gewissenlos, gnadenlos, herzlos, kalt, kaltlächelnd, lieblos, mitleidlos, radikal, rigoros, rücksichtslos, schonungslos, skrupellos, unbarmherzig, unerbittlich, unmenschlich, ohne Bedenken, ohne Rücksicht

selbsttätig: automatisch, mechanisch, von selbst

Selbsttäuschung: Selbstbetrug, frommer Betrug

Selbsttötung: Freitod, Harakiri, Selbstentleibung, Selbstmord, Selbstvernichtung, Suizid

Selbstüberhebung: Anmaßung, Arroganz, Aufgeblasenheit, Blasiertheit, Dünkel, Dünkelhaftigkeit, Einbildung, Eingebildetheit, Herablassung, Hochmut, Hochmütigkeit, Hoffart, Selbstgefälligkeit, Selbstgerechtigkeit, Stolz, Süffisance, Überheblichkeit, (übertriebenes) Geltungsbedürfnis

Selbstverdammung: Bedauern, Bekehrung, Besserung, Bußbereitschaft, Bußfertigkeit, Einkehr, Gewissensbisse, Reue, Reuegefühl, Reumütigkeit, Schuldgefühl, Selbstanklage, Selbstverurteilung, Selbstvorwurf, Umkehr, Zerknirschtheit, Zerknirschung, schlechtes Gewissen, böses Gewissen

selbstvergessen: abwesend, dösig, entrückt, gedankenverloren, geistesabwesend, grübelnd, nachdenklich, träumerisch, traumverloren, unansprechbar, unerreichbar, unkonzentriert, versunken, verträumt, zerstreut, in Gedanken, in Gedanken verloren, nicht bei der Sache

Selbstverherrlichung: Eigenlob, Selbstlob, Selbstvergötterung

selbstverleugnend: altruistisch, aufopfernd, barmherzig, edelmütig, entsagungsvoll, gemeinnützig, großherzig,

hingebend, idealistisch, karitativ, mildtätig, opferbereit, selbstlos, sozial, unegoistisch, uneigennützig, wohltätig
Selbstverleugnung: Altruismus, Aufopferung, Edelmut, Edelsinn, Hochherzigkeit, Selbstaufopferung, Selbstlosigkeit, Selbstüberwindung, Uneigennützigkeit, Verzicht
selbstverständlich: allerdings, anstandslos, bestimmt, erwartungsgemäß, freilich, gerne, gewiss, natürlich, natürlicherweise, selbstredend, sicher, sicherlich, zweifellos, auf jeden Fall, mit Sicherheit, wie zu erwarten ist, ohne Frage, ohne weiteres
Selbstverständlichkeit: Allgemeinheiten, Allgemeinplatz, Binsenwahrheit, Binsenweisheit, Geistlosigkeit, Gemeinplatz, Geschwafel, Phrase, Plattitüde, Plattheit, Redensart, alter Hut, alter Bart
Selbstvertrauen: Durchsetzungskraft, Durchsetzungsvermögen, Selbstgefühl, Selbstwertgefühl, Selbstachtung, Selbstbehauptung, Selbstbewusstsein, Selbstsicherheit, Sicherheit, Stolz
Selbstverwaltung: Autonomie, Selbstbestimmung, Selbstbestimmungsrecht, Souveränität, Unabhängigkeit
Selbstvorwurf: Bedauern, Bekehrung, Besserung, Bußbereitschaft, Bußfertigkeit, Einkehr, Gewissensbisse, Reue, Reuegefühl, Reumütigkeit, Schuldgefühl, Selbstanklage, Selbstverdammung, Selbstverurteilung, Umkehr, Zerknirschtheit, Zerknirschung, schlechtes Gewissen, böses Gewissen
Selbstzucht: Beherrschung, Selbstbeherrschung, Selbstbezähmung, Selbstbezwingung, Selbstdisziplin, Zügelung
selchen: räuchern *dörren
Selchfleisch: Rauchfleisch, das Geselchte
selektieren: auslesen, aussondern, aussortieren, aussuchen, auswählen, verlesen
Selektion: Auslese, Aussonderung, Auswahl, Wahl
selig: beglückt, hochbeglückt, freudestrahlend, glücklich, glückselig, glückstrahlend, zufrieden *heilig, heilig gesprochen, selig gesprochen *abgeschieden, gestorben, heimgegangen, hingeschieden, tot, verblichen, verewigt, verschieden, verstorben
Seligkeit: Freude, Glück, Heil, Segen, Wohl *Gottesreich, Himmel
selten: beschränkt, dünn gesät, gelegentlich, knapp, manchmal, rar, singulär, spärlich, sporadisch, verstreut, fast nie, nicht oft *außergewöhnlich, einmalig, erlesen, geschätzt, gesucht, kostbar, rar, ungewöhnlich, wertvoll, nicht alltäglich
Seltenheit: Ausnahme, Besonderheit, Einmaligkeit, Kostbarkeit, Rarität
Selters: Brunnenwasser, Mineralwasser, Sauerbrunnen, Selterswasser, Soda, Sprudel, Sprudelwasser, Tafelwasser
seltsam: wunderlich, verwunderlich, absonderlich, befremdend, eigen, eigenartig, eigenbrötlerisch, eigentümlich, kauzig, komisch, merkwürdig, schrullig, sonderbar, verschroben, verwunderlich, wunderlich
Seltsamkeit: Absonderlichkeit, Befremdlichkeit, Eigenart, Eigenartigkeit, Eigenbrötelei, Eigenheit, Eigentümlichkeit, Kauzigkeit, Merkwürdigkeit, Schrulligkeit, Sonderbarkeit, Verschrobenheit, Verwunderlichkeit
Seminar: Ausbildungsstätte, Forschungsinstitut, Hochschulinstitut, Studienanstalt *Kolloquium, Schulung, Übungskurs
Semmel: Brötchen, Kipf, Schrippe, Weck, Wecken
Semmelbrösel: Brösel, Paniermehl, Semmelmehl, Weckmehl
Senat: Magistrat, Stadtrat, Stadtverwaltung
Senator: Parlamentarier, Ratsherr
Sendbote: Bote, Botenfrau, Botenjunge, Boy, Kurier, Laufbursche, Stafette, Überbringer
Sendbrief: Botschaft, Brief, Kassiber, Leserbrief, Mitteilung, Nachricht, Post, Schreiben, Schrieb, Schriftstück, Wisch, Zuschrift, offener Brief
Sendeanlage: Funkstation, Rundfunkstation, Sender, Sendestation *Rundfunk, Rundfunkanstalt
Sendefolge: Programm
senden: absenden, einwerfen, schicken, transportieren, übermitteln, übersenden,

überweisen, versenden, zuleiten *beauftragen, beordern, delegieren, kommandieren (zu) *aussenden, ausstrahlen, bringen, übertragen, durch Fernsehen verbreiten, durch Rundfunk verbreiten
Sender: Funkstation, Rundfunkstation, Sendeanlage, Sendestation *Fernsehsender, Rundfunksender
Sendestation: Funkstation, Rundfunkstation, Sendeanlage, Sender
Sendung: Fracht, Fuhre, Ladung, Lieferung, Postgut, Postsendung, Schub, Warensendung, Zulieferung, Zustellung *Aufnahme, Aufzeichnung, Ausstrahlung, Fernsehsendung, Rundfunksendung, Übertragung *Übersendung, Zusendung *Amt, Auftrag, Berufung *Begnadung, Bestimmung
Senf: Mostert, Mostrich *Ansicht, Äußerung, Meinung
sengen: anbrennen *abbrennen, absengen
senil: abgelebt, alt, altersschwach, ältlich, angegraut, angejahrt, bejahrt, betagt, weißhaarig *alt, verbraucht, vergreist, verkalkt
Senior: Vater, der Ältere *Alterspräsident, Vorsitzender *Altmeister, Nestor
Seniorenheim: Altenheim, Altenstift, Altenwohnheim, Altenwohnsitz, Altersheim, Seniorenstift
Senkblei: Grundblei, Grundlot, Lot, Senklot
Senke: Becken, Bodenvertiefung, Geländesenkung, Mulde, Talsenke, flaches Tal
Senkel: Schnürband, Schnürriemen, Schnürsenkel, Schuhband, Schuhriemen
senken: beugen, neigen, abwärts bewegen, nach unten biegen, sinken lassen *abbauen, ermäßigen, herabsetzen, heruntergehen (mit), heruntersetzen, nachlassen, verbilligen, verringern, billiger abgeben, billiger verkaufen, den Preis drücken, niedriger machen *herunterlassen, hinablassen, niederlassen, versenken, hinabgleiten lassen, in die Tiefe senken *verringern, leiser sprechen *niedriger machen ***s. senken:** s. beugen, s. krümmen, s. setzen *absinken, einsinken, setzen, zusammensinken, niedriger werden
Senker: Ableger, Absenker, Pfropfreis, Schössling, Steckling, Steckreis
Senkgrube: Jauchegrube, Kloake, Mistgrube, Sickergrube
senkrecht: aufrecht, lotrecht, seiger, vertikal
Senkung: Diskont, Entgegenkommen, Ermäßigung, Herabsetzung, Nachlass, Preisnachlass, Preissenkung, Rabatt, Skonto, Verbilligung, Verringerung, günstiges Angebot *Abfall, Abschüssigkeit, Gefälle, Höhenunterschied, Neigung, Schräge, Steile
Senn: Almer, Almhirt, Alpenhirt, Schwaiger, Senne, Senner, Sennhirt
Sennerei: Almwirtschaft, Milchwirtschaft
Sennerin: Almerin, Almhirtin, Sennin
Sensation: Ärgernis, Aufheben, Aufsehen, Eklat, Ereignis, Medienereignis, Ortsgespräch, Skandal, Stadtgespräch, Tagesgespräch *Attraktion, Clou, Glanzpunkt, Hauptanziehung, Hauptattraktion, Hauptsache, Hauptsensation, Höhepunkt, Zugstück
sensationell: abenteuerlich, ansehnlich, auffallend, auffällig, Aufsehen erregend, außergewöhnlich, außerordentlich, ausgefallen, beachtlich, bedeutend, bedeutsam, bedeutungsvoll, beeindruckend, beträchtlich, bewundernswert, bewundernswürdig, brillant, eindrucksvoll, einzigartig, eklatant, enorm, entwaffnend, erstaunlich, fabelhaft, groß, großartig, hervorragend, imponierend, imposant, märchenhaft, nennenswert, ohnegleichen, sagenhaft, sondergleichen, spektakulär, stattlich, überragend, überraschend, überwältigend, ungeläufig, ungewöhnlich, unvergleichlich, verblüffend
Sensationspresse: Asphaltpresse, Boulevardpresse, Revolverpresse
Sense: Sichel
sensen: sicheln, absicheln, abmähen, hauen, mähen, schneiden
Sensenmann: Knochenmann, Schnitter, Tod, Todesengel, Würgengel, Freund Hein, Gevatter Tod
sensibel: anfällig, beeinflussbar, dünnhäutig, empfindlich, empfindsam, fein-

fühlig, gefühlvoll, hochempfindlich, lebhaft, nachtragend, reizbar, schwierig, überempfindlich, verletzbar, verletzlich, zart besaitet

Sensibilität: Empfindlichkeit, Empfindsamkeit, Feinfühligkeit, Feingefühl, Feinnervigkeit, Feinsinn, Gemüthaftigkeit, Gemütstiefe, Innerlichkeit, Überempfindlichkeit, Verletzbarkeit, Verletzlichkeit

sensitiv: beseelt, dünnhäutig, einfühlsam, empfindsam, emotional, emotionell, feinfühlend, feinfühlig, feinsinnig, gefühlsbetont, gefühlsselig, gefühlstief, gefühlvoll, gemüthaft, gemütvoll, innerlich, mimosenhaft, romantisch, rührselig, schmalzig, schwärmerisch, seelenvoll, sensibel, sinnenhaft, tränenselig, überempfindlich, überspannt, verinnerlicht, verletzlich, weich, weichlich, zart, zart fühlend, zart besaitet

Sentenz: Aphorismus, Äußerung, Ausspruch, Denkspruch, Diktum, Satz, Sinnspruch

sentimental: anteilnehmend, fühlend, einfühlend, beseelt, einfühlsam, empfindend, entgegenkommend, gefühlvoll, herzlich, innerlich, innig, rücksichtsvoll, seelenvoll, warm, zart fühlend *beseelt, einfühlsam, empfindsam, feinfühlend, feinfühlig, feinsinnig, gefühlsbetont, gefühlsselig, gefühlstief, gefühlvoll, gemüthaft, gemütvoll, mimosenhaft, romantisch, rührselig, schmalzig, schwärmerisch, seelenvoll, sinnenhaft, teilnehmend, tränenselig, überempfindlich, überspannt, verinnerlicht, weich, zart, zart fühlend *verletzbar, verletzlich, verwundbar, leicht zu kränken

Sentimentalität: Empfindsamkeit, Gefühlsduselei, Gefühlsseligkeit, Gefühlsüberschwang, Rührseligkeit, Schmalz, Tränenseligkeit

separat: gesondert, abgesondert, getrennt, abgetrennt, einsam, einzeln, extra, isoliert, vereinzelt, für sich *ausschließlich, besonders, eigens, extra, gerade, gesondert, individuell, für sich (allein)

Separation: Ausschluss, Distanzierung, Eliminierung, Entfernung, Isolation, Loslösung, Trennung, Vereinzelung *Abschließung, Absonderung, Absperrung, Abtrennung, Isolation, Isolierung

Separator: Schleuder, Zentrifuge

separieren: absondern, aussondern, aussperren, eliminieren, isolieren, scheiden, trennen, vereinzeln *abschließen, abschneiden, absondern, abspalten, absperren, abteilen, abtrennen, isolieren, trennen ***s. separieren:** s. abkapseln, s. abschließen, s. absondern, s. einigeln, s. einspinnen, s. isolieren, s. verschließen, s. von der Außenwelt abschließen, s. vor der Welt verschließen, Kontakt meiden, das Leben fliehen, der Welt entsagen

septisch: mit Sepsis verbunden, nicht keimfrei

Sequenz: Abfolge, Aneinanderreihung, Aufeinanderfolge, Folge, Hintereinander, Nacheinander, Ordnung, Reihenfolge, Reihung, Turnus

Serenade: Abendmusik, Abendständchen, Nachtmusik, Ständchen

Serie: Garnitur, Reihe, Satz *Abfolge, Anhäufung, Anzahl, Berg, Flut, Haufen, Masse, Mehrzahl, Menge, Reihe, Unmenge, Vielheit, Vielzahl, große Zahl, eine ganze Ladung

serienmäßig: nicht einzeln angefertigt, in Massen gefertigt, nicht in einer ganzen Folge angefertigt, nicht als Serie angefertigt, vom Band *(bereits) dabei

seriös: ernst, ernsthaft, aufrichtig, ehrlich, ernstlich, im Ernst, ohne Spaß, ohne Scherz, wirklich gemeint, wörtlich gemeint, so gemeint

Seriosität: Entschiedenheit, Ernst, Ernsthaftigkeit, Feierlichkeit

Sermon: Banalität, Blabla, Demagogie, Faselei, Gebabbel, Gedöns, Gedröhn, Gedröhne, Gefasel, Gelaber, Geplapper, Geplätscher, Gequassel, Gequatsche, Geschnatter, Geschwafel, Geschwätz, Gewäsch, Gickgack, Kakelei, Palaver, Phrase, Phrasendrescherei, Plapperei, Quasselei, Quatscherei, Rederei, Schleim, Schmonzes, Schmus, Schnickschnack, Schwabbelei, Schwätzerei, Unsinn, Wischiwaschi, Wischwasch, Wortaufwand, leeres Stroh

Serpentine: Abbiegung, Abknickung, Biegung, Bogen, Drehung, Haken, Kehre, Knick, Knie, Krümmung, Kurve, Schlei-

fe, Wende, Wendung, Windung, Zickzackweg *Biegung, Kehre, Krümmung, Spirale, Windung
Serum: Blutplasma, Blutserum, Blutwasser, Plasma *Impfserum, Impfstoff
Service: Bedienung, Kundenberatung, Kundendienst, Dienst am Kunden *Aufwartung, Bedienung, Bewirtung *Geschirr, Tafelgeschirr
servieren: auffahren, auftafeln, auftischen, auftragen, bewirten, kredenzen, reichen, vorsetzen
Serviererin: Bedienung, Fräulein, Kellnerin, Servierfräulein, Serviermädchen, Serviertochter
Serviertisch: Anrichtetisch, Beistelltisch
Serviette: Mundtuch, Papiertuch
servil: buhlerisch, demütig, devot, duckmäuserisch, ergeben, hündisch, knechtisch, kriecherisch, lakaienhaft, liebedienerisch, schmeichlerisch, sklavisch, speichelleckerisch, subaltern, untertan, untertänig, unterwürfig, ohne Stolz
Servilität: Demütigkeit, Devotion, Dienerei, Ergebenheit, Gottergebenheit, Katzbuckelei, Kriecherei, Liebedienerei, Schmeichelei, Speichelleckerei, Untertänigkeit, Unterwürfigkeit
servus!: ade!, adieu!, tschüs!, auf Wiedersehen!, lebe wohl!, bis bald!, bis gleich!
Sessel: Armstuhl, Lehnstuhl, Polstersessel, Polsterstuhl
Sessellift: Drahtseil, Gondelbahn, Schwebebahn, Seilbahn, Sesselbahn
sesshaft: ansässig, ortsansässig, beheimatet, eingebürgert, heimisch, niedergelassen, wohnhaft ***sesshaft werden:** s. ansässig machen, s. ansiedeln, einwandern, s. etablieren, s. niederlassen, übersiedeln, Fuß fassen, Wurzeln schlagen
Sesshaftigkeit: Ansiedlung, Einnistung
Session: Beratung, Besprechung, Konferenz, Sitzung, Versammlung
Set: Gedeckunterlage, Platzdeckchen, Tischdeckchen *Garnitur *Clique, Szene
Setzei: Ochsenauge, Spiegelei
setzen: stellen, hinstellen, hinsetzen, legen, platzieren, postieren, einen Platz geben *anbauen, anpflanzen, bebauen, einpflanzen, einsetzen, stecken *tippen, wetten, eine Wette abschließen *aufrichten, erbauen, hochziehen ***s. setzen:** s. hinsetzen, s. niederlassen, s. niedersetzen, niedersitzen, Platz nehmen *s. ablagern, s. absetzen, s. niederschlagen, sedimentieren, einen Bodensatz bilden, zu Boden sinken *absinken, einsinken, s. senken, zusammensinken, niedriger werden
Setzling: Ableger, Reis, Schoß, Schössling
Seuche: Epidemie, Erkrankung, Infektionskrankheit, Krankheit, Siechtum, ansteckende Krankheit *Pandemie
seufzen: stöhnen, aufstöhnen, ächzen, aufseufzen, einen Seufzer ausstoßen, tief ausatmen
Seufzer: Ächzer, Schluchzer, Schmerzensruf, Stoßseufzer
Sex: Sexappeal, sexuelle Anziehungskraft *Geschlechtlichkeit, Sexualität, Sexus *Sinnlichkeit
Sexappeal: Attraktivität, Charme, Fluidum, Reiz, Wirkung, Zauber, erotische Anziehungskraft, das gewisse Etwas, sexuelle Anziehungskraft
Sextant: Winkelmesser
Sexualdelikt: Sexualverbrechen, Sittlichkeitsdelikt, Sittlichkeitsverbrechen
Sexualität: Geschlechtlichkeit, Sexus *Eros, Erotik, Fleischeslust, Fleischlichkeit, Genussfreude, Lüsternheit, Sinnenfreude, Sinnenlust, Sinnlichkeit, Triebhaftigkeit, Wollust, sinnliche Liebe
sexuell: erotisch, geschlechtlich, triebhaft *animalisch, sinnlich
sexy: angenehm, anmutig, anziehend, attraktiv, aufreizend, betörend, bezaubernd, charmant, einnehmend, entzückend, erotisch, gewinnend, hübsch, lieb, lieblich, liebenswert, reizvoll, sympathisch, toll
sezieren: obduzieren, öffnen, zerlegen
Shakehands: Händedruck, Handschlag
Shaker: Mixbecher
shocking: anstößig, ausschweifend, empörend, lasziv, liederlich, obszön, pikant, ruchlos, schmutzig, unanständig, ungebührlich, ungehörig, unkeusch, unschicklich, unsolide, unziemlich, verdorben, verwerflich, verworfen, wüst, zweideutig, gegen die Sitte, nicht salonfähig, nicht stubenrein *unangenehm

Shop: Geschäft, Laden
Show: Bühnenstück, Revue, Schau, Varieté
Showbusiness: Showgeschäft, Unterhaltungsindustrie, Vergnügungsindustrie
sibyllinisch: abgründig, abstrus, delphisch, dunkel, esoterisch, geheimnisreich, geheimnisumwittert, geheimnisvoll, hintergründig, innerlich, magisch, mystisch, okkult, orakelhaft, rätselhaft, unbegreiflich, undurchdringlich, unerforschlich, unergründlich
sich: einander, einer den anderen, einer der anderen, sich gegenseitig …
Sichel: Handsense, Sense
sicheln: abmähen, absicheln, hauen, mähen, schneiden, sensen
sicher: gefahrlos, geschützt, gesichert, harmlos, risikolos, ungefährdet, ungefährlich, unschädlich, unverfänglich, in Sicherheit, außer Gefahr *einwandfrei, fehlerfrei, fehlerlos, genau, komplett, korrekt, mustergültig, perfekt, richtig, tadellos, vollkommen, vorschriftsmäßig, wahr, zutreffend *überzeugt, unfehlbar, untrüglich *treffend, zutreffend, amtlich, authentisch, dokumentiert, echt, erwiesen, fehlerfrei, fundiert, fürwahr, gewiss, gut, hundertprozentig, offiziell, stichhaltig, tatsächlich, unanfechtbar, unangreifbar, unbestreitbar, unbestritten, unbezweifelbar, unleugbar, unstreitig, untrüglich, unwiderlegbar, unwiderleglich, unzweifelhaft, verbürgt, wahr, wahrlich, wahrhaftig, wirklich, zuverlässig, zweifelsfrei *aufrecht, beharrlich, beständig, bindend, bleibend, dauerhaft, dauernd, fest, feststehend, hartnäckig, langlebig, standhaft, stetig, unauflöslich, unbeugsam, unbeweglich, unerschütterlich, unlösbar, unnachgiebig, untrennbar, unverbrüchlich, unverrückbar, unzerstörbar, verbindlich, willensstark, zuverlässig, für immer, von Bestand, von Dauer *sicherlich, wahrscheinlich *anmaßend, arrogant, aufgeblasen, dünkelhaft, eingebildet, erfolgssicher, gnädig, herablassend, hochmütig, hochnäsig, ichbewusst, selbstbewusst, selbstgefällig, selbstsicher, selbstüberzeugt, selbstüberzogen, siegessicher, stolz, überheblich, wichtigtuerisch *behütet, beschirmt, beschützt, geborgen, gefeit, gerettet, risikolos, unbedroht, ungefährdet ***sicher sein:** festliegen, feststehen, gewiss sein, außer Zweifel stehen, keinem Zweifel unterliegen
sichergehen: s. rückversichern, s. vergewissern, versichern *s. überzeugen, s. vergewissern, s. versichern, Gewissheit verschaffen, auf Nummer Sicher gehen
Sicherheit: Abschirmung, Behütetsein, Geborgenheit, Geborgensein, Gesichertheit, Obhut, Schutz, Sekurität, Sicherung *Gewissheit, Kenntnis, Klarheit, Korrektheit, Prägnanz, Richtigkeit, Überzeugung, Unanfechtbarkeit, Unangreifbarkeit, Unwiderlegbarkeit, Wahrheit, Wirklichkeit, Zuverlässigkeit *Durchsetzungsvermögen, Selbstgefühl, Selbstwertgefühl, Selbstbewusstsein, Selbstsicherheit, Selbstvertrauen, Stolz *Deckung, Schutz *Bürgschaft, Faustpfand, Garantie, Garantieleistung, Gewähr, Hinterlegung, Kaution, Pfand, Sicherheitsleistung, Sicherung, Verantwortung, Verpflichtung ***in Sicherheit bringen:** befreien, bergen, erlösen, erretten, helfen, heraushelfen, herausholen, retten, Gefahr abwenden, Leben erhalten, Rettung bringen, Unheil verhindern, der Gefahr entreißen
sicherheitshalber: vorsichtshalber, vorsorglich, zur Sicherheit, um sicher zu sein, um sicherzugehen, für alle Fälle, zur Vorsicht
Sicherheitsleistung: Bürgschaft, Faustpfand, Garantie, Garantieleistung, Gewähr, Hinterlegung, Kaution, Pfand, Sicherheit, Sicherung, Verantwortung, Verpflichtung
Sicherheitsmaßnahme: Sicherheitsvorkehrung, Sicherung
Sicherheitsschloss: Hängeschloss, Riegel, Schloss, Vorhängeschloss
Sicherheitsvorkehrung: Sicherheitsmaßnahme, Sicherung
sicherlich: freilich, gewiss, natürlich, aber ja, ganz gewiss
sichern: schützen *sicherstellen, s. versichern, in Verwahrung nehmen, in Gewahrsam nehmen *äugen, lugen, spähen, verhoffen

sicherstellen: sichern, s. versichern, in Verwahrung nehmen, in Gewahrsam nehmen *aufbewahren *zurücklegen
Sicherstellung: Beschlagnahme, Pfändung, Zwangsverwaltung *Sicherheitsventil *Abschirmung, Beschützung, Sicherheit
Sicherung: Sicherheitsmaßnahme, Sicherheitsvorkehrung *Abschirmung, Bedeckung, Beistand, Beschützung, Hilfe, Obhut, Schutz, Sicherheit, Wahrung *Bürgschaft, Faustpfand, Garantie, Garantieleistung, Gewähr, Hinterlegung, Kaution, Pfand, Sicherheit, Sicherheitsleistung, Verantwortung, Verpflichtung
Sicherungsübereignung: Verpfändung
Sicherungsverwahrung: Arrest, Haft, Schutzhaft
Sicht: Sichtverhältnisse *Blickpunkt, Blickwinkel, Position, Schau, Standpunkt, Warte
sichtbar: aufnehmbar, erkennbar, kenntlich, schaubar, sehbar, wahrnehmbar, in Sicht, zu sehen *auffallend, beachtlich, bemerkbar, deutlich, einschneidend, erheblich, fühlbar, nachhaltig, sichtlich, spürbar *aufgelegt, augenscheinlich, ausgemacht, blank, deutlich, eklatant, ersichtlich, evident, flagrant, offenbar, offenkundig, offensichtlich, sichtlich
sichten: aufmerksam werden (auf), bemerken, entdecken, erblicken, gewahren, hören, Notiz nehmen (von), sehen, wahrnehmen, gewahr werden *durchsehen, überfliegen *ausmachen, bemerken, entdecken, erblicken, erkennen, erspähen, sehen, wahrnehmen, zu Gesicht bekommen
Sichtgrenze: Aussicht, Horizont, Kimm, Kimmung
sichtlich: aufgelegt, augenscheinlich, ausgemacht, blank, deutlich, eklatant, ersichtlich, evident, flagrant, offenbar, offenkundig, offensichtlich, sichtbar *auffallend, bemerkbar, deutlich, erheblich, erkennbar, fühlbar, merklich, sichtbar, spürbar, zusehends
Sichtung: Durchsicht, Kontrolle, Musterung, Überprüfung
Sichtverhältnisse: Sicht
sickern: s. ergießen, fließen, fluten, laufen, plätschern, quellen, rieseln, rinnen, sprudeln, spülen, strömen, wallen, wogen
Sieb: Durchschlag *Filter, Seiher
sieben: ausgliedern, auslesen, ausmustern, ausscheiden, aussieben, aussondern, aussortieren, aussuchen, auswählen, eliminieren, entfernen, lesen *durchseihen, durchsieben, passieren, seihen, durch das Sieb schütten
siebengescheit: neunmalklug, schlau, superklug, superschlau, übergescheit, überklug
siech: angegriffen, angeschlagen, befallen (von), bettlägerig, dienstunfähig, elend, erkrankt (an), fiebrig, indisponiert, krank, kränkelnd, kränklich, leidend, morbid, pflegebedürftig, schwerkrank, sterbenskrank, todgeweiht, todkrank, unpässlich, unwohl, nicht gesund
Siechtum: Beschwerden, Erkrankung, Gebrechen, Krankheit, Leiden, Seuche, Störung, Übel, Unpässlichkeit, Unwohlsein
siedeheiß: brodelnd, heiß, kochend
Siedehitze: Affenhitze, Bruthitze, Bullenhitze, Glut, Gluthitze, Hitze, Knallhitze, Schwüle, Sommerhitze, Wärme *Siedegrad, Siedepunkt, Siedetemperatur
siedeln: s. ansiedeln, s. einnisten, s. etablieren, s. festsetzen, niederlassen, ansässig werden, sesshaft werden, seine Zelte aufschlagen, seinen Wohnsitz aufschlagen
sieden: brodeln, kochen *gar machen, weich machen
siedend: heiß *kochend
Siedepunkt: Siedegrad, Siedehitze, Siedetemperatur *Höhepunkt
Siedler: Ansiedler, Kolonist *Bauer, Farmer, Pflanzer, Rancher
Siedlung: Ansiedlung, Gemeinde, Gründung, Kolonie, Niederlassung, Ort, Standort
Sieg: Erfolg, Errungenschaft, Gewinn, Triumph *Pyrrhussieg
Siegel: Abkürzungszeichen, Kürzel *Amtssiegel, Stempel
siegeln: plombieren, versiegeln, zusiegeln, mit einem Siegel versehen
siegen: s. durchsetzen, gewinnen, triumphieren, übertreffen, als Sieger hervor-

gehen, den Sieg davontragen, den Sieg erringen, den Sieg erlangen, den Sieg erfechten, Sieger bleiben, Sieger sein, die Oberhand behalten, den Preis davontragen, den Preis gewinnen *besiegen, bezwingen, fertig machen, niederringen, schlagen, überwinden, unterjochen, unterwerfen, vernichten, kampfunfähig machen
Sieger: Besieger, Bezwinger, Champion, Erster, Gewinner, Held, Matador, Meister, Triumphator, Überwinder *Gewinner, Preisträger *Draufgänger, Haudegen, Heros, Kämpe
Siegerkranz: Ehrenkranz, Ehrenkrone, Eichenkranz, Lorbeerkranz, Olivenkranz
siegesbewusst: hoffnungsvoll, siegessicher, zuversichtlich *unerschütterlich, willensstark
siegesgewiss: beherrscht, eisern, felsenfest, fest, stählern, stahlhart, unerschütterlich, willensstark, zäh
Siegespreis: Auszeichnung, Cup, Pokal, Preis, Siegestrophäe, Trophäe
Siegestrophäe: Auszeichnung, Cup, Pokal, Preis, Siegespreis, Trophäe
siegreich: begünstigt, erfolggekrönt, erfolgreich, preisgekrönt, sieggekrönt, sieghaft
Siesta: Mittagspause, Mittagsruhe, Mittagsschlaf, Ruhe
Signal: Erkennungszeichen, Merkmal, Symbol, Wink, Zeichen *Haltezeichen, Stoppzeichen
signalisieren: blinken, winken, Signal geben, Zeichen geben *ankündigen
Signatur: Autogramm, Handzeichen, Namenszeichen, Namenszug, Signum, Unterschrift
signieren: abzeichnen, gegenzeichnen, paraphieren, quittieren, ratifizieren, unterfertigen, unterschreiben, unterzeichnen, seine Unterschrift geben, seinen Namen setzen (unter)
signiert: abgezeichnet, gegengezeichnet, quittiert, ratifiziert, unterschrieben, unterzeichnet
signifikant: bedeutsam, dringend, erforderlich, essenziell, geboten, gewichtig, lebenswichtig, notwendig, obligat, primär, substanziell, substanzhaft, unausweichlich, unentbehrlich, unerlässlich, unumgänglich, unvermeidlich, wesentlich, wichtig, zwingend *auszeichnend, bezeichnend, charakterisierend, charakteristisch, eigentümlich, kennzeichnend, spezifisch, typisch, unverkennbar, wesensgemäß
Signum: Autogramm, Handzeichen, Namenszeichen, Namenszug, Signatur, Unterschrift *Kennzeichen, Zeichen
Silage: Gärfutter, Silofutter
Silbe: Nachsilbe, Vorsilbe, Wortbestandteil
Silbentrennung: Trennung nach Silben
Silberfolie: Alufolie, Aluminiumfolie, Stanniolfolie
Silbergeschirr: Silber, Tafelsilber
silberhaarig: alt, altersgrau, ergraut, grau, graumeliert, grauhaarig, meliert, schlohweiß, weiß, weißhaarig
silberhell: hell, silbrig *hoch, klar, wohltönend
silbern: silberfarben, silberfarbig, silbrig *klar, glasklar, rein, glockenrein, hell, hoch
Silhouette: Kontur, Linie, Profil, Schattenriss, Skyline, Umriss *Schattenbild, Schattenriss
Silo: Depot, Großspeicher, Lager, Lagerhaus, Speicher, Speicheranlage
Silofutter: Gärfutter, Silage
Silvester: Altjahresabend, Altjahrestag, Jahresausklang, Jahreswechsel, Jahreswende, 31. Dezember
simpel: babyleicht, bequem, einfach, kinderleicht, mühelos, problemlos, spielend, unkompliziert, unproblematisch, unschwer, mit Leichtigkeit, nicht schwierig, ohne Mühe, ohne Schwierigkeiten *dumm, einfältig, schlicht
Simpel: Dummkopf, Einfaltspinsel, Hampel, Kindskopf, Narr, Nichtskönner, Nichtswisser, Strohkopf, Stümper, Tor, Trottel, Versager
Simplifikation: Schematisierung, Schematismus, Vereinfachung, Vergröberung
simplifizieren: banalisieren, schablonisieren, vereinfachen, verflachen, vergröbern, verharmlosen, verwässern
Simplizität: Arglosigkeit, Beschränktheit, Biederkeit, Einfalt, Einfältigkeit,

Gutgläubigkeit, Harmlosigkeit, Kritiklosigkeit, Leichtgläubigkeit, Naivität, Torheit, Treuherzigkeit, Vertrauensseligkeit
Sims: Vorsprung *Fensterbank, Fensterbrett
simulieren: fingieren, heucheln, markieren, mimen, vorgaukeln, vorgeben, vormachen, vorschützen, vorspiegeln, vortäuschen, vorzaubern *grübeln *s. anders geben, s. den Anschein geben, s. den Anstrich geben, heucheln, schauspielern, s. stellen, als ob, täuschen, verbergen, verstellen, vorspiegeln, vortäuschen
simultan: gemeinsam, gleichlaufend, gleichzeitig, synchron, zugleich, im selben Augenblick, zur selben Zeit, zur gleichen Zeit
singen: grölen, jodeln, plärren, schmettern, summen, trällern, tremolieren, trillern *pfeifen, piepen, piepsen, quirilieren, schilpen, schlagen, tirilieren, trillern, tschilpen, ziepen, zirpen, zwitschern *ausplaudern, preisgeben, verraten *eine Melodie anstimmen, ein Lied vortragen, eine Melodie ertönen lassen
Singkreis: Chor, Sängerkreis, Sängerschaft, Sängervereinigung, Singgruppe
single: allein, allein stehend, ehelos, frei, gattenlos, ledig, unabhängig, unverehelicht, unverheiratet, unvermählt, noch zu haben
Single: Schallplatte *Alleinstehende, Junggeselle, Junggesellin, Unverheiratete *Einzel, Einzelspiel, Match, Partie
Singsang: Gegröle, Gesang, Gesinge, Singerei, das Singen
Singspiel: Musical, Operette
Singstimme: Stimme
singulär: einzeln, mancherorts, vereinzelt *beschränkt, dünn gesät, gelegentlich, knapp, manchmal, rar, selten, spärlich, sporadisch, verstreut, fast nie, nicht oft
Singular: Einzahl
Singularität: Absonderlichkeit, Besonderheit, Eigenheit, Eigentümlichkeit, Eigenwilligkeit, Originalität, Sonderheit
sinken: absacken, absaufen, absinken, hinabsinken, hinuntersinken, niedergehen, niedersinken, untergehen, untersinken, versacken, versinken, wegsacken, in den Wellen verschwinden, in den Fluten verschwinden *an Wert verlieren, billiger werden, geringer werden, im Preis sinken *abflauen, abklingen, fallen, nachgeben, schwinden, s. senken, zurückgehen, niedriger werden
Sinn: Affinität, Einsehen, Empfänglichkeit, Empfindung, Gefühl, Neigung, Spürsinn, Verständnis *Bedeutung, Bewandtnis, Inhalt, Substanz, Zusammenhang *Bedeutung, Gehalt, Sinngehalt *Essenz, Extrakt, Gehalt, Kern, Kernstück, Quintessenz, Substanz, Wesen, das Wesentliche, das Wichtige *Charakter, Eigenart, Gemütsart, Individualität, Natur, Veranlagung, Wesen, Wesensart
sinnähnlich: bedeutungsähnlich, bedeutungsgleich, bedeutungsverwandt, gleichbedeutend, sinngleich, sinnverwandt, synonym
Sinnbild: Allegorie, Bild, Gleichnis, Metapher, Parabel, Symbol, Trope, Vergleich, Wendung *Farbe, Geheimzeichen, Symbol, Wahrzeichen, Zeichen
sinnbildlich: allegorisch, bildlich, blumig, figürlich, gleichnishaft, metaphorisch, parabolisch, symbolisch, übertragen, als Gleichnis, im Bilde
sinnen: nachdenken *beabsichtigen
Sinnenfreude: Eros, Erotik, Fleischeslust, Fleischlichkeit, Lüsternheit, Sexualität, Sinnenlust, Sinnesreiz, Sinnestaumel, Sinnlichkeit, Triebhaftigkeit, Wollust, sinnliche Liebe *Genussfreude
Sinnesänderung: Absage, Dementi, Gegenerklärung, Sinneswandlung, Widerruf
Sinnesart: Denkweise, Einstellung, Ethos, Gesamthaltung, Gesinnung, Grundhaltung, Haltung, Parteilichkeit, Stellungnahme *Wesensart *Anschauung, Anschauungsweise, Auslegung, Beurteilung, Dafürhalten, Denkart, Denkungsweise, Denkweise, Einstellung, Gedanken, Gedankengang, Gesinnung, Ideologie, Interpretation, Meinung, Mentalität, Überzeugung, Weltanschauung, das Denken
Sinnesreiz: Antrieb, Kitzel, Reiz, Reizung, Stimulus
Sinnestäuschung: Bilder, Erscheinung, Gesicht, Halluzination, Phantasiebild,

Phantasma, Phantom, Schimäre, Täuschung, Trugbild, Vision, Wahnvorstellung *Fieberphantasie, Fieberwahn *Fata Morgana *Annahme, Befürchtung, Einbildung, Erdichtung, Fiktion, Halluzination, Hirngespinst, Illusion, Luftschloss, Mutmaßung, Phantasie, Phantasiegebilde, Spekulation, Täuschung, Trugbild, Vorstellung, Wahn, Wunschvorstellung, Zwangsvorstellung, fixe Idee *Bilder, Erscheinung, Gesicht, Halluzination, Phantasiebild, Phantom, Schein, Täuschung, Trugbild, Vision *Einbildung, Gesicht, Halluzination, Trugbild, Vorspiegelung

Sinngehalt: Bedeutung, Gehalt, Sinn

sinngemäß: analog, sinnhaft, dem Sinn(e) entsprechend, dem Sinn(e) nach, nicht wörtlich

sinngleich: bedeutungsähnlich, bedeutungsgleich, bedeutungsverwandt, gleichbedeutend, sinnähnlich, sinnverwandt, synonym

sinnhaft: analog, sinngemäß, dem Sinn(e) entsprechend, dem Sinn(e) nach, nicht wörtlich

sinnieren: brüten, forschen, grübeln, herumrätseln, knobeln, nachdenken, nachforschen, rätseln, spintisieren, tüfteln, überlegen

sinnig: sinnreich, sinnvoll, vernünftig, zweckvoll, mit Verstand

sinnlich: animalisch, erotisch, fleischlich, genussfähig, genussfreudig, körperlich, kreatürlich, sexuell, sinnenfreudig, sinnenhaft, triebhaft, wollüstig *fühlbar, hörbar, sichtbar, spürbar, wahrnehmbar, mit den Sinnen erfahrbar

Sinnlichkeit: Eros, Erotik, Fleischeslust, Fleischlichkeit, Lüsternheit, Sexualität, Sinnenfreude, Sinnenlust, Triebhaftigkeit, Wollust, sinnliche Liebe

sinnlos: absurd, blöd, blöde, blödsinnig, lächerlich, paradox, töricht, ungereimt, unlogisch, unsinnig, unvernünftig, unverständlich, vernunftwidrig, widersinnig, ohne Sinn und Verstand *nutzlos

Sinnlosigkeit: Absurdität, Blödheit, Blödsinnigkeit, Irrsinn, Irrwitz, Lächerlichkeit, Narrheit, Torheit, Unsinn, Unsinnigkeit, Unvernunft, Wahnsinn, Wahnwitz, Widersinn, Widersinnigkeit

sinnreich: sinnig, sinnvoll, vernünftig, wohl überlegt, zweckvoll, mit Verstand *behilflich, brauchbar, geeignet, passend, praktikabel, praktisch, richtig, sinnvoll, tauglich, verwertbar, wertvoll, zweckdienlich, zweckmäßig, von Wert, von Nutzen

Sinnspruch: Denkspruch, Sentenz

sinnverwandt: bedeutungsähnlich, bedeutungsgleich, bedeutungsverwandt, gleichbedeutend, sinnähnlich, sinngleich, synonym

sinnverwirrend: berauschend, betäubend, schwer

sinnvoll: sinnig, sinnreich, vernünftig, wohl überlegt, zweckvoll, mit Verstand *behilflich, brauchbar, geeignet, passend, praktikabel, praktisch, richtig, sinnreich, tauglich, verwertbar, wertvoll, zweckdienlich, zweckmäßig, von Wert, von Nutzen

sinnwidrig: abwegig, falsch, folgewidrig, grotesk, paradox, sinnlos, töricht, ungereimt, unlogisch, vernunftwidrig, widersinnig

Sintflut: Hochwasser, Überschwemmung

Sippe: Anhang, Familie, Familienkreis, Sippschaft, Verwandtschaft *Blutsverwandtschaft, Familie, Familienband, Geschlecht, Haus, Sippschaft, Stamm, Verwandtschaft

Sippschaft: Clique *Blutsverwandtschaft, Familie, Familienband, Geschlecht, Haus, Sippe, Stamm, Verwandtschaft *Anhang, Familie, Familienkreis, Sippe, Verwandtschaft *Abschaum, Bagage, Brut, Drachenbrut, Ganoven, Geschmeiß, Gesindel, Gezücht, Gosse, Hundepack, Kanaille, Lumpengesindel, Lumpenpack, Mob, Pack, Pöbel, Raubgesindel, Schlangenbrut, asoziale Elemente

Sirene: Alarmhupe, Alarmsirene, Feuersirene *Circe, Verführerin

Sitte: Ethik, Handlungsregeln, Moral, Sinnvorstellungen, Sittlichkeit, Wertmaßstäbe, Wertvorstellungen *Brauch, Brauchtum, Tradition, Überlieferung *Anstand, Betragen, Etikette, Gebaren, Haltung, Höflichkeit, Kultur, Lebens-

art, Lebensform, Takt, Umgangsformen *Brauch, Gepflogenheit, Gewohnheit, Herkommen, Tradition, Übung, Usus *Sittenstrenge, Sittsamkeit, Tugendhaftigkeit, Züchtigkeit
sittenfest: anständig, sittenrein, sittlich, sittsam, tugendhaft, tugendreich, tugendrein, tugendsam, wohlerzogen, züchtig
sittenlos: anstößig, lasterhaft, liederlich, pikant, ruchlos, schlecht, unanständig, ungebührlich, ungehörig, unkeusch, unmoralisch, unschicklich, unsittlich, unsolide, unziemlich, unzüchtig, verdorben, verrucht, verworfen, wüst, zotig, zuchtlos, zweideutig
Sittenlosigkeit: Lasterhaftigkeit, Liederlichkeit, Unkeuschheit, Unmoral, Unsittlichkeit, Unzüchtigkeit, Verderbtheit, Verdorbenheit, Verruchtheit, Verworfenheit, Zuchtlosigkeit
sittenrein: anständig, sittenfest, sittlich, sittsam, tugendhaft, tugendreich, tugendrein, tugendsam, wohlerzogen, züchtig
sittenstreng: anständig, ethisch, korrekt, moralisch, puritanisch, sittenfest, sittenreich, sittlich, tugendhaft, tugendreich, tugendsam, züchtig
Sittenstrenge: Sitte, Sittsamkeit, Tugendhaftigkeit, Züchtigkeit
Sittenverfall: Demoralisation, Demoralisierung, Untergang der Sitten
sittlich: anständig, ethisch, korrekt, moralisch, puritanisch, sittenfest, sittenreich, sittenrein, sittenstreng, sittsam, tugendhaft, tugendreich, tugendrein, tugendsam, wohlerzogen, züchtig
Sittlichkeit: Moral, Moralität *Anstand, Anstandsgefühl, Benehmen, Feingefühl, Höflichkeit, Korrektheit, Lauterkeit, Schick, Schicklichkeit, Sittsamkeit, Takt, Taktgefühl, Tugendhaftigkeit, Unbescholtenheit, Zartgefühl, Zucht
Sittlichkeitsdelikt: Sexualdelikt, Sexualverbrechen, Sittlichkeitsverbrechen
Sittlichkeitsverbrecher: Sexualverbrecher, Vergewaltiger
sittsam: anständig, ethisch, korrekt, moralisch, puritanisch, sittenfest, sittenreich, sittenrein, sittenstreng, sittlich, tugendhaft, tugendreich, tugendsam, wohlerzogen, züchtig
Sittsamkeit: Sitte, Sittenstrenge, Tugend, Tugendhaftigkeit, Züchtigkeit *Anstand, Anstandsgefühl, Benehmen, Feingefühl, Höflichkeit, Korrektheit, Lauterkeit, Schick, Schicklichkeit, Sittlichkeit, Takt, Taktgefühl, Tugendhaftigkeit, Unbescholtenheit, Zartgefühl, Zucht
Situation: Sache, Sachlage, Sachverhalt, Tatbestand, Umstand *Konstellation, Lage, Sachlage, Sachverhalt, Status, Verhältnis, Verhältnisse, Zustand
Sitz: Platz, Sitzgelegenheit, Sitzplatz *Hocker *Wohnsitz *Abgeordnetensitz
sitzen: hocken, dahocken, dasitzen, kauern, thronen *s. befinden, angenäht sein, angesteckt sein, angebracht sein, befestigt sein *passen *s. in Haft befinden, im Gefängnis sein *wohnen *tagen *treffen, auftreffen, einschlagen ***sitzen bleiben:** s. nicht erheben, nicht aufstehen *durchfallen, hängen bleiben, versagen, nicht bestehen, nicht erreichen, nicht genügen, nicht versetzt werden, zurückversetzt werden *ein Junggeselle bleiben, eine (alte) Jungfer werden, keine Frau finden, keinen Mann finden, ledig bleiben, nicht geheiratet werden, den Anschluss verpassen *nicht zum Tanz aufgefordert werden ***sitzen lassen:** versetzen, die Verabredung nicht einhalten, im Stich lassen *verlassen, alleine lassen, jmdn. seinem Schicksal überlassen *aussteigen, die Freundschaft aufkündigen, brechen (mit), die Freundschaft kündigen, aufhören, mit jmdm. Schluss machen, aufhören mit jmdm., den Laufpass geben *nicht versetzen lassen, nicht aufrücken lassen *desertieren, fliehen, flüchten, weggehen
Sitzgelegenheit: Platz, Sitz, Sitzplatz
Sitzplatz: Platz, Sitz, Sitzgelegenheit *Balkon, Logenplatz, Sperrsitz
Sitzung: Beratung, Besprechung, Konferenz, Session, Versammlung *Beratung, Kolloquium, Konferenz, Kongress, Symposium, Tagung, Versammlung
Skala: Abstimmskala, Stelltafel *Maßeinteilung, Skale
Skandal: Beschämung, Blamage, Bloßstellung, Demütigung, Entehrung, Erniedrigung, Kompromittierung, Krän-

kung, Schande, Schimpf, Schmach, Unehre, Verruf, Schimpf und Schande *Aufruhr, Donner, Dröhnen, Gejodel, Geklapper, Geklirr, Geknatter, Gekreische, Gelärme, Gepolter, Gerassel, Geratter, Geräusch, Geschrei, Getobe, Getöse, Hallo, Heidenlärm, Heidenspektakel, Höllenlärm, Höllenspektakel, Klamauk, Krach, Krachen, Krakeel, Krawall, Lärm, Rabatz, Radau, Randal, Ruhestörung, Rummel, Spektakel, Stimmengewirr, Tamtam, Trara, Trubel, Tumult *Ärgernis, Aufheben, Aufsehen, Eklat, Ereignis, Medienereignis, Ortsgespräch, Sensation, Stadtgespräch

Skandalblatt: Boulevardzeitung, Revolverblatt

skandalös: arg, ärgerlich, fatal, heikel, lästig, leidig, misslich, peinlich, prekär, schlecht, schlimm, schrecklich, unangenehm, unbefriedigend, unbequem, unerfreulich, unerquicklich, unerwünscht, ungelegen, ungünstig, ungut, unlieb, unliebsam, unvergnüglich, unwillkommen, verwünscht, widrig *allerhand, beispiellos, bodenlos, empörend, haarsträubend, hanebüchen, himmelschreiend, unbeschreiblich, unerhört, unfassbar, ungeheuerlich, unglaublich, noch nicht dagewesen *abscheuerregend, abscheulich, ekelhaft, elend, gemein, hässlich, niederträchtig, schändlich, schandvoll, scheußlich, schimpflich, schmählich, verächtlich, verwerflich

Skandalprozess: Medienprozess, Sensationsprozess

Skelett: Gebein, Gerippe, Knochen, Knochenbau, Knochengerüst *Gerippe, Gerüst, Grundidee, Grundplan, Leitgedanke

Skepsis: Argwohn, Bedenken, Misstrauen, Reserve, Ungläubigkeit, Vorbehalt, Zurückhaltung, Zweifel

Skeptiker: Kleingläubiger, Kritiker, Ungläubiger, Zweifler

skeptisch: argwöhnisch, kleingläubig, kritisch, misstrauisch, ungläubig, zweifelnd, zweiflerisch

Ski: Bretter, Schi, Schneeschuh

Skizze: Aufzeichnung, Notizen, Studie *Faustskizze, Handskizze, Rohzeichnung *Aufzeichnung, Entwurf, Handzeichnung, Konstruktion, Modell, Plan, Projektierung, Zeichnung

Skizzenblock: Notizblock, Zeichenblock

skizzieren: abzeichnen, anzeichnen, aufzeichnen, darstellen, illustrieren, malen, porträtieren, zeichnen *abhandeln, ansprechen, aufdecken, aufrollen, ausbreiten, ausdrücken, auseinander setzen, behandeln, beleuchten, berichten, betrachten, charakterisieren, darlegen, darstellen, entfalten, entrollen, entwickeln, erklären, erläutern, erzählen, manifestieren, schildern, zusammenstellen, eine Darstellung geben, ein Bild entwerfen, eine Darlegung geben *ausarbeiten, s. ausdenken, entwerfen, entwickeln, erarbeiten, konstruieren, konzipieren, planen, projektieren, umreißen, s. zurechtlegen, einen Plan machen

Sklave: Abhängiger, Arbeitskraft, Ausgebeuteter, Knecht, Leibeigener, Untergebener

Sklavenarbeit: Anstrengung, Fron, Knochenarbeit, Mühe, Mühsal, Plackerei, Plage, Rackerei, Riesenarbeit, Schinderei

sklavisch: buhlerisch, demütig, devot, duckmäuserisch, ergeben, hündisch, knechtisch, kriecherisch, lakaienhaft, liebedienerisch, schmeichlerisch, servil, speichelleckerisch, subaltern, untertan, untertänig, unterwürfig, ohne Stolz

Skonto: Abzug, Nachlass, Preisnachlass, Prozente, Rabatt

Skriptum: Akte, Aktenstück, Dokument, Papier, Schreiben, Schriftstück, Skript, Unterlage, Urkunde

Skrupel: Gewissensbisse, Gewissenslast, Gewissenspein, Schuldbewusstsein, Schuldgefühl

skrupellos: bedenkenlos, entmenscht, gewissenlos, gnadenlos, herzlos, kalt, lieblos, mitleidlos, rücksichtslos, unbarmherzig, unmenschlich

Skulptur: Bildwerk, Büste, Denkmal, Figur, Plastik, Statue, Torso

skurril: absonderlich, befremdend, befremdlich, drollig, eigen, eigenartig, eigenbrötlerisch, eigentümlich, erstaunlich, kauzig, komisch, kurios, merkwürdig, ominös, schrullig, seltsam, son-

derbar, sonderlich, ulkig, verschroben, verwunderlich, wunderlich
Skyline: Silhouette, Horizont, Himmelslinie
Slang: Argot, Jargon, Umgangssprache
Slip: Schlüpfer, Unterhose
Slogan: Schlagwort, Werbespot, Werbespruch, Werbetext *Devise, Leitgedanke, Leitsatz, Losung, Motto, Parole, Schlagwort, Wahlspruch
Slowmotion: Zeitlupe
Slum: Armenviertel, Elendsviertel
smart: erlesen, auserlesen, apart, ausgesucht, chic, elegant, fein, fesch, gewählt, kultiviert, modern, mondän, nobel, piekfein, rassig, schick, schmuck, schneidig, schnieke, schnittig, stilvoll, todschick, vornehm *raffiniert *aufgeweckt, diplomatisch, elegant, erfahren, geschickt, geschliffen, geübt, gewandt, routiniert, sicher, taktisch, weitläufig, weltgewandt, weltmännisch, wendig
Smog: Dunstglocke, Dunstschicht, Dunstschleier, Luftverpestung, Luftverschmutzung, Nebel
Smoking: Frack, Gehrock, Gesellschaftsanzug
Snackbar: Imbissstube, Schnellbuffet, Schnellgaststätte
Snob: Angeber, Dandy, Geck, Gent, Laffe, Pomadenhengst, Schönling, Stutzer, Vornehmtuer
Snobismus: Eitelkeit, Geckenhaftigkeit
snobistisch: angeberisch, aufgeblasen, blasiert, dünkelhaft, eingebildet, eitel, hoffärtig, selbstgefällig, überheblich, von sich eingenommen *eitel, geckenhaft, geckenmäßig
so: dahingehend, dementsprechend, demgemäss, derart, derartig, dergestalt, dermaßen, folgendergestalt, folgendermaßen, folgenderweise, solcherart, solchergestalt, solchermaßen, solcherweise, auf folgende Weise, in der Weise, in einer Art, in dieser Art, in dieser Weise, nicht anders, wie folgt, auf diese Weise, auf diese Art *auch, dito, ebenfalls, ebenso, genauso, geradeso, gleichermaßen, gleicherweise, in gleicher Weise, in demselben Maße *annähernd, annäherungsweise, beiläufig, beinahe, circa, einigermaßen, fast, gegen, pauschal, rund, schätzungsweise, überschlägig, überschläglich, ungefähr, zirka, in etwa *dadurch, daher, daraufhin, darum, demgemäss, demzufolge, deshalb, deswegen, ebendaher, ebendarum, ebendeshalb, folglich, infolgedessen, insofern, mithin, somit, aus diesem Grunde, auf Grund dessen, aus dem einfachen Grund *kostenlos *ekelhaft, entsetzlich, furchtbar, fürchterlich, höllisch, irrsinnig, klotzig, kolossal, lausig, mordsmäßig, rasend, riesig, schändlich, schrecklich, sehr, unheimlich, unsinnig, verdammt, verflixt, verflucht, verteufelt *echt, ernsthaft, tatsächlich, wirklich
sobald: direkt, sofort, sowie, sogleich wenn, kaum dass, gerade als
Socke: Söckchen, Strumpf
Sockel: Fuß, Fußgestell, Piedestal, Postament, Standfuß
sodann: alsdann, außerdem, dann, dazu, ferner, fernerhin, hinzu, überdies, weiter, weiterhin, zudem, des Weiteren, darüber hinaus *danach, dann, endlich, hernach, hieran, hiernach, hintennach, hinterher, nach, nachher, nachträglich, schließlich, sonach, später, im Anschluss (an), im Nachhinein, in der Folge
Sodawasser: Brunnenwasser, Mineralwasser, Sauerbrunnen, Selters, Selterswasser, Soda, Sprudel, Sprudelwasser, Tafelwasser
soeben: eben, gegenwärtig, gerade, jetzt, just, justament, momentan, diese Sekunde, diese Minute, zur Stunde, zur Zeit
Sofa: Bettcouch, Chaiselongue, Couch, Diwan, Kanapee, Liege, Ottomane, Ruhebett, Schlafcouch
sofern: angenommen, falls, gegebenenfalls, vorausgesetzt, wenn, wofern, für den Fall, gesetzt den Fall, im Falle
sofort: alsbald, augenblicklich, augenblicks, direkt, flink, flugs, geradewegs, gleich, momentan, postwendend, prompt, schleunigst, schnellstens, schnurstracks, sogleich, spornstreichs, stracks, umgehend, ungesäumt, unmittelbar, unverweilt, unverzüglich, auf Anhieb, auf der Stelle, im Augenblick, eilenden Fußes, ohne Verzögerung, ohne

Verzug, ohne Aufschub, ohne Aufenthalt, im Nu, im Handumdrehen, auf einen Ruck, lieber heute als morgen
sofortig: alsbaldig, augenblicklich, schleunig, unverzüglich
Software: Computerprogramm
Sog: Drift, Strom, Strömung, Trift *Strudel, Wirbel
sogar: auch, außerdem, ja, selbst, überdies, mehr noch
sogleich: alsbald, augenblicklich, augenblicks, direkt, flink, flugs, geradewegs, gleich, momentan, postwendend, prompt, schleunigst, schnellstens, schnurstracks, sofort, spornstreichs, stracks, umgehend, ungesäumt, unmittelbar, unverweilt, unverzüglich, auf Anhieb, auf der Stelle, im Augenblick, eilenden Fußes, ohne Verzögerung, ohne Verzug, ohne Aufschub, ohne Aufenthalt, im Nu, im Handumdrehen, auf einen Ruck, lieber heute als morgen
Sohle: Schuhsohle
sohlen: besohlen, mit Sohlen versehen
Sohn: Bub, Filius, Junge, Jüngling, Knabe, Sohnemann, Sprössling, Stammhalter
Soiree: Abendgesellschaft, Abendveranstaltung, Festabend
solange: dabei, dazwischen, derweil, einstweilen, indem, indessen, inzwischen, mittlerweile, unterdes, unterdessen, währenddem, währenddessen, zwischenher, in der Zwischenzeit *als, bei, da, derweil, einstweilen, indem, indes, inzwischen, unterdessen, während, zwischenzeitlich, in der Zwischenzeit
solch: dementsprechend, derartig, dergleichen, derlei, dieserlei, ebensolch, so, solcherlei
solcherart: dahingehend, dementsprechend, demgemäss, derart, derartig, dergestalt, dermaßen, folgendergestalt, folgendermaßen, folgenderweise, so, solchergestalt, solchermaßen, solcherweise, auf folgende Weise, in der Weise, in einer Art, in dieser Art, in dieser Weise, nicht anders, wie folgt, auf diese Weise, auf diese Art
solcherlei: dementsprechend, derartig, dergleichen, derlei, dieserlei, ebensolch, so, solch
Sold: Bezahlung, Soldatenlöhnung, Wehrsold
Soldat: Armeeangehöriger, Kämpfer, Militärpflichtiger, Streiter, Uniformierter, Uniformträger, Waffenträger, Wehrdienstleistender, Wehrpflichtiger
Soldatenfriedhof: Kriegsgräberstätte
Söldner: Berufssoldat, Krieger, Landsknecht, Söldling
Sole: Lake, Salzbrühe, Salzlake, Salzlösung
solenn: andächtig, erhaben, erhebend, ernst, feierlich, festlich, galamäßig, gehoben, getragen, glanzvoll, gravitätisch, majestätisch, pathetisch, stimmungsvoll, weihevoll, würdevoll, würdig, zeremoniell, in aller Form
Solennität: Feierlichkeit, Weihe, Würde
solidarisch: eng, gemeinsam, geschlossen, verbunden, verbündet, vereint, vertrauensvoll, zuverlässig, füreinander einstehend
solidarisieren (s.): s. anschließen, paktieren, s. solidarisch erklären, s. verbrüdern, s. verbünden, s. zusammenschließen, s. zusammentun, zu jmdm. stehen
Solidarität: Gemeinsamkeit, Gemeinschaftsgeist, Gemeinsinn, Kameradschaft, Übereinstimmung, Verbundenheit, Zusammengehörigkeit, Zusammengehörigkeitsgefühl
solide: echt, gediegen, ordentlich, wertbeständig *angesehen, geehrt, geschätzt, verehrt *haltbar, gut gemacht *pünktlich, zuverlässig *anständig, gesittet, höflich, korrekt, rechtschaffen, sittsam
Soll: Debet, Passiva *Auflage, Forderung, Norm, Obliegenheit, Pflicht, Plan, Verbindlichkeit, Verpflichtung
Sollbestand: geplanter Bestand, errechneter Bestand
Sollbestimmung: Gesetz, Verordnung, Vorschrift
sollen: dürfen, müssen, obliegen
Söller: Altan, Balkon, Brust, Loggia, Terrasse, Vorbau
solo: allein, einsam, einzig, ledig, mutterseelenallein, verlassen, ohne Gesellschaft, ohne Hilfe
solvent: flüssig, liquid, zahlungsbereit, zahlungsfähig

Solvenz: Bonität, Liquidität, Zahlungsfähigkeit
somatisch: körperlich, leiblich, physisch
somit: also, dadurch, daher, danach, daraufhin, darum, demgemäß, demnach, demzufolge, deshalb, deswegen, ebendaher, ebendarum, ebendeshalb, ergo, folglich, infolgedessen, insofern, logischerweise, mithin, so, sonach, aus diesem Grunde, auf Grund dessen, aus dem einfachen Grund *dadurch, daher, daraufhin, darum, demgemäß, demzufolge, deshalb, deswegen, ebendaher, ebendarum, ebendeshalb, folglich, infolgedessen, insofern, mithin, so, aus diesem Grunde, aus dem einfachen Grund
Sommer: Sommerszeit, Sommerzeit, warme Jahreszeit
Sommeraufenthalt: Erholungsaufenthalt, Erholungsort, Erholungsstätte, Ferienaufenthalt, Ferienort, Ferienparadies, Sommerfrische, Urlaubsaufenthalt, Urlaubsort
Sommerfrische: Erholungsaufenthalt, Erholungsort, Erholungsstätte, Ferienaufenthalt, Ferienort, Ferienparadies, Sommeraufenthalt, Urlaubsaufenthalt, Urlaubsort
Sommerfrischler: Ausflügler, Erholungsuchender, Feriengast, Gast, Kurgast, Passagier, Sommergast, Tourist, Urlauber, Urlaubsreisender, Vergnügungsreisender, Wanderer
Sommerhaus: Appartement, Bungalow, Datsche, Ferienhaus, Ferienwohnung, Landhaus, Landsitz, Wochenendhaus, Zweitwohnung
Sommerhitze: Affenhitze, Bruthitze, Bullenhitze, Glut, Gluthitze, Hitze, Knallhitze, Schwüle, Siedehitze, Wärme
sommerlich: heiß, hochsommerlich, sonnig, südlich, tropisch, warm, wie im Sommer
Sommerpause: Pause, Sommerferien
Sommerschlussverkauf: Ausverkauf, Räumungsverkauf, Schlussverkauf
Somnambule: Mondsüchtiger, Nachtwandler, Schlafwandler, Traumwandler
sonach: also, danach, demnach, demzufolge, ergo, folglich, infolgedessen, logischerweise, somit *deshalb
Sonderart: Abart, Abweichung, Ausnahme, Besonderheit, Eigenart, Spielart, Variante, Version
sonderbar: absonderlich, befremdend, eigen, eigenartig, eigenbrötlerisch, eigentümlich, kauzig, komisch, merkwürdig, schrullig, seltsam, verschroben, verwunderlich, wunderlich *merkwürdig, neu, ungeläufig, ungewöhnlich, unüblich, nicht üblich
sonderbarerweise: eigentümlicherweise, erstaunlicherweise, komischerweise, merkwürdigerweise
Sonderfach: Domäne, Fach, Sondergebiet, Spezialgebiet, Spezialität
Sonderfall: Abweichung, Anomalie, Ausnahme, Ausnahmeerscheinung, Ausnahmefall, Einzelerscheinung, Einzelfall, Extremfall, Not, Notfall, einmalige Lage
Sondergebiet: Domäne, Fach, Sonderfach, Spezialgebiet, Spezialität
sondergleichen: abenteuerlich, ansehnlich, auffallend, auffällig, Aufsehen erregend, außergewöhnlich, außerordentlich, ausgefallen, beachtlich, bedeutend, bedeutsam, bedeutungsvoll, beeindruckend, beträchtlich, bewundernswert, bewundernswürdig, brillant, eindrucksvoll, einzigartig, eminent, enorm, entwaffnend, erstaunlich, erstklassig, fabelhaft, groß, großartig, hervorragend, imponierend, imposant, märchenhaft, nennenswert, ohnegleichen, sagenhaft, sensationell, spektakulär, stattlich, überragend, überraschend, überwältigend, ungeläufig, ungewöhnlich, unvergleichlich, verblüffend, virtuos, vollkommen
Sonderheit: Absonderlichkeit, Besonderheit, Eigenheit, Eigentümlichkeit, Eigenwilligkeit, Originalität, Singularität
sonderlich: besonders *absonderlich, befremdend, befremdlich, drollig, eigen, eigenartig, eigenbrötlerisch, eigentümlich, erstaunlich, grillenhaft, grillig, kauzig, kauzig, komisch, kurios, merkwürdig, ominös, schnurrig, schrullenhaft, schrullig, seltsam, skurril, sonderbar, spleenig, ulkig, verschroben, verwunderlich, wunderlich, wunderlich
Sonderling: Blüte, Eigenbrötler, Einzelgänger, Hagestolz, Junggeselle, Kauz,

Original, Type, Unikum, Wunderling, seltsamer Vogel
sondern: doch, jedoch, aber, allerdings, dagegen, dementgegen, hingegen, vielmehr, im Gegensatz dazu *abschieben, isolieren, trennen *abheben, auseinander halten, differenzieren, trennen, unterscheiden, eine Einteilung machen, einen Unterschied machen, gegeneinander abgrenzen
Sonderrecht: Freiheit, Priorität, Privileg, Vergünstigung, Vorrecht
Sonderung: Absonderung, Abspaltung, Abtrennung, Aufspaltung, Aufteilung, Schnitt, Spaltung, Teilung, Trennung, Unterteilung, Zerlegung, Zweiteilung
sondieren: aufklären, auskundschaften, erkunden, herausfinden, kundschaften, prüfen, auf Kundschaft ausgehen, auf Patrouille gehen
Sondierung: Aufklärung, Erhebung, Erkundung, Ermittlung, Feststellung, Kundschaft, Nachfrage
Sonett: Ballade, Gedicht, Ode, Poem, Romanze, Spruch, Vers, Verse, Verschen
Song: Chanson, Lied, Schlager
Sonne: Helios *Lichtstrahlen, Sonnenlicht, Sonnenschein, Sonnenstrahlen, Strahlen
sonnen (s.): bräunen, sonnenbaden, in der Sonne liegen, ein Sonnenbad nehmen, in der Sonne braten
Sonnenaufgang: Morgen, Morgendämmerung, Morgengrauen, Morgenröte, Tagesanbruch, Tagesgrauen
sonnendurchflutet: durchsonnt, freundlich, heiter, hell, prächtig, sonnenhell, strahlend
sonnenklar: bestimmt, deutlich, eindeutig, exakt, fest, festumrissen, genau, greifbar, handfest, klar, prägnant, präzise, ungeschminkt, unmissverständlich, unverblümt, unzweideutig
Sonnenschein: Lichtstrahlen, Sonne, Sonnenlicht, Sonnenstrahlen, Strahlen
Sonnenseite: angenehme Seite, positive Seite
Sonnenuntergang: Abend, Abendrot, Abenddämmerung, Abendröte
sonnig: aufgeheitert, durchsonnt, freundlich, heiter, hell, klar, prächtig, schön, sommerlich, sonnendurchflutet, sonnenhell, strahlend, wolkenlos *fidel, fröhlich, heiter, lustig, sorglos, strahlend, vergnügt
Sonntag: Festtag, Ruhetag
sonntäglich: feiertäglich, festlich, festtäglich, wie an Sonntagen üblich
Sonntagskind: Glückskind, Hans im Glück
sonor: einschmeichelnd, harmonisch, klangvoll, melodisch, weich, wohlklingend, wohllautend, wohltönend, zart
sonst: andernfalls, ansonsten, gegebenenfalls, widrigenfalls *davor, eher, früher, vorher, wie immer *ansonsten, auch, außerdem, daneben, dazu, ferner, fernerhin, hierneben, noch, obendrein, überdies, und, weiter, weiterhin, zudem, zusätzlich, darüber hinaus, des Weiteren, unter anderem, im Übrigen *alias ***sonst einer:** irgendeiner, irgendwer, jemand, man, sonst jemand, sonst wer, wer, eine Person, irgendjemand
sonsten: andernfalls *außerdem
sonstig: anderes, anderswo, anderweitig, woanders *alt, damalig, ehemalig, einstig, einstmalig, früher, gewesen, verflossen, vergangen, vormalig
sooft: immer wenn, jedes Mal wenn, wann auch immer
Sophismus: Kleinlichkeit, Sophistik, Spitzfindigkeit
Sophist: Denker, Gelehrter, Wortklauber
Sophistik: Kleinlichkeit, Sophismus, Spitzfindigkeit
sophistisch: kleinlich, spitzfindig
Sore: Diebesgut, Hehlerware, Raub
Sorge: Angst, Bangigkeit, Bedenken, Befangenheit, Bekümmernis, Besorgnis, Beunruhigung, Furcht, Kummer, Kümmernis, Panik, Scheu, Unruhe *Fürsorge, Hilfe, Pflege, Versorgung
sorgen: vorbauen, vorbeugen *aufkommen, unterhalten *bedienen ***s. sorgen:** s. annehmen, s. bekümmern (um), s. bemühen (um), bemuttern, betreuen, helfen, s. interessiert zeigen, s. kümmern, pflegen, umsorgen, versorgen, Anteilnahme schenken, Beachtung schenken *s. grämen, s. abgrämen, s. härmen, s. abhärmen, s. abzehren, s. ängstigen,

bangen, s. bekümmern, besorgt sein, s. beunruhigen, s. fürchten, s. Gedanken machen, in Sorge sein (um), schwer nehmen, s. Sorgen machen, s. verzehren
sorgenbeladen: angsterfüllt, bedenklich, bedrückt, bekümmert, besorgt, entmutigt, freudlos, gedrückt, gramerfüllt, gramgebeugt, gramvoll, kummervoll, nachdenklich, resigniert, sorgenschwer, sorgenvoll, unruhig, vergrämt, verhärmt, verzagt, zentnerschwer
sorgenfrei: arglos, beruhigt, fidel, gelassen, glücklich, heiter, leicht, leichtlebig, ruhig, sorgenlos, sorglos, übersprudelnd, unbekümmert, unbeschwert, unkompliziert, vergnügt, ohne Sorgen
Sorgenlast: Besorgnis, Kummer
sorgenlos: arglos, beruhigt, fidel, gelassen, glücklich, heiter, leicht, leichtlebig, ruhig, sorgenfrei, sorglos, übersprudelnd, unbekümmert, unbeschwert, unkompliziert, vergnügt, ohne Sorgen
Sorgfalt: Akkuratesse, Akribie, Ausführlichkeit, Behutsamkeit, Exaktheit, Genauigkeit, Geschliffenheit, Gewissenhaftigkeit, Peinlichkeit, Pflichtgefühl, Prägnanz, Präzision, Schärfe, Sorgfältigkeit, Sorgsamkeit *Achtsamkeit, Fürsorge, Fürsorglichkeit, Obacht, Pflege, Schonung, Umsicht, Vorsicht
sorgfältig: akkurat, ängstlich, gefeilt, genau, geschliffen, gewissenhaft, gründlich, ordentlich, paragrafenhaft, pedantisch, peinlich, penibel, pingelig, sorgsam *bedacht, bedächtig, behutsam, langsam, vorsichtig
sorglos: arglos, beruhigt, fidel, gelassen, glücklich, heiter, leicht, leichtlebig, leichtlebig, ruhig, sorgenfrei, sorgenlos, übersprudelnd, unbekümmert, unbeschwert, unkompliziert, vergnügt *achtlos, fahrlässig, gleichgültig, lieblos, nachlässig, unachtsam, unbedacht, unbedenklich, unvorsichtig
Sorglosigkeit: Arglosigkeit, Leichtsinn, Nachlässigkeit, Schlamperei, Unbekümmertheit, Unbeschwertheit, Unbesorgtheit
sorgsam: akkurat, ängstlich, gefeilt, genau, geschliffen, gewissenhaft, gründlich, ordentlich, paragrafenhaft, pedantisch, peinlich, penibel, pingelig, sorgfältig *achtsam, aufmerksam, bedacht, bedachtsam, behutsam, fürsorglich, gelinde, gewissenhaft, liebevoll, lind, pfleglich, pflichtbewusst, rücksichtsvoll, sacht, sanft, schonend, schonungsvoll, sorgfältig, sorglich, umsichtig, verantwortungsbewusst, vorsichtig, zart, mit Bedacht, mit Sorgfalt
Sorgsamkeit: Akkuratesse, Akribie, Ausführlichkeit, Behutsamkeit, Exaktheit, Genauigkeit, Geschliffenheit, Gewissenhaftigkeit, Peinlichkeit, Pflichtgefühl, Prägnanz, Präzision, Schärfe, Sorgfalt, Sorgfältigkeit
Sorte: Art, Gattung, Genre, Schlag, Spezies, Typ, Zweig *Güteklasse, Handelsklasse, Kategorie, Qualität
sortieren: gliedern, aufgliedern, anordnen, arrangieren, aufstellen, aufteilen, ausrichten, eingliedern, einreihen, einteilen, s. formieren, gruppieren, katalogisieren, kategorisieren, ordnen, rangieren, reihen, rubrizieren, strukturieren, systematisieren, unterteilen, zurechtrücken, zusammenstellen, in die richtige Reihenfolge bringen, in die richtige Ordnung bringen, in ein System bringen, in Reih und Glied stellen
Sortiment: Angebot, Warenangebot, Warenauswahl, Warensortiment
soso: aha, also *alltäglich, bescheiden, durchschnittlich, durchwachsen, einigermaßen, erträglich, genügend, gewöhnlich, hinlänglich, leidlich, mäßig, mittelmäßig, mittelprächtig, passabel, nicht weit her, nicht besonders, nicht gerade berühmt, nicht berauschend
Soße: Fleischsaft, Fond, Saft, Sauce, Stippe, Tunke *Bouillon, Brühe, Brühsuppe, Suppe, Tunke *Brei, Brühe, Matsch, Modder, Morast, Mud, Schlamm, Schlick, Sumpf
Soubrette: Operettensängerin
Souffleur: Einsager, Vorsager
soufflieren: einflüstern, einsagen, helfen, vorreden, vorsagen, vorsprechen, zuflüstern
Souper: Abendbrot, Abendessen, Abendmahlzeit, Abendtafel, Dinner, Nachtessen, Nachtmahl

Souvenir: Andenken, Erbstück, Erinnerungsstück, Erinnerungszeichen, Familienstück
souverän: autark, autonom, eigenständig, selbständig, überlegen, unabhängig, der Sache gewachsen, erhaben, über den Dingen stehend *eigenstaatlich, selbstverantwortlich
Souverän: Alleinherrscher, Despot, Diktator, Herrscher, Tyrann, Unterdrücker
Souveränität: Alleinherrschaft, Autonomie, Unabhängigkeit *Eigenstaatlichkeit *Selbstsicherheit, Sicherheit, Überlegenheit *Autonomie, Selbstbestimmungsrecht
so viel: wie viel auch immer, in welchem Umfang auch immer, in welchem Maß auch immer *ebenso viel, gleich viel, in demselben Maße, nicht weniger
soweit: allgemein, generell, insoweit, bis jetzt, im Allgemeinen, im Großen und Ganzen, mehr oder weniger, alles in allem ***so weit** bereit, startbereit, abfahrbereit, abmarschbereit, disponibel, fertig, gerichtet, gerüstet, gespornt, gestiefelt, reisefertig, verfügbar, vorbereitet, in Bereitschaft
so wenig: in demselben geringen Maße, wie wenig auch immer, nur das Nötigste, nur das Wenigste
sowie: direkt, sobald, sofort, sogleich wenn, kaum dass, gerade als *auch, gleichzeitig, plus, und, wie, zugleich
sowieso: eh, ohnedem, ohnedies, ohnehin, überhaupt, auf alle Fälle, auf jeden Fall
sozial: barmherzig, fürsorglich, gemeinnützig, gesellschaftlich, hilfsbereit, karitativ, mitmenschlich, uneigennützig, wohltätig
Sozialfürsorge: Diakonie, Fürsorge, Fürsorglichkeit, Sozialhilfe, Wohlfahrt
Sozialhilfeempfänger: Armer, Sozialfall, Not leidender Mensch
Sozialisation: Anpassungsprozess, Bildungsprozess, Einordnungsprozess, Integrationsprozess
sozialisieren: enteignen, kollektivieren, nationalisieren, vergemeinschaften, vergesellschaften, verstaatlichen, in Volkseigentum überführen, in Gemeineigentum überführen
sozialistisch: kommunistisch, links, linksgerichtet, linksorientiert
Sozietät: Gemeinschaft, Partnerschaft, Verband, Zusammenschluss
Soziologie: Gesellschaftslehre, Sozialwissenschaften
Sozius: Gesellschafter, Kommanditist, Kompagnon, Komplementär, Mitinhaber, Partner, Teilhaber, stiller Teilhaber
sozusagen: gewissermaßen, gleichsam, quasi, wie, mehr oder minder
spachteln: ausbessern, reparieren, zustreichen *essen, hinunterschlingen
spähen: äugen, lugen, sichern, verhoffen *sehen *äugeln, äugen, blicken, gucken, linsen, schauen, sehen *starren *aufpassen
Späher: Beobachter, Beobachtungsposten, Spion *Agent, Aufklärer, Kundschafter, Melder *Agent, Geheimagent, Kundschafter, Landesverräter, Saboteur, Spion, Spitzel
Spalt: Fuge, Loch, Ritze, Schlitz, Spalte
spaltbar: brechbar, trennbar, zerteilbar
Spalte: Abgrund, Cañon, Klamm, Kluft, Schlucht, Schlund, Tiefe *Fuge, Loch, Ritze, Schlitz, Spalt *Erdspalte, Graben, Grabenbruch *Abschnitt, Kolumne, Rubrik
spalten: aufspalten, hacken, zerhacken, zerspalten, zerteilen ***s. spalten:** s. abspalten, abfallen, s. absplittern, austreten, s. trennen
Spaltpilz: Bakterie, Bakterium, Bazillus, Krankheitserreger, Mikrobe
Spaltung: Halbierung, Teilung, Trennung
Spam: E-Mail-Spam, Müll, Spam-Mail, elektronischer Werbemüll
Span: Holzspan, Spleiß, Spliss, Splitter
Spanferkel: Ferkel, Jungschwein
Spange: Anstecknadel, Brosche, Fibel, Nadel *Schnalle, Schuhspange *Haarspange
Spann: Fußrücken, Reihen, Rist
Spanne: Abschnitt, Ära, Epoche, Frist, Halbjahr, Intervall, Jahr, Jahreszeit, Jahrhundert, Jahrtausend, Jahrzehnt, Kalenderjahr, Minute, Monat, Mondjahr, Pe-

riode, Phase, Sekunde, Semester, Stunde, Tag, Trimester, Weile, Woche, Zeit, Zeitabschnitt, Zeitalter, Zeitraum, Zeitspanne, sieben Tage, acht Tage

spannen: anbringen, anmachen, befestigen, einspannen *anschirren, anspannen, einjochen, vorspannen *dehnen, ausdehnen, strecken, ausstrecken, ausweiten, ausziehen *bemerken, fühlen, spüren, wahrnehmen, Wind bekommen *eng anliegen, sehr eng sein, hauteng sein *anspannen, anziehen, straffen, straff ziehen, stramm ziehen ***s. spannen:** s. ausbreiten, s. ausdehnen, s. ausspannen, s. erstrecken, s. hinziehen, s. lang ziehen, reichen, s. strecken, verlaufen *s. ausdehnen, dauern, s. dehnen, reichen

spannend: atemberaubend, aufregend, aufwühlend, dramatisch, erregend, faszinierend, fesselnd, mitreißend, nervenzerreißend, packend, prickelnd, spannungsreich

Spannkraft: Arbeitskraft, Können, Kraft, Leistung, Leistungsvermögen, Leistungsfähigkeit, Leistungspotenzial, Potenzial, das Funktionieren *Dehnbarkeit, Elastizität, Federkraft, Fedrigkeit, Schnellkraft

Spannung: Anspannung, Dramatik, Gespanntheit, Hochspannung, Nervosität, Neugierde, Spannungsmoment, Ungeduld, Unruhe, Vorfreude, gespannte Erwartung *Aufregung, Erregtheit, Erregung, Hektik, Nervenschwäche, Ruhelosigkeit, Überreiztheit *Feindstimmigkeit, Missbehagen, Unbehagen, Unstimmigkeit

spannungsgeladen: explosiv, hochexplosiv, dramatisch, erregt, feindselig, gereizt, gespannt, kritisch, verhärtet

spannungslos: alltäglich, einfach, einfallslos, einförmig, ermüdend, fade, gleichförmig, langweilig, monoton, öde, phantasielos, reizlos, trist, trocken, trostlos, üblich, uninteressant, unoriginell, wirkungslos, ohne Pfiff

Spannweite: Breite, Dicke

Sparbüchse: Sparkasse, Sparschwein, Sparstrumpf, Spartopf, hohe Kante

sparen: abzweigen, aufsparen, einsparen, einteilen, ersparen, geizen, kurz treten, rationieren, weglegen, zurücklegen, auf die Seite legen, Rücklagen machen, sparsam sein, bescheiden sein, Ersparnisse machen, beiseite legen, beiseite bringen, auf die Seite bringen, auf die hohe Kante legen *absparen, anhäufen, ansammeln, geizen, haushalten, horten, zusammenraffen *unterdrücken, unterlassen

Spargroschen: Alterspfennig, Altersrücklage, Ersparnis, Ersparnisse, Notgroschen, Rücklage, Sicherheit, Spargeld, Sparguthaben, Sparpfennig, das Ersparte, eiserne Reserve

Sparkasse: Bank, Bankhaus, Geldinstitut, Kasse, Kreditanstalt, Kreditbank, Kreditinstitut

spärlich: dürftig, gering, jämmerlich, kläglich, lumpig, mager, schmal, nicht viel *knapp, vereinzelt, wenig *dünn gesät, gelichtet, kümmerlich, licht, selten, sparsam, dünn (bewachsen)

Sparre: Balken

sparsam: achtsam, eingeschränkt, genau, haushälterisch, häuslich, kalkuliert, knapp, ökonomisch, rationell, sorgfältig, überlegt, vorsichtig, wirtschaftlich *geizig *dünn gesät, gelichtet, kümmerlich, licht, selten, dünn (bewachsen)

Sparsamkeit: Einteilung, Wirtschaftlichkeit, genaues Rechnen

spartanisch: apodiktisch, barsch, bestimmt, bündig, diktatorisch, disziplinarisch, drakonisch, eisern, energisch, entschieden, ernst, fest, gebieterisch, gestreng, hart, hartherzig, herrisch, konsequent, massiv, rigoros, rücksichtslos, scharf, schroff, schwer, soldatisch, straff, streng, strikt, unbarmherzig, unerbittlich, unnachsichtig, unwidersprechlich *anspruchslos, bescheiden, einfach, frugal, genügsam, primitiv, puritanisch

Sparte: Abteilung, Sektion *Berufszweig, Branche, Fach, Gebiet, Wirkungskreis, Zweig

Spaß: Befriedigung, Ergötzen, Freude, Genuss, Pläsier, Vergnügen, Vergnüglichkeit *Albernheit, Ausgelassenheit, Clownerie, Faxen, Gaukelei, Harlekinade, Humor, Jokus, Jux, Narretei, Possen, Schabernack, Schelmenstreich, Schelmerei, Scherz, Spaßerei, Spielerei, Streich, Ulk, Unsinn, Witz, Witzelei, Witzigkeit

spaßen: s. lustig machen, scherzen, spötteln, sticheln, witzeln
spaßeshalber: nur zum Spaß, rein aus Vergnügen
spaßhaft: drollig, geistreich, herzig, humoristisch, humorvoll, komisch, lustig, neckisch, possenhaft, possierlich, putzig, schalkhaft, schelmisch, scherzhaft, schnurrig, spaßig, trocken, ulkig, unterhaltsam, witzig *merkwürdig, sonderbar
spaßig: drollig, herzig, humoristisch, humorvoll, komisch, lustig, neckisch, possenhaft, possierlich, putzig, schalkhaft, schelmisch, scherzhaft, schnurrig, spaßhaft, trocken, ulkig, unterhaltsam, witzig, im Spaß
Spaßmacher: Bajazzo, Clown, Eulenspiegel, Faxenmacher, Geck, Hanswurst, Harlekin, Hofnarr, Hofzwerg, Humorist, Kasper, Kobold, Komiker, Narr, Original, Possenmacher, Possenreißer, Schalk, Schelm, Spaßvogel, dummer August
Spaßvogel: Hofnarr, Komiker, Schäker, Schelm, Witzbold
spät: abends, spätabends, vorgerückt, in der Nacht, zu spät, zu später Stunde, zur Nachtzeit, zu vorgerückter Stunde *endlich, verspätet, zuletzt, am Ende, höchste Zeit, im letzten Augenblick, in letzter Minute, keine Zeit zu verlieren, zu guter Letzt, zur rechten Zeit *unpünktlich, nicht fahrplanmäßig
spätabends: abends, spät, am Abend, des Abends, gegen Mitternacht
Spaten: Grabscheit, Schaufel
später: darauffolgend, folgend, kommend, künftig, nächst, weiter, in spe *demnächst, dereinst, irgendwann, späterhin, eines Tages, früher oder später, in Bälde, in weiter Ferne, in Zukunft, über kurz oder lang *fernerhin, fortan, forthin, fürder, fürderhin, hinfort, weiterhin, des Weiteren, nach wie vor *einst, künftig, späterhin *danach, dann, endlich, hernach, hieran, hiernach, hintennach, hinterher, nach, nachher, nachträglich, schließlich, sodann, sonach, im Anschluss (an), im Nachhinein, in der Folge
späteste: allerletzte, äußerste, letzte, letztmögliche, letztmöglichste
Spatz: Sperling *Dreikäsehoch, Kind, Wicht, Wurm
Spatzengehirn: Blödian, Dummkopf, Trottel
spazieren: ausgehen, s. bewegen, s. Bewegung verschaffen, s. die Beine vertreten, s. ergehen, hinausgehen, promenieren, spazieren gehen ***spazieren führen:** ausführen, an der Leine führen, an die frische Luft bringen ***spazieren gehen:** ausgehen, s. bewegen, s. Bewegung verschaffen, s. die Beine vertreten, s. ergehen, hinausgehen, promenieren, spazieren, einen Spaziergang machen, einen Schritt vors Haus tun, einen Gang machen, Luft schöpfen
Spazierfahrt: Ausfahrt, Sonntagsausflug, Spritztour, Tour, das Hinausfahren
Spaziergang: Bummel, Gang, Promenade, Spazierweg *Abstecher, Ausfahrt, Ausflug, Landpartie, Lustfahrt, Partie, Sonntagsausflug, Tour, Trip, Vergnügungsfahrt, Wanderung, Fahrt ins Blaue, Fahrt ins Grüne
Spaziergänger: Ausflügler, Bummler, Flaneur, Tourist
Spazierstock: Knotenstock, Stab, Stecken, Wanderstab, Wanderstock
Speck: Fett, Fettgewebe, Fettmasse, Fettpolster, Schmalz, Schmer
speckig: dick, feist, fett, schwabbelig *angeschmutzt, befleckt, beschmutzt, dreckig, fett, fettig, fleckig, klebrig, ölig, schmierig, schmuddelig, schmutzig, schmutzstarrend, unansehnlich, ungewaschen, unrein, unsauber, verfleckt, verschmutzt, verunreinigt, in unbeschreiblichem Zustand, voller Schmutz
spedieren: befördern, expedieren, fahren, fortbringen, frachten, rollen, schaffen, transportieren, überführen, verfrachten
Spedition: Fuhrunternehmen, Rollfuhrunternehmen, Speditionsbetrieb, Speditionsgeschäft, Transportfirma, Transportunternehmen
Speichel: Geifer, Schaum, Spucke
Speichellecker: Duckmäuser, Heuchler, Kriecher, Krummbuckel, Lakai, Liebediener, Pharisäer, Radfahrer, Schmeichler
Speichelleckerei: Demütigkeit, Devotion, Dienerei, Ergebenheit, Gottergebenheit,

Katzbuckelei, Kriecherei, Liebedienerei, Schmeichelei, Servilität, Untertänigkeit, Unterwürfigkeit
speichelleckerisch: buhlerisch, demütig, devot, duckmäuserisch, ergeben, hündisch, knechtisch, kriecherisch, lakaienhaft, liebedienerisch, schmeichlerisch, servil, sklavisch, subaltern, untertan, untertänig, unterwürfig, ohne Stolz
Speicher: Depot, Großspeicher, Lager, Lagerhaus, Silo, Speicheranlage *Reservoir, Trinkwasserreservoir, Trinkwasserspeicher, Wasserbecken, Wasserspeicher *Akku, Akkumulator, Batterie, Kraftspeicher, Stromsammler, Stromspeicher *Datenträger, Diskette, Festplatte, Wechseldatenträger *Band, Magnetband *Disc, Disk, Diskette *CD-ROM, Compactdisc *DVD *Memorystick
speichern: lagern, einlagern, ablegen, deponieren, horten, magazinieren, zurückbehalten, an sich nehmen, unter Verschluss halten *eingeben, eintippen
Speicherung: Agglomeration, Akkumulation, Anhäufung, Ansammlung, Aufhäufung, Aufspeicherung, Ballung, Haufen, Häufung, Kumulation, Menge, Sammlung
speien: ausspucken, auswerfen, spucken *brechen, s. erbrechen, übergeben *ausbrechen, ausspeien, brechen, s. entlasten, erbrechen, herausbrechen, s. übergeben, von sich geben
Speise: Ernährung, Essen, Kost, Mundvorrat, Nährstoff, Nahrung, Proviant, Verpflegung *Essen, Gericht, Mahl, Mahlzeit, Menü *Süßspeise
Speiseeis: Eis, Gefrorenes, Halbgefrorenes, Sorbet
Speisegaststätte: Gaststätte, Speisewirtschaft
Speisekammer: Vorratskammer, Vorratsraum
Speisekarte: Karte, Menü, Menükarte
speisen: dinieren, tafeln, Mahlzeit halten, die Mahlzeit einnehmen *picknicken, ein Picknick machen *essen *frühstücken, zu Mittag essen, zu Abend essen *verpflegen
Speisesaal: Kantine, Mensa, Messe, Speiseraum
Speisesalz: Jodsalz, Kochsalz, Kräutersalz, Meersalz, Salz, Siedesalz
Speisezettel: Küchenzettel, Magenfahrplan, Menükarte, Speisekarte
Speisung: Beköstigung, Verköstigung, Verpflegung
Spektakel: Aufruhr, Donner, Dröhnen, Gejodel, Geklapper, Geklirr, Geknatter, Gekreische, Gelärme, Gepolter, Gerassel, Geratter, Geräusch, Geschrei, Getobe, Getöse, Hallo, Heidenlärm, Heidenspektakel, Höllenlärm, Höllenspektakel, Klamauk, Krach, Krachen, Krakeel, Krawall, Lärm, Rabatz, Radau, Randal, Ruhestörung, Rummel, Skandal, Stimmengewirr, Tamtam, Trara, Trubel, Tumult
Spektakelmacher: Hetzer, Krakeeler, Krawallmacher, Provokateur, Radaubruder, Radaumacher, Rowdy, Schreier, Störenfried, Unruhestifter
spektakulär: abenteuerlich, ansehnlich, auffallend, auffällig, Aufsehen erregend, außergewöhnlich, außerordentlich, ausgefallen, beachtenswert, beachtlich, bedeutend, bedeutsam, bedeutungsvoll, beispiellos, bewundernswert, bewunderungswürdig, eindrucksvoll, einzigartig, eminent, enorm, epochal, Epoche machend, erheblich, erstaunlich, extraordinär, exzeptionell, fabelhaft, formidabel, frappant, grandios, groß, großartig, hervorragend, imponierend, imposant, kapital, märchenhaft, nennenswert, ohnegleichen, phänomenal, sagenhaft, sensationell, sondergleichen, stattlich, überragend, überraschend, überwältigend, umwerfend, ungeläufig, ungewöhnlich, unvergleichlich, verblüffend, ohne Beispiel, ersten Ranges
Spektrum: Bandbreite, Palette, Reichtum, Streuweite, Vielfalt
Spekulant: Geschäftemacher, Schieber, Schwindler
Spekulation: Berechnung, Kalkül, Kalkulation, Taktik *Geschäft *Annahme, Befürchtung, Einbildung, Erdichtung, Fiktion, Halluzination, Hirngespinst, Illusion, Luftschloss, Mutmaßung, Phantasie, Phantasiegebilde, Täuschung, Trugbild, Vorstellung, Wahn, Wunschvorstellung, Zwangsvorstellung, fixe Idee

spekulativ: berechnend, eigennützig *abstrakt, begrifflich, gedacht, gedanklich, hypothetisch, praxisfern, theoretisch, vorgestellt, wissenschaftlich, nicht praktisch
spekulieren: agiotieren, Wertpapiere ein- und verkaufen, Handel betreiben, Geschäfte machen, Börsenspekulation betreiben, Aktienspekulation betreiben *einkalkulieren, erwarten, s. verlassen (auf), vertrauen (auf), rechnen (mit), überzeugt sein *absehen (auf), abzielen (auf), ansteuern, beabsichtigen, bezwecken, hinzielen, planen, schmieden, sinnen (auf), tendieren, verfolgen, vorhaben, gedenken zu tun, denken zu tun, neigen zu tun
Spelunke: Gaststätte, Kneipe, Schenke
spendabel: freigebig, gebefreudig, großzügig, hochherzig, honorig, nobel, verschwenderisch, verschwendungssüchtig, weitherzig
Spende: Almosen, Beitrag, Gabe, Geschenk, Obolus, Scherflein, Unterstützung, milde Gabe
spenden: geben, übergeben, bedenken (mit), darbringen, opfern, schenken, spendieren, stiften, übereignen, überlassen, verehren, widmen, zeichnen, zuwenden, als Gabe überlassen, als Spende überlassen, sein Scherflein beitragen, seinen Obolus entrichten, zukommen lassen, zur Verfügung stellen *aufmuntern, ermutigen, trösten
Spender: Geber, Gönner, Wohltäter *Boiler
spendieren: eine Runde ausgeben, springen lassen *geben, übergeben, bedenken (mit), darbringen, opfern, schenken, spenden, stiften, übereignen, überlassen, verehren, widmen, zeichnen, zuwenden, als Gabe überlassen, als Spende überlassen, sein Scherflein beitragen, seinen Obolus entrichten, zukommen lassen, zur Verfügung stellen
Spengler: Klempner
Sperenzchen: Ausflüchte, Faxen, Getue, Mätzchen, Schwierigkeiten, Theater, Zirkus
Sperling: Spatz
Sperma: Ejakulat, Keimzellen, Samen, Samenflüssigkeit, Samenzellen, Spermium
sperrangelweit: aufgeschlossen, aufgesperrt, geöffnet, offen, offen stehend, unverschlossen
Sperre: Absperrung, Barriere, Hindernis, Palisade, Wegsperre *Riegel, Schloss, Sicherheitsvorrichtung *Sperrfrist, Sperrzeit *Befehl, Gebot, Interdikt, Machtspruch, Machtwort, Nein, Prohibition, Tabu, Untersagung, Verbot, Veto, Vorschrift
sperren: abriegeln, abschließen, absperren, blockieren, versperren, den Riegel vorlegen *abstellen, abwehren, abwenden, ausschalten, boykottieren, hintertreiben, lahm legen, unterbinden, vereiteln, verhindern, verhüten, verwehren, ein Ende machen, Einhalt gebieten, hindern (an), einen Riegel vorschieben *untersagen, verbieten, s. verbitten, verhindern, versagen, verwehren, verweigern, einen Riegel vorschieben, Einhalt gewähren, nicht erlauben, nicht billigen, nicht zulassen, nicht gewähren, nicht genehmigen, nicht gestatten *abstellen *entziehen, aus der Hand nehmen *ausschließen, ausstoßen, disqualifizieren, isolieren, relegieren, verstoßen, vom Platz stellen, vom Platz verweisen, vom Spiel verweisen ***s. sperren:** s. entgegensetzen, s. stemmen (gegen), s. sträuben, s. verschließen, s. widersetzen
Sperrfrist: Sperre, Sperrzeit
sperrig: umständlich, ungeeignet, unhandlich, unzweckmäßig, schwer benutzbar, schwer handhabbar
Sperrstunde: Ausgangssperre, Ausgehverbot, Polizeistunde
Spesen: Auslagen, Diäten, Dienstausgaben, Reisespesen, Tagegeld, Unkosten, Zahlungen
Spezialarzt: Facharzt, Spezialist
Spezialgebiet: Domäne, Fach, Sonderfach, Sondergebiet, Spezialität
spezialisieren: bestimmen, definieren, determinieren, diagnostizieren ***s. spezialisieren:** s. beschränken, s. festlegen, s. verlegen (auf)
Spezialist: Ass, Autorität, Facharbeiter, Fachkraft, Fachmann, Kapazität, Könner, Koryphäe, Meister, Professioneller,

Routinier, Sachkenner, Sachkundiger, Sachverständiger, Spezialarbeiter, Mann vom Fach *Facharzt, Spezialarzt
Spezialität: Domäne, Fach, Sonderfach, Sondergebiet, Spezialgebiet *Besonderheit, Charakter, Duktus, Eigenart, Eigenheit, Eigenschaft, Eigentümlichkeit, Gepräge, Kennzeichen, Manier, Merkmal, Spezifikum, Typ, Wesensart *Hobby, Liebhaberei, Lieblingsbeschäftigung, Spezialgebiet, Steckenpferd
Spezialwissen: Detailwissen, Fachwissen
speziell: ausdrücklich, besonders, insbesondere, in erster Linie, vor allen Dingen *detailliert, einzeln, punktweise, ganz genau, im Einzelnen
Spezies: Art, Gattung, Genre, Schlag, Typ
spezifisch: arteigen, bezeichnend, charakteristisch, eigen, eigentümlich, kennzeichnend, originell, typisch, wesenhaft, wesenseigen
Sphäre: Umwelt *Bereich, Bezirk, Feld, Gebiet, Gefilde, Raum, Region, Reich, Revier, Sektor
spicken: abgucken, abschreiben, betrügen, täuschen ***spicken (mit):** ausstatten, schmücken, versehen (mit)
Spiegelbild: Abbild, Gegenbild, Spiegelung, Verdopplung
spiegelbildlich: seitenverkehrt, umgedreht, umgekehrt, verkehrt
spiegelblank: geputzt, glänzend, poliert, schimmernd
Spiegelei: Ochsenauge, Setzei
Spiegelfechterei: Farce, Irreführung, Kulisse, Täuschung, Trug
spiegelglatt: eisglatt, glitschig, rutschig
spiegelig: blank, glänzend, poliert, spiegelblank, spiegelnd
spiegeln: reflektieren, widerscheinen, widerspiegeln, zurückwerfen *blinken, blinkern, blitzen, flimmern, funkeln, glänzen, gleißen, glimmern, glitzern, leuchten, schimmern, strahlen ***s. spiegeln:** s. bespiegeln *reflektieren, widerscheinen, widerspiegeln, zurückwerfen
Spiegelung: Abglanz, Gegenschein, Reflexion, Widerschein *Reflex, Reflexion, Rückstrahlung, Widerschein *Abbild, Gegenbild, Verdopplung
Spieker: Nagel, Schiffsnagel
spiekern: befestigen, nageln
Spiel: Match, Partie, Runde, Treffen, Turnier, Wettfahrt, Wettkampf, Wettrennen *Bühnenstück, Drama, Schauspiel, Theaterstück, Werk *Glücksspiel, Lotterie, Tombola, Verlosung *Bagatelle, Kinderspiel, Kleinigkeit, Lächerlichkeit *Possen, Schabernack, Scherz, Spielerei, Streich *Aufführung, Auftritt, Darbietung, Vorführung *Flirt
Spielart: Abart, Abweichung, Ausnahme, Eigenart, Sonderart, Variante
Spielbank: Kasino, Spielhölle, Spielkasino
spielen: aufführen, aufspielen, auftreten, darstellen, mimen, verkörpern *pokern, würfeln *musizieren
spielend: leicht, kinderleicht, bequem, einfach, mühelos, narrensicher, unkompliziert, unproblematisch, aus dem Handgelenk, mit Leichtigkeit, mit ein paar Handgriffen, ohne Mühe, mit einem Griff, ohne Schwierigkeiten
Spieler: Abenteurer, Glücksritter, Glücksspieler, Hasardeur *Aktiver, Sportler *Musikant, Musiker, Musikus, Musizierender
Spielerei: Flirt *Bagatelle, Kinderspiel, Kleinigkeit, Lächerlichkeit *Ausgelassenheit, Eulenspiegelei, Humor, Jux, Narretei, Posse, Schabernack, Scherz, Schnurre, Spaß, Streich, Ulk
spielerisch: bequem, einfach, gefahrlos, kinderleicht, lässig, leicht, locker, mühelos, problemlos, simpel, spielend, unkompliziert, unproblematisch, unschwer, mit Leichtigkeit, nicht schwierig, ohne Mühe, ohne Schwierigkeiten *im Spiel, mit Hilfe eines Spieles
Spielfeld: Feld, Platz, Rasen, Spielfläche, Spielplatz, Sportplatz
Spielfolge: Ablauf, Ablaufplan, Programm, Spielplan, Tagesordnung
Spielfreund: Freund, Gespiele, Spielgefährte, Spielkamerad
Spielkarte: Blatt, Karte, Kartenblatt
Spielmarke: Automatenmarke, Chip, Jeton, Spielmünze
Spielplan: Festordnung, Festplan, Programm, Repertoire, Spielfolge

Spielplatz: Sandkasten, Sandplatz, Spielwiese, Tummelplatz *Feld, Platz, Rasen, Spielfeld, Spielfläche, Sportplatz
Spielraum: Abstand, Spanne, Zwischenraum *Bewegungsfreiheit, Entwicklungsmöglichkeit, Freiheit, Freizügigkeit, Spanne, Unabhängigkeit
Spielzeit: Saison, Spielsaison, Theatersaison *Spielstunde
Spielzeug: Kinderspielzeug, Spielsachen, Spielwaren
Spieß: Ger, Hellebarde, Stecken *Ausbilder
Spießbürger: Banause, Biedermann, Kleinbürger, Krämer, Pfahlbürger, Philister, Schildbürger, Spießer
spießbürgerlich: banausenhaft, bieder, eng, engherzig, engstirnig, hausbacken, intolerant, kleinbürgerlich, kleinkariert, kleinlich, provinziell, spießerhaft, spießig
Spießbürgertum: Philisterei, Philistertum
Spießer: Banause, Biedermann, Kleinbürger, Krämer, Pfahlbürger, Philister, Schildbürger, Spießbürger
spießerhaft: banausenhaft, bieder, eng, engherzig, engstirnig, hausbacken, intolerant, kleinbürgerlich, kleinkariert, kleinlich, provinziell, spießbürgerlich, spießig
Spießgeselle: Handlanger, Helfershelfer, Komplize, Konsorte, Kumpan, Mitschuldige, Mittäter, Mitwisser
spießig: banausenhaft, bieder, eng, engherzig, engstirnig, hausbacken, intolerant, kleinbürgerlich, kleinkariert, kleinlich, provinziell, spießbürgerlich, spießerhaft
Spind: Kasten, Schrank, Schrein
spindeldürr: abgemagert, dünn, dürftig, karg, knochendürr, knochig, kümmerlich, mager, rappeldürr, schlank, schmächtig, ein Strich, wie eine Bohnenstange
spinnefeind: arg, bitterböse, bösartig, böse, boshaft, garstig, gemeingefährlich, grimmig, schlimm, übel, übel gesinnt, übel wollend, unausstehlich, unfreundlich, verfeindet
spinnen: faseln, schwafeln, schwatzen
Spinner: Faselhans, Trottel, Verrückter
Spion: Agent, Geheimagent, Kundschafter, Landesverräter, Saboteur, Späher, Spitzel *Agent, Aufpasser, Schnüffler, Spitzel, Spürhund, Zuträger
Spionage: Agentendienst, Agententätigkeit, Auskundschaftung, Beobachtung, Geheimnisverrat, Landesverrat, Verrat
spionieren: auskundschaften, beobachten, observieren, schnüffeln
Spirale: Schnecke, Schraubenlinie, Windung
spiralig: gewunden, schneckenförmig, schraubenförmig
Spiritismus: Geisterbeschwörung, Geisterglaube, Okkultismus
Spiritist: Geisterbeschwörer, Geisterseher
spiritistisch: dunkel, geheim, geheimnisvoll, magisch, mystisch, okkult, okkultistisch, übernatürlich, unergründlich, verborgen
spiritual: immateriell, jenseitig, metaphysisch, spirituell, transzendent, überirdisch, übernatürlich, übersinnlich *geistlich, kirchlich, klerikal, sakral, theologisch, nicht weltlich
spiritualisieren: sublimieren, verdrängen, vergeistigen
spirituell: immateriell, jenseitig, metaphysisch, spiritual, transzendent, überirdisch, übernatürlich, übersinnlich
Spirituosen: Alkohol, Alkoholika, Branntwein, Likör, Schnaps
Spiritus: Äthanol, Äthylalkohol, Sprit, Weingeist
Spital: Ambulanz, Anstalt, Heilstätte, Hospital, Klinik, Krankenanstalt, Krankenhaus, Lazarett
spitz: geschliffen, lanzettförmig, nadelspitz, scharfkantig, stechend, zugespitzt, mit einer Spitze *geil, lüstern, scharf *begierig, verrückt sein (nach) *bissig, bitter, boshaft, höhnisch, ironisch, kalt, sarkastisch, schnippisch, spöttisch, zynisch *dünn, eingefallen, hohlwangig, knochig
Spitzbauch: Schmerbauch
spitzbekommen: merken, spitzkriegen, spüren, den Braten riechen
Spitzbube: Dieb, Einbrecher, Ganove,

Plünderer, Räuber, Taschendieb *Kleptomane, Langfinger *Bube, Erzgauner, Gangster, Ganove, Gauner, Halunke, Kanaille, Kreatur, Lump, Schuft, Schurke, Strolch, Wicht *Bauernfänger, Betrüger, Filou, Gauner, Geschäftemacher, Krimineller, Preller, Scharlatan, Schieber, Schwindler

Spitzbubenstreich: Bubenstreich, Dummejungenstreich, Dummheit, Eskapade, Eulenspiegelei, Hanswursterei, Jungenstreich, Lausbüberei, Schabernack, Schelmenstreich, Streich

spitzbübisch: pfiffig, schalkhaft, schelmisch, verschmitzt

Spitze: Dorn, Stachel *Chefetage, Direktion, Führerschaft, Führung, Geschäftsleitung, Leitung, Vorsitz, Vorstand, Vorstandschaft, erste Stelle *Kopf *Bergkuppe, Bergspitze, Gipfel, Grat, Horn, Kuppe, Scheitel *Höhepunkt *Anspielung, Bissigkeit, Gestichel, Pfeil, Seitenhieb, Stichelei

Spitzel: Agent, Aufpasser, Gewährsmann, Informant, Schnüffler, Spion, Spürhund, Zuträger

Spitzelei: Auskundschaftung, Bespitzelung, Schnüffelei

spitzen: anspitzen, spitz machen *hineinschauen, hineinsehen, hineinspitzen ***die Ohren spitzen:** lauschen *aufpassen

Spitzenklasse: Glanzstück, Krönung, Meisterstück *Meisterklasse

Spitzenleistung: Bestleistung, Höchstleistung, Optimum, Rekord

Spitzenreiter: Evergreen, Gassenhauer, Glanznummer, Glanzstück, Hit, Treffer, Zugstück *Anführer, Bester, Tabellenführer, der Erste, der Führende

Spitzensportler: Ass, Champion, Crack, Favorit, Kanone, Leistungssportler, Meister, Profi

spitzfindig: ausgeklügelt, haarspalterisch, kasuistisch, kleinkrämerisch, kleinlich, pedantisch, sophistisch, übergenau, überspitzt, wortklauberisch

Spitzfindigkeit: Haarspalterei, Kleinlichkeit, Sophistik

Spitzhacke: Picke, Pickel, Spitzhaue

Spitzname: Beiname, Neckname, Scherzname, Schimpfname, Spottname

Spleen: Fimmel, Grille, Laune, Marotte, Macke, Mucke, Schrulle, Tick, wunderlicher Einfall, fixe Idee

Splitter: Holzspan, Spleiß, Splisse *Bruchstück, Scherbe

splittern: platzen, zerplatzen, entzweigehen, zerbrechen, zerschellen, zersplittern, in Stücke zerfallen

Sponsor: Förderer, Geber, Geldgeber, Gönner, Mäzen, Protektor, Spender, Stifter, Wohltäter

spontan: impulsiv, unbesonnen, unüberlegt, von innen heraus, von selbst, ad hoc *automatisch, freiwillig, selbstverständlich, unaufgefordert, ungeheißen, ungezwungen, aus sich heraus, von selbst, von selber, aus eigenem Antrieb, von allein

sporadisch: gelegentlich, knapp, manchmal, selten, vereinzelt, fast nie, hin und wieder, nicht oft

sporig: schimmelig, schimmlig

Sporn: Dorn, Spitze, Stachel *Anreiz, Ansporn

spornstreichs: alsbald, augenblicklich, augenblicks, direkt, flink, flugs, geradewegs, gleich, momentan, postwendend, prompt, schleunigst, schnellstens, schnurstracks, sofort, sogleich, stracks, umgehend, ungesäumt, unmittelbar, unverweilt, unverzüglich, auf Anhieb, auf der Stelle, im Augenblick, eilenden Fußes, ohne Verzögerung, ohne Verzug, ohne Aufschub, ohne Aufenthalt, im Nu, im Handumdrehen, auf einen Ruck, lieber heute als morgen

Sport: Bewegung, Körperertüchtigung, Körpererziehung, Körperkultur, Leibeserziehung, Leibesübungen, Turnen *Freizeitbeschäftigung, Hobby, Liebhaberei ***Sport treiben:** antreten, s. ertüchtigen, mitspielen, spielen, s. sportlich betätigen, starten, trainieren, üben

Sportanlage: Arena, Bahn, Feld, Ring, Stadion, Turnhalle

Sportfeld: Platz, Spielfeld, Sportplatz, Stadion, Übungsplatz

Sporthemd: Trikot, Turnhemd

Sportkleidung: Dress, Sportanzug, Sportdress, Trikot, Turnanzug, Turntrikot, Turnzeug

Sportlehrer: Betreuer, Trainer, Turnlehrer
Sportler: Athlet, Kämpfer, Sportsmann, Sporttreibende, Turner, Wettkämpfer *Amateur, Amateursportler, Freizeitsportler *Berufssportler, Leistungssportler, Profi, Profisportler
sportlich: athletisch, behände, drahtig, frisch, kräftig, muskulös, rank, schlank, sehnig, stark, gut gebaut, gut gewachsen *flott, jugendlich, zweckmäßig, nicht elegant *flott, rasant, schneidig, schnell, zügig
Sporttrophäe: Cup, Medaille, Plakette, Pokal, Preis, Siegerkranz, Urkunde
Spot: Werbeslogan, Werbespruch, Werbetext
Spott: Anzüglichkeit, Hohn, Ironie, Sarkasmus, Spöttelei, Spötterei, Spottsucht, Stichelei, Verhöhnung, Verspottung, Zynismus *Kabarett, Parodie, Persiflage, Satire
Spottbild: Karikatur, Scherzzeichnung, Zerrbild, kritische Darstellung, spöttische Darstellung
spottbillig: billig, erschwinglich, günstig, herabgesetzt, preisgünstig, preiswert, wohlfeil, für ein Butterbrot, (weit) unter dem Preis, zum halben Preis, fast umsonst, halb geschenkt, nicht teuer
Spöttelei: Anzüglichkeit, Hohn, Ironie, Sarkasmus, Spott, Spötterei, Spottsucht, Stichelei, Verhöhnung, Verspottung, Zynismus
spotten: höhnen, hohnlachen, mokieren, spötteln, sticheln, witzeln
Spötter: Ironiker, Spottvogel, Zyniker *Kabarettist, Parodist, Satiriker
spöttisch: anzüglich, beißend, bissig, gallig, höhnisch, ironisch, kalt, kasuistisch, mokant, sarkastisch, satirisch, scharf, scharfzüngig, schnippisch, spitz, zynisch, voller Hohn *parodistisch, satirisch
Sprache: Rede *Landessprache, Umgangssprache *Sprechfähigkeit, Sprechvermögen, Stimme, Ton *Dialekt
sprachgewandt: beredsam, beredt, eloquent, geläufig, redefertig, redegewaltig, redegewandt, schlagfertig, sprachgewaltig, wortgewandt, wortreich, zungenfertig
Sprachgut: Sprachschatz, Wortschatz
sprachlos: schweigend, schweigsam, still, stumm, tonlos, wortlos, ohne Sprache *entgeistert, erschlagen, erstaunt, fassungslos, perplex, überrascht, verblüfft, verwundert
Sprachlosigkeit: Befremden, Bestürzung, Erstaunen, Fassungslosigkeit *Lautlosigkeit, Stummheit
sprayen: befeuchten, bespritzen, besprühen, beträufeln, sprühen, versprengen, versprühen, zerstäuben
sprechen: abstreiten, andeuten, anreden, ansprechen, argumentieren, aufklären, äußern, ausrichten, begründen, bekannt geben, diskutieren, entgegnen, erklären, formulieren, informieren, kundtun, meinen, mitteilen, offen legen, prahlen, reden, sagen, schwatzen, überreden, s. unterhalten, unterrichten, vermuten, versprechen, vorbringen, vortragen, weitererzählen, weitertragen, widerrufen, wiedergeben, zugeben, zutragen *eine Ansprache halten, ein Referat halten, das Wort ergreifen, einen Vortrag halten
sprechend: anschaulich, ausdrucksstark, ausdrucksvoll, bildhaft, bildlich, bildreich, demonstrativ, deutlich, dichterisch, eidetisch, einprägsam, expressiv, farbig, illustrativ, interessant, lebendig, pathetisch, plastisch, poetisch, rednerisch, rhetorisch, sinnfällig, veranschaulichend, verständlich, wirklichkeitsnah, mit Ausdruck *aufschlussreich, beredt, informativ, instruktiv, lehrreich, vielsagend
Sprecher: Ansager, Redner, Vertreter, Vortragender, Wortführer
Sprechfähigkeit: Sprache, Sprechvermögen
Sprechkunst: Beredsamkeit, Redekunst, Rhetorik
Sprechstunde: Ordination, Praxis
Sprechvermögen: Sprache, Sprechfähigkeit
Sprechweise: Ausdrucksweise, Darstellungsweise, Diktion, Redeweise, Sprache, Stil
spreizen: auseinander strecken, grätschen, wegstrecken, breit machen ***s. spreizen:** s. anstellen, s. genieren, s.

haben, prüde sein, schüchtern sein, s. zieren, zimperlich sein, gekünstelt sein *angeben, s. aufblasen, aufschneiden, aufspielen, s. blähen, großtun, prahlen, protzen, prunken, eingebildet sein

Sprengel: Gemeinde, Kirchengemeinde, Pfarrei

sprengen: zerstören, zertrümmern, in die Luft jagen *auflösen, auseinander jagen, auseinander treiben, zerstreuen *aufbrechen, aufsprengen, auseinander reißen, gewaltsam öffnen *spritzen, einspritzen, anfeuchten, befeuchten, begießen, benetzen, berieseln, besprengen, bespritzen, besprühen, bewässern, einsprengen, wässern, nass machen *galoppieren, reiten, traben, zu Pferd sitzen, im Sattel sitzen *überschreiten, über das Ziel schießen, das Maß nicht einhalten, den Rahmen sprengen, über etwas hinausgehen

Sprengstoff: Dynamit, Zündstoff *Brisanz, Explosivstoff, Konfliktstoff

Sprengstoffanschlag: Anschlag, Bombenanschlag, Granatanschlag, Terroranschlag

sprenkeln: tüpfeln, tupfen

Sprichwort: Aphorismus, Ausspruch, Grundwahrheit, Lebensregel, Lebensweisheit, Leitsatz, Maxime, Satz, Sentenz, Spruch

sprichwörtlich: alltäglich, eingeführt, eingewurzelt, gängig, gebräuchlich, geläufig, gewohnt, herkömmlich, normal, üblich, verbreitet, vertraut, allgemein bekannt

sprießen: ausschlagen, austreiben, grünen, keimen, knospen, sprossen, treiben, wachsen, grün werden, Knospen treiben

Spring: Brunnen, Quell, Quelle

springen: hechten, hopsen, hüpfen, einen Satz machen, einen Sprung machen, setzen (über) *entzweibrechen, entzweigehen, platzen, reißen, zerbersten, zerbrechen, zersplittern, zerspringen, in die Brüche gehen *herauskommen, heraussprühen, hervorschießen

springlebendig: munter, obenauf, rege, regsam

Sprint: Kurzstreckenlauf, Wettrennen

sprinten: s. beeilen, preschen, eilen, galoppieren, hasten, laufen, pesen, preschen, rasen, rennen, sausen, spurten, stürmen, stürzen, traben, wetzen, wieseln

Sprinter: Kurzstreckenläufer, Läufer

Sprit: Benzin, Kraftstoff, Treibstoff *Äthanol, Äthylalkohol, Weingeist * Alkohol, Alkoholika, Branntwein, Likör, Schnaps, Spirituosen, Spiritus, alkoholhaltiges Getränk, scharfes Getränk

Spritze: Einspritzung, Injektion *Feuerwehrspritze

spritzen: planschen *einspritzen, injizieren, eine Spritze geben, eine Injektion geben *verzieren *laufen *sprengen *herauskommen, heraussprühen, herausströmen, hervorschießen

Spritzer: Dreckfleck, Fleck, Flecken, Klecker, Klecks, Schmutzfleck *Schuss, Tropfen

Spritzfahrt: Abstecher, Ausflug, Exkurs, Spritztour, Trip, Umweg

spritzig: flott, rasant, schneidig, schnell, schwungvoll, sportlich, wendig *anregend, einfallsreich, erfinderisch, erfindungsreich, geistreich, geistvoll, genial, ideenreich, ideenvoll, kreativ, originell, produktiv, sprühend, unterhaltsam, witzig

Spritztour: Abstecher, Ausflug, Exkurs, Spritzfahrt, Trip, Umweg

spröde: ausgetrocknet, bröckelig, brüchig, mürbe, rubbelig, schelfrig, schelferig, schieferig, schilfrig, schilferig, splitterig, strohig, trocken, unelastisch, zerbrechlich *abweisend, genierlich, herb, kühl, prüde, schamhaft, verschämt, zimperlich, züchtig, zurückhaltend *aufgesprungen, borstig, narbig, rau, rissig, schrundig, stoppelig, uneben, zerklüftet, zerrissen, nicht glatt

Sprödigkeit: Herbe, Prüderie, Sprödheit

Spross: Abkömmling, Erbe, Kind, Kleinkind, Nachfahr, Nachkomme, Nachwuchs, Säugling, Schoßkind, Sprössling, das Kleine *Sprössling, Trieb

Sprosse: Stufe, Tritt *Querholz

sprossen: ausschlagen, austreiben, grünen, keimen, knospen, sprießen, treiben, wachsen, grün werden, Knospen treiben

Sprössling: Abkömmling, Erbe, Kind, Kleinkind, Nachfahr, Nachkomme,

Nachwuchs, Säugling, Schoßkind, Spross, das Kleine
Spruch: Ballade, Gedicht, Ode, Poem, Romanze, Sonett, Vers, Verse, Verschen *Aphorismus, Ausspruch, Grundwahrheit, Lebensregel, Lebensweisheit, Leitsatz, Maxime, Satz, Sentenz, Sprichwort *Rechtsspruch, Richterspruch, Schiedsspruch, Urteil, Urteilsfällung, Urteilsspruch, Verdammungsurteil, Verdikt
Spruchband: Banderole, Transparent
Sprüchemacher: Alleswisser, Besserwisser, Naseweis, Neunmalkluger, Neunmalschlauer, Rechthaber, Sprücheklopfer *Angeber, Aufschneider, Besserwisser, Gernegroß, Großsprecher, Großtuer, Maulheld, Möchtegern, Münchhausen, Prahler, Prahlhans, Protzer, Schaumschläger, Wichtigtuer, Windbeutel, Wortheld
Spruchgedicht: Denkspruch, Sinngedicht, Sinnspruch, Spruch, Spruchdichtung, Weisheitsspruch
spruchreif: aktuell, akut, ausgegoren, brisant *aufgeschlossen, fortschrittlich, gegenwartsnah, modern, neuzeitlich, progressiv, zeitgemäß, zeitnah, mit der Zeit, up to date
Sprudel: Limonade, Mineralwasser
sprudeln: moussieren, perlen, prickeln, schäumen *brauen, brausen, brodeln, schäumen, wallen, zischen
sprudelnd: agil, betriebsam, beweglich, bewegt, blutvoll, dynamisch, feurig, geschäftig, getrieben, heftig, heißblütig, lebendig, lebhaft, mobil, munter, quecksilbrig, quick, quicklebendig, sanguinisch, temperamentvoll, ungestüm, unruhig, vif, vital, wild, wie aufgezogen *geistreich
Sprudelwasser: Mineralwasser
sprühen: drippeln, fisseln, fusseln, nieseln, rieseln, tröpfeln, tropfen, leicht regnen *stieben, stöbern *befeuchten, bespritzen, besprühen, beträufeln, sprayen, versprengen, versprühen, zerstäuben
sprühend: anregend, einfallsreich, erfinderisch, erfindungsreich, geistreich, geistvoll, genial, ideenreich, ideenvoll, inhaltsreich, kreativ, originell, produktiv, spritzig, unterhaltsam, witzig
Sprung: Hüpfer, Kaskade, Satz *Knacks, Knick, Riss ***auf einen Sprung:** kurz, nur für eine kurze Zeit ***nur einen Sprung:** nebenan, kurze Entfernung, nicht weit, ganz nah, ganz in der Nähe, um die Ecke, leicht erreichbar
Sprungbrett: Startbrett *Chance, Glück
sprunghaft: blitzschnell, jäh, jählings, plötzlich, ruckartig, schlagartig, schnell, überstürzt, unerwartet, ungeahnt, unverhofft, unvermutet, unversehens, unvorhergesehen, urplötzlich *flatterig, inkonsequent, launenhaft, launisch, schwankend, unausgeglichen, unbeständig, unstet, wandelbar, wankelmütig, wechselhaft, wetterwendisch
Sprunghaftigkeit: Flatterhaftigkeit, Inkonsequenz, Labilität, Unbeständigkeit
Sprungschanze: Bakken, Schanze
Spucke: Geifer, Schaum, Speichel
spucken: speien, ausspeien, brechen, s. erbrechen, übergeben, von sich geben *aufregen, rasen, schäumen, schimpfen, schnauben, schreien, toben, s. wie wild gebärden, wüten, heftig werden, wild werden
Spuk: Gespenstererscheinung, gespenstisches Treiben *Aufhebens, Lärm, Unfug
spuken: geistern, gespenstern, herumgeistern, irrlichtern, umgehen, als Gespenst erscheinen, sein Unwesen treiben
Spukgeschichte: Gespenstergeschichte, Gruselgeschichte, Schauergeschichte, Schauerroman
Spukgestalt: Alp, Dämon, Drude, Elfe, Geist, Gespenst, Höllenspuk, Höllenwesen, Kobold, Mahr, Nachtgeist, Schattengestalt, Schemen, Troll, Zauberin
spukhaft: düster, entsetzlich, furchtbar, fürchterlich, gespenstisch, grässlich, Grauen erregend, grauenhaft, grauenvoll, grausig, gräulich, gruselig, horrend, katastrophal, schattenhaft, schauderhaft, schauerlich, schauervoll, schaurig, schemenhaft, schrecklich, unheimlich
Spülbecken: Abfluss, Abflussbecken, Ausguss, Ausgussbecken
Spule: Rad, Röllchen, Rolle, Walze
spulen: aufhaspeln, aufrollen, aufwickeln, aufwinden
spülen: abwaschen *durchspülen, reini-

gen, schwenken *gurgeln *ablagern, absetzen, anschwemmen, an Land spülen, an Land schwemmen, ans Ufer spülen
Spülstein: Abfluss, Abflussbecken, Ausguss, Ausgussbecken
Spülwasser: Abwaschwasser, Aufwaschwasser
Spund: Fassverschluss, Korken, Pfropf, Pfropfen, Stopfen, Stöpsel, Zapfen *Bursche, Knirps, Stöpsel, Wicht, Zwerg
Spundloch: Abstichloch, Abstichöffnung, Zapfenloch
Spur: Fährte, Geläuf, Insiegel *Eindruck, Fußspur, Fußstapfen, Stapfen, Tapfen *Eisenbahngleis, Eisenbahnschienen, Geleise, Gleis, Schienen, Schienenstrang *Andeutung, Anflug, Anklang, Hauch, Nuance, Schimmer *Hinweis *Winzigkeit *Chemiewolke, Chemtrails, Flugzeugspur, Himmelsspur, (chemische) Wolkenspur *Kondensstreifen
spürbar: beachtlich, bemerkbar, deutlich, erheblich, erkennbar, fühlbar, merklich, sichtlich, zusehends *einschneidend, empfindlich, entscheidend, fühlbar, gravierend, hoch, merklich, nachhaltig, schmerzlich, schwer wiegend, tief greifend
spuren: einen Weg ziehen, eine Spur ziehen, eine Spur anlegen *folgen, befolgen, s. anpassen, s. beugen, einwilligen, s. fügen, gehorchen, hören (auf), kuschen, parieren, s. richten (nach), s. unterordnen, s. unterwerfen, willfahren, artig sein, brav sein, gehorsam sein, den Wünschen entsprechen, den Wünschen nachkommen, Ja sagen, klein beigeben
spüren: fühlen, erfühlen, ahnen, durchfühlen, durchspüren, ein Gespür haben (für), eine feine Nase haben (für), eine Nase haben (für), einen guten Riecher haben (für), herausfühlen, merken, riechen, voraussehen, wittern, im Gefühl haben *ahnen, fühlen
Spürhund: Fährtenhund, Jagdhund, Polizeihund *Agent, Aufpasser, Schnüffler, Spion, Spitzel, Zuträger
spurlos: unmerklich, ohne Spur
Spürnase: Flair, Gespür, Instinkt, Organ, Riecher, Scharfsinn, Spürsinn, Witterung, sechster Sinn
Spurt: Endlauf, Endspurt, Entscheidungsphase, Finale, Finish
spurten: s. beeilen, preschen, eilen, galoppieren, hasten, laufen, pesen, preschen, rasen, rennen, sausen, sprinten, stürmen, stürzen, traben, wetzen, wieseln
sputen (s.): abhetzen, s. abhetzen, s. beeilen, beschleunigen, s. dazuhalten, s. dranhalten, s. ranhalten, s. tummeln, s. überstürzen, schnell machen, einen Schritt zulegen
Sputnik: Mond *Erdsatellit, Raumfahrzeug, Raumkapsel, Raumschiff, Raumsonde, künstlicher Erdtrabant
Sputum: Auswurf, Schleim
Staat: Land, Reich *Aufwand, Gala, Glanz, Herrlichkeit, Kostbarkeit, Luxus, Pomp, Pracht, Prachtentfaltung, Prunk, Prunkentfaltung, Reichtum, Schönheit, Überfluss, Üppigkeit
Staatenbund: Bund, Bundesstaat, Föderation, Konföderation, Union, Vereinigung
staatenverbindend: global, international, überstaatlich, völkerumfassend, weltumfassend, weltweit, zwischenstaatlich
staatlich: gemeineigen, gesellschaftlich, national, volkseigen
Staatsangehöriger: Bürger, Einwohner, Staatsbürger
Staatsanwalt: Anklagevertreter, öffentlicher Ankläger
Staatsbürger: Bürger, Einwohner, Staatsangehöriger
Staatseigentum: Gemeineigentum, Volkseigentum
Staatseinnahmen: Abgaben, Gebühren, Steuern
Staatsform: Regierungsform, Regierungssystem, Regime, System
Staatsführung: Politik, Staatskunst
Staatsgebiet: Gebiet, Hoheitsgebiet, Territorium
Staatsgewalt: Herrschaft, Macht, Staatshoheit, Staatsmacht
Staatsgut: Domäne, staatliches Landgut
Staatsgrenze: Demarkation, Demarkationslinie, Grenze, Grenzlinie, Landesgrenze
Staatshaushalt: Budget, Etat, Finanzen, Haushalt, Haushaltsplan, Voranschlag

Staatskunst: Politik, Staatsführung
Staatsmacht: Herrschaft, Macht, Staatsgewalt
Staatsmann: Herrscher, Landesherr, Politiker, Präsident, Regent, Staatschef, Staatsoberhaupt
Staatsoberhaupt: Präsident *Bundespräsident *Herrscher, Kaiser, König, Oberhaupt, Regent, Staatschef, Staatsmann
Staatsräson: Staatsklugheit
Staatsrente: Pension
Staatsstreich: Putsch, Revolution, Umbruch, Umschwung, Umsturz, Umwälzung
Stab: Spazierstock, Stange, Stock *Befehlshaber, Führung, Führungsspitze, Spitze
stabil: bruchfest, fest, haltbar, kompakt, massiv, solid, solide, strapazierfähig, unverwüstlich, unzerbrechlich, widerstandsfähig *beständig, dauerhaft *athletisch, bärenstark, baumstark, drahtig, fest, gefeit, hart, immun, kernig, kräftig, kraftstrotzend, kraftvoll, markig, nervig, resistent, robust, rüstig, sehnig, sportlich, stämmig, stark, stramm, wehrhaft, zäh, nicht anfällig *gesund, intakt
stabilisieren: stützen, abstützen, ausbauen, befestigen, erhärten, erstarken, festigen, fundieren, konsolidieren, kräftigen, sichern, stärken, untermauern, verankern, verdichten, vertiefen, zementieren
Stabilisierung: Ausbau, Befestigung, Festigung, Konsolidierung, Kräftigung, Sicherung, Stärkung, Stützung, Verankerung, Verdichtung, Vertiefung, Zementierung
Stabilität: Dichte, Existenz, Festigkeit, Haltbarkeit, Härte, Widerstandsfähigkeit, Zähigkeit
Stachel: Dorn, Spitze, Sporn
stachelig: kratzend, kratzig, ruppig, stachlig, stechend, stoppelig, struppig, voller Stacheln *dornig, voller Dornen *aufmüpfig, aufsässig, bockbeinig, bockig, dickköpfig, dickschädelig, eigensinnig, eisern, fest, finster, halsstarrig, hartgesotten, kompromisslos, kratzbürstig, querköpfig, rechthaberisch, renitent, starrköpfig, starrsinnig, steifnackig, störrisch, stur, trotzig, unaufgeschlossen, unbelehrbar, unbequem, unbotmäßig, unerbittlich, unfolgsam, ungehorsam, unnachgiebig, unversöhnlich, unzugänglich, verbohrt, verschlossen, verständnislos, verstockt, widerborstig, widersetzlich, widerspenstig, zugeknöpft
Stadel: Feldscheune, Scheuer, Scheune, Schober
Stadion: Olympiastadion, Spielfeld, Sportfeld, Sportplatz, Übungsplatz, Wettkampfarena
Stadium: Durchgangsstadium, Durchgangsstation, Entwicklungsabschnitt, Entwicklungsepoche, Entwicklungsetappe, Entwicklungsperiode, Entwicklungsphase, Entwicklungsstadium, Entwicklungsstand, Entwicklungsstufe, Etappe, Phase, Station, Stufe
Stadt: City, Großstadt, Hauptstadt, Kleinstadt, Kreisstadt, Landeshauptstadt, Metropole, Ort, Provinzstadt, Weltstadt
stadtauswärts: hinaus, aufs Land
stadtbekannt: anerkannt, berühmt, namhaft, prominent, wohl bekannt
Stadtbewohner: Stadteinwohner, Städter, Stadtmensch, Stadtmenschen, Kind der Stadt
Städtchen: Kleinstadt, Kreisstadt, Marktflecken, Nest, Ortschaft, Provinzstadt, Siedlung, Winkel
stadteinwärts: (in die Stadt) hinein
Städter: Stadtbewohner, Stadteinwohner, Stadtmensch, Stadtkind
Stadtgespräch: Ärgernis, Aufheben, Aufsehen, Eklat, Ereignis, Medienereignis, Sensation, Skandal
städtisch: großstädtisch, kleinstädtisch, urban, weltstädtisch
Stadtkern: City, Innenstadt, Stadtmitte, Stadtzentrum, Zentrum
Stadtklatsch: Altweibergeschwätz, Dorfklatsch, Gemunkel, Geraune, Gerede, Geschwätz, Getratsche, Getuschel, Gezischel, Heimlichtuerei, Klatsch, Klatscherei, Klatschgeschichten, Lärm, Munkelei, Rederei, Tratsch, Tratscherei, Tuschelei
Stadtmitte: City, Geschäftsviertel, Innenstadt, Stadtkern, Stadtzentrum, Zentrum
Stadtoberhaupt: Bürgermeister, Oberbürgermeister

Stadtrand: Außenbezirk, Einzugsgebiet, Peripherie, Satellitenstadt, Trabantenstadt, Vorort, Vorstadt
Stadtrundfahrt: Besichtigungsfahrt, Besichtigungstour, Stadttour
Stadtstreicher: Clochard, Gammler, Penner, Tippelbruder, Tramp, Vagabund
Stadtviertel: Gegend, Ortsteil, Stadtbezirk, Stadtteil
Stadtzentrum: City, Innenstadt, Stadtkern, Stadtmitte, Zentrum
Staffage: Beiwerk, Nebensache, Zutat, schmückende Ergänzung
staffeln: abstufen, auffächern, differenzieren, einstufen, einteilen, fächern, klassifizieren, nuancieren, unterteilen, nach Stufen festsetzen, graduell unterscheiden
Staffelung: Anlage, Anordnung, Aufbau, Auffächerung, Aufgliederung, Aufschlüsselung, Aufteilung, Bau, Differenzierung, Disposition, Durchgliederung, Durchorganisation, Einstufung, Einteilung, Fächerung, Gefüge, Gliederung, Gruppierung, Klassifikation, Klassifizierung, Ordnungsgefüge, Organisation, Rangordnung, Segmentierung, Struktur, Strukturplan, Stufung, Systematisierung, Untergliederung, Unterteilung, Zusammensetzung
staffieren: ausgestalten, ausstatten, behängen, garnieren, herausputzen, schmücken, schön machen, verschönern, verzieren
Staffierung: Ausrüstung, Ausstaffierung, Ausstattung
Stagnation: Abfall, Einhalt, Flaute, Halt, Nachlassen, Nullpunkt, Pause, Rückgang, Rückschlag, Stauung, Stillstand, Stockung, toter Punkt
stagnieren: stehen bleiben, stillstehen, auf der Stelle treten
stählen (s.): s. abhärten, festigen, immunisieren, kräftigen, stärken, immun machen, widerstandsfähig machen
stählern: eisenhart, felsenhart, fest, glashart, hart, kernhaft, kernig, knochenhart, stahlhart, steif, steinern, steinhart, wie ein Fels *beherrscht, ehern, eisern, felsenfest, fest, siegesgewiss, stahlhart, unerschütterlich, willensstark, zäh *beherrscht, eisern, felsenfest, fest, siegesgewiss, stahlhart, unerschütterlich, willensstark, zäh
Stahlfach: Geldschrank, Kassenschrank, Panzerschrank, Safe, Tresor
stahlhart: beherrscht, eisern, felsenfest, fest, siegesgewiss, stählern, unerschütterlich, willensstark, zäh *eisenhart, felsenhart, fest, glashart, hart, kernhaft, kernig, knochenhart, stählern, steif, steinern, steinhart, wie ein Fels
Stahlross: Fahrrad, Mountainbike, Rad, Rennrad
Stahlwerk: Hüttenwerk, Stahlfabrik
staksen: latschen, trotten, watscheln, zockeln, zuckeln
Stall: Koben, Schlag, Tierhaus
Stallbursche: Pferdejunge, Pferdeknecht, Reitknecht
Stallhase: Kaninchen
Stallmagd: Landarbeiterin, Magd
Stamm: Stängel, Stiel *Familie, Geschlecht, Haus *Volk, Volksstamm *Belegschaft, Kader, Stammpersonal
Stammbaum: Abstammungstafel, Ahnentafel, Geschlechtsregister, Stammtafel
stammeln: radebrechen, stammern, stottern
stammelnd: abgehackt, abrupt, holprig, holperig, stockend, stoßweise, stotterig, stotternd, stückweise, unzusammenhängend, zusammenhanglos, in Absätzen
stammen: kommen (aus), geboren sein (in) ***stammen (von):** abstammen (von), entspringen, s. ergeben (aus), herkommen (von), resultieren, wurzeln (in), zugrunde liegen (in), zurückgehen (auf), seinen Ursprung haben, seinen Ausgang haben *datieren (von)
Stammeshäuptling: Anführer, Führer, Häuptling, Stammesoberhaupt
Stammhalter: Nachkomme *Bub, Filius, Junge, Jüngling, Knabe, Sohn, Sohnemann, Sprössling
stämmig: beleibt, wohlbeleibt, aufgedunsen, breit, dick, dickleibig, dicklich, dickwanstig, drall, feist, fett, fettleibig, fleischig, füllig, gemästet, gewaltig, kräftig, kugelrund, massig, mollig, pausbäckig, plump, pummelig, rund, rundlich, stark, stramm, umfangreich, unförmig,

üppig, vierschrötig, vollschlank, wohlgenährt *bullig, gedrungen, kompakt, massiv, untersetzt *athletisch, bärenstark, baumstark, drahtig, fest, gefeit, hart, immun, kernig, kraftstrotzend, kraftvoll, markig, nervig, resistent, robust, rüstig, sehnig, sportlich, stabil, stark, stramm, wehrhaft, zäh, nicht anfällig
Stammkundschaft: feste Kundschaft, treue Kundschaft, feste Kunden, fester Kundenstamm
Stammler: Stotterer
Stammpersonal: langjährige Belegschaft, Kader, Stammarbeiter
Stammmutter: Ahne, Ahnfrau, Urahne, Vorfahr *Begründerin, Gründerin *Eva
Stammvater: Ahne, Ahnherr, Urahne, Vorfahr *Begründer, Gründer *Adam
stammverwandt: angeheiratet, blutsverwandt, verschwägert, verschwistert, versippt, verwandt, von gleicher Abstammung, zur Familie gehörig
stampfen: stapfen, trampeln, heftig treten *quetschen, zerquetschen, breit drücken, zerdrücken, zerkleinern, zermalmen, zerstoßen, zertreten, zusammendrücken *antreten, feststampfen, festtrampeln, festtreten *dümpeln, rollen, rudern, schaukeln, schleudern, schlingern, schütteln, wackeln, hin und her schwanken
Stand: Konstellation, Lage, Sachlage, Sachverhalt, Situation, Tatbestand, Umstände, Verhältnisse, Zustand *Lage, Ort, Position, Standort, Standpunkt, Stellung *Beruf *Charge, Dienstgrad, Dienstrang, Dienststellung, Grad, Rang, Rangbezeichnung, Rangstufe, Stellung *Gruppe, Klasse, Schicht *Bude, Kiosk, Marktstand, Verkaufshäuschen, Verkaufsstand, Warenstand
Standard: Durchschnittsbeschaffenheit, Maßstab, Norm, Normmaß, Prinzip, Qualität, Regel, Richtmaß, Richtschnur, Skala
standardisieren: gleichmachen, normen, normieren, typisieren, vereinheitlichen, auf eine Formel bringen, auf einen Nenner bringen
Standardisierung: Normierung, Typisierung, Vereinheitlichung
Standarte: Banner, Dienstflagge, Fahne, Flagge, Gösch, Nationalflagge, Stander, Wimpel *Blume, Fahne, Lunte, Rute, Schwanz, Schweif, Sterz, Wedel, Zagel
Standbild: Denkmal, Denksäule, Denkstein, Ehrenmal, Ehrensäule, Gedenkstein, Mahnmal, Monument, Obelisk
Ständer: Eckpfeiler, Grundpfeiler, Pfahl, Pfeiler, Pilaster, Säule, Stütze, Tragstütze
Standfuß: Fuß, Fußgestell, Piedestal, Postament, Sockel
standhaft: aufmüpfig, aufsässig, bockbeinig, bockig, dickköpfig, dickschädelig, eigensinnig, eisenfest, eisern, fest, finster, halsstarrig, hartgesotten, kompromisslos, kratzbürstig, rechthaberisch, starrköpfig, starrsinnig, steifnackig, störrisch, stur, trotzig, unaufgeschlossen, unbelehrbar, unbequem, unbeugsam, unbotmäßig, unerbittlich, unfolgsam, ungehorsam, unnachgiebig, unversöhnlich, unzugänglich, verbohrt, verschlossen, verständnislos, verstockt, widerborstig, widersetzlich, widerspenstig, zugeknöpft, wie ein Fels *aufrecht, charakterfest, durchhaltend, konsequent, unbeirrbar, unbeirrt, unerschütterlich, willensstark
Standhaftigkeit: Beharrlichkeit, Beständigkeit, Charakterfestigkeit, Festigkeit, Seelenstärke
standhalten: aushalten, durchhalten, s. nicht vertreiben lassen, widerstehen, nicht von der Stelle weichen, nicht wanken und weichen, das Feld behaupten *aushalten, nicht brechen *bestehen können *s. widersetzen
ständig: alleweil, allezeit, andauernd, anhaltend, beharrlich, beständig, dauernd, fortdauernd, fortgesetzt, gleich bleibend, immer, immerzu, immerfort, immer während, konstant, kontinuierlich, pausenlos, permanent, stetig, stets, unaufhaltsam, unaufhörlich, unausgesetzt, ununterbrochen, immer wieder, jahraus, jahrein, nach wie vor, rund um die Uhr, schon immer, seit eh und je, tagaus, tagein, von je, von jeher, seit je *chronisch, schleichend, schleppend, unheilbar, schon immer, seit langem, seit ewig
Standlicht: Parklicht

Standort: Lage, Ort, Position, Stand, Standpunkt, Stellung
Standpauke: Belehrung, Denkzettel, Lehre, Lektion, Maßregelung, Strafpredigt, Warnung, Zurechtweisung
Standpunkt: Blickpunkt, Blickwinkel, Position, Schau, Sicht, Warte *Annahme, Anschauung, Ansicht, Auffassung, Dafürhalten, Denkweise, Meinung, Überzeugung, Urteil, Weltanschauung *Lage, Ort, Stand, Standort, Stellung
Stange: Latte, Stab, Stecken, Stock
Stängel: Halm, Rohr, Schössling, Stamm, Stiel
Stangen: Gehörn, Gestänge, Geweih, Hörner, Schaufeln
Stänker: Aufhetzer, Aufwiegler, Hetzer, Provokateur, Quertreiber, Querulant, Scharfmacher, Unruhestifter, Wühler, der Aufständische *Streitsüchtige
Stänkerei: Aufhetzung, Gräuelhetze, Gräuelpropaganda, Hetze, Propaganda, Scharfmacherei, Verleumdung, Wühlarbeit, Wühlerei, üble Nachrede *Streit
stänkern: angreifen, anspornen, aufhetzen, aufpeitschen, aufreizen, aufrühren, aufstacheln, aufwiegeln, empören, fanatisieren, hetzen, lästern, quertreiben, spalten, sticheln, verfeinden, verleumden, wühlen, Hass säen, Zwietracht säen *krakeelen, plänkeln, rechten, streiten, eine Szene machen
Stanniolpapier: Alufolie, Aluminiumfolie, Silberfolie, Zinnfolie
stanzen: eindrücken, einschlagen, prägen, punzen
Stapel: Anhäufung, Berg, Haufen, Menge, Stoß
stapeln: speichern, aufspeichern, anhäufen, ansammeln, aufhäufen, hamstern, horten, zusammenraffen, zusammentragen *häufeln, aufhäufeln, schichten, türmen ***s. stapeln:** s. anhäufen, s. ansammeln, s. aufspeichern, s. stauen
stapfen: gehen, stampfen, tappen, trampeln, trappen, trotten
Stapfen: Eindruck, Fußspur, Fußstapfen, Spur, Tapfen
Star: Diva, Filmdiva, Filmgröße, Filmheld, Filmliebling, Filmstar, Filmstern, Starlet, Stern, Sternchen
stark: beleibt, wohlbeleibt, aufgedunsen, breit, dick, dickleibig, dicklich, dickwanstig, drall, feist, fett, fettleibig, fleischig, füllig, gemästet, gewaltig, kräftig, kugelrund, massig, mollig, pausbäckig, plump, pummelig, rund, rundlich, stämmig, stramm, umfangreich, unförmig, üppig, vierschrötig, vollschlank, wohlgenährt *athletisch, bärenstark, baumstark, drahtig, fest, gefeit, hart, immun, kernig, kraftstrotzend, kraftvoll, markig, nervig, resistent, robust, rüstig, sehnig, sportlich, stabil, stämmig, stramm, wehrhaft, zäh, nicht anfällig *derb, grob, rau; unfein, ungehobelt, ungeschliffen, vulgär *gewaltig, heftig, vehement, wuchtig *bunt, farbig, grell, intensiv, leuchtend, saftig, satt *auffrischend, böig, frisch, heftig, kräftig, luftig, orkanartig, steif, stürmisch *mächtig, übermächtig, achtunggebietend, angesehen, einflussreich, machtvoll, potent, tonangebend, wichtig *durchdringend, ernsthaft, fest, gründlich, heftig, intensiv, massiv, tief, umfassend *nachhaltig, tief, (lang) andauernd *gut, zündend *ausgeprägt, fest, gefestigt, willensstark *fließend, lebhaft, rege *gesund, kräftig, trainiert *heftig, intensiv, massiv, stürmisch *männlich *bestechend, beweiskräftig, glaubwürdig, schlagend, stichhaltig, überzeugend, unangreifbar, unwiderlegbar, zwingend *belastbar, belastungsfähig, dick, kräftig *dunkel, kräftig, satt *mannhaft, potent, rüstig *scharf, trainiert, weit blickend *gröblich, grob fahrlässig *anhaltend, dröhnend, lang, orkanartig *laut, überlaut, dröhnend, durchdringend, gellend, grell, lauthals, lautstark, schrill, voll *hoffnungsreich, hoffnungsvoll *bedeutend, großartig, hervorragend, sehr, überdurchschnittlich, (sehr) gut *zahlreich *fest, hart, kompromisslos, streng, unerbittlich, unnachgiebig, unnachsichtig *verärgert, wütend, zornig *groß, heftig, hochgradig, intensiv, nachhaltig, tief *hervorragend, informativ, interessant, spannend, tiefgründig *abwechslungsreich, interessant, schnell, spannend, variationsreich *heftig, lodernd *ohrenbetäubend, ohrenzerreißend, überlaut

*dick, gewaltig, kräftig, mächtig, riesig *energisch, heftig, wuchtig *gut, trainiert ***stark bevölkert:** bevölkert, dicht besiedelt, volkreich ***stark bewegt:** tief bewegt, tief berührt, tief gerührt, tief erschüttert
Stärke: Bärenkräfte, Körperkräfte, Kraft, Riesenkräfte, Wucht *Festigkeit, Halt *Ausmaß, Dicke, Grad, Mächtigkeit, Umfang *Bedeutung, Folge, Format, Gehalt, Intensität, Reichweite *Anstrengung, Härte, Zähigkeit *Leistung, Potenz *Anlage, Begabung, Talent *Imprägniermittel, Stärkemittel, Steife
stärken: festigen, kräftigen *härten, steifen, steif machen *aufrichten, ermutigen, helfen, trösten, unterstützen
Stärkung: Ausbau, Befestigung, Festigung, Konsolidierung, Kräftigung, Sicherung, Stabilisierung, Stützung, Verankerung, Verdichtung, Vertiefung, Zementierung *Bissen, Essen, Happen, Imbiss, Mahlzeit
Starlet: Diva, Filmdiva, Filmgröße, Filmheld, Filmliebling, Filmstar, Filmstern, Star, Stern, Sternchen
starr: steif, ungelenkig *gläsern, glasig, stier, verglast *apodiktisch, dogmatisch, doktrinär, engstirnig, kompromisslos, orthodox, starrköpfig, störrisch, stur, unbelehrbar, uneinsichtig, unflexibel, verknöchert *bewegungslos, erstarrt, leblos, reglos, regungslos, ruhig, still, unbewegt *gespannt, maskenhaft, verkrampft, verspannt *bewegungslos, erstarrt, fest, hart, kristallin, kristallisiert, leblos, reglos, regungslos, ruhig, steif, still, unbeweglich, unbewegt, ohne Bewegung, wie angewurzelt, wie aus Erz gegossen, wie tot
Starre: Starrheit, Steifheit, Verkrampfung *Dogmatik, Dogmatismus, Starrheit
starren: gaffen, glotzen, stieren
Starrheit: Starre, Steifheit *Dogmatik, Dogmatismus, Starre *Sturheit
Starrkopf: Dickkopf, Dickschädel, Quadratschädel, Querkopf, sturer Bock
starrköpfig: aufmüpfig, aufsässig, bockbeinig, bockig, dickköpfig, dickschädelig, dogmatisch, eigensinnig, eisern, fest, finster, halsstarrig, hartgesotten, kompromisslos, kratzbürstig, rechthaberisch, standhaft, starrsinnig, steifnackig, störrisch, stur, trotzig, unaufgeschlossen, unbelehrbar, unbequem, unbotmäßig, uneinsichtig, unerbittlich, unflexibel, unfolgsam, ungehorsam, unnachgiebig, unversöhnlich, unzugänglich, verbohrt, verschlossen, verständnislos, verstockt, widerborstig, widersetzlich, widerspenstig, zugeknöpft
Starrköpfigkeit: Bockigkeit, Dickköpfigkeit, Dickschädeligkeit, Eigensinn, Eigensinnigkeit, Eigenwille, Eigenwilligkeit, Halsstarrigkeit, Hartköpfigkeit, Rechthaberei, Starrsinn, Steifnackigkeit, Sturheit, Uneinsichtigkeit, Verbohrtheit, Widerspenstigkeit, dicker Schädel
Starrkrampf: Tetanus, Wundstarrkrampf
Start: Abfahrt, Abflug, Abmarsch, Aufbruch, Departure, Flugbeginn, Weggang *Anfang, Auftakt, Beginn, Ursprung *Debüt, Rollendebüt, (erster) Auftritt, erstes Auftreten *Startplatz
Startbahn: Landebahn, Piste, Rollbahn
startbereit: abfahrbereit, fertig, gepackt, gerüstet, marschbereit, marschfertig, reisefertig *fertig zum Starten
starten: anbrechen, anfangen, beginnen, einsetzen, eröffnen *abfahren, abziehen, wegfahren, wegziehen *abheben, anheben, davonfliegen, fortfliegen, wegfliegen *ankurbeln, anlassen, anstellen, antreten, anwerfen, flott machen, in Gang setzen, in Betrieb setzen, in Bewegung setzen, in Schwung setzen *in Funktion treten *loseilen, loslaufen, losrennen, losstürzen
Startplatz: Rollbahn, Start, Startbahn
Station: Abteilung *Durchgangsstadium, Durchgangsstation, Entwicklungsabschnitt, Entwicklungsepoche, Entwicklungsetappe, Entwicklungsperiode, Entwicklungsphase, Entwicklungsstadium, Entwicklungsstand, Entwicklungsstufe, Etappe, Phase, Stadium, Stufe *Busbahnhof, Bushaltestelle, Eisenbahnhaltestelle, Endhaltestelle, Endstation, Haltepunkt, Haltestelle, Terminal
stationär: gebunden, ortsfest, standörtlich *bleibend, stillstehend, unveränderlich *klinisch, im Krankenhaus, mit Krankenhausaufenthalt

stationieren: an einem Standort aufstellen, an einen Platz (auf)stellen, an einen Ort (auf)stellen, jmdm. einen Standort zuweisen, Truppen verlegen
statisch: ruhig, starr, stillstehend, träge, unbewegt
Statist: Figurant, Komparse, stumme Person
Statistik: Auflistung, Aufstellung, Datenerfassung, Datenerhebung, Nachweis
statt: an Stelle (von), anstatt, für, in Ermangelung
Stätte: Fleck, Ort, Örtlichkeit, Platz, Punkt, Standort, Stelle, Winkel
stattfinden: s. abspielen, s. begeben, s. einstellen, eintreten, s. ereignen, erfolgen, geschehen, passieren, sein, verlaufen, s. vollziehen, vorfallen, vorgehen, vorkommen, s. zutragen, zustande kommen, vonstatten gehen
stattgeben: bewilligen, billigen, einräumen, erlauben, ermöglichen, genehmigen, gestatten, gewähren, konzedieren, zugestehen, zustimmen
statthaft: erlaubt, genehmigt, gesetzlich, gestattet, legal, rechtens, rechtmäßig, zulässig
stattlich: groß, hochaufgeschossen, hochgewachsen, hünenhaft, stämmig, voluminös, von hohem Wuchs, von kräftiger Statur *ansehnlich, beachtlich, beträchtlich, eindrucksvoll, erheblich, groß, imponierend, imposant, nennenswert, reichlich, repräsentativ, respektabel, ungeheuer, üppig *hoch, teuer, viel *schön
Stattlichkeit: Anmut, Ebenmaß, Erhabenheit, Erlesenheit, Formvollendung, Glanz, Grazie, Harmonie, Herrlichkeit, Liebreiz, Pracht, Reiz, Schönheit, Wohlgestalt
Statue: Bildwerk, Büste, Denkmal, Figur, Plastik, Skulptur, Torso
Statur: Erscheinung, Erscheinungsbild, Figur, Gestalt, Gestell, Körper, Körperbau, Körperform, Wuchs
Status: Konstellation, Lage, Sachlage, Sachverhalt, Situation, Verhältnis, Verhältnisse, Zustand ***Status quo:** jetziger Zustand, gegenwärtiger Zustand ***Status quo ante:** früherer Zustand, Stand vor dem bezeichneten Tatbestand, Stand vor dem bezeichneten Ereignis
Statut: Direktive, Faustregel, Grundsatz, Instruktion, Kanon, Kompass, Lebensregel, Leitlinie, Leitsatz, Merkspruch, Norm, Prinzip, Regel, Regelung, Reglement, Richtlinie, Richtmaß, Richtsatz, Richtschnur, Satzung, Spielregel, Standard, Vorschrift
Stau: Ansammlung, Autoschlange, Schlange, Stauung, Stockung, Verkehrschaos, Verkehrsstörung
Stauanlage: Staudamm, Staumauer, Stauwerk, Talsperre, Wehr
Staub: Ackerboden, Ackerscholle, Boden, Erdboden, Erde, Erdkrume, Erdreich, Grund, Scholle *Puder, Pulver *Dreck, Schmutz, Unsauberkeit, Verunreinigung
stauben: schmutzen, verschmutzen, verunreinigen, schmutzig machen, dreckig machen
staubfrei: abgestaubt, entstaubt, keimfrei, rein, reinlich, sauber
staubig: angestaubt, aschig, bestaubt, schmutzig, verstaubt, mit Staub bedeckt, voll Staub
stauchen: schelten, ausschelten, schimpfen, ausschimpfen, zanken, auszanken, abkanzeln, anbrüllen, attackieren, heruntermachen, tadeln, zetern, zurechtweisen *zusammenziehen *knuffen, puffen, rempeln, stoßen, einen Stoß geben, einen Stoß versetzen
Staudamm: Stauanlage, Staumauer, Stauwerk, Talsperre, Wehr
Staude: Pflanze, Strauch *Busch, Buschwerk, Strauch
stauen: abdämmen, absperren, abstauen, anstauen, aufdämmen, aufhalten, aufstauen, hemmen, sammeln, speichern ***s. stauen:** s. anhäufen, s. ansammeln, anschwellen, s. aufspeichern, s. mehren, s. stapeln, s. steigern, s. summieren, s. vervielfachen, wachsen, zunehmen
staunen: erstaunen, s. verwundern, s. wundern, in Erstaunen geraten, große Augen machen
Staunen: Aufsehen, Verwunderung, das Erstaunen
staunenswert: auffallend, bestürzend, erstaunlich, überraschend, verblüffend,

verwirrend *abenteuerlich, ansehnlich, Aufsehen erregend, außergewöhnlich, außerordentlich, ausgefallen, beachtlich, bedeutend, bedeutsam, bedeutungsvoll, beeindruckend, beträchtlich, bewundernswert, bewundernswürdig, brillant, eindrucksvoll, einzigartig, enorm, entwaffnend, fabelhaft, groß, großartig, hervorragend, imponierend, imposant, märchenhaft, nennenswert, ohnegleichen, sagenhaft, sensationell, sondergleichen, spektakulär, stattlich, überragend, überraschend, überwältigend, ungeläufig, ungewöhnlich, unvergleichlich

Stauung: Ansammlung, Autoschlange, Stau, Stockung, Verkehrschaos *Einhalt, Flaute, Halt, Nachlassen, Nullpunkt, Pause, Rückgang, Rückschlag, Stagnation, Stockung, toter Punkt

Stauwerk: Damm, Stauanlage, Staudamm, Staumauer, Talsperre, Wehr

stechen: piken, piksen *schmerzen, verletzen

stechend: beißend, brennend *kratzend, kratzig

Stechmücke: Moskito, Mücke, Schnake

Stechuhr: Kontrolluhr, Stempeluhr *Entwerter, Fahrscheinentwerter

Steckdose: Anschlussbuchse, Anschlussdose, Steckkontakt, Stecker

stecken: drücken, heften, hineinschieben, hineinstoßen, stopfen *s. befinden, festhängen, festsitzen, haften, kleben, sein *pflanzen, anpflanzen, setzen, einsetzen ***stecken bleiben:** s. festfahren, festhängen, festlaufen, festliegen, festsitzen, haften, stehen bleiben, auf der Strecke bleiben, festgefahren sein, nicht loskommen, nicht weiterkommen *s. festfahren, stocken, ins Stocken geraten, ins Stocken kommen, den roten Faden verlieren

Stecken: Knüppel, Knüttel, Prügel, Rohr, Rohrstock, Stock *Knotenstock, Spazierstock, Stab, Wanderstab, Wanderstock

Steckenpferd: Hobby, Liebhaberei, Lieblingsbeschäftigung, Spezialgebiet, Spezialität

Steckkontakt: Anschlussbuchse, Anschlussdose, Steckdose, Stecker

Steckling: Ableger, Absenker, Pfropfreis, Schössling, Senker, Steckreis

Steckrübe: Kohlrübe, Rübe, Runkelrübe

Steg: Brettersteg, Gangway, Landgang, Laufsteg *Brücke, Überführung, Übergang, Überweg *Weg *Catwalk, Laufsteg

Stegreif (aus dem): frei, improvisiert, unvorbereitet, ohne Vorbereitung, ohne Übung, ohne Probe, auf Anhieb, aus dem Handgelenk

stehen: befinden *s. in aufrechter Haltung befinden, aufgerichtet sein, nicht sitzen, nicht liegen *s. nicht bewegen *passen, jmdn. kleiden ***stehen bleiben:** s. nicht hinlegen, s. nicht hinsetzen, aufrecht bleiben, sitzen bleiben, halten, anhalten, aufhören, ausfallen, aussetzen, stillstehen, stocken, stoppen, versagen, zum Stehen bringen, zum Stillstand bringen, zum Stehen kommen, zum Stillstand kommen *anhalten, ausruhen, bremsen, einhalten, einstellen, Halt machen, rasten, unterbrechen *enden *aussetzen ***stehen lassen:** allein lassen, im Stich lassen, jmdn. zurücklassen, nicht helfen, nicht beistehen *belassen, nicht mitnehmen, nicht wegnehmen ***stehen (zu):** s. einsetzen (für), einstehen, s. engagieren, s. erklären, halten (zu), helfen, stärken, unterstützen, hinter jmdm. stehen

stehlen: abnehmen, s. an fremdem Eigentum vergehen, s. an fremdem Eigentum vergreifen, s. aneignen, ausplündern, ausräubern, ausräumen, s. bemächtigen, berauben, bestehlen, betrügen, einsacken, entwenden, erbeuten, klauen, mausen, mitnehmen, mopsen, stibitzen, unterschlagen, s. vergreifen, veruntreuen, wegnehmen, wegstehlen, wegtragen, beiseite schaffen, beiseite bringen, einen Diebstahl begehen, einen Diebstahl verüben, auf die Seite bringen, zur Seite bringen, verschwinden lassen *plündern, rauben ***s. stehlen (von):** davongehen, fortgehen, verschwinden, weggehen, s. wegstehlen

Stehvermögen: Beharrlichkeit, Beständigkeit, Charakterfestigkeit, Durchhaltevermögen, Festigkeit, Geradlinigkeit, Seelenstärke, Standhaftigkeit

steif: eingerostet, fest, hart, starr, unbiegsam, ungelenkig *hölzern, stocksteif, wie ein Stück Holz, wie ein Stock *erstarrt, maskenhaft *eckig, formell, förmlich, gehemmt, gezwungen, ungelenk, ungeschickt, verkrampft, verspannt *eisig, erstarrt, gefroren, vereist *böig, heftig, starkwindig, stürmisch *hochprozentig, stark alkoholhaltig *geschlagen *breiartig, breiig, dick, dickflüssig, dicklich, gallertartig, geronnen, klitschig, sämig, schleimig, schwerflüssig, teigig, viskös, viskos, zäh, zähflüssig *gestärkt ***steif sein:** stehen, fest geworden sein *eine Erektion haben ***steif werden:** erstarren, unbeweglich werden, starr werden *anschwellen, aufrichten, erigieren, s. versteifen

Steife: Imprägniermittel, Stärke, Stärkemittel *Strebe, Stützbalken, Träger, Versatzung

steifen: härten, stärken, steif machen

Steifheit: Förmlichkeit, Geschraubtheit, Gespreiztheit, Verschrobenheit *Starre, Starrheit

Steig: Fahrweg, Feldweg, Gehsteig, Gehweg, Leinpfad, Pfad, Treidelpfad, Treidelweg, Weg

Steigbügel: Bügel

Steige: Horde, Hürde, Obstgestell, Stiege *Anstieg

steigen: aufklettern, hinaufklettern, emporsteigen, erklimmen, ersteigen, hinaufsteigen, bergauf gehen *anschwellen, ansteigen, anwachsen, s. erhöhen, s. verdichten, s. vergrößern, s. vermehren, s. vervielfachen, zunehmen, an Ausdehnung gewinnen *klettern, hochklettern *hochgehen *s. ausweiten, s. erweitern, eskalieren *schwellen, anschwellen, ansteigen, über die Ufer treten *anziehen, klettern, s. verteuern, teurer werden *s. erwärmen, warm werden, wärmer werden

steigern: anheben, erhöhen, heraufsetzen, intensivieren, potenzieren, vergrößern, verhundertfachen, vermehren, verschärfen, verstärken, vervielfachen, in die Höhe treiben *aktivieren, ankurbeln, ausbauen, erhöhen, heben, verbessern, vertiefen, vorantreiben *anziehen, aufbessern, erhöhen, heraufsetzen, verteuern ***s. steigern:** anschwellen, ansteigen, anwachsen, s. ausdehnen, s. ausweiten, s. erhöhen, s. erweitern, s. verdichten, s. vergrößern, s. vermehren, s. verschlechtern, s. verschlimmern, s. verstärken, s. vervielfachen, zunehmen, an Ausdehnung gewinnen *ansteigen, anziehen, s. erhöhen, hochgehen, hochklettern, hochschnellen, verteuern, zunehmen, teurer werden, in die Höhe gehen, in die Höhe klettern

Steigerung: Anstieg, Erhöhung, Eskalation, Eskalierung, Gradation, Intensivierung, Potenzierung, Progression, Vergrößerung, Vermehrung, Zuwachs, das Fortschreiten *Höhepunkt, Klimax *Hyperbel, Übertreibung *Erhöhung, Hebung, Verbesserung, Verstärkung, Zunahme *Anschwellung, Crescendo

Steigung: Ansteigen, Anstieg, Höhenunterschied *Schräge, Steile, ansteigendes Gelände, schiefe Ebene

steil: aufragend, fast senkrecht, stark ansteigend *abfallend, abschüssig, absteigend, jäh, jählings, schräg, schroff *senkrecht

Steilhang: Abhang, Absturz, Berg, Bergabhang, Bergabsturz, Berghang, Bergwand, Böschung, Gefälle, Halde, Hang, Lehne, Talhang

Steilküste: Felsenküste, felsige Küste

Stein: Kern *Feldstein, Fels, Felstrümmer, Gesteinsstück

steinalt: abgeklärt, abgelebt, alt, altersgrau, altersschwach, angegraut, angejahrt, bejahrt, betagt, grauhaarig, grauköpfig, hochbetagt, runzelig, silberhaarig, uralt, verbittert, verbraucht, vergrämt, verlebt, weise, weißhaarig

Steinblock: Block, Quader, Quaderstein

steinern: abgestumpft, barbarisch, brutal, eisig, erbarmungslos, fest, gefühllos, gefühlsarm, gefühlskalt, gemütsarm, gleichgültig, gnadenlos, grausam, hart, hartherzig, herzlos, inhuman, kaltblütig, kompromisslos, lieblos, mitleidlos, roh, schonungslos, seelenlos, streng, unbarmherzig, ungesittet, unmenschlich, unnachgiebig, unnachsichtig, unsozial, unzugänglich, verroht *hart, fest (wie Stein)

steinerweichend: herzbewegend, herz-

brechend, herzergreifend, herzzerreißend, jämmerlich, Mitleid erregend
Steineule: Steinkauz
Steingut: Halbporzellan, Keramik, Tonware
steinhart: eisenhart, felsenhart, fest, glashart, hart, kernhaft, kernig, knochenhart, stählern, stahlhart, steif, steinern, wie ein Fels
steinig: felsig, steinreich, voller Steine *mühevoll, mühsam, schwer, schwierig
Steinkohle: Brennmaterial, Brennstoff, Heizmittel
Steinpilz: Edelpilz, Eichpilz, Herrenpilz
steinreich: begütert, bemittelt, einkommensstark, finanzkräftig, finanzstark, gut situiert, kapitalkräftig, potent, reich, reichbegütert, vermögend, wohlhabend, wohl situiert *felsig, steinig, voller Steine
Steinwolle: Gesteinsfaser, Mineralwolle
Steiß: Gesäß, Hinterbacken, Hintern, Hinterteil, Po, Popo, verlängerter Rücken, der Allerwerteste
Steißbein: Schwanzbein
Stellage: Bord, Bücherbord, Bücherregal, Gestell, Regal
Stelldichein: Rendezvous, Treffen, Verabredung
Stelle: Fleck, Ort, Örtlichkeit, Platz, Punkt, Standort, Stätte, Winkel *Platz, Rang *Absatz, Abschnitt, Passage, Passus, Teil, Textstelle
stellen: absetzen, abstellen, niederstellen, zu Boden setzen *hinbringen, hinstellen, platzieren, postieren, setzen, zuweisen ***s. stellen:** s. ausliefern, aussetzen, s. bezichtigen, s. ergeben, s. in jmds. Gewalt begeben, s. melden *richten *vorlegen *beantragen, fordern
stellenlos: arbeitslos, beschäftigungslos, stellungslos, unbeschäftigt, ohne Arbeit, ohne Anstellung
stellenweise: gebietsweise, gelegentlich, mancherorts, manchmal, regional, singulär, streckenweise, strichweise, vereinzelt, verstreut
Stellenwert: Bedeutsamkeit, Bedeutung, Belang, Ernst, Gewicht, Gewichtigkeit, Größe, Rang, Relevanz, Schwere, Tiefe, Tragweite, Wert, Wichtigkeit, Würde
Stelltafel: Abstimmskala, Skala *Informationstafel, Informationswand, Infotafel, Infowand, Pinnwand, Schautafel *Seitentafel
Stellung: Anstellung, Arbeit, Arbeitsplatz, Arbeitsverhältnis, Aufgabe, Beruf, Beschäftigung, Dienst, Position, Posten *Charge, Dienstgrad, Dienstrang, Dienststellung, Grad, Rang, Rangbezeichnung, Rangstufe, Stand *Lage, Ort, Position, Stand, Standort, Standpunkt *Attitüde, Habitus, Haltung, Körperhaltung, Pose, Positur
Stellungnahme: Artikulierung, Äußerung, Aussprache, Behauptung, Bekanntgabe, Bekanntmachung, Bemerkung, Bericht, Darstellung, Erklärung, Feststellung, Formulierung, Information, Klarstellung, Meinung, Preisgabe, Rede, Unterrichtung, Vortrag *Anmerkung, Auslegung, Beleuchtung, Deutung, Erklärung, Erläuterung, Exemplifikation, Explikation, Interpretation, Kommentar, Verdeutlichung *Anschauung, Ansicht, Auffassung, Ermessen, Meinung, Standpunkt, Überzeugung, Vorstellung
stellungslos: arbeitslos, beschäftigungslos, stellenlos, unbeschäftigt
stellvertretend: vertretungsweise, in Vertretung
Stellvertreter: Ersatz, Ersatzmann, Sachverwalter, Substitut, Vertreter, Verwalter, Verweser, die rechte Hand
stemmen: heben, hochheben, drücken, reißen, stoßen ***s. stemmen:** aufbegehren, s. auflehnen, s. wehren
Stempel: Amtssiegel, Siegel *Aufdruck, Gepräge, Prägung, Zeichen
stempeln: entwerten, knipsen, lochen, wertlos machen, ungültig machen *erklären (zu), jmdn. abstempeln (zu) ***stempeln gehen:** arbeitslos sein, ohne Arbeit sein, ohne Beschäftigung sein
Stempeluhr: Kontrolluhr, Stechuhr *Entwerter, Fahrscheinentwerter
Stängel: Halm, Rohr, Stamm, Stiel
Stenographie: Eilschrift, Kurzschrift, Schnellschrift, Steno
Stenotypistin: Bürodame, Bürokraft, Datentypistin, Maschinenschreiberin, Schreiberin, Schreibkraft, Sekretärin

Steppe: Einöde, Öde, Ödland, Wildnis
steppen: flicken, nähen, sticheln, zunähen, zusammennähen *tanzen
Sterbefall: Todesfall, Trauerfall
sterben: ableben, abscheiden, absterben, s. auflösen, dahinscheiden, davongehen, einschlafen, einschlummern, entschlafen, entschlummern, erfrieren, erlöschen, ersticken, ertrinken, gehen (von), heimgehen, hinscheiden, hinsterben, hinübergehen, umkommen, verdursten, vergehen, verhungern, verlöschen, verscheiden, verschwinden, versterben, abgerufen werden, (tödlich) verunglücken, die Augen schließen, die Augen zumachen, sein Leben aushauchen, aus dem Leben gehen, aus dem Leben abberufen werden, aus dem Leben scheiden *eingehen, fallen, verenden
Sterbender: Todeskandidat, Todgeweihter
sterbenskrank: todgeweiht, todkrank, unheilbar, dem Tod geweiht
sterblich: begrenzt, endlich, irdisch, kurzlebig, vergänglich, zeitlich, von kurzer Dauer *unschöpferisch
Sterblichkeit: Begrenztheit, Endlichkeit, Flüchtigkeit, Kürze, Vergänglichkeit, Zeitlichkeit
stereotyp: automatisch, einförmig, eingefahren, eintönig, erstarrt, feststehend, formelhaft, gängig, gewohnheitsmäßig, gleichförmig, klischeehaft, monoton, regelmäßig, schablonenhaft, schematisch, schemenhaft, uniform, unveränderlich, s. wiederholend, immer wieder gleich, immer wiederkehrend, nach Schema F, stets auf dieselbe Art
steril: antiseptisch, aseptisch, keimfrei, sterilisiert *impotent, unfruchtbar, zeugungsunfähig
Sterilisation: Entkeimung, Keimfreimachung, Sterilisierung *Unfruchtbarmachung, Vasektomie
sterilisieren: abkochen, auskochen, desinfizieren, entkeimen, pasteurisieren, keimfrei machen, steril machen *entmannen, kastrieren, verschneiden *unfruchtbar machen
Stern: Gestirn, Planet, Sonne *Diva, Filmdiva, Filmgröße, Filmheld, Filmliebling, Filmstar, Filmstern, Star, Starlet, Sternchen
Sternchen: Diva, Filmdiva, Filmgröße, Filmheld, Filmliebling, Filmstar, Filmstern, Star, Starlet
Sternenzelt: Firmament, Himmel, Himmelsdach, Himmelsdom, Himmelsgewölbe, Himmelskuppel, Himmelszelt
sternhagelvoll: trunken, volltrunken, alkoholisiert, angeheitert, angetrunken, benebelt, berauscht, betrunken, bezecht, blau, stockbetrunken, unter Alkohol
Sternkunde: Astronomie, Himmelskunde
Sternschnuppe: Feuerkugel, Meteor
Sternstunde: Glücksstunde, Krönung, Schicksalsstunde
Sternwarte: Observatorium, Planetarium
stet: gleich bleibend, immerzu, permanent, unaufhörlich, ununterbrochen
Stethoskop: Abhörgerät, Hörrohr
stetig: beharrlich, beständig, dauernd, konstant, ständig, unaufhörlich, ununterbrochen, immer wiederkehrend
Stetigkeit: Beharrlichkeit, Beharrung, Dauer, Konstanz, Wiederkehr
stets: dauernd, andauernd, alleweil, allezeit, anhaltend, beharrlich, beständig, fortdauernd, fortgesetzt, gleich bleibend, immer, immerzu, immerfort, immer während, konstant, kontinuierlich, pausenlos, permanent, ständig, unaufhaltsam, unaufhörlich, unausgesetzt, immer wieder, jahraus, jahrein, nach wie vor, rund um die Uhr, schon immer, seit eh und je, tagaus, tagein, von je, von jeher, seit je
Steuer: Lenkrad, Steuerrad, Steuerung, Volant *Steuerhebel, Steuerknüppel *Schiffssteuer, Steuerruder *Staatseinnahmen *Abgabe, Abzüge, Beitrag, Pflichtabführung *Besteuerung, Steuerauflage, Veranlagung, Versteuerung
Steuerbord: rechte Seite eines Schiffes, rechte Seite eines Flugzeugs
steuerbord: rechts, auf der rechten Seite
steuerfrei: abgabenfrei, ohne Steuern
steuern: fahren, führen, lenken *anfangen, anpacken, anstellen, bewerkstelligen, deichseln, drehen, ermöglichen,

erreichen, fädeln, hinbiegen, hinkriegen, managen, meistern, schmeißen, zurechtkommen, zustande bringen, zuwege bringen *bedienen, betätigen, führen, handhaben, regulieren
steuerpflichtig: abgabenpflichtig, besteuert
Steuerung: Lenkung *Bedienung, Betätigung, Führung, Handhabung, Regulierung
Steward: Bedienung, Flugbegleiter, Reisebetreuer
Stewardess: Bedienung, Flugbegleiterin, Reisebetreuerin
stibitzen: abnehmen, s. an fremdem Eigentum vergehen, s. an fremdem Eigentum vergreifen, s. aneignen, ausplündern, ausräubern, ausräumen, s. bemächtigen, berauben, bestehlen, betrügen, einsacken, entwenden, erbeuten, mitnehmen, stehlen, unterschlagen, s. vergreifen, veruntreuen, wegnehmen, wegtragen, beiseite schaffen, beiseite bringen, einen Diebstahl begehen, einen Diebstahl verüben, auf die Seite bringen, zur Seite bringen
Stich: Trauma, Verletzung, Verwundung, Wunde *Schmerz *Anspielung
Stichelei: Anzüglichkeit, Hohn, Ironie, Sarkasmus, Spott, Spöttelei, Spötterei, Spottsucht, Verhöhnung, Verspottung, Zynismus *Andeutung, Anspielung, Anzüglichkeit, Gestichel, Häkelei, Hieb
sticheln: reizen, Anspielungen machen *flicken, nähen, steppen, zunähen, zusammennähen
stichhaltig: bestechend, beweiskräftig, bündig, glaubwürdig, plausibel, schlagend, stringent, triftig, überzeugend, unangreifbar, unwiderlegbar, zwingend
stichig: gegoren, ranzig, sauer, vergoren, einen Stich habend
Stichprobe: Besichtigung, Durchsicht, Inspizierung, Kontrolle, Musterung, Nachprüfung, Probe, Test, Überprüfung, Untersuchung *Aufwartung, Besuch, Kontrolle, Test, Überprüfung, Untersuchung, Visitation
Stichtag: Frist, Termin, Zeitpunkt
Stichwort: Lemma, Lexem, Merkwort, Schlagwort
sticken: handarbeiten, sticheln
stickig: beißend, drückend, dumpf, dunstig, rauchig, schlecht, ungelüftet, verräuchert
stiefmütterlich: abweisend, barsch, eisig, eiskalt, frostig, gefühllos, grob, herzlos, kränkend, lieblos, unfreundlich, verletzend, vernachlässigend
Stiege: Aufgang, Stufe, Treppe, Treppenstufe *Horde, Hürde, Obstgestell, Steige
Stiel: Stamm, Stängel *Griff, Schaft
stier: gläsern, glasig, starr, verglast
Stier: Bulle, (geschlechtsreifes) männliches Rind
stieren: gaffen, glotzen, starren *bocken, brunften, brünstig, ranzen, rauschen, rossen
Stierkämpfer: Matador, Torero
Stift: Auszubildender, Azubi, Lehrjunge, Lehrling, Lehrmädchen, Praktikant, Volontär *Drahtstift, Eisennagel, Nagel *Abtei, Kloster, Konvent
stiften: abtreten, bedenken (mit), beglücken (mit), beschenken, bescheren, darbringen, fortgeben, hergeben, herschenken, hingeben, opfern, schenken, spenden, spendieren, übergeben, überlassen, übertragen, verehren, verschenken, verteilen, weggeben, wegschenken, als Gabe überreichen, zukommen lassen, zum Geschenk machen, ein Geschenk machen, ein Präsent machen, zur Verfügung stellen *geben, übergeben, bedenken (mit), darbringen, opfern, schenken, spenden, spendieren, übereignen, überlassen, verehren, widmen, zeichnen, zuwenden, als Gabe überlassen, als Spende überlassen, sein Scherflein beitragen, seinen Obolus entrichten, zukommen lassen, zur Verfügung stellen *anfangen, beginnen, begründen, eröffnen, errichten, etablieren, gründen, konstituieren, schaffen, aus der Taufe heben, das Fundament legen zu, ins Leben rufen ***stiften gehen:** ausweichen, desertieren, einen Bogen machen (um), fliehen, meiden, scheuen, überlaufen, umgehen, abtrünnig werden, aus dem Wege gehen, fahnenflüchtig werden, seinen Posten verlassen *s. absetzen, ausbrechen, ausrücken, davonlaufen, durchbrennen, durchgehen, entfliehen,

entkommen, entlaufen, entrinnen, entwischen, fliehen, flüchten, türmen, verschwinden, wegschleichen, das Weite suchen, Reißaus nehmen

Stifter: Begründer, Erbauer, Gründer, Initiator, Mitbegründer, Schöpfer, Schrittmacher, Urheber, Vater *Förderer, Geber, Geldgeber, Gönner, Mäzen, Protektor, Spender, Sponsor, Wohltäter

Stiftung: Dotation, Dotierung, Gabe, Geschenk, Schenkung, Spende, Zueignung, Zuwendung *Begründung, Grundlegung, Gründung

Stil: Ausdruck, Ausdrucksart, Ausdrucksform, Ausdrucksweise, Schreibart, Schreibweise *Kunstrichtung

Stilett: Dolch, Dolchmesser

stilgemäß: vollendet, formvollendet, abgestimmt, auserlesen, geschmackvoll, harmonisch, kultiviert, passend, schön, stilgerecht, stilvoll

still: lautlos, totenstill, unhörbar *flüsternd, geräuschlos, heimlich, leise, im Flüsterton, kaum hörbar, kaum vernehmbar, kaum vernehmlich, nicht laut *einsilbig, lakonisch, redescheu, ruhig, schweigsam, stumm, verschlossen, verschwiegen, wortkarg, zurückhaltend, nicht gesprächig, nicht mitteilsam *abgeschieden, friedvoll, harmonisch, heimelig, idyllisch, ländlich, malerisch, paradiesisch, romantisch, verträumt *bedacht, beherrscht, besonnen, gefasst, geruhsam, gezügelt, ruhevoll, ruhig

Stille: Friede, Geräuschlosigkeit, Grabesstille, Lautlosigkeit, Schweigen, Stillschweigen, Stummheit, Totenstille

stillen: nähren, säugen, an die Brust nehmen, die Brust geben, die Brust reichen, zu trinken geben ***den Hunger stillen:** befriedigen, essen, Nahrung zu sich nehmen ***den Schmerz stillen:** schwächen, abschwächen, bessern, dämpfen, erleichtern, lindern, mäßigen, mildern, trösten, erträglich machen, helfen (bei)

stillhalten: dulden, erdulden, ausstehen, erleiden, ertragen, hinnehmen, hinwegkommen, tragen, verkraften, verschmerzen, verwinden *verzichten *s. nicht bewegen, reglos sein, regungslos sein, reglos bleiben, regungslos bleiben

stilllegen: abschaffen, auflassen, lahm legen, schließen, stoppen, außer Betrieb setzen, den Betrieb einstellen, zum Erliegen bringen

stillliegen: s. nicht bewegen, s. nicht rühren, stillhalten

stillos: abgeschmackt, albern, flach, gemein, geschmacklos, gewöhnlich, platt, stilwidrig

Stillosigkeit: Stilwidrigkeit *Geschmacklosigkeit, Stilwidrigkeit, Taktlosigkeit, Unverschämtheit

stillschweigen: s. ausschweigen, geheim halten, s. in Schweigen hüllen, s. nicht in die Karten gucken lassen, schweigen, totschweigen, verbergen, verhehlen, verheimlichen, verschweigen, verstummen, den Mund halten, den Mund nicht auftun, die Zunge im Zaum halten, die Zunge hüten, eine Antwort schuldig bleiben, es auf sich beruhen lassen, für sich behalten, kein Sterbenswort sagen, kein Wort verlieren, keine Antwort geben, keine Silbe verraten, keinen Ton von sich geben, keinen Ton verlauten lassen, nicht sprechen, nichts sagen, nichts reden, nichts erwidern, nichts erzählen, nichts entgegnen, Schweigen bewahren, stumm sein, ruhig sein, still sein, stumm bleiben, verschwiegen sein wie ein Grab

Stillschweigen: Friede, Geräuschlosigkeit, Grabesstille, Lautlosigkeit, Schweigen, Stille, Stummheit, Totenstille

stillschweigend: diskret, geheim, heimlich, unauffällig, unbeachtet, unbemerkt, unbeobachtet, unerkannt, ungesehen, verborgen, verschwiegen, verstohlen, ohne viel Aufhebens, sang- und klanglos *schweigend, stumm, tonlos, wortlos

Stillstand: Abfall, Einhalt, Flaute, Halt, Nachlassen, Nullpunkt, Pause, Rückgang, Rückschlag, Stagnation, Stauung, Stockung, toter Punkt

stillstehen: stagnieren, stehen bleiben, auf der Stelle treten *aufhören, ausfallen, aussetzen, stehen bleiben, stocken, versagen

stillvergnügt: beschwingt, erheiternd, fidel, froh, frohgemut, frohgestimmt, fröhlich, frohmütig, gut gelaunt, heiter, lebensfroh, lebenslustig, munter, sorgen-

frei, sorgenlos, strahlend, vergnüglich, gut aufgelegt
stilvoll: vollendet, formvollendet, abgestimmt, auserlesen, geschmackvoll, harmonisch, kultiviert, passend, schön, stilgemäß, stilgerecht
stilwidrig: abgeschmackt, albern, flach, gemein, geschmacklos, gewöhnlich, platt, stillos, ohne Stil
Stilwidrigkeit: Stilbruch, Stillosigkeit *Formlosigkeit, Geschmacklosigkeit, Kitsch, Stillosigkeit, Taktlosigkeit, Unverschämtheit
Stimmabgabe: Abstimmung, Votum, Wahl
stimmberechtigt: abstimmungsberechtigt, stimmfähig, wahlberechtigt
Stimmbruch: Mutation, Stimmwechsel
Stimme: Singstimme *Geräusch, Hall, Klang, Laut, Schall, Ton *Erkenntnis, Meinung, Urteil, Votum
stimmen: einstellen, einstimmen, regulieren *s. bestätigen, s. bewahrheiten, zutreffen, richtig sein, zutreffend sein, wahr sein, in Ordnung sein, der Fall sein *abstimmen, wählen, seine Stimme geben *s. eignen, harmonieren, passen *aufgehen
Stimmengewirr: Dröhnen, Gekreische, Gelärme, Geschrei, Getobe, Getöse, Hallo, Heidenlärm, Heidenspektakel, Höllenlärm, Lärm, Radau, Trara, Trubel, Tumult
stimmig: abgewogen, harmonisch, melodisch, passend, wohlklingend, wohllautend, wohltönend, zusammenstimmend
Stimmlage: Lage, Tonhöhe, Tonlage
Stimmung: Gefühlslage, Gemütslage, Gemütsstimmung, Gemütsverfassung, Gemütszustand, Verfassung *Emotion, Empfinden, Empfindung, Gefühl, Gefühlsbewegung, Gemütsbewegung, Gespür, Instinkt, Organ, Spürsinn, Witterung, seelische Regung *Albernheiten, Allüren, Anwandlung, Einfall, Flausen, Grille, Kaprice, Kapriole, Kinkerlitzchen, Laune, Mucke, Schrulle *Atmosphäre, Klima
stimmungslos: alltäglich, doof, einfach, einfallslos, einförmig, einschläfernd, ereignislos, ermüdend, fad, fade, flau, gleichförmig, langstielig, langweilig, monoton, öde, phantasielos, reizlos, tranig, trist, trocken, trostlos, üblich, uninteressant, unoriginell, wirkungslos, nicht viel los, ohne Pfiff
stimmungsvoll: aufgeheitert, aufgelegt, aufgeschlossen, aufgeweckt, ausgelassen, feuchtfröhlich, freudestrahlend, frisch, froh, frohgemut, fröhlich, gut gelaunt, heiter, lebensfroh, lebenslustig, lustig, munter, sonnig, strahlend, übermütig, überschäumend, übersprudelnd, vergnügt, wohlgemut, heiteren Sinnes *erhaben, feierlich, festlich, getragen, pathetisch, solenn *ausdrucksstark, ausdrucksvoll, bilderreich, poetisch
Stimmwechsel: Mutation, Stimmbruch
Stimulans: Anregungsmittel, Aufputschmittel, Dopingmittel, Elixier, Reizmittel
stimulieren: anfachen, animieren, anregen, anreizen, anspornen, aufpeitschen, aufputschen, aufregen, beleben, dopen, initiieren, innervieren, Auftrieb geben
stimulierend: anfachend, anregend, anreizend, aufpeitschend, aufputschend, aufregend, belebend, innervierend
Stimulus: Anlass, Anregung, Anreiz, Ansporn, Anstoß, Antrieb, Impuls, Triebkraft, Veranlassung *Antrieb, Kitzel, Reiz, Reizung, Sinnesreiz
stinken: duften, dünsten, stinken wie die Pest, übel riechen, scheußlich riechen, bestialisch riechen, schlecht riechen, von üblem Geruch sein, von schlechtem Geruch sein
stinkfaul: arbeitsscheu, bequem, faul, faulenzerisch, inaktiv, müßig, passiv, phlegmatisch, träge, untätig
stinkig: aasig, faul, faulig, muffig
Stinkwut: Ärger, Aufgebrachtheit, Empörung, Entrüstung, Erbitterung, Erregung, Furor, Ingrimm, Rage, Raserei, Wut, Zorn
Stipendium: Studienbeihilfe, Studienförderung, Studienzuschuss, finanzielle Unterstützung
Stippe: Soße, Tunke
stippen: einsenken, eintauchen, eintunken, tunken (in)
Stippvisite: Aufwartung, Besuch, Einla-

dung, Gesellschaft, Höflichkeitsbesuch, Hospitation, Staatsbesuch, Überfall, Unterhaltung, Visite, Zusammenkunft, Zusammensein, das Kommen
Stirnseite: Fassade, Front, Gesicht, Hauptansicht, Straßenseite, Vorderansicht, Vorderfront, Vorderseite, Vorderteil, vordere Ansicht
stöbern: wühlen, herumwühlen, absuchen, durchkämmen, durchsuchen, herumstochern, herumsuchen, kramen
stochern: bohren, einstechen
Stock: Knüppel, Knüttel, Prügel, Rohr, Rohrstock, Stab, Stecken *Krücke, Stütze *Etage, Geschoss, Stockwerk *Ansatz, Ausgangspunkt, Basis, Fundament, Grundlage, Grundstock, Plattform, Voraussetzung, Vorbedingung *Bestand, Fettpolster, Lager, Potenzial, Reserve, Reservefonds, Reservoir, Rücklage, Vorrat
stockbetrunken: trunken, volltrunken, alkoholisiert, angeheitert, angetrunken, benebelt, berauscht, betrunken, bezecht, blau, unter Alkohol
stockdumm: begriffsstutzig, bescheuert, borniert, dämlich, doof, dumm, dümmlich, gutgläubig, hirnlos, naiv, strohdumm, stupide, töricht, unerfahren, unintelligent, unverständig, auf den Kopf gefallen
stockdunkel: dunkel, düster, kohlrabenschwarz, pechrabenschwarz, stockfinster
Stöckel: Absatz, Hacke
stocken: abbrechen, aufhören, aussetzen, erlahmen, festliegen, festsitzen, nachlassen, s. nicht weiterentwickeln, ruhen, stagnieren, stehen bleiben, stillstehen, versanden, versiegen, nicht vorwärtskommen, auf der Stelle bleiben, auf der Stelle treten, nicht vorangehen, nicht weiterkommen *stammeln, stecken bleiben, stottern, den Faden verlieren, nicht weiterwissen, ins Stocken geraten *gerinnen, flockig werden, sauer werden, klumpig werden
stockend: abgehackt, abrupt, holprig, holperig, stammelnd, stoßweise, stotterig, stotternd, stückweise, unzusammenhängend, zusammenhanglos, in Absätzen
stockfinster: dunkel, düster, kohlrabenschwarz, pechrabenschwarz, stockdunkel
stocksteif: hölzern, steif, wie ein Stück Holz, wie ein Stock
Stockung: Ablenkung, Beeinträchtigung, Behelligung, Behinderung, Belästigung, Einschnitt, Störung, Unterbrechung *Abfall, Einhalt, Flaute, Halt, Nachlassen, Nullpunkt, Pause, Rückgang, Rückschlag, Stagnation, Stauung, Stillstand, toter Punkt
Stockwerk: Etage, Geschoss, Stock *Erdgeschoss
Stoff: Masse, Material, Materie, Substanz *Aufgabenstellung, Frage, Gegenstand, Inhalt, Materie, Problem, Thema *Flor, Gespinst, Gestrick, Gewebe, Gewirk, Gewirke, Netz, Tuch *Branntwein *Betäubungsmittel, Drogen, Rauschgift, Rauschmittel, Suchtmittel
Stoffel: Frechdachs, Grobian, Lackel, Lümmel, Rabauke, Rowdy, Rüpel, Schnösel
stoffelig: derb, frech, lümmelhaft, plump, pöbelhaft, rüde, rüpelig, ruppig, schnöselig, unerzogen, ungebührlich, ungehobelt, ungezogen, unhöflich, unmanierlich, unreif, ohne Benehmen
stofflich: körperlich, materiell
stöhnen: ächzen, aufseufzen, aufstöhnen, krächzen, einen Seufzer ausstoßen *jammern, klagen, wehklagen
Stöhnen: Geächze, Geseufze, Gestöhne
stoisch: abgeklärt, ausgeglichen, bedacht, bedachtsam, beherrscht, besonnen, gefasst, gemächlich, gemessen, geruhsam, gezügelt, gleichmütig, harmonisch, kaltblütig, ruhevoll, ruhig, sicher, still, überlegen
Stoizismus: Ausgeglichenheit, Beherrschung, Beschaulichkeit, Besonnenheit, Fassung, Frieden, Gefasstheit, Gelassenheit, Gemächlichkeit, Gemütsruhe, Gleichgewicht, Gleichmut, Haltung, Kontenance, Ruhe, Seelenruhe, Unerschütterlichkeit
Stolper: Ausrutscher, Fehltritt
stolpern: holpern, straucheln, taumeln, umknicken
stolz: anmaßend, anspruchsvoll, arro-

gant, aufgeblasen, dünkelhaft, eingebildet, erfolgssicher, gnädig, herablassend, hochmütig, hochnäsig, ichbewusst, selbstbewusst, selbstgefällig, selbstsicher, selbstüberzeugt, selbstüberzogen, siegessicher, überheblich, wichtigtuerisch, mit erhobenem Haupt, mit geschwellter Brust, erhobenen Hauptes

Stolz: Adel, Durchsetzungsvermögen, Erhabenheit, Größe, Selbstgefühl, Selbstwertgefühl, Selbstachtung, Selbstbewusstsein, Selbstgefühl, Selbstsicherheit, Selbstvertrauen, Sicherheit, Unbeugsamkeit, Vornehmheit, Wertbewusstsein, Würde *Anmaßung, Arroganz, Aufgeblasenheit, Blasiertheit, Dünkel, Dünkelhaftigkeit, Einbildung, Eingebildetheit, Herablassung, Hochmut, Hochmütigkeit, Hoffart, Selbstgefälligkeit, Selbstgerechtigkeit, Selbstüberhebung, Süffisance, Überheblichkeit, (übertriebenes) Geltungsbedürfnis

stolzieren: flanieren, gehen, schreiten, stelzen, erhobenen Hauptes gehen

stopfen: ausbessern, ausflicken, flicken, zusammennähen *ausfüttern, herausfüttern, aufmästen, ausmästen, mästen, nudeln, sättigen *obstipieren, verstopfen

Stopfen: Kork, Korken, Pfropf, Pfropfen, Spund, Stöpsel, Zapfen

stopp: halt, genug!, Schluss!

Stopp: der Halt, das Anhalten, die Unterbrechung *Stoppball

Stoppelbart: Backenbart, Bart, Bärtchen, Bartstoppeln, Bartwuchs, Dreitagebart, Flaum, Kinnbart, Koteletten, Lippenbart, Milchbart, Schnauzbart, Schnauzer, Schnurrbart, Spitzbart, Stoppeln, Vollbart

stoppelig: borstig, kratzig, rau, stachelig, stechend, stoppelbärtig, stopplig, strubbelig, struppig, unordentlich, unrasiert, zerzaust, zottig, nach allen Seiten abstehend, von Stoppeln bedeckt

stoppeln: dilettieren, murksen, pfuschen, stümpern

Stoppeln: Stoppelfeld *Bartstoppeln, Bartwuchs

stoppen: abbrechen, abschließen, aufhören, aussetzen, unterlassen, ein Ende machen, einen Schlussstrich machen, zu Ende führen *abstellen, anhalten, bremsen, halten, Halt machen, stehen bleiben, stocken

Stoppzeichen: Halteschild, Haltezeichen

Stöpsel: Kork, Korken, Pfropf, Pfropfen, Spund, Stopfen, Zapfen *Knirps, Zwerg

störanfällig: empfindlich, reparaturanfällig, reparaturfeindlich, leicht zu stören

Storch: Adebar, Klapperstorch

Store: Gardine, Scheibengardine, Übergardine, Vorhang

stören: behelligen, nerven, plagen, nicht in Ruhe lassen, zur Last fallen *behindern, entgegenarbeiten, entgegenwirken, hemmen, sabotieren, vereiteln, Sabotage treiben, Sand ins Getriebe streuen *dazwischenreden, dazwischenrufen, s. einmischen, unterbrechen, ins Wort fallen *hindern, sabotieren

störend: behindernd, belastend, beschwerlich, hemmend, hinderlich, lästig, mühevoll, mühsam, nachteilig, unbequem, ungünstig, unvorteilhaft, unwillkommen, zeitraubend, im Wege

Störenfried: Eindringling, Fremdkörper, Hetzer, Krakeeler, Krawallmacher, Provokateur, Radaubruder, Radaumacher, Rowdy, Schreier, Unruhestifter *Aggressor, Friedensstörer, Kriegshetzer, Kriegstreiber

stornieren: ausgleichen, berichtigen, löschen, tilgen, zurücknehmen, zurücktreten (von), außer Kraft setzen, für ungültig erklären, rückgängig machen, ungültig machen

Stornierung: Berichtigung, Löschung, Tilgung, Ungültigkeitserklärung, Zurücknahme

Störrigkeit: Bockbeinigkeit, Eigensinn, Renitenz, Trotz, Widerborstigkeit, Widersetzlichkeit, Widerspenstigkeit

störrisch: aufmüpfig, aufsässig, bockbeinig, bockig, dickköpfig, dickschädelig, eigensinnig, eisern, fest, halsstarrig, hartgesotten, kompromisslos, kratzbürstig, rechthaberisch, starrköpfig, starrsinnig, stur, trotzig, unaufgeschlossen, unbelehrbar, unerbittlich, unfolgsam, ungehorsam, unnachgiebig, unversöhnlich, unzugänglich, verbohrt, verständnislos,

verstockt, widerborstig, widersetzlich, widerspenstig
Störung: Ablenkung, Beeinträchtigung, Behelligung, Behinderung, Belästigung, Einschnitt, Stockung, Unterbrechung *Panne, Schaden *Kurzschluss, Stromunterbrechung
störungsfrei: einwandfrei, hervorragend *reparaturfreundlich, störungsarm, wartungsfrei
Story: Anekdote, Erzählung, Geschichte, Märchen, Novelle, Skizze
Stoß: Knuff, Nasenstüber, Puff, Rippenstoß, Schub, Stups, Tritt *Hieb, Klaps, Puff, Schlag, Streich *Beben, Erdbeben, Erderschütterung, Erdstoß, Erschütterung, Gerüttel, Holper *Anhäufung, Berg, Haufen, Menge, Stapel
stoßen: knuffen, puffen, rempeln, stauchen, einen Stoß geben, einen Stoß versetzen *heben, hochheben, drücken, reißen, stemmen *holpern, rattern, rumpeln ***s. stoßen:** anecken, anstoßen, s. wehtun *s. beklagen, missbilligen, monieren, reklamieren
Stoßkraft: Durchschlagskraft, Effekt, Schlagkraft, Wirksamkeit, Wirkung, Zugkraft
Stoßseufzer: Ächzer, Schluchzer, Schmerzensruf, Seufzer
stoßweise: ruckartig, ruckweise, in Schüben, in Stößen
Stoßzeit: Hauptverkehrszeit, Rushhour
Stotterer: Stammler
stotterig: abgehackt, abrupt, holprig, holperig, stammelnd, stockend, stoßweise, stotternd, stückweise, unzusammenhängend, zusammenhanglos, in Absätzen
stottern: radebrechen, stammeln, stammern
stotternd: abgehackt, gacksend, unzusammenhängend
stracks: direkt *alsbald, augenblicklich, augenblicks, direkt, flink, flugs, geradewegs, gleich, momentan, postwendend, prompt, schleunigst, schnellstens, schnurstracks, sofort, sogleich, spornstreichs, umgehend, ungesäumt, unmittelbar, unverweilt, unverzüglich, auf Anhieb, auf der Stelle, im Augenblick, eilenden Fußes, ohne Verzögerung, ohne Verzug, ohne Aufschub, ohne Aufenthalt, im Nu, im Handumdrehen, auf einen Ruck, lieber heute als morgen
Strafanstalt: Anstalt, Gefängnis, Haftanstalt, Strafvollzugsanstalt, Vollzugsanstalt, Zuchthaus
strafbar: gesetzwidrig, illegal, illegitim, irregulär, kriminell, ordnungswidrig, rechtswidrig, sträflich, strafwürdig, tabu, unbefugt, unerlaubt, ungesetzlich, unrechtlich, unrechtmäßig, unstatthaft, untersagt, unzulässig, verboten, verfassungswidrig, verpönt, widerrechtlich, ohne Recht, ohne rechtliche Grundlage, ohne gesetzliche Grundlage
Strafe: Abrechnung, Bestrafung, Buße, Denkzettel, Heimzahlung, Lehre, Lohn, Strafaktion, Sühne, Vergeltung, Vergeltungsmaßnahme *Körperstrafe, Züchtigung
strafen: abrechnen, ahnden, bestrafen, maßregeln, rächen, s. revanchieren, vergelten, züchtigen, Vergeltung üben, Rache üben
Straferlass: Absolution, Amnestie, Amnestierung, Begnadigung, Freisprechung, Lossprechung, Straffreiheit, Strafnachlass, Vergebung, Verzeihung
straff: fest, gespannt, straffgezogen, stramm *faltenlos, gestrafft, prall *eisern, militärisch, rigoros, soldatisch, strikt, gut durchorganisiert *aufgerichtet, aufrecht, gerade ***straff gezogen:** fest, gespannt, straff, stramm ***straff ziehen:** anspannen, anziehen, spannen, straffen, strammziehen
straffen: spannen, anspannen, straff ziehen, stramm ziehen *glätten ***s. straffen:** s. glätten, straff werden, glatt werden *s. dehnen, s. recken, s. strecken
straffrei: freigesprochen, schuldlos *geschützt, immun *schuldlos, unbestraft, ungeschoren
Straffreiheit: Absolution, Amnestie, Amnestierung, Begnadigung, Freisprechung, Lossprechung, Straferlass, Strafnachlass, Vergebung, Verzeihung
Strafgefangener: Häftling, Sträfling, der Inhaftierte, der Gefangene, der Insasse
sträflich: gesetzwidrig, illegal, illegitim,

irregulär, kriminell, ordnungswidrig, rechtswidrig, strafbar, strafwürdig, tabu, unbefugt, unerlaubt, ungesetzlich, unrechtlich, unrechtmäßig, unstatthaft, untersagt, unzulässig, verboten, verfassungswidrig, verpönt, widerrechtlich, ohne Recht, ohne rechtliche Grundlage, ohne gesetzliche Grundlage

Strafpredigt: Donnerwetter, Epistel, Gardinenpredigt, Lektion, Moralpredigt, Predigt, Standpauke, Strafrede, Tadel, Zurechtweisung

Strafprozess: Gerichtstermin, Gerichtsverfahren, Gerichtsverhandlung, Prozess, Rechtsstreit, Rechtsverfahren, gerichtliche Untersuchung, gerichtliche Auseinandersetzung

Strafrecht: Strafprozessrecht

Strafrede: Donnerwetter, Epistel, Gardinenpredigt, Lektion, Moralpredigt, Predigt, Standpauke, Strafpredigt, Tadel, Zurechtweisung

Strafsache: Strafdelikt, Straftat, Verbrechen, Vergehen

Straftat: Delikt, Entgleisung, Fehler, Übertretung, Unrecht, Vergehen, Verstoß, Zuwiderhandlung *Bluttat, Delikt, Gewalttat, Gewaltverbrechen, Gräueltat, Kapitalverbrechen, Missetat, Schandtat, Übeltat, Übertretung, Untat, Verbrechen, Vergehen

Strafvollstreckung: Strafe, Strafvollziehung, Strafvollzug

Strafvollzugsanstalt: Anstalt, Gefängnis, Haftanstalt, Strafanstalt, Vollzugsanstalt, Zuchthaus *Arrestlokal, Bau, Bunker, Hungerturm, Karzer, Kerker, Kittchen, Verlies

Strafzettel: Bußzettel, Protokoll, Strafmandat, Verwarnung, Wisch

Strahl: Wasserstrahl *Lichtstrahl, Schein, Sonnenschein, Strahlen

strahlen: s. freuen *blinken, blinkern, blitzen, flimmern, funkeln, glänzen, gleißen, glimmern, glitzern, leuchten, schimmern, spiegeln *blinken, blitzen, funkeln, glänzen, gleißen, glitzern, leuchten, scheinen, schimmern *ausstrahlen, ausströmen, emittieren, spenden

strahlend: aufgeheitert, durchsonnt, freundlich, heiter, hell, klar, prächtig, schön, sommerlich, sonnendurchflutet, sonnenhell, sonnig, wolkenlos *vergnügt, stillvergnügt, aufgelegt, ausgelassen, beschwingt, erheiternd, fidel, froh, frohgemut, frohgestimmt, fröhlich, frohmütig, gut gelaunt, heiter, lebensfroh, lebenslustig, lustig, munter, sorgenfrei, sorgenlos, sorglos, vergnüglich, vergnügt, gut aufgelegt *blank, blinkend, blitzend, funkelnd, geputzt, glänzend, gleißend, glitzernd, leuchtend, opalisierend, poliert, schillernd, schimmernd *beleuchtet, erleuchtet, freundlich, glänzend, hell, hellicht, leuchtend, lichtdurchflutet, lichterfüllt, sonnig

strahlenförmig: radial, radiär

Strahlensymmetrie: Radialsymmetrie

Strahlentherapie: Bestrahlung, Strahlenbehandlung

Strahlung: Radiation

Strähne: Haarbüschel, Strang

strähnig: unfrisiert, ungekämmt

stramm: gespannt, angespannt, gedehnt, straff, straffgezogen *faltenlos, gestrafft, prall *eisern, militärisch, rigoros, soldatisch, strikt, gut durchorganisiert *athletisch, kräftig, muskulös, robust, sportlich, vergnüglich *eng, eng anliegend, hauteng *angestrengt ***stramm ziehen:** anspannen, anziehen, spannen, straffen, straff ziehen

strammziehen: verhauen, verprügeln

strampeln: hampeln, schaukeln, schlenkern, wackeln, wippen, zappeln, nicht stillsitzen, hin und her wippen *radeln, Rad fahren, in die Pedale treten

Strand: Bord, Gestade, Küste, Meeresufer, Ufer

stranden: auffahren, auflaufen, aufsitzen, auf Grund laufen, auf Grund geraten *scheitern

Strang: Drahtseil, Fall, Kabel, Leine, Reep, Seil, Stahlseil, Strick, Tau, Trosse

strangulieren: abwürgen, drosseln, erdrosseln, erhängen, ermorden, ersticken, erwürgen, töten, würgen, die Kehle zudrücken, die Kehle zuschnüren

Strapaze: Anstrengung, Arbeit, Beschwerlichkeit, Druck, Kraftaufwand, Last, Mühe, Überbelastung

strapazieren: abnutzen, verbrauchen

*abverlangen, anstrengen, beanspruchen, belasten, ermüden, erschöpfen, missbrauchen, überbeanspruchen *s. **strapazieren:** s. mühen, s. abmühen, s. plagen, s. abplagen, s. quälen, s. abquälen, s. abarbeiten, s. abplacken, s. abrackern, s. abschleppen, anspannen, s. anstrengen, s. aufreiben, s. befleißigen, s. bemühen, s. etwas abverlangen, s. fordern, s. Mühe geben, s. schinden, s. überanstrengen

strapazierfähig: bruchfest, fest, haltbar, kompakt, massiv, solide, unverwüstlich, unzerbrechlich, widerstandsfähig

Strapazierfähigkeit: Beständigkeit, Haltbarkeit, Unvergänglichkeit

strapaziös: angreifend, anstrengend, aufreibend, belastend, beschwerlich, ermattend, ermüdend, erschöpfend, mühevoll, schwer, schwierig

Straps: Strumpfband, Strumpfhalter

Straße: Achse, Fahrstraße, Fahrweg *Damm, Fahrbahn, Fahrdamm, Fahrspur, Fahrstraße, Straßendamm *Fernverkehrsstraße, Hauptstraße, Landstraße

Straßenauflauf: Ansammlung, Auflauf, Gedränge, Zusammenrottung

Straßenbahn: Tram, Trambahn, die Elektrische

Straßenkehrer: Gassenkehrer, Straßenfeger

Straßenkreuzung: Abzweigung, Kreuzung, Wegekreuz, Wegkreuzung

Straßenmädchen: Beischläferin, Callgirl, Dirne, Freudenmädchen, Hure, Kokotte, Kurtisane, Prostituierte, Strichmädchen, leichtes Mädchen

Straßenmusikant: Bettelmusikant, Straßensänger

Straßenräuber: Dieb, Plünderer, Räuber, Seeräuber, Straßenbande, Strauchdieb, Strauchritter, Verbrecher, Wegelagerer

Straßensperre: Abriegelung, Absperrung, Kordon

Straßenverkehr: Autoverkehr, Berufsverkehr, Fernverkehr, Reiseverkehr, Verkehr

Strategie: Kampfplanung, Kriegskunst, Taktik *Berechnung, Kalkül, Politik, Taktik, Verhandlungskunst

strategisch: diplomatisch, taktisch, schlau, geschickt

sträuben: aufrichten, stellen, zu Berge stehen ***s. sträuben:** s. aufbäumen, aufbegehren, s. auflehnen, s. dagegenstellen, s. empören, s. erheben, meutern, rebellieren, s. widersetzen, aufstehen (gegen), Widerstand leisten

Strauch: Busch, Buschwerk, Staude

Strauchdieb: Dieb, Plünderer, Räuber, Straßenbande, Straßenräuber, Strauchritter, Verbrecher, Wegelagerer

straucheln: holpern, stolpern *vergehen *scheitern, zerbrechen

Strauchwerk: Buschwerk, Dickicht, Gebüsch, Gesträuch, Gestrüpp, Hecke, Jungholz, Reisig, Unterholz

Strauß: Blumenstrauß, Bukett *Straußenvogel *Kampf, Plänkelei

Strebe: Steife, Stützbalken, Träger, Versatzung

streben: anstreben, erstreben, trachten, zielen (auf), ein Ziel verfolgen

Streben: Bestreben, Wetteifer, das Trachten *Ambition, Ehrgeiz, Ehrsucht, Eitelkeit, Ruhmbegierde, Ruhmsucht, Strebertum

Streber: Ehrgeizling, Karrieremacher, Karrierist, Opportunist *Musterknabe, Musterschüler

streberhaft: ehrgeizig, ehrsüchtig, eitel, ruhmsüchtig

strebsam: arbeitsam, arbeitswillig, aufstrebend, beharrlich, betriebsam, ehrgeizig, eifrig, emsig, fleißig, geschäftig, hochstrebend, leistungswillig, lernbegierig, lerneifrig, streberhaft, tätig, tüchtig

Strebsamkeit: Anspannung, Beflissenheit, Bereitschaft, Bereitwilligkeit, Bestreben, Betriebsamkeit, Dienstwilligkeit, Ehrgeiz, Eifer, Ergebenheit, Gefälligkeit, Mühe, Regsamkeit, Rührigkeit, Streben, Tatendrang, Tatenlust *Arbeitsfreude, Arbeitslust, Emsigkeit, Fleiß, Schaffenslust

Strecke: Schienenweg, Verkehrslinie *Anfahrt, Anfahrtsweg *Distanz, Ecke, Ende, Entfernung, Etappe, Weglänge, Wegstrecke

strecken: dehnen, ausdehnen, ausweiten, ausziehen, recken, spannen, in die Breite strecken, in die Länge strecken, in die Breite ziehen, in die Länge ziehen *verzögern *panschen, verdünnen, verlängern, verwässern ***s. strecken:** s. ausspannen, s. dehnen, s. recken, s. ziehen, breiter werden, länger werden, größer werden *s. erstrecken

streckenweise: bisweilen, gelegentlich, mancherorts, manchmal, mitunter, sporadisch, stellenweise, stoßweise, vereinzelt, verschiedentlich, zeitweilig, zeitweise, zuweilen, zuzeiten, ab und zu, dann und wann, hin und wieder, nicht immer, von Zeit zu Zeit

Streich: Bubenstreich, Dummejungenstreich, Dummheit, Eskapade, Eulenspiegelei, Hanswursterei, Jungenstreich, Lausbüberei, Schabernack, Schelmenstreich, Spitzbubenstreich *Albernheit, Ausgelassenheit, Clownerie, Faxen, Gaukelei, Harlekinade, Humor, Jokus, Jux, Narretei, Possen, Schabernack, Schelmenstreich, Schelmerei, Scherz, Spaß, Spaßerei, Spielerei, Ulk, Unsinn, Witz, Witzelei, Witzigkeit *Hieb, Klaps, Puff, Schlag, Stoß

streicheln: hätscheln, kraulen, liebkosen, tätscheln

streichen: ausklammern, auslassen, ausschließen, aussparen, beseitigen, entfernen, herausnehmen, kürzen, tilgen, weglassen, beiseite lassen *anmalen, anstreichen, bemalen, bepinseln, kalken, übertünchen, weißen *streicheln *streifen, wischen (über), fahren (über) *auftragen, beschmieren, bestreichen *ausixen, ausstreichen, durchkreuzen, durchstreichen *abstreichen, abziehen, begrenzen, reduzieren, verkleinern, vermindern, verringern *abblasen, absagen, absetzen, ausfallen, nicht stattfinden (lassen)

Streichholz: Hölzchen, Reibholz, Zünder, Zündholz

Streichung: Absetzung, Abstrich, Begrenzung, Beschneidung, Dezimierung, Einschränkung, Kürzung, Minderung, Reduzierung, Verminderung, Verringerung *Abdeckung, Ablösung, Abschreibung, Absetzung, Abtragung, Abzahlung, Amortisation, Bezahlung, Löschung, Tilgung

streifen: anbringen, andeuten, ansprechen, aufführen, aufzählen, berühren, einflechten, erwähnen, fallen lassen, kurz sprechen (von), nennen, vorbringen, beiläufig nennen, kurz sprechen (über), nebenbei sagen, zur Sprache bringen, einfließen lassen *anfassen, angreifen, angrenzen, anrühren, antasten, antippen, antupfen, befühlen, berühren, betasten, heranreichen, liebkosen, tangieren *abhäuten

Streifen: Strieme, Striemen *Film, Filmstreifen, Filmwerk *Stück

Streifzug: Bummel, Erkundungsfahrt, Promenade, Spaziergang, Tour *Abhandlung, Darlegung, Skizze

Streik: Arbeitseinstellung, Arbeitskampf, Arbeitsniederlegung, Arbeitsverweigerung, Ausstand, Kampfmaßnahme

streiken: s. im Ausstand befinden, in den Streik treten, in den Ausstand treten, die Arbeit niederlegen, die Arbeit einstellen, im Ausstand stehen

Streit: Auftritt, Auseinandersetzung, Differenzen, Disharmonie, Entzweiung, Fehde, Gegensätzlichkeit, Gezänk, Hader, Hakelei, Händel, Handgemenge, Handgreiflichkeit, Kollision, Konflikt, Kontroverse, Krawall, Missklang, Missverständnis, Querelen, Reiberei, Reibung, Saalschlacht, Scharmützel, Spannung, Streiterei, Streitigkeit, Stunk, Szene, Tätlichkeit, Unfriede, Unzuträglichkeit, Widerstand, Widerstreit, Wortgefecht, Zank, Zerwürfnis, Zusammenprall, Zusammenstoß, Zwietracht, Zwist, Zwistigkeit

streitbar: aggressiv, angriffslustig, bissig, böse, feindselig, furios, hadersüchtig, händelsüchtig, herausfordernd, hitzig, kampfbereit, kämpferisch, kampfesfreudig, kampflustig, leidenschaftlich, militant, polemisch, provokant, provokatorisch, rechthaberisch, reizbar, streitlustig, streitsüchtig, unfriedlich, unverträglich, zankhaft, zänkisch, zanksüchtig

streiten: krakeelen, plänkeln, rechten, stänkern, eine Szene machen *aneinandergeraten, fechten, kämpfen, s. messen (mit), schießen, s. schlagen, Blut vergießen, die Klingen kreuzen, Krieg führen, Kugeln wechseln, einen Kampf führen

***s. streiten:** s. anbinden, aneinandergeraten, s. anfeinden, s. anlegen (mit), s. auseinander setzen, s. befehden, s. bekriegen, debattieren, disputieren, s. entzweien, s. häkeln, kollidieren, s. krachen, s. überwerfen, s. verfeinden, s. verzanken, s. zanken, s. zerstreiten, zusammenstoßen, in Streit liegen, in Streit geraten, als Feind ansehen *differieren, divergieren, s. nicht einigen können, widersprechen, eine Sache verschieden sehen, nicht übereinkommen, nicht übereinstimmen, verschiedener Meinung sein, voneinander abweichen
Streiter: Avantgardist, Vordenker, Vorkämpfer, Verfechter *Desperado, Draufgänger, Haudegen, Heißsporn, Kämpfer, Pionier, Schrittmacher, Verteidiger
Streiterei: Auftritt, Auseinandersetzung, Differenzen, Disharmonie, Entzweiung, Fehde, Gegensätzlichkeit, Gezänk, Hader, Hakelei, Händel, Handgemenge, Handgreiflichkeit, Kollision, Konflikt, Kontroverse, Krawall, Missklang, Missverständnis, Querelen, Reiberei, Reibung, Saalschlacht, Scharmützel, Spannung, Streitigkeit, Szene, Tätlichkeit, Unfriede, Unzuträglichkeit, Widerstand, Widerstreit, Wortgefecht, Zank, Zerwürfnis, Zusammenprall, Zusammenstoß, Zwietracht, Zwist, Zwistigkeit
Streitfrage: Haken, Hauptfrage, Kernfrage, Klippe, Komplexität, Kompliziertheit, Problem, Problematik, Streitgegenstand, Verwicklung, schwierige Frage, strittiger Punkt, schwieriger Punkt, ungelöste Aufgabe
Streitgespräch: Debatte, Diskurs, Disput, Disputation, Erörterung, Polemik, Streit, Wortgefecht, Wortstreit
streitig: bestreitbar, offen, umstritten
Streitigkeit: Auseinandersetzung, Disput, Gezänk, Hader, Reiberei, Streit, Zank, Zerwürfnis, Zusammenprall, Zusammenstoß
Streitkräfte: Armee, Militär, Streitmacht, Truppen
streitlustig: aggressiv, angriffslustig, furios, händelsüchtig, herausfordernd, hitzig, kampfbereit, kämpferisch, kampfesfreudig, kampflustig, kampfmutig, kriegerisch, leidenschaftlich, martialisch, militant, provokant, streitbar, streitsüchtig, zänkisch, zanksüchtig
Streitobjekt: Streitgegenstand, Streitgrund, Streitpunkt, Streitursache, Zankapfel, Stein des Anstoßes
Streitsucht: Händelsucht, Händelsüchtigkeit, Streitlust, Streitsüchtigkeit, Zanksucht
streitsüchtig: aggressiv, angriffslustig, bissig, böse, feindselig, hadersüchtig, hadrig, herausfordernd, kampfbereit, kämpferisch, kampflustig, militant, polemisch, provokant, provokatorisch, rechthaberisch, reizbar, streitbar, streitlustig, unfriedlich, unverträglich, zankhaft, zänkisch, zanksüchtig
Streitsüchtiger: Geiferer, Raufbold, Streithahn, Streithammel, Unruhestifter, Zankapfel, Zänker, Zankteufel
streng: apodiktisch, barsch, bestimmt, bündig, diktatorisch, disziplinarisch, drakonisch, eisern, energisch, entschieden, ernst, fest, gebieterisch, gestreng, hart, hartherzig, herrisch, konsequent, massiv, rigoros, rücksichtslos, scharf, schroff, schwer, soldatisch, spartanisch, straff, strikt, unbarmherzig, unerbittlich, unnachsichtig, unwidersprechlich *hart, kalt, schneereich *inhuman, unmenschlich *intolerant, konservativ, rechthaberisch *scharf, stechend *autoritär, repressiv *schlimm, unglücklich
***streng genommen:** eigentlich, genau genommen, gewissermaßen, ordnungsgemäß, rechtens, schließlich, sozusagen, ursprünglich, an sich, an und für sich, im Grunde, von Rechts wegen
Strenge: Gewalt, Härte, Heftigkeit, Hitzigkeit, Schärfe *Deutlichkeit, Genauigkeit, Ordnung, Prägnanz *Gnadenlosigkeit, Hartherzigkeit, Kompromisslosigkeit, Massivität, Rigorosität, Schonungslosigkeit, Striktheit, Unerbittlichkeit, Ungerührtheit, Unnachsichtigkeit
strenggläubig: fromm, gottesfürchtig, kirchlich, orthodox, rechtgläubig
Strenggläubigkeit: Frömmigkeit, Orthodoxie, Rechtgläubigkeit
Stress: Anstrengung, Arbeit, Beschwer-

lichkeit, Druck, Kraftaufwand, Last, Mühe, Strapaze, Überbelastung *Arbeitssucht *Mobbing, Psychoterror
stressen: anstrengen, aufreiben, aushöhlen, belasten, fertig machen, missbrauchen, schlauchen, strapazieren *mobben, terrorisieren
stressig: anstrengend, aufregend, aufreibend, beschwerlich, ermüdend, erschöpfend, mühevoll, mühsam, mühselig, nervenaufreibend, schwer, schwierig, strapaziös, zu viel
Streu: Einstreu, Stroh, Strohlager
streuen: ausbreiten, ausstreuen, austeilen, säen, umherstreuen, verstreuen, verteilen, zerplatzen, zerstreuen *verteilen *s. ausweiten, bilden, entstehen *abweichen, s. unterscheiden
streunen: s. herumtreiben, strolchen, umherlaufen, umherziehen, vagabundieren, zigeunern
Strich: Abschnitt, Breiten, Ecke, Gegend, Geländeabschnitt, Himmelsstrich, Landschaftsgebiet, Landstrich, Region, Sektor *Linie
Strichjunge: Homo, Homosexueller, Schwuler, der Invertierte, der Homophile, warmer Bruder, warmer Onkel, der Halbseidene, der Schwule
Strichmädchen: Beischläferin, Callgirl, Dirne, Freudenmädchen, Hure, Kokotte, Kurtisane, Prostituierte, Straßenmädchen, leichtes Mädchen
strichweise: gebietsweise, gelegentlich, mancherorts, regional, stellenweise, streckenweise, vereinzelt, verstreut, an manchen Stellen, hier und da
Strick: Drahtseil, Fall, Kabel, Leine, Reep, Seil, Stahlseil, Strang, Tau, Trosse *Frechdachs, Lausbub, Lausebengel
Strickarbeit: Strickerei
stricken: handarbeiten, eine Handarbeit machen
Strickleiter: Himmelsleiter, Jakobsleiter *Fallreep
striegeln: bürsten, frisieren, glätten, kämmen
Strieme: Streifen, Striemen
strikt: apodiktisch, barsch, bestimmt, bündig, diktatorisch, disziplinarisch, drakonisch, eisern, entschieden, ernst, fest, gebieterisch, hart, herrisch, konsequent, massiv, rigoros, scharf, schroff, schwer, soldatisch, straff, streng, unbarmherzig, unerbittlich, unwidersprechlich
Strippe: Apparat, Draht, Fernsprechapparat, Fernsprecher, Telefon *Band, Bindfaden, Faden, Schnur
Striptease: Entkleidungsnummer, Entkleidungstanz, Nackttanz, Strip
strittig: bedenklich, bestreitbar, fraglich, fragwürdig, offen, problematisch, umstritten, undurchschaubar, ungeklärt, ungewiss, unsicher, zweifelhaft
Stroh: Gerede, Geschwätz, Quatsch, dummes Zeug *Einstreu, Streu, Strohlager
strohdumm: begriffsstutzig, bescheuert, borniert, doof, dumm, dümmlich, gutgläubig, hirnlos, naiv, stupide, töricht, unerfahren, unintelligent, unverständig, auf den Kopf gefallen
strohig: ausgetrocknet, holzig, mürbe, trocken, unelastisch, ungenießbar
Strohkopf: Dummkopf, Tollpatsch, Tölpel
Strohlager: Einstreu, Streu
Strohmann: Marionette, Werkzeug *Getreidepuppe, Popanz, Scheuche, Strohpuppe, Vogelscheuche, Vogelschreck *Agent, Beauftragter, Funktionär, Unterhändler
Strohpuppe: Getreidepuppe, Popanz, Scheuche, Strohmann, Vogelscheuche, Vogelschreck
Strolch: Bube, Erzgauner, Gangster, Ganove, Gauner, Halunke, Kanaille, Kreatur, Lump, Schuft, Schurke, Spitzbube, Wicht *Faulenzer, Früchtchen, Galgenstrick, Galgenvogel, Gammler, Haderlump, Herumtreiber, Landstreicher, Nichtsnutz, Stromer, Taugenichts, Tunichtgut
strolchen: s. drücken, s. herumdrücken, streunen, herumstreunen, vagabundieren, herumvagabundieren, zigeunern, herumzigeunern, herumlottern, herumlungern, herumschleichen, herumschwirren, herumstreichen, herumstreifen, herumstrolchen, herumstromern, s. herumtreiben, stromern, umherschweifen, umherstreichen, auf der Gasse liegen

Strom: Elektrizität *Fluss, Gewässer, Wasserader, Wasserlauf *Drift, Sog, Strömung, Trift
stromabwärts: flussabwärts, den Strom hinunter
stromaufwärts: flussaufwärts, den Strom hinauf
Strombett: Bett, Flussbett
strömen: quellen, herausquellen, s. ergießen, fließen, fluten, herausströmen, sprudeln, wallen, wogen
Stromer: Faulenzer, Früchtchen, Galgenstrick, Galgenvogel, Gammler, Haderlump, Herumtreiber, Landstreicher, Nichtsnutz, Strolch, Taugenichts, Tunichtgut *Landstreicher
stromern: s. drücken, s. herumdrücken, strolchen, herumstrolchen, vagabundieren, herumvagabundieren, zigeunern, herumzigeunern, herumlottern, herumlungern, herumschleichen, herumschwirren, herumstreichen, herumstreifen, herumstreunen, s. herumtreiben, umherschweifen, umherstreichen, auf der Gasse liegen
Stromerzeuger: Dynamo, Generator
Stromerzeugung: Energieerzeugung, Energiegewinnung
Stromnetz: Leitungsnetz, Netz, Verbundnetz
Stromsammler: Akku, Akkumulator, Batterie, Kraftspeicher, Speicher, Stromspeicher
Stromschnelle: Katarakt, Wasserfall
Stromspeicher: Akku, Akkumulator, Batterie, Kraftspeicher, Speicher, Stromsammler
Strömung: Brandung, Drift, Sog, Strom, Trift *Bewegung, Entwicklung, Richtung, Schattierung, Schule, Tendenz, Trend, Welle
Strophe: Abschnitt, Gedicht, Poem, Vers
strotzen: angefüllt sein (mit), blühen, platzen, prangen, starren (vor), überlaufen, voll sein (von)
strotzend: beleibt, kräftig, stattlich *großtuerisch, prahlerisch, prunkend
strubblig: strähnig, strobelig, strubbelig, struppig, unfrisiert, ungekämmt, unordentlich, verstrubbelt, zerzaust, zottig, nach allen Seiten abstehend
Strudel: Sog, Wirbel *Betrieb, Hochbetrieb, Rummel, Trubel, Unruhe *Chaos, Hochbetrieb
strudeln: kreiseln, perlen, quirlen, schwirren, wirbeln
Struktur: Gliederung *Anlage, Anordnung, Aufbau, Aufriss, Gliederung
strukturieren: anlegen, anordnen, arrangieren, aufbauen, aufstellen, gliedern, gruppieren, zusammensetzen, zusammenstellen
strukturiert: geordnet, angeordnet, gegliedert, aufgegliedert, aufgefächert, aufgeteilt, gestaffelt, klassifiziert, segmentiert, systematisiert, untergliedert, unterteilt
strukturlos: amorph, formlos, gestaltlos, unförmig, ungeformt, ungegliedert, ungestaltet, unstrukturiert
Strumpf: Kniestrumpf, Socke, Strumpfhose
Strumpfhalter: Hüfthalter, Straps, Strumpfband, Strumpfgürtel
Strunk: Stamm, Stängel, Stubben, Stummel, Stumpf
struppig: borstig, rau, stachelig, stoppelig, strubbelig, unfrisiert, ungekämmt, unordentlich, zerzaust, zottig, nach allen Seiten abstehend
Stube: Bude, Kammer, Raum, Räumlichkeit, Zimmer
Stubenhocker: Brillenschlange, Bücherwurm, Couchpotatoe, Ofenhocker
Stubenmädchen: Hausangestellte, Hausgehilfin
stubenrein: abgerichtet, erzogen, rein, reinlich, sauber, trocken *anständig, sauber
Stück: Bruchstück, Bruchteil, Schnitz, Schnitzel, Teil *Brotstück, Schnitte, Stulle *Bissen, Brocken, Happen *Etappe, Strecke, Teilstück *Fetzen, Lumpen *Bühnendichtung, Bühnenspiel, Bühnenstück, Bühnenwerk, Spiel, Theaterstück *Exemplar *Grundstück
stückeln: ausbessern, Stücke einsetzen, aus Stücken zusammensetzen *teilen
stucken: pauken, einpauken, s. anlesen, s. auf den Hosenboden setzen, büffeln, s. einprägen, einüben, erlernen, s. etwas beibringen, s. Fähigkeiten aneignen, s.

Kenntnisse aneignen, lernen, memorieren, studieren, s. Wissen aneignen, s. zu eigen machen, auswendig lernen, über den Büchern sitzen, die Nase in ein Buch stecken

Stückgut: Fracht, Frachtgut, Frachtstück, Fuhre, Kargo, Ladung, Last, Transport, Versandgut

stückweise: brockenweise, häppchenweise, happenweise, in einzelnen Etappen, in einzelnen Stücken, in einzelnen Brocken, nach und nach, in Etappen

Stückwerk: Dilettantismus, Gestümper, Murkserei, Stümperei *Bruchstück, Fragment, Rest, Torso

Student: Hörer, Kommilitone, Studierender, Studiosus

Studie: Abhandlung, Analyse, Arbeit, Beobachtung, Untersuchung

Studienkollege: Kommilitone, Mitstudent, Studienfreund, Studiengenosse

studieren: pauken, einpauken, s. aneignen, s. anlernen, s. anlesen, s. auf den Hosenboden setzen, büffeln, s. einprägen, einüben, erlernen, erwerben, s. etwas beibringen, s. Fähigkeiten aneignen, s. Kenntnisse aneignen, lernen, memorieren, s. Wissen aneignen, s. zu eigen machen, auswendig lernen, über den Büchern sitzen, die Nase in ein Buch stecken *auslesen, durcharbeiten, durchlesen, lesen, schmökern, ein Buch zur Hand nehmen, ein Buch in die Hand nehmen, etwas verschlingen

studiert: akademisch, belesen, beschlagen, bewandert, erfahren, gebildet, gelehrt, gescheit, geschult, intelligent, kenntnisreich, klug, kundig, sachverständig, versiert, verständig, weise

Studierter: Akademiker, Hochschulabsolvent, Wissenschaftler

Studio: Atelier, Filmatelier, Filmstudio *Atelier, Fabrik, Werkhalle, Werkstatt, Werkstätte

Studium: Aneignung, Ausbildung, Erlernung, Erwerb, Wissenserwerb *Fernstudium, Telekolleg

Stufe: Durchgangsstadium, Durchgangsstation, Entwicklungsabschnitt, Entwicklungsepoche, Entwicklungsetappe, Entwicklungsperiode, Entwicklungsphase, Entwicklungsstadium, Entwicklungsstand, Entwicklungsstufe, Etappe, Phase, Stadium, Station *Treppe, Treppenstufe, Tritt

Stufenleiter: Treppe *Hackordnung, Hierarchie, Rangfolge, Rangordnung, Stufenfolge, Stufenordnung

stufenlos: konstant, kontinuierlich, stetig

stufenweise: allmählich, graduell, phasisch, (regelmäßig) wiederkehrend, in Stufen

Stufung: Anordnung, Einstufung, Klassifizierung, Staffelung

Stuhl: Sessel, Sitz, Sitzgelegenheit *Ausscheidungen, Dreck, Exkremente, Fäkalien, Fäzes, Fladen, Haufen, Kot

Stuhlgang: Darmausscheidung, Darmentleerung, Entleerung, Kot

Stuhlverstopfung: Darmträgheit, Hartleibigkeit, Konstipation, Obstipation, Verstopfung

Stulle: Brot, Brotscheibe, Brotschnitte, Scheibe, Schnitte

Stulpe: Aufschlag, Manschette, Umschlag

stülpen: aufkrempeln, aufrollen, aufstülpen, umstülpen, hochkrempeln

stumm: schweigend, schweigsam, sprachlos, still, tonlos, wortlos, ohne Worte

Stummel: Kippe, Zigarettenkippe, Zigarettenstummel

Stumpen: Zigarre

Stümper: Dilettant, Nichtskönner *Analphabet, Banause, Besserwisser, Dilettant, Nichtskönner, Nichtswisser, Pfuscher

Stümperei: Dilettantismus, Gestümper, Murkserei, Stückwerk *Ausschuss, Hudelei, Huschelei, Murkserei, Pfuscharbeit, Pfuscherei, Schluderarbeit, Schluderei, Sudelei

stümperhaft: amateurhaft, dilettantenhaft, dilettantisch, kläglich, laienhaft, pfuscherhaft, schäbig, schlecht *geringwertig, minderwertig, schlecht, wertlos, zu nichts zu gebrauchen

stümpern: dilettieren, murksen, pfuschen *hudeln, huscheln, pfuschen, schlampen, schludern, sudeln

stumpf: abgebraucht, ungeschärft, ungeschliffen, ungespitzt, unscharf, verbraucht, nicht spitz, nicht scharf *abgestumpft, schartig *beschlagen, blind, dumpf, fahl, glanzlos, matt *apathisch, denkfaul, desinteressiert, dickfellig, gefühllos, gleichgültig, inaktiv, interesselos, kühl, lasch, leidenschaftslos, lethargisch, schwerfällig, stumpfsinnig, teilnahmslos, träge, unaufgeschlossen, unbeteiligt, unbewegt, unempfindlich, ungerührt

Stumpf: Baumstrunk, Baumstumpf, Stubben

Stumpfheit: Gefühllosigkeit, Unempfindlichkeit

Stumpfsinn: Dumpfheit, Langeweile, Stupidität *Armut, Banalität, Beschränktheit, Dummheit, Dürre, Einfallslosigkeit, Gedankenarmut, Gedankenleere, Geistesarmut, Geistlosigkeit, Gemeinplatz, Hohlheit, Leere, Plattheit, Trivialität

stumpfsinnig: beschränkt, borniert, kurzsichtig *abgestumpft, apathisch, desinteressiert, gleichgültig, lethargisch, stumpf, stupide, teilnahmslos, träge *leer, inhaltsleer, abgegriffen, abgeschmackt, alltäglich, banal, billig, dumpf, einfallslos, flach, gehaltlos, geistlos, geisttötend, gewöhnlich, hohl, ideenlos, mechanisch, nichts sagend, oberflächlich, phrasenhaft, platt, schal, seicht, stereotyp, stupid, stupide, substanzlos, trivial, unbedeutend, verbraucht, witzlos, ohne Tiefe, ohne Gehalt

Stunde: Lektion, Unterrichtsstunde

stunden: hinausschieben, hinauszögern, prolongieren, verlängern, vertagen, verzögern, Aufschub gewähren, Zeit lassen *lagern, stilllegen

Stundenbuch: Brevier, Gebetbuch, Laiengebetbuch

stundenlang: endlos, ewig, jahrelang, lang, lange, langfristig, längst, langwierig, tagelang, unabsehbar, unendlich, wochenlang, geraume Zeit, ohne Ende, eine (halbe) Ewigkeit, seit langem, seit längerem, für längere Zeit, seit langer Zeit

Stundung: Hinausschub, Prolongierung, Verlängerung, Verlängerungsfrist, Vertagung, Verzögerung, letzte Chance

Stunk: Auftritt, Auseinandersetzung, Differenzen, Disharmonie, Entzweiung, Fehde, Gegensätzlichkeit, Gezänk, Hader, Hakelei, Händel, Handgemenge, Handgreiflichkeit, Kollision, Konflikt, Kontroverse, Krawall, Missklang, Missverständnis, Querelen, Reiberei, Reibung, Saalschlacht, Scharmützel, Spannung, Streit, Streiterei, Streitigkeit, Szene, Tätlichkeit, Unfriede, Unzuträglichkeit, Widerstand, Widerstreit, Wortgefecht, Zank, Zerwürfnis, Zusammenprall, Zusammenstoß, Zwietracht, Zwist, Zwistigkeit

Stuntman: Doppelgänger, Double, Ersatzmann

stupide: begriffsstutzig, bescheuert, borniert, doof, dumm, dümmlich, gutgläubig, hirnlos, naiv, strohdumm, töricht, unerfahren, unintelligent, unverständig, auf den Kopf gefallen *abgestumpft, apathisch, desinteressiert, gleichgültig, lethargisch, stumpf, stumpfsinnig, teilnahmslos, träge

Stupidität: Begriffsstutzigkeit, Beschränktheit, Blödheit, Borniertheit, Dämlichkeit, Dummheit, Engstirnigkeit, Unbedarftheit, Unbegabtheit, Unverstand *Dumpfheit, Langeweile, Stumpfsinn

Stups: Knuff, Nasenstüber, Puff, Rippenstoß, Schub, Stoß, Tritt

stupsen: knuffen, puffen, rempeln, stauchen, stoßen, einen Stoß geben, einen Stoß versetzen

Stupser: Knuff, Nasenstüber, Puff, Rippenstoß, Schub, Stoß, Stups, Tritt

stur: beharrlich, bockbeinig, bockig, dickköpfig, dickschädelig, eigensinnig, eisern, fest, halsstarrig, kompromisslos, rechthaberisch, starrköpfig, starrsinnig, steifnackig, störrisch, trotzig, unaufgeschlossen, unbelehrbar, unerbittlich, unnachgiebig, unversöhnlich, unzugänglich, verbohrt, verständnislos, verstockt, widerborstig

Sturheit: Aufsässigkeit, Beharrlichkeit, Dickköpfigkeit, Eigensinn, Eigenwille, Halsstarrigkeit, Hartgesottenheit, Kratzbürstigkeit, Rechthaberei, Starrheit, Steifnackigkeit, Trotz, Unbelehrbarkeit, Widerspenstigkeit

Sturm: Blizzard, Bö, Bora, Hurrikan, Mistral, Monsun, Orkan, Passat, Passatwind, Sandsturm, Schirokko, Schneesturm, Taifun, Tornado, Unwetter, Wirbelsturm, starker Wind, heftiger Wind *Angriff, Ansturm, Attacke *Heißblütigkeit, Hitzigkeit, Leidenschaft, Temperament

Sturmangriff: Angriff, Offensive

stürmen: blasen, brausen, dröhnen, fauchen, fegen, heulen, johlen, pfeifen, rauschen, sausen, toben, tosen, wehen, winden, wüten, heftig wehen *angreifen, anstürmen, attackieren *eilen, rasen, rennen *einnehmen, erobern, erstürmen *vorstürmen, als Stürmer spielen, auf das Tor spielen

Stürmer: Aggressor, Angreifer *Stoßtrupp, Sturmbataillon

stürmisch: böig, windig, (vom Sturm) bewegt *glutvoll, heißblütig, hitzig, leidenschaftlich, rassig, temperamentvoll, unbändig, ungestüm, wild *gewaltig, heftig, intensiv, kraftvoll, maßlos, stark, toll, vehement, wuchtig *frenetisch, heftig, intensiv, rasend, stark, tobend, toll, ungestüm, wild

Sturmschritt: Eilmarsch, Geschwindigkeitsmarsch, Gewaltmarsch, Gewalttour

Sturz: Ablösung, Abschiebung, Absetzung, Amtsenthebung, Dienstentlassung, Entfernung, Enthebung, Entlassung, Entmachtung, Entthronung, Hinauswurf, Kündigung, Suspendierung, Zwangsbeurlaubung, Zwangspensionierung *Absturz, Fall, Platsch, Plump, Plumps

stürzen: eilen, hasten, laufen, preschen, rasen, rennen *ausgleiten, fallen, hinfallen, hinstürzen, niederschlagen, zu Fall kommen *absetzen, ausschalten, entlassen, entmachten, entthronen, verdrängen, jmdm. seinen Einfluss nehmen, jmdn. seiner Macht berauben, jmdn. ins Abseits abdrängen

Sturzregen: Dusche, Guss, Platzregen, Regen, Regenguss, Regenschauer, Regenwetter, Sturz, Unwetter, Wolkenbruch

Sturzsee: Brecher, Flutwelle, Gischt, Seegang, Welle, Woge

Stuss: Aberwitz, Blödsinn, Idiotie, Irrsinn, Mist, Nonsens, Quatsch, Schmarren, Torheit, Trödel, Unding, Unfug, Unsinn, Wahnwitz

Stützbalken: Strebe, Träger

Stütze: Grundpfeiler, Pfahl, Pfeiler, Pilaster, Säule, Ständer, Tragstütze *Eckpfeiler, Eckstein, Halt, Pfeiler, Rückgrat, Säule, Widerhalt *Halter, Lehne, Rücken *Dienstmädchen, Hausangestellte, Hausgehilfin, Haushaltshilfe, Hausmädchen, Hausmagd, Haustochter, Kraft, Mädchen, dienstbarer Geist

stutzen: aufmerken, staunen, stutzig werden *abschneiden, abstutzen, ausschneiden, beschneiden, kappen, kupieren, kürzen, lichten, scheren, schneiden, trimmen, zurechtstutzen, zurückschneiden *s. rasieren, s. abrasieren, abscheren, abschneiden, beschneiden, kupieren, kürzen, rasieren, scheren, trimmen, wegschneiden, kurz schneiden, kürzer machen

stützen: beispringen, beistehen, helfen, den Arm reichen *abstützen, festigen, pfählen, sichern, stabilisieren, unterbauen, unterstellen, unterstützen, verstreben, Halt bieten, Halt geben *belegen, beweisen, erhärten, fundieren, untermauern ***s. stützen:** s. abstützen, s. anlehnen, s. gegenlehnen ***s. stützen (auf):** s. anlehnen (an), s. berufen (auf), s. beziehen (auf), folgen, s. halten (an), s. richten (nach), s. zum Vorbild nehmen

Stutzen: Büchse, Donnerbüchse, Flinte, Gewehr, Knallbüchse, Knarre, Schießeisen, Schießgewehr, Schusswaffe

Stutzer: Dandy, Geck, Gent, Laffe, Pomadenhengst, Schönling, Snob

stutzerhaft: eitel, geckenhaft, gefallsüchtig, geziert, kokett, putzsüchtig

Stutzerhaftigkeit: Eitelkeit, Geckenhaftigkeit, Gefallsucht, Koketterie, Putzsucht, Selbstgefälligkeit, Selbstgefühl

stutzig: baff, überrascht *argwöhnisch, misstrauisch

Stützpunkt: Ausgangspunkt, Basis, Standort

subaltern: abhängig, unselbständig, untergeben, untergeordnet, unterstehend, unterstellt, untertan, unterwürfig

Subjekt: Figur, Geschöpf, Gesicht, Gestalt, Individuum, Jemand, Kopf, Lebewesen, Mensch, Person, Persönlichkeit, Wesen *Satzgegenstand

subjektiv: eigen, individuell, persönlich, privat, auf die Person bezogen, mich betreffend, von der Person abhängig *einseitig, engherzig, engstirnig, entstellt, festgefahren, frisiert, gefärbt, parteiisch, schief, tendenziös, unobjektiv, unsachlich, verdreht, verzerrt, voreingenommen, vorurteilsvoll
Subjektivität: Parteilichkeit, Subjektivismus *Unsachlichkeit, Willkür
Subkultur: Alternativszene, Gegenkultur, Gruppenkultur, Nebenkultur, Protestkultur, Underground, zweite Kultur
sublim: edel, erhaben, erlaucht, kostbar, kultiviert, raffiniert, verfeinert
sublimieren: spiritualisieren, verdrängen, vergeistigen
Submission: Ausstellung, Musterausstellung, Musterschau
Subordination: Folgsamkeit, Fügsamkeit, Gefügigkeit, Gehorsam, Gehorsamkeit, Gutwilligkeit, Kadavergehorsam, Unterordnung, Willfährigkeit, Wohlerzogenheit
subskribieren: bestellen, buchen, vorausbestellen, vorbestellen
Subskription: Vorausbestellung, Vorbestellung
Substanz: Masse, Material, Materie, Stoff *Gedankengehalt, Gedankenreichtum, Gedankentiefe, Gehalt, Geistesfülle, Ideengehalt, Inhalt, Kernsinn *Essenz, Extrakt, Gehalt, Kern, Kernstück, Quintessenz, Sinn, Wesen, das Wesentliche, das Wichtige
substanziell: bedeutsam, dringend, erforderlich, essenziell, geboten, gewichtig, lebenswichtig, notwendig, obligat, primär, signifikant, substanzhaft, unausweichlich, unentbehrlich, unerlässlich, unumgänglich, unvermeidlich, wesentlich, wichtig, zwingend
substanzlos: immateriell, körperlos, unkörperlich
substituieren: austauschen, auswechseln, erneuern, ersetzen, einen Austausch vornehmen, Ersatz schaffen
Substitut: Ersatz, Ersatzmann, Sachverwalter, Stellvertreter, Vertreter, Verwalter, Verweser, die rechte Hand
Substrat: Ausgangspunkt, Grundlage, Nährboden, Prämisse, Vorausbedingung, Voraussetzung
subsumieren: einbeziehen, unterordnen, unterstellen, unterwerfen
subtil: scharfsinnig, spitzfindig *fein, sorgsam, zart *diffizil, dornig, knifflig, komplex, kompliziert, langwierig, mühsam, problematisch, schwer, schwierig, steinig, unübersichtlich, verflochten, vertrackt, verwickelt, verzwickt, mit Schwierigkeiten verbunden, nicht leicht, nicht einfach, schwer zu fassen, schwer zugänglich, schwer verständlich
Subtilität: Kleinlichkeit, Schwierigkeit, Spitzfindigkeit *Feinheit, Sorgsamkeit, Zartheit
subtrahieren: abziehen, vermindern
Subtraktion: das Abziehen, das Vermindern
Subvention: Beihilfe, Förderung, Spende, Unterstützung, Zuschuss, Zuwendung
subventionieren: fördern, unterstützen, zuschießen, zusteuern
Subversion: Umschwung, Umsturz
subversiv: anarchistisch, aufrührerisch, umstürzlerisch, zerstörend
Suche: Erkundung, Fahndung, Nachforschung
suchen: absuchen, durchkämmen, durchsuchen, fahnden, forschen, nachgehen, nachschauen, spüren (nach), s. umschauen (nach), s. umsehen (nach), s. umtun, wühlen, auf die Suche gehen, auf der Suche sein *s. bemühen (um), s. interessieren (für), nachjagen, zu bekommen suchen *googeln, nachschauen
Sucht: Gewöhnung, Manie, Süchtigkeit, Trieb, Verlangen, Vorliebe *Begierde, Besessenheit, Drang, Durst, Fieber, Gelüste, Gier, Hang, Hunger, Lust, Schwäche, Verlangen
süchtig: abhängig, alkoholsüchtig, drogenabhängig, drogensüchtig
Sud: Absud, Brühe
Sudelei: Dreck, Schmutz, Schweinerei, Unsauberkeit *Ausschuss, Hudelei, Huschelei, Murkserei, Pfuscharbeit, Pfuscherei, Schluderarbeit, Schluderei, Stümperei
sudelig: angeschmutzt, angestaubt, befleckt, beschmutzt, dreckig, fett, fettig,

fleckig, klebrig, kotig, ölig, schmierig, schmuddelig, schmutzig, schmutzstarrend, schnuddlig, schnuddelig, speckig, trübe, unansehnlich, ungewaschen, unrein, unsauber, verfleckt, verschmutzt, verstaubt, verunreinigt, in unbeschreiblichem Zustand, mit Flecken übersät, voller Schmutz

sudeln: hudeln, huscheln, pfuschen, schlampen, schludern, stümpern

südlich: tropisch, subtropisch, heiß, sommerlich *im Süden gelegen, im Süden liegend

Südpolargebiet: Antarktis

südwärts: nach Süden, in Richtung Süden, gen Süden

Suff: Alkoholismus, Rausch, Trunksucht

süffeln: bechern, kübeln, saufen, schlucken, tanken, trinken, zechen

süffig: lecker, mundig, schmackhaft

Süffisance: Anmaßung, Arroganz, Aufgeblasenheit, Blasiertheit, Dünkel, Dünkelhaftigkeit, Einbildung, Eingebildetheit, Herablassung, Hochmut, Hochmütigkeit, Hoffart, Selbstgefälligkeit, Selbstgerechtigkeit, Selbstüberhebung, Stolz, Überheblichkeit, (übertriebenes) Geltungsbedürfnis

süffisant: anmaßend, arrogant, aufgeblasen, blasiert, dünkelhaft, eingebildet, gnädig, großspurig, herablassend, hochfahrend, hochmütig, hochnäsig, hoffärtig, prätentiös, selbstbewusst, selbstgefällig, selbstgerecht, selbstherrlich, selbstsicher, selbstüberzeugt, selbstüberzogen, stolz, überheblich, wichtigtuerisch, von oben herab

suffizient: ausreichend, genügend, hinlänglich

Suffragette: Amazone, Emanze, Feministin, Frauenkämpferin, Frauenrechtlerin

suggerieren: aufbinden, aufhängen, aufschwatzen, auftischen, bearbeiten, beeinflussen, bereden, berieseln, einflüstern, eingeben, einreden, erzählen, totreden, weismachen, glauben machen, in den Ohren liegen

Suggestion: Beeinflussung, Einfluss, Einflussnahme, Einwirkung, Überredung

Suhle: Lache, Pfuhl, Pfütze

suhlen: s. herumdrehen, s. herumwerfen, s. im Schlamm wälzen, s. rollen

Sühne: Buße, Entschädigung, Genugtuung, Reue, Sühnung, Vergeltung

sühnen: büßen, Buße tun

Suite: Zimmer, Zimmerflucht *Divertimento, Divertissement *Begleitung, Gefolge *Partita, Reihenfolge

Suizid: Freitod, Harakiri, Selbstentleibung, Selbstmord, Selbsttötung, Selbstvernichtung

Sujet: Aufgabenstellung, Frage, Gegenstand, Inhalt, Materie, Problem, Stoff, Thema

sukkulent: fleischig, kräftig, saftig

sukzessiv(e): allmählich, langsam, schrittweise, nach und nach, der Reihe nach, kaum merklich

Sukzessionskrieg: Erbfolgekrieg

Sultanine: Rosine

summarisch: bündig, ganz, knapp, kurz, im Ganzen

Summation: Addition, Aufrechnung, Zusammenzählung

Summe: Endsumme, Ergebnis, Resultat, Resümee *Betrag, Geldsumme

summen: brummen, einen Ton anstimmen ***s. summen:** anwachsen, s. summieren

summieren: addieren, zusammenzählen ***s. summieren:** s. anhäufen, anwachsen, s. belaufen (auf), summen

Sumpf: Bruch, Moor, Morast, Schlamm

sumpfig: moorig, morastig, schlammig

Sund: Durchfahrt, Meerenge, Meeresdurchlass, Meeresstraße

Sünde: Delikt, Fehltritt, Frevel, Freveltat, Missetat, Sakrileg, Schandtat, Todsünde, Übertretung, Unrecht, Untat, Verbot, Verfehlung, Vergehen, Zuwiderhandlung

Sündenbock: Lückenbüßer, Prügelknabe, Schuldtragender, Zielscheibe, schwarzes Schaf, schwarzer Peter, der Dumme

Sündenerlass: Ablass, Absolution, Amnestie, Begnadigung, Freisprechung, Gnade, Lossprechung, Straferlass, Sündennachlass, Vergebung, Verzeihung

sündhaft: heruntergekommen, lasterhaft, unmoralisch, verderbt, verdorben, verkommen *abscheulich, blasphemisch,

lästerlich, ruchlos, schändlich *enorm, riesig, sehr *frevelhaft, sündig
sündig: frevelhaft, gotteslästerlich, gottlos, heillos, heuchlerisch, scheinfromm, scheinheilig, sündhaft, unandächtig, unfromm, unheilig, verhärtet, verrucht, verstockt
sündigen: entheiligen, entweihen, fehlen, fluchen, freveln, s. vergehen, s. versündigen, eine Sünde begehen
super: trefflich, vortrefflich, außerordentlich, ausgezeichnet, beispielhaft, beneidenswert, bestens, brillant, erstklassig, exemplarisch, exzellent, famos, herrlich, hervorragend, lobenswert, löblich, mustergültig, nachahmenswert, pfundig, prämiert, prämiiert, preisgekrönt, tadellos, toll, überdurchschnittlich, überragend, untadelig, vorzüglich, (sehr) gut
Superintendent: Dekan, Propst
Superior: Klostervorsteher
Superiorität: Dominanz, Führung, Majorität, Mehrheit, Mehrzahl, Meisterschaft, Primat, Übergewicht, Überlegenheit, Übermacht, Überzahl, Vorherrschaft
Superlativ: Höchststufe, Meiststufe
Supermacht: Großmacht, Weltmacht
Supermarkt: Geschäft, Kaufhalle, Kaufhaus, Laden, Shoppingcenter, Warenhaus
Suppe: Bouillon, Brühe, Brühsuppe, Soße, Tunke *Brodem, Dampf, Dunst, Fog, Morast, Nebelschleier, Schlamm, Smog, Trübung, Wasserdampf, dichter Nebel
Suppengemüse: Suppengrün, Suppenkraut, Wurzelwerk
Suppenschüssel: Napf, Schüssel, Suppennapf, Terrine
Support: Kundendienstabteilung, Reklamationsabteilung
surreal: imaginär, phantastisch, traumhaft, übernatürlich, unwirklich, wundersam
surren: brummen, schnarren, schnurren, schwirren, sirren, summen
Surrogat: Äquivalent, Behelf, Ersatz, Ersatzmittel, Ersatzstoff
suspekt: bedenklich, dubios, dunkel, finster, fragwürdig, halbseiden, obskur, ominös, undurchsichtig, unheimlich, verdächtig, verfänglich, zwielichtig, nicht geheuer
suspendieren: abberufen, ablösen, abservieren, absetzen, ausbooten, befreien, beurlauben, davonjagen, entheben, entlassen, entmachten, entthronen, fortschicken, freigeben, hinauswerfen, kaltstellen, kündigen, stürzen, verabschieden, Urlaub geben, Urlaub gewähren
Suspendierung: Abberufung, Ablösung, Befreiung, Beurlaubung *Entlassung, Kündigung
süß: gesüßt, gezuckert, honigsüß, kandiert, süßlich, übersüß, überzuckert, verzuckert, zuckrig, zuckerig, zuckersüß *lieb, reizend, sympathisch
Süße: Kandierung, Süßigkeit, Überzuckerung, Versüßung, Verzuckerung, Zuckerung *Anmut
süßen: kandieren, überzuckern, versüßen, verzuckern, zuckern
Süßigkeiten: Fondant, Konfekt, Näscherei, Naschwerk, Praline, Schleckereien, Zuckerwerk
süßlich: gesüßt, süß, zuckersüß *geschraubt, gestelzt, manieriert, unecht, unnatürlich
Süßmost: Fruchtsaft, Fruchtsaftkonzentrat, Nektar, Obstsaft, Saft
Süßspeise: Creme, Flammeri, Götterspeise, Krem, Nachspeise, Nachtisch, Pudding
Süßwasser: Brunnenwasser, Flusswasser, Leitungswasser, Quellwasser, Trinkwasser
Symbol: Farbe, Geheimzeichen, Sinnbild, Wahrzeichen, Zeichen *Allegorie, Bild, Gleichnis, Metapher, Parabel, Sinnbild, Trope, Vergleich, Wendung
symbolisch: allegorisch, bildlich, blumig, figürlich, gleichnishaft, metaphorisch, parabolisch, sinnbildlich, übertragen, als Gleichnis, im Bilde
Symmetrie: Ebenmaß, Ebenmäßigkeit, Gleichlaut, Gleichmaß, Harmonie
symmetrisch: spiegelbildlich, spiegelgleich, spiegelungsgleich *ebenmäßig, gleichmäßig
Sympathie: Anhänglichkeit, Faible, Gefallen, Gefühl, Hang, Interesse, Liebe,

Neigung, Schwäche, Vorliebe, Wohlgefallen, Wohlwollen, Zuneigung, Liebe auf den ersten Blick
Sympathisant: Anhänger, Fan, Fanatiker, Freund, Fußvolk, Gefolgschaft, Gemeinde, Getreuer, Jasager, Jünger, Kamerad, Komplize, Mitglied, Mitläufer, Nachbeter, Parteigänger, Parteigenosse, Parteimann, Schüler (von), Vasall, Verehrer
sympathisch: ansprechend, charmant, einnehmend, freundlich, gefällig, gewinnend, lieb, liebenswürdig, liebenswert, nett, reizend
sympathisieren: abgewinnen, bevorzugen, lieb haben, mögen, viel übrig haben (für), wohlwollen, angetan sein, nicht abgeneigt sein, Geschmack finden, eingenommen sein, Gefallen finden, Gefallen haben
Symposium: Beratung, Kolloquium, Konferenz, Kongress, Sitzung, Symposion, Tagung, Versammlung
Symptom: Attribut, Charakterzug, Kennzeichen, Kriterium, Mal, Merkmal, Merkzeichen, Moment, Signatur, Zeichen, Zug
symptomatisch: auszeichnend, bezeichnend, charakterisierend, charakteristisch, eigentümlich, kennzeichnend, spezifisch, typisch, unverkennbar, wesensgemäß
Synagoge: Bethaus, Gebetshaus, Gebetsstätte, Gotteshaus, Kirche
synchron: gleichlaufend, gleichzeitig, simultan, zusammen, auf einmal, im selben Augenblick, im gleichen Augenblick, zur gleichen Zeit
Syndikat: Gangstertum, Mafia, Ring, Unterwelt, Verbrechertum, Verbrecherwelt
Syndikus: Rechtsanwalt, Rechtsbeistand
Synode: Beratung, Konvent, Konzil, Sitzung, Tagung, Versammlung, Zusammenkunft
synonym: bedeutungsähnlich, bedeutungsgleich, bedeutungsverwandt, gleichbedeutend, sinnähnlich, sinngleich, sinnverwandt
Synonym: bedeutungsähnliches Wort, bedeutungsgleiches Wort, gleiches Wort, sinnverwandtes Wort
Synonymwörterbuch: Buch für bedeutungsähnliche Wörter, Buch für bedeutungsgleiche Wörter, Buch für sinnverwandte Wörter *Thesaurus
Synopse: Abriss, Aufriss, Querschnitt, Resümee, Überblick, Überschau, Übersicht, Zusammenfassung, Zusammenschau
Synthese: Verbindung, Zusammenfügung *Einheit
synthetisch: chemisch, künstlich, unecht, unnatürlich, auf künstlichem Weg, aus der Retorte
System: Regierungsform, Staatsform *Aufbau, Gliederung, Lehrgebäude, Ordnungsprinzip
systematisch: planmäßig, nach einem System, nach einem Plan
systematisieren: gliedern, aufgliedern, anordnen, arrangieren, aufstellen, aufteilen, ausrichten, eingliedern, einreihen, einteilen, s. formieren, gruppieren, katalogisieren, kategorisieren, ordnen, rangieren, reihen, rubrizieren, sortieren, strukturieren, unterteilen, zurechtrücken, zusammenstellen, in die richtige Reihenfolge bringen, in die richtige Ordnung bringen, in ein System bringen, in Reih und Glied stellen
Systematisierung: Auffächerung, Differenzierung, Klassifizierung, Staffelung
Szenarium: Drehbuch, Filmmanuskript, Filmszenarium, Manuskript
Szene: Auftritt, Nummer, Vorgang *Bühne, Schauplatz *Milieu, Umfeld
Szenerie: Arena, Bühne, Schauplatz *Bühnenausstattung, Bühnenbild, Bühnendekoration, Dekoration, Kulisse, Theaterdekoration *Landschaftsbild, Rundblick

T

Tabak: Kraut, Priem, Tabakpflanze
Tabakpfeife: Pfeife
Tabakwaren: Rauchwaren, Tabakerzeugnisse
tabellarisch: untereinander, in der Anordnung einer Tabelle, in Tabellenform
Tabelle: Aufstellung, Liste, Tafel, Übersicht, Verzeichnis, Werttafel, Zahlentafel, Zusammenstellung von Zahlen
Tabernakel: Hostienschrein
Tabellenführer: Anführer, Spitzenreiter
Tablett: Auftragebrett, Servierbrett, Speisenbrett
Tablette: Dragée, Kapsel, Pastille, Pille
tabu: gesetzwidrig, illegal, illegitim, irregulär, kriminell, ordnungswidrig, rechtswidrig, strafbar, sträflich, unbefugt, unerlaubt, ungesetzlich, unrechtlich, unrechtmäßig, unstatthaft, untersagt, unzulässig, verboten, verfassungswidrig, verpönt, widerrechtlich, ohne Recht, ohne gesetzliche Grundlage *heilig, unantastbar, unaussprechlich, unberührbar, unverletzlich, verboten
Tabu: Befehl, Gebot, Interdikt, Machtspruch, Machtwort, Nein, Prohibition, Sperre, Untersagung, Verbot, Veto, Vorschrift *das Verbotene, das Unaussprechliche, das Unantastbare
tabuisieren: mit einem Tabu versehen, für tabu erklären, für unverletzlich erklären, für verboten erklären, für unantastbar erklären
Tachometer: Geschwindigkeitsmesser, Tacho
Tadel: Anschiss, Beanstandung, Belehrung, Denkzettel, Ermahnung, Kritik, Lehre, Lektion, Maßregelung, Missbilligung, Rüge, Schelte, Standpauke, Strafpredigt, Verweis, Vorhaltung, Warnung, Zigarre, Zurechtweisung
tadellos: einwandfrei, fehlerfrei, fehlerlos, genau, ideal, komplett, korrekt, lupenrein, makellos, meisterhaft, mustergültig, ordentlich, perfekt, recht, richtig, untadelig, vollendet, vollkommen, vorbildlich, vorzüglich, zutreffend, in Ordnung, ohne Fehl, ohne Fehler *anständig, artig, fein, gesittet, höflich, ordentlich, rechtschaffen, schicklich, zuverlässig *adrett, akkurat, aufgeräumt, diszipliniert, genau, geordnet, gepflegt, korrekt, ordnungsliebend, penibel, präzis, präzise, sauber, sorgfältig, sorgsam, untadelig, wohlgeordnet, auf Ordnung achtend, auf Ordnung haltend, auf Ordnung bedacht, mit Sorgfalt
tadeln: anbrüllen, attackieren, ausschelten, ausschimpfen, auszanken, beanstanden, heruntermachen, kritisieren, missbilligen, monieren, reklamieren, rügen, schelten, schmähen, verweisen, zetern, zurechtweisen, angehen (gegen), einen Tadel erteilen, eine Rüge erteilen, einen Verweis erteilen, einen Verweis geben
tadelnswert: abscheulich, scheußlich, unschön, verabscheuenswert, verabscheuungswürdig, verwerflich, widerlich *anstößig, ausschweifend, lasterhaft, liederlich, schlecht *sittenlos, unkeusch, unmoralisch, unsittlich, unsolide, unzüchtig, verdorben, verrucht *extrem, extremistisch, radikal, radikalistisch, rücksichtslos, scharf, übersteigert *frech, kess, rotzig, unartig, ungezogen, unmanierlich *aufmüpfig, bockig, dickköpfig, dickschädelig, eigensinnig, halsstarrig, steifnackig, trotzig, unbelehrbar, unbequem, unfolgsam, ungehorsam, verstockt, widerspenstig, zugeknöpft *bedenkenlos, entmenscht, gewissenlos, gnadenlos, herzlos, kalt, mitleidlos, rücksichtslos, skrupellos, unmenschlich *aufbrausend, auffahrend, heftig, hitzig, hitzköpfig, jähzornig, unbeherrscht *schimpflich, schlecht
Tafel: Festtafel, Mittagstisch *Bankett, Dinner, Ehrenmahl, Essen, Festbankett, Festessen, Festgelage, Festmahl, Festschmaus, Freudenmahl, Galadiner, Gastmahl, Gelage *Areal, Bodenfläche, Ebene, Fläche, Flachland, Gelände, Pla-

teau, Platte, Plattform, Terrain *Tisch, Tischplatte *Schiefertafel, Schultafel, Seitentafel
Tafelgeschirr: Geschirr, Service, Tafelservice
Tafelland: Flachland *Hochebene
tafeln: dinieren, speisen, Mahlzeit halten, die Mahlzeit einnehmen
täfeln: auslegen, austäfeln, paneelieren, verkleiden, vertäfeln
Tafelsilber: Silber, Silbergeschirr
Tafeltuch: Decke, Tischdecke, Tischtuch
Täfelung: Getäfel, Holzverkleidung, Vertäfelung
Tafelwasser: Brunnenwasser, Mineralwasser, Selters, Selterswasser, Sprudel, Sprudelwasser
Tag: Datum, Kalendertag, vierundzwanzig Stunden ***Tag für Tag:** alltäglich, täglich, Tag um Tag, tagaus, tagein, von Tag zu Tag ***eines Tages:** einmal, irgendeinmal, irgendwann, früher oder später, über kurz oder lang, einerlei wann, wann auch immer
Tageblatt: Blatt, Journal, Lokalzeitung, Magazin, Tageszeitung, Wochenzeitung, Zeitung
Tagebuch: Diarium, Journal, Memorial
Tagedieb: Bummelant, Bummler, Daumendreher, Drückeberger, Faulenzer, Faulpelz, Flaneur, Müßiggänger, Nichtstuer, Phlegmatiker, Schmarotzer, Taugenichts, fauler Strick
Tagegeld: Aufwandsentschädigung, Spesen
Tagelöhner: Arbeiter, Hilfskraft, Landarbeiter
tagen: beraten, konferieren, eine Sitzung haben *aufdämmern, dämmern, grauen, hell werden, Tag werden
Tagesanbruch: Frühe, Morgen, Morgenröte, Morgendämmerung, Morgengrauen, Sonnenaufgang, Tagesbeginn
Tagesende: Abend, Abenddämmerung, Abendrot, Sonnenuntergang
Tagesgespräch: Ärgernis, Aufheben, Aufsehen, Eklat, Ereignis, Medienereignis, Ortsgespräch, Sensation, Skandal, Stadtgespräch
Tagesheim: Hort, Kindergarten, Kinderhort, Kindertagesstätte
Tagesordnung: Geschäftsordnung, Sitzungsprogramm, Tagesprogramm
Tageszeit: Morgen, Sonnenaufgang, Vormittag *Mittag, Mittagszeit *Abend, Dämmerung, Sonnenuntergang *Dunkelheit, Nacht *Mitternacht
Tageszeitung: Blatt, Journal, Lokalzeitung, Magazin, Tageblatt, Zeitung
taghell: hell wie am Tage
täglich: alltäglich, Tag für Tag, Tag um Tag, tagaus, tagein, von Tag zu Tag
tagsüber: untertags, (mitten) am Tage, am helllichten Tag, während des Tages
Tagung: Beratung, Kolloquium, Konferenz, Kongress, Sitzung, Symposium, Versammlung
Taifun: Wirbelsturm, tropisches Unwetter
Taille: Gürtellinie, Körpermitte
Takelwerk: Segelwerk, Takelage, Takelung, Tauwerk
Takt: Anstand, Diskretion, Feinfühligkeit, Taktgefühl, Verschwiegenheit, Zurückhaltung *Gleichmaß, Metrum, Rhythmus, Versmaß *Tonmaß, Zählzeit
Taktgefühl: Anstand, Anstandsgefühl, Benehmen, Feingefühl, Höflichkeit, Korrektheit, Lauterkeit, Schick, Schicklichkeit, Takt, Unbescholtenheit, Zartgefühl
taktieren: balancieren, s. diplomatisch verhalten, s. hindurchwinden, jonglieren, lavieren, geschickt vorgehen, Schwierigkeiten umgehen, eine Taktik anwenden
Taktik: Berechnung, Kalkül, Kalkulation, Spekulation *Berechnung, Kalkül, Kampfplanung, Kriegskunst, Politik, Strategie, Verhandlungskunst
taktisch: abgefeimt, ausgefuchst, ausgekocht, bauernschlau, clever, diplomatisch, durchtrieben, findig, gerissen, geschäftstüchtig, geschickt, gewieft, gewitzt, listig, pfiffig, raffiniert, schlau, verschlagen, verschmitzt *auf Taktik beruhend, die Taktik betreffend
taktlos: abgeschmackt, geschmacklos, unangebracht, unpassend *gesprächig, indiskret, neugierig, nicht verschwiegen *aufdringlich, deplatziert, indezent, ruppig, ungalant, ungefällig, ungehörig, ungeschliffen, unhöflich, unsensibel, unverschämt, verletzend *aufdringlich

Taktlosigkeit: Abgeschmacktheit, Geschmacklosigkeit *Gesprächigkeit, Indiskretion, Neugierde *Aufdringlichkeit, Ruppigkeit, Ungefälligkeit, Ungeschliffenheit, Unhöflichkeit, Unverschämtheit *Entgleisung, Fauxpas, Fehltritt
Taktmesser: Metronom
taktvoll: diskret, feinfühlig, rücksichtsvoll, verschwiegen, zurückhaltend
Tal: Becken, Bergeinschnitt, Cañon, Grund, Kessel, Mulde, Schlucht, Senke, Talgrund, Talkessel
Talar: Amtskleidung, Amtstracht, Habit, Ornat, Robe
Talent: Ader, Auffassungsgabe, Befähigung, Begabung, Berufung, Eignung, Fähigkeit, Fähigkeiten, Gaben, Geist, Geistesgaben, Geistesgröße, Genialität, Genie, Genius, Ingenium, Intelligenz, Kapazität, Klugheit, Koryphäe, Kunstfertigkeit, Phänomen, Veranlagung, Verstand, Vielseitigkeit, Zeug
talentiert: begabt, begnadet, fähig, intelligent, talentvoll, tüchtig
talentlos: unbegabt, untalentiert *leistungsschwach, minderbegabt, schwach
Talfahrt: Abfahrt, Abwärtsfahrt
Talgrund: Becken, Bergeinschnitt, Cañon, Grund, Kessel, Mulde, Schlucht, Senke, Tal, Talkessel
Talhang: Abhang, Absturz, Berg, Bergabhang, Berghang, Bergwand, Böschung, Gefälle, Halde, Hang, Lehne, Steilhang
Talisman: Amulett, Glücksbringer, Maskottchen
Talkessel: Becken, Bergeinschnitt, Cañon, Grund, Kessel, Mulde, Schlucht, Senke, Tal, Talgrund
Talmi: Firlefanz, Flitter, Tand
Talon: Abschnitt, Kontrollabschnitt *Spielkartenrest *Kartenstamm *Kaufsteine *Erneuerungsschein *Bogenende, Frosch, Griffende
Talsenke: Bodenmulde, Bodensenke, Bodenvertiefung, Geländesenkung, Gesenke, Graben, Grube, Mulde, Senke, Vertiefung
Talsohle: Baisse, Rezession, Tiefstand, (wirtschaftliches) Tief
Talsperre: Damm, Stauanlage, Staudamm, Wehr
talwärts: bergab, den Berg hinab
Tamtam: Lärm, Trubel *Aufwand, Ausstattung, Extravaganz, Luxus, Pomp, Pracht, Prachtentfaltung, Prunk, Repräsentation, Üppigkeit, Verschwendung, Wohlleben
Tand: Firlefanz, Flitter, Talmi, Unechtes, Wertloses *Schmutz, Schund
Tändelei: Anmache, Anmachung, Flirt, Geschäker, Getändel, Koketterie, Liebelei, Schäkerei, Spiel, Spielerei, Techtelmechtel
tändeln: anbändeln, balzen, flirten, girren, gurren, kokettieren, liebäugeln, liebeln, poussieren, schäkern, schöntun, turteln
tangieren: angehen, angrenzen, beeindrucken, berühren, betreffen, heranreichen, streifen, in Mitleidenschaft ziehen
Tank: Kampfpanzer, Kettenfahrzeug, Panzer, Schützenpanzer *Behälter, Behältnis
tanken: auffüllen, auftanken, nachfüllen, mit Treibstoff versehen, mit Treibstoff versorgen, Treibstoff aufnehmen, Treibstoff einfüllen *bechern, kübeln, saufen, schlucken, süffeln, trinken, zechen
Tanker: Tankschiff
Tanksäule: Benzinpumpe, Tankstelle, Zapfsäule, Zapfstelle
Tankwagen: Kesselwagen
Tann: Dickicht, Forst, Gehölz, Holz, Schonung, Urwald, Wald, Wäldchen, Waldung
Tannenwald: Nadelwald, Weihnachtsbäume
Tante: Base, Muhme
Tantieme: Dividende, Gewinnanteil
Tanz: Ball, Disco, Tanzveranstaltung, Tanzvergnügen
tänzeln: gleiten, stöckeln, trippeln
tanzen: hopsen, hüpfen, s. im Tanze drehen, schwofen, das Tanzbein schwingen, eine Tour drehen, eine kesse Sohle aufs Parkett legen
Tänzer: Solotänzer, Vortänzer
Tänzerin: Ballerina, Balletttänzerin, Balletteuse, Revuetänzerin, Tanzgirl, Vortänzerin
Tanzgruppe: Ballett, Balletttruppe

Tanzkapelle: Band, Kapelle, Musikgruppe
Tanzlokal: Beatschuppen, Disco, Diskothek, Tanzdiele
Tanzorchester: Bigband, Kapelle, Unterhaltungsorchester
Tanzsaal: Ballsaal, Redoute
Tanzstunde: Tanzunterricht
Tanzveranstaltung: Ball, Tanz, Tanzvergnügen
taperig: blöd, blöde *eckig, hölzern, linkisch, plump, schwerfällig, steif, täppisch, taprig, tollpatschig, tölpelhaft, umständlich, unbeholfen, unbeweglich, ungelenk, ungeschickt, ungewandt, unpraktisch *gebrechlich
Tapetenwechsel: Luftveränderung, Luftwechsel, Urlaub, Wechsel
tapezieren: bekleben, Tapeten anbringen, Wände dekorieren, Tapeten ankleben
tapfer: mutig, todesmutig, beherzt, draufgängerisch, entschlossen, furchtlos, heldenhaft, heldenmütig, heroisch, herzhaft, kämpferisch, kühn, mannhaft, mutig, stark, starkherzig, tollkühn, unerschrocken, unverzagt, vermessen, verwegen, wagemutig, waghalsig
Tapferkeit: Beherztheit, Bravour, Draufgängertum, Furchtlosigkeit, Heldenhaftigkeit, Heldentum, Herzhaftigkeit, Kühnheit, Mut, Tollkühnheit, Unerschrockenheit, Unverzagtheit
tappen: tapsen, s. vorwärts tasten *gehen, stapfen, trampeln, trotten
tappig: linkisch, plump, schwerfällig, steif, taperig, täppisch, tapsig, tollpatschig, tölpelhaft, umständlich, unbeholfen, unbeweglich, ungelenk, ungeschickt, ungewandt
tapsen: tappen, tasten *stapfen
Tarif: Lohnsatz, festgelegter Betrag
tarnen: kaschieren, maskieren, verbergen, verdunkeln, verkleiden, vernebeln, verschleiern, verwischen, unkenntlich machen
Tarnkappe: Nebelkappe
Tarnname: Deckname, Künstlername, Pseudonym, Scheinname, falscher Name
Tarnung: Hülle, Verhüllung, Verschleierung *Geheimhaltung, Geheimnistuerei, Verheimlichung
Tasche: Behältnis, Beutel, Mappe
Taschendieb: Dieb, Ganove, Kleptomane, Kleptomanin, Langfinger
Taschenmesser: Federmesser, Klappmesser
Taschenspieler: Gaukler, Schwarzkünstler, Zauberer, Zauberkünstler *Akrobat, Artist, Gaukler, Straßenkünstler, Zirkuskünstler
Taschenspielerei: Hexenwerk, Hexerei, Hokuspokus, Magie, Zauber, Zauberei, Zauberkunst, Zauberwesen, schwarze Kunst, schwarze Magie
Taschentuch: Einstecktuch, Sacktuch, Schnäuztuch, Schnupftuch
Tasse: Schale, Trinkschale
Tastatur: Klaviatur, Manual *Keyboard
tasten: befühlen, fühlen *tappen
Tastsinn: Gefühl, Tastgefühl
Tat: Großtat, Leistung, Mannestat, Werk *Akt, Handlung, Handlungsweise, Tun, Verhalten, Vorgang *Affekthandlung, Aktion, Alleingang, Gegenaktion, Kurzschlusshandlung
Tatbestand: Sache, Sachlage, Sachverhalt, Situation, Umstand
Tatendrang: Aktivität, Arbeitslust, Ausdauer, Betriebsamkeit, Dynamik, Eifer, Emsigkeit, Energie, Entschiedenheit, Entschlossenheit, Feuer, Geschäftigkeit, Initiative, Lebenskraft, Leistungsfähigkeit, Regsamkeit, Reserven, Rührigkeit, Schaffensdrang, Schwung, Spannkraft, Stoßkraft, Tatendurst, Tatkraft, Temperament, Triebkraft, Unternehmungsgeist, Unternehmungslust, Vehemenz, Vitalität, Willenskraft, Willensstärke *Anspannung, Beflissenheit, Bereitschaft, Bereitwilligkeit, Bestreben, Betriebsamkeit, Dienstwilligkeit, Ehrgeiz, Eifer, Ergebenheit, Fleiß, Gefälligkeit, Mühe, Regsamkeit, Rührigkeit, Streben, Tatenlust
tatendurstig: aktiv, rege, regsam, unternehmend, unternehmungslustig
tatenlos: apathisch, denkfaul, desinteressiert, dickfellig, gefühllos, gleichgültig, inaktiv, interesselos, kühl, lasch, leidenschaftslos, lethargisch, passiv, schwerfällig, stumpf, stumpfsinnig, teilnahmslos, träge, unaufgeschlossen, unbeteiligt,

unbewegt, unempfindlich, ungerührt, untätig
Tatenlosigkeit: Abgestumpftheit, Abstumpfung, Apathie, Desinteresse, Dickfelligkeit, Gefühllosigkeit, Geistesabwesenheit, Gleichgültigkeit, Herzlosigkeit, Interesselosigkeit, Kühle, Leidenschaftslosigkeit, Lethargie, Passivität, Phlegma, Stumpfheit, Stumpfsinn, Stumpfsinnigkeit, Sturheit, Teilnahmslosigkeit, Trägheit, Unaufgeschlossenheit, Unempfindlichkeit, Ungerührtheit, Uninteressiertheit, Untätigkeit, Wurstigkeit
Tatenlust: Abenteuerlust, Tatendrang, Tatendurst, Unternehmungsgeist, Unternehmungslust
Täter: Attentäter, Bandit, Betrüger, Dieb, Frevler, Gangster, Gesetzesbrecher, Krimineller, Missetäter, Rechtsbrecher, Schurke, Übeltäter, Unhold, Unmensch, Verbrecher *Missetäter, Schurke, Übeltäter, Unmensch, Verbrecher
Tatform: Aktiv
tätig: aktiv, rege, regsam, unternehmend, unternehmungslustig *arbeitsam, arbeitswillig, betriebsam, ehrgeizig, emsig, fleißig, geschäftig, nimmermüde, rastlos, strebsam, tüchtig, unermüdlich, werktätig, wirksam ***tätig sein:** wirken *arbeiten
Tätigkeit: Arbeit, Ausübung, Beschäftigung, Betätigung, Funktion, Geschäft, Gewerbe, Handeln, Handwerk, Hantierung, Tun, Verrichtung, Wirksamkeit
Tätigkeitsbereich: Amt, Arbeitsbereich, Arbeitsfeld, Arbeitsgebiet, Arbeitskreis, Aufgabenbereich, Bereich, Fach, Referat, Sachgebiet, Wirkungskreis
Tätigkeitsbericht: Abschlussbericht, Geschäftsbericht, Jahresbericht, Rechenschaftsbericht
Tätigkeitswort: Verb
Tatkraft: Aktivität, Betätigungsdrang, Betriebsamkeit, Elastizität, Energie, Energieaufwand, Entschlusskraft, Kraft, Leistungsfähigkeit, Regsamkeit, Rührigkeit, Schaffensdrang, Spannkraft, Tatwille, Tüchtigkeit, Unternehmungsgeist, Wille
tatkräftig: aktiv, betriebsam, dynamisch, energisch, entschieden, entschlossen, fest, resolut, rührig, schwungvoll, tätig, tüchtig, vehement, willensstark, zielbewusst, zielsicher, zielstrebig, zupackend
tätlich: gewalttätig, handgreiflich ***tätlich werden:** misshandeln, schlagen
Tätlichkeiten: Handgemenge, Keilerei, Prügelei, Rauferei, Schlägerei
Tatsache: Fakt, Faktum, Gegebenheit, Gewissheit, Grundwahrheit, Realität, Sachlage, Sachverhalt, Tatbestand, Tatsächlichkeit, Umstand, Wirklichkeit, tatsächliche Lage
Tatsachenbericht: Augenzeugenbericht, Berichterstattung, Hörbericht, Reportage
tatsächlich: effektiv, faktisch, gemäß, konkret, praktisch, realiter, wirklich, de facto, den Tatsachen entsprechend, den Tatsachen gemäß, in der Tat, in Wirklichkeit *bestimmt, buchstäblich, doch, wirklich, im wahrsten Sinn des Wortes
Tätschelei: Gehätschel, Küssen, Liebkosung, Zärtelei, Zärtlichkeit
tätscheln: hätscheln, kraulen, liebkosen, streicheln
tattrig: abgelebt, abgenutzt, abgespannt, abgezehrt, altersschwach, dünn, erholungsbedürftig, gebrechlich, hinfällig, kraftlos, kränklich, matt, schlapp, schwächlich, schwerbeschädigt, tatterig, wackelig, zittrig
Tatwille: Aktivität, Betätigungsdrang, Betriebsamkeit, Elastizität, Energie, Energieaufwand, Entschlusskraft, Kraft, Leistungsfähigkeit, Regsamkeit, Rührigkeit, Schaffensdrang, Spannkraft, Tatkraft, Tüchtigkeit, Unternehmungsgeist, Wille
Tatze: Flosse, Gliedmaße, Hand, Klaue, Patsche, Pfote, Pranke, Pratze *Flosse, Gliedmaße, Hand, Klaue, Patsche, Pfote, Pranke, Pratze
Tatzeuge: Beobachter, Augenzeuge, Hauptzeuge, Kronzeuge, Zeuge
Tau: Drahtseil, Fall, Kabel, Leine, Reep, Seil, Stahlseil, Strang, Strick, Trosse
taub: gehörlos, schwerhörig, stocktaub, taubstumm *blutleer, unempfindlich *apathisch, desinteressiert, gleichgültig *leer, unbefruchtet
Taubenhaus: Taubenschlag

Taubheit: Gehörfehler, Gehörlosigkeit, Gehörschwund, Schwerhörigkeit, Taubstummheit
Tauchboot: U-Boot, Unterseeboot
tauchen: eintauchen, untertauchen, in die Tiefe gehen, unter Wasser schwimmen *__tauchen (in):__ einsenken, eintauchen, eintunken
tauen: auftauen, enteisen, entfrosten, schmelzen, von Eis befreien, zum Schmelzen bringen, zum Tauen bringen
Taufe: Taufakt, Tauffeier *Einweihung, Enthüllung, Eröffnung, Weihe
taufen: benamsen, benennen, betiteln, bezeichnen, heißen, nennen, rufen, schimpfen *einweihen, enthüllen, eröffnen, inaugurieren, initiieren, weihen, aus der Taufe heben, der Öffentlichkeit übergeben, seiner Bestimmung übergeben, in Betrieb nehmen *verdünnen
Taufkapelle: Baptisterium, Taufkirche
Taufname: Rufname, Vorname
Taufpate: Pate, Taufzeugin
Taufpatin: Patin, Taufzeugen
taufrisch: frisch, frischgebacken, jung, neugebacken, von heute
Taufzeuge: Pate, Patin
taugen: s. verwenden lassen, brauchbar sein, wert sein, nützlich sein, dienlich sein, in Betracht kommen, in Frage kommen
Taugenichts: Faulenzer, Früchtchen, Galgenstrick, Galgenvogel, Gammler, Haderlump, Herumlungerer, Herumtreiber, Landstreicher, Nichtsnutz, Schlawiner, Strolch, Stromer, Tunichtgut, Versager, verkrachte Existenz
tauglich: ersprießlich, förderlich, gedeihlich, heilsam, hilfreich, konstruktiv, nützlich, sinnvoll, wirksam, zweckvoll, zu gebrauchen *einträglich, ergiebig, ertragreich, gewinnbringend, lohnend, lukrativ, nutzbar, profitabel, profitbringend, rentabel, vorteilhaft *befähigt, begabt, berufen, fähig, geeignet, prädestiniert, qualifiziert, talentiert *anwendbar, brauchbar, dienlich, geeignet, nutzbar, nützlich, praktikabel, praktisch, verwendbar, verwertbar *kriegsfähig, kriegstauglich, kriegstüchtig, waffenfähig, wehrfähig
Tauglichkeit: Befähigung, Brauchbarkeit, Eignung, Geeignetheit, Qualifikation, Qualifizierung
Taumel: Affekt, Aufwallung, Ekstase, Enthusiasmus, Erregung, Fieber, Glut, Hochstimmung, Leidenschaft, Passion, Rausch, Überschwang *Schwindel, Schwindelanfall, Schwindelgefühl, Schwindligkeit
taumelig: benommen, dumm, duselig, nebelig, schwindlig, schwummerig
taumeln: s. hin und her bewegen, schaukeln, schlenkern, schlingern, schwanken, schwingen, torkeln, wackeln, wanken, zittern
Tausch: Tauschgeschäfte, Umtausch *Austausch, Wechsel
tauschen: einhandeln, eintauschen, umtauschen, einen Tausch machen, Tauschgeschäfte machen *austauschen, wechseln
täuschen: blenden, hereinlegen, irreführen, irreleiten, nasführen, trügen, vom rechten Weg abbringen, Sand in die Augen streuen, hinters Licht führen *anlügen, belügen, betrügen, hereinlegen, hineinlegen, narren, überlisten *__s. täuschen:__ danebengreifen, danebenhauen, danebenschießen, s. einer Illusion hingeben, fehlgehen, fehlplanen, fehlschießen, fehlschlagen, hereinfallen, s. im Irrtum befinden, s. irren, missverstehen, s. vergaloppieren, s. verkalkulieren, s. verrechnen, s. versehen, die Rechnung ohne den Wirt machen, auf dem Holzweg sein, Illusionen haben, auf den Holzweg geraten, aufs falsche Pferd setzen, im Irrtum sein
täuschend: betrügerisch, falsch, illusorisch, irreführend, trügerisch, unecht, unwirklich
Täuschung: Farce, Irreführung, Kulisse, Spiegelfechterei, Trug *Betrug, Bluff, Lüge, Schwindel *Annahme, Befürchtung, Bilder, Einbildung, Erdichtung, Erscheinung, Fiktion, Gesicht, Halluzination, Hirngespinst, Illusion, Luftschloss, Mutmaßung, Phantasie, Phantasiebild, Phantasiegebilde, Phantasma, Phantom, Schein, Schimäre, Sinnestäuschung, Spekulation, Trugbild, Vision, Vorstellung,

Wahn, Wahnvorstellung, Wunschvorstellung, Zwangsvorstellung, fixe Idee *Gaukelei, Gaukelspiel, Gauklerei, Irreführung, Spiegelfechterei, Trug, Vorspiegelung

Täuschungsmanöver: Finte, Scheinangriff, Vorwand

Tausende: eine große Zahl (von), endlose, haufenweise, massenhafte, Millionen, scharenweise, unendliche, ungezählte, unzählbare, unzählige, viele, zahllose, zahlreiche, nicht wenige, eine Fülle

tausendfach: tausend Mal

Tausendsassa: Allerweltskerl, Draufgänger, Teufelskerl, Hansdampf in allen Gassen

Tauziehen: Bemühen, Einsatz, Eintreten, Engagement, Kampf, Mühe, Streben, Hin und Her

Taverne: Gaststätte, Kneipe, Taverne, Weinkeller, Weinstube, Weinverkauf

Taxi: Kraftdroschke, Mietauto, Mietwagen, Taxe

taxieren: abschätzen, ansetzen, erachten, hochrechnen, schätzen, überschlagen, veranschlagen

Taxierung: Abschätzung, Schätzung, Veranschlagung

Tbc: Auszehrung, Schwindsucht, Tb, Tuberkulose

Team: Aktiv, Arbeitsgemeinschaft, Arbeitsgruppe, Auswahl, Equipe, Kollektiv, Mannschaft, Mitarbeiter, Produktionsgemeinschaft

Teamwork: Gemeinschaftsarbeit, Gruppenarbeit, Kooperation, Teamarbeit, Zusammenarbeit, das Zusammenwirken

Technik: Erfahrung, Fertigkeit, Praxis, Routine, Übung *Ingenieurwissenschaften *Art, Beschaffenheit, Technologie, Wesen

technisch: maschinenmäßig *geschickt, kunstfertig, praktisch, verwendbar

Techtelmechtel: Affäre, Anmache, Anmachung, Flirt, Geschäker, Getändel, Koketterie, Liebelei, Liebschaft, Schäkerei, Spiel, Spielerei, Tändelei

Teenager: Teenie

Teich: Binnengewässer, Binnensee, Binnenwasser, Pfuhl, See, Tümpel, Wasserloch, Weiher

Teichkolben: Rohrkolben

Teichrohr: Schilf, Schilfrohr

teigig: träge, viskös *breiartig, breiig, dick, dickflüssig, dicklich, gallertartig, geronnen, klitschig, sämig, schleimig, schwerflüssig, steif, viskös, viskos, zäh, zähflüssig

Teigwaren: Nudeln

Teil: Absatz, Abschnitt, Ausschnitt, Bereich, Bruchstück, Bruchteil, Partie, Passage, Segment, Teilstück *Fragment, Rest, Torso *Arm, Bestandteil, Detail, Einzelheit, Glied, Komponente, Zweig *Anteil, Hälfte, Kontingent, Part, Portion, Ration

Teilchen: Atom, Elementarteilchen

teilen: auseinander nehmen, dividieren, zergliedern, zerlegen, zerteilen *abgeben, abtreten *dreiteilen, dritteln, durchschneiden, halbieren, parzellieren, tranchieren, trennen, vierteilen, vierteln, zerstückeln, in (zwei, …) Stücke schneiden *auseinander nehmen, sezieren ***s. teilen:** abgehen, abzweigen, s. gabeln, s. verzweigen

Teilgebiet: Bereich, Disziplin, Fachbereich, Fachrichtung

teilhaben: partizipieren, beteiligt sein, Anteil haben *beiwohnen, s. beteiligen, dabei sein, dazugehören, s. einlassen (auf), mitarbeiten, miterleben, mitmachen, mitspielen, mittun, mitwirken, teilnehmen, zuhören, beteiligt sein

Teilhaber: Gesellschafter, Kommanditist, Kompagnon, Komplementär, Mitinhaber, Partner, Sozius, stiller Teilhaber

Teilnahme: Anteil, Anteilnahme, Einfühlungsgabe, Einfühlungsvermögen, Entgegenkommen, Herzlichkeit, Höflichkeit, Innigkeit, Mitgefühl, Rücksicht, Sympathie, Takt, Taktgefühl, Verständnis, Verstehen, Wärme *Aktivität, Anstellung, Einsatz, Engagement, Mitwirkung, Unterstützung, Verpflichtung

Teilnahmeerklärung: Anmeldung, Benachrichtigung, Bereitschaftserklärung, Meldung, Verpflichtung

teilnahmslos: anteilslos, apathisch, denkfaul, desinteressiert, dickfellig, gefühllos, gleichgültig, inaktiv, interesselos, kühl, lasch, leidenschaftslos, lethargisch,

schwerfällig, stumpf, stumpfsinnig, tatenlos, träge, unaufgeschlossen, unbeteiligt, unbewegt, unempfindlich, ungerührt, wurstig
Teilnahmslosigkeit: Abgestumpftheit, Abstumpfung, Apathie, Desinteresse, Dickfelligkeit, Gefühllosigkeit, Geistesabwesenheit, Gleichgültigkeit, Herzlosigkeit, Interesselosigkeit, Kühle, Leidenschaftslosigkeit, Lethargie, Phlegma, Stumpfheit, Stumpfsinn, Stumpfsinnigkeit, Sturheit, Tatenlosigkeit, Trägheit, Unaufgeschlossenheit, Unempfindlichkeit, Ungerührtheit, Uninteressiertheit, Wurstigkeit
teilnahmsvoll: teilnehmend, anteilnehmend, fühlend, einfühlend, beseelt, einfühlsam, empfindend, entgegenkommend, gefühlvoll, herzlich, innig, rücksichtsvoll, seelenvoll, taktvoll, warm, zartfühlend
teilnehmen: beiwohnen, s. beteiligen, dabei sein, dazugehören, s. einlassen (auf), mitarbeiten, miterleben, mitmachen, mitspielen, mittun, mitwirken, teilhaben, zuhören, beteiligt sein *bedauern, mitempfinden, mitfühlen, mitleiden, Anteil nehmen, leid tun ***teilnehmen lassen:** beisteuern, beteiligen, dabei sein, dazugehören, handeln, mitarbeiten, mitmachen, mitmischen, mittun, mitwirken, partizipieren, teilhaben, aktiv sein, behilflich sein, Anteil haben, beteiligt sein
Teilnehmer: Anwesende, Besucher, Beteiligte *Besucher, Hörerschaft, Publikum, Zuhörer, Zuhörerschaft *Anwesende, Auditorium, Augenzeugen, Beobachter, Besucher, Betrachter, Neugierige, Publikum, Schaulustige, Schlachtenbummler, Umstehende, Zaungäste, Zuschauer
teils: partiell, teilweise, in einigen Fällen, in mancher Hinsicht, nicht uneingeschränkt, zum Teil
Teilstrecke: Abschnitt, Etappe, Teilstück, Weglänge
Teilstück: Abschnitt, Etappe, Teilstrecke, Weglänge, ein Stück *Absatz, Abschnitt, Ausschnitt, Bereich, Bruchstück, Bruchteil, Partie, Passage, Segment, Teil
Teilung: Halbierung, Loslösung, Spaltung, Trennung, Zweiteilung *Division
teilweise: partiell, teils, in einigen Fällen, in mancher Hinsicht, nicht uneingeschränkt, zum Teil
Teilzahlung: Abschlag, Abschlagszahlung, Abzahlung, Akontozahlung, Ratenzahlung
Teint: Farbe, Gesichtsfarbe, Hautfarbe
Telefax: Fax, Fernkopie, Fernschreiben
Telefon: Apparat, Fernsprechapparat, Fernsprecher *Fotohandy, Handy, Mobiltelefon *Autotelefon
Telefonat: Anruf, Ferngespräch, Gespräch, Ortsgespräch, Telefongespräch
Telefonbuch: Fernsprechbuch, Fernsprechverzeichnis
Telefongespräch: Anruf, Ferngespräch, Fernruf, Gespräch, Ortsgespräch, Telefonanruf, Telefonat
telefonieren: anrufen, fernsprechen, ein Ferngespräch führen
telefonisch: fernmündlich, per Telefon, über Telefon *per SMS
Telefonistin: Auskunft, Fräulein vom Amt
Telefonnummer: Fernsprechnummer, Rufnummer *Handynummer
Telefonzelle: Fernsprechzelle, Telefonhäuschen, öffentlicher Fernsprecher
Telefonzentrale: Amt, Fernamt, Fernsprechamt, Fernsprechzentrale, Zentrale
telegrafieren: drahten, faxen, kabeln, übermitteln, ein Telegramm schicken *funken, morsen
telegrafisch: fernschriftlich, telegraphisch, durch Telegrafie
Telegramm: Depesche, Fernschreiben, Funkspruch, Kabel
Teleobjektiv: Fernobjektiv, Tele
Telepathie: Fernfühlen, Gedankenübertragung
Television: Fernsehen, Fernsehgerät, TV
Tellereisen: Eisen, Falle, Fangeisen, Fußangel
Temperament: Affekt, Aktivität, Aufwallung, Ekstase, Elan, Energie, Enthusiasmus, Feuer, Fieber, Fitness, Glut, Hochstimmung, Initiative, Lebhaftigkeit, Leidenschaft, Munterkeit, Passion, Rausch, Schwung, Spannkraft, Taumel, Überschwang, Verve, Vitalität
temperamentlos: alltäglich, apathisch,

denkfaul, desinteressiert, dickfellig, einfach, einfallslos, einförmig, ermüdend, fade, gefühllos, gleichförmig, gleichgültig, inaktiv, interesselos, kühl, langweilig, lasch, leidenschaftslos, lethargisch, monoton, phantasielos, reizlos, schwerfällig, stumpf, stumpfsinnig, teilnahmslos, träge, trist, trocken, üblich, unaufgeschlossen, unbeteiligt, unbewegt, unempfindlich, ungerührt, uninteressant, unoriginell, wirkungslos, ohne Pfiff

temperamentvoll: besessen, beweglich, blutvoll, dynamisch, feurig, flammend, getrieben, glühend, heftig, heiß, heißblütig, impulsiv, lebendig, lebhaft, leidenschaftlich, mobil, quecksilbrig, schwungvoll, stürmisch, unruhig, vif, vital, vulkanisch, wild

Temperatur: Fieber *Wärmegrad, Wärmezustand

temperieren: angleichen, mäßigen, mildern, Wärmeausgleich herbeiführen

Tempo: Eile, Gehetze, Gehetztheit, Gejage, Gejagtheit, Hast, Hatz, Hetze, Hetzerei, Hetzjagd, Jagd, Rastlosigkeit, Ruhelosigkeit, Treiberei, Unrast, Unruhe, Zeitmangel *Beschleunigung, Endspurt, Spurt *Behändigkeit, Fahrt, Flinkheit, Raschheit, Schnelligkeit, Überstürzung, Zügigkeit *Dringlichkeit, Notwendigkeit, Unaufschiebbarkeit, Wichtigkeit *Behändigkeit, Eile, Geschwindigkeit, Hast, Schnelle, Schnelligkeit

temporal: zeitlich, die Zeit betreffend *irdisch, temporell, weltlich

temporär: episodisch, kurzfristig, momentan, periodisch, sporadisch, stellenweise, stoßweise, vorübergehend, zeitweilig, zeitweise, eine Zeit lang, für den Übergang, für einen Augenblick, nicht dauernd

temporell: veränderlich, vergänglich, zeitlich *irdisch, temporal, weltlich

Tendenz: Einschlag, Färbung, Schattierung *Absicht, Entwicklungsrichtung, Hang, Neigung, Richtung, Stimmung, Strömung, Trend, Zug

tendenziös: befangen, eingleisig, einseitig, parteigebunden, parteiisch, parteilich, subjektiv, unsachlich, voreingenommen, vorurteilsvoll, nicht objektiv *einseitig, gefärbt

tendieren: hinneigen (zu), neigen, streben (auf), zielen (auf), zu etwas neigen

Teppich: Bettvorleger, Bodenbelag, Brücke, Läufer, Teppichboden, Vorleger

Teppichboden: Auslegeware, Belag, Bettvorleger, Bodenbelag, Brücke, Läufer, Matte, Teppichfliese

Termin: Frist, Stichtag, Zeitpunkt

termingemäß: fristgemäß, fristgerecht, pünktlich, wie vereinbart

terminieren: befristen, einen Termin setzen, eine Frist festlegen

Terminkalender: Merkbuch, Notizbuch, Taschenbuch, Vormerkbuch

Terminologie: Begrifflichkeit, Fachausdrücke, Fachwortschatz, Nomenklatur

Terminus: Fachausdruck, Fachterminus, Fachwort, Spezialwort *Grenze, Stichtag

Terra: Erdboden, Erde, Festland

Terrain: Anwesen, Areal, Gelände, Grund, Grundbesitz, Grundstück, Immobilie, Land *Bereich, Bezirk, Distrikt, Erdstrich, Flur, Gebiet, Gefilde, Gegend, Gelände, Landschaft, Landschaftsgebiet, Landstrich, Raum, Region, Revier, Zone

Terrasse: Absatz, Geländestufe, Treppe *Veranda

Terrine: Napf, Schüssel, Suppenschüssel *Pastete

territorial: inländisch, ein Gebiet betreffend, zu einem Gebiet gehörig

Territorium: Gebiet, Hoheitsgebiet, Staatsgebiet

Terror: Gewaltherrschaft, Schrecken, Schreckensherrschaft *Ausschreitung, Gewaltanwendung, Gewalttätigkeit, Handgreiflichkeit, Pogrom, Tätlichkeit

terrorisieren: androhen, bedrohen, drohen, erpressen, nötigen, zwingen, jmdn. unter Druck setzen, Zwang ausüben, Druck ausüben, Gewalt ausüben, Terror ausüben *fertig machen, mobben

Terrorismus: Despotie, Despotismus, Diktatur, Gewaltherrschaft, Schreckensherrschaft, Terror, Tyrannei, absolutistische Herrschaft, totalitäres System *Anarchismus, Chaos, Extremismus, Radikalismus, Untergrundkampf, Wirrwarr

Terrorist: Aktivist, Anarchist, Aufrührer, Extremist, Guerilla, Linksradikaler, Radikalist, Rechtsradikaler, Revoluzzer, Stadtguerilla, Untergrundkämpfer *Selbstmordattentäter

terroristisch: anarchistisch, chaotisch, extremistisch, gesetzlos, gewalttätig, linksradikal, radikal, rechtsradikal, staatsfeindlich, subversiv

Test: Durchsicht, Erprobung, Experiment, Probe, Versuch *Kontrolle, Prüfung, Stichprobe, Untersuchung

Testament: letzter Wille, letztwillige Verfügung *Bibel, Altes Testament, Neues Testament *Patiententestament, Patientenverfügung

testamentarisch: letztwillig

Testat: Attest, Beglaubigung, Beleg, Bescheinigung, Bestätigung, Beurkundung, Beweis, Diplom, Erklärung, Nachweis, Quittung, Schein, Urkunde, Zertifikat, Zeugnis

testen: durchsehen, einsehen, erproben, prüfen, überprüfen, unter die Lupe nehmen, auf Herz und Nieren prüfen, auf den Zahn fühlen, einer Prüfung unterwerfen, einer Prüfung unterziehen

testieren: attestieren, beglaubigen, bescheinigen, bestätigen, beurkunden, bezeugen, schriftlich geben

Tetanus: Starrkrampf, Wundstarrkrampf

tête-à-tête: diskret, geheim, intern, intim, vertraulich, im Vertrauen, unter dem Siegel der Verschwiegenheit, unter vier Augen

Tête-à-Tête: Begegnung, Date, Liebesstündchen, Meeting, Rendezvous, Stelldichein, Treffen, Verabredung, Zusammenkunft, Zusammentreffen, trautes Beisammensein

teuer: aufwändig, kostspielig, überteuert, unerschwinglich *geliebt, geschätzt, heißgeliebt, kostbar, lieb, unersetzlich, verehrt, vergöttert, wert *edel, einmalig, erlesen, erstklassig, exquisit, fein, hochwertig, kostbar, kostspielig, qualitätsvoll, selten, unbezahlbar, unersetzbar, unschätzbar, wertvoll, viel wert, von guter Qualität

Teuerung: Preisanstieg, Preiserhöhung, Preislawine, Preissteigerung, Verteuerung

Teufel: Antichrist, Beelzebub, Dämon, Erbfeind, Erzfeind, Feind, Höllenfürst, Leibhaftiger, Luzifer, Mephisto, Satan, Verderber, Verführer, Versucher, Widersacher, Fürst der Finsternis *Bestie, Bluthund, Gewaltmensch, Kannibale, Satan, Scheusal, Schurke, Tier, Übeltäter, Ungeheuer, Unhold, Unmensch, Vandale, Verbrecher, Wandale

Teufelei: Bosheit, Gemeinheit

Teufelsanbetung: Abgötterei, Bilderdienst, Bilderverehrung, Götzendienst, Götzenverehrung, Heidentum, Teufelsdienst, schwarze Messe

Teufelsaustreiber: Exorzist, Geisterbanner, Geisterbeschwörer, Hexenmeister, Hexer, Teufelsbanner, Teufelsbeschwörer

Teufelsaustreibung: Bannung, Beschwörung, Besprechung, Dämonenaustreibung, Exorzismus, Geisterbeschwörung, Teufelsbeschwörung

Teufelsbrut: Bande, Meute, Räuberbande

Teufelskerl: Allerweltskerl, Draufgänger, Tausendsassa, Hansdampf in allen Gassen

Teufelskreis: Circulus vitiosus

Teufelskunst: Teufelspakt, Teufelswerk, Zauberei

teufelswild: fuchsig, fuchsteufelswild, fuchtig, wütend, wutentbrannt, wutschäumend, wutschnaubend, zähneknirschend, zornentbrannt, zornig

teuflisch: bösartig, böse, dämonisch, diabolisch, feindselig, gottlos, hasserfüllt, infernalisch, lästerlich, luziferisch, mephistophelisch, niederträchtig, satanisch, schändlich, schuftig, schurkisch, sündhaft, teufelhaft, unrettbar, verdammt, verloren, verteufelt *gemein, niederträchtig

Text: Handschrift, Manuskript, Wort, Wortlaut *Rolle

Textbuch: Libretto

Textdichter: Librettist, Texter, Textverfasser

Textilien: Spinnwaren, Textilwaren, Webwaren, Wirkwaren

Theater: Bühne *Festspielhaus, Kammerspiele, Oper, Opernhaus, Schauspielhaus *Schmiere, Wanderbühne *Heuchelei, Komödie, Schauspielerei, Verstellung, Verstellungskunst *Affenkomödie, Affentanz, Affentheater, Drama, Gehabe, Geschrei, Gestürm, Gesums, Getöse, Getue, Krampf, Trara, Zirkus, unsinniges Tun *Theater machen: s. aufspielen, s. genieren, s. zieren *lärmen, schreien, toben *Theater spielen: aufführen, spielen *heucheln, lügen, schauspielern, s. verstellen

Theaterautor: Bühnenautor, Bühnendichter, Dichter, Dramatiker, Stückeschreiber, Theaterdichter

Theaterglas: Opernglas

Theatersaison: Saison, Spielsaison, Spielzeit

Theaterstück: Bühnendichtung, Bühnenspiel, Bühnenstück, Bühnenwerk, Spiel, Stück

theatralisch: affektiert, gekünstelt, gemacht, gespreizt, manieriert, pathetisch, schwülstig, unecht, unnatürlich *bühnenmäßig, schauspielerhaft, das Theater betreffend

Theismus: Gottesglaube, Monotheismus

Theist: Gottgläubiger, Anhänger des Theismus

Theke: Ausschank, Schanktisch, Schenktisch, Tresen

Thema: Aufgabenstellung, Frage, Gegenstand, Grundgedanke, Hauptgedanke, Hauptgegenstand, Inhalt, Materie, Problem, Stoff, Sujet *Grundgedanke, Grundmelodie, Melodienfolge

Theologe: Geistliche, Gottesdiener, Hirte, Kaplan, Kleriker, Mönch, Pastor, Pater, Pfarrer, Prediger, Priester, Seelenhirte, Seelsorger, geistlicher Herr, Diener Gottes, Diener am Wort

theologisch: geistlich, kirchlich, klerikal, sakral, spiritual, nicht weltlich

theoretisch: abstrakt, begrifflich, gedacht, gedanklich, hypothetisch, praxisfern, spekulativ, vorgestellt, wissenschaftlich, nicht praktisch

Theorie: Ansicht, Behauptung, Bekenntnis, Dogma, Doktrin, Lehre, Lehrgebäude, Lehrmeinung, Lehrsatz, Überzeugung, Wissenschaft *Einbildung, Erfindung, Illusion, Imagination, Luftschloss, Phantasie, Trugbild, Utopie, Vorstellung

Therapie: Behandlung, Betreuung, Heilbehandlung, Heilmethode

Thermometer: Temperaturmesser, Wärmemesser

Thesaurus: elektronisches Synonymwörterbuch

These: Ansicht, Behauptung, Bekenntnis, Dogma, Doktrin, Lehre, Lehrgebäude, Lehrmeinung, Lehrsatz, Theorie, Überzeugung, Wissenschaft *Behauptung, Feststellung, Hypothese, Mutmaßung, Unterstellung, Vermutung, Voraussetzung

Thorax: Brustkasten, Brustkorb

Thron: Herrschersitz, Herrscherstuhl, Kaiserstuhl, Königsstuhl, Sessel, Sitz *Herrschergewalt, Macht, Regierung

Thronerbe: Kronerbe, Nachfolger, Thronfolger

Tick: Absonderlichkeit, Besessenheit, Eigenart, Fimmel, Macke, Marotte, Mucke, Schrulle, Spleen

ticken: ballern, bullern, bumsen, hämmern, klopfen, pochen, schlagen, trommeln

Ticket: Billett, Eintrittskarte, Fahrkarte, Fahrschein, Flugschein *Gepäckkarte, Lieferschein

tief: abgründig, abgrundtief, bodenlos, grundlos *tief liegend, auf dem Boden, ganz unten, in der Tiefe *gedankenvoll, gehaltvoll, tiefgründig, tiefsinnig, vielsagend *groß *dunkel, voll *intensiv, kräftig, satt *anhaltend *fest ***tief betrübt:** unglücklich, todunglücklich, bedrückt, bekümmert, betrübt, defätistisch, depressiv, desolat, elegisch, elend, freudlos, hypochondrisch, melancholisch, nihilistisch, pessimistisch, schwarzseherisch, schwermütig, traurig, trist, trübe, trübselig, trübsinnig, unfroh, wehmütig ***tief gehend:** beeindruckend, eindrücklich, eindrucksvoll, einprägsam, großartig, herrlich, hervorragend, imponierend, imposant, sagenhaft, schön, sensationell, stattlich, unauslöschbar, wirkungsvoll, wunderbar ***tief greifend:** ausschlaggebend, bedeutend, bestimmend, durchdringend, durchgreifend, eindrucksvoll, einprägsam, einschneidend, empfindlich, entscheidend, ernstlich, folgenschwer, fühlbar, gravierend, grundlegend, intensiv, maßgeblich, merklich, nachhaltig, richtungweisend, schwerwiegend, stark, tiefgehend, unvergesslich, wegweisend, weit reichend, wichtig, wirksam *__tief schürfend:__ gedankentief, tiefgründig *abwägend, abwesend, besinnlich, gedankenvoll, geistesabwesend, grübelnd, grüblerisch, nachdenklich, tiefsinnig, überlegt, versonnen, in Gedanken versunken, in sich gekehrt

Tief: Schlechtwettergebiet, Tiefdruckgebiet, Tiefdruckzone, Zyklone *Depression, Freudlosigkeit, Gedrücktheit, Mutlosigkeit, Niedergeschlagenheit, Schwermut, Trübsinn, Verzagtheit, schlechte Laune *Baisse, Bärenzeit, Börsentief

Tiefdruckgebiet: Schlechtwettergebiet, Tief, Tiefdruckzone, Zyklone

Tiefe: Bedeutung, Größe, Schwere, Würde *Abgrund, Cañon, Klamm, Klause, Kluft, Schlucht, Schlund, Spalte, Tal *Ausdehnung, Ausmaß

Tiefebene: Ausdehnung, Ebene, Fläche, Flachland, Niederung, Plateau, Platte, Tafel, Tafelland, Tiefland, Unterland, das flache Land

Tiefenmesser: Echolot

Tiefgang: Essenz, Gedankenfülle, Gedankenreichtum, Gedankentiefe, Gehalt, Substanz, Tiefgründigkeit, Tiefsinn, Tiefsinnigkeit

tiefgefrieren: abkühlen, einfrieren, einfrosten, eingefrieren, frosten, gefrieren

tiefgekühlt: gefroren, gefrostet, tiefgefroren

tiefgründig: bedeutsam, bedeutungsschwer, bedeutungsvoll, durchdacht, feinsinnig, gedankenreich, gedankenvoll, gehaltvoll, gewichtig, tief, tief gehend, tiefschürfend, tiefsinnig, überlegt, vielsagend

tiefkühlen: gefrieren, tiefgefrieren, einfrieren, einfrosten, eingefrieren, konservieren

Tiefland: Ausdehnung, Ebene, Fläche, Flachland, Niederung, Plateau, Platte, Tafel, Tafelland, Tiefebene, Unterland, das flache Land

Tiefpunkt: Krise, Störung, Talsohle, Tief *schlechter Gesundheitszustand

Tiefschlaf: Heilschlaf, Hypnoseschlaf, Schlaftherapie

Tiefschlag: Boxhieb, Fausthieb, Faustschlag, Schwinger

Tiefsinn: Essenz, Gedankenfülle, Gedankenreichtum, Gedankentiefe, Gehalt, Substanz, Tiefgang, Tiefgründigkeit, Tiefsinnigkeit

tiefsinnig: bedeutsam, bedeutungsvoll, durchdacht, feinsinnig, gedankenvoll, gehaltvoll, tief, tiefgehend, tiefschürfend, überlegt, vielsagend

Tiefstand: Baisse, Depression, Flaute, Konjunkturrückgang, Krise, Niedergang, Rezession, Tiefpunkt

Tiegel: Bratpfanne, Pfanne

Tier: Bestie, Biest, Bluthund, Gewaltmensch, Kannibale, Satan, Scheusal, Schurke, Teufel, Übeltäter, Unhold, Unmensch, Vandale, Verbrecher, Vieh, Wandale

Tierarzt: Veterinär, Vieharzt

Tierbändiger: Bändiger, Dompteur, Dresseur, Raubtierbändiger

Tiergarten: Freigehege, Tierpark, Zoo, zoologischer Garten

tierisch: animalisch, libidinös, tierhaft, triebhaft *brutal, gewalttätig, roh

Tierkunde: Zoologie

Tierkundler: Zoologe

Tierlehrer: Dresseur, Tierbändiger

Tierleiche: Aas, Kadaver

Tierpark: Tiergarten, Zoo, zoologischer Garten

Tierreich: Fauna, Getier, Tierleben, Tierwelt

Tierstaat: Kolonie, Tiervolk

Tierstimme: Naturlaut, Tierlaut

Tierwelt: Fauna, Getier, Tierleben, Tierreich

tilgbar: abtragbar, amortisabel, zahlbar, zu tragen

tilgen: abwaschen, abwischen, auslöschen, ausmerzen, ausradieren, ausrotten, beseitigen, eliminieren, entfernen, liquidieren, löschen, streichen, aus der Welt schaffen, zum Verschwinden brin-

gen *abarbeiten, abbezahlen, abdecken, abgelten, ablösen, abstoßen, abtragen, abverdienen, amortisieren, annullieren, ausgleichen, begleichen, bereinigen, bezahlen, erledigen, löschen, zurückerstatten, zurückzahlen, eine Schuld aufheben
Tilgung: Abdeckung, Ablösung, Abschreibung, Abtragung, Abzahlung, Amortisation, Bezahlung, Löschung, Streichung
Timbre: Klang, Klangfarbe, Kolorit, Tonfarbe
timen: den Zeitpunkt festlegen, den richtigen Zeitpunkt wählen, die Zeit festsetzen *zeitlich aufeinander abstimmen, in zeitlichen Einklang bringen, zeitlich regeln *mit der Stoppuhr messen
Timing: Temporegulierung, Zeitabstimmung, Zeiteinteilung, Zeitplanung, zeitliche Koordination
Tingeltangel: Amüsierlokal, Bar *Schmiere, Schmierentheater
Tinktur: Absud, Auszug, Elixier, Essenz, Extrakt, Heiltrank, Zaubertrank
Tintenfisch: Kalamar, Krake, Seepolyp, Sepia
Tipp: Andeutung, Anspielung, Bemerkung, Deut, Fingerzeig, Hinweis, Rat, Ratschlag, Vorhersage, Wink
Tippelbruder: Clochard, Landstreicher, Pennbruder, Penner, Taugenichts, Tramp, Vagabund, heimatloser Geselle
tippeln: gehen, tänzeln, trippeln *herumstreifen, herumstreunen, herumstromern, herumzigeunern, wandern
tippen: abtippen, eingeben, eintippen, Maschine schreiben *annehmen, glauben, meinen, schätzen, spekulieren, vermuten, auf jmdn. setzen *antippen, berühren
Tippse: Bürokraft, Maschinenschreiberin, Schreibdame, Schreibkraft, Stenotypistin
tipptopp: astrein, einwandfrei, fehlerfrei, fehlerlos, hochfein, lupenrein, makellos, meisterhaft, mustergültig, perfekt, richtig, tadellos, untadelig, vollendet, vollkommen
Tirade: Erguss, Redefluss, Redeschwall, Worterguss, Wortschwall, leeres Geschwätz
tirilieren: pfeifen, piepen, piepsen, quirilieren, schilpen, schlagen, singen, trillern, tschilpen, ziepen, zirpen, zwitschern
Tischdecke: Decke, Tafeltuch, Tischtuch
Tischkasten: Schubfach, Schublade
Tischler: Möbelmacher, Schreiner
Tischtuch: Decke, Tafeltuch, Tischdecke
titanenhaft: gewaltig, himmelstürmend, prometheisch, titanisch, übermenschlich, an Gewalt alles übertreffend, an Kraft alles übertreffend, an Größe alles übertreffend
Titel: Amtsbezeichnung, Dienstbezeichnung, Ehrentitel, Prädikat, Rangbezeichnung *Kopf, Überschrift
titulieren: anreden, ansprechen, benennen, beschimpfen, betiteln, zurufen, einen Titel geben
Toast: Trinkspruch *geröstetes Brot, geröstetes Weißbrot *überbackenes Brot
toasten: s. zuprosten, zutrinken, einen Trinkspruch ausbringen, einen Toast ausbringen *bräunen, rösten
toben: rasen, schnauben, wüten, wütend werden, heftig werden *blasen, brausen, sausen, stürmen, winden *s. ausleben, s. austoben, s. austollen, herumspringen, s. tummeln, umherlaufen, umherspringen, wüten, die Grenzen überschreiten, übermütig sein, zu weit gehen
Tobsucht: Ärger, Empörung, Entrüstung, Erbitterung, Erregung, Furor, Raserei, Wildheit, Wut, Zorn
tobsüchtig: ärgerlich, aufgebracht, böse, entrüstet, erbost, erzürnt, fuchsteufelswild, furios, gereizt, rasend, verärgert, wütend, wutentbrannt, wutschäumend, wutschnaubend, zornentbrannt, zornig, in schlechter Stimmung
Tod: Abberufung, Abgang, Ableben, Abscheiden, Abschied, Absterben, Auflösung, Ende, Erlösung, Heimfahrt, Heimgang, Hingang, Hinscheiden, Lebensende, Leblosigkeit, Sterben, Todesschlaf, Untergang, das Verewigen, das Verscheiden, das Entschlafen, das Erblassen, das Erlöschen, der ewige Schlaf *Knochenmann, Schnitter, Sensenmann, Todesengel, Würgengel, Freund Hein, Gevatter Tod
todbleich: aschgrau, kreideweiß, asch-

fahl, blass, blassgesichtig, blässlich, blasswangig, bleich, bleichgesichtig, bleichsüchtig, blutarm, blutleer, fahl, grau, kalkweiß, käsebleich, kreidebleich, leichenblass, totenblass, totenbleich, weiß

todernst: eisern, ernst, gestreng, hart, humorlos, trocken, unerbittlich, unnachgiebig, unnachsichtig

Todesangst: Angst, Beklemmung, Furcht, Furchtsamkeit, Heidenangst, Herzensangst, Höllenangst, Panik

Todesanzeige: Nachruf, Trauernachricht

Todesfall: Sterbefall, Trauerfall, Verlust

Todeskampf: Agonie, Tod, Todesnot, Todespein, die letzte Stunde

Todeskandidat: Sterbender, Todgeweihter

todesmutig: aufrecht, beherzt, couragiert, draufgängerisch, entschlossen, forsch, furchtlos, heldenhaft, heldenmütig, herzhaft, kämpferisch, kühn, mannhaft, männlich, mutbeseelt, mutig, schneidig, standhaft, tapfer, tollkühn, unerschrocken, unverzagt, vermessen, verwegen, wagemutig, waghalsig

Todesschlaf: Grabesschlummer, Tod, Todesschlummer, der ewige Schlaf, der letzte Schlaf

Todesstoß: Fang, Fangstoß, Genickfang

Todfeind: Erzfeind, Feind, Gegner *Erbfeind

todkrank: sterbenskrank, todgeweiht, unheilbar, dem Tod geweiht

tödlich: meuchlings, mörderisch, todbringend, verderbenbringend, verderblich, zerstörerisch

todmüde: müde, hundemüde, ermattet, fertig, geschafft, groggy, mitgenommen, schlaff, schwach, überanstrengt, überlastet, k. o., am Ende

todschick: apart, auserlesen, ausgesucht, chic, elegant, erlesen, fein, fesch, gewählt, kultiviert, modern, mondän, nobel, piekfein, rassig, schick, schmuck, schneidig, schnieke, schnittig, smart, stilvoll, vornehm

todsicher: bombensicher, sicher

todunglücklich: bedrückt, bekümmert, betroffen, betrüblich, betrübt, defätistisch, depressiv, deprimiert, desolat, elegisch, elend, ernsthaft, freudlos, gebrochen, gedrückt, hypochondrisch, kummervoll, leidend, melancholisch, niedergeschlagen, nihilistisch, pessimistisch, schmerzerfüllt, schwarzseherisch, schwermütig, traurig, trist, trübe, trübselig, trübsinnig, unfroh, unglücklich, untröstlich, verzweifelt, wehmütig, wehmutsvoll, am Boden zerstört, von Trauer erfüllt

Tohuwabohu: Allerlei, Chaos, Durcheinander, Gewirr, Hexenkessel, Knäuel, Konfusion, Krimskrams, Kuddelmuddel, Mischmasch, Mischung, Sammelsurium, Unordnung, Verwirrung, Wirrnis, Wirrsal, Wirrwarr, Wust, das Kunterbunt

Toilette: Abort, Häuschen, Kabinett, Klosett, Örtchen, Pissoir, WC

tolerant: aufgeklärt, aufgeschlossen, duldsam, einsichtig, entgegenkommend, freiheitlich, freizügig, geduldig, großmütig, großzügig, human, liberal, nachsichtig, offen, offenherzig, schwach, versöhnlich, verständnisvoll, vorurteilsfrei, vorurteilslos, weitherzig

Toleranz: Behutsamkeit, Duldsamkeit, Geduld, Gnade, Großzügigkeit, Hochherzigkeit, Liberalität, Milde, Nachsicht, Rücksicht, Schonung, Verständnis

tolerieren: akzeptieren, anerkennen, billigen, dulden, erdulden, erlauben, ertragen, konzedieren, respektieren, zulassen, geschehen lassen, jmdn. gewähren lassen, schalten und walten lassen

toll: abenteuerlich, ansehnlich, auffallend, auffällig, Aufsehen erregend, außergewöhnlich, außerordentlich, ausgefallen, beachtlich, bedeutend, bedeutsam, bedeutungsvoll, beeindruckend, beträchtlich, bewundernswert, bewundernswürdig, brillant, eindrucksvoll, einzigartig, enorm, entwaffnend, erstaunlich, fabelhaft, groß, großartig, hervorragend, imponierend, imposant, märchenhaft, nennenswert, ohnegleichen, sagenhaft, sensationell, sondergleichen, spektakulär, stattlich, überragend, überraschend, überwältigend, ungeläufig, ungewöhnlich, unvergleichlich, verblüffend *laut *überhöht *stark

tolldreist: beherzt, draufgängerisch, furchtlos, heldenhaft, heldenmütig, herz-

haft, kämpferisch, keck, kühn, mannhaft, mutig, tapfer, todesmutig, tollkühn, unerschrocken, unverzagt, vermessen, verwegen, wagemutig, waghalsig
tollen: s. ausleben, s. austoben, s. austollen, herumspringen, toben, s. tummeln, umherlaufen, umherspringen, wüten, die Grenzen überschreiten, übermütig sein, zu weit gehen
Tollheit: Beherztheit, Draufgängertum, Furchtlosigkeit, Heldentum, Herzhaftigkeit, Kampfesmut, Kühnheit, Mut, Tapferkeit, Todesmut, Unerschrockenheit, Unverzagtheit, Vermessenheit, Verwegenheit, Wagemut, Waghalsigkeit
tollkühn: abenteuerlich, beherzt, couragiert, draufgängerisch, forsch, furchtlos, gefährlich, gewagt, halsbrecherisch, kühn, mutig, riskant, tapfer, tolldreist, unbesonnen, unerschrocken, unverzagt, vermessen, verwegen, wagemutig, waghalsig
Tollkühnheit: Beherztheit, Draufgängertum, Furchtlosigkeit, Heldentum, Herzhaftigkeit, Kampfesmut, Kühnheit, Mut, Tapferkeit, Todesmut, Unerschrockenheit, Unverzagtheit, Vermessenheit, Verwegenheit, Wagemut, Waghalsigkeit
Tollpatsch: Dummkopf, Tölpel, Trampel, Ungeschick
tollpatschig: plump, tappig, täppisch, tapsig, ungeschickt
Tölpel: Dummkopf, Tollpatsch, Trampel
tölpelhaft: linkisch, plump, schwerfällig, umständlich, unbeholfen, ungelenk, ungeschickt *einfältig, harmlos, kindlich, naiv, treuherzig
Tomate: Liebesapfel, Paradeiser, Paradiesapfel
Tombola: Glückshafen, Verlosung, Warenlotterie
Ton: Laut, Schall *Farbe, Farbton, Färbung, Tönung *Akzent, Betonung, Tonzeichen *Kaolin, Lehm, Mergel, Sedimentgestein
tonangebend: avantgardistisch, bahnbrechend, bestimmend, dominant, entscheidend, führend, maßgebend, maßgeblich, revolutionär, richtungweisend, überlegen, vorherrschend, wegweisend
Tonbandgerät: Recorder
Tondichter: Komponist, Tonschöpfer, Tonsetzer
Tondichtung: Komposition, Musikstück, Musikwerk, Tonstück
tönen: klingen *anmalen, anstreichen, bemalen, einfärben, färben, kolorieren, die Farbe verändern, farbig machen, mit Farbe versehen, Farbe geben
tönend: hallend, klangvoll, klingend, schallend, schwingend
Tonfall: Akzent, Aussprache, Betonung, Ton
Tonfarbe: Klang, Klangfarbe, Kolorit, Timbre
Tonfilm: Sprechfilm
Tonfolge: Melodie, Tonweise, Weise
Tonfrequenz: Hörfrequenz
Tonkunst: Musik
Tonkünstler: Musikant, Musiker, Musikus *Komponist, Tonschöpfer, Tonsetzer
Tonlage: Lage, Stimmlage, Tonhöhe
tonlos: schweigend, schweigsam, stumm, wortlos
Tonnage: Laderaum, Schiffsraum
Tonne: Bottich, Fass, Holzgefäß, Metallgefäß *Dicke, Dicker, Schwergewicht, Schwergewichtler *1000 kg, tausend Kilogramm
Tonschöpfer: Komponist, Tonsetzer
Tonsur: Glatze, Glatzkopf, Kahlkopf, Platte
Tonträger: CD, Compact Disk, Kompaktschallplatte *DVD *Langspielplatte, LP, Platte, Scheibe, Single *Magnetband
Tönung: Farbe, Farbton, Färbung, Ton
Tonzeichen: Akzent, Betonung, Ton
Topf: Kasserolle, Kochtopf *Nachtgeschirr, Nachttopf, Töpfchen
Topfen: Frischkäse, Quark, Schichtkäse, Weißkäse
Töpfer: Hafner
Tor: Einfahrt, Portal, Torweg, Tür *Fußballtor, Gehäuse, Kasten *Dummkopf, Grünschnabel
Toreinfahrt: Einfahrt, Torweg
Torheit: Dummheit, Einfalt, Einfältigkeit, Fehler, Gedankenlosigkeit, Leichtsinn, Narretei, Narrheit, Sinnlosigkeit, Unvernunft, Unverstand, Vernunftlosigkeit
Torhüter: Schlussmann, Tormann, Tor-

steher, Torwächter, Torwart, Nummer eins, Mann zwischen den Pfosten
töricht: albern, blöd, blödsinnig, dumm, dümmlich, einfältig, kindisch, lächerlich, leichtgläubig, sinnlos, ungeschickt, unklug, unvernünftig, ohne Verstand
torkeln: s. hin und her bewegen, schaukeln, schlenkern, schlingern, schwanken, schwingen, taumeln, wackeln, wanken, zittern
Tormann: Torwart
Tornister: Bündel, Ranzen, Ränzlein, Rucksack
torpedieren: eintauchen, hinablassen, hinunterlassen, versenken, den Fluten übergeben, untergehen lassen, in den Grund bohren *durchkreuzen, frustrieren, hintertreiben, untergraben, verderben, vereiteln, verhindern, zu Fall bringen, zuschanden machen, zunichte machen, einen Strich durch die Rechnung machen, das Handwerk legen
Torschluss: Abbruch, Abschluss, Ausgang, Ausklang, Beendigung, Ende, Endpunkt, Finale, Neige, Schluss, Schlusspunkt, Schlussakt
Torso: Bruchstück, Fragment, Rest, Stückwerk
Tortur: Folter, Folterung, Marter, Misshandlung, Qual *Beschwernis, Drangsal, Folter, Hölle, Höllenqual, Leidensweg, Marter, Martyrium, Mühsal, Plage, Qual, Quälerei, Strapaze
Torwächter: Pförtner, Türhüter, Türsteher
Torwart: Keeper, Schlussmann, Torhüter, Tormann, Torwächter
Torweg: Einfahrt, Tor
tosen: brausen, rasen, sausen, stürmen, toben
tot: abgeschieden, entseelt, erledigt, erloschen, geblieben, gefallen, gestorben, heimgegangen, hingeschieden, hingestreckt, leblos, selig, unbelebt, verblichen, verschieden, verstorben, ohne Leben *einsam, entvölkert, geisterhaft, menschenleer, öde, unbelebt, unbeseelt, unbevölkert, unbewohnt, verlassen, verödet *ertraglos *ausgestorben, vergangen
total: absolut, gänzlich, genau, hundertprozentig, vollständig, wirklich, ganz und gar, in jeder Hinsicht, in jeder Beziehung, in vollem Maße, in vollem Umfang, voll und ganz, von Anfang an, von oben bis unten, von vorn bis hinten, von A bis Z, von innen und außen, von Kopf bis Fuß
totalitär: absolut, absolutistisch, allgewaltig, autoritär, despotisch, diktatorisch, repressiv, tyrannisch, unbeschränkt, uneingeschränkt, unumschränkt, allein herrschend
Totalität: Allgemeinheit, Einheit, Ganzheit, Gesamtheit, Vollständigkeit, das Ganze
totaliter: durchaus, völlig, ganz und gar
totdrücken: erdrücken, totquetschen
töten: aufhängen, erhängen, hängen, hinrichten, kreuzigen, lynchen *abservieren, ausmerzen, ausrotten, beseitigen, meucheln, morden, niederschlagen, niederstrecken, säubern, umbringen *abschlachten, abstechen, erdolchen, erstechen, hinschlachten, niederstechen, schächten, schlachten, totmachen, totstechen *erdrosseln, ersticken, erwürgen *erlegen, ermorden, erschießen, hinrichten, liquidieren, einen Mord begehen, den Todesstoß versetzen, den Gnadenschuss geben *erschlagen, ertränken *steinigen, totmachen, totschlagen *beseitigen, verbrennen *vergasen *vergiften, vernichten, aus der Welt schaffen *abfangen, jagen, schießen *ersäufen, ertrinken
Totenacker: Friedhof, Gottesacker, Gräberfeld, Kirchhof *Gedenkstätte, Kriegsgräberstätte, Soldatenfriedhof
totenblass: blass, totenbleich
Totenfeier: Leichenfeier, Seelenamt, Seelenmesse, Totenmesse, Trauerfeier, Trauermesse *Totengedenken
Totenmesse: Requiem, Seelenamt, Seelenmesse, Totenamt, Totengedenkmesse
Totenreich: Geisterwelt, Hades, Hölle, Schattenreich, Schattenwelt, Unterwelt
Totenschädel: Totenkopf
Totenschau: Leichenschau
Totenschrein: Sarg, Sarkophag, Totenlade
Totensonntag: Totenfest
Totenstarre: Leichenstarre
totenstill: lautlos, still, unhörbar
Totenstille: Friede, Geräuschlosigkeit,

Grabesstille, Lautlosigkeit, Schweigen, Stille, Stillschweigen, Stummheit
Toter: Abgeschiedener, Entschlafener, Entseelter, Gebeine, Gefallener, Gerippe, Heimgegangener, Hingeschiedener, Leiche, Leichnam, Mumie, Todesopfer, Verblichener, Verstorbener, sterbliche Hülle, sterbliche Überreste
totlachen (s.): feixen, herausplatzen, kichern, s. kugeln, lachen, losbrüllen, losplatzen, quietschen, s. schieflachen, s. vor Lachen ausschütten, wiehern, ein Gelächter anstimmen, einen Lachanfall bekommen, einen Lachkrampf bekommen, hellauf lachen, in Lachen ausbrechen, in Gelächter ausbrechen, Tränen lachen, schallend lachen, aus vollem Halse lachen
totmachen: abfangen, abschlachten, abstechen, erlegen, ersäufen, jagen, schächten, schießen, schlachten, den Todesstoß versetzen, den Gnadenschuss geben ***s. totmachen:** s. abplagen, s. überanstrengen, s. zu Tode arbeiten, s. zu Tode schinden
totprügeln: ermorden, erschlagen, töten, den Schädel einschlagen
totschießen: abknallen, ermorden, erschießen, niederschießen, niederstrecken, töten, umlegen
Totschlag: Abtötung, Anschlag, Attentat, Blutbad, Ermordung, Mord, Tötung, Vernichtung
totschlagen: ermorden, erschlagen, töten, totprügeln, den Schädel einschlagen
totschweigen: geheim halten, unterschlagen, verbergen, verhehlen, verheimlichen, verschweigen, vertuschen, vorenthalten, (mit Schweigen) zudecken, bewusst nicht erzählen, für sich behalten, in sich bewahren, in sich verschließen
Tötung: Abtötung, Anschlag, Attentat, Blutbad, Ermordung, Mord, Totschlag, Vernichtung *Abschlachtung, Blutbad, Gemetzel, Massaker, Massenmord, Metzelei, Mord, Völkermord, das Hinschlachten
Touch: Anflug, Hauch, Idee, Kleinigkeit, Nuance, Prise, Quäntchen, Schatten, Schimmer, Schluss, Spur, Stich, Winzigkeit
Toupet: Haarersatz, Haarteil, Teilperücke
toupieren: auflockern, kräuseln
Tour: Ausflug, Fahrt, Wanderung *Drehung, Rotation, Strudel, Umdrehung, Umlauf, Wirbel
Tourenzahl: Umdrehungszahl
Tourenzähler: Drehzahlmesser
Tourismus: Fremdenverkehr, Fremdenverkehrswesen, Reiseverkehrswesen
Tourist: Feriengast, Fremder, Gast, Kurgast, Reisender, Urlauber, Urlaubsreisender
Tournee: Gastspiel, Rundreise
Tower: Flugbeobachtungsturm, Flugsicherungsturm, Kontrollturm
Toxin: Gift, Giftstoff, Toxikum
toxisch: gefährlich, gifthaltig, giftig, schädlich, tödlich, ungenießbar
Trabant: Begleiter, Erdbegleiter, Mond *Anhänger, Begleiter, Weggenosse
Trabantenstadt: Satellitenstadt, Vorort
traben: galoppieren, reiten, sprengen, zu Pferd sitzen, im Sattel sitzen *s. beeilen, preschen, eilen, galoppieren, hasten, laufen, pesen, preschen, rasen, rennen, sausen, sprinten, spurten, stürmen, stürzen, wetzen, wieseln
Tracht: Garderobe, Kleidung, Volkstracht
trachten: abzielen (auf), streben, zu erreichen suchen
Trachten: Bedürfnis, Streben, Wunsch
trächtig: beschlagen, tragend, hochtragend *schwanger
Trackball: Rollball, Rollkugel
Tradition: Erbe, Überlieferung, das Herkommen *Brauch, Gepflogenheit, Gewohnheit, Herkommen, Sitte, Übung, Usus
traditionell: alt, altehrwürdig, altererbt, althergebracht, altüberliefert, altüblich, ehrwürdig, ererbt, gebräuchlich, hergebracht, herkömmlich, klassisch, konventionell, überkommen, überliefert, üblich,
Tragbahre: Bahre, Krankenbahre, Trage
tragbar: beförderbar, beweglich, fahrbar, mobil, transportabel *leicht, nicht schwer *akzeptabel, annehmbar, brauchbar, dienlich, ertragbar, erträglich, ge-

nießbar, halbwegs, hinlänglich, leidlich, mittelmäßig, passabel, tauglich, vertretbar, einigermaßen zufriedenstellend, einigermaßen befriedigend, den Verhältnissen entsprechend
träge: apathisch, bequem, denkfaul, desinteressiert, dickfellig, gefühllos, gleichgültig, inaktiv, indolent, interesselos, kühl, lasch, leidenschaftslos, lethargisch, passiv, phlegmatisch, schläfrig, schwerfällig, schwunglos, stumpf, stumpfsinnig, teilnahmslos, tranig, unaufgeschlossen, unbeteiligt, unbewegt, unempfindlich, ungerührt, untätig, verschlafen *teigig, viskös
Trage: Bahre, Krankenbahre, Tragbahre
tragen: befördern, schleppen, transportieren, mit sich führen *anhaben, aufhaben, bekleidet sein
tragend: beschlagen, hochtragend, trächtig
Träger: Achselband, Achselträger *Konsole, Stützbalken, Stütze, Stützpfeiler, Tragpfosten *Dienstmann, Gepäckträger, Lastenträger
Tragfläche: Flügel, Tragflügel
Trägheit: Abgestumpftheit, Abstumpfung, Apathie, Bequemlichkeit, Desinteresse, Dickfelligkeit, Faulheit, Gefühllosigkeit, Geistesabwesenheit, Gleichgültigkeit, Herzlosigkeit, Indolenz, Interesselosigkeit, Kühle, Leidenschaftslosigkeit, Lethargie, Passivität, Phlegma, Schläfrigkeit, Stumpfheit, Stumpfsinn, Stumpfsinnigkeit, Sturheit, Teilnahmslosigkeit, Unaufgeschlossenheit, Unempfindlichkeit, Ungerührtheit, Uninteressiertheit, Wurstigkeit
Tragik: Desaster, Elend, Missgeschick, Unglück
tragisch: bedauerlich, bedauernswert, beklagenswert, bemitleidenswert, betrüblich, desolat, düster, elend, entmutigend, erschreckend, freudlos, hart, herzergreifend, hoffnungslos, jammervoll, leidvoll, qualvoll, traurig, trist, trostlos, unerfreulich, unglücklich *desolat, fürchterlich, katastrophal, schlimm, verhängnisvoll, sehr schlecht
Tragödie: Drama, Trauerspiel *Desaster, Elend, Missgeschick, Tragik, Unglück
Tragtier: Lasttier, Muli, Packesel, Saumtier
Tragweite: Bedeutsamkeit, Bedeutung, Belang, Ernst, Gewicht, Gewichtigkeit, Größe, Rang, Relevanz, Schwere, Tiefe, Wert, Wichtigkeit, Würde
Trainer: Ausbilder, Betreuer, Coach, Manager, Sportlehrer
trainieren: s. beibringen, durchproben, durchüben, s. einprägen, einstudieren, einüben, erlernen, lernen, proben, üben, vorbereiten, s. zu eigen machen *durchexerzieren, s. trimmen, üben, im Training sein, in Übung sein, in Form bleiben, s. fit halten
trainiert: ausgebildet, fit, gedrillt, geschult, vorbereitet
Training: Probe, Schliff, Schulung, Übung, Wiederholung
Trakt: Gebäudekomplex, Häuserblock, Komplex *Ausdehnung, Länge, Strang, Strecke, Zug *Flügel, Seitenbau, Seitentrakt
Traktat: Abhandlung, Arbeit, Artikel, Aufsatz, Beitrag, Bericht, Beschreibung, Darstellung, Dissertation, Erörterung, Essay, Forschungsbericht, Untersuchung, wissenschaftliches Werk
traktieren: drangsalieren, foltern, malträtieren, martern, misshandeln, peinigen, quälen, schinden, terrorisieren, tyrannisieren, grausam sein, Schmerzen bereiten, Qualen bereiten, Pein bereiten, weh tun *auftischen, aufwarten, bedienen, kredenzen
Traktor: Bulldog, Bulldozer, Schlepper, Schleppfahrzeug, Trecker, Zugmaschine
trällern: anstimmen, grölen, jodeln, plärren, schmettern, singen, summen, tremolieren, trillern
Trambahn: Straßenbahn, Tram
Tramp: Landstreicher, Pennbruder, Penner, Taugenichts, Tippelbruder, Vagabund, heimatloser Geselle
Trampel: Dummkopf, Tollpatsch, Tölpel
trampeln: stampfen, stapfen, heftig treten
trampen: hitchhiken, s. mitnehmen lassen, per Anhalter fahren, per Autostopp fahren
Tramper: Anhalter, Hitchhiker

Trampolin: Schleuderbrett
Trance: Abwesenheit, Dämmerzustand, Entrückung, Versenkung
tranchieren: aufschneiden, aufteilen, schneiden, teilen, zerlegen, zerschneiden, zerteilen
Träne: Augenwasser, Wasser, Zähre
tränenselig: beseelt, einfühlsam, empfindsam, feinfühlend, feinfühlig, feinsinnig, gefühlsbetont, gefühlsselig, gefühlstief, gefühlvoll, gemüthaft, gemütvoll, mimosenhaft, romantisch, rührselig, schmalzig, schwärmerisch, seelenvoll, sentimental, sinnenhaft, überempfindlich, überspannt, verinnerlicht, weich, zart, zartfühlend
Tränenseligkeit: Gefühlsseligkeit, Rühren, Rührseligkeit, Sentimentalität
tranig: ranzig, schlecht *bedächtig, langsam *faul
Trank: Flüssigkeit, Getränk, Trinkbares, Trunk
tränken: einflößen, zu trinken geben, trinken lassen *durchfeuchten, durchweichen, voll saugen lassen
Tranquilizer: Beruhigungsmittel, Beruhigungspille, Downer, Sedativ, Sedativum
Transfer: Übertragung, Umwandlung *Abgabe, Verkauf
transferabel: austauschbar, übertragbar, umwechselbar
transferieren: austauschen, übertragen, umwechseln *abgeben, verkaufen
Transit: Durchfahrt, Durchfuhr, Durchreise
Transithandel: Durchfuhrhandel
transparent: durchscheinend, durchsichtig, gläsern, glasklar, hell, klar, kristallklar, rein, sauber, ungetrübt *anschaulich, bestimmt, bildhaft, deutlich, eindeutig, einfach, exakt, genau, greifbar, handfest, klar, präzise, unmissverständlich, unverblümt, unzweideutig, fest umrissen *erwiesen, evident, festumrissen, gewiss, offensichtlich, selbstverständlich, sicher, unbestreitbar, unbezweifelbar, unleugbar
Transparent: Banderole, Spruchband
Transparenz: Durchsichtigkeit, Lichtdurchlässigkeit, das Durchscheinen
transpirieren: ausdünsten, schwitzen
Transplantation: Gewebsverpflanzung, Organübertragung, Organverpflanzung, Übertragung, Verpflanzung, Xenotransplantation
transplantieren: rückverpflanzen, übertragen, verpflanzen
Transport: Abfahrt, Abfuhr, Abtransport, Beförderung, Überführung
transportabel: beförderbar, beweglich, fahrbar, mobil, tragbar
transportieren: befördern, einfliegen, expedieren, spedieren, überführen, versenden
Transportunternehmen: Fuhrunternehmen, Rollfuhrunternehmen, Spedition, Speditionsbetrieb, Speditionsgeschäft, Transportfirma
Transuse: Langweiler, Schlafmütze, Schnecke, Schussel, Tränentier, Tranfunzel
transzendent: immateriell, jenseitig, metaphysisch, spiritual, spirituell, überirdisch, übernatürlich, übersinnlich
tranzendieren: hinübergehen, überschreiten, übersteigen
Trara: Aufruhr, Donner, Dröhnen, Gejodel, Geklapper, Geklirr, Geknatter, Gekreische, Gelärme, Gepolter, Gerassel, Geratter, Geräusch, Geschrei, Getobe, Getöse, Hallo, Heidenlärm, Heidenspektakel, Höllenlärm, Höllenspektakel, Klamauk, Krach, Krachen, Krakeel, Krawall, Lärm, Rabatz, Radau, Randal, Ruhestörung, Rummel, Skandal, Spektakel, Stimmengewirr, Tamtam, Trubel, Tumult
Tratsch: Altweibergeschwätz, Dorfklatsch, Gefasel, Geklatsche, Gemunkel, Geraune, Gerede, Geschwätz, Geschwatze, Getratsche, Getuschel, Gezischel, Heimlichtuerei, Klatsch, Klatscherei, Klatschgeschichten, Knatsch, Lärm, Munkelei, Palaver, Rederei, Stadtklatsch, Tratscherei, Tuschelei
tratschen: breittreten, durchhecheln, lästern, quatschen, ratschen, schwätzen, schwatzen *sagen, weitersagen, ausplappern, ausplaudern, ausposaunen, ausquasseln, austrompeten, preisgeben, verraten, weitererzählen, zutragen

tratschig: aufdringlich, geschwätzig, gesprächig, klatschhaft, klatschsüchtig, plapperhaft, plauderhaft, redselig, schwätzerisch, schwatzhaft, weitschweifig, wortreich, viel redend
Traube: Rebe, Weintraube
Traubenernte: Lese, Traubenlese, Weinlese
Traubenwein: Rebensaft, Traubensaft, Wein
trauen: einsegnen, verheiraten, vermählen, ehelich verbinden *seine Hoffnung setzen (auf), vertrauen, glauben (an), Vertrauen schenken, Vertrauen erweisen, Vertrauen entgegenbringen ***s. trauen:** s. erdreisten, s. erkühnen, s. getrauen, riskieren, s. unterstehen, wagen, alles auf eine Karte setzen, ein Risiko eingehen ***s. trauen lassen:** ehelichen, s. eine Frau nehmen, s. einen Mann nehmen, heiraten, hochzeiten, s. verehelichen, s. verheiraten, s. vermählen, eine Ehe schließen *s. verpartnern
Trauer: Bedrücktheit, Bedrückung, Bekümmernis, Bekümmertheit, Betrübtheit, Freudlosigkeit, Gedrücktheit, Gram, Kummer, Leid, Melancholie, Mutlosigkeit, Niedergeschlagenheit, Schmerz, Schwermut, Traurigkeit, Trübsal, Trübsinn, Trübsinnigkeit, Verdüsterung, Verzagtheit, Verzweiflung, Wehmut, Weltschmerz
Trauerfall: Sterbefall, Todesfall
Trauerfeier: Leichenfeier, Seelenamt, Seelenmesse, Totenfeier, Totenmesse, Trauermesse
trauern: beklagen, s. bekümmern, betrauern, s. betrüben, beweinen, s. grämen, jammern (um), klagen, kreischen, schreien, seufzen, stöhnen, weinen, weinen (um), wimmern, Leid empfinden, Schmerz empfinden, untröstlich sein, traurig sein, Leid tragen
Trauerspiel: Drama, Tragödie
Traufe: Dachrinne, Dachtraufe, Regenrinne
träufeln: perlen, triefen, tröpfeln, tropfen
traulich: anheimelnd, behaglich, gemütlich, heimelig, traut, wohlig
Traum: Begehren, Gesicht, Illusion, Sehnsucht, Traumgesicht, Verlangen, Wachtraum, Wunsch, Wunschtraum *Begehren, Herzensbedürfnis, Herzenswunsch, Sehnsucht, Verlangen, Wunsch, Wunschtraum
Trauma: Stich, Verletzung, Verwundung, Wunde *Erschütterung, Kommotion, Nervenschock, Schock
träumen: in den Wolken schweben, in Gedanken verloren sein, in Gedanken versunken sein, mit den Gedanken weit weg sein, ganz in Gedanken sein, unaufmerksam sein, nicht bei der Sache sein, abwesend sein, seine Gedanken schweifen lassen *einen Traum haben *phantasieren, schwärmen
Träumer: Phantast, Schlafmütze, Tagträumer, Traumtänzer, Wolkenschieber, Hans Guckindieluft *Fanatiker, Idealist, Illusionist, Phantast, Romantiker, Schwärmer, Schwarmgeist
Träumerei: Phantasterei, Romantik, Schwärmerei
träumerisch: hochfliegend, idealistisch, lebensfremd, phantasievoll, phantastisch, romantisch, schwärmerisch, unrealistisch, verträumt, weltentrückt, weltfremd, weltverloren, wirklichkeitsfern *geistesabwesend, verträumt
Traumfabrik: Fiktion, Illusionsproduktion, Luftschloss, Scheinwelt, Wunschgebilde *Filmbühne, Filmtheater, Kino, Lichtspiele, Lichtspielhaus, Lichtspieltheater
Traumgesicht: Begehren, Gesicht, Illusion, Sehnsucht, Traum, Verlangen, Wachtraum, Wunsch, Wunschtraum
traumhaft: fabelhaft, feenhaft, märchenhaft, mirakulös, phantastisch, romanhaft, sagenhaft, wunderbar, zauberhaft *abstrakt, eingebildet, illusorisch, irreal, irreführend, phantastisch, täuschend, trügerisch, unwirklich *visionär
Traumland: Fabelwelt, Märchenwelt, Schlaraffenland, Traumwelt, Utopia, Wolkenkuckucksheim, Zauberland
traumversunken: abwesend, entrückt, gedankenverloren, geistesabwesend, grübelnd, nachdenklich, selbstvergessen, träumerisch, traumverloren, unansprechbar, unerreichbar, unkonzentriert,

versonnen, versunken, verträumt, zerstreut, in Gedanken, nicht bei der Sache
Traumwandler: Mondsüchtiger, Nachtwandler, Schlafwandler, Somnambuler
Traumzustand: Fieberwahn, Halluzinationen *Ekstase, Traumwelt, Überspanntheit, Vision
traurig: bedrückt, bekümmert, betroffen, betrüblich, betrübt, defätistisch, depressiv, deprimiert, desolat, elegisch, elend, ernsthaft, freudlos, gebrochen, gedrückt, hypochondrisch, kummervoll, leidend, melancholisch, niedergeschlagen, nihilistisch, pessimistisch, schmerzerfüllt, schwarzseherisch, schwermütig, todunglücklich, trist, trübe, trübselig, trübsinnig, unfroh, unglücklich, untröstlich, verzweifelt, wehmütig, wehmutsvoll, am Boden zerstört, von Trauer erfüllt *__traurig sein:__ beklagen, s. bekümmern, betrauern, s. betrüben, beweinen, s. grämen, jammern (um), klagen, kreischen, schreien, seufzen, stöhnen, trauern, weinen, weinen (um), wimmern, Leid empfinden, Schmerz empfinden, untröstlich sein, Leid tragen
Traurigkeit: Gram, Jammer, Kreuz, Kummer, Kümmernis, Last, Leid, Marter, Martyrium, Misere, Not, Pein, Qual, Schmerz, Seelenschmerz, Sorge, Trauer, Trostlosigkeit, Trübsal, Unglück, Verzweiflung, Wehgefühl, Wehmut
Trauring: Ehering
traut: anheimelnd, behaglich, bequem, friedlich, gemütlich, harmonisch, häuslich, heimelig, idyllisch, intim, lauschig, ruhig, traulich, urgemütlich, wohlig, wohltuend, wohnlich
Trautheit: Behaglichkeit, Bequemlichkeit, Gemütlichkeit, Harmonie, Heimeligkeit, Idylle, Lauschigkeit, Traulichkeit, Wohnlichkeit *Vertraulichkeit
Trauung: Ehebund, Eheschließung, Heirat, Hochzeit, Ringwechsel, Verehelichung, Verheiratung, Vermählung, Bund fürs Leben
Trecker: Bulldog, Bulldozer, Schlepper, Traktor, Zugmaschine
Treff: Begegnung, Gesellschaft, Meeting, Treffen, Versammlung, Zusammenkunft, Zusammentreffen
treffen: das Ziel erreichen, ins Schwarze treffen *erfassen, das Richtige treffen *s. als richtig erweisen, s. als richtig herausstellen, s. als wahr erweisen, s. als wahr herausstellen, s. als zutreffend erweisen, s. als zutreffend herausstellen, passen, stimmen *berühren, ergreifen, nahe gehen, tangieren, innerlich bewegen *begegnen, vorfinden *__s. treffen:__ s. begegnen, s. finden, s. versammeln, zusammenkommen, zusammentreffen
Treffen: Begegnung, Gesellschaft, Meeting, Treff, Versammlung, Zusammenkunft, Zusammentreffen *Gefecht, Kampf, Kampfeshandlung *Begegnung, Kampf, Konkurrenz, Match, Spiel, Wettbewerb, Wettkampf, Wettspiel, Wettstreit
treffend: adäquat, akkurat, exakt, genau, haargenau, haarscharf, knapp, lakonisch, passend, prägnant, präzise, wohlgezielt, zutreffend, der Sache entsprechend, genau richtig
Treffer: Gewinn, Lotteriegewinn *Tor
trefflich: delikat, exquisit, exzellent, fein, gut, hervorragend, himmlisch, köstlich, vorbildlich, vorzüglich, sehr gut
Treffpunkt: Sammelstelle, Versammlungsstelle
treiben: driften, schwimmen *antreiben, bewegen, in Gang halten, laufen lassen *ausüben, nachgehen, praktizieren, vollführen *austreiben, keimen *jagen *anschwellen, aufblähen, aufgehen, quellen, wachsen *bedrängen, bohren, drängen, nicht aufhören (mit), zusetzen, keine Ruhe lassen, nicht nachlassen
Treibhaus: Folientunnel, Gewächshaus, Glashaus
Treibjagd: Hetzjagd, Jagd, Jägerei, Pirsch, Weidwerk
Treibstoff: Kraftstoff, Sprit
Treidelpfad: Leinpfad, Treidelweg
Trenchcoat: Hänger, Mantel, Überzieher
Trend: Neigung, Tendenz, Zug
trennbar: spaltbar, zerteilbar *mehrsilbig
trennen: spalten, aufspalten, abschneiden, abtrennen, aufteilen, auftrennen, auseinander schneiden, durchhacken, durchhauen, durchschneiden, durch-

trennen, entzweien, zergliedern, zerlegen, zerschneiden, zerteilen, zertrennen *auseinander bringen, entzweien, spalten, verfeinden, verfremden, uneins machen, Zwietracht säen *absondern, aussondern, aussperren, eliminieren, isolieren, scheiden, separieren, vereinzeln *abheben, auseinander halten, differenzieren, sondern, unterscheiden, eine Einteilung machen, einen Unterschied machen, gegeneinander abgrenzen ***s. trennen:** s. abwenden (von), auseinander gehen, brechen (mit), s. empfehlen, s. lösen, s. loslösen, s. losreißen, s. lossagen, scheiden, s. scheiden lassen, s. verabschieden, verlassen, weggehen, Abschied nehmen, die Verbindung lösen, die Ehe auflösen, den Rücken kehren, Schluss machen *s. spalten, s. abspalten, abfallen, s. absplittern, austreten

Trennung: Absonderung, Abspaltung, Abtrennung, Aufspaltung, Aufteilung, Schnitt, Sonderung, Spaltung, Teilung, Unterteilung, Zerlegung, Zweiteilung *Abbruch, Auflösung, Bruch, Ehescheidung, Entzweiung, Lockerung, Scheidung *Abschied, das Auseinandergehen, das Lebewohl, Weggang *Ausschluss, Distanzierung, Eliminierung, Entfernung, Isolation, Loslösung, Separation, Vereinzelung

Trennungsstrich: Trennungszeichen

Trennwand: Abteilungswand, Scheidewand

Treppe: Aufgang, Stiege, Stufe, Treppenstufe

Treppenabsatz: Absatz, Podest, Stufe, Treppenpodest, Treppenstufe, Tritt

Treppengeländer: Geländer, Handlauf

Treppenhaus: Stiegenhaus, Treppenflur

Tresen: Ausschank, Schanktisch, Schenktisch, Theke

Tresor: Bankfach, Geldschrank, Panzerschrank, Safe, Schließfach, Sicherheitsfach, Stahlfach, Stahlschrank

Tresse: Besatz, Litze

treten: drücken, stoßen *antreiben, bedrängen *missachten, verletzen *begatten, belegen, besamen, beschälen, beschlagen, bespringen, decken, kappen ***treten (auf):** begehen, beschreiten, betreten ***treten (in):** eintreten, hereintreten, betreten, einziehen, hereinkommen, hereinspazieren, hineingehen, hineingelangen, hineinkommen, hineinspazieren *folgen, nachfolgen

Tretmühle: Einerlei, Einförmigkeit, Eintönigkeit, Gleichförmigkeit, Langeweile, Monotonie, Öde, die alte Leier, unausgefüllte Stunden, leere Stunden

treu: anhänglich, beständig, ergeben, fest, getreu, getreulich, loyal, treugesinnt, zuverlässig, treu und brav ***treu bleiben:** dabeibleiben, weitermachen *zusammenbleiben, zusammenstehen *festbleiben ***treu sein:** jmdm. die Treue halten, mit jmdm. durch dick und dünn gehen

Treue: Anhänglichkeit, Beständigkeit, Geradlinigkeit, Konsequenz, Konstanz, Loyalität, Standhaftigkeit, Unwandelbarkeit, Zuverlässigkeit *Akkuratesse, Akribie, Ausführlichkeit, Behutsamkeit, Bestimmtheit, Exaktheit, Genauigkeit, Gewissenhaftigkeit, Gründlichkeit, Peinlichkeit, Pflichtbewusstsein, Pflichtgefühl, Prägnanz, Präzision, Schärfe, Sorgfalt, Sorgfältigkeit, Sorgsamkeit, Treffsicherheit, Verantwortungsbewusstsein, Zuverlässigkeit

Treuebruch: Abfall, Abtrünnigkeit, Treulosigkeit, Untreue, Verrat, Vertrauensbruch, Wortbruch, Wortbrüchigkeit, Preisgabe von Geheimnissen

Treuegelöbnis: Treueid, Treueschwur

Treuhänder: Kurator, Treuhandverwalter, Trustee, Vermögensverwalter

treuherzig: arglos, einfältig, gutgläubig, leichtgläubig, offenherzig, vertrauensselig, zutraulich

Treuherzigkeit: Arglosigkeit, Beschränktheit, Biederkeit, Einfalt, Einfältigkeit, Gutgläubigkeit, Harmlosigkeit, Kritiklosigkeit, Leichtgläubigkeit, Naivität, Simplizität, Torheit, Vertrauensseligkeit

treulos: ehebrecherisch, illoyal, treubrüchig, unsolidarisch, unstet, untreu, unzuverlässig, verräterisch, wortbrüchig

Treulosigkeit: Abtrünnigkeit, Charakterlosigkeit, Ehrlosigkeit, Illoyalität, Perfidie, Treuebruch, Unredlichkeit, Untreue, Verrat, Wankelmut, Wortbrüchigkeit

Triade: Dreiheit, Dreizahl
Tribunal: Gericht, Gerichtsbehörde, Gerichtshof
Tribüne: Plattform, Podest, Rang, Zuschauertribüne
Tribut: Abgabe, Gebühr, Geldleistung, Maut, Steuer, Zoll *Achtung, Anerkennung, Bewunderung, Ehrerbietung, Ehrfurcht, Hochachtung, Hochschätzung, Pietät, Respekt, Rücksicht, Verehrung ***Tribut zollen:** achten, anbeten, anerkennen, bewundern, ehren, hochachten, honorieren, respektieren, schätzen, vergöttern, wertschätzen, würdigen
Trick: Dreh, Kniff, Kunstgriff, List, Manipulation, Masche, Praktik, Schliche
trickreich: abgefeimt, ausgefuchst, ausgekocht, bauernschlau, clever, diplomatisch, durchtrieben, findig, gerissen, geschäftstüchtig, geschickt, gewieft, gewitzt, listig, pfiffig, raffiniert, schlau, taktisch, verschlagen, verschmitzt, voller Tricks
Trieb: Drang, Instinkt, Naturtrieb *Manie, Sucht, Verlangen, Vorliebe *Spross, Sprössling
Triebfeder: Antrieb, Dynamik, Motor, Triebkraft
triebhaft: animalisch, erotisch, fleischlich, genussfähig, genussfreudig, körperlich, kreatürlich, sexuell, sinnenfreudig, sinnenhaft, sinnlich, wollüstig
Triebhaftigkeit: Eros, Erotik, Fleischeslust, Fleischlichkeit, Genussfreude, Lüsternheit, Sexualität, Sinnenfreude, Sinnenlust, Sinnlichkeit, Wollust, sinnliche Liebe
Triebkraft: Antrieb, Dynamik, Motor, Triebfeder
Triebwerk: Antrieb, Düse, Kraftquelle, Motor, Verbrennungsmotor
triefen: perlen, träufeln, tröpfeln, tropfen
triefend: nass, triefnass
triezen: belästigen, drangsalieren, peinigen, plagen, quälen, schikanieren, das Leben zur Hölle machen
Trift: Drift, Sog, Strom, Strömung
triftig: bestechend, schlagend, stichhaltig, überzeugend, hieb- und stichfest *dringend, notwendig, obligat, unerlässlich, wichtig, zwingend
trillern: anstimmen, grölen, jodeln, pfeifen, piepen, piepsen, plärren, quirilieren, schilpen, schlagen, schmettern, singen, summen, tirilieren, trällern, tremolieren, tschilpen, ziepen, zirpen, zwitschern
trimmen: abschneiden, abtrennen, abzwicken, beschneiden, kappen, kupieren, kürzen, scheren, schneiden, stutzen, wegschneiden, zurechtstutzen, kürzer machen ***s. trimmen:** durchexerzieren, s. fit halten, trainieren, üben, im Training sein, in Übung sein, in Form bleiben
Trimmpfad: Trimm-dich-Pfad
Trinität: Dreieinigkeit, Dreifaltigkeit, göttliche Dreiheit
trinkbar: bekömmlich, einwandfrei, genießbar
Trinkbruder: Bacchusbruder, Saufkumpan, Trinker, Zechbruder, Zechkumpan
trinken: austrinken, bechern, s. erfrischen, genießen, hinuntergießen, hinunterspülen, hinunterstürzen, hinuntertrinken, kippen, nippen, schlürfen, ein Glas leeren, einen Schluck nehmen, in sich hineingießen *bechern, kübeln, saufen, schlucken, süffeln, tanken, zechen *s. betrinken *saugen
Trinker: Alkoholiker, Gewohnheitstrinker, Säufer, Trunkenbold, Trunksüchtiger, Zecher
trinkfest: bacchantisch, sauflustig, trinklustig, versoffen
Trinkgefäß: Becher, Glas, Krug
Trinkgelage: Kneipentour, Zechgelage, Zechtour
Trinkgeld: Bedienungsgeld, Draufgeld, Servicegeld
Trinkspruch: Toast
Trio: Dreiergruppe, Terzett
Trip: Ausflug, Reise, Urlaub *Rausch, Rauschzustand *Rauschgiftdosis
trippeln: gleiten, stöckeln, tänzeln
trist: bedrückt, bekümmert, deprimiert, elend, kummervoll, melancholisch, traurig, trostlos, trübselig, untröstlich, von Trauer erfüllt *bedauerlich, bedauernswert, bemitleidenswert, erbärmlich, jammervoll, tragisch, unglücklich *menschenleer, öde, unbevölkert, unbewohnt
Tritt: Knuff, Nasenstüber, Puff, Rippen-

stoß, Schub, Stoß, Stups *Stufe, Treppe, Treppenstufe *Gang, Gangart, Lauf, Schritt
Triumph: Begeisterung, Beglückung, Behagen, Entzücken, Freude, Fröhlichkeit, Frohsein, Frohsinn, Glück, Glückseligkeit, Herzensfreude, Hochgefühl, Hochstimmung, Jubel, Vergnügen, Wohlgefallen, Wonne, Zufriedenheit *Durchbruch, Erfolg, Errungenschaft, Fortschritt, Gedeihen, Gelingen, Gewinn, Glück, Sieg, Trumpf, Volltreffer, Wirksamkeit
triumphal: einzigartig, großartig, phänomenal, überwältigend
triumphieren: jauchzen, jubeln, juchzen, strahlen, glücklich sein *gewinnen, siegen *auftrumpfen, frohlocken, einen Sieg davontragen, schadenfroh sein
trivial: abgegriffen, abgeschmackt, geistlos, hohl, inhaltslos, oberflächlich, seicht, stereotyp, stumpfsinnig, stupide
Trivialität: Allgemeinheiten, Allgemeinplatz, Binsenwahrheit, Binsenweisheit, Geistlosigkeit, Gemeinplatz, Geschwafel, Phrase, Platitude, Plattheit, Redensart, Selbstverständlichkeit, alter Hut, alter Bart
trocken: nicht feucht, nicht nass *altbacken, nicht mehr frisch *abgestorben, ausgedörrt, ausgetrocknet, dürr, entwässert, saftlos, strohtrocken, verdorrt, verdörrt, vertrocknet, verwelkt, welk, hart geworden, trocken geworden *ausgetrocknet, regenarm, wasserarm, wüstenhaft *adstringierend, bitter, herb, sauer, scharf, streng, zusammenziehend *humorvoll, komisch, originell *alltäglich, einfach, einfallslos, einförmig, ermüdend, fade, gleichförmig, monoton, öde, phantasielos, reizlos, trist, trostlos, üblich, uninteressant, unoriginell, wirkungslos, ohne Pfiff *nüchtern, unpersönlich, ohne Gefühl, ohne Phantasie *erzogen, reinlich, sauber, stubenrein *abstinent ***trocken werden:** abfrottieren, abreiben, abtrocknen, abwischen, föhnen, trocknen, trocken werden lassen, trocken machen
trockengelegt: gewickelt, gewindelt *getrocknet, ausgetrocknet, dräniert, entsumpft, entwässert, melioriert
Trockenheit: Dürre, Wasserarmut, Wassermangel, Wassernot
trockenlegen: wickeln, die Windeln wechseln *dränieren, entsumpfen, entwässern, meliorieren, trocknen
Trockenlegung: Dränage, Dränierung, Dränung, Entwässerung, Kanalisation, Kanalisierung
Trockenmilch: Milchpulver
Trockenobst: Backobst
Trockenofen: Trockenkammer
trockenreiben: abtrocknen, frottieren ***s. trockenreiben:** s. abtrocknen
Trockensubstanz: Trockenmasse
trocknen: abfrottieren, abreiben, abtrocknen, abwischen, fönen, trocken werden lassen, trocken machen, trocken werden *dörren, ausdörren, austrocknen, darren *durchtrocknen, eingehen, eintrocknen, verdorren, versiegen, verwelken
Troddel: Bommel, Bummel, Portepee, Quaste
Trödel: Dreck, Gerümpel, Klimbim, Kram, Krempel, Plunder, Ramsch, Schund, Zeug *Aberwitz, Blödsinn, Idiotie, Nonsens, Quatsch, Torheit, Unding, Unfug, Unsinn, Wahnwitz
Trödelei: Bummelei, Schlendrian, Schneckentempo
Trödelladen: Altwarenhandlung, Altwarenladen
trödeln: bummeln, schlendern, s. Zeit lassen, zotteln *anbieten, handeln, hausieren, verkaufen, von Haus zu Haus gehen
Trödler: Altstoffhändler, Altwarenhändler, Gebrauchtwarenhändler, Hausierer, Lumpensammler, Schrotthändler
Trog: Krippe, Mulde
Troll: Gespenst, Gnom, Hausgeist, Hutzelmännchen, Kobold, Wichtel, Wichtelmännchen, Wichtelmann, Zwerg
trollen (s.): abdampfen, s. abkehren, abmarschieren, abrücken, abschwirren, abseilen, s. absetzen, s. abwenden, s. auf den Weg machen, aufbrechen, s. aufmachen, davongehen, s. davonmachen, enteilen, s. entfernen, s. fortbegeben, fortgehen, s. fortmachen, s. in Bewegung setzen, kehrtmachen, losgehen, losmarschieren,

s. scheren, s. umdrehen, verschwinden, s. wegbegeben, weggehen, wegtreten, zurückweichen, das Feld räumen, das Haus verlassen, das Weite suchen, den Rücken kehren, seiner Wege gehen, von dannen gehen

Trommel: Rolle, Walze *Alarm, Trommelwirbel *Musikinstrument, Schlagzeug

trommeln: pauken, wirbeln, die Trommel rühren, die Trommel schlagen, die Pauke schlagen

Trommler: Drummer, Schlagzeuger, Tambour

trompeten: s. ausschnäuzen, s. die Nase putzen, s. die Nase schnauben, s. schnäuzen *blasen, schmettern, tuten, Trompete spielen

Tropenfieber: Malaria, Sumpffieber, Wechselfieber, kaltes Fieber

Tropf: Dummkopf, Hanswurst, Ignorant, Narr, Nichtskönner, Nichtswisser, Schwachkopf, Strohkopf, Tölpel

tröpfeln: träufeln, fließen lassen *heraustropfen, perlen, rieseln, sickern, tropfen *nieseln, sprühen, schwach regnen

tropfen: perlen, träufeln, triefen, tröpfeln

Tropfen: Perle, Wassertropfen

tropfnass: durchnässt, durchweicht, feucht, klatschnass, nass, pudelnass, regennass, triefend, triefnass, nass bis auf die Haut, vor Nässe triefend

Trophäe: Auszeichnung, Cup, Pokal, Preis, Siegespreis, Siegestrophäe

tropisch: heiß, hochsommerlich, sommerlich, sonnig, südlich, warm, wie im Sommer

Tross: Begleitfahrzeuge, Begleitschiffe *Anhänger, Anhängerschar, Gefolge, Haufen

Trosse: Drahtseil, Fall, Kabel, Leine, Reep, Seil, Stahlseil, Strang, Strick, Tau

Trost: Aufheiterung, Aufrichtung, Balsam, Beruhigung, Labe, Lichtblick, Tröstung, Zusprache, Zuspruch

trösten: aufheitern, aufmuntern, aufrichten, beruhigen, beschwichtigen, ermutigen, stärken, den Schmerz stillen, Trost zusprechen, Trost spenden, wieder Mut schöpfen, wieder hoffen lassen ***s. trösten:** s. abfinden (mit), hinnehmen, überwinden, vergessen, verschmerzen

tröstlich: beruhigend, ermutigend, heilsam, lindernd, tröstend, trostreich

trostlos: bedauerlich, bedauernswert, bejammernswert, beklagenswert, bemitleidenswert, betrüblich, desolat, dunkel, düster, elend, entmutigend, erbärmlich, erbarmungswürdig, ergreifend, erschreckend, erschütternd, freudenarm, freudenlos, freudlos, hart, herzbewegend, herzbrechend, herzergreifend, hoffnungslos, jammervoll, kläglich, leiderfüllt, leidvoll, Mitleid erregend, qualvoll, tragisch, traurig, trist, unerfreulich, unfroh, unglücklich, unglückselig *abgeschieden, menschenleer, öde, unbevölkert, unbewohnt, verlassen

trostreich: beruhigend, ermutigend, tröstend, tröstlich

Tröstung: Aufrichtung, Balsam, Herzenstrost, Hoffnung, Hoffnungsschimmer, Labsal, Lichtblick, Linderung, Seelentrost, Trost, Wohltat, Zuspruch

Trott: Gangart *Hudelei, Misswirtschaft, Schlamperei, Schlendrian, Schluderei, Trödelei, Unordnung

Trottel: Dummkopf, Einfaltspinsel, Ignorant, Stümper, Tollpatsch, Tölpel, Tor, Versager, hohler Kopf

trotten: latschen, staksen, watscheln, zockeln, zuckeln

Trottoir: Bürgersteig, Fußgängerweg, Gehsteig, Gehweg

trotz: entgegen, obgleich, obschon, obwohl, ungeachtet, wenngleich, wenn auch

Trotz: Dickköpfigkeit, Eigensinn, Eigenwille, Starrheit, Widerspenstigkeit ***Trotz bieten:** s. gegen etwas sperren, s. nichts sagen lassen, s. verschließen, s. widersetzen, einen Dickkopf haben, dickköpfig sein

trotzdem: dennoch, dessen ungeachtet, doch, gleichwohl, jedenfalls, nichtsdestoweniger, nun erst recht, gerade erst recht, trotz allem *obgleich, obschon, obwohl, obzwar, wenngleich, wennschon, wiewohl, wenn auch, ob (auch)

trotzen: s. aufbäumen, aufbegehren, s. auflehnen, bocken, meutern, rebellieren,

s. zur Wehr setzen, einen Aufstand machen, Nein sagen, bockbeinig sein, den Bock haben
trotzig: aufmüpfig, aufsässig, bockbeinig, bockig, dickköpfig, eigensinnig, eigenwillig, halsstarrig, hartnäckig, kompromisslos, obstinat, rechthaberisch, renitent, starrköpfig, starrsinnig, störrisch, stur, trotzköpfig, unfolgsam, ungehorsam, unnachgiebig, unwillig, unzugänglich, verbohrt, verstockt, widerborstig, widerspenstig
Trotzkopf: Dickkopf, Quertreiber, Rechthaber, Starrkopf
Troubadour: Freund, Kavalier, Liebhaber, Romeo, Verehrer
trübe: bedeckt, bewölkt, bezogen, diesig, dunkel, dunstig, düster, getrübt, grau, lichtlos, neblig, regnerisch, unfreundlich, verhangen *schmutzig, unklar, unsauber, verschmutzt *traurig, triste, trostlos *beschlagen, blind, glanzlos, matt, stumpf
Trubel: Betrieb, Hochbetrieb, Rummel, Strudel, Unruhe *Aufruhr, Donner, Dröhnen, Gejodel, Geklapper, Geklirr, Geknatter, Gekreische, Gelärme, Gepolter, Gerassel, Geratter, Geräusch, Geschrei, Getobe, Getöse, Hallo, Heidenlärm, Heidenspektakel, Höllenlärm, Höllenspektakel, Klamauk, Krach, Krachen, Krakeel, Krawall, Lärm, Rabatz, Radau, Randal, Remmidemmi, Ruhestörung, Rummel, Stimmengewirr, Tamtam, Trara, Treiben, Tumult *Skandal, Spektakel
trüben: verschmutzen, verunreinigen, dreckig machen, schmutzig machen *dämmen, eindämmen, beeinträchtigen, dämpfen, reduzieren, schmälern, stören, überschatten, verdunkeln, verfinstern ***s. trüben:** s. eintrüben, unfreundlich werden, neblig werden, regnerisch werden, verhangen werden, düster werden, dunkel werden, wolkig werden
Trübsal: Gram, Jammer, Kreuz, Kummer, Kümmernis, Last, Leid, Marter, Martyrium, Misere, Not, Pein, Qual, Schmerz, Seelenschmerz, Sorge, Trauer, Traurigkeit, Trostlosigkeit, Unglück, Verzweiflung
trübselig: bedrückt, bekümmert, betrübt, elend, traurig, trist, unfroh
Trübsinn: Betrübtheit, Gram, Hypochondrie, Kummer, Melancholie, Niedergeschlagenheit, Schwermut, Trauer, Traurigkeit, Verdüsterung, Verzweiflung, Wehmut, Weltschmerz
trübsinnig: unglücklich, todunglücklich, bedrückt, bekümmert, betrübt, defätistisch, depressiv, desolat, elegisch, elend, freudlos, hypochondrisch, kummervoll, melancholisch, nihilistisch, pessimistisch, schwarzseherisch, schwermütig, traurig, trist, trübe, trübselig, unfroh, wehmütig *gramerfüllt, gramgebeugt, gramvoll, sorgenschwer, sorgenvoll, zentnerschwer
Trug: Farce, Gaukelei, Gaukelspiel, Gauklerei, Irreführung, Kulisse, Spiegelfechterei, Täuschung, Vorspiegelung
Trugbild: Annahme, Befürchtung, Bilder, Einbildung, Erdichtung, Erscheinung, Fiktion, Gesicht, Halluzination, Hirngespinst, Illusion, Luftschloss, Mutmaßung, Phantasie, Phantasiebild, Phantasiegebilde, Phantasma, Phantom, Schein, Schimäre, Sinnestäuschung, Spekulation, Täuschung, Vision, Vorspiegelung, Vorstellung, Wahn, Wahnvorstellung, Wunschvorstellung, Zwangsvorstellung, fixe Idee
trügen: blenden, hereinlegen, irreführen, irreleiten, nasführen, täuschen, vom rechten Weg abbringen, Sand in die Augen streuen, hinters Licht führen
trügerisch: illusorisch, irreführend, täuschend, unecht, unwirklich *betrügerisch, falsch, täuschend *falsch, irreführend, scheinbar, täuschend
Trugschluss: Fehlschluss, Irrtum
Truhe: Kasten, Kommode, Lade, Schrein
Trümmer: Reste, Ruinen, Schutt, Überbleibsel, Überreste *Schiffswrack, Wrack
Trumpf: Faustpfand, Möglichkeit, Vorteil, gute Karte
Trunk: Getränk, Trank
trunken: alkoholisiert, angeheitert, angetrunken, benebelt, berauscht, betrunken, bezecht, blau, sternhagelvoll, stockbetrunken, volltrunken, unter Alkohol stehend *eifrig, übereifrig, begeistert, berauscht, ekstatisch, entflammt, enthusiastisch, entzückt, fanatisch, feurig, glü-

hend, glutvoll, hingerissen, inbrünstig, leidenschaftlich, mitgerissen, schwärmerisch, schwungvoll, verzückt *trunken **machen:** begeistern, berauschen, entflammen, enthusiasmieren, entzücken, fortreißen, hinreißen, mitreißen, in Begeisterung versetzen, in Begeisterung bringen, mit Begeisterung erfüllen

Trunkenbold: Alkoholiker, Gewohnheitstrinker, Säufer, Trinker, Trunksüchtiger, Zecher

Trunksucht: Alkoholismus, Alkoholkrankheit, Suff

trunksüchtig: versoffen, dem Trunk verfallen, dem Suff ergeben

Trupp: Haufen, Heer, Herde, Horde, Legion, Pulk, Rudel, Schar, Schwarm, Zug

Truppe: Bataillon, Einheit, Formation, Garnison, Kompanie, Regiment, Schar, Truppeneinheit, Truppenteil *Menge, Vielzahl

Truppenmacht: Streitkräfte

Truthahn: Pute, Puter, Truthenne

Tsunami: Flutwelle

tuberkulös: lungenkrank, schwindsüchtig

Tuberkulose: Auszehrung, Schwindsucht, Tb, Tbc

Tuch: Kopfbedeckung, Kopftuch *Gewebe, Stoff

Tuchfühlung: Anschluss, Berührung, Beziehung, Brückenschlag, Interaktion, Kommunikation, Konnexion, Kontakt, Umgang, Verbindung, Verhältnis, Verkehr *Enge, leichte Berührung

tüchtig: arbeitsam, arbeitswillig, betriebsam, ehrgeizig, eifrig, emsig, fleißig, geschäftig, lebenstüchtig, leistungsfähig, nimmermüde, patent, pfundig, rastlos, strebsam, tätig, unermüdlich *befähigt, begabt, erfahren, fähig, geschickt, gewandt, patent, qualifiziert *gewaltig, groß *anständig, ausreichend, feste, gehörig, groß, prächtig, reichlich, viel, nicht zu knapp ***tüchtig sein:** seinen Mann stehen, mit beiden Beinen im Leben stehen, sein Handwerk verstehen

Tüchtigkeit: Aktivität, Betätigungsdrang, Betriebsamkeit, Elastizität, Energie, Energieaufwand, Entschlusskraft, Kraft, Leistungsfähigkeit, Regsamkeit, Rührigkeit, Schaffensdrang, Spannkraft, Tatkraft, Tatwille, Unternehmungsgeist, Wille

Tücke: Arglist, Boshaftigkeit, Bosheit, Böswilligkeit, Falschheit, Gemeinheit, Hintergedanken, Hinterhältigkeit, Hinterlist, Niedertracht, Übelwollen, Unaufrichtigkeit, Verschlagenheit, böser Wille

tückisch: arglistig, boshaft, böswillig, falsch, gemein, hinterhältig, hinterlistig, intrigant, meuchlings, niederträchtig, übelwollend, unaufrichtig, verschlagen, versteckt

tüfteln: brüten, forschen, grübeln, herumrätseln, knobeln, nachdenken, nachforschen, rätseln, sinnieren, spintisieren, überlegen

Tüftler: Forscher, Grübler, Sinnierer

Tugend: Anstand, Keuschheit, Moral, Sitte, Sittenhaftigkeit, Sittlichkeit, Sittsamkeit, Unbescholtenheit, Unverdorbenheit, Züchtigkeit

tugendhaft: anständig, gesittet, korrekt, moralisch, puritanisch, sittlich, sittsam, tugendrein, tugendsam, züchtig

Tülle: Ausguss, Schnabel, Schnauze

tummeln (s.): abhetzen, s. abhetzen, s. beeilen, beschleunigen, s. dazuhalten, s. dranhalten, s. ranhalten, s. sputen, s. überstürzen, schnell machen, einen Schritt zulegen *s. ausleben, s. austoben, s. austollen, herumspringen, toben, umherlaufen, umherspringen, wüten, die Grenzen überschreiten, übermütig sein, zu weit gehen

Tummelplatz: Bolzplatz, Kinderspielplatz, Spielplatz *Aufenthaltsort, Treffpunkt, Versammlungsort

Tumor: Auswuchs, Geschwulst, Geschwulstbildung, Geschwür, Gewächs, Gewebewucherung, Wucherung *Krebs

Tümpel: Pfuhl, Teich, Weiher

Tumult: Aufruhr, Aufstand, Chaos, Durcheinander, Revolution, Unordnung, Verschwörung *Aufruhr, Donner, Dröhnen, Gejodel, Geklapper, Geklirr, Geknatter, Gekreische, Gelärme, Gepolter, Gerassel, Geratter, Geräusch, Geschrei, Getobe, Getöse, Hallo, Heidenlärm, Heidenspektakel, Höllenlärm, Höllenspektakel, Klamauk, Krach, Krachen, Krakeel,

Krawall, Lärm, Rabatz, Radau, Randal, Ruhestörung, Rummel, Skandal, Spektakel, Stimmengewirr, Tamtam, Trara, Trubel

tun: anstellen, arbeiten, basteln, s. befassen, beginnen, s. beschäftigen, s. betätigen, betreiben, machen, s. regen, s. rühren, schaffen, treiben, tüfteln, unternehmen, verrichten, vollführen, werken, s. widmen, wirken, tätig sein *agieren, handeln, operieren, verfahren, vorgehen, wirken, Initiative ergreifen, Initiative entwickeln, tätig sein, zur Tat schreiten *ausführen, erfüllen, Ernst machen (mit), realisieren, verwirklichen, wahr machen, in die Tat umsetzen, zustande bringen *anfertigen, herstellen, machen

Tun: Akt, Handlung, Handlungsweise, Tat, Verhalten, Vorgang

Tünche: Anstrich, Bedeckung, Farbe *Falschheit, Schein

tünchen: streichen, weißen

Tunichtgut: Faulenzer, Früchtchen, Galgenstrick, Galgenvogel, Gammler, Haderlump, Herumtreiber, Landstreicher, Nichtsnutz, Strolch, Stromer, Taugenichts

Tunke: Bouillon, Brühe, Brühsuppe, Saft, Sauce, Soße, Suppe

tunken: einstippen, eintauchen, tauchen

tunlichst: freundlicherweise, freundlichst, gefälligst, gütigst, liebenswürdigerweise, möglichst, so weit wie möglich, nach Möglichkeit, wenn möglich

Tunnel: Unterführung, unterirdischer Gang, unterirdischer Weg

tüpfelig: gepunktet, gesprenkelt, getüpfelt, getupft, sprenkelig

tüpfeln: sprenkeln, tupfen

Tupfen: Punkt, Sprenkel, Tüpfel

Tupfer: Flecken, Pflaster, Wattebausch

Tür: Ausgang, Eingang, Einstieg, Öffnung, Pforte, Portal, Tor, Wagenschlag, Zugang

turbulent: aufgeregt, erregt, gereizt, heftig, hektisch, hitzig, impulsiv, lebhaft, wild, wirbelnd

Türgriff: Klinke, Türdrücker, Türklinke

Türhüter: Pförtner, Torwächter, Türsteher

Turm: Bergfried, Feste *Glockenturm, Kirchturm *Aussichtssturm

türmen: s. absetzen, s. aus dem Staub machen, ausbrechen, davonlaufen, desertieren, durchbrennen, durchgehen, entfliehen, entkommen, entlaufen, entrinnen, entwischen, fliehen, flüchten, verschwinden, wegschleichen, das Weite suchen, die Flucht ergreifen, Reißaus nehmen, lange Beine machen, die Fersen zeigen, abtrünnig werden, fahnenflüchtig werden, seinen Posten verlassen, die Kurve kratzen *aufhäufeln, häufeln, schichten, stapeln

Turmhahn: Wetterfahne, Wetterhahn

turmhoch: emporragend, groß, hoch, lang, ragend, hoch ragend

Turnanzug: Dress, Sportanzug, Sportdress, Sportkleidung, Trikot, Turntrikot, Turnzeug

turnen: s. bewegen, ertüchtigen

Turnen: Bewegung, Körperertüchtigung, Körpererziehung, Körperkultur, Leibeserziehung, Leibesübungen, Sport

Turnier: Begegnung, Endausscheidung, Endkampf, Kampf, Konkurrenz, Match, Spiel, Treffen, Wettbewerb, Wettkampf, Wettspiel, Wettstreit

Turntrikot: Dress, Sportanzug, Sportdress, Sportkleidung, Trikot, Turnanzug, Turnzeug

Turnus: Abfolge, Aneinanderreihung, Aufeinanderfolge, Folge, Hintereinander, Nacheinander, Ordnung, Reihenfolge, Reihung, Sequenz *Reihenfolge, Wechsel, regelmäßiger Ablauf

turnusmäßig: regelmäßig, alle … Tage, alle … Wochen, alle … Monate, alle … Jahre

Turnzeug: Dress, Sportanzug, Sportdress, Sportkleidung, Trikot, Turnanzug, Turntrikot

Türrahmen: Türeinfassung, Türpfosten, Türstock

turteln: anbändeln, balzen, flirten, girren, gurren, kokettieren, liebäugeln, liebeln, poussieren, schäkern, schöntun, tändeln

Türvorleger: Fußabstreicher, Fußabstreifer, Fußabtreter, Fußmatte, Schmutzmatte

Tuschelei: Altweibergeschwätz, Dorfklatsch, Geklatsche, Gemunkel, Geraune, Gerede, Geschwätz, Geschwatze, Getratsche, Getuschel, Gezischel, Heimlichtuerei, Klatsch, Klatscherei, Klatschgeschichten, Knatsch, Lärm, Munkelei, Rederei, Stadtklatsch, Tratsch, Tratscherei
tuscheln: brummen, flüstern, hauchen, munkeln, murmeln, zischeln
tuten: blasen, schmettern, trompeten
Tutor: Erziehungsberechtigter, Kurator, Pfleger, Vormund, gesetzlicher Vertreter *Beschützer, Ratgeber
Typ: Besonderheit, Charakter, Duktus, Eigenart, Eigenheit, Eigenschaft, Eigentümlichkeit, Gepräge, Kennzeichen, Manier, Merkmal, Spezialität, Spezifikum, Wesensart *Anblick, Ansehen, Aussehen, Erscheinung, Erscheinungsbild, Habitus, das Äußere, der äußere Eindruck *Art, Gattung, Genre, Gepräge, Spezies
Type: Buchstabe, Letter, Schrift, Schriftzeichen *Blüte, Eigenbrötler, Einzelgänger, Hagestolz, Junggeselle, Kauz, Original, Sonderling, Unikum, Wunderling, seltsamer Vogel *Druckbuchstabe, Druckletter, Drucktype, Letter, Schriftzeichen
Typenlehre: Typik *Typenpsychologie
typisch: bezeichnend, charakteristisch, kennzeichnend *arteigen, bezeichnend, charakteristisch, eigen, eigentümlich, kennzeichnend, originell, spezifisch, wesenhaft, wesenseigen
typisieren: gleichmachen, normen, normieren, standardisieren, vereinheitlichen, auf eine Formel bringen, auf einen Nenner bringen
Typisierung: Normierung, Standardisierung, Vereinheitlichung
Typographie: Buchdruck, Buchdruckerkunst, die schwarze Kunst
Tyrann: Alleinherrscher, Despot, Diktator, Gewaltherrscher, Herrscher, Schreckensherrscher, Unterdrücker
Tyrannei: Despotie, Diktatur, Gewaltherrschaft, Schreckensherrschaft
tyrannisch: autoritär, herrisch, streng *abgestumpft, barbarisch, brutal, eisig, erbarmungslos, fest, gefühllos, gefühlsarm, gefühlskalt, gemütsarm, gleichgültig, gnadenlos, grausam, hart, hartherzig, herzlos, inhuman, kaltblütig, kompromisslos, lieblos, mitleidlos, roh, schonungslos, seelenlos, streng, unbarmherzig, ungesittet, unmenschlich, unnachgiebig, unnachsichtig, unsozial, unzugänglich, verroht
tyrannisieren: drangsalieren, foltern, malträtieren, martern, misshandeln, peinigen, quälen, schinden, terrorisieren, traktieren, grausam sein, Schmerzen bereiten, Qualen bereiten, Pein bereiten, weh tun *bedrängen, bedrücken, drangsalieren, ducken, knebeln, knechten, niederhalten, terrorisieren, unterdrücken, unterjochen, versklaven, ins Joch spannen, in Schach halten

U

übel: elend, schlecht, speiübel, unwohl *bedenklich, gefährlich, katastrophal, sehr schlecht *arg, bedauerlich, fatal, skandalös, unangenehm, verdrießlich *stickig, stinkend, verpestet, verqualmt, verräuchert *böse, ekelhaft ***wohl oder übel:** gezwungenermaßen, notgedrungen, unfreiwillig, zwangsläufig, zwangsweise, nolens volens * **übel gelaunt:** grimmig, missgelaunt, missmutig, mürrisch, schlecht gelaunt, unleidlich, unlustig, unzufrieden, verdrossen ***übel gesinnt:** bitterböse, bösartig, böse, boshaft, garstig, gemeingefährlich, schlimm, übel wollend, unausstehlich ***übel nehmen:** ankreiden, anlasten, krumm nehmen, verargen, verdenken, verübeln, zürnen, nicht vergessen können, nicht verzeihen können ***übel riechend:** duftend, modrig, muffelnd, muffig, riechend, stinkend, stinkig ***übel schmeckend:** ranzig, schimmelig, ungenießbar, verdorben, widerlich, widrig, nicht essbar, schlecht schmeckend *faul, faulig, gärig, schal *Ekel erregend, ekelhaft ***übel wollen:** beeinträchtigen, benachteiligen, schaden, schädigen, verderben, Abbruch tun, einen Bärendienst erweisen, einen schlechten Dienst erweisen, keinen guten Dienst erweisen, jmdm. etwas anhaben, jmdm. etwas zuleide tun, jmdn. in Mitleidenschaft ziehen, Nachteile zufügen, Schaden zufügen, Verluste zufügen, Böses zufügen, Unheil anrichten, Unheil stiften, Schaden bereiten, übel gesinnt sein ***übel wollend:** böse, bitterböse, bösartig, boshaft, feindlich, garstig, gemeingefährlich, schlimm, übel gesinnt, unausstehlich

Übel: Katastrophe, Leid, Misere, Missstand, Not, Plage, Schaden, Übelstand, Ungemach, Unglück, Unheil, Unsegen, Verderb, Verhängnis *Krankheit, Leiden

Übelbefinden: Bauchgrimmen, Brechreiz, Übelkeit, Unwohlsein

Übelkeit: Brechreiz, Übelbefinden, Unwohlsein

übellaunig: ärgerlich, aufgebracht, bärbeißig, böse, brummig, empört, entrüstet, erbittert, erbost, erzürnt, fuchsteufelswild, gereizt, grantig, griesgrämig, grimmig, missgelaunt, misslaunig, missmutig, muffig, mürrisch, rabiat, unbefriedigt, unerfreulich, unleidlich, unwillig, unwirsch, verdrießlich, verdrossen, wütend, wutentbrannt, wutschäumend, wutschnaubend, zornig, in schlechter Stimmung

Übellaunigkeit: Ärger, Groll, Misslaune, Missmut, Missstimmung, Unlust, Unmut, Unzufriedenheit, Verdrießlichkeit, Verdrossenheit, Verstimmtheit, Verstimmung, schlechte Laune

übelnehmerisch: empfindsam, verletzbar, verletzlich, verwundbar, leicht zu kränken

Übeltat: Bluttat, Delikt, Gewalttat, Gewaltverbrechen, Gräueltat, Kapitalverbrechen, Missetat, Schandtat, Straftat, Übertretung, Untat, Verbrechen, Vergehen

Übeltäter: Delinquent, Missetäter, Schurke, Täter, Unmensch, Verbrecher

üben: s. beibringen, durchexerzieren, durchproben, durchüben, s. einprägen, einstudieren, einüben, erlernen, lernen, proben, trainieren, vorbereiten, s. zu Eigen machen

über: darüber, droben, höher (als), oberhalb, in der Höhe *mehr (als)

überall: allseits, allerseits, allenthalben, allerorten, allerorts, ringsum, vielerorts, da und dort, so weit das Auge reicht, weit und breit, an allen Orten, bald hier, bald dort

überallher: aus allen Richtungen, aus allen Himmelsrichtungen, aus allen Teilen der Welt, aus nah und fern, von allen Orten, von allen Richtungen, von allen Seiten, von nah und fern

überallhin: in alle Richtungen, in alle Himmelsrichtungen, in alle Teile der Welt, nach allen Orten, nach allen Rich-

tungen, nach allen Seiten, nach überallhin, in alle Welt
Überangebot: Anhäufung, Ansammlung, Masse, Menge, Reichtum, Überfluss, Überschuss, Üppigkeit
überanstrengen (s.): s. mühen, s. abmühen, s. plagen, s. abplagen, s. quälen, s. abquälen, s. abarbeiten, s. abplacken, s. abrackern, s. abschleppen, anspannen, s. anstrengen, s. aufreiben, s. befleißigen, s. bemühen, s. etwas abverlangen, s. fordern, s. Mühe geben, s. schinden, s. strapazieren *s. überarbeiten, s. überfordern, s. überladen, s. übernehmen, s. überschätzen, s. umbringen, s. zu viel zumuten
überanstrengt: erschöpft, überarbeitet, überfordert, überlastet
Überanstrengung: Arbeitsüberlastung, Stress, Überarbeitung, Überbürdung, Überlastung
überantworten: ausliefern, opfern, preisgeben, übergeben, in die Arme treiben
überarbeiten: korrigieren, redigieren, verbessern, vervollkommnen *nacharbeiten ***s. überarbeiten:** s. überfordern, s. überladen, s. übernehmen, s. zu viel zumuten
überarbeitet: abgearbeitet, abgeschafft, k. o., nervös, schlaff
überaus: abenteuerlich, ansehnlich, auffallend, auffällig, Aufsehen erregend, außergewöhnlich, außerordentlich, ausgefallen, beachtlich, bedeutend, bedeutsam, bedeutungsvoll, beeindruckend, beträchtlich, bewundernswert, bewundernswürdig, brillant, eindrucksvoll, einzigartig, enorm, entwaffnend, erstaunlich, fabelhaft, groß, großartig, hervorragend, imponierend, imposant, märchenhaft, nennenswert, ohnegleichen, sagenhaft, sehr, sensationell, sondergleichen, spektakulär, stattlich, überragend, überra schend, überwältigend, ungeläufig, gewöhnlich, unvergleichlich, verbl zutiefst
Überbau: Aufbau, Oberbau
überbeanspruchen: strapazieren, fordern, überlasten
überbekommen: überkriegen, überdrüssig werden, übersättigt werden, nicht mehr sehen können, satt haben, genug haben ***eine überbekommen:** geschlagen werden
überbelegt: belegt, besetzt, rammelvoll, rappelvoll, überfüllt, übervoll, voll gestopft, dicht besetzt, dicht gedrängt, zu voll, zu viel, brechend voll, dicht belegt, zum Brechen voll, zum Bersten voll
überbevölkert: übervölkert, volkreich, dicht besiedelt, dicht bevölkert, dicht bewohnt
überbewerten: beschönigen, überbetonen, überschätzen, eine zu hohe Meinung haben, falsch einschätzen
überbieten: ausstechen, distanzieren, schlagen, überflügeln, überragen, überrunden, übersteigen, übersteigern, übertreffen, höher gehen, in den Schatten stellen, den Rang ablaufen
überbleiben: übrig bleiben, zurückbleiben *abfallen
Überbleibsel: Abfall, Relikt, Rest, R ment, Überrest
Überblick: Ausblick, Aussicht, Fernblick, Fernsicht, Rundblick Aufriss, Querschnitt, Resümee, Überschau, Übersicht, Zus sung, Zusammenschau
überblicken: ermessen, klar schauen, übersehen, ein haben
überbringen: geben, übe digen, ausrichten, beste ten, übermitteln, zus lassen
Überbringer: B junge, Boy, Ei Sendbote, S
Überbri rung
üb

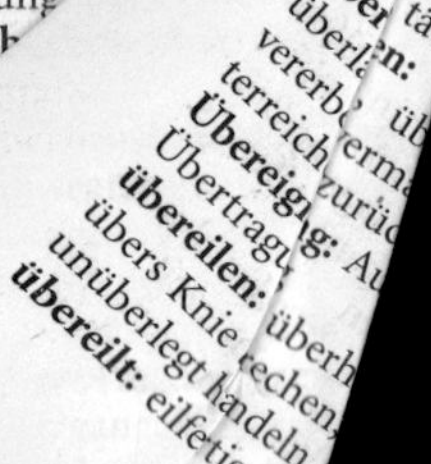

Überdachung: Bedachung, Bedeckung, Dach, Giebel, Hausdach
überdauern: bleiben, durchdauern, durchhalten, standhalten, überleben, überstehen, überwintern, weiterbestehen, von Dauer sein, von Bestand sein
überdecken: abdecken, bedecken, behängen, decken, einhüllen, überhängen, überziehen, verdecken, verhängen, verhüllen, zudecken
überdenken: abwägen, bedenken, s. besinnen, s. durch den Kopf gehen lassen, durchdenken, erwägen, nachdenken, überlegen, überschlagen, ventilieren
überdies: ansonsten, auch, außerdem, daneben, dazu, ferner, fernerhin, hierneben, noch, obendrein, sonst, und, weiter, weiterhin, zudem, zusätzlich, darüber hinaus, des Weiteren, unter Anderem, im Übrigen
überdimensional: enorm, gewaltig, immens, monumental, voluminös, sehr beachtlich, von riesigem Ausmaß
Überdruss: Abneigung, Abscheu, Ekel, Gesättigtsein, Übersättigung, Unlust, Widerwille
berdrüssig: angewidert sein, Ekel emp-
den, Abscheu empfinden, genug ha-
, es satt haben
rdurchschnittlich: außerordentlich,
zeichnet, exquisit, exzellent, her-
gend, himmlisch, superb, unüber-
, über dem Durchschnitt
fer: Aktivität, Beflissenheit,
frigkeit, Geschäftigkeit, Pflicht-
Strebsamkeit *Begeisterung,
mus, Überschwänglichkeit
aktiv, aufmerksam, beflissen,
strebt, betriebsam, dienst-
geschäftig, pflichtbewusst,
g, versessen
hinterlassen, nachlassen,
erliefern, überschreiben,
chen, weitergeben, wei-
klassen
flassung, Überlassung,

sten, überstürzen,
vorschnell handeln,
unbedacht handeln
tig, kopflos, über-
hastet, überstürzt, unbedacht, unüberlegt, voreilig, vorschnell, in großer Eile, Hals über Kopf, in wilder Hast, ohne Überlegung, zu schnell
übereinander: aufeinander, eines über dem anderen, etwas auf dem anderen
übereinkommen: s. einigen, s. vergleichen, ins Reine kommen, einen Vergleich schließen, eine gemeinsame Formel finden *abmachen, absprechen, abstimmen, aushandeln, bestimmen, entscheiden, festlegen, vereinbaren, einen Vertrag abschließen
Übereinkommen: Einigung, Konvention, Übereinkunft, Vereinbarung, Vertrag
übereinstimmen: s. einig sein, einig gehen, korrespondieren, die Auffassung teilen, konform gehen, einer Meinung sein, eines Sinnes sein, eins sein *s. decken, s. entsprechen, s. gleichen, harmonisieren, kongruieren, s. treffen, zusammenfallen, zusammenpassen, in Einklang stehen
übereinstimmend: einhellig, einig, einmütig, einstimmig, einträchtig, gemeinschaftlich, gleich, gleich gestimmt, konform, solidarisch, vereint, in gegenseitigem Einvernehmen *s. deckend, deckungsgleich, eins, gleichartig, gleich bedeutend, homogen, identisch, kongruent, konvergierend, unterschiedslos, ununterscheidbar, zusammenfallend, ein und dasselbe, völlig gleich
Übereinstimmung: Brüderlichkeit, Einhelligkeit, Einigkeit, Einklang, Einmütigkeit, Einstimmung, Frieden, Gleichgesinntheit, Gleichklang, Gleichtakt, Harmonie, Sympathie, Verbundenheit *Deckung, Gleichheit, Identität, Konformität, Kongruenz, Parallelismus, Parallelität, Wesenseinheit
überempfindlich: allergisch, anfällig, beeinflussbar, dünnhäutig, empfindlich, empfindsam, feinfühlig, hochempfindlich, lebhaft, nachtragend, reizbar, schwierig, sensibel, verletzbar, verletzlich, zart, zart besaitet
überessen (s.): s. den Bauch voll schlagen, s. den Magen überladen, s. voll fressen, zu viel essen

überfahren: töten, darüber hinwegfahren *andrehen, anschmieren, ausbeuten, bemogeln, beschummeln, beschwindeln, betrügen, bluffen, bringen (um), einsalben, gaunern, hereinlegen, hintergehen, hochnehmen, lackmeiern, leimen, mogeln, neppen, prellen, schummeln, täuschen, überlisten, übervorteilen, aufs Kreuz legen
Überfall: Anschlag, Attentat, Gewaltstreich, Handstreich, Raubüberfall, Raubzug, Überrumpelung *Angriff, Attacke, Einbruch, Einmarsch, Invasion *Besuch, Überraschung
überfallen: angreifen, einbrechen, eindringen, einfallen, einmarschieren *überrumpeln, herfallen (über) *anfallen, befallen, überkommen, übermannen, überrumpeln, überwältigen *besuchen, überraschen
überfällig: unpünktlich, (zu) spät, nicht zur rechten Zeit, nicht fahrplanmäßig *vermisst, verschollen, für tot erklärt, für verloren gehalten
überfliegen: anlesen, durchblättern, durchfliegen, überlesen, überschlagen, diagonal lesen *über etwas fliegen
überfließen: schwappen, überfluten, überlaufen, überquellen, überschäumen, überschwappen, übersprudeln, überströmen, überwallen
überflügeln: ausstechen, distanzieren, schlagen, überbieten, überragen, überrunden, übertreffen, übertrumpfen, in den Schatten stellen, den Rang ablaufen, den Vogel abschießen
Überfluss: Anhäufung, Fülle, Luxus, Masse, Menge, Opulenz, Redundanz, Reichtum, Überangebot, Überfülle, Überfüllung, Übermaß, Überproduktion, Überreichtum, Überschuss, Überschwang, Üppigkeit, Zuviel
überflüssig: überschüssig, überzählig, übrig, zu viel *aussichtslos, entbehrlich, erfolglos, fruchtlos, nutzlos, umsonst, unbrauchbar, ungeeignet, unnötig, unnütz, unwirksam, verfehlt, wertlos, wirkungslos, zwecklos
überfluten: überschwemmen, überspülen, überströmen, unter Wasser setzen *schwappen, überfließen, überlaufen, überquellen, überschwappen, übersprudeln, überströmen, überwallen
überfordern: strapazieren, überbeanspruchen, überlasten ***s. überfordern:** s. mühen, s. abmühen, s. plagen, s. abplagen, s. quälen, s. abquälen, s. abarbeiten, s. abplacken, s. abrackern, s. abschleppen, anspannen, s. anstrengen, s. aufreiben, s. befleißigen, s. bemühen, s. etwas abverlangen, s. fordern, s. Mühe geben, s. schinden, s. überanstrengen *s. überarbeiten, s. überladen, s. übernehmen, s. zu viel zumuten
Überforderung: Betrug, Prellerei, Schwindel *Beanspruchung, Hektik, Stress *Preistreiberei, Überteuerung
überfrieren: zufrieren, von Eis bedeckt werden
überführen: ertappen, erwischen, schnappen, stellen *befördern, expedieren, fahren, fortbringen, frachten, rollen, schaffen, spedieren, transportieren, verfrachten
überführt: angeklagt, angezeigt, erwischt, gestellt
Überführung: Brücke, Steg, Überweg, Viadukt *Auslieferung
Überfülle: Anhäufung, Fülle, Luxus, Masse, Menge, Opulenz, Redundanz, Reichtum, Überangebot, Überfluss, Übermaß, Überproduktion, Überreichtum, Überschwang, Üppigkeit, Zuviel
überfüllt: belegt, besetzt, rammelvoll, rappelvoll, überbesetzt, überbelegt, voll gestopft, brechend voll, dicht besetzt, dicht gedrängt, zu voll, zu viel, zum Brechen voll
Überfunktion: Funktionsstörung, Hyperfunktion
Übergabe: Abgabe, Ablieferung, Abtretung, Aushändigung, Überantwortung, Überbringung, Übereignung, Überreichung, Übertragung *Auslieferung, Aussetzung, Preisgabe
Übergang: Brücke, Steg, Überführung, Überweg *Abstufung
Übergangszeit: Überbrückung, Überbrückungszeit, Übergang, Wartezeit
Übergardine: Gardine, Scheibengardine, Store, Vorhang
übergeben: aushändigen, ausrichten,

bringen, einhändigen, überantworten, überbringen, übermitteln, überreichen, weitergeben, weiterleiten, weiterreichen, zustellen, in die Hand geben, in die Hände geben, zukommen lassen *anvertrauen, hinterlassen, überschreiben, vererben, vermachen, zuweisen ***s. übergeben:** brechen, s. erbrechen, speien

übergehen: s. anderem zuwenden, überleiten, überspringen, überwechseln *s. wandeln, s. verwandeln, s. transformieren, umschlagen, wechseln *benachteiligen, diskriminieren, hintansetzen, schaden, schädigen, vernachlässigen, zurücksetzen, zurückstellen, ungerecht behandeln, unterschiedlich behandeln

übergenau: bürokratisch, eklig, engherzig, hinterwäldlerisch, kleinbürgerlich, kleindenkend, kleinkariert, kleinlich, kleinstädtisch, krämerhaft, muffig, pedantisch, pingelig, provinziell, schulmeisterlich, spießbürgerlich, spießig, spitzfindig, unduldsam, päpstlicher als der Papst

übergenug: ausreichend, genügend, reichlich, sattsam, überreichlich, unerschöpflich, ungezählt, unzählig, üppig, verschwenderisch, viel, zahllos, ein gerüttelt Maß, eine Masse, eine Menge, gut gemessen, gut bemessen, in großer Menge, in großer Zahl, in Hülle und Fülle, in reichem Maße, mehr als genug, nicht wenig, nicht zu knapp, wie Sand am Meer, zur Genüge

übergeordnet: vorgeordnet, vorgesetzt *primär, wichtiger, von größerer Bedeutung

übergescheit: neunmalklug, schlau, superklug, superschlau, überklug

Übergewicht: Dominanz, Majorität, Mehrheit, Mehrzahl, Primat, Überlegenheit, Übermacht, Überzahl, Vorherrschaft *Dicke, Körperfülle, Korpulenz

übergießen: angießen, begießen, besprengen, bewässern, gießen, sprengen, überschütten, wässern

überglücklich: beglückt, hochbeglückt, freudestrahlend, glücklich, glückselig, glückstrahlend, selig, zufrieden

übergreifen: überschlagen, überspringen *anschwellen, anwachsen, s. ausdehnen, s. entwickeln, s. erhöhen, expandieren, grassieren, s. verbreiten, seinen Einfluss vergrößern

Übergriff: Eigenmächtigkeit, Eingriff, Einmengung, Einmischung, Intervention *Angriff

übergroß: außerordentlich, enorm, gewaltig, gigantisch, immens, kolossal, mächtig, massig, monströs, monumental, mordsmäßig, riesenhaft, riesig, titanisch, überdimensional, übermächtig, unermesslich, ungeheuer, unheimlich, voluminös, wuchtig, sehr groß

überhaben: übrig haben, übrig sein *überdrüssig

überhand nehmen: s. häufen, überwuchern, verbreiten, zu viel werden, ins Kraut schießen, über den Kopf wachsen

Überhang: Lotabweichung *Portiere, Türvorhang

überhängen: nicht lotrecht *überlegen, überstreifen, umhängen, umlegen, umwerfen, über die Schulter legen *bedecken, zudecken *herausragen, herausstehen, hervorragen, hervorstehen, überstehen, vorspringen, vorstehen

überhasten: übereilen, überstürzen, übers Knie brechen, vorschnell handeln, unbedacht handeln, unüberlegt handeln

überhastet: blind, eilfertig, hastig, kopflos, leichtfertig, übereilt, überstürzt, unüberlegt, voreilig, vorschnell, Hals über Kopf, in großer Eile, in wilder Hast, ohne Überlegung

überhäufen: überborden, überfüllen, überladen, überschütten, voll stopfen, des Guten zu viel tun

überhaupt: gesamt, insgesamt, absolut, alles, ganz, genau, grundlegend, hundertprozentig, lückenlos, sämtlich, schlechterdings, schlechtweg, total, voll, vollkommen, vollends, völlig, vollständig, wirklich, ganz und gar, in jeder Beziehung, in jeder Hinsicht, in vollem Maße, in vollem Umfang, bis auf den Grund, von Kopf bis Fuß *eh, ohnedem, ohnedies, ohnehin, sowieso, auf alle Fälle, auf jeden Fall *eigentlich, genau genommen, gewissermaßen, ordnungsgemäß, rechtens, schließlich, sozusagen, streng genommen, ursprünglich, an sich,

an und für sich, im Grunde, von Rechts wegen
überheben (s.): s. erheben (über), s. etwas Besseres dünken, s. etwas einbilden, großtun, s. überschätzen *s. einen Bruch heben, s. verheben
überheblich: anmaßend, arrogant, aufgeblasen, blasiert, dünkelhaft, eingebildet, gnädig, großspurig, herablassend, hochfahrend, hochmütig, hochnäsig, hoffärtig, prätentiös, selbstbewusst, selbstgefällig, selbstgerecht, selbstherrlich, selbstsicher, selbstüberzeugt, selbstüberzogen, stolz, süffisant, wichtigtuerisch, von oben herab
Überheblichkeit: Anmaßung, Arroganz, Aufgeblasenheit, Blasiertheit, Dünkel, Dünkelhaftigkeit, Einbildung, Eingebildetheit, Herablassung, Hochmut, Hochmütigkeit, Hoffart, Selbstgefälligkeit, Selbstgerechtigkeit, Selbstüberhebung, Stolz, Süffisance, (übertriebenes) Geltungsbedürfnis
überhöht: zu hoch, zu stark erhöht *überteuert, unbezahlbar, unerschwinglich, sündhaft teuer, zu teuer
Überhöhung: Zunahme, Zuwachs *Kurserhöhung, Preissteigerung
überholen: einholen, überrunden, an jmdm. vorbeifahren, an jmdm. vorbeilaufen, hinter sich lassen *ausbessern, erneuern, renovieren, restaurieren, instand setzen *hinüberfahren, übersetzen
überholt: abgelebt, altmodisch, fossil, passé, rückständig, überlebt, unmodern, unzeitgemäß, veraltet, vergangen, vorweltlich
Überholung: Änderung, Auffrischung, Erneuerung, Verjüngung *Ausbesserung, Instandsetzung, Renovierung, Reparatur, Restaurierung, Umarbeitung, Wiederherstellung
überhören: entgehen, verfehlen, verpassen, nicht bemerken, nicht verstehen, nicht hören *ignorieren, missachten, vernachlässigen, unbeachtet lassen
überirdisch: engelhaft, engelsgleich, himmlisch, jenseitig, übernatürlich, übersinnlich
überkleben: bekleben, kaschieren, überdecken
überklug: neunmalklug, schlau, siebengescheit, superklug, superschlau, übergescheit
überkochen: übergehen, überlaufen, überschäumen, überwallen *s. aufregen, berserkern, explodieren, rasen, schäumen, schnauben, toben, wettern, wüten, zetern, außer sich geraten, wild werden
überkommen: ankommen, anwandeln, befallen, s. bemächtigen, beschleichen, erfassen, ergreifen, übermannen *anfallen, befallen, übermannen, überrumpeln, überwältigen *ehrwürdig, altehrwürdig, ererbt, altererbt, hergebracht, althergebracht, überliefert, altüberliefert, üblich, alt, herkömmlich, klassisch, konventionell, traditionell, überliefert
überkreuzen (s.): kollidieren, konvergieren, s. kreuzen, s. schneiden, s. überschneiden, zusammenfallen, zusammenlaufen
überkriegen: überbekommen, überdrüssig werden, übersättigt werden, nicht mehr sehen können, satt haben, genug haben ***eine überkriegen:** geschlagen werden
überladen: überfüllen, überhäufen, überlasten *voll, übervoll, aufgebläht, barock, bombastisch, erdrückend, geschmacklos, kitschig, pompös, schwülstig, verschnörkelt, zu viel
überlagern: abdecken, bedecken, überdecken, verbergen, verdecken, verhüllen, verstecken, zudecken, die Sicht nehmen, unsichtbar machen ***s. überlagern:** s. begegnen, kollidieren, konvergieren, s. kreuzen, s. schneiden, s. überkreuzen, s. überschneiden, zusammenfallen, zusammenlaufen
Überlandstraße: Autobahn, Bundesstraße, Fernstraße, Fernverkehrsstraße
überlassen: anheim geben, anheim stellen, einräumen, freistellen, freie Hand lassen *abgeben, aushändigen, ausrichten, bringen, einhändigen, überantworten, überbringen, übergeben, übermitteln, weitergeben, weiterleiten, weiterreichen, zustellen, zukommen lassen *anvertrauen, hinterlassen, überschreiben, vererben, vermachen, zuweisen *veräußern, verkaufen ***s. überlassen:** s. hingeben

Überlassung: Auflassung, Übereignung, Übertragung *Abtretung, Bescheidung, Entäußerung, Verzicht, Verzichtleistung
überlasten: überfüllen, überhäufen, überladen *strapazieren, überbeanspruchen, überfordern
überlastet: abgehetzt, abgekämpft, abgeschlafft, abgespannt, abgewirtschaftet, angegriffen, angeschlagen, atemlos, aufgerieben, ausgelaugt, durchgedreht, entkräftet, entnervt, erholungsbedürftig, erledigt, ermattet, erschlagen, erschöpft, gerädert, geschafft, gestresst, groggy, halb tot, kaputt, kraftlos, matt, mitgenommen, müde, schachmatt, schlaff, schlapp, schwach, überanstrengt, überfordert, urlaubsreif, verbraucht, zerschlagen, k. o., am Ende *zu ausgelastet, zu voll
überlaufen: desertieren, flüchten, überrennen, überwechseln *überborden, überfließen, überfluten, übergehen, überschäumen, überschwappen, übersprudeln *ausgebucht, begehrt, belegt, vielbesucht, voll
Überläufer: Deserteur, Fahnenflüchtiger
überlaut: durchdringend, gellend, grell, hell, laut, lautstark, markerschütternd, ohrenbetäubend, ohrenzerreißend, scharf, schrill, aus voller Kehle
überleben: s. halten, s. erhalten, bleiben, durchhalten, standhalten, überdauern, überstehen, von Dauer sein, von Bestand sein *aushalten, ausstehen, ertragen, hinnehmen, verkraften
überlebt: abgetan, überaltert, überholt, veraltet, vergangen, verstaubt, vorbei
überlegen: beherrschend, besser, bestimmend, dominanter, erhaben, führend, leistungsfähiger, souveräner, tonangebend, übermächtig, überragend *schlagen, verprügeln ***s. überlegen:** abwägen, bedenken, s. besinnen, s. durch den Kopf gehen lassen, durchdenken, erwägen, nachdenken, überdenken, überschlagen, ventilieren
Überlegenheit: Dominanz, Führung, Majorität, Mehrheit, Mehrzahl, Meisterschaft, Primat, Superiorität, Übergewicht, Übermacht, Überzahl, Vorherrschaft *Abgeklärtheit, Bedacht, Bedachtsamkeit, Beschaulichkeit, Besinnlichkeit, Besonnenheit, Geduld, Gefasstheit, Gelassenheit, Gleichgewicht, Gleichmut, Kaltblütigkeit, Kontenance, Muße, Ruhe, Selbstbeherrschung, Stille, Umsicht, innere Haltung
überlegt: abgeklärt, ausgeglichen, bedacht, bedachtsam, beherrscht, besonnen, durchdacht, gefasst, gemächlich, gemessen, geruhsam, gezügelt, gleichmütig, harmonisch, kaltblütig, ruhevoll, ruhig, sicher, still, überlegen, würdevoll
Überlegung: Abwägung, Berechnung, Erwägung, Gedankengang, Kopfzerbrechen, Nachdenken, Reflexion *Besonnenheit
überleiten: hinüberführen, übergehen, verbinden, einen Übergang herstellen, den Anschluss schaffen, eine Brücke schlagen
überlesen: anlesen, durchblättern, durchfliegen, überfliegen, überschlagen, diagonal lesen *die Augen verschließen (vor), ignorieren, übergehen, übersehen, nicht bemerken, hinwegsehen (über), hinweggehen (über)
überliefern: tradieren, übergeben, vererben, vermachen, weiterführen, weitergeben, weiterleiten, weiterreichen
überliefert: alt, altehrwürdig, altererbt, althergebracht, ehrwürdig, ererbt, hergebracht, klassisch, konventionell, traditionell, überkommen, üblich
Überlieferung: Erbe, Tradition *Erbe, Tradition, Weitergabe
überlisten: fangen, übertölpeln, in die Falle locken, in einen Hinterhalt locken *betrügen, mogeln, schwindeln
Übermacht: Dominanz, Majorität, Mehrheit, Mehrzahl, Primat, Übergewicht, Überlegenheit, Überzahl, Vorherrschaft
übermächtig: achtunggebietend, einflussreich, mächtig, machtvoll, maßgebend, tonangebend
übermannen: ankommen, anwandeln, befallen, s. bemächtigen, beschleichen, erfassen, ergreifen, überkommen
Übermaß: Anhäufung, Anzahl, Armee, Ballung, Batzen, Berg, Flut, Haufen, Heer, Legion, Masse, Mehrzahl, Menge, Reihe, Schar, Schwall, Schwarm, Schwung, Se-

rie, Unmaß, Unmasse, Unmenge, Unzahl, Vielheit, Vielzahl, Wust, große Zahl, eine ganze Ladung
übermäßig: übertrieben, unverhältnismäßig
übermenschlich: gewaltig, gigantisch, himmelstürmend, prometheisch, titanenhaft, titanisch, übernatürlich, ungeheuer, an Gewalt alles übertreffend, an Kraft alles übertreffend, an Größe alles übertreffend
übermitteln: aufklären, äußern, ausrichten, bekannt geben, bestellen, informieren, kundtun, mitteilen, sagen, sprechen, s. unterhalten, unterrichten, vorbringen, vortragen, weitererzählen, weitertragen, zutragen *schicken, überbringen
Übermittlung: Angabe, Ankündigung, Auskunft, Benachrichtigung, Bericht, Berichterstattung, Bescheid, Eröffnung, Information, Meldung, Mitteilung, Nachricht, Unterrichtung, Verbalnote
übermüde: ermüdet, müde, schlafbedürftig, schläfrig, schlaftrunken, todmüde, verschlafen
übermüdet: müde, übernächtigt, unausgeschlafen
Übermüdung: Abgespanntheit, Abspannung, Entkräftung, Entnervung, Ermattung, Ermüdung, Erschöpftheit, Erschöpfung, Erschöpfungszustand, Flauheit, Kräfteverfall, Kraftlosigkeit, Mattheit, Mattigkeit, Müdigkeit, Schlaffheit, Schlappheit, Schwäche, Schwächezustand, Schwachheit, Schwächlichkeit, Schwunglosigkeit, Unwohlsein, Zerschlagenheit
Übermut: Ausgelassenheit, Mutwille
übermütig: aufgeheitert, aufgekratzt, aufgelegt, aufgeschlossen, aufgeweckt, ausgelassen, bubenhaft, feuchtfröhlich, fidel, freudestrahlend, freudig, frisch, froh, frohgemut, frohgestimmt, fröhlich, frohsinnig, gutgelaunt, heiter, jungenhaft, lebensfroh, lebenslustig, lustig, munter, mutwillig, schelmisch, sonnig, strahlend, überschäumend, übersprudelnd, unbekümmert, vergnüglich, vergnügt, wohlgemut, heiteren Sinnes, außer Rand und Band
übernachten: absteigen, campieren, logieren, nächtigen, schlafen, zelten, die Nacht verbringen, Quartier nehmen, sein Lager aufschlagen
übernächtigt: müde, übermüdet, unausgeschlafen
Übernachtung: Nächtigung, Schlafgelegenheit
übernatürlich: gewaltig, gigantisch, prometheisch, titanenhaft, titanisch, übermenschlich, ungeheuer, an Gewalt alles übertreffend, an Kraft alles übertreffend, an Größe alles übertreffend *engelhaft, engelsgleich, himmlisch, jenseitig, überirdisch, übersinnlich *gewaltig, immens *magisch, okkultistisch, spiritistisch
übernehmen: abnehmen, bekommen, empfangen, entgegennehmen, erhalten, s. geben lassen, s. schenken lassen, in Empfang nehmen, in Besitz nehmen *entlehnen, kopieren, nachahmen, nachmachen, plagiieren ***s. übernehmen:** s. abarbeiten, s. schinden, s. überanstrengen, s. überfordern, s. verausgaben *s. zu hoch verschulden
überplanmäßig: außerplanmäßig, zusätzlich, nicht eingeplant, nicht verplant
überprüfen: durchgehen, durchsehen, einsehen, inspizieren, kontrollieren, nachprüfen, nachschauen, nachsehen, prüfen, revidieren, s. überzeugen, s. vergewissern
Überprüfung: Durchsicht, Inspektion, Kontrolle, Nachprüfung, Prüfung, Revision, Untersuchung *Besuch, Visitation
überquellen: überfließen, überlaufen, überschwappen, übersprudeln, überströmen, überwallen
überqueren: durchgehen, durchqueren, hinüberwechseln, passieren, überschreiten, vorübergehen, vorüberziehen
überragen: ausstechen, distanzieren, schlagen, überbieten, überflügeln, überrunden, übertreffen, übertrumpfen, in den Schatten stellen, den Rang ablaufen, den Vogel abschießen
überragend: abenteuerlich, ansehnlich, auffallend, auffällig, aufsehenerregend, außergewöhnlich, außerordentlich, ausgefallen, beachtlich, bedeutend, bedeutsam, bedeutungsvoll, beeindruckend, beträchtlich, bewundernswert, bewun-

dernswürdig, brillant, eindrucksvoll, einzigartig, eminent, enorm, entwaffnend, erstaunlich, erstklassig, fabelhaft, groß, großartig, hervorragend, imponierend, imposant, märchenhaft, nennenswert, ohnegleichen, sagenhaft, sensationell, sondergleichen, spektakulär, stattlich, überraschend, überwältigend, ungeläufig, ungewöhnlich, unvergleichlich, verblüffend, virtuos, vollkommen

überraschen: frappieren, verblüffen, eine Überraschung bereiten *überfallen, überrumpeln *abfassen, ertappen, erwischen, schnappen, überführen

überraschend: blitzschnell, frappant, jäh, jählings, plötzlich, ruckartig, unerwartet, ungeahnt, unverhofft, unvermittelt, unvermutet, unvorhergesehen, urplötzlich, zufällig

überrascht: entgeistert, erschlagen, erstaunt, fassungslos, perplex, sprachlos, verblüfft, verwundert ***überrascht sein:** erstaunt, keine Worte finden, aus allen Wolken fallen, aus den Wolken fallen

Überraschung: Überrumpelung, Verblüffung, Verwunderung *freudige Nachricht

überreden: aufschwatzen, bearbeiten, bekehren, bereden, beschwatzen, breitschlagen, einwickeln, erweichen, herumbekommen, überzeugen, umstimmen, weich machen, werben

Überredung: Beschwörung, Suggestion, Überzeugungskraft

überregional: landeseinheitlich, staatlich, auf Landesebene, auf Staatsebene, auf Bundesebene

überreichen: teilen, austeilen, schenken, beschenken, bedenken (mit), beglücken (mit), geben, mitbringen, mitgeben, spendieren, stiften, verehren, vermachen, weggeben, zueignen, zuteilen, angedeihen lassen *reichen, darreichen, abliefern, abtreten, aushändigen, ausstatten (mit), darbieten, präsentieren, überantworten, übereignen, übergeben, überlassen, überstellen, übertragen, verabfolgen, verabreichen, versehen (mit), versorgen (mit), in die Hand drücken

überreichlich: üppig, verschwenderisch, zu reichlich *redundant, reduzierbar

Überreichtum: Anhäufung, Fülle, Luxus, Masse, Menge, Opulenz, Redundanz, Reichtum, Überangebot, Überfluss, Überfülle, Überfüllung, Übermaß, Überproduktion, Überschuss, Überschwang, Üppigkeit, Zuviel

überreizt: aufgeregt, fahrig, fieberhaft, hastig, hektisch, nervenschwach, nervös, rastlos, unstet

Überreiztheit: Nervenschwäche, Nervosität, Reizbarkeit, Spannung

überrennen: desertieren, flüchten, überlaufen, überwechseln

Überrest: Rest, Überbleibsel, das Übriggebliebene *Reste, Ruinen, Schutt, Trümmer, Überbleibsel

überrollen: aufreiben, besiegen, bezwingen, niederringen, obsiegen, ruinieren, schlagen, überwältigen, überwinden, unterjochen, unterkriegen, unterwerfen, vernichten, kampfunfähig machen, den Sieg abgewinnen

überrumpeln: überfallen, überraschen *anfallen, befallen, überfallen, übermannen, überwältigen, herfallen (über)

Überrumpelung: Überraschung, Verblüffung, Verwunderung *Anschlag, Attentat, Gewaltstreich, Handstreich, Raubüberfall, Raubzug, Überfall

überrunden: einholen, überholen, an jmdm. vorbeifahren, an jmdm. vorbeilaufen, hinter sich lassen *ausstechen, distanzieren, schlagen, überbieten, überflügeln, überragen, übertreffen, übertrumpfen, in den Schatten stellen, den Rang ablaufen, den Vogel abschießen

übersät: gespickt (mit), voll (von), dicht bedeckt, voller …

Überschallflugzeug: Düsenflugzeug, Düsenklipper, Düsenmaschine, Jet, Turbojet

überschatten: dämmen, eindämmen, beeinträchtigen, dämpfen, reduzieren, schmälern, stören, trüben, verdunkeln, verfinstern

überschätzen: beschönigen, überbetonen, überbewerten, überwerten, eine zu hohe Meinung haben, falsch einschätzen ***s. überschätzen:** s. erheben (über), s. etwas Besseres dünken, s. etwas einbilden, s. für unwiderstehlich halten, s. potent

fühlen, eingebildet sein, an Selbstüberschätzung leiden *s. überbewerten
Überschau: Abriss, Aufriss, Querschnitt, Resümee, Synopse, Überblick, Übersicht, Zusammenfassung, Zusammenschau
überschaubar: absehbar, berechenbar, erfassbar, erkennbar, ersichtlich, kalkulierbar, klar, übersehbar, übersichtlich, verstehbar, zugänglich
überschauen: ermessen, klar sehen, überblicken, übersehen, einen Überblick haben
überschäumen: bersten, platzen, zerplatzen, zerspringen *schwappen, überfließen, überfluten, überlaufen, überquellen, überschwappen, übersprudeln, überströmen, überwallen
überschlafen: abmessen, abwägen, bedenken, beurteilen, durchdenken, einschätzen, ermessen, erwägen, prüfen, s. fragen, gegenüberstellen, überdenken, überlegen, überprüfen, überrechnen, überschlagen, in Betracht ziehen, in Erwägung ziehen, ins Auge fassen
Überschlag: Berechnung, Kalkulation, Kostenaufstellung, Schätzung, Überlegung, Voranschlag *Flickflack, Purzelbaum, Rolle, Salto
überschlagen: abschätzen, ansetzen, berechnen, beziffern, einschätzen, erwägen, hochrechnen, rechnen, schätzen, taxieren, überlegen, veranschlagen *übergreifen, überspringen *auslassen, aussparen, fortlassen, hintanlassen, passen, übergehen, überspringen, weglassen, beiseite lassen *angenehm, lau, lauwarm, mild *schrill klingen, hoch klingen ***s. überschlagen:** um sich drehen *Rad schlagen, s. überkugeln, kopfüber stürzen, kopfüber rollen, einen Purzelbaum machen, einen Purzelbaum schlagen, einen Salto machen, einen Salto schlagen, ein Rad schlagen
überschnappen: durchdrehen, rotieren, überdrehen, kopflos werden, verrückt werden, den Verstand verlieren, die Nerven verlieren, außer sich geraten
überschneiden (s.): kollidieren, konvergieren, s. kreuzen, s. schneiden, s. überkreuzen, zusammenfallen, zusammenlaufen
überschreiben: abgeben, übertragen, überweisen, umschreiben, vererben, zuschreiben *betiteln, als Überschrift geben
überschreiten: durchgehen, durchqueren, hinüberwechseln, passieren, überqueren, vorübergehen, vorüberziehen *abweichen, entgegenhalten, s. hinwegsetzen, missachten, übertreten, zuwiderhandeln, nicht beachten, nicht einhalten, verstoßen gegen
Überschreitung: Maßlosigkeit, Überfüllung, Übermaß *Überflutung, Überschwemmung *Eigenmächtigkeit, Überspitzung
Überschrift: Aufschrift, Balkenüberschrift, Hauptüberschrift, Headline, Kopf, Schlagzeile, Titel, Titelzeile
Überschuhe: Galoschen, Gummischuhe
überschuldet: bankrott, fertig, ruiniert, ganz unten
Überschuss: Anhäufung, Luxus, Masse, Mehr, Menge, Opulenz, Plus, Reichtum, Überangebot, Überfluss, Übermaß, Überproduktion, Überschwang, Üppigkeit, Zuviel
überschüssig: restlich, überflüssig, überzählig, übrig, unerwünscht, zu viel
überschütten: angießen, begießen, besprengen, bewässern, gießen, sprengen, übergießen, wässern
Überschwang: Ausgelassenheit, Begeisterung, Schwärmerei, Überschwall, Überschwänglichkeit
überschwänglich: ausgelassen, exaltiert, extravagant, exzentrisch, maßlos, phantastisch, übermäßig, überschäumend, überspannt, übersteigert, übertrieben, verstiegen *schwärmerisch
Überschwänglichkeit: Begeisterung, Schwärmerei, Überschwall, Überschwang
überschwappen: überfließen, überlaufen, überquellen, übersprudeln, überströmen, überwallen
überschwemmen: überfluten, überspülen, überströmen, unter Wasser setzen
Überschwemmung: Hochwasser, Sintflut, Überflutung
überseeisch: transatlantisch, transmarin
übersehbar: absehbar, berechenbar, erfassbar, erkennbar, ersichtlich, kalku-

lierbar, klar, überschaubar, übersichtlich, verstehbar, zugänglich

übersehen: die Augen verschließen (vor), ignorieren, übergehen, überlesen, nicht bemerken, hinwegsehen (über), hinweggehen (über) *erfassen, erkennen, klar sehen, überblicken, überschauen, s. zurechtfinden, zurechtkommen ***s. übersehen:** einer Sache überdrüssig werden

übersenden: absenden, einwerfen, schicken, senden, transportieren, übermitteln, überweisen, versenden, zuleiten, zuschicken, zusenden, zukommen lassen, zugehen lassen

Übersendung: Sendung, Zusendung

übersetzen: dolmetschen, übertragen, verdeutschen, verdolmetschen *hinüberfahren, überqueren

Übersetzer: Dolmetscher, Interpret

Übersetzung: Übertragung, Verdolmetschung, übersetzte Rede, übersetzter Text

Übersicht: Abriss, Auszug, Kurzfassung, Querschnitt, Resümee, Überblick, Zusammenfassung, Zusammenschau *Aufstellung, Aufzählung, Auswahl, Handbuch, Index, Inventar, Kartei, Katalog, Liste, Nachweis, Register, Sachregister, Verzeichnis, Zusammenstellung

übersichtlich: berechenbar, einfach, erfassbar, erkennbar, ersichtlich, kalkulierbar, klar, überschaubar, übersehbar, verstehbar, zugänglich

übersiedeln: ausziehen, fortziehen, umsiedeln, umziehen, s. verändern, verziehen, weggehen, wegziehen, an einen anderen Ort ziehen, einen Wohnungswechsel vornehmen, seine Wohnung aufgeben, seinen Haushalt auflösen, seinen Wohnsitz auflösen, seinen Haushalt verlegen, seinen Wohnsitz verlegen, den Ort wechseln, den Wohnsitz wechseln *auswandern, s. verändern, den Wohnort wechseln

Übersiedlung: Auszug, Umzug, Wohnungswechsel *Auswanderung, Wohnortwechsel

übersinnlich: immateriell, jenseitig, metaphysisch, spiritual, spirituell, transzendent, überirdisch, übernatürlich *engelsgleich, himmlisch

überspannt: exaltiert, extravagant, phantastisch, überschwänglich, überspitzt, überstiegen, verstiegen

Überspanntheit: Exaltation, Exaltiertheit, Extravaganz, Exzentrizität

Überspannung: Hypertonie *Erregung, Fahrigkeit, Hektik, Hochspannung, Nervosität, Rastlosigkeit

überspielen: kaschieren, maskieren, tarnen, verbergen, vernebeln, verschleiern, verwischen, unkenntlich machen

überspitzt: allzu, exaltiert, exorbitant, extravagant, extrem, exzessiv, maßlos, phantastisch, übermäßig, überschwänglich, überspannt, überstiegen, übertrieben, verstiegen, über Gebühr

überspringen: auslassen, aussparen, fortlassen, hintanlassen, passen, übergehen, übergreifen, überschlagen, weglassen, beiseite lassen *auslassen, aussparen, fortlassen, hintanlassen, passen, übergehen, überschlagen, weglassen, beiseite lassen

übersprudeln: überfließen, überlaufen, überquellen, überschwappen, überströmen, überwallen

überspülen: überfluten, überschwemmen, überströmen, unter Wasser setzen

überstaatlich: global, international, staatenverbindend, völkerumfassend, weltumfassend, weltweit, zwischenstaatlich, nicht national begrenzt

überstanden: erledigt, gemacht, geschafft, getan *gewesen, vorbei, vorüber

überstehen: aushalten, durchkommen, durchstehen, ertragen, fertig werden (mit), hinwegkommen, s. über Wasser halten, überleben, überwinden, verkraften, hinter sich bringen

übersteigen: abhängen, besiegen, bezwingen, distanzieren, schlagen, überflügeln, überholen, überragen, übertreffen, übertrumpfen, verdrängen, hinter sich lassen

übersteigern (s.): aufbauschen, ausweiten, dramatisieren, s. hineinsteigern, hochspielen, überspannen, überspitzen, übertreiben, überziehen

übersteigert: extravagant, exzentrisch, überschwänglich, übertrieben

überstimmen: s. als überlegen erweisen,

besiegen, überrunden, an Zahl übertreffen, mehr Stimmen erhalten, zum Schweigen bringen, die Mehrheit stellen *übertönen, mundtot machen
überstreifen: überhängen, überlegen, überwerfen, umhängen
überströmen: überfließen, überschwemmen *überfluten, überschwemmen, überspülen, unter Wasser setzen
überstülpen: anlegen, antun, aufsetzen, aufstülpen, überziehen
Überstunden: Mehrarbeit, bezahlte Mehrarbeit, unbezahlte Mehrarbeit, zusätzliche Arbeit
überstürzen: übereilen, überhasten, übers Knie brechen, vorschnell handeln, unbedacht handeln, unüberlegt handeln ***s. überstürzen:** s. ablösen, s. jagen, s. überschlagen, rasch aufeinander folgen, Schlag auf Schlag folgen
überstürzt: blind, eilfertig, eilig, hastig, übereilt, überhastet, unbedacht, unüberlegt, voreilig, vorschnell, Hals über Kopf, in wilder Hast, in großer Eile, zu schnell, ohne Überlegung
Überteuerung: Erhöhung, Kostspielerei, Schieberei; Überforderung
übertölpeln: fangen, überlisten, in die Falle locken, in einen Hinterhalt locken
übertragbar: ansteckend, gefährlich, infektiös, infizieren, schlimm *sendbar *brauchbar, kompatibel, lesbar, übersetzbar, verwendbar
übertragen: dolmetschen, übersetzen *anstecken, weitergeben *senden, aussenden *abgeben, überschreiben, überweisen, umschreiben, vererben, zuschreiben *abgeben, delegieren, streuen, weitergeben (an) *austauschen, kopieren, transferieren *austauschen, abspeichern *bildlich, gleichnishaft, symbolisch, als Gleichnis *anvertrauen, beauftragen
Übertragung: Übersetzung, Verdolmetschung, übersetzte Rede, übersetzter Text *Aufnahme, Aufzeichnung, Ausstrahlung, Fernsehsendung, Rundfunksendung, Sendung *Ansteckung, Infektion, Infizierung *Auflassung, Delegation, Übereignung, Überlassung *Austausch, Datenaustausch, Datenübertragung
übertreffen: abhängen, besiegen, bezwingen, distanzieren, schlagen, überflügeln, überholen, überragen, übertrumpfen, verdrängen, hinter sich lassen
übertreiben: aufbauschen, ausweiten, dramatisieren, s. hineinsteigern, hochspielen, überspannen, überspitzen, übersteigern, überziehen, zu weit gehen, auf die Spitze treiben
Übertreibung: Angeberei, Aufschneiderei, Großmannssucht, Imponiergehabe, Prahlerei
übertreten: nicht beachten, nicht einhalten *abweichen, entgegenhalten, s. hinwegsetzen, missachten, zuwiderhandeln, verstoßen gegen *s. bekehren, konvertieren, überwechseln, die Religion wechseln, die Konfession wechseln, den Glauben wechseln
Übertretung: Straftat, Vergehen, Verstoß, Zuwiderhandlung *Delikt, Entgleisung, Fehler, Straftat, Unrecht, Vergehen, Verstoß, Zuwiderhandlung
übertrieben: allzu, exorbitant, extrem, exzessiv, maßlos, übermäßig, überschwänglich, überspitzt, über Gebühr
Übertritt: Konvertierung *Fahnenflucht *Parteiwechsel *Abtrünnigkeit
übertroffen: ausgestochen, besiegt, geschlagen, überflügelt, überrundet, übertrumpft
übertrumpfen: abhängen, besiegen, bezwingen, distanzieren, schlagen, siegen, überflügeln, überholen, überragen, verdrängen, hinter sich lassen
übertünchen: anmalen, anstreichen, bemalen, bepinseln, kalken, streichen, weißen *bemänteln, übergehen, verdecken, zudecken
übervölkert: dicht besiedelt, dicht bevölkert, überbevölkert, volkreich, dicht bewohnt
übervoll: rammelvoll, überbelegt, überfüllt, zu voll
übervorteilen: ausbeuten, beschummeln, betrügen, bluffen, hintergehen, prellen, täuschen, überlisten
überwachen: beaufsichtigen, beobachten, beschatten, bespitzeln, bewachen, ein wachsames Auge haben (auf), kontrollieren
Überwachung: Aufsicht, Beaufsichti-

gung, Beobachtung, Beschattung, Bespitzelung, Kontrolle
überwallen: überfließen, überlaufen, überquellen, überschwappen, übersprudeln, überströmen
überwältigen: aufreiben, besiegen, bezwingen, niederringen, obsiegen, ruinieren, überwinden, unterjochen, unterwerfen, vernichten, kampfunfähig machen, den Sieg abgewinnen *belasten, erdrücken, erschlagen *anfallen, befallen, überkommen, übermannen, überrumpeln
überwältigend: außergewöhnlich, bewegend, dramatisch, ergreifend, groß, großartig, mitreißend, packend, unauslöschlich, unvergesslich *beschwerend, einengend, erdrückend, hemmend, quälend
überwältigt: beeindruckt, beeinflusst, bestürzt, bewegt, erschüttert *besiegt, bezwungen, geschlagen, überwunden, unterworfen, vernichtet
überwechseln: s. bekehren, konvertieren, übertreten, die Religion wechseln, die Konfession wechseln, den Glauben wechseln *desertieren, fliehen, stiften gehen, überlaufen, wechseln, fahnenflüchtig werden, seinen Posten verlassen
überweisen: anweisen, einzahlen *schicken, hinschicken, einliefern, weiterreichen *einzahlen, zuweisen
Überweisung: Anweisung, Bankanweisung *Zuweisung *Einzahlung
Überwelt: Elysium, Jenseits, elysische Gefilde, Insel der Seligen, Gefilde der Seligen, die ewigen Jagdgründe
überwerfen (s.): überhängen, überstreifen, umhängen, umlegen *auseinander geraten, s. entfremden, s. spalten, s. trennen, s. verfeinden, s. verzanken, s. zerstreiten, uneins werden
überwiegen: dominieren, herrschen, regieren, vorherrschen, die Mehrheit bilden, die Oberhand haben, den Ton angeben, das Wort führen
überwiegend: besonders, größtenteils, hauptsächlich, insbesondere, meist, vorherrschend, vornehmlich, vorwiegend, weit gehend, die Mehrheit, die Mehrzahl, in der Hauptsache, in erster Linie, vor allem, zum größten Teil
überwindbar: bezwingbar, überwindlich
überwinden: s. hinwegsetzen (über), überstehen, verkraften, verschmerzen, verwinden, hinwegkommen (über) *aufreiben, besiegen, bezwingen, niederringen, obsiegen, ruinieren, schlagen, überwältigen, unterjochen, unterwerfen, vernichten, kampfunfähig machen, den Sieg abgewinnen ***s. überwinden:** s. beherrschen, s. bezwingen, s. einen Ruck geben, s. entschließen, s. ermannen, s. selbst besiegen, s. zusammenraffen, es über sich bringen
Überwinder: Besieger, Champion, Gewinner, Held, Meister, Sieger
überwintern: bleiben, durchdauern, durchhalten, standhalten, überdauern, überleben, überstehen, weiterbestehen, von Dauer sein, von Bestand sein *den Winter verbringen
überwuchern: s. häufen, überhand nehmen, verbreiten, zu viel werden, ins Kraut schießen, über den Kopf wachsen *s. ausbreiten, s. ausdehnen, überwachsen, s. verbreiten
Überzahl: Gros, Großteil, Majorität, Masse, Mehrheit, Mehrzahl, Vielzahl, mehr als die Hälfte
überzählig: überflüssig, überschüssig, übrig, zu viel
überzeugen: beeinflussen, begeistern, bekehren, belehren, bereden, überreden, zur Einsicht bringen ***s. überzeugen:** kontrollieren, nachsehen, s. vergewissern
überzeugend: augenfällig, bestechend, beweiskräftig, bündig, einleuchtend, einsichtig, glaubhaft, glaubwürdig, klar, offenkundig, plausibel, schlagend, stichhaltig, triftig, unzweideutig, vernünftig, verständlich, zwingend
überzeugt: absolut, ausgemacht, ausgesprochen, bewusst, eingefleischt, gewohnheitsmäßig, uneingeschränkt, unverbesserlich *aktiv, tätig *sicher, unfehlbar, untrüglich
Überzeugung: Ansicht, Auffassung, Behauptung, Denkweise, Gesichtspunkt, Meinung, Standpunkt, Urteil, Vorstellung *Dogma, Gewissheit, Glaube, Sicherheit

Überzeugungskraft: Bestimmtheit, Nachdruck *Beweisführung, Denkvermögen *Erkenntnisvermögen, Urteilskraft
überziehen: aufbauschen, ausweiten, dramatisieren, s. hineinsteigern, hochspielen, überspannen, überspitzen, übersteigern, übertreiben *bespannen, überkleiden, umkleiden *s. verschulden, Schulden machen, Minus auf dem Konto haben ***s. überziehen:** anziehen, s. überstreifen
Überzieher: Hänger, Mantel, Trenchcoat
überzogen: bereift *emailliert, glasiert, lackiert *bezogen *bewölkt, düster, grau, regnerisch
überzuckern: einzuckern, kandieren, süßen, verzuckern, zuckern
Überzug: Guss *Auflage, Film, Schicht, Schutzschicht *Belag, Schutzhülle *Grünspan, Patina
üblich: alltäglich, gängig, gebräuchlich, gewöhnlich, gewohnt, herkömmlich, konventionell, landläufig, normal, obligat, ortsüblich, regelrecht, usuell, verbreitet, vorschriftsmäßig, der Regel entsprechend, der Norm entsprechend, der Gewohnheit entsprechend, gang und gäbe
U-Boot: Tauchboot, Unterseeboot
übrig: entbehrlich, restlich, überflüssig, überschüssig, überzählig, übrig geblieben, unverwendet, verbleibend, zurückbleibend, zu viel, noch vorhanden ***etwas übrig haben:** lieben, mögen, jmdn. sympathisch finden *besitzen, übrig (haben), auf der hohen Kante haben, zur (freien) Verfügung haben ***übrig behalten:** aufheben, sicherstellen, übrig lassen, als Rest lassen, einen Rest lassen, beiseite bringen, nicht aufessen ***übrig bleiben:** überbleiben, zurückbleiben *abfallen, zurückbleiben *bleiben, verbleiben, zurückbleiben, übrig sein ***übrig lassen:** aufheben, sicherstellen, übrig behalten, als Rest lassen, einen Rest lassen, beiseite bringen, nicht aufessen
übrigens: apropos, notabene, nebenbei bemerkt, nebenbei gesagt
Übung: Probe, Schliff, Schulung, Training, Wiederholung *Erfahrung, Fertigkeit, Gewandtheit, Praxis, Routine *Gefechtsübung, Manöver, militärische Übung *Generalprobe
Übungsplatz: Sportplatz, Trainingsplatz *Militärgebiet, Militärgelände, Sperrgebiet, Truppenübungsplatz
Ufer: Bord, Gestade, Küste, Meeresufer, Strand *Seeufer *Flussufer
uferlos: endlos, grenzenlos, unabsehbar, unbegrenzt, unbeschränkt, unendlich, unermesslich, unzählbar, weit, ohne Ende
Uhr: Chronometer, Stundenglas, Zeitmesser
Uhrpendel: Pendel, Perpendikel
Uhrzeit: Datum, Normalzeit, Ortszeit, Zeit, mitteleuropäische Zeit, osteuropäische Zeit, westeuropäische Zeit
Ulk: Ausgelassenheit, Eulenspiegelei, Humor, Jux, Narretei, Posse, Schabernack, Scherz, Schnurre, Spaß, Streich
ulken: albern, kaspern, narren, necken, schäkern, scherzen, spaßen, Dummheiten machen, Witze machen, Unsinn machen, Scherze machen, Spaß machen
ulkig: komisch, possenhaft, putzig, spaßhaft, spaßig, trocken, witzig *absonderlich, befremdend, befremdlich, drollig, eigen, eigenartig, eigenbrötlerisch, eigentümlich, erstaunlich, kauzig, komisch, kurios, merkwürdig, ominös, schrullig, seltsam, sonderbar, sonderlich, verschroben, verwunderlich, wunderlich
Ulster: Mantel, Überzieher *Mantelstoff
ultimativ: ausdrücklich, bestimmt, betont, deutlich, drastisch, dringend, eindeutig, eindringlich, emphatisch, energisch, entschieden, entschlossen, ernst, ernsthaft, ernstlich, fest, intensiv, nachdrücklich, stringent, unmissverständlich, als Ultimatum, mit Emphase, mit Nachdruck, mit Gewicht
Ultimatum: Aufforderung, Aufruf, Drohung, Frist
Ultraschall: Überschall
um: annähernd, circa, etwa, ungefähr, zirka *aus, gewesen, passé, verflossen, vergangen, vergessen, verwichen, vorbei, vorüber
umändern: abändern, ändern, umarbeiten, umgestalten, verändern

Umänderung: Änderung, Umarbeitung *Abänderung, Umgestaltung, Wandlung
umarbeiten: abwandeln, abändern, ändern, korrigieren, modifizieren, novellieren, revidieren, transformieren, überarbeiten, umändern, umformen, umfunktionieren, umgestalten, ummodeln, ummünzen, umsetzen, umwandeln, variieren, verändern, verbessern, verwandeln, wandeln, anders werden, anders machen *abändern, umgestalten, wandeln
Umarbeitung: Abänderung, Änderung, Umänderung, Umgestaltung, Veränderung, Wandlung
umarmen: die Arme schlingen (um), umfangen, umfassen, umhalsen, umklammern, umschließen, umschlingen, an sich drücken, an sich pressen, an sich ziehen, in die Arme nehmen, in die Arme schließen, ans Herz drücken, um den Hals fallen
Umarmung: Liebkosung, Umfassung, Umklammerung, Umschließung, Umschlingung
Umbau: Einbau, Modernisierung, Sanierung *Aktualisierung, Erneuerung
umbauen: ausbessern, erneuern, modernisieren, renovieren, reparieren, restaurieren, verbessern, wiederherstellen, instand bringen, instand setzen *überbauen, außenherum bauen
umbiegen: brechen, fälbeln, fälteln, falten, falzen, knicken, kniffen, plissieren, umknicken, umschlagen, zusammenlegen, einen Knick machen, in Falten legen
umbilden: abändern, ändern, modeln, reformieren, revolutionieren, umändern, umformen, umgestalten, ummodeln, umstürzen, verändern, verwandeln *erneuern, korrigieren, modifizieren, reformieren, transformieren, umformen, umstoßen, umwandeln, verbessern, neu gestalten
Umbildung: Umformung, Umgestaltung, Veränderung, Verwandlung
umbinden: anlegen, anziehen, umgürten, umschlingen, umschnallen, umwickeln
umblättern: umschlagen, umwenden, die nächste Seite aufschlagen, die Seite umwenden
umblicken (s.): umgucken, s. umschauen, s. umsehen, zurückblicken, zurücksehen
umbringen: ermorden, töten, aus der Welt schaffen ***s. umbringen:** s. das Leben nehmen, s. töten, Selbstmord begehen *überanstrengen, s. überarbeiten, s. überfordern, s. überladen, s. übernehmen, s. überschätzen, s. zu viel zumuten
Umbruch: Revolution, Umschwung, Umsturz, Umwälzung *Revolution, Staatsstreich, Subversion, Umschwung, Umsturz, Umwälzung *Layout, Seitengestaltung
umbuchen: umdisponieren, umlegen, verlegen, verschieben, auf einen anderen Zeitpunkt legen *auf ein anderes Konto buchen
umdenken: s. entwickeln, s. in einen Lernprozess begeben, s. offen zeigen (für), umlernen, s. verändern, seine Auffassung revidieren, seine Ansichten ändern
umdirigieren: umleiten, verlegen, wegführen
umdisponieren: umbuchen, umlegen, verlegen, verschieben, auf einen anderen Zeitpunkt legen
umdrängen: s. drängen, umschwärmen
umdrehen: umkehren, umklappen, umstülpen, umwenden *kehrtmachen, umkehren, umschwenken, umwenden, wenden, zurückfahren, zurückgehen ***s. umdrehen:** kehrtmachen, s. umwenden, s. wenden *s. abdrehen, s. abwenden *s. umsehen
Umdrehung: Drehung, Rotation, Strudel, Tour, Umlauf, Wirbel *Inversion, Reversion, Umkehrung
umfahren: außen herum fahren *überfahren, überrollen, zusammenfahren
umfallen: niedergehen, umkippen, umschlagen, umsinken, zusammenbrechen, zu Boden gehen, zu Boden stürzen *ändern, nachgeben, umschwenken
Umfang: Abmessung, Ausdehnung, Ausmaß, Ausweitung, Dehnung, Dimension, Erweiterung, Größe, Streckung, Vergrößerung, Verlängerung, Weite, Weiterung, Weitung *Dicke ***in vollem Umfang:** ganz, völlig

umfangen: die Arme schlingen (um), umarmen, umfassen, umhalsen, umklammern, umschließen, umschlingen, an sich drücken, an sich pressen, an sich ziehen, in die Arme nehmen, in die Arme schließen, ans Herz drücken

umfangreich: ausführlich, ausgedehnt, erschöpfend, gewissenhaft, gründlich, intensiv, umfänglich, weitläufig *groß, reich, umfänglich, umfassend *bedeutend, enzyklopädisch, universell *beleibt, wohlbeleibt, aufgedunsen, breit, dick, dicklich, dickleibig, dickwanstig, feist, fett, fettleibig, fleischig, füllig, gemästet, gewaltig, korpulent, kugelrund, massig, mollig, pausbäckig, plump, pummelig, rund, rundlich, stämmig, stark, stramm, unförmig, üppig, vierschrötig, vollschlank, wohlgenährt

umfassen: beinhalten, bergen, einbegreifen, einschließen, enthalten, innewohnen, umgreifen, umschließen, umspannen, s. zusammensetzen, darin sein *liebkosen, umarmen, umklammern, umschlingen *einfassen, eingrenzen, rahmen, umgeben, umzäunen

umfassend: ausführlich, erschöpfend, gewissenhaft, gründlich, intensiv, umfänglich, umfangreich, weitläufig *groß, ungewöhnlich

Umfassung: Abzäunung, Einfriedung, Eingrenzung, Einhegung, Einzäunung, Gitter, Mauer, Pferch, Umhegung, Umzäunung, Zaun

umformen: abändern, ändern, umgestalten, umschreiben *erneuern, korrigieren, modifizieren, reformieren, transformieren, umbilden, umstoßen, umwandeln, verbessern, neu gestalten

Umfrage: Befragung, Erhebung, Feldforschung, Hörerumfrage, Interview, Leserumfrage, Meinungsforschung, Meinungsumfrage, Publikumsbefragung, Publikumsumfrage, Repräsentativbefragung, Repräsentativerhebung, Rundfrage, Verbraucherumfrage, Volksbefragung, Wählerumfrage, Zuschauerumfrage, demoskopische Untersuchung

umfrieden: begrenzen, einfrieden, eingrenzen, einzäunen, sichern, umgeben, umzäunen, vergattern, vergittern

Umfriedung: Abzäunung, Einfriedung, Eingrenzung, Einhegung, Einzäunung, Gitter, Mauer, Pferch, Umfassung, Umhegung, Umzäunung, Zaun

umfunktionieren: abändern, abwandeln, ändern, korrigieren, modifizieren, novellieren, revidieren, transformieren, überarbeiten, umändern, umarbeiten, umformen, umgestalten, ummodeln, ummünzen, umsetzen, umwandeln, variieren, verändern, verbessern, verwandeln, wandeln, eine andere Funktion geben, anders werden, anders machen

Umgang: Beziehung, Konnex, Konnexion, Kontakt, Verbindung, Verhältnis, Verkehr, Zusammenhang

umgänglich: amüsant, aufgelegt, entgegenkommend, fidel, freudig, froh, frohgemut, fröhlich, frohsinnig, glücklich, heiter, humorvoll, lebensfroh, lebenslustig, leichtlebig, lose, lustig, munter, quietschvergnügt, schwungvoll, stillvergnügt, übermütig, unbesorgt, unkompliziert, vergnüglich, vergnügt, vergnügungssüchtig *anständig, artig, brav, ergeben, folgsam, gefügig, gefügsam, gehorsam, gutwillig, konziliant, lenkbar, lieb, manierlich, willfährig, willig, wohlerzogen, zahm *dienstbeflissen, diensteifrig, dienstwillig, eilfertig, gefällig, hilfreich, hilfsbereit *anziehend, berauschend, berückend, bezaubernd, herzbetörend, hinreißend, liebenswürdig, reizend, sinnbetörend, verlockend *aufmerksam, bescheiden, ehrerbietig, ehrfurchtsvoll, einfühlend, gefällig, liebenswürdig, rücksichtsvoll, taktvoll, verbindlich, zart fühlend, zuvorkommend

Umgangsformen: Anstand, Anstandsregeln, Art, Aufführung, Auftreten, Benehmen, Benimm, Betragen, Erziehung, Etikette, Form, Gehabe, Haltung, Kinderstube, Lebensart, Manieren, Schliff, Sitte, Verhalten

Umgangssprache: Alltagssprache, Gebrauchssprache, Gemeinsprache *Dialekt, Idiolekt, Idiom, Mundart, regionale Sprachvariante

umgangssprachlich: dialektal, dialektisch, landschaftlich, mundartlich, regional

umgarnen: bestricken, bezaubern, umstricken, verführen, in sein Netz locken, in sein Netz ziehen
umgeben: einrahmen, einschließen, umkreisen, umrahmen, umringen *einfassen, eingrenzen, rahmen, umfassen, umzäunen *einhüllen, umhüllen *belagern *einfassen, umsäumen
Umgebung: Atmosphäre, Einzugsgebiet, Gegend, Hinterland, Kulisse, Landschaft, Lebenskreis, Milieu, Nähe, Sphäre, Umgegend, Umkreis, Umland, Umwelt
umgedreht: andersherum, verkehrt
Umgegend: Atmosphäre, Einzugsgebiet, Gegend, Hinterland, Kulisse, Landschaft, Lebenskreis, Milieu, Nähe, Sphäre, Umgebung, Umkreis, Umland, Umwelt
umgehen: s. herumsprechen, kreisen, kursieren, zirkulieren, die Runde machen, in Umlauf sein *umfahren, außen herum fahren, außen herum gehen, außen herum führen *geistern, gespenstern, herumgeistern, irrlichtern, spuken, als Gespenst erscheinen, sein Unwesen treiben *herumgeistern, herumirren, nachtwandeln, schlafwandeln, umherirren, irren (durch) *ausweichen, s. fern halten, meiden
umgehend: augenblicklich, gleich, jetzt, just, justament, soeben, sofort, auf der Stelle
Umgehung: Milieu, Umwelt *Menschheit, Mitbürger, Mitmenschen
Umgehungsstraße: Ortsumfahrt, Ortsumgehung, Tangente
umgekehrt: verkehrt, seitenverkehrt, spiegelbildlich, umgedreht, verkehrt herum *anders, im Gegenteil *antagonistisch, diametral, disparat, divergent, dualistisch, entgegengesetzt, extrem, gegensätzlich, gegenteilig, inkompatibel, kontradiktorisch, konträr, oppositionell, polar, unverträglich, widersinnig, widersprüchlich, widerspruchsvoll, nicht vereinbar, nicht übereinstimmend
umgeschlagen: faul, ranzig, schlecht *launenhaft, unruhig *gefaltet, geknickt
umgestalten: abändern, ändern, modeln, reformieren, revolutionieren, umändern, umbilden, umformen, ummodeln, umstürzen, verändern, verwandeln
Umgestaltung: Abänderung, Änderung, Reform, Reformation, Reformierung, Umänderung, Umbildung, Umformung, Veränderung
umgraben: ackern, bearbeiten, durchfurchen, durchpflügen, furchen, pflügen, schälen, umbrechen, umpflügen, wenden
umgreifen: beinhalten, bergen, bestehen (aus), einbegreifen, einschließen, enthalten, fassen, innewohnen, involvieren, umfassen, umschließen, umspannen, s. zusammensetzen, zum Inhalt haben
umgrenzen: begrenzen, eingrenzen, einzäunen
umgruppieren: umschichten, umstrukturieren, verlagern, anders gruppieren, anders zusammensetzen, anders einteilen
umgucken (s.): s. umblicken, s. umschauen, s. umsehen, zurückblicken, zurücksehen
umhalsen: die Arme schlingen (um), umarmen, umfangen, umfassen, umklammern, umschließen, umschlingen, an sich drücken, an sich pressen, an sich ziehen, in die Arme nehmen, in die Arme schließen, ans Herz drücken, um den Hals fallen
Umhang: Cape, Pelerine, Poncho
umhängen: überhängen, überlegen, überstreifen, umlegen, umwerfen, über die Schulter legen
umhauen: abhauen, abholzen, absägen, fällen, umschlagen, zu Boden schlagen *schwächen *frappieren, überraschen, verblüffen, verwirren, verwundern
umhegen: beistehen, betreuen, helfen, hüten, pflegen, umsorgen, warten, Fürsorge angedeihen lassen, Pflege angedeihen lassen
Umhegung: Abzäunung, Einfriedung, Eingrenzung, Einhegung, Einzäunung, Gitter, Mauer, Pferch, Umfassung, Umzäunung, Zaun
umher: herum, rings, ringsum, rundum, nach allen Seiten
umhergehen: laufen, herumlaufen, schlendern
umherirren: herumirren, s. herumtreiben, schlafwandeln, irren (durch)

umherlaufen: herumrennen, s. herumtreiben, umherrennen
umherschlendern: bummeln, flanieren, gondeln, schlendern, spazieren gehen, trudeln, s. Zeit lassen, zotteln
umherschweifen: herumtreiben, umherziehen
umherschwirren: herumlottern, herumlungern, herumschleichen, herumschwirren, herumstreichen, herumstreifen, herumstreunen, herumstrolchen, herumvagabundieren, herumzigeunern, s. drücken, s. herumdrücken, s. herumtreiben, strolchen, stromern, umherschweifen, umherstreichen, vagabundieren, zigeunern, auf der Gasse liegen
umherspringen: herumrennen, herumspringen, herumtollen, umhertollen
umherstreuen: austeilen, verteilen, zerstreuen
umhertollen: herumrennen, herumspringen, herumtollen, umherspringen
umhertreiben (s.): s. herumtreiben
umherziehen: s. herumtreiben, herumziehen, nomadisieren, umherschweifen, zigeunern
umhören (s.): s. absichern, s. erkundigen, fragen, fragen (nach), herumhorchen, nachfragen, s. umtun, s. versichern, Erkundigungen einziehen, Erkundigungen einholen
umhüllen: bedecken, einhüllen, einmummen, einmummeln, einpacken, einwickeln, hüllen (in), umgeben, vermummen, windeln, warm anziehen *einhüllen, umgeben
Umhüllung: Hülle, Schuber, Schutzkarton, Verpackung
Umkehr: Abzug, Aufgabe, Räumung, Rückzug, Zurückweichen *Bekehrung, Besserung, Läuterung, Neubeginn, Wandlung
umkehrbar: anfechtbar, reversibel
umkehren: umdrehen, umklappen, umkrempeln, umschlagen, umstülpen, umwenden *kehrtmachen, umbiegen, wenden, zurückgehen
Umkehrung: Inversion, Reversion, Umdrehung
umkippen: kentern, kippen, sinken, umfallen, umschlagen, umstoßen, umstürzen, umwerfen, untergehen, Übergewicht bekommen *niedergehen, umfallen, umsinken, zusammenbrechen, ohnmächtig werden, bewusstlos werden
umklammern: s. anhalten, s. anklammern, festhalten, s. klammern (an), umfassen
Umklammerung: Einkesselung, Einkreisung, Einschließung, Einschluss, Einzingelung, Kessel, Umzingelung
umklappen: umdrehen, umkehren, umstülpen, umwenden *bewusstlos werden
umkleiden: bespannen, überkleiden, überziehen ***s. umkleiden:** s. umziehen
Umkleideraum: Ankleideraum, Garderobe, Umkleidekabine
umknicken: brechen, fälbeln, fälteln, falten, falzen, kniffen, plissieren, umbiegen, umschlagen, zusammenlegen, einen Knick machen, in Falten legen *den Fuß vertreten
umkommen: dahinscheiden, endigen, heimgehen, sterben, verscheiden, abgerufen werden, ums Leben kommen, zu Tode kommen, den Tod finden *faulen, schimmeln, verderben, vermodern, verrotten, verwesen, s. zersetzen
Umkreis: Atmosphäre, Einzugsgebiet, Gegend, Hinterland, Kulisse, Landschaft, Lebenskreis, Milieu, Nähe, Sphäre, Umgebung, Umgegend, Umland, Umwelt
umkreisen: belagern, einkesseln, einkreisen, einschließen, umgeben, umringen, umstellen, umzingeln *s. drehen, s. in einer Bahn bewegen, umlaufen
umkrempeln: aufkrempeln, aufrollen, aufstreifen, aufstülpen, hochkrempeln, hochstreifen, umschlagen *abwandeln, abändern, korrigieren, modifizieren, novellieren, revidieren, transformieren, überarbeiten, umändern, umarbeiten, umformen, umfunktionieren, umgestalten, ummodeln, ummünzen, umsetzen, umwandeln, variieren, verändern, verbessern, verwandeln, wandeln, anders werden, anders machen
umlagern: belagern, s. drängen (um), einkreisen, herumstehen, s. scharen (um), umringen, umzingeln *umlegen, umstellen, anders lagern, in ein anderes

Lager bringen, in eine andere Lage bringen
Umland: Atmosphäre, Einzugsgebiet, Gegend, Hinterland, Kulisse, Landschaft, Lebenskreis, Milieu, Nähe, Sphäre, Umgebung, Umgegend, Umkreis, Umwelt
Umlauf: Drehung, Rotation, Strudel, Tour, Umdrehung, Wirbel *Bekanntmachung, Rundschreiben, Verordnung
***in Umlauf bringen:** ausgeben, bekannt geben, bekannt machen, verbreiten, veröffentlichen, zirkulieren
umlaufen: überrennen, umrennen *herumgehen, kreisen, kursieren, zirkulieren, durch viele Hände gehen, von Hand zu Hand gehen *s. drehen, s. in einer Bahn bewegen
umlegen: überhängen, überstreifen, überwerfen *bringen, an einen anderen Platz stellen, an einen anderen Ort bringen *ermorden, töten, totmachen *verlagern, verlegen *aufteilen, verteilen
umleiten: umdirigieren, verlegen, wegführen, anders leiten
umlenken: umdirigieren, umleiten, wenden *brechen
umlernen: s. entwickeln, s. in einen Lernprozess begeben, s. offen zeigen (für), umdenken, s. verändern, seine Auffassung revidieren, seine Ansichten ändern *s. beruflich verändern, s. umbilden, umschulen, einen anderen Beruf erlernen
umliegend: allseitig, benachbart, eingemeindet, nahe, rings, rundherum, umgebend, umringt
ummodeln: abwandeln, abändern, ändern, korrigieren, modifizieren, novellieren, revidieren, transformieren, überarbeiten, umändern, umarbeiten, umformen, umfunktionieren, umgestalten, ummünzen, umsetzen, umwandeln, variieren, verändern, verbessern, verwandeln, wandeln, anders werden, anders machen
ummünzen: entstellen, missdeuten, verdrehen, verfälschen, verkehren, verschleiern, verzeichnen, verzerren, ins Gegenteil verwandeln
umnachtet: blöde, geistesgestört, geisteskrank, irr
Umnachtung: Blödheit, Geisteskrankheit
umnebelt: beduselt, benommen, dumpf, duselig, eingenommen, schwindlig, unaufmerksam, leicht betäubt, im Dusel, im Tran
umpflanzen: auspflanzen, aussetzen, pikieren, umsetzen, umtopfen, verpflanzen, verschulen, vertopfen
umpflügen: ackern, bearbeiten, durchfurchen, durchpflügen, furchen, pflügen, schälen, umbrechen, wenden
umrahmen: einrahmen, einschließen, umgeben, umkreisen, umringen *abrunden, begleiten, untermalen
Umrahmung: Einfassung, Grenze, Rahmen, Umrandung, Zaun
umranden: einkreisen, einranden, einringeln, umzirkeln
Umrandung: Einfassung, Grenze, Rahmen, Umrahmung, Zaun
umreißen: niederstoßen, niederwerfen, umkippen, umschütten, umstoßen, umstürzen, umwerfen, zu Fall bringen *einen Überblick geben, in großen Zügen wiedergeben *ausarbeiten, s. ausdenken, entwerfen, entwickeln, erarbeiten, konstruieren, konzipieren, planen, projektieren, skizzieren, s. zurechtlegen, einen Plan machen
umrennen: überrennen, umlaufen
umringen: einrahmen, einschließen, umgeben, umkreisen, umrahmen
Umriss: Kontur, Linie, Profil, Schattenriss, Silhouette
umrühren: quirlen, rühren
umsacken: umfallen, umkippen, zusammenfallen, bewusstlos werden
umsatteln: aufgeben, umsteigen, s. verändern, den Beruf wechseln, einen anderen Beruf ergreifen
Umsatz: Absatz, Verkauf, Vertrieb
Umschau: Rückblick, Rückschau *Panorama
umschauen (s.): s. umblicken, umgucken, s. umsehen, zurückblicken, zurücksehen
umschichtig: abwechselnd, gegenseitig, reziprok, wechselseitig, wechselweise, im Wechsel
Umschlag: Briefumschlag, Buchhülle,

Einband, Hülle, Kuvert, Schutzumschlag *Kompresse, Packung, Verband, Wickel
umschlagen: einschlagen, kürzer machen *aufkrempeln, aufschlagen, hochschlagen, umkrempeln, umstülpen *kentern, kippen, sinken, umfallen, umkippen, umstoßen, umstürzen, umwerfen, untergehen, Übergewicht bekommen *abhauen, abholzen, absägen, fällen, umhauen, zu Boden schlagen *umblättern, umwenden, die nächste Seite aufschlagen, die Seite wenden *s. ändern, s. verändern, wechseln, besser werden, schlechter werden
umschließen: beinhalten, bergen, bestehen (aus), einbegreifen, einschließen, enthalten, fassen, innewohnen, involvieren, umfassen, umgreifen, umspannen, s. zusammensetzen, zum Inhalt haben
umschlingen: die Arme schlingen (um), umarmen, umfangen, umfassen, umhalsen, umklammern, umschließen, an sich drücken, an sich pressen, an sich ziehen, in die Arme nehmen, in die Arme schließen, ans Herz drücken, um den Hals fallen *anlegen, anziehen, umbinden, umgürten, umwickeln
umschmeicheln: flattieren, hofieren, honorieren, schmeicheln, schönreden, schöntun, Komplimente machen, Süßholz raspeln, die Cour machen, schöne Worte machen
umschmeißen: niederstoßen, niederwerfen, umkippen, umreißen, umschütten, umstoßen, umstürzen, umwerfen, zu Fall bringen *zum Einsturz bringen
umschnallen: anlegen, anziehen, umbinden, umgürten, umschlingen, umwickeln
umschreiben: abgeben, überschreiben, übertragen, überweisen, vererben, zuschreiben
Umschreibung: Metaphrase, Paraphrase, Periphrase
Umschrift: Lautschrift, Transkription, Transliteration
umschulen: s. beruflich verändern, umbilden, umlernen, einen anderen Beruf erlernen *auf eine andere Schule schicken
umschütten: ausschütten, vergießen, verschütten *niederstoßen, umkippen, umreißen, umstoßen, umwerfen, zu Fall bringen
umschwärmen: anbeten, anhimmeln, anschwärmen, bewundern, lieben, schwärmen (für), verehren, vergöttern
umschwärmt: angenehm, anmutig, anziehend, attraktiv, aufreizend, beliebt, betörend, bezaubernd, charmant, geachtet, gern gesehen, geschätzt, gewinnend, lieb, lieblich, liebenswert, sympathisch, toll, wohlgelitten, im Mittelpunkt
umschwenken: kehrtmachen, umdrehen, umkehren, umwenden, wenden, zurückfahren, zurückgehen
Umschwung: Revolution, Staatsstreich, Subversion, Umbruch, Umsturz, Umwälzung *Erdrutsch, Fortschritt, Innovation, Neubelebung, Neuorientierung, Neuregelung, Reform, Veränderung, Wandel, Wandlung, Wechsel, Wende, Wendung *Umschlag, Wetteränderung, Wettersturz, Wetterumbruch, Wetterumschlag, Wetterumschwung, Witterungsumschlag
umsehen (s.): s. umblicken, umgucken, s. umschauen, zurückblicken, zurücksehen ***s. umsehen (nach):** durchkämmen, durchsuchen, fahnden, forschen, nachgehen, spüren (nach), suchen, s. umschauen (nach), s. umtun, wühlen, auf die Suche gehen, auf der Suche sein
umseitig: hinten, rückseitig, auf der Rückseite, auf der nächsten Seite, auf der anderen Seite
umsetzen: auspflanzen, aussetzen, pikieren, umpflanzen, umtopfen, verpflanzen, verschulen *abgeben, absetzen, abstoßen, anbieten, anbringen, ausschreiben, ausverkaufen, feilbieten, feilhalten, handeln (mit), überlassen, veräußern, verkaufen, verschieben, verschleudern, vertreiben, zum Verkauf bringen *ausführen, erfüllen, Ernst machen (mit), realisieren, tun, verwirklichen, wahr machen, in die Tat umsetzen, zustande bringen
Umsicht: Abgeklärtheit, Aufmerksamkeit, Bedacht, Bedachtsamkeit, Bedachtheit, Besonnenheit, Gefasstheit, Gelassenheit, Gleichgewicht, Gleichmut, Kontenance, Ruhe, Selbstbeherrschung,

Überblick, Umsichtigkeit, Weitblick, Weitsicht, innere Haltung
umsichtig: abgeklärt, aufmerksam, ausgeglichen, bedacht, bedachtsam, bedächtig, beherrscht, besonnen, gefasst, gemächlich, gemessen, geruhsam, gezügelt, gleichmütig, harmonisch, kaltblütig, ruhevoll, ruhig, sicher, still, überlegen, vorsichtig, weit blickend, würdevoll, mit Bedacht, mit Besonnenheit, mit Ruhe, mit Überlegung, mit Umsicht, mit Vorsicht
umsiedeln: aussiedeln, evakuieren, umlegen, verlagern, verpflanzen *ausziehen, fortziehen, übersiedeln, umziehen, s. verändern, wegziehen
umsinken: umkippen, zusammenfallen, bewusstlos werden, ohnmächtig werden *niedergehen, umfallen, umkippen, umschlagen, zusammenbrechen, zu Boden gehen, zu Boden stürzen
umsonst: gebührenfrei, geschenkt, gratis, kostenfrei, kostenlos, unentgeltlich, ohne Bezahlung *ergebnislos, nutzlos, sinnlos, überflüssig, unnütz, vergebens, vergeblich
umsorgen: beistehen, betreuen, helfen, hüten, pflegen, umhegen, warten, Fürsorge angedeihen lassen, Pflege angedeihen lassen
umspannen: beinhalten, bergen, bestehen (aus), einbegreifen, einschließen, enthalten, fassen, innewohnen, involvieren, umfassen, umgreifen, umschließen, s. zusammensetzen, zum Inhalt haben
umspringen: ausüben, besorgen, betreiben, handhaben, hantieren, machen, tun, verrichten
Umstand: Faktor, Sachverhalt
Umstände: Zirkus, großer Aufwand ***Umstände machen:** Schwierigkeiten machen *s. aufbäumen, aufbegehren, s. auflehnen, s. dagegenstellen, s. dagegenstemmen, s. empören, s. entgegenstellen, s. erheben, opponieren, s. sperren, s. sträuben, trotzen, s. wehren, s. weigern, s. widersetzen, widerstreben, Widerstand leisten ***unter Umständen:** allenfalls, eventuell, gegebenenfalls, möglichenfalls, möglicherweise, vermutlich, vielleicht, wahrscheinlich, womöglich, je nachdem ***unter keinen Umständen:** niemals, nimmer ***unter allen Umständen:** absolut, bedingungslos, durchaus, unbedingt, uneingeschränkt, völlig, vollständig, vorbehaltlos, auf jeden Fall, um jeden Preis, unter aller Gewalt, ohne Vorbehalt ***in anderen Umständen sein:** schwanger sein, ein Kind erwarten, ein Kind bekommen, ein Kind austragen, ein Baby erwarten
umständlich: langatmig, weitläufig, weitschweifend, weitschweifig, zeitraubend, zu ausführlich *linkisch, tollpatschig, tölpelhaft, unbeholfen, unbeweglich, ungelenk, ungeschickt
Umstandswort: Adverb
Umstehende: Anwesende, Auditorium, Augenzeugen, Beobachter, Besucher, Betrachter, Neugierige, Publikum, Schaulustige, Schlachtenbummler, Teilnehmer, Zaungäste, Zuschauer
umsteigen: seine Fahrt fortsetzen (mit), wechseln, weiterfahren, den Bus nehmen, den Zug nehmen, die Straßenbahn nehmen, die Untergrundbahn nehmen, die U-Bahn nehmen, ein anderes Verkehrsmittel nehmen *aussteigen, umsatteln, s. verändern, den Beruf wechseln
umstellen: verrücken, an einen anderen Platz stellen, an einen anderen Ort stellen *einfassen, einkesseln, einkreisen, einschließen, einzingeln, umgeben, umgrenzen, umzingeln ***s. umstellen:** s. anpassen
Umstellung: Einkreisung, Razzia *Neuheit, Veränderung
umstimmen: bearbeiten, bekehren, bereden, beschwatzen, breitschlagen, einwickeln, erweichen, überreden, überzeugen, werben
umstoßen: niederstoßen, niederwerfen, umkippen, umreißen, umschmeißen, umschütten, umstürzen, umwerfen, zu Fall bringen *zum Einsturz bringen
umstricken: bestricken, bezaubern, umgarnen, verführen, in sein Netz locken, in sein Netz ziehen
umstritten: bestreitbar, fraglich, fragwürdig, streitig, strittig, undurchschaubar, ungewiss, zweifelhaft *neu, nicht abgesichert, nicht erprobt, nicht bewiesen, nicht erwiesen

umstülpen: umdrehen, umkehren, umklappen, umwenden
Umsturz: Revolution, Staatsstreich, Subversion, Umbruch, Umschwung, Umwälzung
umstürzen: umfallen, umkippen, umschlagen, umsinken *ändern, umändern, umgestalten, umorganisieren, umwälzen, umwerfen, aus den Angeln heben
Umstürzler: Aufrührer, Aufständischer, Aufwiegler, Rebell, Revolutionär, Volksverhetzer
umstürzlerisch: aufbegehrend, aufrührerisch, aufsässig, aufständisch, rebellisch, revoltierend, subversiv, zersetzend, zerstörerisch
Umtausch: Rückgabe, Tausch, Wechsel
umtauschen: austauschen, tauschen, wechseln, Tauschgeschäfte machen, einen Handel machen, einen Tausch machen
umtopfen: auspflanzen, aussetzen, pikieren, umpflanzen, umsetzen, verpflanzen, verschulen, vertopfen
Umtriebe: Intrige, Intrigenspiel, Intrigenstück, Kabale, Machenschaften, Ränke, Ränkespiel, Schliche *Aktion, Kampagne, Maßnahme, Unternehmen, Unternehmung *Ausschreitung, Ausschweifung, Auswüchse, Exzess, Gewalttätigkeit, Krawalle, Pogrom, Terror, Übergriff, Unruhen
Umtrunk: Dämmerschoppen, Frühschoppen, Schlummertrunk
umtun: überhängen, überwerfen, umhängen ***s. umtun:** s. erkundigen
umwälzen: ändern, umändern, umgestalten, umorganisieren, umstürzen, umwerfen, aus den Angeln heben
umwälzend: bahnbrechend, Epoche machend, revolutionär *richtungweisend, wegweisend
Umwälzung: Revolution, Staatsstreich, Subversion, Umbruch, Umschwung, Umsturz *Revolution, Umbruch, Umschwung, Umsturz
umwandeln: ändern, umändern, umfunktionieren, ummodeln, umorganisieren, umsetzen, umstoßen, verändern, verwandeln
Umwandlung: Angleichung, Spaltung, Umformung, Veränderung, Verschmelzung, Verwandlung, Zertrümmerung *Transformation, Übertragung, Umformung *Geschlechtsumwandlung, Änderung des Geschlechts *Blutübertragung, Transfusion
umwechseln: eintauschen, einwechseln, tauschen, umtauschen, klein machen, wechseln
Umweg: Abschweifung, Abstecher ***einen Umweg machen:** umfahren, außen herum gehen, außen herum fahren, auf Umwegen
Umwelt: Atmosphäre, Lebenskreis, Milieu, Mitwelt, Umgebung
umweltfreundlich: biologisch, ökologisch, umweltbewusst *alternativ, grün, naturbewusst *biologisch, natürlich, ohne chemische Zusätze
Umweltverschmutzung: Umweltverpestung, Umweltverseuchung
umwenden: kehrtmachen, umdrehen, umkehren, umklappen, umschwenken, umstülpen, wenden, zurückfahren, zurückgehen ***s. umwenden:** s. umdrehen
umwerben: buhlen (um), nachstellen, werben (um), den Hof machen
umwerfen: niederstoßen, umkippen, umreißen, umschütten, umstoßen, umstürzen, zu Fall bringen *ändern, verändern, modifizieren, umstellen, wandeln, eine neue Situation schaffen, über den Haufen werfen *überraschen *erschüttern
umwerfend: ansehnlich, auffallend, auffällig, außergewöhnlich, außerordentlich, ausgefallen, beachtenswert, beachtlich, bedeutend, bedeutsam, bedeutungsvoll, beispiellos, bewundernswert, eindrucksvoll, einzigartig, eminent, enorm, epochal, exzeptionell, frappant, grandios, groß, großartig, hervorragend, imponierend, imposant, nennenswert, ohnegleichen, phänomenal, sagenhaft, sensationell, sondergleichen, spektakulär, überragend, überraschend, überwältigend, ungewöhnlich, unvergleichlich, verblüffend, ohne Beispiel, ersten Ranges
umwickeln: umbinden, umwinden, verarzten, verbinden, versorgen, wickeln (um)

umwölken (s.): s. bedecken, s. bewölken, s. beziehen, s. eintrüben, s. einwölken, s. trüben, s. verdunkeln, s. verdüstern, s. verfinstern, s. zuziehen, trübe werden, wolkig werden
umzäunen: begrenzen, einfrieden, eingrenzen, einzäunen, sichern, umfrieden, umgeben, vergattern, vergittern, mit einem Zaun versehen
Umzäunung: Abzäunung, Einfriedung, Eingitterung, Eingrenzung, Einhegung, Einzäunung, Gitter, Mauer, Pferch, Umfassung, Umhegung, Zaun
umziehen: ausziehen, fortziehen, übersiedeln, umsiedeln, s. verändern, verziehen, weggehen, wegziehen, an einen anderen Ort ziehen, einen Wohnungswechsel vornehmen, seine Wohnung aufgeben, seinen Haushalt auflösen, seinen Wohnsitz auflösen, seinen Haushalt verlegen, seinen Wohnsitz verlegen, den Ort wechseln, den Wohnsitz wechseln ***s. umziehen:** s. umkleiden, andere Kleider anziehen, andere Kleidung anziehen, die Kleider wechseln, die Kleidung wechseln
umzingeln: einfassen, einkesseln, einkreisen, einschließen, einzingeln, umgeben, umgrenzen, umstellen
Umzingelung: Einkesselung, Einkreisung, Einschließung, Einschluss, Einzingelung, Kessel, Umklammerung
Umzug: Auszug, Übersiedlung, Wohnungswechsel *Aufzug, Festzug, Prozession, Zug
unabänderlich: abgemacht, beschlossen, besiegelt, bindend, definitiv, endgültig, entschieden, fest, feststehend, irreversibel, obligatorisch, unumstößlich, unwiderruflich, unwiederbringlich, ein für alle Mal, für immer
unabdingbar: unentbehrlich, unerlässlich, unvermeidlich, unverzichtbar, zwingend
unabgeschlossen: auf, offen, offen stehend *fragmentarisch, halbfertig, unbeendet, unfertig, unvollkommen, unvollständig
unabgezählt: nicht abgezählt, nicht gezählt, nicht nachgezählt
unabhängig: autark, autonom, eigenständig, eigenverantwortlich, frei, selbständig, souverän, ungebunden, auf sich gestellt, sein eigener Herr sein
Unabhängigkeit: Autarkie, Autonomie, Eigenständigkeit, Freiheit, Mündigkeit, Selbstbestimmung, Selbstverwaltung, Souveränität *Bewegungsfreiheit, Ellbogenfreiheit, Freiheit, Freiraum, Selbständigkeit, Spielraum
unabkömmlich: entscheidend, erforderlich, unentbehrlich, unerlässlich, unersetzbar, vonnöten, wesentlich, wichtig
unablässig: dauernd, fortdauernd, anhaltend, unausgesetzt, ununterbrochen
unabsehbar: unberechenbar, unkalkulierbar, unmessbar, unvorhersehbar *endlos, ewig
unabsichtlich: absichtslos, irrtümlich, unbewusst, ungeplant, ungewollt, versehentlich, aus Versehen, nicht vorsätzlich, nicht extra, nicht willentlich, nicht absichtlich, ohne es zu wollen, ohne Absicht
Unabsichtlichkeit: Absichtslosigkeit, Unbewusstheit, Ungewolltheit, Versehentlichkeit
unabweisbar: empfehlenswert, erforderlich, geboten, nötig, notwendig, unentbehrlich, unerlässlich, unumgänglich, unvermeidlich, vonnöten, wichtig, zwangsläufig
unabwendbar: nötig, notwendig, unaufhaltsam, unausbleiblich, unausweichlich, unentrinnbar, unumgänglich, unvermeidbar, unvermeidlich, unweigerlich, nicht zu vermeiden, nicht zu verhindern, nicht zu umgehen
unachtsam: unaufmerksam, verträumt *achtlos, fahrlässig, gedankenlos, leichtfertig, leichtsinnig, lieblos, nachlässig, sorglos, unsorgfältig, unvorsichtig, ohne Sorgfalt
Unachtsamkeit: Unaufmerksamkeit, Zerstreutheit *Achtlosigkeit, Fahrlässigkeit, Gedankenlosigkeit, Gleichgültigkeit, Leichtfertigkeit, Leichtsinn, Nachlässigkeit, Sorglosigkeit, Unbedachtsamkeit
unähnlich: abweichend, andersartig, different, ungleich, unterschiedlich, unvergleichlich, verschieden, ganz anders
Unähnlichkeit: Abweichung, Ungleichheit, Unterschied

unanfechtbar: authentisch, belegt, erwiesenermaßen, fest, garantiert, gesichert, sicher, zuverlässig, zweifelsfrei
unangebracht: deplatziert, unangemessen, ungehörig, unpassend, unqualifiziert, fehl am Platze, fehl am Ort
unangemeldet: überraschend, nicht angemeldet, nicht angesagt
unangemessen: deplatziert, inadäquat, unangebracht, ungehörig, unpassend, unqualifiziert, fehl am Platze
unangenehm: arg, ärgerlich, bedauerlich, blöde, fatal, genant, genierlich, heikel, lästig, leidig, misslich, peinlich, prekär, schlecht, schlimm, schrecklich, skandalös, unbefriedigend, unbequem, unerfreulich, unerquicklich, unerwünscht, ungelegen, ungünstig, ungut, unlieb, unliebsam, unvergnüglich, unwillkommen, verwünscht, widrig *kalt, kühl, unfreundlich, ungemütlich, unschön *Ekel erregend, ekelhaft *arg, ärgerlich, bedauerlich, blöde, fatal, genant, genierlich, heikel, lästig, leidig, misslich, peinlich, prekär, schlecht, schlimm, schrecklich, skandalös, unbefriedigend, unbequem, unerfreulich, unerquicklich, unerwünscht, ungelegen, ungünstig, ungut, unlieb, unliebsam, unvergnüglich, unwillkommen, verwünscht, widrig
unangetastet: unversehrt, nicht berührt, nicht eingeschränkt
unangreifbar: treffend, zutreffend, amtlich, authentisch, dokumentiert, echt, erwiesen, fehlerfrei, fundiert, gewiss, gut, hundertprozentig, offiziell, sicher, stichhaltig, tatsächlich, unanfechtbar, unbestreitbar, unbestritten, unbezweifelbar, unleugbar, unstreitig, untrüglich, unwiderlegbar, unwiderleglich, unzweifelhaft, verbürgt, wahr, wahrlich, wahrhaftig, wirklich, zuverlässig, zweifelsfrei *nicht angreifbar
unannehmbar: indiskutabel, übertrieben, unakzeptabel, unbrauchbar, unmöglich, untauglich, unvernünftig, unvertretbar
Unannehmlichkeit: Ärger, Ärgernis, Schererei, Schlamassel, Ungemach, Verdruss
unanschaulich: abstrakt, begrifflich, ideell, losgelöst, theoretisch, ungegenständlich, nur gedacht, nur vorgestellt
unansehnlich: abscheulich, abstoßend, ekelhaft, geschmacklos, hässlich, missgestaltet, schauderhaft, schauerlich, scheußlich, unvorteilhaft, widerlich
unanständig: anstößig, derb, gemein, lasterhaft, liederlich, ordinär, pikant, pornographisch, ruchlos, schlecht, schlüpfrig, schmutzig, sittenlos, unflätig, ungebührlich, ungehörig, unkeusch, unmoralisch, unschicklich, unsittlich, unsolide, unziemlich, unzüchtig, verdorben, verrucht, verworfen, wüst, zotenhaft, zotig, zuchtlos, zweideutig
Unanständigkeit: Anstößigkeit, Lasterhaftigkeit, Schlüpfrigkeit, Schmutzigkeit, Schweinerei, Sittenlosigkeit, Unkeuschheit, Unzucht, Unzüchtigkeit, Verdorbenheit *Unsauberkeit, Unsportlichkeit
unanstößig: anständig, astrein, dezent, durchsichtig, gesittet, keusch, korrekt, schamhaft, sittsam, unverdorben
unantastbar: heilig, tabu, unaussprechlich, unberührbar, unverletzlich, verboten
unappetitlich: abscheulich, abschreckend, abstoßend, ekelhaft, Ekel erregend, eklig, grässlich, grauenhaft, gräulich, schauderhaft, scheußlich, schleimig, schmierig, übel, unangenehm, unausstehlich, unerträglich, unliebsam, unsympathisch, widerlich, widerwärtig, widrig
Unart: Bodenlosigkeit, Frechheit, Impertinenz, Schnodderigkeit, Unfolgsamkeit, Ungezogenheit, Unverschämtheit, Zumutung *Eigenart, schlechte Angewohnheit, eigenartiges Benehmen
unartig: dreist, frech, impertinent, keck, kess, naseweis, schamlos, ungesittet, ungezogen, unmanierlich, unverfroren, unverschämt, vorlaut, vorwitzig
unartikuliert: abgehackt, lallend, lispelnd, murmelnd, stammelnd, undeutlich, nicht verständlich
unästhetisch: abstoßend, ekelhaft, geschmacklos, hässlich, scheußlich, schrecklich, unvorteilhaft, widerlich, nicht schön
unaufdringlich: apart, bescheiden, dezent, einfach, schlicht, unauffällig

unauffällig: einfach, farblos, schlicht, schmucklos, unscheinbar *apart, bescheiden, dezent, schlicht, unaufdringlich, zurückhaltend *verstohlen, ohne Aufsehen
unauffindbar: abgängig, perdu, verschollen, verschwunden, weg, wie vom Erdboden verschluckt, wie vom Wind verweht, auf und davon
unaufgefordert: automatisch, freiwillig, selbstverständlich, spontan, ungeheißen, ungezwungen, aus sich heraus, von selbst, von selber, aus eigenem Antrieb, von allein
unaufgeklärt: ahnungslos, naiv, uneingeweiht, unwissend *dunkel, rätselhaft
unaufgeräumt: liederlich, lotterig, nachlässig, schlampig, unordentlich, unsorgfältig *chaotisch, durcheinander, kunterbunt, ungepflegt, verwahrlost, wild, wüst
unaufgeschlossen: dickköpfig, eigensinnig, eisern, fest, halsstarrig, hartgesotten, kompromisslos, menschenscheu, rechthaberisch, starrköpfig, starrsinnig, störrisch, stur, unbelehrbar, unbequem, unerbittlich, unnachgiebig, unzugänglich, verbohrt, verschlossen, verständnislos, verstockt, widerspenstig *befangen, borniert, dogmatisch, doktrinär, einseitig, eng, engherzig, engstirnig, intolerant, parteiisch, starr, unduldsam, unflexibel, voreingenommen, voller Vorurteile
unaufhaltsam: nötig, notwendig, unabwendbar, unausbleiblich, unausweichlich, unumgänglich, unvermeidbar, unvermeidlich, nicht zu vermeiden, nicht zu verhindern, nicht zu umgehen *andauernd, anhaltend, beständig, dauernd, fortdauernd, fortgesetzt, gleich bleibend, immer, immerzu, immerfort, kontinuierlich, pausenlos, permanent, ständig, stetig, stets, unaufhörlich, unausgesetzt, immer wieder, immer noch, rund um die Uhr, tagaus, tagein
unaufhörlich: dauernd, andauernd, alleweil, allezeit, allzeit, anhaltend, beharrlich, beständig, dauernd, endlos, ewig, fortdauernd, fortgesetzt, fortwährend, gleich bleibend, immer, immerzu, immerfort, immer während, immerzu, konstant, kontinuierlich, laufend, pausenlos, permanent, ständig, stetig, stets, unablässig, unaufhaltsam, unausgesetzt, ununterbrochen, immer wieder, immer noch, jahraus, jahrein, nach wie vor, rund um die Uhr, schon immer, seit alters, seit eh und je, tagaus, tagein, Tag und Nacht, ohne Unterbrechung, ohne Ende, ohne Pause, ohne Unterlass, von je, von jeher, seit je
unaufmerksam: abwesend, abgelenkt, achtlos, fahrig, fahrlässig, geistesabwesend, unachtsam, unbeteiligt, unkonzentriert, verspielt, zerfahren, zerstreut, in Gedanken, nicht bei der Sache *unerzogen, unhöflich ***unaufmerksam sein:** s. ablenken, schlafen, träumen, s. zerstreuen lassen, achtlos sein, unkonzentriert sein, zerstreut sein, seine Gedanken woanders haben
Unaufmerksamkeit: Unachtsamkeit, Zerstreutheit
unaufrichtig: doppelzüngig, falsch, frömmelnd, heuchlerisch, hinterhältig, katzenfreundlich, lügenhaft, lügnerisch, scheinfromm, scheinheilig, unehrlich, unlauter, unredlich, unreell, unsolid, unwahrhaftig, verlogen, verstellt
Unaufrichtigkeit: Falschheit, Heuchelei, Hinterhältigkeit, Lüge, Scheinheiligkeit, Unehrlichkeit, Unredlichkeit, Unwahrhaftigkeit, Verlogenheit
unausbleiblich: eintretend, sicher, unabwendbar, unentrinnbar, unumgänglich, unvermeidbar, unvermeidlich, unweigerlich, vorbestimmt, zwangsläufig, zwingend
unausführbar: ausgeschlossen, hoffnungslos, impraktikabel, indiskutabel, undenkbar, undurchführbar, unerreichbar, unmöglich, unrealisierbar, utopisch, nicht durchführbar, nicht machbar, zu schwierig
unausgebildet: rückgebildet, rudimentär, unterdrückt, verkümmert, zurückgeblieben
unausgeführt: abhängig, anstehend, liegen geblieben, offen, unabgeschlossen, unerledigt, unfertig
unausgefüllt: leer, weiß *alltäglich, einfach, einfallslos, einförmig, ermüdend, fade, gleichförmig, langweilig, monoton,

öde, phantasielos, reizlos, trist, trocken, trostlos, uninteressant, unoriginell, wirkungslos, ohne Pfiff
unausgeglichen: bizarr, disharmonisch, empfindlich, exzentrisch, flatterhaft, gekränkt, grillenhaft, kapriziös, launenhaft, launisch, missgelaunt, misslaunig, reizbar, sauertöpfisch, übelnehmerisch, unberechenbar, unbeständig, unharmonisch, unstet, unzuverlässig, verletzt, wankelmütig, wechselnd, wetterwendisch, voller Launen, mit sich selbst uneins
Unausgeglichenheit: Disharmonie, Missklang, Uneinigkeit, Zerrissenheit, Zwiespältigkeit *Launenhaftigkeit, Unberechenbarkeit, Unstetigkeit, Unzuverlässigkeit, Wankelmut, Zerfahrenheit
unausgegoren: unausgereift, unausgewogen, unentwickelt, unfertig, ungenügend, unreif
unausgelastet: einförmig, fade, gleichförmig, langweilig, trist
unausgeprägt: kindlich, schwankend, unfertig, unreif, unsicher, wechselnd
unausgeschlafen: müde, übermüdet, übernächtigt
unausgesprochen: andeutungsweise, indirekt, mittelbar, unartikuliert, ungesagt, verblümt, verhüllt, verkappt, verklausuliert, verschleiert, auf Umwegen, durch Vermittlung, durch die Blume, nicht unmittelbar, nicht direkt
unausgewogen: ungleichmäßig *ungerecht *unstet, wahllos, wankelmütig, ziellos *unausgeglichen
unauslöschbar: beeindruckend, eindrücklich, eindrucksvoll, einprägsam, großartig, herrlich, hervorragend, imponierend, imposant, sagenhaft, schön, sensationell, stattlich, tief gehend, wirkungsvoll, wunderbar
unauslöschlich: eingeprägt, gespeichert, unvergesslich, unverlöschbar
unaussprechlich: sehr, unbeschreiblich, ungeheuer, ungemein, unheimlich, unsagbar *beispiellos, maßlos, unbeschreiblich, unerhört, unermesslich, unfassbar, unglaublich, unsagbar, unvorstellbar *heilig, unantastbar, unberührbar, unverletzlich, verboten
unausstehlich: ärgerlich, aufgebracht, bärbeißig, böse, brummig, empört, entrüstet, erbittert, erbost, erzürnt, fuchsteufelswild, gereizt, grantig, griesgrämig, grimmig, missgelaunt, misslaunig, missmutig, muffig, mürrisch, peinlich, rabiat, übellaunig, unsympathisch, unwillig, unwirsch, verdrießlich, verdrossen, wütend, wutentbrannt, wutschäumend, wutschnaubend, zornig
unausweichlich: nötig, notwendig, unabwendbar, unausbleiblich, unumgänglich, unvermeidbar, unvermeidlich, nicht zu vermeiden, nicht zu verhindern, nicht zu umgehen
unbändig: heftig, unbezähmbar, wild *maßlos, unbeherrscht *sehr, überaus
unbar: ohne Bargeld, per Scheck, per Überweisung, mit Kreditkarte, online
unbarmherzig: barbarisch, böse, brutal, erbarmungslos, gefühllos, gnadenlos, grausam, hart, herzlos, inhuman, kalt, kaltblütig, mitleidlos, radikal, rigoros, roh, rücksichtslos, unerbittlich, unmenschlich, unnachgiebig, unsozial, verroht, ohne Mitleid, ohne Erbarmen, ohne Rücksicht, ohne Rücksichtnahme *grob, schonungslos, streng, unnachsichtig
Unbarmherzigkeit: Brutalität, Gefühlsrohheit, Gnadenlosigkeit, Rohheit, Rücksichtslosigkeit, Schonungslosigkeit, Unmenschlichkeit
unbeabsichtigt: irrtümlich, unabsichtlich, unbewusst, ungeplant, ungewollt, versehentlich, aus Versehen, nicht vorsätzlich, nicht extra, nicht willentlich, nicht fahrlässig, nicht absichtlich, ohne es zu wollen, ohne Absicht
unbeachtet: diskret, geheim, heimlich, unbemerkt, unbeobachtet, verborgen, verstohlen
unbeantwortet: ignoriert, unbeachtet, unerwidert, ohne Reaktion, ohne Antwort, ohne Stellungnahme, außer Acht gelassen
unbearbeitet: brach, unbebaut, unbestellt *roh, skizziert, im Urzustand
unbeaufsichtigt: aufsichtslos, frei, selbständig, unbeobachtet, unbewacht, unkontrolliert, ohne Aufsicht

unbebaut: brach, brachliegend, unbearbeitet, unbestellt, unverschlossen
unbedacht: bedenkenlos, fahrlässig, gedankenlos, impulsiv, leichtfertig, leichtsinnig, pflichtvergessen, sorglos, sträflich, unbekümmert, unbesonnen, unüberlegt, unverantwortlich, unvertretbar, unvorsichtig, verantwortungslos, wahllos, ziellos
unbedarft: grün, kindlich, naiv, unerfahren, unreif, unschuldig
unbedeckt: bloß, nackt
unbedenklich: anstandslos, bedenkenlos, einfach, glattweg, ohne zu zögern, ohne Scheu, ohne Zögern, ohne Weiteres *gutartig, harmlos, heilbar, ungefährlich, nicht ansteckend
unbedeutend: ephemer, nebensächlich, sekundär, an zweiter Stelle *akzidenziell, belanglos, einflusslos, farblos, gleichgültig, klein, nichtig, nichts sagend, peripher, unerheblich, uninteressant, unscheinbar, unwesentlich, unwichtig, wertlos, wesenlos, nicht erwähnenswert *gering, geringfügig, lächerlich, minimal, unbeträchtlich, verschwindend, wenig
unbedingt: absolut, durchaus, partout, unabhängig (von), auf jeden Fall, auf alle Fälle, so oder so, wie auch immer, um jeden Preis, unter allen Umständen, koste es was, es wolle, auf Biegen oder Brechen *absolut, bedingungslos, durchaus, uneingeschränkt, völlig, vollständig, vorbehaltlos, auf jeden Fall, um jeden Preis, unter allen Umständen, unter aller Gewalt, ohne Vorbehalt
unbeeindruckt: gleichgültig, ungerührt *kalt, kaltschnäuzig, überheblich
unbeeinflusst: gerecht, nüchtern, objektiv, parteilos, sachdienlich, sachlich, unbefangen, unverblendet, unvoreingenommen, vorurteilsfrei, vorurteilslos, wertfrei, wertneutral
unbeendet: bruchstückhaft, defekt, halb, halbwegs, lückenhaft, teilweise, unabgeschlossen, unfertig, ungenügend, unvollendet, unvollkommen, unvollständig, nicht ganz, nicht vollständig, nichts Halbes und nichts Ganzes
unbefahrbar: dicht, pfadlos, unbegehbar, undurchdringlich, unerschlossen, ungangbar, unpassierbar, unwegsam, unzugänglich, weglos, wild, zugewachsen
unbefangen: familiär, formlos, frei, gelöst, informell, keck, lässig, leger, natürlich, nonchalant, offen, salopp, unbelastet, ungehemmt, ungeniert, ungezwungen, unzeremoniell, zwanglos
unbefestigt: baufällig, gefährlich, unbeschützt, unsicher *gefährlich, lose
unbefleckt: rein, engelsrein, ahnungslos, anständig, jungfräulich, keusch, lauter, unberührt, unerfahren, unverdorben, frei von Sünde *rein, sauber
Unbeflecktheit: Ehre, Jungfräulichkeit, Keuschheit, Reinheit, Unberührtheit, Unschuld
unbefriedigend: kümmerlich, mangelhaft, primitiv, schlecht, ungenügend, unzulänglich, unzureichend
unbefriedigt: ärgerlich, aufgebracht, bärbeißig, böse, brummig, empört, entrüstet, erbittert, erbost, erzürnt, fuchsteufelswild, gereizt, grantig, griesgrämig, grimmig, missgelaunt, misslaunig, missmutig, muffig, mürrisch, rabiat, übellaunig, unerfreulich, unleidlich, unwillig, unwirsch, verdrießlich, verdrossen, wütend, wutentbrannt, wutschäumend, wutschnaubend, zornig, in schlechter Stimmung
unbefruchtet: leer, taub
unbefugt: angemaßt, eigenmächtig, inkompetent, selbständig, selbstherrlich, unberechtigt, unerlaubt, willkürlich
unbegabt: minderbegabt, ohne Geschick (für), schwach, talentlos, unfähig, ungeschickt, untalentiert *dumm
unbegehbar: dicht, pfadlos, unbefahrbar, undurchdringlich, unerschlossen, ungangbar, unpassierbar, unwegsam, unzugänglich, weglos, wild, zugewachsen
unbegleitet: allein, selbständig, solo, im Alleingang
unbeglichen: unbezahlt, offen, offen stehend
unbegreiflich: dunkel, geheimnisvoll, mysteriös, nebulös, rätselhaft, unbegreifbar, undurchschaubar, undurchsichtig, unerfindlich, unergründlich, unerklärbar, unerklärlich, unfassbar, unverständlich, ein Rätsel

unbegrenzt: absolut, schrankenlos, unbeschränkt, uneingeschränkt *endlos, unendlich, unerschöpflich
Unbegrenztheit: Endlosigkeit, Grenzenlosigkeit, Unbeschränktheit, Unendlichkeit, Unermesslichkeit, Ungezähltheit, Unzählbarkeit, Zahllosigkeit
unbegründet: gegenstandslos, grundlos, haltlos, hinfällig, unberechtigt, unmotiviert, aus der Luft gegriffen
unbehaart: bartlos, haarlos
Unbehagen: Beklemmung, Beklommenheit, Lustlosigkeit, Missbehagen, Missfallen, Missvergnügen, Widerwillen, unangenehmes Gefühl
unbehaglich: kühl, unbequem, ungemütlich, unwirtlich, unwohnlich *beklommen, lustlos, unangenehm
unbehandelt: biologisch, naturbelassen, naturrein
unbehelligt: unbehindert, ungestört, ohne Behinderung, ohne Belästigung
unbeherrscht: ärgerlich, aufbrausend, auffahrend, aufgebracht, böse, cholerisch, empört, entrüstet, erbittert, erbost, erzürnt, fuchsteufelswild, grimmig, heftig, hitzig, hitzköpfig, jähzornig, rabiat, ungehalten, unwillig, unwirsch, wutentbrannt, wutschäumend, wutschnaubend, zornig
Unbeherrschtheit: Erregbarkeit, Launenhaftigkeit, Unart, Unbildung, Ungezogenheit *Fragerei, Neugierde, Vorwitz
unbehindert: frei, glatt, leicht, reibungslos, ruhig, unbehelligt, unbelästigt, unbeschränkt, ungehindert, ungeschoren, unkontrolliert, ohne Hindernis, ohne Zwischenfälle, ohne Störung, ohne Schwierigkeiten
unbeholfen: eckig, linkisch, schwerfällig, steif, tollpatschig, unbeweglich, ungelenk, ungeschickt *einfach, holperig, stockend, undeutlich, unklar
Unbeholfenheit: Schwerfälligkeit, Umständlichkeit, Ungeschicklichkeit, Ungeschicktheit
unbehütet: ausgeliefert, hilflos, ohnmächtig, preisgegeben, schirmlos, schutzlos, schwach, unbeschirmt, ungeborgen, ungeschützt, ohne Schutz
unbeirrbar: ausdauernd, beharrlich, entschieden, entschlossen, fest, geduldig, geradlinig, hartnäckig, konstant, krampfhaft, persistent, starrsinnig, stetig, strebsam, stur, trotzig, unbeirrt, unbeugsam, unentwegt, unermüdlich, unverdrossen, verbissen, verzweifelt, zäh, zielbewusst, zielstrebig
unbeirrt: ausdauernd, beharrlich, entschieden, entschlossen, fest, geduldig, geradlinig, hartnäckig, konstant, krampfhaft, persistent, starrsinnig, stetig, strebsam, stur, trotzig, unbeirrbar, unbeugsam, unentwegt, unermüdlich, unerschütterlich, unverdrossen, verbissen, verzweifelt, zäh, zielbewusst, zielstrebig *aufrecht, charakterfest, durchhaltend, konsequent, standhaft, unbeirrbar, unerschütterlich, willensstark
unbekannt: anonym, dahergelaufen, namenlos, ruhmlos, unbedeutend, unbenannt, unentdeckt, vernachlässigt, nicht populär, nicht berühmt, ohne Namen, ein unbeschriebenes Blatt *fremd, ungeläufig, nicht zugänglich, nicht gegenwärtig, nicht vertraut
Unbekannter: Ausländer, Fremder, Fremdling, der Unbekannte, kein Einheimischer, kein Hiesiger, der Ortsunkundige, der Zugereiste
unbekehrbar: blindgläubig, fanatisch, unbelehrbar, verbohrt, vernagelt, verrannt
unbekleidet: ausgezogen, bloß, enthüllt, entkleidet, frei, kleidungslos, nackt, splitternackt, unverhüllt, im Adamskostüm, im Evaskostüm, ohne Bekleidung
unbekömmlich: gefährlich, gesundheitsschädigend, gesundheitsschädlich, schädlich, ungesund, unzuträglich
unbekümmert: arglos, beruhigt, freudig, leicht, naiv, ruhig, sorgenfrei, sorgenlos, sorglos, unbeschwert, unbesorgt, ungetrübt, unkompliziert, ohne Sorgen, frei von Sorgen
Unbekümmertheit: Arglosigkeit, Leichtsinn, Nachlässigkeit, Schlamperei, Sorglosigkeit, Unbeschwertheit, Unbesorgtheit
unbelastet: familiär, formlos, frei, gelöst, informell, keck, lässig, leger, natürlich,

nonchalant, offen, salopp, unbefangen, ungehemmt, ungeniert, ungezwungen, unzeremoniell, zwanglos
unbelebt: abgelegen, abseitig, ausgestorben, einsam, entfernt, gottverlassen, menschenleer, öde, unbevölkert
unbelehrbar: aufmüpfig, aufsässig, bockbeinig, bockig, dickköpfig, dickschädelig, eigensinnig, eisern, fanatisch, fest, finster, halsstarrig, hartgesotten, kompromisslos, kratzbürstig, rechthaberisch, standhaft, starrköpfig, starrsinnig, steifnackig, störrisch, stur, trotzig, unaufgeschlossen, unbequem, unbotmäßig, unerbittlich, unfolgsam, ungehorsam, unnachgiebig, unversöhnlich, unzugänglich, verbohrt, verschlossen, verständnislos, verstockt, widerborstig, widersetzlich, widerspenstig, zugeknöpft
unbelesen: ahnungslos, niveaulos, unaufgeklärt, unerfahren, ungebildet, ungeschliffen, unkundig, unwissend, unzivilisiert, nicht unterrichtet
unbelichtet: neu, unverbraucht
unbeliebt: antipathisch, gehasst, missliebig, unausstehlich, unerwünscht, unpopulär, unsympathisch, verhasst, nicht gern gesehen ***unbeliebt sein:** es s. verdorben haben, bei jmdm. verspielt haben, schlecht angesehen sein, in Misskredit geraten sein
Unbeliebtheit: Missliebigkeit, Unbeliebtsein, Verhasstheit, Verhasstsein
unbemannt: ohne Besatzung *alleine, jungfräulich, ledig, ohne Mann
unbemerkt: diskret, geheim, heimlich, unbeachtet, unbeobachtet, verborgen, verstohlen *illegal, insgeheim, unerlaubt, im geheimen
unbemittelt: arm, bedürftig, besitzlos, einkommensschwach, güterlos, hilfsbedürftig, mittellos, notleidend, unvermögend
Unbemitteltheit: Armut, Armutei, Bedürftigkeit, Besitzlosigkeit, Dürftigkeit, Elend, Geldmangel, Geldnot, Kärglichkeit, Knappheit, Mangel, Mittellosigkeit, Not, Spärlichkeit, Verknappung
unbenannt: anonym, namenlos, ruhmlos, unbedeutend, unbekannt, unentdeckt, vernachlässigt, nicht populär, nicht berühmt, ohne Namen, ein unbeschriebenes Blatt
unbenutzt: fabrikneu, funkelnagelneu, nagelneu, neu, neugebacken, neuwertig, taufrisch, unberührt, ungebraucht, ungenutzt, ungetragen, nicht verwendet
unbeobachtet: diskret, geheim, heimlich, unbeachtet, unbemerkt, verborgen, verstohlen *aufsichtslos, frei, selbständig, unbeaufsichtigt, unbewacht, unkontrolliert, ohne Aufsicht
unbequem: aufmüpfig, aufsässig, bockbeinig, bockig, dickköpfig, dickschädelig, eigensinnig, eisern, fest, finster, halsstarrig, hartgesotten, kompromisslos, kratzbürstig, rechthaberisch, standhaft, starrköpfig, starrsinnig, steifnackig, störrisch, stur, trotzig, unaufgeschlossen, unbelehrbar, unbotmäßig, unerbittlich, unfolgsam, ungehorsam, unnachgiebig, unversöhnlich, unzugänglich, verbohrt, verschlossen, verständnislos, verstockt, widerborstig, widersetzlich, widerspenstig, zugeknöpft *kalt, unbehaglich, ungemütlich *lästig, störend *eng anliegend, zu eng
Unbequemlichkeit: Kälte, Unbehaglichkeit, Ungemütlichkeit *Hartgesottenheit, Rechthaberei, Standhaftigkeit, Starrsinnigkeit, Sturheit, Trotz, Unaufgeschlossenheit, Unnachgiebigkeit, Unversöhnlichkeit, Unzugänglichkeit
unberechenbar: unabsehbar, unbestimmbar, unkalkulierbar, unmessbar, unüberschaubar, unwägbar, nicht einzuschätzen, nicht prognostizierbar, nicht voraussagbar *bizarr, empfindlich, exzentrisch, flatterhaft, gekränkt, grillenhaft, kapriziös, launenhaft, launisch, missgelaunt, misslaunig, reizbar, sauertöpfisch, übelnehmerisch, unausgeglichen, unbeständig, unstet, unzuverlässig, verletzt, wankelmütig, wechselnd, wetterwendisch, voller Launen
unberechtigt: eigenmächtig, unbefugt, aus eigenem Antrieb
unberührbar: heilig, tabu, unantastbar, unaussprechlich, unverletzlich, verboten
unberührt: ahnungslos, anständig, jungfräulich, keusch, naiv, rein, unerfahren, unverdorben *desinteressiert, gleichgül-

tig, teilnahmslos, wurstig, nicht beeindruckt *neu, unbenutzt, ungebraucht *abgeschieden, einsam, verlassen
Unberührtheit: Ehre, Jungfernschaft, Jungfräulichkeit, Unschuld, Virginität
unbeschädigt: ganz, heil, intakt, unverletzt, unversehrt, in Ordnung, nicht entzwei
unbeschäftigt: arbeitslos, beschäftigungslos, brotlos, erwerbslos, stellenlos, stellungslos, untätig, ohne Anstellung, ohne Arbeit, ohne Beschäftigung
unbescheiden: anmaßend, anspruchsvoll, hochtrabend, prätentiös, überheblich, verwöhnt, wählerisch, schwer zu befriedigen
unbescholten: anständig, ehrenhaft, gesittet, höflich, korrekt, rechtschaffen, rein, sittsam, tugendhaft, züchtig
Unbescholtenheit: Biederkeit, Ehrlichkeit, Integrität, Loyalität, Pflichtbewusstsein, Rechtschaffenheit, Redlichkeit, Vertrauenswürdigkeit, Zuverlässigkeit
unbeschrankt: schrankenlos, ungesichert, nicht mit Schranken versehen
unbeschränkt: absolut, beliebig, frei, schrankenlos, total, unbegrenzt, uneingeschränkt, vollkommen, ohne Einschränkung
unbeschreiblich: bodenlos, empörend, grenzenlos, himmelschreiend, unbegreiflich, unerhört, unermesslich, unfassbar, ungeheuerlich, unsäglich, unvorstellbar *abenteuerlich, ansehnlich, auffallend, auffällig, Aufsehen erregend, außergewöhnlich, außerordentlich, ausgefallen, beachtlich, bedeutend, bedeutsam, bedeutungsvoll, beeindruckend, beträchtlich, bewundernswert, bewundernswürdig, brillant, eindrucksvoll, einzigartig, enorm, entwaffnend, erstaunlich, fabelhaft, groß, großartig, hervorragend, imponierend, imposant, märchenhaft, nennenswert, ohnegleichen, sagenhaft, sensationell, sondergleichen, spektakulär, stattlich, überragend, überraschend, überwältigend, ungeläufig, ungewöhnlich, unvergleichlich, verblüffend *sehr, überaus
unbeschrieben: leer, neu, weiß *anständig, geachtet, gesittet, korrekt, lauter, schicklich, sittsam, tugendhaft, unbescholten *unbekannt
unbeschützt: ausgeliefert, hilflos, ohnmächtig, preisgegeben, schirmlos, schutzlos, schwach, unbehütet, unbeschirmt, ungeborgen, ungeschützt, ohne Schutz
unbeschwert: beruhigt, freudig, froh, glücklich, heiter, leicht, ruhig, sorgenfrei, sorgenlos, sorglos, unbekümmert, unbesorgt, ungetrübt, ohne Sorgen, frei von Sorgen
unbeseelt: abgestumpft, barbarisch, brutal, eisig, erbarmungslos, fest, gefühllos, gefühlsarm, gefühlskalt, gemütsarm, gleichgültig, gnadenlos, grausam, hart, hartherzig, herzlos, inhuman, kaltblütig, kompromisslos, lieblos, mitleidlos, roh, schonungslos, seelenlos, streng, unbarmherzig, ungesittet, unmenschlich, unnachgiebig, unnachsichtig, unsozial, unzugänglich, verroht *gestorben, tot
unbesehen: anstandslos, bedenkenlos, bereitwillig, gerne, selbstverständlich, widerspruchslos, ohne Zögern, ohne Weiteres, mit Vergnügen
unbesetzt: disponibel, frei, leer, offen, vakant, verfügbar, zu haben, zur Verfügung stehend
unbesiegbar: unbezwingbar, unbezwinglich, uneinnehmbar, unschlagbar, unüberwindbar
unbesiegt: überlegen, unbezwungen, ungeschlagen, zu stark
unbesonnen: blind, blindlings, fahrlässig, gedankenlos, impulsiv, kopflos, leichtfertig, leichtsinnig, nachlässig, planlos, übereilt, unbedacht, unüberlegt, unvernünftig, unvorsichtig, wahllos, ziellos, ohne Überlegung, ohne Bedacht, ohne Verstand, ohne Sinn
Unbesonnenheit: Gedankenlosigkeit, Unbedachtheit, Unbedachtsamkeit, Unklugheit, Unüberlegtheit, Unvernunft, Unverstand
unbesorgt: beruhigt, ruhig, sorgenlos, sorglos, unbekümmert, unbeschwert, guten Gewissens, leichten Herzens
Unbesorgtheit: Sorglosigkeit, Unbekümmertheit, Unbeschwertheit
unbeständig: abwechselnd, flatterhaft,

flatterig, inkonsequent, launenhaft, launisch, schillernd, schwankend, sprunghaft, unausgeglichen, unsicher, unstet, unstetig, unzuverlässig, veränderlich, wandelbar, wankelmütig, wechselhaft, wechselnd, wetterwendisch, voller Launen

Unbeständigkeit: Flatterhaftigkeit, Flatterigkeit, Inkonsequenz, Laune, Launenhaftigkeit, Sprunghaftigkeit, Unausgeglichenheit, Unbestand, Unsicherheit, Unstetigkeit, Unzuverlässigkeit, Veränderlichkeit, Wechselhaftigkeit

unbestechlich: charakterfest, ehrenhaft, fest, integer, korrekt, objektiv, rechtschaffen, redlich, standhaft, unbeeinflussbar, unerschütterlich, vertrauenswürdig

unbestellt: brach, unbearbeitet, unbebaut

unbestimmt: fraglich, offen, problematisch, umstritten, unbestätigt, unentschieden, ungeklärt, ungesichert, ungewiss, unsicher, unverbürgt, zweifelhaft, nicht erwiesen, nicht sicher, nicht festgelegt, nicht geklärt, noch nicht entschieden *andeutungsweise, undefinierbar, unklar, unübersichtlich, unverständlich, vage

Unbestimmtheit: Schattenhaftigkeit, Schemenhaftigkeit, Ungenauigkeit, Unschärfe, Verschwommenheit *Fraglichkeit, Unentschiedenheit, Ungewissheit, Unklarheit, Unsicherheit, Zweifelhaftigkeit

unbestreitbar: gewiss, sicher, unanfechtbar, unbestritten, unleugbar, unwiderlegbar

unbestritten: treffend, zutreffend, amtlich, authentisch, dokumentiert, echt, erwiesen, fehlerfrei, fundiert, fürwahr, gewiss, gut, hundertprozentig, offiziell, sicher, stichhaltig, tatsächlich, unanfechtbar, unangreifbar, unbestreitbar, unbezweifelbar, unleugbar, unstreitig, untrüglich, unwiderlegbar, unwiderleglich, unzweifelhaft, verbürgt, wahr, wahrlich, wahrhaftig, wirklich, zuverlässig, zweifelsfrei

unbeteiligt: apathisch, denkfaul, desinteressiert, dickfellig, gefühllos, gleichgültig, inaktiv, interesselos, kühl, lasch, leidenschaftslos, lethargisch, passiv, schwerfällig, stumpf, stumpfsinnig, teilnahmslos, träge, unaufgeschlossen, unbewegt, unempfindlich, ungerührt

unbeträchtlich: gering, geringfügig, klein, minimal, wenig, winzig, von geringem Ausmaß

unbeugsam: fest, felsenfest, stark, willensstark, aufrecht, beharrlich, charakterfest, durchhaltend, eisenfest, eisern, felsenfest, hart, hartnäckig, konsequent, nervenstark, persistent, rigoros, standhaft, steinern, stetig, unbeirrbar, unbeirrt, unerschütterlich, unnachgiebig, zäh, fest bleibend, nicht nachgebend, wie ein Fels

unbevölkert: ausgestorben, einsam, entvölkert, menschenleer, öde, tot, unbelebt, unbewohnt, unkultiviert, unzivilisiert, vereinsamt, verlassen, verödet

unbewacht: aufsichtslos, herrenlos, unbeaufsichtigt, unbehütet, ungesichert, unkontrolliert, unüberwacht, ohne Aufsicht

unbewaffnet: waffenlos, wehrlos, nicht bewaffnet, ohne Waffen

unbewältigt: offen, ungelöst, unverarbeitet, verdrängt

unbewandert: ahnungslos, unaufgeklärt, unbelesen, uneingeweiht, unerfahren, ungebildet, ungelehrt, ungeschult, uninformiert, unkundig, unvertraut, unwissend, nicht unterrichtet, nichts wissend, ohne Wissen, ohne Kenntnisse, ohne Erfahrung

unbewegbar: bewegungslos, erstarrt, leblos, reglos, regungslos, starr, still, unbeweglich, unbewegt, ohne Bewegung, wie angewurzelt, wie tot

unbeweglich: dogmatisch, einseitig, eng, engstirnig, festgefahren, schwerfällig, träge, uneinsichtig, unflexibel *bewegungslos, erstarrt, leblos, reglos, regungslos, starr, still, unbewegt, ohne Bewegung, wie angewurzelt, wie tot

unbewegt: bewegungslos, erstarrt, leblos, reglos, regungslos, ruhig, starr, still, unbeweglich, ohne Bewegung, wie angewurzelt, wie aus Erz gegossen, wie tot

unbeweibt: allein, ledig, solo, unverheiratet, nicht verheiratet, ohne Frau

unbewiesen: dubios, fraglich, fragwürdig, ungesichert, unwahrscheinlich, vage, zweifelhaft, nicht sicher
unbewohnt: leerstehend, einsam, menschenleer, öde, unbesetzt, unbesiedelt, unbevölkert
unbewölkt: aufgeklart, heiter, klar, sonnig, strahlend, ungetrübt, wolkenlos
unbewusst: dumpf, selbstverborgen, unterbewusst, unterschwellig, im Unterbewusstsein, nicht bewusst, ohne Bewusstheit *unabsichtlich, unbeabsichtigt, unwillkürlich, nicht vorsätzlich *emotional, emotionell, gefühlsmäßig, instinktiv, instinktmäßig, intuitiv
unbezahlbar: kostspielig, teuer, überhöht, unerschwinglich, unersetzlich, im Preis sehr hoch, nicht zu bezahlen
unbezahlt: offen, offen stehend, unbeglichen, nicht bezahlt, nicht beglichen
unbezähmbar: unbändig, unbezwingbar, ungebändigt, wild *maßlos, schrankenlos, überspitzt, übersteigert *gewaltig, immens, maßlos, stark, unersättlich, unstillbar, sehr groß
unbezweifelbar: treffend, zutreffend, amtlich, authentisch, dokumentiert, echt, erwiesen, fehlerfrei, fundiert, fürwahr, gewiss, hundertprozentig, offiziell, sicher, stichhaltig, tatsächlich, unanfechtbar, unangreifbar, unbestreitbar, unbestritten, unleugbar, unstreitig, untrüglich, unwiderlegbar, unwiderleglich, unzweifelhaft, verbürgt, wahr, wahrlich, wahrhaftig, wirklich, zuverlässig, zweifelsfrei
unbezwingbar: unbesiegbar, unschlagbar, wild, zu stark, zu mächtig *unbezwinglich, unüberwindbar, zu schwierig, zu gefährlich, zu steil
unbiegsam: fest, starr, steif, unbeweglich, undehnbar, unflexibel
Unbiegsamkeit: Festigkeit, Starre, Starrheit, Steife, Steifheit, Unbeweglichkeit
Unbill: Ausfall, Defizit, Einbuße, Manko, Misserfolg, Nachteil, Reinfall, Schaden, Ungunst, Verlust, Verlustgeschäft
unbillig: diskriminierend, einseitig, gemein, parteiisch, rechtswidrig, stiefmütterlich, subjektiv, undankbar, ungerecht, unobjektiv, unrecht, unsachlich
unbotmäßig: aufmüpfig, aufsässig, bockbeinig, bockig, dickköpfig, dickschädelig, eigensinnig, eisern, fest, finster, halsstarrig, hartgesotten, kompromisslos, kratzbürstig, rechthaberisch, respektlos, standhaft, starrköpfig, starrsinnig, steifnackig, störrisch, stur, trotzig, unartig, unaufgeschlossen, unbelehrbar, unbequem, unerbittlich, unfolgsam, ungehorsam, ungezogen, unmanierlich, unnachgiebig, unversöhnlich, unzugänglich, verbohrt, verschlossen, verständnislos, verstockt, widerborstig, widersetzlich, widerspenstig, zugeknöpft
Unbotmäßigkeit: Aufsässigkeit, Bockigkeit, Dickköpfigkeit, Dickschädeligkeit, Eigensinn, Eigensinnigkeit, Halsstarrigkeit, Rechthaberei, Starrsinn, Trotz, Ungehorsam, Unnachgiebigkeit, Widersetzlichkeit, Widerspenstigkeit
unbrauchbar: nutzlos, ungeeignet, unpraktisch, untauglich, unzweckmäßig, wertlos, nichts wert, zu nichts zu gebrauchen *arbeitsunfähig, dienstunfähig, dienstuntauglich, invalid, krank, untauglich, nicht verwendungsfähig, nicht arbeitsfähig, nicht dienstfähig ***unbrauchbar machen:** zerstören
unbrennbar: feuerfest, schwer entzündbar, schwer entflammbar, schwer brennbar
unbürokratisch: großzügig, schnell, nicht auf dem Dienstweg, nicht nach dem Gesetz, nicht nach dem Paragraphen
und: auch, gleichzeitig, plus, sowie, wie, zugleich *doch, jedoch, aber, hingegen, indessen, wohingegen *außerdem, dazu, obendrein, zuzüglich
undankbar: schnöde, ungerecht, nicht dankbar, ohne Dankbarkeit *unersprießlich, unrentabel, nicht lohnend
undefinierbar: unklar, nicht zu definieren, nicht eindeutig, nicht deutlich
undehnbar: starr, steif, unbiegsam, unflexibel
undenkbar: ausgeschlossen, unmöglich, unvorstellbar, kaum denkbar, nicht zu denken, nicht zu glauben *nicht realisierbar, nicht durchführbar
Underground: Alternativszene, Gegen-

kultur, Gruppenkultur, Nebenkultur, Protestkultur, Subkultur, zweite Kultur
Understatement: Abschwächung, Bescheidenheit, Herabminderung, Unterbewertung, Untertreibung, Zurücknahme
undeutlich: abstrus, andeutungsweise, fraglich, missverständlich, nebulös, unartikuliert, unausgegoren, unbestimmt, undefinierbar, undurchschaubar, unentschieden, ungenau, unklar, unpräzise, unscharf, unsicher, unübersichtlich, unverständlich, vage, verschwommen, verworren, wirr, zusammenhanglos, zweifelhaft, ein Buch mit sieben Siegeln, in Dunkel gehüllt, nicht eindeutig, nicht verständlich, nicht deutlich, nicht zu definieren, schlecht zu entziffern, schlecht zu verstehen *leise, nicht zu verstehen
undicht: durchlässig, leck, löcherig, porös *defekt, lädiert, schadhaft
undifferenziert: zu grob, zu allgemein, nicht detailliert genug, zu unbestimmt
Unding: Aberwitz, Blödsinn, Idiotie, Irrsinn, Mist, Nonsens, Quatsch, Schmarren, Stuss, Torheit, Trödel, Unfug, Unsinn, Wahnwitz
undiplomatisch: bedenkenlos, fahrlässig, gedankenlos, impulsiv, leichtfertig, leichtsinnig, sorglos, sträflich, unbedacht, unbekümmert, unbesonnen, ungeschickt, unklug, unüberlegt, unverantwortlich, unvernünftig, unvertretbar, unvorsichtig, verantwortungslos, wahllos, ziellos
undiszipliniert: frech, hemmungslos, unbeherrscht, ungezügelt, wild, zuchtlos, zügellos
unduldsam: borniert, dogmatisch, doktrinär, eng, engherzig, engstirnig, intolerant, starr, unaufgeschlossen, unflexibel, voreingenommen, voller Vorurteile
Unduldsamkeit: Befangenheit, Einseitigkeit, Engstirnigkeit, Intoleranz, Parteilichkeit, Verblendung, Voreingenommenheit
undurchdringlich: dicht, undurchlässig, unwegsam, unzugänglich, verschlossen, verwachsen *dunkel, geheimnisvoll, unerkennbar, vieldeutig *distanziert, menschenscheu, unzugänglich
Undurchdringlichkeit: Einheitlichkeit, Widerstand *Dichte, Undurchlässigkeit *Dunkel, Nebel *Abdichtung, Masse, Verstopfung
undurchführbar: aussichtslos, impraktikabel, indiskutabel, unausführbar, undenkbar, unerreichbar, unmöglich, unrealisierbar, utopisch
undurchlässig: dicht, fest, geschlossen, luftdicht, regendicht, wasserdicht, waterproof
undurchschaubar: bedenklich, dubios, fraglich, fragwürdig, problematisch, streitig, strittig, umstritten, unbestimmt, unbewiesen, unentschieden, ungeklärt, ungewiss, unglaubhaft, unglaubwürdig, zweifelhaft *abstrus, andeutungsweise, fraglich, missverständlich, nebulös, unartikuliert, unausgegoren, unbestimmt, undefinierbar, undeutlich, unentschieden, ungenau, unklar, unpräzise, unscharf, unsicher, unübersichtlich, unverständlich, vage, verschwommen, verworren, wirr, zusammenhanglos, zweifelhaft, ein Buch mit sieben Siegeln, in Dunkel gehüllt, nicht eindeutig, nicht verständlich, nicht deutlich, nicht zu definieren, schlecht zu entziffern, schlecht zu verstehen
undurchsichtig: dunkel, lichtundurchlässig, milchig, opak, trübe, nicht durchlässig *nebulös, obskur, ominös, undurchschaubar, unheimlich, zwielichtig *undeutlich, undurchschaubar, unklar, unübersichtlich
uneben: bergig, hügelig, wellig *höckerig, holprig, rumpelig, schrundig, ungleichmäßig, zerklüftet, zerschrammt, zerschründet, nicht glatt
unebenmäßig: asymmetrisch, ungleichmäßig, unregelmäßig, unsymmetrisch
unecht: falsch, gefälscht, imitiert, kopiert, nachgeahmt, nachgebildet, nachgemacht *künstlich, synthetisch
uneffektiv: ergebnislos, nutzlos, unwirksam
unehelich: außerehelich, nichtehelich, vorehelich, außerhalb der Ehe
Unehre: Beschämung, Bloßstellung, Desavouierung, Kompromittierung, Schande, Schimpf, Schmach

unehrenhaft: betrügerisch, charakterlos, ehrlos, ehrvergessen, gemein, nichtswürdig, niederträchtig, unaufrichtig, unlauter, unsauber, unwürdig, verabscheuungswürdig, verächtlich, würdelos
unehrlich: betrügerisch, doppelzüngig, falsch, frömmelnd, heuchlerisch, hinterhältig, katzenfreundlich, lügenhaft, lügnerisch, scheinfromm, scheinheilig, unaufrichtig, unlauter, unredlich, unreell, unsolid, unwahrhaftig, verstellt
Unehrlichkeit: Gleisnerei, Heuchelei, Lippenbekenntnis, Scheinheiligkeit, Unaufrichtigkeit, Verstellung, Vortäuschung
uneigennützig: altruistisch, aufopfernd, barmherzig, edelmütig, gemeinnützig, großherzig, hingebend, idealistisch, karitativ, mildtätig, selbstlos, sozial, unegoistisch, wohltätig
Uneigennützigkeit: Barmherzigkeit, Edelmut, Hingebung, Hochherzigkeit, Mildtätigkeit, Selbstlosigkeit
uneingeschränkt: absolut, bedingungslos, unbedingt, völlig, vollständig, vorbehaltlos, ohne Vorbehalt *grenzenlos, schrankenlos, unbegrenzt, unbeschränkt
uneingeweiht: unwissend, nicht eingeweiht, nicht informiert, nicht aufgeklärt
uneinheitlich: heterogen, individuell, mannigfaltig, variierend, verschieden, verschiedenartig, vielfältig *gegensätzlich
Uneinheitlichkeit: Abwechslung, Buntheit, Mannigfaltigkeit, Variation, Verschiedenartigkeit, Vielfalt
uneinig: entzweit, gespalten, uneins, zerfallen, zerstritten, verschiedener Meinung, verschiedener Ansicht
Uneinigkeit: Disharmonie, Missklang, Unausgeglichenheit, Zerrissenheit, Zwiespältigkeit, Zwietracht
uneinnehmbar: unbesiegbar, unbezwingbar, unbezwinglich, unüberwindbar
uneins: entzweit, uneinig, verfeindet, zerfallen, zerstritten
uneinsichtig: lernunfähig, schwerfällig, unbelehrbar, unbeweglich, unflexibel, unverbesserlich, verblendet, verständnislos *starr, steifnackig, stur, trotzig, unnachgiebig, unversöhnlich, verschlossen, verstockt *unzugänglich
unelastisch: unbiegsam, undehnbar, unflexibel *eisern, fest, stur, uneinsichtig, unnachgiebig
unelegant: geschmacklos, hässlich, kitschig, stillos, stilwidrig, unschön
unempfänglich: distanziert, introvertiert, kontaktscheu, menschenscheu, unaufgeschlossen, unnahbar, unzugänglich, zurückhaltend
unempfindlich: abgestorben, abgestumpft, empfindungslos, fühllos, gefühllos, gleichgültig, stumpf, taub, ungerührt, ohne Gefühl *abwehrfähig, gefeit, geimpft, geschützt, immun, resistent, widerstandsfähig, nicht anfällig
Unempfindlichkeit: Gefühllosigkeit, Gleichgültigkeit, Stumpfheit, Taubheit, Ungerührtheit *Widerstandsfähigkeit
unendlich: endlos, grenzenlos, groß, unabsehbar, unbegrenzt, unbeschränkt, unermesslich, unerschöpflich, ungezählt, unmessbar, unübersehbar, unversiegbar, unzählbar, weit, zahllos, ohne Grenze, ohne Ende *ewig (dauernd) *sehr
unentbehrlich: einmalig, einzig, unbezahlbar, unersetzlich *notwendig, lebensnotwendig, wichtig, lebenswichtig, nötig
unentgeltlich: ehrenamtlich, ehrenhalber, freiwillig, unbezahlt, ohne Bezahlung *frei, gebührenfrei, geschenkt, gratis, kostenfrei, kostenlos, umsonst
unentrinnbar: nötig, notwendig, unabwendbar, unaufhaltsam, unausbleiblich, unausweichlich, unumgänglich, unvermeidbar, unvermeidlich, nicht zu vermeiden, nicht zu verhindern, nicht zu umgehen
unentschieden: entschlusslos, ratlos, schwankend, unentschlossen, unschlüssig, unsicher, vorsichtig, zaghaft, zaudernd, zögernd, zweifelnd *patt, punktgleich, remis *fraglich, offen, ungewiss, noch nicht entschieden
Unentschieden: Patt, Punktgleichheit, Remis
unentschlossen: entschlusslos, ratlos, schwankend, unentschieden, unschlüssig, unsicher, vorsichtig, wankelmütig,

zaghaft, zaudernd, zögernd, zweifelnd *ängstlich, bang, beklommen, eingeschüchtert, feige, furchtsam, schreckhaft, verschreckt, zwiespältig
Unentschlossenheit: Flatterhaftigkeit, Gezauder, Unbeständigkeit, Unentschiedenheit, Unschlüssigkeit, Unsicherheit, Unzuverlässigkeit, Wankelmut, Wankelmütigkeit, Zaghaftigkeit, schwankende Stimmung, schwankende Haltung, schwankende Gesinnung *Angst, Beklemmung, Furcht, Furchtsamkeit, Panik, Scheu
unentschuldbar: sträflich, unverantwortlich, unvertretbar, unverzeihlich, verantwortungslos
unentschuldigt: nicht entschuldigt, ohne Entschuldigung
unentwegt: dauernd, ständig, unausgesetzt, ununterbrochen *beharrlich, unbeirrt, unverdrossen, ohne Wanken
unentwickelt: heranwachsend, infantil, kindlich, unreif, zurückgeblieben *kümmerlich, primitiv, unterentwickelt
unerbittlich: abgestumpft, barbarisch, brutal, eisig, erbarmungslos, fest, gefühllos, gefühlsarm, gefühlskalt, gemütsarm, gleichgültig, gnadenlos, grausam, hart, hartherzig, herzlos, inhuman, kaltblütig, kompromisslos, lieblos, mitleidlos, rigoros, roh, schonungslos, seelenlos, streng, unbarmherzig, ungesittet, unmenschlich, unnachgiebig, unnachsichtig, unsozial, unzugänglich, verroht
Unerbittlichkeit: Gnadenlosigkeit, Hartherzigkeit, Kompromisslosigkeit, Massivität, Rigorosität, Schonungslosigkeit, Strenge, Striktheit, Ungerührtheit, Unnachsichtigkeit
unerfahren: grün, kindlich, naiv, unbedarft, unreif, unschuldig *jungfräulich, keusch, unberührt, unschuldig *jung, neu, unbewandert, unkundig, unwissend
unerfindlich: dunkel, geheimnisvoll, mysteriös, nebulös, rätselhaft, unbegreifbar, unbegreiflich, undurchschaubar, undurchsichtig, unergründlich, unerklärbar, unerklärlich, unfassbar, unverständlich, ein Rätsel
unerforscht: fremd, geheimnisvoll, jungfräulich, neu, unbekannt, unbetreten, unergründlich
unerfreulich: ärgerlich, misslich, peinlich, prekär, schlecht, schlimm, unangenehm, unbefriedigend, unbequem, unerquicklich, unerwünscht, ungelegen, ungünstig, ungut, unliebsam, unwillkommen, widrig *kalt, kühl, unfreundlich, ungemütlich, unschön *Ekel erregend, ekelhaft *arg, ärgerlich, bedauerlich, blöde, fatal, genant, genierlich, heikel, lästig, leidig, misslich, peinlich, prekär, schlecht, schlimm, schrecklich, skandalös, unangenehm, unbefriedigend, unbequem, unerquicklich, unerwünscht, ungelegen, ungünstig, ungut, unlieb, unliebsam, unvergnüglich, unwillkommen, verwünscht, widrig
unerfüllbar: undenkbar, undurchführbar, unmöglich, unrealisierbar, utopisch, nicht zu erfüllen
unerfüllt: alltäglich, einfach, einfallslos, einförmig, ermüdend, fade, gleichförmig, langweilig, monoton, öde, phantasielos, reizlos, trist, trocken, trostlos, üblich, uninteressant, unoriginell, wirkungslos, ohne Pfiff *nicht erfüllt
unergiebig: arm, ausgelaugt, dürr, erschöpft, ertragsarm, gering, karg, unfruchtbar *uninteressant
unergründlich: dunkel, geheimnisvoll, mysteriös, nebulös, unbegreiflich, undurchschaubar, undurchsichtig, unerforschlich, unerklärbar, unerklärlich, unverständlich
unerheblich: ephemer, nebensächlich, sekundär, an zweiter Stelle *akzidenziell, belanglos, einflusslos, farblos, geringfügig, gleichgültig, nichtig, nichts sagend, peripher, uninteressant, unscheinbar, unwesentlich, unwichtig, wertlos, wesenlos, nicht erwähnenswert
unerhört: allerhand, allerlei, beispiellos, bodenlos, empörend, haarsträubend, hanebüchen, himmelschreiend, skandalös, unbeschreiblich, unfassbar, ungeheuerlich, unglaublich, noch nicht dagewesen
unerklärlich: dunkel, geheimnisvoll, mysteriös, nebulös, unbegreiflich, undurchschaubar, undurchsichtig, unerklärbar, unverständlich

unerlässlich: bedeutungsvoll, nötig, notwendig, unentbehrlich, wichtig
unerlaubt: eigenmächtig, gesetzwidrig, illegal, illegitim, irregulär, kriminell, ordnungswidrig, rechtswidrig, strafbar, sträflich, tabu, unbefugt, ungesetzlich, unrechtlich, unrechtmäßig, unstatthaft, untersagt, unzulässig, verboten, verfassungswidrig, verpönt, widerrechtlich, ohne Recht, ohne gesetzliche Grundlage
unerledigt: abhängig, anstehend, liegen geblieben, offen, unabgeschlossen, unausgeführt, unfertig
unermesslich: endlos, grenzenlos, groß, unabsehbar, unbegrenzt, unbeschränkt, unendlich, unerschöpflich, unmessbar, unübersehbar, unversiegbar, unzählbar, weit, zahllos, ohne Grenze, ohne Ende *sehr, überaus
Unermesslichkeit: Ausdehnung, Ausmaß, Dimension, Geräumigkeit, Größe, Großflächigkeit, Mächtigkeit, Reichweite, Tiefe, Umfang, Weite
unermüdlich: beharrlich, durchhaltend, entschlossen, erbittert, hartnäckig, nimmermüde, rastlos, stur, unaufhörlich, unbeirrt, unentwegt, unverdrossen, verbissen, zäh
Unermüdlichkeit: Ausdauer, Beharrlichkeit, Beharrung, Beharrungsvermögen, Durchhaltevermögen, Entschiedenheit, Entschlossenheit, Festigkeit, Geduld, Geradlinigkeit, Hartnäckigkeit, Konsequenz, Konstanz, Persistenz, Starrsinn, Stehvermögen, Stetigkeit, Strebsamkeit, Sturheit, Trotz, Unbeugsamkeit, Unerschütterlichkeit, Unverdrossenheit, Zähigkeit, Zielbewusstsein, Zielstrebigkeit
unerquicklich: ärgerlich, misslich, peinlich, prekär, schlecht, schlimm, unangenehm, unbefriedigend, unbequem, unerfreulich, unerwünscht, ungelegen, ungünstig, ungut, unliebsam, unwillkommen, widrig *kalt, kühl, unfreundlich, ungemütlich, unschön *Ekel erregend, ekelhaft *arg, ärgerlich, bedauerlich, blöde, fatal, genant, genierlich, heikel, lästig, leidig, misslich, peinlich, prekär, schlecht, schlimm, schrecklich, skandalös, unangenehm, unbefriedigend, unbequem, unerfreulich, unerwünscht, ungelegen, ungünstig, ungut, unlieb, unliebsam, unvergnüglich, unwillkommen, verwünscht, widrig
unerreichbar: aussichtslos, impraktikabel, indiskutabel, unausführbar, undenkbar, undurchführbar, unmöglich, unrealisierbar, utopisch *abgelegen, abgeschieden, abseitig, einsam, entfernt, entlegen, fern, gottverlassen, menschenleer, öde, unzugänglich, verlassen, am Ende der Welt
unerreicht: unbesiegt, ungeschlagen, unübertroffen *abgerundet, beispiellos, einwandfrei, fehlerfrei, fehlerlos, göttlich, hervorragend, ideal, klassisch, köstlich, makellos, mustergültig, musterhaft, perfekt, tadellos, untadelig, unübertroffen, unvergleichbar, vollendet, vollkommen, vollwertig, vorbildlich
unersättlich: esslustig, gefräßig *gierig, maßlos, nimmersatt, ungenügsam, unmäßig, unstillbar, nicht zu befriedigen, ungeheuer groß
Unersättlichkeit: Appetit, Essgier, Esssucht, Fressgier, Fresssucht, Gefräßigkeit, Hunger, Unmäßigkeit, Verfressenheit *Gier, Maßlosigkeit
unerschöpflich: reichlich, unbegrenzt, unermesslich, unmessbar, unversiegbar
unerschrocken: mutig, wagemutig, beherzt, draufgängerisch, furchtlos, heldenhaft, heldenmütig, herzhaft, kämpferisch, kühn, mannhaft, tapfer, todesmutig, tollkühn, unverzagt, vermessen, verwegen, waghalsig
Unerschrockenheit: Beherztheit, Draufgängertum, Furchtlosigkeit, Heldentum, Herzhaftigkeit, Kampfesmut, Kühnheit, Mut, Tapferkeit, Todesmut, Tollkühnheit, Unverzagtheit, Vermessenheit, Verwegenheit, Wagemut, Waghalsigkeit
unerschütterlich: ausdauernd, beharrlich, charakterfest, hartnäckig, krampfhaft, standhaft, unbeirrbar, unbeirrt, unentwegt, unverdrossen, verbissen, verzweifelt *beherrscht, eisern, felsenfest, fest, siegesgewiss, stählern, stahlhart, willensstark, zäh *abgeklärt, ausgeglichen, bedacht, bedachtsam, beherrscht, besonnen, gefasst, gemächlich, gemessen, geruhsam, gezügelt, gleichmütig,

harmonisch, kaltblütig, ruhevoll, ruhig, sicher, still, überlegen, würdevoll
unerschwinglich: aufwändig, kostspielig, überhöht, überteuert, (zu) teuer, nicht bezahlbar *edel, einmalig, erlesen, erstklassig, exquisit, fein, hochwertig, kostbar, kostspielig, qualitätsvoll, selten, unbezahlbar, unersetzbar, unschätzbar, wertvoll, viel wert, von guter Qualität
unersetzlich: unbezahlbar, unersetzbar, unschätzbar, Goldes wert, nicht mit Gold bezahlbar *unersetzbar, unwiederbringlich, vergeben, verloren, verspielt, vertan, zerronnen, nicht zurückholbar
unersprießlich: dürftig, ergebnislos, ineffektiv, ineffizient, inhaltsleer, kümmerlich, mager, nutzlos, oberflächlich, unbefriedigend, unfruchtbar, unnötig, unproduktiv
unerträglich: abstoßend, intolerabel, unausstehlich, unbeliebt, ungenießbar, unleidlich, unliebsam, unsympathisch, widerwärtig, zuwider *aufmüpfig, aufsässig, bockbeinig, bockig, dickköpfig, dickschädelig, eigensinnig, eisern, fest, finster, halsstarrig, hartgesotten, kompromisslos, kratzbürstig, rechthaberisch, starrköpfig, starrsinnig, steifnackig, störrisch, stur, trotzig, unaufgeschlossen, unbelehrbar, unbequem, unbotmäßig, unerbittlich, unfolgsam, ungehorsam, unnachgiebig, unversöhnlich, unzugänglich, verbohrt, verschlossen, verständnislos, verstockt, widerborstig, widersetzlich, widerspenstig, zugeknöpft *aufrecht, charakterfest, durchhaltend, unbeirrbar, unbeirrt, unerschütterlich, willensstark *entsetzlich, fürchterlich, grässlich, grauenhaft, grauenvoll, hoch, schrecklich, stark, unangenehm, unausstehlich, unbeschreiblich, unfassbar, ungeheuerlich, ungemein, ungewöhnlich, unheimlich, wahnsinnig
unerwartet: blitzschnell, frappant, jäh, jählings, plötzlich, ruckartig, überraschend, ungeahnt, unverhofft, unvermittelt, unvermutet, unvorhergesehen, urplötzlich, zufällig
unerwidert: ignoriert, unbeachtet, unbeantwortet, ohne Reaktion, ohne Antwort, ohne Stellungnahme, außer Acht gelassen *einseitig, unerfüllt, unglücklich, nicht erhört
unerwünscht: unwillkommen, nicht gern gesehen, nicht geduldet, nicht begehrt *unangenehm, unleidlich
unerzogen: dreist, frech, impertinent, keck, kess, naseweis, schamlos, unartig, ungeeignet, ungesittet, ungezogen, unmanierlich, untauglich, unverfroren, unvermögend, unverschämt, vorlaut, vorwitzig
unfähig: außerstande, dumm, impotent, inkompetent, nicht geeignet (für), unbegabt, unqualifiziert, untauglich, untüchtig, unvermögend, nicht in der Lage, nicht imstande *einfallslos, impotent, kraftlos, phantasielos, unbegabt, ungeeignet, untauglich
Unfähigkeit: Inkompetenz, Insuffizienz, Kraftlosigkeit, Machtlosigkeit, Ohnmacht, Schwäche, Ungenügen, Untauglichkeit, Untüchtigkeit, Unvermögen, Unzulänglichkeit, Versagen, Willensschwäche *Impotenz *Einfallslosigkeit, Phantasielosigkeit, Schwäche, Untauglichkeit, Unvermögen
unfair: regelwidrig, unkameradschaftlich, unkollegial, unlauter, unredlich, unschön, unsportlich, gegen die Regel, nicht ehrlich
Unfall: Unglück, Unglücksfall
Unfallschaden: Blechschaden, Sachschaden, Schaden, Totalschaden
Unfallwagen: Krankenauto, Krankenwagen, Rettungsauto, Rettungswagen, Rotkreuzauto, Sanitätsauto, Sanitätsfahrzeug, Sanka *Schrottauto, Schrottfahrzeug
unfassbar: dunkel, geheimnisvoll, mysteriös, nebulös, unbegreiflich, undurchschaubar, undurchsichtig, unerklärbar, unerklärlich, unverständlich *beispiellos, bodenlos, grenzenlos, himmelschreiend, namenlos, unaussprechlich, unbegreiflich, unbeschreiblich, unerhört, unsäglich
unfehlbar: amtlich, dokumentiert, echt, erwiesen, fehlerfrei, fundiert, fürwahr, gewiss, gut, hundertprozentig, offiziell, sicher, stichhaltig, tatsächlich, treffend, unbestreitbar, unbestritten, untrüglich,

verbürgt, wahr, wahrlich, wahrhaftig, wirklich, zweifelsfrei, zutreffend
unfeierlich: einfach, schlicht, unfestlich
unfein: gewöhnlich, nieder, niveaulos, ordinär, ungehörig, vulgär
unfertig: unausgegoren, unausgereift, unausgewogen, unentwickelt, ungenügend, unreif *bruchstückhaft, halb, unabgeschlossen, unbeendet, unvollendet, unvollkommen, unvollständig
Unflat: Dreck, Kot, Schmutz, Staub, Unrat
unflätig: anstößig, lasterhaft, liederlich, pikant, ruchlos, schlecht, schlüpfrig, sittenlos, unanständig, ungebührlich, ungehörig, unkeusch, unmoralisch, unschicklich, unsittlich, unsolide, unziemlich, unzüchtig, verdorben, verrucht, verworfen, wüst, zotig, zuchtlos, zweideutig *ärgerlich, aufgebracht, bärbeißig, böse, brummig, empört, entrüstet, erbittert, erbost, erzürnt, fuchsteufelswild, gereizt, grantig, griesgrämig, grimmig, missgelaunt, misslaunig, missmutig, muffig, mürrisch, peinlich, rabiat, übellaunig, unwillig, unwirsch, verdrießlich, verdrossen, wütend, wutentbrannt, wutschäumend, wutschnaubend, zornig
Unflätigkeit: Ferkelei, Schweinerei, Unanständigkeit, Zote, unanständiger Witz, frivoler Witz, unflätiger Witz
unfolgsam: unartig, unbotmäßig, unfügsam, ungehorsam, verzogen, widersetzlich, widerspenstig, nicht brav
unförmig: amorph, formlos, gestaltlos, plump, schief, ungeformt, ungefüge, ungeschlacht
Unförmigkeit: Deformation, Dicke, Formlosigkeit
unförmlich: entkrampft, entspannt, gelockert, gelöst, ruhig *familiär, formlos, frei, gelöst, informell, lässig, leger, natürlich, nonchalant, offen, salopp, unbefangen, ungehemmt, ungeniert, ungezwungen, unzeremoniell, zwanglos
unfrankiert: unfrei, nicht freigemacht
unfrei: unfrankiert, nicht freigemacht *abhängig, entmachtet, entrechtet, geknebelt, leibeigen, rechtlos, unselbständig, unterdrückt, untergeordnet, unterjocht, untertan, versklavt *angstbebend, angsterfüllt, ängstlich, angstschlotternd, angstverzerrt, angstvoll, argwöhnisch, aufgeregt, bang, bänglich, befangen, beklommen, besorgt, betroffen, feigherzig, gehemmt, hasenherzig, kleinmütig, memmenhaft, mutlos, scheu, schreckhaft, schüchtern, verängstigt, verschreckt, verschüchtert, zag, zaghaft, zähneklappernd
Unfreiheit: Abhängigkeit, Bedrückung, Bürde, Drangsalierung, Gebundenheit, Hörigkeit, Joch, Knechtschaft, Last, Sklaverei, Unterdrückung, Unterjochung, Versklavung, Zwang *Aufsicht, Kontrolle, Maulkorb, Überwachung, Zensur *Religionsverbot, Verbot der freien Religionsausübung, Unterdrückung der freien Religionsausübung
unfreiwillig: gezwungen, gezwungenermaßen, widerstrebend, widerwillig, zwangsweise, unter Zwang, wider Willen
unfreundlich: distanziert, ungastlich, ungesellig *arg, böse, grob, gröblich, schlimm, schrecklich, stark, übel, unangenehm *derb, drastisch, grobschlächtig, grobschrötig, roh, unfein, ungalant, ungehobelt, ungeschliffen, ungesittet, unkultiviert, unmanierlich, unritterlich, unzivilisiert *abweisend, barsch, brüsk, kühl, rau, roh, rüde, rüpelhaft, ruppig, schroff, taktlos, ungnädig, unhöflich, unleidlich, unwirsch *düster, feucht, feuchtkalt, finster, nasskalt, regnerisch, schrecklich
Unfreundlichkeit: Barschheit, Grobheit, Grobschlächtigkeit, Plumpheit, Schroffheit, Unaufmerksamkeit, Ungastlichkeit, Ungefälligkeit, Ungeschliffenheit, Ungeselligkeit, Unhöflichkeit, Unliebenswürdigkeit
Unfrieden: Auseinandersetzung, Entzweiung, Konflikt, Spannungen, Streit, Streitigkeiten, Zerwürfnis, Zusammenstoß, Zwietracht, Zwist
unfrisiert: strähnig, strobelig, strubbelig, struppig, ungekämmt, unordentlich, verstrubbelt, zottig *unverändert
unfroh: bedrückt, bekümmert, betrübt, defätistisch, depressiv, desolat, elegisch, elend, freudlos, hypochondrisch, melancholisch, nihilistisch, pessimistisch,

schwarzseherisch, schwermütig, todunglücklich, traurig, trist, trostlos, trübe, trübselig, trübsinnig, unglücklich, wehmütig

unfruchtbar: erbärmlich, ergebnislos, flach, ineffektiv, ineffizient, inhaltsleer, kümmerlich, mager, nutzlos, unersprießlich, unproduktiv *karg, mager, unschöpferisch *infertil, steril, zeugungsunfähig *arm, ausgelaugt, dürr, erschöpft, ertragsarm, gering, karg, unergiebig *amusisch, eklektisch, epigonal, epigonenhaft, phantasielos, steril, unkünstlerisch, unproduktiv, unschöpferisch, nicht kreativ

Unfruchtbarkeit: Sterilität, Zeugungsunfähigkeit *Ertraglosigkeit, Unergiebigkeit, Wildnis, Wüste

Unfug: Aberwitz, Allotria, Blödsinn, Idiotie, Irrsinn, Mist, Nonsens, Quatsch, Schmarren, Stuss, Torheit, Trödel, Unding, Unsinn, Wahnwitz

ungalant: abweisend, barsch, brüsk, flegelhaft, grobschlächtig, lümmelhaft, rüpelig, ruppig, taktlos, unfreundlich, ungehobelt, ungeschliffen, unhöflich, unkultiviert, unliebenswert, unritterlich, unverbindlich

ungastlich: abweisend, kalt, unsympathisch, unwirtlich

ungeachtet: entgegen, obgleich, obschon, obwohl, trotz, wenngleich, wenn auch

ungeahnt: aussichtsreich, groß, großartig, unerwartet, ungewöhnlich, die Erwartungen übersteigend

ungebärdig: ausgelassen, ungebändigt, ungestüm, ungezügelt, wild, zügellos

ungebeten: unaufgefordert, unerwünscht, ungefragt, ungeladen, ungelegen, unwillkommen

ungebildet: banausisch, engherzig, kleinkariert, kleinlich, spießbürgerlich, ungeistig, unkünstlerisch *ahnungslos, niveaulos, unaufgeklärt, unbelesen, unerfahren, ungeschliffen, unkundig, unwissend, unzivilisiert, nicht unterrichtet

ungeboren: embryonal, pränatal, noch nicht geboren, noch nicht auf der Welt

ungeborgen: entwurzelt, fremd, heimatlos, unbehaglich, ungeschützt, unwohl, nicht zu Hause, ohne Wärme, ohne Heimat

Ungeborgenheit: Heimatlosigkeit, Unbehaustheit, Ungeborgensein, Wurzellosigkeit

ungebräuchlich: ausgefallen, rar, selten, ungewohnt, unkonventionell, unüblich, nicht alltäglich, nicht üblich

ungebraucht: frisch, neu, unberührt

ungebrochen: nicht entmutigt, nicht niedergeschlagen, nicht verzweifelt, nicht erschüttert *stark, nicht geschwächt

ungebührlich: respektlos, unfein, ungebührend, ungeziemend, unschicklich, unziemlich, unzumutbar

ungebunden: autark, autonom, emanzipiert, frei, selbständig, selbstverantwortlich, souverän, unabhängig, unbehindert, unbelastet, unbeschränkt, uneingeschränkt, unkontrolliert, auf sich gestellt, für sich allein, ohne Zwang, sein eigener Herr *locker, lose

Ungebundenheit: Autarkie, Autonomie, Eigenständigkeit, Freiheit, Freizügigkeit, Selbständigkeit, Selbstbestimmung, Unabhängigkeit, Zwanglosigkeit

ungedämpft: blendend, grell, hell, stechend

Ungeduld: Anspannung, Aufgeregtheit, Aufregung, Erregtheit, Erregung, Getriebensein, Hektik, Hochspannung, Nervosität, Rastlosigkeit, Ruhelosigkeit, Spannung, Unrast, Unruhe, Zappeligkeit

ungeduldig: aufgeregt, bewegt, erregt, fiebrig, gereizt, hektisch, nervenschwach, nervös, ruhelos, turbulent, unruhig, unstet, zappelig *angespannt, erwartungsvoll, gespannt, von Ungeduld erfüllt

ungeeignet: nutzlos, unbrauchbar, unfähig, unpassend, unpraktisch, untauglich, untüchtig, unzweckmäßig, nichts wert, zu nichts zu gebrauchen *aussichtslos, entbehrlich, ergebnislos, nutzlos, sinnlos, umsonst, unwirksam, wertlos, zwecklos *abträglich, hinderlich, misslich, nachteilig, schädlich, schlecht, ungünstig, unratsam, unvorteilhaft, unzuträglich, unzweckmäßig, verderblich, widrig

ungefähr: annähernd, annäherungsweise, beiläufig, beinahe, circa, einigermaßen, fast, gegen, pauschal, rund, schätzungsweise, so, überschlägig, überschläglich, zirka, in etwa *ungenau

ungefährdet: behütet, beschirmt, beschützt, geborgen, gefahrlos, gefeit, gerettet, geschützt, gesichert, harmlos, risikolos, sicher, unbedroht, ungefährlich, unschädlich, unverfänglich, in Sicherheit, außer Gefahr
ungefährlich: gefahrlos, gutartig, harmlos, heilbar, unschädlich, unverfänglich, nicht ansteckend *gefahrlos, gesichert, risikolos, sicher, ungefährdet, unverfänglich, in Sicherheit
Ungefährlichkeit: Abschirmung, Behütetsein, Geborgenheit, Geborgensein, Gesichertheit, Obhut, Schutz, Sicherheit, Sicherung
ungefällig: abweisend, barsch, brüsk, flegelhaft, grobschlächtig, lümmelhaft, rüpelig, ruppig, taktlos, unfreundlich, ungehobelt, ungeschliffen, unhöflich, unkultiviert, unliebenswert, unritterlich
ungefärbt: blass, farblos, naturfarben, unbemalt, ohne Farbe
ungeformt: amorph, formlos, gestaltlos, strukturlos, unförmig, ungegliedert, ungestaltet, unstrukturiert
ungefragt: freiwillig, unaufgefordert, ungeheißen, aus eigenem Antrieb, aus eigenem Willen, aus freien Stücken, ohne Druck, ohne Zwang
ungefrühstückt: nüchtern, mit leerem Magen, nichts getrunken haben, nichts gegessen haben, ohne Essen, ohne zu essen, ohne Frühstück
ungegenständlich: abstrakt, begrifflich, ideell, theoretisch, unanschaulich, nur gedacht
ungehalten: ärgerlich, aufgebracht, bärbeißig, böse, brummig, empört, entrüstet, erbittert, erbost, erzürnt, fuchsteufelswild, gereizt, grantig, griesgrämig, grimmig, missgelaunt, misslaunig, missmutig, muffig, mürrisch, peinlich, rabiat, übellaunig, unwillig, unwirsch, verdrießlich, verdrossen, wütend, wutentbrannt, wutschäumend, wutschnaubend, zornig
ungeheißen: freiwillig, unaufgefordert, ungefragt, aus eigenem Antrieb, aus eigenem Willen, aus freien Stücken, ohne Druck, ohne Zwang
ungeheizt: ausgekühlt, eisig, kalt, klirrend, kühl, ungemütlich
ungehemmt: familiär, formlos, frei, gelöst, hemmungslos, informell, lässig, leger, natürlich, nonchalant, offen, salopp, unbefangen, ungeniert, ungezwungen, unzeremoniell, zwanglos *bedenkenlos, gewissenlos, hemmungslos, rücksichtslos, skrupellos, verantwortungslos *besessen, beweglich, blutvoll, dynamisch, feurig, flammend, getrieben, glühend, heftig, heiß, heißblütig, hemmungslos, impulsiv, lebendig, lebhaft, leidenschaftlich, mobil, quecksilbrig, stürmisch, temperamentvoll, unruhig, vif, vital, vulkanisch, wild
ungeheuer: außerordentlich, enorm, gewaltig, gigantisch, groß, immens, mächtig, riesig, sehr, unermesslich
Ungeheuer: Moloch, Monstrum, Scheusal, Ungestüm, Ungetier, Untier *Bulle, Gigant, Goliath, Hüne, Hünengestalt, Koloss, Riese, Titan, großer Mensch, der Lange *Bestie, Bluthund, Gewaltmensch, Kannibale, Satan, Scheusal, Schurke, Teufel, Tier, Übeltäter, Unhold, Unmensch, Vandale, Verbrecher, Wandale *Drache, Lindwurm, Wurm
ungeheuerlich: allerhand, beispiellos, bodenlos, empörend, haarsträubend, hanebüchen, himmelschreiend, skandalös, unbeschreiblich, unerhört, unfassbar, unglaublich, noch nicht dagewesen
ungehindert: unbehelligt, unbehindert, unbelästigt, ungestört, unkontrolliert, in Ruhe, ohne Hindernisse
ungehobelt: arg, böse, grob, gröblich, schlimm, schrecklich, stark, übel, unangenehm *derb, drastisch, grobschlächtig, grobschrötig, roh, unfein, ungeschliffen, ungesittet, unkultiviert, unmanierlich, unzivilisiert *abweisend, barsch, brüsk, rau, roh, rüde, rüpelhaft, ruppig, schroff, taktlos, unwirsch, sehr unfreundlich, sehr unhöflich *rau, roh, ungeschliffen
ungehörig: dreist, frech, impertinent, indezent, keck, kess, naseweis, schamlos, taktlos, unartig, unfein, ungebührend, ungebührlich, ungesittet, ungezogen, unmanierlich, unschicklich, unverfroren, unverschämt, unziemend, unziemlich, vorlaut, vorwitzig *egoistisch, er-

barmungslos, rücksichtslos, unerbittlich, ohne Bedenken, ohne Rücksicht
ungehorsam: aufmüpfig, aufsässig, bockbeinig, bockig, dickköpfig, dickschädelig, eigensinnig, eisern, fest, finster, halsstarrig, hartgesotten, kompromisslos, kratzbürstig, rechthaberisch, respektlos, standhaft, starrköpfig, starrsinnig, steifnackig, störrisch, stur, trotzig, unartig, unaufgeschlossen, unbelehrbar, unbequem, unbotmäßig, unerbittlich, unfolgsam, ungezogen, unmanierlich, unnachgiebig, unversöhnlich, unzugänglich, verbohrt, verschlossen, verständnislos, verstockt, widerborstig, widersetzlich, widerspenstig, zugeknöpft
Ungehorsam: Aufsässigkeit, Bockigkeit, Dickköpfigkeit, Dickschädeligkeit, Eigensinn, Eigensinnigkeit, Halsstarrigkeit, Rechthaberei, Starrsinn, Trotz, Unbotmäßigkeit, Unnachgiebigkeit, Widersetzlichkeit, Widerspenstigkeit
ungekämmt: borstig, rau, stachelig, stoppelig, strubbelig, struppig, unfrisiert, unordentlich, zerzaust, zottig, nach allen Seiten abstehend
ungeklärt: fraglich, problematisch, umstritten, unbestätigt, unentschieden, ungesichert, ungewiss, unsicher, unverbürgt, zweifelhaft
ungekocht: roh, ungebraten, nicht zubereitet
ungekünstelt: einfach, familiär, formlos, natürlich, unbefangen, ungeniert, ungeziert, ungezwungen, unzeremoniell, zwanglos
ungekürzt: komplett, lückenlos, vollständig, vollzählig, in vollem Umfang
ungeladen: unaufgefordert, unerwünscht, ungebeten, ungefragt, ungelegen, unwillkommen *entladen, leer
ungeläufig: ungebräuchlich, ungewöhnlich
ungelegen: unerwünscht, unpassend, unwillkommen, unzeitig, im falschen Augenblick, außer der Zeit ***ungelegen kommen:** stören
ungelenk: eckig, plump, umständlich, unbeholfen, unbeweglich, ungeschickt, ungewandt, unpraktisch *holprig, unbeholfen, unsicher
ungelenkig: fest, starr, steif, unbiegsam *linkisch, plump, unsportlich
ungelogen: beileibe, bestimmt, bewiesen, echt, effektiv, ehrlich, fürwahr, gewesen, sicher, tatsächlich, wahrhaftig, wahrlich, wirklich, in der Tat, ohne Übertreibung, nicht übertrieben, ohne Schmarren
ungelöst: ausstehend, offen, umstritten, unabgeschlossen, unbestimmt, unbewältigt, unentschieden, unerledigt, ungeklärt, ungewiss, unsicher, unvollendet, nicht geklärt
Ungemach: Katastrophe, Leid, Misere, Missstand, Not, Plage, Schaden, Übel, Übelstand, Unglück, Unheil, Unsegen, Verderb, Verhängnis *Ärger, Ärgernis, Schererei, Schlamassel, Unannehmlichkeit, Verdruss
ungemein: abenteuerlich, ansehnlich, auffallend, auffällig, aufsehenerregend, außergewöhnlich, außerordentlich, ausgefallen, beachtlich, bedeutend, bedeutsam, bedeutungsvoll, beeindruckend, beträchtlich, bewundernswert, bewundernswürdig, brillant, eindrucksvoll, einzigartig, enorm, entwaffnend, erstaunlich, fabelhaft, groß, großartig, hervorragend, imponierend, imposant, märchenhaft, nennenswert, ohnegleichen, sagenhaft, sensationell, sondergleichen, spektakulär, stattlich, überragend, überraschend, überwältigend, ungeläufig, ungewöhnlich, unvergleichlich, verblüffend *sehr, überaus
ungemütlich: kalt, kühl, unbehaglich, unbequem, unwirtlich, unwohnlich, nicht gemütlich *beklommen, lustlos, unangenehm *grob, unfreundlich *unangenehm, unbehaglich
ungenannt: anonym, namenlos, unbeachtet, unbekannt, unbenannt, unentdeckt
ungenau: abstrus, andeutungsweise, fraglich, missverständlich, nebulös, unartikuliert, unausgegoren, unbestimmt, undefinierbar, undeutlich, undurchschaubar, unentschieden, unklar, unpräzise, unscharf, unsicher, unübersichtlich, unverständlich, vage, verschwommen, verworren, wirr, zusammenhanglos, zweifelhaft, ein Buch mit sieben Siegeln,

in Dunkel gehüllt, nicht eindeutig, nicht verständlich, nicht deutlich, nicht zu definieren, schlecht zu entziffern, schlecht zu verstehen *flüchtig, lässig, leichthin, liederlich, nachlässig, oberflächlich, pflichtvergessen, schlampig, übereilt, unordentlich, nicht gründlich, nicht sorgfältig, nicht gewissenhaft
ungeniert: familiär, formlos, frei, gelöst, hemmungslos, informell, keck, lässig, leger, natürlich, nonchalant, offen, salopp, unbefangen, ungehemmt, ungezwungen, unzeremoniell, zwanglos
ungenießbar: faulig, giftig, madig, ranzig, schädlich, schlecht, unbekömmlich, unverdaulich, unverträglich, verschimmelt *nicht essbar, nicht genießbar, nicht trinkbar, nicht zu genießen *sauer *sauer, scharf, schlecht, versalzen *abgestanden, schal *fuchtig, gereizt, grantig, grollend, hitzköpfig, missmutig, schlecht gelaunt, übellaunig, unfreundlich, ungehalten, verärgert, verschnupft, zornig
ungenügend: halbwertig, knapp, mangelhaft, primitiv, schlecht, unbefriedigend, unvollkommen, unzulänglich, unzureichend, den Anforderungen nicht entsprechend
ungenügsam: anmaßend, anspruchsvoll, maßlos, unbescheiden, unersättlich, unzufrieden *neidisch
Ungenügsamkeit: Maßlosigkeit, Übertreibung, Unbescheidenheit, Unzufriedenheit *Missgunst, Neid
ungenutzt: neu, neuwertig, unbenutzt, ungebraucht, ungetragen *nicht wahrgenommen
ungeordnet: bunt, kunterbunt, chaotisch, durcheinander, unordentlich, unüberschaubar, unübersichtlich, wirr, zusammengewürfelt *planlos, regellos, verworren, wild, wüst *anarchisch, chaotisch, durcheinander, gesetzlos, wirr
ungepflegt: liederlich, lotterig, nachlässig, schlampig, schluderig, unordentlich, unsorgfältig, unsorgsam *schmutzig, ungewaschen, schlecht riechend
Ungepflegtheit: Schmuddeligkeit, Schmutz, Schmutzigkeit, Unreinheit, Unreinlichkeit, Unsauberkeit, Verschmutztheit
ungeplant: planlos, ohne Plan, ohne Überlegung *impulsiv *spontan
ungeputzt: blind, schmutzig, schmutzstarrend, stumpf, unsauber
ungeraten: flegelhaft, frech, lümmelhaft, missraten, unartig, ungesittet, ungezogen, unmanierlich, schlecht erzogen
ungerecht: diskriminierend, einseitig, gemein, parteiisch, rechtswidrig, stiefmütterlich, subjektiv, unbillig, undankbar, unobjektiv, unrecht, unsachlich
ungerechtfertigt: unangemessen, unbillig
Ungerechtigkeit: Diskriminierung, Einseitigkeit, Rechtswidrigkeit, Subjektivität, Undankbarkeit, Unsachlichkeit
ungeregelt: chaotisch, durcheinander, ungeordnet, unregelmäßig
ungereimt: sinnlos, unzusammenhängend, zusammenhanglos
ungern: abgeneigt, lustlos, unlustig, unwillig, widerstrebend, widerwillig, mit Todesverachtung, mit Unlust, mit Widerwillen
ungerührt: apathisch, desinteressiert, dickfellig, gefühllos, gleichgültig, inaktiv, interesselos, kühl, lasch, leidenschaftslos, lethargisch, passiv, schwerfällig, stumpf, stumpfsinnig, teilnahmslos, träge, unaufgeschlossen, unbeteiligt, unbewegt, unempfindlich *abgestumpft, barbarisch, brutal, eisig, erbarmungslos, fest, gefühllos, gefühlsarm, gefühlskalt, gemütsarm, gleichgültig, gnadenlos, grausam, hart, hartherzig, herzlos, inhuman, kaltblütig, kompromisslos, lieblos, mitleidlos, roh, schonungslos, seelenlos, streng, unbarmherzig, ungesittet, unmenschlich, unnachgiebig, unnachsichtig, unsozial, unzugänglich, verroht
ungesalzen: fade, geschmacklos, salzlos, schal, ungewürzt, ohne Würze, ohne Geschmack
ungesättigt: ausgehungert, hungrig
ungesäumt: alsbald, augenblicklich, augenblicks, direkt, flink, flugs, geradewegs, gleich, momentan, postwendend, prompt, schleunigst, schnellstens, schnurstracks, sofort, sogleich, spornstreichs, stracks, umgehend, unmittelbar, unverweilt, unverzüglich, auf Anhieb,

auf der Stelle, im Augenblick, eilenden Fußes, ohne Verzögerung, ohne Verzug, ohne Aufschub, ohne Aufenthalt, im Nu, im Handumdrehen, auf einen Ruck, lieber heute als morgen

Ungeschick: Entgleisung, Fauxpas, Fehltritt, Taktlosigkeit, Übertretung, Verfehlung, Vergehen, Verstoß, Zuwiderhandlung *Desaster, Fatalität, Katastrophe, Malheur, Missgeschick, Panne, Pech, Schicksalsschlag, Schlag, Tragik, Unfall, Unglück, Unglücksfall, Unheil, Verhängnis

Ungeschicklichkeit: Schwerfälligkeit, Umständlichkeit, Unbeholfenheit, Ungeschicktheit

ungeschickt: blöd, blöde, eckig, hölzern, linkisch, plump, schwerfällig, steif, taperig, tappig, täppisch, tollpatschig, tölpelhaft, umständlich, unbeholfen, unbeweglich, ungelenk, ungewandt, unpraktisch *undiplomatisch

Ungeschicktheit: Schwerfälligkeit, Umständlichkeit, Unbeholfenheit, Unschicklichkeit

ungeschlacht: derb, grob, grobgliedrig, grobschlächtig, grobschrötig, klobig, klotzig, knorrig, massig, plump, schwerfällig, unförmig, ungraziös, vierschrötig

ungeschlagen: unbesiegt, unbezwungen, ohne Niederlage

ungeschliffen: derb, drastisch, grob, grobschrötig, grobschlächtig, plump, roh, unfein, ungehobelt, ungeschlacht, ungesittet, unkultiviert, unmanierlich, unzivilisiert, ohne Kultur, ohne Manieren, ohne Stil, ohne Benehmen *abgewetzt, stumpf, nicht scharf, nicht spitz, nicht geschliffen

ungeschmälert: ganz, uneingeschränkt, vollständig

ungeschminkt: natürlich, nicht geschminkt, ohne Schminke, ohne Makeup *aufrichtig, geradeheraus, offen, rundweg, unverblümt, wahr

ungeschmückt: schlicht, schmucklos, ohne Verzierung, ohne Schmuck

ungeschoren: unbehelligt, unbehindert, unbeschränkt, ungestört, in (aller) Ruhe

ungeschrieben: stillschweigend, traditionell, nicht aufgeschrieben, nicht schriftlich niedergelegt, nicht festgelegt

ungeschützt: schutzlos, unbehütet, ungesichert, ohne Schutz

ungesellig: abweisend, menschenscheu, unfreundlich, ungastlich, unnahbar, unwirsch, unwirtlich, unzugänglich, zurückhaltend

Ungeselligkeit: Eigenbrötelei, Einsamkeitsbedürfnis, Einzelgängerei, Freundlosigkeit, Ungastlichkeit, Unnahbarkeit, Unzugänglichkeit

ungesetzlich: gesetzwidrig, illegal, illegitim, irregulär, kriminell, ordnungswidrig, rechtswidrig, strafbar, sträflich, tabu, unbefugt, unerlaubt, unrechtlich, unrechtmäßig, unstatthaft, untersagt, unzulässig, verboten, verfassungswidrig, verpönt, widerrechtlich, ohne Recht, ohne gesetzliche Grundlage

Ungesetzlichkeit: Gesetzwidrigkeit, Illegalität, Rechtsbeugung, Rechtsbruch, Rechtsverdrehung, Rechtsverletzung, Rechtswidrigkeit, Unrechtmäßigkeit

ungesichert: hilflos, schutzlos, unbehütet, unbeschützt, ungeschützt, ohne Schutz *ungewiss, nicht abgesichert, nicht belegt, nicht fundiert

Ungesichertheit: Schutzlosigkeit, Unbehütetheit

ungesittet: anstößig, lasterhaft, liederlich, pikant, ruchlos, schlecht, schlüpfrig, sittenlos, unanständig, ungebührlich, ungehörig, ungeschliffen, unkeusch, unmoralisch, unschicklich, unsittlich, unsolide, unziemlich, unzüchtig, verdorben, verrucht, verworfen, wüst, zotig, zuchtlos, zweideutig

ungespannt: locker, lose

ungestalt: bucklig, hässlich, missförmig, missgebildet, missgestaltet, monströs, verkrüppelt

ungestaltet: amorph, formlos, gestaltlos, strukturlos, unförmig, ungeformt, ungegliedert, unstrukturiert

ungestört: unbehelligt, unbehindert, unbeschränkt, ungeschoren, in (aller) Ruhe

ungestüm: heftig, kräftig, stark, stürmisch, vehement *besessen, beweglich, blutvoll, dynamisch, feurig, flammend, getrieben, glühend, heftig, heiß, heiß-

blütig, impulsiv, lebendig, lebhaft, leidenschaftlich, mobil, quecksilbrig, stürmisch, temperamentvoll, unruhig, vif, vital, vulkanisch, wild
ungesühnt: straffrei, straflos, unbestraft, ungeschoren
ungesund: schädlich, gesundheitsschädlich, abträglich, gefährlich, gesundheitsschädigend, gesundheitswidrig, krankmachend, nachteilig, unbekömmlich, unverdaulich *krank, kränklich, leidend *gefährlich, unvernünftig, gegen die Gesundheit gerichtet *blass, bleich, fahl
ungeteilt: ganz, vollkommen, im Ganzen
ungetragen: neu, neuwertig, unbenutzt, ungebraucht, ungenutzt
ungetreu: abtrünnig, ehebrecherisch, flatterhaft, illoyal, perfide, treubrüchig, treulos, unbeständig, unsolidarisch, unstet, untreu, unzuverlässig, verräterisch, wankelmütig, wortbrüchig
ungetrübt: durchsichtig, geputzt, klar, sauber, transparent *dornenlos, fröhlich, rein, schattenlos, sorgenfrei, sorgenlos, unbeschwert, durch nichts vergiftet, durch nichts getrübt, durch nichts beeinträchtigt, durch nichts belastet
Ungetüm: Moloch, Monstrum, Scheusal, Ungeheuer, Ungetier, Untier *Riese *Moloch, Monstrum, Scheusal, Ungeheuer, Unmensch, Untier *Drache, Lindwurm
ungewandt: eckig, hölzern, linkisch, plump, schwerfällig, steif, tollpatschig, tölpelhaft, umständlich, unbeholfen, unbeweglich, ungelenk, ungeschickt, unpraktisch
ungewaschen: dreckig, schmutzig, schmutzstarrend, unsauber
ungewiss: dunkel, fraglich, offen, problematisch, umstritten, unbestätigt, unbestimmt, unentschieden, ungeklärt, ungesichert, unsicher, unverbürgt, zweifelhaft, nicht erwiesen, nicht festgelegt, nicht geklärt, nicht sicher, noch nicht entschieden ***ungewiss sein:** in der Luft schweben, fraglich sein, nicht feststehen
Ungewissheit: Dunkel, Fraglichkeit, Unbestimmtheit, Unentschiedenheit, Ungewisse, Unsicherheit, Zweifel, Zweifelhaftigkeit
ungewöhnlich: ansehnlich, auffallend, auffällig, Aufsehen erregend, außergewöhnlich, außerordentlich, ausgefallen, beachtlich, bedeutend, bedeutsam, bedeutungsvoll, beeindruckend, beträchtlich, bewundernswert, eindrucksvoll, einzigartig, enorm, entwaffnend, erstaunlich, fabelhaft, groß, großartig, imponierend, imposant, nennenswert, ohnegleichen, sagenhaft, sensationell, sondergleichen, spektakulär, stattlich, überragend, überwältigend, ungeläufig, unvergleichlich, verblüffend *abnorm, absonderlich, anomal, atypisch, bizarr, irregulär, ungewohnt, unüblich *sehr, überaus
ungewohnt: neu, ungebräuchlich, ungewöhnlich, unüblich *ungebührend, ungeziemend, unmöglich
ungewollt: fahrlässig, unabsichtlich, unbeabsichtigt, ungeplant, versehentlich, zwangsläufig, nicht vorsätzlich
ungewürzt: fade, salzlos, schal, ungepfeffert, ungesalzen, würzlos, ohne Aroma, ohne Geschmack, schlecht gewürzt
ungezählt: grenzenlos, unendlich, unermesslich, viel, zahllos, zahlreich *oft, oftmalig, oftmals, immer wieder
ungezähmt: ungebändigt, unzivilisiert, wild *besessen, beweglich, blutvoll, dynamisch, feurig, flammend, getrieben, glühend, heftig, heiß, heißblütig, impulsiv, lebendig, lebhaft, leidenschaftlich, mobil, quecksilbrig, stürmisch, temperamentvoll, ungezügelt, unruhig, vif, vital, vulkanisch, wild
Ungeziefer: Geziefer, Krabbeltiere, Viehzeug
ungezielt: beliebig, wahllos, ziellos, nach Belieben
ungeziemend: respektlos, unfein, ungebührend, ungebührlich, ungehörig, unschicklich, unziemlich, unzumutbar
ungeziert: familiär, formlos, frei, gelöst, informell, lässig, leger, natürlich, nonchalant, offen, salopp, unbefangen, ungehemmt, ungeniert, ungezwungen, unzeremoniell, zwanglos
ungezogen: dreist, frech, impertinent, keck, kess, missraten, naseweis, nichtsnutzig, schamlos, unartig, ungehorsam,

ungesittet, unmanierlich, unverfroren, unverschämt, vorlaut, vorwitzig
Ungezogenheit: Bodenlosigkeit, Frechheit, Impertinenz, Schnodderigkeit, Unart, Unverschämtheit, Zumutung
ungezügelt: besessen, beweglich, blutvoll, dynamisch, feurig, flammend, getrieben, glühend, heftig, heiß, heißblütig, impulsiv, lebendig, lebhaft, leidenschaftlich, mobil, quecksilbrig, stürmisch, temperamentvoll, ungezähmt, unruhig, vif, vital, vulkanisch, wild *maßlos, zügellos, ohne Maß
Ungezügeltheit: Heftigkeit, Hemmungslosigkeit, Hitzköpfigkeit, Jähzorn, Unbeherrschtheit, Unkontrollierbarkeit, Zügellosigkeit
ungezwungen: aufgelockert, burschikos, familiär, formlos, frei, gelöst, hemdsärmelig, informell, lässig, leger, nachlässig, natürlich, nonchalant, offen, salopp, unbefangen, unförmlich, ungehemmt, ungeniert, unverkrampft, unzeremoniell, zwanglos, in lässiger Haltung
Ungezwungenheit: Burschikosität, Freiheit, Gelöstheit, Lässigkeit, Natürlichkeit, Nonchalance, Saloppheit, Unbefangenheit, Ungeniertheit, Zwanglosigkeit
Unglaube: Atheismus, Zweifel
unglaubhaft: falsch, fragwürdig, phantastisch, unglaubwürdig, unwirklich, verlogen, zweifelhaft, kaum zu glauben, nicht zuverlässig, nicht vertrauenswürdig
ungläubig: atheistisch, freidenkerisch, freigeistig, glaubenslos, gottlos, religionslos, unreligiös *argwöhnisch, kritisch, misstrauisch, skeptisch, zweifelnd
Ungläubiger: Atheist, Freidenker, Gottesleugner, Heide
Ungläubigkeit: Atheismus, Glaubenslosigkeit, Gottesleugnung, Gottlosigkeit, Heidentum, Religionslosigkeit, Unglaube
unglaublich: beispiellos, maßlos, unaussprechlich, unbeschreiblich, unerhört, unermesslich, unfassbar, unsagbar, unvorstellbar, wahnsinnig *sehr, überaus
unglaubwürdig: falsch, fragwürdig, phantastisch, unglaubhaft, unwirklich, verlogen, zweifelhaft, kaum zu glauben, nicht zuverlässig, nicht vertrauenswürdig
ungleich: divergierend, inkongruent, unähnlich, unegal, ungleichartig, ungleichmäßig, verschieden *weitaus, bei weitem, sehr viel
Ungleichheit: Divergenz, Imparität, Inkongruenz, Nichtübereinstimmung, Unähnlichkeit, Ungleichartigkeit, Ungleichmäßigkeit, Verschiedenartigkeit, Verschiedenheit *Abweichung, Irregularität, Missverhältnis, Spielart, Unstimmigkeit, Unterschied *Benachteiligung
ungleichmäßig: asymmetrisch, unebenmäßig, unregelmäßig, unsymmetrisch *abweichend, different, grundverschieden, heterogen, ungleich, unterschiedlich, unvereinbar, verschieden, verschiedenartig, wesensfremd, zweierlei
Unglück: Ärmlichkeit, Armseligkeit, Armut, Bedürftigkeit, Beschränkung, Besitzlosigkeit, Elend, Entbehrung, Geldnot, Kargheit, Knappheit, Krise, Not, Notstand, Verelendung *Debakel, Desaster, Fatalität, Heimsuchung, Katastrophe, Malheur, Missgeschick, Panne, Pech, Schicksalsschlag, Schlag, Tragik, Unfall, Ungeschick, Unglücksfall, Unheil, Verhängnis *Abgrund, Elend, Ende, Katastrophe, Ruin, Sturz, Unheil, Untergang, Verderb, Verderben, Verhängnis
unglücklich: bedauernswert, elend, erbärmlich, erbarmungswürdig, hilfsbedürftig, indisponiert, jämmerlich, kläglich, miserabel, mitgenommen, schlecht, schwach, schwächlich, übel, unpässlich, unwohl *bedrückt, bekümmert, betrübt, defätistisch, depressiv, desolat, elegisch, elend, freudlos, hypochondrisch, kummervoll, melancholisch, nihilistisch, pessimistisch, schwarzseherisch, schwermütig, todunglücklich, traurig, trist, trübe, trübselig, trübsinnig, unfroh, wehmütig *gramerfüllt, gramgebeugt, gramvoll, sorgenschwer, sorgenvoll, zentnerschwer *beängstigend, bedenklich, besorgniserregend, desolat, erschreckend, erschütternd, fatal, folgenschwer, fürchterlich, gefährlich, katastrophal, schauderhaft, schicksalhaft, schlimm, tragisch, un-

glückselig, unheilvoll, unselig, verhängnisvoll
unglücklicherweise: bedauerlicherweise, fatalerweise, jammerschade, leider, schade
unglückselig: bedauerlich, bedauernswert, bejammernswert, beklagenswert, bemitleidenswert, betrüblich, desolat, dunkel, düster, elend, entmutigend, erbärmlich, erbarmungswürdig, ergreifend, erschreckend, erschütternd, freudenarm, freudenleer, freudlos, hart, herzbewegend, herzbrechend, herzergreifend, hoffnungslos, jammervoll, kläglich, leiderfüllt, leidvoll, Mitleid erregend, qualvoll, tragisch, traurig, trist, trostlos, unerfreulich, unfroh, unglücklich *katastrophal, miserabel, verhängnisvoll, sehr schlecht
Unglücksfall: Debakel, Desaster, Fatalität, Heimsuchung, Katastrophe, Malheur, Missgeschick, Panne, Pech, Schicksalsschlag, Schlag, Tragik, Unfall, Ungeschick, Unglück, Unheil, Verhängnis
Unglücksrabe: Pechmarie, Pechvogel, Unglücksmensch, Unglücksvogel, Unglückswurm
Unglückstag: der Dreizehnte, schwarzer Freitag, schwarzer Tag
Ungnade: Ablehnung, Missfallen, Unausstehlichkeit, Ungunst, Widerwille
ungnädig: abweisend, barsch, brüsk, kühl, rau, roh, rüde, rüpelhaft, ruppig, schroff, taktlos, unfreundlich, unhöflich, unleidlich, unwirsch
ungraziös: derb, grob, grobgliedrig, grobschlächtig, grobschrötig, klobig, klotzig, knorrig, massig, plump, schwerfällig, unförmig, ungeschlacht, vierschrötig
ungültig: entwertet, hinfällig, unbrauchbar, unwirksam, verfallen, wertlos, nichts wert, null und nichtig
Ungültigkeit: Hinfälligkeit, Nichtigkeit, Wertlosigkeit
Ungunst: Kehrseite, Makel, Mangel, Manko, Minus, Nachteil, Schaden, Schattenseite, Verlust, schwacher Punkt, ungünstiger Umstand, wunde Stelle, schwache Stelle
ungünstig: abträglich, hinderlich, misslich, nachteilig, schädlich, schlecht, unerfreulich, ungeeignet, unratsam, unvorteilhaft, unzuträglich, unzweckmäßig, verderblich, widrig *ärgerlich, skandalös, störend, traurig, unangenehm, unerquicklich, unerwünscht, ungelegen, ungut, unliebsam, unwillkommen, verdrießlich
ungut: negativ, unangenehm, unerfreulich *böse, bitterböse, bösartig, boshaft, garstig, gemeingefährlich, schlecht, schlimm, übel, übel wollend, übel gesinnt, unausstehlich, unerfreulich
unhaltbar: entsetzlich, horrend, katastrophal, schlimm, unerträglich, ungenießbar, unzumutbar, verheerend *scharf *falsch, unzutreffend, nicht zutreffend, nicht zu begründen
unhandlich: sperrig, umständlich, unbequem, ungeeignet, unpraktisch, unzweckmäßig
unharmonisch: chaotisch, gestört, kompliziert, schwierig, unproblematisch, unverträglich *disharmonisch, labil, launisch, rastlos, schwankend, unausgeglichen, unstet, wankelmütig, zerrissen
Unheil: Abgrund, Desaster, Elend, Ende, Fatalität, Katastrophe, Malheur, Missgeschick, Panne, Pech, Ruin, Schicksalsschlag, Schlag, Sturz, Tragik, Unfall, Ungeschick, Unglück, Unglücksfall, Untergang, Verderb, Verderben, Verhängnis ***Unheil bringend:** beängstigend, bedenklich, bedrohend, bedrohlich, beunruhigend, brenzlig, ernst, Gefahr bringend, gefährlich, gefahrvoll, gemeingefährlich, kritisch, unheilvoll, zugespitzt, nicht geheuer
unheilbar: bösartig, hoffnungslos, todkrank, unrettbar, verloren, nicht zu heilen, nicht zu retten, nicht heilbar
unheilvoll: finster, ominös, schwarz, ungesund, Unheil bringend, Unheil drohend, unheilschwanger, Schlimmes verheißend, voller Gefahr, voller Unheil, von schlimmer Vorbedeutung
unheimlich: beängstigend, beklemmend, dämonisch, Entsetzen erregend, Furcht erregend, geisterhaft, gespensterhaft, gespenstig, gespenstisch, gewaltig, Grauen

erregend, gräulich, gruselig, makaber, schauerlich, schauervoll, schaurig, spukhaft, nicht geheuer, zum Fürchten *sehr, überaus, übermäßig, ungeheuer
unhöflich: abweisend, barsch, brüsk, flegelhaft, grob, grobschlächtig, lümmelhaft, plump, rüde, rüpelig, ruppig, taktlos, unfreundlich, ungehobelt, ungeschliffen, unkultiviert, unliebenswert, unliebenswürdig, unritterlich, unverbindlich
Unhöflichkeit: Barschheit, Grobheit, Grobschlächtigkeit, Lümmelhaftigkeit, Plumpheit, Rüpelhaftigkeit, Ruppigkeit, Schroffheit, Unaufmerksamkeit, Unfreundlichkeit, Ungefälligkeit, Ungehobeltheit, Ungeschliffenheit, Unliebenswürdigkeit
Unhold: Bestie, Bluthund, Gewaltmensch, Kannibale, Satan, Scheusal, Schurke, Teufel, Tier, Übeltäter, Ungeheuer, Unmensch, Vandale, Verbrecher, Wandale
unhörbar: geräuschlos, lautlos, still, tonlos, unmerklich, nicht vernehmbar
unhygienisch: dreckig, ekelhaft, schmutzig, unsauber
uni: einfarbig, monochrom, nicht bunt
Uni: Hochschule, Lehranstalt, Universität, Alma Mater
uniform: gleichförmig, schablonenhaft, schematisch, nach der Schablone
Uniform: Dienstbekleidung, Dienstkleidung, Montur
uniformieren: adaptieren, annähern, anpassen, gleichmachen, nivellieren, unifizieren
uniformiert: in Uniform *angepasst, etabliert, gleich geschaltet, konform, spießig
Unikum: Blüte, Eigenbrötler, Einzelgänger, Hagestolz, Junggeselle, Kauz, Original, Sonderling, Type, Wunderling, seltsamer Vogel
unilateral: einseitig
unintelligent: dumm, unbegabt, unerfahren, unwissend
uninteressant: alltäglich, einfach, einfallslos, einförmig, einschläfernd, eintönig, ermüdend, fade, gleichförmig, langweilig, monoton, öde, phantasielos, reizlos, trist, trocken, trostlos, üblich, unoriginell, wirkungslos, ohne Pfiff *akzidenziell, belanglos, einflusslos, farblos, gleichgültig, nichtig, nichts sagend, peripher, unbedeutend, unerheblich, unscheinbar, unwesentlich, unwichtig, wertlos, wesenlos, nicht erwähnenswert, nicht von Interesse
uninteressiert: apathisch, denkfaul, desinteressiert, dickfellig, gefühllos, gleichgültig, inaktiv, interesselos, kühl, lasch, leidenschaftslos, lethargisch, passiv, schwerfällig, stumpf, stumpfsinnig, teilnahmslos, träge, unaufgeschlossen, unbeteiligt, unbewegt, unempfindlich, ungerührt
Uninteressiertheit: Abgestumpftheit, Abstumpfung, Apathie, Desinteresse, Dickfelligkeit, Gefühllosigkeit, Geistesabwesenheit, Gleichgültigkeit, Herzlosigkeit, Indifferenz, Indolenz, Interesselosigkeit, Kühle, Laschheit, Leidenschaftslosigkeit, Lethargie, Phlegma, Stumpfheit, Stumpfsinn, Stumpfsinnigkeit, Sturheit, Teilnahmslosigkeit, Trägheit, Unaufgeschlossenheit, Unempfindlichkeit, Ungerührtheit, Wurstigkeit
Union: Assoziation, Bruderschaft, Brüderschaft, Bund, Körperschaft, Korporation, Ring, Verband, Vereinigung
unirdisch: unweltlich, nicht von dieser Welt, aus dem Jenseits
Unität: Einheit, Einheitlichkeit, Einigkeit, Geschlossenheit, Unteilbarkeit, Verbundenheit, Zusammengehörigkeit
universal: absolut, allgemein, allgemeingültig, allseitig, allumfassend, erdumfassend, geltend, gemein, gemeinsam, gesamt, global, gültig, international, supranational, umfassend, universell, vielseitig, weltumfassend, weltumspannend, weltweit, überall verbreitet *allseitig, multilateral, universell, vielseitig, an vielem interessiert
Universalmittel: Allheilmittel *Universalreiniger
Universität: Akademie, College, Forschungsanstalt, Hochschule, Lehranstalt, Uni, Alma Mater
Universum: All, Himmel, Himmelsraum, Kosmos, Makrokosmos, Unbegrenztheit,

Unendlichkeit, Unermesslichkeit, Weltall, Weltraum, kosmischer Raum
unkameradschaftlich: unfair, unkollegial, unkooperativ, unsolidarisch, unzuverlässig
Unke: Kröte *Defätist, Fatalist, Miesepeter, Miesmacher, Nihilist, Pessimist, Schwarzmaler, Schwarzseher, Skeptiker, Unheilsprophet
unken: mies machen, schwarz malen, schwarzsehen, pessimistisch sein
unkenntlich: unerkennbar, nicht wahrnehmbar, nicht zu sehen *nebelhaft, schattenhaft, schemenhaft, undeutlich, vage, verschwommen, verwaschen
Unkenntnis: Ahnungslosigkeit, Bildungslücke, Desinformiertheit, Dummheit, Ignoranz, Nichtwissen, Unbelesenheit, Unerfahrenheit, Unverständnis, Unwissenheit, Verständnislosigkeit, Wissensmangel, Mangel an Wissen
Unkerei: Agnostizismus, Defätismus, Fatalismus, Lebensverneinung, Miesmacherei, Nihilismus, Panikmache, Pessimismus, Schwarzmalerei, Schwarzseherei, Skepsis, Skeptizismus
unkeusch: anstößig, lasterhaft, liederlich, pikant, ruchlos, schlecht, schlüpfrig, sittenlos, unanständig, ungebührlich, ungehörig, unmoralisch, unschicklich, unsittlich, unsolide, unziemlich, unzüchtig, verdorben, verrucht, verworfen, wüst, zotig, zuchtlos, zweideutig
Unkeuschheit: Lasterhaftigkeit, Liederlichkeit, Sittenlosigkeit, Unmoral, Unsittlichkeit, Unzucht, Verdorbenheit, Verworfenheit, Zuchtlosigkeit
unklar: abstrus, andeutungsweise, fraglich, missverständlich, nebulös, unartikuliert, unausgegoren, unbestimmt, undefinierbar, undeutlich, undurchschaubar, unentschieden, ungenau, unpräzise, unscharf, unsicher, unübersichtlich, unverständlich, vage, verschwommen, verworren, wirr, zusammenhanglos, zweifelhaft, ein Buch mit sieben Siegeln, in Dunkel gehüllt, nicht eindeutig, nicht verständlich, nicht deutlich, nicht zu definieren, schlecht zu entziffern, schlecht zu verstehen *diffus, dunkel, nebelhaft, nebulös, obskur, schattenhaft, schemenhaft, verwaschen *unbestimmbar, undurchsichtig, ungeklärt, ungewiss, unvorhersehbar, unzugänglich
Unklarheit: Undurchschaubarkeit, Unübersichtlichkeit, Verfahrenheit, Verwickeltheit *Schwierigkeit, Ungenauigkeit
unklug: bedenkenlos, fahrlässig, gedankenlos, impulsiv, leichtfertig, leichtsinnig, pflichtvergessen, sorglos, sträflich, unbedacht, unbekümmert, unbesonnen, undiplomatisch, unüberlegt, unverantwortlich, unvernünftig, unvertretbar, unvorsichtig, verantwortungslos, wahllos, ziellos
Unklugheit: Unbedachtheit, Unbedachtsamkeit, Unbesonnenheit, Unüberlegtheit, Unvernunft, Unverstand
unkollegial: aufmüpfig, aufsässig, bockbeinig, bockig, dickköpfig, dickschädelig, eigensinnig, eisern, fest, finster, halsstarrig, hartgesotten, kompromisslos, kratzbürstig, rechthaberisch, starrköpfig, starrsinnig, steifnackig, störrisch, stur, trotzig, unaufgeschlossen, unbelehrbar, unbequem, unbotmäßig, unerbittlich, unfolgsam, ungehorsam, unkameradschaftlich, unnachgiebig, unversöhnlich, unzugänglich, verbohrt, verschlossen, verständnislos, verstockt, verwaschen, widerborstig, widersetzlich, widerspenstig, zugeknöpft, nicht einordnungsfähig, nicht einordnungswillig
unkompliziert: einfach, glatt, gradlinig, kunstlos, natürlich, primitiv, schlicht, schmucklos, ungegliedert, ungekünstelt *anspruchslos, bescheiden, elementar, frugal, genügsam, leicht, simpel *arglos, einfältig, harmlos, kindhaft, kritiklos, leichtgläubig, naiv, treuherzig, unbedarft, unkritisch, weltfremd *farblos, primitiv, unauffällig, unscheinbar *anspruchslos, bescheiden, gelassen, schlicht, zurückhaltend
unkontrolliert: aufsichtslos, frei, selbständig, unbeaufsichtigt, unbeobachtet, unbewacht, ohne Aufsicht
unkonventionell: außergewöhnlich, neu, neuartig, rar, selten, ungeläufig, ungewöhnlich, ungewohnt, nicht alltäglich, nicht üblich
unkonzentriert: abwesend, geistesabwe-

send, abgelenkt, achtlos, desinteressiert, unaufmerksam, unbeteiligt, verspielt, verträumt, zerfahren
unkorrekt: flüchtig, huschelig, liederlich, nachlässig, oberflächlich, schlampig, schludrig, ungenau, unordentlich *falsch, fehlerhaft, unrecht, unrichtig, unzutreffend
Unkosten: Aufwand, Aufwendung, Aufwendungen, Ausgaben, Auslagen, Belastungen, Etat, Kosten, Kostenaufwand, Spesen, Zahlungen
unkritisch: arglos, bequem, kritiklos, leichtgläubig, naiv, treuherzig, urteilslos
unkultiviert: derb, grobschlächtig, roh, unfein, ungehobelt, ungeschliffen, unhöflich, unmanierlich, unzivilisiert
unkundig: ahnungslos, niveaulos, unaufgeklärt, unbelesen, unerfahren, ungebildet, ungeschliffen, unwissend, unzivilisiert, nicht unterrichtet *jung, neu, unbewandert, unerfahren, unwissend
unlängst: jüngst, kürzlich, letztens, letzthin, neulich, vorhin, eben erst noch, vor einer Weile, vor kurzer Zeit
unlauter: betrügerisch, gaunerhaft, illoyal, unaufrichtig, unehrlich, unkorrekt, unredlich, unreell, unsolid, unzulässig
unlebendig: apathisch, denkfaul, desinteressiert, dickfellig, gefühllos, gleichgültig, inaktiv, interesselos, kühl, langweilig, lasch, leidenschaftslos, lethargisch, schwerfällig, stumpf, stumpfsinnig, teilnahmslos, träge, unaufgeschlossen, unbeteiligt, unbewegt, unempfindlich, ungerührt
unleidlich: abweisend, bärbeißig, brüsk, kühl, missmutig, unfreundlich, ungastlich, ungefällig, unliebenswürdig, unnahbar, unsympathisch, unzugänglich
unlenksam: bockig, dickköpfig, eigensinnig, eigenwillig, fest, halsstarrig, hartgesotten, kompromisslos, starrsinnig, störrisch, stur, trotzig, uneinsichtig, unerbittlich, ungehorsam, verbohrt, verschlossen, verständnislos, verstockt, widerborstig
unleserlich: unlesbar, nicht entzifferbar, nicht zu entziffern ***unleserlich schreiben:** schmieren
unleugbar: amtlich, authentisch, dokumentiert, echt, erwiesen, fehlerfrei, fundiert, fürwahr, gewiss, gut, hundertprozentig, offiziell, sicher, stichhaltig, tatsächlich, treffend, unanfechtbar, unangreifbar, unbestreitbar, unbestritten, unbezweifelbar, unstreitig, untrüglich, unwiderlegbar, unwiderleglich, unzweifelhaft, verbürgt, wahr, wahrlich, wahrhaftig, wirklich, zutreffend, zuverlässig, zweifelsfrei
unliebsam: unangenehm, unerquicklich, unerwünscht, ungut, unlieb, unwillkommen
Unlogik: Absurdität, Narretei, Paradoxie, Sinnlosigkeit, Unsinn, Widersinn
unlogisch: absurd, folgewidrig, gegensätzlich, konträr, paradox, sinnwidrig, widersinnig, widerspruchsvoll, nicht logisch
unlösbar: fest, nicht zu meistern, nicht zu lösen, nicht zu bewältigen, nicht zu enträtseln, zu schwer
Unlust: Abneigung, Abscheu, Ekelgefühl, Lustlosigkeit, Unwille, Widerwillen *Missmut, Missstimmung, Unmut, Unzufriedenheit, Verdruss
unlustig: bedrückt, bekümmert, betrübt, defätistisch, depressiv, desolat, elegisch, elend, freudlos, hypochondrisch, kummervoll, melancholisch, nihilistisch, pessimistisch, schwarzseherisch, schwermütig, todunglücklich, traurig, trist, trübe, trübselig, trübsinnig, unfroh, unglücklich, wehmütig *gramerfüllt, gramgebeugt, gramvoll, sorgenschwer, sorgenvoll, zentnerschwer *lustlos, missmutig
unmanierlich: dreist, frech, impertinent, keck, kess, naseweis, schamlos, unartig, ungeschliffen, ungesittet, ungezogen, unverfroren, unverschämt, vorlaut, vorwitzig
unmännlich: feminin, weibisch *empfindlich, empfindsam, feminin, mimosenhaft, verweichlicht, verzärtelt, wehleidig, weibisch, weich, weichlich, zimperlich *angstbebend, angsterfüllt, ängstlich, angstschlotternd, angstverzerrt, angstvoll, argwöhnisch, aufgeregt, bang, bänglich, befangen, beklommen, besorgt, betroffen, feigherzig, gehemmt, hasenherzig, kleinmütig, memmenhaft,

mutlos, scheu, schreckhaft, schüchtern, verängstigt, verschreckt, verschüchtert, zag, zaghaft, zähneklappernd
unmarkiert: unausgezeichnet, unbezeichnet
Unmaß: Anhäufung, Anzahl, Armee, Ballung, Batzen, Berg, Flut, Haufen, Heer, Legion, Masse, Mehrzahl, Menge, Reihe, Schar, Schwall, Schwarm, Schwung, Serie, Übermaß, Unmasse, Unmenge, Unzahl, Vielheit, Vielzahl, Wust, große Zahl, eine ganze Ladung
unmaßgeblich: akzidenziell, belanglos, einflusslos, farblos, gleichgültig, nichtig, nichts sagend, peripher, unerheblich, uninteressant, unscheinbar, unwesentlich, unwichtig, wertlos, wesenlos, nicht erwähnenswert
unmäßig: extrem, exzessiv, maßlos, schrankenlos, übersteigert, übertrieben, unersättlich, unkontrolliert, unstillbar, zügellos, zu stark, zu heftig
Unmäßigkeit: Appetit, Essgier, Esssucht, Fressgier, Fresssucht, Gefräßigkeit, Hunger, Unersättlichkeit, Verfressenheit
Unmenge: Masse, Mehrzahl, Menge, Schar, Unmasse, Unzahl, Vielheit, Vielzahl, Wust, große Zahl, eine ganze Ladung
Unmensch: Bestie, Bluthund, Gewaltmensch, Kannibale, Satan, Scheusal, Schurke, Teufel, Tier, Übeltäter, Ungeheuer, Unhold, Vandale, Verbrecher, Wandale
unmenschlich: abgestumpft, barbarisch, bestialisch, brutal, eisig, erbarmungslos, fest, gefühllos, gefühlsarm, gefühlskalt, gemütsarm, gleichgültig, gnadenlos, grausam, hart, hartherzig, herzlos, inhuman, kaltblütig, kannibalisch, kompromisslos, lieblos, mitleidlos, roh, schonungslos, seelenlos, streng, unbarmherzig, ungesittet, unnachgiebig, unnachsichtig, unsozial, unzugänglich, verroht *ungeheuer, sehr stark, sehr groß
Unmenschlichkeit: Bestialität, Brutalität, Inhumanität, Kannibalismus, Wandalismus
unmerkbar: leise, sacht, still, unhörbar, unmerklich, unsichtbar, unvernehmlich, nicht hörbar, nicht vernehmbar, nicht sehbar
unmerklich: leise, sacht, still, unhörbar, unmerkbar, unsichtbar, unvernehmlich, nicht hörbar, nicht vernehmbar, nicht sehbar *allmählich, langsam, schleichend
unmessbar: unberechenbar, unwägbar, unzählbar *reichlich, unbegrenzt, unermesslich, unerschöpflich, unversiegbar
unmethodisch: inkonsequent, planlos, ungezielt, unsystematisch, unüberlegt, nicht durchdacht, nicht folgerichtig
unmissverständlich: ausdrücklich, bestimmt, betont, eigens, eindeutig, eindringlich, entschlossen, gewichtig, kategorisch, nachdrücklich, ultimativ *anschaulich, bestimmt, bildhaft, deutlich, eindeutig, einfach, exakt, genau, greifbar, handfest, klar, offen, präzise, unverblümt, unzweideutig, fest umrissen, klipp und klar
Unmissverständlichkeit: Bestimmtheit, Deutlichkeit, Eindeutigkeit, Exaktheit, Genauigkeit, Klarheit, Präzision, Ungeschminktheit, Unverblümtheit
unmittelbar: direkt, durchgehend, genuin, geradewegs, geradlinig, natürlich, spontan, urtümlich *dichtauf, sofort, auf der Stelle, gleich (darauf), ganz nahe, nächst anschließend
unmöbliert: kahl, leer, nicht eingerichtet, ohne Möbel
unmodern: altmodisch, antiquiert, gestrig, konservativ, rückständig, ungebräuchlich, unzeitgemäß, veraltet, vorbei
unmöglich: ausgeschlossen, aussichtslos, hoffnungslos, impraktikabel, indiskutabel, keineswegs, unausführbar, undenkbar, undurchführbar, utopisch
Unmöglichkeit: Klemme, Klippe, Verlegenheit, Verstrickung *Unausführbarkeit, Unerreichbarkeit
Unmoral: Amoralität, Anstößigkeit, Lasterhaftigkeit, Schlechtigkeit, Schlüpfrigkeit, Sittenlosigkeit, Unkeuschheit, Unschamhaftigkeit, Unsittlichkeit, Unzucht, Zuchtlosigkeit
unmoralisch: anstößig, lasterhaft, liederlich, pikant, ruchlos, schlecht, schlüpfrig,

sittenlos, unanständig, ungebührlich, ungehörig, unkeusch, unschicklich, unsittlich, unsolide, unziemlich, unzüchtig, verdorben, verrucht, verworfen, wüst, zotig, zuchtlos, zweideutig

unmotiviert: beliebig, erfunden, gegenstandslos, grundlos, haltlos, hinfällig, nutzlos, unberechtigt, ungerechtfertigt, unwichtig, unwirklich, wesenlos, aus der Luft gegriffen, ohne Anlass, ohne Grund, ohne Motiv, ohne Erklärung, ohne Begründung

unmündig: halbwüchsig, minderjährig, unreif, noch nicht erwachsen, noch nicht mündig, unter 18 Jahren

unmusikalisch: amusisch, unkünstlerisch, unmusisch, unschöpferisch

Unmut: Ärger, Bitterkeit, Groll, Missbehagen, Missmut, Missstimmung, Spannung, Übellaunigkeit, Unwille, Verbitterung, Verdrossenheit, Verstimmtheit, schlechte Laune *Animosität, Feindschaft, Feindseligkeit, Gehässigkeit, Groll, Hass, Hassgefühl, Missgunst, Odium, Rachgier, Rachsucht, Unausstehlichkeit, Verbitterung

unmutig: ärgerlich, aufgebracht, bärbeißig, böse, brummig, empört, entrüstet, erbittert, erbost, erzürnt, fuchsteufelswild, gereizt, grantig, griesgrämig, grimmig, missgelaunt, misslaunig, missmutig, muffig, mürrisch, rabiat, übellaunig, unbefriedigt, unerfreulich, unleidlich, unvergnügt, unwillig, unwirsch, verdrießlich, verdrossen, wütend, wutentbrannt, wutschäumend, wutschnaubend, zornig, in schlechter Stimmung

unnachahmlich: abenteuerlich, ansehnlich, auffallend, auffällig, Aufsehen erregend, außergewöhnlich, außerordentlich, ausgefallen, beachtlich, bedeutend, bedeutsam, bedeutungsvoll, beeindruckend, beträchtlich, bewundernswert, bewundernswürdig, brillant, eindrucksvoll, einzigartig, eminent, enorm, entwaffnend, erstaunlich, erstklassig, fabelhaft, groß, großartig, hervorragend, imponierend, imposant, märchenhaft, nennenswert, ohnegleichen, sagenhaft, sensationell, sondergleichen, spektakulär, stattlich, überragend, überraschend, überwältigend, ungeläufig, ungewöhnlich, unvergleichlich, verblüffend, virtuos, vollkommen

unnachgiebig: aufmüpfig, aufsässig, bockbeinig, bockig, dickköpfig, dickschädelig, eigensinnig, eisern, erbittert, felsenfest, fest, finster, glashart, halsstarrig, hart, hartgesotten, hartnäckig, kompromisslos, kratzbürstig, rechthaberisch, standhaft, starr, starrköpfig, starrsinnig, steifnackig, störrisch, stur, trotzig, unaufgeschlossen, unbeirrt, unbelehrbar, unbequem, unbotmäßig, unerbittlich, unfolgsam, ungehorsam, unversöhnlich, unzugänglich, verbohrt, verschlossen, verständnislos, verstockt, widerborstig, widersetzlich, widerspenstig, zugeknöpft

unnachsichtig: bestimmt, energisch, entschieden, hart, massiv, rigoros, scharf, streng, strikt

Unnachsichtigkeit: Gnadenlosigkeit, Hartherzigkeit, Kompromisslosigkeit, Massivität, Rigorosität, Schonungslosigkeit, Strenge, Striktheit, Unerbittlichkeit, Ungerührtheit

unnahbar: abweisend, distanziert, herb, kühl, spröde, unzugänglich, verhalten, verschlossen, zugeknöpft, zurückhaltend

unnatürlich: aufgebauscht, blumenreich, geblümt, gekünstelt, gemacht, gequält, geschraubt, geschwollen, gespreizt, gestelzt, gesucht, geziert, gezwungen, phrasenhaft, unecht, widernatürlich *chemisch, imitiert, künstlich, nachgemacht, synthetisch, unecht

unnormal: anormal, abnormal, abartig, abnorm, abweichend, normwidrig, regelwidrig, verrückt, widernatürlich, nicht normal

unnötig: aussichtslos, entbehrlich, fruchtlos, müßig, nutzlos, sinnlos, überflüssig, umsonst, unbrauchbar, unwirksam, vergebens, zwecklos

unnütz: aussichtslos, entbehrlich, erfolglos, ergebnislos, fruchtlos, nutzlos, überflüssig, umsonst, unbrauchbar, ungeeignet, unnötig, unwirksam, verfehlt, wertlos, wirkungslos, zwecklos

unökonomisch: aufwändig, teuer, unwirtschaftlich

unordentlich: liederlich, lotterig, nach-

lässig, schlampig, schludrig, sorglos, unsorgfältig, unsorgsam *chaotisch, durcheinander, kunterbunt, ungeordnet, ungepflegt, wild, wuschelig, wüst
Unordentlichkeit: Haltlosigkeit, Nachlässigkeit, Oberflächlichkeit *Chaos, Durcheinander, Unordnung
Unordnung: Chaos, Durcheinander, Konfusion, Liederlichkeit, Nachlässigkeit, Regellosigkeit, Schlamperei, Wirrnis, Wirrwarr, Wust *Lotterei, Lotterwirtschaft, Misswirtschaft, Schlendrian *Gesetzlosigkeit
unparteiisch: gerecht, indifferent, neutral, nüchtern, objektiv, passiv, sachlich, unbefangen, unentschieden, unvoreingenommen, wertfrei, wertneutral, ohne Ansehen der Person
Unparteiischer: Referee, Schiedsrichter, Schiri *Preisrichter, Punktrichter *Zeitnehmer *Kampfrichter, Ringrichter
unpassend: deplatziert, geschmacklos, peinlich, unangebracht, unangemessen, ungebührlich, ungeeignet, ungehörig, unqualifiziert, unschicklich, verfehlt *inopportun, unangenehm, unerwünscht, ungelegen, unwillkommen, unzeitig, zur Unzeit
unpassierbar: dicht, pfadlos, unbefahrbar, unbegehbar, undurchdringlich, unerschlossen, ungangbar, unwegsam, unzugänglich, weglos, wild, zugewachsen
unpässlich: angegriffen, befallen (von), bettlägerig, dienstunfähig, elend, fiebrig, indisponiert, krank, kränkelnd, kränklich, leidend, unwohl, erkrankt (an), nicht gesund
Unpässlichkeit: Beschwerden, Erkrankung, Krankheit, Störung, Übel, Unwohlsein
unpersönlich: eisig, gefühlsarm, gefühlskalt, herzlos, nüchtern *äußerlich, formell, förmlich, konventionell, steif
unplanmäßig: ungeplant, ungezielt, unmethodisch, ohne Plan *verspätet, zu spät *verfrüht, zu früh
unpopulär: antipathisch, unausstehlich, unbeliebt, unerwünscht, unsympathisch, verhasst, nicht gern gesehen
unpraktisch: sperrig, umständlich, unbequem, ungeeignet, unhandlich, unzweckmäßig *linkisch, tollpatschig, umständlich, unbeholfen, ungelenk, ungeschickt, ungewandt
unpräzise: abstrus, missverständlich, unartikuliert, unbestimmt, undeutlich, ungenau, unklar, unsicher, unverständlich, vage, verworren, wirr, zusammenhanglos, nicht eindeutig, nicht verständlich, nicht deutlich, nicht zu definieren, schlecht zu verstehen
unproblematisch: leicht, kinderleicht, bequem, einfach, mühelos, unkompliziert, unschöpferisch, unschwer, ohne Schwierigkeit, ohne Mühe, ohne Anstrengung
unproduktiv: ergebnislos, fruchtlos, ineffektiv, nichts sagend, sinnlos, unfruchtbar, unschöpferisch, zwecklos, nicht profitbringend, ohne Einfälle
unpünktlich: säumig, saumselig, überfällig, verspätet, im Verzug, längst fällig, mit Verspätung, nicht fahrplanmäßig, zu spät
unqualifiziert: außerstande, inkompetent, unbegabt, untauglich, unvermögend *geschmacklos, peinlich, unangebracht, ungeeignet, ungehörig, unpassend, unwillkommen, verfehlt
unrasiert: bärtig, stachlig, stachelig, stopplig, stoppelig
Unrast: Anspannung, Aufgeregtheit, Beunruhigung, Erregtheit, Getriebensein, Nervosität, Rastlosigkeit, Ruhelosigkeit, Spannung, Ungeduld, Unruhe, innere Erregung
Unrat: Abfall, Kot, Müll, Schmutz
unratsam: abträglich, hinderlich, misslich, nachteilig, schädlich, schlecht, unerfreulich, ungeeignet, ungünstig, unvorteilhaft, unzuträglich, unzweckmäßig, verderblich, widrig
unrealisierbar: ausgeschlossen, hoffnungslos, impraktikabel, indiskutabel, unausführbar, undenkbar, undurchführbar, unerreichbar, unmöglich, utopisch, nicht durchführbar, nicht machbar
unrealistisch: versponnen, verträumt, weltfremd, wirklichkeitsfremd
unrecht: falsch, irrig, irrtümlich, regelwidrig, unbillig, ungerecht, unrichtig, unzutreffend, verfehlt, verkehrt, wi-

dersprüchlich *unrecht tun: s. etwas zuschulden kommen lassen, s. strafbar machen, s. vergehen, mit dem Gesetz in Konflikt kommen, seine Pflicht verletzen, widerrechtlich handeln
Unrecht: Ausschreitung, Entgleisung, Fehler, Pflichtverletzung, Straftat, Übertretung, Vergehen, Zuwiderhandlung *Dienstpflichtverletzung
unrechtmäßig: gesetzwidrig, illegal, illegitim, kriminell, rechtswidrig, strafbar, unerlaubt, ungesetzlich, unstatthaft, verboten, verfassungswidrig
Unrechtmäßigkeit: Gesetzwidrigkeit, Illegalität, Rechtsbeugung, Rechtsbruch, Rechtsverdrehung, Rechtsverletzung, Rechtswidrigkeit, Ungesetzlichkeit
unredlich: betrügerisch, doppelzüngig, falsch, frömmelnd, heuchlerisch, hinterhältig, katzenfreundlich, lügenhaft, lügnerisch, scheinfromm, scheinheilig, unaufrichtig, unehrlich, unlauter, unreell, unsolid, unwahrhaftig, verstellt
unregelmäßig: asymmetrisch, ungleich, ungleichmäßig, unsymmetrisch *gelegentlich, manchmal, (nur) selten, ab und zu
Unregelmäßigkeit: Bauernfang, Bauernfängerei, Betrug, Betrügerei, Gaunerei, Gaunerstreich, Hintergehung, Irreführung, Machenschaft, Manipulation, Mogelei, Nepp, Prellerei, Schiebung, Schummelei, Schummeln, Schwindel, Schwindelei, Täuschung, Unterschlagung
unreif: unausgegoren, unausgewogen, unentwickelt, unfertig, ungenügend *infantil, kindhaft, kindlich, schülerhaft, unerfahren, unfertig, unmündig, zurückgeblieben *grün, hart
Unreife: Unausgereiftsein, Unmündigkeit *Infantilismus, Kindlichkeit
unrein: dreckig, schmutzig, ungeputzt, unreinlich, unsauber *gemischt, vermischt *dissonant, falsch, misstönend, ungenau, unpräzise *nicht koscher
Unreinheit: Schmuddeligkeit, Schmutzigkeit, Ungepflegtheit, Unreinlichkeit, Unsauberkeit *Dreck, Schmutz, Unrat
unreligiös: atheistisch, freigeistig, glaubenslos, heidnisch, ungläubig
unrentabel: unrationell, unwirtschaftlich, nicht lohnend
unrettbar: aussichtslos, rettungslos, verloren, nicht mehr zu retten
unrichtig: falsch, irrig, irrtümlich, regelwidrig, unrecht, unzutreffend, verfehlt, verkehrt, widersprüchlich
unriskant: einfach, gefahrlos, harmlos, risikolos, sicher, ungefährlich
unritterlich: abweisend, barsch, brüsk, flegelhaft, grobschlächtig, lümmelhaft, rüpelig, ruppig, taktlos, unfreundlich, ungalant, ungehobelt, ungeschliffen, unhöflich, unkultiviert, unliebenswert, unverbindlich
unromantisch: klar, leidenschaftslos, nüchtern, prosaisch, rational, sachlich, unpersönlich
Unruhe: Aufgeregtheit, Beunruhigung, Getriebensein, Nervosität, Rastlosigkeit, Ruhelosigkeit, Spannung, Ungeduld, Unrast, Unstetigkeit, innere Erregung *Donnern, Gedröhn, Gekreische, Gepolter, Geschrei, Lärm, Skandal, Trubel, Tumult
Unruhen: Aufruhr, Aufstand, Durcheinander, Empörung, Krawall, Revolution, Tumult, Wirren
Unruhestifter: Hetzer, Krakeeler, Krawallmacher, Provokateur, Radaubruder, Radaumacher, Rowdy, Störenfried
unruhig: angespannt, aufgewühlt, bewegt, fahrig, fieberhaft, fiebrig, flackerig, flackernd, flatterig, friedlos, hastig, hektisch, kribbelig, nervös, quirlig, rastlos, ruhelos, überreizt, ungeduldig, unstet, wirbelig, wuselig *angsterfüllt, ängstlich, bedrückt, kummervoll, sorgenvoll, mit Sorgen erfüllt *brisant, gefährlich, gefahrvoll
unrühmlich: bescheiden, kärglich, knapp, mager, mangelhaft, schäbig, schmählich, spärlich, unbefriedigend, ungenügend, unzureichend
unsachgemäß: inadäquat, nicht sachgemäß, nicht entsprechend
unsachlich: abschweifend, sachfremd, nicht zur Sache gehörend *parteiisch, persönlich, subjektiv, voreingenommen
Unsachlichkeit: Befangenheit, Einseitigkeit, Subjektivität, Voreingenommenheit

unsagbar: arg, äußerst, ausnehmend, denkbar, höchst, recht, sehr, stark, unbeschreiblich, ungeheuer, ungemein, unsäglich, zutiefst
unsäglich: heftig, immens, sehr, stark *unglaublich, unsagbar
unsanft: hart, heftig, scharf, stark
unsauber: befleckt, dreckig, fettig, klebrig, ölig, schmierig, schmuddelig, schmutzig, speckig, trübe, ungewaschen, unrein, verschmutzt, verunreinigt, mit Flecken übersät *dissonant, falsch, misstönend, ungenau, unpräzise, unrein *unfair, unsportlich, unkameradschaftlich
Unsauberkeit: Schmuddeligkeit, Schmutz, Schmutzigkeit, Ungepflegtheit, Unreinheit, Unreinlichkeit, Verschmutztheit *Bolzerei, Foul, Holzerei, Regelwidrigkeit
unschädlich: gutartig, harmlos, heilbar, ungefährlich, unverfänglich, nicht ansteckend
Unschädlichkeit: Bekömmlichkeit, Harmlosigkeit, Ungefährlichkeit, Verträglichkeit, Zuträglichkeit
unscharf: undeutlich, unklar, verschwommen, verwackelt, verzittert
unschätzbar: edel, erlesen, exquisit, fein, hochwertig, kostbar, unersetzlich, wertvoll, von guter Qualität
unscheinbar: ausdruckslos, blass, einfach, farblos, grau, nichts sagend, schlicht, unauffällig
unschicklich: anstößig, lasterhaft, liederlich, pikant, ruchlos, schlecht, schlüpfrig, sittenlos, unanständig, ungebührlich, ungehörig, unkeusch, unmoralisch, unsittlich, unsolide, unziemlich, unzüchtig, verdorben, verrucht, verworfen, wüst, zotig, zuchtlos, zweideutig
unschlagbar: sicher, unbesiegbar, unbezwingbar, unbezwinglich, uneinnehmbar, unüberwindbar *überlegen, zu stark, zu mächtig
unschlüssig: entschlusslos, unentschieden, unentschlossen, vorsichtig, zaudernd, zögernd, zuwartend ***unschlüssig sein:** abwarten, zögern
Unschlüssigkeit: Flatterhaftigkeit, Gezauder, Unbeständigkeit, Unentschiedenheit, Unentschlossenheit, Unsicherheit, Unzuverlässigkeit, Wankelmut, Wankelmütigkeit, Zaghaftigkeit, schwankende Stimmung, schwankende Haltung, schwankende Gesinnung
unschön: unfair, unsportlich *abschreckend, abstoßend, ekelhaft, geschmacklos, hässlich, missgestaltet, scheußlich, unansehnlich
Unschuld: Jungfräulichkeit, Keuschheit, Reinheit, Unbeflecktheit, Unberührtheit, Virginität *Makellosigkeit, Schuldlosigkeit, Tadellosigkeit
unschuldig: ahnungslos, anständig, arglos, engelsgleich, jungfräulich, keusch, lauter, naiv, rein, unbefleckt, unberührt, unerfahren, unschuldsvoll, unverdorben, frei von Sünde, ohne Arg *einwandfrei, makellos, schuldlos, tadellos, unangreifbar, untadelig, unverschuldet, frei von Schuld, nicht schuldig, ohne eigenes Verschulden, von aller Schuld rein, von einer Schuld rein
Unschuldsengel: Lämmchen, frommes Lamm
Unschuldsmiene: Armesündermiene, Engelsmiene, Schauspielerei, Verstelltheit
unschuldsvoll: ahnungslos, anständig, arglos, engelsgleich, jungfräulich, keusch, lauter, naiv, rein, unbefleckt, unberührt, unerfahren, unschuldig, unverdorben, frei von Sünde, ohne Arg
unschwer: bequem, mühelos, spielend, unproblematisch, ohne Mühe
unselbständig: angestellt, im Angestelltenverhältnis *verbeamtet, im Beamtenverhältnis, im Staatsdienst *abhängig, angewiesen, anlehnungsbedürftig, gebunden, hilflos, hilfsbedürftig, unsicher, ohne Selbstvertrauen
Unselbständigkeit: Abhängigkeit, Hörigkeit, Unmündigkeit
unselig: traurig, trist, trostlos *entsetzlich, fürchterlich, katastrophal, verhängnisvoll
unsensibel: erbarmungslos, gefühlsarm, gefühlskalt, gleichgültig, mitleidlos *robust
unsentimental: empfindungslos, gefühllos, gefühlsarm, nüchtern, sachlich, trocken, ohne Gefühl

unseriös: dunkel, halbseiden, undurchsichtig, unreell, unsauber, nicht astrein
unsicher: bedroht, gefährdet, gefährlich, riskant *angreifbar, fraglich, offen, problematisch, umstritten, unbestätigt, unbestimmt, unentschieden, ungeklärt, ungesichert, ungewiss, unverbürgt, zweifelhaft, nicht erwiesen, nicht fundiert, nicht geklärt, nicht sicher, nicht festgelegt, noch nicht entschieden *schwach, schwankend, wackelig, wankend *ängstlich, befangen, blockiert, gehemmt, gezwungen, scheu, schüchtern, steif, verklemmt, verkrampft, ohne Selbstsicherheit, ohne Selbstbewusstsein *ausgeliefert, ausgesetzt, preisgegeben, schutzlos, unbehütet, unbeschirmt, ungeborgen, ungeschützt, wehrlos
Unsicherheit: Angst, Beklommenheit, Furcht, Scheu *Bedrohung, Gefahr, Gefährdung, Gefährlichkeit *Schutzlosigkeit, Ungeborgenheit, Ungeborgensein, Ungeschütztheit, Ungesichertheit *Fraglichkeit, Unbestimmtheit, Unentschiedenheit, Ungewissheit, Zweifelhaftigkeit *Gehemmtheit, Verlegenheit
unsichtbar: verborgen, verdeckt, versteckt, dem Auge entzogen
unsigniert: nicht unterschrieben, nicht abgezeichnet, nicht quittiert, ohne Unterschrift
Unsinn: Aberwitz, Blödsinn, Idiotie, Irrsinn, Mist, Nonsens, Quatsch, Schmarren, Stuss, Torheit, Trödel, Unding, Unfug, Wahnwitz *Albernheit, Dummheiten, Faxen, Fez, Kindereien, Mätzchen, Narrheiten, Possen, Späße, Torheiten, törichte Einfälle, dummes Zeug
unsinnig: absurd, lächerlich, paradox, sinnlos, töricht, unlogisch, unverständlich, widersinnig *gewaltig, hoch, immens, sehr, übergroß
Unsinnigkeit: Absurdität, Blödheit, Blödsinnigkeit, Irrsinn, Irrwitz, Lächerlichkeit, Narrheit, Sinnlosigkeit, Torheit, Unsinn, Unvernunft, Wahnsinn, Wahnwitz, Widersinn, Widersinnigkeit
unsinnlich: geistig, nichtsinnlich, platonisch, unkörperlich
Unsitte: Laster, Schwäche, Untugend
unsittlich: amoralisch, anstößig, lasterhaft, liederlich, pikant, ruchlos, schlecht, schlüpfrig, sittenlos, unanständig, ungebührlich, ungehörig, unkeusch, unmoralisch, unschicklich, unsolide, unziemlich, unzüchtig, verdorben, verrucht, verworfen, wüst, zotig, zuchtlos, zweideutig
Unsittlichkeit: Amoralität, Anstößigkeit, Immoralität, Lasterhaftigkeit, Schlechtigkeit, Schlüpfrigkeit, Sittenlosigkeit, Unkeuschheit, Unmoral, Unschamhaftigkeit, Unzucht, Zuchtlosigkeit
unsolidarisch: unfair, unkameradschaftlich, unkollegial, unkooperativ, unzuverlässig
unsolide: ausschweifend, flatterhaft, flott, lebenslustig, leicht, leichtlebig, locker, lose *sittenlos, unanständig, unmoralisch, unsittlich, unziemlich, unzüchtig, verdorben, zuchtlos
unsozial: asozial, gemeinschaftsfeindlich, gemeinschaftsschädlich, gesellschaftsschädigend, unmenschlich *brutal, roh, verroht
unsportlich: foul, unfair, unkameradschaftlich *eckig, eingerostet, hölzern, plump, schwerfällig, steif, tollpatschig, träge, unbeweglich, ungelenk, ohne Bewegung, wie ein Stück Holz
Unsportlichkeit: Foul, Unkameradschaftlichkeit *Plumpheit, Schwerfälligkeit, Steifheit, Tollpatschigkeit, Trägheit, Unbeweglichkeit, Ungelenkigkeit
unstatthaft: gesetzwidrig, illegal, illegitim, irregulär, kriminell, ordnungswidrig, rechtswidrig, schwarz, strafbar, sträflich, tabu, unbefugt, unerlaubt, ungesetzlich, unrechtlich, unrechtmäßig, untersagt, unzulässig, verboten, verfassungswidrig, verpönt, widerrechtlich, ohne Recht, ohne gesetzliche Grundlage
unsterblich: bleibend, dauernd, ewig, fortwirkend, immer während, unauslöschlich, unvergänglich *sehr, überaus
Unsterblichkeit: Ewigkeit, ewiges Leben
Unstern: Bürde, Drama, Geisel, Heimsuchung, Katastrophe, Last, Missgeschick, Not, Notlage, Plage, Prüfung, Schicksalsschlag, Schreckensnachricht, Tragödie, Trauerspiel, Unglück, Unglücksfall, Unheil, Verderben, Verhängnis
unstet: fahrig, flatterhaft, flatterig, lau-

nenhaft, schwankend, sprunghaft, unbeständig, unruhig, wechselhaft, wetterwendisch
Unstetigkeit: Aufgeregtheit, Beunruhigung, Getriebensein, Nervosität, Rastlosigkeit, Ruhelosigkeit, Spannung, Ungeduld, Unrast, Unruhe, innere Erregung
unstillbar: gewaltig, immens, maßlos, stark, unbezähmbar, unersättlich, sehr groß
unstimmig: antagonistisch, diametral, disparat, divergent, dualistisch, entgegengesetzt, entgegenstellend, extrem, gegensätzlich, gegenteilig, inkompatibel, kontradiktorisch, konträr, oppositionell, polar, umgekehrt, unverträglich, widersinnig, widersprüchlich, widerspruchsvoll, nicht vereinbar, nicht übereinstimmend
Unstimmigkeit: Auseinandersetzung, Kontroverse, Streitigkeit *Fehler, Fehlgriff, Fehlleistung, Fehlschluss, Inkorrektheit, Irrtum, Lapsus, Missgriff, Unrichtigkeit, Verrechnung, Versehen, Widerspruch, Wortwechsel, Zwietracht
unstrittig: bestimmt, bewiesen, eindeutig, gewiss, klar, sicher, unbestritten, unstreitig
unstrukturiert: amorph, formlos, gestaltlos, unförmig, ungegliedert, ungestaltet
Unsumme: Batzen, Haufen, Menge, Unmenge, viel Geld, hoher Betrag
unsymmetrisch: asymmetrisch, ungleichmäßig, unregelmäßig
unsympathisch: abstoßend, intolerabel, unausstehlich, unbeliebt, unerträglich, unerwünscht, ungenießbar, unleidlich, unlieb, unliebsam, widerwärtig, zuwider, ein Dorn im Auge
unsystematisch: planlos, überstürzt, undurchdacht, unmethodisch, unüberlegt, ohne Sinn, ohne Plan, ohne System
untadelig: einwandfrei, fehlerfrei, fehlerlos, genau, ideal, komplett, korrekt, lupenrein, makellos, meisterhaft, mustergültig, perfekt, recht, richtig, tadellos, vollendet, vollkommen, vorbildlich, vorzüglich, zutreffend, in Ordnung, ohne Makel, ohne Fehl, ohne Fehler
Untadeligkeit: Fehlerlosigkeit, Makellosigkeit, Mustergültigkeit, Untadelhaftigkeit, Vollendetheit, Vollkommenheit
untalentiert: minderbegabt, schwach, talentlos, unbegabt, unfähig, ungeschickt
Untat: Bluttat, Delikt, Gewalttat, Gewaltverbrechen, Gräueltat, Kapitalverbrechen, Missetat, Schandtat, Straftat, Übeltat, Übertretung, Verbrechen, Vergehen
untätig: arbeitsscheu, bequem, faul, inaktiv, müßig, passiv, phlegmatisch, tatenlos, träge, unbeschäftigt, mit verschränkten Armen ***untätig sein:** faulenzen, herumstehen, die Hände in der Tasche haben
Untätigkeit: Arbeitsscheu, Bequemlichkeit, Faulheit, Inaktivität, Müßiggang, Passivität, Tatenlosigkeit, Trägheit
untauglich: impotent, inkompetent, unfähig, unvermögend, nicht in der Lage *unbrauchbar, ungeeignet, unpraktisch, nichts wert, zu nichts zu gebrauchen *arbeitsunfähig, dienstunfähig, dienstuntauglich, invalid, krank, unbrauchbar, nicht verwendungsfähig, nicht arbeitsfähig, nicht dienstfähig
Untauglichkeit: Einfallslosigkeit, Inkompetenz, Insuffizienz, Kraftlosigkeit, Machtlosigkeit, Ohnmacht, Phantasielosigkeit, Schwäche, Unbrauchbarkeit, Unfähigkeit, Ungenügen, Untüchtigkeit, Unvermögen, Unzulänglichkeit, Versagen, Willensschwäche
unteilbar: einheitlich, untrennbar, unzerlegbar
Unteilbarkeit: Einheit, Einheitlichkeit, Einigkeit, Geschlossenheit, Unität, Verbundenheit, Zusammengehörigkeit
unten: darunter, drunten, unterhalb, unterwärts, in der Tiefe, tief gelegen
untendenziös: objektiv, unbeeinflusst, unparteiisch
unter: abwärts, darunter, tiefer, unterhalb, weiter unten *mittels, vermittels, dank, durch, mit Hilfe (von), per *dazwischen, inmitten, innerhalb, zwischen, zwischendurch, zwischenhinein
Unter: Bube
Unterbau: Fundament, Fuß, Grundfeste, Grundlage, Grundmauer, Grundstein, Postament, Sockel, Unterteil

unterbeladen: untergewichtig, fast leer, ganz leer, zu leicht
unterbelichtet: beschränkt, doof, dumm, dümmlich, schwach *zu dunkel, zu schwach belichtet
unterbewerten: bagatellisieren, gering schätzen, herabsetzen, verharmlosen, gering machen *verkennen, falsch auffassen, falsch beurteilen, falsch verstehen, falsch interpretieren
unterbewusst: unbewusst, unterschwellig, im Unterbewusstsein, ohne Bewusstheit
unterbieten: billiger verkaufen, billiger abgeben, den Preis herunterdrücken
unterbinden: abstellen, abwehren, abwenden, ausschalten, boykottieren, hintertreiben, lahm legen, sperren, vereiteln, verhindern, verhüten, verwehren, ein Ende machen, Einhalt gebieten, hindern (an), einen Riegel vorschieben
unterbleiben: aufhören, entfallen, fortfallen, wegfallen, ein Ende nehmen
unterbrechen: abbrechen, aufhören, einstellen, einhalten, halten, innehalten, pausieren, eine Pause machen, eine Pause einlegen, Station machen *dazwischenreden, dazwischenrufen, s. einmischen, stören, ins Wort fallen, in die Rede fallen, das Wort abschneiden, nicht ausreden lassen, über den Mund fahren *s. ausruhen, entspannen, halten, Halt machen, innehalten, lagern, rasten, ruhen, verschnaufen, verweilen, eine Ruhepause einlegen, eine Ruhepause machen, eine Ruhepause einschieben, Rast machen *abbrechen, einhalten, parken, stoppen, den Motor abschalten, den Motor abstellen
Unterbrechung: Aufenthalt, Halt, Interruption, Pause, Rast, Stockung, Stopp, Störung
unterbreiten: auflegen, einbringen, einreichen, offerieren, präsentieren, übergeben, überreichen, vorlegen, unterschreiben lassen, zur Einsichtnahme hinlegen, zur Einsichtnahme geben
unterbringen: anbringen *verheiraten *beherbergen
Unterbringung: Absteige, Asyl, Behausung, Bleibe, Herberge, Logis, Obdach, Penne, Quartier, Schlafstelle, Unterkunft, Unterschlupf
unterbrochen: abgehackt, diskontinuierlich, stückweise, mit Unterbrechungen
unterbuttern: begaunern, bemogeln, benachteiligen, beschwindeln, betrügen, hineinlegen, prellen, schädigen, übervorteilen, übers Ohr hauen
unterdessen: dabei, dazwischen, derweil, einstweilen, indem, indessen, inzwischen, mittlerweile, solange, unterdes, währenddem, währenddessen, zwischenher, in der Zwischenzeit
unterdrücken: bedrängen, bedrücken, drangsalieren, ducken, knebeln, knechten, niederhalten, terrorisieren, tyrannisieren, unterjochen, versklaven, ins Joch spannen, in Schach halten *abtöten, abwürgen, auslöschen, besiegen, bezwingen *betäuben, bezwingen, dämpfen, erdrosseln, ersticken, hindern, hinunterschlucken, hinunterwürgen, niederhalten, unterlassen, verbergen, verdrängen, zurückdrängen, zurückhalten, s. zusammennehmen, nicht zeigen, nicht aufkommen lassen, im Keim ersticken *beenden, niederschlagen, unterbinden, vereiteln, im Keim ersticken
Unterdrücker: Despot, Diktator, Gewaltherrscher, Peiniger, Schinder, Tyrann
unterdrückt: abhängig, gebunden, geknebelt, geknechtet, rechtlos, unfrei, unselbständig, unterjocht, untertan, versklavt, unter der Knute
Unterdrückung: Bedrückung, Bürde, Drangsalierung, Einschränkung, Fessel, Freiheitsberaubung, Joch, Knechtschaft, Knechtung, Kreuz, Repression, Sklaverei, Terror, Unfreiheit, Unterjochung, Versklavung, Zwang
untereinander: eines unter das andere *gemeinsam, gemeinschaftlich, geschlossen, miteinander, vereint, Hand in Hand
unterentwickelt: infantil, kindisch, kindlich, unreif, zurückgeblieben *rückständig, zurückgeblieben
unterernährt: abgezehrt, ausgehungert, eingefallen, elend, knochig, untergewichtig, unterversorgt
Unterfangen: Abenteuer, Experiment, Risiko, Wagnis

unterfangen (s.): s. trauen, s. getrauen, s. erdreisten, s. erkühnen, riskieren, s. überwinden, s. unterstehen, wagen
unterfassen: s. einhaken, s. einhängen, s. einhenkeln, unterhaken, unter den Arm nehmen, unter den Arm fassen, jmds. Arm nehmen
unterfertigen: abzeichnen, gegenzeichnen, paraphieren, quittieren, ratifizieren, signieren, unterschreiben, unterzeichnen, seine Unterschrift geben, seinen Namen setzen (unter)
Unterführung: Subway, Tunnel, unterirdischer Weg, unterirdischer Gang
Untergang: Abstieg, Rückwärtsentwicklung, Verfall, Verschlechterung, Zerfall, Zerrüttung, Zusammenbruch *Abgrund, Ende, Katastrophe, Ruin, Sturz, Unglück, Verderb, Verderben
untergeben: niedriger, unterstellt, tiefer gestellt ***untergeben sein:** unterstehen
Untergebener: Angestellter, Arbeitnehmer, niederer Beamter
untergehen: absterben, s. auflösen, auseinander brechen, auseinander fallen, aussterben, dahinschwinden, verfallen, verkommen, verloren gehen, verrotten, zerfallen, zusammenbrechen, zugrunde gehen *keine Wirkung tun, keinen Erfolg haben, nicht zur Geltung kommen, nicht gehört werden, übertönt werden *sinken, absinken, absacken, versacken, versinken, wegsacken *ersaufen, ertrinken, auf See bleiben, in den Fluten umkommen *kentern, umschlagen *entschwinden, niedergehen, niedersinken, untersinken, verschwinden
untergeordnet: ephemer, nebensächlich, sekundär, an zweiter Stelle *akzidenziell, belanglos, einflusslos, farblos, gleichgültig, nichtig, nichts sagend, peripher, unerheblich, uninteressant, unscheinbar, unwesentlich, unwichtig, wertlos, wesenlos, nicht erwähnenswert *belanglos, einfallslos, klein, unscheinbar *unterstehen, unterstellt
untergliedern: auffächern, aufgliedern, aufteilen, differenzieren, eingliedern, eingruppieren, einordnen, einstufen, einteilen, fächern, gliedern, klassifizieren, ordnen, paragrafieren, periodisieren, rubrizieren, segmentieren, staffeln, strukturieren, systematisieren, teilen, unterteilen, zerlegen
untergraben: beeinträchtigen, durchlöchern, erschüttern, ruinieren, schmälern, schwächen, ins Wanken bringen *aufweichen, demoralisieren, hintertreiben, unterminieren, vereiteln, zerrütten, zersetzen, zu Fall bringen *aushöhlen, unterhöhlen, unterwühlen
Untergrenze: Mindestmaß, Mindestwert, Mindestzahl, Minimum, das Kleinste, das Wenigste, das Mindeste
Untergrund: Anonymität, Illegalität *Basis, Fundament, Grundlage, Sockel, Unterbau, Unterlage
Untergrundkämpfer: Aufständischer, Freiheitskämpfer, Freischärler, Guerilla, Heckenschütze, Partisan, Rebell, Widerstandskämpfer *Aktivist, Anarchist, Aufrührer, Extremist, Guerilla, Linksradikaler, Radikalist, Rechtsradikaler, Revoluzzer, Stadtguerilla, Terrorist
unterhaken: s. einhaken, s. einhängen, s. einhenkeln, unterfassen, unter den Arm nehmen, unter den Arm fassen, jmds. Arm nehmen
unterhalb: darunter, drunten, unten, unterwärts, in der Tiefe, am Fuß (des), am Fuß (von)
Unterhalt: Alimente, Erhaltung, Ernährung, Existenz, Haushaltungskosten, Lebenshaltung, Lebenshaltungskosten, Lebensunterhalt, Unterhaltungskosten, Versorgung, das tägliche Brot *Sozialhilfe
unterhalten: s. abgeben (mit), s. beschäftigen, betreiben, führen, haben, leiten *erhalten, ernähren, pflegen, sorgen (für) *s. freuen, s. erfreuen, anregen, aufheitern, aufmuntern, belustigen, ergötzen, erheitern, genießen, vergnügen, zerstreuen ***s. unterhalten:** debattieren, diskutieren, kommunizieren, palavern, plaudern, plauschen, reden (mit), schnacken, schwatzen, sprechen (mit), Gedanken austauschen, ein Gespräch führen, eine Unterhaltung führen, Worte wechseln, Konversation machen *s. amüsieren, s. vergnügen *politisieren, reden
Unterhalter: Alleinunterhalter, Betriebs-

nudel, Conférencier, Entertainer, Stimmungskanone
unterhaltsam: amüsant, anregend, ansprechend, aufschlussreich, beflügelnd, geistreich, interessant, lehrreich, packend, unterhaltend *abwechslungsreich, angenehm, belebend, ergötzend, ergötzlich, erheiternd, gesellig, interessant, kurzweilig, launig, spaßig, vergnüglich
Unterhaltsbeitrag: Alimente, Unterhaltsgeld, Unterhaltszahlung
Unterhaltung: Ablenkung, Belustigung, Gaudium, Kurzweil, Vergnügen, Zeitvertreib, Zerstreuung *Gerede, Gespräch, Plauderei *Erhaltung, Instandsetzung, Verpflegung, Versorgung, Wartung
Unterhaltungsmusik: Kaffeehausmusik, U-Musik, leichte Musik
Unterhaltungsorchester: Band, Kapelle, Orchester
unterhandeln: s. absprechen, s. an einen Tisch setzen, s. beraten, beratschlagen, s. bereden, s. besprechen, konferieren, tagen, s. unterreden, verhandeln, Rat halten, Verhandlungen führen
Unterhändler: Abgeordneter, Abgesandter, Beauftragter, Bevollmächtigter, Bote, Delegat, Delegierter, Emissär, Kurier, Ordonnanz, Parlamentär, Sendbote, Verkünder, Vermittler
Unterhaus: Parlament, Volksvertretung, House of Commons
unterhöhlen: aushöhlen, untergraben, unterwühlen
Unterholz: Buschwerk, Niederholz
Unterhose: Höschen, Schlüpfer, Slip
unterirdisch: unter der Erde, unter der Oberfläche
unterjochen: bedrängen, bedrücken, drangsalieren, ducken, knebeln, knechten, niederhalten, terrorisieren, tyrannisieren, unterdrücken, versklaven, ins Joch spannen, in Schach halten
unterjubeln: abschieben (auf), abwälzen (auf), andrehen, aufbürden, auferlegen, aufladen
Unterkleid: Halbrock, Petticoat, Unterrock
unterkommen: ankommen, eine Anstellung finden, eine Stellung bekommen, eine Stellung finden *unterkriechen, unterschlüpfen, eine Herberge finden, Unterschlupf finden, Obdach finden, Unterkunft finden
unterkriegen: aufreiben, besiegen, bezwingen, niederringen, obsiegen, ruinieren, schlagen, überwältigen, überwinden, unterjochen, unterwerfen, vernichten, kampfunfähig machen, den Sieg abgewinnen
unterkühlt: kalt, bitterkalt, frisch, frostig, kühl, winterlich *distanziert, herb, spröde, unfreundlich, unnahbar
Unterkunft: Absteige, Asyl, Behausung, Bleibe, Herberge, Logis, Obdach, Penne, Quartier, Schlafstelle, Unterbringung, Unterschlupf, Unterstand *Aufenthalt, Aufenthaltsort, Domizil, Heimat, Heimatort, Ort, Ortschaft, Sitz, Stadt, Standort, Standquartier, Wohnsitz, Wohnstatt, Wohnung
Unterlage: Ausgangspunkt, Basis, Bedingung, Bestand, Fundament, Fundgrube, Fundus, Grundlage, Grundstock, Mittel, Original, Plattform, Quelle, Substrat, Unterbau, Ursprung, Voraussetzung, Vorlage, Vorstufe *Akte, Aktenstück, Dokument, Papier, Schreiben, Schriftstück, Skript, Urkunde
Unterland: Ausdehnung, Ebene, Fläche, Flachland, Niederung, Plateau, Platte, Tafel, Tafelland, Tiefebene, Tiefland, das flache Land
unterlassen: ablehnen, absehen (von), Abstand nehmen (von), abstehen (von), bleiben lassen, s. enthalten, s. ersparen, s. verbeißen, s. verkneifen, vermeiden, verzichten, beiseite lassen, nicht tun
Unterlassung: Ablehnung, Absage, Ausfall, Saumseligkeit, Versehen, Zuwiderhandlung
unterlaufen: s. einschleichen *begegnen, passieren, widerfahren, zustoßen, zuteil werden
unterlegen: unterschieben, unterstellen, darunter legen, mit einer Unterlage versehen *schwächer, unbegabter, unebenbürtig, ungeschickter *besiegt ***unterlegen sein:** s. nicht messen können (mit), nicht heranreichen (an), nicht ebenbürtig sein, nicht gleichwertig sein, jmdm. nicht das Wasser reichen können

Unterlegenheit: Mangel, Manko, Nichtvermögen, Schwäche
Unterleib: Abdomen, Bauch, Leib, Ranzen
unterliegen: abhängig sein, ausgesetzt sein, preisgegeben sein, unterworfen sein *verspielen, bezwungen werden, besiegt werden, den Kürzeren ziehen, den Vergleich nicht bestehen, nicht ankommen (gegen), schwächer sein, weichen müssen
untermalen: abrunden, begleiten, umrahmen
untermauern: begründen, belegen, beweisen, erhärten, fundieren, stützen
untermengen: anrühren, durcheinander wirken, durchmengen, durchmischen, manschen, mengen, mischen, mixen, unterarbeiten, vermengen, vermischen, verrühren, verschneiden, versetzen (mit), zusammenbrauen, zusammenschütten
Untermieter: möblierte Dame *möblierter Herr
unterminieren: aufweichen, demoralisieren, hintertreiben, untergraben, vereiteln, zerrütten, zersetzen, zu Fall bringen
unternehmen: anstellen, arbeiten, basteln, s. befassen, beginnen, s. beschäftigen, s. betätigen, betreiben, machen, s. regen, s. rühren, schaffen, treiben, tüfteln, tun, verrichten, vollführen, werken, s. widmen, wirken, tätig sein
Unternehmen: Betrieb, Firma, Geschäft, Gesellschaft, Konzern, Unternehmung
unternehmend: aktiv, engagiert, handelnd, lebendig, regsam, rührig, tätig, tatkräftig, unternehmungslustig
Unternehmer: Arbeitgeber, Erzeuger, Fabrikant, Fabrikbesitzer, Geschäftsmann, Hersteller, Ich-AG, Industrieller, Produzent
unternehmerisch: kaufmännisch, risikobereit *energiegeladen, tatendurstig
Unternehmungsgeist: Entschlusskraft, Fleiß, Initiative *Abenteuerlust, Tatendrang, Tatendurst, Tatenlust, Unternehmungslust
unternehmungslustig: abenteuerlustig, forsch, kühn, reiselustig, tatendurstig, tatkräftig, unternehmend, unternehmerisch, wagemutig
Unternehmungslust: Engagement, Entschlusskraft, Fleiß, Initiative, Tatkraft *Abenteuerlust, Tatendrang, Tatendurst, Tatenlust, Unternehmungsgeist
unterordnen: subsumieren, unterstellen, unterwerfen *hintanstellen, zurückstellen ***s. unterordnen:** anpassen, s. beugen, s. fügen, gehorchen, nachgeben, s. richten (nach) *kriechen
Unterordnung: Folgsamkeit, Fügsamkeit, Gefügigkeit, Gehorsam, Gehorsamkeit, Gutwilligkeit, Kadavergehorsam, Subordination, Willfährigkeit, Wohlerzogenheit
Unterpfand: Bürgschaft, Garantie, Gewähr, Gewährleistung
unterreden: s. beraten, beratschlagen, s. bereden, s. besprechen, konferieren, tagen, Rat halten
Unterredung: Aussprache, Dialog, Gespräch, Konversation, Plauderei, Rücksprache, Unterhaltung, Zwiegespräch
Unterricht: Instruktion, Kurs, Kursus, Kursunterricht, Lehrgang, Lektion, Nachhilfestunde, Schule, Schulung, Seminar, Übung, Unterrichtsstunde, Unterweisung, Vorlesung *Anleitung, Ausbildung, Lehre *Fernstudium, Selbststudium
unterrichten: anleiten, ausbilden, beibringen, belehren, dozieren, instruieren, lehren, mitteilen, unterweisen, vertraut machen (mit), zeigen, Kenntnisse vermitteln, Schule halten, Stunden geben, Unterricht erteilen, Unterricht geben, Vorlesungen halten *informieren, instruieren, orientieren, Aufschluss geben, eine Information geben, eine Information erteilen ***s. unterrichten:** auskundschaften, s. Einblick verschaffen, Informationen einholen, s. informieren, s. Kenntnis verschaffen, s. Klarheit verschaffen, s. umhören
Unterrichtsfach: Fach, Fachgebiet, Sachgebiet, Wissensgebiet
Unterrichtskunde: Didaktik, Unterrichtslehre
Unterrichtsstunde: Lektion, Stunde
Unterrichtung: Angabe, Ankündigung, Auskunft, Benachrichtigung, Bericht, Berichterstattung, Bescheid, Eröffnung,

Information, Meldung, Mitteilung, Nachricht, Übermittlung, Verbalnote
Unterrock: Halbrock, Petticoat, Unterkleid
untersagen: verbieten, s. verbitten, versagen, verwehren, verweigern, einen Riegel vorschieben, Einhalt gebieten, nicht erlauben, nicht zulassen, nicht gewähren, nicht genehmigen, nicht gestatten, nicht billigen
untersagt: gesetzwidrig, illegal, illegitim, irregulär, kriminell, ordnungswidrig, rechtswidrig, strafbar, sträflich, tabu, unbefugt, unerlaubt, ungesetzlich, unrechtlich, unrechtmäßig, unstatthaft, unzulässig, verboten, verfassungswidrig, verpönt, widerrechtlich, ohne Recht, ohne gesetzliche Grundlage
Untersagung: Interdikt, Machtspruch, Machtwort, Nein, Prohibition, Sperre, Tabu, Verbot, Veto
Untersatz: Deckchen, Set, Untersetzer
unterschätzen: herabsetzen, unterbewerten, verharmlosen, verkennen, nicht auf die leichte Schulter nehmen, nicht ernst nehmen, nicht für voll ansehen, nicht für voll nehmen
unterscheiden: abheben, auseinander halten, differenzieren, sondern, trennen, eine Einteilung machen, einen Unterschied machen, gegeneinander abgrenzen *s. **unterscheiden:** abweichen, kontrastieren, anders sein, nicht passen, nicht zusammenpassen, voneinander abweichen
unterscheidend: auszeichnend, distinktiv
unterschieben: gegenarbeiten, unterstellen
Unterschied: Abstand, Abweichung, Differenz, Diskrepanz, Divergenz, Gefälle, Gegensatz, Kluft, Kontrast, Missverhältnis, Unähnlichkeit, Ungleichheit, Unstimmigkeit, Verschiedenheit *Andersartigkeit, Anderssein, andere Art, andere Wesensart
unterschiedlich: abweichend, anders, andersartig, different, grundverschieden, heterogen, ungleich, unvereinbar, verschieden, verschiedenartig, wesensfremd, zweierlei
unterschiedslos: einheitlich, genauso, gleich, gleichmäßig, identisch, kongruent, übereinstimmend, ohne Unterschied
unterschlagen: hinterziehen, veruntreuen, nicht zahlen, in die eigene Tasche stecken *geheim halten, totschweigen, verbergen, verhehlen, verheimlichen, verschweigen, vertuschen, vorenthalten, (mit Schweigen) zudecken, bewusst nicht erzählen, für sich behalten, in sich bewahren, in sich verschließen
Unterschlagung: Hinterziehung, Veruntreuung *Unterschleif
Unterschleif: Hinterziehung, Unterschlagung, Veruntreuung
unterschleifen: abschreiben *benachteiligen, täuschen
Unterschlupf: Asyl, Versteck, Zuflucht, Zufluchtsort, Zufluchtsstätte
unterschlüpfen: unterkommen, unterkriechen, Herberge finden, Unterschlupf finden, Obdach finden, Unterkunft finden
unterschreiben: abzeichnen, gegenzeichnen, paraphieren, quittieren, ratifizieren, signieren, unterfertigen, unterzeichnen, seine Unterschrift geben, seinen Namen setzen (unter) *attestieren, beglaubigen, bekräftigen, bekunden, bescheinigen, bestätigen, beweisen, bezeugen, quittieren, sanktionieren, versichern, zugeben, für richtig erklären, für zutreffend erklären, schriftlich geben
unterschrieben: abgezeichnet, signiert *abgemacht, abgeschlossen, fest, festgelegt, sicher, vereinbart
Unterschrift: Autogramm, Handzeichen, Namenszeichen, Namenszug, Signatur, Signum
unterschwellig: unbewusst, im Unterbewusstsein, nicht bewusst, ohne Bewusstsein *latent, schlummernd, unbemerkt, unerkannt, unmerklich, verborgen, verdeckt, verhüllt, verkappt, verschleiert, versteckt, dem Auge entzogen, nicht offenkundig, unter der Oberfläche
Unterseeboot: Tauchboot, U-Boot
untersetzt: bullig, gedrungen, kompakt, massiv, pyknisch, stämmig
untersinken: absacken, absinken, hin-

absinken, hinuntersinken, niedergehen, niedersinken, sinken, untergehen, versacken, versinken, wegsacken, in den Wellen verschwinden, in den Fluten verschwinden
Unterstand: Atombunker, Bunker, Luftschutzbunker, Luftschutzkeller, Luftschutzraum, Schutzraum *Absteige, Asyl, Behausung, Bleibe, Herberge, Logis, Obdach, Penne, Quartier, Schlafstelle, Unterbringung, Unterkunft, Unterschlupf
unterstehen: unterstellt sein, untergeben sein, untergeordnet sein ***s. unterstehen:** s. die Freiheit herausnehmen, s. erdreisten, s. erfrechen, s. kühnen, s. vermessen
unterstellen: abstellen, parken, schützen, sichern, unterbringen *annehmen, behaupten, meinen, voraussetzen, zugrunde legen *anklagen, anschuldigen, anschwärzen, anzeigen, belasten, beschuldigen, bezichtigen, unterschieben, verdächtigen, zur Last legen, jmdm. etwas unterschieben, jmdm. die Schuld geben, Beschuldigungen vorbringen *zuordnen, zuteilen, zuweisen ***s. unterstellen:** abwarten, s. schützen, Schutz suchen *voraussetzen, als gegeben annehmen
Unterstellraum: Boden, Keller, Schuppen *Garage, Remise *Hangar
Unterstellung: Annahme, Anschuldigung, Beschuldigung, Bezichtigung, Verdacht, Verleumdung, (falsche) Behauptung
unterstreichen: akzentuieren, betonen, den Ton legen (auf), hervorheben, deutlich aussprechen *behaupten, Gewicht legen (auf), herauskehren, herausstellen, hervorheben, pointieren, prononcieren, Wert legen (auf), Wichtigkeit beimessen, Bedeutung beimessen
Unterstreichung: Hervorhebung, Markierung *Betonung, Nachdruck
unterstützen: dahinter stehen, eintreten (für), halten (zu), behilflich sein, Hilfe leisten, Beistand leisten, Hilfe gewähren, Beistand gewähren, Hilfestellung geben, stehen hinter jmdm., zur Seite stehen, Rückhalt geben, den Rücken stärken *fördern, subventionieren, zuschießen, zusteuern
Unterstützung: Beistand, Hilfe, Rückendeckung, Rückenstärkung, Rückhalt, Stütze *Beihilfe, Förderung, Spende, Subvention, Zuschuss, Zuwendung
unterstützungsbedürftig: arm, hilflos, unbemittelt
untersuchen: analysieren, durchforschen, durchleuchten, zergliedern, auf den Grund kommen *abhören, abklopfen, den Puls fühlen
Untersuchung: Abhandlung, Analyse, Arbeit, Beobachtung, Studie
untertags: tagsüber, (mitten) am Tage, am helllichten Tag, während des Tages
untertan: niedriger, unterstellt, tiefer gestellt
Untertan: Staatsangehöriger, Staatsbürger, Volk
untertänig: buhlerisch, demütig, devot, duckmäuserisch, ergeben, hörig, hündisch, knechtisch, kriecherisch, lakaienhaft, liebedienerisch, schmeichlerisch, servil, sklavisch, speichelleckerisch, subaltern, unterwürfig, ohne Stolz
Untertänigkeit: Devotion, Dienerei, Ergebenheit, Katzbuckelei, Kriecherei, Liebedienerei, Schmeichelei, Servilität, Speichelleckerei, Unterwürfigkeit
untertauchen: ertrinken, tauchen, in die Tiefe gehen, unter Wasser gehen, unter Wasser schwimmen *entschwinden, entweichen, s. entziehen, verschwinden
unterteilen: fächern, auffächern, gliedern, untergliedern, aufgliedern, aufteilen, differenzieren, eingliedern, einordnen, einstufen, einteilen, fächern, gruppieren, klassifizieren, ordnen, paragrafieren, periodisieren, rubrizieren, segmentieren, staffeln, systematisieren, teilen, zerlegen, in Teile zerlegen ***s. unterteilen:** aufgliedern, aufteilen, durchgliedern, einordnen, einteilen, fächern, gliedern, klassifizieren, ordnen, paragrafieren
untertreiben: bagatellisieren, herunterspielen, bescheiden sein, maßvoll ausdrücken
Untertreibung: Abschwächung, Bescheidenheit, Herabminderung, Understatement, Unterbewertung, Zurücknahme
unterversichert: mangelhaft versichert,

ungenügend versichert, unzulänglich versichert
unterwandern: durchsetzen, einschleusen, infiltrieren
unterwärts: darunter, drunten, unten, unterhalb, in der Tiefe, am Fuß (des/von)
Unterwäsche: Körperwäsche, Leibwäsche
Unterwassermassage: Unterwasserbehandlung, Wassermassage
unterwegs: auf den Beinen, auf dem Weg, während der Reise, auf der Reise
unterweisen: anleiten, anlernen, anweisen, ausbilden, beraten, einarbeiten, einführen, einweisen, lehren, vertraut machen (mit)
Unterweisung: Anleitung, Anweisung, Beratung, Einarbeitung, Einführung, Einweisung, Lehre
Unterwelt: Geisterwelt, Hades, Hölle, Schattenreich, Schattenwelt, Totenreich *Gangstertum, Mafia, Ring, Syndikat, Verbrechertum, Verbrecherwelt *Demimode, Halbwelt
unterwerfen: drücken, unterdrücken, besiegen, beugen, bezwingen, drangsalieren, knechten, unterjochen, unterordnen, s. untertan machen, in die Knie zwingen, ins Joch spannen, auf die Knie zwingen ***s. unterwerfen:** s. beugen, s. ergeben, s. schicken, s. unterordnen, s. widerstandslos fügen
Unterwerfung: Diktatur, Knechtschaft, Zwangsherrschaft *Annexion, Beschlagnahme, Besetzung, Bezwingung, Einnahme, Eroberung, Erstürmung, Okkupation *Canossagang, Kniefall, Gang nach Canossa
unterwühlen: aushöhlen, untergraben, unterhöhlen
unterwürfig: buhlerisch, demütig, devot, duckmäuserisch, ergeben, hündisch, knechtisch, kriecherisch, lakaienhaft, liebedienerisch, schmeichlerisch, servil, sklavisch, speichelleckerisch, subaltern, untertan, untertänig, ohne Stolz
Unterwürfigkeit: Demütigkeit, Devotion, Dienerei, Ergebenheit, Gottergebenheit, Kriecherei, Liebedienerei, Schmeichelei, Servilität, Speichelleckerei, Untertänigkeit
unterzeichnen: abzeichnen, gegenzeichnen, paraphieren, quittieren, ratifizieren, signieren, unterfertigen, unterschreiben, seine Unterschrift geben, seinen Namen setzen (unter)
Unterzeichneter: Linksunterzeichneter, Rechtsunterzeichneter, Unterfertiger, Unterzeichner
Unterzeichnung: Abzeichnung, Gegenzeichnung, Quittierung, Ratifizierung, Signierung, Unterschrift
unterziehen (s.): s. unterwerfen, auf sich nehmen *s. einer Prüfung unterziehen, s. prüfen lassen, ein Examen ablegen *abchecken, durchsehen, einsehen, erproben, prüfen, testen, überprüfen, unter die Lupe nehmen, auf Herz und Nieren prüfen, auf den Zahn fühlen, einer Prüfung unterwerfen ***einem Verhör unterziehen:** ausfragen, befragen, ein Verhör anstellen (mit), inquirieren, verhören, vernehmen, ins Verhör nehmen
untief: flach, fußhoch, niedrig, seicht
Untiefe: Bank, Sandbank
Untier: Moloch, Monstrum, Scheusal, Ungestüm, Ungetier
untragbar: intolerabel, unannehmbar, unerhört, unerträglich, unhaltbar, unzumutbar, widerwärtig
untrennbar: fest, unzertrennlich, verschworen, zusammengehörig, ein Herz und eine Seele, eng miteinander verbunden, immer zusammen, sehr eng
untreu: abtrünnig, ehebrecherisch, flatterhaft, illoyal, perfide, treubrüchig, treulos, unbeständig, ungetreu, unsolidarisch, unstet, unzuverlässig, verräterisch, wankelmütig, wortbrüchig ***untreu sein:** betrügen ***untreu werden:** abfallen, abspringen, treubrüchig werden, treulos sein, unbeständig sein, verräterisch sein
Untreue: Abfall, Abtrünnigkeit, Charakterlosigkeit, Ehrlosigkeit, Falschheit, Flatterhaftigkeit, Illoyalität, Treuebruch, Treulosigkeit, Unbeständigkeit, Unehrlichkeit, Unredlichkeit, Unstetigkeit, Wankelmut, Wankelmütigkeit, Wortbrüchigkeit *Ehebruch, Seitensprung
untröstlich: bedrückt, bekümmert, betrübt, depressiv, elegisch, elend, freudlos, hypochondrisch, melancholisch, pessi-

mistisch, schwarzseherisch, schwermütig, todunglücklich, traurig, trist, trübe, trübselig, trübsinnig, unfroh, unglücklich, wehmütig
untrüglich: gewiss, sicher, unbestreitbar, zweifelsfrei
untüchtig: außerstande, dumm, inkompetent, nicht geeignet (für), unbegabt, unfähig, unqualifiziert, untauglich, unvermögend, nicht in der Lage, nicht imstande
Untüchtigkeit: Ohnmacht, Schwäche, Unfähigkeit, Untauglichkeit, Unvermögen, Unzulänglichkeit, Versagen
Untugend: Laster, Schwäche, Unsitte
unüberbrückbar: unlösbar, unüberwindbar, unüberwindlich, unvereinbar, unversöhnlich, zu groß
unüberlegt: blind, blindlings, fahrlässig, gedankenlos, impulsiv, kopflos, leichtfertig, leichtsinnig, nachlässig, planlos, übereilt, unbedacht, unbesonnen, unvernünftig, unvorsichtig, wahllos, ziellos, ohne Bedacht, ohne Überlegung, ohne Sinn und Verstand *__unüberlegt handeln:__ überstürzen
Unüberlegtheit: Unbedachtheit, Unbedachtsamkeit, Unbesonnenheit, Unklugheit, Unvernunft, Unverstand *Unreife
unübersehbar: unabsehbar, unbeschränkt, unendlich, unmessbar, weit *auffallend, deutlich, markant, offenbar, in die Augen fallend, zu groß
unübersetzbar: nicht zu übersetzen, nicht zu übertragen
unübersichtlich: chaotisch, durcheinander, konfus, kraus, labyrinthisch, planlos, ungeordnet, unklar, unzusammenhängend, verschwommen, verworren
unübertragbar: unverkäuflich *bleibend, feststehend
unübertrefflich: außerordentlich, ausgezeichnet, beispielhaft, beneidenswert, bestens, brillant, erstklassig, exemplarisch, exzellent, famos, herrlich, hervorragend, lobenswert, löblich, mustergültig, nachahmenswert, pfundig, prämiert, prämiiert, preisgekrönt, super, tadellos, toll, trefflich, überdurchschnittlich, überragend, untadelig, vortrefflich, vorzüglich, (sehr) gut
unübertroffen: unbesiegt, unerreicht, ungeschlagen *ausgezeichnet, exquisit, hervorragend, meisterhaft, unübertreffbar, unübertrefflich, vollkommen, zu gut
unüberwindbar: unüberbrückbar, unüberwindlich *unbesiegbar, nicht zu schlagen, nicht zu besiegen
unüblich: außergewöhnlich, ausgefallen, neu, neuartig, ungebräuchlich, ungeläufig, ungewöhnlich, ungewohnt, unkonventionell
unumgänglich: erforderlich, nötig, notwendig, unausweichlich, unentbehrlich *unabänderlich, unabwendbar, unausweichlich, unvermeidbar, unvermeidlich
unumschränkt: absolut, allgewaltig, unbeschränkt, uneingeschränkt, allein herrschend
unumstößlich: beschlossen, endgültig, irreversibel, unabänderlich, unwiderruflich
unumstritten: anerkannt, bewährt, erprobt, zuverlässig *sicher, unbestreitbar, unbestritten, hieb- und stichfest
unumwunden: frei, offen
ununterbrochen: andauernd, anhaltend, dauernd, endlos, fortdauernd, fortgesetzt, fortlaufend, fortwährend, immerfort, immer während, pausenlos, stet, stetig, unablässig, unaufhaltsam, unaufhörlich, unverwandt, zügig, in einem fort, am laufenden Band, alle Augenblicke, in steter Folge, ohne Pause, ohne Unterlass, ohne Absatz, von früh bis spät, vom Morgen bis zum Abend
unveränderlich: bleibend, dauerhaft, dauernd, fest, gleich bleibend, gleichmäßig, konstant, unverbrüchlich, unverrückbar, unzerstörbar
unverantwortlich: fahrlässig, gedankenlos, leichtfertig, leichtsinnig, nachlässig, oberflächlich, pflichtvergessen, unbedacht, unbekümmert, unüberlegt, unvorsichtig, verantwortungslos
unveräußerlich: unaufgebbar, unentbehrlich, unersetzbar, unverzichtbar, nicht nötig *privat, unverkäuflich, nicht mit Geld zu bezahlen, nicht zum Kauf bestimmt
unverbesserlich: hartgesotten, reuelos, unbußfertig, uneinsichtig

unverbildet: authentisch, echt, genuin, naturgemäß, natürlich, original, rein, spontan, unmittelbar, unverdorben, unverfälscht, ursprünglich, urtümlich, urwüchsig
unverbindlich: freibleibend, zwanglos, nicht fest, nicht bindend, ohne Verbindlichkeit, ohne Gewähr, ohne Verpflichtung, zu nichts verpflichtend
unverblümt: aufrichtig, ehrlich, freimütig, gerade, geradlinig, offen, offenherzig, unverhohlen, unverhüllt, wahrhaftig, zuverlässig
unverbraucht: ausgeruht, blühend, erholt, fit, frisch, gesund, knackig, kraftvoll, lebendig, leistungsfähig, munter, rüstig, in Form
unverbrennbar: feuerbeständig, feuerfest, feuersicher, unbrennbar
unverbrüchlich: beständig, bleibend, dauerhaft, dauernd, ewig, fest, gleichmäßig, haltbar, krisenfest, tadellos, unauflösbar, unauflöslich, unveränderlich, unvergänglich, unverrückbar, unwandelbar, unzerstörbar, vortrefflich, vorzüglich, wertbeständig, wertvoll, zeitlebens, für immer, von Bestand, von Dauer
unverbunden: auseinander, geteilt, getrennt
unverbürgt: fraglich, offen, problematisch, unbestätigt, unbestimmt, unentschieden, ungeklärt, ungesichert, ungewiss, unsicher, zweifelhaft, nicht erwiesen, nicht geklärt, nicht sicher, nicht festgelegt, noch nicht entschieden
unverdächtig: gut beleumdet, rein, sauber, mit gutem Leumund, ohne Makel
unverdaulich: faulig, giftig, madig, ranzig, schädlich, schlecht, unbekömmlich, ungenießbar, unverträglich, verschimmelt, nicht essbar, nicht genießbar, nicht trinkbar, nicht zu genießen
unverderblich: dauerhaft, eingefroren, eingemacht, haltbar, konserviert, lang haltend
unverdient: glücklich, unberechtigt, nicht verdient, ohne eigenen Verdienst
unverdorben: anständig, jungfräulich, keusch, lauter, unberührt, unerfahren, unschuldig *einwandfrei, frisch, genießbar *frisch, gesund, rein, sauber
unverdrossen: ausdauernd, beharrlich, hartnäckig, krampfhaft, unbeirrbar, unbeirrt, unentwegt, verbissen, verzweifelt, zäh
unverehelicht: allein, allein stehend, ehelos, frei, gattenlos, ledig, single, unabhängig, unverheiratet, unvermählt, noch zu haben
unvereinbar: disparat, entgegengesetzt, gegensätzlich, inkompatibel, umgekehrt, verschieden, verschiedenartig, widersinnig, widersprüchlich, widerspruchsvoll, einander ausschließend
Unvereinbarkeit: Disparität, Inkompatibilität, Verschiedenartigkeit
unverfälscht: echt, natürlich, rein
unverfänglich: gutartig, harmlos, heilbar, ungefährlich, unschädlich, nicht ansteckend
unverfroren: dreist, frech, impertinent, keck, kess, naseweis, schamlos, unartig, ungesittet, ungezogen, unmanierlich, unverschämt, vorlaut, vorwitzig
Unverfrorenheit: Beleidigung, Dreistigkeit, Frechheit, Schamlosigkeit, Unverschämtheit, Zumutung
unvergänglich: bleibend, dauerhaft, dauernd, ewig, unsterblich, zeitlos
Unvergänglichkeit: Dauer, Ewigkeit, Unsterblichkeit, Zeitlosigkeit
unvergesslich: eingeprägt, gespeichert, unauslöschlich, unlöschbar *denkwürdig, einprägsam, schön, unvergessen
unvergleichbar: inkomparabel, unvergleichlich, unverhältnismäßig *außergewöhnlich, ausgefallen, beträchtlich, enorm, vollkommen *anders, andersartig, verschieden, verschiedenartig
unvergleichlich: sehr, überaus, viel, weitaus, wesentlich *abenteuerlich, ansehnlich, auffallend, auffällig, aufsehenerregend, außergewöhnlich, außerordentlich, ausgefallen, beachtlich, bedeutend, bedeutsam, bedeutungsvoll, beeindruckend, beträchtlich, bewundernswert, bewundernswürdig, brillant, eindrucksvoll, einzigartig, enorm, entwaffnend, erstaunlich, fabelhaft, groß, großartig, hervorragend, imponierend, imposant, märchenhaft, nennenswert, ohnegleichen, sagenhaft, sensationell,

sondergleichen, spektakulär, stattlich, überragend, überraschend, überwältigend, ungeläufig, ungewöhnlich, verblüffend

unvergnüglich: arg, ärgerlich, bedauerlich, blöde, fatal, genant, genierlich, heikel, lästig, leidig, misslich, peinlich, prekär, schlecht, schlimm, schrecklich, skandalös, unangenehm, unbefriedigend, unbequem, unerfreulich, unerquicklich, unerwünscht, ungelegen, ungünstig, ungut, unlieb, unliebsam, unwillkommen, verwünscht, widrig

unvergnügt: ärgerlich, aufgebracht, bärbeißig, böse, brummig, empört, entrüstet, erbittert, erbost, erzürnt, fuchsteufelswild, gereizt, grantig, griesgrämig, grimmig, missgelaunt, misslaunig, missmutig, muffig, mürrisch, rabiat, übellaunig, unbefriedigt, unerfreulich, unleidlich, unwillig, unwirsch, verdrießlich, verdrossen, wütend, wutentbrannt, wutschäumend, wutschnaubend, zornig, in schlechter Stimmung

unverhältnismäßig: extrem, exzessiv, hemmungslos, maßlos, übermäßig, unbeherrscht, unkontrolliert, unmäßig, zu viel, allzu sehr

unverheiratet: allein, allein stehend, ehelos, frei, gattenlos, ledig, single, solo, unabhängig, unbeweibt, unverehelicht, unvermählt, noch zu haben, nicht verheiratet, ohne Frau, ohne Mann, nicht verpartnert

unverhofft: abrupt, blitzschnell, plötzlich, schlagartig, schroff, übergangslos, unerwartet, unvermittelt, unversehens, unvorhergesehen, zufällig, ohne Übergang

unverhohlen: aufrichtig, freimütig, mitteilsam, offen, offenherzig, rückhaltlos, vertrauensselig, zutraulich

unverhüllt: ausgezogen, bloß, nackt, unbedeckt, unbekleidet *aufrichtig, deutlich, offen, unverblümt, unverhohlen

unverkäuflich: privat, unveräußerlich, nicht mit Geld bezahlbar, nicht mit Gold bezahlbar, nicht zum Verkauf bestimmt

unverkennbar: charakteristisch, eindeutig, erkennbar, kennzeichnend, typisch, nicht zu verwechseln

unverkrampft: aufgelockert, burschikos, familiär, formlos, frei, gelöst, informell, lässig, leger, nachlässig, natürlich, nonchalant, offen, salopp, unbefangen, unförmlich, ungehemmt, ungeniert, ungezwungen, unzeremoniell, zwanglos, in lässiger Haltung

unverlangt: freiwillig, unaufgefordert, nicht (an)gefordert, von sich aus

unverlässlich: pflichtvergessen, unbeständig, ungenau, unpünktlich, unsicher, unzuverlässig, vergesslich

unverletzlich: heilig, tabu, unantastbar, unaussprechlich, unberührbar, verboten

unverletzt: ganz, geheilt, gesund, heil, intakt, unbeschädigt, unversehrt, wohlbehalten

unvermählt: allein, allein stehend, ehelos, frei, gattenlos, ledig, single, unabhängig, unverehelicht, unverheiratet, noch zu haben

unvermeidbar: nötig, notwendig, unabwendbar, unausbleiblich, unausweichlich, unumgänglich, unvermeidlich, nicht zu vermeiden, nicht zu verhindern, nicht zu umgehen

unvermeidlich: nötig, notwendig, unabwendbar, unausbleiblich, unausweichlich, unumgänglich, unvermeidbar, nicht zu vermeiden, nicht zu verhindern, nicht zu umgehen

unvermerkt: abrupt, jäh, jählings, plötzlich, ruckartig, schlagartig, schnell, schroff, überraschend, unerwartet, ungeahnt, unverhofft, unvermittelt, unvermutet, unversehens, unvorhergesehen, urplötzlich, zufällig, auf einmal, mit einem Mal, mit einem Ruck, mit einem Schlag, über Nacht

unvermindert: anhaltend, dauernd, gleich bleibend, konstant, unverändert

unvermischt: echt, natur, natürlich, rein *rein, naturrein, pur, unversetzt

unvermittelt: abrupt, jäh, jählings, plötzlich, ruckartig, schlagartig, schnell, schroff, überraschend, unerwartet, ungeahnt, unverhofft, unvermerkt, unvermutet, unversehens, unvorhergesehen, urplötzlich, zufällig, auf einmal, mit einem Mal, mit einem Ruck, mit einem Schlag, über Nacht

Unvermögen: Impotenz, Ohnmacht, Schwäche, Unfähigkeit, Untauglichkeit, Untüchtigkeit, Unzulänglichkeit, Versagen
unvermögend: arm, bedürftig, mittellos *außerstande, impotent, unfähig, nicht imstande *inkompetent, unbegabt, untauglich, untüchtig
unvermutet: abrupt, blitzschnell, jäh, jählings, plötzlich, schlagartig, schroff, übergangslos, unerwartet, unverhofft, unvermittelt, unversehens, unvorhergesehen, zufällig, ohne Übergang
unvernehmbar: lautlos, leise, stumm, unhörbar
Unvernunft: Torheit, Unbedachtheit, Unbedachtsamkeit, Unbesonnenheit, Unüberlegtheit, Unverstand, Vernunftlosigkeit *Blödheit, Dusselei, Einfalt
unvernünftig: bedenkenlos, fahrlässig, gedankenlos, impulsiv, leichtfertig, leichtsinnig, pflichtvergessen, sinnlos, sorglos, sträflich, töricht, unbedacht, unbekümmert, unbesonnen, undiplomatisch, unklug, unüberlegt, unverantwortlich, unvertretbar, unvorsichtig, verantwortungslos, vernunftlos, wahllos, ziellos, ohne Vernunft *beschränkt, einfältig
unveröffentlicht: geheim, unbekannt, nicht veröffentlicht
unverpackt: einzeln, lose, offen, nicht abgepackt
unverrichteterdinge: erfolglos, ergebnislos, fruchtlos, ineffektiv, missglückt, misslungen, negativ, nutzlos, umsonst, unnütz, unwirksam, verfehlt, vergebens, vergeblich, wirkungslos, zwecklos, ohne Resultat, ohne Erfolg
unverrückbar: beständig, bleibend, dauerhaft, dauernd, ewig, fest, gleichmäßig, haltbar, krisenfest, tadellos, unauflösbar, unauflöslich, unveränderlich, unverbrüchlich, unvergänglich, unverrücklich, unverrückt, unwandelbar, unzerstörbar, vortrefflich, vorzüglich, wertbeständig, wertvoll, zeitlebens, für immer, von Bestand, von Dauer
unverrückt: beständig, bleibend, dauerhaft, dauernd, ewig, fest, gleichmäßig, haltbar, krisenfest, tadellos, unauflösbar, unauflöslich, unveränderlich, unverbrüchlich, unvergänglich, unverrückbar, unwandelbar, unzerstörbar, vortrefflich, vorzüglich, wertbeständig, wertvoll, zeitlebens, für immer, von Bestand, von Dauer
unverschämt: dreist, frech, impertinent, keck, kess, naseweis, plump, schamlos, unartig, ungesittet, ungezogen, unmanierlich, unverfroren, vorlaut, vorwitzig
Unverschämtheit: Beleidigung, Dreistigkeit, Frechheit, Schamlosigkeit, Unverfrorenheit, Zumutung
unverschlossen: aufgeschlossen, geöffnet, offen *befahrbar, begehbar, erschlossen, freigegeben, wegsam
unverschlüsselt: decodiert, dekodiert, entschlüsselt, klar, offen, unkodiert
unverschuldet: abbezahlt, hypothekenfrei, lastenfrei, schuldenfrei, unbelastet, ohne Schulden *schuldlos, tadellos, unangreifbar, unschuldig, untadelig
unversehens: abrupt, jäh, jählings, plötzlich, ruckartig, schlagartig, schnell, schroff, überraschend, unerwartet, ungeahnt, unverhofft, unvermerkt, unvermittelt, unvermutet, unvorhergesehen, urplötzlich, zufällig, auf einmal, mit einem Mal, mit einem Ruck, mit einem Schlag, über Nacht
unversehrt: gesund, unverletzt, wohlbehalten, nicht verletzt *ganz, heil, intakt, unbeschädigt, nicht beschädigt, nicht entzwei
unversiegbar: reichlich, unbegrenzt, unermesslich, unerschöpflich, unmessbar
unversöhnlich: aufmüpfig, aufsässig, bockbeinig, bockig, dickköpfig, dickschädelig, eigensinnig, eisern, fest, finster, halsstarrig, hartgesotten, kompromisslos, kratzbürstig, rechthaberisch, standhaft, starrköpfig, starrsinnig, steifnackig, störrisch, stur, todfeind, trotzig, unaufgeschlossen, unbelehrbar, unbequem, unbotmäßig, uneinsichtig, unerbittlich, unfolgsam, ungehorsam, unkollegial, unnachgiebig, unüberbrückbar, unversöhnbar, unverträglich, unzugänglich, verbohrt, verschlossen, verständnislos, verstockt, widerborstig, widersetzlich, widerspenstig, zugeknöpft

Unverstand: Beschränktheit, Dummheit, Engstirnigkeit, Unbedarftheit, Unbegabtheit, Unverständigkeit
unverständig: dumm, töricht, unbedarft, unerfahren, unintelligent
Unverständigkeit: Beschränktheit, Dummheit, Engstirnigkeit, Unbedarftheit, Unbegabtheit, Unverstand
unverständlich: hieroglyphisch, rätselhaft, schwer verständlich, sonderbar, ein Buch mit sieben Siegeln *unbegreiflich, unfassbar, unfasslich *unartikuliert, undeutlich, (zu) leise, nicht verständlich, schlecht verständlich *durcheinander, verworren, wirr
Unverständnis: Begrenztheit, Begriffsstutzigkeit, Beschränktheit, Borniertheit, Dummheit, Einfalt, Engstirnigkeit, Stupidität, Unbedarftheit, Unbegabtheit, Unvernunft, Unverständigkeit, Vernageltheit
unverträglich: aggressiv, bissig, böse, feindselig, hadersüchtig, herausfordernd, kampfbereit, kämpferisch, kampflustig, militant, polemisch, provokant, provokatorisch, rechthaberisch, reizbar, streitbar, streitlustig, streitsüchtig, unfriedlich, unversöhnlich, zankhaft, zänkisch, zanksüchtig *gefährlich, gesundheitsschädlich, schlecht, schwer verdaulich, unbekömmlich, ungenießbar, ungesund, unverdaulich *entgegengesetzt, gegensätzlich, gegenteilig, oppositionell, umgekehrt
Unverträglichkeit: Aggression, Feindseligkeit, Polemik, Rechthaberei, Streitsucht *Unbekömmlichkeit, Ungenießbarkeit, Unverdaulichkeit *Gegensätzlichkeit, Opposition
unverwandt: andauernd, anhaltend, dauernd, endlos, fortdauernd, fortgesetzt, fortlaufend, fortwährend, immerfort, immer während, pausenlos, stet, stetig, unablässig, unaufhaltsam, unaufhörlich, ununterbrochen, zügig, in einem fort, am laufenden Band, alle Augenblicke, in steter Folge, ohne Pause, ohne Unterlass, ohne Absatz, von früh bis spät, vom Morgen bis zum Abend
unverwechselbar: nicht zu verwechseln *auffallend, auffällig, aufsehenerregend, außergewöhnlich, ausgefallen, beachtenswert, beachtlich, bedeutend, bedeutsam, bedeutungsvoll, beispiellos, bewundernswert, eindrucksvoll, einzigartig, eminent, enorm, erheblich, erstaunlich, extraordinär, exzeptionell, fabelhaft, frappant, grandios, groß, großartig, hervorragend, imponierend, imposant, nennenswert, ohnegleichen, phänomenal, sagenhaft, sensationell, sondergleichen, stattlich, überragend, überwältigend, umwerfend, ungewöhnlich, unvergleichlich, verblüffend
unverwöhnt: anspruchslos, bescheiden, einfach, nicht verwöhnt
unverwüstlich: beständig, dauerhaft, fest, haltbar, langlebig, massiv, resistent, solid, stabil, widerstandsfähig
unverzagt: mutig, todesmutig, beherzt, draufgängerisch, entschlossen, furchtlos, heldenhaft, heldenmütig, heroisch, herzhaft, kämpferisch, kühn, mannhaft, mutig, stark, starkherzig, tapfer, tollkühn, unerschrocken, vermessen, verwegen, wagemutig, waghalsig
Unverzagtheit: Beherztheit, Bravour, Draufgängertum, Furchtlosigkeit, Heldenhaftigkeit, Heldentum, Herzhaftigkeit, Kühnheit, Mut, Tapferkeit, Tollkühnheit, Unerschrockenheit
unverzeihlich: sträflich, unentschuldbar, unsühnbar, unverantwortlich, unvertretbar, verantwortungslos
unverzichtbar: notwendig, unabdingbar, unentbehrlich, unerlässlich, unvermeidlich, wichtig, zwingend
unverzüglich: momentan, sofort, sogleich, auf der Stelle
unvollendet: bruchstückhaft, fragmentarisch, halbfertig, teilweise, unabgeschlossen, unfertig, unvollkommen, unvollständig
unvollkommen: abgebrochen, bruchstückhaft, fehlerhaft, fragmentarisch, halbwegs, mangelhaft, teilweise, unfertig, ungenügend, unperfekt, unvollendet, unvollständig
Unvollkommenheit: Fehlerhaftigkeit, Mangelhaftigkeit
unvollständig: bruchstückhaft, defekt, halb, halbwegs, lückenhaft, teilweise,

unabgeschlossen, unbeendet, unfertig, ungenügend, unvollendet, unvollkommen, nicht ganz, nicht vollständig, nichts Halbes und nichts Ganzes

unvorbereitet: frei, improvisiert, auf Anhieb, aus dem Handgelenk, aus dem Stegreif, ohne Vorbereitung

unvoreingenommen: gerecht, objektiv, parteilos, sachdienlich, sachlich, unbeeinflusst, unparteiisch, vorurteilsfrei, wertneutral, frei von Emotionen

unvorhergesehen: abrupt, blitzschnell, jäh, plötzlich, schlagartig, schroff, übergangslos, unerwartet, unverhofft, unvermittelt, unversehens, zufällig, ohne Übergang

unvorhersehbar: launisch, unberechenbar

unvorsichtig: bedenkenlos, fahrlässig, gedankenlos, impulsiv, leichtfertig, leichtsinnig, pflichtvergessen, sorglos, sträflich, unbedacht, unbekümmert, unbesonnen, undiplomatisch, unklug, unüberlegt, unverantwortlich, unvertretbar, verantwortungslos, wahllos, ziellos

Unvorsichtigkeit: Unbedachtheit, Unbedachtsamkeit, Unbesonnenheit, Unüberlegtheit, Unvernunft, Unverstand

unvorstellbar: nicht auszudenken *beispiellos, bodenlos, grenzenlos, unaussprechlich, unbegreiflich, ungeheuerlich, unglaublich *sehr, überaus

unvorteilhaft: abträglich, hemmend, misslich, nachteilig, negativ, schädlich, unerfreulich, ungünstig, verderblich

unwägbar: imponderabel, unmessbar

unwahr: erlogen, falsch, gefälscht, irrig, irrtümlich, lügenhaft, lügnerisch, regelwidrig, unbegründet, unrecht, unrichtig, unzutreffend, verfehlt, verkehrt, widersprüchlich, frei erfunden

unwahrhaftig: doppelzüngig, falsch, frömmelnd, heuchlerisch, hinterhältig, katzenfreundlich, lügenhaft, lügnerisch, scheinfromm, scheinheilig, unaufrichtig, unehrlich, unlauter, unredlich, unreell, unsolid, verlogen, verstellt

Unwahrheit: Erfindung, Legende, Lüge, Lügenmärchen, Märchen, Unwahres

unwahrscheinlich: fraglich, unsicher, zweifelhaft, kaum möglich, nicht anzunehmen *falsch, unglaubhaft, unglaubwürdig, unvorstellbar, verlogen, nicht zuverlässig

unwandelbar: bleibend, gleich bleibend, beständig, konstant

Unwandelbarkeit: Beständigkeit, Konstanz, Kontinuität, Stetigkeit

unwegsam: dicht, pfadlos, unbefahrbar, unbegehbar, undurchdringlich, unerschlossen, ungangbar, unpassierbar, unzugänglich, weglos, wild, zugewachsen

unweigerlich: nötig, notwendig, unabwendbar, unaufhaltsam, unausbleiblich, unausweichlich, unentrinnbar, unumgänglich, unvermeidbar, unvermeidlich, nicht zu vermeiden, nicht zu verhindern, nicht zu umgehen *bestimmt, gewiss, sicher, unfehlbar, zweifelsfrei, zweifelsohne

unweit: daneben, nahebei, nahe stehend, nebenbei, nahe unweit, direkt bei, dicht bei, in der Nähe, in Reichweite, leicht erreichbar, zum Greifen nahe, vor der Nase

unwesentlich: akzidenziell, bedeutungslos, belanglos, einflusslos, farblos, gleichgültig, irrelevant, minderbedeutend, nichtig, nichts sagend, peripher, unauffällig, unbedeutend, unerheblich, uninteressant, unscheinbar, unwichtig, wertlos, wesenlos, nicht erwähnenswert, ohne Belang, nicht der Rede wert, kaum der Rede wert

Unwetter: Gewitter, Hagel, Sturm, Wetter, Blitz und Donner, Sturm und Regen

unwichtig: akzidenziell, bedeutungslos, belanglos, einflusslos, farblos, gleichgültig, irrelevant, minderbedeutend, nichtig, nichts sagend, peripher, unauffällig, unbedeutend, unerheblich, uninteressant, unscheinbar, unwesentlich, wertlos, wesenlos, nicht erwähnenswert, ohne Belang, nicht der Rede wert, kaum der Rede wert

Unwichtigkeit: Bedeutungslosigkeit, Belanglosigkeit, Nebensache, Nichtigkeit, Unauffälligkeit, Unerheblichkeit, Wertlosigkeit

unwiderlegbar: beweisbar, bewiesenermaßen, erweisbar, erweislich, erwiesenermaßen, nachweisbar, nachweislich, unwiderleglich *treffend, zutreffend, amtlich, authentisch, dokumentiert, echt, erwiesen, fehlerfrei, fundiert, fürwahr, gewiss, gut, hundertprozentig, offiziell, sicher, stichhaltig, tatsächlich, unanfechtbar, unangreifbar, unbestreitbar, unbestritten, unbezweifelbar, unleugbar, unstreitig, untrüglich, unwiderleglich, unzweifelhaft, verbürgt, wahr, wahrlich, wahrhaftig, wirklich, zuverlässig, zweifelsfrei

unwiderruflich: abgemacht, abgeschlossen, angeordnet, beschlossen, besiegelt, bindend, definitiv, endgültig, entschieden, fest, festgelegt, irreversibel, obligatorisch, unabänderlich, unumstößlich, unwiederbringlich, verbindlich, auf immer, für alle Zeiten, ein für alle Mal, für immer

unwiderstehlich: anmutig, anziehend, attraktiv, aufregend, aufreizend, betörend, bezaubernd, charmant, gewinnend, hübsch, liebenswert, reizend, reizvoll, sympathisch, toll

unwiederbringlich: abgemacht, abgeschlossen, angeordnet, beschlossen, besiegelt, bindend, definitiv, endgültig, entschieden, fest, festgelegt, irreversibel, obligatorisch, unabänderlich, unterschrieben, unumstößlich, unwiderruflich, verbindlich, auf immer, für alle Zeiten, ein für alle Mal, für immer

Unwille: Entrüstung, Missstimmung, Unzufriedenheit *Disharmonie, Diskrepanz, Uneinigkeit

unwillig: ärgerlich, aufgebracht, bärbeißig, böse, brummig, entrüstet, erbittert, erbost, erzürnt, fuchsteufelswild, gekränkt, gereizt, grantig, griesgrämig, grimmig, knurrig, missgelaunt, missgestimmt, misslaunig, missmutig, missvergnügt, muffig, mürrisch, peinlich, schlecht gelaunt, übel gelaunt, übellaunig, unangenehm, unbefriedigt, unerfreulich, unleidlich, unlustig, unmutig, unwirsch, unzufrieden, verärgert, verbittert, verdrießlich, verdrossen, wütend, wutentbrannt, wutschäumend, wutschnaubend, zähneknirschend, zornig, in schlechter Stimmung

unwillkommen: unangesehen, unerwünscht, ungebeten, ungelegen, unliebsam, nicht gern gesehen, nicht passend

unwillkürlich: instinktiv, unabsichtlich, ungewollt *automatisch, mechanisch, zwangsläufig

unwirklich: abstrakt, eingebildet, illusorisch, irreal, irreführend, phantastisch, täuschend, traumhaft, trügerisch

Unwirklichkeit: Einbildung, Erdichtung, Fiktion, Imagination, Irrealität, Phantasie, Täuschung, Utopie, Vision, Vorstellung, Wunschtraum

unwirksam: aussichtslos, entbehrlich, erfolglos, fruchtlos, nutzlos, überflüssig, umsonst, unbrauchbar, ungeeignet, ungültig, unnötig, unnütz, verfehlt, wertlos, wirkungslos, zwecklos

unwirsch: abweisend, barsch, brüsk, flegelhaft, grobschlächtig, lümmelhaft, missmutig, rüpelig, ruppig, taktlos, unfreundlich, ungehobelt, ungeschliffen, unhöflich, unkultiviert, unliebenswert, unritterlich, unverbindlich

unwirtlich: abgelegen, ausgestorben, einsam, entvölkert, geisterhaft, öde, unbelebt, unberührt, vereinsamt, verlassen

unwirtschaftlich: aufwändig, kostspielig, teuer, unbezahlbar, unerschwinglich, unökonomisch

unwissend: ahnungslos, bildungsbedürftig, nichtwissend, unaufgeklärt, unbelesen, unbewandert, uneingeweiht, unerfahren, ungebildet, ungelehrt, ungeschult, uninformiert, unkundig, ununterrichtet, nicht informiert

Unwissenheit: Ahnungslosigkeit, Dummheit, Nichtwissen, Unkenntnis, Mangel an Wissen *Ahnungslosigkeit, Desinformiertheit, Desinteresse, Dummheit, Einfältigkeit, Ignoranz, Nichtwissen, Unerfahrenheit, Uninformiertheit, Unkenntnis

unwissentlich: ahnungslos, unbeabsichtigt, ungewollt, versehentlich

unwohl: elend, indisponiert, krank, schwindlig, übel, unbehaglich, ungesund, unpässlich *unbehaglich

Unwohlsein: Krankheit, Schwäche, Übelkeit, Unpässlichkeit

unwohnlich: frostig, kahl, kühl, unan-

genehm, unbehaglich, unbequem, ungemütlich, unwirtlich
unwürdig: charakterlos, ehrlos, ehrvergessen, nichtswürdig, würdelos
Unwürdigkeit: Schmählichkeit, Unehre, Unredlichkeit
Unzahl: Anhäufung, Anzahl, Armee, Ballung, Batzen, Berg, Flut, Haufen, Heer, Legion, Masse, Mehrzahl, Menge, Reihe, Schar, Schwall, Schwarm, Schwung, Serie, Übermaß, Unmaß, Unmasse, Unmenge, Vielheit, Vielzahl, Wust, große Zahl, eine ganze Ladung
unzählbar: endlos, grenzenlos, unbegrenzt, unendlich, unermesslich, unerschöpflich, unübersehbar, weit, zahllos
unzählige: eine große Zahl (von), viele, zahllos, zahlreich
Unzeit: Ungelegenheit, unpassender Augenblick, unpassender Zeitpunkt, ungelegene Stunde, schlecht gewählte Zeit, ungünstige Zeit, unschickliche Zeit
unzeitgemäß: alt, altmodisch, antiquiert, gestrig, konservativ, überholt, unmodern, veraltet
unzeitig: ungelegen, zur unrechten Zeit
unzerbrechlich: fest, haltbar, robust, stabil
unzeremoniell: aufgelockert, burschikos, familiär, formlos, frei, gelöst, informell, lässig, leger, nachlässig, natürlich, nonchalant, offen, salopp, unbefangen, unförmlich, ungehemmt, ungeniert, ungezwungen, unverkrampft, zwanglos, in lässiger Haltung
unzerstörbar: beständig, bleibend, dauerhaft, dauernd, ewig, fest, gleichmäßig, haltbar, krisenfest, tadellos, unauflösbar, unauflöslich, unveränderlich, unverbrüchlich, unvergänglich, unverrückbar, unwandelbar, vortrefflich, vorzüglich, wertbeständig, wertvoll, zeitlebens, für immer, von Bestand, von Dauer
unzertrennlich: fest, untrennbar, verschworen, zusammengehörig, ein Herz und eine Seele, eng miteinander verbunden, immer zusammen, sehr eng
unziemend: dreist, frech, impertinent, indezent, keck, kess, naseweis, schamlos, taktlos, unartig, unfein, ungebührend, ungebührlich, ungehörig, ungesittet, ungezogen, unmanierlich, unschicklich, unverfroren, unverschämt, unziemlich, vorlaut, vorwitzig
unzivilisiert: barbarisch, einfach, primitiv, ungebildet, ungeschliffen, ungezähmt, wild
Unzucht: Ausschweifung, Buhlerei, Hurerei, Orgie, Schlüpfrigkeit, Unanständigkeit, Unkeuschheit, Unsittlichkeit
unzüchtig: anstößig, ausschweifend, lasterhaft, liederlich, pikant, pornographisch, ruchlos, schamlos, schlecht, schlüpfrig, sittenlos, unanständig, ungebührlich, ungehörig, unkeusch, unmoralisch, unschicklich, unsittlich, unsolide, unziemlich, verdorben, verrucht, verworfen, wüst, zotig, zuchtlos, zweideutig
unzufrieden: entrüstet, enttäuscht, frustriert, missmutig, mürrisch, unausgefüllt, unbefriedigt, unlustig, verbittert, verdrossen, verstimmt, verstört
Unzufriedenheit: Bitterkeit, Bitternis, Missbehagen, Missfallen, Missmut, Unbehagen, Unlust, Verbitterung, Verdrossenheit
unzugänglich: aufmüpfig, aufsässig, bockbeinig, bockig, dickköpfig, dickschädelig, distanziert, eigensinnig, eisern, fest, finster, frostig, halsstarrig, hartgesotten, kompromisslos, kontaktarm, kratzbürstig, menschenfeindlich, menschenscheu, radikal, rechthaberisch, renitent, spröde, standhaft, starrköpfig, starrsinnig, steifnackig, störrisch, stur, trotzig, unaufgeschlossen, unbelehrbar, unbequem, unbotmäßig, unerbittlich, unfolgsam, ungehorsam, unnachgiebig, unterkühlt, unversöhnlich, verbohrt, verhalten, verkniffen, verschlossen, verständnislos, verstockt, widerborstig, widersetzlich, widerspenstig, zugeknöpft *abweisend, distanziert, herb, introvertiert, kontaktschwach, kühl, schweigsam, undurchschaubar, unempfänglich, ungesellig, unnahbar, verschlossen *abgelegen, dicht, unbefahrbar, unerschlossen, unpassierbar, unwegsam, weglos, wild, zugewachsen
Unzugänglichkeit: Stumpfheit, Teilnahmslosigkeit, Unempfänglichkeit, Unerreichbarkeit *Abgelegenheit, Ödland,

Unbefahrbarkeit, Unerschlossenheit, Unpassierbarkeit, Unwegsamkeit, Weglosigkeit, Wildnis
unzulänglich: einfach, erbärmlich, gering, halbwertig, kümmerlich, lückenhaft, mangelhaft, miserabel, primitiv, schlecht, ungenügend, unzureichend *mangelhaft, miserabel, schlecht, ungenügend
Unzulänglichkeit: Bedeutungslosigkeit, Nachteil, Unvollkommenheit
unzulässig: gesetzwidrig, illegal, illegitim, irregulär, kriminell, ordnungswidrig, rechtswidrig, strafbar, sträflich, tabu, unbefugt, unerlaubt, ungesetzlich, unrechtlich, unrechtmäßig, unstatthaft, untersagt, verboten, verfassungswidrig, verpönt, widerrechtlich, ohne Recht, ohne gesetzliche Grundlage
unzurechnungsfähig: blöde, blödsinnig, debil, geistesgestört, geisteskrank, idiotisch, irrsinnig, schwachsinnig, verblödet, wahnsinnig
unzureichend: ärmlich, dürftig, knapp, kümmerlich, mangelhaft, notdürftig, primitiv, schlecht, schmalspurig, unbefriedigend, ungenügend, unzulänglich
unzusammenhängend: abgerissen, chaotisch, diffus, durcheinander, konfus, ungeordnet, wirr, zusammenhanglos *uneinheitlich
unzuträglich: gefährlich, gesundheitsschädigend, gesundheitsschädlich, schädlich, unbekömmlich, ungesund *abträglich, hinderlich, misslich, nachteilig, schädlich, schlecht, unerfreulich, ungeeignet, ungünstig, unratsam, unvorteilhaft, unzweckmäßig, verderblich, widrig
unzutreffend: falsch, fehlerhaft, irrtümlich, unrichtig, verfehlt, widersprüchlich
unzuverlässig: pflichtvergessen, unbeständig, ungenau, unpünktlich, unsicher, unverlässlich, vergesslich
unzweckmäßig: nutzlos, ungeeignet, unnütz, zweckentfremdet, zweckwidrig *unbequem, ungünstig, unhandlich, unpraktisch
unzweideutig: anschaulich, bestimmt, bildhaft, deutlich, eindeutig, einfach, exakt, genau, greifbar, handfest, klar, präzise, unmissverständlich, unverblümt, fest umrissen, klipp und klar
Unzweideutigkeit: Bestimmtheit, Deutlichkeit, Eindeutigkeit, Exaktheit, Genauigkeit, Klarheit, Präzision, Ungeschminktheit, Unmissverständlichkeit, Unverblümtheit
unzweifelhaft: bestimmt, sicher, unumstritten, zweifelsfrei
üppig: ausladend, feudal, luxuriös, maßlos, pompös, prunkend, schwelgerisch, teuer, verschwenderisch *kulinarisch, lukullisch, opulent, reichlich, schwelgerisch, überreichlich *fett, fruchtbar, strotzend, wuchernd *aufgedunsen, beleibt, breit, dick, dicklich, dickleibig, dickwanstig, drall, feist, fett, fettleibig, fleischig, füllig, gemästet, gewaltig, korpulent, kugelrund, massig, mollig, pausbäckig, plump, pummelig, rund, rundlich, stämmig, stark, stramm, umfangreich, unförmig, vierschrötig, vollschlank, wohlbeleibt, wohlgenährt
Üppigkeit: Anhäufung, Fülle, Luxus, Masse, Menge, Opulenz, Redundanz, Reichtum, Überangebot, Überfluss, Überfülle, Überfüllung, Übermaß, Überproduktion, Überreichtum, Überschuss, Überschwang, Zuviel
up to date: aktuell, fortschrittlich, gegenwartsnah, zeitgemäß
Urahn: Vorfahr *Alter, Ältester, Urgroßvater
Urahne: Alte, Älteste, Urgroßmutter *Ahne, Ahnfrau, Ahnherr, Stammmutter, Stammvater, Vorfahr
uralt: abgeklärt, abgelebt, alt, altersgrau, altersschwach, altertümlich, angegraut, angejahrt, bejahrt, betagt, grauhaarig, grauköpfig, hochbetagt, runzelig, silberhaarig, steinalt, unmodern, verbraucht, vergrämt, verlebt, weise, weißhaarig *altmodisch, gestrig, veraltet
Uraufführung: Erstaufführung, Premiere
urban: ansprechbar, aufgeschlossen, aufnahmebereit, aufnahmefähig, empfänglich, extravertiert, extrovertiert, geneigt, gestimmt, geweckt, interessiert, offen, weltoffen, zugänglich
urbar: anbaufähig, fruchtbar, gerodet,

nutzbar *urbar machen:** kultivieren, roden
Urbarmachung: Abholzung, Kahlschlag, Lichtung, Rodung
Urbegriff: Ausbund, Bild, Inbegriff, Musterbeispiel, Musterfall, Prototyp, absolute Verkörperung
Urbewohner: Eingeborener, Ureinwohner
Urbild: Archetyp, Urform, Urgestalt, Urtyp
ureigen: eigen, gehörig, zugehörig
Ureinwohner: Angestammter, Eingeborener, Einheimischer, Urbewohner
Urfassung: Grundtext, Original, Originalausgabe, Quelle, Urschrift
Urfels: Urgestein
Urform: Archetyp, Urbild, Urgestalt, Urtyp *erste Form
urgemütlich: anheimelnd, behaglich, bequem, friedlich, gemütlich, harmonisch, häuslich, heimelig, idyllisch, intim, lauschig, ruhig, traulich, traut, wohlig, wohltuend, wohnlich
Urgeschichte: Frühgeschichte, Geschichte, Prähistorie, Vorgeschichte, Vorzeit
urgeschichtlich: geschichtlich, prähistorisch, vorgeschichtlich, vorzeitlich
Urgestalt: Archetyp, Urbild, Urform, Urtyp
Urgroßmutter: Alte, Älteste, Urahne
Urgroßvater: Alter, Ältester, Urahn
Urheber: Autor, Erschaffer, Initiator, Schöpfer, Vater, Verfasser
Urheberrecht: Copyright
Urin: Harn, Wasser
urinieren: harnen, pinkeln, Wasser lassen, Harn lassen, Urin lassen, zur Toilette gehen, seine Notdurft verrichten
Urkunde: Akte, Charta, Diplom, Dokument, Vertrag
Urkundensammlung: Buntbuch, Dokumentensammlung, Farbbuch, Weißbuch
urkundlich: amtlich, bestätigt, beweiskräftig, fest, glaubwürdig, niedergelegt, niedergeschrieben
Urlaub: Betriebsferien, Erholung, Ferien, Ferienzeit, Kur, Kurlaub, Kurzurlaub, Regeneration, Urlaubszeit
Urlauber: Ausflügler, Erholungsuchender, Feriengast, Gast, Kurgast, Passagier, Sommerfrischler, Sommergast, Tourist, Urlaubsreisender, Vergnügungsreisender, Wanderer, Weltreisender
urlaubsreif: abgearbeitet, abgehetzt, abgekämpft, abgeschlafft, abgespannt, abgewirtschaftet, angegriffen, angeschlagen, atemlos, aufgerieben, ausgelaugt, durchgedreht, entkräftet, entnervt, erholungsbedürftig, erledigt, ermattet, erschlagen, erschöpft, fertig, gerädert, geschafft, groggy, halb tot, kaputt, kraftlos, marode, matt, mitgenommen, müde, schachmatt, schlaff, schlapp, schwach, überanstrengt, überfordert, überlastet, verbraucht, zerschlagen, k. o., am Ende
Urlaubstag: Feiertag, Ferientag, Ruhetag, arbeitsfreier Tag
Urne: Aschenkrug, Behälter
Ursache: Anlass, Ausschlag, Grund, Hintergrund, Motiv, Veranlassung, Verursachung, Voraussetzung, Wurzel, das Warum, des Pudels Kern
ursächlich: begründend, bewirkend, kausal
Ursächlichkeit: Kausalität, Kausalzusammenhang
Urschrift: Original, Urfassung, Urtext, erste Fassung
Ursprung: Ausgangspunkt, Beginn, Provenienz, Quelle, Urquell, Wiege, Wurzel
ursprünglich: eigentlich, original, originär, primär, von Haus aus *authentisch, echt, genuin, naturgemäß, natürlich, original, rein, spontan, unmittelbar, unverdorben, unverfälscht, urtümlich, urwüchsig *angeboren, genetisch
Ursprünglichkeit: Besonderheit, Einmaligkeit, Originalität *Echtheit, Natürlichkeit, Reinheit, Unverdorbenheit, Urwüchsigkeit
Urteil: Bescheid, Beschluss, Entscheid, Entscheidung, Erkenntnis *Rechtsspruch, Richterspruch, Schiedsspruch, Spruch, Urteilsfällung, Urteilsspruch, Verdammungsurteil, Verdikt *Erkenntnis, Stimme, Votum *Annahme, Anschauung, Ansicht, Auffassung, das Dafürhalten, Denkweise, Meinung, Standpunkt, Überzeugung, Weltanschauung *Begutachtung, Benotung, Beurteilung, Bewertung,

Charakteristik, Einschätzung, Wertung, Zensur

urteilen: s. ein Urteil bilden, zu einem Urteil gelangen *benoten, beurteilen, zensieren

Urtyp: Archetyp, Urbild, Urform, Urgestalt

Urwald: Busch, Dschungel, Wildnis

urwüchsig: derb, drall, drastisch, erdhaft, grobschlächtig, kernig, naturverbunden, robust, stämmig, ungeschliffen

usuell: alltäglich, bevorzugt, eingewurzelt, gängig, gewohnt, normal, üblich, verbreitet, weit verbreitet

Usus: Brauch, Gepflogenheit, Gewohnheit, Herkommen, Regel, Sitte, Tradition, Übung

Utensil: Bedarfsgegenstand, Gebrauchsgegenstand, Gerät

Utensilien: Gebrauchsgegenstände, Gerät, Gerätschaften, Requisiten, Zubehör

Utopie: Einbildung, Erdichtung, Fiktion, Idealbild, Imagination, Irrealität, Phantasie, Täuschung, Traumwelt, Vision, Vorstellung, Wunschbild, Zukunftstraum

utopisch: ausgeschlossen, hoffnungslos, indiskutabel, unausführbar, undenklich, undurchführbar, unmöglich

uzen: anpflaumen, anulken, aufziehen, foppen, frotzeln, hänseln, narren, necken, scherzen, schrauben, seinen Spaß treiben (mit), verspotten, verulken, auf den Arm nehmen, zum Besten halten, auf die Schippe nehmen

V

Vabanquespiel: Abenteuer, Experiment, Risiko, Unterfangen, Wagnis
Vagabund: Landstreicher, Penner, Taugenichts, Tippelbruder, Tramp
vagabundieren: s. herumtreiben, umherschweifen, umherschwirren, umherstreichen, umherstreifen, umherstreunen, umherstrolchen
vage: abstrus, andeutungsweise, fraglich, missverständlich, nebulös, unartikuliert, unausgegoren, unbestimmt, undefinierbar, undeutlich, undurchschaubar, unentschieden, ungenau, unklar, unpräzise, unscharf, unsicher, unübersichtlich, unverständlich, verschwommen, verworren, wirr, zusammenhanglos, zweifelhaft, ein Buch mit sieben Siegeln, in Dunkel gehüllt, nicht eindeutig, nicht deutlich, nicht zu definieren, schlecht zu entziffern, schlecht zu verstehen
Vagina: Scheide, weibliches Geschlechtsorgan
vakant: disponibel, frei, leer, offen, unbesetzt, verfügbar, zu haben, zur Verfügung
Vakuum: Hohlraum *Leere, Nichts
valid: geltend, gesetzmäßig, gültig, unanfechtbar, unbestreitbar, vollgültig
Valuta: Geld, Währung, ausländische Geldsorte *Wert
Vamp: Circe, Sirene, Verführerin, Femme fatale
Vampir: Blutsauger
variabel: mutabel, schwankend, unbeständig, veränderbar, veränderlich, wandelbar, wechselhaft
Variable: Variante, veränderliche Größe
Variante: Abart, Abweichung, Spielart *Lesart, Version
Variation: Abänderung, Abwandlung, Abweichung, Änderung, Korrektur, Modifikation, Modifizierung, Modulation, Revidierung, Überarbeitung, Umänderung, Umarbeitung, Umformung, Umgestaltung, Umsetzung, Veränderung, Verwandlung
variieren: abändern, abwandeln, abweichen, ändern, modifizieren, modulieren, verändern
Vasall: Gefolgsmann, Lehensmann *Anhänger, Getreue
Vater: Alter, Erzeuger, Familienoberhaupt, Haushaltsvorstand, Papa, Papi, alter Herr
Vaterherrschaft: Patriarchat, Vaterrecht
Vaterland: Geburtsland, Heimat, Heimatland, Herkunftsland, Ursprungsland
Vaterlandsfreund: Patriot
vaterlandsliebend: national, patriotisch, vaterländisch
Vaterlandsliebe: Heimatgefühl, Heimatliebe, Patriotismus
väterlich: gut, gütig, herzensgut, lieb, warmherzig
Väterlichkeit: Güte, Gütigkeit, Herzenswärme, Warmherzigkeit
Vatikan: Kirchenstaat, päpstliche Residenz
vegetabilisch: pflanzlich
vegetarisch: fleischlos, pflanzlich, pflanzliche Kost, vegetarische Kost
Vegetation: Pflanzenwelt, Pflanzenwuchs
vegetieren: dahindämmern, dahinleben, dahinvegetieren, gammeln, sein Dasein fristen, sein Leben fristen
vehement: aufbrausend, cholerisch, heftig, hitzig, hitzköpfig, impulsiv, jäh, unbeherrscht, ungeduldig
Vehemenz: Druck, Gewalt, Härte, Kraft, Stärke, Wucht, Wuchtigkeit
Vehikel: Auto, Fahrzeug, Gefährt, Verkehrsmittel
Vene: Blutader, Blutgefäß
Ventil: Hahn, Klappe, Sicherung
Ventilation: Frischluftzufuhr, Lüftung, Luftwechsel
Ventilator: Durchlüfter, Entlüfter, Lüfter
ventilieren: auslüften, belüften, durchlüften, entlüften, lüften, die Fenster öffnen, Luft hereinlassen, Durchzug machen *abwägen, bedenken, s. besinnen, s.

durch den Kopf gehen lassen, durchdenken, erwägen, nachdenken, überdenken, überlegen, überschlagen
Venusberg: Schamberg
verabfolgen: austeilen, verabreichen, verteilen, zugeben, zuteilen
verabreden: abmachen, abreden, abschließen, absprechen, aushandeln, ausmachen, übereinkommen, vereinbaren, eine Verabredung treffen, eine Vereinbarung treffen
verabredet: abgesprochen, ausgemacht, fest, festgelegt, feststehend, fix, geregelt, sicher, verbindlich, vereinbart
Verabredung: Rendezvous, Stelldichein, Treffen *Abmachung, Abrede, Absprache, Agreement, Übereinkunft, Vereinbarung, Vertrag
verabreichen: austeilen, verabfolgen, verteilen, zugeben, zuteilen
verabsäumen: s. durch die Finger gehen lassen, s. entgehen lassen, verfehlen, vergessen, verpassen, verschlafen, nicht nutzen, ungenutzt vorübergehen lassen, zu spät kommen
verabscheuen: hassen, missbilligen, verachten, nicht leiden können, von sich weisen, Abscheu empfinden
verabscheuenswert: abscheulich, ehrlos, ekelhaft, gemein, hässlich, schandbar, schändlich, schandvoll, scheußlich, schimpflich, schmählich, skandalös, verabscheuenswürdig, verwerflich
verabschieden: annehmen, für gültig erklären, in Kraft setzen *abberufen, absetzen, entlassen, kündigen, stürzen, suspendieren ***s. verabschieden:** s. empfehlen, fortgehen, scheiden, s. trennen, Abschied nehmen, auf Wiedersehen sagen, Lebewohl sagen, jmdn. verlassen
verabsolutieren: generalisieren, verallgemeinern, absolut setzen, als absolut gültig hinstellen
verachten: gering denken (von), gering achten, gering schätzen, herabblicken (auf), herabschauen (auf), herabwürdigen, hinunterblicken (auf), missachten, verpönen, verschmähen, die Nase rümpfen (über), mit Verachtung strafen, nicht achten, nicht für voll nehmen, schlecht behandeln, respektlos behandeln
verächtlich: abfällig, despektierlich, entehrend, geringschätzig, missfällig, pejorativ
Verachtung: Demütigung, Entwürdigung, Geringschätzung, Herabsetzung, Herabwürdigung, Missachtung, Naserümpfen, Nichtachtung, Nichtbeachtung, Pejoration, Respektlosigkeit, Verächtlichmachung, Zurücksetzung
verachtungswürdig: ehrlos, gemein, unehrenhaft, unwürdig, verabscheuenswert, verabscheuungswürdig, verächtlich, würdelos
veralbern: anführen, aufziehen, foppen, irreführen, narren, nasführen, täuschen, vergackeiern, zum Besten halten, zum Narren halten, an der Nase herumführen
verallgemeinern: abstrahieren, generalisieren, objektivieren, schablonisieren, verabsolutieren
veralten: s. überleben, verstauben, aus der Mode kommen, außer Gebrauch kommen, unüblich werden, unmodern werden, unmodisch werden, altmodisch werden
veraltet: abgelebt, altmodisch, passé, rückständig, überholt, überlebt, unmodern, unzeitgemäß, vergangen, vorweltlich *fossil *gewesen, vergangen, vorbei, der Vergangenheit angehörend
veränderlich: mutabel, schwankend, unbeständig, unstet, variabel, veränderbar, wandelbar, wechselhaft, wechselvoll
verändern: ändern, umformen, umgestalten, umorganisieren, umwandeln, verwandeln ***s. verändern:** s. ändern, s. entwickeln, s. wandeln, s. wenden, im Wandel begriffen sein *kündigen, weggehen, das Arbeitsverhältnis lösen
verändert: genmanipuliert *bearbeitet, entstellt, manipuliert, verdreht, verfälscht, verkehrt, verschleiert, verändert *variiert
Veränderung: Abänderung, Änderung, Erneuerung, Neubeginn, Neuordnung, Neuregelung, Revolution, Umänderung, Umbruch, Umgestaltung, Umschwung, Umstellung, Wandel, Wechsel
verängstigen: einschüchtern, entmutigen, Angst machen, Angst und Bange

machen, Angst einjagen, einen Schrecken einjagen, mutlos machen, Panik machen
verängstigt: angstbebend, angsterfüllt, ängstlich, angstschlotternd, angstverzerrt, angstvoll, argwöhnisch, aufgeregt, bang, bänglich, befangen, beklommen, besorgt, betroffen, feigherzig, gehemmt, hasenherzig, kleinmütig, memmenhaft, mutlos, scheu, schreckhaft, schüchtern, verschreckt, verschüchtert, zag, zaghaft, zähneklappernd
verankern: festlegen, festmachen, festsetzen, fixieren
veranlagen: anschlagen, ansetzen, berechnen, einschätzen, schätzen, valutieren, veranschlagen
veranlagt: beschaffen, disponiert, geartet, geprägt
Veranlagung: Anlage, Art, Beschaffenheit, Disposition *Befähigung, Begabung, Eignung, Gabe, Talent, Wesensart
veranlassen: anhalten, anregen, antreiben, auslösen, bestimmen, bewegen, bewerkstelligen, einfädeln, entfesseln, herbeiführen, initiieren, verursachen, ins Rollen bringen, den Anstoß geben, dafür sorgen
Veranlassung: Anlass, Anstoß, Antrieb, Beweggrund, Grund, Motiv, Ursache
veranschaulichen: beleuchten, demonstrieren, erklären, erläutern, hervorheben, illustrieren, konkretisieren, verbildlichen, verdeutlichen, vergegenständlichen, vergegenwärtigen, versinnbildlichen, zeigen, deutlich machen, vor Augen führen
Veranschaulichung: Demonstration, Illustration, Illustrierung, Verbildlichung, Verdeutlichung, Vergegenständlichung
veranschlagen: anschlagen, ansetzen, berechnen, einschätzen, schätzen, überschlagen, valutieren
Veranschlagung: Ansatz, Anschlag, Schätzung, Überschlag
veranstalten: abhalten, arrangieren, ausrichten, durchführen, inszenieren, organisieren, unternehmen, in Szene setzen, stattfinden lassen
Veranstalter: Arrangeur, Ausrichter, Organisator
Veranstaltung: Abhaltung, Abwicklung, Ausführung, Bewerkstelligung, Durchführung, Fest, Organisation, Organisierung, Unternehmung *Konzert, Theater *Lesung, Vortrag
verantworten: gerade stehen (für), haften (für), die Verantwortung übernehmen, die Verantwortung tragen, verantwortlich sein ***s. verantworten:** s. rechtfertigen, Rechenschaft ablegen, Rede und Antwort stehen
verantwortlich: haftbar, haftpflichtig, zuständig *ehrenvoll, ernst, federführend, führend, leitend, schwer, verantwortungsreich, verantwortungsvoll, mit Verantwortung verbunden *gewissenhaft, pflichtbewusst, pflichtgetreu, verantwortungsbewusst, verantwortungsvoll
Verantwortung: Haftbarkeit, Haftung, Verantwortlichkeit *Pflichtbewusstsein, Pflichtgefühl, Verantwortungsbewusstsein, Verantwortungsgefühl
verantwortungsbewusst: gewissenhaft, pflichtbewusst, pflichteifrig, pflichterfüllt, pflichtgetreu, pflichtschuldig, pünktlich, verantwortlich, verantwortungsfreudig, verantwortungsvoll, verlässlich, vertrauenswürdig, zuverlässig
Verantwortungsgefühl: Pflichtbewusstsein, Pflichtgefühl, Verantwortungsbewusstsein
verantwortungslos: fahrlässig, leichtfertig, leichtsinnig, nachlässig, oberflächlich, pflichtvergessen, sorglos, unachtsam, unbedacht, unbekümmert, unentschuldbar, unüberlegt, unverantwortlich, unvorsichtig
Verantwortungslosigkeit: Fahrlässigkeit, Leichtfertigkeit, Leichtsinn, Nachlässigkeit, Oberflächlichkeit, Pflichtvergessenheit, Sorglosigkeit, Unachtsamkeit, Unbedachtheit, Unbekümmertheit, Unüberlegtheit, Unvorsichtigkeit
verantwortungsvoll: belastend, ehrenvoll, schwer, verantwortlich, verantwortungsreich
verarbeiten: aufbereiten, ausformen, bearbeiten, formen, herrichten *aufarbeiten, überlegen *aufnehmen, aushalten, verdauen, verkraften, vertragen
Verarbeitung: Aufbereitung, Ausarbeitung, Bearbeitung, Formung, Herstel-

lung, Nutzbarmachung *Aufarbeitung, Überlegung
verargen: nachtragen, übel nehmen, verdenken, verübeln, übel vermerken
verärgern: erbittern, verschnupfen, verstimmen, ärgerlich machen
verärgert: aufgebracht, bärbeißig, böse, empört, entrüstet, erbost, erzürnt, fuchsteufelswild, grantig, griesgrämig, indigniert, missgelaunt, misslaunig, missvergnügt, muffig, mürrisch, rabiat, übellaunig, ungehalten, unwillig, unwirsch, wütend, wutentbrannt, wutschäumend
verarmen: verelenden, an den Bettelstab kommen, arm werden, in Armut geraten, zum Sozialfall werden
verarmt: bedürftig, besitzlos, bettelarm, blank, elend, hungernd, minderbemittelt, mittellos, Not leidend, pleite, unbemittelt, unvermögend, vermögenslos, ohne Einkommen, ohne Geld
Verarmung: Armut, Bedürftigkeit, Besitzlosigkeit, Dürftigkeit, Elend, Geldmangel, Geldnot, Kärglichkeit, Knappheit, Mangel, Mittellosigkeit, Not, Spärlichkeit, Verelendung, Verknappung
verarzten: abfertigen, bedienen, behandeln, beistehen, (medizinisch) betreuen, heilen, kurieren
verästeln (s.): s. gliedern, s. teilen, s. unterteilen (in)
verausgaben: aufwenden, aufzehren, ausgeben, bezahlen, verbrauchen ***s. verausgaben:** s. abhetzen, s. abmühen, s. aufreiben, s. erschöpfen, s. verschwenden, s. zermürben
veräußerlich: absetzbar, erwerbbar, feil, kaufbar, verkäuflich, zu haben
veräußerlichen: verflachen, verwässern, oberflächlich werden
veräußern: abgeben, absetzen, abstoßen, anbringen, feilbieten, feilhalten, verkaufen, verschleudern
Veräußerung: Abgabe, Absatz, Verkauf, Vertrieb
verbal: mündlich, mit Worten
verbalisieren: ausdrücken, äußern, s. auslassen, behaupten, erklären, formulieren, meinen, reden, sprechen, zum Ausdruck bringen, in Worte fassen
verballhornen: verschlechtern, verschlimmbessern, verschlimmern
Verband: Bandage, Binde *Vereinigung, Zusammenschluss *Abteilung, militärische Einheit
verbannen: ausbürgern, ausweisen, deportieren, verschicken, verstoßen, in die Verbannung schicken
Verbannung: Ausbürgerung, Ausweisung, Deportation, Verstoßung
verbarrikadieren: blockieren, sperren, verbauen, vermauern, verriegeln, verschließen, versperren, verstellen, zubauen, zumauern, zustellen ***s. verbarrikadieren:** s. absichern, s. schützen, s. verschanzen, s. verstecken, s. verteidigen
verbaut: besetzt, blockiert, verbarrikadiert, vermauert, verrammelt, versperrt, verstellt, zugebaut, zugemauert
verbeißen (s.): s. festbeißen, s. verbohren, s. verrennen, s. versteifen, hartnäckig bleiben
verbergen: umhüllen, verdecken, vergraben, verhüllen, verschließen, verstecken, wegstecken, wegtun, zudecken, verborgen halten *kaschieren, maskieren, tarnen, überspielen, vernebeln, verschleiern, verwischen, unkenntlich machen *geheim halten, verhehlen, verheimlichen, verschweigen, vorenthalten, für sich behalten ***s. verbergen:** s. abschließen, s. verkriechen, s. verschanzen, s. verstecken
verbessern: berichtigen, klären, korrigieren, revidieren, richtig stellen, umändern *aktivieren, ankurbeln, ausbauen, steigern, vertiefen, vorantreiben *entwickeln, weiterentwickeln, aufbessern, ergänzen, kultivieren, veredeln, verfeinern, verschönern, vervollkommnen *ändern, verändern, umorganisieren, umwandeln, verwandeln ***s. verbessern:** s. bekehren, s. bessern, s. läutern, besser werden, ein neues Leben beginnen, in sich gehen *s. aufheitern, s. aufhellen, s. aufklaren, schöner werden *aufsteigen, emporkommen, hochklettern
Verbesserung: Berichtigung, Korrektur, Richtigstellung *Ausbau, Steigerung, Zunahme *Besserung, Kultivierung, Veredelung, Verfeinerung, Verschönerung, Vervollkommnung

verbeugen (s.): dienern, grüßen, knicksen, s. niederneigen, s. verneigen, eine Verbeugung machen, seine Ehre erweisen, seine Reverenz erweisen
Verbeugung: Bückling, Diener, Gruß, Höflichkeitsbezeugung, Knicks, Reverenz, Verneigung
verbeulen: einbeulen, einbuchten, eindellen, eindrücken
verbiegen: krümmen, verformen, krumm biegen, unbrauchbar machen
verbieten: sperren, untersagen, s. verbitten, verhindern, versagen, verwehren, verweigern, einen Riegel vorschieben, Einhalt gewähren, nicht erlauben, nicht billigen, nicht zulassen, nicht gewähren, nicht genehmigen, nicht gestatten
verbilligen (s.): ermäßigen, herabsetzen, nachlassen, reduzieren, senken, unterbieten, billiger machen, billiger werden, den Preis drücken
Verbilligung: Ermäßigung, Herabsetzung, Preisabbau, Preisabschlag, Preissenkung, Senkung
verbinden: bandagieren, einbinden, umwickeln, verkleben, einen Verband anlegen, Erste Hilfe leisten *aneinanderfügen, anschließen, kombinieren, koppeln, montieren, vereinigen, verflechten, verketten, verknoten, verknüpfen, verkoppeln, verkuppeln, verquicken, verschlingen, verschmelzen, verschweißen, verweben, verzahnen, zusammenbringen, zusammenfügen, zusammenhängen, zusammensetzen *zugleich erledigen, gleichzeitig erledigen, zugleich tun, gleichzeitig tun *s. beziehen (auf), anschließen (an), anknüpfen (an), eine Verbindung herstellen, in Zusammenhang bringen *herstellen, vermitteln ***s. verbinden:** s. solidarisieren, s. verbünden, s. zusammentun *heiraten, s. verheiraten, eine Ehe eingehen *integrieren, verbinden, s. vereinen, vereinigen, zusammenführen, zusammenlegen, zusammenschließen *eine Verbindung eingehen
verbindlich: bindend, definitiv, endgültig, fest, feststehend, geltend, gültig, obligat, obligatorisch, unwiderruflich, verpflichtend *aufmerksam, beflissen, bereitwillig, dienstwillig, entgegenkommend, freundlich, gefällig, großmütig, großzügig, gut gesinnt, hilfsbereit, höflich, huldreich, huldvoll, konziliant, kulant, leutselig, liebenswürdig, nett, wohlgesinnt, wohlmeinend, wohlwollend, zuvorkommend
Verbindlichkeit: Pflicht, Verpflichtung *Geltung, Gültigkeit, Rechtsgültigkeit *Freundlichkeit, Höflichkeit *Obligationen, Passiva, Rückstände, Schuld, Verpflichtungen
Verbindung: Beziehung, Kombination, Koppelung, Synthese, Vereinigung, Verflechtung, Verkettung, Verknüpfung, Verquickung, Verschmelzung, Verzahnung, Zusammenfügung *Ehe, Heirat, Hochzeit, Verehelichung, Vermählung *Anschluss, Berührung, Beziehung, Bund, Bündnis, Gemeinsamkeit, Interaktion, Kommunikation, Kontakt, Umgang, Verhältnis, Verkehr
Verbindungsglied: Bindeglied, Verbindungsstück, Zwischenglied, Zwischenstück
Verbindungsmann: Bindeglied, Kontaktmann, Mittelsmann, Schlichter, Vermittler
verbissen: beharrlich, krampfhaft, stur, unbeirrt, unermüdlich, unverdrossen, zäh, bis zum Letzten
verbitten (s.): untersagen, s. verbieten, versagen, verweigern, nicht gestatten, nicht zulassen, nicht erlauben, nicht billigen, nicht gewähren, nicht genehmigen, Einhalt gebieten
verbittert: brummig, entrüstet, schlecht gelaunt, übellaunig, unbefriedigend, unlustig, unzufrieden, verdrossen, verstimmt, verstört
Verbitterung: Bitterkeit, Bitternis, Erbitterung, Groll, Missmut, Unbehagen, Unzufriedenheit
verblassen: nachlassen, undeutlich werden *aufhellen, ausbleichen, s. entfärben, verbleichen, s. verfärben, vergilben, verschießen, blass werden, heller werden, Farbe verlieren
Verbleib: Aufenthaltsort, Domizil, Sitz, Wohnsitz
verbleiben: übrig bleiben, zurückbleiben, erhalten bleiben, übrig sein

verbleichen: ausbleichen, s. entfärben, verblassen, s. verfärben, vergilben, verschießen, blass werden, Farbe verlieren
verblenden: umhüllen, verkleiden, verschalen
verblendet: lernunfähig, schwerfällig, unbelehrbar, unbeweglich, uneinsichtig, unflexibel, unverbesserlich, verständnislos *beschränkt, eng, engstirnig, kurzsichtig, nicht weit blickend, nicht vorausschauend ***verblendet sein:** danebengreifen, danebenhauen, danebenschießen, s. einer Illusion hingeben, fehlgehen, fehlplanen, fehlschießen, fehlschlagen, hereinfallen, s. im Irrtum befinden, s. irren, missverstehen, s. täuschen, s. vergaloppieren, s. verkalkulieren, s. verrechnen, s. versehen, die Rechnung ohne den Wirt machen, auf dem Holzweg sein, Illusionen haben, auf den Holzweg geraten, aufs falsche Pferd setzen, im Irrtum sein
verblichen: abgeschieden, entseelt, erledigt, erloschen, geblieben, gefallen, gestorben, heimgegangen, hingeschieden, hingestreckt, leblos, selig, tot, unbelebt, verschieden, verstorben, ohne Leben
Verblichener: der Dahingeschiedene, der Gefallene, der Heimgegangene, die Leiche, der Tote, der Verewigte, der Verschiedene, der Verstorbene
verblöden: verdummen, vernebeln, vertrotteln *dumm werden, geistig abstumpfen, geistig abbauen, geistig verarmen
verblödet: borniert, dumm, dümmlich, schwachköpfig, stupide, ohne Verstand
verblüffen: frappieren, überraschen, eine Überraschung bereiten
verblüffend: auffallend, auffällig, Aufsehen erregend, außergewöhnlich, außerordentlich, ausgefallen, beachtlich, bedeutend, bedeutsam, bedeutungsvoll, beeindruckend, beträchtlich, bewundernswert, bewundernswürdig, brillant, eindrucksvoll, einzigartig, enorm, entwaffnend, erstaunlich, fabelhaft, groß, großartig, hervorragend, imponierend, imposant, nennenswert, ohnegleichen, sagenhaft, sensationell, sondergleichen, spektakulär, stattlich, überragend, überraschend, überwältigend, ungeläufig, ungewöhnlich, unvergleichlich
verblüfft: erstaunt, perplex, sprachlos, überrascht, verwundert
Verblüffung: Erstaunen, Sprachlosigkeit, Verwunderung
verblühen: abblühen, absterben, eingehen, verdorren, vergehen, verkümmern, vertrocknen, verwelken, welken
verblüht: alt, ergraut, verbraucht *verdorrt, vertrocknet, welk, schlaff geworden
verblümt: andeutend, andeutungsweise, indirekt, nebelhaft, schattenhaft, schemenhaft, unbestimmt, undeutlich, ungenau, unklar, unscharf, vage, verschwommen, in Andeutungen
verbluten: ableben, absterben, hinscheiden, sterben, umkommen, aus dem Leben gehen, aus dem Leben scheiden
verbogen: gebogen, geschwungen, gewölbt, halbrund, krumm, verkrümmt, nicht gerade
verbohren (s.): beharren, s. festbeißen, s. verbeißen, s. verrennen, s. versteifen, hartnäckig bleiben
verbohrt: blindgläubig, fanatisch, unbelehrbar, verrannt *beschränkt, bockig, dickköpfig, eigensinnig, eigenwillig, eisern, fest, halsstarrig, kompromisslos, rechthaberisch, standhaft, störrisch, stur, trotzig, unaufgeschlossen, unbelehrbar, uneinsichtig, unerbittlich, unnachgiebig, unversöhnlich, unzugänglich, verschlossen, verständnislos, verstockt, widerborstig, widerspenstig
Verbohrtheit: Beharrlichkeit, Dickköpfigkeit, Fanatismus, Unbelehrbarkeit
verborgen: latent, schlummernd, unbemerkt, unerkannt, unsichtbar, unterschwellig, verhüllt, verkappt, verschleiert, versteckt, nicht offenkundig *diskret, geheim, heimlich, stillschweigend, unauffällig, unbeachtet, unbemerkt, unbeobachtet, unerkannt, ungesehen, im Verborgenen *ausborgen, auslegen, ausleihen, borgen, entleihen, herleihen, überlassen, verleihen, vorlegen, vorstrecken
Verbot: Befehl, Gebot, Interdikt, Interdiktion, Machtspruch, Machtwort, Nein,

Prohibition, Sperre, Tabu, Untersagung, Veto, Vorschrift
verboten: gesetzwidrig, illegal, illegitim, irregulär, kriminell, ordnungswidrig, rechtlos, rechtswidrig, strafbar, sträflich, tabu, unbefugt, unerlaubt, ungesetzlich, unrechtlich, unrechtmäßig, unstatthaft, untersagt, unzulässig, verfassungswidrig, verpönt, widerrechtlich, ohne Recht, ohne gesetzliche Grundlage
verbrämen: garnieren, schmücken, verschnörkeln, verzieren *ausschmücken, verschleiern
verbrannt: angebrannt, brandig, brenzlig *abgebrannt, niedergebrannt
verbraten: benützen, unterbuttern, verbrauchen
Verbrauch: Konsum, Konsumierung, Verzehr *Abnutzung, Abnützung, Verschleiß
verbrauchen: aufbrauchen, aufzehren, konsumieren, verwirtschaften, verzehren *abbrauchen, abfahren, ablaufen, abnutzen, abschaben, abwetzen, ausleiern, ausweiten, durchsitzen, strapazieren, verschleißen *aufwenden, aufzehren, ausgeben, bezahlen, verausgaben *angreifen, aufreiben, auslaugen, entkräften, erschöpfen, schmälern, strapazieren
Verbraucher: Abnehmer, Bedarfsträger, Endverbraucher, Käufer, Konsument, Kunde
Verbraucherumfrage: Befragung, Erhebung, Hörerumfrage, Leserumfrage, Publikumsumfrage, Rundfrage, Umfrage, Zuschauerfrage
verbraucht: abgelebt, verarbeitet, verlebt *abgedroschen, alt, bekannt, von gestern
Verbrechen: Bluttat, Delikt, Freveltat, Gewalttat, Gewaltverbrechen, Gräueltat, Kapitalverbrechen, Missetat, Schandtat, Straftat, Übeltat, Übertretung, Untat, Vergehen, Wirtschaftskriminalität
verbrechen (etwas): s. strafbar machen, straucheln, s. versündigen, ein Verbrechen begehen, ein Delikt begehen, schuldig werden, einen Fehltritt begehen, das Gesetz brechen, das Gesetz verletzen, Unrecht tun *anstellen, anstiften, ausfressen, verursachen, etwas anrichten
Verbrecher: Attentäter, Bandit, Betrüger, Dieb, Frevler, Gangster, Gesetzesbrecher, Krimineller, Missetäter, Rechtsbrecher, Schurke, Täter, Übeltäter, Unhold, Unmensch
verbrecherisch: asozial, frevlerisch, kriminell
Verbrecherwelt: Gangstertum, Mafia, Ring, Syndikat, Unterwelt, Verbrechertum
verbreiten: ausbreiten, ausposaunen, ausstreuen, austrompeten, bekannt machen, erzählen, herumerzählen, kundtun, lancieren, popularisieren, propagieren, verkünden, weitererzählen, weiterverbreiten, unter die Leute bringen, in Umlauf bringen ***s. verbreiten:** s. ausbreiten, s. ausweiten, grassieren, s. weiterverbreiten, an Boden gewinnen, um sich greifen
verbreitern: ausbauen, ausdehnen, ausweiten, erweitern, vergrößern, breiter machen
Verbreiterung: Ausdehnung, Erweiterung, Vergrößerung
verbreitet: bekannt, gängig, geläufig, populär, üblich *altbekannt, anerkannt, ausgebreitet, ausgedehnt, ausgewiesen, bekannt, *berühmt, namhaft, prominent, weltbekannt, weltberühmt, wohl bekannt
Verbreitung: Bekanntmachung, Popularisierung, Weiterleitung
verbrennen: abbrennen, anzünden, brennen, einäschern, s. in Rauch auflösen, niederbrennen, verkohlen, in Asche legen, ein Raub der Flammen werden, in Flammen aufgehen, in Rauch aufgehen *den Flammentod sterben, in den Flammen sterben, in den Flammen umkommen *einäschern, kremieren *schwarz werden, ungenießbar werden ***s. verbrennen:** s. verbrühen, s. verletzen
Verbrennung: Einäscherung, Feuerbestattung, Kremation, Leichenverbrennung
verbriefen (s.): bürgen, einstehen (für), eintreten (für), gewährleisten, s. verbürgen, eine Bürgschaft übernehmen, Bürgschaft leisten, Garantie leisten, Gewähr leisten, Sicherheit leisten, die Garantie übernehmen

verbringen: genießen, verleben, zubringen *ausgeben, verschwenden
verbrüdern (s.): s. duzen, fraternisieren, s. solidarisieren, s. verbünden, s. verschwistern, Brüderschaft schließen
verbrühen (s.): s. verbrennen, s. verletzen
verbuchen: belasten, buchen, eintragen, gutbringend, gutschreiben, Bücher führen, Konten führen, in Rechnung stellen *als Erfolg betrachten, als Erfolg werten
verbummeln: entfallen, entschwinden, s. nicht entsinnen, s. nicht erinnern, übersehen, vergessen, verlernen, versäumen, verschwitzen, aus dem Gedächtnis verlieren, aus den Augen verlieren, keine Erinnerung mehr haben, nicht behalten, nicht denken (an), nicht mehr wissen, vergesslich sein *s. durch die Finger gehen lassen, s. entgehen lassen, unterlassen, verabsäumen, verfehlen, vergessen, verpassen, versäumen, verschlafen, versitzen, nicht nutzen, ungenutzt lassen, verstreichen lassen, vorübergehen lassen, zu spät kommen *nutzlos verbringen, ohne Erfolg verbringen, ohne Ergebnis verbringen
verbunden: fest, untrennbar, unzertrennlich, vereinigt, verschmolzen *dankbar, erkenntlich
verbünden (s.): alliieren, s. anschließen, koalieren, konföderieren, paktieren, s. solidarisieren, s. verbinden, s. verbrüdern, s. vereinigen, s. zusammenrotten, s. zusammenscharen, s. zusammenschließen, s. zusammentun, einen Pakt schließen, ein Bündnis schließen
Verbundenheit: Einheit, Gemeinsinn, Koalition, Pakt, Solidarität, Verbindung, Vereinigung, Zusammenschluss *Dank, Dankbarkeit, Dankbarkeitsgefühl, Dankempfindung, Dankgefühl
verbündet: alliiert, assoziiert, vereinigt, zusammengeschlossen
Verbündeter: Anhänger, Bundesgenosse, Bündnispartner, Freund, Genosse, Konföderierter
Verbundnetz: Leitungsnetz, Stromnetz
verbürgen: beteuern, garantieren, versichern, versprechen ***s. verbürgen:** bürgen, dafürstehen, einstehen (für), garantieren, gewährleisten, eine Bürgschaft übernehmen, eine Bürgschaft stellen, Garantie bieten, Garantie leisten, gutsagen, Sicherheit gewähren
verbürgt: authentisch, belegt, echt, garantiert, gesichert, glaubwürdig, nachgewiesen, sicher, unfehlbar, untrüglich, verlässlich, zuverlässig
verbüßen: abbüßen, absühnen, büßen, sühnen, gerade stehen (für), Buße tun
Verdacht: Argwohn, Bedenken, Befürchtung, Misstrauen, Skepsis, Skrupel, Vermutung, Zweifel
verdächtig: bedenklich, dubios, dunkel, finster, fragwürdig, halbseiden, obskur, ominös, suspekt, undurchsichtig, unheimlich, verfänglich, zwielichtig, nicht geheuer
verdächtigen: andichten, anklagen, anlasten, anschuldigen, anschwärzen, beschuldigen, bezichtigen, denunzieren, diffamieren, diskreditieren, misstrauen, nachsagen, unterstellen, verantwortlich machen (für), verleumden, zeihen, böswillig behaupten, im Verdacht haben, Verdacht hegen, zur Last legen
Verdächtigung: Anschwärzung, Beleidigung, Diffamierung, Diskreditierung, Ehrverletzung, Herabwürdigung, Rufmord, Verleumdung, Verunglimpfung, böse Nachrede, üble Nachrede
Verdachtsgrund: Indiz, Verdachtsmoment
verdammen: einen Stein werfen (auf), verurteilen, schuldig sprechen, für schuldig erklären, für schuldig befinden, den Stab brechen (über), in Grund und Boden verdammen *beschimpfen, verfluchen, verwünschen, verzaubern
verdammenswert: abscheulich, schändlich, verabscheuenswert, verfluchenswert, verwerflich
Verdammnis: Fluch, Gottesstrafe *Hölle, Höllenpfuhl, Höllenreich, Inferno, Unterwelt, Ort der Finsternis, Ort der Verdammnis, ewige Finsternis, ewige Verdammnis
verdammt: verflixt, verflucht, verteufelt, verwünscht *entsetzlich, furchtbar, fürchterlich, höllisch, irrsinnig, kolossal,

mordsmäßig, rasend, riesig, schrecklich, sehr, so, unheimlich, unsinnig
Verdammung: Acht, Ächtung, Bann, Boykott, Bulle, Exkommunikation, Fluch, Verdikt, Verfemung, Verfluchung, Verurteilung, Verwünschung
verdampfen: eindampfen, eindicken, evaporieren, kondensieren, verdicken, verkochen
verdanken: danken, schulden, Dank schulden, zu danken haben
verdattert: bestürzt, durcheinander, entsetzt, konfus, konsterniert, kopflos, verdutzt, verstört, verwirrt
verdauen: aufnehmen, aushalten, verarbeiten, verkraften, vertragen *ertragen, auf sich nehmen
verdaulich: förderlich, gesund, verträglich, leicht bekömmlich, gut bekömmlich, nicht belastend
Verdeck: Plane, Schutzdach *oberstes Deck *Autodach, Hardtop, Plane, Wagendecke, Wagenplane
verdecken: abdecken, bedecken, überdecken, überlagern, verbergen, verhüllen, verstecken, zudecken, die Sicht nehmen, unsichtbar machen *bekleben, beseitigen, überkleben, übermalen, überpinseln, zukleben
verdeckt: verborgen, zu *geheim, nicht öffentlich, hinter den Kulissen, hinter verschlossenen Türen
verdenken: ankreiden, krumm nehmen, nachtragen, übel nehmen, verargen, verübeln, übel vermerken
verderben: herabziehen, hinabziehen, hinunterziehen, reißen, zerstören, ins Verderben bringen, auf die schiefe Bahn bringen, ins Verderben führen, ins Verderben stürzen, ins Verderben reißen, negativ beeinflussen, zugrunde richten *faulen, verschimmeln, schimmelig werden, ranzig werden *vergiften, verseuchen *verpesten, verqualmen, verräuchern, verschmutzen *vereiteln, verekeln, vergällen, verleiden, vermiesen, verpatzen, verpfuschen, versalzen, den Spaß verderben, die Freude nehmen, die Lust nehmen, zunichte machen *schaden, schädigen, übel wollen
Verderben: Abgrund, Elend, Ende, Katastrophe, Ruin, Sturz, Unglück, Unheil, Untergang, Verderb, Verhängnis
verderblich: verweslich, leicht ungenießbar werdend *lebensgefährlich, todbringend, tödlich, Unheil drohend *abträglich, hinderlich, nachteilig, negativ, ruinös, schädlich, schlecht, schlimm, unheilvoll, verlustreich
verderbt: ausschweifend, haltlos, hemmungslos, heruntergekommen, lasterhaft, liederlich, locker, lose, lotterhaft, ruchlos, schmutzig, sittenlos, tugendlos, ungehörig, unkeusch, unmoralisch, unschicklich, unsittlich, unsolide, untugendhaft, unziemlich, unzüchtig, verdorben, verkommen, verrucht, verworfen, wüst, zuchtlos, zügellos, zweifelhaft, einem Laster verfallen
verdeutlichen: beleuchten, demonstrieren, klarmachen, konkretisieren, präzisieren, veranschaulichen, vergegenständlichen
Verdeutlichung: Demonstration, Illustration, Illustrierung, Veranschaulichung, Verbildlichung, Vergegenständlichung
verdichten (s.): komprimieren, konzentrieren, dichter werden *s. verstärken, zunehmen
Verdichtung: Kompression, Komprimierung *Verstärkung, Zunahme
verdicken: verdampfen, zäher machen, zähflüssiger machen, dicker machen ***s. verdicken:** anschwellen, anwachsen, s. vergrößern, zunehmen, umfangreicher werden, größer werden, stärker werden, dicker werden
Verdickung: Knoten, Verhärtung, Wulst
verdienen: gebühren, gehören, zukommen, zustehen, angemessen sein, wert sein *bekommen, beziehen, einnehmen, erhalten, Einkünfte haben, Gewinn haben, Einkünfte erzielen, Gewinn erzielen, Geschäfte machen
Verdiener: Erhalter, Ernährer, Versorger
Verdienst: Erfolg, Ergebnis, Großtat, Leistung, Meisterwerk, Meriten, Produkt, Tat *Arbeitslohn, Besoldung, Bezahlung, Bezug, Bezüge, Broterwerb, Einkommen, Einkünfte, Entgelt, Entlohnung, Fixum, Gehalt, Hauptverdienst, Honorar, Lebenserwerb, Lohn, Natural-

bezüge, Naturallohn, Nebenverdienst, Vergütung
Verdienstmöglichkeit: Einnahmequelle, Geldquelle, Job, Verdienstquelle
verdienstvoll: achtbar, beachtlich, beifallswürdig, dankenswert, gut, lobenswert, musterhaft, rühmenswert, untadelig, hoch anzurechnen
verdient: gerecht, gerechtfertigt, verdientermaßen, verdienterweise
Verdikt: Rechtsspruch, Richterspruch, Urteil, Urteilsspruch
verdingen: Arbeit nehmen, eine Stellung annehmen
verdinglichen: anschaulich machen, deutlich machen, sachlich machen
verdonnern: aburteilen, verurteilen, eine Strafe auferlegen, mit einer Strafe belegen, eine Strafe aufbrummen
verdoppeln: doppeln, dublieren, duplizieren, verzweifachen, doppelt machen *aktivieren, ankurbeln, ausbauen, erhöhen, erweitern, intensivieren, steigern, verstärken, vertiefen, vervielfachen, vorantreiben
verdorben: anstößig, lasterhaft, liederlich, pikant, ruchlos, schlecht, schlüpfrig, sittenlos, unanständig, ungebührlich, ungehörig, unkeusch, unmoralisch, unschicklich, unsittlich, unsolide, unziemlich, unzüchtig, verrucht, verworfen, wüst, zotig, zuchtlos, zweideutig *alt, angegangen, faul, faulig, gärig, ranzig, schimmelig, schlecht, ungenießbar, verfault, verkommen, verrottet, verwest, nicht mehr gut, nicht mehr frisch
Verdorbenheit: Lasterhaftigkeit, Verderbnis, Verderbtheit, Verkommenheit, Verworfenheit
verdorren: abblühen, vertrocknen, welken, trocken werden, dürr werden
verdorrt: abgeblüht, ausgetrocknet, dürr, trocken, vertrocknet, verwelkt
verdrängen: abdrängen, ausbooten, ausstechen, kaltstellen, wegdrängen, wegschieben, zurückdrängen, beiseite drängen, beiseite stoßen, zur Seite drängen, zur Seite schieben, in den Hintergrund drängen, aus dem Feld schlagen, aus dem Sattel heben, an die Wand drängen
verdrecken: anschmieren, beflecken, bekleckern, beschmieren, beschmutzen, bespritzen, besudeln, einschmutzen, fasern, fusseln, haaren, verschmieren, verschmutzen, verunreinigen, voll machen, voll schmieren, voll spritzen, dreckig machen, schmutzig machen
verdreckt: befleckt, beschmutzt, dreckig, fett, fettig, fleckig, klebrig, kotig, ölig, schmierig, schmuddelig, speckig, trübe, unansehnlich, ungewaschen, unrein, unsauber, verfleckt, verschmutzt, verstaubt, verunreinigt, in unbeschreiblichem Zustand, mit Flecken übersät, voller Schmutz
verdrehen: entstellen, missdeuten, ummünzen, verfälschen, verkehren, verschleiern, verzeichnen, verzerren, ins Gegenteil verwandeln ***jmdm. den Kopf verdrehen:** beirren, durcheinander machen, irremachen, irritieren, konsternieren, verunsichern, verwirren, in Zweifel stürzen, aus dem Konzept bringen, verlegen machen *betören, verliebt machen, ins Netz locken, Herzen brechen, verrückt machen
verdreht: närrisch, verrückt *einseitig, entstellt, frisiert, parteiisch, schief, subjektiv, tendenziös, verzerrt
Verdrehung: Entstellung, Eulenspiegelei, Verfälschung, Verkehrung, Verzerrung
verdreschen: misshandeln, verhauen, verklopfen, verprügeln, über das Knie legen
verdrießen: missfallen, nicht zusagen, Missfallen erregen, ein Dorn im Auge sein
verdrießlich: ärgerlich, aufgebracht, bärbeißig, böse, brummig, entrüstet, erbittert, erbost, erzürnt, fuchsteufelswild, gekränkt, gereizt, grantig, griesgrämig, grimmig, knurrig, missgelaunt, missgestimmt, misslaunig, missmutig, missvergnügt, muffig, mürrisch, peinlich, schlecht gelaunt, übel gelaunt, übellaunig, unangenehm, unbefriedigt, unerfreulich, unleidlich, unlustig, unmutig, unwillig, unwirsch, unzufrieden, verärgert, verbittert, verdrossen, wütend, wutentbrannt, wutschäumend, wutschnaubend, zähneknirschend, zornig, in schlechter Stimmung

verdrossen: ärgerlich, erbittert, missmutig, mürrisch, verstimmt, zornig, voll Ärger, voll Verdruss
verdrücken: speisen, verspeisen, aufessen, einverleiben, essen, genießen, hinunterschlingen, den Hunger stillen, Mahlzeit halten, das Essen einnehmen *s. **verdrücken:** abdampfen, s. abkehren, davongehen, s. davonmachen, desertieren, enteilen, s. entfernen, s. fortbegeben, fortgehen, s. fortmachen, s. scheren, s. trollen, verschwinden, s. wegbegeben, weggehen, s. wegschleichen
Verdruss: Ärger, Jähzorn, Laune, Raserei, Streit, Unannehmlichkeit, Unausstehlichkeit, Unzufriedenheit, Verdrossenheit, Verstimmung, Wut, Zorn
verduften: s. aus dem Staub machen, s. davonstehlen, fliehen, s. verdünnisieren, verschwinden, s. wegmachen, wegschleichen *s. auflösen (in), verdampfen, verdunsten, verfliegen, s. verflüchtigen
verdummen: abstumpfen, verblöden, vernebeln, vertrotteln, geistig abbauen, geistig stillstehen
verdunkeln: verschleiern, verwischen, unklar machen *abblenden, abdunkeln, abschirmen, verdüstern, verfinstern, dunkel machen, finster machen ***s. verdunkeln:** s. trüben, s. eintrüben, s. bedecken, s. bewölken, s. beziehen, s. umwölken, s. verdüstern, s. verfinstern, s. zuziehen, wolkig werden, trübe werden
Verdunkelung: Abdunklung, Verdunklung, Verfinsterung
verdünnen: pantschen, strecken, verfälschen, verlängern, versetzen, verwässern ***s. verdünnen:** s. verengen, s. verjüngen, s. zuspitzen, schmäler werden, dünner werden, enger werden, spitz zugehen, spitz auslaufen, spitz zulaufen
verdünnisieren (s.): s. aus dem Staub machen, s. davonstehlen, fliehen, verduften, verschwinden, s. wegmachen, wegschleichen
verdunsten: s. auflösen, schwinden, verdampfen, verfliegen, s. verflüchtigen, gasförmig werden
Verdunstung: Verdampfung, Verflüchtigung, Vergasung
verdursten: verschmachten, vor Durst vergehen *hinscheiden, sterben
verdüstern: abblenden, abdunkeln, verdunkeln, verfinstern, dunkel machen, finster machen ***s. verdüstern:** s. bedecken, s. bewölken, s. beziehen, s. eintrüben, s. trüben, s. umwölken, s. verdunkeln, s. zuziehen, wolkig werden, trübe werden
Verdüsterung: Hypochondrie, Melancholie, Schwermut, Trübsinn, Weltschmerz
verdutzen: erstaunen, staunen, s. verwundern, s. wundern, in Erstaunen geraten, große Augen machen
verdutzt: bestürzt, durcheinander, entsetzt, konfus, konsterniert, kopflos, verdattert, verstört, verwirrt
Verdutztheit: Desorientierung, Konfusion, Kopflosigkeit, Verblüfftheit, Verwirrung, Wirrheit
verebben: abflauen, abnehmen, abreißen, aufhören, endigen, erlöschen, ermatten, nachlassen, versiegen, verstummen
veredeln: impfen, okulieren, pelzen, pfropfen, schäften *entwickeln, weiterentwickeln, aufbessern, ergänzen, kultivieren, perfektionieren, verbessern, verfeinern, verschönern, vervollkommnen
Veredelung: Besserung, Kultivierung, Verbesserung, Verfeinerung, Verschönerung, Vervollkommnung
verehelichen (s.): ehelichen, s. eine Frau nehmen, s. einen Mann nehmen, heiraten, hochzeiten, s. trauen lassen, s. verheiraten, s. vermählen, eine Ehe eingehen, eine Ehe schließen, einen Hausstand gründen, Hochzeit machen, Hochzeit feiern, Hochzeit halten, eine Lebenspartnerschaft eingehen
verehelicht: verheiratet, vermählt
Verehelichung: Eheschließung, Heirat, Hochzeit, Ringwechsel, Trauung, Verbindung, Verheiratung, Vermählung
verehren: achten, anbeten, anschwärmen, aufblicken (zu), aufschauen (zu), aufsehen (zu), bewundern, hochachten, hochschätzen, huldigen, lieben, schätzen, vergöttern, in Ehren halten, zu Füßen liegen, schwärmen (für)
Verehrer: Anbeter, Bewunderer, Fan *Freund, Kavalier, Liebhaber, Romeo

verehrt: geehrt, geschätzt, hochgeschätzt, hochverehrt, hochwürdig, teuer, wert
Verehrung: Anbetung, Bewunderung, Kult, Liebe, Vergötterung, Vergötzung *Achtung, Ehrfurcht, Respekt
verehrungswürdig: alt, ehrwürdig, patriarchalisch, väterlich, würdig
vereidigen: durch Eid verpflichten, unter Eid nehmen
Verein: Allianz, Bund, Bündnis, Entente, Fusion, Gruppe, Klub, Koalition, Liaison, Organisation, Verbindung, Vereinigung, Zusammenschluss, Schutz-und-Trutz-Bündnis
vereinbar: verträglich, (mit etwas) übereinstimmen, im Einklang stehen
vereinbaren: abmachen, abreden, absprechen, aushandeln, ausmachen, übereinkommen, verabreden, eine Abmachung treffen, eine Vereinbarung treffen, Vereinbarungen treffen
vereinbart: abgemacht, abgeredet, ausgemacht, beschlossen, besiegelt, entschieden, feststehend, geregelt, sicher
Vereinbarung: Abmachung, Abrede, Abschluss, Absprache, Agreement, Übereinkunft, Verabredung, Vertrag
vereinbarungsgemäß: verabredetermaßen, wie abgemacht, wie vereinbart, wie verabredet, laut Absprache
vereinen: integrieren, verbinden, vereinigen, zusammenführen, zusammenlegen, zusammenschließen *harmonisieren, vereinigen, unter einen Hut bringen ***s. vereinen:** s. assoziieren, fusionieren, s. organisieren, s. sammeln, s. verbinden, s. vereinigen, verschmelzen, s. zusammenschließen, s. zusammentun
vereinfachen: s. einfacher ausdrücken, s. gemeinverständlich ausdrücken, s. genauer ausdrücken, popularisieren *formalisieren, klären, präzisieren, schematisieren, stilisieren, uniformieren, vereinheitlichen *banalisieren, schablonisieren, schematisieren, simplifizieren, verflachen, vergröbern, verharmlosen, verwässern
Vereinfachung: Schematisierung, Schematismus, Simplifikation, Vergröberung
vereinheitlichen: gleichmachen, normen, normieren, standardisieren, typisieren, auf eine Formel bringen, auf einen Nenner bringen
Vereinheitlichung: Normierung, Standardisierung, Typisierung
vereinigen: einen, integrieren, sammeln, verbinden, vereinen, zusammenfassen, zusammenschließen ***s. vereinigen:** s. assoziieren, s. organisieren, s. sammeln, s. verbinden, verschmelzen, s. zusammenscharen, s. zusammenschließen, s. zusammentun *s. begatten, koitieren, miteinander schlafen, den Beischlaf vollziehen
vereinigt: einheitlich, untrennbar, verbunden, zusammen *beigeordnet, beisammen
Vereinigung: Assoziation, Einigung, Integration, Zusammenschluss *Assoziation, Bruderschaft, Brüderschaft, Bund, Körperschaft, Korporation, Ring, Union, Verband *Organisation, Verein *Fusion, Verschmelzung *Akt, Begattung, Beischlaf, Geschlechtsakt, Geschlechtsverkehr, Kohabitation, Koitus, Kopulation, Liebesvereinigung
vereinnahmen: kassieren, einkassieren, einnehmen, einsammeln, eintreiben, einziehen *für sich beanspruchen, an sich binden
vereinsamt: abgeschieden, abgeschlossen, abgesondert, allein, ausgestoßen, einsam, einsiedlerisch, einzeln, isoliert, klösterlich, mutterseelenallein, separat, solo, vereinzelt, verlassen, verwaist, weltverloren, zurückgezogen, für sich, ohne Begleitung, ohne Freunde, ohne Gesellschaft, ohne Kontakt
vereint: alle, gemeinsam, gemeinschaftlich, geschlossen, im Verein (mit), kooperativ, zusammen, Arm in Arm, im Chor, in Zusammenarbeit, Seite an Seite
vereinzeln: pikieren, verziehen
vereinzelt: mancherorts, singulär *bisweilen, gelegentlich, mancherorts, manchmal, mitunter, sporadisch, stellenweise, stoßweise, streckenweise, verschiedentlich, zeitweilig, zeitweise, zuweilen, zuzeiten, ab und zu, dann und wann, hin und wieder, nicht immer, von Zeit zu Zeit *gelegentlich, rar, selten, spärlich, verstreut, fast nie *einsam, einzeln, für sich

vereist: hartgefroren, verharscht
vereiteln: durchkreuzen, frustrieren, hintertreiben, torpedieren, untergraben, verderben, verhindern, zu Fall bringen, zuschanden machen, zunichte machen, einen Strich durch die Rechnung machen, das Handwerk legen
Vereitelung: Durchkreuzung, Hinderung, Hintertreibung, Querstrich, Verhinderung
verekeln: verderben, vereiteln, vergällen, verleiden, verpatzen, verpfuschen, den Spaß verderben, die Freude nehmen, die Lust nehmen, zunichte machen
verelenden: verarmen, an den Bettelstab kommen, arm werden, in Armut geraten, zum Sozialfall werden
verelendet: bedürftig, besitzlos, bettelarm, blank, elend, hungernd, minderbemittelt, mittellos, Not leidend, pleite, unbemittelt, unvermögend, verarmt, vermögenslos, ohne Einkommen, ohne Geld
Verelendung: Armut, Bedürftigkeit, Besitzlosigkeit, Dürftigkeit, Elend, Geldmangel, Geldnot, Kärglichkeit, Knappheit, Mangel, Mittellosigkeit, Not, Spärlichkeit, Verknappung
verenden: eingehen, krepieren, sterben, verrecken, zu Tode kommen
verengen (s.): s. verdünnen, s. verjüngen, s. zuspitzen, spitz ausgehen, spitz zulaufen, spitz zugehen, dünner werden, enger werden, schmäler werden
Verengung: Verjüngung, Zuspitzung *Einengung, Pressung, Verdichtung, Verkleinerung, Verkürzung, Zusammenpressung, Zusammenschnürung, Zusammenziehung
vererben: hinterlassen, nachlassen, überlassen, überliefern, übermachen, überschreiben, vermachen, weitergeben, weiterreichen, zurücklassen
vererbt: geerbt, hinterlassen, übernommen, vermacht *angeboren, angestammt, eingeboren, erblich, ererbt, genuin, vererbbar, im Blut, von Haus aus, von Geburt an vorhanden
Vererbungslehre: Genetik
verewigen (s.): s. ein Denkmal setzen, s. unsterblich machen, in die Geschichte eingehen, in die Unsterblichkeit eingehen *eingravieren, einkerben, einritzen, einsägen, einschneiden, einschnitzen, verewigen
verewigt: selig, tot, verstorben, seligen Angedenkens
Verewigte: der Abgeschiedene, der Entschlafene, der Heimgegangene, der Tote, der Verblichene, der Verschiedene, der Verstorbene
Verewigung: Abberufung, Ende, Erlösung, Exitus, Heimgang, Hingang, Hinscheiden, Lebensende, Tod
verfahren: agieren, handeln, machen, operieren, tun, vorgehen, zur Tat schreiten, eine bestimmte Methode anwenden *aussichtslos, ausweglos, chancenlos, hoffnungslos, unhaltbar, verbaut, verschlossen, verstellt, ohne Chance ***s. verfahren:** fehlgehen, irregehen, s. verirren, die Orientierung verlieren, die Richtung verlieren, einen falschen Weg einschlagen, vom Weg abkommen, vom Weg abirren, in die Irre gehen, den Weg verfehlen ***verfahren (mit):** ausüben, besorgen, betreiben, handhaben, hantieren, machen, tun, verrichten
Verfahren: Methode, Prozedur, Verfahrenstechnik, Verfahrensweise, Vorgehensweise *Gerichtsverfahren, Gerichtsverhandlung, Prozess, Rechtsstreit, Rechtsverfahren, Verhandlung
Verfall: Auflösung, Fäulnis, Verwesung, Zersetzung *Abstieg, Entartung, Fall, Niedergang, Rückwärtsentwicklung, Untergang, Vernichtung, Verschlechterung, Zerfall, Zerrüttung, Zusammenbruch, Sinken des Niveaus
verfallen: einstürzen, verwittern, zusammenbrechen, zusammenfallen, zusammenstürzen, baufällig werden, in Trümmer fallen *absterben, aussterben, degenerieren, entarten, niedergehen, untergehen, dem Untergang entgegengehen, in Verfall geraten *abmagern, auszehren, einfallen, zusammenfallen *ablaufen, enden, verjähren, außer Kraft treten, die Gültigkeit verlieren, wertlos werden, ungültig werden, wertlos sein, ungültig sein, zu Ende gehen *abgelaufen, entwertet, ungültig, unwirksam, wertlos

*abgemagert, dünn, eingefallen, knochig *abhängig, ausgeliefert, gefügig, hörig, süchtig, untertan, willfährig ***verfallen lassen:** hintenansetzen, hintenanstellen, missachten, s. nicht genügend kümmern (um), unterlassen, verludern, vernachlässigen, verschlampen, auf sich beruhen lassen, außer Acht lassen, beiseite lassen, unbeachtet lassen, unberücksichtigt lassen, nicht berücksichtigen, seine Pflicht versäumen, verlottern lassen, verkommen lassen, verwahrlosen lassen, herunterkommen lassen

Verfallsdatum: Verfallstag

verfälschen: fälschen, falsifizieren, nachmachen *panschen, strecken, verdünnen, verlängern, versetzen, verwässern *entstellen, missdeuten, ummünzen, verdrehen, verkehren, verschleiern, verzeichnen, verzerren, ins Gegenteil verwandeln

verfälscht: falsch, manipuliert, unrichtig, verändert *gepanscht, verdünnt, verwässert, nicht koscher, nicht rein

Verfälschung: Entstellung, Eulenspiegelei, Verdrehung, Verkehrung, Verzerrung

verfangen (s.): hängen bleiben, hineingeraten, s. in eine unangenehme Situation bringen, s. verfilzen, s. verstricken, s. verwickeln

verfänglich: bedenklich, gefährlich, heikel, schädlich, nicht geheuer

verfärben (s.): anlaufen, erröten, eine andere Farbe annehmen, die Farbe wechseln *ausgehen, verblassen *erblassen, die Farbe verlieren

verfassen: abfassen, anfertigen, aufsetzen, formulieren, schreiben

Verfasser: Schöpfer, Urheber *Autor, Schreiber, Schriftsteller, Urheber

Verfassung: Grundgesetz, Staatsverfassung *Landesverfassung *Kondition, Zustand *Gemütslage, Gemütsstimmung, Gemütsverfassung, Gemütszustand, Stimmung *Allgemeinbefinden, Befinden, Ergehen, Gesundheitszustand, Zustand

verfassungsfeindlich: anarchistisch, illoyal, staatsfeindlich, zersetzend, zerstörerisch, gegen die Verfassung gerichtet

verfassungsmäßig: gesetzlich, gesetzmäßig, juristisch, legal, legitim, ordnungsgemäß, rechtlich, rechtmäßig, rechtskräftig, vorschriftsmäßig, dem Gesetz entsprechend, dem Recht entsprechend, der Verfassung entsprechend, nach den Paragraphen, nach der Verfassung, nach dem Gesetz, zu Recht

verfassungstreu: gesetzestreu, loyal, staatstreu

verfassungswidrig: gesetzwidrig, illegal, illegitim, irregulär, kriminell, rechtswidrig, strafbar, sträflich, ungesetzlich, unrechtlich, unrechtmäßig, unstatthaft, untersagt, unzulässig, verboten, verpönt, widerrechtlich, gegen die Verfassung, gegen das Grundgesetz, ohne Recht, ohne gesetzliche Grundlage

verfaulen: faulen, vermodern, vermorschen, verrotten, verwesen, in Fäulnis übergehen

verfault: alt, angegangen, faul, faulig, ranzig, schimmelig, schlecht, ungenießbar, verkommen, verrottet, verwest, nicht mehr gut, nicht mehr frisch

verfechten: eintreten (für), verteidigen, vertreten, in Schutz nehmen

Verfechter: Kämpfer, Pionier, Protagonist, Schrittmacher, Streiter, Verteidiger, Vorkämpfer

verfehlen: danebengehen, danebenschießen, danebentreffen, fehlen, fehlschießen, vorbeischießen, nicht treffen *verpassen, versäumen, nicht mehr erreichen ***das Thema verfehlen:** am Thema vorbeischreiben, nicht behandeln ***den Weg verfehlen:** fehlgehen, irregehen, s. verfahren, s. verfliegen, s. verirren, s. verlaufen, die Orientierung verlieren, die Richtung verlieren, einen falschen Weg einschlagen, vom Weg abkommen, vom Weg abirren, in die Irre gehen ***den Ton verfehlen:** entgleisen, s. flegelhaft benehmen, s. vorbeibenehmen, einen Fauxpas begehen, aus dem Rahmen fallen, aus der Reihe tanzen, aus der Rolle fallen *danebengreifen

verfehlt: fehlgeschlagen, misslungen, missraten *deplatziert, falsch, irrig, unangebracht, nicht zutreffend

Verfehlung: Delikt, Straftat, Übertretung, Unrecht, Vergehen, Verstoß *Ent-

gleisung, Fall, Fehltritt, Sünde, ein Schritt vom richtigen Weg
verfeinden (s.): auseinander geraten, böse werden, s. entfremden, s. entzweien, s. trennen, s. überwerfen, s. verkrachen, s. verzanken, s. zerstreiten
verfeindet: entzweit, gespalten, getrennt, uneinig, uneins, verkracht, verzankt, zerfallen, zerstritten
Verfeindung: Bruch, Entzweiung, Trennung, Zerwürfnis
verfeinern: erhöhen, läutern, sublimieren, veredeln, vergeistigen, ins Erhabene steigern, ins Geistige heben *kultivieren, verbessern, vervollkommnen *würzen
verfeinert: geläutert, sublimiert, veredelt, vergeistigt *kultiviert, raffiniert, verbessert, vervollkommnet *gewürzt
Verfeinerung: Besserung, Kultivierung, Verbesserung, Veredelung, Verschönerung, Vervollkommnung
verfemen: ächten, bannen, brandmarken, proskribieren, verstoßen, für vogelfrei erklären, die Acht verhängen, die Acht aussprechen, in Acht und Bann schlagen
verfemt: friedlos, geächtet, rechtlos, vogelfrei
verfertigen: anfertigen, arbeiten (an), basteln, bauen, bereiten, fabrizieren, fertigen, fertig stellen, herstellen, machen, modellieren, zubereiten
verfestigen: gerinnen, verdicken *erhärten, festigen *einschnüren, zusammenpressen
verfilmen: auf die Leinwand bringen, filmisch darstellen, einen Film machen, filmisch umsetzen, filmisch gestalten
verfilzen: verflechten, verhaspeln, verheddern, verknäueln, verschlingen, verstricken, verwickeln, verwirren ***s. verfilzen:** hängen bleiben, hineingeraten, s. in eine unangenehme Situation bringen, s. verfangen, s. verstricken, s. verwickeln
verfinstern (s.): s. bedecken, s. bewölken, s. beziehen, s. eintrüben, s. verdunkeln, s. verdüstern, dunkler werden, trübe werden
Verfinsterung: Bewölkung, Eintrübung, Verdunkelung
verflachen: veräußerlichen, verwässern, oberflächlich werden
verflacht: vereinfacht *flach (gemacht) *oberflächlich *seicht
Verflachung: Nivellierung, Verwässerung *Anpassung, Gleichmacherei, Gleichschaltung, Gleichstellung, Nivellierung, Vereinheitlichung, Vermassung
verflechten: verbinden, zusammenbinden, zusammenflechten
Verflechtung: Beziehung, Kombination, Koppelung, Synthese, Verbindung, Vereinigung, Verkettung, Verknüpfung, Verquickung, Verschmelzung, Verzahnung, Zusammenfügung
verfliegen: entschwinden, vergehen, verrauchen, verstreichen *s. auflösen, verdampfen, verdunsten, s. verflüchtigen, gasförmig werden
verfließen: auslaufen, verschwimmen, verwischen, ineinander übergehen *verblassen *vergehen
verflixt: verdammt, verflucht, verteufelt, verwünscht *entsetzlich, fürchtbar, fürchterlich, höllisch, irrsinnig, kolossal, mordsmäßig, rasend, riesig, schrecklich, sehr, so, unheimlich, unsinnig *ärgerlich, unangenehm *sehr, überaus
verflochten: geflochten, gitterförmig, vergittert, verwoben
verflossen: alt, bisherig, damalig, derzeitig, ehemalig, einstig, einstmalig, früher, gewesen, sonstig, vergangen, vormalig
Verflossene: Ehemalige, Exfrau, Exbraut
Verflossener: Ehemaliger, Exbräutigam, Exfreund, Exmann
verfluchen: beschimpfen, verdammen, vermaledeien, verteufeln, verwünschen
verflucht: verhext, verteufelt, verwunschen, verwünscht, verzaubert
verflucht!: verdammt!, verflixt!, verflixt und zugenäht!
verflüchtigen (s.): s. auflösen (in), verdampfen, verduften, verdunsten, verfliegen
verflüssigen: s. auflösen, kondensieren, verdichten *auslassen, schmelzen, flüssig machen, flüssig werden
Verfolg: Abwicklung, Fortgang, Verlauf
verfolgen: s. an jmds. Sohlen heften, fahnden (nach), hetzen, hinterherjagen, hinterhersetzen, jagen, nachjagen, nachlaufen, nachrennen, nachsetzen, nach-

stellen, treiben, auf der Spur sein, auf der Fährte sein, hinter jmdm. her sein, hinterher sein, jmdm. auf den Fersen bleiben, zu fangen suchen *bedrängen, nötigen, jmdm. zusetzen, nicht in Ruhe lassen *beobachten, nicht aus den Augen lassen *anstreben, beabsichtigen, eifern (nach), trachten (nach), ins Auge fassen *s. anhören, aufpassen, folgen, zuhören
Verfolger: Häscher, Scherge *Anwärter, Aspirant, Bewerber, Bittsteller, Interessent, Kandidat, Postulant
Verfolgung: Fahndung, Hatz, Hetze, Hetzjagd, Jagd, Kesseltreiben, Nachstellung, Pogrom, Suche, Treibjagd, Verfolgungsjagd
verformen: deformieren, aus der Form geraten, die Form verlieren
verfrachten: befördern, expedieren, fahren, frachten, schaffen, spedieren, transportieren, überführen, verschicken *fortbringen, fortschaffen, wegbringen, wegräumen *abladen, aufladen, einladen, umladen, verladen
verfranzen (s.): fehlgehen, irregehen, s. verfahren, s. verfliegen, s. verirren, s. verlaufen, die Orientierung verlieren, den Weg verfehlen, vom Wege abkommen, vom Wege abirren, in die Irre gehen
verfressen: esslustig, fressgierig, fresssüchtig, gefräßig, unersättlich, unmäßig
Verfressenheit: Appetit, Essgier, Esssucht, Fressgier, Fresssucht, Gefräßigkeit, (zu großen) Hunger, Unersättlichkeit
verfroren: durchgefroren, kalt
verfrüht: vorzeitig, vor der Zeit, vor seinen Jahren, zu früh
verfügbar: frei, offen, unbesetzt, vakant, zu haben *fertig, gerüstet, greifbar, griffbereit, parat, präsent, zur Verfügung habend *disponibel, flüssig, käuflich, vorhanden, vorrätig, auf Lager, zu haben, zu kaufen *erreichbar, zugänglich
verfugen: abdichten, dichten, isolieren
verfügen: bestimmen, entscheiden, festlegen, eine Entscheidung treffen *anordnen, anweisen, bestimmen, diktieren, veranlassen, verordnen *besitzen, haben, innehaben *beaufsichtigen, gebieten, herrschen, regieren, verordnen
Verfügung: Disposition, Verfügungsgewalt *Anordnung, Anweisung, Bestimmung, Diktat, Veranlassung, Verordnung *Testament, der letzte Wille *Patiententestament, Patientenverfügung
verführbar: labil, schwach, willensschwach *bereit, willig
verführen: anreizen, umgarnen, verleiten, verlocken, versuchen, auf Abwege bringen, in Versuchung bringen *entehren, missbrauchen, schänden, vergewaltigen, s. vergreifen (an) *zwingen
Verführer: Casanova, Frauenheld, Frauenliebling, Herzensbrecher, Liebhaber, Schürzenjäger, Don Juan *Anstifter, Auftraggeber, Drahtzieher, Hintermann, Macher *Vergewaltiger
Verführerin: Circe, Sirene, Vamp, Femme fatale
verführerisch: angenehm, anmutig, anziehend, attraktiv, aufreizend, betörend, bezaubernd, charmant, gewinnend, lieb, liebenswert, sympathisch, verlockend
Verführung: Kitzel, Lockung, Reiz, Verlockung, Versuchung *Entehrung, Gewalt, Missbrauch, Schändung, Vergewaltigung *Zwang
Vergabe: Aufteilung, Ausgabe, Distribution, Verteilung, Zuteilung
vergaffen (s.): s. vergucken, s. verlieben, s. verschauen
vergällen: denaturieren, ungenießbar machen *mies machen, verderben, verekeln, vergraulen, verleiden, vermiesen, madig machen
vergaloppieren (s.): fehlgehen, s. im Irrtum befinden, irren, auf dem Holzweg sein, auf der falschen Fährte sein
vergammeln: verkommen, schlecht werden, ungenießbar werden
vergammelt: abgewirtschaftet, ruiniert, verdorben, verkommen, verlebt, verlottert, verschlampt, verwahrlost, verwildert *alt, altbacken, hart, trocken, nicht mehr frisch *faul, faulig, ranzig, schimmelig, schlecht, ungenießbar, verkommen *heruntergewirtschaftet
vergangen: abgelebt, abgetan, begraben, dahin, ehemalig, entschwunden, erledigt, fern, gestrig, gewesen, passé, tot, veraltet, verflossen, vergessen, verjährt, verschollen, versunken, verweht, verwi-

chen, vorbei, vorüber, zurückliegend, lange her

Vergangenheit: Ferne, Geschichte, Historie, Vorwelt, Vorzeit, das Gestern, frühere Tage, vergangene Tage, verflossene Tage, gewesene Tage, frühere Zeit, frühere Zeiten, vergangene Zeit(en), verflossene Zeit(en), gewesene Zeit(en) *Biographie, Lebensführung, Lebenslauf, Vita, Vorleben, Werdegang

vergänglich: begrenzt, endlich, flüchtig, irdisch, kurzlebig, sterblich, veränderlich, verweslich, vorübergehend, zeitgebunden, zeitlich, nicht ewig, von kurzer Dauer

Vergänglichkeit: Begrenztheit, Endlichkeit, Flüchtigkeit, Kürze, Sterblichkeit, Zeitlichkeit

vergasen: ermorden, töten, mit Gas vergiften ***s. vergasen:** s. umbringen, den Gashahn aufdrehen, Selbstmord begehen

vergeben: absolvieren, entschuldigen, exkulpieren, nachgeben, verzeihen, von einer Schuld freisprechen, von einer Schuld befreien, Nachsicht zeigen, nicht übel nehmen, nicht nachtragen, Verzeihung gewähren *aufteilen, austeilen, geben, überantworten, übertragen, verabfolgen, verabreichen, verteilen, zuteilen *abgeben, fortgeben, geben, hergeben, herschenken, schenken, spendieren, veräußern, verschenken, wegschenken *ausgeben, aushändigen, austeilen, geben, verteilen

vergeblich: nutzlos, sinnlos, umsonst, unnötig, vergebens, zwecklos

Vergebung: Absolution, Barmherzigkeit, Entschuldigung, Erbarmen, Milde, Nachsicht, Verständnis, Verzeihung *Amnestie, Begnadigung, Freisprechung, Lossprechung, Straferlass *Ablass, Absolution, Sündenvergebung

vergegenständlichen: beleuchten, demonstrieren, erklären, erläutern, hervorheben, illustrieren, konkretisieren, veranschaulichen, verbildlichen, verdeutlichen, vergegenwärtigen, zeigen, deutlich machen, vor Augen führen

vergegenwärtigen (s.): s. ausmalen, s. ein Bild machen (von), s. vorstellen

vergehen: ablaufen, dahingehen, dahingleiten, dahinschwinden, enteilen, entrinnen, entschwinden, fliehen, gleiten, hingehen, schwinden, verfliegen, verlaufen, verrauschen, verrinnen, verschwinden, verstreichen, vorbeigehen, vorüberfliegen, vorübergehen, zerrinnen *abflauen, nachlassen, weniger werden, schwächer werden *verblühen, verwelken, welken *aussterben, untergehen, verschwinden *abkommen, veralten, aus der Mode kommen, unmodern werden, unüblich werden *erstaunen, staunen, überrascht sein ***s. vergehen:** s. etwas zuschulden kommen lassen, s. strafbar machen, mit dem Gesetz in Konflikt kommen, seine Pflicht verletzen, widerrechtlich handeln *missbrauchen, vergewaltigen

Vergehen: Delikt, Entgleisung, Fehler, Straftat, Übertretung, Unrecht, Verstoß, Zuwiderhandlung

vergeistigen: spiritualisieren, sublimieren, verdrängen

vergelten: abrechnen, ahnden, heimzahlen, rächen, wettmachen, wiedervergelten, Rache nehmen *abfinden, belohnen, danken, s. erkenntlich zeigen, s. revanchieren

Vergeltung: Abrechnung, Ausgleich, Entschädigung, Genugtuung, Sühne *Belohnung, Dank, Revanche *Gegenschlag, Heimzahlung, Rache, Repressalie, Vergeltungsmaßnahme *Gegenangriff, Gegenstoß

Vergeltungsmaßnahme: Abrechnung, Ausgleich, Entschädigung, Gegenangriff, Gegenmaßnahme, Gegenschlag, Gegenstoß, Heimzahlung, Rache, Repressalie, Sühne, Vergeltungsangriff

vergesellschaften: enteignen, kollektivieren, nationalisieren, sozialisieren, vergemeinschaften, verstaatlichen, in Volkseigentum überführen, in Gemeineigentum überführen

vergessen: entfallen, entschwinden, s. nicht entsinnen, s. nicht erinnern, übersehen, verbummeln, verlernen, versäumen, verschwitzen, aus dem Gedächtnis verlieren, aus den Augen verlieren, keine Erinnerung mehr haben, nicht behalten, nicht denken (an), nicht mehr wissen, vergesslich sein ***s. vergessen:** s. ärgern, aufbrausen, s. echauffieren, s. erhitzen, s. erzürnen, aus der Fassung geraten, die Beherrschung verlieren ***vergessen werden:** in der Versenkung verschwinden, in Vergessenheit geraten ***vergessen wollen:** begraben, verdrängen, Gras wachsen lassen (über), einen Strich unter etwas machen

vergesslich: gedächtnisschwach, gedankenlos, gedankenverloren, nachdenklich, unzuverlässig, zerstreut

Vergesslichkeit: Erinnerungslücke, Gedächtnislücke, Gedächtnisschwäche, Gedächtnisschwund, Gedächtnisstörung, Zerstreutheit

vergeuden: durchbringen, verjubeln, verprassen, verschleudern, verschwenden, vertun

Vergeudung: Prasserei, Prunksucht, Schlemmerei, Schwelgerei, Verschwendung

vergewaltigen: entehren, missbrauchen, notzüchtigen, schänden, verführen, s. vergehen (an), s. vergreifen (an), Notzucht verüben (an), Gewalt antun *zwingen

Vergewaltigung: Notzucht, Schändung *Zwang

vergewissern (s.): sichergehen, s. überzeugen, s. versichern, Gewissheit verschaffen, auf Nummer Sicher gehen

vergießen: ausgießen, ausschütten, verschütten *heulen, weinen, Tränen vergießen

vergiften: töten, Gift geben *giftig machen, mit Gift versetzen, mit Gift vermischen ***s. vergiften:** s. umbringen, Gift nehmen, den Gashahn aufdrehen, Tabletten nehmen, Selbstmord begehen

vergiftet: tödlich, verpestet, verschmutzt, verseucht

vergilben: gilben, verblassen, gelb werden *absterben, welken, nicht mehr grünen

vergilbt: abgestorben, alt, angegilbt, verblasst, verwelkt

verglast: gläsern, glasig, starr, stier

Vergleich: Entsprechung, Gegenüberstellung, Parallele, Vergleichung *Ausgleich, Begleichung, Beilegung, Bereinigung, Bezahlung, Schlichtung

vergleichbar: ähnlich, analog, entsprechend, komparabel, konvergierend, parallel, sinngemäß, vergleichsweise, verwandt

vergleichen: abwägen, dagegenhalten, gegenüberhalten, gegenüberstellen, komparieren, konfrontieren, kontrollieren, messen, nebeneinander halten, nebeneinander stellen, prüfen (an), messen (an), einen Vergleich anstellen, einen Vergleich ziehen, Parallelen ziehen, einer Prüfung unterziehen, wägend prüfen ***s. vergleichen:** s. einig werden, s. einigen, übereinkommen, s. versöhnen, s. verständigen, einen Vergleich schließen, Verständigung erzielen, ins Reine kommen, handelseins werden *kämpfen, s. messen (mit), wettstreiten, einen Wettkampf miteinander austragen

Vergleichsstufe: Komparativ

vergleichsweise: diesbezüglich, relativ, verhältnismäßig, ziemlich

verglühen: ausgehen, auslöschen, erlöschen, verglimmen

vergnügen: anregen, aufheitern, aufmuntern, belustigen, ergötzen, erheitern, genießen, unterhalten, zerstreuen ***s. vergnügen:** s. amüsieren, s. unterhalten, s. verlustieren, miteinander fröhlich sein

Vergnügen: Belustigung, Daseinsfreude, Entzücken, Ergötzen, Erheiterung, Freude, Fröhlichkeit, Frohsinn, Gaudium, Glück, Glückseligkeit, Heiterkeit, Lebensfreude, Lebenslust, Lust, Lustigkeit, Pläsier, Seligkeit, Spaß, Unterhaltung, Vergnügtheit

vergnüglich: amüsant, angenehm, anregend, ergötzlich, gesellig, heiter, kurzweilig, launig, lustig, spaßig, unterhaltsam

vergnügt: aufgeheitert, aufgekratzt, aufgelegt, aufgeschlossen, aufgeweckt, ausgelassen, feuchtfröhlich, fidel, freudestrahlend, freudig, froh, frohsinnig, frohgemut, frohgestimmt, fröhlich, gut gelaunt, heiter, lebensfroh, lebenslustig, lustig, munter, schelmisch, sonnig, strahlend, übermütig, überschäumend, übersprudelnd, vergnüglich, wohlgemut, heiteren Sinnes

Vergnügung: Amüsement, Aufheiterung, Belustigung, Ergötzung, Erheiterung, Kurzweil, Unterhaltung, Vergnügen, Zeitvertreib, Zerstreuung *Belustigung, Cocktailparty, Empfang, Feier, Fest, Festivität, Festlichkeit, Fete, Freudenfeier, Freudenfest, Geselligkeit, Hausball, Lustbarkeit, Party, Veranstaltung, Vergnügen
Vergnügungsfahrt: Abstecher, Ausfahrt, Ausflug, Landpartie, Lustfahrt, Partie, Sonntagsausflug, Tour, Trip, Fahrt ins Blaue, Fahrt ins Grüne *Sonntagsausflug
Vergnügungsindustrie: Showbusiness, Showgeschäft, Unterhaltungsindustrie
Vergnügungspark: Freizeitpark, Rummelplatz
Vergnügungsreisender: Feriengast, Sommerfrischler, Tourist, Urlauber
vergolden: mit Blattgold überziehen, mit Gold belegen *glorifizieren, idealisieren, schwärmen (von), verherrlichen, verklären, verschönern *aufhellen, strahlen
vergönnen: erlauben, gestatten, stattgeben, die Erlaubnis geben, die Einwilligung geben
vergöttern: besingen, beweihräuchern, feiern, glorifizieren, Kult treiben (mit), verherrlichen *achten, anbeten, anschwärmen, aufblicken (zu), aufschauen (zu), aufsehen (zu), bewundern, hochachten, hoch schätzen, huldigen, lieben, schätzen, verehren, in Ehren halten, zu Füßen liegen
Vergötterung: Anbetung, Bewunderung, Kult, Liebe, Verehrung, Vergötzung
vergraben: eingraben, einscharren, verscharren ***s. vergraben:** s. abkapseln, s. abschließen, s. absondern, s. einigeln, s. einspinnen, s. isolieren, s. separieren, s. verschließen, s. von der Außenwelt abschließen, s. vor der Welt verschließen, s. zurückziehen, Kontakt meiden, das Leben fliehen, der Welt entsagen ***s. vergraben (in):** s. beschäftigen (mit), s. versenken, s. vertiefen (in)
vergrämen: ärgern, aufbringen, beleidigen, brüskieren, erzürnen, kränken, verärgern, verbittern, verdrießen, verletzen, verstimmen, ärgerlich machen, wütend machen, einen Stich versetzen, in Missmut versetzen, Verdruss bereiten, Ärger bereiten, vor den Kopf stoßen, wehtun *austreiben, davonjagen, entfernen, entlassen, fortjagen, fortscheuchen, forttreiben, jagen (aus), jagen (von), scheuchen, treiben, verjagen, verscheuchen, vertreiben, wegjagen, wegscheuchen, wegtreiben, in die Flucht schlagen, in die Flucht treiben
vergrämt: bedrückt, erbittert, gramvoll, mürrisch, sorgenvoll, unbefriedigt, unglücklich, unlustig, unzufrieden, verbittert, verhärmt, verstimmt *gedrückt, niedergedrückt, deprimiert, entmutigt, gebrochen, geknickt, kleinmütig, lebensmüde, mutlos, niedergeschlagen, niedergeschmettert, pessimistisch, resigniert, sorgenvoll, verzagt, verzweifelt
vergraulen: mies machen, verekeln, vergällen, verleiden, vermiesen
vergreifen (s.): abnehmen, s. an fremdem Eigentum vergreifen, s. aneignen, ausplündern, ausräubern, ausräumen, s. bemächtigen, berauben, bestehlen, betrügen, einsacken, erbeuten, mitnehmen, stehlen, unterschlagen, veruntreuen, wegnehmen, wegtragen, beiseite schaffen, beiseite bringen *entehren, missbrauchen, notzüchtigen, schänden, verführen, s. vergehen (an), vergewaltigen, zwingen, Notzucht verüben (an), Gewalt antun
vergreisen: altern, ergrauen, verfallen, verkalken, alt werden, grau werden
vergreist: alt, senil, verbraucht, verkalkt
vergriffen: ausgebucht, ausverkauft, verkauft, nicht auf Lager, nicht lieferbar
vergröbern: banalisieren, schablonisieren, schematisieren, simplifizieren, vereinfachen, verflachen, verharmlosen, verwässern
Vergröberung: Schematisierung, Schematismus, Simplifikation, Vereinfachung
vergrößern: anheben, antreiben, aufbessern, aufwerten, erhöhen, intensivieren, steigern, vermehren *dehnen, ausdehnen, ausbreiten, ausweiten, entfalten, erweitern *anbauen, ausbauen, erweitern ***s. vergrößern:** anwachsen, s. erhöhen, s. verdichten, s. vermehren, s. verstärken,

wachsen, zunehmen, an Ausdehnung gewinnen *s. ausbreiten, s. ausdehnen, s. ausweiten
Vergrößerung: Ausdehnung, Ausweitung, Erweiterung, Zunahme *Anbau, Ausbau, Erweiterung
Vergrößerungsglas: Lupe
vergucken (s.): s. vergaffen, s. verlieben, s. vernarren
Vergünstigung: Diskont, Entgegenkommen, Preisminderung, Preisnachlass, Prozente, Skonto, Verbilligung, günstiges Angebot *Bevorzugung, Privileg, Privilegium, Sonderrecht, Vorrecht, Vortritt
vergüten: ausbauen, verbessern, veredeln *abbezahlen, abtragen, abzahlen, aufwenden, ausgeben, ausschütten, bezahlen, entrichten, erstatten, finanzieren, investieren, nachbezahlen, nachzahlen, verausgaben, zahlen, zurückerstatten, zurückzahlen *entlohnen, entschädigen, honorieren
Vergütung: Aufwandsentschädigung, Gehalt, Gratifikation, Honorar, Kostenerstattung, Kostenrückerstattung, Provision
verhaften: abholen, arretieren, festnehmen, gefangen nehmen, holen, inhaftieren, schnappen, dingfest machen, in Gewahrsam nehmen, in Haft nehmen
Verhaftung: Abführung, Arretierung, Ergreifung, Festnahme, Inhaftierung, Inhaftnahme
verhallen: abklingen, aufhören, aushallen, ausklingen, ausschwingen, austönen, ersterben, verklingen, verstummen, verwehen
verhalten: flüsternd, geräuschlos, lautlos, leise, im Flüsterton, kaum vernehmbar, kaum vernehmlich, kaum hörbar, nicht laut ***s. verhalten:** s. aufführen, auftreten, s. benehmen, s. betragen, s. bewegen, s. gebärden, s. gebaren, s. geben, s. halten *bestellt sein (um), stehen (mit), eine Bewandtnis haben
Verhalten: Allüren, Benehmen, Betragen, Führung, Gebaren, Gehabe, Handlungsweise, Verhaltensweise
Verhaltenheit: Distanz, Distanziertheit, Einsilbigkeit, Reserve, Reserviertheit, Schweigsamkeit, Unnahbarkeit, Unzulänglichkeit, Verschlossenheit, Vorbehalt, Wortkargheit, Zurückhaltung
Verhaltensmaßregel: Formalität, Mussbestimmung, Ordnung, Reglement, Satzung, Vorschrift
Verhältnis: Beziehung, Konnexion, Kontakt, Umgang, Verbindung, Verkehr *Bedingung, Proportion *Bekannte, Bekannter, Freund, Freundin, Geliebte, Geliebter, Liebste, Liebster *Liaison, Liebesbund, Liebesverhältnis, Liebschaft, Romanze, intime Beziehung
verhältnismäßig: diesbezüglich, relativ, vergleichsweise, ziemlich
verhandeln: Gericht halten, zu Gericht sitzen *beraten, besprechen, diskutieren, erörtern, konferieren, eine Verhandlung führen
Verhandlung: Gerichtsverfahren, Gerichtsverhandlung, Prozess, Rechtsverfahren, Verfahren *Berufung, Berufungsverfahren
verhangen: bedeckt, bewölkt, bezogen, trübe, wolkig
verhängen: bedecken, zudecken, zuhängen ***eine Strafe verhängen:** aburteilen, ächten, verurteilen, eine Strafe aussprechen
Verhängnis: Bescherung, Desaster, Elend, Fatalität, Heimsuchung, Katastrophe, Malheur, Missgeschick, Panne, Pech, Schicksalsschlag, Schlag, Tragik, Unfall, Ungeschick, Unglück, Unheil
verhängnisvoll: beängstigend, bedenklich, Besorgnis erregend, desolat, erschreckend, erschütternd, fatal, folgenschwer, fürchterlich, gefährlich, katastrophal, schauderhaft, schicksalhaft, schlimm, tragisch, unglücklich, unglückselig, unheilvoll, unselig
verharmlosen: bagatellisieren, beschönigen, herunterspielen, verkleinern, verniedlichen, verschönern, als Bagatelle behandeln, als unwichtig darstellen, als unbedeutend darstellen, als geringfügig darstellen
verhärmt: gramerfüllt, kummervoll, sorgenbeladen, sorgenvoll, vergrämt
verharren: leben, verleben, weilen, verweilen, s. aufhalten, bleiben, dableiben, hausen, s. häuslich niederlassen, hier

bleiben, verbringen, verweilen, wohnen, zubringen, nicht weggehen
verharscht: hartgefroren, vereist
verhärten: abgestumpft machen, gefühllos machen, kalt machen, hartherzig machen ***s. verhärten:** erstarren, s. verschärfen, versteinern, verstocken, unflexibel werden, hart werden, starr werden *s. verschließen, unempfindlich werden, unzugänglich werden, hart werden
verhärtet: abgebrüht, abgestumpft, barbarisch, brutal, erbarmungslos, gefühllos, gefühlsarm, gefühlskalt, gemütsarm, gleichgültig, gnadenlos, grausam, hartherzig, herzlos, inhuman, kaltblütig, lieblos, mitleidlos, roh, schonungslos, seelenlos, unbarmherzig, ungesittet, unmenschlich, unsozial, unzugänglich, verroht, ohne Mitgefühl
Verhärtung: Erhärtung, Erstarrung *Beharrlichkeit, Eigensinn
verhaspeln (s.): s. verheddern, s. verreden, s. versprechen
verhasst: missliebig, unbeliebt, unsympathisch *abscheulich, charakterlos, ehrlos, erbärmlich, gemein, hässlich, niedrig, ruchlos, schändlich, scheußlich, unwürdig, verabscheuenswert, verächtlich, verdammenswert, verwerflich, verworfen
verhätscheln: verpäppeln, verweichlichen, verwöhnen, verzärteln, verziehen
Verhau: Drahtverhau, Verbau *Verhack
verhauen: hauen, misshandeln, prügeln, verprügeln, verschlagen ***s. verhauen:** s. verkalkulieren, einen Fehler machen *kämpfen
verheben (s.): s. einen Bruch heben, s. überheben
verheddern (s.): s. verhaspeln, s. versprechen
verheeren: ausrauben, brandschatzen, brennen, morden, sengen, vernichten, verwüsten
verheerend: gewaltig, heftig, stark, vehement, wild *entsetzlich, furchtbar, fürchterlich, schrecklich, unheimlich
verhehlen: geheim halten, totschweigen, unterschlagen, verheimlichen, verschweigen, für s. behalten
verheilen: abheilen, gesunden, vernarben, verwachsen, zuheilen, zuwachsen
verheilt: abgeheilt, heil, vernarbt, verschorft, verwachsen, zugeheilt *abgeschlossen, geklärt, gewesen, vergessen
verheimlichen: schweigen, verschweigen, geheim halten, totschweigen, unterschlagen, verbergen, verhehlen, vertuschen, vorenthalten, bewusst nicht erzählen, für sich behalten, in sich bewahren, in sich verschließen, mit Schweigen zudecken, nicht erzählen
Verheimlichung: Geheimhaltung, Geheimnistuerei, Tarnung *Unterschlagung, Vorenthaltung
verheiraten: trauen, verehelichen, unter die Haube bringen ***s. verheiraten:** ehelichen, s. eine Frau nehmen, s. einen Mann nehmen, heiraten, hochzeiten, s. trauen lassen, s. verehelichen, s. vermählen, eine Ehe eingehen, eine Ehe schließen, einen Hausstand gründen, Hochzeit machen, Hochzeit feiern, Hochzeit halten *s. verpartnern, s. einen Lebenspartner nehmen, eine eingetragene Partnerschaft eingehen
verheiratet: getraut, verehelicht, vermählt, in festen Händen *verpartnert
Verheiratete: Ehepaar, Verehelichte, Vermählte *Ehefrau, Ehepartnerin, Frau, Gattin, Gemahlin
Verheirateter: Ehemann, Ehepartner, Gatte, Gemahl, Mann, Verehelichter, Vermählter
Verheiratung: Eheschließung, Hochzeit, Ringwechsel, Trauung, Verbindung, Verehelichung, Vermählung *Verpartnerung
verheißen: beteuern, versichern, versprechen, zusichern
Verheißung: Beteuerung, Versicherung, Versprechen, Versprechung, Zusage, Zusicherung
verheißungsvoll: aussichtsreich, Erfolg versprechend, glückbringend, glückverheißend, mit Aussicht (auf), mit Erfolg (auf), viel versprechend
verheizen: aufbrauchen, verbrauchen *abwirtschaften, erledigen, fertig machen, ruinieren, verderben, vernichten, zerrütten, zerstören, bankrott richten, zugrunde richten, das Wasser abgraben, das Rückgrat brechen, das Genick

brechen, den Todesstoß versetzen *anschwärzen, anzeigen, ausliefern, denunzieren, hintertragen, petzen, preisgeben, verraten
verhelfen: aufbringen, beschaffen, ermöglichen, helfen, herbeischaffen, holen, protegieren, unterstützen, vermitteln, versorgen, zuschanzen, zuschieben, zuspielen
verherrlichen: besingen, beweihräuchern, ehren, feiern, glorifizieren, idealisieren, lobpreisen, rühmen, vergöttern, verklären, Kult treiben
Verherrlichung: Lob, Lobgesang, Loblied, Lobpreisung, Weihegesang
verhetzen: anstacheln, anstiften, antreiben, aufhetzen, aufputschen, aufreizen, aufstacheln, aufwiegeln, fanatisieren, hetzen, hintertreiben, schüren
verhexen: verwandeln, verwünschen, verzaubern *beeindrucken, behexen, berücken, bestricken, betören, bezaubern, blenden, entzücken, faszinieren, hinreißen, umgarnen, verzaubern
verhext: behext, verwunschen, verwünscht, verzaubert
verhindern: abblocken, abhalten, abstellen, abwehren, abwenden, blockieren, boykottieren, durchkreuzen, hintertreiben, lahm legen, unterbinden, vereiteln, verhüten, verwehren, Einhalt gebieten, etwas unmöglich machen, hindern (an), zunichte machen
Verhinderung: Abhaltung, Abwehr, Abwendung, Verhütung, Vorbeugung
verhöhnen: auslachen, lästern, necken, verspotten, mit Hohn überschütten
Verhöhnung: Geläster, Verspottung *Hohn, Sarkasmus, Spott, Stichelei, Zynismus
verhökern: verkaufen, verschieben, zu Geld machen, an den Mann bringen
Verhör: Ausfragung, Befragung, Einvernehmung, Inquisition, Vernehmung
verhören: ausfragen, befragen, ein Verhör anstellen (mit), inquirieren, vernehmen, ins Verhör nehmen, einem Verhör unterziehen ***s. verhören:** missdeuten, missverstehen, falsch verstehen, nicht richtig hören
verhüllen: umhüllen, verbergen, verschleiern, verschließen, verstecken, zudecken *kaschieren, tarnen, überspielen, unkenntlich machen
verhüllt: bedeckt, umhüllt, verborgen *angezogen, bekleidet *andeutungsweise, vage, verblümt
Verhüllung: Tarnung, Verheimlichung, Verschleierung
verhungern: an Hunger sterben, den Hungertod erleiden, des Hungers sterben
verhunzen: deformieren, entstellen, verschandeln, verstümmeln, verunstalten, verunzieren *verderben, verhageln, verkorksen, vermasseln, versalzen
verhüten: abblocken, abhalten, abstellen, abwehren, abwenden, blockieren, boykottieren, durchkreuzen, hintertreiben, lahm legen, unterbinden, vereiteln, verhindern, verwehren, Einhalt gebieten, etwas unmöglich machen, hindern (an), zunichte machen *verhindern, vermeiden
Verhütung: Abwehr, Prävention, Prophylaxe, Schutz, Verhinderung, Vorbeugung
Verhütungsmittel: Antibabypille, empfängnisverhütendes Mittel *Kondom
verhutzelt: durchfurcht, hutzelig, runzelig, welk, zerfurcht
verifizieren: als richtig bestätigen, als richtig nachweisen, auf die Richtigkeit hin überprüfen, die Richtigkeit beweisen
verinnerlichen: internalisieren, introjizieren, s. zu Eigen machen, in sich aufnehmen
verirren (s.): fehlgehen, irregehen, s. verfahren, s. verfliegen, s. verlaufen, die Orientierung verlieren, die Richtung verlieren, einen falschen Weg einschlagen, vom Weg abkommen, vom Weg abirren, in die Irre gehen, den Weg verfehlen
verirrt: verlaufen
Verirrung: Schuld, Sühne *Sinnesverwirrung *Verwirrung, Verwunderung
verjagen: davonjagen, fortjagen, forttreiben, verscheuchen, vertreiben, wegjagen, wegscheuchen, wegtreiben, in die Flucht schlagen
verjähren: ablaufen, enden, verfallen, außer Kraft treten, die Gültigkeit verlieren,

wertlos werden, ungültig werden, wertlos sein, ungültig sein, zu Ende gehen
verjubeln: durchbringen, vergeuden, verschleudern, verschwenden, vertun
verjüngen: ein jüngeres Aussehen erhalten, eine Verjüngungskur machen, jünger werden *erneuern, regenerieren, renovieren, überholen ***s. verjüngen:** s. liften lassen *s. verdünnen, s. verengen, s. zuspitzen, schmäler werden, dünner werden, enger werden, spitz auslaufen, spitz zugehen, spitz zulaufen
Verjüngung: Erneuerung, Regeneration, Renovierung, Überholung
verkalken: altern, ergrauen, vergreisen, welken
verkalkt: alt, senil, verbraucht, vergreist
verkalkulieren (s.): s. verrechnen, s. verschätzen, falsch rechnen, einen Rechenfehler machen *danebengreifen, danebenhauen, danebenschießen, s. einer Illusion hingeben, fehlgehen, fehlplanen, fehlschießen, fehlschlagen, hereinfallen, s. im Irrtum befinden, s. irren, missverstehen, s. täuschen, s. vergaloppieren, s. verrechnen, s. versehen, die Rechnung ohne den Wirt machen, auf dem Holzweg sein, Illusionen haben, auf den Holzweg geraten, aufs falsche Pferd setzen, im Irrtum sein
verkatert: übernächtigt
Verkauf: Abgabe, Auslieferung, Geschäft, Handel, Umsatz, Veräußerung, Vertrieb, Warenumschlag
verkaufen: abgeben, absetzen, abstoßen, anbieten, anbringen, ausschreiben, ausverkaufen, feilbieten, feilhalten, handeln (mit), überlassen, umsetzen, veräußern, verschachern, verscherbeln, verschieben, verschleudern, vertreiben, zum Verkauf bringen ***s. verkaufen:** s. hingeben, s. prostituieren, auf den Strich gehen *s. ausliefern, s. stellen
Verkäufer: Einzelhandelskauffrau, Einzelhandelskaufmann, Händler, Lieferant, Marktschreier, Vertreter
verkäuflich: absetzbar, feil, veräußerlich
Verkaufsautomat: Warenautomat
Verkaufspreis: Abgabepreis, Einzelhandelspreis, Endpreis, Ladenpreis, Preis, Verbraucherendpreis, Verbraucherpreis
Verkaufsraum: Geschäft, Laden, Verkaufsstelle
Verkaufsschlager: Attraktion, Bestseller, Hit, Kassenschlager, Reißer, Renner
Verkaufsstand: Bude, Kiosk, Stand, Verkaufsbude
Verkaufsstelle: Geschäft, Kaufhalle, Kaufhaus, Kaufladen, Krämerladen, Kramladen, Laden, Markthalle, Supermarkt, Verkaufsraum, Warenhaus
Verkaufstisch: Ladentisch, Theke *Schanktisch, Theke, Tresen
Verkehr: Verkehrswesen *Luftverkehr, Schienenverkehr, Straßenverkehr *Akt, Begattung, Beischlaf, Geschlechtsakt, Geschlechtsverkehr, Kohabitation, Koitus, Kopulation, Liebesvereinigung
verkehren: regelmäßig fahren, eingesetzt sein *entstellen, missdeuten, ummünzen, verdrehen, verfälschen, verschleiern, verzeichnen, verzerren, ins Gegenteil verwandeln ***verkehren (mit):** s. einlassen (mit), Kontakt haben (mit), zusammenkommen (mit), Umgang haben, Umgang pflegen, regelmäßig besuchen, zu Gast sein
verkehrsarm: ausgestorben, leer, ruhig, still, unbelebt, verkehrsberuhigt *einsam, verschlafen, verträumt
Verkehrsgefahr: Gefahr, Unfallgefahr
Verkehrslinie: Linie, Strecke
Verkehrsmittel: Beförderungsmittel, Fahrzeug *Auto, Bahn, Bus, Flugzeug, S-Bahn, Straßenbahn, U-Bahn
Verkehrsnetz: Schienennetz, Straßennetz, Streckennetz
Verkehrspolizist: Polizist, Schutzmann, Verkehrsposten
verkehrsreich: belebt, bevölkert, lebhaft
Verkehrsstau: Autoschlange, Stau, Stauung, Stockung, Verkehrschaos
Verkehrssteuer: Verkehrsabgabe *Maut
Verkehrsstrom: Betrieb, Gedränge, Gegenstrom, Gewühl, Hochbetrieb, Rückstrom, Urlauberstrom
Verkehrsunfall: Autounfall, Autounglück, Unfall, Unglück
Verkehrsverbindung: Anschluss, Verbindung
Verkehrsvorschrift: Verkehrsgesetz, Verkehrsregel

Verkehrsweg: Verkehrsverbindung
Verkehrszeichen: Ampel, Verkehrsampel *Schild
verkehrt: seitenverkehrt, spiegelbildlich, umgedreht, umgekehrt, verdreht, verkehrt herum *falsch, fehlerhaft, inkorrekt, irrig, irrtümlich, regelwidrig, schief, sinnwidrig, unhaltbar, unkorrekt, unlogisch, unrecht, unrichtig, unzutreffend, verfehlt, widersinnig, widersprüchlich, widerspruchsvoll *arglistig, erlogen, heuchlerisch, hinterlistig, lügnerisch, scheinheilig, tückisch, unaufrichtig, unehrlich, unlauter, unredlich, unwahr, verlogen, verstellt
verkennen: s. irren, missdeuten, missverstehen, s. täuschen, unterschätzen, falsch auffassen, falsch beurteilen, falsch verstehen, falsch interpretieren, falsch auslegen, nicht richtig erfassen, nicht richtig erkennen, nicht richtig einschätzen, nicht gerecht werden
verketten: aneinanderfügen, anschließen, kombinieren, montieren, verbinden, vereinigen, verflechten, verknoten, verknüpfen, verkoppeln, verkuppeln, verquicken, verschlingen, verschmelzen, verschweißen, verweben, verzahnen, zusammenbringen, zusammenfügen, zusammenhängen, zusammensetzen
Verkettung: Beziehung, Kombination, Koppelung, Synthese, Vereinigung, Verflechtung, Verknüpfung, Verquickung, Verschmelzung, Verzahnung, Zusammenfügung
verketzern: abfällig reden (von), anschwärzen, denunzieren, diffamieren, entwürdigen, herabsetzen, herabwürdigen, nachreden, nachtragen, schlecht machen, schmähen, übel wollen, verdächtigen, verleumden, verschreien, verteufeln, verunglimpfen, mit Schmutz bewerfen, über jmdn. herfallen, die Ehre abschneiden, Übles nachreden, jmdn. madig machen
verklagen: anklagen, belangen, beschuldigen, klagen, prozessieren, Anklage erheben, Klage führen (gegen), auf die Anklagebank bringen, einen Prozess führen (gegen)
verklären: aufheitern, erheitern, erhellen, leuchten lassen, schön machen, glücklich machen, strahlend machen *idealisieren, loben, verherrlichen
verklärt: astral, vergeistigt, verzückt
verklausulieren: s. unklar ausdrücken, verschlüsseln, umständlich ausdrücken
verklausuliert: schwierig, umständlich, unklar, unverständlich, verschlüsselt
verkleben: verleimen, zukleben
verkleiden: einschalen, verschalen *auslegen, paneelieren, täfeln, vertäfeln ***s. verkleiden:** s. kostümieren, s. maskieren, s. tarnen, s. vermummen
Verkleidung: Kostümierung, Maskerade, Maskierung, Tarnung, Vermummung *Täfelung, Vertäfelung *Schalung, Verschalung
verkleinern: abhacken, abscheren, abschlagen, abschneiden, abzwicken, kürzen, kupieren, stutzen, verkürzen, wegschneiden *abmindern, dezimieren, mindern, reduzieren, vermindern, verringern, geringer machen *beeinträchtigen, diskreditieren, diskriminieren, entwerten, herabsetzen, herabwürdigen, verunglimpfen, verächtlich machen *bagatellisieren, beschönigen, herunterspielen, verharmlosen, verniedlichen, als Bagatelle behandeln, als unwichtig darstellen, als unbedeutend darstellen, als geringfügig darstellen ***s. verkleinern:** s. bescheiden, s. einschränken, s. Entbehrungen auferlegen, sparen *s. verringern, kleiner werden
verkleinert: abgenommen, gekürzt, geschmälert
Verkleinerung: Dezimierung, Minderung, Reduzierung, Verkürzung, Verminderung, Verringerung *Demütigung, Diskriminierung, Erniedrigung, Herabsetzung, Herabwürdigung, Verächtlichmachung
verklemmen: eindrücken, einklemmen, einschlagen, verengen
verklemmt: angstbebend, angsterfüllt, ängstlich, angstschlotternd, angstverzerrt, angstvoll, argwöhnisch, aufgeregt, bang, bänglich, befangen, beklommen, besorgt, betroffen, feigherzig, gehemmt, hasenherzig, kleinmütig, memmenhaft, mutlos, scheu, schreckhaft, schüchtern,

verängstigt, verschreckt, verschüchtert, zag, zaghaft, zähneklappernd *konservativ
Verklemmtheit: Gehemmtheit, Gehemmtsein, Hemmung, Scheu, Schüchternheit
verklingen: abklingen, aufhören, aushallen, ausklingen, ausschwingen, austönen, schwinden, verhallen, verschweben, verstummen, vertönen, verwehen
verklopfen: losschlagen, verkaufen, verschieben, versilbern, zu Geld machen *verhauen, verprügeln, verschlagen
verknacken: verdonnern, verurteilen, mit einer Strafe belegen, eine Strafe auferlegen
verknacksen (s.): s. verletzen, s. verstauchen, s. verzerren
verknallen (s.): entflammen (für), s. vergucken, s. verlieben, s. vernarren, sein Herz verlieren, sein Herz verschenken
verknallt: verliebt, verschossen
verknappen: beschränken, drosseln, eingrenzen, heruntersetzen, kürzen, reduzieren, senken
Verknappung: Beschränktheit, Entbehrung, Knappheit, Mangel
verkneifen (s.): s. abgewöhnen, s. enthalten, s. entwöhnen, unterdrücken, unterlassen, s. verbeißen, vermeiden, s. versagen, verzichten
verknöchern: altern, ergrauen, vergreisen, verkalken, welken
verknöchert: dogmatisch, doktrinär, starr, steif, unbeweglich, unduldsam *hart (wie Knochen)
Verknöcherung: Dogmatik, Dogmatismus, Starre, Starrheit, Steifheit, Unbeweglichkeit
verknüpfen: assoziieren, koordinieren, verbinden, verzahnen, einen Kontakt herstellen, eine Beziehung herstellen, eine Verbindung herstellen
Verknüpfung: Beziehung, Kombination, Koppelung, Synthese, Vereinigung, Verflechtung, Verkettung, Verquickung, Verschmelzung, Verzahnung, Zusammenfügung
verkochen: eindampfen, eindicken, evaporieren, kondensieren, verdampfen, verdicken
verkohlen: ankohlen, anschwindeln, belügen, beschwindeln, einen Bären aufbinden *foppen, narren, nasführen, an der Nase herumführen, zum Narren halten
verkommen: faulen, verschimmeln, schimmlig werden, schimmelig werden, ranzig werden *abgleiten, herunterkommen, untergehen, verderben, verlottern, verschlampen, verwahrlosen, zugrunde gehen, auf die schiefe Bahn geraten, auf die schiefe Ebene kommen, auf Abwege geraten, in der Gosse umkommen *dreckig, herabgekommen, heruntergekommen, lasterhaft, schamlos, verderbt, verworfen
Verkommenheit: Lasterhaftigkeit, Verderbnis, Verderbtheit, Verdorbenheit, Verworfenheit
verkonsumieren: aufessen, aufzehren, bewältigen, verschlingen, verspeisen, vertilgen, verzehren, zwingen
verkorken: schließen, verschließen, verstöpseln, zukorken, zustöpseln
verkorksen: verderben, verpfuschen
verkörpern: agieren, darbieten, darstellen, figurieren, mimen, personifizieren, verleiblichen, vorstellen, wiedergeben
Verkörperung: Inkarnation, Personifikation, Personifizierung, Verleiblichung
verkosten: kosten, probieren, schmecken, versuchen, eine Kostprobe nehmen
verköstigen: beköstigen, bewirten, verpflegen, in Kost nehmen
Verköstigung: Beköstigung, Speisung, Verpflegung
verkrachen (s.): s. entzweien, s. überwerfen, s. verfeinden, s. verzanken, s. zerstreiten
verkracht: entzweit, verfeindet, zerstritten, zerzankt
verkraften: meistern, schaffen
verkrampfen (s.): s. verspannen, s. zusammenziehen *gehemmt werden, unfrei werden, ängstlich werden
verkrampft: ängstlich, befangen, blockiert, gehemmt, gezwungen, scheu, schüchtern *fest, hart, verspannt *hölzern, steif, ungeschickt
Verkrampfung: Krampfanfall, Krampfzustand *Schmerzanfall, Verklemmung

verkriechen: verbergen, verschanzen, verstecken ***s. verkriechen:** s. abkapseln, s. abschließen, s. isolieren, s. zurückziehen
verkrümeln (s.): s. aus dem Staub machen, s. davonmachen, s. davonstehlen, s. fortstehlen, s. wegschleichen, s. wegstehlen *s. auflösen, auseinander gehen, s. verlaufen, s. verteilen, s. zerstreuen
verkrümmen: deformieren, verbiegen, verzerren
verkrümmt: gekrümmt, krumm, verbogen *bucklig, krumm
verkrüppelt: behindert, bucklig, krüppelig, missgestaltet, schief, verbildet, verwachsen
Verkrüppelter: Körperbehinderter, Krüppel, Schwerbeschädigter, Versehrter
verkühlen (s.): s. eine Erkältung zuziehen, s. erkälten, s. verkälten, Husten bekommen, Schnupfen bekommen, eine Grippe bekommen
verkühlt: erkältet, krank, unterkühlt
verkümmern: dahinsiechen, eingehen, schrumpfen, s. zurückbilden, zurückgehen *absterben, eingehen, welken *s. nicht entfalten, s. nicht entwickeln, stehen bleiben, (geistig) stagnieren
Verkümmerung: Degeneration, Rückbildung, Rückgang
verkünden: publizieren, veröffentlichen *bekannt geben, bekannt machen, kundgeben, kundmachen, kundtun, verkündigen, verlautbaren, publik machen, verlauten lassen
Verkündigung: Bekanntgabe, Bekanntmachung, Deklaration, Erklärung, Eröffnung, Information, Kommuniqué, Kundgabe, Memorandum, Mitteilung
Verkündung: Anordnung, Aufgebot, Auflassung, Bekanntgabe
verkuppeln: kuppeln, zusammenbringen *aneinanderfügen, anschließen, kombinieren, montieren, vereinigen, verflechten, verketten, verknoten, verknüpfen, verkoppeln, verquicken, verschlingen, verschmelzen, verschweißen, verweben, verzahnen, zusammenbringen, zusammenfügen, zusammenhängen, zusammensetzen
verkürzen: abkürzen, abschneiden, kürzen, verkleinern, kürzer machen
Verkürzung: Begrenzung, Drosselung, Herabsetzung, Reduzierung, Verminderung, Verringerung
verlachen: auslachen, belächeln, belachen, verspotten
Verladebühne: Ladebühne, Laderampe, Rampe, Verladerampe
verladen: abladen, ausladen, einladen, umladen, verfrachten
verlagern: auslagern, ausquartieren, aussiedeln, evakuieren, räumen, sichern, umsiedeln, verlegen ***s. verlagern:** s. ändern, s. verändern, auf eine andere Ebene stellen
verlangen: sprechen wollen, zu sprechen wünschen *s. ausbedingen, beanspruchen, bestehen (auf), fordern, geltend machen *beanspruchen, bedingen, erfordern, gebieten, voraussetzen ***verlangen (nach):** begehren, fiebern (nach), gieren (nach), s. sehnen, vergehen (vor), s. verzehren, s. wünschen, Sehnsucht haben, von Sehnsucht erfüllt sein, vor Sehnsucht vergehen, vor Sehnsucht verschmachten, starkes Verlangen haben, schmachten (nach), versessen sein
Verlangen: Fernweh, Heimweh, Sehnen, Sehnsucht *Appetenz, Bedürfnis, Begehren, Begierde, Drang, Durst, Gelüste, Gier, Hunger, Lust, Wunsch, Wunschtraum *Anspruch, Bitte, Forderung, Postulat
verlangend: durstig, sehnlich, sehnsüchtig, sehnsuchtsvoll, mit Sehnsucht, voll Sehnsucht, mit Verlangen, voll Verlangen
verlängern: aufschieben, ausdehnen, hinausschieben, prolongieren, stunden, vertagen, auf die lange Bank schieben, Aufschub gewähren *strecken, verdünnen, verwässern *ansetzen, anstückeln, herauslassen, länger machen
Verlängerung: Hinauszögerung, Prolongierung, Verschiebung, Verzögerung *Stundung
verlangsamen: drosseln, herabsetzen, reduzieren, verringern, verzögern
Verlangsamung: Aufschub, Retardation, Verzögerung, Verzug

verlassen: s. selbst überlassen, im Stich lassen, allein lassen, jmdn. zurücklassen, seinem Schicksal überlassen, nicht helfen, nicht beistehen *s. auf den Weg machen, fortgehen, weggehen *abgelegen, einsam, menschenleer, öde, unbesiedelt, unbevölkert, unbewohnt *kündigen, räumen, scheiden, weggehen ***s. verlassen (auf):** s. anvertrauen, hoffen (auf), rechnen (mit), trauen, glauben (an), Vertrauen entgegenbringen, Vertrauen erweisen, Vertrauen schenken, zählen (auf)

Verlassenheit: Abgeschiedenheit, Alleinsein, Einsamkeit, Zurückgezogenheit *Einöde, Wüste

verlässlich: aufrichtig, ehrlich, glaubwürdig, redlich, Vertrauen erweckend, vertrauenswürdig, wahr, wahrhaftig, zuverlässig

Verlässlichkeit: Aufrichtigkeit, Ehrlichkeit, Glaubwürdigkeit, Redlichkeit, Vertrauenswürdigkeit, Wahrhaftigkeit, Zuverlässigkeit

Verlauf: Ablauf, Fortgang, Gang, Hergang, Lauf, Prozess *Entwicklung

verlaufen: ablaufen, abrollen, s. abspielen, s. abwickeln, ausgehen, s. begeben, s. ereignen, erfolgen, gehen, geschehen, laufen, passieren, stattfinden, s. vollziehen, zugehen, seinen Verlauf nehmen, vonstatten gehen, vor sich gehen *s. ausdehnen, s. erstrecken *versanden, versickern ***s. verlaufen:** s. verirren, vom Weg abkommen, den falschen Weg einschlagen, in die Irre gehen *s. auflösen, s. verteilen, s. zerstreuen, auseinander gehen

verlautbaren: ankündigen, ausrufen, bekannt geben, bekannt machen, Kenntnis geben (von), kundgeben, kundtun, verkünden, verlauten, zur Kenntnis bringen

Verlautbarung: Ankündigung, Anschlag, Bekanntgabe, Bekanntmachung, Kommuniqué, Kundgabe, Proklamation, Publikation, Rundschreiben, Verkündung, Veröffentlichung

verleben: genießen, verbringen, zubringen *ausgeben, verschwenden

verlebendigen: beleuchten, demonstrieren, erklären, erläutern, hervorheben, illustrieren, konkretisieren, veranschaulichen, verbildlichen, verdeutlichen, vergegenwärtigen, zeigen, deutlich machen, vor Augen führen

verlebt: abgearbeitet, abgelebt, verarbeitet, verbraucht

verlegen: herausgeben, publizieren, veröffentlichen *umbuchen, umdisponieren, umlegen, verschieben, auf einen anderen Zeitpunkt legen *auslagern, umstellen, verlagern *umziehen, wegziehen *verstellen, an den falschen Platz legen, nicht mehr finden *befangen, beschämt, betreten, betroffen, kleinlaut, schamhaft, verschämt, verwirrt, in Verlegenheit gebracht, in Verwirrung gebracht, peinlich berührt ***s. auf etwas verlegen:** s. abgeben (mit), s. befassen (mit), s. beschäftigen (mit), beschäftigt sein (mit), s. zuwenden, arbeiten (an)

Verlegenheit: Ratlosigkeit, Unentschiedenheit, Unschlüssigkeit, Unsicherheit, Verlegensein *Armut, Not, peinliche Lage, peinliche Situation *Bedrängnis, Kalamität, Zwangslage

Verleger: Buchproduzent, Editor, Publizist, Verlagsbesitzer

verlegt: fort, verschwunden *gedruckt, herausgegeben, publiziert

verleiden: verderben, verekeln, vergällen, vergraulen, vermiesen, madig machen, mies machen

Verleih: Ausgabe, Ausleihe

verleihen: auszeichnen, ehren, prämieren, preiskrönen, übergeben, überreichen, würdigen *leihen, herleihen, hergeben *Kredit geben, Kredit gewähren

Verleihung: Auszeichnung, Belohnung, Dekoration, Dekorierung, Ehrenzeichen, Orden, Prämiierung, Preis

verleimen: verkleben, zukleben

verleiten: anreizen, anstiften (zu), aufreizen, missleiten, überreden, verführen

verlernen: nicht mehr beherrschen, nicht mehr können, nicht mehr wissen, nicht mehr im Gedächtnis haben *aus der Übung kommen, wieder vergessen

verlesen: auslesen, aussondern, aussortieren, aussuchen, auswählen, selektieren

verletzbar: empfindlich, empfindsam, feinfühlend, feinfühlig, feinnervig, feinsinnig, mimosenhaft, sensibel, sensitiv,

übelnehmerisch, verletzlich, weich, zartbesaitet, zartfühlend
verletzen: lädieren, versehren, zurichten, eine Wunde beibringen, eine Verletzung zufügen *s. etwas zuschulden kommen lassen, s. strafbar machen, mit dem Gesetz in Konflikt kommen, seine Pflicht verletzen, widerrechtlich handeln, schuldig werden, strafbar werden, ein Gesetz übertreten ***s. verletzen:** s. abschürfen, s. anhauen, s. anschlagen, s. anstoßen, s. eine Verletzung zuziehen, s. eine Wunde zuziehen, s. schneiden, s. stechen, s. verbrennen, zu Schaden kommen, Schaden nehmen *s. etwas brechen
verletzend: beleidigend, entehrend, entwürdigend, schändlich, schmachvoll, verächtlich
verletzlich: beseelt, dünnhäutig, einfühlsam, empfindsam, feinfühlend, feinfühlig, feinsinnig, gefühlsbetont, gefühlsselig, gefühlstief, gefühlvoll, gemüthaft, gemütvoll, innerlich, mimosenhaft, romantisch, rührselig, schmalzig, schwärmerisch, seelenvoll, sensibel, sensitiv, sinnenhaft, tränenselig, überempfindlich, überspannt, verinnerlicht, weich, weichlich, zart, zartfühlend, zartbesaitet
verletzt: lädiert, versehrt, verwundet *beleidigt, eingeschnappt, gekränkt, pikiert, verschnupft, verstimmt
Verletzung: Stich, Trauma, Verwundung, Wunde *Affront, Beleidigung, Kränkung
verleugnen: ableugnen, abstreiten, bestreiten, negieren, verneinen, zurückweisen, als unwahr hinstellen, als unrichtig hinstellen, als unzutreffend hinstellen, als falsch hinstellen, von sich weisen ***s. verleugnen:** verdrängen, gegen seine Vorstellung handeln, gegen seine Überzeugung handeln, gegen sein wahres Wesen handeln ***s. verleugnen lassen:** lügen, seine Anwesenheit verleugnen, Besuch nicht empfangen, Besuch abfertigen lassen
verleumden: abfällig reden (von), anschwärzen, denunzieren, diffamieren, entwürdigen, herabsetzen, herabwürdigen, nachreden, schlecht machen, schmähen, verdächtigen, verketzern, verschreien, verteufeln, verunglimpfen, mit Schmutz bewerfen, über jmdn. herfallen, die Ehre abschneiden, Übles nachreden, jmdn. madig machen
Verleumder: Ehrabschneider, Lästerer, Zuträger
verleumderisch: diffamierend, ehrenrührig
Verleumdung: Anschwärzung, Beleidigung, Denunziation, Diffamierung, Diskreditierung, Ehrverletzung, Herabwürdigung, Hetze, Rufmord, Schlechtmacherei, Unterstellung, Verdächtigung, Verunglimpfung, üble Nachrede
verlieben (s.): entflammen (für), s. vergucken, s. verknallen, s. vernarren, sein Herz verlieren, sein Herz verschenken
verliebt: begeistert, besessen, betört, entbrannt, entflammt, entzückt, liebestoll, schmachtend, vernarrt (in), verschossen, zugetan, leidenschaftlich ergriffen ***verliebt machen:** betören, ins Netz locken, Herzen brechen, jmdn. verrückt machen, den Kopf verdrehen ***verliebt sein:** es jmdm. angetan haben, im siebten Himmel sein
Verliebtheit: Amor, Anhänglichkeit, Herzenswärme, Herzlichkeit, Hingabe, Hingebung, Hingezogenheit, Hinneigung, Innigkeit, Leidenschaft, Liebe, Liebesgefühl, Schwäche (für), Verbundenheit, Zärtlichkeit, Zuneigung
verlieren: verlegen, verloren gehen, abhanden kommen, nicht mehr finden, nicht mehr haben, verlustig gehen *unterliegen, verspielen, auf der Strecke bleiben, besiegt werden, eine Niederlage einstecken, eine Niederlage erleiden, eine Niederlage hinnehmen müssen, erfolglos sein, nicht siegen, nicht gewinnen *einbüßen, verscherzen, verwirken, zulegen, zusetzen, zuzahlen, abgenommen bekommen, das Nachsehen haben, Einbuße haben, Verluste haben, Nachteile haben, Schaden haben, Einbuße erleiden, Verluste erleiden, Nachteile erleiden, Schaden erleiden, ins Hintertreffen geraten, kommen (um), mit Verlust arbeiten *abtreten, weggehen *abfallen, nadeln *abnehmen, Gewicht reduzieren ***s. verlieren:** s. verirren, verschwinden, aus den Augen kommen, vom Weg abkom-

men *abirren, abkommen, abschweifen, abweichen, s. verplempern, s. verzetteln, den Faden verlieren, vom Thema abgehen
Verlies: Bau, Bunker, Hungerturm, Kerker
verloben (s.): s. die Ehe versprechen, s. die Heirat versprechen, s. versprechen, zu heiraten beabsichtigen
Verlobte: Brautleute, Brautpaar, Braut und Bräutigam *Braut, Heiratskandidatin, Hochzeiterin, Zukünftige
Verlobter: Bräutigam, Hochzeiter, Hochzeitskandidat, Zukünftiger
Verlobung: Aufgebot, Brautstand, Brautzeit
verlocken: anreizen, kitzeln, reizen, verführen, verleiten, versuchen, in Versuchung bringen, in Verführung bringen, in Versuchung führen *anstiften, überreden, verführen, verleiten *anmachen, bestricken, betören, bezaubern, bezirzen, faszinieren, hinreißen
verlockend: anregend, einladend, verführerisch, versprechend *anmutig, anziehend, attraktiv, bestrickend, betörend, bezaubernd, charmant, liebenswert, sympathisch *appetitanregend, appetitlich, lecker
Verlockung: Kitzel, Lockung, Reiz, Verführung, Versuchung *Anmut, Anreiz, Anziehung, Anziehungskraft, Attraktivität, Reiz, Zauber
verlogen: falsch, heuchlerisch, hinterlistig, scheinheilig, tückisch, unaufrichtig, unehrlich, unlauter, unredlich, unwahr, verstellt
Verlogenheit: Falschheit, Heuchelei, Hinterlist, Hinterlistigkeit, Lügenhaftigkeit, Scheinheiligkeit, Tücke, Unaufrichtigkeit, Unehrlichkeit, Unlauterkeit, Unredlichkeit, Unwahrhaftigkeit, Unwahrheit
verloren: abgängig, abhanden, fort, verschwunden, weg, nicht mehr vorhanden, nicht mehr zu finden, von dannen, von hinnen *unersetzbar, unersetzlich, unwiederbringlich, vergeben, verspielt, vertan, zerronnen, nicht zurückholbar ***verloren gehen:** flöten gehen, verschwinden, wegkommen, abhanden kommen, nicht mehr vorhanden sein, verlustig gehen, in Verlust geraten
Verlorenheit: Abgeschiedenheit, Alleinsein, Einöde, Verlassenheit, Zurückgezogenheit
verlöschen: vergehen, verrauchen, verrauschen *ausgehen, erlöschen, verglimmen *hinscheiden, sterben, zu Ende sein
verlosen: auslosen, losen, durch Los bestimmen, das Los entscheiden lassen
Verlosung: Glückshafen, Tombola
verlottern: verlumpen, verschlampen, verwahrlosen, verwildern, unordentlich werden
Verlust: Aderlass, Defizit, Einbuße, Fehlbetrag, Minus, Schaden *Abgang, das Ausbleiben, Ausfall, Lücke, Nachteil, Schwund, Verlustgeschäft, Wegfall
verlustbringend: abträglich, nachteilig, schädlich, schlecht, ungeeignet, ungünstig, unratsam, unzuträglich, unzweckmäßig, von Übel
verlustieren (s.): s. amüsieren, s. unterhalten, s. vergnügen, miteinander fröhlich sein
verlustlos: komplett, lückenlos, restlos, total, umfassend, völlig, vollständig, vollzählig, voll und ganz, bis auf den letzten …, ohne Verlust
vermachen: hinterlassen, nachlassen, übereignen, überschreiben, vererben *geben, schenken, spenden
Vermächtnis: Testament, der letzte Wille, der letzte Wunsch *Patiententestament, Patientenverfügung *Erbe, Erbgut, Erbschaft, Erbteil, Hinterlassenschaft, Nachlass, ererbter Besitz, ererbtes Vermögen
vermählen: verheiraten, trauen ***s. vermählen:** s. ehelichen, s. verehelichen, s. eine Frau nehmen, s. einen Mann nehmen, s. heiraten, s. trauen lassen, eine Ehe eingehen, in den Ehestand treten, s. das Jawort geben *s. verpartnern
vermählt: getraut, verehelicht, verheiratet, in festen Händen *verpartnert
Vermählte(r): Ehegespann, Eheleute, Ehepaar, Paar, Verheiratete, Mann und Frau *Ehemann, Gatte, Gemahl *Angetraute, Ehefrau, Ehepartnerin, Frau, Gat-

tin, Gemahlin, Lebensgefährtin, Lebenskameradin, Weib, bessere Hälfte
Vermählung: Eheschließung, Heirat, Hochzeit, Ringwechsel, Trauung, Verbindung, Verehelichung, Verheiratung *Verpartnerung
vermaledeien: verdammen, verfluchen, verwünschen
vermasseln: verderben, vergällen
vermehren: erhöhen, steigern, vergrößern, verschärfen, verstärken, in die Höhe treiben ***s. vermehren:** s. fortpflanzen, die Art erhalten, Nachkommen hervorbringen *anwachsen, s. ausdehnen, s. ausweiten, s. erhöhen, eskalieren, s. verdichten, s. vergrößern, s. verschlimmern, s. vervielfachen, zunehmen, an Ausdehnung gewinnen
Vermehrung: Aufblähung, Aufstockung, Mehrung, Verstärkung, Vervielfachung, Zunahme *Fortpflanzung, Mehrung, Erhaltung der Art
vermeidbar: abwendbar, meidbar, umgehbar
vermeiden: ausweichen, s. entziehen, meiden, unterlassen, aus dem Weg gehen, zu umgehen suchen, zu entgehen suchen
vermeintlich: angeblich, irrtümlich, scheinbar, vermutlich, so betrachtet, so gesehen
vermengen: durchmischen, mischen, mixen, vermischen, verquirlen, zusammenschütten
Vermerk: Anmerkung, Aufzeichnung, Notiz
vermerken: erfassen, registrieren, verzeichnen *aufschreiben, notieren, protokollieren *beachten, bemerken, wahrnehmen, zur Kenntnis nehmen
vermessen: messen, abmessen, abstecken *anmaßend, dünkelhaft, hochmütig, hochnäsig, überheblich *draufgängerisch, entschlossen, forsch, furchtlos, heldenhaft, kämpferisch, kühn, mutig, schneidig, tapfer, tollkühn, unerschrocken, unverzagt, verwegen, wagemutig, waghalsig ***s. vermessen:** s. anmaßen, s. erkühnen, s. erlauben, s. ermessen, s. herausnehmen, s. unterstehen, die Frechheit besitzen
Vermessenheit: Anmaßung, Dünkelhaftigkeit, Hochmut, Hochnäsigkeit, Überheblichkeit
Vermessung: Feldvermessung, Landvermessung
vermiesen: mies machen, verderben, vergällen, verleiden
vermieten: aufnehmen, beherbergen, einquartieren, einweisen, unterbringen, untervermieten, verpachten, Quartier geben, Wohnung geben, gegen Bezahlung abgeben, gegen Bezahlung überlassen, in Pacht geben
Vermieter: Hausbesitzer, Hausherr, Hauswirt
Vermieterin: Hausbesitzerin, Hausherrin, Hauswirtin, Wirtin
Vermietung: Leasing, Überlassung, Verpachtung
vermindern: abbauen, abgrenzen, absetzen, abstreichen, abziehen, begrenzen, beschränken, dezimieren, drosseln, einschränken, herabsetzen, herunterdrücken, heruntergehen, herunterschrauben, kürzen, mindern, reduzieren, schmälern, senken, streichen, verkleinern, verkürzen, verlangsamen, verringern, Abstriche machen, den Etat beschneiden, niedriger machen ***s. vermindern:** abnehmen, dahinschmelzen, s. reduzieren, schmelzen, schrumpfen, schwinden, s. verkleinern, s. verkürzen, s. verringern, geringer werden, weniger werden, kleiner werden *abflauen, nachlassen
Verminderung: Dezimierung, Minderung, Reduktion, Reduzierung, Schwund *Diskont, Nachlass, Rabatt
vermischen: durchmischen, mischen, mixen, vermengen, verquirlen, zusammenschütten
vermischt: gemischt, gemixt, vermengt, versetzt (mit)
vermissen: entbehren, ermangeln, Mangel haben (an), nicht haben *begehren, s. sehnen (nach), Sehnsucht haben (nach), starkes Verlangen haben (nach)
Vermischung: Chaos, Durcheinander, Gemisch *Kombination, Verbindung
vermisst: abwesend, überfällig, unauffindbar, verschollen ***vermisst werden:** fehlen, abwesend sein, verschollen sein,

unauffindbar sein, weggeblieben sein, ausgeblieben sein
vermitteln: beibringen, beschaffen, besorgen, heranholen, heranschaffen, herbeiholen, herbeischaffen, verhelfen (zu), verschaffen, versorgen *ausgleichen, bereinigen, versöhnen, zurechtbiegen
Vermittler: Mittelsmann, Mittelsperson, Mittler, Schlichter, Verbindungsmann *Agent, Kontaktmann, Makler, Verbindungsmann *Kuppler, Schmuser
Vermittlung: Fernsprechamt, Verbindungsstelle *Beilegung, Mittlerrolle, Schlichtung
vermöbeln: schlagen, strafen, verprügeln, züchtigen ***s. vermöbeln:** s. prügeln, raufen, s. schlagen, s. verhauen
vermodern: durchfaulen, faulen, modern, rotten, schimmeln, verderben, verfaulen, verrotten, verwesen, in Fäulnis übergehen
vermodert: alt, faul, faulig, moderig, morsch, schlecht, ungenießbar, verdorben, verfault, verkommen, verrottet, verwest, nicht mehr gut, nicht mehr frisch
vermöge: durch, mit, mittels, per …, an Hand von, mit Hilfe von
vermögen: beherrschen, können, meistern, taugen (zu), s. verstehen (auf), gewachsen sein, fähig sein, in der Lage sein, mächtig sein, imstande sein, in der Hand haben, im Griff haben, nicht schwer fallen
Vermögen: Bargeld, Barmittel, Barschaft, Barvermögen, Besitz, Besitztum, Effekten, Geld, Geldmittel, Gut, Güter, Kapital, Kassenbestand, Mittel, Reichtum, Schätze, Vermögenswerte *Befähigung, Begabung, Eignung, Fähigkeit, Können, Qualifikation, Talent, Veranlagung
vermögend: begütert, besitzend, finanzkräftig, potent, reich, wohl situiert *mächtig, allmächtig, machtvoll, übermächtig
vermögenslos: arm, bedürftig, besitzlos, bettelarm, blank, elend, hungernd, minderbemittelt, mittellos, Not leidend, pleite, unbemittelt, unvermögend, verarmt, verelendet, ohne Einkommen, ohne Geld
Vermögensverhältnisse: Etat, Finanzen, Finanzlage
Vermögenswerte: Bargeld, Barmittel, Barschaft, Barvermögen, Besitz, Besitztum, Geld, Geldmittel, Gut, Güter, Immobilien, Kapital, Kassenbestand, Mittel, Reichtum, Schätze, Vermögen, Wohlstand
vermorschen: faulen, verfaulen, morsch werden, brüchig werden
vermummen: bedecken, einhüllen, einmummen, einpacken, einwickeln, hüllen (in), umhüllen, windeln ***vermummen (s.):** s. maskieren, s. verkleiden
vermummt: getarnt, kostümiert, maskiert, verkleidet
Vermummung: Kostümierung, Maskerade, Maskierung, Tarnung, Verkleidung
vermurksen: verderben, verkorksen, verpfuschen
vermutbar: anscheinend, höchstwahrscheinlich, möglicherweise, mutmaßlich, sicherlich, vermutlich, vielleicht, voraussichtlich, wahrscheinlich, wohl, aller Voraussicht nach, aller Wahrscheinlichkeit nach
vermuten: ahnen, annehmen, befürchten, s. einbilden, einkalkulieren, erahnen, erwarten, fürchten, glauben, kalkulieren, konjizieren, mutmaßen, präsumieren, rechnen (mit), riechen, schätzen, spekulieren, tippen, voraussetzen, wähnen, s. zusammenreimen, für möglich halten, die Vermutung haben, die Vermutung aufstellen, eine Vermutung hegen, Vermutungen aufstellen, Vermutungen haben, auf die Vermutung kommen
vermutet: angenommen, erwartet, geahnt, geschätzt
vermutlich: höchstwahrscheinlich, möglicherweise, mutmaßlich, vielleicht, voraussichtlich, wahrscheinlich, wohl
Vermutung: Argwohn, Bedenken, Befürchtung, Misstrauen, Mutmaßung, Unterstellung, Zweifel *Annahme, Hoffnung, Mutmaßung, Verdacht
vernachlässigen: hintenansetzen, hintenanstellen, missachten, s. nicht genügend kümmern (um), unterlassen, verludern, verschlampen, auf sich beruhen lassen, außer Acht lassen, beiseite lassen,

unbeachtet lassen, unberücksichtigt lassen, nicht berücksichtigen, seine Pflicht versäumen, verfallen lassen, verlottern lassen, verkommen lassen, verwahrlosen lassen, herunterkommen lassen *benachteiligen, s. selbst überlassen ***s. vernachlässigen:** s. gehen lassen, s. nicht pflegen, verschlampen, nicht auf sich achten
Vernachlässigung: Achtlosigkeit, Gleichgültigkeit, Nichtbeachtung *Unterlassung, Unterschätzung
vernagelt: beschränkt, blind *blindgläubig, fanatisch, unbekehrbar, unbelehrbar, verbohrt, verrannt
vernarben: abheilen, gesunden, verheilen, verwachsen, zuheilen, zuwachsen
vernarren (s.): s. entflammen (für), s. vergucken, s. verlieben (in), sein Herz verlieren, sein Herz verschenken
vernascht: gefräßig, genäschig, leckermäulig, naschhaft
vernebeln: verblöden, verdummen, vertrotteln *frisieren, verbergen, verdunkeln, verhüllen, verschleiern, verstecken, vertuschen, verwischen, (heimlich) wegtun, verborgen halten *einnebeln, einräuchern
vernehmbar: deutlich, geräuschvoll, hörbar, laut, lauthals, lautstark, unüberhörbar, vernehmlich, mit lauter Stimme
vernehmen: erfahren, hören, verstehen, wahrnehmen, akustisch aufnehmen *ausfragen, fragen, verhören, einem Verhör unterziehen, gerichtlich vernehmen, polizeilich vernehmen, gerichtlich befragen, polizeilich befragen, ins Verhör nehmen
Vernehmung: Ausfragung, Befragung, Einvernehmung, Inquisition, Verhör
verneigen (s.): dienern, grüßen, knicksen, s. niederneigen, s. verbeugen, eine Verbeugung machen, Ehre erweisen, seine Reverenz erweisen
Verneigung: Bückling, Diener, Gruß, Höflichkeitsbezeugung, Knicks, Reverenz, Verbeugung
verneinen: mit Nein antworten, mit Nein beantworten, Nein sagen *leugnen, verleugnen, abstreiten, bestreiten, zurückweisen *ablehnen, abweisen, ausschlagen, negieren
Verneinung: Verleugnung *Ablehnung, Abweisung, Negation, Negierung
vernichten: ruinieren, verderben, zerstören, bankrott richten, in den Abgrund stürzen, ins Unglück stürzen, ins Unglück bringen, zugrunde richten, zuschanden machen, zunichte machen *aufreiben, auslöschen, ausmerzen, ausrotten, austilgen, beseitigen, brandschatzen, liquidieren, niedermachen, tilgen, töten, umbringen, vertilgen, verwüsten, zermalmen
vernichtend: abwertend, destruktiv, negativ *bombardieren, in Schutt und Asche legen
Vernichtung: Demolierung, Verheerung, Verwüstung, Zerrüttung, Zerschlagung, Zersetzung, Zerstörung, Zertrümmerung
Vernichtungslager: Konzentrationslager, KZ, Massenvernichtungslager
verniedlichen: bagatellisieren, beschönigen, herunterspielen, verharmlosen, verkleinern, verschönern, als Bagatelle behandeln, als unwichtig darstellen, als unbedeutend darstellen, als geringfügig darstellen, als niedlich darstellen
Vernunft: Besinnung, Einsicht, Klarsicht, Ratio, Verstand, Verständigkeit, Verständnis, Wirklichkeitssinn, geistige Reife, gesunder Menschenverstand
vernunftbegabt: aufgeweckt, begabt, hochbegabt, befähigt, begnadet, berufen, brauchbar, fähig, geeignet, gelehrig, genial, gescheit, geschickt, gewandt, helle, intelligent, klar denkend, klug, patent, prädestiniert, qualifiziert, scharfsinnig, schlau, spitzfindig, talentiert, tauglich, tüchtig, vernünftig, verständig, verwendbar, wach, weit blickend
vernunftgemäß: rational, vernunftmäßig, der Vernunft entsprechend, mit dem Verstand
vernunftgerecht: erklärbar, fachgemäß, logisch
vernünftig: besonnen, einfühlend, einsichtig, klug, rational, überlegt, verständig, verständnisvoll, verstehend, Vernunftgründen zugänglich, voll Verständnis *sinnig, sinnreich, sinnvoll, zweckmäßig, zweckvoll, mit Verstand

*normal, zurechnungsfähig, mit gesundem Menschenverstand *einsichtig, kompromissbereit, versöhnlich, willig *akzeptabel, annehmbar

vernunftlos: bedenkenlos, fahrlässig, gedankenlos, impulsiv, leichtfertig, leichtsinnig, pflichtvergessen, sinnlos, sorglos, sträflich, töricht, unbedacht, unbekümmert, unbesonnen, undiplomatisch, unklug, unüberlegt, unverantwortlich, unvernünftig, unvertretbar, unvorsichtig, verantwortungslos, wahllos, ziellos, ohne Vernunft

Vernunftlosigkeit: Torheit, Unbedachtheit, Unbedachtsamkeit, Unbesonnenheit, Unüberlegtheit, Unvernunft, Unverstand

vernunftmäßig: rational, vernunftgemäß, der Vernunft entsprechend, mit dem Verstand

vernunftwidrig: abwegig, paradox, sinnwidrig, ungereimt, unlogisch, vernunftlos, widersinnig

veröden: beschädigen, verheeren, vernichten, verwüsten, zerbomben, zermalmen, zerrütten, zerschießen, zerstören, dem Erdboden gleichmachen, in die Luft sprengen *beseitigen, entfernen, stilllegen, funktionsunfähig machen

verödet: ausgestorben, einsam, entvölkert, menschenleer, öde, tot, unbelebt, unbevölkert, unbewohnt, unkultiviert, unzivilisiert, vereinsamt, verlassen *funktionsunfähig, stillgelegt

veröffentlichen: bekannt geben, bekannt machen, kundgeben, kundmachen, kundtun, verbreiten, verkünden, verkündigen, verlautbaren, publik machen, verlauten lassen *abdrucken, drucken, herausbringen, publizieren, reproduzieren, verlegen *herausgeben, verbreiten *ins Internet stellen, ins Netz stellen

veröffentlicht: bekannt gegeben, bekannt gemacht, kundgegeben, verkündet *gedruckt, publiziert, verlegt

Veröffentlichung: Abdruck, Druck, Drucklegung, Herausgabe, Publikation *Bekanntgabe, Bekanntmachung, Eröffnung, Information, Kommuniqué, Kundgabe, Memorandum, Mitteilung, Verkündigung

verordnen: aufschreiben, rezeptieren, verschreiben, ärztlich anweisen, ein Rezept ausstellen *anordnen, anweisen, bestimmen, diktieren, erlassen, verfügen

Verordnung: Erlass, Gesetz, Runderlass, Tagesbefehl, Verfügung *Anordnung, Dekret, Entscheid, Entscheidung, Ordnung, Verfügung, Weisung *Arzneiverordnung, Rezept, Verschreibung

verpachten: untervermieten, vermieten, gegen Bezahlung abgeben, gegen Bezahlung überlassen, in Pacht geben

verpacken: abpacken, einpacken, einrollen, einwickeln *verschnüren, versandfertig machen

verpackt: geschützt, gesichert *eingepackt, eingerollt, eingewickelt *versandfertig, verschnürt

Verpackung: Emballage, Hülle, Karton, Schachtel, Tüte, Umhüllung

verpäppeln: verweichlichen, verziehen

verpartnern (s.): eine eingetragene Lebensgemeinschaft eingehen

verpassen: s. durch die Finger gehen lassen, s. entgehen lassen, verfehlen, vergessen, versäumen, verschlafen, nicht nutzen, ungenutzt verstreichen lassen, vorübergehen lassen, zu spät kommen *ohrfeigen, verabreichen

verpatzen: verderben, vereiteln, verekeln, vergällen, verleiden, verpfuschen, den Spaß verderben, die Freude nehmen, die Lust nehmen, zunichte machen

verpesten: anstecken, muffeln, stinken, vermiefen, verräuchern, voll stänkern, voll stinken, übel riechen, Gestank verbreiten *vergiften, verseuchen

verpestet: verschmutzt, voller Staub, voller Abgase *vergiftet, verseucht

verpetzen: anschwärzen, anzeigen, ausliefern, denunzieren, hintertragen, preisgeben, verpfeifen, verraten

verpfänden: versetzen, aufs Leihhaus bringen, zum Leihhaus bringen, zum Leihhaus tragen, als Pfand geben, zum Pfand geben

Verpfändung: Sicherheitsübereignung, Versatz

verpfeifen: anzeigen, ausliefern, denunzieren, preisgeben, verpetzen, verraten

verpflanzen: rückverpflanzen, trans-

plantieren, übertragen *aussiedeln, evakuieren, umlegen, umsiedeln, verlagern *auspflanzen, aussetzen, pikieren, umpflanzen, umsetzen, umtopfen, verschulen, vertopfen
verpflegen: abspeisen, bekochen, beköstigen, bewirten, ernähren, verköstigen, versorgen, in Kost nehmen, zu essen geben
Verpflegung: Erhaltung, Unterhaltung, Versorgung *Beköstigung, Speisung, Verköstigung *Marschverpflegung, Mundvorrat, Proviant, Ration, Reiseproviant, Vorrat, Wegzehrung, Zehrung
Verpflegungssatz: Quantum, Ration, Zuteilung *Entschädigung, Verpflegungspauschale
verpflichten: anstellen, vertraglich binden *befehlen, als Pflicht auferlegen, eine Verpflichtung auferlegen *administrieren, anordnen, anweisen, auferlegen, aufgeben, auftragen, beauftragen, befehlen, bestimmen, betrauen (mit), festlegen, kommittieren, reglementieren, veranlassen, verfügen, einen Auftrag geben, einen Auftrag erteilen ***s. verpflichten:** versprechen, verbindlich zusagen, die Verpflichtung eingehen
verpflichtend: bindend, definitiv, endgültig, fest, feststehend, obligatorisch, unwiderruflich, verbindlich, nicht freiwillig
verpflichtet: dankenswert, dankbar *gebunden, genötigt, haftbar, abhängig, gezwungen, pflichtschuldig, gehalten ***verpflichtet sein:** etwas tun sollen, gehalten sein, die Verpflichtung haben, die Pflicht haben, dankbar sein, einer Verpflichtung nachkommen
Verpflichtung: Auftrag, Menschenpflicht, Mission, Obliegenheit, Pflicht, Plan, Schuldigkeit, Soll, Verbindlichkeit *Schuld *Abordnung, Versetzung, das Versetztwerden, das Versetzen *Anstellung
verpfuschen: verderben, verkorksen, vermurksen
verplappern: verreden, in die Breite ziehen ***s. verplappern:** s. versprechen
verplaudern: s. auslassen, verreden, zerreden ***s. verplaudern:** s. versprechen
verplempern: hinaushauen, verpulvern, verschwenden, zum Fenster hinauswerfen *verschütten ***s. verplempern:** abirren, abkommen, abschweifen, abweichen, verlieren, s. verzetteln, den Faden verlieren, vom Thema abgehen
verplombt: abgeschlossen, verschlossen, versiegelt, mit einer Plombe versehen
verpönen: ächten, untersagen, verschmähen, zurückweisen
verpönt: tabu, unerlaubt, unstatthaft, unzulässig, verboten
verprassen: vergeuden, verschleudern, verschwenden, verschwenderisch umgehen (mit), vertun
verprügeln: misshandeln, prügeln, verhauen, verklopfen, vertrimmen
verpuffen: ergebnislos, in Luft aufgehen *explodieren
verpulvern: durchbringen, prassen, verbringen, vergeuden, verjubeln, verplempern, verprassen, verschlemmen, verschleudern, verschwenden, verschwenderisch umgehen (mit), verspielen, vertun, verwirtschaften, sein Geld zum Fenster hinauswerfen, auf großem Fuß leben, über seine Verhältnisse leben, mit vollen Händen ausgeben
verpumpen: ausborgen, auslegen, ausleihen, borgen, herleihen, pumpen, überlassen, verauslagen, verborgen, verleihen, vorlegen, vorstrecken, auf Borg geben, zur Verfügung stellen
verpuppen (s.): s. einpuppen, s. einspinnen
verpusten: ausruhen, pausieren ***s. verpusten:** s. ausruhen
Verputz: Anstrich, Anwurf, Bewurf, Mörtel, Putz
verputzen: mit Putz bewerfen, mit Putz versehen, mit Putz bedecken *aufessen, essen, verspeisen
verquatschen: verplappern, verplaudern, verreden, verschwätzen ***s. verquatschen:** herauskommen, herausplatzen, hochkommen, s. verplaudern, s. versprechen, versehentlich verraten, versehentlich ausplaudern, versehentlich sagen
verquicken: aneinander fügen, verbinden, vereinigen, zusammenfügen
Verquickung: Beziehung, Kombination,

Koppelung, Synthese, Verbindung, Vereinigung, Verflechtung, Verkettung, Verknüpfung, Verschmelzung, Verzahnung, Zusammenfügung
verquirlen: mengen, durcheinander wirken, durchmengen, durchmischen, manschen, mischen, mixen, vermengen, vermischen, verrühren
verquollen: dösig, müde, schläfrig, schlaftrunken, unausgeschlafen, verschlafen
verrammeln: schützen, verbarrikadieren, versperren
verramschen: abstoßen, verschleudern, billig verkaufen
verrannt: blindgläubig, fanatisch, unbekehrbar, unbelehrbar, verbohrt, vernagelt
Verranntheit: Fanatismus, Glaubenseifer, Verbohrtheit
Verrat: Abfall, Abtrünnigkeit, das Im-Stich-Lassen, Treuebruch, Treulosigkeit, Untreue, Vertrauensbruch, Wortbruch, Wortbrüchigkeit, Preisgabe von Geheimnissen *Geheimnisverrat, Hochverrat, Landesverrat, Spionage, Staatsverrat
verraten: anschwärzen, anzeigen, ausliefern, denunzieren, petzen, preisgeben, verheizen *ausplaudern, ausposaunen *abfallen (von), s. abkehren, s. abwenden, die Hand ziehen (von), verlassen, (die Treue) brechen, abtrünnig werden, anderen Sinnes werden, ein Vertrauensverhältnis zerstören, im Stich lassen, jmdm. in den Rücken fallen, Verrat begehen, Verrat üben ***s. verraten:** s. äußern, herausplatzen, hochkommen, s. öffnen, s. preisgeben, s. zeigen
Verräter: Abtrünniger, Wortbrecher *Spion *Angeber, Denunziant, Petzer, Zuträger
verräterisch: abgefallen, abtrünnig, flatterhaft, ketzerisch, perfide, treulos, unbeständig, ungetreu werden, unstet, untreu werden, wankelmütig, wortbrüchig
verrauchen: s. auflösen, s. in Rauch auflösen, vergehen
verräuchern: muffeln, stinken, verpesten, übel riechen
verräuchert: qualmig, rauchig, stickig
verraucht: rauchig, verqualmt *vergangen, vorbei
verrechnen: anrechnen, aufrechnen, miteinander vergleichen ***s. verrechnen:** falsch einschätzen, falsch beurteilen, falsch rechnen *fehlplanen *fehlschätzen, s. irren, s. verkalkulieren, einen Rechenfehler machen
verreden: berufen *verplappern, verplaudern, verquatschen, verschwätzen ***s. verreden:** s. verheddern
verregnen: verderben, verleiden, verpatzen, verpfuschen, den Spaß verderben, die Freude nehmen, die Lust nehmen, zunichte machen
verregnet: nass, niederschlagsreich, regnerisch, verdorben
verreisen: abreisen, reisen, umherreisen, auf Reisen gehen, eine Reise machen, unterwegs sein
verreißen: kritisieren, widerlegen, zerpflücken, zerreißen, (in der Luft) zerfetzen, kritisch auseinander nehmen, scharfer Kritik aussetzen, unter Beschuss nehmen
verrenken (s.): s. den Fuß vertreten, s. eine Verzerrung zuziehen, s. verletzen, s. verstauchen
verrennen (s.): s. festbeißen, nicht abgehen (von), nicht ablassen (von), s. verbeißen, s. verbohren, s. versteifen, (hartnäckig) festhalten, in eine Sackgasse geraten
verrichten: abwickeln, ausführen, bewerkstelligen, konkretisieren, machen, realisieren, tun
verriegeln: abriegeln, abschließen, absperren, dichtmachen, verschließen, versperren, zumachen, zuriegeln, zusperren, den Riegel vorschieben
verringern: dezimieren, reduzieren, schmälern, senken, verkleinern, vermindern, niedriger machen *abstellen, niedriger stellen ***s. verringern:** abnehmen, s. begrenzen, s. beschränken, s. dezimieren, s. eingrenzen, s. einschränken, s. reduzieren, schrumpfen, s. vermindern *abebben, abflauen, abklingen, abnehmen, absinken, s. beruhigen, nachlassen, schwinden, sinken, verebben, s. verkleinern, zurückgehen, zusammenschrump-

fen, im Schwinden begriffen sein, schwächer werden, geringer werden, weniger werden, rückläufig werden
Verringerung: Verminderung *Abbau, Abnahme, Nachlassen, Rückgang
verrinnen: ablaufen, dahingehen, dahingleiten, dahinschwinden, enteilen, entrinnen, entschwinden, fliehen, gleiten, hingehen, schwinden, verfliegen, vergehen, verlaufen, verrauschen, verschwinden, verstreichen, vorbeigehen, vorüberfliegen, vorübergehen, zerrinnen *austrocknen, einsickern, eintrocknen, verlanden, s. verlaufen, versanden, versickern, versiegen, vertrocknen, zu fließen aufhören
verrohen: verfallen, verkommen, verlottern, verschlampen, versumpfen, verwahrlosen, verwildern
verroht: barbarisch, brutal, erbarmungslos, gefühllos, gefühlskalt, gnadenlos, grausam, hartherzig, herzlos, inhuman, kaltblütig, mitleidlos, roh, schonungslos, unbarmherzig, unmenschlich, unsozial, unzugänglich, ohne Mitgefühl
verrosten: rosten, einrosten, durch Rost unbrauchbar machen, durch Rost unbrauchbar werden, Rost bilden, Rost ansetzen
verrostet: rostig, zerfressen, voller Rost
verrotten: durchfaulen, faulen, modern, rotten, schimmeln, verderben, verfaulen, vermodern, verwesen, in Fäulnis übergehen *untergehen, verfallen, verkommen, verloren gehen, zerfallen, zusammenbrechen, zugrunde gehen *verfallen, verkommen, verlottern, verrohen, verschlampen, versumpfen, verwahrlosen, verwildern
verrottet: alt, faul, faulig, moderig, morsch, schlecht, ungenießbar, verdorben, verfault, verkommen, vermodert, verwest, nicht mehr gut, nicht mehr frisch
verrucht: abscheulich, garstig, gemein, hundsgemein, infam, miserabel, niederträchtig, ruchlos, schäbig, schändlich, schimpflich, schmachvoll, schmählich, schmutzig, schnöde, schofel, schuftig
Verruchtheit: Abscheulichkeit, Bösartigkeit, Bosheit, Böswilligkeit, Garstigkeit, Gehässigkeit, Gemeinheit, Hässlichkeit, Hinterlist, Infamie, Niedertracht, Niedrigkeit, Perfidie, Ruchlosigkeit, Schäbigkeit, Schadenfreude, Schikane, Schlechtigkeit, Schmutzigkeit, Schufterei, Teufelei, Übelwollen, Unverschämtheit, böse Absicht, böser Wille
verrückbar: beweglich, leicht, verschiebbar
verrücken: umstellen, verschieben, versetzen, verstellen, an eine andere Stelle rücken
verrückt: abnorm, geisteskrank, schwachsinnig *anstaltsreif, blöde, dumm, durchgedreht, hirnverbrannt, irr, närrisch, rappelig, toll, verdreht, wirr, nicht ganz richtig im Kopf, nicht ganz richtig bei Trost, nicht recht gescheit, nicht ganz gescheit, von allen guten Geistern verlassen, reif fürs Irrenhaus *absurd, abwegig, folgewidrig, grotesk, lächerlich, paradox, sinnlos, sinnwidrig, töricht, ungereimt, unlogisch, unsinnig, unverständlich, vernunftwidrig, widersinnig, ohne Sinn und Verstand *abseitig, abwegig, ausgefallen, entlegen, verstiegen
Verrückter: Geistesgestörter, Geisteskranker, Geistesschwacher, Idiot, Irrer, Kretin, Psychopath
Verrücktheit: Abnormität, Geisteskrankheit, Schwachsinnigkeit *Blödheit, Dummheit, Irrsinn
Verruf: schlechter Ruf, schlechter Leumund
verrufen: anrüchig, anstößig, bedenklich, berüchtigt, dubios, fragwürdig, lichtscheu, notorisch, obskur, suspekt, undurchsichtig, verdächtig, verschrien, zweifelhaft, zwielichtig, von zweifelhaftem Ruf
verrühren: durcheinander wirken, durchmengen, durchmischen, manschen, mengen, mischen, mixen, vermengen, vermischen, verquirlen
verrunzelt: durchfurcht, faltig, hutzelig, knittrig, knitterig, kraus, runzelig, runzlig, schrumpelig, schrumplig, schrundig, verhutzelt, welk, zerfurcht, zerklüftet, zerknittert, zerschründet, nicht glatt
verrutschen: verändern, verrücken, verschieben, von der Stelle rücken *s. verschieben

Vers: Strophenzeile, Verszeile, Zeile *Gedicht, Poem
versacken: verfallen, verkommen, verlottern, verschlampen, versumpfen, verwahrlosen *absacken, absaufen, absinken, hinabsinken, hinuntersinken, niedergehen, niedersinken, untergehen, untersinken, versinken, wegsacken, in den Wellen verschwinden, in den Fluten verschwinden *s. festtreten, hängen bleiben, versumpfen, zu lange bleiben
versagen: untersagen, verbieten, nicht erlauben *ausfallen, durchfallen, enttäuschen, s. nicht bewähren, schlappmachen, unterliegen, zurückbleiben, zurückfallen, auf der Strecke bleiben, ein Versager sein, untauglich sein, unfähig sein, ungeeignet sein *nicht (mehr) ordnungsgemäß funktionieren, nicht richtig funktionieren, nicht reibungslos funktionieren, nicht (mehr) ordnungsgemäß (ab)laufen, nicht richtig (ab)laufen, nicht (mehr) ordnungsgemäß gehen *durchfallen, nicht bestehen *geben, vorenthalten, nicht gewähren *s. verweigern, verzichten ***s. versagen:** s. nicht hingeben, s. nicht verführen lassen, s. verweigern
Versager: Blindgänger, Dummkopf, Hampelmann, Nichtsnutz, Null, Schwächling, Taugenichts
versalzen: verderben, vereiteln, verekeln, vergällen, verleiden, verpatzen, verpfuschen, den Spaß verderben, die Freude nehmen, die Lust nehmen, zunichte machen *gesalzen, salzig, scharf, reich an Salz
versammeln: zusammenlaufen, zusammenrufen, zusammenströmen, zusammentreffen ***s. versammeln:** s. sammeln, s. scharen, s. zusammenfinden, zusammenkommen, zusammenströmen, zusammentreten
Versammlung: Beratung, Kongress, Konvent, Konzil, Sitzung, Synode, Tagung, Zusammenkunft *Ansammlung
Versand: Auslieferung, Belieferung, Expedition, Lieferung, Transport, Übergabe, Überstellung, Verfrachtung, Versendung, Zuführung, Zusendung, Zustellung
versanden: abflauen, ergebnislos bleiben, im Sande verlaufen
Versandgeschäft: Versandhaus *Versandhandel
Versandgut: Fracht, Frachtgut, Frachtstück, Fuhre, Kargo, Ladung, Last, Stückgut, Transport
Versandkatalog: Katalog, Warenkatalog
Versatz: Einlage, Einsatz, Pfand *Sicherheitsübereignung, Verpfändung
Versatzamt: Leihhaus, Pfandhaus, Pfandleihanstalt, Pfandleihe
Versatzung: Steife, Strebe, Stützbalken, Träger *Pfand
versauen: anschmieren, beflecken, bekleckern, beschmieren, beschmutzen, bespritzen, besudeln, einschmutzen, fasern, fusseln, haaren, verschmieren, verschmutzen, verunreinigen, voll machen, voll schmieren, voll spritzen, dreckig machen, schmutzig machen *verderben, vereiteln, verekeln, vergällen, verleiden, verpatzen, verpfuschen, versalzen, den Spaß verderben, die Freude nehmen, die Lust nehmen, zunichte machen
versauern: abbauen, abstumpfen, eingehen, zugrunde gehen, abgeschnitten werden, keine Anregung erhalten
versaufen: absaufen, ertrinken, untergehen *verschwenden, vertrinken, verzechen
versäumen: s. durch die Finger gehen lassen, s. entgehen lassen, unterlassen, verabsäumen, verbummeln, verfehlen, vergessen, verpassen, verschlafen, versitzen, vertrödeln, nicht nutzen, ungenutzt vorübergehen lassen, zu spät kommen *Schule schwänzen ***seine Pflicht versäumen:** hintenansetzen, hintenanstellen, missachten, s. nicht genügend kümmern (um), unterlassen, verludern, vernachlässigen, verschlampen, auf sich beruhen lassen, außer Acht lassen, beiseite lassen, unbeachtet lassen, unberücksichtigt lassen, nicht nachkommen, nicht berücksichtigen, verfallen lassen, verlottern lassen, verkommen lassen, verwahrlosen lassen, herunterkommen lassen
Versäumnis: Versäumung, versäumte Gelegenheit, versäumte Chance *Unterlassung, Vernachlässigung, Verschulden

verschachern: abgeben, absetzen, abstoßen, anbieten, anbringen, ausschreiben, ausverkaufen, feilbieten, feilhalten, handeln (mit), überlassen, umsetzen, veräußern, verkaufen, verschieben, verschleudern, vertreiben, zum Verkauf bringen
verschaffen: aufbringen, beibringen, beschaffen, besorgen, bringen, heranholen, heranschaffen, herbeiholen, herbeischaffen, holen, organisieren, vermitteln, versorgen, zusammenbringen
verschalen: auskleiden, auslegen, ausschlagen, bedecken, bespannen, beziehen, einschalen, täfeln, verblenden, verkleiden
Verschalung: Schalung, Verkleidung
verschämt: ängstlich, bang, beklommen, gehemmt, schamhaft, scheu, schüchtern, verschüchtert, zag, zaghaft, zurückhaltend, voll Scham
verschandeln: deformieren, entstellen, verhunzen, verstümmeln, verunstalten, verunzieren, hässlich machen
verschandelt: entstellt, verdorben, verstümmelt, verunstaltet, verunziert
Verschandelung: Entstellung, Verstümmelung, Verunstaltung, Verunzierung
verschanzen (s.): s. abschließen, s. im Dunkeln halten, s. verbergen, s. verkriechen, verstecken *s. eingraben, s. einschanzen, s. einwühlen *s. isolieren, s. zurückziehen
Verschanzung: Bastei, Bastion, Befestigung, Befestigungsanlage, Befestigungsbau, Befestigungssystem, Befestigungswerk, Bollwerk, Festung, Festungsbau, Kastell, Mauer, Schanze, Verteidigungsanlage, Wehr, Zitadelle
verschärfen: verschlechtern, verschlimmern ***s. verschärfen:** s. eskalieren, s. radikalisieren, s. verschlechtern, s. verschlimmern, s. zuspitzen, einer Katastrophe entgegengehen, schlimmer werden, gefährlicher werden, unerträglicher werden, ernster werden, stärker werden, ärger werden
Verschärfung: Eskalierung, Verschlechterung, Verschlimmerung, Zuspitzung
verscharren: eingraben, einscharren, vergraben
verschätzen (s.): danebenschätzen, fehlplanen, s. verkalkulieren, zu hoch einschätzen, zu niedrig einschätzen
verschaukeln: andrehen, anschmieren, ausbeuten, bemogeln, beschummeln, beschwindeln, betrügen, bluffen, bringen (um), einsalben, gaunern, hereinlegen, hintergehen, hochnehmen, lackmeiern, leimen, mogeln, neppen, prellen, schummeln, täuschen, überfahren, überlisten, übervorteilen, vergackeiern, aufs Kreuz legen
verscheiden: ableben, abscheiden, absterben, s. auflösen, dahinscheiden, einschlafen, einschlummern, entschlafen, erfrieren, erlöschen, ersticken, ertrinken, gehen (von), heimgehen, hinscheiden, hinsterben, hinübergehen, schwinden, sterben, umkommen, verdursten, vergehen, verhungern, verlöschen, verschwinden, versterben, abgerufen werden, (tödlich) verunglücken, die Augen schließen, die Augen zumachen, sein Leben aushauchen, aus dem Leben gehen, aus dem Leben abberufen werden, aus dem Leben scheiden
verschenken: bescheren, fortgeben, hergeben, herschenken, hingeben, schenken, spenden, spendieren, vergeben, verteilen, weggeben, wegschenken, zukommen lassen, zum Geschenk machen *ausgeben, aushändigen, austeilen, geben, übergeben, verabfolgen, verschwenden, verteilen, zuteilen
verscherbeln: abgeben, absetzen, abstoßen, anbieten, anbringen, ausschreiben, ausverkaufen, feilbieten, feilhalten, handeln (mit), überlassen, umsetzen, veräußern, verkaufen, verschachern, verschieben, verschleudern, vertreiben, zum Verkauf bringen
verscherzen: verwirken, durch Gedankenlosigkeit einbüßen, durch Leichtsinn einbüßen, durch Gedankenlosigkeit verlieren, durch Leichtsinn verlieren ***s. verscherzen:** s. verderben
verscheuchen: fortjagen, fortscheuchen, hinausekeln, vergrämen, verschrecken, vertreiben, wegscheuchen, wegtreiben
verschicken: ausbürgern, ausweisen, deportieren, verbannen, verstoßen, in die Verbannung schicken *abschicken,

absenden, fortschicken, versenden, wegschicken *e-mailen, mailen, eine E-Mail schicken
verschieben: aufschieben, hinausschieben *umstellen, verrücken, versetzen, an eine andere Stelle schieben *abgeben, absetzen, abstoßen, anbieten, anbringen, ausschreiben, ausverkaufen, feilbieten, feilhalten, handeln (mit), überlassen, umsetzen, veräußern, verkaufen, verschleudern, vertreiben, zum Verkauf bringen ***s. verschieben:** verrutschen *s. hinauszögern, s. verlängern *s. ändern
Verschiebung: Aufschub, Hinausschiebung, Verlegung, Vertagung
verschieden: abweichend, anders, andersartig, different, grundverschieden, heterogen, ungleich, unterschiedlich, unvereinbar, verschiedenartig, wesensfremd, zweierlei *abgeschieden, entseelt, erledigt, erloschen, geblieben, gefallen, gestorben, heimgegangen, hingeschieden, hingestreckt, leblos, selig, tot, unbelebt, verblichen, verstorben, ohne Leben ***verschieden sein:** unterschiedlich sein, nicht gleich sein, nicht ähnlich sein
verschiedenartig: abweichend, anders, andersartig, different, disparat, divergierend, grundverschieden, heterogen, unähnlich, ungleich, ungleichartig, unterschiedlich, unvereinbar, verschieden, zweierlei, wie Tag und Nacht
Verschiedenartigkeit: Disparität, Divergenz, Gegensätzlichkeit, Heterogenität, Ungleichartigkeit, Unvereinbarkeit, Verschiedenheit *Abwechslung, Buntheit, Farbigkeit, Fülle, Gemisch, Mannigfaltigkeit, Palette, Reichhaltigkeit, Reichtum, Skala, Variationsbreite, Vielfalt, Vielförmigkeit, Vielgestaltigkeit, große Auswahl, großes Angebot
verschiedene: diverse, einige, einzelne, etliche, manche, mehrere, wenige, ein paar, eine Reihe, eine Anzahl, dieser und jener, eine Hand voll
Verschiedener: Verstorbener, der Abgeschiedene, der Entschlafene, der Gefallene, der Heimgegangene, der Hingeschiedene, der Tote, der Verblichene, der Verewigte *die Leiche
verschiedenerlei: allerhand, allerlei, hunderterlei, mancherlei, mehrerlei, unterschiedliche, vielerlei, alles Mögliche, dieses und jenes, dies und das, von dem und dem
verschiedenfarbig: bunt, mehrfarbig, polychrom
Verschiedenheit: Abweichung, Gegensatz, Missklang, Unstimmigkeit, Unterschied, Verschiedenartigkeit *Disparität, Divergenz, Gegensätzlichkeit, Heterogenität, Ungleichartigkeit, Unvereinbarkeit *Abwechslung, Buntheit, Farbigkeit, Fülle, Gemisch, Mannigfaltigkeit, Palette, Reichhaltigkeit, Reichtum, Skala, Variationsbreite, Verschiedenartigkeit, Vielfalt, Vielförmigkeit, Vielgestaltigkeit, große Auswahl, großes Angebot
verschiedentlich: bisweilen, gelegentlich, manchmal, mitunter, okkasionell, selten, sporadisch, stellenweise, streckenweise, vereinzelt, zeitweise, zuweilen, zuzeiten, einige Male, ab und zu, dann und wann, hin und wieder, hier und da, von Zeit zu Zeit, ab und an
verschießen: ausbleichen, s. entfärben, verblassen, verbleichen, s. verfärben, vergilben, blass werden, Farbe verlieren *aufzehren, ausgeben, verausgaben, verbrauchen
verschimmeln: faulen, schimmeln, verderben, verkommen, vermodern, schimmlig werden, schimmelig werden, Schimmel ansetzen
verschimmelt: schimmlig, schimmelig, verdorben, mit Schimmel versehen
verschlafen: s. durch die Finger gehen lassen, s. entgehen lassen, verfehlen, vergessen, verpassen, versäumen, nicht nutzen, ungenutzt vorübergehen lassen, zu spät kommen *dösig, müde, schläfrig, schlaftrunken, unausgeschlafen, verquollen *apathisch, bequem, denkfaul, desinteressiert, dickfellig, gefühllos, gleichgültig, inaktiv, indolent, interesselos, kühl, lasch, leidenschaftslos, lethargisch, passiv, phlegmatisch, schläfrig, schwerfällig, schwunglos, stumpf, stumpfsinnig, teilnahmslos, träge, tranig, unaufgeschlossen, unbeteiligt, unbewegt, unempfindlich, ungerührt, untätig, zähflüssig
Verschlag: Abteilung, Bretterverschlag,

Hütte, Schlag *Bucht, Koben *Abstellverschlag, Wagenverschlag
verschlagen: vernagelt, versperrt *ausgekocht, gerissen, hinterhältig, hinterlistig, raffiniert, schlau
Verschlagenheit: Arglist, Bosheit, Heimtücke, Hinterhältigkeit, Hinterlist, Hinterlistigkeit, Intrige, Versteckheit
verschlammt: dickflüssig, lehmig, matschig, modderig, morastig, muddig, schlammig, schlickerig, sumpfig
verschlampen: s. gehen lassen, hintenansetzen, hintenanstellen, missachten, s. nicht genügend kümmern (um), s. nicht pflegen, unterlassen, verludern, vernachlässigen, auf sich beruhen lassen, außer Acht lassen, beiseite lassen, unbeachtet lassen, unberücksichtigt lassen, nicht berücksichtigen, seine Pflicht versäumen, verfallen lassen, verlottern lassen, verkommen lassen, verwahrlosen lassen, herunterkommen lassen, nicht auf sich achten *verfallen, verkommen, verlottern, versumpfen, verwahrlosen, verwildern
verschlechtern: eskalieren, radikalisieren, verballhornen, verschärfen, verschlimmern, zuspitzen ***s. verschlechtern:** s. abkühlen, s. verschlimmern, s. zuspitzen, rückwärts gehen, schlimmer werden, gefährlicher werden, unerträglicher werden, ernster werden, stärker werden, ärger werden
Verschlechterung: Eskalierung, Rückfall, Verschärfung, Verschlimmerung, Zuspitzung
verschleiern: frisieren, verbergen, verdunkeln, verhüllen, vernebeln, verstecken, vertuschen, verwischen, (heimlich) wegtun, verborgen halten *bewölken, s. zuziehen
Verschleierung: Hülle, Tarnung, Verhüllung
Verschleiß: Abnutzung, Abnützung, Materialverschleiß, Verbrauch
verschleißen: abnützen, abnutzen, verbrauchen
verschleppen: chronisch werden lassen, nicht ausheilen lassen, nicht auskurieren lassen, nicht rechtzeitig behandeln lassen *aufschieben, hinausschieben, verzögern, auf die lange Bank schieben *entführen, fortbringen, kidnappen, rauben, wegschleppen
Verschleppung: Aufenthalt, Aufhaltung, Aufschub, Retardation, Saumseligkeit, Verlangsamung, Verschiebung, Vertagung, Verzögerung, Verzug *Entführung, Kidnapping, Menschenraub, Wegführung, das Wegschaffen
verschleudern: abstoßen, verramschen, billig verkaufen *vergeuden, verschwenden
verschließen: abriegeln, abschließen, absperren, sichern, verriegeln, versperren, wegschließen, zuschließen, zusperren, das Schloss vorlegen, den Riegel vorlegen *aufheben, bewahren ***s. verschließen:** s. abkapseln, s. distanzieren, s. isolieren ***in sich verschließen:** geheim halten, s. nicht anvertrauen, für sich behalten, nicht offenbaren, nicht erkennen lassen, nicht enthüllen, nicht kundgeben, nicht preisgeben ***s. verschließen (vor):** ablehnen, abschlagen, abweisen, abwinken, ausschlagen, verneinen, verschmähen, verwerfen, s. weigern, zurückschlagen, zurückweisen, abschlägig bescheiden, eine Abfuhr erteilen, dagegen sein, etwas verweigern, etwas versagen, nicht genehmigen, Nein sagen, nicht nachgeben *verdrängen, wegschieben
verschlimmern: eskalieren, radikalisieren, verballhornen, verschärfen, verschlechtern, zuspitzen ***s. verschlimmern:** eskalieren, s. verschärfen, s. verschlechtern, zuspitzen, rückfällig werden
Verschlimmerung: Eskalierung, Verschärfung, Verschlechterung, Zuspitzung
verschlingen: aufessen, aufzehren, konsumieren, schaffen, verdrücken, verkonsumieren, verschlucken, verschmausen, verspeisen, vertilgen, verzehren, wegputzen, leer machen, leer essen *anblicken, angaffen, angucken, ansehen, anstarren, anstieren, beäugen, begucken, besehen, durchbohren, fixieren, studieren *lesen
verschlissen: abgenutzt, abgetragen, alt, fadenscheinig, kaputt
verschlossen: abgeriegelt, abgeschlos-

sen, abgesperrt, geheim, geschlossen, verriegelt, zu, zugeschlossen, zugesperrt *abweisend, distanziert, frostig, kontaktscheu, kontaktschwach, kühl, menschenscheu, schweigsam, undurchdringlich, undurchschaubar, ungesellig, unnahbar, unzugänglich, verhalten, verstockt, zugeknöpft, zurückhaltend

Verschlossenheit: Distanziertheit, Frostigkeit, Isolation, Isolierung, Kontaktarmut, Kontaktschwäche, Kühle, Menschenscheu, Sprödigkeit, Ungeselligkeit, Unnahbarkeit, Unzugänglichkeit, Verhaltenheit, Zugeknöpftheit, Zurückhaltung

verschlucken: einnehmen, essen, hinunterschlucken, schlucken, trinken, zu sich nehmen *nicht aussprechen, nichts sagen, nicht herausbringen, nicht herausbekommen *weglassen ***s. verschlucken:** in die falsche Kehle bekommen

verschlungen: verschluckt, vertilgt, verzehrt *kompliziert, schwierig *gebogen, verwickelt, verwunden

Verschluss: Deckel, Kappe, Klappe, Schließe *Riegel, Schloss, Schnalle *Brücke, Krone, Plombe, Zahnkrone *Flaschenpfropfen, Korken, Pfropfen, Stopfen, Stöpsel *Sperrzapfen, Verschlusszapfen, Zapfen *Aufbewahrung, Bewachung, Sicherheit, Sicherung, Sicherungsverwahrung

verschlüsseln: chiffrieren, codieren, kodieren, sichern, verbergen, in Geheimschrift abfassen, in Programmiersprache übertragen

verschlüsselt: chiffriert, codiert, kodiert, in Geheimschrift abgefasst, in Programmiersprache übertragen

verschmachten: verdursten, vor Durst vergehen *ersehnen, leiden, verlangen

verschmähen: ablehnen, abschlagen, negieren, verneinen, versagen, verweigern, verwerfen, zurückweisen

verschmälern (s.): schmäler werden, kürzer werden, enger werden

verschmausen: aufessen, aufzehren, konsumieren, schaffen, verdrücken, verkonsumieren, verschlingen, verschlucken, verspeisen, vertilgen, verzehren, wegputzen, leer machen, leer essen

verschmelzen: fusionieren, verbinden, s. vereinen, vereinigen, zusammenfügen *angliedern, anreihen, anschließen, eingliedern, einverleiben, vereinen ***verschmelzen (mit):** aufgehen (in), s. auflösen (in), eine Verbindung eingehen (mit), eingehen (in), fusionieren, übergehen (in), s. vereinigen (mit), aufgesaugt werden, übernommen werden

Verschmelzung: Fusion, Verbindung, Vereinigung

verschmerzen: s. abfinden (mit), hinnehmen, s. trösten, überwinden, vergessen

verschmieren: anschmieren, beflecken, bekleckern, beschmieren, beschmutzen, bespritzen, besudeln, einschmutzen, fasern, fusseln, haaren, verschmutzen, verunreinigen, voll machen, voll schmieren, voll spritzen, dreckig machen, schmutzig machen *auftragen, verputzen, verreiben

verschmiert: aufgefüllt, ausgefüllt, zugemacht *dreckig, fleckig, schmuddelig, schmutzig, unrein, unsauber, voller Flecken

verschmitzt: abgefeimt, ausgefuchst, ausgekocht, bauernschlau, clever, diplomatisch, durchtrieben, fintenreich, gerissen, geschäftstüchtig, geschickt, gewieft, gewitzt, listig, raffiniert, schlangenklug, schlau, taktisch, verschlagen

verschmutzen: anschmieren, beflecken, beklecksen, beschmieren, beschmutzen, bespritzen, verschmieren, verunreinigen, voll schmieren, einen Fleck machen, schmutzig machen, dreckig machen

verschmutzt: beschmutzt, dreckig, schmutzig

Verschmutzung: Dreck, Schmutz, Speckigkeit, Unappetitlichkeit, Unsauberkeit, Verschmutztheit

verschnaufen: ausruhen, s. ausruhen, s. entspannen, faulenzen, ruhen, still liegen, Atem schöpfen

Verschnaufpause: Atempause, Erholungspause, Halbzeit, Halt, Pause, Rast, Ruhepause, Spielunterbrechung, Unterbrechung, Zigarettenpause

verschneiden: entmannen, kastrieren *beschneiden *mengen, vermengen, anrühren, durcheinander wirken, durch-

mengen, durchmischen, manschen, mischen, mixen, unterarbeiten, vermischen, verrühren, versetzen (mit), zusammenbrauen, zusammenschütten
verschneien: einschneien, zuschneien
verschneit: eingeschneit, weiß, winterlich, zugeschneit, mit Schnee bedeckt, unter Schnee begraben, tief verschneit
Verschnitt: Mischung
verschnörkeln: garnieren, ornamentieren, schmücken, verbrämen, verfeinern, verzieren
verschnörkelt: barock, geschmückt, schnörkelhaft, schnörkelig, verbrämt, verziert
Verschnörkelung: Arabeske, Ausschmückung, Beiwerk, Dekor, Ornament, Putz, Rankenwerk, Schmuck, Schnörkel, Verzierung, Zier, Zierrat, Zierde
verschnupfen: erbittern, verärgern, verstimmen, ärgerlich machen
verschnupft: erkältet, Schnupfen haben *beleidigt, gekränkt, getroffen, pikiert, verletzt, verstimmt
verschnüren: schnüren, sichern, verpacken, zubinden, zuknoten, zuknüpfen, zumachen, zuschnüren
verschnürt: verpackt, zugeschnürt
verschollen: überfällig, vermisst, für tot erklärt, für verloren gehalten *abgängig, perdu, unauffindbar, verloren, verschwunden, weg, wie vom Erdboden verschluckt, wie vom Wind verweht, auf und davon *abgelebt, abgetan, begraben, dahin, ehemalig, entschwunden, erledigt, fern, gestrig, gewesen, passé, tot, veraltet, verflossen, vergangen, vergessen, verjährt, versunken, verweht, verwichen, vorbei, vorüber, zurückliegend, lange her
verschonen: behüten (vor), bewahren (vor), schonen, kein Haar krümmen, nicht belästigen, nichts antun, nichts zuleide tun, leben lassen
verschönern: ornamentieren, schmücken, verschönen, verzieren *aufhellen, erheitern
Verschönerung: Ausgestaltung, Ausschmückung, Ausstattung, Dekoration, Dekorierung, Festschmuck, Verzierung
verschossen: entbrannt, entflammt, liebestoll, schmachtend, verliebt, vernarrt (in) *verblasst, verblichen, verfärbt, vergilbt
verschrecken: fortjagen, fortscheuchen, hinausekeln, vergrämen, verscheuchen, vertreiben, wegscheuchen, wegtreiben
verschreckt: angstbebend, ängstlich, angstverzerrt, angstvoll, aufgeregt, bang, bänglich, beklommen, benommen, furchtsam, gehemmt, scheu, schreckhaft, verkrampft, verschüchtert, zag, zaghaft, zähneklappernd
verschreiben: verordnen, ärztlich anordnen, ein Rezept ausstellen *abnutzen, abnützen, verbrauchen ***s. verschreiben:** einen Fehler machen, falsch hinschreiben *aufgehen (in), s. einsetzen, s. widmen *s. einsetzen (für), s. engagieren, s. hingeben, s. verschwören
verschreien: abfällig reden (von), anschwärzen, denunzieren, diffamieren, entwürdigen, herabsetzen, herabwürdigen, schlecht machen, schmähen, verdächtigen, verleumden, verteufeln, verunglimpfen, mit Schmutz bewerfen, über jmdn. herfallen, die Ehre abschneiden, Übles nachreden
verschrien: anrüchig, bedenklich, berüchtigt, dubios, fragwürdig, halbseiden, lichtscheu, nebulös, notorisch, obskur, ominös, suspekt, übel beleumdet, undurchsichtig, verdächtig, verrufen, zweifelhaft, nicht astrein *aggressiv, aufmüpfig, bekannt, frech
verschroben: eigenartig, eigenbrötlerisch, grillenhaft, grillig, kauzig, schnurrig, schrullenhaft, schrullig, seltsam, skurril, sonderbar, sonderlich, spleenig, wunderlich
verschrotten: abwracken, entsorgen, recyceln, zu Schrott machen, als Schrott verarbeiten
verschrumpelt: durchfurcht, faltig, hutzelig, knittrig, knitterig, kraus, runzelig, runzlig, schrumpelig, schrumplig, schrundig, verhutzelt, verrunzelt, welk, zerfurcht, zerklüftet, zerknittert, zerschründet, nicht glatt
verschüchtern: ängstigen, einschüchtern, entmutigen, angst machen, Angst und Bange machen, Angst einjagen, ei-

nen Schrecken einjagen, mutlos machen, Panik machen

verschüchtert: angstbebend, angstverzerrt, angstvoll, aufgeregt, bang, bänglich, beklommen, benommen, furchtsam, gehemmt, scheu, schreckhaft, schüchtern, verängstigt, verkrampft, verschreckt, zag, zaghaft, zähneklappernd

Verschüchterung: Angst, Ängstlichkeit, Bammel, Bangigkeit, Bänglichkeit, Befangenheit, Beklemmung, Beklommenheit, Furcht, Furchtsamkeit, Heidenangst, Hemmungen, Herzbeklemmung, Herzensangst, Höllenangst, Panik, Phobie, Scheu, Schüchternheit, Unsicherheit, Verlegenheit

verschulden: anrichten, anstellen, verursachen, Böses machen, eine Dummheit machen *verbocken, verzapfen

Verschulden: Entgleisung, Fehler, Fehltritt, Schuld, Versagen, Verstoß

verschuldet: überschuldet, mit Schulden beladen, mit einer Hypothek beladen, mit Schulden belastet, mit einer Hypothek belastet, in Bedrängnis, in Schwierigkeiten

Verschuldung: Schuld, Überschuldung

verschulen: auspflanzen, aussetzen, pikieren, umpflanzen, umsetzen, umtopfen, verpflanzen, vertopfen

verschütten: begraben, völlig bedecken, völlig zudecken *ausschütten, umschütten, vergießen

verschwägert: angeheiratet, blutsverwandt, stammverwandt, verschwistert, versippt, verwandt, von gleicher Abstammung, zur Familie gehörig

verschwätzen: verplappern, verplaudern, verquatschen, verreden

verschweben: abklingen, aufhören, aushallen, ausklingen, ausschwingen, austönen, schwinden, verhallen, verklingen, verstummen, vertönen, verwehen

verschweigen: bewahren, geheim halten, schweigen, totschweigen, unterschlagen, verbergen, verhehlen, verheimlichen, vertuschen, vorenthalten, (mit Schweigen) zudecken, bewusst nicht erzählen, für sich behalten, in sich bewahren, in sich verschließen

verschwenden: nicht sinnvoll gestalten, nicht sinnvoll ausnützen, Zeit verstreichen lassen *durchbringen, prassen, verbringen, vergeuden, verjubeln, verplempern, verprassen, verpulvern, verschlemmen, verschleudern, verschwenderisch umgehen (mit), verspielen, vertun, verwirtschaften, sein Geld zum Fenster hinauswerfen, auf großem Fuß leben, über seine Verhältnisse leben, mit vollen Händen ausgeben

Verschwender: Prasser, Schlemmer, Vergeuder, Verschleuderer

verschwenderisch: großzügig, prunksüchtig, überreichlich, verschwendungssüchtig, allzu schenkfreudig, allzu großzügig, allzu freigebig, allzu gebefreudig, allzu spendabel, allzu generös *ausladend, feudal, luxuriös, pompös, prunkend, üppig

Verschwendung: Aufwand, Prasserei, Prunksucht, Schlemmerei, Schwelgerei, Vergeudung

verschwendungssüchtig: großzügig, überreichlich, verschwenderisch, allzu schenkfreudig, allzu großzügig, allzu freigebig, allzu gebefreudig, allzu spendabel, allzu generös

verschwiegen: einsilbig, lakonisch, redescheu, ruhig, schweigsam, still, wortkarg, zurückhaltend, nicht mitteilsam *abgelegen, diskret, heimlich, intim *treu, verlässlich, vertrauenswürdig, zuverlässig

Verschwiegenheit: Diskretion, Takt, Zurückhaltung *Treue, Zuverlässigkeit

verschwimmen: verwischen, unscharf werden, undeutlich werden, unklar werden

verschwinden: s. entfernen, entschwinden, entweichen, s. entziehen, fortgehen, untergehen, untertauchen, wegschleichen, von der Bildfläche verschwinden *verloren gehen, wegkommen, abhanden kommen, nicht mehr vorhanden sein, verlustig gehen *s. absetzen, s. auf den Weg machen, s. aufmachen, s. entfernen, s. in Marsch setzen, weggehen *absterben, aussterben, untergehen, verfallen, versinken ***verschwinden lassen:** abnehmen, s. an fremdem Eigentum vergehen, s. an fremdem Eigentum vergreifen, s. aneignen, ausplündern, ausräubern, aus-

räumen, s. bemächtigen, berauben, bestehlen, betrügen, einsacken, entwenden, erbeuten, klauen, mausen, mitnehmen, mopsen, stehlen, stibitzen, unterschlagen, s. vergreifen, veruntreuen, wegnehmen, wegtragen, beiseite schaffen, beiseite bringen, einen Diebstahl begehen, einen Diebstahl verüben, auf die Seite bringen, zur Seite bringen
verschwistert: angeheiratet, blutsverwandt, stammverwandt, verschwägert, versippt, verwandt, von gleicher Abstammung, zur Familie gehörig
verschwitzen: entfallen, entschwinden, s. nicht entsinnen, s. nicht erinnern, übersehen, vergessen, verlernen, versäumen, aus dem Gedächtnis verlieren, aus den Augen verlieren, keine Erinnerung mehr haben, nicht behalten, nicht denken (an), nicht mehr wissen, vergesslich sein
verschwitzt: feucht, schweißig, schweißtriefend, schwitzig
verschwommen: abstrus, andeutungsweise, fraglich, missverständlich, nebulös, unartikuliert, unausgegoren, unbestimmt, undefinierbar, undeutlich, undurchschaubar, unentschieden, ungenau, unklar, unpräzise, unscharf, unsicher, unübersichtlich, unverständlich, vage, verworren, wirr, zusammenhanglos, zweifelhaft, ein Buch mit sieben Siegeln, in Dunkel gehüllt, nicht eindeutig, nicht verständlich, nicht deutlich, nicht zu definieren, schlecht zu entziffern, schlecht zu verstehen *diffus, nebelhaft, schattenhaft, schemenhaft, ungenau, unklar, unscharf, vage
Verschwommenheit: Dämmerung, Undurchsichtigkeit
verschwören (s.): s. auflehnen, aufstehen, s. empören, s. erheben, konspirieren, losbrechen, meutern, s. verbünden, s. zusammenrotten, eine Verschwörung beginnen *s. ergeben, huldigen, s. verschreiben
Verschwörer: Abtrünniger, Anarchist, Aufständischer, Aufwiegler, Demagoge, Empörer, Hochverräter, Konspirant, Landesverräter, Unruhestifter, Vaterlandsverräter, Verführer, Volksverhetzer, Volksverschwörer
verschwörerisch: geheim, geheimbündlerisch, illegal, konspirativ, ungesetzlich, im Untergrund arbeitend
Verschwörung: Anschlag, Aufruhr, Aufstand, Ausschreitung, Erhebung, Geheimbund, Gewaltakt, Komplott, Konspiration, Krawall, Meuterei, Putsch, Rebellion, Revolte, Revolution, Staatsstreich, Tumult, Übergriff, Unruhen, Unterwanderung, Volksaufstand, Volkserhebung
verschwunden: absent, abwesend, anderswo, anderwärts, anderweitig, ausgeflogen, fehlend, fort, sonst wo, weg, woanders, nicht anwesend, nicht da, nicht zu Hause, nicht zugegen *abgängig, perdu, unauffindbar, verschollen, weg, wie vom Erdboden verschluckt, wie vom Wind verweht, auf und davon
Versdichtung: Gedicht, Lied, Poesie, lyrisches Gedicht
Verse: Gedicht, Lyrik ***Verse machen:** dichten, Verse schmieden
versehen: ausführen, ausüben, betreiben, verrichten, tätig sein *ausstaffieren, ausstatten ***versehen (mit):** ausrüsten, ausstaffieren, ausstatten *die letzte Ölung spenden, die Sterbesakramente spenden ***s. versehen:** fehlgehen, s. im Irrtum befinden, s. irren, missverstehen, s. täuschen, im Irrtum sein
Versehen: Fehler, Fehlgriff, Fehlschluss, Irrtum, Unrichtigkeit
versehentlich: absichtslos, irrtümlich, unabsichtlich, unbeabsichtigt, unbewusst, ungeplant, ungewollt, unwillkürlich, aus Versehen, nicht absichtlich, nicht extra, nicht willentlich, nicht vorsätzlich
versehren: lädieren, verletzen, eine Wunde beibringen, eine Verletzung zufügen
versehrt: behindert, invalide, körperbehindert, schwerbeschädigt, verletzt
Versehrter: Behinderter, Körperbehinderter, Krüppel, Schwerbehinderter, Schwerbeschädigter, Verkrüppelter
Versemacher: Dichter, Lyriker, Poet, Verseschmied
versenden: abschicken, absenden, fortschicken, verschicken, wegschicken
Versendung: Auslieferung, Belieferung,

Expedition, Lieferung, Transport, Übergabe, Überstellung, Verfrachtung, Versand, Zuführung, Zusendung, Zustellung

versengen: ausdörren, austrocknen, eintrocknen, verdorren, vertrocknen, dürr werden, trocken werden *anbrennen, ansengen

versenken: eintauchen, hinablassen, hinunterlassen, torpedieren, den Fluten übergeben, untergehen lassen, in den Grund bohren *einbuddeln, eingraben, einscharren, untergraben, vergraben, verscharren ***s. versenken:** abschalten, meditieren *s. abgeben (mit), s. aufhalten (mit), s. auseinander setzen (mit), s. befassen (mit), s. hineinvertiefen, s. konfrontieren (mit), s. konzentrieren, nicht aus dem Sinn wollen

Versenkung: Beschaulichkeit, Besinnlichkeit, Betrachtung, Kontemplation, Meditation, Nachdenken, Nachsinnen, Versunkenheit, Vertiefung

versessen: faltig ***versessen sein:** begehren, dürsten (nach), fiebern (nach), gieren (nach), gierig sein (auf), gierig sein (nach), lechzen (nach), schmachten (nach), s. sehnen (nach), verlangen (nach) *fliegen (auf), stehen (auf), verrückt sein (nach), wild sein (auf)

versetzbar: beweglich, mobil, transportabel, transportierbar, verrückbar

versetzen: umschieben, umsetzen, umstellen, verlegen, verpflanzen, verrücken *den Ort wechseln, die Stelle wechseln, einen anderen Posten geben *antworten, beantworten, dagegenhalten, eingehen (auf), wissen lassen *verpfänden, ins Pfandhaus bringen, zum Pfand geben, als Pfand geben *sitzen lassen, die Verabredung nicht einhalten, im Stich lassen *aufsteigen, vorrücken, weiterkommen, das Klassenziel erreichen

Versetzung: Entlassung, Räumung *Anbau, Anpflanzung, Ausbau, Bebauung *Ortswechsel

Versetzungszeichen: Vorzeichen

verseuchen: anstecken, infizieren, übertragen *verderben, vergiften, verpesten, verschmutzen

verseucht: verdorben, vergiftet, verpestet, verschmutzt *angesteckt, befallen, infiziert

versichern: sorgen (für), vorausblicken, vorbauen, vorbeugen, vorkehren, vorsorgen *behaupten, beteuern, schwören, verbürgen, versprechen, Brief und Siegel geben ***s. versichern:** eine Versicherung abschließen, in eine Versicherung eintreten *s. rückversichern, sichergehen, s. vergewissern

versichert: abgesichert, gesichert *geschützt, in eine Versicherung eingetreten

Versicherung: Vorbeugung, Vorkehrung, Vorsorge *Beteuerung, Ehrenwort, Eid, Gelöbnis, Gelübde, Schwur, Verheißung, Verpflichtung, Versprechen, Wort, Zusage, Zusicherung *Versicherungsanstalt, Versicherungsgesellschaft

Versicherungsbeitrag: Prämie, Versicherungsprämie

Versicherungsfall: Schadensfall

Versicherungsschein: Police, Versicherungsausweis, Versicherungspolice

versickern: austrocknen, einsickern, eintrocknen, verlanden, s. verlaufen, verrinnen, versanden, versiegen, vertrocknen, zu fließen aufhören

versieben: vergessen *verlegen

versiegeln: plombieren, siegeln, zusiegeln

versiegelt: abgeschlossen, verplombt, verschlossen

versiegen: enden, nachlassen *austrocknen, eintrocknen, vertrocknen

versiert: bewandert, erfahren, gescheit, intelligent, klug, kundig, sachverständig, weise, wissend

versilbern: absetzen, umsetzen, verkaufen *mit Silber überziehen, mit Silber belegen

versinken: niedergehen, untergehen, hinter dem Horizont verschwinden *sinken, hinuntersinken, hinabsinken, niedergehen, untersinken, in die Tiefe sinken

versinnbildlichen: allegorisieren, in Bildern sprechen, in Gleichnissen sprechen, durch ein Sinnbild darstellen, Metapher verwenden, Zeichen sein für etwas *beleuchten, demonstrieren, erklären, erläutern, hervorheben, illustrieren, konkretisieren, veranschaulichen, verbildlichen,

verdeutlichen, vergegenständlichen, vergegenwärtigen, zeigen, deutlich machen, vor Augen führen
Version: Lesart, Variante *Ausgabe, Kleinausgabe, Testdaten, Testprogramm, Testversion *Gesamtprogramm, Vollversion
versippt: angeheiratet, blutsverwandt, stammverwandt, verschwägert, verschwistert, verwandt, von gleicher Abstammung, zur Familie gehörig
versklaven: beherrschen, ducken, knebeln, knechten, niederhalten, unterdrücken, unterjochen
versklavt: abhängig, gebunden, geknebelt, geknechtet, rechtlos, unfrei, unselbständig, unterdrückt, unterjocht, untertan, unter der Knute
Versklavung: Bedrückung, Bürde, Drangsalierung, Einschränkung, Fessel, Freiheitsberaubung, Joch, Knechtschaft, Knechtung, Kreuz, Repression, Sklaverei, Terror, Unfreiheit, Unterdrückung, Unterjochung, Zwang
versnobt: angeberisch, aufgeblasen, blasiert, dünkelhaft, eingebildet, eitel, hoffärtig, selbstgefällig, snobistisch, überheblich, von sich eingenommen
versoffen: alkoholsüchtig, trunksüchtig, dem Trunk verfallen, dem Suff ergeben
versohlen: verprügeln, züchtigen
versöhnen: aussöhnen, begütigen, bereinigen, beruhigen, einigen, Frieden stiften ***s. versöhnen:** s. aussöhnen, s. die Hand geben, s. einigen, s. verständigen, s. vertragen, Feindschaft beenden, Feindseligkeiten beenden, Frieden schließen, Einigkeit wiederherstellen
versöhnlich: duldsam, einsichtig, freiheitlich, friedlich, human, tolerant, versöhnend, verständnisvoll *einträchtig, friedlich, friedliebend, gütlich, verträglich
Versöhnung: Ausgleich, Aussöhnung, Befriedung, Beilegung, Einigung, Schlichtung, Verständigung
versonnen: abwägend, abwesend, besinnlich, gedankenvoll, geistesabwesend, grübelnd, grüblerisch, nachdenklich, tiefsinnig, überlegt, verträumt, in Gedanken versunken, in sich gekehrt
versorgen: speisen, verköstigen, verpflegen *s. kümmern, s. sorgen (um) *aufbringen, beibringen, beschaffen, besorgen, bringen, heranholen, heranschaffen, herbeiholen, herbeischaffen, holen, organisieren, vermitteln, verschaffen, zusammenbringen ***s. versorgen:** s. eindecken, s. mit dem Nötigsten versehen, s. mit Proviant versehen ***versorgen (mit):** austeilen, beschenken, bedenken (mit), beglücken (mit), geben, mitbringen, mitgeben, schenken, spendieren, stiften, teilen, verehren, vermachen, weggeben, zueignen, zuteilen, angedeihen lassen
Versorger: Erhalter, Ernährer, Verdiener
Versorgung: Erhaltung, Unterhaltung, Verpflegung
verspannt: fest, steif, verkrampft
verspäten (s.): verschlafen, s. verzögern, zu spät kommen, unpünktlich sein, die Zeit überschreiten, aufgehalten werden
verspätet: säumig, unpünktlich, verzögert, im Verzug, nicht (fahr)planmäßig, zu spät
Verspätung: Aufenthalt, Aufhaltung, Aufschub, Retardation, Saumseligkeit, Verlangsamung, Verschiebung, Verschleppung, Vertagung, Verzögerung, Verzug
verspeisen: aufessen, aufzehren, konsumieren, schaffen, verdrücken, verkonsumieren, verschlingen, verschlucken, verschmausen, vertilgen, verzehren, wegputzen, leer machen, leer essen
versperren: abschließen, verschließen, wegschließen, zuschließen, zusperren *verbarrikadieren, verbauen, vermauern, verrammeln, verriegeln, verschanzen, zurammen *abriegeln, abschließen, absperren, blockieren, sperren, den Riegel vorlegen
verspielen: verlieren, verwetten, verwürfeln ***s. verspielen:** patzen, falsch spielen, danebengreifen, einen Schnitzer machen
verspielt: spielerisch *abwesend, abgelenkt, achtlos, fahrig, fahrlässig, geistesabwesend, unachtsam, unaufmerksam, unbeteiligt, unkonzentriert, zerfahren, zerstreut, in Gedanken, nicht bei der Sache *unerzogen, unhöflich
verspotten: auslachen, bespotten, spot-

ten, verlachen *karikieren, verzerren, zur Karikatur machen *parodieren, persiflieren, spöttisch imitieren, spöttisch nachmachen, spöttisch nachahmen, spöttisch wiedergeben

verspottet: belächelt, geneckt, verhöhnt, verlacht

Verspottung: Anzüglichkeit, Geläster, Hohn, Ironie, Sarkasmus, Spott, Spöttelei, Spötterei, Spottsucht, Stichelei, Verhöhnung, Zynismus

versprechen: beeiden, beschwören, beteuern, garantieren, geloben, schwören, s. verbürgen, verheißen, s. verpflichten, versichern, zusagen, zusichern, ein Versprechen ablegen, ein Versprechen geben, Versprechungen machen, in Aussicht stellen ***s. versprechen:** s. verquatschen, versehentlich verraten, versehentlich ausplaudern, versehentlich sagen *s. verhaspeln, s. verheddern

Versprechen: Beteuerung, Ehrenwort, Eid, Gelöbnis, Gelübde, Schwur, Verheißung, Verpflichtung, Versicherung, Wort, Zusage, Zusicherung

Versprecher: Fehler, Fehlgriff, Fehlleistung, Fehlschluss, Inkorrektheit, Irrtum, Lapsus, Missgriff, Schnitzer, Unrichtigkeit, Unstimmigkeit, Verrechnung, Versehen

versprengen: auflösen, auseinander jagen, auseinander treiben, separieren, trennen, verjagen, verstreuen, verteilen, vertreiben, zersplittern, zerstreuen

versprühen: sprayen, sprühen, verspritzen, zerstäuben

verspüren: empfinden, fühlen, merken, spüren, tasten, wahrnehmen

verstaatlichen: enteignen, expropriieren, kollektivieren, säkularisieren, sozialisieren, vergesellschaften, in Volkseigentum zurückführen, in Volkseigentum überführen

verstaatlicht: gemeineigen, gesellschaftlich, staatlich, vergesellschaftet

Verstand: Auffassungsgabe, Begabung, Begriffsvermögen, Denkfähigkeit, Denkvermögen, Erkenntnisvermögen, Klugheit, Ratio, Urteilsfähigkeit, Urteilskraft, Vernunft, Verständnis *Beobachtungsgabe, Esprit, Geist, Geistesgaben, Geisteskraft, Intellekt, Intelligenz, Klugheit, Scharfblick, Scharfsinn, Scharfsinnigkeit, Weitblick, Witz

verstandesmäßig: rational, vernunftmäßig, mit dem Verstand

Verstandesmensch: Akademiker, Forscher, Geistesarbeiter, Geistesschaffender, Gelehrter, Intellektueller, Wissenschaftler

verständig: besonnen, einfühlend, einsichtig, klug, vernünftig, verständnisvoll, verstehend, Vernunftgründen zugängig, voll Verständnis

verständigen: bekannt geben, benachrichtigen, informieren, mitteilen *s. ins Einvernehmen setzen, s. verständlich machen ***s. verständigen:** s. einigen, s. ins Benehmen setzen (mit), s. ins Einvernehmen setzen (mit), s. verständlich machen, miteinander sprechen *ausgleichen, s. versöhnen

Verständlichkeit: Deutlichkeit, Klarheit *Hörbarkeit, Verstehbarkeit

Verständigung: Brückenschlag, Kommunikation *Ausgleich, Aussöhnung, Befriedung, Beilegung, Einigung, Schlichtung, Versöhnung

verständlich: verstehbar, deutlich vernehmbar, gut zu hören, gut zu verstehen *allgemein verständlich, anschaulich, bildlich, deutlich, einprägsam, fassbar, klar, konkret, lebendig, lebensnah, leichtverständlich, plastisch, sprechend *begreiflich, durchschaubar, einfach, eingängig, plausibel, unkompliziert *anschaulich, bestimmt, deutlich, eindeutig, exakt, genau, unzweideutig, fest umrissen ***verständlich machen:** aufzeigen, auseinander legen, auseinander setzen, ausführen, darlegen, entwickeln, erklären, erläutern, exemplifizieren, klarlegen, klarmachen, konkretisieren, veranschaulichen, vereinfachen, deutlich machen, begreiflich machen

Verständnis: Einfühlungsgabe, Einfühlungsvermögen, Feingefühl, Fingerspitzengefühl, Verstehen, Zartgefühl *Empfindung, Gespür, Sinn, Spürsinn

verständnislos: aufmüpfig, aufsässig, bockbeinig, bockig, dickköpfig, dickschädelig, einsichtslos, frostig, hartge-

sotten, unerbittlich, unnachgiebig, unnahbar, unversöhnlich, unzugänglich, verschlossen, verstockt, zugeknöpft
verständnisvoll: aufgeschlossen, einsichtig, einsichtsvoll, freizügig, klug, mitfühlend, vernünftig, verständig, verständnisinnig, verstehend, weitherzig, wissend, voll Verständnis *entgegenkommend, herzlich, nett, warm
verstärken: hervorheben, stärker machen, deutlicher machen *aktivieren, aufbessern, aufwerten, erhöhen, eskalieren, heraufsetzen, intensivieren, potenzieren, steigern, vergrößern, verhundertfachen, vermehren, verschärfen, vertiefen, vervielfachen, in die Höhe treiben ***s. verstärken:** s. ausdehnen, s. ausweiten, s. erweitern, s. steigern, zunehmen
Verstärkung: Aktivierung, Eskalation, Intensivierung, Steigerung, Zunahme
verstauben: s. überleben, veralten, aus der Mode kommen, außer Gebrauch kommen, unüblich werden, unmodern werden, unmodisch werden, altmodisch werden *einstauben, voll stauben, staubig werden
verstaubt: angestaubt, schmutzig, staubig *altmodisch
verstauchen (s.): s. den Fuß verknacksen, s. den Fuß vertreten, s. den Fuß verzerren, s. eine Verzerrung zuziehen, s. verletzen
verstauen: aufheben, einpacken, wegräumen
Versteck: Nest, Schlupfloch, Schlupfwinkel, Zuflucht
verstecken: verbergen, vergraben ***s. verstecken:** s. abschließen, s. im Dunkeln halten, s. verbergen, s. verkriechen, s. verschanzen
versteckt: latent, schlummernd, unmerklich, unterschwellig, verborgen, verdeckt, unter der Oberfläche *falsch, heuchlerisch, hinterlistig, katzenfreundlich, scheinheilig, unehrlich, unlauter, unwahrhaftig
Verstecktheit: Arglist, Bosheit, Heimtücke, Hinterhältigkeit, Hinterlist, Hinterlistigkeit, Intrige, Verschlagenheit
verstehbar: artikuliert, wohl artikuliert, deutlich, verständlich, (gut) zu verstehen *verständlich, deutlich vernehmbar, gut zu hören, gut zu verstehen
Verstehbarkeit: Deutlichkeit, Hörbarkeit, Verständlichkeit
verstehen: beherzigen, eine Lehre ziehen (aus), s. gesagt sein lassen, s. zu Herzen nehmen *beherrschen, können *hören, vernehmen, akustisch vernehmen, deutlich hören, klar hören, deutlich vernehmen, klar vernehmen, deutlich auffassen, klar auffassen *auffassen, aufschnappen, begreifen, durchblicken, durchschauen, durchsteigen, einsehen, erfassen, ergründen, erkennen, ermessen, s. erschließen, fassen, herausfinden, kapieren, klar sehen, klug werden (aus), nachempfinden, nachvollziehen, schnallen, folgen können, geistig aufnehmen, jmdm. gehen die Augen auf, klar werden, verständlich werden, Verständnis haben, bewusst werden, deutlich werden, richtig beurteilen können, richtig einschätzen können, zu Bewusstsein kommen ***s. verstehen:** auskommen (mit), s. gern haben, harmonisieren, s. lieben, s. mögen, s. vertragen, ein Herz und eine Seele sein ***nicht verstehen:** s. nicht auskennen, nichts damit anfangen können, nicht folgen können ***s. nicht verstehen:** s. befehden, s. bekämpfen, s. hassen, s. nicht vertragen
versteifen: abfangen, absteifen, abstützen, stabilisieren, stützen ***s. versteifen:** erstarren, starr werden, unbeweglich werden, steif werden *anschwellen, aufrichten, erigieren ***s. versteifen (auf):** beharren, bestehen (auf), s. verbeißen, Bedingungen stellen
Versteifung: das Versteifen *das Sichversteifen
versteigen (s.): s. verirren, vom Weg abkommen, die Richtung verlieren, in die Irre gehen *s. anmaßen, in kühner Weise tun
versteigern: auktionieren, meistbietend verkaufen, unter den Hammer bringen
Versteigerung: Auktion, Verkauf
versteinert: fossil, urweltlich, urzeitlich
Versteinerung: Fossil, Petrefakt
verstellen: verbarrikadieren, verbauen, vermauern, verrammeln, verschanzen, versperren, zubauen *verlegen, an den

falschen Platz legen, nicht mehr finden *****s. verstellen:** s. anders geben, s. den Anschein geben, s. den Anstrich geben, heucheln, schauspielern, simulieren, s. stellen als ob, täuschen, verbergen, vorspiegeln, vortäuschen

verstellt: unaufrichtig, unehrlich, unwahrhaftig *verbarrikadiert, verbaut, vermauert, verrammelt, verschanzt, versperrt

Verstellung: Heuchelei, Komödie, Schauspielerei, Theater, Verstellungskunst

versterben: ableben, abscheiden, absterben, s. auflösen, dahinscheiden, einschlafen, einschlummern, entschlafen, erfrieren, erlöschen, ersticken, ertrinken, gehen (von), heimgehen, hinscheiden, hinsterben, hinübergehen, schwinden, sterben, umkommen, verdursten, vergehen, verhungern, verlöschen, verscheiden, verschwinden, abgerufen werden, (tödlich) verunglücken, die Augen schließen, die Augen zumachen, sein Leben aushauchen, aus dem Leben gehen, aus dem Leben abberufen werden, aus dem Leben scheiden

versteuern: Abgaben entrichten, Steuer entrichten, Steuern zahlen *verzollen, Zoll entrichten

verstiegen: abseitig, abwegig, ausgefallen, entlegen, verrückt *exaltiert, extravagant, phantastisch, überschwänglich, überspannt, überstiegen

verstimmen: ärgern, aufbringen, beleidigen, brüskieren, erzürnen, kränken, verärgern, verbittern, verdrießen, vergrämen, verletzen, ärgerlich machen, wütend machen, einen Stich versetzen, in Missmut versetzen, Verdruss bereiten, Ärger bereiten, vor den Kopf stoßen, weh tun

verstimmt: ärgerlich, aufgebracht, beleidigt, brüskiert, erzürnt, gekränkt, missmutig, verärgert, verbittert, verdrossen, vergrämt, verletzt *misstönend, zu hoch gestimmt, zu tief gestimmt

Verstimmung: Ärger, Missmut, Missvergnügen, Unwille, Verdruss, Verstimmtheit, schlechte Laune *Auseinandersetzung, Debatte, Konflikt, Streit, Streitigkeit, Unstimmigkeit, Zwistigkeit

verstockt: beschränkt, bockig, borniert, eigensinnig, eigenwillig, störrisch, trotzig, verbohrt, widerborstig, widerspenstig *distanziert, kontaktscheu, unaufgeschlossen, unzugänglich, verschlossen, zurückhaltend

Verstocktheit: Reuelosigkeit, Schweigsamkeit, Trotz, Ungehorsam *Eigensinn, Hartnäckigkeit, Unlenksamkeit, Widerspenstigkeit *Herzensverhärtung, Verstockung

verstohlen: diskret, heimlich, stillschweigend, unauffällig, unbemerkt, ungesehen, verborgen, verschwiegen

verstopfen: abdichten, dichten, isolieren, verfugen, zustopfen, undurchlässig machen

verstopft: hartleibig, obstipiert *dicht, undurchlässig, zu

Verstopfung: Verschluss, das Verstopfen, das Verstopftsein *Darmträgheit, Darmverschluss, Darmverstopfung, Obstipation, Stuhlverstopfung, Verdauungsstörung

verstöpseln: verkorken, verschließen, zukorken, zumachen

verstorben: abgeschieden, gestorben, heimgegangen, hingeschieden, selig, tot, verblichen, verewigt, verschieden

Verstorbener: der Abgeschiedene, der Entschlafene, der Gefallene, der Heimgegangene, der Hingeschiedene, der Tote, der Verblichene, der Verewigte, der Verschiedene *die Leiche

verstören: ablenken, beirren, desorientieren, durcheinander bringen, irremachen, irritieren, verunsichern, verwirren, in Verwirrung bringen, aus der Fassung bringen, verlegen machen, kopfscheu machen, unsicher machen

verstört: bestürzt, betroffen, durcheinander, entgeistert, entsetzt, fassungslos, konfus, konsterniert, überrascht, verwirrt

Verstoß: Delikt, Entgleisung, Fehler, Fehltritt, Frevel, Freveltat, Kapitalverbrechen, Missetat, Regelwidrigkeit, Schandtat, Straftat, Übertretung, Unrecht, Untat, Verbrechen, Verfehlung, Vergehen, Zuwiderhandlung

verstoßen: ächten, ausschließen, aus-

stoßen, ausweisen, fortjagen, verbannen *zuwiderhandeln, etwas verletzen, etwas untergraben, etwas unterlaufen, etwas zerstören *verstoßen (gegen): abweichen, entgegenhandeln, freveln, s. strafbar machen, sündigen, übertreten, zuwiderhandeln, Unrecht tun, widerrechtlich handeln
verstreben: abfangen, absteifen, abstützen, aussteifen, stützen, versteifen
verstreichen: ablaufen, dahingehen, dahingleiten, dahinschwinden, enteilen, entrinnen, entschwinden, fliehen, gleiten, hingehen, schwinden, verfliegen, vergehen, verlaufen, verrauschen, verrinnen, verschwinden, vorbeigehen, vorüberfliegen, vorübergehen, zerrinnen *verputzen *auftragen
verstreuen: ausbreiten, verteilen, zerstreuen ***s. verstreuen:** s. ablenken, s. auf andere Gedanken bringen, s. aufheitern, s. aufmuntern, s. erheitern, s. zerstreuen, auf andere Gedanken kommen
verstreut: gelegentlich, rar, selten, spärlich, vereinzelt, fast nie
verstricken (s.): hängen bleiben, hineingeraten, s. in eine unangenehme Situation bringen, s. verfangen, s. verfilzen, s. verwickeln, (tiefer) hineingeraten
verstümmeln: deformieren, entstellen, verhunzen, verschandeln, verunstalten, verunzieren, hässlich machen
verstummen: s. ausschweigen, schweigen, keinen Ton von sich geben *abklingen, aufhören, verhallen, verklingen
Versuch: Experiment, Nachweis, Probe, Prüfung, Test *Anstrengung, Bemühung, Unterfangen, Unternehmen, Vorstoß
versuchen: kosten, probieren, verkosten *ausprobieren, durchprobieren, probieren, prüfen, s. versuchen (an), einen Versuch anstellen, einen Versuch machen, die Probe machen *verführen, verlocken
Versucher: Antichrist, Beelzebub, Erbfeind, Erzfeind, Feind, Höllenfürst, Luzifer, Mephisto, Satan, Teufel, Verderber, Verführer, Widersacher, Fürst der Finsternis
versuchsweise: probeweise, vorläufig, auf Probe, als Versuch
Versuchung: Anfechtung, Reiz, Verlockung
versumpfen: verfallen, verkommen, verlottern, verrohen, verrotten, versacken, verschlampen, verwahrlosen, verwildern *s. festtreten, hängen bleiben, versacken, zu lange bleiben
versündigen (s.): entheiligen, entweihen, fehlen, fluchen, freveln, sündigen, s. vergehen, eine Sünde begehen
versunken: angespannt, andächtig, andachtsvoll, angestrengt, aufmerksam, feierlich, gespannt, konzentriert *nachdenklich *abwesend, dösig, entrückt, gedankenverloren, geistesabwesend, grübelnd, nachdenklich, selbstvergessen, träumerisch, traumverloren, unansprechbar, unerreichbar, unkonzentriert, verträumt, zerstreut, in Gedanken, in Gedanken verloren, nicht bei der Sache *gesunken, untergegangen *abgelebt, abgetan, dahin, ehemalig, entschwunden, erledigt, fern, gestrig, gewesen, passé, tot, veraltet, verflossen, vergangen, vergessen, verjährt, verschollen, verweht, verwichen, vorbei, vorüber, zurückliegend, lange her
Versunkenheit: Andacht, Betrachtung, Meditation, Nachdenken, Versenkung
vertäfeln: auslegen, austäfeln, paneelieren, täfeln, verkleiden
Vertäfelung: Getäfel, Holzverkleidung, Täfelung, Verschalung, Wandtäfelung, Wandverkleidung
vertagen: aufschieben, hinauszögern, verlangsamen, verlegen, verschleppen, verzögern, auf die lange Bank schieben
Vertagung: Aufschub, Verschiebung, das Hinauszögern
vertäuen: anbinden, anschnallen, befestigen, festbinden, festmachen, festzurren, verknüpfen, zurren, zusammenbinden, zuschnüren
vertauschen: durcheinander bringen, durcheinander werfen, s. irren, s. täuschen, verwechseln, einen Fehler machen
vertausendfachen: vertausendfältigen, vervielfachen
verteidigen: abschirmen, absichern, abwehren, bewahren, s. erwehren, schützen,

s. stellen, s. zur Wehr setzen, Schutz gewähren, Widerstand leisten *entschuldigen, fürsprechen, rechtfertigen, verfechten, s. wehren, den Fürsprecher machen, in Schutz nehmen *s. einsetzen, eintreten (für), s. engagieren, s. verwenden ***s. verteidigen:** s. seiner Haut wehren, s. wehren, s. zur Wehr setzen, Widerstand leisten, seine Unschuld beteuern *das letzte Wort haben, ein Plädoyer halten

Verteidiger: Advokat, Anwalt, Fürsprecher, Jurist, Justitiar, Pflichtverteidiger, Rechtsbeistand, Strafverteidiger, Syndikus, Vertreter, Wahlverteidiger *Apologet, Verfechter

Verteidigung: Abwehr, Defensive, Gegenwehr, Kampf, Notwehr, Rechtfertigung, Selbsterhaltung, Selbstschutz, Selbstverteidigung *Apologetik, Apologie *Hintermannschaft

Verteidigungsanlage: Bastei, Bastion, Befestigung, Befestigungsanlage, Befestigungsbau, Befestigungssystem, Befestigungswerk, Bollwerk, Festung, Festungsbau, Kastell, Mauer, Schanze, Verschanzung, Wehr, Zitadelle

verteidigungsbereit: abwehrbereit, gepanzert, gerüstet, gewappnet

verteilen: ausgeben, ausschütten, austeilen, übergeben, umlegen (auf) *schenken, beschenken, bescheren, herschenken, wegschenken *aufteilen, austeilen, distribuieren, übertragen, vergeben, zuteilen ***s. verteilen:** s. auflösen, s. ausbreiten, auseinander gehen, auseinander laufen, auseinander stieben, vereinzeln, verlaufen, verstreuen, s. zerstreuen

Verteilung: Aufteilung, Austeilung, Distribution, Vergabe *Ausgabe, Austeilung, Bemessung, Verabfolgung, Verabreichung, Zumessung, Zuteilung, Zuweisung

verteuern: anheben, aufschlagen, erhöhen, heraufsetzen, hochschrauben, hochtreiben, steigern, in die Höhe schrauben ***s. verteuern:** ansteigen, anziehen, s. erhöhen, hochgehen, hochklettern, s. steigern, zunehmen, teurer werden, in die Höhe gehen, in die Höhe klettern

Verteuerung: Preisanstieg, Preiserhöhung, Preissteigerung, Preistreiberei, Preiswucher, Teuerung

verteufeln: abfällig reden (von), anschwärzen, denunzieren, diffamieren, entwürdigen, herabsetzen, herabwürdigen, nachreden, schlecht machen, schmähen, verdächtigen, verketzern, verleumden, verschreien, verunglimpfen, mit Schmutz bewerfen, über jmdn. herfallen, die Ehre abschneiden, Übles nachreden, jmdn. madig machen *beschimpfen, verdammen, verfluchen, vermaledeien, verwünschen

verteufelt: verflucht, verhext, verwunschen, verwünscht, verzaubert *ekelhaft, entsetzlich, furchtbar, fürchterlich, höllisch, irrsinnig, klotzig, kolossal, lausig, mordsmäßig, rasend, riesig, schändlich, schrecklich, sehr, so, unheimlich, unsinnig, verdammt, verflixt, verflucht

vertiefen: aktivieren, ausbauen, intensivieren, steigern, vergrößern, verstärken, vorantreiben *ausbauen, festigen, fundieren, konsolidieren, kräftigen, sichern, stabilisieren, untermauern, verdichten, zementieren *ausbaggern, ausgraben, ausheben, auskoffern, ausschachten ***s. vertiefen:** s. abgeben (mit), s. aufhalten, s. auseinander setzen, s. befassen, s. beschäftigen, s. konzentrieren (auf), s. verlegen (auf)

vertieft: entrückt, gedankenvoll, nachdenklich, selbstvergessen, träumerisch, versonnen, versunken, verträumt

Vertiefung: Ausbau, Entwicklung, Erweiterung, Festigung, Förderung *Einbuchtung, Einsenkung, Furche, Graben, Höhlung, Mulde

vertikal: lotrecht, seiger, senkrecht

Vertikale: Senkrechte

vertilgen: aufessen, aufzehren, verspeisen *abschaffen, auslöschen, ausrotten, beseitigen, entfernen, liquidieren, vernichten, zerstören

vertonen: arrangieren, instrumentieren, komponieren, in Musik setzen, in Töne setzen

vertrackt: diffizil, dornig, kniffelig, komplex, kompliziert, langwierig, mühsam, problematisch, schwer, schwierig, steinig, subtil, unübersichtlich, verflochten, verwickelt, verzwickt, mit Schwierigkeiten verbunden, nicht leicht, nicht einfach,

schwer zu fassen, schwer zugänglich, schwer verständlich
Vertrag: Abkommen, Bündnis, Handel, Handelsabkommen, Konkordat, Kontrakt, Pakt, Übereinkunft, Vereinbarung
vertragen: aushalten, durchstehen, erdulden, erleiden, ertragen, hinnehmen, standhalten ***s. vertragen:** auskommen (mit), s. gern haben, harmonieren, in Frieden leben (mit), s. lieben, s. mögen, s. nicht anfeinden, s. nicht entzweien, s. nicht streiten, s. nicht verfeinden, s. nicht zanken, s. verstehen
vertraglich: kontraktlich, vertragsgemäß, vertragsmäßig, durch Vertrag
verträglich: aufgeschlossen, besonnen, einfühlend, einträchtig, friedfertig, friedlich, friedliebend, gütlich, harmonisch, klug, tolerant, versöhnlich, weitherzig *bekömmlich, förderlich, gesund, zuträglich, nicht schwer, nicht belastend *kombinierbar, kompatibel, vereinbar, zusammenpassend, zueinander passend
Verträglichkeit: Einheit, Harmonie *Lenksamkeit, Nachsicht
vertragsmäßig: kontraktlich, vertraglich, durch Vertrag
Vertragsstrafe: Konventionalstrafe
vertrauen: s. anvertrauen, hoffen (auf), rechnen (mit), trauen, s. verlassen (auf), glauben (an), Vertrauen entgegenbringen, Vertrauen erweisen, Vertrauen schenken, zählen (auf)
Vertrauen: Gewissheit, Glaube, Glauben, Hoffnung, Sicherheit, Zutrauen, Zuversicht ***Vertrauen erweckend:** angenehm, glaubwürdig, positiv, zuverlässig
Vertrauensbruch: Enttäuschung, Indiskretion, Taktlosigkeit, Verrat
vertrauensselig: einfältig, getrost, gutgläubig, harmlos, kritiklos, leichtgläubig, naiv, unbedacht, unbesonnen, vertrauend, zutraulich
vertrauensvoll: gläubig, voll Vertrauen, auf Treu und Glauben
vertrauenswürdig: rechtschaffen, zuverlässig
Vertrauenswürdigkeit: Biederkeit, Ehrlichkeit, Integrität, Loyalität, Pflichtbewusstsein, Rechtschaffenheit, Redlichkeit, Unbescholtenheit, Zuverlässigkeit
vertraulich: diskret, geheim, intern, intim, tête-à-tête, im Vertrauen, unter dem Siegel der Verschwiegenheit, unter vier Augen *familiär, frei, freundschaftlich, heimisch, intim, leger, locker, persönlich, unverkrampft, vertraut, zwanglos
Vertraulichkeit: Intimität, Vertrautheit
verträumt: idealistisch, phantasievoll, romantisch, schwärmerisch *abgelegen, abgeschieden, beschaulich, idyllisch, schön *abwesend, entrückt, gedankenverloren, geistesabwesend, grübelnd, nachdenklich, selbstvergessen, träumerisch, traumverloren, traumversunken, unansprechbar, unerreichbar, unkonzentriert, versonnen, versunken, zerstreut, in Gedanken, nicht bei der Sache
vertraut: familiär, frei, heimisch, intim, leger, locker, persönlich, unverkrampft, zwanglos *alltäglich, altvertraut, geläufig, heimisch, wohl bekannt, ans Herz gewachsen *geheim
Vertraute: Bekannte, Freundin, Gefährtin, Getreuer, Weggefährtin
Vertrauter: Bekannter, Freund, Gefährte, Getreuer, Intimus, Weggefährte
Vertrautheit: Intimität, Vertraulichkeit
vertreiben: austreiben, davonjagen, entfernen, entlassen, fortjagen, fortscheuchen, forttreiben, jagen (aus), jagen (von), scheuchen, treiben, vergrämen, verjagen, verscheuchen, wegjagen, wegscheuchen, wegtreiben, in die Flucht schlagen, in die Flucht treiben *ausbürgern, ausweisen *anbieten, veräußern, verkaufen
vertretbar: akzeptabel, annehmbar, ausreichend, brauchbar, dienlich, geeignet, leidlich, passabel, passend, tauglich, zufriedenstellend
vertreten: aushelfen, einspringen, eintreten, die Vertretung übernehmen, die Vertretung haben, für einen anderen arbeiten, in die Bresche springen *s. bemühen (um), eintreten (für), s. engagieren, sprechen (für), verteidigen, jmds. Interessen vertreten, Partei ergreifen, Stellung beziehen *auftreten (für), erscheinen (für), repräsentieren, an die Stelle treten, Vertreter sein ***vertreten sein:** da sein, anwesend sein, zugegen sein

Vertreter: Bevollmächtigter, Repräsentant, Stellvertreter *Aushilfe, Vertretung *Akquisiteur, Handelsvertreter, Reisender, Verkäufer, Werber

Vertretung: Repräsentanz, Repräsentation *Abordnung, Delegation *Aushilfe, Vertreter

vertretungsweise: aushilfsweise, behelfsweise, ersatzweise, kommissarisch, in Vertretung

Vertrieb: Abgabe, Auslieferung, Geschäft, Handel, Umsatz, Veräußerung, Verkauf, Warenumschlag

Vertriebener: Asylant *Flüchtling, Heimatvertriebener

vertrimmen: prügeln, verhauen, verklopfen, verprügeln, verwalken

vertrinken: versaufen, verschwenden, verzechen, durch die Gurgel jagen

vertrocknen: verlanden, versanden, versickern, versiegen *ausdörren, austrocknen, eintrocknen, verdorren, versengen, dürr werden, trocken werden *welken, verwelken, verblühen

vertrocknet: nicht feucht, nicht nass *abgestorben, ausgedörrt, ausgetrocknet, entwässert, saftlos, verdorrt, welk, hart geworden, trocken geworden *alt, altbacken, nicht mehr frisch *regenarm, wasserarm, wüstenhaft

vertrödeln: s. durch die Finger gehen lassen, s. entgehen lassen, unterlassen, verabsäumen, verbummeln, verfehlen, vergessen, verpassen, versäumen, verschlafen, versitzen, nicht nutzen, ungenutzt vorübergehen lassen, zu spät kommen

vertrösten: hinhalten, warten lassen, Zeit gewinnen wollen, zappeln lassen

vertrotteln: verblöden, verdummen, vernebeln

vertun: durchbringen, prassen, verbringen, vergeuden, verjubeln, verplempern, verprassen, verpulvern, verschlemmen, verschleudern, verschwenden, verschwenderisch umgehen (mit), verspielen, verwirtschaften, sein Geld zum Fenster hinauswerfen, auf großem Fuß leben, über seine Verhältnisse leben, mit vollen Händen ausgeben

vertuschen: kaschieren, verbergen, verheimlichen, verschleiern, verschweigen, vorenthalten, zudecken, nicht mehr sprechen (über)

verübeln: ankreiden, krumm nehmen, nachtragen, übel nehmen, verargen, verdenken, übel vermerken

verüben: ausführen, begehen, tun

verulken: anpflaumen, anulken, aufziehen, foppen, frotzeln, hänseln, narren, necken, scherzen, schrauben, seinen Spaß treiben (mit), uzen, verspotten, auf den Arm nehmen, zum Besten halten, auf die Schippe nehmen, zum Besten haben

verunehren: beflecken, beschmutzen, entehren, entheiligen, entweihen, entwürdigen, herabwürdigen, schänden, verleumden, die Ehre nehmen, die Ehre rauben

verunglimpfen: abfällig reden (von), anschwärzen, denunzieren, diffamieren, entwürdigen, herabsetzen, herabwürdigen, schlecht machen, schmähen, verdächtigen, verleumden, verschreien, verteufeln, mit Schmutz bewerfen, über jmdn. herfallen, die Ehre abschneiden, Übles nachreden *beeinträchtigen, beleidigen, diskreditieren, entwerten, herabsetzen, herabwürdigen, schmähen, verleumden, verächtlich machen, ins Gemeine ziehen

Verunglimpfung: Ächtung, Benachteiligung, Desavouierung, Geringschätzung, Herabwürdigung, Missachtung, Ungerechtigkeit, Verächtlichmachung, Verachtung, Zurücksetzung *Anschwärzung, Beleidigung, Denunziation, Diffamierung, Diskreditierung, Ehrverletzung, Herabwürdigung, Hetze, Rufmord, Schlechtmacherei, Unterstellung, Verdächtigung, Verleumdung, üble Nachrede

verunglücken: s. das Genick brechen, s. den Hals brechen, umkommen, bei einem Unfall verletzt werden, getötet werden, einen Unfall erleiden, einen Unfall haben, überfahren werden, Schaden nehmen, zu Schaden kommen, zugrunde gehen *danebengehen, danebengelingen, danebengeraten, fehlschlagen, missglücken, misslingen, missraten, quergehen, scheitern, schlecht ablaufen, schlecht

ausfallen, schlecht abgehen, in die Brüche gehen, schlecht auslaufen
verunglückt: ertrunken *verletzt *gestrandet, gesunken *gefallen, verwundet
Verunglückter: Opfer, Todesopfer, Unfallgeschädigter, Unfallopfer, Unfalltoter
verunreinigen: anschmieren, beflecken, bekleckern, beschmieren, beschmutzen, bespritzen, besudeln, einschmutzen, fasern, fusseln, haaren, verschmieren, verschmutzen, voll machen, voll schmieren, voll spritzen, dreckig machen, schmutzig machen
verunreinigt: beschmutzt, dreckig, fleckig, schmuddelig, schmutzig, unrein, unsauber
Verunreinigung: Befleckung, Beschmutzung, Besudelung
verunsichern: beirren, durcheinandermachen, irremachen, irritieren, konsternieren, verwirren, in Zweifel stürzen, aus dem Konzept bringen, den Kopf verdrehen, verlegen machen
verunstalten: deformieren, entstellen, verhunzen, verschandeln, verstümmeln, verunzieren, hässlich machen
Verunstaltung: Karikatur, Parodie *Missbildung, Verunzierung *Entstellung, Hässlichkeit
veruntreuen: betrügen, hinterziehen, unterschlagen, in die eigene Tasche stecken, in seine eigene Tasche stecken, unrechtmäßig behalten, unrechtmäßig ausgeben
verursachen: auslösen, bedingen, bewirken, entfesseln, erregen, erwecken, heraufbeschwören, herbeiführen, hervorrufen, veranlassen, mit sich bringen *anrichten, anstellen, verschulden, Böses machen, eine Dummheit machen
verursacht: erweckt, herbeigeführt, hergeleitet, veranlasst
verurteilen: aburteilen, bestrafen, verdammen (zu), ein Urteil fällen, das Urteil sprechen, die Schuld geben, eine Strafe verhängen, eine Strafe auferlegen, für schuldig befinden, für schuldig erklären, mit Strafe belegen, schuldig sprechen
Verurteilung: Aburteilung, Richterspruch, Schuldigsprechung, Schuldspruch, Urteilsspruch *Acht, Ächtung, Bann, Boykott, Bulle, Exkommunikation, Fluch, Verdammung, Verdikt, Verfemung, Verfluchung, Verwünschung
Verve: Aktivität, Begeisterung, Dynamik, Elan, Fitness, Impetus, Lebhaftigkeit, Leidenschaft, Schwung, Spannkraft, Temperament, Vehemenz, Vitalität
vervielfachen: malnehmen, multiplizieren *eskalieren, steigern, verdoppeln, vergrößern, vermehren, verschärfen, verstärken *abziehen, kopieren, reproduzieren, vervielfältigen *ins Internet stellen ***s. vervielfachen:** anschwellen, ansteigen, anwachsen, s. ausdehnen, s. ausweiten, s. erhöhen, s. erweitern, s. steigern, s. verdichten, s. vergrößern, s. vermehren, s. verschlechtern, s. verschlimmern, s. verstärken, zunehmen, an Ausdehnung gewinnen
vervielfältigen: abziehen, kopieren, reproduzieren
Vervielfältigung: Abschrift, Kopie, Reproduktion *Raubkopie
vervollkommnen: ergänzen, perfektionieren, überarbeiten, vervollständigen, vollenden *abrunden, kultivieren, verbessern, veredeln, verfeinern, verschönern, den letzten Schliff geben ***s. vervollkommnen:** s. bilden, s. fortbilden, s. weiterbilden, an sich arbeiten, vollkommener werden *s. abrunden, s. runden
Vervollkommnung: Abrundung, Ergänzung, Perfektionierung, Verbesserung
vervollständigen: abrunden, anfügen, anreihen, anschließen, auffrischen, auffüllen, aufrunden, ausbauen, beifügen, beigeben, beimengen, beimischen, dazulegen, dazutun, ergänzen, erweitern, hinzufügen, hinzusetzen, hinzutun, komplementieren, komplettieren, nachtragen, perfektionieren, vervollkommnen, vollenden, zufügen, zugeben, zusetzen
Vervollständigung: Auffrischung, Auffüllung, Ergänzung, Erweiterung, Hinzufügung, Komplettierung, Nachtrag, Vervollkommnung
verwachsen: abheilen, gesunden, verheilen, vernarben, zuheilen, zuwachsen *verschmelzen, zusammenwachsen, zu einer Einheit werden *bucklig, missgestaltet, verkrüppelt *dicht, überwuchert,

undurchdringlich, undurchlässig, unwegsam, unzugänglich
verwackelt: unklar, unscharf, verschwommen
Verwahr: Aufsicht, Gewahrsam, Haft, Verschluss, Verwahrung
verwahren: aufbewahren, aufheben, aufnehmen, aufsparen, aufspeichern, behalten, bewahren, einkellern, einlagern, einlegen, einmotten, einpacken, einsacken, erhalten, sammeln, sicherstellen, speichern, verpacken, weglegen, wegpacken, zurücklegen, beiseite legen *__s. verwahren:__ dagegenreden, protestieren, Einspruch erheben, Protest erheben, Einspruch einlegen, Protest einlegen, Veto einlegen *__s. verwahren (gegen):__ ableugnen, absprechen, abstreiten, bestreiten, dementieren, leugnen, negieren, verneinen, als unwahr bezeichnen, als unrichtig bezeichnen, als falsch bezeichnen, als unzutreffend bezeichnen, in Abrede stellen, von sich weisen
verwahrlosen: verfallen, verkommen, verlottern, verrohen, verrotten, versacken, verschlampen, versumpfen, verwildern *__verwahrlosen lassen:__ hintenansetzen, hintenanstellen, missachten, s. nicht genügend kümmern (um), unterlassen, verludern, vernachlässigen, verschlampen, auf sich beruhen lassen, außer Acht lassen, beiseite lassen, unbeachtet lassen, unberücksichtigt lassen, nicht berücksichtigen, seine Pflicht versäumen, verfallen lassen, verlottern lassen, verkommen lassen, herunterkommen lassen
verwahrlost: abgewirtschaftet, ruiniert, verdorben, vergammelt, verkommen, verlebt, verlottert, verschlampt, verwildert *chaotisch, ungepflegt, unordentlich, vernachlässigt, wüst, in Unordnung
Verwahrsam: Arrest, Freiheitsentzug, Freiheitsstrafe, Gefangenschaft, Gewahrsam, Haft, Verwahrung
Verwahrung: Aufbewahrung, Lagerung *Aufsicht, Gewahrsam, Haft, Verschluss, Verwahr *Ablehnung, Anfechtung, Beanstandung, Berufung, Beschwerde, Demarche, Einrede, Einspruch, Einwand, Einwendung, Einwurf, Entgegnung, Gegenargument, Gegenmeinung, Gegenstimme, Interpellation, Klage, Protest, Reklamation, Rekurs, Veto, Widerrede, Widerspruch, Zweifel
verwaisen: Waise werden, die Eltern verlieren
verwaist: einsam, unbesiedelt, unbevölkert, unbewohnt *ohne Eltern
verwalten: leiten, regieren *bearbeiten, bewirtschaften
Verwalter: Inspektor, Leiter, Wirtschafter *Administrator, Bevollmächtigter, Kurator, Manager, Prokurator, Sachverwalter, Sachwalter, Vertreter
Verwaltung: Anführung, Führerschaft, Führung, Herrschaft, Leitung, erste Stelle *Amt, Behörde, Dienststelle, Stelle, Zentrale
Verwaltungsbezirk: Bezirk, Kreis, Landesteil, Provinz, Regierungsbezirk
verwandeln: ändern, umbilden, umformen, umorganisieren, umwandeln, anders machen *__s. verwandeln:__ s. ändern, s. entwickeln, s. umwandeln, s. wenden, anders werden
Verwandlung: Metamorphose, Umgestaltung, Wandlung
verwandt: angeheiratet, blutsverwandt, stammverwandt, verschwägert, verschwistert, versippt, von gleicher Abstammung, zur Familie gehörig *ähnlich, gleich
Verwandter: Abkömmling, Ahne, Angehöriger, Anverwandter, Blutsverwandter, Familienangehöriger, Familienmitglied, Nachfahr, Vorfahr
Verwandtschaft: Blutsverwandtschaft, Familie, Familienband, Geschlecht, Haus, Sippe, Sippschaft, Stamm *Ähnlichkeit, Analogie, Anklang, Entsprechung, Gleichartigkeit, Übereinstimmung, Vergleichbarkeit, Verwandtsein, Wahlverwandtschaft
verwarnen: mahnen, ermahnen, rügen, tadeln, zurechtweisen
Verwarnung: Aufforderung, Ermahnung, Mahnung, Ordnungsruf, Predigt, Rüge, Tadel, Verweis, Warnung
verwaschen: diffus, dunkel, nebelhaft, obskur, schattenhaft, schemenhaft, unklar, vage *ausgebleicht, ausgewaschen, farblos, gebleicht

verwässern: pantschen, strecken, verdünnen, verfälschen, verlängern, versetzen *veräußerlichen, verflachen, oberflächlich werden *banalisieren, schablonisieren, schematisieren, simplifizieren, vereinfachen, verflachen, vergröbern, verharmlosen
verwässert: unrein, verdünnt, versetzt
verweben: verbinden, verknoten, verspinnen
verwechseln: durcheinander bringen, durcheinander werfen, s. irren, s. täuschen, vertauschen, einen Fehler machen
Verwechslung: Auswechslung, Fehlgriff, Irrtum, Versehen *Gedächtnisschwäche, Versagen, Zerstreutheit
verwegen: beherzt, draufgängerisch, furchtlos, heldenhaft, heldenmütig, herzhaft, kämpferisch, kühn, mannhaft, mutig, tapfer, todesmutig, tollkühn, unerschrocken, unverzagt, vermessen, wagemutig, waghalsig
Verwegenheit: Beherztheit, Draufgängertum, Furchtlosigkeit, Heldentum, Herzhaftigkeit, Kampfesmut, Kühnheit, Mut, Tapferkeit, Todesmut, Tollkühnheit, Unerschrockenheit, Unverzagtheit, Vermessenheit, Wagemut, Waghalsigkeit
verwehen: abklingen, aufhören, aushallen, ausklingen, ausschwingen, austönen, schwinden, verhallen, verklingen, verstummen, vertönen *vergehen
verwehren: untersagen, verbieten, versagen, verweigern, nicht erlauben, nicht billigen, nicht gestatten, nicht zulassen, nicht gewähren, nicht genehmigen *abwehren, hintertreiben, verhindern *versagen, verweigern, vorenthalten, nicht geben
verweht: abgelebt, abgetan, begraben, dahin, ehemalig, entschwunden, erledigt, fern, gestrig, gewesen, passé, tot, veraltet, verflossen, vergangen, vergessen, verjährt, verschollen, versunken, verwichen, vorbei, vorüber, zurückliegend, lange her *fortgetragen, weggetragen *darunterliegend, zugedeckt
verweichlichen: hätscheln, verbilden, verderben, verhätscheln, verpäppeln, verwöhnen, verzärteln, verziehen
verweichlicht: verhätschelt, verwöhnt, verzärtelt, verzogen, weichlich
Verweichlichung: Verhätschelung, Verwöhnung, Verziehung
verweigern: ablehnen, missbilligen, verneinen, dagegen sein *untersagen, verbieten, verwehren, Einhalt gebieten *entziehen, versagen, vorenthalten, nicht geben, nicht übereignen, nicht verabfolgen, nicht gewähren, nicht überlassen ***s. verweigern:** s. etwas nicht gönnen, unterlassen, verzichten, nicht tun *aussteigen, brechen (mit), den Rücken kehren, seine eigenen Wege gehen *s. nicht hingeben, s. nicht verführen lassen, s. versagen
Verweigerung: Abfuhr, Ablehnung, Absage, Abweis, Abweisung, Versagung, Weigerung, Zurückweisung, ablehnende Antwort, abschlägige Antwort, ablehnender Bescheid, negativer Bescheid
verweilen: s. aufhalten, bleiben, hausen, leben, wohnen, anwesend sein *s. besinnen, innehalten, s. nicht entschließen können, zögern, auf der Stelle treten
Verweis: Beanstandung, Bemängelung, Ermahnung, Korrektur, Missbilligung, Rüge, Tadel, Verwarnung *Mitteilung *Andeutung, Hinweis, Tipp
verweisen: beanstanden, bemängeln, korrigieren, missbilligen, reklamieren, rügen, tadeln, einen Tadel erteilen *andeuten, hindeuten, hinweisen, hinzeigen, aufmerksam machen *s. berufen (auf), s. beziehen (auf) *ausbürgern, ausweisen ***verweisen (an):** beordern (zu), weisen (zu), empfehlen (an) ***verweisen (auf):** anspielen, aufmerksam machen (auf), hindeuten (auf), hinweisen, hinzeigen (auf), mit den Fingern zeigen (auf), mit der Nase stoßen (auf), Schlaglichter werfen (auf), weisen (auf), zeigen (auf), ins Blickfeld rücken, einen Tipp geben ***des Landes verweisen:** abschieben, ausbürgern, aussiedeln, ausweisen, deportieren, expatriieren, fortjagen, hinauswerfen, säubern, umsiedeln, verbannen, versprengen, verstoßen, vertreiben, aus dem Land weisen
verwelken: abblühen, absterben, eingehen, verblühen, verdorren, vergilben, verkümmern, vertrocknen, welken, nicht

mehr grünen, schlaff werden, welk werden
verwelkt: abgeblüht, verblüht, verdorrt, vertrocknet, welk, nicht mehr frisch, schlaff geworden *faltig, runzelig
verwendbar: anwendbar, brauchbar, dienlich, geeignet, nutzbar, nützlich, praktikabel, praktisch, tauglich, verwertbar
Verwendbarkeit: Befähigung, Einträglichkeit, Geschicklichkeit *Sachdienlichkeit, Verwendungsmöglichkeit
verwenden: anwenden, benutzen, benützen, einsetzen, gebrauchen, verwerten, nutzbar machen ***s. verwenden (für):** bitten (für), ein gutes Wort einlegen, s. einsetzen, eintreten (für), Fürbitte einlegen, Fürsprache einlegen, Fürbitte tun
Verwendung: Einsatz, Gebrauch, Inanspruchnahme, Nutzanwendung, Nutzbarmachung *Anwendung, Benutzung, Benützung, Gebrauch, Indienstnahme, Nutzung
verwerfen: ablehnen, abschlagen, abweisen, ausschlagen, negieren, verschmähen, zurückweisen ***s. verwerfen:** faltig werden, rissig werden
verwerflich: Abscheu erregend, abscheulich, ekelhaft, elend, gemein, hässlich, niederträchtig, schändlich, schandvoll, scheußlich, schimpflich, schmählich, skandalös, verächtlich *anstößig, ausschweifend, empörend, lasziv, liederlich, obszön, pikant, ruchlos, schmutzig, shocking, unanständig, ungebührlich, ungehörig, unkeusch, unschicklich, unsolide, unziemlich, verdorben, verworfen, wüst, zweideutig, gegen die Sitte, nicht salonfähig, nicht stubenrein *abscheulich, garstig, gemein, hundsgemein, infam, lumpig, miserabel, mistig, nichtswürdig, niederträchtig, ruchlos, schäbig, schändlich, schimpflich, schmachvoll, schmählich, schmutzig, schnöde, schofel, schuftig, verrucht
Verwerfung: Bodenverschiebung, Bruch, Gesteinsverschiebung
verwertbar: verwendbar, wieder verwendbar, anwendbar, brauchbar, dienlich, nutzbar, nützlich, praktisch, wieder verwertbar
verwerten: ausschlachten, nutzen, verarbeiten *anwenden, benutzen, benützen, einsetzen, gebrauchen, verwenden, nutzbar machen
Verwertung: Auswertung, Nutzung
verwesen: faulen, verderben, verfaulen
Verweser: Ersatz, Ersatzmann, Sachverwalter, Stellvertreter, Substitut, Vertreter, Verwalter, die rechte Hand
verweslich: begrenzt, endlich, flüchtig, irdisch, kurzlebig, sterblich, veränderlich, vergänglich, vorübergehend, zeitgebunden, zeitlich, nicht ewig, von kurzer Dauer *verderblich, leicht ungenießbar werdend
verwest: alt, faul, faulig, moderig, morsch, schlecht, ungenießbar, verdorben, verfault, verkommen, vermodert, verrottet, nicht mehr gut, nicht mehr frisch
Verwesung: Fäule, Fäulnis, Moder, Zerfall
verwetten: verlieren, verspielen, verwürfeln
verwickeln: verfilzen, verflechten, verhaspeln, verheddern, verknäueln, verschlingen, verstricken, verwirren ***s. verwickeln:** s. verfangen
verwickelt: komplex, kompliziert, problematisch, schwierig, unübersichtlich, verflochten, verzwickt *durcheinander, wirr
Verwicklung: Knoten, Verknüpfung *Komplikation, Kompliziertheit
verwildern: herunterkommen, verderben, verkommen, verlottern, verrohen, verrotten, verschlampen, verwahrlosen *einfallen, verfallen, veröden
verwildert: abgewirtschaftet, ruiniert, verdorben, verfallen, verkommen, verlebt, verschlampt, verwahrlost *frech, rüpelig, schlimm, schroff, ungezogen, unmanierlich, unverschämt
verwinden: überleben, überstehen, verkraften, hinter sich bringen, hinwegkommen (über)
verwinkelt: unübersichtlich, winklig
verwirken: einbüßen, verlieren, verscherzen, zulegen, zusetzen, zuzahlen, abgenommen bekommen, das Nachsehen haben, Einbuße haben, Verluste haben, Nachteile haben, Schaden ha-

ben, Einbuße erleiden, Verluste erleiden, Nachteile erleiden, Schaden erleiden, ins Hintertreffen geraten, kommen (um), mit Verlust arbeiten
verwirklichen: ausführen, erfüllen, Ernst machen (mit), realisieren, tun, wahr machen, in die Tat umsetzen, zustande bringen ***s. verwirklichen:** s. abspielen, s. als richtig erweisen, s. als wahr erweisen, s. bewahrheiten, eintreffen, eintreten, s. ereignen, erfolgen, s. erfüllen, geschehen, passieren, s. realisieren, s. zutragen, wahr werden, Wirklichkeit werden
Verwirklichung: Ausführung, Erfüllung, Realisation, Realisierung
verwirren: verfilzen, verflechten, verhaspeln, verheddern, verknäueln, verschlingen, verstricken, verwickeln *ablenken, beirren, desorientieren, durcheinander bringen, irremachen, irritieren, verstören, verunsichern, in Verwirrung bringen, aus der Fassung bringen, verlegen machen, kopfscheu machen, unsicher machen
verwirrend: angenehm, anmutig, anziehend, attraktiv, aufreizend, berauschend, berückend, bestrickend, betörend, bezaubernd, charmant, faszinierend, gewinnend, herzbetörend, hinreißend, lieb, lieblich, liebenswert, raffiniert, reizend, sympathisch, toll, unwiderstehlich, verführerisch, verlockend
verwirrt: durcheinander, fahrig, konfus, kopflos, verdreht, verstört, verworren, wirr *betreten, betroffen, verlegen, in Verwirrung gebracht, in Verlegenheit gebracht *bestürzt, betroffen, entgeistert, erschüttert, konsterniert, starr, verdutzt, verstört, außer sich, wie vor den Kopf geschlagen
Verwirrung: Auflösung, Aufregung, Desorientierung, Konfusion, Kopflosigkeit, Panik, Verblüfftheit, Verdutztheit, Wirrheit
verwischen: tilgen, verdunkeln, vernebeln, verschleiern, Spuren beseitigen, undeutlich machen, unkenntlich machen ***s. verwischen:** entgleiten, entrücken, verfließen, verschwimmen, unscharf werden, undeutlich werden
verwischt: unkenntlich, unklar, unscharf, verdunkelt, vernebelt, verschleiert *ausgelöscht, beseitigt, fort, verschwunden, weg
verwittern: s. auflösen, auseinander fallen, zerbrechen, zerbröckeln, zerfallen, s. zersetzen
verwittert: bröckelig, brüchig, uneben, zerfallen *verbraucht, verrottet
verwöhnen: verweichlichen, auf Händen tragen, vom Mund ablesen
verwohnt: abgewohnt, alt, heruntergekommen
verwöhnt: anspruchsvoll, wählerisch *verhätschelt, verweichlicht, verzärtelt, verzogen
verworfen: lasterhaft, liederlich, ruchlos, sittenlos, ungebührlich, unschicklich, verdorben, verkommen
Verworfenheit: Lasterhaftigkeit, Verderbnis, Verderbtheit, Verdorbenheit, Verkommenheit
verworren: abstrus, fraglich, nebulös, undeutlich, undurchschaubar, ungeordnet, unklar, unpräzise, unscharf, unübersichtlich, unverständlich, verschwommen, zusammenhanglos, in Dunkel gehüllt, nicht eindeutig, nicht verständlich, nicht deutlich, nicht zu definieren, schlecht zu entziffern, schlecht zu verstehen *durcheinander, konfus, verwirrt, wirr
verwundbar: verletzbar *empfindlich, mimosenhaft
verwunden: lädieren, stechen, verletzen *beleidigen, kränken, schmerzen, jmdm. wehtun, vor den Kopf stoßen
verwunderlich: eigenartig, eigentümlich, merkwürdig, seltsam, sonderbar, wunderlich
verwundern: befremden, erstaunen, wundern, in Erstaunen versetzen, seltsam anmuten ***s. verwundern:** erstaunen, staunen, s. wundern, in Erstaunen geraten, große Augen machen
verwundert: entgeistert, erschlagen, erstaunt, fassungslos, perplex, sprachlos, überrascht, verblüfft
verwundet: lädiert, verletzt *beleidigt, gekränkt, getroffen
Verwundung: Stich, Verletzung, Wunde *Trauma

verwünschen: beschimpfen, verdammen, verfluchen *verhexen, verzaubern
verwünscht: verflucht, verhext, verwunschen, verzaubert *unangenehm
Verwünschung: Drohwort, Fluch, Fluchwort, Gotteslästerung, Kraftwort, Lästerung, Schmähung, Verdammung, Verfemung
verwürfeln: verlieren, verspielen, verwetten
verwüsten: beschädigen, verheeren, vernichten, veröden, zerbomben, zermalmen, zerrütten, zerschießen, zerstören, dem Erdboden gleichmachen, in die Luft sprengen
verzagen: resignieren, verzweifeln, alle Hoffnung fahren lassen, den Mut verlieren, den Mut sinken lassen, die Hoffnung aufgeben, die Zuversicht aufgeben, mutlos werden
verzagt: gedrückt, niedergedrückt, deprimiert, entmutigt, gebrochen, geknickt, kleinmütig, lebensmüde, mutlos, niedergeschlagen, niedergeschmettert, resigniert, verzweifelt
Verzagtheit: Ängstlichkeit, Bangigkeit, Feigheit, Furchtsamkeit, Hasenherzigkeit, Kleinmut, Kleinmütigkeit, Memmenhaftigkeit, Mutlosigkeit, Schwachherzigkeit, Unmännlichkeit, Zaghaftigkeit
verzählen (s.): verrechnen, falsch zählen, falsch rechnen, einen Rechenfehler machen
verzahnen: aneinanderfügen, anschließen, kombinieren, koppeln, montieren, verbinden, vereinigen, verflechten, verketten, verknoten, verknüpfen, verkoppeln, verkuppeln, verquicken, verschlingen, verschmelzen, verschweißen, verweben, zusammenbringen, zusammenfügen, zusammenhängen, zusammensetzen, zusammenstückeln
verzanken (s.): auseinander geraten, s. entfremden, s. entzweien, s. trennen, s. überwerfen, s. verfeinden, s. verkrachen, s. zerstreiten, uneins sein
verzapfen: machen, tun, verfassen *verbocken, verschulden
verzärteln: hätscheln, verbilden, verderben, verhätscheln, verpäppeln, verweichlichen, verwöhnen, verziehen
verzärtelt: verhätschelt, verweichlicht, verwöhnt, verzogen
verzaubern: verhexen, verwünschen *beeindrucken, behexen, berücken, bestricken, betören, bezaubern, blenden, entzücken, faszinieren, hinreißen, umgarnen, verhexen
Verzauberung: Aberglaube, Verwünschung *Begeisterung, Bezauberung
verzehnfachen: vervielfachen, mit zehn malnehmen
Verzehr: Konsum, Konsumierung, Verbrauch, Zeche
verzehren: aufessen, aufzehren, konsumieren, schaffen, verdrücken, verkonsumieren, verschlingen, verschlucken, verschmausen, verspeisen, vertilgen, wegputzen, leer machen, leer essen ***s. verzehren:** s. abhetzen, s. abmühen, s. ausreiben, s. erschöpfen, s. überanstrengen, s. überfordern, s. übernehmen, s. verausgaben, s. zermürben *s. abgrämen, s. härmen, s. abhärmen, s. abzehren, s. ängstigen, bangen, bangen (um), s. bekümmern, besorgt sein (um), s. beunruhigen, s. fürchten, s. grämen, s. Gedanken machen, in Sorge sein (um), schwer nehmen, s. sorgen, s. Sorgen machen
verzeichnen: anmerken, aufschreiben, notieren, vermerken *entstellen, missdeuten, ummünzen, verdrehen, verfälschen, verkehren, verschleiern, verzerren, ins Gegenteil verwandeln *aufführen, buchen, eintragen, erfassen, festhalten, registrieren
Verzeichnis: Aufstellung, Bücherverzeichnis, Handbuch, Index, Kalendarium, Kartei, Katalog, Kladde, Liste, Nomenklatur, Register, Sachverzeichnis, Sachweiser, Tabelle, Wortweiser, Zusammenstellung
verzeihbar: entschuldbar, erlassbar, verständlich, verzeihlich, zu rechtfertigen *einfach, lässlich, leicht
verzeihen: begnadigen, entschuldigen, exkulpieren, nachsehen, vergeben, Nachsicht zeigen, nicht übel nehmen, nicht nachtragen, Verzeihung gewähren, von einer Schuld freisprechen, von einer Schuld befreien, in Gnaden aufnehmen

verzeihlich: entschuldbar, erlassbar, verständlich, verzeihbar, zu rechtfertigen
Verzeihung: Barmherzigkeit, Entschuldigung, Erbarmen, Milde, Nachsicht, Pardon, Schonung, Vergebung, Verständnis *Absolution, Amnestie, Amnestierung, Begnadigung, Freisprechung, Lossprechung, Straferlass, Straffreiheit, Strafnachlass, Vergebung
Verzeihung!: Entschuldigung!, Pardon!, verzeihen Sie!, es tut mir Leid!
verzerren: entstellen, verdrehen, verzeichnen, falsch auslegen, entstellt auslegen, falsch darlegen, entstellt darlegen, unrichtig wiedergeben *ironisieren, karikieren, persiflieren, verspotten, lächerlich machen, zur Karikatur machen *s. verletzen, s. verrenken, s. verstauchen *verkneifen, verziehen
verzerrt: entstellt, karikiert, verdreht, verzeichnet *verletzt, verrenkt, verstaucht *fratzenhaft, fratzig, hässlich *einseitig, engherzig, engstirnig, entstellt, festgefahren, frisiert, gefärbt, parteiisch, schief, subjektiv, tendenziös, unsachlich, verdreht, voreingenommen, vorurteilsvoll
Verzerrung: Blendwerk, Übertreibung *Deformation, Entstellung, Hässlichkeit
verzetteln (s.): hängen bleiben, s. verfangen, s. verlieren, s. verstricken, s. verwickeln (in)
Verzicht: Askese, Einfachheit, Entsagung, Preisgabe, Primitivität, Schlichtheit, Selbstlosigkeit *Abtretung, Bescheidung, Entäußerung, Überlassung, Verzichtleistung
verzichten: lassen, bleiben lassen, abgeben, ablassen (von), absagen, s. befreien (von), s. enthalten, entsagen, s. etwas nicht gönnen, s. etwas verweigern, s. frei machen, s. trennen, unterlassen, s. versagen, zurückstehen, zurücktreten (von), nicht tun, Verzicht leisten
verziehen: fortziehen, umziehen, wegziehen, die Wohnung wechseln *s. entfernen, fortgehen, wegschleichen *davonziehen, s. entfernen, wegziehen *verweichlichen, verwöhnen, verzärteln *pikieren, vereinzeln *verkneifen, verzerren *vergeben, vergessen ***s. verziehen:** arbeiten, s. aufwerfen, s. wellen, s. werfen *s. entfernen, fortgehen, wegschleichen *davonziehen, s. entfernen, wegziehen *vergeben, vergessen *arbeiten, s. dehnen, schrumpfen, s. verändern
verzieren: garnieren, ornamentieren, schmücken, verbrämen, verfeinern, verschnörkeln
verziert: garniert, geschmückt, verbrämt, verfeinert, verschnörkelt, verschönert
Verzierung: Arabeske, Ausschmückung, Beiwerk, Dekor, Ornament, Putz, Rankenwerk, Schmuck, Schnörkel, Verschnörkelung, Zier, Zierrat, Zierde
verzinsen (s.): s. lohnen, s. rentieren, Zinsen bekommen, Zinsen abwerfen
verzogen: verdorben, verhätschelt, verweichlicht, verwöhnt, verzärtelt *fortgezogen, weggezogen
verzögern: aufschieben, hinausschieben, hinausziehen, hinauszögern, hinschleppen, retardieren, verlängern, verlangsamen, verschleppen, vertagen, auf die lange Bank schieben, anstehen lassen, in die Länge ziehen, in die Länge strecken ***s. verzögern:** s. hinausziehen, s. in die Länge ziehen, s. verspäten, in Verzug geraten
verzögert: aufgeschoben, hinausgeschoben, hinausgezögert, spät, unpünktlich, verlängert, verlangsamt, vertagt
Verzögerung: Aufenthalt, Aufhaltung, Aufschub, Retardation, Saumseligkeit, Verlangsamung, Verschiebung, Verschleppung, Verspätung, Vertagung, Verzug
verzollen: angeben, deklarieren, Abgaben zahlen, Zoll zahlen
verzollt: mit Abgaben belegt, mit Zoll belegt
verzückt: begeistert, berauscht, eifrig, ekstatisch, entflammt, enthusiastisch, entzückt, fanatisch, feurig, glühend, glutvoll, hingerissen, inbrünstig, leidenschaftlich, mitgerissen, schwärmerisch, schwungvoll, übereifrig
Verzückung: Begeisterung, Eifer, Ekstase, Elan, Enthusiasmus, Entzücken, Entzückung, Feuer, Freude, Gefühlsüberschwang, Glut, Idealismus, Inbrunst, Leidenschaft, Rausch, Schwärmerei, Strohfeuer, Übereifer, Überschwang, Überschwänglichkeit, Verzücktheit
Verzug: Aufschub, Ausstand, Frist, Rück-

stand, Verspätung, Verzögerung ***mit etwas in Verzug sein:** unpünktlich, verspätet sein, verzögert sein, im Rückstand sein ***ohne Verzug:** gleich, jetzt, sofort, auf der Stelle

verzweifachen: doppeln, dublieren, duplizieren, verdoppeln, doppelt machen

verzweifeln: verzagen, in Verzweiflung geraten sein, in Verzweiflung gebracht sein, keine Hoffnung mehr haben, ohne Hoffnung sein

verzweifelt: gedrückt, niedergedrückt, deprimiert, desperat, entmutigt, gebrochen, geknickt, kleinmütig, lebensmüde, mutlos, niedergeschlagen, niedergeschmettert, resigniert, verzagt *aussichtslos, ausweglos, chancenlos, hoffnungslos, unhaltbar, verbaut, verfahren, verschlossen, verstellt, ohne Chance

Verzweiflung: Ausweglosigkeit, Bedrückung, Depression, Freudlosigkeit, Gedrücktheit, Hoffnungslosigkeit, Melancholie, Mutlosigkeit, Niedergeschlagenheit, Schwermut, Tief, Trauer, Trübsinn, Verdüsterung, Verzagtheit, traurige Stimmung

verzweigen (s.): abgehen, abzweigen, s. gabeln, s. teilen

verzweigt: geästelt, verästelt, vielarmig

verzwickt: diffizil, kompliziert, problematisch, schwer, schwierig, unübersichtlich, verwickelt

Vesper: Nachmittagsgottesdienst *Brotzeit, Imbiss, Nachmittagskaffee, Zwischenmahlzeit

Vestibül: Empfangshalle, Foyer, Treppenhalle, Vorhalle, Wandelhalle

Veteran: Kriegsteilnehmer, altgedienter Soldat *Oldtimer, altes Auto, altes Automobil

Veterinär: Tierarzt, Vieharzt, Viehdoktor

Veto: Einspruch, Einwand, Einwendung, Einwurf, Entgegnung, Gegenmeinung, Protest

Vetorecht: Einspruchsrecht

Vettel: Schlampe, Schmutzfink, Schmutzliese, liederliches Frauenzimmer

Vetter: Cousin

Vetternwirtschaft: Begünstigung, Bevorzugung, Cliquenwirtschaft, Günstlingswirtschaft, Nepotismus, Protektion, Vetterleswirtschaft

Vexierspiegel: Zerrspiegel

Viadukt: Brücke, Steg, Talbrücke, Überführung, Übergang, Überweg

Vibration: Erschütterung, Gerüttel, Holper, Stoß

Vibrator: Schwingungserzeuger *Stimulationsgerät

vibrieren: beben, erbeben, erzittern, flattern, schlottern, schnattern, zittern

Vieh: Großvieh, Hornvieh, Jungvieh, Kleinvieh, Tier, Viehbestand *Biest, Scheusal, Unhold, Unmensch

viel: endlos, genügend, reichlich, übergenug, überreichlich, unerschöpflich, unzählig, verschwenderisch, in großer Menge, nicht wenig *sehr, vielmals *geballt, bedrängt ***viel versprechend:** aussichtsreich, Erfolg versprechend, Glück bringend, Glück verheißend, verheißungsvoll, mit Aussicht auf Erfolg

vielarmig: geästelt, verästelt, verzweigt

vielartig: mannigfaltig, variationsreich, vielfältig, vielseitig

vieldeutig: dehnbar, doppeldeutig, doppelsinnig, mehrdeutig, unmissverständlich, vielsagend, zweideutig

viele: Dutzende, eine große Zahl (von), endlose, haufenweise, Hunderte, massenhaft, Millionen, scharenweise, Tausende, unendliche, ungezählte, unzählbare, unzählige, zahllose, zahlreiche, nicht wenige, eine Fülle von

Vielehe: Mehrehe, Polygamie

vielerlei: allerhand, allerlei, diverse, mancherlei, alles Mögliche, dieses und jenes

vielerorten: überall, vielerorts

vielfach: mehrfach, mehrmals, nochmalig, oft, vielmals, wiederholt, nicht nur einmal

Vielfalt: Abwechslung, Buntheit, Farbigkeit, Fülle, Gemisch, Mannigfaltigkeit, Palette, Reichhaltigkeit, Reichtum, Skala, Variationsbreite, Verschiedenartigkeit, Vielförmigkeit, Vielgestaltigkeit, große Auswahl, großes Angebot

vielfältig: abwechslungsreich, mannigfach, mannigfaltig, vielförmig, vielseitig

vielfarbig: bunt, mehrfarbig, polychrom

vielförmig: polymorph, vielgestaltig
Vielfraß: Fresssack, Fresser, Nimmersatt
vielgestaltig: abwechslungsreich, kunterbunt, mancherlei, mannigfaltig, polymorph, reichhaltig, verschiedenerlei, vielartig, vielfältig, vielförmig, vielstimmig, wechselvoll
Vielheit: Anhäufung, Anzahl, Armee, Ballung, Batzen, Berg, Flut, Haufen, Heer, Legion, Masse, Mehrzahl, Menge, Reihe, Schar, Schwall, Schwarm, Schwung, Serie, Übermaß, Unmaß, Unmasse, Unmenge, Unzahl, Vielzahl, Wust, große Zahl, eine ganze Ladung
vielleicht: eventuell, gegebenenfalls, möglicherweise, womöglich *annähernd, circa, etwa, ungefähr, zirka
vielmals: mehrfach, mehrmals, nochmalig, oft, vielfach, wiederholt, nicht nur einmal
vielmehr: dagegen, sondern *oder *eher, lieber, mehr, im Gegenteil
vielsagend: aufschlussreich, beredt, informativ, instruktiv, lehrreich, sprechend *bedeutungsvoll, gehaltvoll, inhaltsreich, inhaltsvoll, substanzhaltig
vielseitig: abwechslungsreich, mannigfach, mannigfaltig, vielfältig, vielförmig *allseitig, multilateral, universal, universell, an vielem interessiert *befähigt, begabt, begnadet, genial, genialisch, gottbegnadet, hochbegabt, intelligent, kunstfertig, leistungsstark, talentiert
Vielseitigkeit: Ader, Auffassungsgabe, Befähigung, Begabung, Berufung, Eignung, Fähigkeit, Fähigkeiten, Gaben, Geistesgaben, Genialität, Genie, Ingenium, Intelligenz, Klugheit, Kunstfertigkeit, Talent, Veranlagung, Verstand, Zeug
vielsprachig: mehrsprachig, polyglott, mehrere Sprachen sprechend, mehrere Sprachen beherrschend
vielstimmig: mehrstimmig, polyphon
Vielweiberei: Polygamie
Vielzahl: Anhäufung, Anzahl, Armee, Ballung, Batzen, Berg, Flut, Haufen, Heer, Legion, Masse, Mehrzahl, Menge, Reihe, Schar, Schwall, Schwarm, Schwung, Serie, Übermaß, Unmaß, Unmasse, Unmenge, Unzahl, Vielheit, Wust, große Zahl, eine ganze Ladung
Viereck: Parallelogramm, Quadrat, Raute, Rechteck, Trapez *Geviert
viereckig: quadratisch, rautenförmig, rechteckig, trapezförmig
vierschrötig: derb, grob, grobgliedrig, grobschlächtig, grobschrötig, klobig, klotzig, knorrig, massig, plump, schwerfällig, unförmig, ungeschlacht, ungraziös
Viertel: Gebiet, Gegend, Quartier, Stadtbezirk, Stadtteil *der vierte Teil
Vierteljahr: Quartal, drei Monate
vierteljährlich: quartalsweise, alle drei Monate, alle Vierteljahre
vif: agil, betriebsam, beweglich, bewegt, blutvoll, dynamisch, feurig, geschäftig, getrieben, heftig, heißblütig, lebendig, lebhaft, mobil, munter, quecksilbrig, quick, quicklebendig, sanguinisch, sprudelnd, temperamentvoll, ungestüm, unruhig, vital, wild, wie aufgezogen
Viktualien: Esswaren, Lebensmittel, Nährmittel, Nahrung, Nahrungsmittel, Nahrungsgüter
Viola: Altgeige, Bassgeige, Bratsche, Gambe
violett: flieder, fliederfarben, lila, lilafarben
Violine: Fiedel, Geige
Violinist: Fiedler, Geigenspieler, Geiger
Viper: Kobra, Otter, Schlange
Virginität: Ehre, Jungfernschaft, Jungfräulichkeit, Unberührtheit, Unschuld
viril: kräftig, männlich, maskulin, stark
Virtualität: Eventualität, Fall, Möglichkeit, Opportunität, Potenzialität, Weg
virtuell: ausführbar, denkbar, erdenklich, erreichbar, erschwinglich, erwägenswert, erzielbar, erzwingbar, eventuell, gangbar, möglich, potenziell, realisierbar, vorstellbar, wahrscheinlich, nicht ausgeschlossen, in Reichweite, im Bereich der Möglichkeit, nicht unmöglich, im Bereich des Möglichen
virtuos: genuin, hervorragend, meisterhaft, perfekt, (technisch) vollkommen
virulent: ansteckend, infektiös, krankheitserregend *giftig, toxisch
Virus: Bakterie, Bazillus, Erreger, Keim, Krankheitserreger, Krankheitskeim *Computervirus, Computerwurm

Visage: Angesicht, Antlitz, Augen, Gesicht, Miene
visieren: anfliegen, anlegen, anpeilen, anschlagen, ansteuern, anvisieren, zielen, aufs Korn nehmen *abzielen, gerichtet sein (auf), zielen (auf)
Vision: Bilder, Erscheinung, Gesicht, Halluzination, Phantasiebild, Phantasma, Phantom, Schein, Schimäre, Sinnestäuschung, Täuschung, Trugbild, Wahnvorstellung
visionär: prophetisch, seherisch, vorausschauend, voraussehend, weit blickend *traumhaft
Visite: Arztbesuch, Arztvisite, Krankenbesuch, Visitation *Anstandsbesuch, Antrittsbesuch, Aufwartung, Besuch, Höflichkeitsbesuch, Kontrolle
Visitenkarte: Adresskarte, Besuchskarte
visitieren: besuchen, inspizieren, kontrollieren, prüfen
viskos: breiartig, breiig, dick, dickflüssig, dicklich, gallertartig, geronnen, klitschig, sämig, schleimig, schwerflüssig, steif, teigig, viskös, zäh, zähflüssig *träge
vis-à-vis: gegenüber, gegenüberliegend, jenseits, auf der anderen Seite
Vita: Lebensbeschreibung
vital: agil, betriebsam, beweglich, bewegt, blutvoll, dynamisch, feurig, geschäftig, getrieben, heftig, heißblütig, lebendig, lebhaft, mobil, munter, quecksilbrig, quick, quicklebendig, sanguinisch, sprudelnd, temperamentvoll, ungestüm, unruhig, vif, wild, wie aufgezogen *lebenskräftig, vollblütig, voller Lebenskraft
Vitalität: Dynamik, Lebendigkeit, Mobilität, Temperament, Unruhe *Arterhaltungstrieb, Energie, Kraft, Lebensflamme, Lebensfunke, Lebenskraft, Lebenstrieb, Selbsterhaltungstrieb
Vitrine: Ausstellungskasten, Glasschrank, Schaukasten
Vivat: Hoch, Hochruf, Hurra, Jubel, Lebehoch
vogelfrei: friedlos, geächtet, gebannt, rechtlos, verfemt
Vogelnest: Brutplatz, Brutstelle, Horst, Nest, Nistplatz
Vogelscheuche: Getreidepuppe, Popanz, Scheuche, Strohmann, Strohpuppe, Vogelschreck
Vokabel: Ausdruck, Begriff, Benennung, Bezeichnung, Brocken, Erbwort, Fremdwort, Füllwort, Initialwort, Kurzwort, Lehnwort, Modewort, Neubildung, Neuprägung, Neuschöpfung, Neuwort, Terminus, Wort, Zungenbrecher
Vokabular: Sprachgut, Sprachschatz, Wortbestand, Wortgut, Wortmaterial, Wortschatz, Wörterverzeichnis
Vokalmusik: Lied, Vokalstück
Volant: Applikation, Besatz, Blende, Borde, Bordüre, Einfassung, Kante, Litze, Paspel, Rüsche, Tresse, Zierband *Lenkrad, Steuer
Voliere: Käfig, Vogelbauer, Vogelhaus, Vogelkäfig
Volk: Nation, Völkerschaft, Volksgemeinschaft *Bevölkerung, Bewohnerschaft, Bürgerschaft, Einwohnerschaft, Population *Allgemeinheit, Menschenmasse, Öffentlichkeit, Volksmasse, Volksmenge, das breite Publikum, die breite Masse, die Menge
Völkerkundler: Ethnologe
völkerkundlich: ethnologisch
Völkermord: Genozid
volkreich: dicht besiedelt, dicht bevölkert, überbevölkert, übervölkert, dicht bewohnt
Volksabstimmung: Plebiszit, Referendum, Volksbefragung, Volksentscheid, Wahl
Volksauflauf: Anhäufung, Ansammlung, Auflauf, Aufmarsch, Gedränge, Getümmel, Gewühl, Zusammenrottung
Volksaufstand: Aufruhr, Aufstand, Ausschreitung, Bürgerkrieg, Empörung, Erhebung, Freiheitskampf, Gewaltakt, Komplott, Krawall, Meuterei, Putsch, Rebellion, Revolte, Revolution, Staatsstreich, Tumult, Übergriff, Unruhen, Unterwanderung, Verschwörung, Volkserhebung
Volksbeauftragter: Abgeordneter, Politiker
Volksbefragung: Demoskopie, Enquete, Erhebung, Meinungsforschung, Meinungsumfrage, Plebiszit, Repräsentativerhebung, Umfrage, Untersuchung

Volksbetrug: Demagogie, Hetze, Manipulation, Volksverdummung, Volksverführung, Volksverhetzung
Volkseinkommen: Sozialprodukt
Volksentscheid: Plebiszit, Referendum, Volksabstimmung, Volksbefragung
Volkserhebung: Aufruhr, Aufstand, Ausschreitung, Bürgerkrieg, Empörung, Erhebung, Freiheitskampf, Gewaltakt, Komplott, Krawall, Meuterei, Putsch, Rebellion, Revolte, Revolution, Staatsstreich, Tumult, Übergriff, Unruhen, Unterwanderung, Verschwörung, Volksaufstand
Volksfest: Jahrmarkt, Kirchweih, Kirmes, Markt, Messe, Rummel
Volksherrschaft: Demokratie, Parlamentarismus, Herrschaft des Volkes, parlamentarische Demokratie
Volksmenge: Ansammlung, Haufen, Herde, Menge, Menschenmenge, Schar
Volksmund: Lebensweisheit, Spruch
Volksmusik: Folklore, Volkslieder, Volkstänze
Volksschule: Elementarschule, Grundschule *Hauptschule, Sekundarstufe
volkstümlich: beliebt, populär
Volkstümlichkeit: Beliebtheit, Popularität
Volksverführung: Demagogie, Hetze, Manipulation, Volksbetrug, Volksverdummung, Volksverhetzung
Volksvertreter: Abgeordneter, Politiker
Volksvertretung: Abgeordnetenhaus, Bundestag, Bürgerschaft, Landtag, Parlament
Volkswirtschaft: Geschäftsleben, Gewerbe, Wirtschaft, Wirtschaftsleben
voll: gefüllt, angefüllt, prall, randvoll, ein gerüttelt Maß, zum Überlaufen *belegt, besetzt, okkupiert, nicht frei *gänzlich, total, ganz und gar, voll und ganz *betrunken, stockbetrunken, trunken, volltrunken, unter Alkohol *satt, voll gegessen *breit, dick, rundlich, stämmig, stattlich, stramm, wohlgenährt *euphorisch, high, voll gepumpt, im Rausch, unter Drogen *kräftig *erschöpfend, ganz, komplett, komplex, lückenlos, restlos, total, umfassend, völlig, vollzählig ***brechend voll:** belegt, besetzt, rammelvoll, rappelvoll, überbelegt, überbesetzt, überfüllt, voll gestopft, dicht besetzt, dicht gedrängt, zu voll, zu viel, zum Brechen voll ***voll essen (s.):** s. den Bauch füllen, s. den Bauch voll schlagen, s. voll fressen, s. voll stopfen ***voll füllen:** füllen, voll gießen, voll machen, voll schütten ***voll gestopft:** belegt, überbelegt, besetzt, überbesetzt, überfüllt, brechend voll, dicht besetzt, dicht gedrängt, zu voll, zu viel, zum Brechen voll ***voll gießen:** füllen, voll füllen, voll machen, voll schütten ***voll laden:** aufpacken, beladen, einladen, laden, verladen, voll packen ***voll machen:** anschmieren, beflecken, bekleckern, beschmieren, beschmutzen, bespritzen, besudeln, einschmutzen, fasern, fusseln, haaren, verschmieren, verschmutzen, verunreinigen, voll schmieren, voll spritzen, dreckig machen, schmutzig machen *abfüllen, anfüllen, auffüllen, einschenken, füllen, voll gießen, voll schütten ***voll packen:** aufbürden, aufladen, aufpacken, befrachten, beladen, bepacken, beschweren, einladen, einschiffen, laden, verladen, verschiffen, voll laden ***voll saufen (s.):** s. beschwipsen, s. betrinken, s. bezechen, s. einen antrinken, zu tief ins Glas schauen, einen Rausch antrinken, zu viel trinken ***voll schmieren:** anschmieren, beflecken, bekleckern, beschmieren, beschmutzen, bespritzen, besudeln, einschmutzen, fasern, fusseln, haaren, verschmieren, verschmutzen, verunreinigen, voll machen, voll spritzen, dreckig machen, schmutzig machen ***voll schütten:** abfüllen, anfüllen, auffüllen, einschenken, füllen, voll gießen, voll machen ***voll spritzen:** anfeuchten, anspritzen, beflecken, bekleckern, beschmutzen, besprengen, besprenkeln, bespritzen, besprühen, besudeln, bewässern, einschmutzen, einsprengen, einspritzen, sprengen, verschmutzen, verunreinigen, voll machen, dreckig machen, schmutzig machen ***voll stopfen:** füllen, hineinfüllen, stopfen ***s. voll stopfen:** s. den Bauch voll schlagen, schwelgen, täfeln, s. voll essen, s. voll fressen ***voll tanken:** auftanken, betanken, füllen, nachfüllen, nachgießen, tanken

vollauf: voll, vollends, völlig, vollkommen, vollständig, voll und ganz, in vollem Maße, in vollem Umfang, par excellence
vollblütig: reinrassig, aus edler Zucht stammend *lebenskräftig, lebhaft, vital, voller Lebenskraft
vollbringen: ausrichten, bewältigen, bewerkstelligen, bewirken, deichseln, durchboxen, durchdrücken, durchfechten, durchkämpfen, durchsetzen, erarbeiten, erlangen, erreichen, erringen, ertrotzen, erwirken, erzielen, erzwingen, fertig bekommen, fertig bringen, fertig kriegen, leisten, managen, realisieren, schaffen, verwirklichen, zuwege bringen, zustande bringen
vollenden: abschließen, abwickeln, beenden, beendigen, durchführen, erledigen, fertig machen, fertig stellen, verrichten, zu Ende führen, zum Abschluss bringen, zu Ende bringen, unter Dach und Fach bringen, letzte Hand anlegen ***s. vollenden:** ausreifen, zur Reife kommen
vollendet: abgerundet, beispiellos, einwandfrei, fehlerfrei, fehlerlos, ideal, makellos, mustergültig, musterhaft, perfekt, tadellos, unerreicht, untadelig, unübertroffen, unvergleichbar, vollkommen, vollwertig, vorbildlich *abgeschlossen, ausgereift, beendet, erledigt, fertig, fertig gestellt, reif
vollends: ganz, lückenlos, voll, vollauf, völlig, vollkommen, vollständig, voll und ganz, in vollem Maße, in vollem Umfang
Vollendung: Einmaligkeit, Einzigartigkeit, Meisterschaft, Perfektion, Reife, Vollkommenheit
Völlerei: Esserei, Fresserei, Gelage, Orgie, Prasserei, Schwelgerei *Bacchanal, Sauferei, Saufgelage, Zecherei, Zechgelage
vollführen: beenden, zu Ende bringen *abwickeln, ausführen, durchführen, erledigen, gehen, machen, tun, verwirklichen, vollstrecken, vollziehen, in die Tat umsetzen
vollgültig: gültig
völlig: ganz, lückenlos, voll, vollauf, vollends, vollkommen, vollständig, voll und ganz, in vollem Maße, in vollem Umfang
volljährig: erwachsen, großjährig, mündig
vollkommen: ganz, total, ganz und gar, voll und ganz *abgerundet, beispiellos, einwandfrei, fehlerfrei, fehlerlos, göttlich, hervorragend, ideal, klassisch, köstlich, makellos, mustergültig, musterhaft, perfekt, tadellos, unerreicht, untadelig, unübertroffen, unvergleichbar, vollendet, vollwertig, vorbildlich
Vollkommenheit: Kunstfertigkeit, Meisterschaft, Perfektion, Reife, Vollendetheit, Vollendung
vollleibig: aufgedunsen, beleibt, breit, dick, dickleibig, dicklich, dickwanstig, drall, feist, fett, fettleibig, fleischig, füllig, gemästet, gewaltig, korpulent, kugelrund, massig, mollig, pausbäckig, plump, pummelig, rund, rundlich, stämmig, stark, stramm, umfangreich, unförmig, üppig, vierschrötig, vollschlank, wohlbeleibt, wohlgenährt
Vollmacht: Auftrag, Befugnis, Bevollmächtigung, Ermächtigung, Genehmigung, Handelsvollmacht, Prokura
Vollreife: (höchste) Reife, Reifezeit, Reifung
vollschlank: dick, dickleibig, dicklich, fett, gemästet, korpulent, massig, stämmig, stattlich, unförmig, üppig, vollleibig, wohlgenährt, gut genährt, gut gepolstert
vollständig: abgeschlossen, fertig, komplett, lückenlos, restlos, total, umfassend, vervollständigt, vollendet, völlig, vollzählig *ganz und gar, voll und ganz
vollstrecken: ausführen, bewerkstelligen, fertig stellen, in die Tat umsetzen
Vollstreckung: Abwicklung, Ausführung, Betätigung, Bewerkstelligung, Durchführung, Erledigung, Organisation, Organisierung, Realisierung, Tat, Veranstaltung, Verwirklichung, Vollziehung, Vollzug
Volltreffer: Glückslos, Hauptgewinn, großes Los, erster Preis
volltrunken: alkoholisiert, angeheitert, angetrunken, benebelt, berauscht, betrunken, bezecht, blau, sternhagelvoll, stockbetrunken, trunken, voll, unter Alkohol, im Rausch
vollwertig: einwandfrei, vollkommen

*äquivalent, gleich, gleichwertig, gleich gestellt, gleichrangig *gut, hochwertig, teuer
vollzählig: abgeschlossen, fertig, komplett *alle, allesamt, ausnahmslos, geschlossen, sämtliche, vollständig, ohne Ausnahme, in voller Zahl
vollziehen: ausführen, fertig stellen, verwirklichen, vollführen, vollstrecken, in die Tat umsetzen, zu Ende führen ***s. vollziehen:** s. abspielen, s. begeben, s. einstellen, eintreten, s. ereignen, erfolgen, geschehen, passieren, sein, stattfinden, verlaufen, vorfallen, vorgehen, vorkommen, s. zutragen, zustande kommen, vor sich gehen, los sein
Vollziehung: Abwicklung, Ausführung, Betätigung, Bewerkstelligung, Durchführung, Erledigung, Organisation, Organisierung, Realisierung, Tat, Veranstaltung, Verwirklichung, Vollstreckung, Vollzug
Vollziehungsbeamter: Gerichtsvollzieher, Vollstreckungsbeamter
Vollzug: Abwicklung, Ausführung, Betätigung, Bewerkstelligung, Durchführung, Erledigung, Organisation, Organisierung, Realisierung, Tat, Veranstaltung, Verwirklichung, Vollstreckung, Vollziehung
Vollzugsanstalt: Gefängnis, Strafvollzugsanstalt
Volontär: Auszubildender, Lehrling, Praktikant
Volumen: Fassungskraft, Fassungsvermögen, Rauminhalt *Dicke, Fülle, Mächtigkeit
voluminös: aufgedunsen, beleibt, breit, dick, dickleibig, dicklich, dickwanstig, drall, feist, fett, fettleibig, fleischig, füllig, gemästet, gewaltig, korpulent, kugelrund, massig, mollig, pausbäckig, plump, pummelig, rund, rundlich, stämmig, stark, stramm, umfangreich, unförmig, üppig, vierschrötig, vollleibig, vollschlank, wohlbeleibt, wohlgenährt *aufgeblasen, dick, umfangreich
von: aus, durch, seitens, von Seiten
voneinander: auseinander, gegenseitig, einer vom anderen
vonnöten: empfehlenswert, erforderlich, geboten, nötig, notwendig, unabweisbar, unentbehrlich, unerlässlich, unumgänglich, unvermeidlich, wichtig, zwangsläufig
vor: heraus, hervor *aufgrund, aus, wegen, auf Grund, bewirkt durch … *gegen, um *vorab, zuerst
vorab: anfänglich, voraus, vorderhand, vorerst, zuallererst, zuerst, zuvor, als Erstes, als Nächstes, am Anfang, an erster Stelle, fürs Erste, in erster Linie
voran: vorwärts, nach vorn
Vorangegangener: Amtsvorgänger, Seniorchef, Vorgänger *Ahn, Ahne, Ahnfrau, Ahnherr, Stammmutter, Stammvater, Urahn, Urahne, Vorfahr, die Altvordern
vorangehen: anführen, vorhergehen, zuvorkommen, an der Spitze gehen *s. gut entwickeln, vorankommen, vorwärts gehen, vorwärts kommen, Fortschritte machen, von der Hand gehen *bahnbrechen, führen, vorstoßen, vorzeichnen, den Weg zeigen, den Weg weisen, die Richtung geben, Neuland betreten
vorankommen: vorrücken, s. vorwärts bewegen, vorwärts kommen, an Boden gewinnen, einen Weg zurücklegen, eine Strecke zurücklegen *s. entfalten, florieren, fortschreiten, gedeihen, reifen, vorwärts kommen, s. weiterentwickeln, weitergehen, Fortschritte machen *s. gut entwickeln, vorangehen, vorwärts gehen, vorwärts kommen, Fortschritte machen, von der Hand gehen
voranstellen: vorausbemerken, vorwegnehmen, vorwegsagen, an den Anfang stellen, einleitend sagen
vorantreiben: aktivieren, antreiben, beschleunigen, nachhelfen, auf Touren bringen, das Tempo steigern
voraus: vor, voran, vorher, vorne, vorneweg, an der Spitze *vorab, zuerst, zuvor, am Anfang ***im voraus:** vorher, zuvor
vorausahnen: ahnen, annehmen, befürchten, erahnen, erwarten, s. etwas einbilden, s. etwas zusammenreimen, kalkulieren, mutmaßen, schätzen, spekulieren, spüren, vermuten, vorahnen, wähnen, eine Ahnung haben, rechnen mit …, undeutlich fühlen
vorausbemerken: voranstellen, vorweg-

nehmen, vorwegsagen, an den Anfang stellen, einleitend sagen
vorausberechnen: ausrechnen, bemessen, berechnen, bewerten, errechnen, fakturieren, kalkulieren, überschlagen, einen Überschlag machen, eine Berechnung anstellen
Vorausberechnung: Ausrechnung, Bemessung, Berechnung, Bewertung, Fakturierung, Kalkulation, Überschlag
vorausbestellen: bestellen, buchen, subskribieren, vorbestellen
vorausgesetzt: angenommen, bedingt, demgemäß, falls, insofern, vorbehaltlich
voraushaben: überlegen sein, im Vorteil sein, mehr wissen, mehr kennen, mehr können, geschulter sein, größere Erfahrung haben
Voraussage: Horoskop, Offenbarung, Orakel, Prognose, Prophezeiung, Vorhersage, Weissagung
voraussagen: prognostizieren, prophezeien, voraussehen, vorhersagen, weissagen
Vorausschau: Scharfblick, Weitblick
vorausschauend: prophetisch, seherisch, visionär, voraussehend, weit blickend
vorausschicken: voranstellen, vorausbemerken, vorwegsagen, einleitend bemerken, an den Anfang stellen
voraussehbar: absehbar, abzusehen, berechenbar, erkennbar, überschaubar, vorausberechenbar, voraussagbar, vorauszusehen, vorhersagbar, vorhersehbar, vorherzusehen
voraussehen: absehen, ahnen, hellsehen, orakeln, prophezeien, spüren, vorausahnen, voraussagen, vorhersagen, vorhersehen, weissagen, die Zukunft deuten, Gedanken lesen, kommen sehen
voraussehend: prophetisch, seherisch, visionär, vorausschauend, weit blickend
voraussetzen: bedingen, erfordern, zugrunde legen *annehmen, unterstellen, als vorhanden annehmen, zur Voraussetzung haben, zugrunde legen, ausgehen von, den Fall setzen
Voraussetzung: Annahme, Bedingung, Prämisse, Vorbedingung *Ausgangspunkt, Basis, Fundament, Grundlage, Plattform
Voraussicht: Absehen, Berechnung, Überlegung, Vorhersicht
voraussichtlich: wahrscheinlich, höchstwahrscheinlich, vermutlich, aller Wahrscheinlichkeit nach
vorauszahlen: ausleihen, bezuschussen, borgen, leihen, vorauslegen, vorschießen, vorstrecken, vorläufig zahlen
Vorauszahlung: Voreinsendung, Vorkasse
vorauszusehen: absehbar, erkennbar, überschaubar, übersehbar, zu erwarten
Vorbau: Anbau *Altan, Balkon, Brust, Loggia, Söller, Terrasse *Chörlein, Erker *Brust, Busen
vorbauen: vorbeugen, vorsorgen, Vorsorge treffen, Vorkehrungen treffen
vorbedacht: absichtlich, beabsichtigt, bedacht, bewusst, durchdacht, gewollt, wohl bedacht, wohl erwogen, wohl überlegt, wohlweislich, mit Vorbedacht, mit Bedacht *ausgearbeitet, ausgereift, ausgewogen, durchdacht, überlegt
vorbedenken: anrechnen, beachten, berücksichtigen, einbeziehen, einkalkulieren, mitberücksichtigen, Rücksicht nehmen (auf), nicht vorübergehen (an), denken (an), in Erwägung ziehen, in Betracht ziehen
Vorbedingung: Annahme, Bedingung, Prämisse, Voraussetzung
Vorbehalt: Auflage, Einschränkung, Klausel, Nebenbedingung, Nebenbestimmung *Bedenken, Reserve, Skepsis, Ungläubigkeit, Zurückhaltung
vorbehalten (s.): abwarten, s. ausbedingen, s. nicht entschließen können, s. nicht festlegen, offen lassen, schwanken, zögern, zurückhalten, in der Schwebe lassen, noch nicht entschieden *Anspruch erheben, Rechte geltend machen
vorbehaltlos: bedingungslos, rückhaltlos, uneingeschränkt, voraussetzungslos, ohne Einschränkung, ohne Bedingung, ohne Vorbedingung, ohne Vorbehalt
vorbei: abgetan, dahin, erledigt, gewesen, vergangen, vergessen, versunken, zu spät *passé, um, vorüber, weg
vorbeibenehmen: entgleisen, s. flegelhaft benehmen, einen Fehler machen, einen Fauxpas begehen, aus dem Rahmen

fallen, aus der Reihe tanzen, aus der Rolle fallen
vorbeigehen: ablaufen, dahingehen, dahingleiten, dahinschwinden, enteilen, entrinnen, entschwinden, fliehen, gleiten, hingehen, schwinden, verfliegen, vergehen, verlaufen, verrauschen, verrinnen, verschwinden, verstreichen, vorüberfliegen, vorübergehen, zerrinnen *(hin)gehen (zu), absteigen, aufsuchen, beehren, besuchen, einkehren, eintreffen, frequentieren, hereinschauen, hospitieren, kommen, überfallen, visitieren, vorbeikommen, vorsprechen, seine Aufwartung machen
vorbeikommen: durchkommen, durchziehen, vorüberkommen *(hin)gehen (zu), absteigen, aufsuchen, beehren, besuchen, einkehren, eintreffen, frequentieren, hereinschauen, hospitieren, kommen, überfallen, visitieren, vorbeigehen, vorsprechen, seine Aufwartung machen
Vorbeimarsch: Aufmarsch, Defilee, Heeresschau, Parade
vorbeimarschieren: aufmarschieren, defilieren, paradieren
vorbeischauen: besuchen, hereinschauen, überfallen
vorbeischießen: danebengehen, danebenschießen, danebentreffen, fehlen, fehlschießen, verfehlen, nicht treffen
vorbeiziehen: vergehen, verschwinden, vorbeigehen *entschwinden *defilieren, marschieren, vorüberziehen
Vorbemerkung: Einführung, Einleitung, Prolog, Vorrede, Vorwort
vorbereiten: bereithalten, bereitlegen, bereitmachen, bereitstellen, fertig machen, herrichten, präparieren, rüsten, zurechtlegen, zurechtmachen *anbahnen, beginnen, einleiten, in die Wege leiten, Kontakt aufnehmen *entwerfen, planen, projektieren, etwas in Aussicht nehmen ***s. vorbereiten:** s. bereitmachen, s. einstellen (auf), s. einstimmen (auf), s. gefasst machen (auf), s. präparieren, s. wappnen
Vorbereiter: Bahnbrecher, Pionier, Schrittmacher, Vorkämpfer, Vorläufer, Wegbereiter
vorbereitet: bereitgehalten, bereitgelegt, bereitgestellt, hergerichtet, zurechtgelegt, zurechtgemacht, fertig gemacht *geplant *gefasst sein (auf), rechnen (mit), gewärtig sein
Vorbereitung: Einstimmung, Präparation
vorbestellen: bestellen, buchen, subskribieren, vorausbestellen
Vorbestellung: Subskription
vorbestimmt: schicksalhaft, schicksalsmäßig, schicksalsschwer, unabweislich, unausbleiblich, unvermeidlich
vorbeugen: vorbauen, vorsorgen, rechtzeitig etwas unternehmen, Vorkehrungen treffen, Vorsorge treffen *s. immunisieren (gegen), s. schützen, zu verhindern wissen, zu verhüten wissen ***s. vorbeugen:** s. nach vorn beugen, s. vorlegen
vorbeugend: krankheitsverhütend, präventiv, prophylaktisch, schützend, verhütend, vorsorgend
Vorbeugung: Krankheitsverhütung, Prophylaxe
Vorbild: Beispiel, Leitbild, Leitstern, Richtschnur, Wunschbild *Angebeteter, Götzenbild, Idol, Schwarm *Muster, Musterstück, Schablone, Schema, Vorlage
vorbildlich: beispielgebend, beispielhaft, mustergültig, musterhaft, nachahmenswert, nacheifernswert, unnachahmlich, unübertroffen *abgerundet, ausgezeichnet, beispiellos, einwandfrei, fehlerfrei, fehlerlos, göttlich, hervorragend, ideal, klassisch, köstlich, makellos, mustergültig, musterhaft, perfekt, tadellos, unerreicht, untadelig, unübertroffen, unvergleichbar, vollendet, vollkommen, vollwertig
Vorbote: Anzeichen, Bote, Omen, Vorzeichen, Zeichen
vorbringen: zur Sprache bringen, in die Diskussion werfen, ins Feld führen *ansprechen, berichten, vortragen
vordem: alt, damalig, damals, ehedem, ehemals, einmal, einstens, früher, gewesen, seinerzeit, vorher, vorig, vormals, vorzeiten, in fernen Tagen, vor Zeiten, vor langer Zeit
Vorderfront: Fassade, Front, Gesicht,

Hauptansicht, Stirnseite, Straßenseite, Vorderansicht, Vorderseite, Vorderteil, vordere Ansicht
vordergründig: banal, geistlos, inhaltslos, nichtssagend, oberflächlich, trivial *durchsichtig, fadenscheinig, offenkundig, plump, unglaubwürdig
Vorderkopf: Vorderhaupt
Vorderhaus: Vordergebäude
Vorderseite: Fassade, Front, Gesicht, Hauptansicht, Stirnseite, Straßenseite, Vorderansicht, Vorderfront, Vorderteil, vordere Ansicht
vordrängen (s.): s. drängeln, durchdrängen, s. einen Platz beschaffen, s. nach vorne schieben, s. nicht anstellen, s. nicht einreihen, s. um jeden Preis einen Weg beschaffen, nicht warten können *s. aufdrängen, s. auffällig benehmen, s. aufspielen, s. selbst besonders hervorheben, unangenehm auffallen
vordringen: angreifen, überfallen, vorpreschen, vorrücken, vorstoßen, vorstürmen, (gewaltsam) vorwärts dringen
vordringlich: bedeutend, maßgeblich, notwendig, unaufschiebbar, vorrangig, wichtig
Vordruck: Bogen, Formblatt, Formular, Fragebogen, Papier
vorehelich: nichtehelich, vor der Ehe
voreilig: hastig, kopflos, leichtfertig, übereilt, überhastet, überstürzt, unbedacht, unüberlegt, Hals über Kopf
voreingenommen: befangen, eingleisig, einseitig, parteiisch, subjektiv, tendenziös, unsachlich, vorurteilsvoll
Voreingenommenheit: Befangenheit, Eingenommenheit, Ungerechtigkeit, Vorurteil
Voreltern: Vorfahren, Vorväter
vorenthalten: geheim halten, unterschlagen, verheimlichen, verschweigen, für sich behalten *versagen, verwehren, verweigern, nicht gewähren, nicht überlassen, nicht verabfolgen, nicht zukommen lassen
vorerst: vorab, vorläufig, vorweg, zuerst, zunächst, an erster Stelle, in erster Linie
Vorfahr: Ahne, Ahnfrau, Ahnherr, Stammmutter, Stammvater, Urahne
vorfahren: überholen, vorbeifahren *führen, leiten, voranfahren, vorausfahren *anfahren, auffahren
Vorfall: Affäre, Begebenheit, Besonderheit, Einmaligkeit, Eklat, Episode, Ereignis, Erlebnis, Geschehen, Geschehnis, Geschichte, Hergang, Intermezzo, Phänomen, Schauspiel, Sensation, Vorgang, Vorkommnis, Wirbel, Zufall, Zwischenfall, Zwischenspiel *Prolaps
vorfallen: s. abspielen, s. begeben, s. einstellen, eintreten, s. ereignen, erfolgen, geschehen, passieren, sein, stattfinden, verlaufen, s. vollziehen, vorgehen, vorkommen, s. zutragen, zustande kommen, vor sich gehen, los sein
vorfinden: antreffen, begegnen, erreichen, finden, sehen, vorkommen, nicht verfehlen
Vorfreude: Anspannung, Dramatik, Gespanntheit, Hochspannung, Nervosität, Neugierde, Spannung, Spannungsmoment, Ungeduld, Unruhe, gespannte Erwartung
vorfühlen: aufspüren, erforschen, erkunden, herausbringen, s. umsehen, s. vortasten, seine Fühler ausstrecken, die Lage sondieren, in Erfahrung bringen
Vorführdame: Fotomodell, Mannequin, Model
vorführen: aufführen, bringen, darbieten, geben, produzieren, spielen, veranstalten, zeigen, in Szene setzen
Vorführung: Akt, Aufführung, Darbietung, Darstellung, Nummer, Schau, Schaustellung, Spiel, Vorstellung
Vorgang: Affäre, Begebenheit, Besonderheit, Einmaligkeit, Eklat, Episode, Ereignis, Erlebnis, Geschehen, Geschehnis, Geschichte, Hergang, Intermezzo, Phänomen, Schauspiel, Sensation, Vorfall, Vorkommnis, Wirbel, Zufall, Zwischenfall, Zwischenspiel
Vorgänger: Amtsvorgänger, Vorläufer *Vorausabteilung, Vorhut
vorgaukeln: heucheln, täuschen, vorspiegeln, vortäuschen ***s. vorgaukeln:** annehmen, s. einbilden, s. einreden, mutmaßen, vermuten, s. vormachen, s. vorspiegeln, wähnen, s. zusammenreimen
vorgeben: fingieren, heucheln, markie-

ren, mimen, simulieren, vorgaukeln, vormachen, vorschützen, vorspiegeln, vortäuschen, vorzaubern
vorgefasst: befangen, parteiisch, parteilich, subjektiv, voreingenommen
vorgefertigt: vorbereitet, vorfabriziert *befangen, parteiisch, parteilich, subjektiv, voreingenommen, vorgefasst
Vorgefühl: Ahnung, Befürchtung, Besorgnis, Gefühl, Vermutung, Vorahnung, Vorherwissen, innere Stimme, sechster Sinn
vorgehen: vorangehen, vorausgehen *handeln, bestimmte Maßnahmen ergreifen, etwas unternehmen *dringender sein, wichtiger sein, mehr bedeuten, Vorrang haben *s. abspielen, s. begeben, s. einstellen, eintreten, s. ereignen, erfolgen, geschehen, passieren, sein, stattfinden, verlaufen, s. vollziehen, vorfallen, vorkommen, s. zutragen, zustande kommen, vor sich gehen, los sein *eine zu frühe Zeit anzeigen ***vorgehen (gegen):** angreifen, ankämpfen, attackieren, befehden, bekämpfen, entgegenarbeiten, entgegentreten, entgegenwirken, Widerstand entgegensetzen, angehen (gegen), zu Felde ziehen *angreifen, attackieren, bestürmen, eindringen, erstürmen, losschlagen, losstürmen, stürmen, überfallen, überraschen, vormarschieren, vorrücken, die Flucht nach vorne antreten, herfallen (über), zum Angriff übergehen
Vorgehen: Aktion, Handlung, Maßnahme, Tat, Unternehmen, Unternehmung, Verfahren *Methode, Vorgehensweise
vorgenannt: besagt, bewusst, oben erwähnt, oben genannt, obig, vorstehend, weiter oben stehend
Vorgericht: Entree, Horsd'oeuvre, Vorspeise
vorgerückt: abends, spät, spätabends, in der Nacht, zu spät, zu später Stunde, zur Nachtzeit, zu vorgerückter Stunde
Vorgeschichte: Frühgeschichte, Prähistorie, Urgeschichte *Biographie, Entwicklungsgeschichte, Lebensgeschichte, Vita, Vorleben, Werdegang
vorgeschichtlich: geschichtlich, prähistorisch, urgeschichtlich, vorzeitlich
Vorgesetzter: Boss, Chef, Direktor, Leiter, Manager, Oberhaupt, Vorsitzender *Dienstvorgesetzter, Dienstvorsteher
vorgestellt: angenommen, fiktiv, gedacht, gedachtermaßen, gedanklich, ideell, imaginär, in der Vorstellung
vorgreifen: antizipieren, vorwegnehmen, zuvorkommen
Vorgriff: Antizipation, Vorausnahme, Vorhererwähnung, Vorhersage, Vorschau, Vorwegnahme
vorhaben: abzielen, beabsichtigen, bezwecken, hinzielen, intendieren, planen, vorsehen, wollen, neigen zu tun
Vorhaben: Absicht, Fernziel, Intention, Nahziel, Plan, Projekt, Streben, Unternehmung, Vorsatz, Ziel, Zielsetzung, Zweck, das Bestreben, das Wollen
vorhalten: tadeln, vorwerfen, Vorhaltungen machen, Vorwürfe machen *anklagen, anschuldigen, anschwärzen, anzeigen, belasten, beschuldigen, bezichtigen, unterschieben, verdächtigen, jmdm. etwas unterschieben, jmdm. etwas unterstellen, jmdm. die Schuld geben, zur Last legen, Beschuldigungen vorbringen *bedecken, schützen, umhüllen
Vorhaltung: Anklage, Anschuldigung, Beanstandung, Bemängelung, Beschuldigung, Rüffel, Rüge, Tadel, Verweis, Vorwurf, Zurechtweisung *Anklage, Anschuldigung, Belastung, Bezichtigung, Inkriminierung, Klage, Unterstellung, Verdächtigung
vorhanden: da, disponibel, lieferbar, verfügbar, vorrätig, jederzeit zu haben ***vorhanden sein:** auftreten, begegnen, s. finden, vorkommen
Vorhandensein: Bestehen, Dasein, Existenz, Sein
Vorhang: Gardine, Portiere, Store, Übergardine
Vorhängeschloss: Hängeschloss, Riegel, Schloss, Sicherheitsschloss, Vorlegeschloss
vorher: damals, davor, ehedem, ehemals, einmal, einst, früher, seinerzeit, vordem, vormals, vorzeiten, zuvor, anno dazumal
Vorherrschaft: Dominanz, Führerschaft, Führung, Hegemonie, Primat, Übergewicht, Überlegenheit, Übermacht, Vormacht, Vormachtstellung

vorherrschen: herrschen, obwalten, walten *dominieren, überwiegen
vorherrschend: dominant
Vorhersage: Horoskop, Offenbarung, Orakel, Prognose, Prophezeiung, Voraussage, Weissagung
vorhersagen: prognostizieren, prophezeien, voraussagen, voraussehen, weissagen
vorhersehbar: absehbar, überschaubar, übersehbar, voraussagbar, vorauszusehen
vorhersehen: prognostizieren, prophezeien, voraussagen, voraussehen, vorhersagen, weissagen *absehen, überschauen
vorhin: eben, gerade, kürzlich, vor kurzer Zeit, vor nicht langer Zeit, vor wenigen Augenblicken
Vorhof: Atrium *Vorhofkammer
Vorhut: Stoßtrupp, Vorstoß, Vortrupp
vorig: letzt, verflossen, vergangen
Vorkämpfer: Avantgardist, Bahnbrecher, Pionier, Protagonist, Wegbereiter
Vorkaufsrecht: Einstandsrecht, Zugrecht
vorknöpfen (s.): s. greifen, s. kaufen, s. vornehmen, zurechtweisen
vorkommen: auftreten, begegnen, s. finden, vorhanden sein *s. abspielen, s. begeben, s. einstellen, eintreten, s. ereignen, erfolgen, geschehen, passieren, sein, stattfinden, verlaufen, s. vollziehen, vorfallen, vorgehen, s. zutragen, zustande kommen, vor sich gehen, los sein *nach vorne treten
Vorkommnis: Affäre, Begebenheit, Besonderheit, Einmaligkeit, Eklat, Episode, Ereignis, Erlebnis, Geschehen, Geschehnis, Geschichte, Hergang, Intermezzo, Phänomen, Schauspiel, Sensation, Vorfall, Vorgang, Wirbel, Zufall, Zwischenfall, Zwischenspiel
vorkosten: abschmecken, probieren
vorladen: beordern, bestellen, evozieren, laden, zitieren, kommen lassen, zu sich bescheiden
Vorladung: Bestellung, Ladung, Zitierung
Vorlage: Dessin, Modell, Muster, Musterstück, Musterzeichnung, Schablone, Schema, Vorbild, Zeichnung *Abgabe, Abspiel, Flanke, Zuspiel *Angebot, Antrag, Bettelbrief, Bittgesuch, Bittschrift, Eingabe, Gesetzesvorlage, Gesuch, Petition, Vorschlag
vorlassen: den Vortritt geben, den Vortritt gewähren
Vorlauf: Trainingslauf, Vorrunde
Vorläufer: Bahnbrecher, Pionier, Schrittmacher, Vorbereiter, Vorkämpfer, Wegbereiter
vorläufig: einstweilen, einstweilig, inzwischen, vorderhand, vorerst, zeitweilig, zunächst, bis auf weiteres, fürs Erste, zum Ersten *behelfsmäßig, notdürftig, provisorisch, unzureichend, vorübergehend
vorlaut: altklug, dreist, frech, keck, kess, naseweis, vorwitzig
vorlegen: auflegen, einbringen, einreichen, offerieren, präsentieren, übergeben, überreichen, unterbreiten, unterschreiben lassen, zur Einsichtnahme hinlegen, zur Einsichtnahme geben *auftafeln, auftischen, bedienen ***s. vorlegen:** s. vorbeugen, s. vorlehnen
Vorleger: Bettvorleger, Bodenbelag, Brücke, Läufer, Teppich, Teppichboden
vorlesen: ablesen, referieren, rezitieren, vorsprechen, vortragen
Vorlesung: Kolleg, Vortrag
Vorlesungssaal: Hörsaal, Vorlesungsraum
Vorliebe: Faible, Hang, Neigung, Schwäche, Sympathie *Manie, Sucht, Trieb, Verlangen
vorlieb nehmen: s. begnügen, s. bescheiden, fürlieb nehmen, s. zufrieden geben, zufrieden sein
vorliegen: anfallen, bestehen, existieren, s. finden *besitzen, haben, vorhanden sein, zur Verfügung stehen, im Besitz sein
vorlügen: anlügen, anschwindeln, belügen, benebeln, beschwindeln, erfinden, erlügen, s. etwas aus den Fingern saugen, heucheln, kohlen, lügen, schwindeln, täuschen, verdrehen, verfälschen, verzerren, vorgaukeln, vorschwindeln, Ausflüchte machen, die Unwahrheit sagen, ein falsches Bild geben, falsch darstellen, Lügen auftischen, das Blaue vom Him-

mel herunterlügen, nicht bei der Wahrheit bleiben, unaufrichtig sein, falsches Zeugnis ablegen
vormachen: anleiten, anlernen, demonstrieren, erklären, unterrichten, zeigen *beschwindeln, schwindeln, täuschen, vortäuschen, blenden, bluffen, heucheln, irreführen, lügen, mogeln, vorgaukeln, vorspiegeln, ein falsches Bild geben ***s. etwas vormachen:** einbilden, s. etwas zusammenreimen, glauben, meinen, mutmaßen, s. vorstellen, Illusionen machen
Vormachtstellung: Dominanz, Führerschaft, Führung, Hegemonie, Primat, Übergewicht, Überlegenheit, Übermacht, Vorherrschaft, Vormacht
vormalig: alt, damalig, ehemalig, einstig, einstmalig, früher, gewesen, sonstig, verflossen, vergangen
vormals: alt, damalig, damals, ehedem, ehemals, einmal, einstens, früher, gewesen, seinerzeit, vordem, vorher, vorig, vorzeiten, in fernen Tagen, vor Zeiten
vormarschieren: vorpreschen, vorrücken, zum Angriff übergehen
vormerken: aufschreiben, s. merken, notieren, auf die Warteliste setzen *aufheben, behalten, reservieren, zurücklegen
vormittags: frühmorgens, morgens, bei Tagesanbruch, des Morgens, früh am Tag, vor Tage, vor Tau und Tag, in aller Frühe, am Vormittag
Vormund: Betreuer, Erziehungsberechtigter, Kurator, Pfleger, Tutor, gesetzlicher Vertreter
Vormundschaft: Kuratel, Pflegschaft
Vorname: Rufname, Taufname
vorne: davor, voran, voraus, vorn, vornweg, an erster Stelle, an der Spitze, vor den anderen *vorn, im Vordergrund
vornehm: adlig, distinguiert, edel, fein, feinsinnig, feinfühlend, gentlemanlike, herrschaftlich, hochherrschaftlich, honorig, kultiviert, manierlich, nobel, würdevoll *exklusiv, teuer *apart, auserlesen, ausgesucht, chic, elegant, erlesen, fein, fesch, gewählt, kultiviert, modern, mondän, nobel, piekfein, rassig, schick, schmuck, schneidig, schnieke, schnittig, smart, stilvoll, todschick *edel, edelmütig, edelherzig, edelsinnig, gentlemanlike, großdenkend, großgesinnt, großherzig, großmütig, hochherzig, nobel, ritterlich, selbstlos
vornehmen (s.): beabsichtigen, planen, s. zum Ziel setzen, einen Vorsatz fassen, ins Auge fassen, etwas vorhaben ***s. jmdn. vornehmen:** s. greifen, s. kaufen, maßregeln, s. vorknöpfen, zurechtweisen, die Meinung sagen
Vornehmheit: Distinktion, Feinheit, Noblesse, Würde
vornehmlich: ausdrücklich, besonders, eigens, hauptsächlich, insbesondere, namentlich, speziell, vorwiegend, vorzugsweise, in erster Linie, vor allen Dingen, vor Allem, im Besonderen
Vornehmtuer: Angeber, Dandy, Geck, Gent, Laffe, Pomadenhengst, Schönling, Snob, Stutzer
vornherein: davor, voraus, vorher
Vorort: Außenbezirk, Einzugsgebiet, Grüngürtel, Hinterland, Satellitenstadt, Stadtrand, Trabantenstadt, Vorstadt, Vorstadtsiedlung
Vorrang: Dominanz, Primat, Priorität, Überlegenheit, Vormachtstellung, Vorrangigkeit, bevorzugte Stellung, an erster Stelle
vorrangig: erstklassig, erstrangig, vordringlich
Vorrat: Bestand, Fettpolster, Lager, Potenzial, Reserve, Reservefonds, Reservoir, Rücklage, Stock
vorrätig: disponibel, flüssig, lieferbar, verfügbar, vorhanden
Vorratshaus: Depot, Lager, Lagerbestand, Lagerhaus, Lagerraum, Magazin, Speicher, Warenlager
Vorratsraum: Speisekammer, Vorratskammer *Speicher
Vorrecht: Freiheit, Priorität, Privileg, Sonderrecht, Vergünstigung *Alleinrecht, Monopol, alleiniger Anspruch
Vorrede: Einführung, Einleitung, Geleit, Geleitwort, Präambel, Prolog, Vorbemerkung, Vorwort
vorreden: einflüstern, einsagen, helfen, soufflieren, vorsagen, vorsprechen, zuflüstern
Vorreiter: Bahnbrecher, Pionier, Prota-

gonist, Schrittmacher, Vorbereiter, Vorkämpfer, Vorläufer, Wegbereiter
vorrücken: vormarschieren, vorpreschen, zum Angriff übergehen *aufsteigen, das Klassenziel erreichen
vorsagen: einflüstern, einsagen, helfen, soufflieren, vorreden, zuflüstern
Vorsager: Einsager, Souffleur, Vorsprecher
Vorsatz: Absicht, Bestreben, Plan, Sinnen, Vorstellung, Wollen, Ziel, das Trachten
vorsätzlich: absichtlich, absichtsvoll, beabsichtigt, bewusst, bezweckt, geplant, gewollt, willentlich, wissentlich
vorsatzlos: absichtslos, ohne Absicht
Vorschau: Programmübersicht, Vorankündigung
vorschieben: s. herauslügen, s. herausreden, s. herausschwindeln, s. herauswinden, Ausflüchte machen, eine Ausrede gebrauchen
vorschießen: ausleihen, bevorschussen, borgen, vorauszahlen, vorstrecken, vorläufig bezahlen
Vorschlag: Angebot, Anregung, Empfehlung, Plan, Rat, Ratschlag, Tipp
vorschlagen: anbieten, anraten, anregen, antragen, empfehlen, nahe legen, zuraten, ein Angebot machen, eine Anregung geben, einen Rat geben, einen Rat erteilen, einen Vorschlag machen, einen Vorschlag unterbreiten, zu bedenken geben, zu erwägen geben, zur Sprache bringen, zur Diskussion stellen, ein Angebot vorlegen, ein Angebot unterbreiten
vorschnell: hastig, kopflos, übereilt, überhastet, überstürzt, unbedacht, unüberlegt
vorschreiben: administrieren, anordnen, anweisen, auferlegen, aufgeben, befehlen, bestimmen, festlegen, reglementieren, veranlassen, verfügen
Vorschrift: Anweisung, Aufforderung, Auftrag, Befehl, Bestimmung, Diktat, Formalität, Geheimauftrag, Geheimbefehl, Geheiß, Instruktion, Kommando, Mussbestimmung, Mussvorschrift, Order, Ordnung, Regel, Reglement, Satzung, Verfügung, Verhaltensmaßregel, Verordnung, Weisung
vorschriftsmäßig: ordentlich, ordnungsgemäß, regelgemäß, regelmäßig, regelrecht, reglementarisch, regulär, richtig, vorschriftsgemäß, nach Vorschrift, nach der Regel
Vorschuss: Abschlagszahlung, Vorauszahlung
vorschützen: fingieren, heucheln, markieren, mimen, simulieren, vorgaukeln, vorgeben, vormachen, vorspiegeln, vortäuschen, vorzaubern
vorschweben: s. ausdenken, s. ersinnen, träumen (von), s. vorstellen, im Sinn haben
vorschwindeln: ankohlen, anlügen, anschwindeln, belügen, beschwindeln, betrügen, täuschen, verkohlen, vorlügen, einen Bären aufbinden
vorsehen: bestimmen, einplanen, planen, in Aussicht nehmen ***s. vorsehen:** aufpassen, s. in Acht nehmen, auf der Hut sein, die Augen offen halten, die Ohren offen halten, Obacht geben
Vorsehung: Bestimmung, Fügung, Geschick, Kismet, Los, Schicksal, Schicksalsfügung, Schickung, Verhängnis, Zufall
vorsetzen: anrichten, auftischen, auftragen, bewirten, servieren, vorlegen
Vorsilbe: Präfix
Vorsicht: Achtsamkeit, Behutsamkeit, Fingerspitzengefühl, Wachsamkeit *Ängstlichkeit, Argwohn, Skepsis, Unsicherheit
vorsichtig: ängstlich, argwöhnisch, misstrauisch, skeptisch, unsicher, wachsam, zweifelnd, auf der Hut sein, mit Vorsicht, voller Argwohn *achtsam, bedacht, bedächtig, behutsam, besonnen, sorgfältig, umsichtig, wachsam
vorsichtshalber: sicherheitshalber, vorsorglich, für alle Fälle, zur Vorsicht
vorsintflutlich: altmodisch, unmodern, veraltet
Vorsitz: Aufsicht, Direktion, Führung, Herrschaft, Kommando, Leitung, Lenkung, Management, Oberaufsicht, Regie, Regiment, Vorstand
vorsitzen: führen, leiten, lenken, präsidieren, verwalten, vorstehen, an der Spitze stehen

Vorsitzender: Chef, Direktor, Leiter, Präses, Präsident, Sprecher, Vorstand
vorsorgen: vorbauen, vorbeugen, Vorsorge treffen, Vorkehrungen treffen
vorsorglich: bedacht, überlegt, umsichtig, verantwortungsbewusst, verantwortungsvoll, vorausschauend, weit blickend, wohlerwogen *sicherheitshalber, vorsichtshalber, für alle Fälle, zur Vorsicht
vorspannen: anschirren, anspannen, befestigen, einschirren, einspannen, festmachen
Vorspeise: Entree, Horsd'œuvre, Vorgericht
vorspiegeln: blenden, bluffen, täuschen, vorgaukeln, vormachen, vortäuschen *heucheln, lügen, mimen, schmeicheln, s. verstellen, Theater spielen, Krokodilstränen weinen, so tun als ob, einen falschen Eindruck erwecken ***s. vorspiegeln:** annehmen, befürchten, s. einbilden, s. einreden, erahnen, erwarten, fürchten, kalkulieren, mutmaßen, rechnen (mit), riechen, schätzen, spekulieren, vermuten, s. vorgaukeln, s. vormachen, wähnen, s. zusammenreimen
Vorspiegelung: Gaukelei, Gaukelspiel, Gauklerei, Irreführung, Spiegelfechterei, Täuschung, Trug *Blendung, Blendwerk, Bluff *Einbildung, Gesicht, Halluzination, Sinnestäuschung, Trugbild
Vorspiel: Einleitung, Introduktion, Prolog, Vorbemerkung, Vorrede *Introduktion, Präludium *Eröffnungsstück, Ouvertüre
vorspielen: aufführen, auftreten, darbieten, interpretieren, vorführen, vortragen
vorsprechen: einflüstern, einsagen, helfen, soufflieren, vorreden, vorsagen, zuflüstern *besuchen, s. vorstellen ***vorsprechen (bei):** dazutreten, herangehen, s. nähern, zugehen (auf), herantreten (an)
vorspringen: herausragen, herausspringen, herausstehen, überhängen, überragen, vorragen, vorstehen
Vorsprung: Oberhand, Oberwasser, Plus, Trumpf, Überlegenheit, Vorteil *Ausläufer, Spitze, Zipfel, Zunge *Absatz
Vorstadt: Außenbezirk, Einzugsgebiet, Grüngürtel, Hinterland, Satellitenstadt, Stadtrand, Trabantenstadt, Vorort
Vorstand: Aufsicht, Direktion, Führung, Herrschaft, Kommando, Leitung, Lenkung, Management, Oberaufsicht, Präsidium, Regie, Regiment, Vorsitz
vorstehen: führen, leiten, lenken, präsidieren, verwalten, vorsitzen, an der Spitze stehen
vorstehend: herausragend, herausstehend, vorragend, vorspringend *führend, leitend, vorgesetzt *besagt, bewusst, oben erwähnt, oben genannt, obig, vorgenannt, weiter oben stehend
Vorsteher: Anführer, Chef, Direktor, Führungskraft, Funktionär, Geschäftsführer, Leader, Leiter, Lenker, Manager, Oberhaupt, Präsident
Vorstehhund: Hetzhund, Jagdhund, Schweißhund, Spürhund
vorstellbar: ausdenkbar, denkbar, erdenkbar, erdenklich, imaginabel *machbar
vorstellen: bekannt machen, einführen, zusammenbringen, zusammenführen, die Bekanntschaft herbeiführen *darstellen, figurieren, imitieren, mimen, nachahmen, verkörpern *darstellen, repräsentieren, stehen (für), wert sein ***s. vorstellen:** s. bekannt machen, s. einführen, einen ersten Besuch machen *s. ausmalen, s. bewusst machen, s. denken, s. ein Bild machen, s. eine Vorstellung machen, s. einen Begriff machen, s. vergegenwärtigen, s. vor Augen führen
Vorstellung: Anschauung, Ansicht, Auffassung, Begriff, Betrachtungsweise, Bild, Meinung, Perspektive, Standpunkt *Gedanke, Idee *Aufführung, Auftreten, Auftritt, Darbietung, Vorführung *Bekanntmachung, Einblick, Einführung *Einbildung, Vorspiegelung
Vorstellungsgespräch: Bewerbungsgespräch
Vorstellungskraft: Vorstellungsvermögen
Vorstoß: Angriff, Anschlag, Attacke, Einfall, Einmarsch, Erstürmung, Handstreich, Invasion, Sturm, Sturmangriff, Überfall, Überrumpelung
vorstoßen: stürmen, vorstürmen, anfal-

len, angreifen, attackieren, eindringen, erstürmen, losstürmen, vordringen, vorprellen, vorpreschen, vorrücken, (gewaltsam) vorwärts dringen, zum Angriff vorgehen
vorstrecken: ausleihen, bevorschussen, borgen, leihen, vorlegen, vorauslegen, vorauszahlen, vorläufig bezahlen
vorstürmen: stürmen, als Stürmer spielen, auf das Tor spielen
vortasten (s.): erforschen, erkunden, sondieren, s. umsehen, vorfühlen
vortäuschen: fingieren, heucheln, markieren, mimen, simulieren, vorgaukeln, vorgeben, vormachen, vorschützen, vorspiegeln, vorzaubern
Vorteil: Oberhand, Plus, Trumpf, Überlegenheit, Vorsprung *Gewinn, Nutzen
vorteilhaft: aussichtsreich, Erfolg versprechend, günstig, hoffnungsvoll, positiv, verheißungsvoll, viel versprechend *einträglich, ergiebig, ertragreich, lohnend, nützlich, rentabel
Vortrag: Darbietung, Deklamation, Rede, Referat, Rezitation
vortragen: aufsagen, deklamieren, hersagen, lesen, referieren, rezitieren, verlesen, vorlesen, vorsingen, vorspielen, vorsprechen, das Wort ergreifen, ein Referat halten, eine Rede halten, eine Ansprache halten, einen Vortrag halten, etwas zum Besten geben, zu Gehör bringen *anführen, vorantragen
Vortragender: Redekünstler, Redner, Referent, Sprecher, Vortragskünstler
Vortragskünstler: Rezitator, Schauspieler, Sprecher
vortrefflich: außerordentlich, ausgezeichnet, beispiellos, bestens, delikat, exzellent, fein, hervorragend, himmlisch, köstlich, mustergültig, überragend, überwältigend, unübertrefflich, unübertroffen, vorzüglich, sehr gut
Vortrupp: Avantgarde, Vorkämpfer *Vorausabteilung, Vorhut, Vorstoß
vorüber: gewesen, vergangen, vorbei
vorübergehen: passieren, (daran) vorbeigehen *vergehen, verschwinden, verstreichen, vorbeigehen, zerrinnen
vorübergehend: augenblicklich, episodisch, flüchtig, kurz, kurzfristig, momentan, periodisch, sporadisch, stellenweise, stoßweise, temporär, zeitweilig, zeitweise, eine kurze Weile, für kurze Zeit, eine Zeitlang, für den Übergang, für einen Augenblick, nicht dauernd *begrenzt, endlich, flüchtig, irdisch, kurzlebig, sterblich, veränderlich, vergänglich, verweslich, zeitgebunden, zeitlich, nicht ewig, von kurzer Dauer
vorüberkommen: durchkommen, durchziehen, vorbeikommen
Vorurteil: Befangenheit, Einseitigkeit, Engherzigkeit, Engstirnigkeit, Intoleranz, Parteilichkeit, Unduldsamkeit, Verblendung, Voreingenommenheit
vorurteilslos: emotionslos, klar, leidenschaftslos, logisch, nüchtern, objektiv, pragmatisch, rational, real, sachlich, trocken, unbefangen, unparteiisch, unvoreingenommen, verstandesbetont, vorurteilsfrei, frei von Emotionen
Vorurteilslosigkeit: Objektivität, Sachlichkeit
Vorväter: Ahne, Ahnfrau, Ahnherr, Stammmutter, Stammvater, Urahne, Vorfahr
Vorwand: Alibi, Ausflucht, Ausrede, Ausweg, Behelf, Entschuldigung, Finte, Flucht, Kniff, Notlüge, Rückzieher, Rückzug, Täuschung, Trick, Unwahrheit, Verlegenheitslüge
vorwärts: voran, nach vorn *aufwärts, bergauf, hinauf, nach oben
vorwärts!: auf!, avanti!, fort!, los!, marsch!, weiter! ***vorwärts bringen:** aufbauen, begünstigen, emporbringen, favorisieren, fördern, helfen, lancieren, protegieren, unterstützen, weiterhelfen, auf die Sprünge helfen, die Bahn ebnen, Förderung angedeihen lassen, eine Bresche schlagen, den Weg ebnen, in den Sattel heben ***vorwärts gehen:** vorangehen, vorankommen, vorrücken, s. vorwärts bewegen, vorwärts kommen *weiterkommen, weiterwissen ***vorwärts kommen:** vorankommen, voranschreiten, weiterkommen, vom Fleck kommen *s. gut entwickeln, vorangehen, vorankommen, vorwärts gehen, Fortschritte machen, von der Hand gehen *aufsteigen, vorankommen, Erfolg haben ***vorwärts**

treiben: anfeuern, anhetzen, anspornen, anstacheln, antreiben, anzetteln, aufstacheln, begeistern, drängen, hetzen, treiben
vorweg: vorab, vorderhand, vorerst, zuerst, an erster Stelle, fürs Erste
Vorwegnahme: Antizipation, Vorausnahme, Vorgriff, Vorhererwähnung, Vorhersage, Vorschau
vorwegnehmen: antizipieren, vorgreifen, zuvorkommen
Vorweihnachtszeit: Advent, Adventszeit, vorweihnachtliche Zeit
vorweisen: anbringen, herzeigen, vorzeigen, zeigen, Einblick geben, sehen lassen
Vorwelt: Ferne, Geschichte, Historie, Vergangenheit, Vorzeit, das Gestern, frühere Tage, vergangene Tage, verflossene Tage, gewesene Tage, frühere Zeit, frühere Zeiten, vergangene Zeit, vergangene Zeiten, verflossene Zeit, verflossene Zeiten, gewesene Zeit, gewesene Zeiten
vorweltlich: abgelebt, altmodisch, fossil, passé, rückständig, überholt, überlebt, unmodern, unzeitgemäß, veraltet, vergangen
vorwerfen: tadeln, vorhalten, Vorhaltungen machen, Vorwürfe machen
vorwiegend: meist, überwiegend *besonders, insbesondere
vorwitzig: altklug, dreist, frech, keck, kess, naseweis, vorlaut
Vorwort: Einführung, Einleitung, Geleit, Geleitwort, Präambel, Prolog, Vorbemerkung, Vorrede
Vorwurf: Anklage, Anschuldigung, Beanstandung, Bemängelung, Beschuldigung, Rüffel, Rüge, Tadel, Verweis, Vorhaltung, Zurechtweisung
vorzaubern: fingieren, heucheln, markieren, mimen, simulieren, vorgaukeln, vorgeben, vormachen, vorschützen, vorspiegeln, vortäuschen
Vorzeichen: Anzeichen, Bote, Omen, Vorbote, Zeichen
vorzeigen: ausweisen, herzeigen, vorführen, vorweisen, zeigen, sichtbar machen
Vorzeit: Geschichte, Urzeit, Vorgeschichte, graue Vorzeit, graue Vergangenheit
vorzeiten: alt, damalig, damals, ehedem, ehemals, einmal, einstens, früher, gewesen, seinerzeit, vordem, vorher, vorig, vormals, in fernen Tagen, vor Zeiten
vorzeitig: davor, eher, früher, verfrüht, vorangegangen, vorangehend, vorher, zu früh
vorzeitlich: archaisch, frühzeitlich, prähistorisch, urgeschichtlich, urzeitlich
vorziehen: begünstigen, bevorzugen, favorisieren, fördern, herausstellen, protegieren, lieber mögen *nach vorne schicken, an die Front schicken *verdunkeln, zumachen
Vorzimmer: Anmelderaum, Anmeldung, Empfangszimmer, Rezeption, Sekretariat, Vorraum
Vorzug: Qualität, Vorteil, gute Eigenschaft, schöner Zug *Privileg, Sonderrecht, Vorrang, Vorrecht, Vortritt
vorzüglich: außerordentlich, ausgezeichnet, beispiellos, bestens, delikat, exzellent, fein, hervorragend, himmlisch, köstlich, mustergültig, überragend, überwältigend, unübertrefflich, unübertroffen, vortrefflich, sehr gut *abwechslungsreich, gewandt, interessant, sicher, spannend
vorzugsweise: ausdrücklich, besonders, eigens, hauptsächlich, insbesondere, namentlich, speziell, vornehmlich, vorwiegend, in erster Linie, vor allen Dingen, vor allem, im Besonderen
votieren: abstimmen, beschließen, stimmen, wählen, seine Stimme abgeben
Votum: Abstimmung, Stimmabgabe, Stimme, Wahl
Voucher: Buchungsbeleg, Gutschein
vulgär: anstößig, derb, gewöhnlich, lasterhaft, liederlich, pikant, ruchlos, schlecht, schlüpfrig, sittenlos, unanständig, ungebührlich, ungehörig, unkeusch, unmoralisch, unschicklich, unsittlich, unsolide, unziemlich, unzüchtig, verdorben, verrucht, verworfen, wüst, zotig, zuchtlos, zweideutig
Vulkan: Feuer speiender Berg
Vulva: (weibliches) Geschlechtsteil, Scham, Schoß, weibliches Genitale

W

Waage: Ausgeglichenheit, Gleichgewicht *Briefwaage, Haushaltswaage
waagrecht: horizontal *ausgebreitet, eben, flach, glatt, platt
Waagrechte: Horizontale *Abszissenachse, x-Achse, x-Koordinate
wach: ausgeschlafen, hell wach, munter *__wach sein:__ aufbleiben, auf sein, aufsitzen, wachen, kein Auge zutun, keinen Schlaf finden, munter sein, nicht schlafen, wach liegen *__wach werden:__ aufwachen, erwachen, die Augen aufmachen, munter werden, zu sich kommen
Wache: Bewachung, Garde, Leibgarde, Posten, Postendienst, Schildwache, Wachdienst, Wachmannschaft, Wachposten *__Wache stehen:__ aufpassen, beobachten, wachen, (auf) Posten stehen, Wache halten
wachen: aufbleiben, aufsitzen, kein Auge zutun, keinen Schlaf finden, munter sein, wach sein, nicht schlafen, wach liegen *aufpassen, beobachten, (auf) Posten stehen, Wache stehen, Wache halten
wachrufen: erinnern, in Erinnerung rufen *aufrütteln, aufwecken, erwecken, wachrütteln, wecken, aus dem Schlaf reißen, munter machen, wach machen
wachrütteln: aufwecken, erwecken, wecken, munter machen, aus dem Schlaf reißen, wach machen *aufrütteln, aufwecken, wachschütteln, wecken
wachsam: aufmerksam, entgegenkommend, gefällig, hilfreich, hilfsbereit *kritisch, skeptisch, vorsichtig
Wachsamkeit: Aufmerksamkeit, Entgegenkommen, Gefälligkeit, Hilfsbereitschaft *Kritik, Skepsis, Vorsicht
wachsen: einbohnern, einwachsen, mit Wachs einreiben, mit Wachs bestreichen *aufschießen, aufwachsen, s. entfalten, s. entwickeln, heranreifen, heranwachsen, in die Höhe schießen *angehen, ansteigen, aufblühen, s. entfalten, s. entwickeln, florieren, gedeihen, geraten, gut gehen, s. steigern, s. vergrößern, voranschreiten *anlaufen, anwachsen, s. erweitern, s. summieren, s. verbreiten, s. verdichten, s. vergrößern, zunehmen
Wachstum: Entfaltung, Entwicklung, Reife, Reifezeit, Veränderung *Anstieg, Erhöhung, Hebung, Intensivierung, Progression, Steigerung, Verbesserung, Vergrößerung, Vermehrung, Verstärkung, Zunahme, Zustrom *Wirtschaftswachstum
Wachstumshormone: Anabolika, Dopingmittel
Wächter: Aufseher, Hüter, Pförtner, Wachposten
Wachtmeister: Polizeibeamter, Polizist, Schutzmann
Wachzustand: das Wachen, das Wachsein, bei Bewusstsein
wack(e)lig: kippelig, labil, schwankend, wankend, nicht feststehend *gelockert, instabil, locker, lose *schwach, schwankend, unsicher *altersschwach, gebrechlich, hinfällig, kraftlos, kränklich, schwach, schwächlich, zittrig
wackeln: locker sein, nicht fest sein, lose sein *hampeln, zappeln, ruhelos sein, hektisch sein *schwanken, schwingen, taumeln, zittern *kippeln, schlackern, zuckeln *auf der Abschusslinie stehen, in der Schusslinie stehen, unsicher sein
Wackelpeter: Gelatinepudding
wacker: beherzt, couragiert, forsch, furchtlos, herzhaft, kämpferisch, kühn, mannhaft, mutig, schneidig, standhaft, tapfer, unerschrocken, unverzagt, verwegen, wagemutig, waghalsig *angesehen, anständig, aufrecht, aufrichtig, bieder, brav, charakterfest, echt, ehrlich, integer, lauter, ordentlich, rechtlich, rechtschaffen, redlich, sauber, solide, unbescholten, unbestechlich, untadelig, vertrauenswürdig, wahrheitsliebend, zuverlässig, vom alten Schlag *angebracht, angemessen, entsprechend, gebührend, geeignet, gehörig, geziemend *anständig, ausreichend, feste, groß, prächtig,

reichhaltig, reichlich, tüchtig, viel, nicht zu knapp
Wadi: Trockental
Waffe: Kampfgerät, Kriegswerkzeug *Feuerwaffe, Gewehr, Pistole *Hiebwaffe, Stoßwaffe *Stichwaffe, Messer *Bombe, Briefbombe *Instrument, Mittel, Werkzeug, Mittel und Wege
Waffenlager: Arsenal, Rüstkammer, Zeughaus
waffenlos: abgerüstet, entwaffnet, machtlos, schutzlos, unbewaffnet, ungeschützt, wehrlos, ohne Waffen
Waffenrock: Uniform
Waffenstillstand: Waffenruhe, Einstellung der Feindseligkeiten
Wagemut: Furchtlosigkeit, Heldenmut, Kühnheit, Mannhaftigkeit, Tapferkeit, Tollkühnheit, Unerschrockenheit, Unverzagtheit, Vermessenheit, Waghalsigkeit
wagemutig: mutig, todesmutig, beherzt, draufgängerisch, furchtlos, heldenhaft, heldenmütig, herzhaft, kämpferisch, kühn, mannhaft, tapfer, tollkühn, unerschrocken, unverzagt, vermessen, verwegen, waghalsig
wagen: s. trauen, s. getrauen, s. erdreisten, s. erkühnen, riskieren, s. überwinden, s. unterstehen
wägen: abwiegen, bemessen, peilen *beurteilen, erwägen, prüfen
Wagen: Fuhrwerk, Gefährt, Gespann, Handwagen, Karre, Karren, Leiterwagen *Auto, Fahrzeug
Wagenpark: Fuhrpark
Wagon: Eisenbahnwagen, Straßenbahnwagen, Waggon
waghalsig: aufrecht, beherzt, couragiert, draufgängerisch, entschlossen, forsch, furchtlos, heldenhaft, heldenmütig, heroisch, herzhaft, kämpferisch, kühn, mannhaft, männlich, mutig, schneidig, standhaft, tapfer, todesmutig, tollkühn, unerschrocken, unverzagt, vermessen, verwegen, wacker, wagemutig
Wagnis: Abenteuer, Experiment, Risiko, Unterfangen, Vabanquespiel
Wahl: Abstimmung, Urnengang, Wahlgang *Assortiment, Auslese, Auswahl, Belieben, Digest, Kollektion, Musterkollektion, Sortiment, das Beste *Alternative, Entscheidung
wahlberechtigt: abstimmungsberechtigt, stimmberechtigt
wählen: abordnen, abstimmen, beauftragen, senden, seine Stimme abgeben, zur Urne gehen *ausmustern, aussuchen, auswählen, bestimmen, erküren, erwählen, küren *s. durchringen, entscheiden, s. entschließen, seine Wahl treffen
Wähler: Stimmberechtigte, Stimmvolk, Wählerschaft, Wahlvolk, wahlberechtigte Person
wählerisch: anspruchsvoll, differenziert, eigen, extra, heikel, kritisch, verfeinert
Wahlliste: Kandidatenliste
wahllos: beliebig, fahrlässig, leichtfertig, unbesonnen, willkürlich, ziellos, nach Belieben, nach Gutdünken
Wahlspruch: Devise, Leitsatz, Leitspruch, Losung, Motto, Parole
wahlweise: abwechselnd, alternativ, alternierend, periodisch, umschichtig, wechselweise, im Wechsel (mit)
Wahn: Erfindung, Illusion, Imagination, Irrealität, Wunschbild *Erscheinung, Hirngespinst, Wahnvorstellung
Wahnbild: Wahngebilde, Wahnvorstellung
wähnen: ahnen, annehmen, s. einbilden, erahnen, erwarten, glauben, mutmaßen, schätzen, vermuten, voraussetzen, die Vermutung haben, die Vermutung aufstellen, eine Vermutung hegen, Vermutungen aufstellen, Vermutungen haben, auf die Vermutung kommen
Wahnsinn: Bewusstseinsspaltung, Geistesgestörtheit, Geisteskrankheit, Geistesstörung, Irrsinn, Schwachsinn, Umnachtung *Irrsinn, Unsinn
wahnsinnig: blöde, blödsinnig, debil, geistesgestört, geisteskrank, idiotisch, irrsinnig, schwachsinnig, unzurechnungsfähig, verblödet *hoch, sehr, überaus, ungewöhnlich, unvergleichlich, unwahrscheinlich
Wahnsinniger: Geistesgestörter, Geisteskranker, Geistesschwacher, Idiot, Irrer, Kretin, Psychopath, Verrückter
wahr: beglaubigt, belegt, gewiss, glaub-

haft, glaubwürdig, real, richtig, sicher, tatsächlich, ungelogen, unleugbar, unwiderleglich, wahrhaftig, wahrheitsgetreu, wirklich, zutreffend, nicht zu bezweifeln, nicht übertrieben *aufrichtig, ehrlich, freimütig, gerade, geradlinig, offen, offenherzig, unverhohlen, unverhüllt, wahrhaftig, zuverlässig ***wahr sein:** s. bestätigen, s. bewahrheiten, stimmen, zutreffen, richtig sein, zutreffend sein, in Ordnung sein, der Fall sein ***wahr machen:** ausführen, erfüllen, Ernst machen (mit), machen, realisieren, tun, verwirklichen, in die Tat umsetzen, zu Stande bringen ***wahr werden:** s. abspielen, s. als richtig erweisen, s. als wahr erweisen, s. bewahrheiten, eintreffen, eintreten, s. ereignen, erfolgen, s. erfüllen, geschehen, passieren, s. realisieren, s. verwirklichen, s. zutragen

wahren: aufrechterhalten, beibehalten, bewahren, konservieren, pflegen, weitermachen, bestehen lassen, nicht verändern *erhalten, retten, schonen, schützen, in Deckung nehmen, in Sicherheit bringen

währen: bestehen, fortbestehen, andauern, anhalten, bleiben, dauern, fortdauern, gleich bleiben, s. halten, s. hinziehen

während: als, bei, da, derweil, einstweilen, indem, indes, inzwischen, solange, unterdessen, zwischenzeitlich, in der Zwischenzeit

währenddessen: dazwischen, einstweilen, indessen, solange, unterdessen, in der Zwischenzeit

wahrhaftig: aufrichtig, ehrlich, freimütig, gerade, geradlinig, offen, offenherzig, unverhohlen, unverhüllt, wahr, zuverlässig

Wahrheit: Gewissheit, Realität, Richtigkeit, Tatsache, Tatsächlichkeit

wahrheitsgetreu: lebensnah, realistisch, wirklichkeitsgetreu, wirklichkeitsnah

Wahrheitsliebe: Aufrichtigkeit, Ehrlichkeit, Freimut, Geradheit, Geradlinigkeit, Lauterkeit, Offenheit, Offenherzigkeit, Unverblümtheit

wahrlich: beileibe, bestimmt, echt, effektiv, ehrlich, fürwahr, tatsächlich, ungelogen, wahrhaftig, wirklich, in der Tat, ohne Übertreibung, nicht übertrieben, ohne Schmarren

wahrnehmbar: aufnehmbar, erkennbar, sichtbar, zu sehen

wahrnehmen: aufmerksam werden (auf), bemerken, entdecken, erblicken, erkennen, erspähen, fühlen, gewahren, Notiz nehmen (von)

Wahrnehmung: Eindruck, Perzeption, Sinneseindruck, das Erfassen, das Aufnehmen *Beobachtung, Entdeckung, das Empfinden

wahrsagen: hellsehen, weissagen, aus der Hand lesen, die Zukunft deuten, in die Zukunft schauen

Wahrsager: Astrologe, Handliniendeuter, Hellseher, Horoskopsteller, Kartenleger, Kartenschläger, Prophet, Seher, Sterndeuter, Traumdeuter, Vorhersager, Weissager, Zeichendeuter, Zukunftsdeuter

Wahrsagerin: Kartenleserin, Kassandra, Pythia, Sybille

wahrscheinlich: anscheinend, höchstwahrscheinlich, möglicherweise, mutmaßlich, sicherlich, vermutbar, vermutlich, vielleicht, voraussichtlich, wohl, aller Voraussicht nach, aller Wahrscheinlichkeit nach

Währung: Geld, Valuta ***fremde Währung:** Devisen, Fremdgeld, ausländische Zahlungsmittel, ausländisches Geld

Wahrzeichen: Merkmal, Sinnbild, Symbol, Zeichen

Waise: Waisenkind

Waisenknabe: Ahnungsloser, Nichtskönner *elternloser Knabe

Wald: Dickicht, Forst, Gehölz, Holz, Schonung, Tann, Tannenwäldchen, Tannicht, Urwald, Wäldchen, Waldung

walken: drücken, pressen *gehen *laufen *bestrafen, prügeln

Walkie-Talkie: (tragbares) Funksprechgerät

Walking: Gehen, Laufen, Nordicwalking

wallen: pilgern, wallfahren, wallfahrten, wandern *brauen, brausen, brodeln, schäumen, sprudeln, zischen

Wallfahrer: Pilger, Pilgersmann, Wanderer

wallfahrten: pilgern, wallen, wallfahren,

einen Bittgang machen, eine Pilgerfahrt unternehmen *ziehen, herumziehen, streifen, umherstreifen, s. fortbewegen, marschieren, spazieren gehen, wandern
walten: befehligen, beherrschen, führen, gebieten, herrschen, lenken, regieren, verwalten, vorstehen, schalten (über), die Fäden in der Hand haben, die Herrschaft ausüben, die Herrschaft haben, das Zepter schwingen, die Geschicke des Landes bestimmen, Macht ausüben, Macht haben, Macht besitzen, Macht halten, am Ruder sein
Walze: Rolle, Trommel, Welle, Zylinder *Leier, Tour
wälzen: kugeln, rollen ***s. wälzen:** s. herumdrehen, s. herumwerfen *s. suhlen, s. wohl fühlen *s. balgen, kämpfen, raufen, s. streiten
Wand: Einfriedung, Eingrenzung, Einzäunung, Mauer, Mauerwerk, Stützmauer, Umfassung, Umzäunung, Wall *Abstand, Abweichung, Differenz, Diskrepanz, Divergenz, Gefälle, Gegensatz, Kluft, Kontrast, Missverhältnis, Schranke, Unähnlichkeit, Ungleichheit, Unstimmigkeit, Verschiedenheit
Wandel: Änderung, Erneuerung, Neubeginn, Neuregelung, Reform, Revolution, Umänderung, Umbruch, Umgestaltung, Umkehr, Umwälzung, Wechsel, Wende
Wandelanleihe: Wandelobligation, Wandelschuldverschreibung
wandelbar: mutabel, schwankend, unbeständig, veränderlich, wechselhaft, wechselvoll
Wandelhalle: Empfangshalle, Foyer, Hotelhalle, Lobby, Lounge, Vestibül, Wandelgang
wandeln: gehen, nachtwandeln, spazieren gehen *ändern, verändern, bessern, verbessern, erneuern, korrigieren, modifizieren, umändern, umstoßen, umwälzen, variieren, neu gestalten ***s. wandeln:** s. ändern, s. entwickeln, fortschreiten, s. wenden
Wandelstern: Planet
Wanderer: Ausflügler, Spaziergänger, Wanderbursche, Wandergeselle, Wandersmann, Wandervogel *Pilger
wandern: gleiten, schweifen *ziehen, herumziehen, streifen, umherstreifen, s. fortbewegen, marschieren, pilgern, spazieren gehen
Wanderung: Abstecher, Ausflug, Spaziergang, Tour, Trip
Wandervogel: Ausflügler, Spaziergänger, Wanderbursche, Wandergeselle *Zugvogel
Wandervolk: Beduinen, Nomaden, Zigeuner
Wandler: Modem, Umwandler
Wandlung: Änderung, Erneuerung, Neubeginn, Neuregelung, Reform, Revolution, Umänderung, Umbruch, Umgestaltung, Umkehr, Umwälzung, Wandel, Wechsel, Wende *Konsekration *Reklamation, Rückgabe, Rücksendung, Umtausch, Zurückgabe
Wandschirm: Schirm, Schirmwand, spanische Wand
Wandverkleidung: Tapete *Putz *Vertäfelung *Gobelin
Wange: Backe, Backen, Gesicht
Wankelmut: Entschlusslosigkeit, Unentschlossenheit, Unschlüssigkeit, Zaghaftigkeit *Flatterhaftigkeit, Leichtfertigkeit, Sprunghaftigkeit, Unzuverlässigkeit, Veränderlichkeit, Wankelmütigkeit
wankelmütig: entschlusslos, schwankend, uneins, unschlüssig, zaghaft, zögernd *flatterhaft, leichtfertig, sprunghaft, unsolide, unzuverlässig, veränderlich, wetterwendisch
wanken: schwanken, schwingen, taumeln, torkeln
wann: zu welchem Zeitpunkt, um welche Zeit
Wanze: Abhörgerät, Mikrofon, Spion *Kerbtier *Bug, Programmfehler
Wappenkunde: Heraldik
wappnen (s.): s. einstellen (auf), s. mit einer Sache beschäftigen, s. mit einer Sache vertraut machen, s. vorbereiten, nachdenken (über)
Ware: Artikel, Erzeugnis, Fabrikat, Gut, Handelsgut, Handelsobjekt, Handelsware, Industrieerzeugnis, Marke, Markenartikel, Markenware, Massenartikel, Massenware, Produkt
Warenangebot: Angebot, Sortiment, Warenauswahl, Warensortiment

Warenaustausch: Güteraustausch, Güterverkehr, Handel
Warenhaus: Geschäft, Kaufhaus, Laden, Markthalle, Supermarkt
Warenlager: Abstellraum, Lager, Lagerhalle, Lagerhaus, Lagerraum, Magazin
Warenliste: Katalog
Warenmarkt: Markt, Messe
Warenmenge: Partie, Posten
Warenprüfer: Tester, Testperson, Warentester *Kontrolleur
Warenreste: Ramsch
Warenschild: Auszeichnung, Etikett
Warenverkehr: Handel, Warenvertrieb
Warenzeichen: Fabrikmarke, Handelsmarke, Handelszeichen, Marke, Schutzmarke, Schutzzeichen
warm: heiß, lau, lauwarm, lind, mild, mollig, schwül, sommerlich, sonnig, tropisch, überschlagen, nicht kalt *behaglich, durchwärmt, geheizt, mollig, überschlagen *entgegenkommend, gütig, herzlich, hilfsbereit, wohl gesinnt, wohlmeinend * **warm halten:** hinhalten, geneigt erhalten, wohl gesinnt erhalten, dauerhaft für sich gewinnen
Wärme: Bruthitze, Glut, Gluthitze, Hitze, Wärmestrahlung *Güte, Gutherzigkeit, Gutmütigkeit, Herzensgüte, Seelengüte, Weichherzigkeit
Wärmelehre: Kalorik
wärmen: aufwärmen, erhitzen, erwärmen, warm machen *heizen, anheizen, andrehen, anstellen, aufdrehen, auflegen, beheizen, einheizen, feuern, warm machen ***s. wärmen:** s. aufwärmen, s. warm laufen, s. aufwärmen, s. fit machen, s. vorbereiten *ins Warme gehen
Wärmeschutz: Wärmedämmung
warmherzig: annehmlich, barmherzig, einnehmend, entgegenkommend, freundlich, freundschaftlich, gefällig, gnädig, gut, herzensgut, gut gelaunt, gut gemeint, gutherzig, gütig, gutmütig, heiter, herzlich, höflich, jovial, lieb, liebenswürdig, lindernd, mild, nett, sanftmütig, sympathisch, warm, weichherzig, wohl gesinnt, wohlmeinend, wohlwollend, zugetan, zuvorkommend
Warmherzigkeit: Anteilnahme, Aufgeschlossenheit, Aufmerksamkeit, Entgegenkommen, Freundlichkeit, Güte, Gutmütigkeit, Herzensgüte, Herzlichkeit, Hilfsbereitschaft, Innigkeit, Liebenswürdigkeit, Nächstenliebe, Selbstlosigkeit, Wärme, Wohlwollen, Zuneigung, Zuwendung
Warmwasserheizung: Heißwasserheizung, Zentralheizung
Warmwasserspeicher: Boiler
Warmzeit: Interglazialzeit
warnen: abraten, drohen, auf eine Gefahr hinweisen, auf eine Schwierigkeit hinweisen, ein Zeichen geben *alarmieren, schreien, Alarm schlagen, Alarm geben, Lärm schlagen, aufmerksam machen, zu Hilfe rufen *auffordern, erinnern, ermahnen, mahnen, predigen, rügen, schimpfen, tadeln, verwarnen, zur Ordnung rufen, ins Gewissen reden
warnend: abschreckend, exemplarisch *mahnend, ermahnend, auffordernd, tadelnd, verwarnend
Warnruf: Alarm, Brandalarm, Einsatzsignal, Feueralarm, Hupzeichen, Rettungsruf, Rettungssignal, SOS, Warnsignal
Warnung: Abschreckung, Drohung *Drohung, Ermahnung, Mahnung, Verwarnung, Kassandraruf *Drohbrief *Schreckschuss *Terrorwarnung *Erdbebenwarnung *Unwetterwarnung
Warnzeichen: Blinklicht, Blinklichtanlage, Katzenauge, Richtungszeiger, Schlusslicht, Signallicht *Menetekel, Unheil drohendes Zeichen
Warte: Ausblick, Ausguck, Auslug, Aussichtsturm, Beobachtungsstand *Betrachtungsweise, Blickpunkt, Blickwinkel, Position, Schau, Sicht, Standpunkt
warten: harren, ausharren, abwarten, ausschauen, s. gedulden, s. Zeit lassen, zuwarten, die Dinge auf sich zukommen lassen, die Hoffnung nicht aufgeben, geduldig sein *aufbleiben, wachen, nicht schlafen gehen *anstehen, s. anstellen, Schlange stehen *pflegen, gut behandeln, instand halten, schonend umgehen
Wärter: Aufpasser, Aufseher, Aufsicht, Bewacher, Gefängniswärter, Ordner, Wächter *Krankenpfleger, Pfleger
Wartezeit: Überbrückung, Überbrückungszeit, Übergang, Übergangszeit

Wartung: Behandlung, Instandhaltung, Pflege, Schonung, Unterhaltung
warum: inwiefern, weshalb, weswegen, wieso, wozu, aus welchem Grund
Wäsche: Leibwäsche, Unterwäsche *Aussteuer *Reinigung, Waschung
waschecht: farbecht, indanthren, kochecht, lichtbeständig, lichtecht *echt, ganz und gar, mit Haut und Haaren, durch und durch
waschen: auswaschen, durchwaschen, durchziehen, reiben, reinigen, säubern, schrubben, spülen *abreiben, abscheuern, abwischen, aufwaschen, putzen, reinigen, sauber machen, rein machen, den Schmutz entfernen, in Ordnung bringen *s. **waschen:** s. abduschen, baden, duschen, s. einseifen, s. erfrischen, s. reinigen, s. säubern
Wäscheboden: Trockenboden
Wäscheschleuder: Schleuder, Zentrifuge
Wäschetrockner: Tumbler
Waschfrau: Wäscherin *Klatschbase, Plaudertasche, Schwatzbase, Schwätzerin
Waschlappen: Waschhandschuh *Feigling, Jammerlappen, Muttersöhnchen, Pantoffelheld, Schoßkind, Schwächling, Weichling
Waschmittel: Seife, Seifenartikel, Seifenflocken, Seifenmittel, Seifenpulver, Waschpulver
Wasser: Feuchtigkeit, Flüssigkeit, Nass, das nasse Element *Fluss, Gewässer, Strom, Wasserader, Wasserlauf *Augenwasser, Träne, Zähre *Harn, Urin *Aussonderung, Schweiß, Transpiration *Brunnenwasser, Mineralwasser, Sauerbrunnen, Selters, Selterswasser, Soda, Sprudel, Sprudelwasser, Tafelwasser
wasserarm: regenarm, trocken, wüstenhaft
wasserdicht: isoliert, wasserundurchlässig, waterproof
wasserdurchlässig: leck, porös, undicht
Wasserfahrzeug: Amphibienfahrzeug *Boot, Schiff *Frachter *Leuchtschiff *U-Boot, Unterseeboot *Kanu, Yacht, Segelboot, Segelschiff *Fischkutter, Kutter, Trawler
Wasserfall: Kaskade, Katarakt, Wassersturz
Wasserfarbe: Aquarellfarbe
Wasserflugzeug: Hydroplan, Seeflugzeug
Wasserjungfrau: Nixe, Seejungfrau
Wasserklosett: Abort, WC
Wasserlandung: Wasserung
wassern: notlanden, im Wasser niedergehen, auf dem Wasser niedergehen, im Wasser landen, auf dem Wasser landen
wässern: einwässern, ins Wasser legen *befeuchten, begießen, benetzen, beregnen, besprengen, bewässern, gießen, sprengen, spritzen, nass halten
Wassernot: Trockenheit, Wassermangel
Wasserreservoir: Hochbehälter, Reservoir, Speichersee, Wasserhochbehälter, Wasserspeicher, Wasserturm, Zisterne
Wasserstraße: Kanal, Schifffahrtsstraße, Schifffahrtsweg, Seestraße, Wasserweg
Wassersuppe: Brühe, dünne Suppe, kraftlose Suppe
Wasseruhr: Hydrometer, Wassermesser, Wasserzähler
Wasserstein: Kesselstein
Wasserstoffbombe: H-Bombe
Wasserwaage: Richtwaage, Setzwaage
Wasserweihe: Taufe
Wasserwirbel: Evorsion, Strudel
Wasserzeichen: Prägung
wässrig: dünn, dünnflüssig, flüssig, wasserhaltig *fade, gehaltlos, geschmacklos, langweilig, schal *feucht *gepanscht, verwässert
waten: schlürfen, staken, stapfen, trotten
Watsche: Backenstreich, Backpfeife, Maulschelle, Ohrfeige, Prügel, Schelle, Schläge
Watt: Schelf, Wattenmeer *Maßeinheit der elektrischen Leistung
Watte: Verbandszeug, Wundauflage *Fütterung, Wattierung
WC: Abort, Klosett, Latrine, Pissoir, Toilette, Wasserklosett
Web: Webseite ***ins Web stellen:** (im Internet) bekannt geben, veröffentlichen
weben: flechten, knoten, verschlingen, zusammenknüpfen, ineinander schlingen
Wechsel: Reihenfolge, Turnus, regel-

mäßiger Ablauf *Umschwung, Umwandlung, Wandel, Wende, allmähliche Veränderung *Ablösung, Austausch, Auswechslung *Vielfalt *Verpflichtung, Zahlungsanweisung, Zahlungsverpflichtung *Halbzeit, Pause, Seitenwechsel, Spielunterbrechung *Klimakterium, Wechseljahre

Wechselbeziehung: Gegenseitigkeit, Korrelation, Wechselseitigkeit, Wechselwirkung, wechselnde Abhängigkeit

Wechselfieber: Malaria

Wechselgesang: Duett, Zwiegesang

Wechselgespräch: Dialog, Wechselrede

wechselhaft: flatterhaft, flatterig, launenhaft, launisch, schwankend, unbeständig, unstet, unzuverlässig, wechselnd, wetterwendisch, voller Launen

Wechseljahre: Klimakterium, Klimax, kritische Jahre

wechseln: tauschen, umtauschen, eintauschen, einwechseln, klein machen, umwechseln *ablösen, alternieren, s. jmdm. anders zuwenden, umbesetzen, umstellen *austauschen, auswechseln, erneuern, ersetzen, vertauschen *s. ändern, s. verändern, s. verlagern, auf eine andere Ebene stellen

wechselnd: abwechselnd, gegenseitig *schillernd, veränderlich

wechselseitig: abwechselnd, gegenseitig, reziprok, umschichtig, wechselweise, im Wechsel

Wechselsprechanlage: Gegensprechanlage

Wechselwirkung: Gegenseitigkeit, Korrelation, Wechselbeziehung, Wechselseitigkeit, wechselnde Abhängigkeit

wecken: aufrütteln, aufwecken, erwecken, wachrufen, aus dem Schlaf reißen, munter machen, wach machen *erregen, erzeugen, hervorrufen, provozieren, in die Welt setzen, ins Leben rufen

Wecker: Weckuhr

Wedel: Fächer *Blume, Fahne, Lunte, Rute, Schwanz, Schweif, Standarte, Sterz, Zagel

wedeln: fächeln, wehen *schlackern, schlenkern, schwenken, schwingen, hin und her bewegen *schwänzeln, schweifwedeln, mit dem Schwanz wackeln

weder … noch: dies und das nicht, keines von beiden, nicht dies und nicht das

weg: abwesend, anderswo, fort, unterwegs, nicht zu Hause *geflohen, unauffindbar, verloren, verschollen, verschwunden, abhanden gekommen, nicht zu finden *aus, ausverkauft, fort, nicht auf Lager, nicht vorrätig

Weg: Fahrweg, Feldweg, Gehsteig, Gehweg, Leinpfad, Pfad, Steig, Treidelpfad, Treidelweg *Anfahrt, Anfahrtsweg, Anmarsch, Route, Strecke *Chance, Lösungsmöglichkeit, Möglichkeit

Wegbereiter: Bahnbrecher, Pionier, Schrittmacher, Vorbereiter, Vorkämpfer, Vorläufer

wegblasen: abpusten, fortblasen *abgängig, unauffindbar, verschollen, verschwunden, wie vom Erdboden verschluckt

wegbleiben: ausbleiben, abwesend sein, nicht kommen

wegbringen: räumen, forträumen, entfernen, fortbringen, fortschaffen, wegschaffen, beiseite schaffen

wegdrehen (s.): s. abwenden, s. fortdrehen, nicht hinschauen

Wegelagerer: Dieb, Plünderer, Räuber, Straßenbande, Straßenräuber, Strauchdieb, Strauchritter, Taschendieb, Verbrecher

wegen: angesichts, aufgrund, dank, hinsichtlich, infolge, kraft, ob, weil, zwecks, auf Grund, auf … hin, um … zu, um … willen

wegfahren: abreisen, s. auf den Weg machen, s. auf die Reise machen, s. begeben, fortfahren, verreisen, in Urlaub fahren

wegfallen: ausfallen, entfallen, s. erübrigen, fortfallen, unterbleiben

wegfegen: fortkehren, wegkehren, wegräumen

wegfliegen: abfliegen, abgehen, abreisen, davonfliegen, entflattern, fortfliegen, wegziehen

Weggabelung: Abzweigung, Gabelung, Kreuzung, Wegkreuz

Weggang: Abgang, Abzug, Aufbruch, das Abtreten, das Verlassen *Abschied, Lebewohl, Trennung, das Scheiden

weggeben: hergeben, herschenken, schenken, verschenken
Weggefährte: Aufpasser, Begleiter, Begleitperson, Begleitung, Kurschatten, Schatten, Weggenosse *Angetrauter, Ehegemahl, Ehemann, Ehepartner, Gatte, Gemahl, Lebensgefährte, Lebenskamerad, Mann
weggehen: abdampfen, s. abkehren, abmarschieren, abrücken, abschwirren, abseilen, s. absetzen, s. abwenden, s. auf den Weg machen, aufbrechen, s. aufmachen, davongehen, s. davonmachen, enteilen, s. entfernen, s. fortbegeben, fortgehen, s. fortmachen, s. in Bewegung setzen, kehrtmachen, losgehen, losmarschieren, s. scheren, s. trollen, s. umdrehen, s. verdrücken, verschwinden, s. wegbegeben, wegtreten, zurückweichen, das Feld räumen, das Haus verlassen, das Weite suchen, den Rücken kehren, seiner Wege gehen, von dannen gehen
weggießen: abgießen, ausgießen, fortgießen
wegholen: abholen, beschaffen, besorgen, fortholen, herschaffen, herbeischaffen, heranholen, heranschaffen, herbringen, herholen, holen, nehmen *klauen, stehlen
wegjagen: davonjagen, fortjagen, vergrämen, verscheuchen, vertreiben, wegtreiben
wegkommen: verloren gehen, verschwinden, nicht mehr vorhanden sein, verlustig gehen
Wegkreuzung: Abzweigung, Kreuzung, Wegekreuz, Wegkreuzung
weglassen: fortlassen, gehen lassen, ziehen lassen *ausklammern, auslassen, ausschließen, fortlassen, vernachlässigen *ausklammern, entfernen, herausnehmen, kürzen, sparen, streichen, tilgen
weglaufen: s. absetzen, ausbrechen, davoneilen, davonlaufen, durchbrennen, durchgehen, entfliehen, entkommen, entlaufen, entrinnen, entwischen, fliehen, flüchten, fortlaufen, fortrennen, türmen, verschwinden, wegrennen, wegschleichen, das Weite suchen, Reißaus nehmen *ausweichen, desertieren, einen Bogen machen (um), meiden, scheuen, umgehen, abtrünnig werden, fahnenflüchtig werden, aus dem Wege gehen, seinen Posten verlassen
weglegen: aufheben, sparen, speichern, auf die Seite legen, beiseite legen
weglocken: abwerben, abziehen, ausspannen, übernehmen, wegnehmen, abspenstig machen
wegmachen: abhauen, abschlagen, entfernen *beseitigen, entfernen, wegräumen ***s. wegmachen:** fliehen, s. davonstehlen, s. fortstehlen, weggehen, wegschleichen
wegnehmen: abjagen, abnehmen, ausplündern, ausrauben, ausräumen, berauben, bestehlen, brandschatzen, einstecken, entführen, entreißen, entwenden, entwinden, fortnehmen, konfiszieren, mitnehmen, nehmen, plündern, räubern, schnappen, stehlen, unterschlagen, veruntreuen, in Besitz bringen, in Besitz nehmen, beiseite bringen, beiseite schaffen *abbuchen, abziehen, subtrahieren *herunterlegen, weglegen, wegtun *abdecken, verdunkeln *weglegen, wegstellen
wegpacken: beseitigen, entfernen, fortbringen, forträumen, fortschaffen, wegbringen, wegräumen, wegschaffen, wegtun, auf die Seite schaffen, aus dem Weg räumen
wegrationalisieren: entlassen, kündigen, verdrängen, Stellen abbauen
wegräumen: beseitigen, entfernen, fortbringen, forträumen, fortschaffen, wegbringen, wegpacken, wegschaffen, wegtun, auf die Seite schaffen, aus dem Weg räumen
wegreiten: abreiten, davonreiten, fortreiten
wegrennen: s. absetzen, ausbrechen, davoneilen, davonlaufen, durchbrennen, durchgehen, entfliehen, entkommen, entlaufen, entrinnen, entwischen, fliehen, flüchten, fortlaufen, fortrennen, türmen, verschwinden, das Weite suchen, Reißaus nehmen
wegschaffen: räumen, forträumen, beseitigen, entfernen, fortbringen, forträumen, fortschaffen, wegbringen, wegpacken, wegräumen, beiseite schaffen, auf

die Seite schaffen, aus dem Weg räumen
wegschenken: schenken, spenden, spendieren, verschenken, verteilen, zukommen lassen
wegschicken: abweisen, fortschicken, hinauswerfen, zum Weggehen veranlassen, zum Weggehen auffordern *abschicken, absenden, fortschicken
wegschieben: abrücken, abschieben, verdrängen, wegrücken, beiseite schieben, zur Seite schieben
wegschleichen (s.): s. davonstehlen, s. fortschleichen, s. fortstehlen, s. wegbegeben, s. wegstehlen
wegschleppen: beseitigen, entfernen, fortbringen, forträumen, fortschaffen, wegbringen, wegpacken, wegräumen, wegschaffen, auf die Seite schaffen, aus dem Weg räumen *entführen, fortbringen, kidnappen, rauben, verschleppen *s. an fremdem Eigentum vergreifen, s. aneignen, s. bemächtigen, mitnehmen, stehlen, wegnehmen, wegtragen, beiseite schaffen, beiseite bringen
wegschleudern: fortschleudern, fortwerfen, wegwerfen *enterben, wegnehmen
wegschließen: abschließen, einschließen, einsperren, sichern, verschließen, versperren, unter Verschluss bringen
wegschnappen: abnehmen, berauben, entführen, entreißen, entwenden, entwinden, fortnehmen, nehmen, stehlen, in Besitz bringen, in Besitz nehmen
wegschnellen: knipsen, schnellen, schnippen, schnipsen
wegstehlen: abnehmen, s. an fremdem Eigentum vergehen, s. an fremdem Eigentum vergreifen, s. aneignen, bestehlen, entwenden, mitnehmen, stehlen, stibitzen, unterschlagen, s. vergreifen, veruntreuen, wegnehmen, wegtragen, beiseite schaffen, beiseite bringen, einen Diebstahl begehen, einen Diebstahl verüben, auf die Seite bringen, zur Seite bringen, verschwinden lassen ***s. wegstehlen:** s. davonstehlen, s. fortschleichen, s. fortstehlen, s. wegbegeben, s. wegschleichen
wegstellen: forträumen, wegbringen, wegräumen, wegschaffen, auf die Seite stellen, auf die Seite räumen
wegstoßen: abstoßen, wegdrängen, zurückstoßen
wegtreiben: davonjagen, fortjagen, fortscheuchen, forttreiben, vergrämen, verjagen, vertreiben, wegjagen, in die Flucht schlagen, in die Flucht treiben *abkommen, abtreiben, abweichen, aus der Bahn kommen
wegtreten: s. abwenden, kehrtmachen, s. umdrehen, weggehen
wegtun: ausrangieren, deponieren, endlagern, fortwerfen, wegstecken, wegwerfen, zwischenlagern *beseitigen, entfernen, fortbringen, forträumen, fortschaffen, wegbringen, wegpacken, wegschaffen, auf die Seite schaffen, aus dem Weg räumen *sparen, auf die Seite legen
wegweisend: fortschrittlich, kämpferisch, modern, progressiv, richtungweisend, zeitgemäß *richtunggebend, richtungweisend, in eine bestimmte Richtung führen
Wegweiser: Hinweisschild, Hinweistafel, Markierung, Ortsschild, Richtungsanzeiger, Wegmarkierung *Führer, Handbuch, Kompendium, Leitfaden, Nachschlagewerk, Ratgeber *Anleitung, Anweisung, Beratung, Einarbeitung, Einführung, Einweisung, Lehre, Unterweisung
wegwerfen: ausmustern, ausrangieren, aussondern, aussortieren, eliminieren, fortwerfen ***s. wegwerfen:** s. beflecken, s. beschmutzen, s. entehren, s. entwürdigen
wegwerfend: abfällig, abwertend, geringschätzig, missfällig, negativ, pejorativ, verächtlich
wegziehen: ausziehen, fortziehen, umsiedeln, umziehen, verziehen, weggehen *verschwinden, s. verziehen *verweigern, zurückziehen *aufziehen *entziehen, nicht mehr geben
weh: elend, traurig, wehmütig ***wehtun:** anstoßen, beleidigen, betrüben, brüskieren, kränken, schmähen, schmerzen, verbittern, verletzen, verwunden, vor den Kopf stoßen, einen Hieb versetzen, einen Stich versetzen, ein Unrecht antun, ein Leid tun, Schmerz bereiten, Gefühle verletzen, ein Unrecht zufügen,

ein Leid zufügen *drangsalieren, foltern, malträtieren, martern, misshandeln, peinigen, quälen, schinden, terrorisieren, traktieren, tyrannisieren, grausam sein, Schmerzen bereiten, Qualen bereiten, Pein bereiten *beißen, bohren, brennen, schmerzen, schneiden, stechen, ziehen
Weh: Elend, Jammer, Kreuz, Leid, Pein, Qual, Schmerz
wehen: auffrischen, aufkommen, aufwirbeln, blähen, blasen, brausen, pfeifen, rauschen, säuseln, sausen, stürmen, toben, wirbeln, ziehen *baumeln, flattern, fliegen, wedeln
Wehklage: Geklage, Geschrei, Gewimmer, Jammer, Klage, Wehgeschrei, Wehklagen
wehklagen: jammern, klagen, knatschen, lamentieren, quäken, schluchzen, stöhnen, weinen, wimmern, winseln
wehleidig: empfindlich, überempfindlich, jammernd, klagend, lamentierend, unleidlich, weichlich, zimperlich
Wehmut: Bekümmertheit, Betrübtheit, Elegie, Freudlosigkeit, Traurigkeit, Trübseligkeit, Trübsinn, Wehmütigkeit
wehmütig: unglücklich, todunglücklich, bekümmert, betrübt, elegisch, elend, freudlos, traurig, trist, trübe, trübselig, unfroh
Wehr: Bastei, Bastion, Befestigung, Befestigungsanlage, Befestigungsbau, Befestigungssystem, Befestigungswerk, Bollwerk, Festung, Festungsbau, Kastell, Mauer, Schanze, Verschanzung, Verteidigungsanlage, Zitadelle
Wehrdienst: Barras, Heeresdienst, Kriegsdienst, Militär, Militärdienst, Rekrutenzeit
Wehrersatzdienst: Ersatzdienst, Zivildienst
Wehrdienstverweigerer: Ersatzdienstleistender, Kriegsdienstverweigerer, Zivildienstleistender
wehren: abhalten, hindern, zurückhalten ***s. wehren:** s. nichts gefallen lassen, s. sträuben, s. widersetzen, s. zur Wehr setzen *s. rechtfertigen, s. verantworten, s. verteidigen, reinwaschen wollen, seine Unschuld beweisen
wehrfähig: gesund, kriegsfähig, tauglich
wehrlos: schutzlos, unbewaffnet, waffenlos, ohne Waffen
Wehrmacht: Armee, Bundeswehr, Militär, Streitkräfte, Streitmacht
Weib: Ehefrau, Frau, Gattin, Lebensgefährtin, Lebenskameradin
Weiberheld: Belami, Casanova, Frauenheld, Frauenliebling, Herzensbrecher, Schürzenjäger
weiblich: feminin, frauenhaft, fraulich
weibstoll: begehrlich, geil, gelüstig, gierig, lüstern, scharf
weich: butterweich, daunenweich, federweich, flaumig, flauschig, mollig, samten, samtig, samtweich, seidenweich, seidig, zart, nicht hart, nicht fest *dehnbar, elastisch, federnd, zugfähig *beseelt, einfühlsam, empfindsam, feinfühlend, feinfühlig, feinsinnig, gefühlsbetont, gefühlsselig, gefühlstief, gefühlvoll, gemüthaft, gemütvoll, gutmütig, innerlich, mimosenhaft, romantisch, rührselig, sanft, schmalzig, schwärmerisch, seelenvoll, sensibel, sinnenhaft, tränenselig, überempfindlich, überspannt, verinnerlicht, zart, zart fühlend, zart besaitet *verletzbar, verletzlich, verwundbar, leicht zu kränken *fertig, locker, mürbe *gar, genügend gebraten, genügend gekocht *moll *quabbelig, schwammartig, schwammig, teigig, wabbelig *charakterlos, nachgiebig, schwach *inflationär, schwach, schwankend, unsicher *meisterlich, perfekt, sanft, sicher, kaum wahrnehmbar, kaum spürbar *angenehm, melodisch, sympathisch, zart ***weich machen:** aufschwatzen, bearbeiten, bekehren, bereden, beschwatzen, breitschlagen, einwickeln, erweichen, herumbekommen, überreden, überzeugen, umstimmen, werben, in die Mangel nehmen ***weich werden:** s. biegen, s. dehnen, nachgeben, nicht standhalten *s. anpassen, s. beugen, einlenken, s. ergeben, s. erweichen, s. fügen, gehorchen, kapitulieren, lockerlassen, s. überreden lassen, s. unterordnen, s. unterwerfen, zurückstecken, zurückweichen, s. zurückziehen, nachgiebig sein, schwach werden, Zugeständnisse machen, dem Zwang weichen, einen Rückzieher machen, klein beigeben

Weiche: Abzweigung, Stellwerk *Leiste, Lende, Weichteil *Nachgiebigkeit, Schwäche
weichen: fortgehen, verschwinden, s. zurückziehen *ausweichen, s. verkriechen, s. verstecken, zurückweichen, s. zurückziehen *nachgeben *aufgeben, s. beugen, s. fügen, gehorchen, kapitulieren, lockerlassen, nachgeben, parieren, resignieren, s. zurückziehen, schwach werden *einweichen, weich werden lassen
Weichheit: Inkonsequenz, Nachgiebigkeit, Schwäche, Willenlosigkeit
weichherzig: gut, herzensgut, barmherzig, gnädig, gutartig, gutherzig, gütig, gutmütig, lindernd, mild, sanftmütig, warm, warmherzig
weichlich: empfindlich, empfindsam, feminin, mimosenhaft, unmännlich, verweichlicht, verzärtelt, wehleidig, weibisch, weich, zimperlich *feige, nachgiebig, schwach
Weichling: Feigling, Jammerlappen, Muttersöhnchen, Nesthäkchen, Pantoffelheld, Schoßkind, Schürzenkind, Schwächling, Zärtling
Weide: Grünland, Koppel, Viehweide, Weideland, Weideplatz, Wiese
weiden: hinausführen, hüten, ins Freie führen, grasen lassen, zur Weide führen *abfressen, abgrasen ***s. weiden (an):** hämisch sein, höhnisch sein, schadenfroh sein
weidgerecht: jagdgerecht
weidlich: anständig, gehörig, gründlich, ordentlich, tüchtig, zünftig
Weidmann: Jäger, Jägersmann, Waidmann
weigern (s.): ablehnen, absagen, abservieren, abweisen, missbilligen, negieren, verneinen, verschmähen, verwerfen, zurückweisen
Weigerung: Ablehnung, Absage, Abweisung, Missbilligung, Verneinung, Zurückweisung *Abneigung, Abwehr, Auflehnung, Gegendruck, Gegenwehr, Gehorsamsverweigerung, Obstruktion, Protest, Renitenz, Resistenz, Verweigerung, Widerborstigkeit, Widersetzlichkeit, Widerspenstigkeit, Widerstand, Widerstreben
Weihe: Konsekration, Weihung *Ordination, Priesterweihe *Einweihung, Enthüllung, Taufe *Feier, Feierlichkeit
Weihegabe: Weihegeschenk
weihen: heiligen, konsekrieren, salben, segnen *einweihen, enthüllen, taufen *darbringen, hingeben, opfern *schenken, verehren, widmen, zueignen
Weiher: Teich, Tümpel
weihevoll: andächtig, feierlich, festlich, gehoben, getragen, solenn, stimmungsvoll, würdevoll
Weihnachten: Christfest, Christnacht, Heiligabend, Weihnacht, Weihnachtsfest, Heiliger Abend, Heilige Nacht *Julfest
Weihnachtsbaum: Christbaum, Lichterbaum, Tannenbaum
Weihnachtsbescherung: Bescherung, Gabenverteilung
Weihnachtsmonat: Christmonat, Dezember
weil: da, zumal *angesichts, aufgrund, dank, hinsichtlich, infolge, kraft, ob, wegen, zwecks, auf Grund, auf … hin, um … zu, um … willen
Weile: Augenblick, Minute, Moment, Sekunde, Weilchen ***eine Weile:** einige Zeit, kurze Zeit
weilen: aufhalten, leben, verharren, verweilen, wohnen, zubringen *s. aufhalten, s. häuslich niederlassen, verbringen, verharren, wohnen, zubringen, nicht weggehen
Weiler: Dorf, Flecken, Niederlassung, Örtlichkeit
Wein: Rebensaft, Traubensaft, Traubenwein *Rebe, Weinrebe, Weinstock
Weinbauer: Kellerer, Kellermeister, Weingärtner, Weingutsbesitzer, Winzer
Weinbeere: Traube, Weintraube *Rosine, Sultanine
Weinberg: Rebanlage, Rebenhügel, Weingarten
Weinbrand: Branntwein, Kognak
weinen: s. ausheulen, s. ausweinen, beklagen, heulen, s. in Tränen auflösen, jammern, plärren, quengeln, schluchzen, wimmern, Tränen vergießen
Weinen: Geheule, Geschluchze, Geschrei, Geweine, Wehklagen

weinerlich: rührselig, wehleidig, wehmütig
Weingeist: Spiritus
Weingut: Kellerei, Weinkellerei
Weinlese: Beerenlese, Lese, Traubenernte, Traubenlese
Weinlokal: Probierstube, Schenke, Weinhaus, Weinschenke, Weinstube
Weinpresse: Kelter
Weinstock: Rebe, Rebstock, Wein, Weinrebe
Weintraube: Traube, Weinbeere
weise: abgeklärt, erfahren, gereift, klug, lebenserfahren, philosophisch, überlegen, welterfahren, wissend *begabt, clever, fähig, gelehrig, genial, gescheit, helle, intelligent, klar denkend, klug, scharfsinnig, schlau, talentiert, tüchtig, vernunftbegabt, vernünftig, verständig, wach, weitblickend
Weise: Art, Modus *Melodie, Tonfolge
weisen: deuten, hinweisen, zeigen *ausschimpfen, ausweisen, hinauswerfen, maßregeln, schelten, schimpfen, tadeln, s. vornehmen, zurechtweisen, Bescheid sagen, die Meinung sagen, die Tür weisen, in seine Schranken weisen
Weisheit: Bildung, Erfahrung, Gelehrtheit, Klugheit, Lebenserfahrung, Reife, Scharfsinn, Schlauheit, Überblick, Weltkenntnis
weismachen: aufbinden, aufhängen, aufschwatzen, auftischen, einflüstern, eingeben, einreden, erzählen, suggerieren
weiß: blütenweiß, perlweiß, reinweiß, weißlich *blass, bleich, krank *ergraut, grau, grauhaarig, weißhaarig *unbekannt, unbewohnt, unerforscht ***weiß machen:** kalken, tünchen, weißeln, weißen ***weiß waschen:** bleichen, reinigen
weissagen: hellsehen, orakeln, prophezeien, voraussagen, wahrsagen, aus der Hand lesen, die Zukunft deuten, in die Zukunft schauen
Weissager: Hellseher, Seher, Wahrsager, Zeichendeuter, Zukunftsdeuter
Weissagung: Horoskop, Offenbarung, Orakel, Prognose, Prophezeiung, Voraussage, Vorhersage
Weiße: Weißbier, Weizenbier *Bleichheit, Farblosigkeit
Weißkäse: Frischkäse, Quark, Schichtkäse, Topfen
Weißsucht: Albinismus
weißwaschen: entkräften, lossprechen, rechtfertigen
Weisung: Belehrung, Direktive, Instruktion, Reglement, Regulativ, Satzung, Statut, Unterrichtung, Verhaltensmaßregel *Anordnung, Anweisung, Aufforderung, Auftrag, Befehl, Bestimmung, Dekret, Diktat, Erlass, Gebot, Geheiß, Gesetz, Kommando, Order, Verfügung, Verordnung, Vorschrift
weit: ausgedehnt, endlos, geräumig, großflächig, riesig, weitläufig, weit verzweigt *abgelegen, entlegen, fern, fernliegend, fernab, unerreichbar, unzugänglich, weitab, in der Ferne *nicht eng, nicht anliegend, nicht fest sitzend ***weit und breit:** allseits, allerseits, allenthalben, allerorten, allerorts, ringsum, überall, vielerorts, da und dort, so weit das Auge reicht, an allen Orten, bald hier, bald dort ***weit blickend:** klug, vorausblickend, vorausschauend, voraussehend, weit schauend, weitsichtig ***weit gehend:** beträchtlich, fast vollständig, vieles umfassend *generell ***weit reichend:** außerordentlich, einschneidend, erheblich, folgenschwer, gravierend, wesentlich, zentral
weitaus: ungleich, bei weitem, ganz und gar, sehr viel
Weitblick: Klugheit, Überblick, Vorausblick, Vorausschau, Weitsicht *Beschlagenheit, Bildung, Erfahrung, Erkenntnis, Geübtheit, Klugheit, Know-how, Lebenserfahrung, Menschenkenntnis, Praxis, Reife, Routine, Überblick, Überlegenheit, Vertrautheit, Weisheit, Weltkenntnis, Wissen
Weite: Abstand, Distanz, Entfernung, Ferne *Ausbreitung, Ausdehnung, Ausmaß, Breite, Dimension, Durchmesser, Höhe, Reichweite, Tiefe
weiten: ausbeulen, ausdehnen, ausleiern, dehnen, spannen, ziehen, in die Breite ziehen, in die Länge ziehen ***s. weiten:** ausbreiten, ausweiten, entfalten, erweitern, vergrößern *ansteigen, anwachsen, s. ausbreiten, s. ausdehnen, s. entwickeln,

übergreifen, s. verbreiten, um sich greifen
weiter: ansonsten, außerdem, daneben, dazu, ferner, fernerhin, obendrein, sonst, später, überdies, weiterhin, zudem, des Weiteren, im Übrigen, nach wie vor
weiter!: auf!, avanti!, fort!, los!, marsch!, vorwärts!
weiterbestehen: anhalten, s. erhalten, fortbestehen, fortdauern, fortleben, s. fortsetzen, überdauern, überleben, weiterexistieren, weiterleben, weiterwirken, Bestand haben, von Bestand sein, von Dauer sein
weiterbilden (s.): s. bilden, s. fortbilden, s. qualifizieren, s. vervollkommnen, weiterlernen, an sich arbeiten
Weiterbildung: Fortbildung, Qualifikation, Qualifizierung, Vervollkommnung
weiterentwickeln: ausbauen, erweitern, fördern, intensivieren, stärken, steigern, vergrößern, vorwärts bringen, vorwärts treiben, weiterbringen
Weiterentwicklung: Ausbau, Erweiterung, Fortschritt, Intensivierung, Steigerung, Vergrößerung, Vertiefung
weitererzählen: artikulieren, äußern, ausplappern, ausplaudern, ausposaunen, ausquasseln, austrompeten, bekannt geben, darstellen, hinterbringen, informieren, mitteilen, petzen, preisgeben, sagen, weitersagen, schwätzen, verkünden, verkündigen, verplappern, verplaudern, verraten, zutragen
weiterfahren: abfahren, abreisen, aufbrechen, fortfahren, verreisen, wegfahren
weiterführen: fortfahren, fortführen, fortschreiten, fortsetzen, weitermachen, wieder beginnen, wieder aufnehmen
Weiterführung: Fortführung, Fortsetzung *Beständigkeit, Dauer, Fortbestand, Fortdauer, Weiterbestehen
Weitergabe: Erbe, Tradition, Überlieferung
weitergeben: übergeben, überliefern, vererben, weiterleiten, weiterreichen
weitergehen: aufbrechen, fortfahren, rennen, weggehen, weiterlaufen *laufen, ticken *s. entwickeln, s. weiterentwickeln
weiterhelfen: aufbauen, begünstigen, emporbringen, favorisieren, fördern, helfen, protegieren, unterstützen, vorwärts bringen, die Bahn ebnen, Förderung angedeihen lassen
weiterhin: fernerhin, später, weiter, auch jetzt noch, nach wie vor, noch immer, wie bisher *künftig, zukünftig *ansonsten, außerdem, daneben, dazu, ferner, fernerhin, obendrein, sonst, später, überdies, zudem, des Weiteren, im Übrigen, nach wie vor
weiterkommen: vorankommen, vorwärts kommen, weitergehen, weiterschreiten, vom Fleck kommen *arrivieren, aufrücken, aufsteigen, befördert werden, Erfolg haben, erfolgreich sein, es schaffen
weiterlaufen: aufbrechen, fortfahren, rennen, weggehen, weitergehen
weiterleiten: leiten, melden, mitteilen, senden, übermitteln, weiterfunken, weitergeben, weiterreichen, weitersagen *durchlassen, weiterwinken
weitermachen: fortfahren (mit), fortführen, fortsetzen, weiterführen *dabei bleiben, treu bleiben *nicht nachlassen, dabei bleiben
weiterreichen: übergeben, überliefern, vererben, weitergeben, weiterleiten
weitersagen: ausplaudern, plaudern, preisgeben, weitererzählen, weitertragen
weitherzig: freigebig, gebefreudig, großzügig, hochherzig, honorig, nobel, spendabel, verschwenderisch, verschwendungssüchtig
weithin: durchgängig, durchweg, durchwegs, gemeinhin, generell, grundsätzlich, oft, vielfach, weit gehend, alles in allem, fast immer, für gewöhnlich, im Allgemeinen, in aller Regel, mehr oder weniger, mehr oder minder, im Großen und Ganzen, durch die Bank, (für) gewöhnlich
weitläufig: entfernt, weit *ausgedehnt, ausgestreckt, endlos, großräumig, weit, weit verzweigt
weitschweifig: ausführlich, ausholend, breit, detailliert, episch, erschöpfend, genau, langatmig, umständlich, wortreich, mit vielen Worten
Weitsicht: Kenntnis, Klugheit, Voraussicht, Vorausschau

weitsichtig: klug, vorausblickend, vorausschauend, voraussehend, weit blickend, weit schauend *fernsichtig
Weitsichtigkeit: Hypermetropie
welche: die *einige *wer
welk: erschlafft, geschrumpft, runzelig, schlaff, trocken, verblüht, verdorrt, vertrocknet, verwelkt, nicht mehr frisch, schlaff geworden
welken: abwelken, verblühen, verdorren, vertrocknen, verwelken
Welle: Brecher, Flutwelle, Gischt, Seegang, Sturzwelle, Woge *Haarwelle, Krause, Locke *Kurzwelle, Langwelle, Mittelwelle, Ultrakurzwelle
wellen: dauerwellen, kräuseln, locken, ondulieren ***s. wellen:** arbeiten, s. verziehen, s. werfen
Wellenlinie: Drehung, Einbiegung, Krümmung, Kurve
Wellenreiten: Surfen
wellig: bergig, gebirgig, hügelig, uneben *gekräuselt, gelockt, geringelt, gewellt, kraus, lockig, onduliert, wuschelig
Wellness: Frische, Gesundheit, Rüstigkeit, Wohl, Wohlbefinden Wohlergehen, gute Kondition, gute Verfassung
Welt: Diesseits, Erdball, Erde, Erdkreis *Ausland, Ferne, Übersee, die weite Welt
Weltall: All, Himmel, Himmelsraum, Kosmos, Makrokosmos, Unbegrenztheit, Unendlichkeit, Unermesslichkeit, Universum, Weltraum, kosmischer Raum
Weltalter: Äon
weltberühmt: (in der ganzen Welt) bekannt, geehrt, gefeiert, verehrt
Weltbild: Ideologie, Lebensansicht, Philosophie, Weltanschauung
Weltbürger: Kosmopolit, Weltreisender
weltbürgerlich: kosmopolitisch
Weltbürgertum: Kosmopolitismus
Weltenbummler: Globetrotter, Weltreisender
weltfremd: idealistisch, lebensfern, lebensfremd, unrealistisch, versponnen, verstiegen, verträumt, weltabgewandt, weltentrückt, weltfern, wirklichkeitsfern, wirklichkeitsfremd *einsam, einsiedlerisch, zurückgezogen *schwärmerisch, träumerisch *plump, schwerfällig, ungeschickt
Welthilfssprache: Hilfssprache, Kunstsprache
Weltkugel: Erdglobus, Erdkugel, Globus
weltlich: diesseitig, irdisch, profan, säkular, nicht geistlich, nicht kirchlich, nicht sakral
Weltmacht: Großmacht, Großreich, Imperium, Weltreich
weltmännisch: aufgeweckt, diplomatisch, erfahren, geschickt, geschliffen, gewandt, routiniert, sicher, taktisch, weltläufig
weltoffen: ansprechbar, aufgeschlossen, aufnahmebereit, aufnahmefähig, empfänglich, extravertiert, extrovertiert, geneigt, gestimmt, geweckt, interessiert, offen, urban, zugänglich
Weltraum: All, Himmel, Himmelsraum, Kosmos, Makrokosmos, Unendlichkeit, Universum, Weltall, kosmischer Raum
Weltraumfahrer: Astronaut, Kosmonaut, Raumfahrer
Weltraumfahrt: Astronautik, Kosmonautik, Raumfahrt
Weltraumstation: Forschungssatellit, Mutterschiff, Orbitalstation, Satellit
Weltreisender: Abenteurer, Globetrotter, Weltenbummler
Weltruhm: Glanz, Glorie, Ruhm, Weltgeltung, Weltruf, große Ehre, hohes Ansehen, Lob und Preis
Weltschmerz: Betrübtheit, Depression, Gram, Kummer, Melancholie, Niedergeschlagenheit, Schwermut, Trauer, Traurigkeit, Trübsinn, Verzweiflung, Wehmut
Weltstadt: City, Großstadt, Metropole, Millionenstadt
weltumfassend: erdumspannend, global, international, weltumspannend, weltweit
Weltuntergang: Apokalypse *Götterdämmerung
Wende: Revolution, Umbruch, Umschwung, Umsturz, Umwälzung *Fortschritt, Innovation, Neubelebung, Neuorientierung, Neuregelung, Reform, Veränderung, Wandel, Wandlung *Abbiegung, Biegung, Bogen, Kehre, Knick, Knie, Krümmung, Kurve *Markstein, Meilenstein, Wendepunkt *Drehung,

Richtungsänderung, Schwenkung, Wendung
Wendehals: Mitläufer, Opportunist
wenden: kehrtmachen, umdrehen, umkehren, umschwenken, umwenden, zurückfahren, zurückgehen *__s. wenden:__ s. ändern, s. drehen, s. verändern, s. wandeln, anders werden
Wendepunkt: Ende, Grenzpunkt, Höhe, Krise, Markstein, Meilenstein, Tiefpunkt, Wende
wendig: agil, behände, beweglich, flink, gelenkig, geschmeidig, gewandt, leichtfüßig, rasch *schnell, sportlich
Wendigkeit: Beweglichkeit, Elastizität, Fertigkeit, Gelenkigkeit, Geschicklichkeit, Gewandtheit
Wendung: Floskel, Formel, Gemeinplatz, Phrase, Redefloskel, Redensart, Redewendung *Revolution, Umbruch, Umschwung, Umsturz, Umwälzung *Abbiegung, Biegung, Bogen, Kehre, Knick, Knie, Krümmung, Kurve
wenig: bitterwenig, gering, spottwenig, zu wenig, kaum etwas, nicht genügend, nicht viel, nicht genug *dürftig, gering, karg, kärglich, klein, knapp, kümmerlich, mager, minimal, schmal, spärlich, winzig *belanglos, lächerlich, unbedeutend, verschwindend, nicht ins Gewicht fallend *kaum, fast gar nichts, gerade noch, so gut wie nie *__ein wenig:__ etwas, ein bisschen
wenige: einige, einzelne, kaum etwas, kaum jemand
weniger: abzüglich, minus, ohne *minder, nicht so sehr
wenigstens: geringstenfalls, mehr (als), mindestens, nicht weniger (als), zumindest *allerdings, immerhin, jedenfalls, schließlich
wenn: angenommen, falls, gegebenenfalls, sofern, vorausgesetzt, wofern, für den Fall, gesetzt den Fall *sowie, sofort wenn, direkt wenn, kaum dass *__jedes Mal wenn:__ sooft, wann auch immer, immer wenn *__wenn auch:__ obgleich, obschon, obwohl, obzwar, trotzdem, wenngleich, wennschon, wiewohl, ob (auch)
Werbefachmann: PR-Mann, Propagandist, Reklamefachmann, Werbetexter
werben: annoncieren, inserieren, eine Anzeige aufgeben, eine Annonce aufgeben, ein Inserat aufgeben *dingen, heuern, mieten *__werben (für):__ anpreisen, Propaganda machen (für), propagieren, Reklame machen (für), die Werbetrommel rühren *__werben (um):__ anhalten (um), buhlen, freien, umwerben, einen Antrag machen, um die Hand anhalten
Werber: Bewerber, Freier, Freiersmann *Agitator, Propagandist *Reklamefachmann, Werbefachmann, Werbetexter
Werbeschlagwort: Schlagwort, Slogan
Werbeschrift: Anzeigenblatt, Flyer, Prospekt, Werbeblatt, Wurfsendung
Werbetätigkeit: Angebot, Anreißerei, Kundenfang, Propaganda, Publicity, Reklame, Werbung
Werbetexter: Reklamefachmann, Werbefachmann
Werbetrommel: Reklametrommel
werbewirksam: anfeuernd, anreizend, anspornend, ansprechend, anziehend, attraktiv, reißerisch, schlagkräftig, verkaufsfördernd, wirkungsvoll, zugkräftig
Werbung: Angebot, Anreißerei, Kundenfang, Kundenwerbung, Propaganda, Publicity, Reklame, Verkaufsförderung, Werbefeldzug, Werbetätigkeit
Werdegang: Entfaltung, Entwicklung, Fortentwicklung, Geschichte, Prozess *Karriere, Laufbahn, Wirken
werden: ansteigen, anwachsen, aufblühen, s. entfalten, s. entwickeln, gedeihen *aufkommen, auftauchen, beginnen, entstehen, erwachsen, gedeihen *gelingen, geraten, glatt gehen, von der Hand gehen
Werden: Anfang, Beginn, Entstehung, Fortschritt, Reife, Wachstum
werfen: hochwerfen, schießen, schleudern, schmeißen, schmettern, schnellen, durch die Luft fliegen lassen *hinschleudern, hinwerfen, zuwerfen, fallen lassen *frischen, gebären, hecken, jungen, Junge bekommen *__s. werfen:__ s. aufwerfen, s. verziehen, s. wellen *__s. werfen (auf):__ angreifen, attackieren, bestürmen, eindringen, erstürmen, losschlagen, überfallen, überraschen, vormarschieren, vorrü-

cken, die Flucht nach vorne antreten, herfallen (über), stürmen, losstürmen, zum Angriff übergehen, vorgehen (gegen) *anfangen, anpacken, anstimmen, ausbrechen, beginnen, bewerkstelligen, darangehen, s. daransetzen, eröffnen, herangehen, intonieren, starten, den Anfang machen, in Angriff nehmen, die Initiative ergreifen, den ersten Schritt tun, in die Wege leiten, in Schwung kommen

Werk: Arbeit, Kunstwerk, Produkt, Schöpfung *Arbeitsplatz, Arbeitsstätte, Betrieb, Fabrik, Firma, Industriebetrieb, Unternehmen, Werkanlage *Buch *Dichtung *Komposition, Musikstück, Opus, Vertonung *Großtat, Handlung, Leistung, Tat

Werkbank: Werktisch

werken: treiben, betreiben, arbeiten, basteln, s. befassen, s. beschäftigen, s. betätigen, s. regen, s. rühren, schaffen, tüfteln, tun, werkeln, s. widmen, wirken, Arbeit leisten, tätig sein

Werkhalle: Arbeitsraum, Fabrikhalle, Halle, Werkstatt

Werkkantine: Gaststätte, Kantine

Werkraum: Arbeitsraum, Atelier, Bastelraum, Bastelzimmer, Hobbyraum, Studio, Werkstatt

Werkstatt: Atelier, Fabrik, Studio, Werkhalle, Werkstätte

Werkstoff: Baumaterial, Baustoff, Element, Grundstoff, Material, Mittel, Naturstoff, Rohmaterial, Rohstoff

Werkswohnung: Amtswohnung, Dienstwohnung

Werktag: Alltag, Arbeitstag, Wochentag

werktags: alltags, wochentags, in der Woche

werktätig: angestellt, arbeitend, berufstätig, beschäftigt, eingestellt, tätig

Werktätiger: Arbeiter, Beschäftigter, Fabrikarbeiter, Facharbeiter, Gastarbeiter, Hilfsarbeiter, Industriearbeiter, Lohnempfänger, Schwerarbeiter

Werkzeug: Apparat, Arbeitsgerät, Arbeitsinstrument, Ausrüstung, Gerät, Gerätschaften, Handwerkszeug, Instrument, Maschine, Vorrichtung

wert: geehrt, geschätzt, hoch geschätzt, hochverehrt, lieb, teuer, verehrt *geliebt, heiß geliebt, kostbar, unersetzlich, wertvoll *gewichtig, notwendig, signifikant, unentbehrlich, unerlässlich, wesentlich, wichtig

Wert: Bedeutung, Belang, Gewicht *Ausbeute, Gewinn, Nutzen, Profit *Güte, Qualität, Wertbeständigkeit, Zustand *Gegenwert, Marktwert, Preis, Preislage

wertbeständig: beständig, bleibend, dauerhaft, dauernd, ewig, fest, gleichmäßig, haltbar, krisenfest, tadellos, unauflösbar, unauflöslich, unveränderlich, unverbrüchlich, unvergänglich, unverrückbar, unverrückt, unwandelbar, unzerstörbar, vortrefflich, vorzüglich, wertvoll, zeitlebens, für immer, von Bestand, von Dauer

werten: begutachten, benoten, beurteilen, bewerten, einschätzen, eintaxieren, taxieren, urteilen, zensieren, befinden (über)

wertfrei: gerecht, nüchtern, objektiv, parteilos, sachdienlich, sachlich, unbeeinflusst, unbefangen, unparteiisch, unverblendet, unvoreingenommen, vorurteilsfrei, vorurteilslos, wertneutral

Wertgegenstand: Juwel, Kleinod, Kostbarkeit, Pretiosen, Schatz, Schmuck, Wertsache, Wertstück

wertlos: alt, belanglos, billig, minderwertig, nutzlos, schäbig, unbrauchbar, unerheblich, unwichtig, keinen Heller wert, keinen Pfennig wert, nichts wert, ohne Belang, ohne Wert

Wertlosigkeit: Bedeutungslosigkeit, Minderwertigkeit, Nutzlosigkeit, Unsinnigkeit *Bedeutungslosigkeit, Belanglosigkeit, Nebensache, Nichtigkeit, Unauffälligkeit, Unerheblichkeit, Unwichtigkeit

Wertminderung: Ertragsminderung, Vermögensverlust *Fehler, Mangel, Teilschaden, Totalschaden

Wertpapier: Aktie, Anleihe, Anteilschein, Effekten, Pfandbrief, Schuldverschreibung

Wertsache: Juwel, Kleinod, Kostbarkeit, Pretiosen, Schatz, Wertgegenstand, Wertstück *Schmuck, Schmuckstück

wertschätzen: achten, anbeten, anerkennen, bewundern, ehren, hochachten,

honorieren, respektieren, schätzen, vergöttern, würdigen, Tribut zollen
Wertschätzung: Achtung, Ansehen, Autorität, Einfluss, Geltung, Prestige
Wertstück: Juwel, Kleinod, Kostbarkeit, Pretiosen, Schatz, Schmuck, Wertgegenstand, Wertsache
Wertung: Berechnung, Beurteilung, Bewertung, Einschätzung, Urteil, Zensierung *Kritik, Meinung, Stellungnahme
wertvoll: erlesen, auserlesen, ausgesucht, ausgewählt, edel, einmalig, exquisit, fein, hochwertig, kostbar, preziös, qualitätsvoll, rar, teuer, de luxe, viel wert
Wertzeichen: Briefmarke, Freimarke, Marke, Postwertzeichen
Wesen: Essenz, Extrakt, Gehalt, Kern, Kernstück, Quintessenz, Sinn, Substanz, das Wesentliche, das Wichtige *Figur, Frau, Geschöpf, Jemand, Lebewesen, Mann, Mensch, Person
Wesensart: Charakter, Eigenart, Gemütsart, Individualität, Natur, Sinn, Veranlagung, Wesen
Wesensmerkmal: Eigenart, Eigenschaft, Kennzeichen, Qualität, Seite, Wesensart, Wesenszug
wesentlich: bedeutsam, dringend, erforderlich, essenziell, geboten, gewichtig, lebenswichtig, notwendig, obligat, primär, signifikant, substanziell, substanzhaft, unausweichlich, unentbehrlich, unerlässlich, unumgänglich, unvermeidlich, wichtig, zwingend *ausschlaggebend, bedeutend, bestimmend, durchgreifend, einschneidend, elementar, entscheidend, fundamental, grundlegend, gründlich, grundsätzlich, konstitutiv, maßgebend, maßgeblich, prinzipiell, radikal, schwerwiegend, wichtig, bis in die Wurzel, bis ins Letzte, bis ins Kleinste, durch und durch, von Grund auf
Wesentliche: Hauptsache, Schwerpunkt, Substanz, das Entscheidende, das Erforderliche, das Essenzielle, das Notwendige, das Signifikante, das Unentbehrliche, das Unumgängliche, das Unvermeidliche, das Wichtige, das Zwingende
weshalb: weswegen
Westen: Abendland, Okzident, die freie Welt, westliche Hemisphäre *Abendseite, Westseite, westliche Seite, westliche Himmelsrichtung
Western: Cowboyfilm, Wildwestfilm
westlich: im Westen gelegen, im Westen liegend
Westmark: Westgeld, Deutsche Mark
westwärts: nach Westen, in Richtung Westen, gen Westen
weswegen: inwiefern, weshalb, wieso, wozu, aus welchem Grund
Wettbewerb: Preisausschreiben, Wettkampf, Wettstreit
Wette: Glücksfall, Los, Spekulation, Wagnis
Wetteifer: Konkurrenz, Rivalität *Bestreben, Ehrgeiz, Streben
wetteifern: konkurrieren, rivalisieren
wetten: losen, setzen, tippen, würfeln, Wetten abschließen
Wetter: Klima, Wetterlage, Witterung *Donnerwetter, Gewitter, Unwetter
Wetteränderung: Umschlag, Umschwung, Wettersturz, Wetterumbruch, Wetterumschlag, Wetterumschwung, Witterungsumschlag
Wetterbericht: Wetterdienst, Wettermeldung, Wetterprognose, Wettervoraussage, Wettervorhersage
wetterfest: dauerhaft, imprägniert, regenfest, undurchlässig
Wetterfront: Gewitterfront, Kaltfront, Regenfront, Störungsfront, Warmfront
wetterfühlig: föhnempfindlich, wetterempfindlich
Wetterfühligkeit: Föhnempfindlichkeit, Wetterempfindlichkeit
Wetterkunde: Meteorologie
wetterkundlich: meteorologisch
wettern: donnern, gewittern, grollen *keifen, poltern, schelten, schimpfen, zanken, zetern
Wetterprognose: Wettervorhersage
Wetterprophet: Laubfrosch, Meteorologe, Wetterfrosch
Wetterumschwung: Umschlag, Umschwung, Wetteränderung, Wettersturz, Wetterumbruch, Wetterumschlag, Witterungsumschlag
wetterwendisch: empfindlich, exzentrisch, flatterhaft, grillenhaft, kapriziös, launenhaft, launisch, reizbar, unausge-

glichen, unberechenbar, unbeständig, unstet, unzuverlässig, verletzt, wankelmütig, wechselnd, voller Launen

Wettkampf: Begegnung, Kampf, Konkurrenz, Match, Spiel, Treffen, Turnier, Wettbewerb, Wettspiel, Wettstreit, Zweikampf

Wettlauf: Lauf, Rennen, Wettkampf, Wettrennen

wettmachen: abarbeiten, abdecken, abschreiben, anrechnen, aufrechnen, ausgleichen, belasten, kompensieren

wettstreiten: konkurrieren, s. messen, s. vergleichen, gegeneinander antreten

wetzen: abschleifen, abziehen, schärfen, schleifen, scharf machen *reiben, schaben, scheuern *eilen, hasten, laufen, rasen, rennen, sausen, sprinten

Wetzstein: Abziehstein, Schleifstein

wichsen: polieren, putzen, auf Hochglanz bringen, blank putzen, blank reiben *prügeln, schlagen, verhauen, zuschlagen *s. befriedigen, masturbieren, onanieren

Wicht: Däumling, Gnom, Heinzelmännchen, Kobold, Liliputaner, Pygmäe, Zwerg *Dreikäsehoch, Knirps

wichtig: akut, beachtlich, bedeutend, brennend, dringend, erforderlich, ernstlich, erwähnenswert, essenziell, folgenreich, geboten, gewichtig, inhaltsschwer, lebenswichtig, notwendig, obligat, relevant, schwerwiegend, signifikant, substanziell, substanzhaft, unausweichlich, unentbehrlich, unerlässlich, unumgänglich, unvermeidlich, vordringlich, wesentlich, zwingend *ausschlaggebend, bedeutend, bestimmend, durchgreifend, einschneidend, elementar, entscheidend, fundamental, grundlegend, gründlich, grundsätzlich, konstitutiv, maßgebend, maßgeblich, prinzipiell, radikal, schwerwiegend, wesentlich, bis in die Wurzel, bis ins Letzte, bis ins Kleinste, durch und durch, von Grund auf ***wichtig sein:** abarbeiten, abdecken, abschreiben, anrechnen, aufrechnen, belasten, Bedeutung haben, Gewicht haben, von Bedeutung sein, ins Gewicht fallen, eine Rolle spielen, groß geschrieben werden, nicht versäumen wollen ***s. wichtig machen:** angeben, aufblasen, aufschneiden, aufspielen, s. blähen, großtun, prahlen, protzen, prunken, s. spreizen, eingebildet sein

Wichtigkeit: Bedeutsamkeit, Bedeutung, Belang, Dringlichkeit, Ernst, Geltung, Gewicht, Größe, Notwendigkeit, Rang, Relevanz, Schwere, Stellenwert, Tiefe, Tragweite, Vordringlichkeit, Wert, Wirksamkeit, Würde, Zweck *Arroganz, Stolz, Unbescheidenheit

Wichtigtuer: Alleswisser, Angeber, Besserwisser, Prahler, Prahlhans, Rechthaber, Sprücheklopfer

Wichtigtuerei: Alleswisserei, Angeberei, Besserwisserei, Prahlerei, Rechthaberei, Sprücheklopferei, Sprüchemacherei

wichtigtuerisch: angeberisch, besserwisserisch, großsprecherisch, großspurig, hochtrabend, prahlerisch, rechthaberisch

Wickel: Einpackung, Kompresse, Packung, Umschlag, Verband

Wickelkind: Baby, Brustkind, Neugeborenes, Säugling, Wiegenkind

wickeln: abrollen, aufrollen, auseinander rollen, entrollen *aufspulen, aufwickeln, zusammenrollen *aufpacken, aufwickeln, auspacken, auswickeln *einpacken, einrollen, einschlagen, einwickeln, verschnüren, zubinden, zuschnüren, in Papier wickeln, in Papier rollen, in Papier hüllen, in Papier schlagen

wider: gegen, kontra, im Gegensatz zu, im Widerspruch zu

widerborstig: aufmüpfig, aufsässig, bockbeinig, bockig, dickköpfig, dickschädelig, eigensinnig, eisern, fest, finster, halsstarrig, hartgesotten, kompromisslos, kratzbürstig, querköpfig, rechthaberisch, renitent, stachelig, starrköpfig, starrsinnig, steifnackig, störrisch, stur, trotzig, unaufgeschlossen, unbelehrbar, unbequem, unbotmäßig, unerbittlich, unfolgsam, ungehorsam, unnachgiebig, unversöhnlich, unzugänglich, verbohrt, verschlossen, verständnislos, verstockt, widersetzlich, widerspenstig, zugeknöpft

Widerchrist: Antichrist, Teufel

widerfahren: begegnen, betreffen, geschehen, hereinbrechen, passieren, un-

terlaufen, zustoßen, zuteil werden *erdulden, erfahren, erleiden
Widerhall: Echo, Gegenhall, Nachhall, Resonanz, Widerschall
widerhallen: echoen, widerklingen, widerschallen, widertönen
widerlegen: entkräften, entwaffnen, (einem Verdacht) den Boden entziehen, ad absurdum führen, das Gegenteil nachweisen, das Gegenteil beweisen, Lügen strafen
Widerlegung: Entkräftung, Gegenbeweis, Widerspruch
widerlich: Abscheu erregend, abscheulich, abschreckend, abstoßend, antipathisch, degoutant, Ekel erregend, ekelhaft, eklig, grässlich, grauenhaft, gräulich, schauderhaft, scheußlich, schleimig, schmierig, übel, unangenehm, unappetitlich, unausstehlich, unbeliebt, unerträglich, unleidlich, unliebsam, unsympathisch, verabscheuenswert, verabscheuungswürdig, verhasst, widerwärtig
Widerlichkeit: Hässlichkeit, Widerwärtigkeit, Widrigkeit
Widerling: Barbar, Ekel, Lump, Scheusal, Schurke, widerliche Person
widernatürlich: abartig, abnorm, anders, fremdartig, normwidrig, pervers, unnatürlich, unüblich
Widerpart: Antipode, Erzfeind, Feind, Gegenpart, Gegenspieler, Gegner, Konkurrent, Kontrahent, Rivale, Todfeind, Widersacher
widerraten: abbringen (von), abmahnen, abraten, abreden, warnen, zu bedenken geben
widerrechtlich: gesetzwidrig, illegal, illegitim, irregulär, kriminell, ordnungswidrig, rechtswidrig, strafbar, sträflich, tabu, unbefugt, unerlaubt, ungesetzlich, unrechtlich, unrechtmäßig, unstatthaft, untersagt, unzulässig, verboten, verfassungswidrig, verpönt, ohne Recht, ohne gesetzliche Grundlage
Widerrede: Anfechtung, Beanstandung, Berufung, Beschwerde, Einspruch, Einwendung, Einwurf, Entgegnung, Gegenargument, Gegenmeinung, Gegenstimme, Klage, Protest, Reklamation, Veto, Widerspruch, Zweifel
widerreden: anfechten, bestreiten, negieren, verneinen, s. verwahren (gegen), für unwahr erklären, für unzutreffend erklären, für unrichtig erklären, für falsch erklären, im Gegensatz sein (zu), in Abrede stellen, nicht gelten lassen
Widerruf: Ableugnung, Absage, Antwort, Berichtigung, Dementi, Gegenerklärung, Rückzug, Sinneswandlung, Sinneswechsel, Zurücknahme, Zurückziehung *Echo, Widerhall
widerrufen: ableugnen, abrücken (von), absagen, abstreiten, antworten, berichtigen, dementieren, revidieren, verleugnen, zurücknehmen, zurückziehen, (wieder) umstoßen, für ungültig erklären, einen Rückzieher machen, rückgängig machen
widerruflich: unverbindlich, nicht fest, nicht feststehend, nicht obligatorisch, nicht verpflichtend
Widersacher: Antipode, Erzfeind, Feind, Gegenpart, Gegenspieler, Gegner, Konkurrent, Kontrahent, Rivale, Todfeind, Widerpart
Widerschein: Abglanz, Gegenschein, Reflexion, Spiegelung
widerscheinen: reflektieren, spiegeln, widerspiegeln, zurückwerfen
widersetzen (s.): s. aufbäumen, aufbegehren, s. auflehnen, s. dagegenstellen, s. dagegenstemmen, s. empören, s. entgegenstellen, s. erheben, opponieren, s. sperren, s. sträuben, trotzen, s. wehren, s. weigern, widerstreben, Widerstand leisten, Umstände machen *aushalten, ausharren, bleiben, durchhalten, widerstehen
widersetzlich: aufmüpfig, aufsässig, bockbeinig, eigensinnig, unbelehrbar, ungehorsam, unnachgiebig, unzugänglich, verschlossen, widerspenstig, zugeknöpft
Widersetzlichkeit: Bockbeinigkeit, Eigensinn, Renitenz, Störrigkeit, Trotz, Widerborstigkeit, Widerspenstigkeit, widersetzliches Verhalten
Widersinn: Absurdität, Narretei, Paradoxie, Sinnlosigkeit, Unlogik, Unsinn
widersinnig: absurd, abwegig, folgewidrig, grotesk, lächerlich, paradox, sinnlos, sinnwidrig, töricht, ungereimt,

unlogisch, unsinnig, unverständlich, vernunftwidrig, verrückt, ohne Sinn und Verstand
widerspenstig: aufmüpfig, aufsässig, bockbeinig, bockig, dickköpfig, dickschädelig, eigensinnig, eisern, fest, finster, halsstarrig, hartgesotten, kompromisslos, kratzbürstig, querköpfig, rechthaberisch, renitent, stachelig, starrköpfig, starrsinnig, steifnackig, störrisch, stur, trotzig, unaufgeschlossen, unbelehrbar, unbequem, unbotmäßig, unerbittlich, unfolgsam, ungehorsam, unnachgiebig, unversöhnlich, unzugänglich, verbohrt, verschlossen, verständnislos, verstockt, widerborstig, widersetzlich, zickig, zugeknöpft
Widerspenstigkeit: Bockbeinigkeit, Eigensinn, Renitenz, Störrigkeit, Trotz, Widerborstigkeit, Widersetzlichkeit
widerspiegeln: reflektieren, spiegeln, widerscheinen, zurückwerfen
widersprechen: anfechten, bestreiten, entgegnen, erwidern, negieren, verneinen, s. verwahren (gegen), widerreden, widerstreiten, für unwahr erklären, für unzutreffend erklären, für unrichtig erklären, für falsch erklären, im Gegensatz sein (zu), in Abrede stellen, nicht gelten lassen *einwenden, protestieren, Protest einlegen *hohnsprechen, im Widerspruch stehen (zu), im Widerspruch sein (zu), ins Gesicht schlagen, nicht übereinstimmen, unvereinbar sein ***s. widersprechen:** s. in Widersprüche verwickeln, das Gegenteil behaupten, unlogisch sein, unstimmig sein, inkonsequent argumentieren
Widerspruch: Einspruch, Einwand, Einwendung, Einwurf, Gegenargument, Gegenmeinung, Protest, Widerrede, Widerstand *Antinomie, Disparität, Gegensätzlichkeit, Gegenteil, Gegenteiligkeit, Kontradiktion, Missverhältnis, Polarisierung, Polarität, Ungleichartigkeit, Unstimmigkeit, Unvereinbarkeit, Widersprüchlichkeit, Widerstreit
widersprüchlich: disparat, entgegengesetzt, gegensätzlich, gegenteilig, kontradiktorisch, konträr, umgekehrt, ungleichartig, unlogisch, unstimmig, unvereinbar, widersinnig, widersprechend, widerspruchsvoll, einander ausschließend, nicht übereinstimmend, nicht vereinbar
widerspruchslos: anstandslos, bedenkenlos, bereitwillig, gern, kurzerhand, natürlich, selbstverständlich, unbedenklich, unbesehen, ungeprüft, mit Vergnügen, ohne Widerspruch, ohne Zögern, ohne Bedenken, ohne weiteres, ohne jede Schwierigkeit
Widerstand: Einwand, Einwurf, Widerspruch *Gegendruck, Gegenkraft, Hemmung, Reibung, Reibungswiderstand *Abneigung, Abwehr, Auflehnung, Gegendruck, Gegenwehr, Gehorsamsverweigerung, Obstruktion, Protest, Renitenz, Resistenz, Verweigerung, Weigerung, Widerborstigkeit, Widersetzlichkeit, Widerspenstigkeit, Widerstreben *Eigensinn, Trotz, Ungehorsam *Opposition, Rebellion, Streik
widerstandsfähig: abgehärtet, beständig, fest, gefeit, gestählt, haltbar, hart, immun, kräftig, resistent, robust, stabil, unempfindlich, zäh
Widerstandsfähigkeit: Abhärtung, Beständigkeit, Festigkeit, Haltbarkeit, Härte, Immunität, Resistenz, Robustheit, Stabilität, Unempfindlichkeit, Zähigkeit
Widerstandskampf: Aufstand, Befreiungskampf, Freiheitskampf, Guerillakampf, Guerillakrieg, Illegalität, Partisanenkampf, Partisanenkrieg, Revolution, Résistance
Widerstandskämpfer: Aufständischer, Freiheitskämpfer, Freischärler, Guerilla, Guerillakämpfer, Illegaler, Partisan, Untergrundkämpfer *Terrorist
Widerstandskraft: Gegendruck, Gegenkraft *Gegenwehr, Opposition, Protest, Trotz, Ungehorsam
widerstandslos: kampflos, ohne sich zu wehren, ohne Gegenwehr, ohne Widerstand
widerstehen: aushalten, ausharren, durchhalten, s. durchsetzen, s. entgegenstellen, opponieren, s. sperren, trotzen, s. widersetzen, Widerstand leisten *aushalten, standhalten, standhaft bleiben *stehen bleiben

widerstreben: anekeln, anwidern, missfallen, zuwider sein, widerlich sein *s. entgegenstellen, opponieren, trotzen, s. widersetzen
widerstrebend: abgeneigt, lustlos, ungern, unlustig, unwillig, widerwillig, mit Todesverachtung, mit Unlust, mit Widerwillen
Widerstreit: Gegensatz, Konflikt, Kontroverse, Protest, Spannung, Streit, Unfriede, Unstimmigkeit, Widerrede, Widerspruch, Zerwürfnis
widerstreiten: anfechten, bestreiten, entgegnen, erwidern, negieren, verneinen, s. verwahren (gegen), widerreden, widersprechen, für unwahr erklären, für unzutreffend erklären, für unrichtig erklären, für falsch erklären, im Gegensatz sein (zu), in Abrede stellen, nicht gelten lassen *s. entgegensetzen, s. entgegenstellen, opponieren, s. sperren, s. sträuben, s. widersetzen
widerwärtig: Abscheu erregend, abscheulich, abschreckend, abstoßend, antipathisch, degoutant, Ekel erregend, ekelhaft, eklig, grässlich, grauenhaft, gräulich, schauderhaft, scheußlich, schleimig, schmierig, übel, unangenehm, unappetitlich, unausstehlich, unbeliebt, unerträglich, unleidlich, unliebsam, unsympathisch, verabscheuenswert, verabscheuungswürdig, verhasst, widerlich, widrig
Widerwärtigkeit: Bitterkeit, Bitternis, Hässlichkeit, Widerlichkeit, Widrigkeit
Widerwillen: Abneigung, Abscheu, Ekel, Ekelgefühl, Lustlosigkeit, Scheu, Überdruss, Unbehagen, Unlust, Unwille, Verdruss
widerwillig: abgeneigt, lustlos, ungern, unlustig, unwillig, widerstrebend, mit Todesverachtung, mit Widerwillen, mit Unlust *abgestoßen, angeekelt, angewidert, voller Ekel
widmen: schenken, verehren, weihen, zudenken, zueignen ***s. widmen:** aufgehen, s. hingeben *s. befassen, beschäftigen, s. zuwenden, arbeiten (an)
Widmung: Dedikation, Schenkung, Weihung, Zueignung *Inschrift
widrig: ekelhaft, leidig, nachteilig, unangenehm, unerfreulich, unerquicklich, unerwünscht *entgegengesetzt, gegensätzlich, gegenteilig, konträr, oppositionell
wie: gleichsam, gleichwie, so, nach Art *wodurch, womit, auf welche Weise, in welcher Art *als, da, nachdem, während, wenn, wo, zu der Zeit ***wie viel:** welche Menge, welche Anzahl, welches Maß
wieder: abermals, erneut, neuerlich, nochmals, wiederholt, wiederum, aufs Neue, noch einmal, wieder einmal, von neuem, von vorn, zum anderen Male, zum zweiten Male ***hin und wieder:** bisweilen, gelegentlich, manchmal, mitunter, okkasionell, selten, sporadisch, stellenweise, streckenweise, vereinzelt, verschiedentlich, zeitweise, zuweilen, zuzeiten, ab und zu, dann und wann, hier und da, von Zeit zu Zeit, ab und an
Wiederaufbau: Aufbau, Neubau, Rekonstruktion, Wiedererrichtung, Wiederherstellung
wiederaufbauen: aufbauen, rekonstruieren, wieder errichten, wiederherstellen
wiederauffrischen: regenerieren, wachrufen, wiederbeleben *auffrischen, reparieren, überstreichen
wiederaufnehmen: aufrollen, zum zweiten Male behandeln
wiederbekommen: herausbekommen, wiedererhalten, wiedererlangen, zurückbekommen, zurückerhalten, zurückerlangen
wiederbeleben: auffrischen, erneuern, neu machen, neu gestalten *wieder ins Leben zurückrufen
Wiederbelebung: Erneuerung, Regenerierung, Wiederherstellung *Neubelebung, Renaissance, Wiedergeburt *Reanimation
wiedererinnern (s.): aktivieren, auffrischen, s. besinnen (auf), einfallen, s. entsinnen, s. erinnern, wieder einfallen, wiedererkennen, wiedererwachen, zurückblicken, zurückdenken, s. zurückerinnern, zurückschauen, eingedenk sein, erinnerlich sein, unvergesslich sein, lebendig sein, gegenwärtig sein, präsent sein, nicht vergessen, Rückschau halten
wiedererkennen: bestimmen, erken-

nen, feststellen, identifizieren, vermerken *aktivieren, auffrischen, s. besinnen (auf), einfallen, s. entsinnen, s. erinnern, s. merken, wieder einfallen, s. wiedererinnern, wiedererwachen, zurückblicken, zurückdenken, s. zurückerinnern, zurückschauen, eingedenk sein, erinnerlich sein, unvergesslich sein, lebendig sein, gegenwärtig sein, präsent sein, nicht vergessen, Rückschau halten
wiedererstatten: ausgleichen, begleichen, entschädigen, rückvergüten, wiedergeben, zurückerstatten, zurückgeben, zurückzahlen, Schulden begleichen, Schulden tilgen
wiedererzählen: artikulieren, äußern, ausplappern, ausplaudern, ausposaunen, ausquasseln, austrompeten, bekannt geben, darstellen, hinterbringen, informieren, mitteilen, preisgeben, sagen, schwätzen, verkünden, verkündigen, verplappern, verplaudern, verraten, weitererzählen, weitersagen, zutragen *nacherzählen, referieren, wiedergeben, wiederholen
Wiedergabe: Darstellung, Kopie, Nachbildung, Reproduktion, Vervielfältigung
wiedergeben: abbilden, kopieren, nachbilden, reproduzieren, vervielfältigen *besprechen, darlegen, eine Darstellung geben *darstellen, nachahmen, spielen, verkörpern *berichten, beschreiben, darlegen, nacherzählen, referieren, vorlesen, Bericht erstatten, den Sinn wiedergeben, etwas vortragen *spiegeln, ein Abbild zeigen *wiederbringen, zurückbringen, zurückgeben
Wiedergeburt: Erneuerung, Neubelebung, Reinkarnisation, Renaissance, das Wiederaufleben, Wiederbelebung
wieder gutmachen: abfinden, entschädigen, ersetzen, rückvergüten, Schadenersatz leisten *bereinigen, berichtigen, klären, klarstellen *büßen, sühnen, wettmachen
Wiedergutmachung: Abfindung, Ausgleich, Entschädigung, Ersatz, Rückerstattung, Schadenersatz *Buße, Genugtuung, Strafe, Sühne
wiederhergestellt: geheilt, genesen, gesundet *repariert, restauriert
wiederherstellbar: erneuerbar, rekonstruierbar, restaurierbar *heilbar
wiederherstellen: erneuern, rekonstruieren, renovieren, reparieren, restaurieren, wieder aufbauen, wieder herrichten *heilen, gesund machen
Wiederherstellung: Erneuerung, Rekonstruierung, Rekonstruktion, Renovierung, Reparatur, Restauration, Restaurierung, Wiederaufbau *Genesung, Gesundung, Heilung
wiederholen: erneuern, rekapitulieren, repetieren, wiederkäuen, nochmals sagen, nochmals tun, von vorn anfangen, wieder tun ***s. wiederholen:** wiederkehren, wiederkommen, immer wieder geschehen, wiederum vorkommen
wiederholt: abermalig, häufig, mehrfach, mehrmalig, mehrmals, vielfach, vielmalig, vielmals, wiederkehrend, einige Mal, einmal mehr, ein paar Mal, ein um das andere Mal, etliche Mal, immer wieder, viele Male
Wiederholung: Anhäufung, Häufung *Erneuerung, Rekapitulation, Repetition, Wiederkehr *Reprise
Wiederkehr: Heimkehr, Rückfahrt, Rückkehr, Rückkunft, Wiederkunft *Erneuerung, Rekapitulation, Repetition, Wiederholung
wiederkehren: heimfinden, heimkehren, heimkommen, umkehren, zurückfinden, zurückkommen *s. wiederholen, wiederkommen, (immer) wieder geschehen, (immer) wieder eintreten
wiederkehrend: abermalig, abermals, einige Mal, jährlich, mehrmals, monatlich, stündlich, täglich, wieder, wiederholt, wiederum, wöchentlich, immer wieder, jahraus, jahrein, zum hundertsten Male, noch einmal, noch zweimal, jeden Tag, Tag für Tag, wieder und wieder
wiedersehen: begegnen, zusammenkommen, zusammentreffen ***s. wiedersehen:** s. begegnen, s. sehen, s. treffen
Wiedersehen: Beisammensein, Meeting, Treffen, (erneute) Begegnung ***auf Wiedersehen!:** ade!, adieu!, servus!, lebe wohl!, bis bald!, bis zum nächsten Mal! ***auf Wiedersehen sagen:** s. empfehlen, fortgehen, scheiden, s. trennen, s. verab-

schieden, Abschied nehmen, Lebewohl sagen, jmdn. verlassen
wiederum: abermals, erneut, neuerlich, nochmals, wieder, wiederholt, aufs Neue, noch einmal, wieder einmal, von neuem, von vorn, zum anderen Male, zum zweiten Male *dagegen, dementgegen, hiergegen, hingegen, indes, indessen
Wiege: Babybett, Kinderbett, Kinderwiege *Ausgangspunkt, Quelle, Urquell, Ursprung, Wurzel
wiegen: schaukeln, schwingen, wippen *schneiden, zerkleinern *abwiegen, auswiegen, einwiegen, messen ***s. wiegen:** sein Gewicht kontrollieren, sein Gewicht überprüfen *ausschlagen, flattern, pendeln, schaukeln, schlendern, schwingen, wackeln, wippen, wogen
Wiegenfest: Ehrentag, Geburtstag
Wiegenlied: Eiapopeia, Schlaflied, Schlummerlied
wiehern: lachen, losbrüllen, s. vor Lachen ausschütten, einen Lachanfall bekommen, einen Lachkrampf bekommen, hellauf lachen, in Lachen ausbrechen, in Gelächter ausbrechen, Tränen lachen, schallend lachen, aus vollem Halse lachen
Wiese: Gras, Grasfläche, Grasteppich, Rasen, Wiesenfläche, Wiesenstück
wieso: inwiefern, warum, weshalb, weswegen, wozu, aus welchem Grund, mit welcher Begründung
wieweit: bis zu welchem Grad, bis zu welchem Maß
wiewohl: obgleich, obschon, obwohl, obzwar, trotzdem, wenngleich, wennschon, wenn auch, ob (auch)
wild: furios, primitiv, ungebändigt, ungezähmt, unzivilisiert, wild wachsend, wölfisch, in der freien Natur wachsend, in der freien Natur lebend *aufgeregt, erregt, gereizt, heftig, hektisch, hitzig, impulsiv, lebhaft, turbulent, wirbelnd *natürlich *aufbrausend, heißblütig, hemmungslos, hitzig, leidenschaftlich, rasend, stürmisch, temperamentvoll, unbändig, ungebärdig, ungezügelt *chaotisch, durcheinander, turbulent, unordentlich, unüberschaubar, wirr *übermütig *öde, pfadlos, unbetretbar, unpassierbar, unwegsam, unzugänglich, weglos
Wildbach: Wildwasser
Wildbahn: Jagdgebiet, Jagdrevier
Wilddieb: Jagdfrevler, Raubschütz, Wilderer, Wildfrevler, Wildschütz
Wilddieberei: Jagdfrevel, Jagdvergehen, Wilderei
Wilder: Kannibale, Unmensch, roher Mensch, ungesitteter Mensch
Wilderer: Jagdfrevler, Raubschütz, Wilddieb, Wildfrevler, Wildschütz
wildern: fangen, dem Wild nachstellen *ohne Berechtigung jagen
Wildfang: Flegel, Fratz, Frechdachs, Range
wildfremd: (völlig) fremd, (völlig) unbekannt, nicht vertraut
Wildheit: Raserei, Tobsucht, Wut *das Wildsein
Wildhüter: Jäger, Weidmann
Wildnis: Abgeschiedenheit, Einöde, Öde, Ödland, Wüste, unbewohnte Gegend, einsame Gegend, wilde Gegend, Land im Naturzustand
Wildschwein: Bache *Frischling *Keiler
Wildwestfilm: Cowboyfilm, Western
Wille: Entschlusskraft, Tatkraft, Willenskraft, festes Wollen *Ausdauer, Beharrlichkeit, Beständigkeit, Unnachgiebigkeit, Zähigkeit *Absicht, Bestreben, Entschluss, Plan, Vorhaben, Vorsatz, Wollen, Wunsch ***letzter Wille:** Testament, letztwillige Verfügung *Patiententestament, Patientenverfügung
willenlos: beugsam, energielos, gutmütig, haltlos, nachgiebig, sanft, sanftmütig, schwach, weich, weichlich, widerstandslos, willensschwach, ohne Widerstand
Willenlosigkeit: Gutmütigkeit, Schwäche, Weichheit, Widerstandslosigkeit, Willensschwäche
willens: bereit, entschlossen, gesonnen, gewillt, willig
Willensfreiheit: Belieben, Gutdünken, Handlungsfreiheit, Selbstbestimmungsrecht
Willenskraft: Entschlusskraft, Tatkraft, Wille, festes Wollen
willensschwach: energielos, haltlos, nachgiebig, weich, willenlos

willensstark: energisch, entschlossen, konsequent, resolut, tatkräftig, unbeirrt, zielbewusst, zielsicher, zielstrebig, zupackend
willentlich: absichtlich, absichtsvoll, beabsichtigt, beflissen, beflissentlich, bewusst, gewollt, intentional, intentionell, vorsätzlich, wissentlich, wohlweislich, erst recht, mit Absicht, mit Bedacht, bei Bewusstsein, mit Willen, mit Fleiß, nun gerade, zum Trotz
willfahren: erhören, gewähren, nachgeben, tolerieren, zulassen
willig: bereit, entschlossen, geneigt, gesonnen, gewillt, willens *anständig, artig, botmäßig, brav, ergeben, folgsam, fügsam, gefügig, gehorsam, lenkbar, lieb, manierlich, willfährig, wohl erzogen, zahm
willkommen: genehm, angenehm, erwünscht, geeignet, gelegen, gern gesehen, günstig, passend ***willkommen heißen:** begrüßen, empfangen, grüßen, salutieren
Willkür: Belieben, Ermessen, Laune *Brutalität, Eigenwilligkeit, Herrschsucht, Rücksichtslosigkeit, Selbstsucht, Unbarmherzigkeit
willkürlich: beliebig, wahllos, nach Belieben, nach Gutdünken, so oder so *eigenmächtig, selbständig, unberechtigt, unerlaubt, nach eigenem Belieben, nach eigenem Gutdünken
wimmeln: s. drängen, krabbeln, kribbeln, schwärmen *s. ansammeln, s. ballen, s. häufen, überhand nehmen, voll sein
wimmern: klagen, wehklagen, jammern, knatschen, quäken, stöhnen, winseln *beklagen, heulen, lamentieren, schluchzen, weinen (um), Tränen vergießen
Wind: Bö, Brise, Luft, Lüftchen, Lufthauch, Luftstrom, Luftzug, Windhauch, Windstoß, Zugluft *Hurrikan, Orkan, Sturmwind, Taifun, Tornado, Wirbelwind
Windbluse: Anorak, Blouson, Parka, Windjacke
winden: binden, zusammenbinden, zusammenfügen *entreißen, entwinden, aus der Hand ringen ***s. winden:** s. in Kurven bewegen, s. schlängeln *emporranken, klettern, ranken, s. schlingen *s. hin und her werfen, s. krümmen *ausweichen, s. drehen und wenden, hinhalten, s. nicht festlegen, offen lassen, umgehen, zögern, Ausflüchte machen, einen Ausweg suchen
Windhose: Trombe, Wasserhose, Wettersäule, Wirbelwind
windig: auffrischend, bewegt, böig, frisch, lind, luftig, steif, stürmisch, zugig
Windschattenseite: Lee, Leeseite, dem Wind abgekehrte Seite
windschief: abfallend, abschüssig, geneigt, krumm, schief, schräg, s. senkend, nicht gerade
Windseite: Luv, Luvseite, Ruderseite, dem Wind zugewandte Seite
windstill: geschützt, ruhig, still, windgeschützt
Windstille: Flaute, Kalme, Ruhe, Stille
Windung: Biegung, Kehre, Krümmung, Serpentine, Spirale
Wink: Andeutung, Anspielung, Bemerkung, Fingerzeig, Hinweis, Tipp *Erkennungszeichen, Merkmal, Signal, Symbol, Zeichen
Winkel: Ecke *Bereich, Gebiet, Gegend
Winkeleisen: Winkelband
winkelig: eckig, verwinkelt *unüberschaubar, unübersichtlich
Winkelmesser: Quadrant, Sextant
Winkelzug: Alibi, Ausflucht, Ausrede, Ausweg, Entschuldigung, Flucht, Kniff, Lüge, Notlüge, Rückzieher, Rückzug, Täuschung, Trick, Unwahrheit, Verlegenheitslüge, Vorwand *Aktion, Handlungsweise, List, Manöver, Schachzug, Schlauheit, Schritt, Taktik, Trick, Vorgehen
winkeln: abbiegen, knicken, krümmen
winken: schwenken, wedeln, zuwinken *s. bemerkbar machen, blinken, signalisieren, Signal geben, Zeichen geben *bevorstehen, zu erwarten sein
Winker: Blinker, Blinkleuchte, Fahrtrichtungsanzeiger, Richtungsanzeiger
winseln: klagen, wehklagen, jammern, knatschen, lamentieren, quäken, schluchzen, stöhnen, weinen, wimmern
Winter: Winterszeit, kalte Jahreszeit
Winterkälte: Frost, Kälte, Temperatur

unter dem Gefrierpunkt, Temperatur unter Null
winterlich: abgekühlt, arktisch, ausgekühlt, bitterkalt, eiskalt, eisigkalt, eisig, frisch, frostig, frostklirrend, kalt, kühl, polar, sibirisch, unterkühlt *verschneit, zugeschneit
Winterreifen: Haftreifen, M-und-S-Reifen, Matsch-und-Schnee-Reifen, Schneereifen, Spikereifen
Winterschlussverkauf: Ausverkauf, Räumungsverkauf, Schlussverkauf
Winzer: Häcker, Weinbauer, Weingärtner
winzig: klein, zierlich, von geringem Ausmaß
Wipfel: Baumkrone, Baumspitze, Baumwipfel, Blätterkrone, Krone, Spitze
Wippe: Schaukel
wippen: pendeln, schaukeln, schwingen, wiegen
Wirbel: Sog, Strudel *Aufruhr, Betrieb, Durcheinander, Erregung, Gedränge, Getümmel, Gewimmel, Unruhe, Hin und Her
wirbeln: s. drehen, kreiseln, quirlen, schwirren, strudeln *fliegen, stieben, wehen *pauken, trommeln, die Trommel rühren, die Trommel schlagen, die Pauke schlagen
Wirbelsäule: Rückgrat, Stütze
Wirbelsturm: Blizzard, Hurrikan, Sturm, Taifun, Tornado, Windhose, Wirbelwind, Zyklon
Wirbeltier: Schädeltier, Vertebrat
Wirbelwind: Hurrikan, Taifun, Tornado, Windhose, Zyklon *Unruhegeist, Zappelphilipp
wirken: amtieren, arbeiten, tun, tätig sein *beeindrucken, bewirken, seine Wirkung tun, seine Wirkung zeigen, wirksam werden, zur Geltung kommen
wirklich: dinglich, echt, existent, fassbar, gegenständlich, greifbar, körperlich, materiell, real, richtig, seiend, stofflich, substanziell, tatsächlich, wahr, wahrhaftig, in der Tat, in facto ***wirklich?:** tatsächlich?, in der Tat?, stimmt das?, war das so?, ist das so gewesen?
Wirklichkeit: Gewissheit, Richtigkeit, Tatsächlichkeit, Wahrheit *Leben, Materie, Praxis, Realität, Sachverhalt, Tatsache, tatsächliche Lage
wirklichkeitsfremd: idealistisch, lebensfern, lebensfremd, unrealistisch, utopisch, versponnen, verstiegen, verträumt, weltabgewandt, weltentrückt, weltfern, weltfremd, wirklichkeitsfern
wirklichkeitsnah: lebensnah, real, realistisch, wahrheitsgetreu, wirklichkeitsgetreu *durchführbar, machbar, realisierbar, zu machen
Wirklichkeitstreue: Realismus, Sachlichkeit, Wirklichkeitssinn
wirksam: fruchtbar, konstruktiv, nützlich, tauglich *anziehend, attraktiv, reißerisch, schlagkräftig, wirkungsvoll, zugkräftig *drastisch, durchgreifend, durchschlagend, effektiv, massiv, nachdrücklich
Wirksamkeit: Durchschlagskraft, Effekt, Schlagkraft, Stoßkraft, Wirkung, Zugkraft
Wirkstoff: Extrakt, Substanz *Hormon *Ferment *Vitamin
Wirkung: Einfluss, Einwirkung, Geltung, Gewicht *Effekt, Wirksamkeit *Anziehungskraft, Reiz, Verlockung, Versuchung *Auswirkung, Ergebnis, Folge, Resultat *Reaktion
Wirkungsbereich: Aktionsbereich, Einflussbereich, Einflusszone, Einwirkungsbereich, Geltungsbereich, Herrschaftsbereich, Interessensphäre, Machtbereich
wirkungslos: erfolglos, ergebnislos, unwirksam, zwecklos *effektlos, ineffektiv, uneffektiv
wirkungsvoll: dekorativ, effektiv, effektvoll, effizient, eindrucksvoll, entscheidend, farbig, nachhaltig, repräsentabel, repräsentativ, unvergesslich, wirksam, wirkungsreich
wirr: abstrus, chaotisch, durcheinander, ungeordnet, unübersichtlich *strubbelig, verheddert, verschlungen, verwickelt, verworren, zerzaust *konfus, konsterniert, kopflos, verstört, verwirrt
Wirren: Aufruhr, Aufstand, Ausschreitung, Durcheinander, Empörung, Krawall, Revolution, Tumult, Unruhen
Wirrkopf: Chaot, Hitzkopf, Spinner
Wirrwarr: Chaos, Durcheinander, Kon-

fusion, Liederlichkeit, Nachlässigkeit, Regellosigkeit, Schlamperei, Unordnung, Wirrnis
Wirt: Gastwirt, Kneipenwirt, Schenkwirt, Wirtshausbesitzer *Gastronom
Wirtschaft: Geschäftsleben, Gewerbe, Volkswirtschaft, Wirtschaftsleben *Gasthaus, Gasthof, Gaststätte, Kneipe, Lokal, Restaurant, Schenke, Wirtshaus, Wirtsstube *Bauernhof, Gehöft, Gut, Hof, Landwirtschaft *Misswirtschaft, Schlamperei, Schlendrian, Unordnung
wirtschaften: haushalten, sparen, Geld zusammenhalten *arbeiten, schaffen, werken *bewirtschaften, leiten, verwalten
Wirtschafter: Haushälter, Verwalter
Wirtschafterin: Hausangestellte, Hausdame, Haushälterin
wirtschaftlich: geschäftlich, haushälterisch, kaufmännisch, kommerziell, ökonomisch, rentabel, sparsam, volkswirtschaftlich
Wirtschaftlichkeit: Ökonomie, Rentabilität, Sparsamkeit
Wirtschaftsabkommen: Handelsabkommen, Handelsvertrag, Warenabkommen, Zahlungsabkommen
Wirtschaftsbeziehungen: Handel, Handelsbeziehungen, Warentausch, Warenverkehr
Wirtschaftskrise: Börsenkrach, Börsenkrise, Krise
Wirtschaftsleben: Geschäftsleben, Gewerbe, Volkswirtschaft, Wirtschaft
Wirtschaftsprüfer: Bilanzprüfer, Buchprüfer, Prüfer, Steuerberater, Steuerprüfer
Wirtschaftswissenschaft: Betriebswirtschaft, Volkswirtschaft
Wirtschaftswissenschaftler: Betriebswirtschaftler, Ökonom, Volkswirtschaftler, Wirtschaftler
Wirtshaus: Gasthaus, Gasthof, Gaststätte, Kneipe, Lokal, Restaurant, Schenke, Wirtsstube
wischen: fegen, putzen, reinigen, sauber machen, scheuern, schrubben ***eine wischen:** ohrfeigen, schlagen, eine Ohrfeige geben
Wischiwaschi: Geleier, Gerede, Geschwätz, dummes Zeug
wispern: fispern, flüstern, hauchen, murmeln, raunen, säuseln, tuscheln, wispeln
Wissbegier: Forschergeist, Forschungseifer, Forschungstrieb, Interesse, Lernbegierde, Lerneifer, Wissbegierde, Wissensdrang, Wissensdurst
wissbegierig: bildungsbeflissen, bildungseifrig, bildungshungrig, erkenntnishungrig, interessiert, lernbeflissen, lernbegierig, lerneifrig, neugierig, unersättlich, wissensdurstig, voller Wissbegierde, voller Lerneifer
wissen: s. im Klaren sein, s. sicher sein, sichergehen, nicht verborgen sein *s. auskennen, beherrschen, erfahren, kennen, Kenntnis haben (von), überblicken, überschauen, s. zurechtfinden, Bescheid wissen, eingeweiht sein *s. erinnern, nicht vergessen, noch wissen, wieder einfallen ***wissen lassen:** bekannt geben, bekannt machen, benachrichtigen, berichten, eröffnen, erzählen, hinweisen (auf), informieren, kundgeben, kundmachen, kundtun, melden, mitteilen, sagen, übermitteln, unterbreiten, unterrichten, vermitteln, verständigen, aufmerksam machen, Bericht geben, Bericht erstatten, Bescheid geben, Auskunft geben, Nachricht geben, eine Meldung machen, eine Mitteilung machen
Wissen: Gewissheit, Sicherheit, Überzeugung *Beschlagenheit, Bildung, Einblick, Einsicht, Erfahrung, Erkenntnis, Faktenwissen, Gelehrsamkeit, Gelehrtheit, Kenntnis, Know-how, Können, Lebenserfahrung, Menschenkenntnis, Praxis, Reife, Routine, Überblick, Weisheit, Weitblick, Weitsicht, Weltgewandtheit, Weltkenntnis
wissend: allwissend, aufgeklärt, bekannt (mit), eingeweiht, erfahren, informiert, weise, gut unterrichtet *verständnisvoll, verstehend
Wissenschaft: Forschung, Geisteswelt, Lehre
Wissenschaftler: Akademiker, Forscher, Geistesarbeiter, Geistesschaffender, Gelehrter, Intellektueller
wissenschaftlich: akademisch, fachwissenschaftlich, gelehrt
Wissensdurst: Interesse, Lernbegierde,

Lerneifer, Wissbegier, Wissbegierde, Wissensdrang
wissensdurstig: interessiert, lernbegierig, lerneifrig, wissbegierig
Wissensgebiet: Berufszweig, Branche, Fach, Gebiet, Sachgebiet, Sparte, Spezialgebiet, Zweig
Wissensstoff: Lernstoff, Schulkenntnisse, Schulwissen
wissenswert: aufschlussreich, bemerkenswert, instruktiv, interessant, lehrreich, nutzbringend, nützlich
wissentlich: absichtlich, absichtsvoll, beabsichtigt, bewusst, bezweckt, geflissentlich, geplant, gewollt, mutwillig, vorbedacht, willentlich
wittern: riechen, schnüffeln, schnuppern, winden, Geruch wahrnehmen, Wind prüfen *fühlen, merken, spüren
Witterung: Klima, Wetter, Wetterlage
Witterungsumschlag: Umschlag, Umschwung, Wetteränderung, Wettersturz, Wetterumbruch, Wetterumschlag, Wetterumschwung
Witz: Humor, Scherz, Spaß *Geist, Mutterwitz, Schlagfertigkeit, Witzigkeit
Witzbold: Clown, Humorist, Kasper, Narr, Schelm, Spaßmacher, Spaßvogel
Witzelei: Clownerie, Jux, Spaß, Ulk
witzeln: scherzen, spaßen, Spaß machen, Witze machen *höhnen, mokieren, spotten, verspotten
witzig: humoristisch, ironisch, lustig, scherzhaft, spaßhaft, spaßig, spitz *anregend, einfallsreich, erfinderisch, erfindungsreich, geistreich, geistvoll, genial, ideenreich, ideenvoll, kreativ, originell, produktiv, schlagfertig, spritzig, sprühend, unterhaltsam
witzlos: leer, inhaltsleer, abgegriffen, abgeschmackt, alltäglich, banal, billig, dumpf, einfallslos, fad, fade, flach, gehaltlos, geistlos, geisttötend, gewöhnlich, hohl, ideenlos, mechanisch, nichts sagend, nüchtern, oberflächlich, phrasenhaft, platt, schal, seicht, stereotyp, stumpfsinnig, stupid, stupide, substanzlos, trivial, trocken, unbedeutend, verbraucht, ohne Tiefe, ohne Gehalt
Witzlosigkeit: Fadheit, Plattheit, Schalheit, Stumpfheit
wo?: an welchem Ort?, an welcher Stelle?
Wochenendhaus: Bungalow, Ferienhaus, Landhaus, Landsitz, Sommerhaus
Wochentag: Alltag, Arbeitstag, Werktag
wochentags: alltags, werktags, in der Woche, unter der Woche
wöchentlich: allwöchentlich, jede Woche
wofür: inwiefern, warum, weshalb, weswegen, wieso, wozu, aus welchem Grund
Woge: Brecher, Welle *Brandung, Dünung, Seegang, Wellenschlag
wogen: branden, s. brechen *s. ergießen, fluten, strömen
woher?: von welcher Stelle?, von wo?, aus welchem Ort?
wohin?: in welche Richtung?, an welchen Ort?, an wen?
wohl: blühend, frisch, gesund, gut, munter, strotzend, wohlauf, auf dem Posten, auf der Höhe, in bester Verfassung *freilich, selbstverständlich, sicher *vielleicht, wahrscheinlich ***wohl bedacht:** absichtlich, beabsichtigt, bewusst, gewollt, wohl überlegt *ausgearbeitet, ausgereift, ausgewogen, durchdacht, überlegt ***wohl artikuliert:** verständlich, verstehbar, deutlich vernehmbar, gut zu hören, gut zu verstehen ***wohl bekannt:** bedeutend, bekannt, berühmt *familiär, heimisch, intim, leger, locker, persönlich, unverkrampft, vertraut, zwanglos ***wohl geordnet:** akkurat, aufgeräumt, diszipliniert, geordnet, gepflegt, korrekt, präzis, sauber, sorgfältig, sorgsam, tadellos, untadelig, in Ordnung, mit Sorgfalt ***wohl tun:** dienen, gut tun, helfen ***wohl überlegt:** absichtlich, beabsichtigt, bedacht, bewusst, durchdacht, gewollt, vorbedacht, wohl bedacht, wohl erwogen, wohlweislich, mit Vorbedacht, mit Bedacht *ausgearbeitet, ausgereift, ausgewogen, durchdacht, überlegt ***wohl wollen:** abgewinnen, bevorzugen, lieb haben, sympathisieren (mit), angetan sein, eingenommen sein, Gefallen finden, Gefallen haben
Wohl: Frische, Gesundheit, Rüstigkeit, Wohlbefinden, Wohlergehen, gute Verfassung *Glück, Glücksfall, Glückssache, Heil, Segen
wohlan!: auf!, los!, wohlauf!

wohlauf: frisch, gesund, munter, rüstig
wohlauf!: auf!, los!, wohlan!
Wohlbefinden: Frische, Gesundheit, Rüstigkeit, Wellness, Wohl, Wohlergehen, gute Kondition, gute Verfassung
Wohlbehagen: Ausgeglichenheit, Behagen, Genugtuung, Gleichgewicht, Seelenfrieden, Wohlgefallen, Wohlgefühl, Zufriedenheit
wohlbehalten: gesund, heil, unverletzt, unversehrt, wohl, wohlauf, ohne Unfall, ohne Verletzung
wohlbeleibt: aufgedunsen, breit, dickleibig, dicklich, dickwanstig, drall, feist, fett, fettleibig, fleischig, füllig, gemästet, gewaltig, korpulent, kugelrund, massig, mollig, pausbäckig, plump, pummelig, rund, rundlich, stämmig, stark, stramm, umfangreich, unförmig, üppig, vierschrötig, vollschlank, wohlgenährt
Wohlergehen: Heil, Wohlbefinden, Wohlfahrt, Wohlsein
wohlerzogen: anständig, artig, brav, charakterfest, fair, gesellschaftsfähig, gesittet, höflich, korrekt, lauter, manierlich, ordentlich, rechtschaffen, redlich, salonfähig, schicklich, sittsam, tugendhaft, zuverlässig *ansprechbar, aufgeschlossen, empfänglich, interessiert *entgegenkommend, freundlich, herzlich, liebenswürdig, wohlwollend *aufrichtig, ehrlich, geradlinig, wahr, wahrhaftig, zuverlässig
Wohlfahrt: Heil, Wohlbefinden, Wohlsein *Fürsorge, Fürsorglichkeit, Sozialfürsorge, Versorgung
wohlfeil: billig, erschwinglich, günstig, herabgesetzt, preisgünstig, preiswert, spottbillig, für ein Butterbrot, (weit) unter dem Preis, zum halben Preis, fast umsonst, halb geschenkt, nicht teuer
Wohlgefallen: Behagen, Genugtuung, Wohlbehagen, Wohlgefühl, Zufriedenheit *Begeisterung, Freude, Hochgefühl, Stimmung
wohlgefällig: angenehm, annehmlich, ansprechend, gewinnend, sympathisch, zusagend
Wohlgefühl: Ausgeglichenheit, Behagen, Genugtuung, Gleichgewicht, Seelenfrieden, Wohlbehagen, Wohlgefallen, Zufriedenheit
wohlgelaunt: aufgekratzt, erfreut, freudestrahlend, freudig, froh, frohgemut, frohgestimmt, fröhlich, gut gelaunt, heiter, lebensfroh, lustig, munter, strahlend, vergnüglich, vergnügt, wohlgemut, zufrieden
wohlgelitten: geschätzt, hochgeschätzt, anerkannt, angebetet, angesehen, begehrt, bekannt, beliebt, berühmt, bewundert, geachtet, geehrt, gefeiert, geliebt, populär, renommiert, umschwärmt, verdient, verehrt, vergöttert, volkstümlich
wohlgemut: selig, glückselig, beschwingt, erfreut, fidel, freudestrahlend, freudvoll, froh, frohgemut, fröhlich, frohmütig, glücklich, gut gelaunt, heiter, munter, optimistisch, sonnig, ungetrübt, vergnügt, wohlgefällig, zufrieden, in froher Stimmung, voll Freude
wohlgenährt: dick, fett, füllig, korpulent, massig, rund, stämmig
wohlgeraten: anständig, artig, brav, charakterfest, fair, gesittet, höflich, korrekt, lauter, manierlich, ordentlich, rechtschaffen, redlich, schicklich, sittsam, tugendhaft, wohlerzogen, zuverlässig
Wohlgeruch: Duft, Geruch, Odeur
wohlgesinnt: geneigt, zugeneigt, freund, gewogen, gnädig, gönnerhaft, günstig, gut gesinnt, hold, huldreich, huldvoll, jovial, leutselig, wohlmeinend, wohlwollend, zugetan, freundlich gesinnt
wohlgestaltet: ebenmäßig, regelmäßig, wohlgebaut, wohlproportioniert
wohlhabend: begütert, bemittelt, finanzkräftig, finanzstark, gut situiert, kapitalkräftig, reich, steinreich, vermögend, wohlsituiert, nicht arm
Wohlhabenheit: Geld, Reichtum, Vermögen, Wohlstand
wohlig: angenehm, annehmlich, erfreulich, erfrischend, erquicklich, gut, willkommen, wohltuend *gemütlich, heimelig, warm
Wohlklang: Euphonie, Wohllaut, Zusammenklang
wohlklingend: euphonisch, klangvoll, wohllautend, wohltönend
wohlmeinend: geneigt, zugeneigt, freund, gewogen, gnädig, gönnerhaft, günstig,

gut gesinnt, hold, huldreich, huldvoll, jovial, leutselig, wohlgesinnt, wohlwollend, zugetan, freundlich gesinnt
wohlproportioniert: ebenmäßig, regelmäßig, wohlgebaut, wohlgestaltet
wohlriechend: aromatisch, ätherisch, duftend, gutriechend, parfümiert
wohlschmeckend: appetitlich, aromatisch, delikat, fein, geschmackvoll, gut, köstlich, pikant, schmackhaft, vorzüglich, gut gewürzt
Wohlsein: Heil, Luxus, Mittel, Prosperität, Reichtum, Schätze, Überfluss, Vermögen, Wohlbefinden, Wohlergehen, Wohlfahrt, Wohlleben
Wohlstand: Besitztum, Geld, Güter, Kapital, Prosperität
Wohlstandsgesellschaft: Konsumgesellschaft, Überflussgesellschaft, Wegwerfgesellschaft
Wohltat: Auffrischung, Aufheiterung, Aufrichtung, Balsam, Beruhigung, Labsal, Stärkung, Trost, Tröstung, Zuspruch *Auffrischung, Erfrischung, Erquickung, Labsal, Labung
Wohltäter: Förderer, Geber, Geldgeber, Gönner, Mäzen, Protektor, Spender, Sponsor, Stifter
wohltätig: edel, gutartig, gutherzig, gütig, gutmütig, herzensgut, hilfsbereit, human, humanitär, karitativ, lieb, liebenswert, mildtätig, mitfühlend, nobel, selbstlos, uneigennützig, wertvoll
Wohltätigkeit: Edelmut, Gutartigkeit, Güte, Gutherzigkeit, Gutmütigkeit, Herzensgüte, Hilfsbereitschaft, Humanität, Mildtätigkeit, Selbstlosigkeit, Uneigennutz
wohltönend: einschmeichelnd, harmonisch, klangvoll, melodisch, sonor, weich, wohlklingend, wohllautend, zart
wohltuend: angenehm, annehmlich, erfreulich, erfrischend, erquicklich, freudenreich, gut, herzerfrischend, willkommen, wohlig
wohlweislich: absichtlich, beabsichtigt, bedacht, bewusst, durchdacht, gewollt, wohl bedacht, wohl erwogen, wohl überlegt, mit Vorbedacht, mit Bedacht
Wohlwollen: Geneigtheit, Gewogenheit, Gunst, Huld, Jovialität, Liebenswürdigkeit, Sympathie, Zuneigung, Zuwendung *Güte, Liebe
wohlwollend: geneigt, zugeneigt, entgegenkommend, freundlich, freundschaftlich, gewogen, gönnerhaft, gut gemeint, gut gesinnt, hilfreich, jovial, wohlgesinnt, wohlmeinend, zugetan
Wohnanhänger: Campinganhänger, Caravan, Klappcaravan, Mobilheim, Reisewohnwagen, Standwohnwagen, Wohnmobil, Wohnwagen
Wohnblock: Block, Gebäudekomplex, Häuserblock, Häuserviertel
wohnen: s. aufhalten, bewohnen, s. einmieten, s. einquartieren, s. einrichten, einwohnen, hausen, leben, mieten, residieren, übernachten, unterbringen, weilen, zubringen, seinen Wohnort haben, seinen Wohnsitz haben, seine Wohnung haben, wohnhaft sein, ansässig sein, daheim sein, beheimatet sein
Wohngemeinschaft: Kommune, WG, Wohngruppe
wohnhaft: alteingesessen, ansässig, beheimatet, ortsansässig, ortsfest, sesshaft
Wohnhaus: Anwesen, Bau, Bauwerk, Gebäude, Haus
wohnlich: behaglich, gemütlich, heimelig
Wohnort: Aufenthalt, Aufenthaltsort, Domizil, Heimat, Heimatort, Ort, Ortschaft, Sitz, Stadt, Standort, Standquartier, Wohnsitz, Wohnstatt, Wohnung
Wohnsitz: Adresse, Anschrift, Aufenthalt, Aufenthaltsort, Behausung, Domizil, Heim, Sitz, Unterkunft, Wohnung, Zuhause
Wohnung: Aufenthalt, Aufenthaltsort, Domizil, Heimat, Heimatort, Ort, Ortschaft, Quartier, Sitz, Stadt, Standort, Standquartier, Unterkunft, Wohnsitz, Wohnstatt *Haus, Heim
Wohnungsangabe: Adresse, Anschrift, Aufenthalt, Sitz, Zuhause
Wohnungseinrichtung: Ausgestaltung, Ausstattung, Einrichtung, Interieur, Möbel, Mobiliar
wohnungslos: heimlos, obdachlos, ohne Bleibe
Wohnungswechsel: Übersiedlung, Umzug

Wohnwagen: Campinganhänger, Caravan, Klappcaravan, Mobilheim, Reisewohnwagen, Standwohnwagen, Wohnanhänger, Wohnmobil
Wohnzimmer: Herrenzimmer, Salon, Wohnraum, Wohnstube, gute Stube
wölben: anschwellen, ausbuchten, schwellen, leicht runden *__s. wölben:__ s. ausbauchen, s. bauchen, s. biegen, s. runden
Wölbung: Ausbuchtung, Rundung, Schwellung, Wulst *Arkade, Bogen
Wolf: Isegrim *Fleischwolf
wölfisch: primitiv, ungebändigt, ungezähmt, unzivilisiert, wild, wild wachsend, in der freien Natur wachsend, in der freien Natur lebend
Wolfsgrube: Falle, Fallgrube
Wolfshunger: Bärenhunger, Heißhunger, Riesenhunger
Wolken: Bewölkung, Wolkendecke, Wolkenfeld, Wolkenmassen, Wolkenmeer
Wolkenbruch: Gewitterregen, Guss, Platzregen, Regenguss, Regenschauer, Schauer, Sturzregen
Wolkenkratzer: Hochhaus, Skyscraper
Wolkenkuckucksheim: Luftschloss, Phantasiereich, Traumgebilde, Traumreich, Traumschloss
wolkenlos: aufgeklart, heiter, klar, sommerlich, sonnig, unbewölkt, ungetrübt, ohne Wolken
wolkig: bedeckt, bewölkt, bezogen, mit Wolken
Wolldecke: Bettüberwurf, Plaid, Reisedecke, Schlafdecke, Tagesdecke
Wolle: Faden, Faser, Garn *Behaarung, Fell, Mähne
wollen: beabsichtigen, bezwecken, planen, vorhaben *anstreben, erstreben, streben (nach) *beanspruchen, fordern, verlangen *wünschen, gerne haben
Wollen: Anliegen, Forderung, Herzensbedürfnis, Herzenswunsch, Sehnsucht, Traum, Verlangen, Wunsch, Wunschtraum
wollig: flauschig, wollen
Wollknäuel: Garnknäuel, Knäuel
Wollust: Eros, Erotik, Fleischeslust, Geilheit, Genussfreude, Körperlichkeit, Lüsternheit, Sexualität, Sinnenrausch, Sinnenreiz, Sinnesreiz, Sinnestaumel, Sinnlichkeit, Triebhaftigkeit
wollüstig: erotisch, genussfähig, genussfreudig, körperlich, kreatürlich, sinnenfreudig, sinnenhaft, sinnlich, triebhaft
Wollüstling: Blaubart, Casanova, Lüstling, Wüstling
womit: gleichsam, gleichwie, so, wie, nach Art *wodurch, auf welche Weise, in welcher Art
womöglich: allenfalls, eventuell, gegebenenfalls, möglichenfalls, möglicherweise, vermutlich, vielleicht, wahrscheinlich, je nachdem, unter Umständen
Wonne: Beglückung, Behagen, Freude, Frohsinn, Glück, Glückseligkeit, Zufriedenheit
wonnetrunken: beflügelt, begeistert, beglückt, beschwingt, beseligt, erfüllt, freudestrahlend, freudig, froh, frohgemut, fröhlich, glücklich, glückselig, glückstrahlend, selig, überglücklich, vergnügt
wonnevoll: bildschön, glanzvoll, göttlich, großartig, herrlich, himmlisch, köstlich, paradiesisch, phantastisch, strahlend, überdurchschnittlich, unnachahmlich, unübertrefflich, unübertroffen, unvergleichlich, vollkommen, wonnig, wonniglich, wunderschön, zauberhaft, wie gemalt
wonnig: bildschön, glanzvoll, göttlich, großartig, herrlich, himmlisch, köstlich, paradiesisch, phantastisch, strahlend, überdurchschnittlich, unnachahmlich, unübertrefflich, unübertroffen, unvergleichlich, vollkommen, wonnevoll, wonniglich, wunderschön, zauberhaft, wie gemalt
Wort: Ausdruck, Bezeichnung, Brocken, Erbwort, Fremdwort, Füllwort, Initialwort, Kurzwort, Lehnwort, Modewort, Neubildung, Neuprägung, Neuschöpfung, Neuwort, Vokabel, Zungenbrecher *Ausdruck, Begriff, Benennung, Bezeichnung, Terminus, Vokabel *Ehrenwort, Eid, Rede, Satz, Versprechen
wortarm: einsilbig, lakonisch, reserviert, schweigsam, sprachlos, still, stumm, verschlossen, verschwiegen, wortkarg, zurückhaltend, nicht mitteilsam
Wortbildung: Nachbildung, Neubil-

dung, Neuschöpfung, Wortschöpfung, Zusammensetzung
Wortbrecher: Abtrünniger, Treuloser, Untreuer, Verräter
Wortbruch: Hochverrat, Treuebruch, Treulosigkeit, Verrat, Vertrauensbruch
wortbrüchig: abtrünnig, illoyal, treulos, unsolidarisch, unstet, untreu, unzuverlässig, verräterisch
Wörterbuch: Lexikon, Wörterverzeichnis, Wortschatzsammlung, Wortverzeichnis
Wortführer: Diskussionsleiter, Sprecher *Anführer *Vorsitzender
Wortgefecht: Debatte, Diskurs, Disput, Erörterung, Gespräch, Polemik, Streit, Streitgespräch, Wortstreit, Wortwechsel
wortgetreu: buchstäblich, verbaliter, wörtlich, wortwörtlich, im Wortlaut, Wort für Wort
wortgewandt: beredsam, beredt, eloquent, geläufig, redefertig, redegewaltig, redegewandt, schlagfertig, sprachgewaltig, sprachgewandt, wortreich, zungenfertig
Wortheld: Angeber, Aufschneider, Großsprecher, Prahler, Wichtigtuer
wortkarg: einsilbig, lakonisch, reserviert, schweigsam, sprachlos, still, stumm, verschlossen, verschwiegen, wortarm, zurückhaltend, nicht mitteilsam
Wortkargheit: Einsilbigkeit, Schweigsamkeit, Stummheit, Zugeknöpftheit
Wortklauber: Haarspalter, Kasuist, Pedant
Wortklauberei: Finesse, Haarspalterei, Kasuistik, Pedanterie, Sophistik, Spitzfindigkeit
Wortlaut: Abfassung, Fassung, Formulierung, Inhalt, Text ***im Wortlaut:** buchstäblich, verbaliter, wortgetreu, wörtlich, wortwörtlich, Wort für Wort
wörtlich: buchstäblich, verbaliter, wortgetreu, wortwörtlich, im Wortlaut, Wort für Wort
wortlos: grußlos, stillschweigend, stumm, ohne Gruß, ohne Worte
wortreich: ausführlich, beredt, breit, langatmig, redegewaltig, redegewandt, sprachgewaltig, sprachgewandt, weitschweifig, wortgewandt, in extenso
Wortschatz: Sprachgut, Sprachschatz, Vokabular, Wortbestand, Wortgut, Wortmaterial
Wortschwall: Beredsamkeit, Erguss, Redefluss, Redeschwall, Suade, Tirade
Wortwechsel: Debatte, Diskurs, Disput, Erörterung, Gespräch, Polemik, Streit, Streitgespräch, Wortgefecht, Wortstreit
wortwörtlich: buchstabengetreu, buchstäblich, verbaliter, wortgetreu, im Wortlaut, Wort für Wort
wozu: inwiefern, warum, weshalb, weswegen, wieso, aus welchem Grund
Wrack: Schiffswrack, Trümmer
wringen: ausdrücken, auspressen, auswinden, auswringen
Wucher: Betrug, Geldschneiderei, Nepp, Preisschneiderei
Wucherer: Ausbeuter, Geschäftemacher, Halsabschneider
wuchern: Wucher betreiben *hochwuchern, üppig wachsen, ins Kraut schießen *s. ausbreiten, s. verschlimmern, wachsen
Wucherung: Geschwulst, Geschwulstbildung, Geschwür, Gewächs, Gewebewucherung, Schwellung, Tumor
Wuchs: Gedeihen, Wachstum *Erscheinungsbild, Figur, Gestalt, Körperbau, Körperform, Statur *Anpflanzung, Pflanzung, Plantage
Wucht: Druck, Gewalt, Härte, Kraft, Stärke, Vehemenz, Wuchtigkeit
wuchten: anheben, aufheben, emporheben, erheben, heben, hochbringen, hochheben, hochnehmen, hochwuchten, hochziehen, lüften *heben, hochheben, drücken, reißen, stemmen, stoßen
wuchtig: gewaltig, gigantisch, massig, monströs, riesig, unermesslich *schwer, bleischwer, bleiern, drückend, kaum zu heben, wie ein Klotz *gewaltig, heftig, kräftig, kraftvoll
wühlen: ausgraben, buddeln, graben *aussuchen, auswählen, suchen *empören, hetzen, verfeinden, Hass säen
Wulst: Ausbuchtung, Rundung, Schwellung, Wölbung
wund: aufgerissen, aufgescheuert, entzündet, verletzt, wund gescheuert, wund geschürft ***wund laufen:** scheuern, Bla-

sen bekommen *wund liegen: aufliegen, durchliegen *wund reiben: aufreiben, wund scheuern *s. wund liegen: s. aufscheuern, s. durchliegen, s. wund reiben

Wunde: Blessur, Kratzer, Riss, Schnitt, Schramme, Verletzung, Verwundung

Wunder: Erscheinung, Metaphysisches, Mirakel, Phänomen, Übersinnliches, Unerforschliches, Unerklärliches, Wundererscheinung, Wunderwerk

wunderbar: fabelhaft, feenhaft, märchenhaft, mirakulös, phantastisch, romanhaft, sagenhaft, traumhaft, zauberhaft *delikat, fein, köstlich, kulinarisch

Wunderkind: Frühentwickler, Schnellentwickler, Talent, Wunderknabe

Wunderland: Fabelwelt, Märchenland, Utopia, Zauberland

wunderlich: eigenartig, eigenbrötlerisch, schrullig, seltsam, skurril, sonderbar, spleenig, verschroben *absonderlich, befremdend, eigen, eigenartig, eigenbrötlerisch, eigentümlich, kauzig, komisch, merkwürdig, schrullig, seltsam, sonderbar, verschroben, verwunderlich

Wunderling: Eigenbrötler, Hagestolz, Kauz, Original, Sonderling

wundern: befremden, erstaunen, verwundern, in Erstaunen versetzen, seltsam anmuten ***s. wundern:** erstaunen, staunen, s. verwundern, große Augen machen, seinen Augen nicht trauen

wunderschön: ästhetisch, bildschön, formvollendet, klassisch, makellos, wohlgeformt, wohlgestaltet, wunderbar, wundervoll

Wundertäter: Beschwörer, Magier, Zauberer

wundervoll: außerordentlich, ausgezeichnet, berückend, bestechend, einmalig, einzigartig, erstklassig, exzellent, famos, glorios, glorreich, grandios, großartig, herrlich, hinreißend, phantastisch, prächtig, ruhmreich, ruhmvoll, triumphal, überwältigend, vorzüglich

Wunderwerk: Erscheinung, Mirakel, Phänomen, Wunder

Wundmal: Narbe, Schmarre, Schmiss, Schmitz

Wundpflaster: Heftpflaster, Pflaster

Wundschorf: Grind, Kruste, Schorf

Wundstarrkrampf: Starrkrampf, Tetanus

Wundverband: Binde, Pflaster, Verband, Wundschutz

Wunsch: Anliegen, Ansuchen, Bitte, Ersuchen *Begehren, Herzensbedürfnis, Herzenswunsch, Sehnsucht, Verlangen, Wunschtraum *Forderung, Streben, Vorhaben, Vorsatz, Wollen, Wunschziel *Glückwunsch, Gratulation, Segenswunsch

Wunschbild: Beispiel, Ideal, Leitbild, Musterbild, Vorbild

wünschen: begehren, erbitten, erhoffen, ersehnen, erträumen, mögen, (haben) wollen, den Wunsch äußern, den Wunsch hegen, sein Herz hängen (an) *fordern, verlangen, wollen

wünschenswert: anstrebenswert, begehrenswert, erstrebenswert

wunschgemäß: nach Belieben, nach Gutdünken, nach Wahl, nach Wunsch

wunschlos: genügsam, selbstgenügsam, ausgeglichen, befriedigt, beruhigt, bescheiden, satt, zufrieden, zufrieden gestellt *ohne Wünsche

Wunschtraum: Begehren, Herzensbedürfnis, Herzenswunsch, Sehnsucht, Verlangen

Wunschvorstellung: Fiktion, Hirngespinst, Illusion, Luftgebilde, Luftschloss, Phantasiegebilde, Spekulation, Wahn, fixe Idee

Würde: Ehre, Erhabenheit, Gravität, Hoheit, Majestät, Vornehmheit, Würdigkeit *Menschenwürde

würdelos: charakterlos, ehrlos, nichtswürdig, unwürdig, verächtlich *lächerlich, verächtlich *elend, fürchterlich, menschenunwürdig, primitiv, schlimm

würdevoll: erhaben, feierlich, gemessen, gesetzt, gravitätisch, hoheitsvoll, respektierlich, respektvoll, würdig *würdig, menschenwürdig, angemessen, komfortabel *geeignet

würdig: ehrwürdig, feierlich, repräsentabel, repräsentativ, würdevoll *eindrucksvoll, erhaben, erlaucht, gebieterisch, gemessen, gravitätisch, hoheitsvoll, imponierend, königlich, majestätisch *achtbar, aufrecht, bieder, brav, charak-

terfest, ehrbar, ehrenhaft, ehrenwert, ehrsam, hochanständig, rechtschaffen, redlich, rühmenswert, sauber, unbestechlich, wacker
Wurfscheibe: Diskus
Wurftaube: Tontaube
würdigen: akzeptieren, anerkennen, s. anerkennend äußern, auszeichnen, belobigen, bewundern, gutheißen, herausheben, s. in Lobesworten ergehen, s. in Lobreden ergehen, loben, respektieren, schätzen, zulassen, zustimmen, ernst nehmen
Würdigung: Beifall, Belobigung, Bestätigung, Billigung, Laudatio, Lob, Loblied, Lobgesang, Lobpreis, Lobpreisung, Lobrede, Lobspruch, Zustimmung
Wurf: Schuss, Stoß, Werfen *Erfolg, Errungenschaft, Gelingen, Glücksfall
Würfel: Hexaeder, Kubus
würfelförmig: hexaedrisch, kubisch, würfelig
würfelig: hexaedrisch, kubisch, würfelförmig *gewürfelt, kariert, schachbrettartig
würfeln: knobeln, Würfel spielen
würgen: abwürgen, erdrosseln, ersticken, erwürgen, strangulieren, die Kehle zusammendrücken, die Kehle zudrücken *hinunterschlucken, hinunterwürgen, schlucken, verschlucken
Würger: Mörder, Verbrecher
Wurm: Kriechtier *Computervirus *Drache
wurmen: ärgern, aufbringen, bekümmern, belästigen, betrüben, hänseln, kränken, necken, peinigen, quälen, reizen, triezen, verärgern, verstimmen, verwunden, wütend machen, rasend machen
Wurmfortsatz: Appendix, Blinddarm
wurmstichig: madig, wurmig, von einem Wurm befallen, von Würmern befallen, von Maden befallen
wurstig: apathisch, denkfaul, desinteressiert, dickfellig, gefühllos, gleichgültig, inaktiv, interesselos, kühl, lasch, leidenschaftslos, lethargisch, passiv, schwerfällig, stumpf, stumpfsinnig, teilnahmslos, träge, unaufgeschlossen, unbeteiligt, unbewegt, unempfindlich, ungerührt
Würze: Aroma, Würzmittel, Würzstoff, Würzung *Geist, Pfeffer, Witz
Wurzel: Knolle, Wurzelknolle, Wurzelstock, Zwiebel *Anlass, Grund, Hintergrund, Motiv, Ursache *Ausgangspunkt, Beginn, Provenienz, Quelle, Urquell, Ursprung, Wiege
wurzellos: entwurzelt, heimatlos, staatenlos, umhergetrieben, ungeborgen, ohne Heimat
wurzeln: abstammen (von), entspringen, s. ergeben (aus), herkommen (von), resultieren, stammen (von), zugrunde liegen (in), zurückgehen (auf), seinen Ursprung haben, seinen Ausgang haben
würzen: abschmecken, abstimmen, pfeffern, salzen, schärfen
würzig: aromatisch, feurig, gewürzt, gut, herzhaft, kräftig, pikant, scharf, schmackhaft, vorzüglich, wohlschmeckend *frisch, wohlriechend
würzlos: abgestanden, fade, geschmacklos, salzlos, ungesalzen, ungewürzt, wässrig, ohne Salz, ohne Gewürze
wuschelig: chaotisch, durcheinander, kunterbunt, ungeordnet, ungepflegt, unordentlich, wild, wüst *gekräuselt, gelockt, geringelt, kraus, lockig, onduliert, wellig, nicht glatt
Wuschelkopf: Krauskopf, Lockenkopf
wüst: einsam, öde, verlassen *chaotisch, durcheinander, wirr *ausschweifend, maßlos, ungezügelt, zügellos *brutal, rigoros
Wust: Masse, Menge, Schar, Schwung, Unmaß, Unmasse, Unmenge, Unzahl, Vielheit, Vielzahl *Chaos, Durcheinander, Konfusion, Liederlichkeit, Nachlässigkeit, Regellosigkeit, Schlamperei, Unordnung, Wirrnis, Wirrwarr
Wüste: Einöde, Öde, Ödland, Wüstenlandschaft, Wüstensteppe
Wüstenei: Einöde, Öde, Ödland, Steppe, Wildnis, Wüste, Wüstheit
Wüstenkönig: Löwe, König der Tiere
Wüstenschiff: Dromedar, Kamel, Trampeltier
Wüstling: Blaubart, Casanova, Lüstling, Wollüstling *Barbar, Gewaltmensch, Rohling, Tyrann, Unmensch, Wüterich
Wut: Ärger, Aufgebrachtheit, Empörung,

Entrüstung, Erbitterung, Erregung, Furor, Ingrimm, Rage, Raserei, Stinkwut, Zorn

Wutausbruch: Anfall, Aufwallung, Entladung, Erregung, Explosion, Koller, Rappel, Tobsuchtsanfall, Zornesausbruch

wüten: s. aufregen, rasen, schäumen, schimpfen, schnauben, schreien, spucken, toben, s. wie wild gebärden, heftig werden, wild werden *brausen, dröhnen, fauchen, heulen, pfeifen, rauschen, stürmen, winden

wütend: ärgerlich, aufgebracht, bärbeißig, blindwütig, böse, brummig, entrüstet, erbittert, erbost, erzürnt, fuchsig, fuchsteufelswild, fuchtig, furios, gekränkt, gereizt, grantig, griesgrämig, grimmig, knurrig, missgelaunt, missgestimmt, misslaunig, missmutig, missvergnügt, muffig, mürrisch, peinlich, rasend, schlecht gelaunt, tobsüchtig, übel gelaunt, übellaunig, unangenehm, unbefriedigt, unerfreulich, unleidlich, unlustig, unmutig, unwillig, unwirsch, unzufrieden, verärgert, verbittert, verdrießlich, verdrossen, wutentbrannt, wutschäumend, wutschnaubend, zähneknirschend, zornentbrannt, zornig, in schlechter Stimmung ***wütend sein:** s. ärgern, aufbegehren, aufbrausen, auffahren, s. entrüsten, ergrimmen, s. erzürnen, kochen, rotieren, schäumen, sieden, Ärger empfinden, es satt haben, genug haben, wild werden ***wütend machen:** aufbringen, aufregen, aufreizen, aufrühren, aufwühlen, elektrisieren, ereifern, erhitzen, erregen, in Fahrt bringen ***wütend werden:** s. aufregen, s. echauffieren, s. empören, s. entrüsten, s. ereifern, s. erregen

Wüterich: Amokläufer, Barbar, Berserker, Gewaltmensch, Rohling

wutschnaubend: ärgerlich, aufgebracht, bärbeißig, blindwütig, böse, brummig, entrüstet, erbittert, erbost, erzürnt, fuchsteufelswild, furios, gekränkt, gereizt, grantig, griesgrämig, grimmig, knurrig, missgelaunt, missgestimmt, misslaunig, missmutig, missvergnügt, muffig, mürrisch, peinlich, rasend, schlecht gelaunt, tobsüchtig, übel gelaunt, übellaunig, unangenehm, unbefriedigt, unerfreulich, unleidlich, unlustig, unmutig, unwillig, unwirsch, unzufrieden, verärgert, verbittert, verdrießlich, verdrossen, wütend, wutentbrannt, wutschäumend, zähneknirschend, zornentbrannt, zornig, in schlechter Stimmung

X

x-Achse: Abszissenachse, vertikale Achse, Waagerechte, x-Koordinate
Xanthippe: Drache, Ehedrache, Furie, Hausdrache, Hexe, Hyäne, Megäre, Zauberin, wütendes Weib
x-beliebig: irgendeiner, irgendwelcher, irgendwer, jemand, gleichgültig wer
x-fach: etliche Mal, häufig, mehrfach, mehrmalig, mehrmals, oft, öfter, oftmalig, oftmals, ungezählt, vielfach, vielmals, wiederholt, x-mal, des Öfteren, ein paar Mal, immer wieder, in vielen Fällen, nicht selten, viele Male, etliche Male
x-mal: etliche Mal, häufig, mehrfach, mehrmalig, mehrmals, oft, öfter, oftmalig, oftmals, ungezählt, vielfach, vielmals, wiederholt, x-fach, des Öfteren, ein paar Mal, immer wieder, in vielen Fällen, nicht selten, viele Male, etliche Male
X-Strahlen: Röntgenstrahlen

Y

y-Achse: Ordinatenachse, Senkrechte, senkrechte Achse
Yacht: Jacht, Segelschiff, Vergnügungsschiff
Yankee: Nordamerikaner, Nordstaatler
Yeti: Schneemensch
Yoghurt: Jogurt, Sauermilch
Youngster: Jungsportler, Neuling
Ytong: Gasbeton, Leichtbeton
Yucca: Palmlilie

Z

Zacke: Spitze, Zahn, Zinken *Nase *Berg, Fels, Zinne
zacken: auszähnen, kerben
zackig: gezackt, gezähnt, spitz, spitzig, zackenförmig *beherzt, energisch, flott, forsch, kühn, resolut, schneidig, schwungvoll, unternehmend, zielbewusst
zag: entschlusslos, ratlos, schwankend, unentschieden, unentschlossen, unschlüssig, unsicher, vorsichtig, zaghaft, zaudernd, zögernd, zweifelnd
zagen: warten, abwarten, s. bedenken, s. besinnen, innehalten, offen lassen, schwanken, verweilen, zaudern, unentschieden sein, unentschlossen sein, unschlüssig sein
zaghaft: angstbebend, angsterfüllt, ängstlich, angstschlotternd, angstverzerrt, angstvoll, argwöhnisch, aufgeregt, bang, bänglich, befangen, beklommen, besorgt, betroffen, feigherzig, gehemmt, hasenherzig, kleinmütig, memmenhaft, mutlos, scheu, schreckhaft, schüchtern, verängstigt, verschreckt, verschüchtert, zag, zähneklappernd *entschlusslos, lau, unentschieden, unentschlossen, unschlüssig, wankelmütig
Zaghaftigkeit: Ängstlichkeit, Bangigkeit, Befangenheit, Beklommenheit, Feigheit, Kleinmütigkeit, Mutlosigkeit, Schüchternheit *Entschlusslosigkeit, Lauheit, Unentschiedenheit, Unentschlossenheit, Unschlüssigkeit, Wankelmütigkeit
zäh: lederartig, ledern, ledrig, sehnig *abgehärtet, resistent, stabil, unempfindlich, widerstandsfähig, zählebig *dickflüssig, fest, stockig, zähflüssig *ausdauernd, beharrlich, hartnäckig, krampfhaft, unbeirrbar, unbeirrt, unentwegt, unverdrossen, verbissen, verzweifelt *andauernd, gesund, widerstandsfähig, zählebig *alt, hart
zähflüssig: breiig, dickflüssig, fest, stockig
Zähigkeit: Ausdauer, Beharrlichkeit, Beharrung, Beharrungsvermögen, Durchhaltevermögen, Standhaftigkeit, Stetigkeit, Unbeugsamkeit, Unerschütterlichkeit, Unverdrossenheit, Zielbewusstsein, Zielstrebigkeit *Festigkeit, Härte, Stabilität
Zahl: Nummer, Ziffer *Anzahl, Vielheit, Vielzahl *Menge
zahlbar: fällig, nicht beglichen, offen stehen, zu zahlen, zu leisten
zählbar: berechenbar, wägbar, wenig
zahlen: abbezahlen, abtragen, abzahlen, anlegen, aufkommen, aufzahlen, auslegen, begleichen, besolden, bestreiten, bezahlen, bezuschussen, entrichten, erstatten, finanzieren, hinlegen, hinterlegen, investieren, nachbezahlen, nachzahlen, tragen, unterstützen, vergüten, vorlegen, vorstrecken, zurückerstatten, zurückzahlen, zuzahlen *ausbaden, büßen, entgelten, herhalten, wettmachen, wiedergutmachen
zählen: abzählen, durchzählen, zusammenzählen, zuzählen *rechnen (mit), s. stützen (auf), s. verlassen (auf) *gelten, schwer wiegen, wert sein, wichtig sein, von Bedeutung sein ***zählen (auf):** rechnen (mit), seine Hoffnung setzen (auf), s. stützen (auf), s. verlassen (auf), Vertrauen haben (zu), glauben (an) ***zählen (zu):** betrachten (als), beurteilen (als), erachten (für), interpretieren (als), denken (über), zugerechnet werden, integriert sein, eingegliedert sein
Zahlenlehre: Arithmetik, Mathematik
zahlenmäßig: mengenmäßig, quantitativ, zählbar
Zähler: Zählwerk *Gaszähler, *Stromzähler *Wasseruhr, Wasserzähler *Dividend
Zahlkarte: Postanweisung, Zahlungsanweisung
zahllos: endlos, grenzenlos, massenhaft, scharenweise, unbegrenzt, unendlich, unermesslich, unzählbar, zahlreich, sehr viele

zahlreich: endlos, grenzenlos, massenhaft, scharenweise, unbegrenzt, unendlich, unermesslich, unzählbar, zahllos, eine Menge, sehr viele *groß, vielköpfig, aus vielen Teilnehmern bestehend, in Massen
Zahlung: Abfindung, Abschlagszahlung, Abstandszahlung, Abzahlung, Anzahlung, Ausgleich, Ausgleichszahlung, Barzahlung, Begleichung, Bereinigung, Bezahlung, Entrichtung, Nachzahlung, Rückzahlung, Tilgung, Transfer, Überweisung, Vorauszahlung *Bußgeld
Zählung: Auflistung, Aufzählung, Berechnung, Bewertung, Listung, Messung, Schätzung, Statistik, Überschlag
Zahlungsbefehl: Mahnung, Zahlungsaufforderung
zahlungsfähig: flüssig, liquid, reich, solvent, zahlungsbereit
Zahlungsfähigkeit: Bonität, Flüssigkeit, Liquidität, Solvenz, Zahlungsbereitschaft
Zahlungsfrist: Aufschub, Stornierung, Stundung, Zahlungsaufschub, Zahlungsziel
Zahlungsmittel: Bargeld, Finanzen, Geld, Geldmittel, Mittel *Münzen *Papiergeld
zahlungsunfähig: abgebrannt, abgewirtschaftet, bankrott, blank, finanzschwach, illiquid, insolvent, pleite, finanziell ruiniert, ohne Geld ***zahlungsunfähig sein:** nicht mehr zahlen können, den Konkurs anmelden, pleite sein, ruiniert sein ***zahlungsunfähig werden:** bankrottieren, Bankrott machen, in Konkurs gehen, den Offenbarungseid leisten
Zahlungsunfähigkeit: Bankrott, Bankrotterklärung, Geldmangel, Illiquidität, Insolvenz, Konkurs, Pleite, Ruin
zahm: behutsam, gelinde, gemäßigt, mild, rücksichtsvoll, sacht, schonungsvoll *anständig, artig, brav, ergeben, folgsam, gefügig, gefügsam, gehorsam, gutwillig, lenkbar, lieb, manierlich, sanftmütig, willfährig, willig, wohlerzogen *abgerichtet, domestiziert, gebändigt, gezähmt, zutraulich, nicht wild
zähmen: abrichten, bändigen, domestizieren, dressieren, trainieren, zureiten, zahm machen ***s. zähmen:** s. beherrschen, s. bezähmen, s. in der Gewalt haben, s. mäßigen, s. Zügel anlegen, s. zügeln, s. zurückhalten, s. zusammennehmen, s. zusammenreißen, an sich halten, das Gesicht wahren, keine Miene verziehen
Zähmung: Abrichtung, Bändigung, Domestizierung, Dressur, Training
Zahn: Gebiss, Kauwerkzeug *Spitze, Zacke, Zinken *Behändigkeit, Eile, Geschwindigkeit, Hast, Rasanz, Schnelle, Schnelligkeit, Tempo *Mädchen, steiler Zahn
Zahnersatz: Brücke, Gebiss, Krone, Plombe, Prothese, Stiftzahn, Zahnprothese
Zahnfäule: Karies
Zahnfüllung: Füllung, Inlay, Plombe
Zahnlaut: Dental
zahnlos: ohne Zähne
zähneknirschend: erzürnt, knurrig, missgelaunt, missgestimmt, misslaunig, missmutig, missvergnügt, schlecht gelaunt, übel gelaunt, unlustig, unmutig, unwillig, unwirsch, unzufrieden, verärgert, verbittert, verdrießlich, verdrossen, wutentbrannt, zornig
Zahnpasta: Zahncreme, Zahnpaste *Zahnpulver, Zahnreinigungspulver
Zahnrad: Antrieb, Getriebe *Räderwerk, Uhrwerk
Zank: Auseinandersetzung, Differenzen, Disharmonie, Entzweiung, Gegensätzlichkeit, Gezänk, Hader, Hakelei, Händel, Kollision, Konflikt, Krawall, Missklang, Missverständnis, Querelen, Reiberei, Reibung, Scharmützel, Streit, Streitigkeit, Szene, Tätlichkeit, Unfriede, Unzuträglichkeit, Widerstreit, Zerwürfnis, Zusammenprall, Zusammenstoß, Zwietracht, Zwist
Zankapfel: Streitgegenstand, Streitgrund, Streitobjekt, Streitpunkt, Streitursache
zanken: anbrüllen, angreifen, attackieren, ausschelten, ausschimpfen, auszanken, heruntermachen, keifen, niedermachen, poltern, schelten, schimpfen, tadeln, zetern, zurechtweisen ***s. zanken:** s. anbinden, aneinander geraten, s.

anlegen (mit), s. auseinander setzen, s. befehden, s. bekriegen, s. entzweien, s. häkeln, kollidieren, rechten, s. streiten, s. überwerfen, s. verfeinden, s. verzanken, s. zerstreiten, in Streit liegen, in Streit geraten, einen Auftritt haben

zänkisch: aggressiv, bissig, böse, feindselig, hadersüchtig, herausfordernd, kampfbereit, kämpferisch, kampflustig, militant, polemisch, provokant, provokatorisch, rechthaberisch, reizbar, streitbar, streitlustig, streitsüchtig, unfriedlich, unverträglich, zankhaft, zanksüchtig

Zanksucht: Angriffsbereitschaft, Angriffslust, Bissigkeit, Gehässigkeit, Gereiztheit, Hadersucht, Händelsucht, Kampfbereitschaft, Keiferei, Prozesswut, Streitsucht, Unnachgiebigkeit, Widerspruchsgeist, Zänkerei, Zankgelüste, Zornmut

zapfen: abfüllen, einfüllen, einschenken, auf Flasche ziehen

Zapfen: Pfropfen, Spund, Stopfen, Stöpsel, Verschluss *Zapfenblüte

Zapfstelle: Tanksäule *Hydrant, Wasserstelle, Zapfsäule

zappelig: aufgeregt, fahrig, fiebrig, flatterig, hektisch, hyperaktiv, kribbelig, lebhaft, rastlos, ruhelos, überaktiv, umhergetrieben, umherirrend, unruhig, unstet, wuselig, zerfahren

zappeln: hampeln, schaukeln, schlenkern, strampeln, wackeln, wippen, nicht stillsitzen, hin und her wippen

zart: duftig, dünn, durchsichtig, fein, fein gesponnen, leicht, locker, spinnwebfein, weich *beseelt, einfühlsam, empfindsam, feinfühlend, feinfühlig, feinsinnig, gefühlsbetont, gefühlsselig, gefühlstief, gefühlvoll, gemüthaft, gemütvoll, innerlich, mimosenhaft, romantisch, rührselig, schmalzig, schwärmerisch, seelenvoll, sensibel, sinnenhaft, tränenselig, überempfindlich, überspannt, verinnerlicht, weich, zartbesaitet, zartfühlend *behutsam, mild, sacht, sanft, sanftmütig, schonend, schonungsvoll *fein gegliedert, fein geschnitten, feingliedrig, fragil, gazellenhaft, schmächtig, schmal, zartgliedrig, zerbrechlich, zierlich *butterweich, daunenweich, federweich, flaumig, flauschig, mollig, samten, samtig, samtweich, seidig, weich, nicht hart, nicht fest

zartbesaitet: beseelt, einfühlsam, empfindsam, feinfühlend, feinfühlig, feinsinnig, gefühlsbetont, gefühlsselig, gefühlstief, gefühlvoll, gemüthaft, gemütvoll, innerlich, mimosenhaft, romantisch, rührselig, schmalzig, schwärmerisch, seelenvoll, sensibel, sinnenhaft, tränenselig, überempfindlich, überspannt, verinnerlicht, weich, zart, zart fühlend *verletzbar, verletzlich, verwundbar, leicht zu kränken

Zartgefühl: Anstand, Einfühlungsvermögen, Empfindsamkeit, Feingefühl, Fingerspitzengefühl, Sentimentalität, Takt

Zartheit: Feinheit, Finesse, Raffinesse, Subtilität *Vornehmheit *Zerbrechlichkeit

zärtlich: empfindsam, gefühlvoll, herzlich, hingebend, innig, lieb, liebend, liebevoll, rührend, sanft, sensibel, warm, weich, zart

Zärtlichkeit: Kuss, Liebkosung, Umarmung *Anhänglichkeit, Herzenswärme, Herzlichkeit, Hingabe, Hingebung, Hingezogenheit, Innigkeit, Leidenschaft, Verbundenheit, Verliebtheit, Wohlwollen, Zuneigung

Zäsur: Bruch, Einschnitt, Pause, Ruhepunkt, Unterbrechung

Zauber: Anreiz, Anziehung, Anziehungskraft, Attraktion, Poesie, Reiz, Verlockung, Verzauberung *Hexenwerk, Hexerei, Hokuspokus, Magie, Taschenspielerei, Zauberei, Zauberkunst, Zauberwesen, schwarze Kunst, schwarze Magie *Abrakadabra, Bannspruch, Hexeneinmaleins, Zauberformel, Zauberspruch

Zauberei: Hexenwerk, Hexerei, Hokuspokus, Magie, Taschenspielerei, Zauber, Zauberkunst, Zauberwesen, schwarze Kunst, schwarze Magie *Teufelskunst, Teufelspakt, Teufelswerk

Zauberer: Geisterbanner, Hexer, Magier, Medizinmann, Quacksalber, Schamane, Wahrsager, Zauberkünstler *Beschwörer, Wundertäter

Zauberformel: Bannspruch, Hokuspokus, Zauberspruch, Zauberwort

zauberhaft: angenehm, anmutig, anziehend, attraktiv, aufreizend, betörend, bezaubernd, charmant, einnehmend, entzückend, gewinnend, hübsch, lieb, lieblich, liebenswert, reizvoll, sympathisch, toll, wunderbar *feenhaft, hübsch, idyllisch, schön
Zauberin: Drude, Fee, Hexe, Megäre, Xanthippe, böse Frau
Zauberkünstler: Gaukler, Schwarzkünstler, Taschenspieler, Zauberer
zaubern: hexen, verhexen, verzaubern, Hokuspokus machen, Zauberei betreiben
Zaubertrank: Elixier, Verjüngungsmittel
zaudern: warten, abwarten, s. bedenken, s. besinnen, innehalten, offen lassen, schwanken, verweilen, zagen, zögern, Bedenken tragen, Bedenken haben, unentschieden sein, unentschlossen sein, unschlüssig sein
zaudernd: angstbebend, angsterfüllt, ängstlich, angstschlotternd, angstverzerrt, angstvoll, argwöhnisch, aufgeregt, bang, bänglich, befangen, beklommen, besorgt, betroffen, feigherzig, gehemmt, hasenherzig, kleinmütig, memmenhaft, mutlos, scheu, schreckhaft, schüchtern, verängstigt, verschreckt, verschüchtert, zag, zaghaft, zähneklappernd *abwartend, zögernd
Zaum: Riemenzeug, Zaumzeug ***s. im Zaum halten:** s. bändigen, s. beherrschen, s. beruhigen, s. bezwingen, s. in der Gewalt haben, kalt bleiben, s. mäßigen, s. nichts anmerken lassen, s. überwinden, s. zähmen, s. zügeln, s. zurückhalten, s. zusammennehmen, s. zusammenraffen, s. zusammenreißen, die Selbstbeherrschung nicht verlieren, keine Miene verziehen, gefasst bleiben, gelassen bleiben, an sich halten
Zaun: Einfriedung, Einzäunung, Gatter, Gitter, Umgrenzung *Hecke
zausen: wühlen, zupfen
Zebrastreifen: Fußgängerübergang, Fußgängerüberweg
Zeche: Faktur, Faktura, Liquidation, Rechnung *Bergwerk, Grube, Mine *Konsum, Verbrauch, Verzehr *Trinkgelage
zechen: bechern, kübeln, saufen, schlucken, süffeln, tanken, trinken
Zecher: Säufer, Trinker *Trinkkumpan, Zechgenosse, Zechkumpan
Zechpreller: Betrüger
Zechtour: Bierreise, Kneipenbummel, Kneipentour, Sauftour, Sause
Zehennagel: Fußnagel
Zecke: Holzbock
zehren: entkräften, erschöpfen, schwächen *s. davon ernähren, davon leben
Zeichen: Fingerzeig, Hinweis, Signal, Wink *Erkennungszeichen, Gütezeichen, Marke, Stempel, Warenzeichen *Chiffre, Code, Geheimzeichen, Zinke *Anzeichen, Erscheinung, Omen, Vorbote, Vorzeichen *Anhaltspunkt, Ausdruck, Beweis, Eigenschaft, Kennzeichen, Kriterium, Mahnung, Merkmal, Signum, Symptom, Wesenszug
Zeichensetzung: Interpunktion
Zeichensprache: Fingersprache, Gebärdensprache, Gestensprache, Mienensprache, Mimik
Zeichentrickfilm: Comic, Zeichenfilm
zeichnen: abzeichnen, anzeichnen, aufzeichnen, darstellen, illustrieren, malen, porträtieren, skizzieren *abzeichnen, signieren, unterschreiben, unterzeichnen *ankreuzen, bezeichnen, kennzeichnen, markieren, kenntlich machen *opfern, schenken, spenden, stiften *bestellen, ordern
Zeichner: Formgeber, Formgestalter, Grafiker, Illustrator, Karikaturist, Modezeichner, Musterzeichner, Werbegrafiker, technischer Zeichner
Zeichnung: Aquarell, Bild, Grafik, Handzeichnung, Karikatur, Muster, Radierung, Skizze
zeigen: deuten, hindeuten, anzeigen, gestikulieren, hinweisen, hinzeigen, nicken, winken, zeigen (auf), zuwinken *belegen, beweisen, bezeugen, nachweisen, unter Beweis stellen *ausdrücken, bedeuten, besagen, manifestieren, verraten *bekunden, bezeigen, entgegenbringen, erweisen *anleiten, aufweisen, beibringen, bieten, demonstrieren, dokumentieren, einweihen, erklären, lehren, schulen, unterrichten *anbringen, herzeigen,

vorweisen, vorzeigen, Einblick geben, sehen lassen *anmerken lassen, erkennen lassen, nicht verstecken, nicht verbergen *aufzeigen, demonstrieren, dokumentieren *schelten, tadeln, zurechtweisen ***s. zeigen:** s. darbieten, s. darstellen, s. präsentieren, s. produzieren, s. sehen lassen, in Erscheinung treten *herausstellen

Zeit: Datum, Normalzeit, Ortszeit, Uhrzeit, mitteleuropäische Zeit, osteuropäische Zeit, westeuropäische Zeit *Minuten, Sekunden, Stunden, Uhr *Jahre, Tage, Wochen *Abschnitt, Ära, Augenblick, Dauer, Epoche, Periode, Phase, Zeitabschnitt, Zeitalter, Zeitraum, Zeitspanne *Frist, Zeitpunkt ***für alle Zeit:** alle Mal, allezeit, andauernd, anhaltend, beharrlich, endlos, ewig, fortdauernd, fortgesetzt, fortlaufend, fortwährend, immerfort, jedes Mal, kontinuierlich, pausenlos, regelmäßig, ständig, unablässig, unaufhaltsam, unaufhörlich, ununterbrochen, immer wieder, in einem fort, tagaus, tagein, Tag für Tag, Sommer wie Winter, ohne Unterbrechung ***von Zeit zu Zeit:** bisweilen, gelegentlich, manchmal, mitunter, selten, sporadisch, stellenweise, streckenweise, vereinzelt, verschiedentlich, verstreut, zeitweise, zuweilen, zuzeiten, ab und zu, dann und wann, hin und wieder, hier und da, ab und an ***vor kurzer Zeit:** kürzlich, neuerdings, in letzter Zeit, seit kurzem *gerade, jüngst, just, justament, letzthin, neulich, unlängst, vorhin, am …, eben (noch), noch nicht lange her, vor kurzem, vor nicht (sehr) langer Zeit, erst am …, erst letzte(n) … ***zu jeder Zeit:** immer, immerzu, jederzeit ***zur rechten Zeit:** beizeiten, exakt, fahrplanmäßig, fristgemäß, fristgerecht, pünktlich, rechtzeitig, zur richtigen Zeit, zur vereinbarten Zeit, auf die Minute, ohne Verspätung, auf die Sekunde genau

Zeitalter: Ära, Epoche, Erdzeitalter, Geschichtsepoche, Periode, Phase, Zeit, Zeitabschnitt, Zeitraum, Zeitspanne

Zeitdruck: Hetze, Hetzjagd, Stress, Übereile

zeitgemäß: aktuell, aufgeschlossen, fortschrittlich, gegenwartsnah, modern, neuzeitlich, progressiv, zeitnah, mit der Zeit gehend, up to date

Zeitgenosse: Altersgenosse, Gleichaltriger, Mitbürger, Mitmensch

zeitgenössisch: gegenwärtig, heutig, jetzig, lebend *aktuell, aufgeschlossen, fortschrittlich, hochmodern, hypermodern, modern, modisch, neuartig, neuzeitlich, progressiv, super, zeitgemäß, von heute

zeitig: bald, beizeiten, früh, frühzeitig *morgens, am Morgen *fristgemäß, fristgerecht, pünktlich, rechtzeitig, wie vereinbart, zur rechten Zeit

zeitlebens: alleweil, allezeit, andauernd, anhaltend, beharrlich, beständig, dauernd, fortdauernd, fortgesetzt, gleich bleibend, immer, immerzu, immerfort, immer während, konstant, kontinuierlich, pausenlos, permanent, ständig, stetig, stets, unaufhaltsam, unaufhörlich, unausgesetzt, immer wieder, immer noch, jahraus, jahrein, nach wie vor, rund um die Uhr, schon immer, seit eh und je, seit je, tagaus, tagein, von je, von jeher, ad infinitum

zeitlich: begrenzt, dauernd, endlich, flüchtig, fortbestehend, irdisch, kurz lebend, sterblich, veränderlich, vergänglich, vorübergehend, im Laufe der Zeit, in der Zeit, von kurzer Dauer *der Zeit nach, in der Zeit *chronologisch, nacheinander

Zeitlichkeit: Begrenztheit, Endlichkeit, Kurzlebigkeit, Sterblichkeit, Veränderlichkeit, Vergänglichkeit

zeitlos: klassisch, in jede Zeit passend, nicht der Mode unterworfen, nicht zeitgebunden *ewig, jenseits von Zeit und Raum *beständig, bleibend, endlos, ewig, fortdauernd, fristlos, langlebig, unsterblich, unvergänglich

Zeitlupe: Slowmotion

Zeitmessung: Altersbestimmung *Zeitberechnung, Zeitbestimmung, Zeiteinteilung

zeitnah: aktuell, aufgeschlossen, gegenwartsnah, modern, neuzeitlich, progressiv, zeitgemäß, mit der Zeit, up to date

Zeitpunkt: Fälligkeitsdatum, Frist, Stichtag, Termin *Augenblick, Minute, Moment, Sekunde

zeitraubend: langwierig, viel Zeit in Anspruch nehmend, viel Zeit kostend
Zeitraum: Abschnitt, Ära, Epoche, Frist, Halbjahr, Intervall, Jahr, Periode, Phase, Spanne, Weile, Zeit, Zeitabschnitt, Zeitalter, Zeitspanne
Zeitschrift: Fachzeitung, Heft, Illustrierte, Journal, Magazin
Zeitung: Blatt, Journal, Lokalzeitung, Magazin *Tageblatt, Tageszeitung *Wochenblatt, Wochenzeitung *Boulevardzeitung, Regenbogenpresse, Revolverblatt, Skandalblatt *Onlinezeitung
Zeitungsanzeige: Annonce, Anzeige, Inserat
Zeitungsartikel: Beitrag, Feature, Glosse, Kolumne, Kommentar, Kurzbericht, Leitartikel
Zeitungswesen: Journalistik, Presse, Pressewesen
Zeitungswissenschaft: Journalistik, Pressewesen, Publizistik
Zeitvergeudung: Zeitverschwendung
Zeitvertreib: Ablenkung, Abwechslung, Belustigung, Beschäftigung, Kurzweil, Unterhaltung, Zerstreuung
zeitweilig: bisweilen, episodisch, gelegentlich, kurzfristig, manchmal, mitunter, momentan, periodisch, sporadisch, stellenweise, stoßweise, streckenweise, temporär, vereinzelt, verschiedentlich, vorübergehend, zeitweise, zuweilen, dann und wann, hin und wieder, nicht immer, eine Zeit lang, für den Übergang, für einen Augenblick, nicht dauernd
zeitweise: bisweilen, kurz, kurzzeitig, manchmal, vereinzelt, vorübergehend, eine Zeit lang
Zeitwende: Wendepunkt, Zeitenwende
zelebrieren: feierlich begehen, feierlich vollziehen *Gottesdienst feiern, eine Messe lesen
Zelle: Gefangenenzelle, Gefängniszelle *Klause, Zimmer *Telefonhäuschen, Telefonzelle *Körperzelle
zelten: biwakieren, campen, campieren, lagern, im Freien übernachten, im Zelt schlafen
Zeltlager: Campen, Camping, das Zelten
zementieren: erhärten, festigen, stärken, endgültig machen *mit Zement ausfüllen
Zenit: Scheitelpunkt *Clou, Glanzpunkt, Höhepunkt, Krönung, Maximum, Meisterleistung, Nonplusultra, Optimum, Spitzenleistung, Sternstunde, Vollendung
zensieren: benoten, beurteilen, bewerten, prüfen, Noten geben *inspizieren, kontrollieren, nachprüfen, nachschauen, prüfen, überprüfen
zensiert: unvollständig *gekürzt, geschwärzt, kontrolliert, überprüft
Zensur: Benotung, Note, Nummer, Zeugnisnote *Beschneidung, Durchsicht, Kontrolle, Nachprüfung, Prüfung, Untersuchung
Zensus: Datenerhebung, Erfassung, Schätzung, Volkszählung
zentral: inmitten, innen, günstig gelegen, im Mittelpunkt, im Kern, im Herzen, im Zentrum, in der City, in der Mitte, in günstiger Lage *fundamental, grundsätzlich, lebenswichtig, maßgebend, wichtig *erstrangig, primär
Zentrale: Geschäftsstelle, Hauptgeschäft, Hauptgeschäftsstelle, Hauptort, Hauptverwaltung, Stammhaus *Fernsprechvermittlung, Fernsprechvermittlungsstelle *Ausgangspunkt, Mittelpunkt, Zentrum *Mittelpunktslinie
Zentraleinheit: Rechenwerk, Verarbeitungseinheit
Zentralfigur: Hauptdarsteller, Hauptfigur, Hauptperson, Hauptrolle, Held
Zentralheizung: Sammelheizung
Zentralisation: Konzentration, Konzentrierung, Vereinigung, Zentralisierung, Zusammenfassung, Zusammenlegung, Zusammenziehung
zentralisieren: komprimieren, konzentrieren, vereinigen, zusammenfassen, zusammenlegen, zusammenziehen
zentrifugal: (vom Mittelpunkt) nach außen strebend
Zentrifugalkraft: Fliehkraft
Zentrifuge: Schleuder, Separator
zentripetal: nach innen strebend, zum Mittelpunkt hin
Zentrum: City, Innenstadt, Stadtkern, Stadtmitte, Stadtzentrum, das Stadtin-

nere *Achse, Center, Herz, Hochburg, Kern, Kerngebiet, Knotenpunkt, Mitte, Mittelpunkt, Sammelbecken, Seele, Zentralstelle
Zeppelin: Luftfahrzeug, Luftschiff
zerbersten: splittern, zersplittern, entzweigehen, explodieren, platzen, zerbrechen, zerplatzen, zerschellen, in Stücke zerfallen
zerbrechen: platzen, zerplatzen, splittern, zersplittern, entzweigehen, zerschellen, in Stücke zerfallen *brechen, durchbrechen, zerhauen, zerklopfen, zerstören, zertrümmern
zerbrechlich: brechbar, fragil, gläsern, splitterig, spröde, leicht brechend *zart, zierlich *krank, kränklich, morbid
Zerbrechlichkeit: Krankheit *Sprödheit, Weichheit
zerbrochen: beschädigt, defekt, kaputt, schadhaft
zerdrücken: breit drücken, breit quetschen, breit schlagen, eindrücken, knacken, stampfen, zermalmen, zerquetschen
Zeremonie: Akt, Feierlichkeit, Ritual, Ritus, Zeremoniell, feierliche Handlung, festlicher Akt
zeremoniell: feierlich, förmlich, gemessen, steif, zeremoniös
zerfahren: abwesend, geistesabwesend, abgelenkt, achtlos, fahrig, fahrlässig, unachtsam, unaufmerksam, unbeteiligt, unkonzentriert, zerstreut, in Gedanken, nicht bei der Sache *abgenutzt, beschädigt, verbraucht
Zerfahrenheit: Achtlosigkeit, Fahrlässigkeit, Geistesabwesenheit, Unachtsamkeit, Unaufmerksamkeit, Unkonzentriertheit, Zerstreutheit
Zerfall: Auflösung, Fäulnis, Verfall, Zersetzung
zerfallen: s. auflösen, auseinander fallen, verwittern, zerbrechen, zerbröckeln, s. zersetzen *auseinander brechen, brechen, kaputtgehen *aussterben, untergehen, vergehen *aufgelöst, auseinander gefallen, zersetzt ***zerfallen (in):** s. gliedern, s. unterteilen, s. zusammensetzen (aus), eingeteilt sein, eingeordnet sein
zerfetzen: zerfleischen, zerreißen, in Stücke reißen *kritisieren, nörgeln, zerpflücken
zerfetzt: heruntergekommen, zerlumpt, zerschlissen *in kleinen Stücken
zerfleddert: abgegriffen, abgenutzt, unansehnlich, verschlissen, zerfetzt, zerlesen
zerfleischen: entzweireißen, zerfetzen, zerrupfen, zerstückeln
zerfließen: auftauen, schmelzen, wegschmelzen, zergehen, zerlaufen, zerrinnen, flüssig werden
zerfressen: auflösen, zersetzen, zerstören *ausgehöhlt
zerfurcht: durchfurcht, faltig, runzlig, verrunzelt *furchig, zerklüftet
zergehen: auftauen, schmelzen, wegschmelzen, zerfließen, zerlaufen, zerrinnen, flüssig werden
zergliedern: analysieren, auflösen, auseinander nehmen, entflechten, entwirren, untersuchen, zerlegen, zerpflücken, zerteilen, auf den Grund gehen *teilen
zerhacken: hacken, klein hacken, zerhauen, zerkleinern, zerstückeln
zerkauen: zerbeißen, zerkleinern, zermalmen
zerkleinern: klein machen, klein schneiden, schnetzeln, schnitzeln
zerknirscht: beschämt, bußfertig, reuevoll, reuig, reumütig, schuldbewusst, Reue empfindend, seiner Schuld bewusst
zerknittern: knittern, zerknüllen, zusammenballen, zusammendrücken, zusammenknüllen
zerknittert: zerknüllt, zusammengeballt, zusammengedrückt, zusammengeknüllt *faltenreich, hutzelig, knittrig, runzelig, zerfurcht, zerschründet
zerlassen: schmelzen, wegschmelzen, auftauen, zerfließen, zerlaufen, zerrinnen, flüssig werden
zerlegen: abbauen, auflösen, auseinander legen, auseinander nehmen, demontieren *aufschneiden, aufteilen, dritteln, halbieren, schneiden, teilen, tranchieren, vierteilen, zerhacken, zerschneiden, zerstückeln, zerteilen, in mehrere Stücke schneiden, in (zwei …) Stücke schneiden
zerlesen: abgegriffen, abgenutzt, unan-

sehnlich, verschlissen, zerfetzt, zerfleddert
zerlumpt: abgebraucht, abgedroschen, abgelaufen, abgenützt, abgenutzt, abgeschabt, abgetragen, abgetreten, alt, altersschwach, ausgedient, schäbig, verschlissen, zerfetzt, zerfleddert, in Lumpen
zermahlen: mahlen, malmen, schroten, zerschroten, zerstoßen
zermalmen: zerbeißen, zerkauen, zerkleinern *breit drücken, breit quetschen, breit schlagen, eindrücken, knacken, stampfen, zerdrücken, zerquetschen *ausradieren, destruieren, niederwalzen, ruinieren, verheeren, vernichten, verwüsten, zerbomben, zerrütten, zerschießen, zerstören, zusammenschießen, dem Erdboden gleichmachen, zu Grunde richten
zermartern: nachdenken, den Kopf anstrengen, krampfhaft überlegen
zermürben: aufreiben, aufzehren, zerrütten, mürbe machen
zernagen: zerstören *zerkauen *abbeißen, beschädigen, durchfressen
zerpflücken: kritisieren, verreißen, widerlegen, zerfetzen, zerreißen, kritisch auseinander nehmen *zerkleinern, zerrupfen, in Teile zerlegen
zerquetschen: breit drücken, breit quetschen, breit schlagen, eindrücken, knacken, stampfen, zerdrücken, zermalmen
Zerrbild: Fratze, Karikatur, verzerrtes Bild
zerreden: durchdiskutieren, schmarren, totreden, alles bereden müssen, alles besprechen müssen, ausladend werden
zerreiben: mahlen, mörsern, pulverisieren, zermahlen
zerreißen: auseinander reißen, einreißen, entzweireißen, schleißen, zerfetzen, zerrupfen, zerstückeln *angreifen, attackieren, beenden, untersagen *auseinander gehen, trennen, s. verlieren ***s. zerreißen (für):** s. bekennen, s. bemühen, s. einsetzen, eintreten (für), s. engagieren, s. erklären, plädieren (für), s. stark machen, s. verwenden, etwas vertreten, etwas verfechten, etwas verteidigen, Partei nehmen, Partei ergreifen, die Stange halten, jmdm. den Rücken stärken
zerren: reißen, rupfen, ziehen, zupfen
zerrinnen: absterben, s. auflösen, auseinander brechen, auseinander fallen, aussterben, dahinschwinden, untergehen, verfallen, verkommen, verloren gehen, verrotten, zerfallen, zusammenbrechen, zu Grunde gehen *auftauen, schmelzen, wegschmelzen, zerfließen, zergehen, zerlaufen, flüssig werden
zerrissen: abgerissen, abgetragen, zerfetzt, zerlumpt *gespalten, unentschlossen, zweifelnd, zwiespältig
Zerrissenheit: Disharmonie, Missklang, Unausgeglichenheit, Uneinigkeit, Zwiespältigkeit
zerronnen: unwiederbringlich, vergangen, vergeben, verloren, verspielt, vertan, nicht zurückholbar
Zerrspiegel: Vexierspiegel
zerrütten: in Unordnung bringen *aufreiben, zermürben, mürbe machen
zerrüttet: erledigt, fertig, gebrochen, ruiniert, am Ende *brüchig, defekt, zerstört *aufgerieben, mürbe, zermürbt
Zerrüttung: Auflösung, Desorganisation, Verschlimmerung
zerschellen: platzen, zerplatzen, splittern, zersplittern, entzweigehen, verunglücken, zerbrechen, in Stücke zerfallen
zerschlagen: einschlagen, eintreten, einwerfen, zerbrechen, zerschmettern, zerstören, zertrümmern, zusammenschlagen *abgehetzt, abgekämpft, abgeschlafft, abgespannt, abgewirtschaftet, angegriffen, angeschlagen, atemlos, aufgerieben, ausgelaugt, durchgedreht, entkräftet, entnervt, erholungsbedürftig, erledigt, ermattet, erschlagen, erschöpft, gerädert, geschafft, groggy, halb tot, kaputt, kraftlos, matt, mitgenommen, müde, schachmatt, schlaff, schlapp, schwach, überanstrengt, überfordert, überlastet, urlaubsreif, verbraucht, k. o., am Ende ***s. zerschlagen:** fehlschlagen, missglücken, misslingen, missraten, scheitern, straucheln, ins Wasser fallen, ohne Erfolg bleiben, schlecht ausfallen, schlecht ausgehen, schlecht auslaufen, zerbrechen (an)
zerschneiden: durchschneiden, entzweischneiden, schnippeln, schnipseln, schnitzeln, teilen, zerstückeln

zersetzen: auflösen, zerfressen, zerstören *demoralisieren, hintertreiben ***s. zersetzen:** s. auflösen, auseinander fallen, zerbrechen, zerbröckeln, zerfallen

zersetzend: destruktiv, negativ, revolutionär, subversiv, umstürzlerisch, zerstörerisch

Zersetzung: Demoralisierung, Entmutigung, Untergrabung *Auflösung, Fäulnis, Verfall, Zerfall

zersplittern: zerbrechen, in Splitter zerfallen *auflösen, auseinander jagen, auseinander treiben, separieren, trennen, verjagen, versprengen, vertreiben

zerspringen: platzen, zerplatzen, splittern, zersplittern, entzweigehen, explodieren, zerbrechen, zerschellen, in Stücke zerfallen

zerstören: ausradieren, destruieren, niederwalzen, ruinieren, verheeren, vernichten, verwüsten, zerbomben, zermalmen, zerrütten, zerschießen, zusammenschießen, dem Erdboden gleichmachen, zu Grunde richten *beschädigen, demolieren, einschlagen, zerbrechen, zerstampfen, zertrümmern, unbrauchbar machen

Zerstörer: Kriegsschiff *Hitzkopf, Quertreiber, Starrkopf, Trotzkopf

zerstörerisch: destruktiv, revolutionär, subversiv, umstürzlerisch, zersetzend

zerstört: abgerissen, entzwei, geplatzt, kaputt *aufgegeben, erledigt, am Boden zerstört *beschädigt, verwüstet, zerbombt *ausgerottet, ruiniert, vernichtet

Zerstörung: Destruktion, Zersetzung *Korrosion, Zersetzung *Verheerung, Vernichtung, Verwüstung, Zerschlagung, Zertrümmerung

Zerstörungswut: Aggression, Barbarei, Vernichtungswahn, Zerstörungslust, Zerstörungstrieb

zerstreiten (s.): s. entfremden, s. entzweien, s. überwerfen, s. verfeinden, s. verzanken, uneins werden

zerstreuen: aufheben, ausmerzen, ausräumen, beheben, beseitigen, eliminieren *auflösen, auseinander jagen, auseinander treiben, separieren, trennen, verjagen, versprengen, vertreiben, zersplittern *auseinander streuen, umherstreuen, verteilen ***s. zerstreuen:** ablenken, aufheitern, aufmuntern, erheitern, s. verstreuen, auf andere Gedanken bringen, auf andere Gedanken kommen

zerstreut: fahrig, getrieben, rastlos, ruhelos, unruhig *abwesend, entrückt, gedankenverloren, geistesabwesend, grübelnd, nachdenklich, schusslig, schusselig, selbstvergessen, träumerisch, traumverloren, unansprechbar, unerreichbar, unkonzentriert, vergesslich, versunken, verträumt, zerfahren, in Gedanken, nicht bei der Sache

Zerstreutheit: Abgelenktheit, Absence, Geistesabwesenheit, Konzentrationsschwäche, Unaufmerksamkeit, Zerfahrenheit

Zerstreuung: Ablenkung, Belustigung, Kurzweil, Unterhaltung, Vergnügen, Zeitvertreib *Auflösung, Ausbreitung, Verstreuung

Zerstreuungslinse: Konkavlinse, Negativlinse

zerstritten: entzweit, uneinig, uneins, verfeindet, zerfallen

zerstückeln: teilen, klein schneiden, zerhacken, zerkleinern, zerschneiden *frikassieren, haschieren

zerteilen: aufschneiden, aufteilen, dritteln, halbieren, tranchieren, vierteilen, zerlegen, zerschneiden, zerstückeln, in zwei/drei … Stücke schneiden, in mehrere Stücke schneiden

Zertifikat: Attest, Beglaubigung, Beleg, Bescheinigung, Garantieschein, Nachweis, Qualitätsnachweis, Quittung, Schein, Urkunde, Zeugnis

zertrennen: spalten, aufspalten, abschneiden, abtrennen, aufteilen, auftrennen, auseinander schneiden, durchhacken, durchhauen, durchschneiden, durchtrennen, entzweien, trennen, zergliedern, zerlegen, zerschneiden, zerteilen *auseinander bringen, entzweien, spalten, verfeinden, verfremden, uneins machen, Zwietracht säen

zertreten: zerstampfen, zertrampeln, zertrümmern

zertrümmern: beschädigen, demolieren, einschlagen, zerbrechen, zerstampfen, zerstören, unbrauchbar machen

Zerwürfnis: Auseinandersetzung, Bruch,

Differenzen, Disharmonie, Entzweiung, Gegensätzlichkeit, Gezänk, Hader, Hakelei, Händel, Kollision, Konflikt, Krawall, Missklang, Missverständnis, Querelen, Reiberei, Reibung, Scharmützel, Streit, Streitigkeit, Szene, Tätlichkeit, Unfriede, Unzuträglichkeit, Verfeindung, Widerstreit, Zank, Zusammenprall, Zusammenstoß, Zwietracht, Zwist
zerzausen: strubbeln, verstrubbeln, zausen, zerraufen
zerzaust: strähnig, strobelig, strubbelig, struppig, unfrisiert, ungekämmt, unordentlich, verstrubbelt, zottig
zessibel: abtretbar, übertragbar
Zession: Abtretung, Übertragung
zetern: anbrüllen, angreifen, attackieren, ausschelten, ausschimpfen, auszanken, heruntermachen, keifen, niedermachen, poltern, schelten, schimpfen, tadeln, zanken, zurechtweisen
Zettel: Blatt, Fetzen, Stück Papier
Zeug: Gewebe, Material, Stoff, Tuch *Befähigung, Begabung, Berufung, Fähigkeit, Fertigkeit, Gaben, Geschick, Intelligenz, Klugheit, Talent, Veranlagung, Voraussetzung *Anzug, Aufzug, Bekleidung, Garderobe, Klamotten, Kleider, Kleidung, Kluft, Kostüm, Montur, Sachen, Tracht, Uniform *Altwaren, Dreck, Gerümpel, Klimbim, Kram, Krempel, Plunder, Ramsch, Schund, Trödel ***dummes Zeug:** Albernheit, Dummheiten, Faxen, Fez, Kindereien, Mätzchen, Narrheiten, Possen, Späße, Torheiten, Unsinn, törichte Einfälle ***s. ins Zeug legen:** s. mühen, s. abmühen, s. quälen, s. abquälen, s. abmartern, s. abschinden, s. abstrampeln, s. anstrengen, s. aufreiben, s. dahinter setzen, s. etwas abverlangen, s. fordern, s. plagen, schuften, s. strapazieren, s. zusammenreißen, sein Bestes tun
Zeuge: Augenzeuge, Beobachter, Betrachter, Hauptzeuge, Kronzeuge, Tatzeuge, Zuschauer *Zeitzeuge
zeugen: befruchten, begatten, schwängern, ein Kind in die Welt setzen ***zeugen (für):** aussagen, bekunden, bestätigen, bezeugen, ein Zeugnis ablegen, als Zeuge aussagen, als Zeuge auftreten, Zeuge sein ***zeugen (von):** bringen, erbringen, aufzeigen, begründen, belegen, bestätigen, beweisen, dokumentieren, erhärten, nachweisen, untermauern, zeigen, den Beweis erbringen, den Nachweis erbringen, den Beweis liefern, den Nachweis liefern, den Beweis führen, unter Beweis stellen
Zeugnis: Schulzeugnis *Zwischenzeugnis *Abiturzeugnis, Abschlusszeugnis, Entlasszeugnis, Reifezeugnis *Diplom, Dokument, Urkunde *Befähigungsnachweis, Bescheinigung, Gutachten, Nachweis *Beweis, Indiz, Nachweis *Ausweis, Beispiel, Beleg, Exempel, Musterbeispiel, Vorbild *Angabe, Aussage, Bekundung, Bezeugung, Eingeständnis, Geständnis, Versicherung, Zeugenaussage ***Zeugnis ablegen (für):** aussagen, bekunden, bestätigen, bezeugen, zeugen (für), als Zeuge aussagen, als Zeuge auftreten, Zeuge sein
zeugungsfähig: fertil, fortpflanzungsfähig, fruchtbar, geschlechtsreif, potent
Zeugungsfähigkeit: Fertilität, Fortpflanzungsfähigkeit, Fruchtbarkeit, Geschlechtsreife, Mannbarkeit, Manneskraft, Potenz *Kraft, Stärke
zeugungsunfähig: impotent, unfruchtbar *infertil, steril, sterilisiert
Zeugungsunfähigkeit: Impotenz, Unfruchtbarkeit *Infertilität, Sterilisierung, Sterilität
zickig: bockig, dickköpfig, eigensinnig, rechthaberisch, starrköpfig, stur, trotzig, unbequem, unnachgiebig, unversöhnlich, unzugänglich, verbohrt, verschlossen, verständnislos, verstockt, widerborstig, widerspenstig, zugeknöpft
Ziegel: Dachpfanne, Dachziegel *Backstein, Baustein, Klinker, Mauerstein, Ziegelstein
ziehen: dehnen, reißen, rupfen, rütteln, zerren, zupfen *gehen, marschieren, wandern, s. zubewegen (auf), zugehen (auf) *einschlagen, hervorrufen, wirken, zeitigen *heranziehen, kreuzen, verbessern, veredeln, züchten *blasen, wehen *herausnehmen, herausziehen, zücken *ausziehen, fortgehen, umziehen, wegziehen *beißen, bohren, brennen, schmerzen, schneiden, stechen, weh tun *abfüllen,

einfüllen, füllen *folgern, einen Schluss ziehen ***s. ziehen:** s. ausweiten, s. dehnen, s. erstrecken
Zieheltern: Pflegeeltern
Ziehharmonika: Akkordeon, Handklavier, Quetsche, Schifferklavier
Ziehkind: Pflegekind
Ziehmutter: Pflegemutter
Ziehvater: Pflegevater
Ziehung: Auslosung, Ausspielung *Ansaugung, Aufsaugung *Anziehung, Hubkraft, Zugkraft
Ziel: Absicht, Bestreben, Endziel, Endzweck, Intention, Plan, Vorsatz, Wollen, Wunsch, Zielvorstellung, das Trachten *Bestimmungsort, Endstation, Reiseziel, Zielort
zielbewusst: ausdauernd, beharrlich, hartnäckig, krampfhaft, unbeirrbar, unbeirrt, unentwegt, unverdrossen, verbissen, verzweifelt, zäh *aktiv, energisch, entschlossen, konsequent, nachdrücklich, resolut, tatkräftig, unbeirrt, willensstark, zielstrebig, zupackend
zielen: anfliegen, anlegen, anpeilen, anschlagen, ansteuern, anvisieren *aufs Korn nehmen ***zielen (auf):** abzielen, gerichtet sein (auf) *anfahren, anfliegen, anlaufen, anpeilen, ansegeln, ansteuern, berühren, Kurs nehmen (auf), zusteuern (auf)
ziellos: fahrlässig, impulsiv, leichtfertig, planlos, richtungslos, unbedacht, unbesonnen, unentschlossen, unüberlegt, unvorsichtig, kreuz und quer
zielsicher: aktiv, energisch, entschlossen, konsequent, nachdrücklich, resolut, tatkräftig, unbeirrt, willensstark, zielbewusst, zielstrebig, zupackend
Zielstrebigkeit: Beständigkeit, Dauer, Dauerhaftigkeit, Fortbestand, Fortbestehen, Fortdauer, Fortgang, Permanenz, Stetigkeit, das Weitergehen
ziemen (s.): s. gebühren, s. gehören, s. geziemen, s. schicken, angebracht sein, angemessen sein
Ziemer: Gerte, Peitsche, Reitpeitsche *Tierrücken
ziemlich: diesbezüglich, relativ, vergleichsweise, verhältnismäßig *ansehnlich, beachtlich, bedeutend, beträchtlich, erheblich, respektabel, stattlich *angemessen, gebührend, gebührlich
Zierde: Dekor, Ornament, Putz, Rankenwerk, Schmuck, Verschnörkelung, Verzierung, Zier, schmückendes Beiwerk
zieren: ausgestalten, ausputzen, ausstatten, behängen, dekorieren, garnieren, schmücken, schön machen, verschönen, verschönern ***s. zieren:** s. anstellen, s. genieren, s. spreizen, prüde sein, schüchtern sein, s. zurückhalten, zimperlich sein, an sich halten, gekünstelt sein
Ziererei: Affektiertheit, Gehabe, Gespreiztheit, Getue, Geziere
zierlich: durchsichtig, fragil, gazellenhaft, grazil, schlank, schmächtig, schmal, schnucklig, zart, zerbrechlich *kurz, winzig, zwergenhaft, klein (gewachsen)
Ziffer: Nummer, Zahl
Zigarette: Glimmstängel, Stäbchen
Zigarre: Stumpen *Belehrung, Denkzettel, Ermahnung, Kritik, Lehre, Lektion, Maßregelung, Missbilligung, Standpauke, Strafpredigt, Tadel, Verweis, Vorhaltung, Warnung, Zurechtweisung
Zigeuner: Landfahrer, Roma, Sinti
zigeunern: strolchen, herumstrolchen, s. herumdrücken, herumkommen, herumlaufen, herumlungern, herumstromern, s. herumtreiben, herumziehen, streunen, s. treiben lassen, s. umhertreiben, umherziehen, vagabundieren, ohne festen Wohnsitz sein, auf der Straße leben
Zimmer: Bude, Gemach, Kammer, Raum, Räumlichkeit, Stube
zimmern: anfertigen, basteln, bauen, fertigen, herstellen, machen, produzieren, schaffen *schreinern, tischlern
zimperlich: empfindlich, überempfindlich, heikel, unleidlich, wehleidig, weichlich *ängstlich, nervös, unsicher *altjüngferlich, prüde, schamhaft, spröde
Zimperlichkeit: Prüderie, Schamhaftigkeit
Zinke: Nase, Zacke, Zinken
Zinsen: Erlös, Ertrag, Gewinn, Kapitaleinkünfte, Kapitalerträge, Zinseinkünfte, Zinseinnahmen, Zinserträge *Miete, Mieteinnahme, Mieterlös, Mietzins
zinslos: unverzinst, ohne Zinsen

Zinssatz: Zinsfuß
Zipfel: Ecke, Eckstück, Eckstückchen, Ende *Ausläufer, Spitze, Vorsprung, Zunge
zirka: abgerundet, annähernd, beinahe, circa, einigermaßen, etwa, fast, gegen, pauschal, schätzungsweise, ungefähr
Zirkel: Arbeitsgemeinschaft, Arbeitskreis, Gruppe, Lerngemeinschaft, Studiengruppe *Ausschuss, Forum, Gremium, Kommission, Kreis, Runde
zirkeln: probieren, ausprobieren, herumprobieren, tüfteln *abmessen, bemessen, einen Kreis ziehen
Zirkulation: Blutkreislauf, Kreislauf *Kreislauf, Umlauf, Umwälzung
zirkulieren: herumgehen, kreisen, kursieren, umgehen, umlaufen
Zirkus: Aufstand, Durcheinander, Gehabe, Getue, Trubel, Umstand, viel Aufhebens *Zirkusunternehmen *Aufstand, Faxen, Komödie, Rabatz, Rummel, Spiel, Tamtam, Theater, Trara
zirpen: pfeifen, piepen, piepsen, schilpen, schlagen, singen, tirilieren, trillern, tschilpen, ziepen, zwitschern
zischeln: flüstern, rascheln, tuscheln, zischen
zischen: fauchen, zischeln *nicht einverstanden sein, sein Missfallen zeigen
Zischen: Wut *Gebrause, Gezischel, Sausen
Zisterne: Flüssigkeitsbehälter, Regenwasserspeicher, Wasserbehälter
Zitadelle: Befestigung, Burg, Festung, Festungsbau, Festungsbollwerk, Festungswerk, Fort, Fortifikation, Kastell
Zitat: Ausspruch, Belegstelle, bekannter Spruch, geflügeltes Wort
zitieren: anführen, belegen, erwähnen, nennen *laden, vorladen *befehlen, beordern, bestellen, heranrufen, laden
Zitrone: Limone, Zitrusfrucht
zittern: beben, erbeben, erzittern, flattern, schlottern, schnattern, vibrieren *s. ängstigen, beben
zittrig: angstbebend, angsterfüllt, ängstlich, angstschlotternd, angstverzerrt, angstvoll, argwöhnisch, aufgeregt, bang, bänglich, befangen, beklommen, besorgt, betroffen, feigherzig, gehemmt, hasenherzig, kleinmütig, memmenhaft, mutlos, scheu, schreckhaft, schüchtern, verängstigt, verschreckt, verschüchtert, zag, zaghaft, zähneklappernd *alt, gebrechlich, hinfällig
zivil: bürgerlich, geordnet, ordentlich, sicher, solid *angemessen, bezahlbar, billig, erschwinglich, mäßig, preisgünstig, preiswert *standesamtlich *privat *bürgerlich, nicht militärisch
Zivil: bürgerliche Kleidung
Zivilcourage: Beherztheit, Courage, Draufgängertum, Furchtlosigkeit, Kühnheit, Mut, Selbstsicherheit, Sicherheit, Unerschrockenheit, Unverzagtheit
Zivildienstleistender: Ersatzdienstleistender, Kriegsdienstverweigerer, Zivi
Zivilisation: Fortschritt, Kultur, Lebensart, Lebensstil
Zivilist: Bürger, Zivilperson
Zofe: Kammerjungfer, Kammermädchen, Kammerzofe
zögern: warten, abwarten, s. bedenken, s. besinnen, innehalten, offen lassen, schwanken, verweilen, zagen, zaudern, Bedenken tragen, Bedenken haben, mit sich kämpfen, unentschieden sein, unentschlossen sein, unschlüssig sein
zögernd: abwartend, entschlusslos, schwankend, unentschieden, unentschlossen, unschlüssig
Zögling: Eleve, Schüler, Schuljunge, Schulkind, Schulmädchen
Zölibat: Ehelosigkeit, Jungfräulichkeit, Junggesellenstand
Zoll: Abgabe an der Grenze, Steuern an der Grenze, Tribut an der Grenze *Douane, Grenze, Landesgrenze, Staatsgrenze *Inch
zollen: achten, anerkennen *beachten, würdigen *loben, Lob spenden *danken
zollfrei: abgabenfrei, unverzollt, ohne Zoll
Zöllner: Zollbeamter
zollpflichtig: abgabenpflichtig, verzollt
Zone: Bezirk, Gebiet, Gebietsstreifen, Gürtel, Landstreifen, Streifen
Zoo: Menagerie, Tiergarten, Tierpark, zoologischer Garten
Zopf: Flechte, Haarstrang, Pferdeschwanz *Schmuck, Verzierung

Zores: Ärger, Bedrängtheit, Not, Umstände *Chaos, Durcheinander, Wirrwarr *Gesindel
Zorn: Bissigkeit, Erbostheit, Gereiztheit, Groll, Schärfe, Verärgerung, Wut, Wutanfall, Zornröte *Anwandlung, Aufwallung, Entladung, Erregung, Explosion, Tobsuchtsanfall, Zornesausbruch
zornig: ärgerlich, aufgebracht, bärbeißig, böse, brummig, entrüstet, erbittert, erbost, erzürnt, fuchsteufelswild, fuchtig, gekränkt, gereizt, grantig, griesgrämig, grimmig, grollend, hitzköpfig, knurrig, missgelaunt, missgestimmt, misslaunig, missmutig, missvergnügt, muffig, mürrisch, peinlich, schlecht gelaunt, übelgelaunt, übellaunig, unangenehm, unbefriedigt, unerfreulich, ungehalten, unleidlich, unlustig, unmutig, unwillig, unwirsch, unzufrieden, verärgert, verbittert, verdrießlich, verdrossen, wütend, wutentbrannt, wutschäumend, wutschnaubend, zähneknirschend, in schlechter Stimmung
Zote: Sauerei, Schweinigelei, Schweinerei, Unanständigkeit, Unflätigkeit, unanständiger Witz, frivoler Witz, obszöner Witz
zotig: anstößig, anzüglich, lasziv, liederlich, obszön, pikant, pornografisch, ruchlos, schmutzig, shocking, unanständig, ungebührlich, ungehörig, unkeusch, unschicklich, unsolide, unziemlich, verdorben, verwerflich, verworfen, wüst, zweideutig, gegen die Sitte, nicht salonfähig, nicht stubenrein
zottig: bärtig, borstig, fransig, strubbelig, struppig
zu: an, herbei, herzu, nach, bis zu *à, je, per, pro *geschlossen, abgeschlossen, abgesperrt, dicht, unbetretbar, verriegelt, verschlossen, zugeschlossen, zugesperrt *geschützt, gesichert, sicher ***zu viel:** übergenug, unerschöpflich, üppig, zu ausgiebig, zu massenhaft, zu reichhaltig, zu reichlich
zuallererst: anfänglich, vorab, voraus, vorderhand, vorerst, zuvor, als Erstes, als Nächstes, am Anfang, an erster Stelle, fürs Erste, in erster Linie
zuallerletzt: als Letzter, am Schluss, am Ende, an letzter Stelle, ganz hinten
zubauen: anbauen, erweitern, verbauen
Zubehör: Accessoires, Kinkerlitzchen, Klimbim, Requisit, Utensilien, das Zugehörige *Bestandteil, Element, Ingrediens, Komponente *Beigabe, Beilage, Beiwerk, Zutat
zubereiten: anrichten, backen, braten, dämpfen, dünsten, grillen, herrichten, kochen, vorbereiten, zurichten *anrichten, dressieren, verzieren
zubereitet: angerichtet, bereitgemacht, fertig gemacht, hergerichtet, präpariert, tafelfertig, tischfertig, vorbereitet, zugerichtet
zubilligen: beipflichten, bewilligen, billigen, erlauben, genehmigen, gewähren, stattgeben, tolerieren, zugestehen
zubinden: verschließen, verschnüren, zuschnüren
zubringen: zubekommen, zukriegen, zuschließen *sagen, weitersagen, ausplappern, ausplaudern, ausposaunen, ausquasseln, austrompeten, bekannt geben, darstellen, hinterbringen, informieren, mitteilen, preisgeben, schwätzen, verkünden, verkündigen, verplappern, verplaudern, verraten, weitererzählen, wiedererzählen, zutragen *s. aufhalten, s. befinden, leben, verbringen, anwesend sein
Zubringer: Lude, Schlepper, Zuhälter *Hintermann, Kolporteur, Verräter, Zuträger *Spion *Autobahnzubringer, Schnellstraße, Straße, Zubringerstraße
Zubringerlinie: Zubringerstrecke
Zubringerstraße: Autobahnzubringer
zubuttern: geben, zuschustern
Zucht: Disziplin, Dressur, Drill, Ordnung *Anzucht, Aufzucht, Deckung, Kreuzung, Kultur, Neuzüchtung, Züchtung *Erziehung, Kinderstube *Moral, innere Kraft
züchten: aufziehen, heranziehen, heranzüchten, kreuzen, paaren, verbessern, vermehren
Züchter: Hirt, Kuhhirt, Tierzüchter, Viehzüchter
Zuchthaus: Anstalt, Gefängnis, Haftanstalt, Strafvollzugsanstalt, Vollzugsanstalt
züchtig: anständig, gesittet, sittlich, sitt-

sam *enthaltsam, jungfräulich, keusch, unberührt, unschuldig, unverdorben
züchtigen: bestrafen, durchhauen, prügeln, schlagen, zuhauen, eine schmieren, eine Ohrfeige geben, tätlich werden
Züchtigkeit: Anständigkeit, Sittlichkeit, Sittsamkeit *Enthaltsamkeit, Zurückhaltung
Züchtigung: Körperstrafe, Strafe
zuchtlos: lasterhaft, liederlich, obszön, sittenlos, unkeusch, unmoralisch, unsittlich, verdorben, verrucht, verworfen, wüst, zotig *disziplinlos, haltlos, liederlich, undiszipliniert, zügellos
Zuchtlosigkeit: Lasterhaftigkeit, Liederlichkeit, Sittenlosigkeit, Unkeuschheit, Unmoral, Unsittlichkeit, Unzüchtigkeit, Verderbtheit, Verruchtheit, Verworfenheit *Disziplinlosigkeit, Haltlosigkeit, Liederlichkeit, Undiszipliniertheit, Zügellosigkeit
Züchtung: Anzucht, Aufzucht, Neuzüchtung, Zucht
zucken: brennen, flacken, flackern, züngeln *rucken, wackeln, zappeln *erbeben, erschrecken, erzittern, vibrieren, zusammenfahren, zusammenzucken
zücken: herausziehen, vorzeigen, zeigen, ziehen, schnell herausnehmen
Zuckerbäcker: Konditor
Zuckerkranke(r): Diabetiker(in)
Zuckerkrankheit: Diabetes
zuckern: einzuckern, kandieren, süßen, überzuckern, verzuckern
Zuckerrübe: Futterrübe, Runkelrübe
zuckersüß: gesüßt, gezuckert, honigsüß, süßlich, zuckrig, zuckerig
Zudecke: Bettdecke, Deckbett, Decke, Federbett
zudecken: abdecken, bedecken, schützen, überdecken, verdecken, verhängen, verhüllen *tolerieren, übersehen, verheimlichen, verschweigen *einschneien, verschneien, zuschneien
zudem: ansonsten, auch, außerdem, daneben, dazu, ferner, fernerhin, noch, obendrein, sonst, überdies, und, weiter, weiterhin, zusätzlich, darüber hinaus, des Weiteren, unter anderem, im Übrigen
zudrehen: abdrehen, abschalten, abstellen, ausdrehen, ausschalten, stoppen *verknappen, knapp halten *abwenden, umdrehen, den Rücken zudrehen ***s. zudrehen:** s. jmdm. hinwenden, s. widmen, s. zuwenden
zudringlich: anmaßend, aufdringlich, lästig, penetrant, plump, unangenehm, unverschämt, widerlich, nicht feinfühlig
Zudringlichkeit: Anmaßung, Annäherungsversuch, Aufdringlichkeit, Belästigung
zudrücken: übersehen *nachgeben, nachsehen *abdrücken, erwürgen
zueignen: geben, schenken, widmen *verehren, weihen, widmen, zudenken
Zueignung: Schenkung, Übergabe *Verehrung, Widmung
zuerkennen: zuerteilen, zusprechen
zuerst: anfänglich, vorab, voraus, vorderhand, vorerst, zuallererst, zuvor, als Erstes, als Nächstes, am Anfang, an erster Stelle, fürs Erste, in erster Linie
Zufahrt: Einfahrtsweg, Hauseinfahrt, Toreinfahrt *Auffahrt, Aufgang, Rampe, Zugang
Zufall: Gelegenheit, Glück, Glücksfall, Glückssache, Zufälligkeit
zufallen: einschnappen, zuklappen, zuschlagen, zuschnappen, ins Schloss fallen *anheim fallen, zufließen, zuströmen, zugesprochen werden, zuerkannt werden
zufällig: absichtslos, unbeabsichtigt, unbewusst, unerwartet, ungewollt, unwillkürlich, durch Zufall, nur so, von selbst *beliebig, wahllos, willkürlich
zufassen: helfen, aushelfen, anpacken, assistieren, beispringen, beistehen, dienen (mit), durchhelfen, entgegenkommen, entlasten, mitarbeiten, mithelfen, sekundieren, unterstützen, zugreifen, Hand anlegen, Hilfe leisten, Beistand leisten, zur Seite stehen, Hilfe erweisen, mit Hand anlegen, behilflich sein, Hilfe geben *anfassen, anlangen, anrühren, antasten, befühlen, berühren, betasten, betatschen, hinlangen, in die Hand nehmen
zufliegen: in den Schoß fallen, keine Mühe haben, keine Schwierigkeit haben, mühelos erlernen, mühelos erlangen, mühelos bewältigen, mühelos erreichen

*einschnappen, zufallen, zugehen, zuklappen, zuschlagen, zuschnappen, ins Schloss fallen
Zuflucht: Asyl, Freistätte, Schlupfloch, Schlupfwinkel, Unterschlupf, Versteck, Zufluchtsort, Zufluchtsstätte
Zufluss: Mündung, Zulauf, Zuleitung *Ansammlung, Wertzuwachs, Zunahme
zuflüstern: ausplaudern, hinterbringen, verraten, zubringen, zutragen *einflüstern, vorsagen, zuraunen
zufolge: entsprechend, gemäß, laut, nach ..., nach Maßgabe
zufrieden: genügsam, selbstgenügsam, anspruchslos, ausgeglichen, befriedigt, beruhigt, bescheiden, satt, wunschlos, zufrieden gestellt, zurückhaltend *billigen, einwilligen, gutheißen, zusagen, zustimmen, einverstanden sein, Zustimmung geben *beglückt, freudig, froh, fröhlich, glücklich, selig, überglücklich *gesättigt, satt, voll ***s. zufrieden geben:** s. abfinden, s. begnügen, s. bescheiden, fürlieb nehmen, vorlieb nehmen (mit) ***zufrieden gestellt:** genügsam, selbstgenügsam, ausgeglichen, befriedigt, beruhigt, bescheiden, satt, wunschlos, zufrieden ***zufrieden lassen:** in Ruhe lassen, nicht belästigen, nicht behelligen, nicht stören, nicht genieren, nicht lästig fallen ***zufrieden stellen:** entsprechen, etwas stillen, jmdn. abfinden
Zufriedenheit: Ausgeglichenheit, Behagen, Erfüllung, Genugtuung, Gleichgewicht, Seelenfriede, Wohlbehagen, Wohlgefallen, Wohlgefühl *Anspruchslosigkeit, Bedürfnislosigkeit, Bescheidenheit, Genügsamkeit, Wunschlosigkeit
zufrieren: überfrieren, von Eis bedeckt werden
zufügen: behelligen, bereiten, schaden, schädigen, jmdm. etwas antun *drauflegen, drauftun, ergänzen, hinzufügen, hinzusetzen
Zufuhr: Abgabe, Anlieferung, Auslieferung, Lieferung, Übergabe, Übermittlung, Überweisung, Weitergabe, Zuleitung, Zustellung
zuführen: beliefern, versorgen *hinführen, verlaufen *hinzuziehen
Zug: Aufzug, Festzug, Prozession, Umzug *Bahn, Eisenbahn, Reisezug *Abteilung, Gruppe, Kolonne, Pulk, Trupp, Truppe *Bedürfnis, Faible, Hang, Hinneigung, Interesse, Neigung, Schwäche, Sympathie, Talent, Veranlagung *Flug, Wandern, Ziehen *Besonderheit, Charakteristikum, Eigenschaft, Eigentümlichkeit, Kennzeichen, Merkmal, Wesenszug *Schluck
Zugabe: Beigabe, Beilage, Zutat *Beigabe, Beilage, Extra
Zugang: Einfahrt, Eingang, Einlass, Pforte, Tür, Zutritt *Anlieferung, Belieferung *Zufluss, Zustrom, Zuwachs *Anstieg, Progression, Steigerung, Verbesserung, Verdichtung, Vermehrung, Verstärkung, Wachstum, Zunahme, Zuwachs
zugänglich: aufrichtig, freimütig, mitteilsam, offen, offenherzig, rückhaltlos, vertrauensselig, zutraulich *ansprechbar, aufgeschlossen, aufnahmebereit, aufnahmefähig, empfänglich, geneigt, gestimmt, geweckt, interessiert, offen *ausführbar, denkbar, durchführbar, erreichbar, möglich, nahe, verfügbar, vorstellbar, nahe bei, in der Nähe, nicht weit, um die Ecke, nicht ausgeschlossen *begehbar, offen
zugeben: gestehen, eingestehen, aussagen, beichten, bekennen, erklären, offenbaren, zugestehen, geständig sein *dazugeben, dazulegen *billigen, erlauben, zulassen
zugegen: anwesend, da, hier, vorhanden
zugehen: geschickt werden, überreicht werden, überbracht werden, zugesandt werden, zugestellt werden *s. schließen lassen, verschließbar sein *weitergehen, weiterlaufen ***zugehen (auf):** herantreten, s. nähern, s. zubewegen (auf) ***zugehen lassen:** senden, absenden, einwerfen, schicken, transportieren, übermitteln, übersenden, überweisen, versenden, zuleiten, zuschicken, zusenden, zukommen lassen
Zugehfrau: Hausangestellte, Hilfe, Putzfrau, Raumpflegerin, Reinmachefrau, Reinemachefrau, Scheuerfrau, Stundenfrau
zugehörig: angeschlossen, anliegend, dazugehörend, integriert *eigen, persönlich, privat

Zugehörigkeit: Einschließung, Einschluss, Inbegriff *Mitglied, Teilnehmer
zugeknöpft: aufmüpfig, aufsässig, bockbeinig, bockig, dickköpfig, dickschädelig, eigensinnig, eisern, fest, finster, halsstarrig, hartgesotten, kompromisslos, kratzbürstig, rechthaberisch, standhaft, starrköpfig, starrsinnig, steifnackig, störrisch, stur, trotzig, unaufgeschlossen, unbelehrbar, unbequem, unbotmäßig, unerbittlich, unfolgsam, ungehorsam, unnachgiebig, unversöhnlich, unzugänglich, verbohrt, verschlossen, verständnislos, verstockt, widerborstig, widersetzlich, widerspenstig
Zügel: Führung, Leitung, Ruder *Leine, Riemen, Zaum
zugelassen: angemeldet *erlaubt, freigegeben, genehmigt, gestattet *approbiert
zügellos: enthemmt, frei, hemmungslos, ungehemmt, ungeniert, zwanglos, ohne Hemmung *ausschweifend, disziplinlos, exzessiv, gierig, leidenschaftlich, schrankenlos, triebhaft, undiszipliniert, ungezügelt, unkontrolliert, wild
zügeln: bremsen, drosseln, mäßigen, zurückhalten, im Zaum halten, nicht frei gehen lassen, nicht gewähren lassen, Zaum anlegen, Zügel anlegen, die Kandare anlegen ***s. zügeln:** s. bändigen, s. beherrschen, s. besiegen, s. bezähmen, s. bezwingen, s. disziplinieren, s. mäßigen, s. überwinden
Zügelung: Bändigung, Diszipliniertheit, Mäßigung, Selbstbeherrschung
zugeneigt: freund, geneigt, gewogen, gnädig, gönnerhaft, günstig, gut gesinnt, hold, huldreich, huldvoll, jovial, leutselig, wohlgesinnt, wohlmeinend, wohlwollend, zugetan, freundlich gesinnt ***zugeneigt sein:** abgewinnen, bevorzugen, lieb haben, mögen, sympathisieren (mit), viel übrig haben (für), wohl wollen, angetan sein, nicht abgeneigt sein, Geschmack finden (an), eingenommen sein, Gefallen finden, Gefallen haben
zugereist: eingewandert, immigriert, zugewandert, zugezogen
zugeschneit: eingeschneit, verschneit, weiß, winterlich, mit Schnee bedeckt, unter Schnee begraben, tief verschneit
zugesellen (s.): s. anhängen, s. anschließen, s. befreunden, begleiten, s. beigesellen, s. gesellen, mitgehen, mitlaufen, Gesellschaft leisten
Zugeständnis: Einräumung, Entgegenkommen, Kompromiss, Konzession
zugestehen: zugeben, einen Kompromiss eingehen, einen Kompromiss schließen, Konzessionen machen, Zugeständnisse machen *bewilligen, einräumen, erlauben, genehmigen, gestatten, gewähren, gönnen, tolerieren, zubilligen
zugetan: anständig, aufmerksam, beflissen, bereitwillig, dienstwillig, entgegenkommend, freundlich, gefällig, großmütig, großzügig, gut gesinnt, hilfsbereit, höflich, huldreich, huldvoll, konziliant, kulant, leutselig, liebenswürdig, nett, verbindlich, wohlgesinnt, wohlmeinend, wohlwollend, zuvorkommend ***zugetan sein:** begehren, eine Neigung haben (für), lieben, verehren, ins Herz geschlossen haben, sein Herz verschenken, verliebt sein, zärtliche Gefühle hegen
Zugfahrzeug: Fahrzeug, Lastkraftwagen, Pkw, Zugwagen
zugig: auffrischend, bewegt, böig, luftig, stürmisch, windig
zügig: eilig, fix, flink, flott, flüssig, geschwind, rasch, schnell, ununterbrochen
Zugkraft: Anreiz, Anziehung, Anziehungskraft, Attraktivität, Reiz
zugkräftig: wirksam, werbewirksam, anreizend, anziehend, attraktiv, effizient, erfolgreich, magnetisch, reißerisch, schlagkräftig, wirkungsvoll
zugleich: gleichzeitig, zusammen, im selben Augenblick, im gleichen Augenblick, zur gleichen Zeit *auch, ebenso, in einer Person, in gleicher Weise
Zugmaschine: Bulldog, Schlepper, Traktor, Trecker *Lokomotive
Zugnummer: Attraktion, Galanummer, Glanznummer, Glanzstück, Hauptattraktion, Knüller, Schlager, Zugstück
zugreifen: s. bedienen, essen, s. nehmen *anfassen, anpacken, helfen, zufassen, zulangen, zupacken, Hand anlegen *schnappen, überwältigen, verhaften
zugrunde gehen: ableben, hinscheiden, sterben *herunterkommen, untergehen,

verkommen, verrohen, verwahrlosen, verwildern *scheitern, nicht bewältigen, zerbrechen (an) ***zugrunde legen:** bedingen, voraussetzen, zur Voraussetzung machen ***zugrunde liegen:** abstammen (von), entspringen, s. ergeben (aus), herkommen (von), resultieren, stammen (von), wurzeln (in), zurückgehen (auf), seinen Ursprung haben, seinen Ausgang haben ***zugrunde richten:** ausbeuten, ruinieren, vernichten, zerrütten, zerstören, bankrott richten

zugunsten: für, zuliebe, zu Gunsten, zum Vorteil (von)

zugute halten: anrechnen, berücksichtigen ***zugute kommen lassen:** zuwenden, angedeihen lassen, zukommen lassen, zuteil werden lassen

zuhalten: verschließen, zumachen ***zuhalten (auf):** anpeilen, ansteuern, Kurs nehmen (auf), zufahren (auf), zusteuern (auf), zum Ziel nehmen

zuhören: s. anhören, aufpassen, hinhören, horchen (auf), lauschen, an jmds. Lippen hängen, ganz Ohr sein, jmdm. sein Ohr leihen, sein Gehör schenken

Zuhörer: Besucher, Hörerschaft, Publikum, Teilnehmer, Zuhörerschaft

zujubeln: applaudieren, Beifall klatschen, Beifall zollen, Beifall spenden

zuklappen: schließen, zuschlagen, zuschmettern, zuwerfen

zukleben: verkleben, verleimen

zuknallen: zuschlagen, zuschleudern, zuschmeißen, zuschmettern, zustoßen, zuwerfen

zukommen: zustehen, ein Anrecht haben, einen Anspruch haben

Zukunft: Ferne, Folgezeit, das Nachher, das Kommende, das Morgen, das nächste Jahr, die spätere Zeit, die bevorstehende Zeit, die kommende Zeit, die herannahende Zeit *Aussicht, Chance, Hoffnung, Möglichkeit *Nachkommen, Nachwelt

zukünftig: bald, künftig, nächstens, nahe, in absehbarer Zeit, in Kürze, in Bälde

Zukunftsglaube: Fortschrittsglaube, Hoffnung, Hoffnungsfreude, Lebensbejahung, Optimismus, Zuversichtlichkeit

zukunftsgläubig: hoffnungsfroh, hoffnungsvoll, lebensbejahend, optimistisch, zuversichtlich, guten Mutes, voller Zuversicht

Zukunftsmusik: Utopie, Zukunftstraum

zulachen: angrinsen, anlächeln, anlachen, anschmunzeln, anstrahlen, zulächeln

Zulage: Geldzulage, Gratifikation, Prämie, Zuschlag, Zuwendung, freiwillige Entschädigung, freiwillige Vergütung, finanzielle Mehrleistung

zulangen: anfassen, anpacken, zufassen, zugreifen, Hand anlegen *s. bedienen, s. nehmen, zugreifen, zusprechen

zulassen: anerkennen, dulden, respektieren, tolerieren, zugeben, geschehen lassen *erlauben, freigeben, gestatten *anmelden *akkreditieren, beglaubigen, legalisieren

zulässig: berechtigt, bewilligt, erlaubt, freigegeben, genehmigt, gesetzlich, gestattet, legal, legitim, statthaft, zugestanden

Zulassung: Anerkennung, Duldung, Genehmigung, Tolerierung *Erlaubnis, Gestattung *Anmeldung *Akkreditierung, Beglaubigung, Legitimierung

Zulauf: Andrang, Ansturm, Nachfrage *Zufluss, Zugang, Zustrom, Zuwachs

zulaufen: einströmen, zufließen, zuströmen *s. anschließen, s. einfinden

zulegen: angeben, erhöhen, steigern, vergrößern, verstärken *beigeben, hinzufügen ***s. zulegen:** s. aneignen, erwerben, s. zu Eigen machen *annehmen

zuleide tun: jmdm. etwas antun, schaden, schädigen, (Schaden) zufügen

zuleiten: senden, absenden, einwerfen, schicken, transportieren, übermitteln, übersenden, überweisen, versenden, zuschicken, zusenden, zukommen lassen, zugehen lassen

zuletzt: zuallerletzt, als Letzter, am Schluss, am Ende, an letzter Stelle, ganz hinten, zum Schluss *eigentlich, endlich, letztlich, schließlich *letztens, im Lauf der Zeit, nach Jahr und Tag, zu guter Letzt

zuliebe: mit Rücksicht (auf), zu Gunsten (von), einen Gefallen tun

zumachen: schließen, abschließen, verschließen, zuklappen, zuriegeln, zuschlagen

zumal: da, weil, vor allem da, besonders da *ausdrücklich, besonders, eigens, hauptsächlich, insbesondere, namentlich, speziell, vornehmlich, vorwiegend, vorzugsweise, in erster Linie, vor allen Dingen, vor allem, im Besonderen
zumauern: blockieren, sperren, verbarrikadieren, verbauen, vermauern, verriegeln, verschließen, versperren, verstellen, zubauen, zustellen ***s. zumauern:** s. abkapseln, s. abschließen, s. absondern, s. einigeln, s. einspinnen, s. isolieren, s. separieren, s. vergraben, s. verschließen, s. von der Außenwelt abschließen, s. vor der Welt verschließen, s. zurückziehen, Kontakt meiden, das Leben fliehen, der Welt entsagen
zumessen: dosieren, verteilen, zuteilen, zuweisen
Zumessung: Dosierung, Verteilung, Zuteilung
zumindest: geringstenfalls, mindestens, nicht weniger (als), zu wenigst, auf jeden Fall, zum wenigsten, zum Mindesten
zumutbar: ausführbar, durchführbar, möglich *bezahlbar, erträglich, normal
zumuten: abverlangen, aufbürden, fordern, verlangen ***s. zumuten:** s. etwas abverlangen, s. fordern, s. übernehmen
Zumutung: Ansinnen, Frechheit, Unverschämtheit
zunächst: vorab, vorderhand, vorerst, zuerst, fürs Erste, in erster Linie *einstweilen, inzwischen
zunähen: schließen, vernähen, zumachen
Zunahme: Anstieg, Progression, Steigerung, Verbesserung, Verdichtung, Vermehrung, Verstärkung, Wachstum, Zugang, Zuwachs
Zuname: Familienname, Nachname
zunehmen: anschwellen, ansteigen, s. ausweiten, s. erhöhen, s. vermehren, s. verstärken
zünden: Begeisterung hervorrufen, Stimmung hervorrufen *anbrennen, anzünden, entfachen, entzünden *s. verstehen
Zündholz: Feuerholz, Hölzchen, Reibholz, Streichholz, Zünder
Zündstoff: Dynamit, Sprengstoff *Brisanz, Explosivstoff, Konfliktstoff
zunehmen: anschwellen, dick werden *anschwellen, ansteigen, anwachsen, s. ausdehnen, s. ausweiten, s. erhöhen, s. erweitern, s. steigern, s. verdichten, s. vergrößern, s. vermehren, s. verschlechtern, s. verschlimmern, s. verstärken, s. vervielfachen, an Ausdehnung gewinnen
zuneigen (s.): s. anfreunden, s. annähern, hinwenden, lieben *mögen, wollen, wünschen
Zuneigung: Gunst, Sympathie, Wohlwollen, Zuwendung *Hingabe, Hinneigung, Leidenschaft, Liebe *Hang, Interesse, Neigung, Talent, Vorliebe *Aufgeschlossenheit, Aufmerksamkeit, Güte, Wohlwollen
zünftig: fachmännisch, zunftgemäß *gehörig, ordentlich, schön, tüchtig *bodenständig, natürlich, ungekünstelt, unverfälscht, urig, ursprünglich, urwüchsig
Zunge: Ausläufer, Spitze, Vorsprung, Zipfel
züngeln: flacken, flackern, lodern, zucken, unruhig brennen
Zungenfertigkeit: Redegewandtheit, Sprachfertigkeit
Zungenlaut: Lingual
zunichte machen: durchkreuzen, frustrieren, hintertreiben, torpedieren, untergraben, verderben, vereiteln, verhindern, zu Fall bringen, zu Schanden machen, einen Strich durch die Rechnung machen, das Handwerk legen
zunicken: anlächeln, grüßen, hinnicken *bejahen, erlauben, gestatten
zunutze machen (s.): ausbeuten, ausnehmen, ausnutzen, ausnützen, ausschlachten, melken, zu Nutze machen
zuordnen: einordnen, einreihen, einsortieren *beifügen, beigeben, beiordnen, zugesellen
zupacken: fassen, anfassen, packen, anpacken, greifen, zugreifen, zufassen *helfen, Hand anlegen
zupfen: reißen, rupfen, zerren, ziehen
zuprosten: prosten, zutrinken, ein Hoch auf jmdn. ausbringen, einen Toast aussprechen, einen Trinkspruch ausbringen
zuraten: raten, beraten, einschärfen, nahe legen, zureden *auffordern, aufmuntern, bearbeiten, beeinflussen, be-

kehren, bereden, einreden, ermuntern, ermutigen, raten (zu), überreden, umstimmen, veranlassen
zurechnungsfähig: bewusst, fit, klar, normal, urteilsfähig, mit klarem Menschenverstand *gesund
zurechtbiegen: biegen, brechen, falten, falzen, knicken, kniffen, umbiegen *beilegen, bereinigen, einrenken, wieder gutmachen, zurechtrücken
zurechtfinden (s.): s. durchfinden, s. orientieren können, zurechtkommen, Zusammenhänge erkennen, die richtige Lösung finden, den richtigen Weg finden
zurechtkommen: kooperieren, zusammenarbeiten, mit jmdm. auskommen *mit einer Sache fertig werden *pünktlich sein, zur rechten Zeit eintreffen, zur rechten Zeit kommen *s. durchfinden, s. orientieren können, s. zurechtfinden, Zusammenhänge erkennen, die richtige Lösung finden, den richtigen Weg finden
zurechtlegen: ordnen, zurechtmachen, zurechtrücken, zurechtstellen
zurechtmachen: bereiten, bereitmachen, herrichten *bereithalten, bereitlegen, bereitmachen, bereitstellen, fertig machen, herrichten, präparieren, rüsten, vorbereiten, zurechtlegen *gerade rücken, zurechtlegen, zurechtrücken, zurechtstellen, an die richtige Stelle rücken *anmalen, schminken, Schminke auflegen ***s. zurechtmachen:** s. fein machen, s. herausputzen, s. schmücken, s. schön machen
zurechtrücken: gerade rücken, gerade stellen, ordnen, wegräumen, zurechtlegen, zurechtstellen, an die richtige Stelle rücken, Ordnung machen
zurechtweisen: ausschimpfen, maßregeln, schelten, schimpfen, tadeln, s. vornehmen, die Meinung sagen, Bescheid sagen, in die Schranken weisen
Zurechtweisung: Abfertigung, Abfuhr, Maßregelung, Schelte, Strafpredigt, Tadel
zureden: raten, beraten, einschärfen, nahe legen, zuraten *bearbeiten, beeinflussen, bekehren, bereden, überreden, umstimmen, veranlassen
zureichend: ausreichend, genügend, hinlänglich, hinreichend, zufrieden stellend
zurichten: anhauen, ankratzen, anschlagen, anstoßen, beeinträchtigen, beschädigen, lädieren, ramponieren, ruinieren, schaden, schädigen, verwüsten, in Mitleidenschaft ziehen *lädieren, verletzen, eine Wunde beibringen, eine Verletzung zufügen *anrichten, backen, braten, dämpfen, dünsten, grillen, herrichten, kochen, vorbereiten, zubereiten
zürnen: s. ärgern, grollen, hadern, übel nehmen, verärgern, verübeln, wütend sein, böse sein, gram sein, spinnefeind sein, aufgebracht sein, zornig sein
zurren: festbinden, festmachen, festzurren
zurück: retour, rückläufig, rückwärts, in umgekehrter Richtung, nach hinten *heim, heimwärts, heimzu, nach Hause *infantil, unreif, unterentwickelt, zurückgeblieben
zurückbegeben (s.): heimfahren, heimgehen, heimlaufen, zurückfahren, zurückgehen, zurücklaufen
zurückbehalten: aufbewahren, aufheben, behalten, deponieren, speichern, verwahren
zurückbekommen: erhalten, wiederbekommen *erstattet bekommen
zurückberufen: abberufen, absetzen, entlassen, entmachten, pensionieren, stürzen, suspendieren, zurückbeordern, zurückrufen, zurückziehen, des Amtes entkleiden, des Amtes entheben
zurückbilden (s.): verkümmern, zurückgehen, degenerieren
zurückbleiben: bleiben, übrig bleiben, als Folge bleiben, übrig sein *abfallen, erlahmen, hintanbleiben, hinterherhinken, s. langsamer entwickeln, nachlassen, zurückfallen, in Rückstand geraten, langsamer vorwärts kommen
zurückblicken: s. erinnern, s. wiedererinnern, s. zurückrufen *s. umblicken, s. umsehen, s. umwenden, zurückschauen, hinter sich sehen
zurückblickend: retrospektiv, rückblickend, zurückschauend, rückwärts blickend

zurückbringen: wiederbringen, wiedergeben, zurückgeben
zurückdenken: aktivieren, auffrischen, s. besinnen (auf), einfallen, s. entsinnen, s. erinnern, s. merken, wieder einfallen, s. wiedererinnern, wiedererkennen, wiedererwachen, zurückblicken, s. zurückerinnern, zurückschauen, eingedenk sein, erinnerlich sein, unvergesslich sein, lebendig sein, gegenwärtig sein, präsent sein, nicht vergessen, Rückschau halten
zurückdrängen: unterdrücken, verdrängen, nicht aufkommen lassen *abhalten, zurückhalten, zurückstoßen
zurückerhalten: herausbekommen, wiederbekommen, wiedererhalten, wiedererlangen, zurückbekommen, zurückerlangen
zurückerinnern (s.): s. besinnen, s. erinnern, s. ins Gedächtnis rufen, wieder einfallen, zurückdenken, denken (an)
zurückerobern: bergen, entsetzen, retten, s. wieder holen
zurückerstatten: zahlen, bezahlen, begleichen, zurückgeben
zurückfahren: rückwärts fahren, nach hinten fahren *s. plötzlich abwenden, zurückprallen, zurückschrecken, zurückweichen, zusammenfahren
zurückfallen: abfallen, erlahmen, hintanbleiben, s. langsamer entwickeln, nachlassen, zurückbleiben, in Rückstand geraten, langsamer vorwärts kommen *jmdm. als Schuld angelastet, jmdm. angerechnet werden ***zurückfallen (in):** wieder verfallen (in), wiederholen, rückfällig werden, noch einmal tun, nicht lassen können (von)
zurückfinden: heimfinden, heimkehren, zurückkehren, zurückkommen
zurückfliegen: heimfliegen, zurückkehren, in die Heimat fliegen
zurückfordern: wiederfordern, zurückverlangen
zurückführbar: ableitbar, herleitbar
zurückführen: ableiten, deduzieren, entwickeln, folgern, herleiten
zurückgeben: wiederbringen, wiedergeben, zurückbringen, zurückschicken, zurücksenden *begleichen, zurückzahlen *antworten, kontern, reagieren
zurückgeblieben: infantil, unentwickelt, unreif, unterentwickelt, zurück
zurückgehen: s. auf den Nachhauseweg machen, s. auf den Rückweg machen, s. heimbegeben, heimgehen, heimkehren, umkehren, s. zurückbegeben, zurücklaufen, nach Hause gehen *degenerieren, verkümmern, s. zurückbilden *abbröckeln, abflauen, nachlassen ***zurückgehen (auf):** abstammen (von), entspringen (von), s. ergeben (aus), herkommen (von), stammen (von) *resultieren, wurzeln (in), zu Grunde liegen (in), seinen Ursprung haben, seinen Ausgang haben
zurückgehend: abflauend, abnehmend, verebbend, schwächer werdend
zurückgelegt: aufgehoben, gehamstert, gespart *hinterlegt, reserviert
zurückgezogen: abgeschieden, abgeschlossen, abgesondert, allein, einsam, einsiedlerisch, einzeln, isoliert, klösterlich, vereinsamt, weltabgewandt, für sich
zurückgreifen: anknüpfen (an), s. berufen (auf), s. beziehen (auf), verweisen (auf)
zurückhalten: unterdrücken, verdrängen, nicht aufkommen lassen *abhalten, anhalten, aufhalten, bremsen, hemmen *halten, einbehalten, festhalten *zurückbehalten, nicht weglassen *dabehalten, hier behalten, bei sich belassen ***s. zurückhalten:** s. in Grenzen halten, Abstand bewahren, Distanz bewahren, Zurückhaltung bewahren, im Hintergrund bleiben, reserviert sein, reserviert bleiben
zurückhaltend: anspruchslos, bedürfnislos, bescheiden, einfach, genügsam, schlicht, zufrieden *abweisend, distanziert, introvertiert, kontaktarm, kühl, reserviert, schweigsam, unnahbar, unterkühlt, unzugänglich, verhalten, verschlossen, wortkarg, zugeknöpft *apart, bescheiden, dezent, höflich, schlicht, taktvoll, unaufdringlich, unauffällig, vornehm *angstbebend, angsterfüllt, ängstlich, angstschlotternd, angstverzerrt, angstvoll, argwöhnisch, aufgeregt, bang, bänglich, befangen, beklommen, besorgt, betroffen, feigherzig, gehemmt, hasenherzig, kleinmütig, memmenhaft,

mutlos, scheu, schreckhaft, schüchtern, verängstigt, verschreckt, verschüchtert, zag, zaghaft, zähneklappernd *abgeklärt, ausgeglichen, bedacht, bedachtsam, beherrscht, besonnen, gefasst, gemächlich, gemessen, geruhsam, gezügelt, gleichmütig, harmonisch, kaltblütig, ruhevoll, ruhig, sicher, still, überlegen, würdevoll *einsilbig, karg, maulfaul, mundfaul, schweigsam, steif, verschlossen, verschwiegen, wortkarg *abweisend, ungastlich, ungesellig, unnahbar, unwirsch, unzugänglich *frostig, kontaktschwach, kühl, undurchschaubar, unnahbar, verschlossen *bedacht, bedächtig, besonnen, umsichtig, vorsichtig, wachsam *kritisch, prüfend, wachsam

Zurückhaltung: Distanz, Distanziertheit, Einsilbigkeit, Reserve, Reserviertheit, Schweigsamkeit, Unnahbarkeit, Unzulänglichkeit, Verhaltenheit, Verschlossenheit, Vorbehalt, Wortkargheit *Ängstlichkeit, Befangenheit, Hemmung, Scham, Scheu, Schüchternheit, Unsicherheit, Verklemmtheit, Zaghaftigkeit *Ausgeglichenheit, Beherrschung, Fassung, Gefasstheit, Gelassenheit, Gemütsruhe, Gleichmut, Kaltblütigkeit, Ruhe, Seelenruhe, Selbstbeherrschung, Unempfindlichkeit

zurückholen: bremsen, holen, zurückkommandieren, zurückrufen

zurückkehren: heimfinden, heimkehren, heimkommen, wiederkehren, wiederkommen, zurückfinden, zurückfliegen, zurückgehen, zurückkommen, zurückreisen

zurückkommen: heimfinden, heimkehren, heimkommen, wiederkehren, wiederkommen, zurückfinden, zurückkehren ***zurückkommen (auf):** wieder aufnehmen, zurückgreifen (auf), wieder aufgreifen

zurücklassen: da lassen, hinterlassen, nachlassen, stehen lassen *übrig lassen, einen Rest lassen *hinterlassen, vererben, vermachen *distanzieren, überholen, vorbeifahren, hinter sich lassen

zurücklaufen: s. auf den Heimweg begeben, s. auf den Nachhauseweg begeben, s. zurückbegeben

zurücklegen: bewältigen, schaffen, hinter sich bringen *aufheben, reservieren *sparen, auf die hohe Kante legen, aufs Sparbuch stellen

zurückliegen: gewesen sein, vergangen sein, vorbei sein, verschwunden sein, lange her sein, in der Vergangenheit geschehen sein *an hinterer Stelle sein, an letzter Stelle sein, an zweiter Stelle sein, an … Stelle sein, an … Stelle liegen, hintan sein, hintenan sein

zurückliegend: einst, gewesen, vergangen, vorbei, lange her, vor … Jahren, vor langer Zeit, vor einiger Zeit

zurückmarschieren: abziehen, räumen, s. zurückziehen, den Rückzug antreten

Zurücknahme: Absage, Dementi, Gegenerklärung, Rückzug, Widerruf, Zurückziehung

zurücknehmen: ableugnen, abstreiten, aufheben, dementieren, widerrufen, zurückziehen, rückgängig machen

zurückprallen: abprallen, zurückschnellen, zurückspringen *erschrecken, zurückbeben, zurückfahren, zurückschaudern, zurückschrecken

zurückreisen: heimkehren, heimreisen, umkehren, zurückfliegen

zurückrufen: zurücktelefonieren, wieder anrufen, s. melden *zurückholen, zurückpfeifen, (durch Rufen) zum Umkehren auffordern, noch einmal zu sich rufen *abberufen, zurückbeordern, zurückholen *s. wiedererinnern

zurückschauen: s. besinnen, s. erinnern, s. ins Gedächtnis rufen, wieder einfallen, zurückdenken, s. zurückerinnern, denken (an) *s. umblicken, s. umschauen, s. umsehen, zurückblicken, zurücksehen

zurückschlagen: abschlagen, abwehren, abwenden, bewältigen, fertig werden (mit), zurückweisen

zurückschrecken: erschrecken, zurückbeben, zurückfahren, zurückprallen, zurückschaudern *durchgehen, scheuen, zurückscheuen *abraten, abschrecken, drohen, warnen

zurücksehen: s. umblicken, umgucken, s. umschauen, s. umsehen, zurückblicken

zurücksenden: wiederbringen, wieder-

geben, zurückbringen, zurückgeben, zurückschicken
zurücksetzen: beeinträchtigen, benachteiligen, übergehen, vernachlässigen, zurückstellen *zurückfahren
zurückstecken: s. beugen, einlenken, s. fügen, nachgeben, s. unterordnen, s. unterwerfen *s. begnügen, s. bescheiden, s. einschränken
zurückstehen: benachteiligt sein, benachteiligt werden, leer ausgehen *lassen, bleiben lassen, abgeben, ablassen (von), absagen, s. befreien (von), s. enthalten, entsagen, s. etwas nicht gönnen, s. etwas verweigern, s. frei machen, s. trennen, unterlassen, s. versagen, verzichten, zurücktreten (von), nicht tun, Verzicht leisten
zurückstellen: beeinträchtigen, benachteiligen, übergehen, vernachlässigen *aufschieben, verlangsamen, verschieben, in die Länge ziehen *reservieren, zurücklegen *befreien, beurlauben, dispensieren, entbinden, entheben, entpflichten, freistellen *hintansetzen, hintenansetzen, hintanstellen, hintenanstellen
zurückstoßen: abwehren, wegstoßen, zurückweisen, von sich weisen *abstoßen, anwidern, ekeln, missfallen, widerwärtig sein, unsympathisch sein
zurücktreten: demissionieren, gehen, kündigen, das Amt niederlegen ***zurücktreten (von):** aufgeben, aufhören *abbestellen, abblasen, abmelden, annullieren, widerrufen, zurücknehmen, zurückziehen, abrücken (von etwas), rückgängig machen
zurückverlangen: wieder fordern, zurückfordern, wieder wollen
zurückversetzen: degradieren, rückversetzen, zurückstufen, niedriger einstufen, tiefer einstufen
zurückweichen: weichen, ausweichen, aus dem Weg gehen, Platz machen *s. beugen, einlenken, s. fügen, nachgeben *s. zurückziehen
zurückweisen: ablehnen, abweisen, negieren, verneinen *abschlagen, abwehren, parieren, zurückschlagen
Zurückweisung: Abfuhr, Ablehnung, Absage, Abweis, Abweisung, Verneinung, Versagung, Verweigerung, Weigerung
zurückwerfen: spiegeln, widerspiegeln, projizieren, reflektieren, wiedergeben, zurückstrahlen *aufhalten, beeinträchtigen, benachteiligen, einschränken, hemmen, zurückschlagen, in der Entwicklung bremsen ***s. zurückwerfen:** weichen, zurückweichen, s. nach hinten werfen, zurückgehen
zurückzahlen: ausgleichen, begleichen, entschädigen, rückvergüten, wieder erstatten, wiedergeben, zurückerstatten, zurückgeben, Schulden tilgen
zurückziehen: abstreiten, dementieren, negieren, widerrufen *abberufen, zurückbeordern, zurückholen ***s. zurückziehen:** s. beugen, einlenken, s. fügen, nachgeben, s. unterordnen, s. unterwerfen *s. abkapseln, s. isolieren *aufhören, aussteigen, s. pensionieren lassen, s. zur Ruhe setzen, in den Ruhestand treten, das Berufsleben aufgeben, den Beruf aufgeben *aufgeben, räumen, zurückmarschieren *depressiv werden
zurufen: aufklären, belehren, ermahnen *anrufen, eröffnen, kundgeben *telefonieren
Zusage: Billigung, Einverständnis, Einwilligung, Erlaubnis, Genehmigung, Zustimmung *Autorisierung, Berechtigung, Bevollmächtigung, Recht, Vollmacht *Beteuerung, Ehrenwort, Eid, Gelöbnis, Schwur, Versicherung, Versprechen
zusagen: beeiden, beschwören, garantieren, geloben, s. verbürgen, s. verpflichten, versichern, versprechen *ansprechen, beeindrucken, behagen, gefallen, imponieren, wirken *entsprechen, passen, passend erscheinen, recht sein
zusammen: gemeinsam, gemeinschaftlich, geschlossen, kollektiv, kooperativ, miteinander, vereinigt *gleichzeitig, zugleich, im selben Augenblick, im gleichen Augenblick, zur gleichen Zeit *insgesamt, pauschal, total, vollends, alles eingerechnet, im Ganzen *beieinander, beisammen, nebeneinander ***zusammen fahren:** gemeinsam fahren, zu zweit/ dritt/ … fahren, in Gruppen fahren, als Kleingruppe fahren
Zusammenarbeit: Gemeinschaftsarbeit, Kooperation, Teamarbeit, Teamwork

zusammenarbeiten: kooperieren, zusammenwirken, im Team arbeiten, gemeinsam arbeiten, an der gleichen Sache arbeiten
zusammenballen: zusammenknüllen, zu einer Kugel ballen ***s. zusammenballen:** aufziehen, heraufziehen, s. ankündigen, bevorstehen, drohen, s. entwickeln, heranziehen, kommen, s. nähern, s. zusammenbrauen, s. zusammenziehen, im Anzug sein *s. stauen, s. aufstauen, s. anhäufen, s. ansammeln, s. anstauen, s. aufspeichern, s. stapeln, zusammenkommen
Zusammenbau: Installation, Montage
zusammenbauen: installieren, montieren, zusammensetzen
zusammenbrauen: aufziehen, drohen, zusammenballen, zusammenziehen *kochen, mischen ***s. zusammenbrauen:** s. abzeichnen, s. andeuten, s. ankündigen, s. anmelden, s. ansagen, s. kundtun, s. zeigen *aufziehen, heraufziehen, s. ankündigen, bevorstehen, drohen, s. entwickeln, heranziehen, kommen, s. nähern, s. zusammenballen, s. zusammenziehen, im Anzug sein
zusammenbrechen: einfallen, einstürzen, zusammenfallen, zusammenstürzen *missglücken, misslingen, scheitern, verfehlen, zerbrechen (an) *schlappmachen, zusammenklappen
zusammenbringen: zusammenführen, miteinander bekannt machen *sammeln, zusammenraffen, zusammentragen
Zusammenbruch: Einbruch, Einsturz, Zusammensturz *Bankrott, Debakel, Durchfall, Enttäuschung, Fiasko, Misserfolg, Misslingen, Niederlage, Pech, Ruin *Katastrophe
zusammendrängen: zusammendrücken, zusammenpferchen, zusammenpressen, zusammenquetschen, zusammenschieben, zusammenzwängen *kürzen, reduzieren
zusammenfahren: aufeinander prallen, aufeinander stoßen, gegeneinander prallen, karambolieren, kollidieren, zusammenprallen, zusammenstoßen *erschrecken, zusammenschrecken, zusammenzucken, einen Schreck bekommen
Zusammenfall: Verheerung, Vernichtung *Erschöpfung, Mattigkeit *Angleichung, Anpassung, Vereinbarkeit, Wesenseinheit *Gleichförmigkeit, Gleichlauf *Einklang, Einstimmigkeit, Harmonie
zusammenfallen: stimmen, zusammenstimmen, s. entsprechen, s. gleichen, harmonieren, kongruieren, s. treffen, übereinstimmen *einfallen, einstürzen, zusammenbrechen, zusammenstürzen *einfallen, einschrumpfen, schrumpfen, verdorren, s. verkleinern, verkümmern, s. zusammenziehen *abmagern, abnehmen, an Gewicht verlieren, schlanker werden, magerer werden, dünner werden *s. schneiden, s. überschneiden, konvergieren, s. kreuzen, zusammenlaufen
zusammenfassen: bündeln, resümieren, (kurz) wiederholen, das Fazit ziehen *konzentrieren, sammeln, zentralisieren, zusammenziehen
Zusammenfassung: Resümee, Überblick, Übersicht, Zusammenschau *Konzentration, Konzentrierung, Zentralisierung, Zusammenziehung
zusammenfinden (s.): s. sammeln, s. treffen, versammeln, zusammenkommen
zusammenfügen: aneinander fügen, koppeln, montieren, vereinigen, verketten, verknüpfen, verzahnen, zusammensetzen ***s. zusammenfügen:** kombinieren, s. paaren, verbinden, vereinen, zusammenschließen *aneinander fügen, bauen, koppeln, montieren, verbinden, verknüpfen, verzahnen
zusammenführen: zusammenbringen, bekannt machen, einander vorstellen, die Bekanntschaft herbeiführen
zusammengehören: übereinstimmen, zusammenhalten, eine Einheit bilden, in enger Beziehung zueinander stehen, ein Herz und eine Seele sein, einig sein, eins sein
Zusammengehörigkeit: Einheit, Gemeinsamkeit, Geschlossenheit, Solidarität, Verbundenheit, Zusammengehörigkeitsgefühl
zusammengesetzt: gemischt, komplex, mehrteilig
Zusammenhalt: Gemeinsamkeit, Ge-

meinschaftsgeist, Gemeinsinn, Kameradschaftsgeist, Solidarität, Übereinstimmung, Verbundenheit *Klassengeist, Partnerschaft, Zusammengehörigkeitsgefühl
zusammenhalten: s. anschließen, s. helfen, s. solidarisch erklären, s. verbrüdern, s. verbünden, s. zusammengehörig fühlen, s. zusammentun *aneinander halten, dagegenhalten, danebenhalten, nebeneinander halten
Zusammenhang: Beziehung, Bezug, Relation, Verbindung
zusammenhängen: s. beziehen (auf), Bezug haben (auf), in Verbindung stehen *aneinander hängen, aneinander koppeln, verbinden, zusammenkoppeln, zusammenkuppeln
zusammenhängend: fortlaufend, kontinuierlich *einheitlich, geschlossen, unteilbar, verbunden
zusammenhanglos: stockend, unzusammenhängend, ohne Zusammenhang *beziehungslos, ohne Beziehung, ohne Zusammenhang *undeutlich, unklar, unpräzise, unverständlich
zusammenklappen: schlappmachen, umkippen, ohnmächtig werden *einfallen, einstürzen, zusammenbrechen, zusammenfallen, zusammenkrachen, zusammenstürzen
zusammenklingen: harmonieren, zusammenstimmen *übereinstimmen
zusammenknoten: knüpfen, verbinden, verknoten, zuknoten
zusammenkommen: s. sammeln, s. versammeln, s. treffen, s. wiedersehen, s. zusammenfinden, s. zusammensetzen, zusammentreffen, zusammentreten
zusammenkrachen: schlappmachen, umkippen, zusammenklappen, ohnmächtig werden *einfallen, einstürzen, zusammenbrechen, zusammenfallen, zusammenstürzen *anfahren, aufeinander prallen, aufeinander stoßen, auffahren, karambolieren, kollidieren, rammen, zusammenfahren, zusammenprallen, zusammenstoßen
zusammenkratzen: ansammeln, zusammenbringen, zusammenscharren, zusammentragen
Zusammenkunft: Begegnung, Gesellschaft, Konferenz, Meeting, Treff, Treffen, Versammlung, Zusammentreffen
zusammenlaufen: münden, einmünden, zusammenfließen, zusammenströmen, (spitz) zulaufen *gerinnen, koagulieren *s. überkreuzen, s. überschneiden, zusammenfallen *s. sammeln, s. versammeln, s. treffen, s. vereinigen, zusammenscharen, zusammenströmen
zusammenleben: zusammengehören, zusammenwohnen, in Gemeinschaft leben, gemeinsam wirtschaften, einen gemeinsamen Haushalt führen
Zusammenleben: Ehe, Familie, Gemeinschaft, Kommune, Staat, Wohngemeinschaft
zusammenlebend: zusammengezogen, gemeinsam einen Haushalt führen, in Gemeinschaft lebend, in Gemeinschaft wohnend
zusammenlegen: falten, zusammenfalten *s. finanziell beteiligen, gemeinsam Geld geben *sammeln, ansammeln, komprimieren, konzentrieren, straffen, vereinigen, zusammenballen, zusammendrängen, zusammenfassen, zusammennehmen
zusammennehmen: aufheben, aufraffen, aufsammeln, zusammenklauben, zusammenlesen, zusammenraffen ***s. zusammennehmen:** s. beherrschen, s. mäßigen, s. zügeln, s. zurückhalten *s. anstrengen, s. aufraffen, s. zusammenreißen *s. konzentrieren, s. sammeln, seine Gedanken zusammennehmen
Zusammenprall: Aufprall, Havarie, Karambolage, Kollision, Zusammenstoß
zusammenprallen: aufeinander prallen, aufeinander stoßen, gegeneinander prallen, karambolieren, kollidieren, zusammenfahren, zusammenstoßen
zusammenpressen: zusammendrängen, zusammendrücken, zusammenpferchen, zusammenquetschen, zusammenschieben, zusammenzwängen
zusammenraffen: s. aneignen, horten, raffen, sammeln ***s. zusammenraffen:** s. beherrschen, s. benehmen, s. bezwingen, s. einen Ruck geben, s. entschließen, s. ermannen, s. selbst besiegen, s.

überwinden, es über sich bringen *s. bändigen, s. beherrschen, s. beruhigen, s. bezwingen, s. im Zaume halten, s. in der Gewalt haben, kalt bleiben, s. mäßigen, s. nichts anmerken lassen, s. überwinden, s. zähmen, s. zügeln, s. zurückhalten, s. zusammennehmen, s. zusammenreißen, die Selbstbeherrschung nicht verlieren, keine Miene verziehen, gefasst bleiben, gelassen bleiben, an sich halten

zusammenreimen (s.): auffassen, ausdeuten, auslegen, deuten, erklären, erläutern, exemplifizieren, explizieren, herauslesen, interpretieren, klarmachen, kommentieren

zusammenreißen (s.): s. anstrengen, s. aufraffen, s. konzentrieren, seine Gedanken zusammennehmen *s. beherrschen, s. mäßigen, s. zügeln, s. zurückhalten

zusammenrotten (s.): s. ansammeln, s. treffen, s. versammeln, zusammenlaufen, zusammenrufen, zusammenströmen, zusammentreffen

zusammenrufen: beordern, bestellen, heranrufen, herbeirufen, kommandieren, versammeln, zusammentrommeln, um sich scharen

zusammenscharen (s.): s. assoziieren, fusionieren, s. organisieren, s. sammeln, s. verbinden, s. vereinigen, verschmelzen, s. zusammenschließen, s. zusammentun *alliieren, s. anschließen, koalieren, konföderieren, paktieren, s. solidarisieren, s. verbinden, s. verbrüdern, s. verbünden, s. vereinigen, s. zusammenrotten, s. zusammenschließen, s. zusammentun, einen Pakt schließen, ein Bündnis schließen

Zusammenschau: Resümee, Überblick, Übersicht, Zusammenfassung

zusammenschlagen: niederschlagen, verprügeln *zerschlagen, zerschmettern, zertrümmern

zusammenschließen (s.): s. assoziieren, s. organisieren, s. sammeln, s. verbinden, s. verbünden, s. vereinen, verschmelzen, s. zusammentun

Zusammenschluss: Allianz, Bund, Bündnis, Entente, Fusion, Koalition, Liaison, Verbindung, Vereinigung, Schutz-und-Trutz-Bündnis *Gemeinschaftsunternehmen, Jointventure

zusammenschrumpfen: schrumpfen, einschrumpfen, s. reduzieren, kleiner werden, s. verkleinern

zusammenschütten: mengen, vermengen, anrühren, durcheinander wirken, durchmengen, durchmischen, manschen, mischen, mixen, unterarbeiten, untermengen, vermischen, verquirlen, verrühren, verschneiden, versetzen (mit), zusammenbrauen

zusammensetzen: aneinander fügen, anordnen, bauen, koppeln, montieren, verbinden, verknüpfen, verzahnen, zusammenfügen ***s. zusammensetzen:** bestehen (aus), s. konstituieren, zusammentreten ***s. zusammensetzen (aus):** bestehen, enthalten *bestehen (aus), einschließen, enthalten, umfassen, zerfallen (in)

Zusammensetzung: Anordnung, Aufbau, Bau, Durchgliederung, Durchorganisation, Einteilung, Fächerung, Gefüge, Gliederung, Gruppierung, Organisation, Rangordnung, Struktur

zusammenstauchen: schelten, ausschelten, anbrüllen, angreifen, attackieren, ausschimpfen, auszanken, heruntermachen, keifen, niedermachen, poltern, schimpfen, tadeln, zanken, zetern, zurechtweisen

zusammenstellen: aufbauen, einrichten, gestalten *ordnen, anordnen, ausrichten, s. formieren, gruppieren, katalogisieren, sortieren, systematisieren *nebeneinander halten, nebeneinander stellen, vergleichen

Zusammenstellung: Anordnung, Arrangement, Aufstellung, Auswahl, Gruppierung, Komposition

zusammenstimmen: passen, zusammenpassen, harmonieren, übereinstimmen, s. verstehen, s. vertragen, s. zu nehmen wissen *s. eignen, entsprechen, passen, zusammenpassen

Zusammenstoß: Anprall, Auffahrunfall, Aufprall, Aufschlag, Havarie, Karambolage, Kollision, Unfall, Zusammenprall

zusammenstoßen: anfahren, aufeinander prallen, aufeinander stoßen, auffahren, karambolieren, kollidieren, rammen, zusammenfahren, zusammenkrachen, zusammenprallen

zusammenströmen: enden, münden, zusammenfließen, zusammenlaufen
Zusammensturz: Einbruch, Einsturz, Zusammenbruch
zusammenstürzen: einbrechen, einstürzen, zusammenbrechen, (in sich) zusammenfallen
zusammentragen: s. aneignen, horten, raffen, sammeln, zusammenraffen *anhäufen, ansparen, aufhäufen, horten, scheffeln, sparen
zusammentreffen: s. berühren, zusammenstoßen *s. treffen, s. versammeln, zusammenkommen
Zusammentreffen: Begegnung, Gesellschaft, Meeting, Treff, Treffen, Versammlung, Zusammenkunft
zusammentreten: s. konstituieren, s. sammeln, s. versammeln, s. zusammenfinden *s. sammeln, s. versammeln, s. treffen, s. wiedersehen, s. zusammenfinden, zusammenkommen, s. zusammensetzen, zusammentreffen
zusammentrommeln: beordern, bestellen, heranrufen, herbeirufen, herbeizitieren, kommandieren, versammeln, zitieren, zusammenrufen
zusammenwachsen: verschmelzen, verwachsen, zu einer Einheit werden
zusammenzählen: addieren, dazuzählen, hinzufügen, summieren, zusammenrechnen
zusammenziehen: konzentrieren, versammeln, zentralisieren, zusammenfassen *addieren, zusammenzählen ***s. zusammenziehen:** aufziehen, s. bewölken, s. beziehen *s. konzentrieren
zusammenzucken: beben, erbeben, schaudern, erschaudern, zittern, erzittern, erschrecken, zusammenfahren, zusammenschrecken, Furcht bekommen, Angst bekommen, einen Schrecken bekommen
Zusatz: Zutat, das Zusetzen, das Hinzugeben *Anfügung, Ergänzung *Zusatzmittel, Zusatzstoff
zusätzlich: außerdem, daneben, obendrein, sonst, überdies, weiter, auch noch, darüber hinaus
zuschauen: beobachten, betrachten, zugucken, zusehen
Zuschauer: Anwesende, Auditorium, Augenzeugen, Beobachter, Besucher, Betrachter, Neugierige, Publikum, Schaulustige, Schlachtenbummler, Teilnehmer, Umstehende, Zaungäste
zuschaufeln: verschließen, zumachen, zuschütten
zuschicken: senden, absenden, einwerfen, schicken, transportieren, übermitteln, übersenden, überweisen, versenden, zuleiten, zusenden, zukommen lassen, zugehen lassen
zuschieben: aufbringen, auftreiben, beibringen, beschaffen, besorgen, bringen, heranholen, heranschaffen, herbeiholen, herbeischaffen, holen, organisieren, vermitteln, verschaffen, versorgen, zusammenbringen *schenken, zuschanzen, zustecken, zukommen lassen, zugute kommen lassen, heimlich geben, in die Hand drücken *verschließen
zuschießen: beisteuern, beitragen, bezuschussen, spenden, subventionieren, zulegen, zusteuern, zuzahlen, finanziell unterstützen, Geld zuwenden
Zuschlag: Aufgeld, Aufpreis, Aufschlag, Erhöhung, Mehrpreis
zuschlagen: zuknallen, zuschleudern, zuschmeißen, zuschmettern, zustoßen, zuwerfen *eingreifen, handeln, tätig werden *verhaften
zuschließen: abschließen, sichern, absichern, absperren, verriegeln, verschließen, zumachen, zusperren
zuschnappen: beißen, fangen, fressen, zubeißen *einschnappen, zufallen, zuklappen, zuschlagen, ins Schloss fallen
Zuschnitt: Design, Fasson, Form, Schnitt, Stil, Styling
zuschnüren: verschließen, verschnüren, zubinden
zuschreiben: überschreiben, übertragen, zuteilen, zuweisen *beilegen, beimessen, erachten (für), nachsagen
Zuschrift: Botschaft, Brief, Leserbrief, Mitteilung, Nachricht, Post, Schreiben, offener Brief
Zuschuss: Beihilfe, Beitrag, Fördermittel, Subvention, Unterstützung, Zuschlag, Zuwendung
zusehen: beobachten, betrachten, zu-

schauen *s. anstrengen, s. bemühen (um), s. sorgen (für) *abwarten, s. gedulden, harren, zögern, zuwarten
zusehends: bemerkbar, fühlbar, merkbar, merklich, sichtlich, spürbar
zusenden: absenden, einwerfen, schicken, senden, transportieren, übermitteln, übersenden, überweisen, versenden, zuleiten *mailen, eine SMS-Nachricht schicken, eine Nachricht schicken, eine E-Mail schreiben, eine E-Mail schicken *faxen, ein Fax schicken
Zusendung: Fracht, Fuhre, Ladung, Lieferung, Postgut, Postsendung, Schub, Warensendung, Zulieferung, Zustellung
zusetzen: bedrängen, beschwören, bestürmen, nicht in Ruhe lassen *bearbeiten, unter Druck setzen *beifügen, beigeben, beimischen, einrühren, hinzufügen
zusichern: beeiden, beschwören, geloben, s. verbürgen, s. verpflichten, versichern, versprechen, ein Versprechen ablegen, ein Versprechen geben
Zusicherung: Beteuerung, Ehrenwort, Gelöbnis, Verheißung, Versprechen, Versprechung, Wort, Zusage, Zuschlag *Eid, Schwur *Eheversprechen, Jawort
zusperren: abschließen, absperren, sichern, verriegeln, verschließen, zumachen, zuschließen
zuspielen: abgeben, abspielen, anspielen, bedienen, passen (zu), eine Vorlage geben *zukommen lassen
zuspitzen: anspitzen, schärfen, spitzen, spitz machen ***s. zuspitzen:** s. verengen, s. verjüngen, schmäler werden, spitz zulaufen *s. verschärfen, s. verschlimmern
Zusprache: Aufheiterung, Aufrichtung, Beruhigung, Trost, Tröstung, Zuspruch
zusprechen: aufheitern, aufrichten, beruhigen, einreden (auf), trösten *zuerkennen, zuerteilen
Zuspruch: Aufheiterung, Aufrichtung, Beruhigung, Trost, Tröstung, Zusprache *Anklang, Echo, Gefallen, Resonanz
Zustand: Konstellation, Lage, Sachlage, Sachverhalt, Situation, Status, Verhältnis, Verhältnisse *Gemütsverfassung, Stimmung *Befinden, Beschaffenheit, Form, Kondition, Leistungsfähigkeit, Verfassung
zustande bringen: ausführen, beikommen, bewältigen, bewerkstelligen, deichseln, drehen, durchführen, erreichen, fertig werden (mit), klarkommen, lösen, meistern, packen, verwirklichen, vollbringen, vollenden, zurechtkommen *ableisten, abschließen, abwickeln, aufarbeiten, beenden, beendigen, erledigen, leisten, fertig bringen, fertig stellen, verrichten, vollenden, vollstrecken, letzte Hand anlegen, zu Ende führen
zustande kommen: fertig bringen, funktionieren, gehen, gelingen, geraten, glatt gehen, glücken, klappen, werden, gut ausgehen, gut ablaufen, in Ordnung gehen, nach Wunsch gehen, wunschgemäß verlaufen, glücklich vonstatten gehen
zuständig: autorisiert, befugt, berechtigt, ermächtigt, verantwortlich *ausschlaggebend, kompetent, maßgebend, maßgeblich
Zuständigkeit: Kompetenz, Verantwortlichkeit
zustecken: verschließen, zusammenstecken *schenken, überlassen, zuschanzen, zuschieben, zukommen lassen, zugute kommen lassen, heimlich geben, in die Hand drücken
zustehen: zukommen, ein Anrecht haben, mit Recht gehören, jmdm. gebühren
zustellen: anliefern, aushändigen, ausliefern, austragen, beliefern, bringen, liefern, übereignen, überreichen, zubringen
Zusteller: Briefträger, Briefzusteller, Eilbote, Paketzusteller, Postbote, Telegrammbote
Zustellung: Ablieferung, Anlieferung, Aushändigung, Auslieferung, Belieferung, Lieferung, Überbringung, Übergabe, Übermittlung, Überreichung, Überweisung, Weitergabe, Weiterleitung, Zuleitung, Zusendung
zusteuern: beisteuern, beitragen, bezuschussen, spenden, subventionieren, zulegen, zuschießen, finanziell unterstützen, Geld zuwenden ***zusteuern (auf):** anfahren, anfliegen, anlaufen, anpeilen, ansegeln, ansteuern, berühren, Kurs neh-

men (auf), zielen (auf), zufahren (auf), zuhalten (auf), zum Ziel nehmen
zustimmen: akklamieren, billigen, einwilligen, genehmigen, gewähren, gutheißen, zusagen, Ja sagen, Zustimmung geben *ermutigen, fördern, helfen, protegieren, unterstützen, Mut machen
zustimmend: anerkennend, ermutigend, lobend, positiv, würdigend
Zustimmung: Affirmation, Akklamation, Anerkennung, Bejahung, Billigung, Einverständnis, Einwilligung, Genehmigung, Gewährung, Jawort
zustoßen: begegnen, betreffen, geschehen, hereinbrechen, passieren, unterlaufen, widerfahren, zuteil werden *schließen, zuschlagen, zuwerfen
Zustrom: Andrang, Ansturm, Zulauf *Zufluss, Zugang, Zuwachs
Zutat: Beigabe, Beilage, Beiwerk, Zugabe, Zusatz
Zutaten: Beimengungen, Beimischungen, Bestandteile, Elemente, Ingredienzen, Zubehör
zuteilen: dosieren, kontingentieren, verteilen, zuerteilen, zumessen, zuweisen
Zuteilung: Dosierung, Dosis, Kontingentierung, Zumessung, Zuweisung
zutiefst: außerordentlich, höchst, sehr, überaus, in hohem Maße, über alle Maßen
zutragen: argumentieren, aufklären, äußern, ausrichten, begründen, bekannt geben, erklären, informieren, kundtun, mitteilen, reden, sagen, schwatzen, sprechen, s. unterhalten, unterrichten, vorbringen, vortragen, weitererzählen, weitertragen ***s. zutragen:** eintreffen, eintreten, s. ereignen, geschehen, passieren
Zuträger: Hintermann, Kolporteur, Spitzel, Verleumder, Verräter, Zubringer, Zwischenträger
zuträglich: bekömmlich, förderlich, gesund, verdaulich, nicht belastend, nicht schwer *günstig, gut, positiv, vorteilhaft
zutrauen: vertrauen (auf), Vertrauen schenken, jmdn. für fähig halten, glauben (an)
Zutrauen: Glaube, Hoffnung, Vertrauen, Zuversicht
zutraulich: anschmiegsam, vertrauensvoll, ohne Ängstlichkeit, ohne Scheu, ohne Fremdheit, voll Vertrauen *domestiziert, gebändigt, gezähmt, zahm, nicht scheu
zutreffen: stimmen, der Fall sein, richtig sein, wahr sein, zutreffend sein *s. als richtig herausstellen, s. bestätigen, s. bewahrheiten
zutreffend: angemessen, entsprechend, geeignet, gegeben, günstig, ideal, passend, richtig
zutrinken: prosten, zuprosten, ein Hoch auf jmdn. ausbringen, einen Toast aussprechen, einen Trinkspruch ausbringen
Zutritt: Eingang, Einlass, Eintritt *Erlaubnis, Genehmigung
Zutun: Abhilfe, Assistenz, Aushilfe, Befreiung, Beistand, Beitrag, Dazutun, Dienst, Dienstleistung, Handreichung, Hilfe, Hilfestellung, Hilfsdienst, Mitarbeit, Mitwirkung, Unterstützung
zuverlässig: fest, gesichert, sicher, unfehlbar, verbürgt *akkurat, ausdauernd, beharrlich, beständig, exakt, fehlerlos, fein, genau, gewissenhaft, gründlich, korrekt, minuziös, ordentlich, pedantisch, peinlich, penibel, pflichtbewusst, pflichtgetreu, präzise, pünktlich, richtig, sorgfältig, sorgsam, stetig, verantwortungsbewusst, verlässlich, Vertrauen erweckend, vertrauenswürdig *angesehen, anständig, aufrecht, aufrichtig, bieder, brav, charakterfest, echt, ehrlich, freimütig, gerade, geradlinig, integer, lauter, offen, offenherzig, ordentlich, rechtlich, rechtschaffen, redlich, sauber, solide, unbescholten, unbestechlich, untadelig, unverhohlen, unverhüllt, vertrauenswürdig, wacker, wahrhaftig, wahrheitsliebend, vom alten Schlag *ehrlich, glaubwürdig, verlässlich, Vertrauen erweckend, vertrauenswürdig *authentisch, echt, fest, garantiert, gesichert, nachgewiesen, sicher, unfehlbar, unverdächtig, verbürgt
Zuverlässigkeit: Aufrichtigkeit, Ehrlichkeit, Geradlinigkeit, Sicherheit, Wahrhaftigkeit
Zuversicht: Aussicht, Chance, Erwartung, Hoffnung, Lichtblick, Optimismus, Zutrauen, positive Perspektive

zuversichtlich: aussichtsreich, Erfolg versprechend, fortschrittsgläubig, getrost, glückverheißend, hoffnungsfroh, hoffnungsvoll, lebensbejahend, optimistisch, unverzagt, verheißungsvoll, viel versprechend, zukunftsgläubig, zukunftsträchtig
zuvor: davor, vordem, vorher *vorab, voraus, vorerst, zuerst, fürs Erste
zuvorkommen: vorangehen, schneller sein, schneller handeln *vorbauen, vorgreifen, vorwegnehmen
zuvorkommend: anständig, aufmerksam, beflissen, bereitwillig, dienstwillig, entgegenkommend, freundlich, gefällig, großmütig, großzügig, gut gesinnt, hilfsbereit, höflich, huldreich, huldvoll, konziliant, kulant, leutselig, liebenswürdig, nett, verbindlich, wohlgesinnt, wohlmeinend, wohlwollend
Zuwachs: Zufluss, Zugang *Anstieg, Progression, Steigerung, Verbesserung, Verdichtung, Vermehrung, Verstärkung, Wachstum, Zugang, Zunahme *Nachkomme, Nachwuchs, Neugeborene
Zuwanderer: Asylant, Einwanderer, Immigrant
zuwandern: s. ansiedeln, einreisen, einwandern, immigrieren, kolonisieren, zuziehen, ansässig werden, Asyl beantragen
zuwarten: harren, ausharren, abwarten, s. gedulden, s. Zeit lassen, geduldig sein, Geduld üben, Geduld haben
zuweilen: bisweilen, gelegentlich, manchmal, sporadisch, stellenweise, streckenweise, vereinzelt, zeitweise, zuzeiten, ab und zu, dann und wann, hin und wieder
zuweisen: kontingentieren, verteilen, zuerteilen, zumessen, zuteilen *einzahlen, überweisen
Zuweisung: Einzahlung *Kontingentierung, Verteilung, Zuteilung *Schuldzuweisung
zuwenden: s. hindrehen, s. hinkehren, s. hinwenden, s. zukehren *subventionieren, unterstützen, zuschießen ***s. zuwenden:** s. hinwenden, s. zudrehen
Zuwendung: Beihilfe, Subvention, Unterstützung, Zuschuss *Geschenk, Schenkung, Stiftung
zuwerfen: zuknallen, zuschlagen, zuschleudern, zuschmettern, zustoßen
zuwider: lästig, unangenehm, unbeliebt, widerlich *kontra, konträr
zuwiderhandeln: abweichen, entgegenhandeln, freveln, sündigen, übertreten, Unrecht tun, verstoßen (gegen), widerrechtlich handeln
Zuwiderhandlung: Straftat, Übertretung, Verbrechen, Vergehen, Verstoß
zuzahlen: beisteuern, beitragen, bezuschussen, drauflegen, spenden, subventionieren, zulegen, zuschießen, zusteuern, finanziell unterstützen, Geld zuwenden
zuziehen: s. ansiedeln, einreisen, einwandern, immigrieren, zuwandern, ansässig werden *befragen, bemühen, einsetzen, heranziehen, herbeiziehen, hinzuziehen, konsultieren, zurate ziehen ***s. zuziehen:** s. anstecken, s. infizieren
zuzüglich: hinzukommend, plus, ungerechnet, mit Hinzurechnung (von)
Zwang: Drohung, Druck, Einengung, Fessel, Gewalt, Kette, Knechtschaft, Muss, Nötigung, Pression, Sklaverei, Unfreiheit, Vergewaltigung *Hemmung, Zwangsvorstellung, fixe Idee, seelische Belastung *Erfordernis, Gebot, Pflicht, Unerlässlichkeit, zwingende Notwendigkeit *Instinkt, Trieb
zwängen: hineinhämmern, hineinklopfen *bedrängen *hineinstopfen, hineinzwängen, pressen *eindrücken, schlagen
zwanghaft: erzwungen, instinktgemäß, instinkthaft, durch Zwang geschehen
zwanglos: entkrampft, entspannt, gelockert, gelöst, ruhig *familiär, formlos, frei, gelöst, informell, lässig, leger, natürlich, nonchalant, offen, salopp, unbefangen, ungehemmt, ungeniert, ungezwungen, unzeremoniell
Zwanglosigkeit: Burschikosität, Gelöstheit, Lässigkeit, Natürlichkeit, Unbefangenheit, Ungeniertheit, Ungezwungenheit
Zwangsabgabe: Abgabe, Pfand, Steuer, Zwangspfand
Zwangsarbeit: Fronarbeit, Frondienst, Knechtschaft, Sklaverei
Zwangserscheinungen: Einbildung, Wahn, Zwangsneurose

Zwangslage: Dilemma, Notfall, Notlage, Schwierigkeit, Verlegenheit, Zwangsjacke, Zwickmühle
zwangsläufig: gezwungenermaßen, notgedrungen, wohl oder übel *erforderlich, geboten, nötig, notwendig, unabweisbar, unentbehrlich, unerlässlich, unumgänglich, unvermeidlich, vonnöten
Zwangsmaßnahme: Druck, Druckmittel, Gewaltmaßnahme, Nötigung, Sanktion, Zwang
Zwangsvollstreckung: Schuldbeitreibung, Zwangsbeitreibung
Zwangsvorstellung: Einbildung, Wahn, Zwangserscheinungen, Zwangsneurose
zwangsweise: automatisch, gezwungenerweise, notgedrungen, unfreiwillig, unweigerlich, unwillkürlich, unter Druck, wohl oder übel
zwar: allerdings, freilich, gewiss, natürlich, sicher, wohl, zugegeben
Zweck: Absicht, Bestimmung, Sinn, Ziel
zweckdienlich: behilflich, brauchbar, geeignet, passend, praktikabel, praktisch, richtig, sinnreich, sinnvoll, tauglich, verwertbar, wertvoll, zweckmäßig, von Wert, von Nutzen
zweckentfremdet: entfremdet, zweckwidrig
zwecklos: aussichtslos, entbehrlich, fruchtlos, müßig, nutzlos, sinnlos, umsonst, unbrauchbar, unersprießlich, vergebens, vergeblich, wertlos, wirkungslos
Zwecklosigkeit: Unvorteilhaftigkeit, Unzweckmäßigkeit *Umständlichkeit, Unbequemlichkeit
zweckmäßig: behilflich, brauchbar, geeignet, passend, praktikabel, praktisch, richtig, sinnreich, sinnvoll, tauglich, verwertbar, wertvoll, zweckdienlich, von Wert, von Nutzen
Zweckmäßigkeit: Angemessenheit, Handlichkeit, Sachdienlichkeit, Tunlichkeit, Zweckdienlichkeit
zwecks: wegen, weil, zum Zwecke von, um … zu
zwei: beide, die beiden, alle zwei *ein Paar
zweideutig: anstößig, lasterhaft, liederlich, pikant, ruchlos, schlecht, schlüpfrig, sittenlos, unanständig, ungebührlich, ungehörig, unkeusch, unmoralisch, unschicklich, unsittlich, unsolide, unziemlich, unzüchtig, verdorben, verrucht, verworfen, wüst, zotig, zuchtlos *doppelbödig, doppeldeutig, doppelsinnig, mehrdeutig, problematisch, rätselhaft, schillernd, vieldeutig *frivol, obszön, pikant, schlüpfrig, unanständig, unsittlich
Zweideutigkeit: Doppelbödigkeit, Doppeldeutigkeit, Doppelsinn, Mehrdeutigkeit, Vieldeutigkeit *Frivolität, Obszönität, Pikanterie, Schlüpfrigkeit, Unanständigkeit, Unsittlichkeit
zweierlei: abweichend, anders, andersartig, different, grundverschieden, heterogen, ungleich, unterschiedlich, unvereinbar, verschieden, verschiedenartig, wesensfremd
zweifach: doppelt, zwiefach, in zweifacher Ausfertigung
Zweifel: Argwohn, Befürchtung, Misstrauen, Mutmaßung, Ungläubigkeit, Verdacht, Vorbehalt *Bedenken, Skrupel, Unentschiedenheit, Unsicherheit, Zaudern, Zerrissenheit, Zögern, Zwiespältigkeit
zweifelhaft: bedenklich, dubios, fraglich, fragwürdig, problematisch, streitig, strittig, umstritten, unbestimmt, unbewiesen, undurchschaubar, unentschieden, ungeklärt, ungewiss, unglaubhaft, unglaubwürdig
zweifellos: fraglos, sicher, unzweifelhaft, zweifelsfrei *eindeutig, gewiss, sicher, tatsächlich, unabweislich, unanfechtbar, unbestreitbar, unleugbar, unzweideutig, wirklich
zweifeln: anzweifeln, bezweifeln, schwanken, wanken, in Zweifel ziehen, irre werden, zerrissen sein, unsicher sein, zwiespältig sein, Zweifel hegen
zweifelsfrei: amtlich, bewiesen, dokumentiert, echt, erwiesen, fehlerfrei, fundiert, fürwahr, gewiss, gut, hundertprozentig, offiziell, sicher, stichhaltig, tatsächlich, treffend, unbestreitbar, unbestritten, untrüglich, verbürgt, wahr, wahrhaftig, wahrlich, wirklich, zutreffend
zweifelsohne: allemal, bestimmt, freilich, gewiss, natürlich, schon, selbstver-

ständlich, sicher, sicherlich, unstreitig, aber ja, auf jeden Fall, ohne Frage, ganz gewiss, ohne Zweifel, mit Sicherheit

Zweig: Ast, Astwerk, Geäst *Berufszweig, Branche, Fach, Gebiet, Ressort, Sparte, Wirkungskreis

zweigeschlechtlich: androgyn, bisexuell, doppelgeschlechtlich, hermaphroditisch, zwitterhaft

zweigeteilt: doppelt, gepaart, paarweise *entzwei, gespalten, halbiert

zweigleisig: doppelspurig, zweispurig *auf zwei Spuren

Zweigniederlassung: Agentur, Filiale, Nebenstelle, Niederlassung, Zweigstelle

Zweigstelle: Annahmestelle, Außenstelle, Geschäftsstelle, Niederlassung, Vertretung

Zweiheit: Doppelheit, Dualismus, Duplizität

Zweikampf: Duell

zweipolig: bipolar

Zweipoligkeit: Bipolarität

zweischneidig: bedenklich, dunkel, fragwürdig, heikel, kritisch, verdächtig, nicht geheuer *unsicher, zweifelhaft

zweiseitig: bilateral, zwischenstaatlich, zwei Staaten betreffend, zwischen zwei Staaten *doppelseitig, vielseitig

zweitrangig: nebensächlich, nichts sagend, sekundär, unbedeutend, unerheblich, unscheinbar, unwichtig

Zweitschrift: Abschrift, Abzug, Durchschlag, Kopie, zweite Fassung

zweiwertig: bivalent

Zweiwertigkeit: Bivalenz

Zwerg: Däumling, Gnom, Heinzelmännchen, Kobold, Liliputaner, Pygmäe, Wicht, Wichtelmann

zwergenhaft: gnomenhaft, klein, pygmäenhaft, winzig

Zwetschge: Pflaume, Zwetsche

zwicken: beengen, einengen, einschneiden, einschnüren *kneifen, zwacken

zwielichtig: anrüchig, bedenklich, berüchtigt, fragwürdig, halbseiden, lichtscheu, übel beleumdet, undurchsichtig, unheimlich, verdächtig, verrufen, zweifelhaft, nicht astrein

Zwiespalt: Bedenken, Skrupel, Unentschiedenheit, Unsicherheit, Zaudern, Zerrissenheit, Zögern, Zweifel, Zwiespältigkeit *Bedrängnis, Engpass, Konflikt, Ratlosigkeit, Schwierigkeit

zwiespältig: disharmonisch, entscheidungsunfähig, gespalten, uneins, unentschieden, unentschlossen, widerstrebend, widerstreitend, zerrissen, zweifelnd

Zwietracht: Auseinandersetzung, Debatte, Fehde, Feindschaft, Konflikt, Kontroverse, Meinungsverschiedenheit, Spannung, Streit, Streitigkeit, Streitfrage, Uneinigkeit, Zwiespalt, Zwist, Zwistigkeit, Hin und Her

zwingen: bedrohen, erpressen, nötigen, terrorisieren, tyrannisieren, vergewaltigen, Druck ausüben, gefügig machen, unter Druck setzen *aufessen, bewältigen, schaffen *bewältigen, meistern, schaffen *besiegen, bezwingen, schlagen, überwältigen

zwingend: einleuchtend, schlagend, stichhaltig, triftig, überzeugend, hieb- und stichfest *erforderlich, nötig, notwendig, unumgänglich, unvermeidbar

zwinkern: blinkern, blinzeln

zwischen: mitten, inmitten, dazwischen, innerhalb, mittendrin, unter, zwischenhinein

Zwischenergebnis: Halbzeitstand, Teilergebnis

Zwischenfall: Affäre, Begebenheit, Besonderheit, Einmaligkeit, Episode, Ereignis, Erlebnis, Geschehen, Geschehnis, Intermezzo, Phänomen, Sensation, Vorfall, Vorkommnis, Wirbel, Zufall, Zwischenspiel

Zwischenfrucht: Untersaat

Zwischengeschoss: Zwischenstock

Zwischenprodukt: Roherzeugnis, Rohprodukt

Zwischenraum: Abstand, Distanz, Entfernung, Lücke

Zwischenruf: Einwurf, Zwischenbemerkung, Zwischenfrage

Zwischenspiel: Episode, Intermezzo, Vorfall, Zwischenfall

Zwischenton: Feinheit, Nebenton, Nuancierung, Unterton *Missklang, Misston, unsauberer Ton

Zwischenzeit: Episode, Zeitintervall, Zwischenspiel *Pause

Zwist: Auseinandersetzung, Debatte, Fehde, Konflikt, Kontroverse, Streitigkeit, Zwietracht, Zwistigkeit, Hin und Her
zwitschern: pfeifen, piepen, piepsen, quirilieren, schilpen, schlagen, singen, tirilieren, trillern, tschilpen, ziepen, zirpen
Zwitter: Hermaphrodit
Zwitterbildung: Hermaphrodismus
zwitterhaft: androgyn, bisexuell, doppelgeschlechtlich, hermaphroditisch, zweigeschlechtlich, zwitterig
zyklisch: einen Zyklus betreffend, im Kreis angeordnet, ringförmig aneinander gereiht, regelmäßig wiederkehrend, immer wiederkehrend
Zyklus: Folge, Kreis, Kreislauf, Reihe, Zusammenfassung, regelmäßige Wiederkehr *Folge, Reihe, Schriftenreihe *Folge, Reihe, Vortragsfolge, Vortragsreihe *Folge, Konzertfolge, Konzertreihe, Reihe *Regel, Menstruation, die Tage
Zylinder: Hut ,Zylinderhut *Hohlkörper, Rolle, Walze *Kompressionsraum, Verbrennungsraum
Zyniker: Ironiker, Spötter, Spottvogel
zynisch: bissig, bitter, höhnisch, ironisch, kalt, Menschen verachtend, sarkastisch, schnippisch, spöttisch, verletzend, wegwerfend, voller Verachtung
Zynismus: Anzüglichkeit, Hohn, Ironie, Sarkasmus, Spott, Stichelei

Erich und Hildegard Bulitta

Wörterbuch der Synonyme und Antonyme

18000 Stichwörter mit
200000 Worterklärungen
Sinn- und sachverwandte Wörter und Begriffe
sowie deren Gegenteil und Bedeutungsvarianten
Band 15754

Ein hilfreiches Wörterbuch, das auf den Schreibtisch eines jeden gehört, der differenzierter mit der deutschen Sprache arbeitet! Die Wortgegensätze werden umfassend in den verschiedenen Bedeutungsvarianten aufgeführt und einander zugeordnet. Der Begriff der Antonyme ist dabei weit gefasst und bezieht auch Bereiche ein, auf die der Suchende nicht so leicht gekommen wäre. Auch werden schwierige, nicht sofort erkennbare Bedeutungsvarianten der Gegenwörter aufgeführt. Ob Redner, Schriftsteller, Wissenschaftler, Lehrer, Studenten, Schüler, Journalisten, Redakteure oder Texter – sie alle können mit Hilfe dieses Buches ihre Sprache bewusster und variationsreicher einsetzen, Kreativität beweisen. Das »Wörterbuch der Synonyme und Antonyme« gibt dem Benutzer Anregung, Hilfe und Unterstützung im täglichen Leben. Es verleiht Sicherheit im Umgang mit der deutschen Sprache und aktiviert den passiven Wortschatz.

Fischer Taschenbuch Verlag

fi 15754 / 1

Norbert Franck

Handbuch Wissenschaftliches Arbeiten

Band 15186

Das Handbuch vermittelt die Schlüsselqualifikationen, die im Studium notwendig sind, um

- Literatur gezielt zu ermitteln und effektiv auszuwerten,
- eine Hausarbeit zu Papier zu bringen, die Hand und Fuß hat,
- ein interessantes Referat vorzubereiten, einen Vortrag überzeugend zu halten,
- Medien gekonnt einzusetzen,
- Diskussionen souverän zu bestreiten und zu leiten.

Dieses Buch ist eine unverzichtbare Anleitung zum wissenschaftlichen Arbeiten und für Fortgeschrittene ein Nachschlagewerk, das Sicherheit in allen Fragen wissenschaftlichen Arbeitens gibt.

Fischer Taschenbuch Verlag

fi 15186 / 1

Otto F. Best

Handbuch literarischer Fachbegriffe

Definitionen und Beispiele

Band 11958

Diese Neubearbeitung des bewährten Wörterbuchs literarischer Fachbegriffe umfaßt die wichtigsten Termini der Stilistik, Metrik, Grammatik sowie Epochen- und Gattungsbezeichnungen. Im Gegensatz jedoch zu den üblichen Sachwörterbüchern der Literatur beschränkt es sich nicht auf Definitionen, sondern legt das Schwergewicht auf das erläuternde Beispiel. Indem sich Begriffsbezeichnung und praktisches Beispiel gegenseitig erhellen, wird der Unsicherheitsfaktor, der zwischen Theorie und Praxis, Beschreibung und Anwendung liegt, auf ein Minimum verringert.

Als Handbuch, dem das Wesentliche mehr gilt als verwirrende Allseitigkeit, dient es mit seinen angewandten Definitionen nicht nur der kurzen und zuverlässigen Einführung in die Begriffssprache der Literaturwissenschaft, sondern auch als Nachschlagewerk für Fachleute und Laien.

Fischer Taschenbuch Verlag

fi 1317 / 5

Hansjürgen Blinn

Informationshandbuch
Deutsche Literaturwissenschaft

Band 15268

Das ›Informationshandbuch Deutsche Literaturwissenschaft‹, inzwischen ein Standardwerk für Studierende, Lehrende und Forschende, liefert zuverlässige Angaben über

- die wichtigsten Bücher, CD-ROMs und Zeitschriften zur Deutschen und Vergleichenden Literaturwissenschaft, zur Literaturdidaktik, Theaterwissenschaft und Medienkunde;

- eine Vielzahl von Institutionen wie Bibliotheken und Archive (mit Spezialbeständen), Datenbanken, Literaturmuseen, Lehr- und Forschungsstätten, Autorenverbände, Literarische Gesellschaften und Literaturpreise in Deutschland, Österreich und der Schweiz;

- einige hundert Internet- und E-Mail-Adressen, womit neue Möglichkeiten der Information und Kommunikation erschlossen werden.

»Das ›Informationshandbuch
Deutsche Literaturwissenschaft‹ ist eines
der grundlegenden Arbeitsbücher unseres Faches
und sollte den Studenten regelmäßig zur
Anschaffung empfohlen werden.«
Prof. Dr. Wulf Segebrecht, Universität Bamberg

Fischer Taschenbuch Verlag

fi 15268 / 1

Fischer Lexikon Literatur
Herausgegeben von Ulfert Ricklefs
Drei Bände in Kassette

Band 15496

Das Fischer Lexikon Literatur mit 80 umfangreichen Sachartikeln, verfasst von den bedeutendsten Fachvertretern aller literaturwissenschaftlichen Disziplinen, ist ein unentbehrliches Standardwerk für alle Studierenden und Lehrenden der Literaturwissenschaft. Mit Bibliographien zu den einzelnen Artikeln und einem umfangreichen Personen- und Sachregister.

Fischer Taschenbuch Verlag

fi 15496 / 1

Fischer Lexikon
Publizistik / Massenkommunikation
Herausgegeben von
Elisabeth Noelle-Neumann, Winfried Schulz,
Jürgen Wilke
Band 15495

Dieser Band gibt Auskunft über die Geschichte von Presse, Rundfunk und Film, rechtliche und wirtschaftliche Strukturen des Mediensystems, Journalismus als Beruf, Theorien und Methoden der Kommunikationsforschung, die Wirkung der Massenmedien …

»Alles in allem lösen die Autoren den Anspruch überzeugend ein, auch die vierte Auflage des Fischer Lexikons seit 1971 möge zugleich als Einführung und Nachschlagewerk dienen. 87 Seiten Bibliographie erschließen die Literatur und verzeichnen auch Internet-Adressen, so dass das Lexikon nicht nur Publizistik-Studenten ein unentbehrliches Vademecum bleibt, sondern allen, die sich für Presse, Rundfunk, Film und Internet sowie für das Wirkungsgeflecht von Journalismus, Politik und Öffentlichkeit interessieren.«
Frankfurter Allgemeine Zeitung

Fischer Taschenbuch Verlag

fi 15495 / 1

Portsmouth Dickens

Daresbury bei Warrington